本书是国家社会科学基金重点项目
“海龙囤考古发掘资料的整理与综合研究”
（批准号：19AKG004）的最终成果

谨以此书献礼

贵州考古七十周年

贵州省博物馆建馆七十周年

考古贵州之报告系列

海龍囤

·壹·

贵州省文物考古研究所
贵州省博物馆
遵义海龙屯文化遗产管理局
编著

科学出版社
北京

内 容 简 介

海龙囤，又名龙岩新城、龙岩囤或海龙屯，始建于南宋宝祐五年（1257），而毁于明万历二十八年（1600）的播州之役，是杨氏治下的播州最负盛名的羁縻·土司城堡。2015年7月与湖南永顺老司城、湖北唐崖土司城一起列入世界文化遗产名录。本书是海龙囤2012～2014年度考古发掘研究报告，对海龙囤相关遗存进行了全面介绍与深入研究。

本书适合从事考古、历史、文物研究的专家学者、教师及学生参考、阅读。

图书在版编目（CIP）数据

海龙囤／贵州省文物考古研究所，贵州省博物馆，遵义海龙屯文化遗产管理局编著. —北京：科学出版社，2022.7

（考古贵州之报告系列）

ISBN 978-7-03-072754-1

Ⅰ. ①海… Ⅱ. ①贵… ②贵… ③遵… Ⅲ. ①古城遗址（考古）-考古发掘-发掘报告-遵义 Ⅳ. ①K878.35

中国版本图书馆CIP数据核字（2022）第128052号

责任编辑：柴丽丽／责任校对：邹慧卿

责任印制：肖　兴／封面设计：美光设计

封面题字：戴明贤／封面绘图：顾　静

科学出版社 出版

北京东黄城根北街16号

邮政编码：100717

http://www.sciencep.com

中国科学院印刷厂 印刷

科学出版社发行　各地新华书店经销

*

2022年7月第　一　版　开本：889×1194　1/16

2022年7月第一次印刷　印张：78 1/4　插页：191

字数：2 250 000

定价：1600.00元（全四册）

（如有印装质量问题，我社负责调换）

“土司学”的百科全书：写在《海龙囤》前面的话

刘庆柱

（中国社会科学院学部委员、中国社会科学院考古研究所原所长）

李飞先生与我谈及他主持的海龙囤遗址考古发掘报告即将付梓，嘱我为序。我回想从2012年海龙囤遗址考古工作启动，到2022年《海龙囤》考古发掘报告出版，李飞先生为此用了整整十年时间，可谓真正的“十年磨一剑”！其间，2012年4月至2014年9月，经国家文物局批准，贵州省文物考古研究所联合汇川区文体广播电视局等单位，对海龙囤遗址进行了连续3年的大规模考古发掘，同时对周边相关遗存也进行了调查与试掘，基本究明了海龙囤遗址的布局形制及其历史变迁情况，取得了丰硕的考古成果。因此，2013年海龙囤遗址发掘荣膺“中国社会科学院考古学论坛·2012年中国考古新发现”和2012年度“全国十大考古新发现”；在2015年7月4日联合国教科文组织世界遗产委员会第三十九届会议上，海龙囤遗址与湖南永顺老司城、湖北唐崖土司城一起被列入世界文化遗产名录；海龙囤考古还从中国“走向世界”，荣获2013～2015年度“世界十大田野考古发现”；2016年5月，播州杨氏土司遗存（海龙囤遗址、新蒲土司墓地、团溪杨辉墓与墓祠）考古发掘获中国田野考古奖一等奖，这被中国考古学界视为田野考古的“金奖”；2021年10月，贵州遵义海龙囤城址及播州杨氏土司墓群入选中国“百年百大考古发现”，是贵州唯一入选的项目。海龙囤遗址考古获得上述诸多社会与学术重大影响的成果，并获得如此众多而崇高的学术荣誉，这在中国考古学史上是十分突出的！

《海龙囤》考古发掘报告的研究对象是宋明时期的“土司”遗存，属于历史考古范畴。该城池始建于宋宝祐五年（1257）的宋蒙战争背景下，是南宋政府与杨氏土官共同创建的，用以防御自大理东进的斡腹蒙军的“国家防御工程”。明万历时期大规模重建，而成“大城”（或称“外城”）居中、前后各两重瓮城、南北临渊的“前后重关，左右深谷”之势，史称“飞鸟腾猿难逾”，并最终成为“万历三大征”之“播州之役”的主战场而毁于兵燹。考古发掘全面揭示了海龙囤格局从宋到明的历时性变迁，又结合考古发现与“土司无城”的文献记载，揭示了自南宋创建至明万历重建之间的漫长岁月里，海龙囤应处于荒废状态的历史事实，有理有据。海龙囤曾与处于今遵义老城内的“播州城”并峙，在和平时期为播州政治、经济和文化中心的“播州城”的移驻“行署”，在万历二十八年（1600）的“播州之役”中，随着土司携其家人、军士上囤防守而成为播州最后的中心。从早到晚，其格局、性质等都存有变化，报告对此进行了细致地梳理，因而充分体现了这本考古报告融描述与阐释于一体的特点。

明代海龙囤的核心建筑是相对于“大城”而言的“内城”，也就是民间所说的“新王宫”，它是土司的政治统治中心、军事指挥与防卫中心。虽然是当地土司的“宫城”，但是“新王宫”作为“政治性”建筑，其布局形制所表现出来的设计规划理念，与中央王朝都城的“大朝正殿”居中布局形制是一致的。考古发现揭示出“新王宫”为“三进院落，内分左中右三列”，形成明显的“新王宫”中轴线，体现了作为地方“政府”的土司政治统治中心与元明王朝都城宫城平面布局及其规划思想的一致性，这是土司对中央王朝“国家认同”的“物证”。

以李飞研究员为首的海龙囤遗址考古团队，通过开展多视野、跨学科结合的海龙囤遗址考古发掘、研究，在中国“土司考古”的方法、理论探索与发展诸多方面做出了重要而具有开拓性的学术贡献。

《海龙囤》考古报告是一部以考古学研究为基础的“土司学”百科全书，考古发掘与研究以海龙囤遗址的城垣、关隘、新老王宫、道路、窑址、采石场等遗存为重点，其所揭示出的海龙囤规划，尤其是作为土司衙署的新王宫的“前堂后室”“家庙居左”格局，报告“形而上”地探讨了建设者与使用者的建筑规划空间理念所折射出的“家衙一体”实践，作为古代王朝的地方“政体”，它本质上反映了国家政治与礼仪思想：即“家国同构”规制、国家“各地”的“多元文化”归于“一体”的“国家文化”。

土司的“国家认同”，不仅反映在遗址的平面布局上，也反映在其祖源构建上。关于播州杨氏的祖源，有当地土著和太原汉人两说，学界越来越倾向土著说。据墓葬铭文材料，至迟在南宋晚期，杨氏即宣称为太原汉人，其认同取向至为明显，反映了边地族群融入华夏核心的历史进程。如果从唐乾符三年（876）的“入播始祖”杨端算起，至自缢海龙囤的杨应龙止，杨氏共传27代30世，世袭统领播州700余年。其政治中心、文化礼仪中心遗存的考古发掘与研究，以“实证”展示了中国古代边疆民族地区从“羁縻”到“土司”到“改土归流”的历史发展脉络。古代王朝对于播州的管理模式，具有广泛代表性，如湖南永顺土司、湖北恩施土司的历史遗存均与贵州海龙囤的规制理念相近，因此可以说，海龙囤遗址的考古工作有着普遍意义上的时代与政治特点，具有历史的典型性。

海龙囤考古的重要学术意义与现实社会意义，引起了国内外考古学界及社会各界的广泛关注。这次田野考古发现，体现了考古学在推动世界文化遗产的发展方面发挥的极为重要的科学支撑作用。作为世界文化遗产的中国土司遗址，其重要的历史、科学意义就在于承载着统一多民族国家的政治文化认同。

习近平总书记2020年9月28日在十九届中央政治局第二十三次集体学习时的讲话中指出：“考古工作是一项重要文化事业，也是一项具有重大社会政治意义的工作。”海龙囤遗址考古工作及其“考古报告”的编写与出版就是一项“具有重大社会政治意义的工作”。

海龙囤遗址通过以李飞研究员为首的考古团队十年如一日的“风餐露宿、青灯黄卷”顽强工作，最终成功跻身为“世界文化遗产”，这也正如习近平总书记所希望的那样，他们“向全世界讲好中国历史故事”，“向国际社会展示博大精深的中华文明，讲清楚中华文明的灿烂成就和对人类文明的重大贡献，让世界了解中国历史、了解中华民族精神，从而不断加深对当今中国的认知和理解，营造良好国际舆论氛围”。

在《海龙囤》付梓之际，我再一次感谢老朋友李飞研究员及其团队为我们考古学界，更为新时代的当今中国社会所贡献的优秀科研成果！

目　　录

绪言 …………………………………………………………………………（1）

一、地理位置与环境 …………………………………………………………（2）

二、播州与杨氏 ………………………………………………………………（6）

三、探索的历程 ………………………………………………………………（10）

第一章　概说 ………………………………………………………………（14）

第一节　海龙囤的格局 ………………………………………………………（14）

一、选址 ………………………………………………………………………（14）

二、格局 ………………………………………………………………………（15）

三、变迁 ………………………………………………………………………（17）

第二节　遗迹 …………………………………………………………………（18）

一、城垣与关隘 ………………………………………………………………（19）

二、房址 ………………………………………………………………………（20）

三、道路 ………………………………………………………………………（21）

四、采石场与窑址 ……………………………………………………………（22）

五、其他 ………………………………………………………………………（22）

第三节　遗物 …………………………………………………………………（23）

一、建筑材料 …………………………………………………………………（23）

二、生活用器 …………………………………………………………………（52）

三、兵器 ………………………………………………………………………（104）

四、钱币 ………………………………………………………………………（119）

第四节　分期 …………………………………………………………………（125）

一、遗迹 ………………………………………………………………………（125）

二、遗物 ………………………………………………………………………（126）

三、分期 ………………………………………………………………………（126）

第二章　城垣与关隘 …………………………………………………………… （129）

第一节　城垣 ……………………………………………………………………… （129）
一、城垣的类型与年代 ……………………………………………………… （129）
二、宋代城垣 ………………………………………………………………… （131）
三、明代城垣 ………………………………………………………………… （135）
四、墩台 ……………………………………………………………………… （135）
第二节　关隘 ……………………………………………………………………… （138）
一、宋代四门 ………………………………………………………………… （139）
二、明代九关 ………………………………………………………………… （151）
三、关隘名实考 ……………………………………………………………… （235）
第三节　格局 ……………………………………………………………………… （245）
一、宋城 ……………………………………………………………………… （245）
二、明城 ……………………………………………………………………… （246）
三、演变 ……………………………………………………………………… （247）

第三章　新王宫 ……………………………………………………………… （249）

第一节　环境与堆积 ……………………………………………………………… （249）
一、新王宫的选址 …………………………………………………………… （249）
二、发掘过程 ………………………………………………………………… （251）
三、地层堆积 ………………………………………………………………… （252）
第二节　遗迹 ……………………………………………………………………… （255）
一、基础设施 ………………………………………………………………… （255）
二、建筑格局 ………………………………………………………………… （265）
三、其他遗迹 ………………………………………………………………… （300）
四、建筑关系 ………………………………………………………………… （304）
第三节　出土遗物 ………………………………………………………………… （305）
一、建筑材料 ………………………………………………………………… （305）
二、日常用器 ………………………………………………………………… （394）
三、兵器 ……………………………………………………………………… （471）
四、钱币 ……………………………………………………………………… （473）
第四节　海潮寺 …………………………………………………………………… （475）
一、海潮寺之前 ……………………………………………………………… （475）
二、海潮寺之创建 …………………………………………………………… （476）
三、海潮寺之修缮 …………………………………………………………… （477）

四、寺僧活动对遗址的影响 …… （478）
五、从衙到寺 …… （481）
六、小结 …… （482）
第五节 相关问题讨论 …… （482）
一、新王宫的年代与性质 …… （482）
二、空间划分与功能蠡测 …… （498）
三、新王宫建筑特点 …… （507）
四、小结 …… （512）

第四章 老王宫 …… （514）

第一节 遗迹 …… （514）
一、调查与试掘过程 …… （514）
二、地层堆积 …… （516）
三、遗迹 …… （516）
第二节 遗物 …… （525）
一、南宋 …… （525）
二、明代 …… （527）
三、清代 …… （536）
第三节 年代与性质 …… （536）
一、年代 …… （536）
二、性质 …… （537）
三、小结 …… （538）

第五章 道路 …… （540）

第一节 对外交通 …… （540）
一、播州十三驿 …… （540）
二、从司治到海龙囤 …… （542）
第二节 登囤道路 …… （543）
一、囤东：登囤主道 …… （543）
二、囤西：樵汲之路 …… （544）
三、南北：登囤密道 …… （545）
第三节 囤顶交通 …… （545）
一、主干道 …… （545）
二、环囤马道 …… （554）

三、支线 …………………………………………（557）
四、立体交通 …………………………………………（557）
第四节　年代 …………………………………………（559）
一、明代交通 …………………………………………（559）
二、宋代交通 …………………………………………（559）
三、小结 …………………………………………（560）

第六章　窑址 …………………………………………（562）

第一节　囤上诸窑 …………………………………………（562）
一、Y1 …………………………………………（563）
二、Y2 …………………………………………（570）
三、Y3 …………………………………………（572）
第二节　太平诸窑 …………………………………………（575）
一、遗迹 …………………………………………（575）
二、遗物 …………………………………………（576）
第三节　相关问题探讨 …………………………………………（579）
一、性质与年代 …………………………………………（579）
二、铭文释义 …………………………………………（581）
三、海龙囤砖瓦来源 …………………………………………（582）
四、小结 …………………………………………（583）

第七章　采石场 …………………………………………（585）

第一节　环境与位置 …………………………………………（585）
一、地质构造 …………………………………………（585）
二、岩性分析 …………………………………………（586）
三、采石场 …………………………………………（587）
第二节　采石工艺 …………………………………………（587）
一、传统采石工艺 …………………………………………（587）
二、海龙囤采石工艺 …………………………………………（590）
第三节　遗迹与遗物 …………………………………………（591）
一、采石场楔眼 …………………………………………（591）
二、楔眼比对 …………………………………………（609）
三、采石工具 …………………………………………（612）
四、小结 …………………………………………（613）

第八章　其他遗存：构树、转山、金银库、大土与教场坝 ……（615）
第一节　构树 ……（615）
一、遗迹 ……（615）
二、遗物 ……（618）
三、年代与性质 ……（626）
第二节　转山与金银库 ……（627）
一、转山（F33） ……（628）
二、金银库（F32） ……（630）
第三节　教场坝与大土 ……（636）
一、教场坝 ……（636）
二、大土（F31） ……（637）
三、小结 ……（646）
第九章　碑刻铭文 ……（648）
第一节　囤上碑刻 ……（648）
一、关隘匾额与墙石铭文 ……（648）
二、严禁碑 ……（651）
三、纪功碑 ……（653）
四、海潮寺碑 ……（658）
五、诗碑 ……（663）
第二节　囤外碑刻 ……（667）
一、杨文神道碑 ……（667）
二、平播铭文 ……（670）
三、“水关”墓碑 ……（676）
四、小结 ……（677）
第十章　岩性与黏合剂分析 ……（679）
第一节　岩性鉴定 ……（679）
一、鉴定说明 ……（679）
二、岩性分析 ……（680）
三、讨论 ……（692）
第二节　黏合剂分析 ……（693）
一、黏合剂实验分析 ……（693）
二、结论 ……（712）
三、余论 ……（712）

第十一章　动植物遗存分析 …………………………………………（716）

第一节　动物遗存 …………………………………………（716）
一、黄牛 …………………………………………（716）
二、马 …………………………………………（725）
三、猪及其他动物骨骼 …………………………………………（735）
四、骨角制品 …………………………………………（736）
五、小结 …………………………………………（736）
第二节　植物遗存 …………………………………………（738）
一、采样与浮选 …………………………………………（739）
二、样品分析 …………………………………………（740）
三、相关讨论 …………………………………………（748）
四、小结 …………………………………………（761）

第十二章　播州山城防御体系 …………………………………………（763）

第一节　南宋山城 …………………………………………（763）
一、“斡腹之防”：思播山城防御 …………………………………………（764）
二、鼎山城 …………………………………………（772）
三、养马城 …………………………………………（776）
四、小结 …………………………………………（817）
第二节　明代山城 …………………………………………（818）
一、杨应龙再建山城 …………………………………………（819）
二、播州明代山城的类型 …………………………………………（821）
三、“蜘蛛网状”：播州明代山城防御体系 …………………………………………（827）
四、土城四囤：其他明代土司山城 …………………………………………（829）
五、小结 …………………………………………（831）
第三节　山城与平原城的互动 …………………………………………（831）
一、作为中心的播州城 …………………………………………（831）
二、山城与平原城的关系 …………………………………………（840）
三、作为行署的海龙囤：《容美纪游》启示 …………………………………………（843）
四、小结 …………………………………………（848）

第十三章　结语 …………………………………………（849）

一、“土司无城”：从国家防御到地方性防御 …………………………………………（849）
二、家衙一体：从平原城到山城 …………………………………………（855）

三、播州经济：从农业到副业 …… (863)
四、山地中国：从“胡焕庸线”到“童恩正带” …… (869)

附表 …… (875)

附表1　遗迹与发掘单位统计表 …… (875)
附表2　砖料统计表 …… (882)
附表3　板瓦统计表 …… (956)
附表4　筒瓦统计表 …… (971)
附表5　瓦当统计表 …… (974)
附表6　脊砖统计表 …… (1050)
附表7　脊兽统计表 …… (1100)
附表8　脊兽角统计表 …… (1120)
附表9　白瓷残片统计表 …… (1124)
附表10　钱币详表 …… (1132)
附表11　老王宫出土遗物统计表 …… (1146)
附表12　瓷器款识统计表 …… (1157)
附表13　出土遗物拼接情况表 …… (1191)

后记 …… (1201)

插图目录

图0-1　海龙囤地理位置示意图 …………………………………………………………（3）
图0-2　海龙囤数字高程图 ……………………………………………………………（4）
图0-3　播州疆域变迁示意图 …………………………………………………………（6）
图0-4　播州杨氏世系简图 ……………………………………………………………（8）
图1-1　海龙囤遗址总平面图 ……………………………………………………（插页）
图1-2　砖上模印阴文拓本 …………………………………………………………（28）
图1-3　砖上模印阳文与刻划文字拓本 ……………………………………………（29）
图1-4　砖上戳印纹、指印与动物足印拓本 ………………………………………（30）
图1-5　造砖工艺 ……………………………………………………………………（32）
图1-6　瓦当拓本 ……………………………………………………………………（37）
图1-7　脊兽各部位称谓示意图 ……………………………………………………（40）
图1-8　正吻 …………………………………………………………………………（42）
图1-9　合角吻 ………………………………………………………………………（43）
图1-10　望兽…………………………………………………………………………（44）
图1-11　望兽…………………………………………………………………………（45）
图1-12　Aa型垂兽与戗兽……………………………………………………………（47）
图1-13　Ab型垂兽与戗兽……………………………………………………………（48）
图1-14　垂兽与戗兽…………………………………………………………………（49）
图1-15　Bc型垂兽与戗兽……………………………………………………………（50）
图1-16　遵义市播州区三合镇阁老村沙岗组采集瓷器…………………………（101）
图1-17　钱币拓本…………………………………………………………………（121）
图1-18　钱币拓本…………………………………………………………………（123）
图2-1　宋明城垣叠压关系图 ……………………………………………………（132）
图2-2　宋代城垣结构图 …………………………………………………………（134）
图2-3　明代城垣结构图 …………………………………………………………（136）
图2-4　绣花楼门址（CM13）平、剖面图…………………………………………（141）

图2-5　绣花楼门址（CM13）出土遗物……（142）
图2-6　土城墙中门址（CM11）平、剖面图……（143）
图2-7　土城墙中、南门址（CM11、CM12）出土遗物……（146）
图2-8　土城墙南门址（CM12）平、剖面图……（147）
图2-9　土城墙北门址（CM10）平、剖面图……（150）
图2-10　铜柱关（CM1）平、剖面图……（153）
图2-11　铜柱关（CM1）出土遗物……（157）
图2-12　明代各关出土瓦当与脊砖拓本……（159）
图2-13　铁柱关（CM2）平、剖面图……（160）
图2-14　铁柱关（CM2）出土遗物……（170）
图2-15　铁柱关（CM2）出土遗物……（171）
图2-16　三十六步与飞虎关（CM3）平、立、剖面图……（插页）
图2-17　飞龙关（CM4）平、剖面图……（176）
图2-18　飞龙关（CM4）出土遗物……（180）
图2-19　朝天关（CM5）平、剖面图……（182）
图2-20　朝天关（CM5）出土遗物……（189）
图2-21　朝天关（CM5）出土瓷器……（191）
图2-22　飞凤关（CM6）平、剖面图……（194）
图2-23　飞凤关（CM6）出土遗物……（200）
图2-24　万安关（CM7）平、立、剖面图……（202）
图2-25　万安关（CM7）出土遗物……（207）
图2-26　万安关（CM7）出土青花靶盏、杯、盘及瓶……（209）
图2-27　万安关（CM7）出土青花碗……（210）
图2-28　万安关（CM7）出土青花碗……（211）
图2-29　万安关（CM7）出土青花碗……（212）
图2-30　西关（CM8）平、剖面图……（215）
图2-31　西关（CM8）出土遗物……（221）
图2-32　西关（CM8）出土青花碗……（222）
图2-33　西关（CM8）出土青花碗……（224）
图2-34　后关（CM9）平、剖面图……（226）
图2-35　后关（CM9）出土遗物……（230）
图2-36　后关（CM9）出土脊兽……（231）
图2-37　囤前关隘示意图……（242）
图3-1　新王宫形势图……（250）
图3-2　新王宫布方图……（插页）

图3-3 新王宫ⅣT0503平、剖面图…………………………………………………………………（253）
图3-4 新王宫总平面图 ……………………………………………………………………（插页）
图3-5 新王宫垣墙结构 ……………………………………………………………………（256）
图3-6 新王宫挡土墙 ………………………………………………………………………（257）
图3-7 新王宫道路系统 ……………………………………………………………………（插页）
图3-8 新王宫给排水系统 …………………………………………………………………（插页）
图3-9 新王宫C1与G5、G6平、剖面图……………………………………………………（260）
图3-10 新王宫C3、C4平、剖面图 ………………………………………………………（261）
图3-11 新王宫C6、C7与G7、G11、G17平、剖面图 ……………………………………（262）
图3-12 新王宫C8平、剖面图………………………………………………………………（263）
图3-13 新王宫C11平、剖面图 ……………………………………………………………（263）
图3-14 新王宫G3平、剖面图 ……………………………………………………………（264）
图3-15 新王宫建筑格局……………………………………………………………………（插页）
图3-16 新王宫大门（F28）平、剖面图 …………………………………………………（267）
图3-17 新王宫仪门（F25）、两厢（F23、F24）与天井（C5）平、剖面图 …………（267）
图3-18 新王宫配房（F26、F27）平、剖面图……………………………………………（269）
图3-19 新王宫大堂（F22）平、剖面图 …………………………………………………（270）
图3-20 新王宫二堂（F7）平、剖面图……………………………………………………（271）
图3-21 新王宫卧房（F8）平、剖面图……………………………………………………（273）
图3-22 新王宫F19平、剖面图 ……………………………………………………………（274）
图3-23 新王宫F9平、剖面图………………………………………………………………（276）
图3-24 新王宫F9东梢间器物分布图………………………………………………………（277）
图3-25 新王宫F17平、剖面图 ……………………………………………………………（284）
图3-26 新王宫F18平、剖面图 ……………………………………………………………（286）
图3-27 新王宫F20、F21平、剖面图………………………………………………………（287）
图3-28 新王宫F2平、剖面图………………………………………………………………（288）
图3-29 新王宫F3平、剖面图………………………………………………………………（290）
图3-30 新王宫F4平、剖面图………………………………………………………………（291）
图3-31 新王宫F30平、剖面图 ……………………………………………………………（292）
图3-32 新王宫F1平、剖面图………………………………………………………………（293）
图3-33 新王宫F10平、剖面图 ……………………………………………………………（295）
图3-34 新王宫F11平、剖面图 ……………………………………………………………（297）
图3-35 新王宫F29平、剖面图 ……………………………………………………………（299）
图3-36 新王宫K7及TG9平、剖面图………………………………………………………（301）
图3-37 新王宫TG9出土瓷器 ………………………………………………………………（302）

图3-38　新王宫Z1平、剖面图 ……（303）
图3-39　新王宫建筑关系图 ……（304）
图3-40　新王宫石作 ……（363）
图3-41　新王宫F10廊道与望柱 ……（364）
图3-42　新王宫出土石饰件、石构件 ……（371）
图3-43　新王宫出土长方形砖 ……（373）
图3-44　新王宫出土抹角砖、抹肋砖 ……（374）
图3-45　新王宫出土方形砖 ……（376）
图3-46　新王宫出土板瓦、筒瓦 ……（378）
图3-47　新王宫出土勾头 ……（380）
图3-48　新王宫出土滴水 ……（382）
图3-49　新王宫出土脊砖 ……（383）
图3-50　新王宫出土脊砖 ……（385）
图3-51　新王宫出土砖雕、陶构件 ……（386）
图3-52　新王宫出土陶排水管 ……（387）
图3-53　新王宫出土正吻、合角吻 ……（389）
图3-54　新王宫出土垂戗兽、望兽 ……（391）
图3-55　新王宫出土铁钉 ……（393）
图3-56　新王宫出土白瓷器 ……（395）
图3-57　新王宫出土单色釉瓷器 ……（396）
图3-58　新王宫出土A型青花碗 ……（400）
图3-59　新王宫出土Ab型青花碗 ……（401）
图3-60　新王宫出土B型青花碗 ……（403）
图3-61　新王宫出土Bd型青花碗 ……（405）
图3-62　新王宫出土B型青花碗 ……（407）
图3-63　新王宫出土C型青花碗 ……（408）
图3-64　新王宫出土D型青花碗 ……（410）
图3-65　新王宫出土E型青花碗 ……（411）
图3-66　新王宫出土青花茶碗、靶盏 ……（413）
图3-67　新王宫出土A型青花盘 ……（415）
图3-68　新王宫出土B型青花盘 ……（417）
图3-69　新王宫出土B型青花盘 ……（419）
图3-70　新王宫出土C型青花盘 ……（421）
图3-71　新王宫出土D型、E型青花盘 ……（423）
图3-72　新王宫出土青花碟 ……（424）

图3-73 新王宫出土A型、C型青花杯 ……（426）
图3-74 新王宫出土B型、D型青花杯 ……（427）
图3-75 新王宫出土青花罐、器盖 ……（430）
图3-76 新王宫出土青花盒、香炉、瓷塑、汤匙 ……（431）
图3-77 新王宫出土青花釉里红碗、杯 ……（434）
图3-78 新王宫出土青花红彩碗、五彩盘 ……（436）
图3-79 新王宫出土官样瓷器 ……（440）
图3-80 新王宫出土青花粗瓷碗、盘 ……（442）
图3-81 新王宫出土青花粗瓷汤匙、杯、碟、器盖 ……（443）
图3-82 新王宫出土粗瓷单耳带流罐 ……（444）
图3-83 新王宫出土粗瓷双系罐、盘口罐 ……（446）
图3-84 新王宫出土粗瓷小罐、连体罐 ……（447）
图3-85 新王宫出土粗瓷碗 ……（448）
图3-86 新王宫出土粗瓷钵、碾钵 ……（449）
图3-87 新王宫出土粗瓷夜壶、盆、炉 ……（449）
图3-88 新王宫出土粗瓷器盖、盏 ……（451）
图3-89 新王宫出土粗瓷器 ……（452）
图3-90 新王宫出土石制品 ……（453）
图3-91 新王宫出土铁锅 ……（455）
图3-92 新王宫出土铁器 ……（457）
图3-93 新王宫出土铁扣、铁拉手 ……（458）
图3-94 新王宫出土铁器 ……（460）
图3-95 新王宫出土铁器 ……（461）
图3-96 新王宫出土铁器 ……（463）
图3-97 新王宫出土铜器 ……（464）
图3-98 新王宫出土铜器 ……（466）
图3-99 新王宫出土锡器盖、金属环与金属残件 ……（467）
图3-100 新王宫出土陶器 ……（469）
图3-101 新王宫出土兵器 ……（472）
图4-1 老王宫平面布局图 ……（515）
图4-2 老王宫TG2与F35平、剖面图 ……（517）
图4-3 老王宫第一至第四级台基平、剖面图 ……（518）
图4-4 老王宫TG1平、剖面图 ……（519）
图4-5 老王宫第六级台基上遗迹分布图 ……（521）
图4-6 老王宫TG3与F34平、剖面图 ……（522）

图4-7 老王宫TG4与F38平、剖面图 …………………………………………………… （523）
图4-8 老王宫TG5与F37平、剖面图 …………………………………………………… （524）
图4-9 老王宫出土南宋青瓷器 ……………………………………………………………… （526）
图4-10 老王宫出土瓦当、脊砖拓片 ……………………………………………………… （528）
图4-11 老王宫出土脊兽、脊砖 …………………………………………………………… （529）
图4-12 老王宫出土瓷器、铜器 …………………………………………………………… （531）
图4-13 老王宫出土青花瓷器 ……………………………………………………………… （533）
图4-14 老王宫出土生活用器 ……………………………………………………………… （534）
图4-15 老王宫出土兵器 …………………………………………………………………… （535）
图5-1 L1局部平、剖面图 ………………………………………………………………… （547）
图5-2 L1局部平、剖面图 ………………………………………………………………… （548）
图5-3 道路出土遗物 ……………………………………………………………………… （555）
图5-4 L10局部（TG56）平、剖面图 …………………………………………………… （556）
图5-5 立体交通（L2与L11）平、剖面图 ……………………………………………… （558）
图6-1 Y1平、剖面图 ……………………………………………………………………… （564）
图6-2 窑址出土砖与砖坯 ………………………………………………………………… （570）
图6-3 Y1出土砖上铭文拓本 ……………………………………………………………… （571）
图6-4 Y2平、剖面图 ……………………………………………………………………… （571）
图6-5 Y3平、剖面图 ……………………………………………………………………… （573）
图6-6 窑址出土遗物 ……………………………………………………………………… （577）
图6-7 太平Y1出土瓦当拓本 ……………………………………………………………… （578）
图7-1 采石场总平面图 …………………………………………………………………… （589）
图7-2 采石场楔眼分区图 ………………………………………………………………… （592）
图7-3 楔眼类型 …………………………………………………………………………… （605）
图7-4 单列楔眼组合 ……………………………………………………………………… （607）
图7-5 多列楔眼组合 ……………………………………………………………………… （608）
图7-6 铁錾 ………………………………………………………………………………… （613）
图8-1 F39平、剖面图 ……………………………………………………………………… （616）
图8-2 TG57、TG58平、剖面图 ………………………………………………………… （617）
图8-3 构树出土南宋建筑材料 …………………………………………………………… （622）
图8-4 构树出土瓦当拓本 ………………………………………………………………… （623）
图8-5 构树出土生活用品与兵器 ………………………………………………………… （625）
图8-6 F33平、剖面图 ……………………………………………………………………… （628）
图8-7 F32平、剖面图 ……………………………………………………………………… （631）
图8-8 F32采集建筑材料 ………………………………………………………………… （633）

图8-9 F32采集瓦当、脊砖、铭文砖拓本 ……………………………………………… （634）
图8-10 F31平、剖面图 ……………………………………………………………… （638）
图8-11 F31出土遗物 ………………………………………………………………… （645）
图9-1 飞龙关匾额拓本 ……………………………………………………………… （649）
图9-2 朝天关匾额拓本 ……………………………………………………………… （650）
图9-3 “四渡水”拓本 ……………………………………………………………… （650）
图9-4 “云台”拓本 ………………………………………………………………… （651）
图9-5 《骠骑将军示谕龙岩囤严禁碑》拓本 ……………………………………… （652）
图9-6 王羽卿诗碑拓本 ……………………………………………………………… （653）
图9-7 《题王羽卿诗后》碑拓本 …………………………………………………… （655）
图9-8 平播纪功（陈璘）碑与道府厅县碑拓本 …………………………………… （657）
图9-9 《海龙山为天开胜地》碑拓本 ……………………………………………… （660）
图9-10 《惟忆千秋》碑拓本 ………………………………………………………… （662）
图9-11 平播鼎铭文拓本 ……………………………………………………………… （671）
图9-12 明征播战亡士卒合冢墓碑拓本 ……………………………………………… （673）
图9-13 福泉高石头平播摩崖拓本 …………………………………………………… （674）
图9-14 余庆龙溪平播摩崖拓本 ……………………………………………………… （675）
图9-15 水关墓（吴荣鋐墓）碑拓本 ………………………………………………… （676）
图9-16 白沙水诸关示意图 …………………………………………………………… （677）
图10-1 灰浆分类图 …………………………………………………………………… （701）
图10-2 灰浆包裹的石片（Q-01） …………………………………………………… （711）
图10-3 “未烧透”的石灰岩石片（Q-01） ………………………………………… （713）
图11-1 黄牛牙 ………………………………………………………………………… （717）
图11-2 黄牛骨骼 ……………………………………………………………………… （720）
图11-3 黄牛骨骼解剖位置分布图 …………………………………………………… （724）
图11-4 马牙 …………………………………………………………………………… （727）
图11-5 马骨骼 ………………………………………………………………………… （730）
图11-6 马骨骼解剖位置分布图 ……………………………………………………… （733）
图11-7 马骨的役用病变（一） ……………………………………………………… （734）
图11-8 马骨的役用病变（二） ……………………………………………………… （735）
图11-9 水稻、麦类 …………………………………………………………………… （741）
图11-10 黍、粟与龙爪稷 …………………………………………………………… （743）
图11-11 荞麦类 ……………………………………………………………………… （743）
图11-12 豆类 ………………………………………………………………………… （744）
图11-13 高粱、紫苏与栽培稗 ……………………………………………………… （745）

图11-14　农田杂草 ……………………………………………………………………（746）
图11-15　其他植物 ……………………………………………………………………（747）
图12-1　明黄平与镇远城图……………………………………………………………（771）
图12-2　鼎山城地理位置图……………………………………………………………（773）
图12-3　养马城总平面图………………………………………………………………（777）
图12-4　养马城CQ1-TG1平、剖面图…………………………………………………（780）
图12-5　养马城CM1（张家城门）结构图……………………………………………（783）
图12-6　养马城CM2（西门）结构图…………………………………………………（785）
图12-7　养马城CM3（田家湾门）结构图……………………………………………（786）
图12-8　养马城CM4（小东门）结构图………………………………………………（788）
图12-9　养马城CM5（东门）结构图…………………………………………………（789）
图12-10　养马城CM5（东门）外门道南壁“尹天门”拓本 …………………………（790）
图12-11　养马城CM6（月儿门）结构图 ……………………………………………（792）
图12-12　养马城CM6-1（月儿门正门）结构图 ……………………………………（793）
图12-13　养马城G3结构图 ……………………………………………………………（796）
图12-14　养马城衙门遗址总平面图 …………………………………………………（798）
图12-15　TG10北壁剖面图 ……………………………………………………………（799）
图12-16　养马城衙门遗址Q4～Q6平、剖面图………………………………………（800）
图12-17　养马城衙门遗址F4、F5与L12平、剖面图 ………………………………（801）
图12-18　养马城出土建筑构件 ………………………………………………………（808）
图12-19　养马城出土瓷器 ……………………………………………………………（810）
图12-20　养马城出土遗物 ……………………………………………………………（811）
图12-21　衙署遗址对比图 ……………………………………………………………（815）
图12-22　播州明代山城防御体系示意图 ……………………………………………（828）
图12-23　遵义老城示意图 ……………………………………………………………（833）

插表目录

表1-1　模印铭文砖统计表 ……（27）
表1-2　筒瓦一览表 ……（35）
表1-3　脊兽一览表（可计件者） ……（40）
表1-4　白瓷一览表（可复原者） ……（53）
表1-5　青瓷与影青瓷统计表 ……（55）
表1-6　哥釉瓷一览表 ……（57）
表1-7　孔雀绿釉瓷一览表 ……（59）
表1-8　蓝釉瓷一览表 ……（61）
表1-9　克拉克青花瓷片一览表 ……（81）
表1-10　青花釉里红瓷一览表 ……（83）
表1-11　青花加彩瓷一览表 ……（86）
表1-12　红（绿）彩瓷一览表 ……（89）
表1-13　红绿彩瓷一览表 ……（90）
表1-14　官样瓷器统计表 ……（93）
表1-15　礌石统计表 ……（105）
表1-16　弹丸统计表 ……（106）
表1-17　铁镞统计表 ……（109）
表1-18　铁矛统计表 ……（113）
表1-19　铁镦统计表 ……（114）
表1-20　铁刀统计表 ……（115）
表1-21　铁铠甲片统计表 ……（116）
表1-22　钱币简表 ……（119）
表2-1　城垣统计表 ……（130）
表2-2　宋代门址一览表 ……（139）
表2-3　绣花楼门址（CM13）出土遗物统计表 ……（140）
表2-4　土城墙中门址（CM11）出土遗物统计表 ……（144）

表2-5　土城墙南门址（CM12）出土遗物统计表……（147）
表2-6　明代关隘一览表……（151）
表2-7　铜柱关（TG45、TG48）出土遗物统计表……（154）
表2-8　铁柱关（TG44、TG46）出土遗物统计表……（161）
表2-9　飞龙关（CM4）出土遗物统计表……（177）
表2-10　朝天关（CM5）出土遗物统计表……（183）
表2-11　飞凤关（CM6）出土遗物统计表……（195）
表2-12　万安关（CM7）出土遗物统计表……（203）
表2-13　西关（CM8）出土遗物统计表……（216）
表2-14　后关（CM9）出土遗物统计表……（227）
表3-1　F9可复原瓷器一览表……（278）
表3-2　新王宫柱础统计表……（307）
表3-3　新王宫门槛石统计表……（366）
表3-4　衙署比对表……（488）
表5-1　L1与L10出土遗物统计表……（549）
表6-1　窑址统计表……（562）
表6-2　窑址出土遗物统计表……（567）
表7-1　采石场楔眼统计表……（593）
表7-2　飞龙关楔眼统计表……（609）
表7-3　朝天关楔眼统计表……（610）
表7-4　新王宫楔眼统计表……（612）
表8-1　构树（TG57～TG59）出土遗物统计表……（619）
表8-2　F32采集遗物统计表……（632）
表8-3　大土（F31）出土遗物统计表……（640）
表10-1　岩矿鉴定一览表……（680）
表10-2　岩性分析简表……（692）
表10-3　勾缝样品特征一览表……（694）
表10-4　砌筑砂浆样品特征一览表……（696）
表10-5　灰浆样品分类表……（699）
表10-6　灰浆样品分析结果……（702）
表10-7　HesslerNHL2和Q-01中石片的成分对比……（712）
表11-1　黄牛可鉴定长骨的年龄分布表……（722）
表11-2　海龙囤马与川、渝、滇现代家马的测量比较……（731）
表11-3　海龙囤马可鉴定长骨的年龄分布表……（732）
表11-4　植物遗存统计表……（插页）

表11-5 农作物与农田杂草出土数量对比表 …………………………………………………… (746)
表11-6 可利用植物遗存一览表 …………………………………………………………………… (749)
表12-1 养马城城门（叠涩顶）一览表 ……………………………………………………………… (781)
表12-2 养马城出土遗物统计表 …………………………………………………………………… (803)
表12-3 播州明代关、囤、峒、寨（附庄、衙） ……………………………………………… (823)
表12-4 南宋遗物对照表 ………………………………………………………………………… (834)
表12-5 遵义老城城垣出土青花瓷器 ……………………………………………………………… (838)

图版目录

图版1　海龙囤远眺
图版2　长方形砖
图版3　长方形砖
图版4　抹角砖
图版5　抹角砖
图版6　抹肋砖
图版7　方形砖
图版8　方形砖
图版9　板瓦
图版10　筒瓦、板瓦
图版11　瓦当
图版12　瓦当
图版13　脊砖
图版14　脊砖
图版15　Fa型脊砖
图版16　正吻
图版17　A型正吻残件
图版18　合角吻
图版19　A型望兽残件
图版20　A型望兽
图版21　B型望兽、A型垂戗兽残件
图版22　B型望兽
图版23　C型望兽
图版24　A型垂戗兽
图版25　垂戗兽
图版26　Ab型垂戗兽

图版27　垂戗兽
图版28　Bc型垂戗兽
图版29　兽角
图版30　白瓷炉
图版31　白瓷盘
图版32　白瓷杯
图版33　白瓷碗
图版34　清溪窑白瓷碗残片
图版35　景德镇窑白瓷器
图版36　影青瓷器
图版37　青瓷折沿盘
图版38　青瓷器
图版39　哥釉瓷器
图版40　哥釉青花碗
图版41　孔雀绿釉瓷器
图版42　蓝釉瓷器
图版43　绿釉瓷器、素三彩瓷器
图版44　Aa型青花碗
图版45　Aa型青花碗
图版46　Ab型青花碗
图版47　Ab型青花碗
图版48　Ab型青花碗
图版49　Ab型、Bc型青花碗
图版50　Ba型青花碗
图版51　Ba型青花碗
图版52　Bb型青花碗
图版53　Bc型青花碗
图版54　Bc型青花碗
图版55　Bd型青花碗
图版56　Bd型青花碗
图版57　Bd型青花碗
图版58　Bd型青花碗
图版59　Be型青花碗
图版60　Be型、Bf型青花碗
图版61　Ca型青花碗

图版62 Cb型、Cc型、Cd型青花碗
图版63 Cc型、Cd型青花碗
图版64 Ce型青花碗
图版65 Da型青花碗
图版66 Da型青花碗
图版67 Db型青花碗
图版68 Ea型青花碗
图版69 Eb型青花碗
图版70 Eb型青花碗
图版71 Ec型青花碗
图版72 Ec型青花碗
图版73 Ec型青花碗
图版74 Ed型、Ee型青花碗
图版75 青花山水楼阁纹靶盏
图版76 青花凤穿花纹靶盏
图版77 青花诸葛碗
图版78 青花茶碗、碾钵、钵
图版79 Aa型、Ab型青花盘
图版80 Ab型青花盘
图版81 Ac型、B型、E型青花盘
图版82 B型青花盘
图版83 B型青花盘
图版84 B型青花盘
图版85 B型青花盘
图版86 B型青花盘
图版87 C型青花盘
图版88 C型青花盘
图版89 C型青花盘
图版90 D型青花盘
图版91 A型、C型青花碟
图版92 A型青花杯
图版93 A型青花杯
图版94 B型青花杯
图版95 B型青花杯
图版96 B型青花杯

图版97　B型青花杯
图版98　C型青花杯
图版99　C型、D型青花杯
图版100　青花公道杯
图版101　青花庭院人物纹盖罐
图版102　青花凤穿花纹罐
图版103　青花器盖
图版104　青花盒、器盖
图版105　青花螭龙纹鼎式炉
图版106　青花瓷塑、茶船
图版107　青花汤匙
图版108　克拉克瓷器残片
图版109　青花釉里红鱼藻纹碗
图版110　青花釉里红瓷器残件
图版111　青花釉里红喜鹊登梅纹碗
图版112　青花釉里红乳虎纹杯
图版113　青花釉里红花卉纹杯
图版114　青花红彩鱼藻纹碗
图版115　青花五彩高士纹盘
图版116　青花五彩刘海戏金蟾纹盘
图版117　青花加彩瓷器
图版118　红彩、绿彩及红绿彩瓷器残片
图版119　红绿彩瓷器
图版120　粉彩开光竹纹碗
图版121　粉彩瓷器
图版122　青花正面五爪龙纹盘
图版123　青花正面五爪龙纹盘
图版124　青花五爪龙纹盘
图版125　青花五爪龙纹盘
图版126　青花正面五爪龙纹靶盏
图版127　青花五爪龙纹靶盏、炉（罐）
图版128　青花八仙五爪龙纹碗
图版129　青花缠枝四季花卉纹碗
图版130　官样瓷器款识
图版131　青花五爪龙纹盘残片

图版132 青花缠枝四季花卉纹碗
图版133 青花粗瓷器
图版134 粗瓷罐
图版135 粗瓷罐
图版136 粗瓷罐
图版137 粗瓷碗、钵、碾钵
图版138 粗瓷碾钵、瓶
图版139 粗瓷器
图版140 粗瓷器
图版141 礌石
图版142 弹丸
图版143 铁镞
图版144 铁矛、铁镦
图版145 铁刀、铜弩机、铜刀箍
图版146 铁铠甲片
图版147 A类城垣
图版148 B类城垣
图版149 C类城垣
图版150 宋明城垣的叠压关系（铜柱关段）
图版151 宋明城垣的叠压关系（飞凤关段）
图版152 土城墙
图版153 墩台与哨台
图版154 朝天关墩台（DT5）
图版155 绣花楼门址（CM13）
图版156 土城墙中门址（CM11）
图版157 土城墙南门址（CM12）
图版158 绣花楼门址（CM13）、土城墙南门址（CM12）出土遗物（明代部分）
图版159 土城墙中门址（CM11）出土遗物（明代部分）
图版160 铜柱关（CM1）
图版161 铜柱关（CM1）出土部分遗物
图版162 铁柱关（CM2）
图版163 铁柱关（CM2）出土遗物
图版164 铁柱关（CM2）出土生活用器
图版165 三十六步与飞虎关（CM3）
图版166 飞龙关、朝天关与飞凤关

图版167　飞龙关（CM4）
图版168　飞龙关（CM4）出土建筑材料
图版169　飞龙关（CM4）出土生活用器
图版170　朝天关（CM5）
图版171　朝天关（CM5）出土建筑材料
图版172　朝天关（CM5）出土遗物
图版173　飞凤关（CM6）
图版174　飞凤关（CM6）出土建筑材料、兵器
图版175　飞凤关（CM6）出土生活用器
图版176　万安关（CM7）
图版177　万安关（CM7）出土青花碗
图版178　万安关（CM7）出土青花碗
图版179　万安关（CM7）出土青花碗
图版180　万安关（CM7）出土青花碗
图版181　万安关（CM7）出土铜器、石器
图版182　西关（CM8）
图版183　西关（CM8）出土兵器、建筑材料
图版184　西关（CM8）出土生活用器
图版185　后关（CM9）
图版186　后关（CM9）出土脊兽
图版187　后关（CM9）出土遗物
图版188　打眼岩
图版189　新王宫航片
图版190　新王宫垣墙
图版191　新王宫部分排水系统
图版192　新王宫中路建筑
图版193　新王宫F8
图版194　新王宫F19
图版195　新王宫西路建筑
图版196　新王宫F17（三台星）
图版197　新王宫东路建筑
图版198　新王宫F10
图版199　新王宫内灶、石锅圈
图版200　新王宫内建筑叠压关系
图版201　新王宫内建筑靠压关系

图版202 海潮寺
图版203 火烧新王宫的考古证据
图版204 新王宫建筑废墟堆积
图版205 新王宫F10廊道、石窗台、石望柱、门楣石
图版206 新王宫出土石饰件
图版207 新王宫出土石鸱尾、石构件
图版208 新王宫出土砖雕
图版209 新王宫出土陶构件
图版210 新王宫出土陶排水管
图版211 新王宫出土铁钉
图版212 新王宫出土铁钉、锔钉
图版213 新王宫出土铁钉、泡钉、大头钉
图版214 新王宫出土Aa型、Ab型青花碗
图版215 新王宫出土Bb型、Bd型、Bf型青花碗
图版216 新王宫出土Bd型青花碗
图版217 新王宫出土Cc型、Ce型、Da型青花碗
图版218 新王宫出土Ea型、Eb型青花碗
图版219 新王宫出土Ec型、Ee型青花碗
图版220 新王宫出土青花碗、茶碗
图版221 新王宫出土B型青花盘
图版222 新王宫出土B型青花盘
图版223 新王宫出土B型青花盘
图版224 新王宫出土B型青花盘
图版225 新王宫出土C型青花盘
图版226 新王宫出土C型、F型青花盘
图版227 新王宫出土D型、E型青花盘
图版228 新王宫出土A型青花碟
图版229 新王宫出土A型青花杯
图版230 新王宫出土B型青花杯
图版231 新王宫出土B型青花杯
图版232 新王宫出土青花杯、靶盏
图版233 新王宫出土青花缠枝花卉纹罐
图版234 新王宫出土青花罐、器盖与克拉克瓷罐
图版235 新王宫出土青花盒、瓷塑、香炉
图版236 新王宫出土青花釉里红与青花红彩瓷器

图版237　新王宫出土青花五彩瓷器
图版238　新王宫出土红彩、红绿彩、粉彩瓷器
图版239　新王宫出土青花粗瓷碗
图版240　新王宫出土青花粗瓷盘、碟、器盖
图版241　新王宫出土青花粗瓷杯
图版242　新王宫出土青花粗瓷汤匙
图版243　新王宫出土粗瓷单耳带流罐、碗、碾钵
图版244　新王宫出土粗瓷盘口罐、小罐
图版245　新王宫出土粗瓷灯台、盏
图版246　新王宫出土粗瓷烟嘴、器盖
图版247　新王宫出土粗瓷器
图版248　新王宫出土石砚台、石笔架
图版249　新王宫出土石砚台
图版250　新王宫出土石珠、石杵
图版251　新王宫出土铁锅
图版252　新王宫出土铁锅
图版253　新王宫出土铁锅
图版254　新王宫出土铁釜、铁三脚
图版255　新王宫出土铁门扣
图版256　新王宫出土铁钩、铁提环
图版257　新王宫出土铁扣（蛐蛐）
图版258　新王宫出土铁拉手、铁箍
图版259　新王宫出土铁器
图版260　新王宫出土铁杵嘴
图版261　新王宫出土铁器
图版262　新王宫出土铁器
图版263　新王宫出土铁器
图版264　新王宫出土铁器
图版265　新王宫出土玻璃器、玉石器、铁器
图版266　新王宫出土铜锁、铜香炉足
图版267　新王宫出土铜锁
图版268　新王宫出土铜器
图版269　新王宫出土铜钥匙、铜合页、铜勺
图版270　新王宫出土铜饰、铜簪
图版271　新王宫出土铜器

图版272　新王宫出土铜锣、铜扣（蛐蛐）
图版273　新王宫出土金属器
图版274　新王宫出土陶花盆
图版275　新王宫出土陶花盆、陶香炉
图版276　新王宫出土陶器
图版277　新王宫出土陶香座
图版278　新王宫出土陶香座
图版279　新王宫出土陶香座
图版280　新王宫出土陶香座
图版281　新王宫出土陶器
图版282　老王宫航拍图及数字高程模型图
图版283　老王宫石砌台基与踏步
图版284　老王宫TG1、TG2及其内遗迹
图版285　老王宫TG3及其内遗迹
图版286　老王宫TG4及其内遗迹
图版287　老王宫TG5及其内遗迹
图版288　老王宫出土南宋影青瓷器
图版289　老王宫出土遗物
图版290　登囤古道
图版291　龙虎大道（1999年）
图版292　龙虎大道现状
图版293　主干道（飞龙关—飞凤关段）
图版294　L1局部
图版295　环囤马道（局部）
图版296　立体交通（L2与L11）
图版297　窑址与囤前诸关分布示意图
图版298　Y1清理后及窑内堆积
图版299　Y1全景
图版300　Y2局部
图版301　Y3全景
图版302　Y3局部及出土遗物
图版303　太平诸窑
图版304　采石场航拍图及数字高程模型图
图版305　传统采石工艺（习水同民；2012年）
图版306　楔眼类型与组合

图版307　构树航拍图及数字高程模型图
图版308　构树TG57～TG59内遗迹
图版309　构树出土南宋板瓦、筒瓦
图版310　构树出土南宋建筑构件
图版311　F33位置与结构
图版312　F32局部
图版313　F32出土砖上铭文
图版314　大土（F31）与万安关
图版315　F31局部
图版316　鼎山城环境与垣墙
图版317　鼎山城遗迹与遗物
图版318　养马城城垣结构
图版319　养马城城门（CM1～CM3）
图版320　养马城城门（CM4、CM5）
图版321　养马城城门（CM6）
图版322　养马城衙署区
图版323　养马城采石场
图版324　养马城出土瓦件
图版325　养马城出土石构件
图版326　养马城出土瓷器
图版327　养马城出土粗瓷器
图版328　养马城出土遗物
图版329　养鸡城
图版330　罗家寨
图版331　养鹅池
图版332　反背寨
图版333　大岗寨
图版334　习水九龙囤
图版335　郑莫祠出土宋明建筑构件
图版336　遵义老城城垣
图版337　寄托款（纪年款）款识
图版338　寄托款（纪年款）款识
图版339　寄托款（纪年款）款识
图版340　寄托款（纪年款）款识
图版341　寄托款（纪年款）款识

图版342　寄托款（纪年款）款识
图版343　寄托款（纪年款）款识
图版344　寄托款、纪年款款识
图版345　纪年款款识
图版346　纪年款款识
图版347　纪年款款识
图版348　纪年款、吉语款款识
图版349　吉语款款识
图版350　吉语款款识
图版351　吉语款款识
图版352　吉语款款识
图版353　吉语款款识
图版354　吉语款款识
图版355　吉语款款识
图版356　吉语款、堂名款款识
图版357　赞颂款款识
图版358　赞颂款款识
图版359　赞颂款与其他款识
图版360　图案款与其他款识
图版361　其他款识
图版362　不识方款、吉语款款识
图版363　寄托款（纪年款）款识
图版364　寄托款、纪年款、赞颂款款识

绪　言

海龙囤，又名龙岩囤、海龙屯。龙岩囤，应因山得名，但山名清道光时即已不显。道光二十一年（1841）印行的《遵义府志》卷4《山川》记有“龙岩山”，郑珍、莫友芝的按语称：“龙岩，今无此名。考海龙囤有杨应龙《示谕龙岩囤严禁碑》，所言龙岩，即海龙囤也。其言龙岩，称‘先侯设险’，而自署‘海龙囤骠骑将军’，则龙岩旧名，海龙应龙改称耳。”[①]郑珍、莫友芝确定龙岩囤即海龙囤，龙岩囤是旧称，海龙囤则为土司杨应龙改称。除囤上尚存的《骠骑将军示谕龙岩囤严禁碑》直接提到“龙岩囤”外[②]，目前所见的传世文献中较早记载海龙囤的是万历二十九年（1601）行世的李化龙《平播全书》。是书“海龙囤”与“龙岩囤”并用，但以前者为主，仅个别地方使用了“龙岩囤”[③]。差不多同时的明代文献，则均记其为“海龙囤”[④]。清人所撰《明史》12次提及该囤，俱用“海龙囤”[⑤]。“龙岩”二字最早出现在南宋晚期的“杨文神道碑”中。碑文记载，宋宝祐五年（1257），蒙军自西逼近，时任播州沿边安抚使的播州杨氏第15世土官杨文与两府节使吕文德商议“置一城以为播州根

① （清）郑珍、莫友芝编纂：《遵义府志》卷4《山川·龙岩山》，成都：巴蜀书社，2013年，第52、53页。文称杨应龙“自署‘海龙囤骠骑将军’”，查碑刻原文，并无“海龙囤”字样。海潮寺在明末清初仍沿用“龙岩”或“龙崖”为寺名，详见第九章。

② 碑原立于飞凤关内，碑文中有“但恐亲临本囤，跟随一应人役，书房听点题单”句，知其系土司杨应龙亲手所写。勒碑的时间应在杨应龙大规模重建海龙囤的明万历时期，且早于万历二十八年（1600）。详见第九章。

③ （明）李化龙：《平播全书》卷7《破囤塘报》，一处记：总兵刘綎等“击破逆酋杨应龙娄山、桑木、岩门等关，直逼酋入龙岩囤外”。另一处记：“惟龙岩囤极天下至险，而狡酋设备极天下至周。”北京：大众文艺出版社，2008年，第253、254页。

④ 如（明）杨寅秋：《临皋文集》卷3《上内阁沈蛟门》：杨应龙“力竭势穷，必守海龙囤。囤险绝，攀缘铁索。囤之粮可支岁余，我兵环而守之，久当坐毙”。《景印文渊阁四库全书》，台北：台湾商务印书馆，1986年，第1291册，第693页。（明）蹇达：《西南平播记》，（明）陶望龄：《西南平播记》，并见（清）郑珍、莫友芝编纂：《遵义府志》卷43《艺文二》，成都：巴蜀书社，2013年，第850、851、854页。

⑤ （清）张廷玉等：《明史》卷21《本纪第二十一·神宗二》、卷43《志第十九·地理四》、卷247《列传第一百三十五》、卷290《列传第一百七十八·忠义二》、卷312《列传第二百·四川土司二》，北京：中华书局，1974年，第281、1034、6394、6404、6407、6409、6412、7446、8039等页。

本”，“于是筑龙岩新城”[①]。“龙岩新城”即龙岩囤。从已知文献看，龙岩之名确较海龙为早。明万历以降，“海龙囤”之名被广泛接受，但目前并无证据表明为杨应龙所改。至于“海龙屯”则是一个晚出的称谓。2000年前后，海龙囤申报全国重点文物保护单位，有关专家将之径改为“海龙屯”。2001年6月，全国第五批重点文物保护单位公布，名称为“海龙屯”，而后的正式行文均以此为称。这是海龙囤一囤多名的由来。名称的变化，也反映了海龙囤历史演变的轨迹。它始建于宋宝祐五年宋蒙战争的背景下，明万历二十八年，在24万明军的围攻之下毁于战火，是杨氏家族统领播州期间营建的一处山地防御工事，见证了中国边疆民族地区治理模式从羁縻之治到土司制度再到改土归流的完整变迁。

2012年4月～2020年7月，经国家文物局批准，贵州省文物考古研究所先后联合汇川区文体广播电视局、海龙屯文化遗产管理局、贵州省博物馆等单位，对海龙囤遗址展开连续八年的发掘、整理与研究工作，取得了丰硕的成果。这里报告的即是这十年工作的主要收获。

一、地理位置与环境

海龙囤坐落于遵义老城西北15千米（直线距离）的龙岩山巅，行政区划隶属遵义市汇川区高坪街道办事处海龙囤村双龙组（图0-1）。藏于崇山峻岭间，险峰耸立，万山环抱，状如莲蕊。囤顶最高海拔1356米（囤西土城墙最南端），囤下最低海拔960米（囤之东南角两河相汇处），相对高差近400米。囤顶平阔，西高东低。其东、北、南三面陡绝，下临深溪，北为白沙水、南为腰带岩，汇于囤之东南，蜿蜒向南，称喇叭水，为湘江上游；西衔群山，连绵5千米余，抵金鼎山（图0-2；图版1）。地势险绝，《明史》谓其“飞鸟腾猿不能逾者”[②]。本境数亿年前的震旦纪俱为海水淹浸，中三叠纪后渐次隆起为大陆，经历了海陆消长、沧海桑田的地质变迁。升为大陆后，其南、北、东三面又经由河流下切运动，渐成深壑。

遵义，古称播州，地处贵州高原之北部，北枕娄山，南接乌江。娄山海拔约1500米，相对高度逾500米，是贵州高原与四川盆地的自然疆界。这里“万峰插天，中通一线”，百险俱备。上有娄山关，乃入黔门户[③]。乌江则是贵州第一大川，流向与娄山基本平行，滔滔东北去，下切深邃，其在贵州中部的谷底海拔为600米左右，岸壁高耸则达约400米，流急难渡，亦

① 原碑已佚，据以下材料互校：a. 1972年发掘时拓片照片（仅少数字能辨）以及发掘领队李衍垣先生抄文（资料现存贵州省文物考古研究所）；b. 贵州省博物馆：《遵义高坪“播州土司”杨文等四座墓葬发掘记》，《文物》1974年第1期（李衍垣执笔）；c. 贵州省博物馆：《贵州省墓志选集》，内部印行，1986年（据席克定、张定福、吴正光等先生1979年抄文）；d. 遵义地区文物管理委员会等：《遵义地区文物志》，内部印行，1984年（葛镇亚先生抄文）。碑文详见第九章。

② （清）张廷玉等：《明史》卷312《列传第二百·四川土司二》，北京：中华书局，1974年，第8039页。

③ （清）张廷玉等：《明史》卷312《列传第二百·四川土司二》，北京：中华书局，1974年，第8048页。

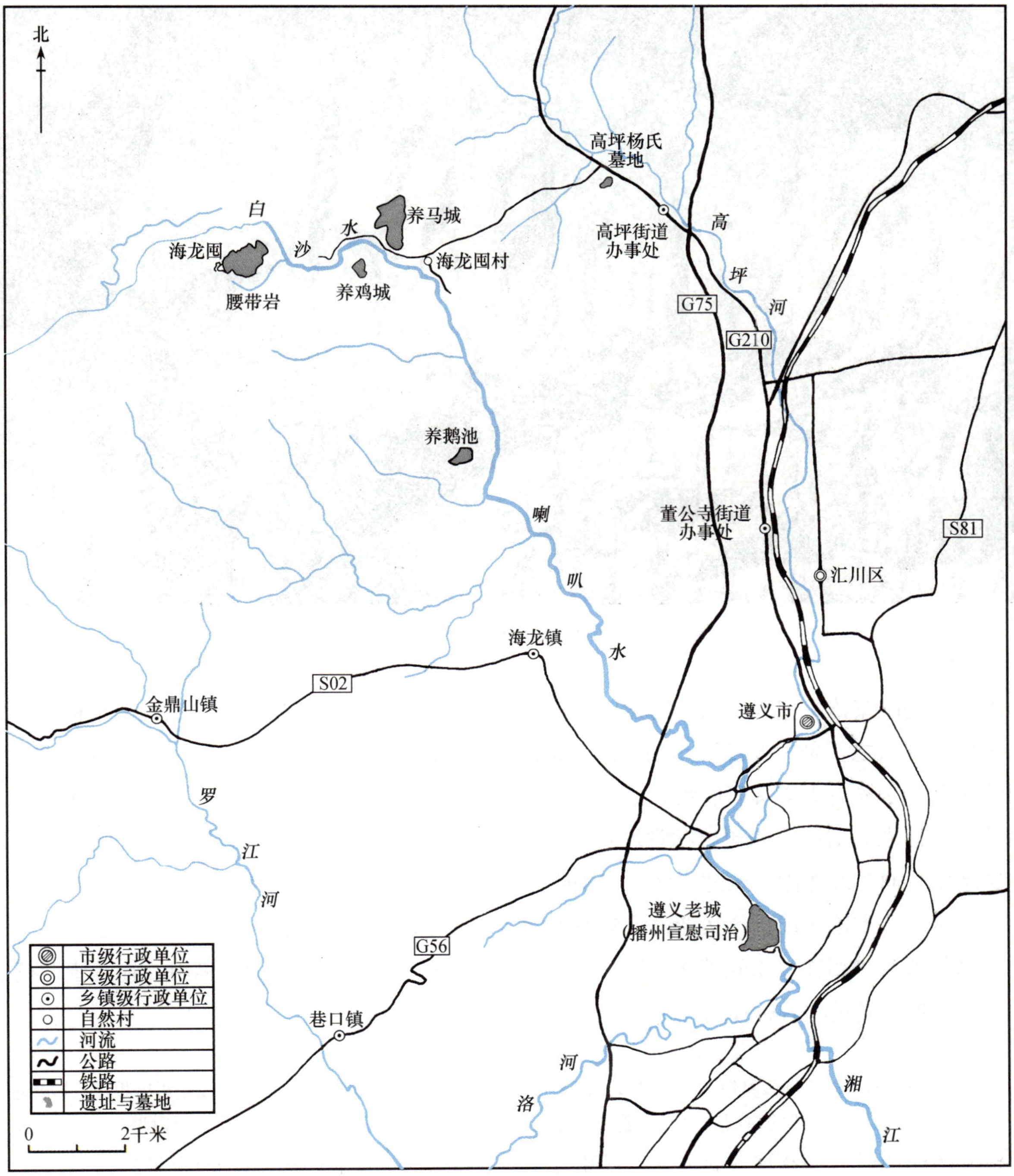

图0-1 海龙囤地理位置示意图

为一天然屏障。娄山与乌江之间，山峦起伏，河流纵横，间有平畴，为遵义粮仓[①]。“其地东西南北可千里，西北堑山为关，东南俯江为池，林木蔚荟，田畴丰美，盖奥区也。”[②]

湘江西岸的遵义老城自12世纪后叶以来，就一直是播州的政治、经济和文化中心。据明

① （民国）张其昀主编：《遵义新志》第10章《区域地理》，成都：巴蜀书社，2012年，第176页。

② （明）李化龙：《平播全书》卷4《献俘疏》，北京：大众文艺出版社，2008年，第124页。

图0-2　海龙囤数字高程图

初宋濂《杨氏家传》记载：杨氏第12世杨轸领播时，“尝病旧堡隘陋，乐堡北二十里穆家川山水之佳，徙治之，是为湘江”[①]。穆家川即今遵义老城一带。有明一代，这里是播州宣慰司的司治所在，平播后为遵义府府治。道光《遵义府志》记遵义府府治，“府旧署据（胜龙）冈之西麓，《孙志》谓旧宣慰司忠孝堂址者，即今遵义协署”[②]。换言之，播州长期的政治中心在遵义老城，而非海龙囤。两地之间，有喇叭水—湘江相互沟通，民间传说旧时可通舟楫。道光《遵义府志·古迹》记：“父老言，杨逆据此时，曾堰海龙坝之水使环囤下，自宣慰司至囤，二十里外即乘舟而往，未知然否？”[③]去囤不远的海龙坝、高坪均有大片良田，在昔皆系杨氏田庄，可提供充足的后勤补给[④]。

① （明）宋濂：《杨氏家传》，罗月霞主编：《宋濂全集·翰苑别集》，杭州：浙江古籍出版社，1999年，第962页。杨轸徙治穆家川的时间，道光《遵义府志》卷2引明人孙敏政所修《孙志》，定为淳熙三年（1176），不知何所据。《宋会要辑稿·职官七三》：绍熙二年（1191）十月九日，“诏知南平军任庭实降一官放罢，以制置使京镗言，其与夷酋杨轸私相交结，受其金银蜜蜡”。据此，杨轸主播的时间约在宋淳熙、绍熙年间（1174～1194），徙治穆家川的时间也应在此间，自此，穆家川成为播州的政治、经济和文化中心。

② （清）郑珍、莫友芝编纂：《遵义府志》卷7《公署》，成都：巴蜀书社，2013年，第104页。

③ （清）郑珍、莫友芝编纂：《遵义府志》卷10《古迹》，成都：巴蜀书社，2013年，第168页。

④ 囤上并不产粮，皆需山下运送，故《骠骑将军示谕龙岩囤严禁碑》中有专门的“运送口粮帮户”。高坪所在的坝子，至今仍称官田坝。海龙坝为杨氏田庄，则见于明何乔新《勘处播州事情疏》的记载：成化十九年（1483），25世土司杨辉病重，将“海龙坝等处庄田拨与杨敷”（北京：中华书局，1985年，第35页）。《遵义新志》记：“（海龙囤）山下为海龙坝，即湘江支流喇叭水之河谷，青溪中流，松杉竞绿，风景清幽。平坝东西长三十里，南北宽仅四五里，引渠灌溉，田畴纵横，号为遵义之粮仓。”见（民国）张其昀主编：《遵义新志》第11章《历史地理》，成都：巴蜀书社，2012年，第211页。

海龙囤不是孤立的，其周边尚有养马城、养鸡城、养鹅池、望军囤、龙爪囤等同一时期遗存，形成庞大而严密的山城军事防御体系。《平播全书》即记："海龙囤周围，尚有龙爪、望军、海云等囤，养马、养鸡等城，皆海龙羽翼。"①从而形成了"以海龙囤为老囤，以四围边界扎子囤，酋居中调度"的防御格局②。调查发现，其中的养鹅池、养鸡城与养马城等均夹白沙水—喇叭水河谷而立，反映河道作为进囤通道存在的事实，但未必通舟楫。

自北而南，由蜀经播入黔的驿道过海龙囤近旁。《平播全书·播州善后事宜疏》记："播州旧辖松坎、桐梓、播川、永安、湘川、乌江、昌田、沙溪、仁水、湄潭、鳌溪、岑黄、白泥一十三驿，俱当川贵孔道。"③明成化十二年（1476）十月，巡抚四川右副都御史张瓒入播征剿诸苗，自重庆府南行，经播州松坎、桐梓、播川、永安、湘川等驿。抵永安驿时，杨辉父子自老城来迎④。而自永安驿至宣慰司治的道路从泗渡经高坪抵遵义老城。海龙囤就在该道近旁，可以阻击北来力量而护卫其南侧的政治中心播州城，但它并不当于道上而藏匿于去驿道不远的崇山峻岭间，并有子囤互为羽翼，形成自成一体的防御格局。这与南宋末初建龙岩新城时"置一城以为播州根本"，以及明末重建时"以为子孙万代之基，保固之根本耳"的立意是一致的，此乃播州的根基所系。因此，明万历年间30世土司杨应龙重建海龙囤时曾"彼其数年精力，用之一囤，前后重关，左右深谷，将自谓负隅之虎，莫可谁何"，明军成功预测海龙囤将是杨应龙最后的根据地，"三省八路之师并进，而贼计益穷，惟有胁叛苗、携妻子退据海龙囤而已"⑤。

综上所述，海龙囤的地理位置与环境表明，其选址至少考虑了险绝、补给、保他与自保等要素。衔山环水，三面陡绝，飞鸟腾猿难越，是为险绝。补给，指囤上并不产粮，均需囤下运输，但去囤不远即有海龙坝、高坪等田庄，方便补给。又西衔群山，成其"樵汲之路"⑥。保他，是囤去驿道不远，可以控扼北面交通，护卫作为政治中心的播州城。自保，则指海龙囤又自成中心，与周边诸囤互为羽翼，形成严密的山城防御体系。一旦播州城失守，城中之人即可沿白沙水一天内登临海龙囤，据险自保而成为名副其实的"播州根本"。

① （明）李化龙：《平播全书》卷5《叙功疏》，北京：大众文艺出版社，2008年，第140页。

② （明）杨寅秋：《临皋文集》卷4《平播覆议机宜》，《景印文渊阁四库全书》，台北：台湾商务印书馆，第1291册，1986年，第751页。

③ （明）李化龙：《平播全书》卷6《播州善后事宜疏》，北京：大众文艺出版社，2008年，第196页。

④ （明）张瓒：《东征纪行录》，《丛书集成初编》，北京：中华书局，1985年，第4～7页。

⑤ （明）李化龙：《平播全书》卷5《叙功疏》，北京：大众文艺出版社，2008年，第157页。

⑥ （明）李化龙：《平播全书》卷4《六报捷音疏》、卷5《叙功疏》，北京：大众文艺出版社，2008年，第115、149页。

二、播州与杨氏

播州是一个历史地名，始于唐而终于明，其辖境在不同时期有着不同的变化，但大致一直以今遵义为其核心区域（图0-3）。杨氏长期统领播州，某种意义上甚至成为播州的代名词。

其地周盖为鳖国地。秦为巴郡西南、蜀郡东南之极鄙。汉武帝建元六年（前135）置犍为郡，元鼎六年（前111）置牂柯郡，均辖有鳖县。晋分鳖县为平夷郡，领平夷、鳖两县。隋为牂柯郡牂柯县地。唐贞观九年（635）以隋牂柯县分置郎州，领恭水、高山、贡山、柯盈、邪施、释燕六县。不久，省郎州并六县。贞观十三年（639），再置郎州，更名播州，复置恭水

图0-3　播州疆域变迁示意图

（采自周必素、彭万、韦松恒：《牧司一方——播州杨氏土司墓葬管窥》，北京：科学出版社，2020年，第19页，图1-5）

等六县。播州之名因之首见诸史乘。次年更恭水为罗蒙，高山为舍月，贡山为湖江，柯盈为带水，邪施为罗为，释燕为胡刀。贞观十六年（642），以芙蓉、琊川隶播州，更罗蒙为遵义，此为“遵义”得名之始。此后，今遵义之地尽在珍、播、溱三州中。开元二十六年（738），省琊川、胡刀入芙蓉县。唐大中十三年（859），南诏陷播州。咸通元年（860），安南都护李鄠复之。据信旋又陷于南诏，乾符三年（876），太原人杨端应诏入播，收复失地，从此开始了杨氏一族世袭统领播州的历史①。

唐代的播州，是经制州，即正州，由王朝派流官进行管理。但因地处偏远，人烟稀少，常成官吏贬谪之地。唐代文坛上“以柳易播”的佳话②，既反映了当时之播州落后的境况，也说明播州曾一度为正州的事实。彼时的播州大致辖有今遵义三城区（红花岗、汇川、新蒲）、遵义县、绥阳县和正安县等地。其“户四百九十，口二千一百六十八”③。

唐末，随唐王朝控制力减弱，土豪大姓并起。据宋濂《杨氏家传》的记载，杨端初入播，即“据险立砦，结土豪臾、蒋、黄三氏，为久驻计”④。此时播州境内的土豪，应不止臾、蒋、黄三姓。其他文献记载，杨端入播前，曾有罗氏占据播州。“唐大历中，夜郎叛，命（罗）荣率师南征，剿抚并行，蛮方永靖。朝廷遂即其地分封，命世侯播土”。罗荣受封“六州都督沿边招讨使、太子太保、荣禄大夫”，并曾“敕赐罗荣铁券”⑤。而与杨端一同入播的，尚有同为太原籍的令狐、成、赵、犹、娄、梁、韦、谢等八姓⑥。杨氏等地方豪强的崛起，致使播州在唐末“没于夷”⑦，逐渐降入羁縻。从始祖杨端，到起兵反明的杨应龙止，杨氏在播州共传27代30世，即先后30人担任播州首领（图0-4），世袭统领播州长达724年。

五代时，播州归附于前、后蜀。北宋初，北境纷扰，无暇西南顾，播州处于事实上的“化外”状态。直至熙宁六年（1073），杨氏第7世“贵迁遣子光震来贡，以光震为三班奉职”。

---

① （清）郑珍、莫友芝编纂：《遵义府志》卷2《建置》，成都：巴蜀书社，2013年，第11～30页。

② 刘禹锡因诗案被贬为播州刺史，柳宗元因刘母年事已高，且播州“今为郡蛮方，西南绝域，往复万里，如何与母偕行，如母子异方，便为永诀”，愿自往播州，以柳州授禹锡。时人裴度亦奏称播州“西南极远，猿狖所居，人迹罕至”，请改授他地，禹锡终改授连州刺史。（后晋）刘昫等撰：《旧唐书》卷160《柳宗元》，北京：中华书局，1975年，第4214页。

③ （后晋）刘昫等：《旧唐书》卷40《地理志·播州下》，北京：中华书局，1975年，第1625、1626页。但在元人看来，杨氏统领的播州已是羁縻州。元袁桷《书姚牧庵赠播州杨安抚汉英乐府》：“惟昔杨侯以中原大族，世领夔州羁縻之州”云云，是认为播州乃羁縻之州。转引自（民国）周恭寿修，赵恺、杨恩元纂：《续遵义府志》卷32上《艺文》，成都：巴蜀书社，2014年，第893页。

④ （明）宋濂：《杨氏家传》，罗月霞主编：《宋濂全集·翰苑别集》，杭州：浙江古籍出版社，1999年，第959页。

⑤ （清）郑珍、莫友芝编纂：《遵义府志》卷31《土官》、卷11《金石》，成都：巴蜀书社，2013年，第603、181页。

⑥ （清）郑珍、莫友芝编纂：《遵义府志》卷2《建置》，成都：巴蜀书社，2013年，第30页。

⑦ （明）李贤等：《大明一统志》卷72《播州宣慰使司》，西安：三秦出版社，1990年，第1128页上。

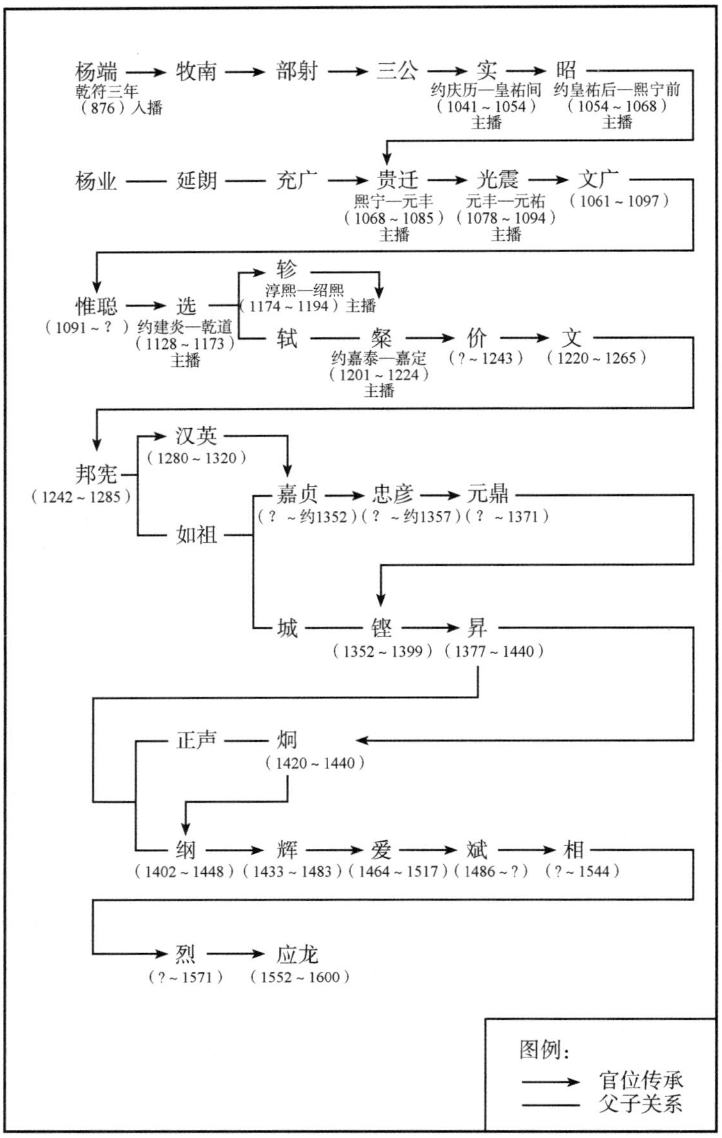

图0-4　播州杨氏世系简图

（说明：代，指自然辈分；世，指官位传承、即任；系，指直系、旁系等；直系中又有嫡系，即大宗；据此，杨氏大宗至应龙共传27代30世，即30人先后出任播州统领）

这是文献中关于播州杨氏最早、也最可信的记录，杨贵迁因此是首个可被确认的杨氏族人[①]。此后，相关记载便不绝于史。大观二年（1108），杨文贵（文广弟）等献地，建为播州，领播

① 杨端乃后人追记，无同时期文献记载。关于杨贵迁的记载，如（元）脱脱等：《宋史》卷15《本纪第十五·神宗二》，北京：中华书局，1977年，第283页。（宋）李焘：《续资治通鉴长编》卷245，亦记载了相同史事，“五月癸卯……夔州转运判官曾阜言，播州杨贵迁在夷人中最强盛，以老，遣子光震、光荣献鞍马、牛黄、麝香。诏补光震三班奉职，光荣借职”（北京：中华书局，1995年，第5949页）。与贵迁同一时期的苏轼在元丰四年（1081）的《答李琮书》里，亦提及杨贵迁，称“播州首领杨贵迁者，俗谓之杨通判，最近乌蛮，而枭武可用”（《苏轼文集》卷49，北京：中华书局，1986年，第1434页）。在《杨文神道碑》里，“十世祖昭”，因讨泸有功，被授“礼宾使”，应是神道碑作者的误记。一般所认为，昭系6世，伐泸的应是其子贵迁、其孙光震。光震授礼宾副使。

川、琅川、带水三县[①]。宣和三年（1121）后，播州境内先后有播川城、遵义砦、白锦堡、遵义军、播州等建置，时而废州为城、降军为砦，时而改城为州、升砦为军，情况较为复杂[②]。但杨氏的实力却日渐增强，至杨粲时，趋于空前。《杨氏家传》称“杨氏居播十三传，至粲始大”[③]，并因为积极助宋抗金（开禧三年杨粲帅师讨伐叛宋降金的四川宣抚副使吴曦，因曦被诛，不果，遂输马与银于蜀帅，主张北伐）、抗蒙，与宋王朝的联系越来越密切。自13世杨粲至16世杨邦宪，“皆仕宋，为播州安抚使”[④]。

入元之后，杨氏的政治地位得以提升。至元二十八年（1291），设播州军民宣抚司，以杨汉英为绍庆珍州南平等处沿边宣慰使、行播州军民宣抚使、播州等处管军万户，赐名杨赛因不花，领黄平府、南平綦江、珍州思宁、旧州草堂（亦作“塘”）、白泥、平伐月石等处，其辖地扩大至今黔南、黔东南、黔东北及渝南的部分地方[⑤]。

明洪武四年（1371），改为播州宣慰使司，21世杨铿任播州宣慰使司宣慰使。领安抚司二：草塘、黄平；长官司六：真州、播州、余庆、白泥、容山、重安[⑥]。杨氏嫡系子孙遂世袭宣慰使职。万历二十八年（1600），杨氏在播州之役中被荡平。次年四月，分播地为遵义军民府与平越军民府。遵义军民府领真安州（由真州长官司改置），遵义（由播州长官司改置）、桐梓（由播州长官司所属旧夜郎县改置）、绥阳（由真州长官司所属旧绥阳县改置）、仁怀（以播州长官司所属仁怀里及别领长官地改置）四县，隶四川；平越军民府领黄平州（由黄平安抚司改置），余庆（由白泥、余庆二司改置）、湄潭（由苦竹坝三里七牌改置）、瓮安（由草塘、瓮水二司改置）三县，隶贵州[⑦]。清雍正五年（1727），割遵义隶贵州。

要之，播州设于贞观十三年（639），而终于明万历二十八年（1600）。其辖境曾不断变化，但一直以今日遵义为中心。唐末，杨氏逐渐崛起于播州，并世守其土、世袭其职、世长其民达724年，传27代30世。海龙囤由杨氏第15世杨文创建于宋宝祐五年（1257），而毁于万历二十八年（1600）的播州之役，此时实际领播的是杨氏第30世杨应龙。

---

① （元）脱脱等：《宋史》卷89《地理五·夔州路》，北京：中华书局，1977年，第2229页。

② （清）郑珍、莫友芝编纂：《遵义府志》卷2《建置》，成都：巴蜀书社，2013年，第33、34页。

③ （明）宋濂：《杨氏家传》，罗月霞主编：《宋濂全集·翰苑别集》，杭州：浙江古籍出版社，1999年，第963页。

④ （明）宋濂等：《元史》卷165《杨赛因不花》，北京：中华书局，1976年，第3884页。实则安抚使之职，自杨文始。

⑤ （明）宋濂等：《元史》卷63《地理六》：播州军民安抚司辖有“黄平府、平溪上塘罗骆家等处、水车等处、石粉罗家永安等处、六洞柔远等处、锡乐平等处、白泥等处、南平綦江等处、珍州思宁等处、水烟等处、溱洞涪洞等处、洞天观等处、葛浪洞等处、寨坝垭黎焦溪等处、小姑单张、倒柞等处、乌江等处、旧州草堂等处、恭溪杏洞、水囤等处、平伐月石等处、下坝、寨章、横坡、平地寨、寨劳、寨勇、上塘、寨坦、哆奔、平莫、林种密秀、沿河祐溪等处”，北京：中华书局，1976年，第1551～1553页。

⑥ （明）李贤等：《大明一统志》卷72《播州宣慰使司》，西安：三秦出版社，1990年，第1128页上。

⑦ （清）郑珍、莫友芝编纂：《遵义府志》卷2《建置》，成都：巴蜀书社，2013年，第37页。平越府设置情况，参见（清）瞿鸿锡修，贺绪蕃纂：《光绪平越直隶州志》卷2《地理一》，成都：巴蜀书社，2006年，第28页。

三、探索的历程

因为是明万历三大征之一的播州之役的主战场[①]，海龙囤在历史上并不乏知名度。亲历平播战事的明军将领李化龙（《平播全书》）、杨寅秋（《临皋文集》）等均有叙及，而以李书最详。稍晚的诸葛元声《两朝平攘录》、曹学佺《蜀中广记》、茅瑞征《万历三大征考》等明代文献也有海龙囤的相关记载，但多是转引他人的记述。除此之外，战事刚结束的万历三十一年（1603），坊间便出现了以平播故事为主要内容的章回小说《征播奏捷传》，基于史事又加以演义而成为街巷的谈资[②]。清人所修《明史》12次提及海龙囤，《明史纪事本末》亦有记。这些记载有一个共同点，即海龙囤是作为万历二十八年（1600）播州之役的主战场而出现的。传世文献中不见明万历之前的记录，表明从宋宝祐五年由第15世土官杨文创建至明万历时30世土司杨应龙大规模重建，其间漫长岁月里海龙囤可能并未启用而不为外人所知。

在相当长的一段时间里，由于前述文献所奠定的叙事格局，一般对海龙囤的认识难以超脱其与播州之役的密切关联，鲜有新意。道光年间，清儒郑珍因为编纂《遵义府志》，“乃悉发荒碑仆碣及各家所遗旧记事状，知不可复有得，乃始具稿”[③]。他曾数次登囤，并在《遵义府志》中记录下前所未见的海龙囤信息。比如对海龙九关的考辨，对《骠骑将军示谕龙岩囤严禁碑》《王鸣鹤诗碑》《题王羽卿诗后》《海龙囤诗碑》的抄录等，均是不见诸旧文献的新发现，弥足珍贵[④]。郑珍将文献梳理与田野调查相结合的实践，已多少带有一点现代考古学的意味。

1972年春，杨文神道碑在高坪墓地出土，从文献的层面拓展了海龙囤研究的内涵，将其始建年代推至南宋晚期，并与宋蒙战事联系在了一起[⑤]。但由于对关键铭文有着不同的释读，使得杨文神道碑中关于海龙囤的重要信息并未立即引起重视。碑文记载，为防御蒙军，宋宝祐五年两府节使吕文德与杨文商议“置一城以为播州根本”，“于是筑龙岩新城”。1974年发表的考古简报最先披露了该碑文的信息，但将末一句释为“于是笼岩新城”；1984年内部印行的《遵义地区文物志》将之释为“于是筑岩新城”，1986年出版的《贵州省墓志选集》则释为

---

① 明万历一朝，对宁夏、朝鲜与播州的三次征战，史称万历三大征。参见（明）茅瑞征撰：《万历三大征考》，北京大学图书馆藏旧抄本，第309页。

② （明）名衢逸狂演义：《征播奏捷传》，创作于万历癸卯年（1603），旧版国内已失传，有两部万历癸卯版藏于日本京都大学图书馆和尊经阁。国内有据之点校的多个版本：a.《古本小说集成》编委会编：《古本小说集成·征播奏捷传通俗演义》，上海：上海古籍出版社，1994年；b. 田娟华点校：《征播奏捷传》，北京：中国文联出版社，2004年；c. 遵义县文化体育局等点校：《征播奏捷传》，内部印行，2004年。

③ （清）郑珍、莫友芝编纂：《遵义府志·贺长龄序》，成都：巴蜀书社，2013年，第1页。

④ （清）郑珍、莫友芝编纂：《遵义府志》卷10《古迹》、卷11《金石》、卷29《宦绩》、卷31《土官》、卷46《艺文》，成都：巴蜀书社，2013年，第168、191、549、597、932页。碑文详见第九章。

⑤ 贵州省博物馆：《遵义高坪“播州土司”杨文等四座墓葬发掘记》，《文物》1974年第1期；李飞：《家事与国事：关于贵州遵义出土〈杨文神道碑〉的几个问题》，《四川文物》2021年第3期。

“于是□龙岩新城”。三相结合，“于是筑龙岩新城”方得其真。鉴于上述原因，直至2000年前后才有论者将“龙岩新城”与海龙囤相联系[①]。这一发现，与杨氏自己的认知是一致的。杨应龙手书的《骠骑将军示谕龙岩囤严禁碑》在谈到海龙囤出现的原因时称“吾先侯思处夷陬，不可无备，因而修之，以为保障”，强调乃先侯所创，应龙只是“重缉之，以为子孙万代之基，保固之根本耳”。

虽然碑文的重要信息被延迟发现，但并未影响20世纪七八十年代起文物工作者对海龙囤探索的热情。1980年春，葛镇亚等对海龙囤进行复查，重新发现早已淹没于荒草中的“骠骑将军示谕龙岩囤严禁碑”。在此基础上，1982年2月，海龙囤遗址被公布为贵州省级文物保护单位[②]。1999年9～11月，由贵州省文物考古研究所和遵义县文物管理所联合组成调查组，对海龙囤遗址进行了较为全面的调查，初步厘清囤上城垣、关隘、瞭望台、教场坝、采石场等遗迹的分布情况，以及“新王宫”“老王宫”的大致范围，并对后两处遗址进行了小规模试掘，认为“新王宫”始建于明万历年间，而“老王宫”则可能始建于南宋时期。同时，还对海龙囤周边的养马城、养鸡城和养鹅池进行了初步调查[③]。稍早的七、八月间，遵义县旅游局对飞虎关与飞龙关之间的“龙虎大道”和飞虎关前已掩于草木下的三十六步进行了清理，当年秋天对三十六步实施了修复。2001年6月，海龙囤被列入第五批全国重点文物保护单位。

20世纪70年代以降，海龙囤工作的重心从文献转向田野。这一时期针对海龙囤及其周边遗存的调查与试掘，基本奠定了此后对海龙囤的认识框架。目前囤内相关遗迹即大体延续了当时的称谓，如新王宫、老王宫、“金银库”、“绣花楼”以及后关、西关等关隘名。这些名称并不见诸更早的文献，有的应是当地民间口碑相传的称谓，如“金银库”“绣花楼”等；有的则可能是当时命名的，如老王宫、新王宫和后关、西关等。民间对海龙囤的认知，从囤上出土的《题王羽卿诗后》碑中可略见一斑。万历三十二年（1604）在遵为官的汾阳人林桐曾登海龙囤，“秋初，吊海龙山战场，观形势，问父老，咸能指往迹而名之。若山左右，则曰：王将军首登路也”。这些不见诸史籍的父老之言代代相传，成为可资参照的口碑文献。

2012年4月～2020年9月，贵州省文物考古研究所先后联合汇川区文体广播电视局、海龙屯文化遗产管理局、贵州省博物馆等单位对海龙囤遗址展开了历时八年的考古发掘、资料整理与研究工作。其中，2012年4月～2014年9月，重点工作为田野调查与考古发掘；2014年9月建立海龙囤考古工作站后，转入资料整理与报告编写，至2020年9月暂告一段落，而后转入报告修改与核校，至2022年7月止。我们奉行边发掘、边整理的工作理念，在发掘过程中整理工作即已有序推进，后期整理时又有针对性地对部分地点进行了调查、勘探与小规模试掘，工作互有交叉。田野工作中将调查、试掘和大面积揭露相结合，并使用了航拍、航测、机载激光、三维

---

① 侯天佑：《海龙囤700年军事城堡》，杨秉洲：《萧萧故堡海龙囤》，中国人民政治协商会议贵州省遵义市委员会宣教文卫委员会编：《海龙囤烟云录》，内部印行，2000年，第1～18页。

② 葛镇亚：《遵义县文物工作大事记》，遵义县文物管理委员会等编：《遵义县文物志（一）》，内部印行，1983年，第237、241页。

③ 海龙囤文物考察组：《海龙囤遗址调查报告》（1999年11月撰写的未刊稿），蒙刘世野先生惠示。

激光扫描、植物浮选等科技手段辅助记录和分析。工作思路上，结合前人的成果，着眼全局，重点突破。所谓“全局”就是全囤的格局，包括不同遗迹在囤内的分布及其历时性变迁，主要采用勘探与探沟试掘予以揭示；“重点”指的是对新王宫遗址采用10米×10米探方进行大面积揭露。

整个田野工作与室内整理过程，可以分为五个阶段：

第一阶段：全面勘探。2012年开展田野工作之初，我们结合前人的成果，对海龙囤上环囤城墙、老王宫、金银库、采石场、教场坝等进行踏勘，初步厘清全囤大致格局，在此基础上，确定以新王宫为工作重心。在新王宫大规模发掘启动后，此项工作仍有序推进，先后对采石场、老王宫和调查发现的窑址进行了试掘，以深化对全囤的认知。

第二阶段：重点突破。选定新王宫作为重要突破口，对其进行系统勘探与全面揭示。这是2012至2013年度的工作重心。一方面通过调查与试掘发现了环绕新王宫的垣墙，从而确定了新王宫的范围。勘探发现，新王宫是一组相对独立和封闭的建筑群，整个建筑群坐落在西南—东北向的山脊上，西南高而东北低。由一圈垣墙环绕，长476.6米，面积约1.8万平方米。这一发现，框定了新王宫的范围，为深入探讨新王宫的建筑格局奠定了基础。对内部的梳理，是重点发掘了其中轴线及后端两侧，其余区域则通过勘探大致厘清了建筑的样式。

第三阶段：垣墙与道路梳理。对全囤城墙、关隘与道路系统进行全面调查、试掘与测绘。2013年开始，对全囤城垣进行调查梳理，对结构不清处进行试掘。在此基础上，将城垣根据砌筑方式的不同以及彼此间的叠压关系，分为三类两期，判明其分属南宋和明代。对9座明代关隘进行了清理，并新发现南宋门址4处。清理出部分明代石铺道路。对上述遗迹进行全站仪测绘。

第四阶段：整体推进。对周边诸囤进行调查、勘探与发掘。在海龙囤考古工作推进过程中，我们编制了《海龙囤与播州杨氏土司遗存考古工作规划（2013-2015）》，并获国家文物局批准，对遵义境内与杨氏土司相关的遗存展开较为全面的调查、勘探与发掘，包括海龙囤周边诸山城（重点是养马城遗址）、杨氏土司墓地和庄田等遗迹。同时运用机载激光技术，对海龙囤及其周边地区进行大规模勘测。这一阶段的另一项工作，是海龙囤考古工作站的建设。主要成果是，通过周边遗存的梳理，整体推进了对播州杨氏及其相关遗存的认识，深化了土司制度及其文化的研究，并由此提出了“土司考古”的课题①。

第五阶段：室内整理与报告核校。2014年9月之后，随着海龙囤考古工作站的建立，工作重心转向室内整理，开始联合多家单位开展多学科综合研究。与此同时，田野调查工作并未停止，如2019年春调查发现环囤顶大城的19处哨台遗迹（S1～S19），又于调查中在构树采集大量南宋瓦砾，随即对其展开小规模试掘。2020年7～8月，联合浙江大学对构树、老王宫及新王宫部分地点开展物探工作。2020年9月19日，考古队全面撤离海龙囤。而后转入报告修改与核校，历时约两年，直至2022年夏。

通过历时十年的探索，我们对海龙囤取得了超越前人的认知。2013年1月，海龙囤遗址发

---

① 周必素、李飞：《贵州遵义播州杨氏土司遗存的发现与研究》，《考古》2015年第11期。

掘成果荣膺“中国社会科学院考古学论坛·2012年中国考古新发现”；同年4月，荣获2012年度“全国十大考古新发现”；2015年7月4日，海龙囤遗址与湖南永顺老司城、湖北唐崖土司城一起跻身世界文化遗产名录；12月，“中国西南土司遗址考古”荣获2013～2015年度“世界十大田野考古发现”；2016年5月，播州杨氏土司遗存（海龙囤遗址、新蒲土司墓地、团溪杨辉墓与墓祠）考古发掘获中国田野考古奖一等奖；2021年10月，海龙囤城址及播州杨氏土司墓葬入选中国“百年百大考古发现”；成果斐然。

作为播州最负盛名的遗存，海龙囤经历了从文献到田野、从局部到整体的探索历程，这也是播州境内其他被记录在册的土司遗存所共同经由的路径，反映出“土司考古”视野的不断拓展以及方法与手段的逐渐多元化。

第一章　概　　说

本章对海龙囤的整体格局、遗迹与遗物作总括性介绍，以从宏观上把握其主要特点、遗迹间相互关系及历史变迁。随后几章，则以片区与遗迹为单位，进行更为细致的描述，从整体到局部逐一予以剖析。

第一节　海龙囤的格局

海龙囤建于三面临溪、一面衔山的半岛形龙岩山巅。自河谷至山巅相对高差近400米，地势险峻，史称飞鸟腾猿难逾。南北深谷尤陡峻，东西稍缓，各有仄径上下。囤东为前门，囤西箐林绵延十余里，为樵汲之路。环山筑石墙，东西各建瓮城，广设雄关，成“前后重关，左右深谷”之势，“贼以为天造地设，人迹所必不能到，兵力所必不能加者也”①。囤顶宽平。据文献记载，囤内设“衙宇”，并有“仓米大小三四千间”②。城池的外围轮廓在南宋宝祐五年（1257）始建时即已基本框定，明万历年间又进行了大规模重建，重点是东西关隘的再造和囤内衙宇及其他建筑的营建。

一、选　　址

建城于龙岩山巅，是经过认真遴选的。除前述补给、保他与自保等外围因素外，山体本身一是峭壁陡绝，天造地设；二是山顶平阔，且有泉眼，宜于活动；三是枕山环水，山有林木可用，水势则既可增加山险，又可赖之沟通内外。此外又于周边另建山城加持，互为犄角。

这些特点，也集中反映在同一时期为抗击蒙军而修建的四川山城中。南宋淳祐年间，余玠主持四川防务，采纳了播州安抚使杨文的建议，对蒙军实施山城防御计划。杨文致函余玠，提

① （明）李化龙：《平播全书》卷5《叙功疏》，北京：大众文艺出版社，2008年，第157、172页。

② （明）李化龙：《平播全书》卷7《破囤塘报》、卷9《行道、镇破酉狡计》，北京：大众文艺出版社，2008年，第256、257、317页。

出保蜀三策：一是移镇利（今四川广元）、阆（今四川阆中）间，经理三关（即武休、仙人、七方），御敌于门户外，此为上计；二是在诸路险要处，筑城壕以作根基，此为中计；三是划江自守，任敌往来，此为下计①。余玠取其中策，修筑了18座山城，将位于平旷处的州郡治所迁至险要山城，并聚积粮食、驻屯军队以作防御。李天鸣在总结这些山城的特点时说，它们具备了以下三个条件：①各城大多坐落在险崖峭壁上，并不算高，但皆是天然的易守难攻之地。②在壁立四周的峰峦上，山顶宽平，周回数十百亩至数十里不等，有田土可耕，有林木可用，有泉水可饮，可满足人居与军队驻守。③各山大多依凭江河，强化防御，沟通内外②。

海龙囤的选址无疑与之契合。只是囤上自囤破后建海潮寺以来，确有田土可耕（详见第九章“道府厅县碑”），此前情况则不得而知，或也在选址考量的范畴之内。杨应龙在明万历时重建海龙囤虽是对旧址的利用，自然也是看中了该囤所具备的上述特点。此时除强化东西两端的防御外，又在周边广筑山城，进一步凸显了海龙囤的核心地位。目前已知，囤东2.5千米处的养马城亦始建于南宋，应与海龙囤一样，均是为抵御蒙军而修建的防御性山城③。至明代，则有养鸡、养鹅、望军、龙爪等囤，与养马城一起构成海龙囤之“藩篱”“羽翼”“下面小囤”或“子囤”④。

二、格 局

整体来看，海龙囤的城池轮廓状似一“9”字，山顶有闭合城圈，东侧另有城垣顺山势蜿蜒而下（墙之内侧为登囤古道），东南角则利用了山险，未筑城垣，却险不可攀。外圈城垣（即9字形城垣）总长约5136米，其所围合的面积近38万平方米。囤东（前门）尚存关隘（城门）6道，自下而上依次为：铁柱关、铜柱关、飞虎关、飞龙关、朝天关、飞凤关（太平关）。囤西（后门）尚存关隘3道，自外而内，依次为：后关（又称头道关或土城门）、西关（又称二道关或月城门）、万安关。合之共9关（不含考古清理出的4座南宋门道）。若细作区分，明代海龙囤实由囤顶大城、内城和东西两侧各两重瓮城所组成，布局严整，防御严密（图1-1）。

1. 大城与内城

在险峻囤顶的四围，随山势砌筑外壁陡直、内侧低平的石墙，形成闭合城圈，成为海龙

---

① （明）宋濂：《杨氏家传》，罗月霞主编：《宋濂全集·翰苑别集》，杭州：浙江古籍出版社，1999年，第964页。又见第九章“杨文神道碑”。

② 李天鸣：《宋元战史（一）》，台北：食货出版社，1988年，第436页。

③ 贵州省文物考古研究所、重庆市文化遗产研究院：《贵州遵义市养马城遗址调查与试掘简报》，《考古》2015年第11期。又见本书第十二章。

④ （明）李化龙：《平播全书》卷4《克破龙爪等囤五报捷音疏》、卷5《叙功疏》、卷14《书札》，北京：大众文艺出版社，2008年，第105、140、480、485页。

囤的核心区域。这个从东侧朝天关到西侧万安关之间的闭合城圈，除关口及其与之相连的墙体外，主要使用了南宋“龙岩新城”的城垣，也保留有部分南宋门道，明代文献中称其为“大城”。据《平播全书》记载：万历二十八年（1600）六月初五日，明军从囤西依次攻破土城、月城，兵临万安关下，“贼奔入大城死敌，自午至申，应龙父子亲领苗贼披坚出城，冲突三次。每次我兵用佛郎机、百子铳等项直对城门齐打，贼被伤退回”。初六日黎明，明军攻破万安关，“各路兵一齐登城，拥入内城”，囤破①。内城即新王宫衙署。因此，相对于衙署所在的内城，大城也称“外城”。

大城自是相对于其东西两侧的小城（瓮城）而言，表示大小有别。大城城垣长3517米，围合面积达28.2万平方米。内有新王宫、老王宫等建筑群，以及采石场、教场坝、窑址、金银库等遗迹。

2. 瓮城

瓮城，指于城门外（也有城门内的特例）修筑的半圆形或方形的护门小城，用以加强城池的防御。明清时期，也有将瓮城称为月城的。如郭子章《黔记》中所记的定蕃州城、威清卫城、安南卫城、毕节卫城、赤水卫城、龙里卫城、平越卫城等城池的月城，结合所附城图看，皆为筑于城门外的半月形瓮城②。而囤西第二重瓮城，明代文献明确称其为“月城”。反之亦然，筑于东西两端城门外的小城皆可视为瓮城。只是与常见的单重瓮城不同，海龙囤东西两端各设两重瓮城，强化了纵深防御。海龙囤瓮城的平面形制并不规整，亦各不相同，随山势而富于变化。类似的防御特点，也鲜见于其他城池。

囤西两重瓮城，自外而内，文献中分别称“土城”“月城”；囤东的瓮城则无明确记载，暂以朝天关瓮城和飞龙关瓮城称之，以便描述。

（1）土城

囤西后关（头道关）与西关（二道关）之间的空间，文献中称土城，其门（后关）则称土城门。《平播全书》记明军攻囤时，“刘总兵（綎）攻土城门以左，李总兵（应祥）攻土城门以右”，六月初五日黎明，“贼兵奔溃，退走土城内”，明军猛攻，“登时攻倒土城，一面拆卸，一面打开土城内排栅敌楼”③。之所以称土城，或因后关两侧城垣为土石混筑，略显粗疏之故。

后关（头道关）设于两座小山峦之间的地势低平处，其两侧城垣随山脊蜿蜒，与西关（二道关）两侧城垣相接，因此土城的平面是一个不规则的空间。城垣（不含西关及其两侧城垣）长465米，土城面积为7950平方米。关虽不险，但可与囤西的三圆山、凤凰嘴等险峰、箐林配

① （明）李化龙：《平播全书》卷5《叙功疏》，北京：大众文艺出版社，2008年，第154页。

② （明）郭子章：《黔记》卷4《舆图志一》、卷5《舆图志二》，贵州省文史研究馆编：《续黔南丛书》（第一辑），贵阳：贵州人民出版社，2012年，中册，第1038、1041、1050、1061、1067、1077、1082页。关于“月城”的源流，参见贾亭立：《“月城”考辨》，《建筑与文化》2010年第9期。

③ （明）李化龙：《平播全书》卷5《叙功疏》，北京：大众文艺出版社，2008年，第154页。

合使用，拒敌于关外。

（2）月城

西关（二道关）与万安关之间的空间，文献中称月城。根据《平播全书》的记载：六月初五日，明军攻破土城后，“贼据月城，矢石如雨”，鏖战之后，明军“将月城拆倒”，当夜“就于月城扎守”，次日黎明攻大城[①]。

西关（二道关）亦筑于两山之间的道路逼仄处，城垣延展到南北两侧的山崖再向东与万安关两侧城垣交汇。城垣（不含万安关及其两侧城垣）长246米，月城的面积为5564平方米。

（3）朝天关瓮城

指朝天关与飞龙关之间由城垣围合的空间。朝天关北端城垣环转山延伸，在杀人沟侧与大城北墙相合（接合处现已不太明显），遂在朝天关与万安关之间形成闭合城圈，即大城。朝天关外筑有平台，其东北角逸出城垣与飞龙关接；飞龙关西侧沿杀人沟一段，城垣并不明显，主要利用了山险，如此便在飞龙关与朝天关之间形成一个不规则的闭合空间，即朝天关瓮城，城垣（不含转山城垣）长近200米，面积约2293平方米。

将这一空间视作瓮城，朝天关自然就成为大城正门，于其前形成左飞龙、右飞虎的关隘布局。朝天关以北的转山之上，有四角设硕大柱础的阁楼式建筑遗迹。朝天关内另有飞凤关（太平关），居城垣内侧，已无防御功能，而更可能是一个仪式性空间。

（4）飞龙关瓮城

指飞龙关前的瓮城，由墩台、城垣和山险相互配合，形成一个并不闭合但难以突破的空间。在山脊的前端如飞龙关、飞虎关前各设墩台（歇马台），龙虎大道外侧有城垣防护，三十六步以下的城垣更为坚实，于其上开铁柱、铜柱两关。铜柱关（CM1）之西南，城垣与峭壁接，不复筑墙，而利用了天险。

这一空间在所有瓮城里面积最大，地形也最为复杂，充分展现了海龙囤利用地形、融入地形的特点。明军攻囤时，曾多次冲破铁柱关等关隘，但却难以逾越三十六步与飞虎关，该瓮城的防御功能由此可略见一斑。城垣长约1053米，围合面积约6.4万平方米。

三、变 迁

大城居中，前后设双重瓮城，这是现存遗迹所呈现的主要格局，亦是明代城池的格局，南宋龙岩新城的格局如何？

现有证据显示，龙岩新城的东西两端也曾设瓮城。大城的南北城垣，主要是南宋遗存。囤后万安关以里，有一道横亘南北的石包土城垣，长约200米，尤厚实，民间称“土城墙”，发掘显示为南宋城垣，其中央及南北两端各设门道，凡三道。前引文献显示，明军攻破万安关

① （明）李化龙：《平播全书》卷5《叙功疏》，北京：大众文艺出版社，2008年，第154页。

后，即登入“大城”，并长驱直入，“五路总官兵齐围贼衙”，即“新王宫”[①]。其间并未受任何抵抗，表明土城墙在此时已丧失了防御的功能，即已废弃。过去我们一度认为，土城墙即宋城的西界，但后来的发现更正了这一认识。2015年3月，万安关南侧城垣因雨坍塌，于明城内发现宋城石材，局部叠砌规整。而万安关内TG10清理时曾发现南宋瓦砾3块。这些发现表明，宋城在囤西至少已延至万安关一线，并在万安关与土城墙之间形成一个瓮城，面积达7390平方米。

囤东，环转山的城垣为宋墙。朝天关外有一墩台，现存者为明代遗存。2015年12月进行维修时，于其内发现南宋遗存，表明这一墩台南宋即有，进而证明朝天关南宋即有，明时乃如朝天关匾额所书为“重建”。朝天关至飞龙关之间现存明代城垣靠近朝天关墩台处亦包裹有南宋城垣，且飞龙关匾额亦称飞龙关系“重建”（飞龙、朝天两关均有南宋瓦砾发现），据此朝天关瓮城南宋应已存在。囤下铜柱关至铁柱关一线，2014年与2018年维修时，在近铜柱关处的明城垣内发现数十米长宋代垣墙，表明这圈垣墙在宋时已有一定规模。

综上所述，海龙囤外围轮廓的整体格局在南宋筑龙岩新城时即已大致奠定，并形成西面一重、东面两重瓮城的格局。明代重建时对部分关隘、城垣进行了加固重建，并向西拓建了“土城”，此即《骠骑将军示谕龙岩囤严禁碑》所记的“今重缉之”。关于这一点，将在第二章“城垣与关隘”里详细介绍。遗憾的是，除了外围轮廓，目前囤内其他南宋遗迹发现不多，龙岩新城的整体面貌尚待未来更为深入的探索。

第二节 遗　　迹

海龙囤的大部分关隘、城垣及部分建筑基础长期裸露于地表而广为人知，因此关隘名实曾引发讨论[②]。除此之外，前期调查大致确定囤内有新王宫、老王宫两组建筑群，以及金银库、绣花楼、采石场、教场坝、环囤马道和敌楼等遗迹[③]。2012年开始，我们结合已有成果，对全囤展开踏勘、试掘与大面积揭露，对前人的认识加以确认或修正。具体而言，在新王宫内布10米×10米探方进行较为全面的揭露，其余区域如老王宫、城垣与关隘等则随机布大小不等的探沟进行勘探与试掘，共布大小探沟59条（编号TG1～TG59）。揭示的遗迹有城垣、关隘、墩台、房址、水沟、水池、道路、灶、坑、窑址、采石场等（附表1）。

---

① （明）李化龙：《平播全书》卷5《叙功疏》，北京：大众文艺出版社，2008年，第154页。

② 王兴骥：《海龙囤究竟有几个关隘》，中国人民政治协商会议贵州省遵义市委员会宣教文卫委员会编：《海龙囤烟云录》，内部印行，2000年，第349、350页；周必素：《海龙囤关口释疑》，遵义市地方志编纂委员会办公室、遵义市旅游局编：《平播之役400年学术讨论会论文集》，贵阳：贵州人民出版社，2002年，第159～164页。

③ 海龙囤文物考察组：《海龙囤遗址调查报告》（刘世野执笔，未刊稿），1999年；葛镇亚：《海龙囤遗址平面示意图》，中国人民政治协商会议贵州省遵义市委员会宣教文卫委员会编：《海龙囤烟云录》，内部印行，2000年，第378页。

一、城垣与关隘

城垣、关隘以及与之配合使用的墩台，构成了海龙囤的主要防御体系。目前共探明不同类型、不同时期的城垣共计5786.45米，将海龙囤分割成不同性质的空间。不同类型、不同时期关隘（门道）13座，其中明代关隘9座、南宋门道4座。墩台8座，哨台19个，设置在城垣拐角处或山脊尽头（见图1-1）。这在第二章有详尽介绍。

1. 城垣

包括大城城垣、瓮城城垣、环新王宫垣墙以及筑于大城北侧外围冲沟内并不连贯的附属城垣，总长近6000米。这些城垣的用材、砌筑工艺不尽相同，可据之分作不同类型，并根据彼此的叠压关系分作早、晚二期。目前已在6个地点发现一期城垣包裹于二期城垣内或叠压于二期城垣下的情况，其早晚关系至为明确。二期城垣由于与具有明确纪年的关隘连接在一起，其时代可确定为明万历时期。一期则根据门道内出土瓦砾，可推定为南宋遗存，即杨文所筑的“龙岩新城”。

大城南北城垣的主体为南宋城垣，由于南北两侧临渊，地势险要，对旧城进行再利用时无须过多修葺。明代城垣主要集中在东西两端新筑关隘的两侧，另有环新王宫的垣墙。

2. 关隘

囤上现存关隘13座，含明代9座，南宋4座。名之为“关”，实即城门。尚存匾额与文献记载俱称海龙囤明代城门为“关”，当以此彰显其防御性。明代九关因一直敞露于地表而向为人知，包括囤东铁柱关、铜柱关、飞虎关、飞龙关、朝天关、飞凤关，以及囤西万安关、西关（二道关或月城门）、后关（头道关或土城门），均有城楼，但已无存。南宋四关则早已废弃并掩于土中，此前并不为人所知，2013~2014年度方重新发掘揭示，关名不明。其中3座分布在囤西土城墙的中央及其南北两端，1座在囤南绣花楼入口处。门顶俱已坍塌，但均有瓦砾出土，表明亦有城楼。据匾额铭文，明代朝天、飞龙、飞虎、万安四关是在宋代关隘基础上重建的，因此该四关下应有宋代遗迹。

根据文献记载，囤东白沙水河谷内应还有水关、龙凤关、海门关等关隘[①]，惜皆已不存。但河谷内并无围合的城垣，因此这些都应是建在河道逼仄、险要处名副其实的“关隘”，而非城门。此外，囤上据载还另有一水关，“闻囤上有一水关，贼先闸住，待我兵近关放下冲之，

---

① （明）李化龙：《平播全书》卷4《克破龙爪等囤五报捷音疏》：四月“十八日子时，奉令分发三路官兵奋勇大战，……直追到水关，打破养马城。又攻克龙凤关、海门关、铁柱关、养鸡城，又夺获海门关牌钥。”北京：大众文艺出版社，2008年，第106页。

不可不防”[①]。推测其位置当在杀人沟尽头某处，如此方能蓄水冲之，今亦不存。

3. 墩台与哨台

现存墩台8个。其中筑在城垣拐角处者4个，分别位于西关南侧、万安关两侧以及铜柱关东侧。筑在关前或山脊尽头者4个（民间称之为“歇马台”），朝天关、飞龙关和飞虎关（三十六步）前各1个，三十六步下山脊尽头处1个。前者筑于城垣上，部分可能于其上再建角楼（如万安关两侧墩台发现有零星瓦砾）；后者则筑于登囤道路上，可供人马歇息，更可集结人马于此向下形成打击之势。其中朝天关前的墩台南宋即有，明时略作拓展。

早年的调查资料将大城城垣拐角处的山脊均标为敌楼或瞭望台，计有16处，包括转山F33、万安关两侧及西关（二道关）南侧墩台等[②]。我们的调查确在前述多数地点发现了南宋瓦砾，除此之外又有新地点发现。两相结合，排除房址与墩台外，这类地点达19处之多，应属哨台类遗迹。

二、房　址

房址39座（组），较为集中地分布在新王宫（30组）、老王宫（5组）两个建筑群内，以及金银库、构树、万安关南侧平台与转山之上（各1组）。

1. 新王宫

新王宫内共探明房址30座（组），编号F1～F30。大部分用探方进行了全面揭露，部分则通过勘探大致明了其结构（F5、F6、F13～F18、F22、F29、F30）。这些房址均只存基础，有的是单栋建筑，有的则是多栋建筑组成的庭院式建筑，外有垣墙围合，形成相对独立的空间。房址主要分布在围合空间的前半部，大致呈三横三纵的格局，即前中后三进，左中右三列，中央轴线布局清晰。与之相关的遗迹尚有灶台7个（Z1～Z7）、道路10条（L1～L9、L11）、排水沟28条（G1～G28）、水池11个（C1～C11）等。新王宫为明万历时期遗存，其性质为土司衙署，是明代海龙囤的核心（详见第三章）。

2. 老王宫

老王宫内用探沟探明房址5座（F34～F38），仅局部揭示，未全面清理，出露的遗迹有柱础、地栿、铺地石板、铺地砖和踏步等。房址稀疏，无规律可循。调查也并未如新王宫一般发现

① （明）李化龙：《平播全书》卷14《总兵监军监纪》，北京：大众文艺出版社，2008年，第472页。

② 海龙囤文物考察组：《海龙囤遗址调查报告》（刘世野执笔，未刊稿），1999年；葛镇亚：《海龙囤遗址平面示意图》，中国人民政治协商会议贵州省遵义市委员会宣教文卫委员会编：《海龙囤烟云录》，内部印行，2000年，第378页。

环老王宫的垣墙，因此其界限并不明朗。老王宫内目前所见遗迹与遗物，与新王宫所出者并无二致，即亦为明代遗存。这表明其与新王宫应属同一时期但不同性质的建筑群（详见第四章）。

3. 金银库

在新王宫西侧垣墙外，为一组三合院式建筑（F32），由正房和左右两厢组成。正房后期破坏严重，左右两厢则埋藏在两个隆起的砖瓦砾堆中，民间径呼之为“金库”“银库”，合之为“金银库”，传是土司储藏金银之地。稍作试掘，未进行正式清理，但从所处位置看（处在新王宫垣墙之外，囤西通往新王宫的要冲上），其为金银库的可能性可以排除，当系军营或坛庙性建筑（详见第八章）。

4. 大土与转山

万安关南侧平台（当地俗称“大土”）和朝天关北侧转山上各有一组建筑。前者（F31）保存较差，结构不甚清楚。从所处位置看（处在万安关旁、城垣内侧的平坦处），推测为军营性质的遗迹。后者（F33）位于囤东地势高敞的转山之巅，结构清晰，方形平面的四角各有4个硕大的柱础，应为一栋楼阁式建筑，其性质则不甚明了，推测有囤前瞭望哨和庙宇两种可能（详见第八章）。

5. 构树

构树位于教场坝东南侧，2019年春，我们于此采集到较多南宋瓦砾，后布探沟3条（TG57～TG59）进行试掘。探沟内发现有石墙、踏步等石砌痕迹，并发现大量南宋瓦砾，当为一座南宋时期房址，编号为F39。结合其位置等特点，推测为军营，或与教场相关（详见第八章）。

三、道 路

囤上如今的道路网络并不能完全反映过去的交通，但部分道路是重合的（详见第五章）。

囤东，登囤古道分别从铁柱关、铜柱关入，交汇后蜿蜒而上，经三十六步入飞虎关，沿在悬崖上开凿的龙虎大道进入飞龙关，经朝天关、飞凤关进入大城。囤东道路部分是在原生基岩上开凿的台阶，部分用石板铺砌。

囤西，自后关（头道关）、西关（二道关）、万安关至土城墙中门一线的道路是清晰的，为土路，未见石板铺砌。由此向里的道路情况则不甚明了。

囤内，自飞凤关以里，经刘家（原刘远光宅）至老王宫前端陈家（原陈立举宅）一线，断断续续有石板铺砌的古道发现，与今日道路大致平行。但陈家再往前则无迹可寻，推测道路于此分作两支：一支往老王宫，一支往新王宫。新王宫前已经揭露出一段保存完好的石铺道路（L1），是目前所知唯一的进入新王宫的通道，其前端应与自飞凤关而来的道路相接。

环囤城垣内侧，过去认为有环囤马道，却因被后人铺砌的石板路面覆盖或破坏，无法一窥原貌。但从土城墙南北两端以及绣花楼入口处所开门道看（相应地，确有道路通往绣花楼），城垣内侧防御性道路应该是存在的，且自南宋即有。多数南宋哨台即分布于这一线。

目前囤内完整的道路交通体系并不明了，不同时期的路网以及与之相连接的遗迹，还需要进一步的考古工作梳理。

四、采石场与窑址

囤内发现采石场1处、窑址4座。

采石场的石料及其上所遗楔眼，能与年代明确的新王宫及各关隘上所见者对应，确证其为明代采石场（详见第七章）。调查发现窑址4座，散布在不同地点，仅对其中1座进行了清理（Y1），系一座明代砖窑。其余进行了试掘。外围调查在囤下今太平一带亦有明代窑址发现，所出瓦件与囤上所见者一致。与窑址一样，囤上采石场应不止此一处，方能保障石料的供给与就近运输（详见第六章）。

采石场与窑址的发现，表明建囤所需材料多就近取用与烧造，强化了对海龙囤修筑过程的立体认知。

五、其　　他

囤内尚有教场坝、绣花楼等知名遗迹（详见第九章）。

教场坝与绣花楼均是民间称谓，其中教场坝是采石场西南侧的一片狭长平地，面积约4000平方米，但除场地平阔足资练兵外，调查并未于此发现可以证明其为教场坝的相关遗存。不过清人“海潮寺诗碑”中有《后较场》诗一首（详见第九章），或即指此，亦即“教场”是至迟自清道光以来便有的地名，应是民间口碑相传的称谓，结合场地看，其为教场坝的可能性是极大的。而如果构树F39确与教场相关，则囤上教场南宋即有。

绣花楼则不见诸文献的记载，民间传说乃土司千金谈情说爱之地。这是一道大城之外向南逸出的山脊，下临深渊，地势险峻，状若天然马面。山巅的狭小平地视野开阔，其上可见不少明代砖屑与瓦砾，另有少量南宋瓦砾，表明其上确曾有建筑。其性质应与沿大城城垣分布的南宋哨台相同，明代仍继续沿用。

囤内遗迹应不止上述几类，尚有大片空白地带如囤北龙嘴、囤东飞凤关以里等地势平敞处，未来的田野工作或可有所突破。

第三节 遗 物

囤上出土遗物丰富，按用途可分为建筑材料、生活用器与兵器等类，以前两类居多。按质地，则有陶、瓷、石、铜、铁、铅等类。本章只介绍在前述多个地点均有发现且带有一定普遍性的遗物。动植物遗存另行介绍。需要说明的是，许多出土遗物由多块残片拼接而成，故存在一器多号的情况，正文描述器物时，只写主要编号（附表13）。

一、建筑材料

囤上建筑，多用砖、瓦、木、石等营建而成。木构件均已毁于一炬，柱础、地栿、墙基等石构件多保留于原地，提取的主要是砖、瓦、瓦当（勾头与滴水）、脊砖、脊兽等陶质材料。

（一）砖

在新王宫、老王宫、后关（头道关）、西关（二道关）、万安关、飞凤关（太平关）、朝天关、飞龙关、铜柱关、铁柱关、窑址（Y1～Y3）及金银库等地点均有出土，用作砌墙（房屋墙体）、墁地、修灶、筑窑等。多数原址留存，仅提取了其中坍塌、散乱者1394件（附表2）。为便于描述，将砖较宽的两面称为“面”，较长的两侧称为“肋”，较短的两头称为“端”（方砖则俱称“肋”）。砖的形状、大小各异，可据之分为不同类型。部分砖上发现“初一号”“十六”“十六砖”“砖”“甸砖”“验”等铭文。绝大多数为青灰色砖（即经还原焰烧成），少量为红褐色（即经氧化焰烧成）。从部分砖料上残留的加工痕迹，可大致复原其烧造工艺。均为明代遗物，暂未见南宋砖料。

1. 类型

可分长方形砖、抹角砖、抹肋砖和方形砖四类。长方形砖数量最多，用途也最广，房屋墙体、屋内墁地、修灶与筑窑皆用之。方形砖则主要用以墁地与山墙博缝装饰。抹角与抹肋砖，是将长方形砖的端头或肋抹为斜头或圆弧形，应用于山墙檐口。

（1）长方形砖

1142件。根据尺寸变化，可分小、中、大三型。

A型 1048件。小长方形砖，是囤上最常见的砖料，成砖皆青灰色。长26.8～35、宽14～16.8、厚6～9厘米，其长、宽、厚的比例大致为4：2：1，即宽是厚的2倍，长是宽的2倍（附表2）。不同尺寸的变化，应是不同砖箱或不同砖窑生产所致。根据有无二次加工痕迹，分为二亚型[①]。

Aa型　1022件。标准小长方形砖，未经二次砍琢加工。F8①：253，长31、宽15、厚7.5厘米。砖之两肋模印有“十六砖”铭文（图版2-2）。F8①：243，长31、宽15.4、厚8.4厘米（图版2-3）。2件标本厚度略有差异，皆为F8墙砖。另Y1内出土未经烧制的砖坯3件，均残，其尺寸与成砖中尺寸偏大者基本一致。Y1①：11，残。黄褐色，质地疏松，未经烧制。残长15.5、宽15.4、厚8.5厘米（图版2-1）。

Ab型　26件。对小长方形砖进行砍琢加工或模制而成，以适应不同位置使用的需要，加工方式多样。有的将一端砍制或模制为内凹圆弧形，用以包柱。K9①：7，一端内凹呈圆弧形，一面略经砍琢，颇粗糙。长29.6、宽14.5、厚6.2厘米（图版2-4）。有的将两角削平，一肋雕饰如意云纹两朵。F10①：55，长30.6、宽15.1、厚7厘米（图版3-1）。有的在砖的一面凿有浅槽，用以安插木枋。F10①：56，残长26.5、宽15.3、厚7.5厘米。一面凿有长方形浅槽，槽长15.3、宽3、深0.6厘米（图版3-2）。有的整体磨为圆饼形（F5①：200），有的则将面之一端削为斜坡状（F5①：107）。

B型　25件。大长方形砖。数量不多，仅见于后关（TG41）、西关（TG36）、朝天关（TG21）、飞龙关（TG55）、铜柱关（TG45、TG48）、铁柱关和新王宫的“龙位坪”，多用于砌筑关隘门楼的墙体。采集了其中5个地点的标本。仅TG41③：6见模印铭文，肋侧有两圆形戳印相叠加，其内铭文模糊，应为“验”字。未二次加工的完整者长32～35.5、宽16～19、厚11.6～12.5厘米，其长、宽、厚的比例大致为6：3：2，颇厚实。根据有无二次加工痕迹，分为二亚型。

Ba型　15件。未经二次加工的大长方形砖。多数青灰色，个别呈红褐色，完整者不多。TG41③：10，青灰色。长35、宽17.5、厚12.5厘米。砖的一面用铁线弓从砖箱上切割多余砖泥的痕迹尤为明显（图版2-5）。

Bb型　10件。经二次加工的大长方形砖。将砖的一端砍琢为内凹的圆弧形，或将完整的大砖从中央劈断，断开处砍琢为内凹圆弧形，均用以包柱。TG41③：6，青灰色，略泛黄。一端砍琢为内凹圆弧形。长34、宽18.2、厚13厘米（图版2-6）。TG41③：2，青灰色。中央断开处琢为内凹圆弧形。长17、宽18.3、厚12.4厘米。

C型　69件。薄长方形砖。数量较少，发现于Y1、F32及新王宫内。Y1所见部分该型砖料用于砌筑砖窑的烟道，新王宫F9、F19、F30等处局部使用，用于台基表面，墙体叠压其上，应是使墙体水平，便于砌筑。多数为红褐色，少量青灰色。该型砖皆用铁线弓将砖坯一剖为二，约半数砖料的切割痕迹十分明显。尺寸较为一致，长30、宽20～21、厚4.5～5厘米。F5①：217，红褐色。一分为二时，砖面后端未完全切割处撕裂痕迹清晰。长30、宽21、厚4.5厘米（图版3-3）。Y1①：9，部分呈青灰色，部分呈红褐色。系尚未完全切割开的两块砖，其

---

① 需要说明的是，由于不同类型之间不存在逻辑上的演变关系，因此我们不采用“式”的概念，后文对其他遗物的分类亦同此。

后端的面仍连为一体。残长22、宽20、整体厚9.4厘米（图版2-7）。

（2）抹角砖

177件。对一类较Aa型砖薄且窄（部分略长）的长方形砖的肋与端头交接处的一角作特殊处理，使端头呈圆头、楔形或内凹弧形，统称为抹角砖，意即将一角抹去。仅见于新王宫与老王宫内，应用于山墙两端的墀头上。根据形状的不同，分为三型。

A型　112件。圆头，即端头呈半圆弧形。均模制而成，砖箱一角用木板做成圆弧形，制成圆头砖坯后用铁线弓将之一分为二。完整者多长29～35.6、宽11.2～13、厚6～7厘米，大小微有变化。F8①：260，青灰色，夹杂较多石子。两面留有铁线弓拉痕，圆形端头刻划有字符，内容莫辨。长34.4、宽12.6、厚6.6厘米（图版4-1）。新王宫采：17，青灰色。两面铁线弓拉痕明显。砖之两面及两肋有明显灰浆痕，圆头则无，表明使用时圆头外露。长34、宽12.7、厚7厘米（图版4-2）。

B型　31件。楔形，即端头呈斜坡状。有一定尺寸变化，根据模制或成砖加工等制作工艺的不同，分为二亚型。

Ba型　26件。模制。用去掉一角的砖箱一次性制作完成。完整者长32～36.5、宽11.2～12.5、厚6.4～7.8厘米，有一定尺寸变化。新王宫采：11，青灰色。肋及面留有灰浆，楔形端头则无，表明使用时端头外露。长36.5、宽12.5、厚7厘米，是该型砖中的最长者（图版5-1）。F6①：9，青灰色。一肋模印铭文“初一号”。长33、宽12、厚7厘米（图版5-2）。

Bb型　5件。成砖加工。多数残断。可以区分为砖坯加工和烧成后加工两种不同工艺。砖坯加工，指砖坯未干时，即将其一角切去，而后入窑烧造，切口平滑，成色一致。F8①：228，青灰色。长34.5、宽12.5、厚6.8厘米（图版5-3）。烧成后加工，则是砖出窑后根据需要，砍去其一角，断口粗糙，砍磨痕迹明显。F8①：261，青灰色。长31.6、宽13.5、厚6.5厘米（图版5-4）。

C型　34件。内凹圆弧形。均用一角内凹的砖箱一次性制作而成，成砖遂作一角内凹圆弧形。该型砖整体偏小，尺寸变化不大，内凹弧度也基本一致。完整者长28～30、宽11.2～16.4、厚5～6.3厘米。F6①：15，青灰色。一肋模印“初一号”铭文。长30、宽12、厚6厘米（图版4-3）。F6①：172，端头微残。青灰色。一肋模印“十六”铭文。残长29.2、宽12、厚6厘米。两砖大小一致，后端均带内凹浅槽，应系同一砖箱所造砖坯使然（图版4-4）。

（3）抹肋砖

39件。其中1件较为特别（ⅣT0306①：138），小残块，肋侧模制内收，呈内凹圆弧形。其余38件将长方形砖的面与肋交接处的侧棱抹圆，其一肋遂成圆弧形。应用于山墙两端的墀头上，古建筑中又称“混砖”。均模制而成，砖箱侧肋作圆弧状。仅见于新王宫内。有的单棱抹圆，有的双棱抹圆，据此分为二型。

A型　32件。单棱抹圆，肋呈半圆弧形，又称“半混”。完整者长28.5～30.5、宽12～15.4、厚5.8～7.5厘米。F5①：215，青灰色。砖面粗糙，转角处有一道凸棱，为砖箱留痕。长28.5、宽13.4、厚6.3厘米（图版6-2）。F6①：193，青灰色。转角圆润。长29.1、宽

14.5、厚7.5厘米（图版6-3）。

B型　6件。双棱抹圆，肋呈圆弧形，为标准“混砖”。ⅣT0202①：2，黄褐色。只存圆弧形肋。残长16.1、残宽5.9、厚5.8厘米（图版6-1）。

（4）方形砖

33件。砖面呈正方形，或根据需要将之二次加工为不同形状。仅见于新王宫内，主要用作墁地与博缝装饰。尺寸变化不大，根据形状的不同，分为三型。

A型　11件。标准方形砖。标本多数残损，完整者仅2件。均青灰色，多数正面光滑，背面粗糙，以便与墙体或地面粘贴。F19②：26，质地细腻，含少量细砂，扣之清脆。正面光滑，背面略粗糙，四肋略经凿打。这是一类高质量的铺地砖，仅见于F19内，数量不菲，仅提取此一件作为标本，其余原地留存。边长35.5、厚6.5厘米（图版7-1）。F8②：30，一角略残。含少量粗石砾。正面光滑，背面则在制坯时即有意抹划令其粗糙。边长38、厚7厘米（图版8-2）。F1①：55，一肋砍作斜坡状，以便与同样形状的其他砖料相互咬合。残长25、残宽23、厚6.6厘米（图版8-1）。除F19②：26确定为铺地砖外，其余两件所在房屋均用长方形小砖（Aa型）墁地，因此这里出土的方形砖应作博缝砖用。

B型　3件。梯形方砖。将方形砖对称的两肋稍加砍磨，成为梯形。出自F8和ⅣT0306第1层内，应作博缝砖用。F8①：258，青灰色。正面光滑，背面粗糙。高38、上底长33.5、下底长38、厚6.4厘米（图版8-5）。

C型　19件。博缝头。较完整者3件。类型相同，均应作博缝头装饰于山墙两端。将方形砖一角向内砍琢为连弧状，于砖的正面凿刻浅槽，与前者一起组成云气纹，云气作自屋面吐出状。多于砖的背面剔凿上挑的插口，用以固定。F1①：54，青灰色。背无插槽，装饰于房屋的右前或左后墀头。边长37.7、厚6.3厘米（图版7-2）。G1②：25，青灰色。背有插槽，装饰于房屋的左前或右后墀头。边长38.5、厚6.5厘米（图版8-3）。F10①：102，青灰色。背有插槽，并将方形砖一角切除。装饰于房屋的左前或右后墀头。边长37、厚7.3厘米（图版8-4）。

此外，尚有将方砖切割成长方形、三角形用以墁地的情况，仅见于F19内。

使用了博缝砖、抹角砖和抹肋砖的建筑，其为硬山顶的可能性最大。

2. 铭文

铭文实际包括文字与符号两类（不含指纹与动物足印）。提取的标本中带铭文者972件，占总数的70%，比例较高，应与多数残砖因有铭文而采集有关。铭刻方式有模印（文字）、刻划（文字）和戳印（符号）三类，模印最多，又有阴文和阳文的区别。铭文只见于长方形砖和抹角砖上，以长方形标砖（Aa型）最多，方形砖和抹肋砖上未见。模印和戳印均打在砖的肋或端上，刻划文字则肋、端、面皆有。模印文字有“初一号”“十六”“十六砖”“砖”“甸”“甸砖”“验”等内容；刻划文字数量较少，多潦草难辨；戳印的则皆为圆圈纹，数量亦不多（表1-1；附表2）。铭文按铭刻方式不同，分为三型。

表1-1 模印铭文砖统计表 （单位：件）

模印铭文	长方形砖			抹角砖			小计	刻划文字	动物足印	备注
	Aa型	Ab型	Bb型	A型	Ba型	C型				
初一号	460	1		1	2	4	468		1	1件“初一号”砖兼有动物足印
十六砖	308	4			1		313	4		4件“十六砖”砖面兼有刻划文字
十六	128					1	129			
验	16		1				17			
砖	16				2		18			
甸砖	2	1					3			
王子□?	1						1			
老?	1						1			
小计	932	6	1	1	5	5	950	4	1	

A型 950件。模印文字。根据阴文、阳文的不同，分二亚型。

Aa型 913件。模印阴文。数量最多，铭文有“初一号”“十六砖”“十六”“甸砖”等。

“初一号” 468件。字体变化不大，但有带边框和无边框之别。边框高4.8、宽1.8厘米。“初”字俱作“礻”旁，“号”均简体（图1-2-1～5）。长方形砖（Aa型）ⅣT0507①：36的一肋及一端均铭有“初一号”。

“十六砖” 313件。字体微有区别。有带边框和无边框之别。边框高5.1、宽2.1厘米（图1-2-6～9）。其中1件长方形砖（Aa型）的两肋均铭“十六砖”（F8①：253），1件长方形砖（Aa型）的一肋铭两组“十六砖”（L2④：57），2件长方形砖（Aa型）的正面分别有“天田□”与“□□□□”刻划文字（详见下文）。

“十六” 129件。均无边框，文字较其他铭文为大。字体微有区别（图1-2-10、11）。

“甸砖” 3件。均无边框，铭文清晰，字体一致（图1-2-12）。

Ab型 37件。模印阳文。铭文有“验”“砖”“王子□”“老”等。

“验” 17件。均带边框，有方形与圆形两类。方形边框高3.3、宽2.6厘米，圆形边框直径2.6厘米。前者内“验”字较后者大（图1-3-1、2）。

“砖” 18件。均无边框，字体变化不大（图1-3-3）。

“王子□” 1件。铭于长方形砖（Aa型）K4②：8的一肋。带边框，框高8、宽2厘米。“子”为反书，其下应有1～2字（图1-3-4）。

“老” 1件。铭于长方形砖（Aa型）F8①：245的一肋。字迹模糊难辨，疑为“老”字（图1-3-6）。

B型 15件。刻划文字。字迹潦草，能释读的较少。

“道甫□年傩” 写于抹角砖（C型）F5①：219的一肋，文字潦草不清，疑为前述5字，其意不明（图1-3-15）。

1～3、5～11. 0 5厘米　4、12. 0 5厘米

图1-2　砖上模印阴文拓本

1～5. "初一号"（F5①：49、F6①：75、F8①：164、C5②：18、ⅣT0507①：75）　6～9. "十六砖"（F6①：116、C5②：38、F6①：41、F6①：11）　10、11. "十六"（F8①：163、L2④：320）　12. "甸砖"（ⅠT0102②：34）

"□□□□"　写于长方形砖（Aa型）L2②：5的正面，笔画清晰，但其字难识。该砖一肋有"十六砖"铭文（图1-3-12）。

"天田□"　写于长方形砖（Aa型）F8①：247的正面。该砖一肋另有"十六砖"铭文（图1-3-7）。

"寅□□"　写于内凹抹角砖（C型）F6①：90的一肋，不易辨识，疑为前述几字（图1-3-10）。

1～6、8～11、13～15. 0 5厘米　　7、12. 0 5厘米

图1-3　砖上模印阳文与刻划文字拓本

1、2. “验”（ⅣT0507①：16、ⅣT0607①：20）　3. “砖”（ⅣT0507①：20）　4. “王子□”（K4②：8）　5. “□□□□□”（F10①：96）　6. “老”（F8①：245局部图）　7. “天田□”（F8①：247）　8. “×”纹（Y1①：8）　9. “□□”（F8①：260）　10. “寅□□”（F6①：90）　11. “乙百”（C5②：3）　12. “□□□□”（L2②：5）　13. “王”（C5②：4）　14. “□”（F8①：249）　15. “道甫□年傩”（F5①：219）

另有“×”、疑似“王”、“五”与“乙百”各1件，文字难识者3件（图1-3-8、13、14、11、5、9、12）。

C型　12件。戳印符号，皆为圆圈纹（图1-4-1）。其中1件长方形砖（Aa型）ⅣT0102①：1，一肋另刻划有铭文“十”。

此外，有指印2件，是窑工制砖时所遗（图1-4-2、3）。有动物足印5件，可辨狗与猫两类动物（图1-4-4～7）。

模印铭文是海龙囤砖料的主要铭文形式，约占铭文砖总数的97.7%。其中“初一号”“十六砖”“十六”三类铭文最多，约占94%。刻划文字与戳印纹，仅占2.7%，数量较少。刻划文字应为窑工劳作时信手所书，字迹潦草，内容多不可释。戳印纹与模印铭文相同，具有标识的作用。模印铭文只见于长方形砖与抹角砖上，不同模印铭文反复出现于同一类型的砖上，但不会同时出现在同一块砖上，却有相同铭文同时出现在同一块砖上（ⅣT0507①：36一肋及一端均有“初一号”铭文，F8①：253两肋均铭“十六砖”，L2④：57一肋铭两组“十六

图1-4　砖上戳印纹、指印与动物足印拓本

1. 戳印圆形纹（L2④：240）　2、3. 指印（G1②：55、G1②：63）　4～7. 动物足印（ⅣT0704①：45、ⅣT0704①：13、F5①：180、L2④：237）

砖”），同一砖箱所出的两块砖有不同铭文（F6①：15与F6①：172均为C型抹角砖，一铭“初一号”，一铭“十六”），以及模印铭文与刻划文字共存的例子（表1-1）。上述情况表明这些模印铭文不是用以区分不同砖类的，而可能作为责任标记，代表了不同的烧造批次。砖坯做好后，董其事的窑工负责检查，并在坯上打下戳记，允许入窑烧造。17例“验”字铭文砖，正是这一烧制过程的证明。由此可见，海龙囤砖料的烧制，有一套较完备的质量监控系统。

3. 工艺

结合砖料的特点、色泽与砖窑的结构等，可大致复原海龙囤造砖工艺。

泥料均就近取用，除部分铺地砖（如F19铺地砖）精选泥料并掺和细沙外，其余多不对泥料进行细致分选，因此砖坯内常见少量粗石砾。用砖箱制坯，并用铁线弓刮去两面多余泥料，砖之两面往往遗有拉痕。部分轻薄的砖料，则是在砖箱中央再开一槽，用铁线弓沿槽将砖坯一分为二。C型长方形砖俱用此法制作，少量标本尚两砖合一，未完全切割开来，多数标本则砖面后端切割未尽处的人工撕裂痕迹仍很清晰（图1-5）。制坯过程中，打印铭文戳记监控质量。就一斜坡修建砖窑，目前所见均为马蹄窑（当地民间称“甑子窑”），以高3米计，窑腔体积在10立方米左右。以Aa型长方形砖为例，其体积在32厘米×16厘米×8厘米左右，则每窑能烧砖约2400块。用柴火烧造（Y1火膛尚遗有木炭）。绝大多数砖料呈青灰色，表明用还原焰烧成，即烧成之后，复在窑顶浇水转色。

这一流程，与文献所记明代造砖工艺基本一致。明人宋应星《天工开物》记载：“凡埏泥造砖，亦掘地验辨土色”“人逐数牛错趾，踏成稠泥，然后填满木匡之中。铁线弓戛平其面，而成坯形”。“凡柴薪窑，巅上偏侧凿三孔以出烟，火足止薪之候，泥固塞其孔，然后使水转锈”。“凡转锈之法，窑颠作一平田样，四围稍弦起，灌水其上”“水神透入土膜之下，与火意相感而成。水火既济，其质千秋矣”[①]。“转锈之法”即浇水转砖色，使砖变为青灰色。

（二）瓦

瓦出土于各房址、城门与绣花楼、万安关两侧墩台及哨台上，数量特别多，宋、明皆有。这里只统计相对完整者，共计3829件。分板瓦与筒瓦两类，根据工艺和尺寸变化，又可划分为不同的型。少量板瓦上有刻划铭文。因类型划分将涉及造瓦工艺，以下先对工艺进行讨论。为便于描述，将瓦较宽的两面称为“面”，较长的两侧称为“翅”，较窄的两端称为“头”，筒瓦的小头则称为“熊头”，弧弦的半径称为“矢”。

① （明）宋应星著，曹小鸥注释：《天工开物图说》卷中《陶埏第七·砖》，济南：山东画报出版社，2009年，第271页。

1

2

图1-5　造砖工艺

1. Y1①：9　2. F5①：217

1. 工艺

瓦的制作，板瓦用一下大上小、可向里收缩的圆形木桶（一般用若干长方形木条拼合而成，中央以铁线连缀，称“瓦桶”），桶上带四条凸棱，外罩纱布（称“瓦衣”），裹以泥片，用弓切除两头余泥。瓦成，将瓦桶内收，桶状泥瓦与瓦衣一起脱落。阴干后，两手相向轻拍，桶瓦沿凸棱所留凹槽自然裂开，一分为四。《天工开物》的记载，代表了明代造瓦的一般工艺。“凡民居瓦，形皆四合分片。先以圆桶为模骨，外画四条界。调践熟泥，叠成高长方条。然后用铁线弦弓，线上空三分，以尺限定，向泥不平戛一片，似揭纸而起，周包圆桶之上。待其稍干，脱模而出，自然裂为四片。凡瓦大小苦无定式，大者纵横八九寸，小者缩十之三。室宇合沟中，则必需其最大者，名曰沟瓦，能承受淫雨不溢漏也。”[①]筒瓦的制作则有所不同，更见复杂。使用的是呈圆锥形的瓦桶。先用小泥片裹住圆锥形上端（形成熊头），其下则裹以规整泥片，叠压于前者之上，然后旋转瓦桶，剔除上端多余泥料，形成筒瓦。因此海龙囤筒瓦熊头内侧往往可见泥料相接的痕迹。

海龙囤出土的瓦，多呈青灰色，部分灰白色，少量红褐色。内面带布纹。瓦桶带凸棱，但在将桶瓦一分为二或四时，又用锐器沿凸棱留下的凹痕对其进行切割，再自然裂开，断口粗糙。部分在此基础上又对两翅进行加工，断口光滑。这是进行瓦件类型划分的一个重要依据。

复原的板瓦瓦桶，呈下大上小的圆桶状，常见的有两种规格：A型，上端直径21、下端直径24厘米；B型，上端直径23、下端直径26厘米。两型瓦桶的大小有所区别。筒瓦瓦桶则呈圆锥形，下端直径为11厘米左右。

就近建窑烧造。囤上目前发现的3座窑址，只有Y1经正式发掘，确认为砖窑，其余2座性质不明。但囤下太平调查发现的3座窑址，则明确为瓦窑。不过，多数窑址应砖瓦兼烧，同时可烧造脊砖、脊兽等陶质建筑材料。与烧砖的工艺相同，最后都有浇水转色一道流程，使瓦色转为青灰色。

2. 类型

分板瓦和筒瓦两类，又各分若干型。

（1）板瓦

根据大小和工艺变化，分为四型（附表3）。

A型　较完整者136件，瓦砾若干。翘头小型板瓦。出于土城墙及绣花楼门址（CM10～CM13、TG31～TG33、TG39）、飞龙关（CM4）、朝天关（CM5）、万安关（CM7）及构树（TG57）等地点，大城南北城垣沿线也有零星瓦砾发现，当系哨台上遗物。该型板瓦较其他略显薄小，色偏灰白，布纹较粗，是用前述A型（小型）瓦桶制作而成。瓦成后从内侧切开，外侧则自然断裂，两翅因此较为粗糙。该型瓦最突出的特点是，其小头骤然变薄，微往外翘，应是瓦胎脱离瓦桶后，用工具沿瓦上端微向外刮剔使然。TG32②：8，青灰色。两翅内侧经切割，断口平齐，外侧自然裂开，断口粗糙。内面有布纹，小头内侧经刮剔后微往外翘，布纹无存。长26.5、小头宽17.1、大头宽18、小头厚0.8、大头厚1.8、小头矢高5.1、大头矢高4厘米（图版9-1）。TG32②：1，灰白色。特征同前。长27、小头宽16.3、大头宽17.6、小头厚0.8、大头厚1.4、小头矢高4.6、大头矢高4.1厘米（图版9-2）。

B型　3445件。小型板瓦。与A型比较，该型板瓦略大且厚实。系用B型（大型）瓦桶制作而成。根据两翅有无二次加工痕迹，以及瓦头有无当面的不同，分为三亚型。

Ba型　148件。两翅内侧切开后自然断裂，较为粗糙。F8①：119，青灰色。较厚实，内面

① （明）宋应星著，曹小鸥注释：《天工开物图说》卷中《陶埏第七·瓦》，济南：山东画报出版社，2009年，第267页。

粗糙。长25.9、小头宽15.6、大头宽17.9、小头厚2.3、大头厚2.5、小头矢高5.5、大头矢高6.3厘米（图版9-3）。

Bb型　28件。两翅切开后，又经二次加工。一般于两翅的内外侧各削一刀，断口光滑平整。F12②：13，略偏红褐色。长25.5、小头宽17、大头宽19、小头厚1.7、大头厚1.9、小头矢高4.8、大头矢高5.8厘米（图版9-4）。

Bc型　3269件。瓦头带当面。均是在瓦的大头一端粘接莲花纹瓦当（黏合部用锐器令瓦身粗糙）。瓦的两翅多经二次加工，光滑平整。根据勾头、滴水的不同，又分二亚型。

BcⅠ型　1465件。勾头瓦。为盖瓦。G12①：23，青灰色。瓦残一角。两翅平整，大头饰莲花勾头，略向外扬。长22、小头残宽9、大头宽18、小头厚1.6、大头厚1.7、小头矢高4.6、大头矢高4.7厘米，勾头高15.5、宽18.5厘米（图版12-1）。

BcⅡ型　1804件。滴水瓦。为底瓦。C3①：3，青灰色。瓦缺一角。大头饰莲花纹滴水，瓦身接合处微外露，有篦状划痕。长24.5、小头宽16.5、大头宽19.5、小头厚1.4～1.6、大头厚1.9～2.2、小头矢高4.5、大头矢高5.2厘米，滴水高13.3、宽20.5厘米（图版12-2）。

C型　15件。中型板瓦。数量不多，多为碎片，其中7件带滴水当面。体型较大，是A、B型瓦的2～3倍，但较D型小，当属《天工开物》所谓“沟瓦”，用于“室宇合沟中”。仅见于新王宫。G20①：1，是该型瓦中唯一完整者，两翅平整，大头一端带菊花纹滴水当面，为一件底瓦（即在屋面上盖于底层的仰瓦，与之相对应的是覆于其上的“盖瓦”）。长41、小头宽28、大头宽34.7、小头厚1.8、大头厚2.5、小头矢高7.4、大头矢高6.2厘米，滴水高17.5厘米（图版12-4）。

D型　9件。大型板瓦。残片若干，可计件者9件，修复完整1件。体形硕大，是海龙囤出土板瓦中的最大者，为C型瓦的2倍左右。均出自新王宫内。瓦呈双层，系用双层瓦泥在特大瓦桶上叠加而成，再一剖为二。两翅平整，没有明显的大小头之分。近两头处各有对称钉眼两组4个，以插瓦钉。个别标本上还保留着自外（凸面）而内（凹面）钉入的瓦钉。由这些特征观察，该型板瓦应是用于屋脊的脊瓦，功用与脊砖同。F3①：121，长79.2、小头宽39.4、大头宽41.2、小头厚3.2、大头厚3.5、小头矢高16、大头矢高17厘米（图版10-4）。

A型板瓦为宋瓦，是播州杨氏第15世杨文所营建的“龙岩新城”遗物。该型板瓦见于土城墙门址（CM10～CM12）、绣花楼门址（CM13）、飞龙关、朝天关和万安关，表明上述地点南宋时设有门道，并建有门楼。另在构树及沿大城城垣分布的哨台亦有发现。B、C、D诸型板瓦，则是杨氏第30世杨应龙重建海龙囤时的遗物，年代在明万历时期（详见后文）。

（2）筒瓦

257件。见于绣花楼门址（CM13）、构树、新王宫、老王宫、后关（头道关）、铜柱关、飞龙关、朝天关、飞凤关等地点。形制变化不大，但工艺、大小与装饰有所区别，可分二型（表1-2；附表4）。

表1-2 筒瓦一览表

地点	类型				小计
	A型（宋瓦）	B型（明瓦）			
		Ba型（未二次加工）	Bb型（二次加工）	Bc型（带当面）	
绣花楼门址	1				1
构树（TG57）	2			3	5
新王宫		40	18	178	236
老王宫		3		1	4
铜柱关			1		1
飞龙关		2			2
朝天关		2		1	3
飞凤关		2			2
后关		1	1		2
太平窑址采集		1			1
小计	3	51	20	183	257

注：①因筒瓦的使用有一定讲究，特制本表；②本表只统计相对完整的筒瓦及筒瓦勾头，其中筒瓦74件，筒瓦勾头183件。其原本的数量当远大于此；③从表中可见，筒瓦在明代主要使用于新王宫、老王宫及明代诸关隘

A型　相对完整者3件，出土于构树与绣花楼门址。TG39②：1，出土于绣花楼门址内（CM13）。残。灰白色，质地松软。瓦胎亦较B型筒瓦轻薄，熊头短小。两翅与熊头由内侧一刀切开，熊头内侧无明显倾斜，断口粗糙。残长12、熊头长2.5、小头宽11.4、大头残宽11.8、矢残高3.6～5.8厘米（图版10-2）。

B型　254件。根据两翅有无二次加工痕迹的差异，以及瓦头有无当面的不同，分为三亚型。

Ba型　51件。两翅未经二次加工。F1②：6，两翅从内侧切开，外侧保留粗糙断口。熊头内侧再经切削呈斜坡状，后端内侧也经刮削呈斜坡状，以便与熊头相扣合。通长30.6、熊头长2.9、小头宽12.4、大头宽12.7、厚1.5、大头矢高6.3厘米（图版10-1）。

Bb型　20件。两翅经二次加工，光滑平整。F19①：59，通长29.5、熊头长2.8、小头宽12.4、大头残宽9.5、厚1.4、大头矢高7.1厘米（图版10-3）。

Bc型　183件。带勾头筒瓦。在Bb型筒瓦基础上，另于大头一端加圆形莲花纹瓦当，当面略向外扬，部分瓦身中央开有小孔，以置瓦钉。F1②：5，两翅平整，熊头内侧倾斜，大头饰圆形莲花纹勾头，瓦身中央设瓦钉孔。通长30.5、熊头长3.5、宽12、厚1.6～2、大头矢高10厘米，勾头直径12厘米（图版12-3）。

A型筒瓦较完整者3件，因与A型板瓦伴出，为南宋“龙岩新城”遗物。B型筒瓦为明万历时期遗物。明代筒瓦平均长约30、宽12厘米，接近清代官窑的2号筒瓦尺寸（30.4厘米×12.16厘米）。据研究，筒瓦屋面用于宫殿、庙宇、王府等大式建筑，以及牌楼、亭子、游廊等建筑。小式建筑不得使用3号（24厘米×10.24厘米）以上的筒瓦。民宅中的影壁、小型门楼、看

面墙、廊子、垂花门等虽也使用筒瓦，但仅限于10号筒瓦（14.4厘米×8厘米）[①]。据此，筒瓦出土较为集中的新王宫当属大式建筑，大抵是按“王府”规格营建的。

（三）瓦当

瓦当是饰于檐口瓦件上的瓦头，筒瓦与板瓦皆有，均单独成型后黏合于瓦之大头一端，起到装饰和保护木质椽头的作用。可分勾头、滴水两类。海龙囤瓦当出土于新王宫、老王宫、构树以及除飞虎关（CM3，早年曾进行维修，遗物无存）以外的所有明代关隘（CM1、CM2、CM4～CM9）。均以花卉为饰，有莲花、牡丹和月华纹等，以莲花纹最为常见（附表5）。

1. 勾头

饰于盖瓦上的瓦头，筒瓦和板瓦均有。

（1）筒瓦勾头

183件。筒瓦勾头均圆形。根据花纹的不同，分为二型。

A型　4件。月华纹勾头。根据纹饰的不同，分为二亚型。

Aa型　1件。八瓣月华纹勾头。F8③：4，灰白色，质地疏松。残。与A型筒瓦接近。饰八瓣月华纹。残高9.3、残宽7.2、厚1.5厘米（图1-6-1；图版11-1）。

Ab型　3件。三瓣月华纹勾头。均出自构树TG57第2、3层内，纹饰相同。TG57③：2，灰白色。残。下缘微外撇。月华纹呈三瓣，居上两瓣略呈银锭形，居下一瓣则呈心形。高10.2、残宽11、厚1.2～2.2厘米（图1-6-2；图版11-2）。

B型　179件。六瓣莲花纹勾头。根据花瓣外有无连弧纹，分为二亚型。

Ba型　14件。花瓣外无连弧纹装饰，花形因此稍大。F1②：3，青灰色。当面直径13、厚2.3厘米（图1-6-3；图版11-3）。

Bb型　165件。沿花瓣有一周连弧纹装饰，花形略小。F3①：7，青灰色。高10.8、宽11.5、厚1.1～3.5厘米（图1-6-4）。F1②：5，青灰色。瓦较完整。两翅平整，熊头内侧倾斜，大头饰圆形莲花纹勾头，瓦身中央设瓦钉孔。筒瓦通长30.5、熊头长3.5、宽12、厚1.6～2、大头矢高10厘米，勾头直径12厘米（图版12-3）。

（2）板瓦勾头

1465件。板瓦当面整体作如意头状，以牡丹与莲花为饰。分为三型。

A型　3件。侧视牡丹纹勾头。均出自构树，俱残。中央为饰方格纹的花蕊，左右各三片花瓣，花瓣较直；花蒂两侧各有一叶片向上逸出。TG57③：5，残。灰白色。下缘微向外撇。仅存一侧花瓣与叶片。残高9.6、残宽10.2、厚1.2～2厘米（图1-6-5）。TG57③：3，灰褐色。残存右侧花瓣与叶片，带部分瓦身。下缘微外撇。残高10.3、残宽10、厚1.2～1.6厘米（图1-6-6）。

① 刘大可编著：《中国古建筑瓦石营法》，北京：中国建筑工业出版社，1993年，第161、259页。

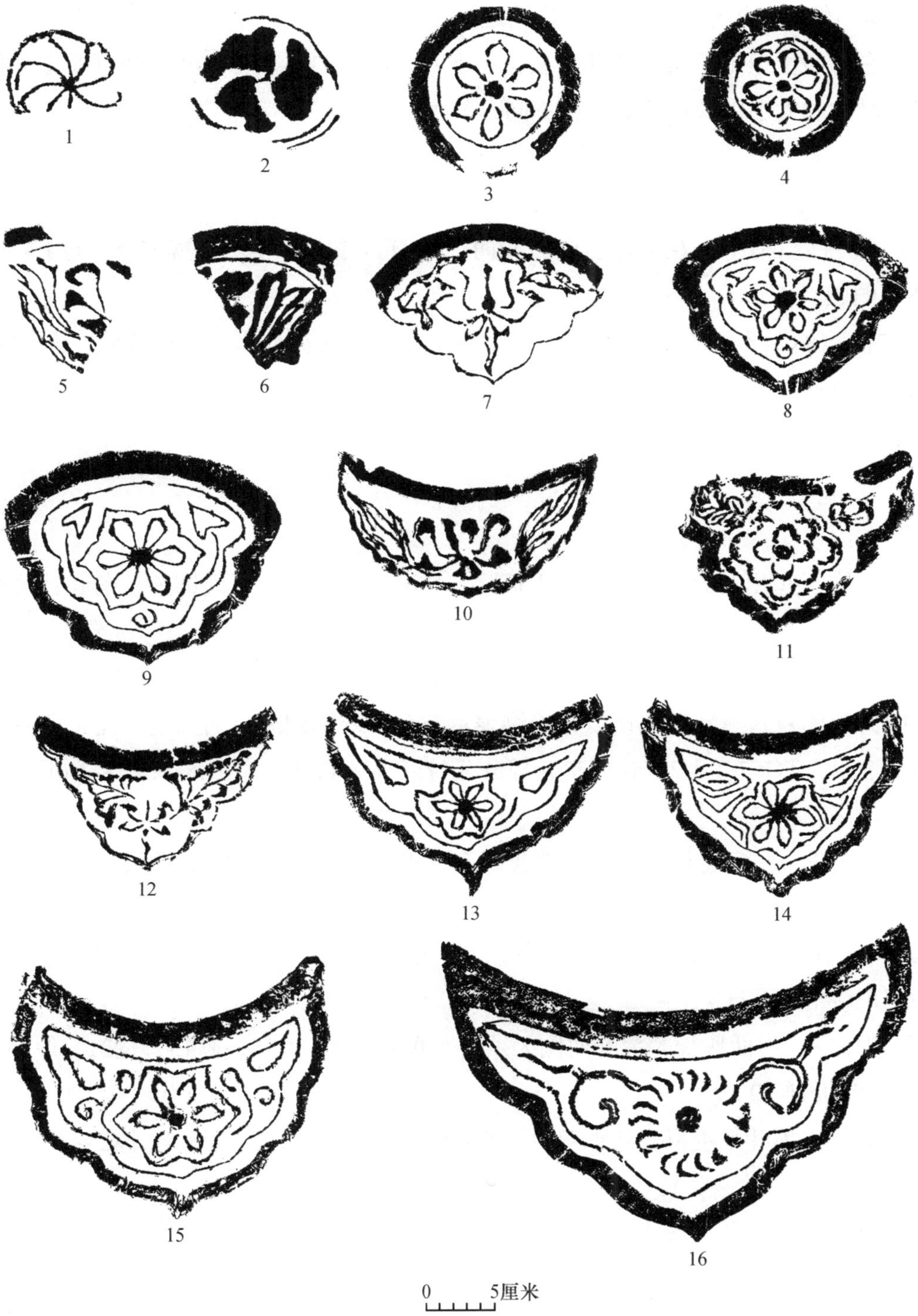

图1-6 瓦当拓本

1. Aa型筒瓦勾头（F8③：4） 2. Ab型筒瓦勾头（TG57③：2） 3. Ba型筒瓦勾头（F1②：3） 4. Bb型筒瓦勾头（F3①：7） 5、6. A型板瓦勾头（TG57③：5、TG57③：3） 7. C型板瓦勾头（G2②：50） 8. Bb型板瓦勾头（G9①：14） 9. Ba型板瓦勾头（ⅠT0103④：46） 10. A型滴水（TG57②：2） 11. D型滴水（G2①：2） 12. C型滴水（G2②：33） 13. Bb型滴水（ⅣT0102①：18） 14. Bc型滴水（TG44③：83） 15. Ba型滴水（G1①：25） 16. E型滴水（G20①：1）

B型　1455件。六瓣莲花纹勾头。饰凸起的正面六瓣莲花，花瓣外围另有连弧装饰，状与花同，其左右各向上逸出三角形莲叶一枝，花下有卷曲的须蔓，花、叶之外有如意头状连弧纹装饰。根据尺寸的大小以及花纹的细微不同，分为二亚型。

Ba型　1272件。略大，花下须蔓向左卷曲。ⅠT0103④：46，高16、宽20.3、厚1.5～2.7厘米（图1-6-9；图版11-4）。

Bb型　183件。稍小，花下须蔓向右卷曲。G9①：14，高13.5、宽17.5、厚1.7～3.4厘米（图1-6-8；图版11-5）。

C型　7件。侧视莲花纹勾头。大小与Bb型相若。侧视花蕾作含苞待放状，两侧亦有莲叶逸出，刻划出叶脉痕。花蕾下有须蔓徐徐垂下。G2②：50，高12.2、宽15.7、厚1.4～2.4厘米（图1-6-7；图版11-6）。

2. 滴水

1804件。饰于底瓦上的瓦头，仅见于板瓦，均呈如意头状。当面饰莲、菊和牡丹等花纹。分为五型。

A型　5件。侧视牡丹纹滴水。均出土构树TG57第2、3层内。花纹与前述A型板瓦勾头大同小异。中央为侧视六瓣牡丹花，以方格纹表示花蕊，外侧四瓣折而向上，花蒂两侧各有一修长叶片向上逸出。TG57②：2，较完整，部分瓦身尚存。高10、宽19.5、厚1～1.6厘米（图1-6-10）。

B型　1783件。六瓣莲花纹滴水。随花瓣有连弧纹装饰，两侧向上逸出莲叶各一枝。根据当面大小和莲叶的细微不同，分为三亚型。

Ba型　1518件。当面较大，莲叶两侧有卷曲须蔓。G1①：25，高14、宽23、厚2.3～2.7厘米（图1-6-15；图版11-11）。

Bb型　219件。当面瘦长，莲叶两侧无须蔓。ⅣT0102①：18，高13、宽21、厚2～2.3厘米（图1-6-13；图版11-10）。

Bc型　46件。莲叶呈菱形，状如双目。TG44③：83，高9.5、宽18.5、厚2～3厘米（图1-6-14；图版11-7）。

C型　7件。侧视莲花纹滴水。花纹与C型板瓦勾头相近，两者应配合使用。G2②：33，高9.2、宽17、厚1.1～1.5厘米（图1-6-12；图版11-8）。

D型　2件。牡丹纹滴水。正面牡丹，三重花瓣，两侧逸出短小枝叶。G2①：2，残。残高12、残宽18、厚1.2～1.8厘米（图1-6-11；图版11-9）。

E型　7件。菊花纹滴水，体形硕大，饰于C型板瓦上。正面菊花，花瓣微曲，两侧枝叶如卷云纹。G20①：1，修复完整。高17.5、宽34.7、厚1.8～2.5厘米（图1-6-16；图版12-4）。

A型筒瓦勾头、A型板瓦勾头与滴水，为南宋时期遗物。余均为明代遗物。值得注意的是，在太平窑址采集的板瓦勾头属囤上Ba、Bb型，滴水亦属Ba、Bb型，因此不排除这些瓦件是在囤下烧造的可能性。

（四）脊砖

为一类长方体箱状陶质脊饰，用于屋脊之上。中空，无下底，顶面开椭圆形孔，前后两挡呈圆弧形（以便骑于脊上），左右两侧多饰缠枝牡丹、缠枝莲、缠枝葡萄、卷草等，多模制而成，少量贴塑。在新王宫、老王宫以及除飞虎关（CM3）外的明代诸关隘均有出土。根据大小、形制与纹饰的变化，分为六型（附表6）。

A型 1件。素面大脊砖，平顶。均为残块，共14块，无法确认分属于多少件个体。整体呈须弥座状，上下两端为圆弧形小凸棱，中部圆弧形凸起。素面。ⅣT0305①：28-1，表面呈砖红色，局部泛青灰。残高19.4、残长15.1、残宽14.4、壁最厚4.4厘米（图版13-1）。

B型 6件。缠枝莲花纹大脊砖，弧顶。均为残块，共58块，部分已拼合。左右两侧饰缠枝莲花，侧视莲花一仰一覆，中隔藤蔓。一端带子母口，以便前后衔接。ⅣT0103①：30，青灰色。残，子母口不存。高21.4、长32.8、残宽14.4、壁厚2～2.9厘米（图版13-2）。

C型 129件。缠枝牡丹纹大脊砖，平顶。G2①：12，灰白色。较完整。平顶开三孔。两侧上下饰凸棱，中央模印对称缠枝牡丹纹。高18.8、长30.8、宽15.6、壁厚1.8～3厘米（图版13-3、4）。

D型 1件。贴塑花卉纹大脊砖。均为残片。砖坯模制成型后，于其左右两侧以泥条贴塑出枝蔓与花朵，复施以刻划，花卉立体、粗犷。顶部情况不明。ⅣT0305①：29，灰白色，局部泛黄。仅存局部残块。贴塑折枝花卉。残高14.6、残长23.4、残宽17.3、壁厚4厘米（图版13-5、6）。

E型 4件。缠枝卷草纹长脊砖，平顶，偏小，颇长，是所有脊砖中的最长者。ⅠT0102②：53，灰白色，略泛黄。可基本复原，由4块残片拼合而成，出土于不同探方。顶开四孔，中央两孔椭圆形，两端各一孔半圆形。两侧模印卷草纹，纹饰清晰。除前后两端外，中央再设一弧形挡板。高15.4、长44.8、残宽17.5、壁厚1.6～2厘米（图版14-1、2）。

F型 244件。缠枝花卉纹小脊砖。根据花卉的不同，分为二亚型。

Fa型 177件。缠枝牡丹纹小脊砖。平顶开三孔，两侧饰缠枝牡丹纹。K4②：9，青灰色。高12.6、长32.4、宽18.7、壁厚1.3厘米（图版15）。

Fb型 67件。缠枝葡萄纹小脊砖。特征与前者同，两侧饰缠枝葡萄纹。F5①：262，青灰色。高12.5、残长29、宽16.5、壁最厚处3.1厘米（图版14-3、4）。

上述A、B、C、D诸型属大型脊砖，E、F型属小型脊砖。大小的不同，可能意味着其装饰部位的差异。大者应置于正脊之上，小者用于垂脊或戗脊。

（五）脊兽

可计件者88件，不可再拼合的残片数量则较多。为屋脊上的兽形装饰，出土于新王宫、老王宫及明代各关隘。均为螭龙状脊兽，四爪（一爪不显）。未见小跑。根据装饰部位的不同，可分为正吻、合角吻、望兽、垂兽或戗兽等类（表1-3；附表7）。正吻与望兽饰于正脊两端，或张口吞脊，或昂首向外。合角吻饰于围脊上，形与正吻相近，但作两兽背对背相合状。垂兽与戗兽分饰于垂脊与戗脊上，状与望兽同，但大小有别。戗兽又当较垂兽为小，但离开屋脊后不易区分，因此下文笼统称之为“垂兽与戗兽”。为描述方便，将其各部位名称标注如下（图1-7）。

表1-3　脊兽一览表（可计件者）

<table>
<tr><th>类别</th><th colspan="2">型式</th><th colspan="2">数量/件</th><th>组合</th></tr>
<tr><td rowspan="2">正吻</td><td colspan="2">A型（精细型）</td><td>4</td><td rowspan="2">12</td><td rowspan="12">1. 关隘脊兽组合：B型正吻+Bc型垂戗兽
2. 合拼型（A型）望兽为“新王宫”中轴线建筑正脊饰，B、C型望兽为其垂兽与戗兽，亦作为中轴线外其他建筑的正脊饰
3. “新王宫”内正吻可能主要用于门楼、廊道、厢房、影壁等小式建筑</td></tr>
<tr><td colspan="2">B型（粗糙型）</td><td>8</td></tr>
<tr><td>合角吻</td><td colspan="2"></td><td>5</td><td>5</td></tr>
<tr><td rowspan="3">望兽</td><td colspan="2">A型（合拼型）</td><td>2</td><td rowspan="3">14</td></tr>
<tr><td colspan="2">B型（大型）</td><td>7</td></tr>
<tr><td colspan="2">C型（小型）</td><td>5</td></tr>
<tr><td rowspan="5">垂（戗）兽</td><td rowspan="2">A型（精细型）</td><td>Aa型（刻划鳞片）</td><td>7</td><td rowspan="2">23</td></tr>
<tr><td>Ab型（贴塑鳞片）</td><td>16</td></tr>
<tr><td rowspan="3">B型（粗糙型）</td><td>Ba型（扁趾型）</td><td>5</td><td rowspan="3">34</td></tr>
<tr><td>Bb型（针叶型）</td><td>7</td></tr>
<tr><td>Bc型（凸棱型）</td><td>22</td></tr>
<tr><td colspan="3">总计</td><td colspan="2">88</td></tr>
</table>

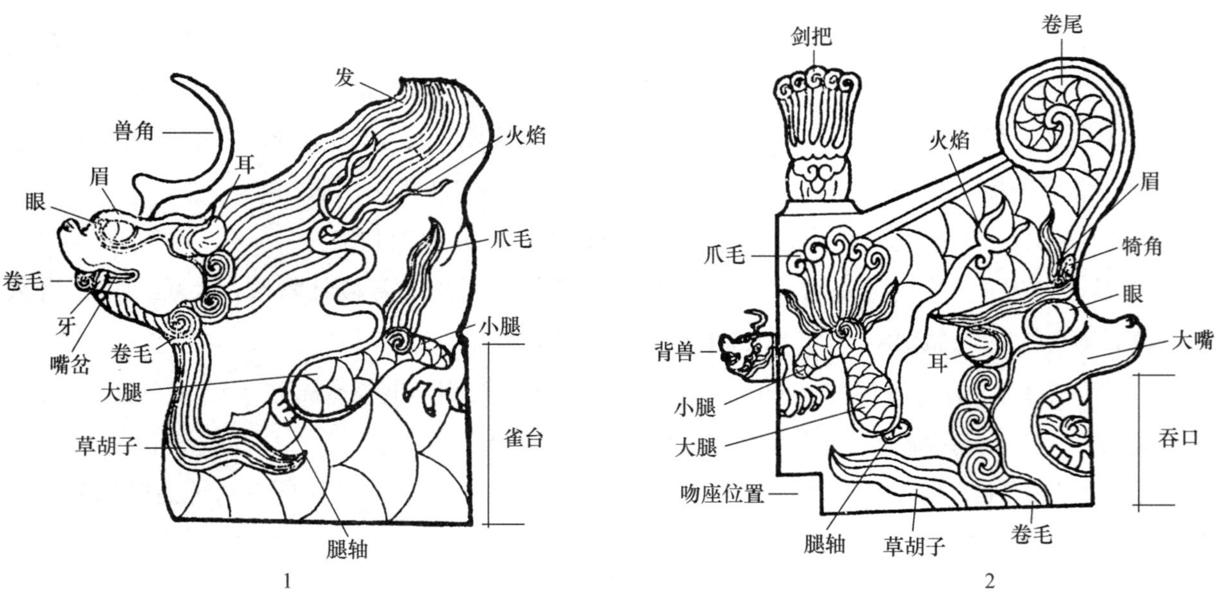

图1-7　脊兽各部位称谓示意图

1. 望兽　2. 吻兽

（采自刘大可：《中国古建筑瓦石营法》，中国建筑工业出版社，1993年，第229、230页）

1. 类型

（1）正吻

饰于正脊两端，头向里，两两相望。

残块110块，经拼合，可计件者12件。无可完全复原者。泥质灰白胎，中空。作张口吞脊状，背插一剑，后有背兽。其形制与图1-7-2所示相近。根据胎质及做工的精细程度，分为二型。

A型 4件。精细型。表面呈青灰色，陶质细腻、松软。吻兽轮廓清晰，做工精细。F1③：3，由9块残片拼合而成，卷尾已残。大口，两侧刻划牙与舌，上颌有獠牙逸出，向上与火焰连为一体；正面中央开一圆孔，形成吞口。怒目圆睁，眉部微凸，前额饱满，两侧近眉处各有一小孔。鼻部呈扁桃状凸起，鼻孔较浅。贴塑大耳，再施以细线刻划。嘴岔凸起，后饰四鬃卷毛。后为兽腿，四爪遒劲（残见两趾），爪毛上扬。残高34.3、残长40.2、宽20.5厘米（图1-8-1；图版16-1、2）。ⅠT0101①：4，与ⅠT0101①：36两块拼合，大部已残，仅存吞口卷毛与背兽之间的局部残块。残存嘴岔后卷毛两鬃，后连凸起腿部。大腿刻划鳞片，火焰和爪毛上扬；小腿上粗短线刻划，残见两趾。后趾与背兽相连，一体成型。背兽刻划精细，中空，上部微残。唇部上翘，口部露齿微闭，两侧各有一獠牙，嘴岔凸起。上唇后饰扁桃状鼻，鼻之两侧怒目有神。眉毛刻划成螺旋状，向内翻卷。额部微凸。眉毛刻划线条连至耳部，耳上犄角仅存根部，见有刻划痕迹。耳下嘴岔后饰卷毛两鬃，线条刻划成螺旋状微凸。卷毛下草胡子上扬至吻爪处，上划弧形线条。残高15、残长26.1、残宽18.5厘米（图1-8-2；图版17-1～3）。F1③：9，正吻卷尾残件，由5块碎片拼合，中空。两面以泥条做成螺旋状轮廓，向内翻卷，间饰鳞片。局部可见贴塑痕（先在吻坯上塑出大致模样，并于表面施以划痕，再贴塑泥料于大样上，最后刻划出相应的部位或图案）。残高22、残宽19.5、厚13厘米（图1-8-3；图版17-4）。F1③：5，灰白胎，表面呈青灰色。正吻剑把。整体略呈鸟首状，剑身（插入吻兽背部的部分）已残。剑格饰如意纹，剑柄平地刻出五道凸棱直抵柄首，顶饰卷云纹，若鸡冠。残高26、宽11、厚5厘米（图1-8-4；图版17-5、6）。

B型 8件。粗糙型。表面多呈灰白色，陶质坚硬，扣之清脆。但吻兽线条刻划生硬，略显粗糙，不如A型精致。形制与A型正吻大同小异，凸起的嘴岔上戳有孔眼，上下均有獠牙；大腿处明显较A型大。G8①：2，由分布在不同探方内的12块残片拼合而成，最远的彼此相距约20米，可大致复原，缺卷尾、剑把与背兽。嘴岔后有凸起的卷毛三鬃，其下刻划草胡子。腿毛状与卷毛同。卷尾下部刻划篦状线条与鳞片。眼部于吻坯凿凹孔，再置球状眼珠于其中。贴塑卷毛（腿毛）、篦状草胡子与鳞片等刻划略显粗疏随意。残高39.5、至眉高29、残长46.5、宽24厘米（图1-8-5；图版16-3、4）。TG41③：19，表面呈青灰色。残存嘴岔处小残块。嘴岔上戳有孔洞，残见獠牙及兽齿。残长11、残宽6.8、残厚5.5厘米。

囤上正吻主要出土于新王宫和明代诸关隘。铜柱关、朝天关和后关（头道关）均有残片发

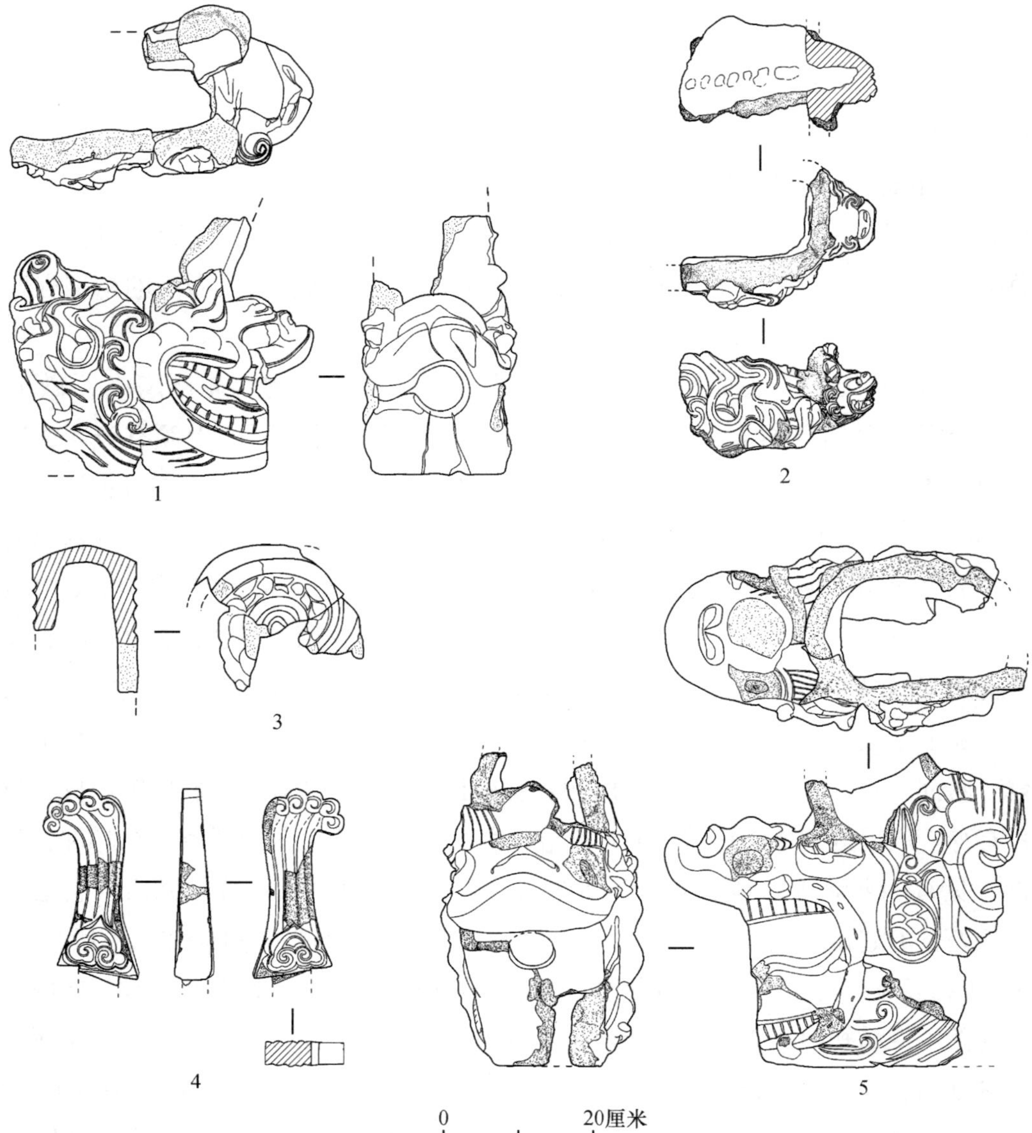

图1-8　正吻

1、2. A型正吻（F1③：3、ⅠT0101①：4）　3. 正吻卷尾残件（F1③：9）　4. 正吻剑把（F1③：5）　5. B型正吻（G8①：2）

现，并有垂兽伴出，知为吻兽饰正脊、垂兽饰垂脊的组合关系，且囤上九座明代关隘均可能如此。新王宫内正吻主要发现于仪门（F25）、F1与F10一线、F19与三台星前端两侧等地点，应主要用于门楼、廊道等建筑的正脊之上。

（2）合角吻

饰于围脊之上，即两脊垂直相交处。由后端各呈约45°斜角的两尊吻兽组合而成，故名。单体形制与正吻相似，有剑把，但无背兽。

可计5件。已修复2件。F1③：1，保存较好，仅吞口处略有残缺。泥质灰白陶，表面呈灰褐色，做工精细，线条刻划流畅。上唇扬起，唇下吞口正面有一圆形孔洞，吞口两侧舌、齿平地微凸，舌呈波浪状，牙齿粗短有力，嘴岔凸出，上下均有獠牙。上唇后饰扁桃状鼻。鼻部两侧眼框较大，眼部凸出，外撇，怒目有神。眉毛刻划成螺旋状，向内翻卷。额部凸起，两侧各有一圆孔。眉毛后刻划线条连至耳部，耳上贴塑犄角，呈半圆形“山”字状。耳下嘴岔后饰三鬃卷毛，线条刻划成螺旋状凸起。卷毛下草胡子微微上扬，上刻弧形线条。卷毛后腿、爪凸出，大腿上刻划鳞片，腿轴处有两鬃爪毛，一鬃与火焰向耳部扬起。爪毛上刻划线条装饰。小腿上粗短线条刻划，四趾，刚健有力。腿上近背处刻划五鬃卷毛。吻兽后部为一斜面，部分经后期砍制。背部近后处为剑把插孔，剑把已佚。卷尾向后翻卷，其上平地刻螺旋状凸棱。通高51、通长40.5、宽21厘米（图1-9-2；图版18-1、3）。F1③：2，与F1③：1组合。吻身刻划图案与F1③：1相同，但两侧纹饰刚好相反。两器共用一剑把，不存（图1-9-1；图版18-2、3）。

海龙囤的合角吻均出土于新王宫内，数量不多，较为集中发现于C1附近及海潮寺左前方，应是使用于相交两墙上的装饰，而非饰于屋脊。

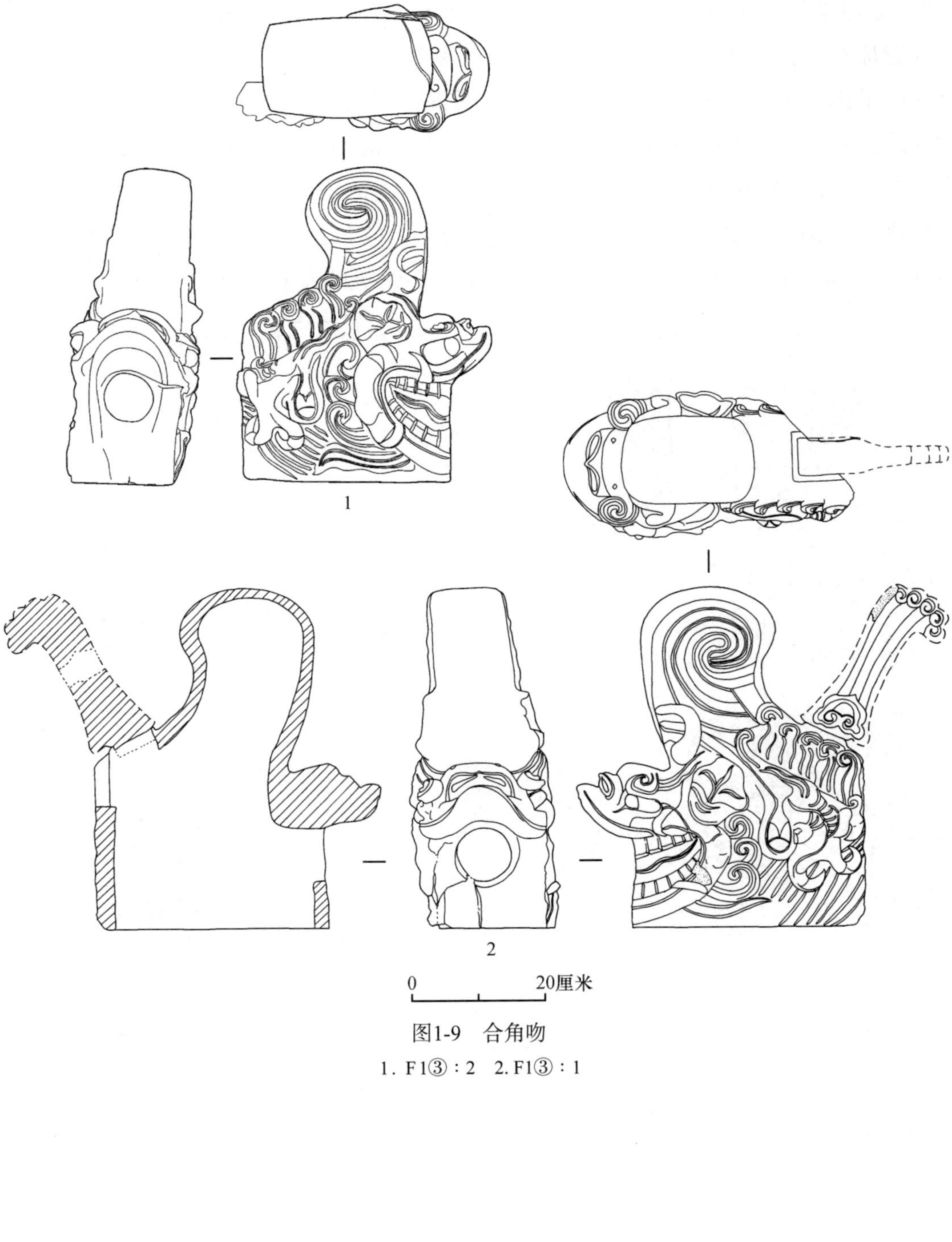

图1-9　合角吻

1. F1③：2　2. F1③：1

（3）望兽

饰于正脊两端，头向外。形制与垂兽、戗兽类同，但体型更为硕大。

14件。根据大小，可分三型，渐次变小，但均远较垂兽、戗兽大。

A型　2件。合拼望兽，体型超大。即用抓钉（部分残块留有孔眼，抓钉已佚）将数块（具体为几拼不详）分别制作的独立构件拼合为一体的超大型望兽。部分残件可见2个原始接口。共发现无法再彼此黏合的碎块14块（其中已拼接的6块由2～4块碎片黏合而成），分别属鼻、下颌、卷毛、颈、草胡子、尾、雀台等残块，知其至少分属于2个独立个体（图版19）。残存的头、颈、爪等均做工精细，壮硕有力，远较一般脊兽为大，可知拼合后的望兽体量相当可观。F19①：53，泥质灰陶，表面呈青灰色。由3块残片拼合而成的望兽后颈残件。整体平地下剔凹槽形成数条凸棱，以示望兽颈及背部的发。前端两个硕大的孔眼用以安插兽角，直径约6厘米。后端原始拼合口平整光洁，遗有贴塑火焰残段。中央偏后处有3个钉眼，用以从内向外安置抓钉（孔内大外小）。构件残长32、宽25、厚4厘米（图1-10-1；图版20-1、2）。F3①：60，泥质灰陶。2片拼合，为望兽雀台残件，其上残存一爪，粗壮有力。爪旁贴塑鳞片。残片的前后两端均为原始断口用以拼接其他部件，前端残留钉孔一个。残高33、宽30、厚20厘米（图1-10-2；图版20-3、4）。

这组囤上目前所见体量最大的脊兽，数量较少，散布在8个不同探方内，彼此相距最远的约50米，但有一定规律，即均分布在中轴线核心建筑的左右两侧，可以肯定其应为大堂

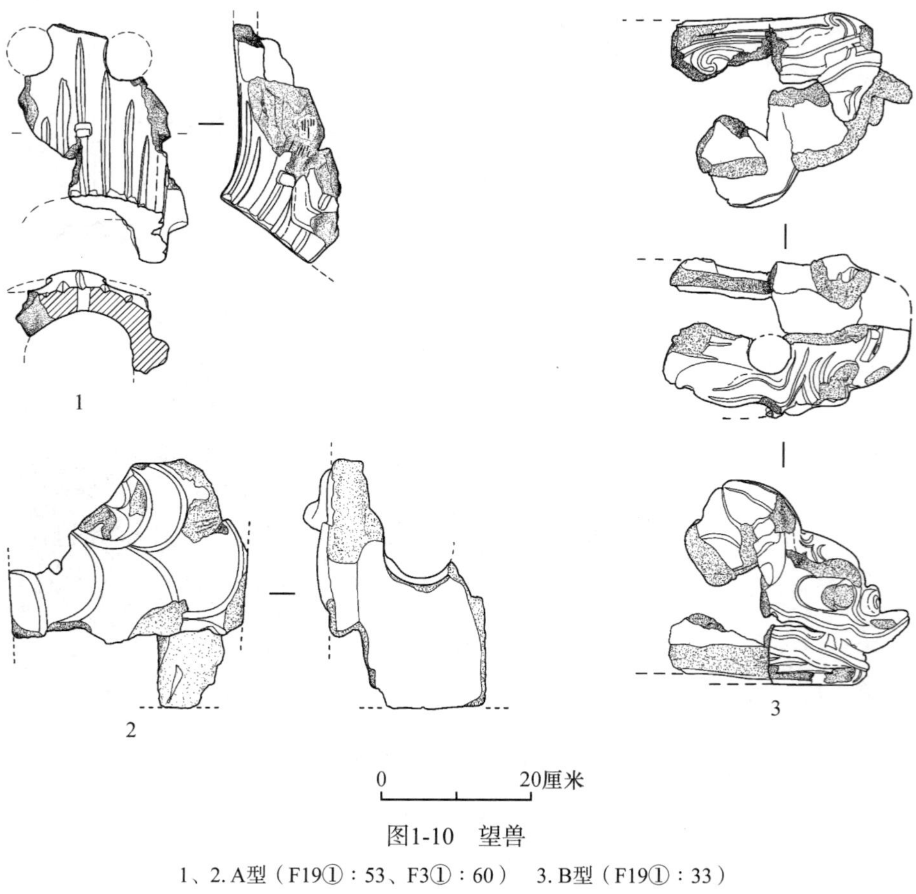

图1-10　望兽

1、2. A型（F19①：53、F3①：60）　3. B型（F19①：33）

（F22）与二堂（F7）正脊两端装饰，原应有4件。

B型 7件。大型望兽。均为残片（其中13片可彼此缀合为3块较大残件），无可复原者，经细致比对，至少分属7个以上个体。残存兽头、腿、爪等部件，均较A型望兽小而比C型望兽大，据此推测完整望兽的体量应较C型大（图版21）。F19①：33，泥质灰陶。由8块残片拼合而成的望兽头部残件，见存上唇、鼻、眼眉、耳、插角孔、牙、下颌、卷毛等。刻划线条流畅，刻痕较深。单层鼻尖。下颌贴塑鳞片。残高26、残长30、头宽20、角孔直径4.5厘米（图1-10-3；图版22-1、2）。F19①：29，泥质黄褐陶。由5块拼合而成的望兽头部，残存两兽耳、插角孔等处。两耳硕大，长宽在14厘米左右。耳间残留角孔，直径4.5厘米。耳上及后颈线条流畅、清晰。残高17、残长20.4、残宽27.6厘米（图1-11-1；图版22-3、4）。F19①：55，泥质灰陶，表面呈青灰色。由4块残片拼合而成的望兽一侧腿部残件，见存颈、草胡子、大腿、火焰、爪毛等。大腿粗壮，贴塑凸起鳞片，并戳小孔数个。腿后贴塑卷毛，刻划篦状爪毛。火焰上扬，压于后扬的篦状兽发上。下颌贴塑凸起鳞片。残高26、残长36、胎厚4厘米（图1-11-2；图版22-5、6）。

大型望兽均出土于新王宫内，未见完整者，其碎片较为集中地分布在紧邻中轴线两侧的东（F1与F10一线）西（F8与F19一线）两路建筑上，知其应是该两路建筑的正脊饰，同时不排除其中部分为中轴线核心建筑（F7与F22）垂兽的可能。

C型 5件。与A、B型比较，属小型望兽。修复完整者1件（F8②：1-1）；另有残片37件

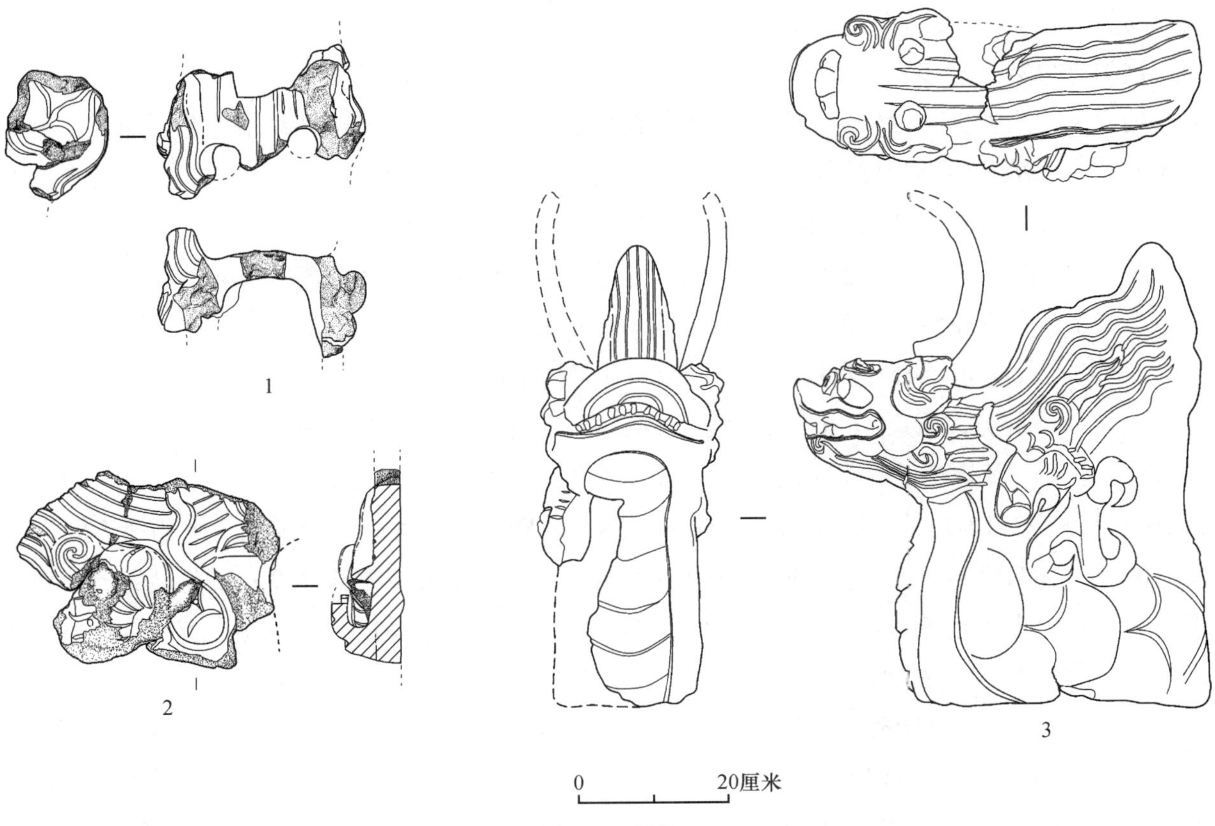

图1-11 望兽

1、2. B型（F19①：29、F19①：55） 3. C型（F8②：1-1）

（其中10片拼合为5件更大残片），至少分属4个个体。体形较B型略小，而较一般垂兽与戗兽为大。均出土于新王宫内。F8②：1-1，泥质灰陶，表面呈青灰色。修复完整，形体较大。两侧图案相同，一侧保存较好，一侧卷毛、草胡子、火焰、爪、雀台等残损。望兽唇部上翘，露齿，两侧各饰獠牙两颗，獠牙下饰小鬃卷毛，嘴岔凸起。下颌与长颈贴塑鳞状装饰。如意状鼻，两侧眼部凸出，外撇。眉毛刻划成螺旋状，向内翻卷，怒目有神。眉毛后刻划线条连至耳部。耳上刻划弧形线条装饰。额后近耳处各有一圆形孔洞，为望兽角孔。角略呈镰刀状，部分插角孔中，角尖前仆。耳下嘴岔后饰两鬃卷毛，刻划线条成螺旋状凸起。卷毛下草胡子微上扬，上刻弧形线条。卷毛和草胡子后刻划线条至大腿处，腿、爪凸起，大腿上刻划鳞片。腿后火焰凸起上扬至耳后，腿轴处线条刻划成螺旋状卷毛，后饰爪毛，呈波浪状。四趾刚健。雀台上贴塑凸起鳞片，单双相间。尾背部塑成波浪状起伏，上刻划线条。尾部两侧平地刻划波浪状装饰。通高61.2、通长52.6、宽22.7厘米（图1-11-3；图版23）。

F8②：1-1出土于F8正房西端，与一件垂兽（F8②：2）伴出，彼此相距约2米，间有脊砖相接，大致保留着二者在屋脊上的相互关系。据此可知，该器为F8的正脊兽，即望兽。其余C型望兽残片的空间分布与B型望兽大致重合而略广，表明其功用相同，为中轴线外建筑的正脊望兽或中轴线建筑的垂兽。

（4）垂兽与戗兽

垂兽与戗兽分别饰于屋面的垂脊与戗脊之上，与望兽形制相同，但体形偏小。一般而言，垂兽与戗兽也有大小之别，垂兽大而戗兽略小，但离开屋面后很难进行细致划分，因之一并介绍。这类脊兽数量较多，大多为碎片，可计件者57件。发现于新王宫、金银库、老王宫、铜柱关、朝天关、飞龙关、万安关和后关。因是在模制胎体上再进行贴塑、刻划等造型加工，由于匠人的艺术水准和娴熟程度不同，成型的脊兽就表现出一定差异，有的生动流畅，有的则呆板粗疏，据此可将之分为精细与粗糙两型。但粗糙与精细，只是相对而言。

A型　23件。精细型。造型生动，线条流畅，做工精细，应出自艺术水准较高、技艺娴熟的陶工之手。根据雀台鳞片刻划或贴塑的不同，分为二亚型。

Aa型　7件。雀台鳞片刻划而成。C8①：1，泥质灰陶，表面呈青灰色，局部泛黄。头、后颈、雀台等部分残损，双角不存，可大致复原。可能为F19或F20垂兽。雀台与下颌平地刻划鳞片。长爪，不甚有力。特别之处在，腮后卷毛作鱼尾状，上刺小孔。残高41、长41.3、宽22.58厘米（图1-12-1；图版24-1）。F10①：33，泥质灰陶，表面呈青灰色。由相邻不同探方及F10内出土的16块残片拼合而成，应为F10垂兽。下唇、后颈与尾部残损，双角已失。颈部贴塑鳞片，雀台上平地刻划鳞片，单双相间。腮后三鬃卷毛。高45.3、长40.6、宽19.5厘米（图1-12-2；图版24-2）。F12①：60（图版24-3）、ⅠT0102②：11等亦属该型脊兽。

Ab型　16件。雀台鳞片贴塑而成。兽鼻有单鼻和双鼻的细微变化，可识单鼻3件、双鼻5件。F2②：1，泥质灰黄陶，表面部分呈青灰色，部分呈灰黄色，或因房屋经火焚烧所致。由9块残片拼合，保存较好，仅眼、眉、唇、颈等处小部分受损。翘唇露齿。颈部贴塑外凸鳞片。如意头状单层鼻尖。眼部凸出，外撇，怒目有神。眉毛后刻划线条连至耳部，耳上刻划弧

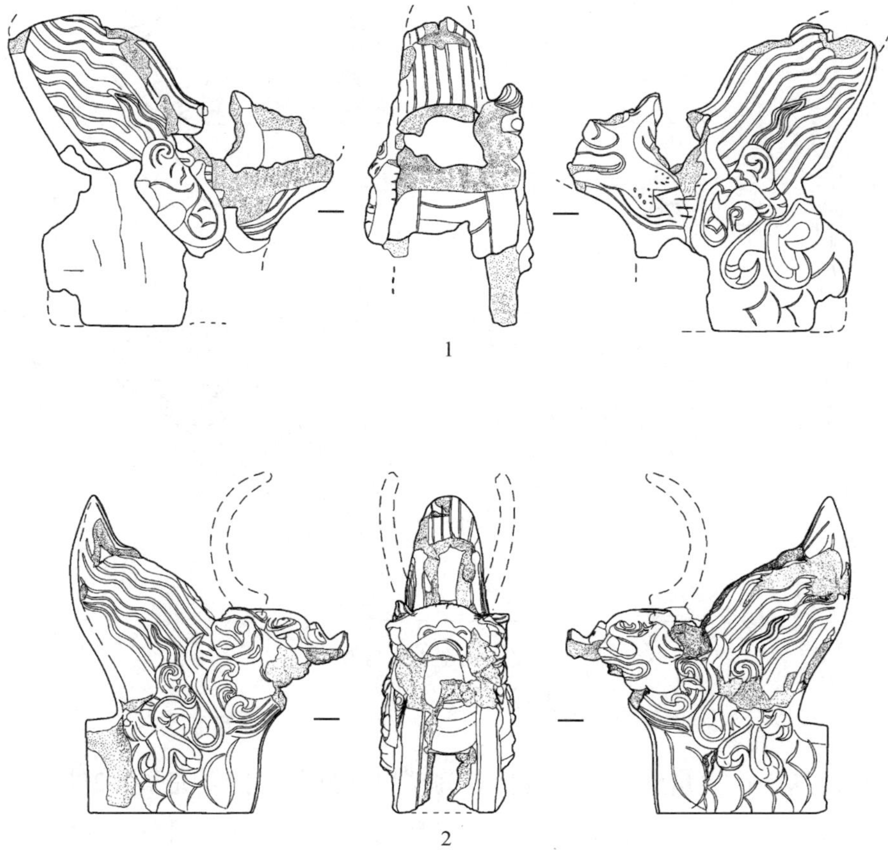
0 20厘米

图1-12 Aa型垂兽与戗兽
1. C8①：1 2. F10①：33

形线条装饰。额后近耳处各有一圆形孔洞，为角孔。兽角两只，一只微残，外形似镰刀状，部分插入孔洞中，角尖前仆。嘴岔后饰两鬃卷毛，卷毛下草胡子微上扬，上刻弧形线条。卷毛和草胡子后刻划线条至大腿处，腿、爪凸出。大腿上刻划鳞片，火焰上扬至耳后，腿轴刻划成螺旋状卷毛，后饰爪毛，呈条形波浪状，爪毛上刻划波浪状线条。小腿上刻划粗短线条，四趾刚健。雀台贴塑鳞片，单双相间。背及尾部作波浪状起伏，上刻划线条。尾部两侧平地刻划波浪状线条装饰。高38.5、长40.1、宽19.6厘米（图1-13-1；图版25-1）。F8②：2，泥质灰白陶，表面呈青灰色。基本完整，双角已佚，发端略残。翘唇露齿，侧有獠牙。如意头状单层鼻尖。腮后凸起卷毛三鬃。草胡子较短。下颔及颈下贴塑凸起鳞片，雀台亦饰单双相间的凸起鳞片。腿部刻划鳞片，有立体感。爪毛及火焰上扬。四趾刚健。残高33.5、残长36.3、宽17厘米（图1-13-2；图版24-4）。该脊兽与前述C型望兽F8②：1-1伴出，为F8左后侧垂脊上装饰。

F1③：4-1（图版26-1）、F9①：193（图版26-2）、ⅠT0102②：6等，亦属该型脊兽。

B型 34件。粗糙型。造型略显拙稚，刻划线条粗疏滞涩，可能出自艺术修为略次或技艺不甚娴熟的陶工之手。根据爪、爪毛和背发的不同，分为三亚型。

Ba型 5件。扁趾型。与其他类型的垂戗兽较显三爪根部作三角形凸起不同，该型脊兽居

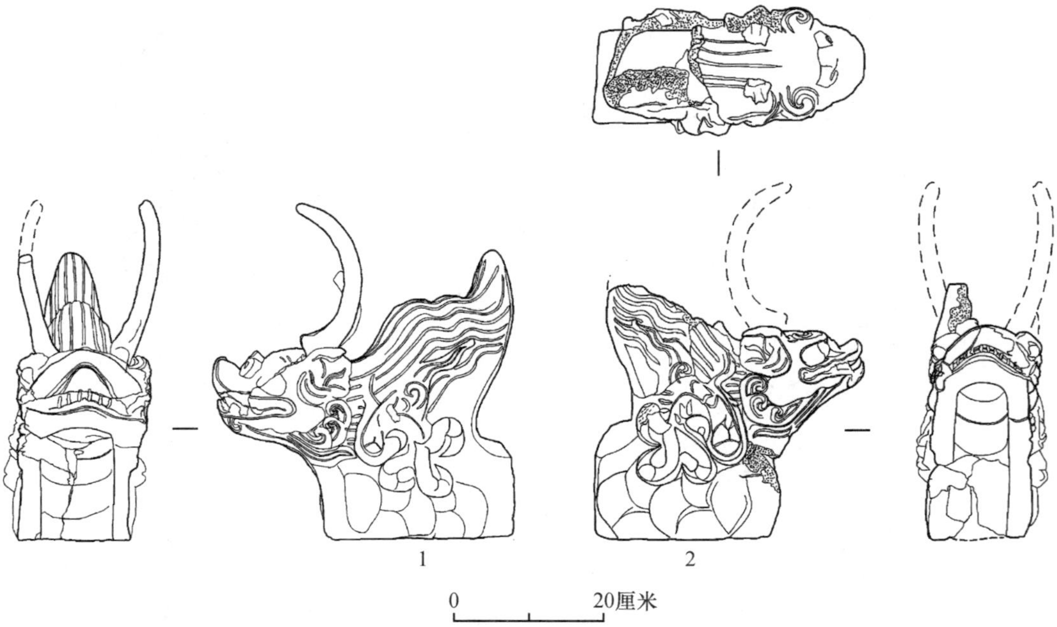

图1-13　Ab型垂兽与戗兽

1. F2②：1　2. F8②：2

中两趾根部被有意抹平，力量感略逊，故称之为“扁趾型”。修复完整者2件，另有残片4片，可计件者共5件。F8②：7-1，表面呈青灰色。修复完整，残存兽角两节。如意头状鼻。腮后三鬃卷毛，微凸。下颌及雀台贴塑凸起鳞片。草胡子、发、腿毛等部的刻划线条较为随意、粗疏。高36、长39、宽13厘米（图1-14-2；图版25-2）。K4②：1-1，泥质灰陶，表面呈青灰色。修复完整。形制与前者相同。左角孔内尚余兽角一段，用石灰加固。残高30、长39、宽13厘米（图1-14-1；图版27-1）。这两件脊兽与前述F8②：2均为F8垂兽。

Bb型　7件。针叶型。火焰短促，上刻短线，呈针叶状，故名。均残，无完整者。除火焰呈针叶状凸起外，该型脊兽还有几个共同的特点：一是两侧嘴角各钻一圆孔，或用以安置须状装饰。这一情况不见于其他类型的脊兽。二是腿粗爪大，较显三爪尽力张开，遒劲有力。三是鼻头的刻划均较粗疏。F8②：26，泥质灰白陶，表面呈青灰色。上部完整，爪以下残缺。扁桃状鼻，画二圆圈以示鼻孔。嘴角二圆孔，未穿。颈下饰凸起鳞片。腮后卷毛两鬃。凸起的短火焰已残，但局部遗有针叶状刻划纹。残高33、长35、宽16.3厘米（图1-14-3；图版27-2）。

Bc型　22件。凸棱型。兽身两侧腿背之间有三至五条凸棱，自后颈与腿部延至兽尾，以增强发的立体效果，故称之“凸棱型”。这一特征不见于其他类型的脊兽，大腿处也较其他垂戗兽粗壮，所饰鳞片也较多。出土于新王宫、金银库、老王宫、朝天关、飞龙关、万安关与后关。多为残片，仅个别器物相对完整，可借之认识该型脊兽的整体特征。L2①：4，泥质灰白陶，表面呈青灰色。仅局部残损，形制基本明了。翘唇露齿，两侧各二颗獠牙。如意头状鼻。腮后二鬃卷毛。下颌及雀台饰凸起鳞片。大腿粗壮，上饰鳞片。自后颈及腿部有五条凸棱延向尾部。残高51.4、长48.3、宽23.2厘米（图1-15-1；图版28-2）。L2④：36，泥质灰白陶，表面呈青灰色。仅存头部及部分颈部、后背。翘唇露齿，两侧各二颗獠牙。如意头状鼻。腮后二

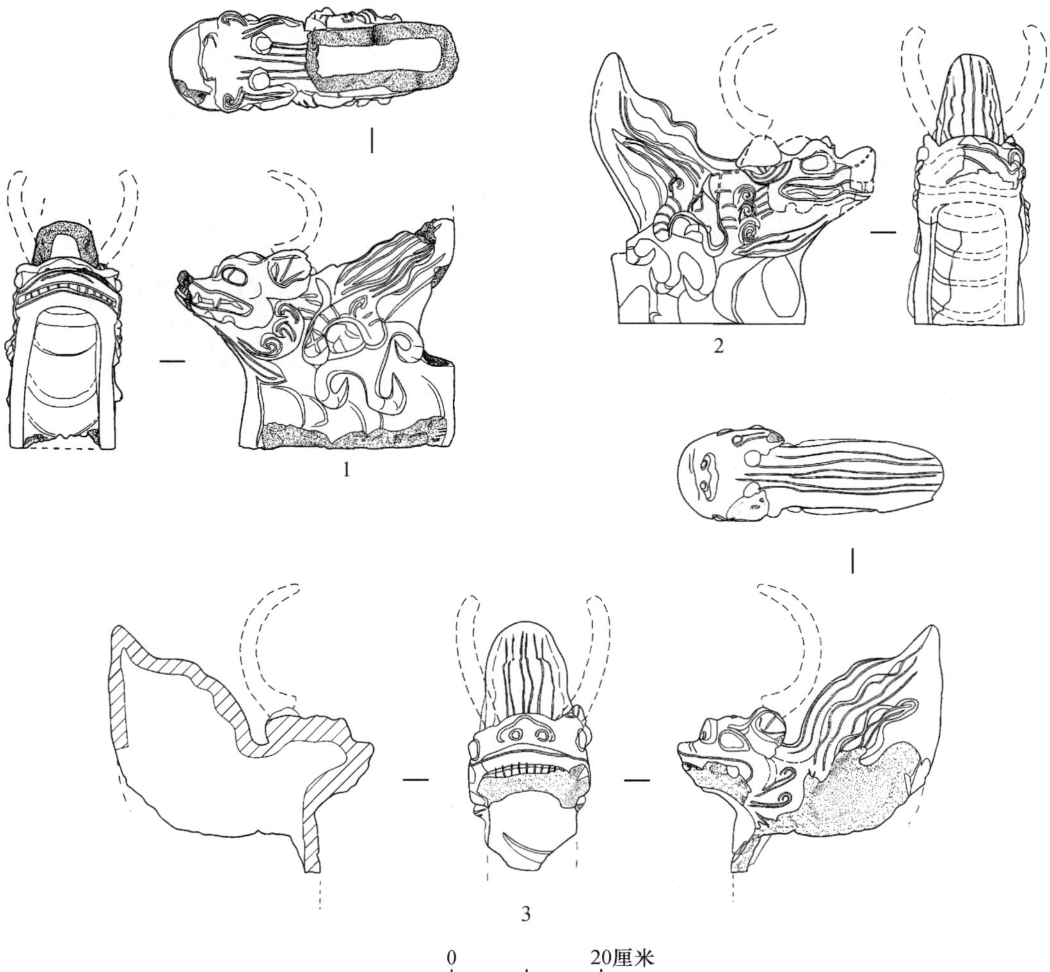

图1-14　垂兽与戗兽

1、2. Ba型（K4②：1-1、F8②：7-1）　3. Bb型（F8②：26）

鬃卷毛。下颌饰凸起鳞片。背之两侧各有一条凸棱向后延伸，其余不存。残高35、残长42.2、宽21.1厘米（图1-15-2；图版28-1）。TG4③：61，垂戗兽尾部残片。泥质灰白陶。自后颈延至尾部的发作棱状凸起，棱上及其两侧各划线条一道。残存数条凸棱，部分凸棱已经脱落，贴塑痕迹明显。顶部刻划线条装饰。残高22.5、残长20、厚2.4厘米。TG41③：28，垂戗兽尾部小残片。泥质灰白陶，表面局部呈灰褐色。残见凸棱两条，刻线条装饰。残长10.5、残宽9、厚3.2厘米。

（5）兽角

共发现脱离脊兽而独立存在的兽角共167块，至少分属于50件以上脊兽个体（附表8）。较完整者14件。形状相同，均呈镰刀状，弯角前仆，向上渐细，底部亦细，以便插入兽头的角孔内，交接处最为粗壮。兽角与兽身分开制作，而后用石灰黏合（图版29）。

分大小两类，由于吻兽未见独立兽角，因此其大者为望兽角，小者为垂戗兽角。ⅢT0101①：3，望兽角。泥质灰陶。较残，仅存中间残段，颇粗壮。残长22、最大径（均指交接部，下同）7厘米（图版29-11）。F19天井②：3，望兽角。泥质灰陶。较完整，仅两端略残。底部有石灰残余，知兽角插入角孔时，用石灰黏合与加固。残长22、最大径6厘米（图版

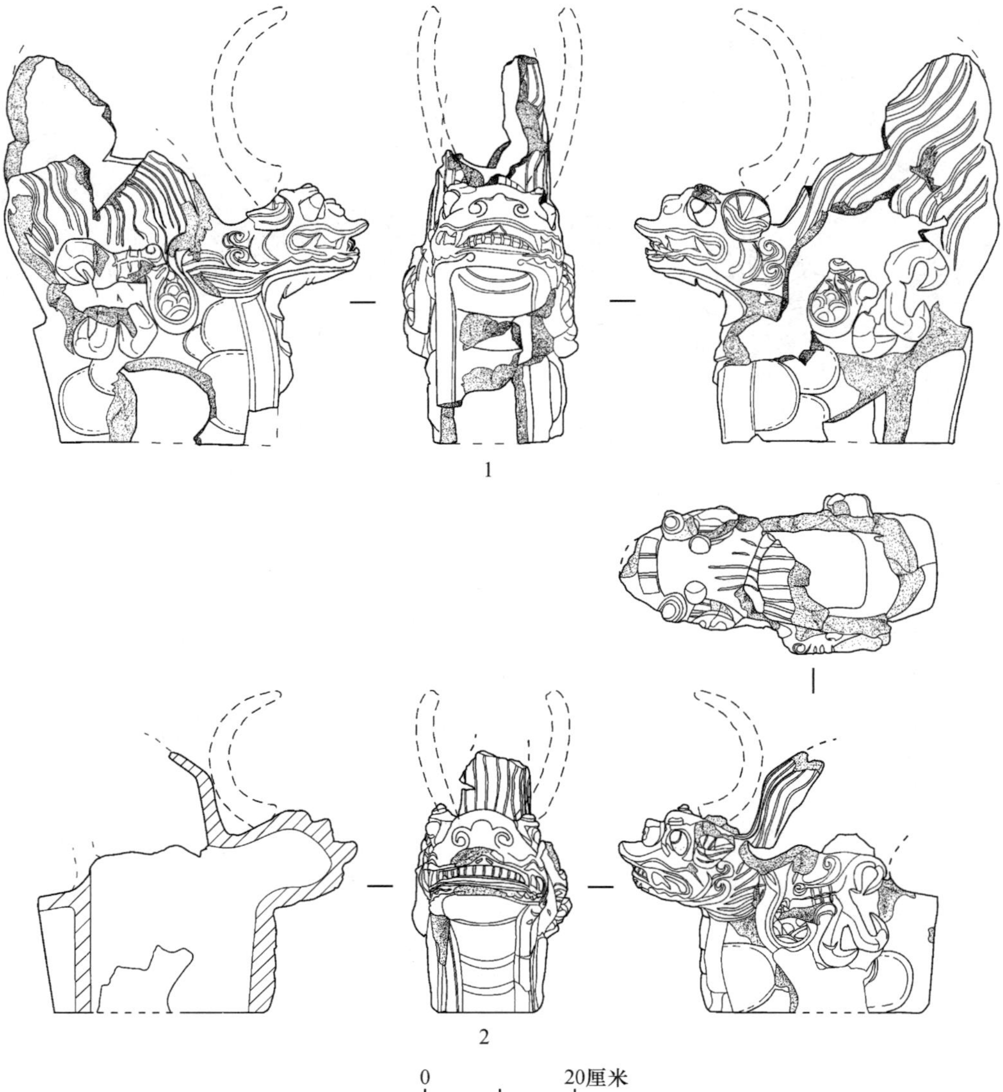

图1-15　Bc型垂兽与戗兽

1. L2①：4　2. L2④：36

29-5）。F9①：204-1，垂戗兽角。泥质灰陶。较完整，整体纤细短小。长23.5、最大径3.5厘米（图版29-9）。

2. 工艺

海龙囤出土脊兽在工艺上有以下特点：

（1）造型工艺上，模制、贴塑与刻划等相结合。腿、爪、耳、眉、眼、鼻等部位均是在模制胎体上另加泥料，加以刻划而成型。为增加黏合力，泥料贴上去前，往往在胎体上施以划痕，令其粗糙。发、草胡子等则多刻划而成。唇、牙、鼻等部位，还使用了雕刻的方法，以呈现立体的效果。

（2）以瓦为骨架。部分脊兽胎体内见有瓦坯残块，绝不是为偷工减料，而是为增加脊兽产量及成品率。胎体中有瓦坯可以起到支撑骨架的作用，使脊兽更易成型。

（3）泥胎厚处开小孔以提升烧成率。部分脊兽的凸起部位，有用雕刻工具戳的小孔洞，或是为了提高脊兽的烧成率。凸起部分胎体过厚，戳小孔洞一则有利于气体排出而不易破泡，一则可增加受热面积。

（4）背兽与望兽一体烧造。所出正吻皆有背兽，与正吻连为一体，乃单独成型后于胎体未干时即黏合为一体，再入窑烧造，而非单独烧造，再套合在一起。

（5）拼合型望兽，兽体各部独立成型并分开烧成。较大的脊兽，使用了分段成型，再黏合为一体的工艺，部分脊兽残块中可看出内侧的接胎痕。

（6）其制作的过程，推测系先将脊兽两侧做成板状，稍干，用泥料黏合，连接尾背部、顶部、头部、颈部等。而后进行贴塑、刻划、雕刻等造型加工。晾干后入窑烧制，串烟，开窑，即为成品。

3. 组合

囤上脊兽主要出土于新王宫、老王宫和明代诸关隘上，螭龙均四爪，未见小跑，其年代均在明万历时期，目前未见南宋龙岩新城时期的相关遗物。结合脊兽使用的一般规律及其在囤上的空间分布，可得出以下认识：

（1）现存明代九关中的铜柱关、朝天关、后关等均有脊兽残片发现，为B型正吻+Bc型垂戗兽的组合，即以略显粗糙的正吻饰于正脊两端，而以凸棱型垂戗兽饰于垂脊与戗脊。据此推断，明代重建的诸关均应为类似装饰。

（2）作为土司衙署的新王宫，其中轴线上核心建筑大堂（F22）与二堂（F7），用合拼大望兽（A型）为正脊两端装饰，而用稍小的B、C型望兽为其垂兽与戗兽。同时，B、C型望兽，也作为中轴线外其他建筑的正脊饰。因此，B、C两型“望兽”既作为望兽使用，也作为垂、戗兽使用，反映了一定的灵活性。

（3）新王宫内正吻体量不大（小于C型望兽），其碎片较为集中地出土于门楼、道路附近，在主要建筑以望兽为正脊饰的情况下，推测正吻主要用于门楼、廊道、厢房、影壁等小式建筑的正脊，与关隘城门楼相同。

（4）合角吻数量不多，集中于海潮寺的左前侧与右后方，推测主要用于院墙的相交处，而非用于重檐建筑的围脊。

（5）有研究认为望兽一般安装在城门楼子等防御性建筑上[①]，海龙囤的情况则有所不同，城门楼正脊使用了吻兽，而作为全囤核心的新王宫内主要建筑则使用望兽装饰正脊，这彰显出望兽在海龙囤上较吻兽更为凸显的地位，或许也彰显了海龙囤的防御性功能。

（6）因为目前无法将垂兽与戗兽作精细划分，因此不能基于脊兽完全确认囤上建筑的屋面结构，即是否普遍为带戗脊的歇山式建筑，无法从脊兽的分析中得到清晰的答案。

---

① 韩昌凯：《脊兽》，北京：中国建筑工业出版社，2012年，第62页。

二、生活用器

生活用器包括各类瓷器、陶器、玻璃器等，后两类仅见于新王宫内，而瓷器则分布于全囤的多个地点，因此这里只对瓷器进行介绍。

囤上出土瓷器数量较丰，分布甚广，几乎俯首皆是，在新王宫、老王宫、万安关、西关、铁柱关、铜柱关、飞龙关、朝天关、飞凤关等地点均有发现，出土碎片多达数万片，可计件者5000余件，可复原者500余件。器类有碗、盘、杯、碟、匙、罐、壶、瓶、盒、香炉、笔山、茶船、烛台、瓷塑等，以前三类最多。根据瓷器的精细程度，可分为细瓷与粗瓷两大类，前者均为外来之物，后者则应多为本地产品。细瓷按窑口有景德镇窑、龙泉窑、湖田窑与清溪窑等，来源较广，但景德镇窑产品占据了绝大多数。细瓷的主要使用对象应是土司及其家人，粗瓷则是身份较低的人群。同时，粗瓷也可在某些方面对细瓷予以有益补充。瓷器的时代分属宋、元、明和清四个大的时段，宋、元器较少，明代最多，清代次之，折射出囤上不同时期的人群活动情况。外来细瓷以青花为大宗，单色釉瓷器数量不多，整体呈现从单色釉到彩色釉的变化过程，这与瓷器制造技术、社会风尚的变化息息相关，也是土司审美情趣变化的某种反映。

（一）细瓷

细瓷按色泽可分单色釉瓷（如白瓷、青瓷等）、青花瓷和彩瓷三类，颜色渐次丰富。由于相关研究较为充分，其窑口、年代等信息较为清晰，下文作重点介绍。

1. 单色釉瓷

仅用单一颜色进行装饰，有的施模印花卉、动物等图案。按釉色分白瓷、青瓷、哥釉瓷、蓝釉瓷和绿釉瓷等几类。

（1）白瓷

在白色胎体上施透明釉，或在深色胎体上加化妆土再施透明釉烧制而成的一类瓷器，色泽白净。可复原者21件（表1-4），另有残片1614片（附表9）。可辨器形有盘（盘与碟形制相同，唯大小有别，我们将口径10厘米以上者称为盘，其余称碟，下同）、碗、杯、盂、炉和瓷塑等。为重庆清溪窑与江西景德镇窑产品，后者占绝大多数。年代分属南宋中晚期与明代晚期，还有少量清代产品。

炉　可计件者（以下省称“可计”）3件，2件已修。均带三足。包括弦纹筒形炉2件、凤鸟纹鼎式炉1件。

表1-4　白瓷一览表（可复原者）

序号	出土单位/编号	名称	残片数量	保存状况	特征	窑口
1	TG21②：22	印花碗	1	可复原	施化妆土	清溪窑
2	F8①：134	侈口小碗	6	可复原	素面	景德镇窑
3	F8①：135	侈口小碗	3	可复原	素面	
4	F9②：102	卧足杯	2	可复原		
5	F9②：108	撇口小盘	4	可复原	外底施釉，浅腹	
6	F9②：109	撇口小盘	3	可复原	外底施釉	
7	F10①：3	凤鸟纹鼎式炉	13	可复原	三足，双耳	
8	F10①：54	弦纹筒形炉	7	基本复原	三足	
9	L2②：1	撇口小盘	2	可复原	釉色浑浊，外底无釉	
10	L2④：272	撇口小盘	3	可复原	釉色浑浊，外底无釉	
11	Ⅰ T0103③：11	敛口小碗	3	可复原	胎釉细腻	
12	ⅣT0101①：4	瓜棱腹折腰花口盘	4	可复原		
13	ⅣT0503④：40	撇口小盘	1	可复原	外底施釉	
14	ⅣT0503④：41	鱼跃龙门纹杯	19	可复原	内底印鱼跃龙门	
15	ⅣT0505②A：3	杯	1	可复原	口沿施酱黄釉	
16	ⅣT0706②	撇口小盘	1	可复原	釉色浑浊，外底无釉	
17	TG10③：71	撇口小盘	1	可复原	外底施釉	
18	TG21②：23	撇口小盘	1	可复原	外底施釉，足沿粘砂	
19	TG21②：177	撇口小盘	1	可复原	釉色浑浊，外底无釉	
20	TG39①：3	瓜棱腹折腰花口盘	3	可复原		
21	老王宫采：9	撇口小盘	1	可复原	外底施釉	

弦纹筒形炉　2件。形制相同，大小微有别。F10①：54，基本修复完整。直口，沿略内折，筒形腹，三扁足。腹上饰数周凸弦纹，足上饰如意纹。通高约7.5、口径6.7厘米（图版30-1、2）。ⅣT0102①：31，残存底、腹及口沿残片共5片，无法缀合。形制与前者同，器形略大（图版30-3）。

凤鸟纹鼎式炉　1件。F10①：3，修复完整。折沿，双附耳，长颈，球形腹，锥形三足。颈部模印八卦纹，上腹饰凤鸟纹（较抽象，应有二鸟相向的纹饰5组，中央以“I”形纹区隔），足饰杂宝。通高13、口径8、腹径10厘米（图版30-4、5）。

盘　可计65件，12件可修。

瓜棱腹折腰花口盘　2件可修。ⅣT0101①：4，由4块残片拼合（分属不同单位），修复完整。菱花口，窄沿外折，瓜棱状腹，底心微下塌，圈足。胎质洁白，釉呈青白色。高3.4、口径19.7、足径10.5厘米（图版31-1、2）。

撇口小盘　10件可复原。形制相近，有腹部深浅、足底有无釉的变化，釉色亦微有不同。L2②：1，修复完整。腹壁内弧，内底心微下塌，浅圈足。釉色混浊泛灰，足、底涩胎。

高2.2、口径12、足径6.4厘米（图版31-3、4）。F9②：108，可复原。浅腹，底心微下塌，圈足。胎体轻薄，通体施釉，釉色白净，圈足粘有窑砂。高2、口径12.2 、足径7.6厘米（图版31-5、6）。F9②：109，形制与F9②：108相同（图版35-5）。TG21②：23，仅存残片1片，但可复原。形制与前者接近，腹略深。釉略浊（图版35-14）。

杯　可计14件，3件可修。

卧足杯　1件。F9②：102，修复完整。直口，弧腹较深，内底上凸，卧足。通体施釉。高3、口径5.4 、足径2.4厘米（图版32-1～3）。

鱼跃龙门纹杯　1件。ⅣT0503④：41，可复原。侈口，弧腹，圈足。口沿施酱黄釉，足沿涩胎。内底模印鱼跃龙门图，内壁印双龙戏珠纹。高4.7、口径9.6、足径3.6厘米（图版32-4～6）。

碗　可计53件，4件可修。包括小碗3件、印花碗1件。

侈口小碗　2件。形制相同，修复完整。F8①：134，侈口微外卷，弧腹，矮圈足。内外壁均施釉，釉色白中带青，外壁见有细碎开片，足底涩胎。高5.1、口径9.4、足径4.4厘米（图版33-1、2）。F8①：135，形制与前者相同，疑为一套。高5、口径9.4、足径4.2厘米（图版33-3、4）。

敛口小碗　1件。ⅠT0103③：11，可复原。直口微内敛，弧腹，矮圈足，底微上凸。胎体轻薄，通体施釉，釉色光洁。高4.6、口径12.6、足径5.6厘米（图版33-5、6）。

印花碗　1件。TG21②：22，可复原。出土于朝天关内。敞口，腹壁微弧，圈足。内外壁均施化妆土，再罩以透明釉，外壁施釉不及底，足、底涩胎。内壁模印缠枝牡丹纹。内底心可见叠烧痕迹。高3.3、口径15、足径5厘米（图版34-1）。

以上所列，是可复原的白瓷器。除此之外，尚有1614片残瓷片，有的可能为前述器物之局部，多数则应分属新的个体，但均无法复原。这些碎瓷，按窑口可分为两组。第一组：数量较少，仅17片，其特征与前述印花碗（TG21②：22）一致，胎体略显粗糙，施化妆土，再罩以透明釉，有的内壁模印或刻划花卉纹。亦均为碗。这组遗物，我们认为是重庆清溪窑产品（附表9；图版34）。余均属第二组：胎质细腻，不施化妆土，罩以透明釉，釉色光洁，少量内壁模印花卉纹。器类有杯、盘、碗、炉、瓶等，为景德镇窑产品（附表9；图版35）。其中2件，器形别致，但残甚难识，或为盂、瓷塑一类遗物（图版35-12、23）。

18片（含TG21②：22）清溪窑白瓷残片分别出自新王宫（15片）、老王宫（2片）和朝天关（1片），其年代在南宋中晚期。其余景德镇窑白瓷的年代则主要在明嘉靖、万历时期，个别略早或略晚。

（2）青瓷

即施青釉的瓷器，胎体灰白，釉色青翠，较厚。部分有弦纹或剔花莲瓣装饰。

均为碎片，仅1件折沿盘可复原，其余据残片推测为碗、炉（或罐）等类器。可确定为龙泉窑，或仿龙泉窑产品（表1-5）。

表1-5 青瓷与影青瓷统计表

序号	出土单位/编号	名称	残片数量	可计件数	特征	窑口	类别
1	G1②：48	折沿盘	19	1	可复原	龙泉窑	青瓷
2	G1②：45	炉（罐）	1	1	饰一周凸弦纹		
3	G2①	瓶	1	1	口沿		
4	C5①	瓜棱碗	1	1	口沿，瓜棱状凸起		
5	L2③：18	莲瓣碗	1	1	腹片，剔花莲瓣		
6	ⅠT0101①	碗	1		底心残片		
7	ⅠT0105①：1	折沿盘	1	1	口沿，与ⅣT0602④为1件		
8	ⅢT0201①：3	莲瓣碗	1		侈口，剔花莲瓣		
9	ⅣT0305①：3	杯	1	1	腹部残片		
10	ⅣT0402①	杯	1		腹部残片		
11	ⅣT0506①	莲瓣碗	1		口沿残片，微敛		
12	ⅣT0602④	碗	1		底部残片		
13	ⅣT0602④	刻划盘	1		口沿残片		
14	老王宫采：1	莲瓣碗	1	1	侈口，剔花莲瓣		
15	老王宫采：2	莲瓣碗	1	1	敛口，剔花莲瓣		
16	现代坑6	杯	1	1	口沿残片，微侈		
17	TG3②	碗	1	1	口沿残片		
18	TG22②	碗	1		腹部残片		
19	ⅣT0709②	碗	1		内壁施白釉	景德镇仿龙泉窑	
20	ⅣT0506①	碗	2		内壁施白釉		
21	ⅠT0201①	碗	1		内壁施白釉		
22	F9②	碗	7	1	釉色偏绿，内白		
23	F8①	刻花碗	1	1	口沿残片，内壁刻划	湖田窑	影青瓷
24	F10①	刻花碗	1	1	底部残片，内底刻划		
25	G5①	碗	1		腹部残片		
26	ⅠT0103②：14	刻花盘	1	1	底部残片，内底刻划		
27	ⅠT0202①	刻花碗	1		腹部残片，内壁刻划		
28	ⅠT0306①	刻花碗	1		腹部残片，内壁刻划		
29	ⅣT0201①	刻花碗	1		腹部残片，内壁刻划		
30	ⅣT0202①	刻花碗	1		腹部残片，内壁刻划		
31	ⅣT0202①	刻花盘	1		底部残片，内底刻划		
32	ⅣT0303②A	刻花碗	1		腹部残片，内壁刻划		
33	ⅣT0402①	碗	1		腹部残片，内壁刻划		
34	ⅣT0403①：11	钵	1	1	口沿残片，内壁涩胎		
35	ⅣT0502①	碗	1		口沿涩胎		
36	ⅣT0603②A	刻花碗	1	1	残底，内底刻划，矮圈足		
37	ⅣT0606②	刻花碗	1		腹部残片，内壁刻划		

续表

序号	出土单位/编号	名称	残片数量	可计件数	特征	窑口	类别
38	ⅣT0606④	刻花碗	2		腹部残片，内壁刻划	湖田窑	影青瓷
39	TG1③：4	碗	1	1	口沿涩胎		
40	TG1④：3	碗	1	1	口沿涩胎		
41	TG5③：1	刻花碗	1	1	腹部残片，内腹刻划		
42	TG21②：179	刻花盘	1	1	底部残片，内底刻划		
43	TG47③：31	刻花碗	1	1	残底，内腹刻划，矮圈足		
44	TG57②：12	菊瓣碗	1	1	口沿涩胎，菊瓣腹		
45	老王宫采：3	刻花碗	1	1	残底，有小乳突，内底刻划		
46	老王宫采：10	刻花盘	1	1	底部残片，内底刻划		
47	老王宫采：17	碗	1	1	内底下塌，饼足		
合计			73	26			

折沿盘　1件。G1②：48，由19块残片拼合，修复完整。宽折沿，弧腹，圈足。足沿露胎，呈火石红，余施青釉，微泛黄，有开片。高5、口径23、足径10.9厘米。为龙泉窑产品（图版37）。

此外，尚有青釉瓷器碎片28片，根据釉色可分为两组。

第一组：17片。釉色青翠，微偏黄，部分带弦纹或剔花莲瓣装饰。器类有碗、罐或炉等。为龙泉窑产品（图版38-1～6）。第二组：11片。均为碗的腹部残片。釉色外腹青，内腹泛白。为景德镇仿龙泉窑产品（图版38-7）。

除2片瓷片采自老王宫，2片出自TG22②、TG3②外，余均出自新王宫。其中的龙泉窑产品，时代约在南宋晚期，仿龙泉窑产品则在明嘉靖、万历时期。

（3）影青瓷

施青白釉，釉色白中泛青。胎体普遍较厚，呈灰白色。

共发现瓷器残片26片，可计14件。其中碗10件（足及外底涩胎）、盘3件（内外均施釉）、钵1件（口沿残片，敛口）。普遍釉下刻划花卉等纹饰（表1-5；图版36）。

碗　可计10件。均残，不可复原。老王宫采：3，残存碗底。内底近平，圈足，足底心有细小乳突。灰白胎，青白釉，足、底涩胎。内底刻划抽象凤鸟纹。残高1.7、足径6厘米（图版36-1）。

盘　可计3件。残甚，均只存器底之局部。ⅠT0103②：14，灰白胎。外底釉色白、内底青。内底施刻划纹，残甚，不辨何纹。残长4、宽2、厚0.3厘米（图版36-3）。

钵　1件。ⅣT0403①：11，残存口沿，敛口。外壁施青白釉，内壁涩胎。口沿下有三周凹弦纹。长5.2、宽2.4、厚0.5厘米（图版36-8）。

14件影青瓷中，7件（老王宫采：3、老王宫采：10、老王宫采：17、TG47③：31、TG1③：4、TG1④：3、TG5③：1）出自老王宫，2件分别出自TG21②、TG57②，其余5件出自新王宫。均属湖田窑产品，年代约在南宋，个别或可早至北宋。

（4）哥釉瓷

灰白色釉面带开片的一类瓷器，系明清时期景德镇仿哥釉产品。均为碎片，凡414片，无可复原者，但通过残存的器底，结合其余残片的胎釉判断，至少分属于22件不同个体，其中杯6件、瓶1件、碗15件。根据釉下有无青花的变化，可分两组：哥釉瓷与哥釉青花瓷（表1-6）。

表1-6 哥釉瓷一览表

<table>
<tr><th>序号</th><th>出土单位/编号</th><th>名称</th><th>残片数量</th><th>可计件数</th><th>特征</th><th>类别</th></tr>
<tr><td>1</td><td>F9①</td><td>哥釉杯</td><td>130</td><td>5</td><td rowspan="2">残存大量腹与口沿残片；开片细密，“紫口铁足”</td><td rowspan="7">哥釉瓷</td></tr>
<tr><td>2</td><td>F9①：198</td><td>哥釉杯</td><td>3</td><td>1</td></tr>
<tr><td>3</td><td>F19①：61</td><td>哥釉瓶</td><td>9</td><td rowspan="3">1</td><td rowspan="3">出土于不同单位，但根据胎釉（胎厚、片大，纹路闪黑）判断，当属同一器</td></tr>
<tr><td>4</td><td>F9①</td><td>哥釉瓶</td><td>7</td></tr>
<tr><td>5</td><td>ⅣT0706①</td><td>哥釉瓶</td><td>1</td></tr>
<tr><td>6</td><td>F29①</td><td>哥釉瓶</td><td>1</td><td></td><td>腹部残片</td></tr>
<tr><td>7</td><td>ⅣT0202①</td><td>哥釉瓶</td><td>1</td><td></td><td>腹部残片</td></tr>
<tr><td>8</td><td>ⅠT0105①</td><td>哥釉青花碗</td><td>6</td><td>1</td><td rowspan="22">残存器底6件，以及较多腹部与口沿残片。胎体较厚，开片较大。共同的特点是：釉下均有青花，内底及外腹绘牡丹纹，口沿内侧绘菱形锦纹</td><td rowspan="22">哥釉青花瓷</td></tr>
<tr><td>9</td><td>ⅣT0102①</td><td>哥釉青花碗</td><td>2</td><td></td></tr>
<tr><td>10</td><td>ⅣT0103①</td><td>哥釉青花碗</td><td>1</td><td></td></tr>
<tr><td>11</td><td>ⅣT0104①</td><td>哥釉青花碗</td><td>1</td><td></td></tr>
<tr><td>12</td><td>ⅣT0105①</td><td>哥釉青花碗</td><td>1</td><td></td></tr>
<tr><td>13</td><td>ⅣT0106①</td><td>哥釉青花碗</td><td>3</td><td>1</td></tr>
<tr><td>14</td><td>ⅣT0202①</td><td>哥釉青花碗</td><td>2</td><td></td></tr>
<tr><td>15</td><td>ⅣT0202①</td><td>哥釉青花碗</td><td>6</td><td></td></tr>
<tr><td>16</td><td>ⅣT0203①</td><td>哥釉青花碗</td><td>4</td><td>1</td></tr>
<tr><td>17</td><td>ⅣT0205①</td><td>哥釉青花碗</td><td>3</td><td></td></tr>
<tr><td>18</td><td>ⅣT0207①</td><td>哥釉青花碗</td><td>1</td><td></td></tr>
<tr><td>19</td><td>ⅣT0301②A</td><td>哥釉青花碗</td><td>1</td><td></td></tr>
<tr><td>20</td><td>ⅣT0304①：57</td><td>哥釉青花碗</td><td>5</td><td>1</td></tr>
<tr><td>21</td><td>ⅣT0304①：58</td><td>哥釉青花碗</td><td>3</td><td>1</td></tr>
<tr><td>22</td><td>ⅣT0304①：59</td><td>哥釉青花碗</td><td>8</td><td>1</td></tr>
<tr><td>23</td><td>ⅣT0304①：60</td><td>哥釉青花碗</td><td>1</td><td>1</td></tr>
<tr><td>24</td><td>ⅣT0304①</td><td>哥釉青花碗</td><td>21</td><td></td></tr>
<tr><td>25</td><td>ⅣT0304④</td><td>哥釉青花碗</td><td>3</td><td></td></tr>
<tr><td>26</td><td>ⅣT0305①</td><td>哥釉青花碗</td><td>16</td><td>1</td></tr>
<tr><td>27</td><td>ⅣT0305③A</td><td>哥釉青花碗</td><td>11</td><td></td></tr>
<tr><td>28</td><td>ⅣT0305④</td><td>哥釉青花碗</td><td>6</td><td></td></tr>
<tr><td>29</td><td>ⅣT0403①</td><td>哥釉青花碗</td><td>1</td><td></td></tr>
</table>

续表

序号	出土单位/编号	名称	残片数量	可计件数	特征	类别
30	ⅣT0404①	哥釉青花碗	16		残存器底6件，以及较多腹部与口沿残片。胎体较厚，开片较大。共同的特点是：釉下均有青花，内底及外腹绘牡丹纹，口沿内侧绘菱形锦纹	哥釉青花瓷
31	ⅣT0405①	哥釉青花碗	38			
32	ⅣT0404③A	哥釉青花碗	4			
33	ⅣT0405②A	哥釉青花碗	2			
34	ⅣT0405③A	哥釉青花碗	3			
35	ⅣT0405④	哥釉青花碗	1			
36	ⅣT0503④：26	哥釉青花碗	1	1		
37	ⅣT0503④	哥釉青花碗	1			
38	ⅣT0505①	哥釉青花碗	9			
39	ⅣT0505②A	哥釉青花碗	1			
40	ⅣT0505②B	哥釉青花碗	5			
41	ⅣT0506①	哥釉青花碗	3			
42	ⅣT0506②	哥釉青花碗	15	1		
43	ⅣT0605①	哥釉青花碗	2			
44	ⅣT0605②	哥釉青花碗	2			
45	ⅣT0606①	哥釉青花碗	6			
46	ⅣT0606②	哥釉青花碗	3			
47	ⅣT0709②	哥釉青花碗	1			
48	ⅣT0709③	哥釉青花碗	1			
49	TG10①	哥釉青花碗	1	1		
50	TG45①	哥釉青花碗	1	1		
51	TG57②	哥釉青花碗	3	1		
52	F1①	哥釉青花碗	1			
53	F29①	哥釉青花碗	1			
54	现代坑1	哥釉青花碗	1			
55	庙台3	哥釉青花碗	1			
56	G2①	哥釉青花碗	1			
57	G5①	哥釉青花碗	1			
58	C1①	哥釉青花碗	1			
59	C5①	哥釉青花碗	2			
60	L2②	哥釉青花碗	1			
61	F19①	哥釉青花碗	2	1		
62	F19①：4	哥釉青花碗	8	1		
63	F9①	哥釉青花碗	17			
总计			414	22		

哥釉瓷 7件。器类有杯和瓶。

杯 6件。均为残片，130余片，根据胎釉及残存口沿、器底判断，均为杯，惜皆无法复原。形制相同，做工精细，为仿哥釉瓷器中的精品。胎体轻薄，釉层肥厚，开片细密，有层次感。口沿微外侈，外沿施一周酱釉；圈足沿涩胎，呈灰褐色；以追求“紫口铁足”的效果（图版39-1～10）。F9①：198，残存杯底及腹部。弧腹，圈足。残高3.1、足径3厘米（图版39-10）。

瓶 1件。F19①：61，残片17件，出自3个不同单位，为瓶底、颈和腹部之局部。从胎体的厚薄、釉色与冰裂纹等判断，当属同一器，无法修复。应系一件螭龙耳哥釉瓶。青灰胎，颇厚实，灰白色釉则较薄，内外均有冰裂纹，纵向部分纹理颇细长，纹路闪黑。圈足及底涩胎，口沿则磨制成花口（当系口沿破损后，有意加工为规则状，足见主人对该器的珍视）。颈部残存局部兽形耳，当为螭龙形耳。整器残高约25、足径约16.5厘米（图版39-11～14）。

哥釉青花瓷 15件。均为哥釉青花瓷碗残片，共计262片，其中含不可再拼合的碗底6件。器形大致相同，皆窄折沿，弧腹，圈足。灰白釉，开片细密，足沿涩胎，多数略泛红。内底及外腹釉下以青料绘制牡丹纹，口沿内侧饰菱形锦纹（图版40）。ⅣT0304①：57，残存碗底及腹部。圈足。足沿涩胎，内外壁均施哥釉。内底心釉下以青料绘制折枝牡丹花纹，外腹平涂花叶。残高6、足径9.6厘米（图版40-7）。

以上遗物，皆为景德镇仿哥釉器。其中的哥釉瓷杯为景德镇“碎器窑”产品，属民窑器中的精品，年代应在嘉靖时期。其余哥釉瓶、哥釉青花碗，年代应在清早中期，当为海潮寺僧人所遗。

（5）孔雀绿釉瓷

施孔雀绿釉的瓷器14件。灰白胎，胎体轻薄，多数微泛红，似表明火候不甚高。有的模印卷云纹、刻划莲瓣纹或草书“福”字。少量兼施酱釉。可辨器形有炉、碗、盘、碟、器盖等（表1-7；图版41）。

表1-7 孔雀绿釉瓷一览表

<table>
<tr><th>序号</th><th>出土单位/编号</th><th>名称</th><th>残片数量</th><th>可计件数</th><th>特征</th></tr>
<tr><td>1</td><td>TG47③：20</td><td>花口碟</td><td>1</td><td>1</td><td>可复原</td></tr>
<tr><td>2</td><td>ⅣT0305①：43</td><td>福字盘</td><td>2</td><td>1</td><td>盘底书“福”字</td></tr>
<tr><td>3</td><td>ⅠT0101②：7</td><td>花边器盖</td><td>1</td><td>1</td><td>可基本复原，卷云纹</td></tr>
<tr><td>4</td><td>F10①：5</td><td>鼎式炉</td><td>3</td><td rowspan="3">1</td><td rowspan="3">兼施酱釉，可大致推知器形</td></tr>
<tr><td>5</td><td>ⅣT0405①</td><td>鼎式炉</td><td>1</td></tr>
<tr><td>6</td><td>ⅣT0202①</td><td>鼎式炉</td><td>1</td></tr>
<tr><td>7</td><td>ⅠT0201②：1</td><td>盘</td><td>1</td><td rowspan="2">1</td><td rowspan="2">底部</td></tr>
<tr><td>8</td><td>ⅠT0103①</td><td>盘</td><td>1</td></tr>
<tr><td>9</td><td>ⅠT0103①</td><td>莲瓣纹盘</td><td>1</td><td></td><td>腹部残片，外腹饰莲瓣纹，胎泛红</td></tr>
<tr><td>10</td><td>ⅠT0103①</td><td>盘</td><td>1</td><td></td><td>腹部残片</td></tr>
<tr><td>11</td><td>ⅣT0202①</td><td>碗</td><td>1</td><td>1</td><td>口沿残片，侈口</td></tr>
</table>

续表

序号	出土单位/编号	名称	残片数量	可计件数	特征
12	Ⅰ T0101②	碟	1		口沿残片
13	TG3③：28	莲瓣纹盘	1	1	口沿残片，花口，腹饰莲瓣纹
14	ⅣT0305①	莲瓣纹罐	1	1	外壁贴塑纹饰残甚，不可识
15	TG22②	盘	1	1	底部残片
16	TG30②：1	盘	1	1	底部残片
17	F8②：33	盘	3	1	残存底部
18	F9①	盘	4		残存底部
19	K3①：41	花口碟	1		口沿残片，菊瓣腹
20	L2①	碗	1		口沿残片，侈口
21	ⅣT0203④	盘	1		残存底部
22	ⅣT0203④	罐	1		贴塑莲瓣纹及凸弦纹，部分已经脱落
23	ⅣT0404①：13	盘	1		底部残片
24	ⅣT0404①：14	器盖	1	1	可复原
25	ⅣT0405①	器盖	2		
26	ⅣT0502④	盘	1		残存底部
27	ⅣT0503④	莲瓣纹盘	1		腹部残片
28	ⅣT0506①：61	碟	1	1	残存底部，外底心有模印方框
29	ⅣT0603②A	盘	2		腹部残片，菊瓣腹
30	ⅣT0606①	器盖	1		盖顶残片，残见一周凸棱
31	TG1②：1	碟	1	1	底部残片
总计			41	14	

鼎式炉　1件。F10①：5，残甚，残存口、腹、足等部分，共5片，不可连缀，但应属同一器。口沿外侧凸起，短束颈，双附耳与口沿相接，鼓腹，三锥形足。内壁涩胎，外壁釉色不均，或为烧造时窑变所致，孔雀绿釉与酱红釉相间，施孔雀绿釉不及底。颈部残见模印八卦纹，肩部模印卷曲状纹饰。残高约17、口径约9厘米（图版41-1）。

器盖　2件。Ⅰ T0101②：7，可基本复原。子母口。外壁施孔雀绿釉，内壁涩胎，灰白胎，略泛红。花边盖沿间饰卷云纹，内侧饰凸弦纹。高1.6、直径约6.7厘米（图版41-2）。ⅣT0404①：14，可修复。外形近碟状，折沿，圆唇，顶部近平，外壁棱角分明。外壁涩胎，内壁施孔雀绿釉。高1.3、直径6.9厘米。

盘　可计6件，均不可修。ⅣT0305①：43，仅存盘底及少量腹部。圈足，内底近平。内外壁均施孔雀绿釉，釉层局部脱落，足底心内釉呈绿色，圈足涩胎。内底中央草书“福”字；外壁有篦划痕，应为莲瓣腹。残高0.8、足径6厘米（图版41-3）。

碟　可计3件，1件可修。TG47③：20，可复原。花口，折沿，菊瓣状浅腹，圈足。灰白胎，略泛红，施孔雀绿釉，足沿及底涩胎。高1、口径约7、足径约5.8厘米（图版41-7）。

其余尚有口沿或腹部残片2件，推测应为碗、罐一类遗物（图版41-4、9）。

该组遗物除3件出自老王宫（TG3③：28、TG47③：20、TG1②：1），1件出自飞凤关（TG22②）外，余均为新王宫出土。应是明代晚期的景德镇产品。

（6）蓝釉瓷

共出蓝釉瓷片72片，可计13件，器类有碗、杯和笔架等。根据釉色，可分深蓝与霁蓝两类，以前者为主。深蓝釉蓝中泛灰黑，间有麻点。霁蓝釉则釉质细腻，釉色青翠。所有碗及其残片均施深蓝釉，略显粗糙；笔架和杯则施霁蓝釉，更显精致（表1-8；图版42）。

表1-8　蓝釉瓷一览表

<table>
<tr><th>序号</th><th>出土单位/编号</th><th>名称</th><th>残片数量</th><th>可计件数</th><th>备注</th></tr>
<tr><td>1</td><td>ⅣT0205①：5</td><td>碗</td><td>2</td><td>1</td><td>可复原</td></tr>
<tr><td>2</td><td>ⅣT0202①：71</td><td>碗</td><td>2</td><td rowspan="4">1</td><td></td></tr>
<tr><td>3</td><td>ⅣT0203①</td><td>碗</td><td>1</td><td></td></tr>
<tr><td>4</td><td>ⅣT0203②A</td><td>碗</td><td>1</td><td></td></tr>
<tr><td>5</td><td>ⅣT0305④</td><td>碗</td><td>1</td><td></td></tr>
<tr><td>6</td><td>ⅣT0202①：72</td><td>碗</td><td>1</td><td rowspan="3">1</td><td></td></tr>
<tr><td>7</td><td>ⅣT0106①</td><td>碗</td><td>1</td><td></td></tr>
<tr><td>8</td><td>ⅣT0203①</td><td>碗</td><td>1</td><td></td></tr>
<tr><td>9</td><td>ⅣT0106①</td><td>碗</td><td>1</td><td></td><td></td></tr>
<tr><td>10</td><td>ⅣT0203②A：2</td><td>碗</td><td>1</td><td>1</td><td></td></tr>
<tr><td>11</td><td>ⅣT0304①</td><td>碗</td><td>5</td><td>1</td><td></td></tr>
<tr><td>12</td><td>ⅣT0304①：61</td><td>碗</td><td>4</td><td rowspan="2">1</td><td></td></tr>
<tr><td>13</td><td>ⅣT0305①</td><td>碗</td><td>1</td><td></td></tr>
<tr><td>14</td><td>ⅣT0305④</td><td>碗</td><td>1</td><td></td><td></td></tr>
<tr><td>15</td><td>ⅣT0103①：31</td><td>梅纹笔架</td><td>2</td><td>1</td><td>釉质细腻，釉色霁蓝</td></tr>
<tr><td>16</td><td>ⅠT0103②：15</td><td>杯</td><td>1</td><td rowspan="2">1</td><td rowspan="2">釉质细腻，釉色霁蓝</td></tr>
<tr><td>17</td><td>ⅣT0305①</td><td>杯</td><td>1</td></tr>
<tr><td>18</td><td>ⅡT0101①</td><td>碗</td><td>2</td><td></td><td></td></tr>
<tr><td>19</td><td>ⅡT0102①</td><td>碗</td><td>1</td><td></td><td></td></tr>
<tr><td>20</td><td>ⅣT0102①</td><td>碗</td><td>1</td><td></td><td></td></tr>
<tr><td>21</td><td>ⅣT0104①</td><td>碗</td><td>1</td><td></td><td></td></tr>
<tr><td>22</td><td>ⅣT0202①</td><td>碗</td><td>4</td><td></td><td></td></tr>
<tr><td>23</td><td>ⅣT0203①</td><td>碗</td><td>5</td><td>1</td><td></td></tr>
<tr><td>24</td><td>ⅣT0205①</td><td>碗</td><td>1</td><td></td><td></td></tr>
<tr><td>25</td><td>ⅣT0304③A</td><td>碗</td><td>2</td><td>1</td><td></td></tr>
<tr><td>26</td><td>ⅣT0305③A</td><td>碗</td><td>1</td><td></td><td></td></tr>
<tr><td>27</td><td>F9①</td><td>碗</td><td>1</td><td></td><td></td></tr>
<tr><td>28</td><td>庙台2</td><td>碗</td><td>1</td><td></td><td></td></tr>
<tr><td>29</td><td>G14</td><td>碗</td><td>1</td><td></td><td></td></tr>
</table>

续表

序号	出土单位/编号	名称	残片数量	可计件数	备注
30	C5①	碗	3		
31	Ⅰ T0102①	碗	3		
32	ⅣT0203④：17	杯	1	1	
33	ⅣT0203④	碗	4		
34	ⅣT0303①	碗	1	1	
35	ⅣT0303②A	碗	3		
36	ⅣT0404①：16	杯	1		
37	ⅣT0405①	杯	2	1	
38	ⅣT0405①	碗	4		
39	ⅣT0503①	碗	1		
40	ⅣT0506②	杯	1		
总计			72	13	

碗　可计9件，1件已修。形制相近，大小微异。均外壁施深蓝釉，内腹施透明釉，因胎体较粗糙，多呈灰白色，足沿涩胎，外底亦涩胎或施灰白釉。内底均留有明显涩圈，表明其烧造工艺亦相同，即不借助任何垫具，直接叠烧而成。ⅣT0205①：5，修复完整。敞口，弧腹，圈足。内底有涩圈，间遗有少量内叠碗壁的深蓝釉。高6.5、口径14.5、足径7厘米（图版42-1）。

梅纹笔架　1件。ⅣT0103①：31，残存座及指状残片各1块。灰白胎，施霁蓝釉，釉质细腻，不及底。两面凸饰梅花，以白釉点缀。高约5、残宽3、厚1.2厘米（图版42-2）。

杯　3件。Ⅰ T0103②：15，仅存2块腹部残片，分别出自Ⅰ T0103②、ⅣT0305①两个不同单位。胎釉均较细腻，胎体白净，外腹施霁蓝釉，内腹罩透明釉（图版42-3）。

以上蓝釉瓷均出于新王宫内，结合出土层位（均出在上层层位）及相关遗物，应为清代中晚期遗物。除蓝釉杯可确定为景德镇产品外，其余窑口待考。

（7）绿釉瓷

绿釉瓷残片11片，可计7件。根据胎釉的不同，可分两类。

第一类：胎体厚重，呈砖红色，内壁涩胎，外壁于化妆土上剔刻牡丹花纹，外罩绿色低温釉，凹处呈黑色。仅2片，ⅣT0102①：32，为瓶的腹部残片，推测为磁州窑系山西河津窑明代产品，亦不排除源自成都琉璃厂窑的可能（图版43-3）。ⅣT0706②：23，罐腹部残片，内壁施绿釉。

第二类：器形有碟、器盖、香炉、瓷塑等。

碟　2件。胎釉均薄，灰白胎，较细腻，釉色嫩绿。L2②：30，底部残片，圈足。内底施绿釉，足及外底均涩胎。外底饰一周凸弦纹，腹底残存凸棱痕，外腹应有莲瓣装饰。残高0.6厘米（图版43-4）。老王宫采：19，可复原。Y1前冲沟内采集。菱花口，折沿，菊瓣腹，圈足。

灰白胎，足沿与外底涩胎。外底模印一“福”字。高1.4、口径约10、足径4厘米（图版43-5）。可能为景德镇明代晚期产品。

香炉 1件。TG3②：1，残甚，仅余口沿，器形难辨，疑为香炉。直口，方唇，腹壁较直。灰白胎较厚，但颇疏松，火候偏低，内外及口沿施绿釉。残高2.3、厚0.6厘米。

瓷塑 2片。ⅣT0203①和ⅣT0506②各出土1片，均为实心圆条形，贴塑于器身。外壁通体施绿釉。也可能是素三彩海水鱼蟹纹笔筒（ⅣT0305④：8）的局部残块。

器盖 1件。ⅣT0505①：7，仅存顶部残片，近平，贴塑乳钉。外壁通体施绿釉，内壁涩胎。

器耳 1件。出自ⅣT0606④，残存两节，拼合而成。圆条形，通体施绿釉。

2. 青花瓷

囤上出土瓷器中，青花瓷是大宗，主要为景德镇产品。青花瓷属釉下彩瓷，是于胎体上以青料绘制纹饰，再施以透明釉，经高温烧造而成。其中又可分出克拉克瓷和官样瓷器等特殊品类，因其各有特点，现将其分类介绍如下。

（1）青花瓷

这里所列的是除克拉克青花瓷、官样青花瓷、青花加彩、青花釉里红之外的青花瓷器。可辨器形有碗、靶盏、诸葛碗、盘、碟、杯、公道杯、罐、香炉、盒、碾钵、器盖和瓷塑等，均为景德镇产品。因数量颇巨，以下仅介绍可复原或虽不可复原但器类较特殊者，因此只是概要性反映青花瓷器的一般情况。以下先分为碗、盘、杯等器类，其下分型及亚型，型下按纹饰分组描述。需要说明的是，所描述器物仅为可计件器物的一部分，故部分描述件数少于可计件数。

碗 可计1761件，可辨器形者844件，可修复者151件。形制、大小与纹饰均有所不同。根据口沿的不同，分为直口、侈口、撇口、折沿、敞口、花口六型。

A型 205件，30件可修。直口碗。无沿，口部近直。根据腹及底部特征，分为二亚型。

Aa型 144件，16件可修。直口，浅腹，内底上拱，矮圈足。纹饰有所不同。

莲池水禽纹碗 68件，9件可修。TG47③：12，修复完整。弧腹。足沿涩胎。内外壁口沿处饰双圈弦纹，内底双圈弦纹内绘莲池水禽纹，内腹壁绘五组莲藻纹，外腹壁饰草虫纹，足底饰青花双圈。高3.4、口径10.5、足径4.9厘米（图版44-1、2）。F8①：125、F9①：137，器形、纹饰与TG47③：12完全相同（图版44-3～6）。F8①：267，残甚，可复原。纹饰同中有异，内腹部绘缠枝莲纹，内胫部饰一周锦纹，外壁饰兰草纹。

莲托八宝纹碗 55件，4件可修。F9①：129，修复完整。内底绘折枝花托方胜，外围饰一周莲瓣纹；内腹壁绘其余七宝，多残佚；外壁绘草虫纹。高3.6、口径11.5、足径5.5厘米（图版45-1、2）。

白描折枝菊纹碗 15件，2件可修。F9①：130，修复完整。内底双圈弦纹内绘白描折枝菊纹，内壁口沿处绘白描缠枝花卉纹，外壁绘白描兰草纹。高3.6、口径11.4、足径5.5厘米（图版

45-3、4）。

莲瓣纹碗　2件，1件可修。TG10③：58，可修复。器内绘蓝地白花莲瓣纹，底心饰一花卉，四周绘莲瓣纹，外围胫部再饰一周斜向莲瓣纹；外壁绘草虫纹。高3.8、口径约12、足径5.7厘米（图版45-5、6）。

Ab型　61件，14件可修。直口微内敛。腹壁较深，大小、纹饰各不相同。

乘云折桂纹碗　4件，2件可修。F9②：18，深弧腹，圈足较高，内底微下塌。足沿涩胎。内外壁口沿处饰双圈弦纹；内底双圈内绘一人手持桂枝，乘云而上，是为乘云折桂纹；外壁绘独占鳌头与魁星踢斗纹，间饰文字，字有残损，结合其他残片，推测为“粲然星斗，焕然文章”与“玄极之精，太阴之像”两组文字；足底双圈弦纹内楷书“玉堂佳器”款。高6.1、口径11.5、足径4.7厘米（图版46-1～3）。F9①：37，可复原。大小、纹饰与前者相同，文字亦与前者相同，恰可补前者之缺（图版46-4～6）。

缠枝花托梵文碗　2件，均可修。ⅣT0506①：14，修复完整。弧腹微鼓，圈足较高，底心下塌。足沿涩胎。内底双圈弦纹内饰梵文“寿”字，外壁绘缠枝花托梵文“寿”字。高5.9、口径11.7、足径4.4厘米（图版47-1、2）。TG57②：4，修复完整。形制、纹饰与前者相同。青花色泽淡雅，略有晕散。内底残甚，刻有一“万”字。

缠枝花卉纹碗　5件，1件可修。K4①：15，修复完整。上腹近直，下腹圆收，圈足。足沿涩胎。器内口沿处及胫部饰双圈弦纹；内底绘缠枝花卉纹，残见局部；外壁绘缠枝花卉纹，胫部勾绘连弧状纹饰。高5、口径10.3、足径约5厘米（图版47-3、4）。

月华纹碗　14件，2件可修。F19①：18，修复完整。深弧腹，高圈足，底心微下塌。足沿涩胎。内底双圈弦纹内绘蓝地白花月华纹，外壁口沿处饰一周半朵花卉纹，外胫部绘如意纹与变形莲瓣纹。高7.1、口径12.7、足径5.1厘米（图版47-5、6）。

蓝地白花海水纹碗　2件，1件可修。TG10③：36，可复原。弧腹微鼓，高圈足。足沿涩胎。内底饰蓝地白花海水纹，外壁绘缠枝莲花纹，足底双圈弦纹内书“宣德年制”四字双行款。高6、口径约14.6、足径4.1厘米（图版48-1、2）。

蓝地白花梅花纹碗　1件。TG10③：39，可复原。弧腹微鼓，圈足。足沿涩胎。内底单圈弦纹内绘蓝地白花梅花纹，外壁绘缠枝莲花纹，足底双圈弦纹内书“宣德年制”四字双行款。高7、口径13、足径4.8厘米（图版48-3、4）。

月华纹大碗　1件。F8③：21，可复原。器形较大，上腹微弧，下腹圆转，高圈足，内底下塌。胎体厚重，足沿涩胎，足底跳刀痕明显。内底双圈弦纹内绘蓝地白花月华纹，内腹壁绘折枝石榴纹，外壁为缠枝花卉纹，外胫部绘变形莲瓣纹。高8.7、口径约16.4、足径7.3厘米（图版48-5、6）。

花草纹碗　1件。ⅣT0207①：7，修复完整。上腹近直，下腹弧收，圈足较高且外撇。青花呈色偏灰黑，釉呈青灰色，釉面不甚光洁，褶痕明显，足沿涩胎，挖足过肩。内底绘兰草纹，外壁饰花草纹。高6.7、口径11.4、足径5.2厘米。该器年代偏晚，约在清初（图版49-1）。

缠枝银杏叶纹大碗　16件，1件可修。F3①：69，修复完整。器形较大，深腹，上腹微弧，下腹圆转，高圈足。足沿涩胎。内底双圈弦纹内莲池纹残存局部，外壁近口沿处绘一周回纹，外腹壁绘缠枝银杏叶纹，外胫部绘变形莲瓣纹，圈足外壁绘双圈弦纹。高9、口径16.8、足径7.4厘米。

鱼藻纹碗 1件。F19②：43，可复原。器形较小，圈足。足沿及足底涩胎。器内素白；外壁双圈弦纹下残见鱼藻纹，颇写意。高5.8、口径11、足径4.2厘米。

B型 215件，50件可修。侈口碗。口沿微外卷，下沿微有凸棱。根据腹部的不同，分六亚型。

Ba型 11件，3件可修。器体硕大，侈口微敛，下腹弧收。纹饰各异。

高士纹大碗 1件。ⅡT0101①：3，修复完整。深腹，上腹近斜直，下腹弧收，圈足较高。足沿涩胎，足底跳刀痕明显。内壁口沿处绘重十字菱形锦地纹；内底双圈弦纹内绘一高士，盘坐于庭前作松下独吟状；外壁绘庭院仕女纹。高9.6、口径19.4、足径7厘米（图版50-1、2）。

并蒂莲纹大碗 3件，1件可修。TG10③：19，残片拼接而成，局部修复。深腹，上腹近斜直，下腹弧收，圈足较高。足沿涩胎，足底心跳刀痕明显，有细小乳突。内壁口沿处绘重十字菱形锦地纹，内底双圈弦纹内绘折枝并蒂莲纹，外腹绘缠枝并蒂莲纹。高9.1、口径18.8、足径6.7厘米（图版51）。

鱼藻纹大碗 6件，1件可修。K4①：12，修复完整。弧腹较深，圈足较矮。釉色泛灰，见有缩釉现象，足沿及足底涩胎，跳刀痕明显，底心有细小乳突。内壁口沿及腹部均饰双圈弦纹，内底绘海水鱼纹，外壁绘鱼藻纹。高7.4、口径18.5、足径7.2厘米（图版50-3、4）。

Bb型 7件，3件可修。侈口微敛，下腹微鼓、圆转。器形同前，偏小。纹饰各异。

螭龙纹碗 1件。G20①：3，修复完整。上腹近直，下腹圆转，圈足。足沿涩胎。内壁口沿处饰双圈弦纹；内底单圈弦纹内绘团螭纹；外壁口沿及胫部弦纹间绘二组螭龙纹，间饰折枝花卉纹。高6、口径12.2、足径4.6厘米（图版52-1、2）。

高官厚禄纹碗 2件，1件可修。C4③：1，可复原。腹壁较深，圈足。足沿涩胎。内底单圈弦纹内绘高官厚禄纹，外壁绘母婴图，足底款不识。高6、口径12.2、足径4.4厘米（图版52-3～5）。

寿字碗 3件，1件可修。F10①：94，可复原。腹壁较深，圈足。足沿涩胎。内底双圈弦纹内楷书“寿”字。高5.2、口径12.2、足径4.4厘米（图版52-6）。

Bc型 22件，8件可修。侈口，下腹弧收。大小略异，纹饰有别。

乘云折桂纹碗 4件，1件可修。TG36①：4，修复完整。弧腹较深，高圈足，底心下塌。足沿涩胎。内底双圈弦纹内绘一高士乘于云上，手持折桂；外壁绘庭院、人物和龙纹，一人站立，手指腾飞之龙，回望身后安坐之人，或为望子成龙之意；足底双圈弦纹内楷书“大明宣德年制”六字双行款。高5.8、口径10.8、足径4.4厘米（图版53）。

夔龙纹碗 14件，4件可修。F9①：2，修复完整。形制、大小与前者完全一致，唯纹饰不同。内底双圈弦纹内饰海水宝珠纹，外壁饰两组夔龙赶珠纹，足底双圈弦纹内楷书“□□□德年□”六字双行款。高6.2、口径11、足径4.6厘米（图版49-2～4）。

婴戏纹碗　1件。TG10③：29，修复完整。器形稍大，弧腹较深，圈足，足墙内倾，内底近平。足沿涩胎。内底单圈弦纹内绘庭院仕女戏兔纹，外壁绘婴戏图，足底楷书“大明万历年制”六字双行款。高6.3、口径12、足径4.2厘米（图版54）。

螭龙纹碗　2件，均可修。F9①：231，修复完整。弧腹较深，矮圈足，内底微下塌。足沿涩胎。内底单圈弦纹内绘团螭纹，螭身已变形呈三角形；外壁绘两组螭龙纹，间饰折枝花卉纹。高6.1、口径12.2、足径4.4厘米（图版49-5、6）。TG10③：70，修复完整。矮圈足，内底近平。足沿涩胎。内底单圈弦纹内绘折枝花卉纹；外壁绘螭龙纹，间饰折枝花卉纹。高5.8、口径12.4、足径4.6厘米。

Bd型　87件，16件可修。侈口，下腹圆转。大小各异，纹饰不同，形制亦微有区别。

花果纹碗　18件，5件可修。纹饰相近，大小有别。TG4③：41，修复完整。腹较深，内底下塌，圈足。足沿涩胎。内底双圈弦纹内绘果枝纹，外壁绘缠枝花卉纹，足底双圈弦纹内行书“大明宣德年制”六字双行款。高5.6、口径11、足径4.4厘米（图版55-1～3）。F9①：143，可复原。形制、纹饰与前者完全相同。F9①：55，修复完整。形制与纹饰与前者相同，器形稍小。足底双圈弦纹内书“宣德年制”款。高5、口径8.8、足径4.2厘米（图版55-5、6）。F9②：69，形制、大小、纹饰、款识与F9①：143完全相同（图版55-4）。

螭龙纹碗　4件，均可修。大小、纹饰稍异。ⅣT0106①：8，修复完整。腹壁较深，内底微下塌，圈足。足沿涩胎，粘有窑砂。内底单圈弦纹内绘折枝花卉纹，外壁残见螭龙纹。高5.9、口径11、足径4.6厘米（图版56-1、2）。TG2④：26，修复完整。腹壁较深，内底近平，矮圈足。足沿涩胎。内底双圈弦纹内绘团螭纹；外壁绘两组螭龙纹，间饰折枝花卉纹；足底心草书款识不识（或为“上品佳器”）。高5.8、口径12.3、足径4.6厘米（图版56-3、4）。ⅣT0106①：88，可复原。大小、纹饰与前者相同。

缠枝牡丹纹碗　9件，1件可修。F9①：89，可复原。内底微下塌。内底双圈弦纹内绘缠枝菊纹，外壁绘缠枝牡丹纹，外胫部绘变形莲瓣纹，足底饰双圈弦纹。高5.9、口径10.5、足径4.2厘米（图版56-5、6）。

凤穿花纹碗　11件，1件可修。TG10③：37，修复完整。腹壁较深，内底近平，圈足，挖足过肩。足沿涩胎。内壁口沿处绘重十字菱形锦地纹，内底双圈弦纹内绘折枝菊纹；外壁绘凤穿花纹，足底草书“玉堂佳器”四字双行款。高6.2、口径12.4、足径4.4厘米（图版57）。

八仙贺寿纹碗　6件，1件可修。F9①：108，可复原。内底近平，圈足。足沿涩胎。内壁口沿处绘重十字菱形锦地纹，内底双圈弦纹内绘一寿星，外壁绘八仙，足底楷书“玉堂□□”四字双行款。高6、口径10.8、足径4.4厘米（图版58-1）。

山水船帆纹碗　25件，2件可修。ⅣT0405①：15，修复完整。腹壁较深，内底下塌，圈足。足沿涩胎。内底双圈弦纹内及外壁均绘山水船帆纹，足底饰双圈弦纹。高5.8、口径11.4、足径4.4厘米（图版58-2）。

狮子穿花纹碗　5件。形制有大、小两种，纹饰相近，略有差别，无可复原者，结合残片可知其形制。F9②：98，残片，可大致复原。内底心微下塌。内外壁口沿处均饰双圈弦纹；

内底双圈弦纹内勾描留白连环如意纹，内侧填色，居中绘一方穿钱纹；外壁绘狮子穿花纹；外胫部绘变形莲瓣纹；足底双圈弦纹内书“玉堂佳器”四字双行款。残高5.6、足径5.2厘米。ⅣT0507①：40，残。器形较大，内底下塌。内外壁口沿处饰双圈弦纹；内底双圈弦纹内绘一菱形，边作齿状，内侧填色，其中饰四组如意纹勾描留白；外壁绘狮子穿花纹；外胫部饰变形莲瓣纹；足底双圈弦纹内楷书“大明宣德年制”六字双行款。残高5.1、足径6.3厘米。

缠枝花果纹碗　2件，1件可修。F19②：25，可复原。内底下塌，圈足。足沿涩胎。内壁口沿处绘缠枝花果纹，内底双圈弦纹内绘折枝菊纹，外壁绘缠枝花卉纹，足底双圈弦纹内书“大明宣德年制”六字双行款。高5.7、口径10.8、足径4.9厘米。

Be型　29件，7件可修。侈口微敛，浅弧腹，玉璧底。器形、大小相同，纹饰稍异。

葡萄纹碗　2件，1件可修。F8①：128，可复原。器形略小。内壁口沿单圈弦纹下以没骨法绘制葡萄叶，笔锋点饰葡萄，勾绘葡萄藤蔓。高3、口径9.5、足径约4.4厘米（图版59-1）。

兰草纹碗　16件，4件可修。ⅣT0506①：8，修复完整。底心微下塌。足沿及足底涩胎。内壁口沿单圈弦纹下绘兰草纹，旁侧书一方款，款不识；外壁素面。高3.8、口径12.6、足径5.6厘米（图版59-2～4）。ⅣT0506①：7，修复完整。与前者全同，款不存（图版59-5、6）。

莱菔纹碗　10件，2件可修。ⅣT0506①：9，修复完整。底心下塌。足沿及足底涩胎，粘有窑砂。内壁口沿单圈弦纹下以没骨法绘莱菔纹，即萝卜；外壁素面。高3.9、口径12.6、足径5.2厘米（图版60-1）。ⅣT0506①：10，与前者全同（图版60-2）。

Bf型　59件，13件可修。侈口，浅腹，下腹圆转。

莲托八宝纹碗　3件，1件可修。TG37②：1，修复完整。口部变形，近椭圆形，底心微下塌，圈足。足沿涩胎，粘有窑砂。内底双圈弦纹内及腹部绘莲托八宝纹，外壁绘草虫纹，足底饰双圈弦纹。高4.3、口部最大径13.4、足径7.6厘米（图版60-3、4）。

莲池水禽纹碗　53件，11件可修。F9①：84，修复完整。底心微下塌，圈足。足沿涩胎，粘有细小窑砂。内壁口沿处绘一周莲池纹，内底双圈弦纹内绘莲池水禽纹，外壁绘草虫纹，足底饰双圈弦纹。高3.7、口径11.6、足径6.7厘米（图版60-5、6）。TG10③：40，修复完整。器形、纹饰与前者相近。圈足相对较矮。胎体略显轻薄，青花呈色淡雅。高3.8、口径12.4、足径6.5厘米。

白描莲托八宝纹碗　2件，1件可修。F9①：241，可复原。侈口微敛，圈足，底心下塌。足沿涩胎。内壁口沿处白描缠枝纹，间饰八宝纹；内底双圈弦纹内莲纹残缺，仅见极小部分；外壁白描云纹；足底饰双圈弦纹。高3.7、口径11.6、足径7厘米。

C型　188件，13件可修。撇口碗。口沿外展，无卷曲现象。纹饰各异，口沿有细微差别。根据形制大小及腹部的不同，分为五亚型。

Ca型　2件，1件可修。器形硕大，下腹圆转、较鼓。

八仙贺寿纹大碗　2件，1件可修。F9②：93，修复完整。深腹，高圈足，挖足过肩。足沿涩胎。内外壁口沿均饰双圈弦纹；内底双圈弦纹内残见栏杆、云气和人物等，应为寿星；外壁绘八仙贺寿纹，残见有铁拐李、吕洞宾、何仙姑、韩湘子等；足底双圈弦纹内楷书“大明□德

□□”六字双行款。高9.8、口径20.6、足径 8.7厘米（图版61）。

Cb型 1件。较大。腹较浅，弧腹近直。

山水人物纹碗 1件。G1①：31，修复完整。矮圈足，内底下塌。足沿及底部涩胎，足沿粘有窑砂，足底跳刀痕明显，底心凸起部分被旋削。内底双圈弦纹内绘山水人物纹，颇写意；外壁绘柳下观景图，亦较抽象。图案多以毛笔侧峰平涂，中峰勾绘。高5.6、口径16.6、足径7.1厘米（图版62-3）。

Cc型 13件，5件可修。小碗。上腹近直，下腹弧收，深腹。

卍字云纹碗 11件，3件可修。TG21②：1，修复完整。口部夹扁，近椭圆形，内底微塌，矮圈足。足沿涩胎。内壁口沿处绘重十字菱形锦地纹，内底绘卍字云纹，外壁绘缠枝花卉纹。高5.5、口径12.6、足径5厘米（图版63-1、2）。TG10③：43、G1①：37，修复完整。器形、大小与前者相同，纹饰有细微差别。

兰草纹碗 1件。TG10③：38，可复原。圈足。足沿涩胎，足底跳刀痕明显。内底单圈弦纹内绘折枝花卉纹，外壁仅见兰草纹。高6、口径12、足径4.8厘米（图版62-2）。

Cd型 6件，2件可修。下腹圆收、略鼓。

山水船帆纹碗 1件。TG10③：25，修复完整。口部夹扁，近椭圆形，圈足。底心有细小乳突。内底单圈弦纹内及外壁均绘山水船帆纹。高6.1、口部最大径12.6、足径4.4厘米（图版63-3、4）。

蓝地白花莲池纹碗 5件，1件可修。L2①：54，可复原。内底微下塌，圈足。胎质较细腻，釉色白中带青，足沿涩胎，足底可见跳刀痕。内底绘蓝地白花花卉纹；内腹壁绘蓝地白花莲池纹；外壁绘缠枝菊纹；足底单圈弦纹内款残，不识。高5.8、口径11.2、足径5厘米（图版62-1）。

Ce型 166件，4件可修。口部近直，沿微外撇，弧腹。大小、纹饰各不相同。

灵芝茶花纹大碗 141件，1件可修。TG36①：10，修复完整。器形较大，深弧腹，圈足，挖足过肩。足沿涩胎。口沿端饰弦纹，晕散成蓝口；腹壁饰双圈弦纹；内底绘折枝茶花纹，茶花下侧于釉面刻有图案，不识；外壁纹饰分两层，以多组开光组合，其内饰灵芝和茶花纹；足底双圈弦纹内绘方款，为花押款。高7.5、口径16、足径7.2厘米（图版64-1、2）。

缠枝花卉纹大碗 1件。F19①：2，修复完整。深腹，腹壁微鼓，下腹弧收，圈足，挖足过肩。口沿处施酱黄釉，青花色泽偏黑，釉色泛灰，足沿涩胎，粘有窑砂，足底心有细小乳突。内底绘折枝花卉纹，外壁绘缠枝花卉纹。高7.3、口径14.7、足径7厘米（图版64-3、4）。

兰花纹碗 1件。ⅣT0305①：20，修复完整。器形较小，圈足。足沿涩胎。器内素白，内底于釉面刻有“山友”二字，外壁绘兰花纹及其他花草纹。高4.9、口径9.8、足径4.5厘米（图版64-5、6）。

缠枝菊纹碗 21件，1件可修。ⅣT0106①：125，可复原。圈足，挖足过肩。足沿涩胎。器内仅见口沿处及胫部饰双圈弦纹；外壁绘缠枝菊纹，菊纹已趋变形。高5.7、口径12.5、足径

4.7厘米。

Ce型青花碗，均为清代遗物。

D型 24件，9件可修。折沿碗。口沿略宽，圈足。腹部或弧收，或圆转，据此可分为二亚型。

Da型 11件，4件可修。腹壁微鼓，下腹圆转，内底近平，圈足较高。纹饰不同。

狮子穿花纹碗 1件。ⅣT0506①：13，修复完整。挖足过肩。足沿涩胎。内壁口沿处饰一周锦纹，内腹壁饰双圈弦纹，内底绘变形如意纹，外壁绘狮子穿花纹，外胫部饰变形莲瓣纹。高5.9、口径11.6、足径5.2厘米（图版65）。

莱菔纹碗 4件，2件可修。ⅣT0506①：11，修复完整。足沿涩胎。沿面饰双圈弦纹，内底及外壁以没骨法绘莱菔纹，内底莱菔纹绘于胫部双圈中。高5.8、口径11.8、足径4.8厘米（图版66-1、2）。ⅣT0506①：12，修复完整。器形及内底纹饰与前者相同，腹壁残甚，外壁纹饰已残。高5.8、口径12、足径5.6厘米（图版66-3、4）。

Db型 13件，6件可修。腹壁近斜，弧收，矮圈足。

螭龙纹碗 2件，均可修。K4①：11，腹壁较浅。足沿与足底涩胎。内底绘变形螭龙纹，近三角形；外壁绘两组螭龙纹，间饰花卉纹，颇写意。高4.6、口径12.4、足径4.2厘米（图版67-1、2）。F8①：266，修复完整。仅足底有细小乳突，余与前者全同（图版67-3、4）。

螺旋纹碗 4件，2件可修。TG10③：57，修复完整。浅腹，底心下塌，足壁向内斜削。胎质较粗，釉呈青灰色，足沿及足底涩胎，足底跳刀痕明显，有一乳突。内底心绘螺旋状纹；外壁绘枝叶纹，形似蘑菇。高5.8、口径13.4、足径5.6厘米。TG37②：10，修复完整。与前者相似。高4.6、口径13.2、足径5.7厘米。

柳下观景图碗 1件。TG4③：54，可复原。浅腹，内底近平。釉色浑浊泛灰，外壁胫部缩釉明显，足沿及足底涩胎，足底心有一细小乳突。内底双圈弦纹内绘方框纹饰，不识；外壁绘柳下观景图，颇抽象。高5、口径13.4、足径5厘米（图版67-5、6）。

E型 210件，48件可修。敞口碗。腹壁微弧近斜直，整体呈喇叭状。根据腹部弧斜及深浅不同，分为五亚型。

Ea型 36件，5件可修。大碗，深腹，腹壁微弧近直。

写意高士纹大碗 2件，均可修。ⅣT0106①：9，修复完整。圈足，足底心向下凸起。足沿涩胎，粘有窑砂。内外壁口沿处饰双圈弦纹；内底双圈弦纹内绘高士纹；外壁所绘纹饰较为写意，或为鱼藻纹。高6.9、口径17、足径6厘米（图版68-1、2）。ⅣT0106①：14，修复完整。与前者相同（图版68-3、4）。

葡萄纹大碗 34件，3件可修。F9①：90，可复原。圈足。胎体厚薄不一，不甚规则，足沿涩胎。内壁绘葡萄纹，内底蓝地留白绘葡萄叶纹，外壁绘缠枝葡萄藤蔓。高8.5、口径19.4、足径6.3厘米（图版68-5、6）。

Eb型 21件，8件可修。小碗，浅腹，腹壁微弧近直，底心下塌。

缠枝花卉纹碗　19件，6件可修。TG36②：1，修复完整。矮圈足。足沿涩胎，四周跳刀痕明显，足底心有细小乳突。内底双圈弦纹内绘团花纹，外壁绘缠枝花卉纹，外胫部绘变形莲瓣纹。高4.6、口径13.4、足径5.4厘米（图版69-1、2）。TG10③：21（图版69-3、4）、TG10③：41（图版69-5、6），修复完整。器形、纹饰与前者相同，纹饰与前者相比略显抽象。

月华纹碗　2件，均可修。TG10③：42，修复完整。尖沿，圈足较矮。足沿涩胎，足底心有细小乳突。内底绘月华纹，内外腹壁均绘缠枝花卉纹。高4.5、口径12、足径4.4厘米（图版70）。TG2④：7，残存局部，可复原。器形与纹饰与前者完全相同。外壁胫部有缩釉现象。

Ec型　119件，24件可修。敞口微敛，腹壁较深、微弧。

寿字碗　97件，11件可修。均于内底书一“寿”字，器形较小，大小略有别。F9①：122，较完整。内底微凸，矮圈足。足沿涩胎，足底缩釉明显。内外壁口沿处均饰单圈弦纹，外壁胫部亦饰一周；内底双圈弦纹内书“寿”字。高5.2、口径12、足径4.9厘米（图版71-1、2）。F9①：131，修复完整。高5.2、口径12、足径4.7厘米（图版71-3、4）。F9①：139，修复完整。略小，圈足。足、底涩胎，底部跳刀痕明显。内底双圈弦纹内实笔书“寿”字，略草。高5.4、口径11、足径4.2厘米（图版71-5、6）。

螭龙纹碗　4件，均可修。G12①：60，基本完整。内底微上拱，矮圈足。足沿涩胎，足底跳刀痕明显。内壁口沿处饰双圈弦纹，内底双圈弦纹内绘折枝花卉纹；外壁双圈弦纹下绘两组螭龙纹，间饰折枝花卉纹。高5.4、口径12、足径5厘米（图版72-1、2）。TG10③：26，修复完整。内底折枝花卉纹先以描线勾边，再涂青料。高5.4、口径12、足径5厘米（图版72-3、4）。ⅣT0106①：89，可复原。器形、纹饰与前者同。

缠枝花卉纹碗　4件，2件可修。TG47③：11，修复完整。底心下塌，矮圈足。足沿涩胎，底心有一乳突。内底双圈弦纹内绘折枝花卉纹，内壁胫部双圈处于釉上刻一“九”字，外壁绘缠枝花卉纹。高5.4、口径11.5、足径4.2厘米（图版72-5、6）。C4①：5，可复原。纹饰与前者相同。

卍字云纹碗　1件。TG10③：24，修复完整。底心微上拱，矮圈足。足沿涩胎，粘有窑砂，足底跳刀痕明显，底心有一小乳钉。内底双圈弦纹内绘卍字云纹；外壁绘奔马图，纹饰较写意。高4.9、口径12.4、足径5.2厘米（图版73-1、2）。

花草纹碗　2件，1件可修。ⅣT0706②：15，可复原。内底微拱，矮圈足。足沿涩胎。内壁口沿处饰双圈弦纹，内底双圈弦纹内绘折枝花卉纹，外壁绘花草纹。高5、口径12.2、足径4.9厘米（图版73-3、4）。

白玉斋铭文碗　5件，2件可修。足沿及足底均涩胎。G2②：4、ⅣT0503②：1，器内口沿处及腹部、外壁口沿处及胫部饰弦纹；内底所书铭文残甚，应为“白玉斋”。前者高5.3、口径12、足径4.8厘米（图版73-5）；后者高5.3、口径约11.5、足径约4厘米。

碗　TG2④：3，可复原。内底残甚，仅见纹饰局部，不识。口沿处施酱黄釉。内外壁口沿处饰单圈弦纹。高4.9、口径11.8、足径4.4厘米（图版73-6）。

Ed型　20件，6件可修。浅弧腹，矮圈足。

团螭纹碗　4件，均可修。TG10③：23，修复完整。内底上拱。足沿涩胎，粘有窑砂。内壁口沿处绘重十字菱形锦地纹，内底双圈弦纹内绘团螭纹，外壁素面。高3.6、口径12、足径5.3厘米（图版74-1、2）。ⅣT0207①：3，修复完整。内底团螭纹更为具象。高4、口径12.4、足径5.4厘米。

寿字碗　2件，均可修。TG37②：11，可复原。内底近平。口部施黄釉，足沿涩胎。内壁口沿处饰单圈弦纹，内底双圈弦纹内书“寿”字，外壁仅口沿及胫部饰单圈弦纹。高4、口径12.2、足径5.6厘米（图版74-3）。

Ee型　14件，5件可修。腹壁较深，腹壁近斜直，圈足较矮。

福字碗　8件，3件可修。TG47③：13，修复完整。内底微下塌。足沿及足底涩胎。内壁口沿处饰双圈弦纹，内底双圈弦纹内草书“福”字，外壁口沿处饰一周海水纹，外腹部草书“福”字。高5.6、口径13.7、足径4.6厘米（图版74-5、6）。

法螺纹碗　5件，1件可修。TG10③：56，可复原。底心微下塌，圈足。足沿涩胎，底心粘有窑砂。内底绘法螺纹，外壁口沿处绘海水纹，外腹部纹饰不可识。高5.5、口径12.8、足径4.8厘米（图版74-4）。

F型　2件。花口碗。形制较大，均为残片，无可复原者。

海水奔马纹印花大碗　2件。结合残片可知为花口，口部微敛，深弧腹，高圈足。内外壁近口沿处绘海水纹饰，内壁腹部模印萱草纹，内底双圈弦纹内绘海水奔马纹，外壁海水纹间绘海马及杂宝，胫部绘如意云头纹及变形莲瓣纹。F3①：139，残存口及底部残片。足沿涩胎，足底跳刀痕明显。

靶盏　可计13件，1件可修。纹饰有花鸟纹、应龙纹、凤穿花纹、山水楼阁纹、月华纹等。均残甚，部分经拼接后较为完整。

山水楼阁纹靶盏　2件。F9②：50，口腹残缺，下腹圆折，内底微下塌，外底心中部接柱状高足，中空，下部略呈喇叭形，圈足，近足端为平底，底心有一小圆孔。内底双圈弦纹内绘山水人物纹，外壁残见山水楼阁，足壁绘两组仰覆云纹，底部楷书“大明万历年制”六字双行款。残高8.1、足径4厘米（图版75）。

月华纹靶盏　1件。ⅡT0101①：25，残存底心残片，下腹圆转，内底近平，外底高足已佚，底心呈乳钉状。外底涩胎，接足痕迹明显。内底双圈弦纹内绘月华纹；外壁纹饰已残，见有四道弦纹。

凤穿花纹靶盏　5件，1件可修。F9①：17，修复完整。撇口，腹壁较深，下腹圆转，内底近平，外底心中部接实心高足，略呈喇叭形，圈足。内底双圈弦纹内纹饰已残，外壁绘两组凤穿花纹，足壁绘两组折枝花卉纹，底部楷书“宣德□制”四字双行款。高8.3、口径9.1、足径3厘米（图版76）。

诸葛碗　可计4件。共有残片16片，其中带孔碗底2件，共用口沿的Y字形口沿残片4片（口沿纹饰有所不同），老王宫采集残片1片，这些残片至少属于4件以上个体（图版77）。从残片特征推知应为诸葛碗。诸葛碗为内部中空、下底钻孔的碗状容器，即呈两碗相叠（上碗圜底无足）共用口沿，中为夹层之形，又称“暖碗”，具体用法不明。F8③：16，残底。高圈足。足沿涩胎。足墙饰单圈弦纹，外壁下底亦饰单圈弦纹，上部纹饰不详。部分残片内壁绘制庭院人物（图版77-1、2）。

茶碗　可计9件，2件可修。由茶盖、茶碗、茶托三部分组成。ⅣT0106①：15，盖、托已佚，茶碗修复完整。撇口，深弧腹，圈足。内壁素白；外壁以白描手法绘制龙凤纹，间饰火焰状纹；胫部绘寿山福海；足底心方款已残。高5.9、口径11.5、足径4.5厘米（图版78-2）。

碾钵　1件。F10①：4，残片8片，部分可拼合。结合残片可知为敛口，弧腹，饼足，足底微内凹。内外壁上部均施白釉，下部涩胎。内底刻划法螺纹；内胫部刻划一周莲瓣纹；外壁双勾填色，绘制缠枝莲纹。高约9.5、足径5.8、足厚2厘米（图版78-1）。

钵　可计3件，均不可修。F19①：5，残片拼合，存底腹部，内底下塌，圈足。施透明釉，旋胎痕迹明显；内底经旋削有一涩圈，局部见有糠壳印痕；足沿涩胎，足底亦有糠壳印痕。外腹壁饰梵文及弦纹。残高5.7、足径9.5厘米（图版78-3、4）。

盘　可计727件，137件可修。因盘、碟形制多相同，我们将口径在10厘米以下的称为碟，10厘米以上者称为盘。盘之器形、纹饰与大小各异，口径在10～35厘米。根据其形制特征，可分为花口、直口、撇口、折沿、敞口盘和方盘六型。

A型　28件，8件可修。花口盘。口沿呈连弧状起伏，犹如花瓣，浅腹，圈足。足沿涩胎。根据口沿及腹部的不同，分为三亚型。

Aa型　4件，1件可修。花口外敞，上腹斜直，下腹圆转。

莲池水禽纹大盘　1件。F9②：14，修复完整。器形硕大，菱花口，底心下塌。足沿涩胎。内底双圈弦纹内绘莲池水禽纹，残见莲池及水禽部分身体；内腹壁绘一周山石花鸟纹；外壁绘花鸟纹，鸟儿栖于折枝之上。高6.5、口径36.6、足径21.6厘米（图版79-1）。

Ab型　13件，5件可修。花口微外撇，浅腹。

鹭莲纹印花盘　12件。菱花口，瓜棱腹，圈足外撇，底心微下塌。F9①：23，釉色莹润，白中透青，青花呈色艳丽，浓淡有致。内底单圈弦纹内饰鹭莲纹；内壁于瓜棱腹上印花加刻划云鹤纹，云鹤相间；外壁素面；足底双圈弦纹内楷书“大明宣德年制”六字双行款。高3.1、复原口径11.6、足径6.6厘米（图版80）。F9①：88，修复完整。形制同前。内底残见荷叶，外底款识已残（图版79-2）。

Ac型　11件，2件可修。菱花口，上腹斜直，折腰，下腹圆转。

松鹿纹折腰盘　5件，1件可修。结合残片，可知内底双圈弦纹内绘松鹿纹，内壁口沿处绘山石花卉与草虫纹。F8①：274，残缺较甚，可大致复原。内底心下塌明显。足沿涩胎。内底残见山石花卉及鹿脚部分，内壁口沿残见山石花卉纹。高2.3、口径21.1、足径12.8厘米（图版

81-1）。

麒麟纹折腰盘 4件，2件可修。TG2④：2，修复完整。内底心下塌。内壁口沿处饰锦纹，残见开光内实笔书写“玉”字；内底双圈弦纹内绘麒麟纹；外壁近口沿处饰勾连云纹；外胫部饰简笔莲瓣纹。高2.7～3、复原口径17.4、复原足径9厘米。

B型 212件，83件可修。口部近直，浅弧腹，圈足。足沿涩胎。形制略有差异，纹饰、大小有别。按纹饰分述如下。

果枝栖鹊纹盘 5件，均可修。TG47③：16，修复完整。底心下塌。足沿粘有窑砂。内壁口沿处绘重十字菱形锦地纹；内底单圈弦纹内绘果枝栖鹊纹，仅存果枝；外壁口沿及胫部饰弦纹。高2.2、口径11.4、足径7厘米（图版82-1、2）。G17①：1，可复原。内底下塌。所绘纹饰较前者写实，青花色泽艳丽，釉色莹润。足底心书“万□攸□”四字双行款。高2.7、口径12.2、足径7.1厘米（图版82-3、4）。F9①：127，可复原。内底近平。器形、纹饰与前者相同。足底心书一方款，不识。高2、口径10.2、足径6厘米（图版82-5、6）。

螭龙纹盘 76件，27件可修。F9①：64，可复原。器形稍大。内底心刻划灵芝纹；内腹壁应绘三组行螭纹，残甚，可见两组；足底心书“隆庆年制”四字双行款。高3.1、口径14.5、足径9.1厘米（图版83-1、2）。F9②：23，可复原。形制与前者相同。内底单圈弦纹内绘团螭纹，内腹壁绘三组行螭纹，外壁素面，足底单圈弦纹内行书“大明年造”四字双行款。高3、口径12.6、足径7.1厘米（图版83-3、4）。TG55②：44，可复原。器形稍大，底心微下塌。足沿粘有窑砂。内壁近口沿处绘重十字菱形锦地纹；内底双圈弦纹内绘团螭纹；足底心书方款，不识。高2.7、口径13.4、足径7.2厘米。TG47③：17，可复原。形制同前，稍小。足底心书方款“福”字。高2.5、口径11、足径6.7厘米。TG22②：3、TG55②：43、F9①：30，均可复原。形制同前，大小、纹饰略有差异。F9①：125，修复完整。底心下塌，矮圈足。釉色莹润。内底残见团螭纹局部；内腹部绘两组行螭纹，间饰云纹，构图疏朗；外壁素面；足底心楷书“□□□同”款。高2.5、口径11.6、足径7.2厘米（图版83-5）。F9①：30，可复原。形制相同，底心微下塌。足沿局部粘有窑砂，足底心跳刀痕明显。内壁近口沿处饰重十字菱形锦地纹，内底单圈弦纹内团螭纹已趋变形。高2.3、口径11.3、足径7.2厘米（图版83-6）。

双艳纹盘 31件，16件可修。盘内饰以菊和牡丹，花开斗艳。有大、小两种，形制相同，纹饰差异明显。F9①：6，修复完整。内底心微下塌。足沿粘有细小窑砂。内底双圈弦纹内绘菊和牡丹纹，以水藻分隔；内腹壁绘果枝及蜂蝶纹，相互间饰；外壁绘缠枝花卉纹；足底心行书“宣德年置”四字双行款。高2.4、口径10.5、足径6.3厘米（图版85-1～3）。F9②：71，修复完整。形制与前者相同。内壁口沿处单圈弦纹下绘菊和牡丹纹，中部以山石分隔；外壁绘云纹及杂宝，相互间饰；足底心楷书“宣德年置”四字双行款。高2.8、口径11.8、足径7.2厘米（图版84）。

花卉纹盘 6件，2件可修。ⅣT0609①：1，修复完整。内底双圈弦纹内绘牡丹纹，外壁绘缠枝花卉纹，足底双圈弦纹内书“大明万历年制”六字双行款。高2.2、口径10.2、足径6.6厘米（图版85-4 ~ 6）。

魁星踢斗纹盘　1件。ⅣT0106①：4，可复原。内壁口沿处饰重十字菱形锦地纹；内底绘魁星踢斗纹，仅残存人物头部；外壁仅口沿处及胫部饰单圈弦纹。高2、口径约14、足径7厘米（图版81-2）。

缠枝灵芝寿字盘　27件，10件可修。有大、小两种，形制及纹饰相同。F9①：132，修复完整。足沿、器底及腹壁局部粘有较粗窑砂。器内双勾填色绘制图案，内底残甚，双圈弦纹内绘一“寿”字，内腹壁绘缠枝灵芝纹，外壁饰三组人字云纹。高2.8、口径13.8、足径8.2厘米（图版222-3、4）。

寿字盘　5件，均可修。TG47③：28，可复原。内壁近口沿处饰单圈弦纹；内底双勾填色书“寿”字；外壁仅口沿处饰单圈弦纹；足底心书方款，为“福”字。高3、口径13、足径7.1厘米（图版81-3、4）。

八卦纹盘　7件，2件可修。TG10③：27，修复完整。内壁饰八卦纹，内底双圈弦纹内绘海水纹，外壁饰人字云纹。高3、口径13.6、足径7.8厘米（图版86-1、2）。

松竹梅纹盘　7件，5件可修。ⅣT0405①：24，残存局部，可复原。内底下塌。内底双圈弦纹内绘松竹梅纹，残存松纹上部；外壁绘缠枝花卉纹。高3.5、口径13.4、足径 8.4厘米。

十字宝杵纹盘　5件，2件可修。L2④：21，可复原。内底下塌。釉色莹润，白中带青，青花呈色艳丽，蓝中泛紫。内壁口沿单圈弦纹与胫部双圈弦纹间绘折枝牡丹纹；内底双圈弦纹内以变形十字宝杵分隔为四个区域，其间绘如意纹；外腹壁绘缠枝莲纹；外胫部饰变形莲瓣纹；外底近圈足处饰单圈弦纹；足底双圈弦纹内楷书“大明万□年制”六字双行款。高3.4、口径18.8、足径12.8厘米（图版86-3、4）。

其他一些无法复原的青花盘，结合残片可知为该型。类型有明代的凤穿花纹大盘、山水楼阁纹大盘，清代的凤穿牡丹纹大盘、梵文寿字大盘、过枝龙纹大盘等。

C型　71件，30件可修。撇口盘。口沿外展，转角圆润，浅弧腹，圈足。足沿涩胎。纹饰、大小有别。按纹饰介绍如下。

白描灵芝纹盘　11件，4件可修。F9①：126，可复原。内底残缺较甚，底心下塌。内腹壁白描灵芝及卷草纹，内底双圈弦纹内白描卷草纹，外壁绘折枝花果纹，足底双圈弦纹内款已残。高2、口径12.5、足径6.8厘米（图版87-4 ~ 6）。F9②：76，口部残缺。大小、纹饰与前者相同。足底心楷书“大明宣德年制”六字双行款（图版87-1 ~ 3）。

树石栏杆纹盘　27件，10件可修。TG33①：2，修复完整。内底微下塌。足沿粘有窑砂。内底双圈弦纹内绘树石栏杆纹，外壁绘缠枝花卉纹。高2.5、口径12.7、足径6.2厘米（图版88-5、6）。

魁星踢斗纹盘　4件，3件可修。ⅣT0106①：5，修复完整。底心下塌。内壁口沿处绘重十字菱形锦地纹；内底双圈弦纹内绘魁星踢斗纹；足底心青花方款，不识。高2.5、口径13.4、足径7.8厘米（图版88-1、2）。ⅣT0106①：117，可复原。内底残存魁星足部，作踢斗状。高

2.4、口径13.2、足径7.8厘米。

寿字盘 4件，均可修。ⅣT0405④：3，可复原。底心下塌。内壁口沿处绘重十字菱形锦地纹；内底双圈弦纹内双勾填色一“寿”字；外壁于口沿及胫部饰单圈弦纹；足底心青花方款，不识。高2.5、口径12.8、足径7.8厘米。

果枝栖鹊纹盘 2件，均可修。G1②：46，修复完整。底心下塌，矮圈足。内外壁口沿处均饰单圈弦纹；内底双圈弦纹内绘果枝栖鹊纹；足底心有青花方款，不识。高2.2、口径10.6、足径6厘米（图版88-3、4）。

蟹纹盘 13件，3件可修。TG32①：2，修复完整。底心下塌，矮圈足。内壁近口沿处绘重十字菱形锦地纹；内底双圈弦纹内绘海水蟹纹，外围作一周变形莲瓣纹，呈齿状；外壁绘缠枝灵芝纹；足底心绘方款，残不识。高2、口径12、足径6.6厘米（图版89-1、2）。

山水船帆纹盘 1件。F29天井①：1，修复完整。内底心向上凸起，矮圈足。足底心有细小乳钉。内底单圈弦纹内绘山水、飞鸟和船帆，外壁素面。高2.2、口径11、足径6.5厘米（图版89-3、4）。

螭龙纹盘 2件，均可修。F9①：29，修复完整。内底下塌，矮圈足。足沿粘有窑砂。内壁近口沿处饰重十字菱形锦地纹；内底双圈弦纹内绘团螭纹，残存局部；外壁近口沿处饰单圈弦纹。高2.5、口径12.1、足径6.8厘米（图版89-5、6）。

D型 17件。6件可修。折沿盘。口沿外折，折沿处棱角分明，沿较宽。大小、纹饰有别。按纹饰介绍如下。

松竹梅盘字纹盘 2件，均可修。F9①：128，修复完整。浅腹微鼓，底心下塌，圈足。内壁近口沿处饰一周回形纹；内底双圈弦纹内绘松、竹、梅纹，松树弯折作盘字状，底心残缺，松枝弯折应盘曲成“福”字；外壁素面。高2.7、口径11.5、足径6.3厘米（图版90-1～3）。

松鹤纹盘 2件，均可修。ⅢT2613③：2，修复完整。出土于万安关南大土。宽折沿，浅腹，圈足。足沿涩胎。折沿处饰海水纹；内底双圈弦纹内饰松鹤纹，残存鹤爪；外壁双圈弦纹将纹饰分为沿、腹、足三栏，内饰细碎枝叶纹。高3.8、口径20.4、足径11.6厘米（图版90-4～6）。

菊石纹盘 1件。ⅣT0606④：9，残缺较甚，可复原。芒口，宽折沿，浅弧腹，圈足。足底可见跳刀痕。内底绘菊石纹，残见菊纹；外壁绘缠枝菊纹。高3、口径17.8、足径9.6厘米。

E型 66件，8件可修。敞口盘。浅腹、多近斜直，圈足。

白描缠枝莲纹盘 2件，均可修。ⅣT0506②：31，修复完整。腹壁近斜直，内底心微下塌。足沿涩胎。以白描手法绘制图案，内腹壁绘缠枝莲纹；内底饰一莲花；外壁残见草虫纹；足底心方款残甚，不可识。高2.5、口径15.3、足径8.5厘米（图版81-5、6）。

灵芝茶花纹盘 59件，5件可修。ⅣT0304①：66，可复原。腹壁微弧，矮圈足，挖足过肩。釉色浑浊泛灰，足沿涩胎。器内纹饰共分四层，底心绘茶花纹，外围作一周菊瓣纹，外侧两层作多组扇形开光，其间绘灵芝、茶花纹；外壁绘茶花纹；足底双圈弦纹内饰花押款，为方形图记。高2.8、口径14.8、足径9.2厘米。

F型　5件。方盘。窄折沿，浅腹，方形底足。足沿涩胎。均为残片，无可复原者。纹饰均为青花云龙纹。ⅣT0503④：35，共10片拼合，残存部分口沿及底足。口沿处饰卷曲状锦纹；内底纹饰残，不可识。高3.8厘米。

碟　可计62件，10件可修。形制较小。根据形制的不同，分为撇口碟、直口碟和方碟三型。

A型　34件，8件可修。撇口碟。沿部外撇，浅弧腹，圈足。形制略有差异，按纹饰介绍如下。

松竹梅纹碟　3件，2件可修。F9②：61，修复完整。弧腹下垂，底心下塌，矮圈足。足沿与足底涩胎，足底跳刀痕明显。内壁青花白描松、竹、梅岁寒三友纹（梅花部分残损），余均素面。高3.3、口径9.8、足径5.1厘米（图版91-1、2）。

行螭纹碟　6件，3件可修。F9②：101，修复完整。内壁青花白描行螭纹，余与F9②：61相同。

灵芝茶花纹碟　23件，3件可修。ⅣT0304④：5，可复原。口部微外撇，圈足较高，挖足过肩。内底心绘一花卉纹，外侧两层作多组扇形开光，其间绘灵芝、茶花纹，并刻有弯曲状纹饰，形如桃心；外壁绘茶花纹；足底心双圈弦纹内书米字形花押款。高3.5、口径8.4、足径3.9厘米（图版91-3、4）。

B型　2件，1件可修。口部近直，矮圈足。ⅠT0101①：53，可复原。口沿处施酱黄釉，足沿涩胎，粘有窑砂。内底及内外壁口沿处饰弦纹。高2.4、口径9.4、足径5.2厘米。

C型　23件，1件可修。方形碟。窄折沿，浅弧腹，方形底足。足沿涩胎。纹饰有山石花卉、花草、山水、松、仕女纹等。

花卉纹碟　F2①：21，可大致复原。内壁口沿处饰一周卷曲状锦纹，内底绘山石花卉纹，外壁素面。高2.3、口宽9.9、足宽6.2厘米（图版91-5、6）。

杯　可计378件，60件可修。与碗相较口径与足径均较小的容器。形制、纹饰与大小各异。根据口沿的变化，可分为直口、侈口、撇口、折沿与花口五型，口沿逐渐向外打开。

A型　136件，20件可修。直口杯。大小、纹饰及腹之深浅不同。按纹饰介绍如下。

团螭纹杯　6件，1件可修。F9②：43，修复完整。上腹近直，下腹圆转，圈足。内外壁口沿处及足墙上饰弦纹，内底双圈弦纹内绘折枝花卉纹，外壁饰四组团螭纹。高4.8、口径7.1、足径2.9厘米（图版92-1、2）。

蟾蜍纹杯　12件，2件可修。ⅣT0605①：1，修复完整。斜弧腹，圈足。足沿涩胎。内外壁口沿处饰单圈弦纹；内底单圈弦纹内绘蟾蜍纹，应寓蟾宫折桂。高4.6、口径8.6、足径3.6厘米（图版92-5、6）。

高官厚禄纹杯　23件，2件可修。TG2④：1，修复完整。斜弧腹，圈足。内外壁口沿外饰单圈弦纹；内底单圈弦纹内绘一官人，寓意高官厚禄。高4.2、口径9、足径3.6厘米（图版

92-3、4）。

山水纹杯 5件，2件可修。F9②：56，修复完整。浅弧腹，内底上拱，矮圈足。足沿涩胎。内外壁口沿处饰双圈弦纹，内底双圈弦纹内及外壁均绘山水纹，足底双圈弦纹内书“大明宣德年制”六字双行款。高3.5、口径6.9、足径3厘米（图版93-1～3）。

折枝花卉纹杯 1件。TG47③：6，修复完整。胎体较薄，釉色莹润，足沿及外底涩胎。外壁绘不连贯花卉纹。高4.3、口径4.6、足径2.7厘米（图版93-4）。

缠枝花卉纹杯 6件，2件可修。TG4③：44，可复原。胎体较薄，釉色莹润。外壁细线绘连贯的缠枝花卉纹。高4.5、口径约7.2、足径2.9厘米（图版93-5）。

蓝地白花团花纹杯 2件，1件可修。F9②：107，可复原。上腹近直，下腹圆转，圈足较高。足沿及足底涩胎。内外腹壁均素面，内底双圈弦纹内绘蓝地白花团花纹，足墙外饰一周8字形锦纹。高5.4、口径8、足径3.5厘米（图版93-6）。

灵芝茶花杯 47件，6件可修。ⅣT0101①：7，可复原。沿微侈，弧腹，宽圈足。足沿及足底涩胎。内底双圈弦纹内绘茶花纹；外壁绘两层多组开光，其内绘灵芝、茶花纹，相互间饰。高3.5、口径6.6、足径3厘米。

B型 134件，27件可修。侈口杯。沿微外卷。大小与形制变化不大，只有下腹转角幅度大小的细微差别，纹饰有别。按纹饰介绍如下。

松鼠瓜果纹杯 5件，2件可修。F9②：34，修复完整。弧腹，下腹圆转，矮圈足。胎体轻薄，釉色莹润，青花呈色淡雅，绘工精良，足沿涩胎。内外壁口沿处及足墙外绘双圈弦纹，内底饰折枝花卉纹，外壁绘松鼠瓜果纹，足底双圈弦纹内书“大明宣德年制”六字双行款。高3.6、口径6.6、足径2.8厘米（图版94-1～3）。

莲池水禽纹杯 7件，5件可修。F9①：77，器底残甚，修复完整。外壁饰莲池水禽纹，外底应书“大明宣德年制”六字双行款。高3.8、口径6.4、足径2.8厘米（图版94-4～6）。

螭龙纹杯 28件，7件可修。上腹近直，下腹弧收或圆转，圈足。均于内底绘折枝花卉纹，外壁绘两组行螭纹。TG10③：28，修复完整。器形清瘦，下腹弧转。足沿与底涩胎。内底单圈弦纹内绘折枝花卉纹；外壁行螭二尾，龙首冲下，鳞爪飞扬。高4.3、口径6、足径2.5厘米（图版95-1、2）。TG47③：8、F9①：86纹饰与TG10③：28同。F9①：86，修复完整。下腹弧收，内底近平。足沿及足底涩胎。高4.4、口径6.4、足径2.3厘米。F8③：12，口沿残存局部，下腹圆转，内底心微下塌。足沿涩胎。足底心楷书一“寿”字款。TG47③：3，修复完整。器形略显矮胖，下腹圆转，余与TG10③：28同。高4.2、口径6.5、足径2.6厘米（图版95-3、4）。TG47③：7，器形与前者接近，画风略异。TG47③：4，修复完整。下腹圆转。釉色混浊，偏黄。高4.3、口径7、足径2.5厘米（图版95-5、6）。

兰草纹杯 11件，4件可修。上腹近直，下腹弧收或圆转，圈足。足沿与外底均涩胎。内底饰折枝花卉纹，外壁绘两组兰草纹。TG47③：1，修复完整。器形清瘦，下腹弧转。内底单圈弦纹内绘折枝花卉纹，外壁绘兰花二丛。高4.2、口径6.6、足径2.6厘米（图版96-1、2）。

F8③：11，器形略显矮胖，下腹圆转。内底心折枝花卉纹无单圈边饰。高4.2、口径6.5、足径2.6厘米（图版96-3、4）。

缠枝花卉纹杯　4件，1件可修。F9①：79，修复完整。下弧腹收，圈足较宽。足沿及足底涩胎。内底单圈弦纹内绘飞鸟纹，外壁饰缠枝花卉纹。高4.2、口径6.4、足径2.8厘米（图版97-1、2）。

花卉纹杯　5件，1件可修。TG47③：2，可复原。下腹弧转。足沿与下底涩胎。内底单圈弦纹内绘折枝花卉纹，外壁饰团花纹。高4.1、口径6.7、足径2.5厘米（图版96-5、6）。

兔纹杯　2件，均可修。下腹圆转，圈足。足沿与足底涩胎。口沿内侧绘单圈弦纹。TG47③：5，修复完整。内底单圈弦纹内绘玉兔作蹲坐回望状。高3.6、口径6.5、足径2.5厘米（图版97-3、4）。ⅣT0506①：16，修复完整。上腹近直，下腹圆收，圈足。足沿及足底涩胎。内底单圈弦纹内绘玉兔作蹲坐回首状。高4.3、口径7、足径2.5厘米（图版97-5、6）。

寿字杯　4件，2件可修。ⅣT0305①：9，修复完整。上腹近直，下腹圆转，圈足。足沿及足底涩胎。内壁近口沿处饰单圈弦纹，内底单圈弦纹内实笔书写一“寿”字，外壁素面。高4.1、口径6.9、足径2.6厘米。

菊石纹杯　1件。ⅣT0606④：11，可复原。上腹近直，下腹圆转。内底单圈弦纹内绘折枝花卉纹，外壁残见菊石纹。高4.7、口径6.4、足径2.5厘米。

状元杯　1件。ⅣT0606②：15，可复原。上腹近直，下腹弧收，圈足。足沿涩胎，足底心跳刀痕明显。内底单圈弦纹内双勾填色“状元”两字；外壁残见一马身局部，一妇女右手高举，作回首状，或寓指日高升。高5.7、口径7、足径3厘米。

莲叶纹杯　3件，1件可修。C5①：34，可复原。弧腹，圈足。足沿及足底涩胎。内底残见双圈弦纹内纹饰局部，或为寿山福海纹；外壁绘缠枝莲叶纹。高4.6、口径8.4、足径2.2厘米。

C型　13件，10件可修。撇口杯。口沿外展幅度较侈口者大。

凤纹杯　8件，6件可修。F9①：14，修复完整。浅弧腹，圈足。足沿涩胎。内底双圈弦纹内饰凤纹；外壁绘二组穿花龙纹，龙均四爪；足底双圈弦纹内书“大明宣德年制”六字双行款。高2.8、口径8、足径4.2厘米（图版98-1～3）。F9①：66，修复完整。大小、纹饰均与前者相同（图版98-4～6）。

三桃纹杯　3件，2件可修。G2②：77，修复完整。深腹，斜腹近直，圈足。口沿施酱黄釉，足沿涩胎。器内素面，外壁近口沿处饰双圈弦纹，外腹部饰三桃纹。高5、口径9.2、足径3.8厘米（图版99-1、2）。G2②：78，形制、大小与纹饰与前者相同（图版99-3、4）。

D型　5件，2件可修。折沿杯。口沿外折近平，窄折沿，腹壁较深，圈足。

金榜题名杯　4件，1件可修。F8①：3，修复完整。上腹斜直，下腹圆折，内底近平，圈足，足底心向下凸起。圈足外沿经刮削，涩胎。内壁口沿处及胫部饰弦纹；内底纹缺不识；外壁原楷书“金榜题名”四字，现残存“金榜”两字。高4、口径9.1、足径4.1厘米（图版99-5、6）。

八卦纹杯　1件。TG2④：25，底残损，残存口腹。形制与前者相同，窄折沿，上腹斜直，下腹圆折。内底纹饰已残，仅于折沿处及内胫部饰双圈弦纹；外壁绘八卦纹，以中峰实笔书绘，画风较为粗犷。残高3.8、口径9.6厘米。

E型 2件，1件可修。花口，口部近直，口沿作连弧状。

狮子戏球纹杯 2件。ⅣT0104①：21，可复原。深腹，上腹斜直，下腹弧收，圈足。足沿涩胎。器内素面，外壁绘狮子戏球纹，足底心绘盘长结花押款。高6.3、口径10.8、足径4.6厘米。

公道杯 1件。TG56①：1，出于万安关南墙下。仅存腹部残片数片，据外腹铭文知为“公道杯”。铭文曰：“漏其卮，实以酒。半则弗漏，满则弗受。岂唯弗受，并丧厥有。庶几哉，宥坐之戒，可守也。损斋居士铭。”语出王世懋（1536～1588，号“损斋”）《王奉常集·平心杯铭》，微有别，是其专为“平心杯”题写的铭文。“平心杯”即“公道杯”。“宥坐”典出《荀子·宥坐》，孔子曰：“吾闻宥坐之器者，虚则欹，中则正，满则覆。”铭文中“庶几哉，宥坐之戒，可守也”，意即公道杯之理与孔子宥坐之器相通，皆蕴含着“满则覆”的至理，可作为坐右之戒律，永为遵守。参照其他相关遗物，可对其进行大致复原。应为侈口，深腹，圈足。内底中央立一人（或龙首），其内空心呈倒U字形，两端开孔，一孔设于内底之隐蔽处，一孔开于外底，形成落差，当水没过倒U形管上端时，杯内的水即流空，此为虹吸原理。高约9、口径9、足径约4.1厘米（图版100）。

罐 可计12件，3件可修。大小各异。

庭院人物纹盖罐 1件。F8③：7、F8③：8，大致修复完整。前者为盖，后者为罐。器体较大，卷沿，束颈，鼓腹，圈足近平。盖仅存局部，子母口，宽沿，面饰蕉叶纹。器身颈部饰一周杂宝纹；肩部开光内饰折枝花卉纹；腹部绘庭院人物，有回廊、人物、山石、鹿等，惜残缺不全；下底饰变形莲瓣纹。通高（含器盖）约34、口径15.5、足径15.8厘米（图版101）。

凤穿花纹罐 2件，1件可修。F8①：131，修复完整。直口，广肩，弧腹，圈足。足沿涩胎，余均施釉。肩部饰缠枝花卉纹，腹部绘凤穿花纹。高13.2、口径6、足径7厘米（图版102）。

缠枝花卉纹罐 4件，1件可修。F8①：130，已修复。圆唇，短颈，丰肩，鼓腹，下腹内收至圈足。口沿处饰单圈弦纹，颈部饰杂宝纹，肩部绘一周如意云头纹，腹壁绘缠枝花卉纹，胫部绘变形莲瓣纹。高9.6、口径4.5、足径6厘米。

器盖 可计18件，8件可修。器形、纹饰有所不同。

花卉纹盖 1件。F8①：139，修复完整。应为青花罐盖（但非F8①：131之盖，子母口径略大）。环形纽，子母口。内沿及盖内涩胎，余均施釉。外壁上下双圈弦纹间青料绘制花卉等纹饰。高4、口外径7、口内径5.2厘米（图版103-1、2）。

白描缠枝莲托双喜纹茶碗盖 2件，均可修。ⅣT0304①：14，修复完整。圈足状纽，敞口外撇。通体施白釉。外壁绘缠枝花托蝙蝠纹，间饰双喜纹；纽底方款书“嘉庆年制”。高3.3、口径10.5、纽径3.7厘米（图版103-3、4）。

喜字罐盖 1件。ⅣT0103①：1，修复完整。整体呈豆形，杯状纽，子母口。口沿涩胎，余均施釉。外壁上下弦纹栏内书四个“囍”字，间饰S形交错的水波纹。高5.3、口径11、纽径3.6厘米（图版103-5、6）。

缠枝花托杂宝纹盖　2件。ⅣT0503④：42，已修复，盖纽已残。平顶，弧腹。上腹饰缠枝花卉托杂宝纹，纽周饰萱草纹。残高1.3、口径9.8厘米（图版104-5、6）。

盒　可计11件，5件可修。

海水纹盒　1件。ⅣT0305①：45，修复完整。盖缺，子母口，直腹，圈足。口涩胎。外腹绘海水纹。高2.5、口径5.4、足径5.8厘米（图版104-1、2）。

回纹瓜棱腹盒　1件。ⅣT0405④：4，修复完整。盖缺，子母口，圈足。口涩胎。外沿双圈弦纹间绘一周回纹，腹部凸饰菊瓣纹。高3.3、口径8.8、足径5.8厘米（图版104-3、4）。

香炉　可计3件，1件可修。

螭龙纹鼎式炉　F10①：14，修复完整。口部双立耳，短束颈，鼓腹，三柱状足。足底涩胎。口部外壁绘一周菱形锦纹，颈部饰杂宝纹，腹部绘螭龙穿银杏叶纹。通高约10、口径7.7、最大腹径9.5厘米（图版105）。

瓷塑　可计4件，均不可修。形制相同。F19①：24，持莲人物瓷塑。残片，不可复原。中空，六棱形底座，外底内凹。人物着对襟长衫，双手作持莲状，莲秆以青料点状装饰。残高约15厘米（图版106-3）。F19①：82，形制与F19①：24同，残见持莲手部及腹背等位置，背部可见海马补子纹饰。残高7.5厘米（图版106-2）。明嘉靖、万历时期，仙佛塑像流行，两尊瓷塑或为持莲的观音或八仙之何仙姑。

茶船　1件。ⅣT0304③A：4，白描缠枝莲纹茶船。已修复。整体呈船形，平底。底部涩胎。器内素面，外壁绘白描缠枝莲纹。高3.4厘米，复原口长20、宽10厘米，复原足长19.4、宽9厘米（图版106-4、5）。

汤匙　可计53件，4件可修。ⅣT0304①：8、ⅣT0304①：35、ⅣT0304①：36，修复完整。器形一致，扁圆形匙，敞口，平底，长柄上翘。纹饰集中在内壁，绘制缠枝花卉纹、白描缠枝莲纹等。匙径约5、通长约11厘米。均为清代遗物（图版107）。

（2）克拉克青花瓷

克拉克瓷，是明末清初景德镇民窑专为外销而烧制的瓷器新品。其名称一般认为来自葡萄牙船Carrack的译音，其特点是普遍带有多层开光的装饰。江西广昌万历元年（1573）墓出土的开光青花瓷盘，被认为是中国本土发现最早的克拉克瓷[①]。

囤上发现带明显开光装饰的青花瓷器残片39片，出土于新王宫、老王宫、铁柱关和飞凤关等处，可确定为克拉克瓷器残片。另有10片残片，开光不存，但结合器形、青花成色、纹饰等特征，推测亦当为克拉克瓷。器类有碗、盘和香熏，惜无可复原者（表1-9）。带开光装饰的瓷片多沿腹部瓜棱以青料绘制线条，形成栏框（均只存左右两侧线条，栏框整体形状因此不甚明了），框内饰花卉、花鸟与山石花卉等图案。有的内外均有开光（图版108）。

① 万明：《明代青花瓷的展开：以时空为视点》，《历史研究》2012年第5期。

表1-9 克拉克青花瓷片一览表

序号	出土单位/编号	名称	残片数量	出土地点	特征	备注
1	F8③	花卉纹盘	1	新王宫	残存腹片，瓜棱腹。外壁开光，间饰花卉纹	克拉克瓷
2	F10①	寿字碗	4	新王宫	残片，菱花口，瓜棱腹，圈足。外壁开光，内绘折枝花卉纹，内底双圈弦纹内绘花托寿字	
3	F19①	镂空灵芝纹香熏	1	新王宫	残存口沿，子母口，鼓腹。与ⅣT0404①一片相拼，外壁开光内做镂空状，间饰纹饰已残	
4	ⅠT0101②	花卉纹盘	2	新王宫	残存腹片，瓜棱腹。外壁开光，间饰花卉纹	
5	ⅠT0103①	花卉纹碗	1	新王宫	残存腹片，瓜棱腹。外壁开光，间饰花卉纹	
6	ⅠT0103②	花卉纹盘	1	新王宫	残存腹片，瓜棱腹。外壁开光，纹饰残不可识	
7	ⅠT0103②	花卉纹碗	1	新王宫	残存腹片，瓜棱腹。外壁开光，间饰纹饰已残	
8	ⅠT0103②	寿字碗	1	新王宫	菱花口，瓜棱腹。外壁开光，间饰纹饰已残	
9	ⅠT0105①	山石花卉纹盘	1	新王宫	瓜棱腹。外壁开光，间饰纹饰已残，内壁饰山石花卉纹	
10	ⅠT0203②	花鸟纹盘残片	1	新王宫	瓜棱腹。外壁开光，内外壁均饰花卉纹	
11	ⅣT0104①	花卉纹折沿盘残片	1	新王宫	残存腹片，折腰。内壁开光，饰折枝花卉纹；外壁绘杂宝纹	
12	ⅣT0104①	花鸟纹盘	1	新王宫	残存腹片，瓜棱腹。外壁开光，饰花卉纹；内壁绘花鸟纹	
13	ⅣT0106①	草虫纹花口大盘	1	新王宫	菱花口，瓜棱腹。内壁绘草虫纹	
14	ⅣT0202①	寿字碗	1	新王宫	残存口沿。外壁开光，纹饰已残	
15	ⅣT0202①	花卉纹盘	5	新王宫	均为腹部残片。内外腹壁用青料开光，纹饰多残	
16	ⅣT0203④	花鸟纹盘	1	新王宫	残存腹片，瓜棱腹。外壁青料沿凸棱开光，间饰花鸟纹	
17	ⅣT0305③A：4	镂空灵芝纹香熏	6	新王宫	残存口沿及腹片，子母口，鼓腹。外腹壁开光内做镂空状，间饰灵芝纹。与F19①应为同一件	
18	ⅣT0305③A	花卉纹盘	1	新王宫	残存腹片，折腰。内壁青料开光间饰花卉纹	
19	ⅣT0305④	山石花卉纹盘	1	新王宫	瓜棱腹。内壁绘山石花卉纹；外壁开光，饰花卉纹	
20	ⅣT0306①：150	开光折枝花卉纹罐	1	新王宫	残存口部，敛口，鼓腹。外壁口沿双圈弦纹下开光内绘折枝花卉纹，间饰重十字菱形锦地纹	
21	ⅣT0404①	镂空灵芝纹香熏	1	新王宫	与F19①相拼，外壁开光内做镂空状，间饰纹饰已残	
22	庙台3	镂空灵芝纹香熏	1	新王宫	小残片，腹壁镂空，与F19①应为同一件	
23	TG23②	花卉纹折腰盘	2	飞凤关	残存腹片，折腰，无瓜棱。内壁青料开光，饰花卉纹；外壁开光，纹饰残	
24	TG46②：22	花卉纹折腰盘	1	铁柱关	残存底腹部，折腰，圈足。内壁开光，饰花卉纹；外壁青料开光，纹饰残	
25	TG47③	花卉纹盘	1	老王宫	残存腹片，瓜棱腹。外壁青料开光，饰花卉纹	

续表

序号	出土单位/编号	名称	残片数量	出土地点	特征	备注
26	F10①	花鸟纹盘	2	新王宫	残存腹片，瓜棱腹。内壁绘花鸟纹	疑似克拉克瓷
27	L2①	花卉纹折腰盘	1		折腰。内壁饰花卉纹，外壁饰杂宝纹	
28	Ⅰ T0101②	花卉纹盘	3	新王宫	腹部残片，局部见有开光线条，内壁残见花卉纹	
29	Ⅰ T0103④	山石花卉纹盘	1	新王宫	瓜棱腹。内外壁均饰山石花卉纹	
30	Ⅰ T0202①	花卉纹盘	1	新王宫	残甚，腹部有凸棱，内壁残见花卉纹	
31	ⅣT0506②	花卉纹盘	1	新王宫	残存盘底。饰花卉纹	
32	ⅣT0604④	花鸟纹盘	1	新王宫	残存腹片，瓜棱腹。内外壁饰花鸟纹	
合计		残片共计49片，其中39片确定为克拉克瓷，10片推测为克拉克瓷				

这组瓷器的年代均为明万历时期。从发现的地点（边地的土司遗址），并结合其中2件瓷碗上兼施开光与“寿”字装饰的特征看（表1-9-2、14；图版108-1～4、15），它们应非纯粹意义上的“外销瓷”，而是带有克拉克瓷特征的内销瓷器，或者说至迟从万历中期开始，专为外销烧制的瓷器新品出现了结合国人需求而“出口转内销”的新变化。

3. 彩瓷

这里所说的彩瓷，是指在釉上或釉下施以青花以外其他颜色的一类瓷器，有的无青花，有的则与青花相互映衬。包括釉下彩、釉上彩、釉上与釉下相结合三种情况，具体根据颜色的特征及其多寡又可分为若干类。海龙囤出土的彩瓷中，釉下彩有青花釉里红；釉上彩有红彩、绿彩、红绿彩和粉彩；釉上与釉下相结合的则有青花加彩（青花红彩、青花五彩）。种类较为丰富，均系景德镇产品。

（1）青花釉里红

釉下除青花外，再施红彩者，称青花釉里红。囤上出土该类瓷器不少，在彩瓷中数量最多。共有残片560片，至少有33件以上个体，可复原者15件。器类有碗、杯和盘，碗最多（表1-10）。

碗　可计21件，8件可修。纹饰不同，其纹饰有喜鹊登梅、鱼藻、云气、蝙蝠、鸡等。

鱼藻纹大碗　6件，3件可修。形制相同，器形较大，撇口，曲壁，深腹，圈足。内底、外腹饰鱼藻纹，外底铭“大明宣德年制”（或“大明宣德年造”）款。F9②：21，可复原。深腹下垂，内底近平，高圈足。足沿涩胎。内底双圈弦纹内绘海水鱼纹，用红彩装饰鱼头及半轮红日，鱼儿跃起居中，上部为红日，左右两侧饰云气，下部饰半圆形海水纹；外壁绘四组鱼藻纹，每组各不相同，或跃或俯，有鲤鱼、鳜鱼等，每组间饰海藻纹；足底双圈弦纹内残见楷书“□□宣□年造”六字双行款。高8.4、口径19、足径8厘米（图版109-1～3）。余者形制相近，红彩仅用于装饰鱼与云等（图版109-4～6；图版110-9～11）。

表1-10 青花釉里红瓷一览表

序号	出土单位/编号	名称	款识	残片数量	可计件数	特征
1	F8①：102	鱼藻纹碗	大□宣□□造	7	1	形制相同，均为撇口大碗。内底及外腹的鱼、云等用红彩，余均青花；外底有“大明宣德年制”（“大明宣德年造”）款
2	F8①：107	鱼藻纹碗	□□□德年□	3		
3	F8①：104	鱼藻纹碗	大□□德□□	8	1	
4	F8①：105	鱼藻纹碗	□□□□□制	1	1	
5	F8①	鱼藻纹碗		25		
6	F9②：21	鱼藻纹碗	□□宣□年造	31	1	
7	F9②：92	鱼藻纹碗	大明宣□年制	37	1	
8	F9①：215	鱼藻纹碗		11	1	
9	F9①	鱼藻纹碗		57		
10	L2①	鱼藻纹碗		1		
11	ⅣT0201①	鱼藻纹碗		1		
12	ⅣT0504①	鱼藻纹碗		1		
13	ⅣT0506②	鱼藻纹碗	□□□德年□	1		
14	ⅣT0606①	鱼藻纹碗		1		
15	ⅣT0606②	鱼藻纹碗		1		
16	ⅣT0606④	鱼藻纹碗		1		
17	F9①：53	喜鹊登梅纹碗	大明□德年□	11	1	形制相同，均为撇口碗。内底饰伏虎，外腹部为喜鹊登梅纹，花、虎用红彩；外底有“大明宣德年制”款
18	F9①：50	喜鹊登梅纹碗	大明宣德年制	6	1	
19	F9①：114	喜鹊登梅纹碗	大明□德年□	1	1	
20	F9①：145	喜鹊登梅纹碗		9	1	
21	F9①：146	喜鹊登梅纹碗		7	1	
22	F9②：26	喜鹊登梅纹碗	□□□德年□	9	1	
23	F9②：72	喜鹊登梅纹碗	□明宣德年制	11	1	
24	F9①	喜鹊登梅纹碗		56		
25	F9②	喜鹊登梅纹碗		85	1	
26	K5①：1	喜鹊登梅纹碗	大明宣德年制	1	1	
27	ⅣT0607①：45	喜鹊登梅纹碗		1		
28	F9②：40	乳虎纹杯	□□□□□制	16	1	形制相同，纹饰组合一致，但有细节的变化。内底绘石间玉兔一组，外壁绘嬉戏于山石间的乳虎四组，外底铭“大明宣德年制”款
29	F9①：16	乳虎纹杯	□明宣□年制	14	1	
30	F9①：82	乳虎纹杯	大明宣德年□	5	1	
31	F9①：97	乳虎纹杯	□□□□□制	5	1	
32	F9①：115	乳虎纹杯	□明宣德年制	8	1	
33	F9①	乳虎纹杯		38		
34	F9①：118	乳虎纹杯		1		
35	ⅣT0504①	乳虎纹杯		1	1	
36	ⅣT0604④	乳虎纹杯		1		
37	ⅣT0606②：9	乳虎纹杯	□明宣□年制	1	1	

续表

序号	出土单位/编号	名称	款识	残片数量	可计件数	特征
38	F9①：85	花卉纹杯		5	1	形制、纹饰皆同。内底、外壁绘釉里红花卉纹，花色偏红或黄，余用青料
39	F9①：213	花卉纹杯		6	1	
40	F9①：214	花卉纹杯		4	1	
41	F9①	花卉纹杯		8		
42	Ⅰ T0104①	蝙蝠纹碗		1		口腹残片，外壁绘青花灵芝纹，间饰釉里红彩蝙蝠纹
43	ⅣT0304④：3	蝙蝠纹碗		5	1	
44	ⅣT0104①	蝙蝠纹碗		1		
45	ⅣT0304①	蝙蝠纹碗		4		
46	ⅣT0403①	蝙蝠纹碗		1		
47	ⅣT0404①	蝙蝠纹碗		1		
48	ⅣT0506①	蝙蝠纹碗		3		
49	ⅣT0506②	蝙蝠纹碗		6	1	
50	ⅣT0606①	蝙蝠纹碗		3		
51	ⅣT0606②	蝙蝠纹碗		1		
52	ⅣT0206①：35	鱼纹大盘		13	1	内底鱼鳞用红彩
53	现代坑3	狮子戏球纹大盘		1		青料绘出狮身及绣球结带，釉里红彩绘制毛发及火焰状纹
54	ⅣT0202①	狮子戏球纹大盘		1		
55	ⅣT0205①	狮子戏球纹大盘		1		
56	ⅣT0206①：36	狮子戏球纹大盘		10	1	
57	ⅣT0404①	狮子戏球纹大盘		1		
58	ⅣT0405①	狮子戏球纹大盘		1		
59	ⅣT0708①	狮子戏球纹大盘		2		
60	ⅣT0605①	狮纹大盘		1		
61	ⅣT0505①	海水龙纹碗		1	1	以青料绘制海水，红彩饰龙身
62	TG29②	碗		1	1	
63	ⅣT0405①	云气纹碗		1	1	纹饰绘于内壁
64	老王宫采：4	鸡纹碗		1	1	鸡身用红彩
65	ⅣT0303④	鱼纹大盘		1		
66	ⅣT0405②A	鱼纹大盘		1		
合计				560	33	

喜鹊登梅纹碗　9件，5件可修。形制相同，纹饰大同小异。撇口，斜腹圆收，圈足。内底饰伏虎纹，外腹为喜鹊登梅纹，外底铭“大明宣德年制”六字双行款。F9①：53，可复原。底心微下塌。胎体轻薄。内底青花单圈弦纹内以青料绘山石、花草枝叶、明月及虎之眉须等，再以红彩绘虎身及花朵；外壁残见喜鹊登梅纹，以青料绘树干、山石、花草、喜鹊，再以红彩绘梅花及花蕊；足墙外饰一周卷草纹；外底青花双圈内楷书“大明□德年□”六字双行款。高

3.6、口径10、足径4.1厘米（图版111-1、2）。余者器形相同，纹饰微有变化，但均只有虎、花用红彩（图版110-12、13；图版111-3～6）。

蝙蝠纹碗 2件，均不可修。ⅣT0304④：3，残存口腹。侈口微撇，弧腹。内壁无纹；外壁双圈弦纹下以青料绘制灵芝纹，间饰釉里红彩蝙蝠纹。残高3.7厘米（图版110-2～4）。

鸡纹碗 1件。老王宫采：4，仅存口腹残片1片。侈口。内壁近口沿处饰青花单圈；外壁青花单圈下绘一雄鸡，以青料绘制鸡尾，余用红彩，深浅不一，有层次感。残片高4.5、宽3.7、厚0.25厘米（图版110-8）。

杯 可计10件，6件可修。有乳虎纹杯和花卉纹杯两类，均为残片，部分拼接，可修复。

乳虎纹杯 7件，5件可修。形制相同，撇口，斜腹圆收，底心下塌，圈足。纹饰略有差别，内底绘石间玉兔一组，外壁绘嬉戏于山石间的乳虎四组，外底铭“大明宣德年制”双行款。F9②：40，修复完整。胎体轻薄，釉色莹润。内底青花单圈弦纹内绘山石花草纹，红彩勾勒出一兔；外壁以青料或红彩绘四组乳虎嬉戏于山石之上，间饰花卉纹；底部青花双圈弦纹内楷书“□□□□□制”款。高3.6、口径8.7、足径3.5厘米（图版112-1、2）。余者形制与之相同，纹饰稍有变化，玉兔、部分乳虎或其局部饰红彩（图版110-14、15；图版112-3～6）。

花卉纹杯 3件，1件可修。形制相同，撇口，弧腹较深，内底微弧，圈足较高。纹饰皆同。内底、外壁绘釉里红花卉，花色偏红或黄，余用青料（图版113）。F9①：85，可复原。内底及外壁绘釉里红花卉纹，以青料绘枝叶和花朵外形，花朵以红彩填色，花色偏红或黄。高4.6、口径9、足径3.3厘米（图版113-8）。

盘 可计2件，1件可修。

鱼纹大盘 1件。ⅣT0206①：35，残存器底，无法复原，结合残片，可知为敞口，弧腹，内底心微下塌，圈足，挖足过肩。足、底涩胎。内底青料绘制鱼身及海藻，红彩绘制网格状鱼鳞；口腹部残见海藻纹。足径约13.4厘米（图版110-5）。

狮子戏球纹大盘 1件。ⅣT0206①：36，拼接，可修复。敞口，弧腹，圈足较高，挖足过肩。足、底涩胎。外壁纹饰残；器内可辨识出狮子之头、爪、尾及火焰状纹等部分，青料绘出狮身，釉里红彩绘制毛发及火焰状纹。高5、口径25.6、足径15厘米（图版110-6、7）。

以上青花釉里红瓷器，17件铭“大明宣德年造（制）”款，但结合胎釉及青花成色，可以断定均为万历时期寄托款，鱼藻纹碗、喜鹊登梅纹碗、乳虎纹杯、花卉纹杯、鸡纹碗均应为万历时期遗物，其余蝙蝠纹碗、鱼纹与狮子戏球纹大盘则均为清代遗物，当与海潮寺相关。

（2）青花加彩

釉下青花与釉上彩相结合的，称青花加彩。釉上有的仅施红彩（青花红彩），有的则兼施多种颜色（青花五彩）。囤上所出，即主要为这两类加彩瓷器。共发现瓷器残片320片，可计29件，经拼合可复原者6件。器形有碗、盘、杯、盖（表1-11）。

表1-11　青花加彩瓷一览表

序号	出土单位/编号	名称	残片数量	可计件数	款识	备注（含可复原器）	类别
1	F9②：105	青花红彩鱼藻纹碗	6	1		已复原，矾红堆塑	青花红彩
2	F9②：106	青花红彩鱼藻纹碗	5	1			
3	TG37②：12	青花红彩鱼藻纹碗	5	1			
4	F9①：238	青花红彩鱼藻纹碗	3	1		残存口腹，矾红堆塑	
5	F9②	青花红彩鱼藻纹碗	10			腹部残片，矾红堆塑	
6	ⅣT0202①	青花红彩鱼藻纹碗	2				
7	ⅠT0202①	青花红彩鱼藻纹碗	1				
8	ⅠT0103④	青花红彩鹭鸶纹碗	2	1		外壁红彩	
9	ⅡT0101①：26	青花红彩麒麟纹碗	2	1	□□攸□（万福攸同）		
10	F10①：92	青花红彩鹭鸶纹碗	1	1	万□□□（万福攸同）		
11	F8①：263	青花红彩鹭鸶纹碗	1	1	□□攸同（万福攸同）		
12	ⅣT0103①	青花红彩花卉纹碗	1			内壁红彩	
13	G12①：2	青花红彩狮子戏球纹杯	4	1	成化年造	内外壁均饰红彩萱草纹，多已脱落	
14	TG1③：1	青花红彩鱼纹碗	1	1		内底矾红堆塑鱼纹	
15	TG4③：29	青花红彩花卉纹杯	2	1		可复原，外壁饰红彩花卉纹	
16	G5①	青花红彩鱼藻纹碗	2	1		残底，外壁矾红堆塑	
17	G12①：3	青花红彩鹭鸶纹碗	1	1	万福攸同	底部残片，外壁红彩	
18	ⅣT0303①	青花红彩鱼藻纹碗	1			腹部残片，矾红堆塑	
19	ⅣT0405①	青花红彩鹭鸶纹碗	2			外壁红彩	
20	ⅣT0503④	青花红彩鹭鸶纹碗	1				
21	ⅣT0505②A	青花红彩鹭鸶纹碗	1				
22	ⅣT0505②B	青花红彩鹭鸶纹碗	2				
23	ⅣT0505④	青花红彩鹭鸶纹碗	3				
24	ⅣT0506①	青花红彩鹭鸶纹碗	1				
25	ⅣT0506②	青花红彩鹭鸶纹碗	5				
26	TG47③：30	青花红彩碗	1	1			
27	F9②：66	青花五彩高士纹盘	21	1	大明嘉靖年制	已复原	青花五彩
28	F9②：91	青花五彩刘海戏金蟾纹盘	16	1	大明嘉靖□□	已复原	
29	F9①：9	青花五彩鹭莲纹盘	6	1	大明嘉靖年制		
30	F9②：82	青花五彩狮子戏球纹盘	12	1	□明嘉□□制		
31	ⅣT0606②：14	青花五彩高士纹盘	1	1	大□□靖□□		
32	F9①：212	青花五彩盘	1	1		与“嘉靖”款盘一致	
33	F9①	青花五彩盘	155	1		为“嘉靖”款盘碎片	
34	ⅣT0106①：2	青花五彩仕女纹盘	1	1	玉堂□□（玉堂佳器）		
35	ⅣT0202①	青花五彩莲池水禽纹盘	1	1		腹片，残甚，内外施彩	

续表

<table>
<tr><th>序号</th><th>出土单位/编号</th><th>名称</th><th>残片数量</th><th>可计件数</th><th>款识</th><th>备注（含可复原器）</th><th>类别</th></tr>
<tr><td>36</td><td>ⅣT0603①：1</td><td>青花五彩花卉纹盘</td><td>1</td><td rowspan="2">1</td><td rowspan="2"></td><td rowspan="2">疑为正德器，内外施彩，可能为同一器</td><td rowspan="22">青花五彩</td></tr>
<tr><td>37</td><td>C5①</td><td>青花五彩花卉纹盘</td><td>1</td></tr>
<tr><td>38</td><td>ⅣT0203①</td><td>青花五彩盘</td><td>1</td><td></td><td></td><td>底部残片，内外施彩</td></tr>
<tr><td>39</td><td>ⅣT0203①</td><td>青花五彩花卉纹碗</td><td>1</td><td></td><td></td><td>十字锦纹，内外施彩</td></tr>
<tr><td>40</td><td>F8①：264</td><td>青花五彩菱形锦纹杯</td><td>3</td><td>1</td><td></td><td>口腹残片，外腹施彩</td></tr>
<tr><td>41</td><td>TG46③</td><td>青花五彩狮纹碗</td><td>1</td><td></td><td></td><td>残底</td></tr>
<tr><td>42</td><td>F9②</td><td>青花五彩盘</td><td>7</td><td></td><td></td><td>内外施彩</td></tr>
<tr><td>43</td><td>L2①：15</td><td>青花五彩刘海戏金蟾纹盘</td><td>1</td><td></td><td></td><td>与F9②：91相拼</td></tr>
<tr><td>44</td><td>L2①</td><td>青花五彩碗</td><td>1</td><td></td><td></td><td>口沿残片，内壁施彩</td></tr>
<tr><td>45</td><td>ⅠT0204①</td><td>青花五彩盘</td><td>1</td><td></td><td></td><td>口沿残片，内壁施彩</td></tr>
<tr><td>46</td><td>ⅣT0104①</td><td>青花五彩云鹤纹杯</td><td>1</td><td></td><td></td><td>口沿残片</td></tr>
<tr><td>47</td><td>ⅣT0203②A：5</td><td>青花五彩菊纹盖</td><td>8</td><td>1</td><td></td><td>顶部残片，外壁施彩</td></tr>
<tr><td>48</td><td>ⅣT0205①</td><td>青花五彩盘</td><td>1</td><td></td><td></td><td>底部残片，内壁施彩</td></tr>
<tr><td>49</td><td>ⅣT0303④</td><td>青花五彩人物纹盒盖</td><td>2</td><td></td><td></td><td>外壁施彩</td></tr>
<tr><td>50</td><td>ⅣT0404①：22</td><td>青花五彩人物纹盒盖</td><td>2</td><td>1</td><td></td><td>外壁施彩</td></tr>
<tr><td>51</td><td>ⅣT0404①</td><td>青花五彩花卉纹杯</td><td>1</td><td></td><td></td><td></td></tr>
<tr><td>52</td><td>ⅣT0405①</td><td>青花五彩盘</td><td>1</td><td></td><td></td><td>口沿残片，内壁施彩</td></tr>
<tr><td>53</td><td>ⅣT0603②A：6</td><td>青花五彩云鹤纹杯</td><td>3</td><td>1</td><td></td><td>底部残片，外壁施彩，外底“福”</td></tr>
<tr><td>54</td><td>ⅣT0606④</td><td>青花五彩盘</td><td>1</td><td></td><td></td><td>腹部残片，内壁施彩</td></tr>
<tr><td>55</td><td>ⅣT0706①：2</td><td>青花五彩鸳鸯纹大碗</td><td>1</td><td>1</td><td></td><td>底部残片，内外施彩</td></tr>
<tr><td>56</td><td>ⅣT0908①</td><td>青花五彩花卉纹杯</td><td>1</td><td></td><td></td><td>口沿残片</td></tr>
<tr><td colspan="2">合计</td><td></td><td>320</td><td>29</td><td></td><td></td></tr>
</table>

青花红彩瓷　在青花釉面上施红彩，再入窑低温烧成。具体有三种情况：一是用矾红在釉面上堆出鱼形，以鱼藻纹碗为代表；二是将外腹或内壁大面积涂红，以鹭鸶纹碗为代表；三是用红色颜料在器物内、外壁绘制花卉，以杯为代表。可计14件，可复原者4件。

碗　可计12件，3件可修。其中鱼藻纹碗5件，器形与工艺大致相同；瑞兽（花卉）碗5件，器形与工艺大致相同。依次描述如下。

鱼藻纹碗　5件，3件可修。釉上以矾红堆塑游鱼。F9②：105，修复完整。敞口，深腹，圈足。足沿涩胎，余均施釉。外底、圈足、内底及口沿均饰青花弦纹；内底绘蓝地白花海水纹；外腹青花绘海藻纹，间用矾红堆塑游鱼四尾。高6.2、口径11、足径4.5厘米（图版114-1～3、5）。TG37②：12，纹饰与前者相同，形制亦接近，唯口沿微外卷（图版114-4）。

瑞兽（花卉）碗　5件。均残，不可复原。敞口，弧腹，圈足。结合残片可知，口沿内侧青花绘制重十字菱形锦纹，内壁纹饰不明，内底青花绘制麒麟、鹭鸶等纹饰，外壁大面积涂红，外底铭“万福攸同”青花款（图版117-9～11）。另有碗之腹部残片1件（ⅣT0103①），器形不明。外腹绘青花，内腹涂红，与前者略有不同（表1-11-12）。

杯　可计2件，1件可修。形制各异。以红彩于内外壁绘制花卉。

狮子戏球纹杯　1件。G12①：2，弧腹，圈足。灰白色胎体较厚，足、底均涩胎。内底青花双圈内书“成化年造”四字双行款，已残；青花双圈外红彩绘四组萱草纹；外腹青花绘狮子戏球纹；胫部红彩绘一周萱草纹，彩绘脱落，印痕尚存。残高2.7、足径3.6厘米（图版117-8）。

花卉纹杯　1件。TG4③：29，仅存残片1片，但可复原。口微侈，腹较直，圈足。外腹壁青花间釉上以红彩绘羽毛状装饰，微泛黑。高4.1、口径6、足径2.3厘米（图版117-7）。

其余残片，亦均分属上述几类器物。

青花五彩瓷　由于多数器物残缺不全，不识全貌，这里将在青花瓷器的内、外壁施两种以上颜料，再入窑低温烧成的青花釉上彩均统称为青花五彩，以区别于仅施红彩的青花红彩。共发现该类瓷片254片，可计15件，可复原者2件，可辨器形有盘、杯、碗和盖，以前者为主（表1-11）。

盘　可计10件，2件可修。形制各异。

“大明嘉靖年制”款盘　5件。形制一致，口微侈，弧腹，圈足。外底铭“大明嘉靖年制”六字双行款（F9①：212底款不存，但据样式推测亦应属此款）。内底青花双圈内绘高士、刘海戏金蟾、狮子戏球、鹭莲等图；内壁以红、绿、紫等色绘制弦纹、锦纹、莲花、杂宝等装饰，部分铺有金粉。外壁饰人字形云纹（图版115；图版116；图版117-2、3）。F9②：66，高士纹盘。修复完整。内壁绘四组开光，开光内矾红描金，开光间以红绿彩绘菱形锦地纹，其上绘莲托宝纹；内底青花双圈内绘高士纹；外壁饰人字形云纹；足底行书“大明嘉靖年制”六字双行款。高4、口径13.5～14、足径7.2厘米（图版115）。F9②：91，修复完整。内底绘刘海戏金蟾纹，余与F9②：66相同。高4、口径13.5～14、足径7.2厘米（图版116）。F9①内出土的大量青花五彩瓷片，属该类瓷盘腹部碎片（表1-11-33；图版117-4）。

“玉堂佳器”款盘　1件。ⅣT0106①：2，器形与前者相近。残存盘底，底心微下塌，圈足。内腹壁施红彩，部分脱落，局部见有描金；内底青花双圈内绘庭院人物；外腹壁纹饰已残；足底心残见楷书“玉堂”。残高2.1厘米。与“嘉靖”盘有所区别（图版117-1）。

其他盘　4件。另有碎瓷14片，残甚，器形不明，但与前述两类存在明显区别。用红、绿等色于腹之内外壁上均绘制花卉、莲池等纹（表1-11-35～37）。其中一件大盘残片（ⅣT0603①：1），其年代或可早至明正德时期（图版117-5）。

杯　可计2件，均不可修。

菱形锦纹杯　1件。F8①：264，口沿及腹部残片3片。口微侈，腹较直。内沿饰一周青花弦纹，外壁以红、绿彩绘锦纹等纹饰。残高2.6厘米（图版117-6）。

花卉纹碗　1件。ⅣT0203①，仅存近沿处残片1片。内沿饰一周青花弦纹，下以红彩绘重十字锦纹，外壁用红、绿彩绘枝叶纹。

盖　可计2件，均不可修。

菊纹盖　1件。ⅣT0203②A：5，残存顶部及盖沿残片。平顶，弧腹，盖沿近直，顶部微凸。盖沿涩胎。顶部以青料及红彩绘制菊纹。残高3.4厘米。

该批青花加彩瓷器，6件带年号款，除“成化年造”当系万历朝的寄托款外，其余5件“大明嘉靖年制”款器则名实相符，因此主要为嘉靖、万历时期遗物。个别（ⅣT0603①：1）则带有略早一些的特征，或为正德前后的遗物。均为景德镇产品。

（3）红彩或绿彩

釉上仅施红彩或绿彩者，无青花。共发现残片41片，可计13件，可辨器形有碗、盘、碟、鼻烟壶等（表1-12；图版118）。需要说明的是，因是基于残片的观察，可能存在以偏概全的情况，亦即部分器物上所施颜色不独有红色或绿色，而是多种颜色，而仅有施红彩或绿彩的残片幸存。

表1-12　红（绿）彩瓷一览表

序号	出土单位/编号	名称	残片数量	可计件数	特征	图版	时代
1	ⅣT0202①：73	绿彩萱草纹碗	1	1	口沿残片，内壁绿彩绘萱草纹	118-1	明嘉靖至万历
2	ⅠT0405①	绿彩花卉纹碗	1		腹部残片，外腹绿彩绘花卉纹	118-2	
3	L2②	绿彩碗	1		口沿残片，外壁残留绿彩	118-5	
4	TG21②：162	红彩凤纹碗	7	1	可大致复原，外壁、内底施红彩	118-6～12	
5	ⅣT0203④	红彩莲瓣纹碗	1	1	腹部残片，内外壁红彩留白绘出莲瓣纹	118-4	
6	F3①：131	红彩龙纹大碗	1	1	腹部残片，内外腹壁均有纹饰		
7	K3①：43	红彩莲纹碗	1		口沿残片，外壁红彩绘莲纹		
8	L2①	红彩鱼藻纹碗	1		口沿残片，外壁红彩残见鱼尾		
9	ⅣT0604④	红彩花叶纹碗	1		口沿残片，外壁施彩已脱落		
10	TG22①	红彩碗	1	1	口沿残片		
11	TG22②	绿彩碗	1	1	口沿残片		
12	TG10③：74	绿彩方盘	1	1	底部残片		
13	TG44③：34	红彩盘	1	1	底部残片		
14	TG33①：11	绿彩方碟	2	1	口沿残片		
15	ⅠT0103③	红彩花卉纹盘	1		腹部残片，内壁红彩绘花卉纹	118-15	清
16	ⅣT0103①	红彩花卉纹盘	1		腹部残片，内壁红彩绘花卉纹	118-16	
17	ⅣT0103①	红彩喜字碗	1		腹部残片，外壁红彩开光内书“喜”字	118-17	
18	ⅣT0202①	红彩碗	1		底部残片，红彩款，残“制”字	118-18	
19	ⅣT0106①	红彩花卉纹喜字碗	1		腹部残片，外壁绘红彩花卉纹及“喜”字	118-19	
20	ⅣT0202①	红彩花卉纹盘	2		底及腹残片，内壁饰红彩花卉纹	118-13、14	
21	ⅣT0203②A：3	红彩花卉纹碗	1	1	底部残片，内底残留红彩花卉纹局部	118-3	
22	ⅣT0305④：42	红彩鼻烟壶	1	1	残留器底及下腹，器身一面施红彩	118-20	
23	ⅠT0105①	红彩盘	2		口沿残片		

续表

序号	出土单位/编号	名称	残片数量	可计件数	特征	图版	时代
24	ⅣT0203②A	红彩花卉纹碗	1	1	腹部残片		清
25	ⅣT0405①	红彩花卉纹盘	3				
26	ⅣT0505②A：4	红彩花卉纹汤匙	1	1	内壁红彩绘花卉纹		
27	ⅣT0708①	红彩描金盘	2		口沿残片，内壁施红彩		
28	ⅣT0704①	红彩碗	2		底部残片，外壁红彩已脱落		
总计			41	13			

即便如此，基于残片的观察，仍可获取一些信息。如红彩中颜色较浅的，其中一件残留“制”款（图版118-18），这类遗物均应属清代。而颜色较深者，当为明嘉靖、万历时期遗物。因此，该批釉上红彩或绿彩瓷器，据时代可分为明、清两组。前者为土司时代遗物，后者则与海潮寺相关。

（4）红绿彩

釉上兼施红彩与绿彩者，无青花。囤上出土红绿彩瓷残片共91片，其中经拼合可计件者22件，可复原者2件。均为碗（表1-13；图版119）。为景德镇明嘉靖、万历时期产品。

表1-13　红绿彩瓷一览表

序号	出土单位/编号	名称	残片数量	可计件数	保存状况	特征	图版
1	G1①：40	缠枝莲纹碗	7	1	可大致复原	侈口，弧腹，内底近平，圈足微内敛。胎质细腻，釉色莹润，白中带青，足沿涩胎。内底红彩单圈弦纹内红绿彩绘莲花纹，外壁红绿彩绘缠枝莲纹	119-5～10
2	L2①：78	缠枝莲纹碗	1	1		底部残片，特征同前	119-1、2
3	C5①	缠枝莲纹碗	1			腹部残片，特征同前	
4	L2①：79	龙凤纹碗	1	1	可复原	撇口，弧腹，圈足。足、底涩胎。内底纹饰残存局部，应为花卉纹；外壁残见龙尾及火焰状纹	119-3、4
5	TG1②：2	花卉纹碗	2	1		外腹施红彩与绿彩，绘花卉纹	
6	TG2④：20	龙凤纹碗	8	1		残存口腹。内壁光素；外壁红绿彩绘龙凤纹，间饰折枝花卉纹	119-11～15
7	TG47③：32	花卉纹碗	2	1		口沿残片，外壁残留红绿彩花卉纹	119-16、17
8	F8①：265	花卉纹碗	3	1		底、腹及口沿残片，内外壁红绿彩绘花卉纹	
9	F1①	龙凤纹碗	1				
10	F29①	翼龙纹碗	1	1		口沿残片，外壁红绿彩绘龙纹	
11	G2①	龙凤纹碗	3	1		口腹残片，外壁红绿彩绘龙凤纹	

续表

序号	出土单位/编号	名称	残片数量	可计件数	保存状况	特征	图版
12	G5①	龙凤纹碗	1			残底，圈足内敛。圈足涩胎，跳刀痕明显。内底红绿彩绘龙凤纹	
13	C1①	花卉纹碗	1			腹部残片，外壁红绿彩绘花卉纹	
14	L2①	龙凤纹碗	2	1		口、底残片，圈足。内底纹饰残存局部，应为花卉纹；外壁红绿彩绘龙凤纹	
15	ⅠT0102②	龙凤纹碗	1	1		底部残片。内外均施彩，多已脱落	
16	ⅣT0203①：11	人物纹笔筒	2	1		底部残片。留有少量绿彩，推测为笔筒	118-21、22
17	ⅣT0203①	龙凤纹碗	2			口、底残片，外壁红绿彩绘龙凤纹	
18	ⅣT0402①	龙凤纹碗	1	1		底部残片，圈足。足底涩胎。内底彩已脱落，应为花卉纹；外壁饰龙凤纹	
19	ⅣT0404①	龙凤纹碗	2			腹部残片，外壁红绿彩绘龙凤纹	
20	ⅣT0405①	龙凤纹碗	2			腹部残片，外壁红绿彩绘龙凤纹	
21	ⅣT0405③A	龙凤纹碗	4	1		口、底残片，圈足。内底纹饰脱落，应为花卉纹；口沿外壁可见火焰纹	
22	ⅣT0405④	缠枝莲纹碗	2			腹部残片。外壁红绿彩绘缠枝莲纹，内壁近底处残见一周红彩弦纹	
23	ⅣT0503③	龙凤纹碗	1			腹部残片，外壁红绿彩绘龙凤纹	
24	ⅣT0503④	花卉纹碗	2			腹、底残片。内底绘花卉纹，外壁或为龙凤纹	
25	ⅣT0505②A	缠枝莲纹碗	1			腹部残片，外壁红绿彩绘缠枝莲纹	
26	ⅣT0505②B	缠枝莲纹碗	1			底部残片，内外壁红绿彩绘缠枝莲纹	
27	ⅣT0505④	龙凤纹碗	1			腹部残片，外壁红绿彩绘龙凤纹	
28	ⅣT0506①	人物纹笔筒	2			腹部残片，绘人物纹	
29	ⅣT0506②	人物纹笔筒	2			腹部残片，绘人物纹	
30	ⅣT0603②A	龙凤纹碗	2			腹部残片，外壁残留绿彩，绘龙凤纹	
31	ⅣT0603④	缠枝莲纹碗	1			口沿残片，外壁红绿彩绘缠枝莲纹	
32	ⅣT0605①	缠枝莲纹碗	1			外壁红绿彩绘缠枝莲纹	
33	ⅣT0606①	缠枝莲纹碗	1			腹部残片，外壁红绿彩绘缠枝莲纹	
34	ⅣT0606①	人物纹笔筒	1			腹部残片，外壁残留绿彩，绘人物纹	
35	ⅣT0606②	人物纹笔筒	1			腹部残片，绘人物纹	
36	ⅣT0704①	缠枝莲纹碗	1			口沿残片。外壁红绿彩绘缠枝莲纹，内壁口沿饰一周红彩弦纹	
37	ⅣT0706②：31	花卉纹碗	1	1		残底，内底微下塌，以红绿彩绘花卉纹	
38	ⅣT0708①	龙凤纹碗	5			口腹残片，外壁红绿彩绘龙凤纹	
39	ⅣT0709②	龙凤纹碗	1			腹部残片，外壁红绿彩绘龙凤纹	
40	ⅣT0709③	花卉纹碗	1			腹部残片，外壁红绿彩绘花卉纹	

续表

序号	出土单位/编号	名称	残片数量	可计件数	保存状况	特征	图版
41	ⅣT0908①：26	寿山福海纹碗	3	1		腹、底残片，内底微下塌，圈足。足沿及外底涩胎，修足痕迹明显。内底以红绿彩绘寿山福海纹，外壁纹饰残缺较甚	
42	TG24①	碗	2	1		纹饰不可识	
43	TG25①：1	海水仙山纹碗	1	1		底部残片，圈足。内底红绿彩绘海水仙山纹	
44	TG27①	花卉纹碗	1	1		腹部残片，外壁红绿彩绘花卉纹	
45	TG29②：8	花卉纹碗	5	1		口、腹、底残片，内底红绿彩绘花卉纹	
46	TG32①	花卉纹碗	2	1		口、底残片，圈足，外壁红绿彩绘花卉纹	
47	TG58②	花卉纹碗	1	1		口沿残片，侈口。腹壁红绿彩绘花卉纹	
总计			91	22			

（5）粉彩

釉上以玻璃白打底，与彩料结合，经洗染产生粉化效果的瓷器。色彩柔和，色阶多样。囤上出土可复原的粉彩瓷器3件，另有瓷片190片，可辨器形有碗、盘、杯、器盖（图版120、图版121）。

开光竹纹碗　1件。F19①：12，修复完整。口微侈，深腹，圈足。通体施釉。内底刻一“仁”字；外腹玻璃白上以黑彩绘云纹，间有开光四组，内以红彩绘修竹；外底心铭“大清嘉庆年制”青花款，较抽象（另有类似款识可资对比）。高7.7、口径7.2、足径6.3厘米（图版120）。

缠枝莲开光喜字盖　1件。ⅣT0507①：7，可大致复原。子母口，器身弧形，顶有敞口纽（残）。子母口涩胎，余均施釉。外壁饰缠枝莲夹二开光“喜”字，纽内底铭“道光年制”红彩款。残高3、口径7.8厘米（图版121-2）。

双艳纹盘　1件。ⅣT0106①：86，可复原。敞口，浅腹，圈足。足沿涩胎，余均施釉。器内底、腹于玻璃白上彩绘莲、菊纹，外腹纹饰残。高2.3、口径约14、足径8厘米（图版121-3）。

杯　3件。ⅣT0103①：32，底部残片。通体施白釉，足沿涩胎。外壁残见局部粉彩纹饰。残高1.6、足径2厘米。

一般认为，粉彩创烧于清康熙时。因此囤上出土粉彩的年代上限较为明确，早不过康熙。其中2件上“大清嘉庆年制”“道光年制”款识已清晰标明其年代。其余瓷片的年代应大致与之相当，为景德镇产品。这些遗物，当与海潮寺僧众相关。

（6）素三彩

另有一类瓷器，于素胎上施绿、黄、紫等彩烧制而成，为素三彩瓷。仅见2件，均残，似为笔筒与瓷塑。两器均应为清代遗物。

海水蟹纹笔筒　1件。ⅣT0305④：8，结合残片可知其腹壁近直，椭圆形底，宽平足。外壁模印海水施以绿彩，翻滚的浪花则为胎体本色，螃蟹着紫色，鱼施黄彩；内壁涩胎，略显粗糙，局部印有细布纹。残高5.5、底长6.1～9.6厘米（图版43-1）。

云纹瓷塑　1件。ⅣT0106①：124，勺状，平底。内壁及底部涩胎。外壁模印云纹，上绿、黄两色。残高2.6厘米（图版43-2）。

4. 官样瓷器

细瓷中有一组青料、纹样与款识俱佳的精细青花瓷器，其风格与官窑器一致，以至资深的瓷器专家对其性质亦持不同意见，有认为系官窑器的，有认为系“官搭民烧”器的，或兼而有之，总之与一般的民窑制品存有差别①。考虑到其中可能既有官窑器，也有“官搭民烧”器，二者很难细致区分，我们将之笼统称为“官样瓷器”（即按官家颁发的样式烧造的瓷器），单独予以介绍。除却工艺的精细外，主要基于以下三个标准，将之从其他青花瓷器中区别开来。①青料：青花色泽鲜亮，蓝中泛紫，应是回青与石青合理搭配的结果；②纹样：出现了五爪龙纹等宫廷专用纹饰；③款识：均为六字纪年款，端庄工整，敦厚刚劲，带有官窑款识的特点。

囤上所见的这类瓷器主要出土于新王宫内，个别出土于万安关内通道。可计件者17件，其中8件可复原（表1-14）；另有瓷器碎片178片，可能为前述17器之局部，亦可能分属新的个体，亦即囤上原有官样瓷器的数量应多于17件。根据纹样，可分为五爪龙纹、四季花卉纹两大类，以五爪龙纹器居多。

表1-14　官样瓷器统计表

序号	出土单位/编号	名称	残片数量	保存状况	款识	年代	备注
1	F9①：1	青花八仙五爪龙纹碗	20	可复原	大明万历年制	万历	内壁花托吉语：福如东海，寿□□□
2	F9①：52	青花缠枝四季花卉纹碗	21	可复原	大明万历年制	万历	可与F9②：2之3片拼合
3	F9②：130	青花缠枝四季花卉纹碗	24	可复原		万历	
4	F9①：207	青花正面五爪龙纹靶盏	1	残		万历	
5	F9②：85	青花正面五爪龙纹靶盏	13	残	□□□历年制	万历	
6	TG10③：18	青花正面五爪龙纹靶盏	19	可复原	大明万历年制	万历	万安关出土
7	ⅣT0306①：1	青花正面五爪龙纹靶盏	2	残		万历	
8	F9①：80	青花正面五爪龙纹盘	13	可复原		嘉靖	与ⅣT0606②一片拼
9	F9①：81	青花正面五爪龙纹盘	14	可复原		嘉靖	残存底款双圈弦纹之局部，与F9②：42两片共14片相拼
10	F9①：208	青花正面五爪龙纹盘	7	残	？	嘉靖	残存底款双圈之局部

① 江建新先生认为系“官搭民烧”器，秦大树先生认为既有官窑器也有“官搭民烧”器，王光尧先生建议使用“官样瓷器”的概念。

续表

序号	出土单位/编号	名称	残片数量	保存状况	款识	年代	备注
11	F9①：105	青花正面五爪龙纹盘	4	残	大□□靖□□	嘉靖	胎体较厚重，与ⅣT0404①一片拼
12	F9②：32	青花正面五爪龙纹盘	13	可复原	大明嘉靖年制	嘉靖	火烧痕迹明显
13	F9②：103	青花正面五爪龙纹盘	7	可复原		嘉靖	
14	F8①：259	青花五爪龙纹盘	2	残	□□嘉□□制	嘉靖	五爪残，“嘉”存一角
15	ⅣT0304①：55	青花五爪龙纹盘	1	残		嘉靖	穿花龙纹
16	ⅣT0304①：56	青花五爪龙纹炉（罐）	1	残		嘉靖	火烧痕迹明显
17	F8①	青花正面五爪龙纹盘	2	残		嘉靖	其中1片与ⅣT0503②相拼合
18	F9①	青花缠枝四季花卉纹碗	5	残		明	
19	F9①	青花八仙五爪龙纹碗	2	残		明晚	
20	F9①	青花正面五爪龙纹盘	91	残		嘉靖	
21	F9①	青花正面五爪龙纹靶盏	1	残		明晚	
22	F9②	青花缠枝四季花卉纹碗	25	残		明	
23	F29	青花五爪龙纹盘	1	残		明晚	
24	ⅠT0101①	青花正面五爪龙纹盘	1	残		明	
25	ⅠT0104①	青花五爪龙纹盘	1	残		明	
26	ⅣT0206①	青花五爪龙纹盘	1	残		明	
27	ⅣT0306①	青花五爪龙纹盘	1	残		嘉靖	
28	ⅣT0404①	青花正面五爪龙纹盘	1	残		嘉靖	与F9①：105相拼
29	ⅣT0503②	青花正面五爪龙纹盘	1	残		嘉靖	可与F8①两片中1片相拼
30	ⅣT0504①	青花八仙五爪龙纹碗	2	残		明晚	
31	ⅣT0504②	青花正面五爪龙纹盘	1	残		嘉靖	
32	ⅣT0506②	青花正面五爪龙纹盘	1	残		嘉靖	
33	ⅣT0605①	青花五爪龙纹盘	1	残		嘉靖	
34	ⅣT0606①	青花缠枝四季花卉纹碗	1	残		明晚	
35	ⅣT0606①	青花正面五爪龙纹盘	1	残		嘉靖	
36	ⅣT0606②	青花正面五爪龙纹盘	1	残		嘉靖	与F9①：80相拼
37	ⅣT0606④：1	青花正面五爪龙纹盘	3	残		嘉靖	
38	ⅣT0606④	青花缠枝四季花卉纹碗	1	残		万历	
39	ⅣT0506②	青花缠枝四季花卉纹碗	1	残		明	
40	ⅣT0604④	青花五爪龙纹盘	1	残		明晚	疑似官样
合计		残片共计309片，其中可计件者17件，可复原者8件					

（1）类型

根据纹饰，可分为五爪龙纹瓷器、缠枝四季花卉纹瓷器两类。

五爪龙纹瓷器 可计15件，五爪龙纹饰于器之内底或外腹。按器类有盘9件、靶盏4件、碗1件、炉（罐）1件。

盘 9件。F9②：32，正面五爪龙纹盘，修复完整。口沿微折，浅腹，底心下塌，圈足较高，足壁内斜。内底双圈弦纹内绘正面五爪龙纹，外壁绘四组双龙戏珠纹，足底双圈弦纹内楷书“大明嘉靖年制”六字双行款。胎体轻盈细腻，釉色白中泛青，青花色泽纯正，蓝中微带紫。高3、口径17.8、足径9.5厘米（图版122-1、2）。F9①：80、F9①：81、F9②：103、F9①：105、F9①：208五件的器形、纹饰与之接近（图版122-3～6、图版123）。F8①：259、ⅣT0304①：55两器残甚，所存残片纹饰与前述几件微有区别，前者外底款识无双圈，尚存“制”字及“嘉”字左下角。另有F9①青花正面五爪龙纹盘残片91片，可计1件（图版124、图版125-7、图版125-8、图版130-4）。

靶盏 4件。TG10③：18，正面五爪龙纹靶盏。修复完整。出土于万安关通道内。侈口，深腹，内底心微下塌，外底接柱状高圈足，略呈喇叭形。胎体洁白细腻，釉色白中带青，足沿及部分内壁涩胎。内壁近口沿处饰重十字菱形锦地纹，内底双圈弦纹内绘正面五爪龙纹，外壁双圈弦纹下绘赶珠龙纹，外胫部绘变形莲瓣纹，柱状足外壁寿山福海纹下横书“大明万历年制”六字楷款。高10.5、口径13.4、足径3.6厘米（图版126）。其余3件较残，仅存底及部分残足，器形及纹饰与TG10③：18相同。其中F9②：85，高足上横书“□□□历年制”楷款（图版127-1～5）。

碗 1件。F9①：1，八仙五爪龙纹碗，修复完整。敞口，深弧腹，底心下塌，圈足。胎质细腻，釉呈青白色，青花色泽浓重艳丽，蓝中泛紫。内底双圈内绘正面五爪龙纹；内腹壁绘缠枝花托吉语，残存“福如东海，寿□□□”；外壁绘八仙纹；足底双圈弦纹内楷书“大明万历年制”六字双行款。高8、口径17.2 、足径5.8厘米（图版128）。

炉（罐） 1件。ⅣT0304①：56，五爪龙纹炉或罐的腹部残片。弧腹。内外壁均施白釉，内侧见有旋胎痕，釉面不甚光洁，二次烧结痕迹明显。外壁青料绘制五爪龙纹及火焰纹。残高2.9、残长5.1、厚0.5厘米（图版127-6）。

另有龙纹残瓷片144片，其中部分从青花成色、胎釉和纹样判断，可确定为前述相应器物之局部，但因中间残缺过多，无法连缀；4片八仙五爪龙纹碗、17片正面五爪龙纹靶盏残片均属此例。112片青花正面龙纹盘残片，有的可能为前述诸器的残片，有的则可能分属新的个体（图版131）。

缠枝四季花卉纹瓷器 2件。均为缠枝四季花卉纹碗，形制相同。F9①：52，侈口，深腹，底心下塌，圈足，足壁内斜。胎质细腻洁白，釉色白中带青，青花色泽艳丽，蓝中泛紫。内底双圈弦纹内绘菊纹；内外壁绘缠枝四季花卉纹；外壁近足处饰重叠莲瓣纹；足底双圈弦纹内楷书“大明万历年制”六字双行款，字迹端庄工整、敦厚刚劲，带有官窑款识的特点。高7、口径15.8、足径5.8厘米（图版129-1～3）。F9②：130，器形、大小、纹饰均与前者相同。

器底款识不存（图版129-4～6）。

缠枝四季花卉纹瓷器残片33片，应为上述两器的局部，中间残缺过多，无法连缀（图版132）。

（2）来源

此类官样瓷器，少见或不见于其他土司遗址[①]，特别是其中的五爪龙纹向来被视作皇权的象征，蕴含着丰富的信息。这类产品为何出现在海龙囤上，是御赐、定烧抑或购买所得？

17件官样瓷器中，尚存年号款者7件，其中“大明嘉靖年制”3件、“大明万历年制”4件（图版130）。以之为准绳，可确定其他无款或款残者，其年代亦在嘉靖、万历时期，且均为景德镇产品。年代问题，是讨论该组瓷器来源渠道的前提。

嘉靖朝是瓷器史上一个重要的分水岭，“官搭民烧”的制度化与官窑瓷器的商品化，逐渐模糊了官窑与民窑制品的界限。鉴于此，以“官样瓷器”来命名这类瓷器，应是恰当的。

首先看“官搭民烧”。有明一代，随“部限”（通过工部颁发的定额）与“钦限”（临时加派的烧造任务）瓷器烧造量连年加剧，而御窑厂由于种种原因很难完成任务，遂采用了“官搭民烧”的权宜之计，即将部分烧造任务分派给民窑来完成。嘉靖九年（1530）之后，“官搭民烧”成为成例，即实现了制度化[②]。“官搭民烧”制度的推行，其直接影响就是促进了民窑青花生产的迅猛发展，最突出的特征是出现了一批与官窑青花风格一致的民窑产品。从原本禁止民窑使用的回青料在民窑中的推广，到民窑在纹样、器形和绘制技法上对官窑的全面模仿，使得官民窑青花艺术风格呈现明显趋同的现象，如曾在官窑中盛行的龙、凤、花卉、婴戏、鱼藻等图案亦均在民窑中风行[③]。

再看官窑瓷器的商品化。明弘治之前，不合格或落选官窑制品均要打碎后集中掩埋。成化时，一般臣民“家藏御墨并龙凤瓷器”仍“俱属违法”，因此御用瓷流入民间的可能性极小。但考古证据不能表明嘉靖以降仍有与前朝类同的对落选品的处理方式，而出现了御制瓷器的流散现象[④]。因此，有论者认为嘉靖时期，不能进呈的残次品开始具备了商品瓷的属性。而在万历时除将不合格的次品全部推向市场外，部分上好的官窑瓷器也予以出售，官窑瓷器开始进入

---

① 据目力所及：a. 湖南永顺老司城遗址出土五爪龙纹碗或盘3件：G10东：183，青花五爪龙纹碗，内底饰五爪龙纹，外底铭“大明成化年制”，为寄托款，实系万历器。G10东：177，青花五爪龙纹盘，内底饰五爪龙纹，外底铭“宣慰使司佳器”，亦为万历器。G10南①：135，青花五爪龙纹碗，外腹壁饰青花五爪龙纹，外底铭“都督□□徐□□□”（都督府役徐沅斌贡）款，亦当为万历器。见湖南省文物考古研究所、湘西自治州文物局、永顺县文物局：《永顺老司城》，北京：科学出版社，2014年，彩版八〇，9；彩版八一，10；彩版八四，2；彩版八五，2；第120页、124页；图九三，13。后两器的铭文表明，此系土司于景德镇定烧的产品。b. 湖北唐崖土司城中未见此类遗物，参见蔡路武：《咸丰唐崖土司城出土瓷器综述》，《三峡论坛》2014年第4期。c. 贵州近年发掘的余庆长官司衙署遗址出土瓷器上百件，未见官样瓷器。资料现存贵州省文物考古研究所。

② 赵宏：《“官搭民烧”考》，《故宫博物院院刊》1996年第1期；吴军明、张茂林、李其江等：《论“官搭民烧”对明清景德镇瓷业发展的影响》，《陶瓷学报》2012年第4期。

③ 刘毅：《论“官搭民烧”与明嘉靖民窑青花发展及艺术新风》，《中国陶瓷》2011年第12期。

④ 王光尧：《明代宫廷陶瓷史》，北京：紫禁城出版社，2010年，第207、208页。

寻常百姓家。这是万历一朝独有的现象[①]。要之，嘉靖时官窑器因管理疏漏而开始流散并具备了商品的属性，而在万历朝确已在市场流通。

一方面是“官搭民烧”制度促进了民窑生产技艺的迅猛发展；另一方面是官窑器在特殊背景下开始向市场流通，终使官窑与民窑器彼此混同，殊难区分。因此囤上所出官样瓷器，御赐、定烧与购买的可能性均存在。前揭出自湖南永顺老司城的2件万历青花五爪龙纹器分别有“宣慰使司佳器”（G10东：177）和“都督□□徐□□□”（“都督府役徐沅斌贡”，G10南①：135）款，知是土司或其下属在景德镇民窑定烧的产品。囤上迄未发现类似定烧的证据，其来源便存在御赐与购买两种可能。鉴于嘉靖朝虽有官窑器的流散但并不普遍，囤上嘉靖青花五爪龙纹器（表1-14-8～16）为御赐的可能性较大，反映了嘉靖一朝播州土司与中央王朝良好的关系。嘉靖时，播州杨氏第28、29世土司杨相、杨烈父子先后当政并多次入朝，在《明实录·世宗嘉靖实录》中留下“赏赉如例”等记录18条[②]，或可作为旁证。若所论不谬，则嘉靖器为官窑器。囤上所出其余万历官样瓷器，则较为可能通过购买所得。因为万历时民窑的青花瓷器烧造技艺已趋于高峰，且已有官窑瓷器流向市场。

御赐瓷器的政治意蕴自不待言，便是购买所得的官样瓷器因为价格的高昂[③]以及官样所具备的原初内涵而非同凡响。因此之故，永顺宣慰司“都督府役”徐沅斌才将之作为礼品贡奉给土司。其余铭“都督府役徐沅斌贡”款的青花瓷器，亦多为饰四爪龙纹的精细产品[④]。故宫博物院所藏1件天启五爪龙纹瓶，据题记为徽州平民黄舜耕所有，却被视为供物“永远供养，祈保早赐男孙，合家清吉，人平安”[⑤]。可见这些据信产自民窑却带有官样的瓷器，依然备受珍视。由此就不难理解为何即便在“僭礼坏乐”的晚明社会，品级略低的土司居址中亦不曾有官样瓷器出土的原因。据此也可确定，海龙囤上这组官样瓷器的使用者当为土司及其家人。

海龙囤出土官样瓷器总量当不少于17件，相较于其他土司遗址而言已属可观，且有着别样的意义，一则可以折射出土司与中央王朝曾经良好的关系以及晚明社会官窑瓷器生产的特殊情境，再则可以从一个侧面深化对土司制度的理解。

（二）粗瓷

粗瓷，是与细瓷相比较做工略显粗疏的一类瓷器，应该产自本土或周边非著名窑口。因

---

① 王健华：《论万历朝青花瓷器》，《故宫博物院院刊》1996年第1期。

② 贵州民族研究所编：《明实录·贵州资料辑录·世宗嘉靖实录》，贵阳：贵州人民出版社，1983年，第695、697、704、709、710、732、742、750、754、757、769、777、804、806、807、808、821、825页。

③ 据清初大学士朱彝尊《感旧集序》记：“彝尊儿时，见先父酒食燕宾客，瓷碗多宣德、成化款识，近亦嘉靖年物。万历窑器，索金数两，宣德、成化款倍蓰之。”崇祯时，万历器即值金数两，宣德、成化款器则倍之，足见其价不菲。转引自王健华：《论万历朝青花瓷器》，《故宫博物院院刊》1996年第1期。

④ 湖南省文物考古研究所、湘西自治州文物局、永顺县文物局：《永顺老司城》，北京：科学出版社，2014年，彩版八八。

⑤ 张科：《明代五爪龙纹瓷的使用及相关问题》，《东南文化》2018年第4期。

此之故，相关研究未能深入，其年代无法如细瓷般明确。囤上所出粗瓷数量颇巨，按器类，有罐、缸、壶、碾钵、钵、碗、灯座和烟嘴等。依釉色，则有青釉、酱釉和青花三类。部分器物上有弦纹、水波纹以及方格、圆圈等几何形模印纹。粗瓷有的与细瓷配合使用，为有益的补充，如罐、缸、碾钵等，与细瓷中的同类器多作陈设器或带有一定的象征意义不同，其系日常生活中不可或缺的实用器皿，至今亦然。另一类遗物，如碗、钵等，在土司时代则可能具有一定的阶级性，为层级相对低下的人员所使用的器皿。按有无青花细分为青花粗瓷类和粗瓷类，青花粗瓷类器形有碗、盘、杯、碟、罐、盆、瓶、勺、汤匙、钵、器盖，粗瓷类器形有碗、杯、钵、盏、瓷塑、灯台、杵嘴、碟、器盖、缸、罐、壶、炉、碾钵、盘、盆、瓶、水盂、坛、汤匙、瓮、烟嘴、夜壶。以下按器类择要介绍。

1. 青花粗瓷

数量较多，器类有碗、盘、杯、碟等，纹饰题材有灵芝茶花、梵文、兰花和鱼纹等数种。其中，梵文和灵芝茶花纹当借鉴于景德镇青花瓷。

碗　可计352件，15件可修。F1①：62，完整。敞口，弧腹近直，圈足。灰褐胎，釉色泛黄，青花晦暗，釉不及底，下腹、圈足、外底及内底均涩胎。内外壁各用青料绘制双圈弦纹。高4.5、口径14.3、足径6.8厘米（图版133-1）。ⅣT0102①：6，可复原。侈口，弧腹，高圈足，足底心有细小乳钉。施青釉，内底及足沿、足底涩胎。外壁口沿下绘云纹。高5、口径9.4、足径4.6厘米。L2①：122，修复完整。撇口，弧腹，底心微下塌，圈足。内底有一道涩圈，足沿及足底涩胎，余施青釉，釉色较为浑浊。外壁口沿下勾绘纹饰，颇写意，不可识。高6.2、口径13.4、足径6.5厘米。L2①：80，可复原。形制、纹饰与前者完全相同。器内施满釉，足沿及足底涩胎。高6.2、口径13.6、足径6.4厘米（图版133-2）。

盘　可计7件，4件可修。ⅣT0201①：24，可复原。敞口，弧腹，圈足。胎色灰白，釉色泛灰，有细小开片，青花泛黑，足沿涩胎，内底带涩圈。内外壁上下双圈弦纹间饰花草纹，内壁为灵芝茶花纹，已变形；外壁为草叶纹，较疏朗。高3.7、口径15.3、足径6.9厘米（图版133-5）。ⅣT0202①：105，可复原。敞口，弧腹，底微下塌，浅圈足。胎色青灰，釉色泛灰，青花泛蓝，内底有涩圈，下腹、圈足、下底均涩胎。内壁随意描绘草叶状纹饰。高2、口径13.4、足径6.4厘米（图版133-3）。

杯　可计6件，4件可修。ⅣT0303①：5，基本修复完整。直口，上腹较直，下腹圆转，浅圈足作内外两级。灰白胎，釉色泛灰，青花泛蓝，足、底涩胎。外壁以青料绘卷草花卉纹。高6、口径7、足径4.8厘米。ⅣT0303①：7，修复完整。器形颇小，敞口，浅腹，弧腹近直，浅圈足。内底有涩圈，圈足及下底涩胎。外壁近口沿处以青料点绘一周圆点纹。高2.1、口径5.3、足径3.2厘米（图版133-4）。

碟　可计2件，均可修。老王宫采：18，修复完整。茅棚采集。敞口，浅腹，圈足。釉色灰白，青料泛蓝，内外底均涩胎。内腹青料绘制三朵花卉纹。高1.8、口径8、足径4厘米。

2. 粗瓷

罐　可计458件，32件可修。

单耳带流罐　49件，9件可修。F9①：159，直口，圆唇，溜肩，鼓腹，平底微内凹。器身一侧置圆条形执把，与之相对的一侧口沿处有半圆形短流。内外壁均有轮旋痕。灰胎，内外壁施酱釉，底部无釉。高10.8、口径6.4、最大腹径9.5、底径7厘米。K4①：16，修复完整。直口，束颈，鼓腹，平底。颈腹之间置半圆形单把，与之相对的一侧口沿处设流，已残。底部涩胎，余均施青釉。高18、口径10、最大腹径15.5、底径11厘米（图版134-1）。F9①：160，可复原。形制同前，但小、矮胖。施青釉。高7.5、口径6.4、最大腹径9、底径约7.5厘米（图版134-2）。

盘口罐　14件，4件可修。ⅣT0606②：6，较完整。盘口，带流，短束颈，广肩，鼓腹，外底心微上拱。酱釉偏黑，外壁施釉不及底，下腹及下底涩胎。高18、最大口径6.5、最大腹径14、底径6.5厘米（图版134-3）。ⅣT0205②：2，形制与前者相同，口部残缺。内外壁均施青釉，局部涩胎，足底无釉。内外壁轮制痕迹明显。残高18.2、底径8厘米（图版134-4）。

双系罐　3件，1件可修。新王宫采：19，修复完整。敛口，肩部有双系，鼓腹，平底。砖红胎，施青釉不及底。高10.7、口径8.4、最大腹径13、底径8.9厘米（图版135-1）。G12①：24，口、底皆残，可大致复原。直口微侈，束颈，肩带双耳，腹颈之间有半圆形单把，球形腹。施青釉，下腹涩胎。残高12、口径约4、最大腹径9、底径约6厘米（图版135-2）。

小罐　38件，3件可修。L2④：8，完整。口微侈，束颈，鼓腹，平底。砖红胎，施青釉不匀，半腹无釉，亦不及底，釉面粗糙，带麻点。高13、口径5.8、腹径9.7、底径6厘米（图版136-3）。F19②：1，修复完整。大口，鼓肩，浅弧腹，平底。施酱釉，涩胎。高10.7、口径11.5、最大腹径15.5、底径8厘米（图版136-2）。

大罐　25件，2件可修。老王宫采：5，修复完整。在老王宫王宅旁地坎采集。器形硕大，卷沿，束颈，广平肩，上腹外鼓，下腹微弧近直，平底。除外底外，余均施酱釉。肩部模印花卉、太阳、火焰和乳钉纹。高49、口径18、最大腹径42、底径15厘米（图版135-3）。

连体罐　2件，均不可修。两个形制较小的罐用泥料粘接腹部，再施以酱釉。ⅠT0204①：104，连体罐粘接处残存一罐口腹部，另一罐仅存粘接处腹部残片。内壁下部均可见轮旋痕。两罐内外壁均施酱釉。残高7.2、罐口径约6厘米（图版136-1）。F9②：128，粘接处残片，残存一罐腹部残片。

碗　可计455件，13件可修。F8①：124，修复完整。撇口，鼓腹较浅，底微下塌，圈足，外底中央有乳突。施青釉，足沿及下底涩胎。高4.2、口径10.4、足径6.1厘米（图版137-3）。G2②：27，可复原。撇口，弧腹，饼足，足底微上拱。通体施青釉，足底涩胎。足底墨书铭文较为随意，不识。高4.8、口径11.6、底径6.6厘米（图版137-1、2）。

钵　可计80件，7件可修。F9①：154，可复原。敛口，斜直腹较深，平底微内凹。内壁有轮旋痕。内外壁均施酱釉，釉层稀薄，部分已脱落，露胎处呈灰黄色，足底无釉。高10.6、口径25.2、底径12.2厘米（图版137-4）。

碾钵　可计38件，6件可修。G1①：36，修复完整。侈口微敛，于口沿处置一半圆形短流，弧腹近直，饼状底。施酱釉，下腹、底及内壁均不施釉。内壁自底及口沿施篦划纹以令其粗糙。高8.5、口径13.8、底径7厘米（图版138-1）。F3①：104，可复原。敞口，弧腹近直，饼状底。施青釉，下腹、底及内壁均不施釉。内壁自底及口沿施篦划纹以令其粗糙。高8.4、口径15、底径7.5厘米（图版137-5、6）。

夜壶　可计5件，均不可修。由壶嘴、提梁、壶身等部分组成。ⅣT0202①：111，壶嘴、口沿残缺，提梁横跨壶身顶部，残存粘接处小部分。圆球形腹，顶部凸起，丰肩，鼓腹，平底微上拱。通体施青釉，局部涩胎。残高17.8、底径11.2厘米（图版139-1）。L2④：325，壶嘴残缺，残存壶身及提梁局部。形制与前者相近。外壁通体施酱釉，仅足底局部涩胎。至梁高18.9、足径12.2厘米（图版139-2）。

瓶　可计13件，2件较完整。C4③：2，完整。侈口，束颈，葫芦形腹，平底。施青釉，釉质细腻，下底涩胎。高5.8、口径2.4、最大腹径6、底径4.7厘米（图版138-2）。TG2②：1，口沿残缺。小口，束颈，溜肩，瘦长腹，平底。青釉较深，偏褐色，不及底。残高29、口径约4、最大腹径20、底径约12厘米（图版138-3）。

缸　可计16件，均不可修。ⅣT0104①：28，可大致复原。卷沿，浅弧腹近直。外壁施酱釉不及底。残高18.5、口径57、底径约35厘米（图版139-5）。

灯台　可计24件，均不可修。ⅣT0302①：1，残存灯座及柄部。圆盘状底座，座沿外撇，中空高柄，执把及灯台上部残佚。施青釉。残高12、灯盘口径12.4、足径10.2厘米（图版139-3）。ⅣT0203④：1，形制与前者相同，灯台上部残缺，执把及灯盘残损。施青釉。残高13.7厘米。

烟嘴　可计9件，3件可修。ⅡT0102①：14，可大致复原。整体略呈卜字形，中空。胎体泛灰，施青釉。器身模印“S”形等纹饰。残长6.5、宽3.2厘米（图版140-1）。ⅣT0304①：68，完整。整体呈7字形，中空。罩以透明釉。器身模印乳钉及弦纹。长3.8、宽2.4厘米。

器盖　可计8件，2件可修。G2①：47，修复完整。外形似攒尖顶状，顶部平整，盖沿为子母口。顶部旋切痕迹明显，内壁轮旋痕迹明显。整体涩胎。高4.5、盖径11.4、内径8.7厘米（图版140-2）。ⅣT0102①：54，香熏盖。可大致复原。外形呈笼屉状，顶部见两个镂空叶状小孔，口沿局部作波浪状装饰。施青釉。高1.6、直径8.8厘米（图版140-3）。

盏　可计6件，4件可修。ⅣT0706②：27，可复原。形制较小，敞口近直，口沿处有浅流，浅弧腹，内底微下塌，小平底。器内施透明釉，外壁涩胎，腹壁有叠烧痕迹。高3、口径8.5、底径3厘米（图版140-4）。

炉　可计1件，不可修。F1①：85，残。筒形，腹壁近直，上部应作镂空状，平底微上拱。通体施酱釉。腹中部饰两周凸弦纹。残高17、底径20.8厘米（图版140-5）。

盆　可计3件，1件可修。ⅣT0706②：25，可复原。口部微敛，小折沿，弧腹，平底微上拱。器内施酱釉，外壁口沿下露胎，微泛红。高8.4、口径27.2、底径16.2厘米（图版139-4）。

碟　可计10件，4件可修。形制相同，均敞口，浅弧腹，矮圈足。ⅣT0101①：13，可复原。底心微下塌。内外壁仅于口部施透明釉。高2.5、口径9.4、足径4.6厘米。

盘　可计5件，3件可修。ⅣT0101①：11，撇口，腹壁内弧，平底微上拱。通体施酱釉，足底涩胎。高2.5、口径9.4、足径4.6厘米。ⅣT0101①：14，可复原。敞口，浅弧腹，内底下塌，矮圈足，足底心有细小乳突，外底下塌严重。内外壁口沿处施透明釉，余皆涩胎。高2、口径11.8、足径7.4厘米。ⅣT0203④：15，可复原。形制与前者相近，足底心与足沿近平。高1.8、口径11.4、足径7.2厘米。

瓷塑　可计1件。G1①：2，人头。美髯，大耳，露齿，系一男性长者，或为寿星。素胎，中空，后颈残留绿釉一道。残高4.4厘米（图版106-1）。

2014年12月27日，海龙囤考古队于遵义县（现遵义市播州区）三合镇阁老村沙岗组窑址群开展实地调查时采集了较多与上述器物外形特征颇为相似的标本，既有青花，也有酱釉瓷器（图1-16）。据该村老窑工回忆，此类青花瓷的生产始于民国时期，畅销于本地市场，至遵义通铁路后，随着商品经济的冲击方才逐渐停止。

文献中对遵义窑业较早的记载有郑珍成书于清道光早期的《田居蚕室录》，该书《窑器》载："瓨、瓮、罂、钵之属，出遵义班水者，曰班水窑；盘、碗、登、壶之属，此绥阳石碓窝者，曰石碓窑。班水器用杂土，色暗；石碓器用墡泥，色白，并坚朴、价廉。石碓器佳者，尤浑雅可爱。"[①]班水、石碓两窑是清道光时期遵义本土有一定知名度的窑口，所产有瓨、瓮、罂、钵、盘、碗、登、壶等器。而海龙囤的相关发现结合前述调查表明，当地瓷器烧造的历史，至迟当可推至明代，历清而延至民国，但器形、装饰和工艺等变化不大，殊难区分，唯可据出土层位稍作辨别。

图1-16　遵义市播州区三合镇阁老村沙岗组采集瓷器

① （清）郑珍：《郑珍集·文集·田居蚕室录》，贵阳：贵州人民出版社，1994年，第240页。

（三）窑口

如前所述，瓷器中的粗瓷，当产自本地或周边非著名窑口，具体产自何处则不甚明了，其年代由明历清至民国。细瓷，基于既有研究则可大致明了窑口与时代。就目前所知，可判明的窑口有江西景德镇窑、江西湖田窑、浙江龙泉窑、重庆清溪窑和山西河津窑等，以景德镇产品为大宗；年代早可至南宋，晚则抵清，以明嘉靖、万历时期遗物最多。

1. 景德镇窑

细瓷中的青花瓷（图版44～图版108、图版122～图版132）、哥釉瓷（图版39、图版40）、彩瓷（图版43、图版109～图版121），胎釉细腻且不施化妆土的一组白瓷（图版30～图版33、图版35），青瓷中的仿龙泉窑器（图版38-7），以及部分绿釉、蓝釉和孔雀绿釉瓷器，为景德镇产品。数量较多，器类丰富，分布亦广，年代主要集中在明清时期。

2. 湖田窑

共计26片可计14件，分别出自新王宫（17片可计5件）、老王宫（7片可计7件）、朝天关（1片可计1件）和构树（1片可计1件）。器类有碗、盘和钵等，釉色白中泛青，胎体呈灰白色，釉下普遍有刻花装饰，属湖田窑产品（图版36）。其年代约在南宋。

3. 龙泉窑

共计36片可计11件，分别出自新王宫（32片可计8件）、老王宫（3片可计3件）、飞凤关（1片）。器类有盘、碗、罐或炉等。釉色青翠，微泛黄，部分带弦纹或剔花莲瓣装饰。可复原折沿盘1件（G1②：48），年代约在元末明初。其余残片年代约在南宋。

4. 清溪窑

白瓷中的1件印花碗（TG21②：22），以及17片印花碗残片，分别出自朝天关、老王宫和新王宫内。其胎略糙，施化妆土，罩透明釉，有的内壁模印或刻划花卉纹。推测系重庆清溪窑产品（图版34）。其年代在南宋中晚期。

5. 河津窑

新王宫内所出的1件绿釉瓶的残片（ⅣT0102①：32），砖红色胎上施化妆土，其上剔刻牡丹花纹，外罩绿釉，凹处呈黑色。推测系山西河津窑产品，亦不排除源自成都琉璃厂窑的可能（图版43-3）。其年代为明代。

由上可见，囤上瓷器来源较广，南宋时期尤其如此，入明之后则景德镇产品一枝独秀，同时出现了本土烧造的粗瓷，反映了景德镇在明代盛极一时的影响以及土司与外部世界的紧密互动。

（四）年代

如前所述，细瓷中的龙泉、湖田和清溪窑器，结合器形、工艺等特点，其年代可到南宋中晚期，个别龙泉窑器（G1②：48）为元末明初产品。其余细瓷的年代，主要集中在明清时期。部分遗物上带有款识，有清晰的年代信息。

1. 款识

带款识者有605件，可计491件，其余带款识者，多不可拼接（附表12；图版337～图版364）。款名可分为纪年款、干支款、堂名款、人名款、吉语款、赞颂款和图案款七大类。以纪年款、吉语款和赞颂款数量居多。纪年款多为“年号款”，有“大明宣德年制”“大明宣德年造”“宣德年制”“宣德年造”“宣德年置”“成化年造”“大明成化年制”“大明嘉靖年制”“隆庆年制”“隆庆年造”“大明年造”“大明万历”“万历年制”“大明万历年制”“大清嘉庆年制”“大清道光年制”。“干支款”仅2例，即“丙寅年制”。吉语款有“福”“禄”“寿”“长命富贵”“福寿康宁”“万福攸同”。赞颂款有“美器”“玉堂佳器”“上品佳器”“富贵佳器”。堂名款有“白玉斋”。人名款有“损斋居士铭”。图案款有盘长结兔纹及不可辨识者。

结合器形、纹饰与釉色观察，铭“宣德”与“成化”款者，实系嘉靖、万历时期的寄托款；铭“大明年造”者，多为万历遗物；“丙寅年制”，丙寅为嘉靖四十五年（1566）；其余铭“嘉靖”“隆庆”“万历”“嘉庆”“道光”款者，名实相符。

2. 年代

依据釉色、青花和纹饰等特征，可将出土青花瓷器分为四组，其年代指向分别为明嘉靖万历之前、明嘉靖万历时期、明嘉靖万历之后和清代。

第一组：明嘉靖万历之前。主要为明弘治、正德年间的青花瓷器。如青花缠枝花卉纹碗（TG10③：21，TG10③：41，TG36②：1，Eb型）、青花法螺纹碗（TG10③：56，Ee型）、青花卍字云纹碗（TG10③：24，Ec型；TG21②：1，Cc型）、青花松鹤纹盘（ⅢT2613③：2，D型）、青花五彩花卉纹盘（ⅣT0603①：1）等，主要出土于新王宫及万安关、朝天关、西关等关口及其附近。数量较少，约占可断代青花瓷器的8%左右。

第二组：明嘉靖万历时期。为明嘉靖、隆庆和万历时期的青花瓷器，隆庆器不多，以嘉靖、万历时期者居多。囤上所出该时期的青花瓷器数量最多，约占可断代青花瓷的77%。此外，部分哥釉瓷、彩瓷、白瓷、仿龙泉青瓷等，亦属该时期遗物，数量亦不菲。

第三组：明嘉靖万历之后。为明泰昌、天启和崇祯年间的青花瓷器。数量不多，较第一组瓷器为少，约占可断代青花瓷器的4%左右。但这样的划分，是基于现有的研究，若结合囤上地层堆积，部分该期瓷器或可划归到嘉靖万历时期，修正已有认识。

第四组：清代瓷器。包括了清代的各个时段，其数约占可断代青花瓷器的10%。此外，所有粉彩均属该时期遗物。

综合细瓷中的龙泉、湖田和清溪窑器，囤上所出细瓷的年代便涵盖了南宋、元、明、清诸朝，明代遗物最多，清代遗物次之，南宋遗物再次之，仅个别遗物可大致确定在元代。结合遗迹的分布情况似可断定，元至嘉靖时期的遗物当为传世品，亦即万历时期使用的前朝器皿；其余遗物则与时人的活动相关。如此，则囤上人群的活动可分为两个大的时段，即“土司”时期与后“土司”时期。“土司”时期又分为前后两段，前段即南宋时期，该期的遗物当与宋宝祐五年（1257）的龙岩新城相关；后段则在万历时期，从土司杨应龙万历二十年（1592）前后重建海龙囤至万历二十八年（1600）覆灭为止，出土遗物的数量显示，这是囤上人群活动最为频繁的时期。海龙囤被攻陷后，囤上人群的活动并未停止，先有海潮寺（始建于万历二十八年至万历三十一年间，详见后文）僧众的活动，进而渐有人家，于是出现了一定数量的晚明到清代乃至民国时期的遗物，海龙囤由此进入后“土司”时代。

三、兵 器

海龙囤因抗蒙而筑，因反明而毁，其兴建与毁灭，都与战事息息相关。宋蒙战火并未烧至海龙囤。万历二十八年（1600）的播州之役，明军于二月十二日出师，六月初六日告捷，历时114天。其间，播军节节败退，退守海龙囤，四月十八日，明军追抵并形成合围之势，直至六月初六日破囤，在囤鏖战达49日，海龙囤因此是播州之役名副其实的主战场。既为战场，则必有大量兵器遗留。

囤上所见兵器有礌石、铅弹、铁弹、铁镞、铁刀、铁铠甲片等，出土于铜柱关、铁柱关、朝天关、飞凤关、万安关、西关、后关等明代关隘，以及新王宫与土城墙南门道内。兵器集中出土的地点，战事当更为激烈，处在海龙囤东西两端的西关、铁柱关即如是。

（一）类型

1. 礌石

31件。根据石料及形状的不同，分为三型（表1-15；图版141）。

表1-15　礌石统计表

<table>
<tr><th>序号</th><th>编号</th><th>最大直径/厘米</th><th>最小直径/厘米</th><th>厚度/厘米</th><th>出土地点</th><th>特征</th><th>类型</th></tr>
<tr><td>1</td><td>TG33②：1</td><td>14.1</td><td>13.6</td><td>6</td><td rowspan="15">土城墙南门址</td><td rowspan="15">加工为扁圆形，砂岩</td><td rowspan="15">A型</td></tr>
<tr><td>2</td><td>TG33②：2</td><td>10.1</td><td>9.9</td><td>4.4</td></tr>
<tr><td>3</td><td>TG33②：3</td><td>13.2</td><td>13</td><td>8.6</td></tr>
<tr><td>4</td><td>TG33②：4</td><td>14</td><td>12.6</td><td>6.9</td></tr>
<tr><td>5</td><td>TG33②：5</td><td>12.9</td><td>11</td><td>10</td></tr>
<tr><td>6</td><td>TG33②：6</td><td>12.1</td><td>11</td><td>8.5</td></tr>
<tr><td>7</td><td>TG33②：7</td><td>16.2</td><td>15.5</td><td>10.2</td></tr>
<tr><td>8</td><td>TG33②：8</td><td>11</td><td>9</td><td>8</td></tr>
<tr><td>9</td><td>TG33②：9</td><td>15.5</td><td>13.3</td><td>9.5</td></tr>
<tr><td>10</td><td>TG33②：10</td><td>15</td><td>14.9</td><td>7.7</td></tr>
<tr><td>11</td><td>TG33②：11</td><td>13.4</td><td>13</td><td>11</td></tr>
<tr><td>12</td><td>TG33②：12</td><td>13.2</td><td>11.3</td><td>11.5</td></tr>
<tr><td>13</td><td>TG33②：13</td><td>15</td><td>13.5</td><td>10.5</td></tr>
<tr><td>14</td><td>TG33②：14</td><td>12.6</td><td>11.8</td><td>4.3</td></tr>
<tr><td>15</td><td>TG33②：15</td><td>15.5</td><td>14.7</td><td>10</td></tr>
<tr><td>16</td><td>ⅣT0507①：55</td><td>8.6</td><td>8.4</td><td>6.6</td><td>带孔，新王宫</td><td rowspan="6">加工为圆球形，砂岩与灰岩均有</td><td rowspan="6">B型</td></tr>
<tr><td>17</td><td>K4①：8</td><td>7</td><td>6.9</td><td>5.5</td><td rowspan="4">新王宫</td></tr>
<tr><td>18</td><td>海潮寺采：1</td><td>4.9</td><td>4.7</td><td></td></tr>
<tr><td>19</td><td>ⅣT0405④：6</td><td>5</td><td>4.9</td><td></td></tr>
<tr><td>20</td><td>L2①：120</td><td>7</td><td></td><td></td></tr>
<tr><td>21</td><td>TG36②：27</td><td>6.7</td><td>6.1</td><td>残3.7</td><td>西关吊桥</td></tr>
<tr><td>22</td><td>TG21②：148</td><td>10.5</td><td>8.1</td><td>5</td><td rowspan="6">朝天关</td><td rowspan="10">天然砾石或稍经加工的砾石，形状不甚规则</td><td rowspan="10">C型</td></tr>
<tr><td>23</td><td>TG21②：149</td><td>12.3</td><td>8.6</td><td>7.3</td></tr>
<tr><td>24</td><td>TG21②：150</td><td>10.4</td><td>9.5</td><td>4.5</td></tr>
<tr><td>25</td><td>TG21②：151</td><td>9</td><td>7.2</td><td>4.8</td></tr>
<tr><td>26</td><td>TG21②：152</td><td>11.5</td><td>10.3</td><td>7.9</td></tr>
<tr><td>27</td><td>TG21②：153</td><td>15</td><td>10.6</td><td>10</td></tr>
<tr><td>28</td><td>采：20</td><td>13.8</td><td>12</td><td>7</td><td rowspan="2">朝天关北侧</td></tr>
<tr><td>29</td><td>采：21</td><td>11.5</td><td>11</td><td>7</td></tr>
<tr><td>30</td><td>TG41③：17</td><td>16.5</td><td>11.6</td><td>10.4</td><td>后关</td></tr>
<tr><td>31</td><td>ⅣT0908①：28</td><td>5.5</td><td>5</td><td>4.5</td><td>新王宫</td></tr>
</table>

A型　15件。扁圆形。集中出土于土城墙南门道内。就近取用囤上片状砂岩，上下两端保留岩石的自然断面，四周则用铁錾加工为圆弧形，整体呈扁圆形。錾痕清晰，宽约1厘米。器形大小有别，但整体偏大。囿于岩性，礌石往往从中开裂为数块。TG33②：9，扁圆形。最大直径15.5、最小直径13.3、厚9.5厘米（图版141-1）。TG33②：11，扁圆近球形。最大直径

13.4、最小直径13、厚11厘米（图版141-4）。

B型　6件。圆球形。用砂岩或灰岩精加工为圆球形，未留下明显加工痕，大小略异，但整体偏小，可以掌握。ⅣT0507①：55，以圆形灰岩石核稍经加工而成，一侧凿有牛鼻状对穿小孔（未穿）。最大直径8.6、最小直径8.4、厚6.6厘米（图版141-16）。K4①：8，砂岩加工为球形。最大直径7、最小直径6.9、厚5.5厘米（图版141-17）。ⅣT0405④：6，砂岩加工为圆球形。直径4.9～5厘米（图版141-19）。

C型　10件。不规则砾石。天然砾石（灰岩），近扁圆形，有的略经加工，大小各异，形状多不规则。囤上并无砾石，当系从囤下河谷中有意移来做礌石用。以朝天关出土最多（图版141-21～30）。

2. 弹丸

54枚。圆球形，仅个别呈半球形（ⅣT0305①：11），大小不一，为铳炮弹丸。质地有铅、铁两种，以铅弹为主，铁弹仅3枚。以铁柱关所出最多。据《平播全书》记载：攻囤明军使用了灭虏大炮（灭虏虎蹲炮）、百子铳、鸟铳、大铳、佛郎机等火器。弹丸则既用“铅子”，又用“铁子”[①]。因此不论质地，但以弹丸大小而论，可分四型，其尺寸与重量渐次增大（表1-16；图版142-1）。

表1-16　弹丸统计表

序号	名称	编号	最大直径/厘米	最小直径/厘米	重量/克	出土地点	类型
1	铅弹	TG44③：2-1	1	0.8	4.16	铁柱关	A型（小型铅弹）
2	铅弹	TG44③：2-2	1	1	5.57		
3	铅弹	TG44③：2-3	1	1	5.79		
4	铅弹	TG44③：2-4	1	0.9	4.75		
5	铅弹	TG44③：2-6	1.1	1	5.56		
6	铅弹	TG44③：2-7	1.1	1	6.6		
7	铅弹	TG44③：2-8	1.1	1	5.72		
8	铅弹	TG44③：2-10	1	0.9	4.86		
9	铅弹	TG44③：2-12	1	0.9	4.89		
10	铅弹	TG44③：2-13	1.1	0.9	6.15		
11	铅弹	TG44③：2-14	1.1	1	5.64		
12	铅弹	TG44③：2-16	1	0.9	5.33		
13	铅弹	TG44③：2-17	1.1	0.9	6.55		
14	铅弹	TG44③：2-18	1	1	5.36		

① （明）李化龙：《平播全书》，北京：大众文艺出版社，2008年，第107、111、141、154、213页。

序号	名称	编号	最大直径/厘米	最小直径/厘米	重量/克	出土地点	类型
15	铅弹	TG44③：2-19	1.1	1	6.23	铁柱关	A型（小型铅弹）
16	铅弹	TG44③：2-20	1.1	0.9	6.24		
17	铅弹	TG44③：2-21	1.1	1	5.61		
18	铅弹	TG44③：2-22	1	1	5.09		
19	铅弹	TG44③：2-23	1.1	1	5.68		
20	铅弹	TG44③：2-24	1.1	1	5.82		
21	铅弹	TG44③：2-25	1	1	4.85		
22	铅弹	TG44③：2-26	1	0.8	4.56		
23	铅弹	TG44③：2-27	1	0.9	5		
24	铅弹	TG44③：2-28	1.1	1	6.81		
25	铅弹	TG44③：2-29	1.1	0.9	5.59		
26	铅弹	TG44③：2-30	1.1	1	5.19		
27	铅弹	TG44③：2-31	1	1	5.57		
28	铅弹	TG44③：2-32	1.1	1.1	6.2		
29	铅弹	TG44③：2-33	1.1	1.1	5.92		
30	铅弹	TG44③：2-34	1.1	1	5.17		
31	铅弹	TG44③：2-35	1.1	1	5.67		
32	铅弹	TG46②：8	1.1	1	6.11		
33	铅弹	TG46②：9	1	0.9	4.88		
34	铅弹	TG46②：17	1	1	5.66		
35	铅弹	TG46②：18	1.1	1.1	7.21		
36	铅弹	TG46②：19	1.1	1	6.05		
37	铅弹	ⅣT0604③B：2	0.9	0.9	4.41	新王宫	
38	铅弹	TG33①：5	1.1	1.1	8.07	土城墙南门	
39	铅弹	TG33①：6	1	1	3.61		
40	铅弹	TG49①：1	1.2	1.1	11.3	西关顶	B型（中型铅弹）
41	铅弹	TG29②：5	1.3	1.2	13.9	陈家门前	
42	铅弹	ⅣT0603④：5	1.3	1.2	13.17	新王宫	
43	铅弹	TG44③：2-5	1.3	1.3	11.42	铁柱关	
44	铅弹	TG44③：2-9	1.3	1.2	9.03		
45	铅弹	TG46②：7	1.4	1.3	11.34		
46	铅弹	TG44③：2-15	1.5	1.4	14.22		
47	铅弹	TG44③：2-11	1.6	1.6	19.72		

续表

序号	名称	编号	最大直径/厘米	最小直径/厘米	重量/克	出土地点	类型
48	铅弹	TG32①：3	3.1	2.9	163.48	土城墙中门	C型［大型铅（铁）弹］
49	半球形铅弹	ⅣT0305①：11	3.4	1.6	90.29	新王宫	
50	铅弹	C4③：3	4.7				
51	铅弹	TG36②：3	2.8	残2.5	55.48	西关	
52	铁弹	TG36①：7	2.4	2.3	29.16		
53	铁弹	ⅣT0606②：11	6.8	5.9	1000	新王宫	D型（超大型铁弹）
54	铁弹	TG36①：1	7	6.9	1050	西关吊桥	
55	穿孔石珠	ⅣT0304①：9	3.7	3.6		新王宫	陶、石珠
56	陶珠	F29①：2	2.2	2			
57	陶珠	ⅣT0101①：16	2	1.8			
58	陶珠	采：22	0.9	0.8			

A型　39枚。小型铅弹。直径在1厘米左右，重4～8克（图版142-1）。

B型　8枚。中型铅弹。直径1.2～1.6厘米，重9～19克（图版142-1）。

C型　5枚。大型铅（铁）弹。含铁弹1枚（TG36①：7），以及半球形铅弹1枚（ⅣT0305①：11）。直径2.4～4.7厘米，重29～163克（图版142-1）。

D型　2枚。超大型铁弹。直径6～7厘米，重1000～1050克（图版142-1）。

播州之役中任贵州左监军的杨寅秋在其《临皋文集》中记载贵州方面明军火器的配备情况为："每哨合用连三手铳五百门，此铳有响无弹，专备摆山策应之用。每哨合用挨牌、后摽三千枝。每哨鸟铳四百门，每门应给火药、铅弹各三斤，火绳五条；百子铳三十门，铳药三百斤，五六钱重铅弹二百斤；大碗口铳五门；大地铳四门，铳药三百斤。"①大碗口铳、大地铳或即《平播全书》所记的"大铳"。值得注意的是，百子铳所用铅弹重"五六钱"，即在20克左右，约与中型铅弹（B型）相当。以之为准绳，则A、B型铅弹应为鸟铳、百子铳弹丸；C型铅（铁）弹或为大铳弹丸；D型铁弹为炮弹（灭虏虎蹲炮）。明代著名将领戚继光《练兵实纪》记"虎蹲炮"："长二尺，腹内粗二寸余，外用五箍，光磨如镜，棱面可爱。""腹内粗二寸余"，即口径在5～6厘米左右，与D型铁弹基本相当。不过，同书又记"虎蹲炮"使用时"先入药线，缚之以布；次用药六七两，上用木马，以合口者为准，送至二箍平，上用土少许，入铅子一层，又用土少筑，再下子，子小以百数，子大以五十数；口用石子一枚，下口一半，慢慢筑实，口平而止"②。可见，弹丸的使用比较灵活，除炮弹不能用于铳外，各种类型的铅子、铁子均可用于火炮。亦即炮可用铳弹，铳则不用炮弹。

① （明）杨寅秋：《临皋文集》卷4《平播覆议机宜》，《景印文渊阁四库全书》，台北：台湾商务印书馆，1986年，第1291册，第754页。

② （明）戚继光撰，邱心田校释：《练兵实纪》杂集卷5《军器解》，北京：中华书局，2001年，第315页。

另有陶、石珠4枚，其中陶珠3枚，穿孔石珠1枚。直径0.8～3.7厘米（表1-16；图版142-2），大小各异，大者与C型（大型）铅弹相当，小者与A型铅弹相当。主要见于新王宫内，可能为弹丸，亦可能作其他用，尤其是其中的穿孔石珠。

3. 铁镞

65件。另有残铤76段。均为铁质，锈蚀较甚。由矢头和铤两部分组成，个别为銎柄、无铤（TG36②：17-2）。主要出土于各关口附近，尤以西关最多，新王宫内有少量出土。为描述方便，将铤与矢头交接处的关节状凸起称为“关”，矢头前端称“前锋”，两侧称“翼”，两翼中央称“脊”，燕尾状后锋称“倒刺”。根据矢头形状的不同，分为九型（表1-17；图版143）。

表1-17 铁镞统计表

序号	编号	尺寸/厘米				出土地点	特征	类型
		通长	铤长	翼宽	翼长			
1	TG36②：31-2	残7.9	残0.5	残1.6	残7.4	西关	矢头较长，呈方凿形	A型
2	TG36②：31-3	残7.4	残1.4	残1	残6			
3	TG36②：31-4	残7.7		残0.9	残7.7			
4	TG36②：31-5	残10.5	残2.4	残1	残8.1			
5	TG36②：31-6	残7		残0.9	残7			
6	TG36②：7	残9.1	残3.9	0.8	残5.2	西关	细长矢头呈竹叶形，后锋方折，无倒刺	B型
7	TG38①：1	残4.3	残0.5	残1.1	残3.8	万安关		
8	TG36②：8	残4.1		残1.1	残4.1	西关	柳叶形矢头，扁平铤	Ca型
9	TG36②：19	残5.2	残1.3	1.4	残3.9			
10	TG37②：8	残10.6	残6.6	残1.1	残4			
11	TG36②：14	残5.2		残1.3	残5.2	西关	柳叶形矢头，扁圆形铤，有关	Cb型
12	TG36②：31-1	残6		残1.2	残6			
13	ⅣT0103①：5	残5.9	残4.2	残1	残1.7	新王宫		
14	F8①：75	残8.7	残2.7	1.5	残6	新王宫		
15	TG46②：6	残7.4	残5.4	残0.7	残2	铁柱关	细叶形短小矢头，脊不甚明显，长铤，无关	Da型
16	TG10③：33	残4	残1.2	残0.6	残2.8	万安关		
17	TG36②：13-1	残17.8	残15.4	残0.7	残2.4	西关		
18	TG36②：13-2	残22.8	残20	残0.6	残2.8			
19	TG36②：13-3	残9.8	残6.5	残0.8	残3.3			
20	TG36②：13-5	残16.4	残13.9	残0.6	残2.5			
21	TG36②：13-6	残15.4	残13.3	残0.5	残2.1			
22	TG36②：13-7	残13	残10.3	残0.7	残2.7			
23	TG36②：21	残4.7	残2.3	残0.4	残2.4			
24	F9②：48	残11.7	残9	0.6	2.7	新王宫		
25	L2①：118	残9.4	残7.4	0.7	残2			

续表

序号	编号	尺寸/厘米				出土地点	特征	类型
		通长	铤长	翼宽	翼长			
26	TG36②：13-4	残12.4	残9.7	残0.6	残2.7	西关	细叶形长矢头，有脊	Db型
27	TG10③：10	14.2	9.1	0.5	5.1	万安关		
28	TG36②：17-1	残5.4	残2.4	残0.7	残3	西关	菱形矢头，较短小，铤较长	Ea型
29	TG36②：28	残3.7	残1.6	残0.7	残2.1			
30	TG10③：61-1	残7.5	残5	残0.6	残2.5	万安关		
31	TG10③：61-2	残5.1	残2.8	残0.8	残2.3			
32	TG10③：67-1	残9.8	残5.1	残0.7	残4.7			
33	TG36②：10-2	残5.6	残3.5	残0.7	残2.1	西关	菱形矢头近平	Eb型
34	TG36②：17-2	残7.6	残4.8	残0.7	残2.8	西关	菱形短矢头，銎柄	Ec型
35	F8②：32	残8.1	残7.6	残0.3	残0.5	新王宫	菱形矢头，极短小	Ed型
36	TG36②：12-2	残4.3	残2.2	残0.8	残2.1	西关	矢头单翼形，扁圆铤，无关，叶之大小微有别	F型
37	TG36②：12-3	残7.8	残5.6	残0.8	残2.2			
38	TG36②：16	残4.5	残1.3	残1.6	残3.2			
39	TG36②：20	残6.1	残1.7	残0.9	残4.4			
40	G1②：1	残15	残10.9	0.9	残4.1	新王宫		
41	TG45①：3	残4.6	残2.3	残0.6	残2.3	铜柱关		
42	L2④：9	残6.5	残4.6	残0.8	残1.9	新王宫		
43	TG10③：11	残6	残3.7	残2.3	残2.3	万安关	团叶形，器身硕大，有倒刺	G型
44	TG44③：23	残7.2	残2.7	残2.3	残4.5	铁柱关		
45	TG46②：4	残6	残1.8	残2	残4.2			
46	TG36②：11-2	残9.7	残6.6	残2	残3.1	西关	无倒刺	
47	TG10③：7	残8.3	残4.9	残0.9	残3.4	万安关	三角形，矢头细长，偏小，无关	Ha型
48	TG10③：9	残9	残5.2	残0.9	残3.8			
49	TG22②：1	残6.8	残3.7	残0.7	残3.1	飞凤关		
50	TG36②：9-6	残8	残4.3	残0.9	残3.7	西关		
51	G1②：2	残22	残19	残1	残3	新王宫		
52	TG36②：11-1	残12	残9.5	残1.3	残2.5	西关	三角形矢头短小，有关	Hb型
53	TG10③：6	残7.9	残2.8	残1.4	残5.1	万安关	三角形细长矢头，偏大，无关	Hc型
54	TG33①：1	残10.8	残6.4	残1.3	残4.4	土城墙南		
55	F9②：113	残9.5	残4.5	残1.2	残5	新王宫		
56	TG10③：8	残11.2	残6.1	残1.2	残5.1	万安关	矢头前锋处开槽	

续表

<table>
<tr><th rowspan="2">序号</th><th rowspan="2">编号</th><th colspan="4">尺寸/厘米</th><th rowspan="2">出土地点</th><th rowspan="2">特征</th><th rowspan="2">类型</th></tr>
<tr><th>通长</th><th>铤长</th><th>翼宽</th><th>翼长</th></tr>
<tr><td>57</td><td>TG10③：12</td><td>残6.4</td><td>残4.3</td><td>残0.4</td><td>残2.1</td><td rowspan="2">万安关</td><td rowspan="9">四棱形</td><td rowspan="9">I型</td></tr>
<tr><td>58</td><td>TG10③：67-2</td><td>残8.8</td><td>残3.8</td><td>残0.6</td><td>残5</td></tr>
<tr><td>59</td><td>TG36②：9-1</td><td>残10.3</td><td>残8.1</td><td>残0.7</td><td>残2.2</td><td rowspan="7">西关</td></tr>
<tr><td>60</td><td>TG36②：9-2</td><td>残5.3</td><td>残1.5</td><td>残0.8</td><td>残3.8</td></tr>
<tr><td>61</td><td>TG36②：9-3</td><td>残8.2</td><td>残2.6</td><td>残0.6</td><td>残5.6</td></tr>
<tr><td>62</td><td>TG36②：9-4</td><td>残11.7</td><td>残5.2</td><td>残0.7</td><td>残6.5</td></tr>
<tr><td>63</td><td>TG36②：9-5</td><td>残11.6</td><td>残10.1</td><td>残0.6</td><td>残1.5</td></tr>
<tr><td>64</td><td>TG36②：18</td><td>残6.1</td><td>残4.9</td><td>残0.9</td><td>残1.2</td></tr>
<tr><td>65</td><td>TG36②：26</td><td>残5.6</td><td>残1.5</td><td>残0.4</td><td>残4.1</td></tr>
<tr><td>66</td><td>TG46②：15</td><td colspan="4">铤残长2.5～10.3</td><td>铁柱关</td><td>13段</td><td rowspan="8">残铤</td></tr>
<tr><td>67</td><td>TG36②：31-7</td><td colspan="4">铤残长3～13.1</td><td>西关</td><td>52段</td></tr>
<tr><td>68</td><td>TG36②：10-1</td><td colspan="4">铤残长3.7</td><td>西关</td><td>1段</td></tr>
<tr><td>69</td><td>TG36②：12-1</td><td colspan="4">铤残长6.4</td><td>西关</td><td>1段</td></tr>
<tr><td>70</td><td>TG36②：15</td><td colspan="4">铤残长3.9</td><td>西关</td><td>1段</td></tr>
<tr><td>71</td><td>TG46②：13</td><td colspan="4">铤残长7.5</td><td>铁柱关</td><td>1段</td></tr>
<tr><td>72</td><td>TG10③：64</td><td colspan="4">铤残长9.1</td><td>万安关</td><td>5段</td></tr>
<tr><td>73</td><td>ⅣT0706②：16</td><td colspan="4">铤残长10.9</td><td>新王宫</td><td>2段</td></tr>
</table>

A型　5件。铲形。矢头较长，前端捶平呈方凿状，带铤，多残，仅个别可见明显的关（TG36②：31-2）。

B型　2件。竹叶形。扁平矢头细长，微有脊，后锋方折。铤较长，无关。

C型　7件。柳叶形。矢头扁平，后锋弧收，状如柳叶，脊不甚明显。根据铤的不同，分为二亚型。

Ca型　3件。短铤扁平。

Cb型　4件。扁圆形铤较前者长，部分可见明显的关（F8①：75）。

D型　13件。细叶形。矢头较窄，扁圆形铤颇修长，无关。根据矢头的差异，分为二亚型。

Da型　11件。扁平矢头较短小，径将铁钎前端捶打呈尖叶状而成，无明显的脊。

Db型　2件。矢头细长，中脊凸起，断面呈菱形。

E型　8件。菱形。矢头短小，断面呈菱形。根据矢头和铤（銎）的不同，分为四亚型。

Ea型　5件。中脊凸起，矢头断面呈菱形，铤较长，有关，不甚明显。

Eb型　1件。中脊微凸近平。TG36②：10-2，残。菱形矢头，前锋微曲（使用痕迹），铤残，有关。

Ec型　1件。短矢头，銎柄。TG36②：17-2，矢头锈蚀较甚，后端为銎柄，无铤。

Ed型　1件。F8②：32，菱形矢头，极短小。

F型　7件。单翼形。扁平矢头较小，仅一侧有翼，少数带倒刺，铤较长，无关。单翼的造型，或出于节约原料的考量。

G型　4件。团叶形。矢头扁平，弧形两翼，整体呈团叶状。矢头较大，是囤上所出铁镞中最大的。多带倒刺，个别则无（TG36②：11-2）。有铤，但关不甚明显。

H型　10件。三角形。矢头扁平，中脊不甚明显，两翼均带倒刺。根据矢头长短不同，分为三亚型。

Ha型　5件。矢头细长，长铤，无关。

Hb型　1件。TG36②：11-1，矢头较短，长铤，有关。

Hc型　4件。矢头偏大，扁平修长，长铤，无关。个别（TG10③：8）中脊近前锋处开槽。

I型　9件。断面呈四棱形。矢头修长，前锋尖锐。长铤，有关。

以上铁镞均为明代遗物。终明一代，军队虽普遍装备各式火器，但因铳炮尚存在装填费时、发射较慢、射击不准等缺陷，冷兵器仍是战争中的主角[①]。名将戚继光所著《练兵实纪》一书对火器有详细解析，表明他对火器已有深入认识，但"戚家军"仍以藤牌、毛竹和铁叉等冷兵器作标准配备，在于戚继光的指导思想是"火器为接敌之前用，不能倚为主要战具"[②]。征播之前，明军中的蜀军一面自行监造军火，一面计划从西北大量购买弓箭（弓1500张，箭6万支），因为"临敌长技，惟弓矢为最。而弓矢强劲，在陕中为良。只有宁夏、甘肃、固原三镇弓矢健利，足堪战阵"。宁夏的上号弓每张价银六钱，上号箭每支连铁头价银三分[③]。

因此之故，囤上所遗兵器中以铁镞最多。其在不同地点的分布情况，当与战事的激烈程度息息相关。而不同类型的铁镞，可能代表了不同的来源或用途。明军八路并发，与守囤播军鏖战，弓箭是双方使用频率最高的兵器，不同的队伍所使用的铁镞可能不同，只是如今已很难找到彼此的对应关系，但铁镞的多样性反映了队伍的多种来源却是可以肯定的。此外，不同类型的箭镞，其使用方式也可能不同，如其中的四棱形（I型）镞，或即文献所记的"火箭"。《平播全书》记载，攻囤明军使用了"火箭、火砖、喷筒等器"[④]。《练兵实纪》记载的火箭"杆用箭竹，以二枝相接，即堪火药，头粗不及寸，镞锋长可四寸，三棱头，柄粗二分"[⑤]。I型镞矢头较长，呈四棱形，较完整者（TG36②：9-3）矢头长5.6、铤径0.5厘米，与"镞锋长可四寸，三棱头，柄粗二分"的尺寸与形制较为接近。

---

① 杨泓、李力：《中国古兵二十讲》，北京：生活·读书·新知三联书店，2013年，第291页。

② （美）黄仁宇：《万历十五年》第6章"戚继光——孤独的将领"，北京：生活·读书·新知三联书店，2006年，第246～250页。

③ （明）李化龙：《平播全书》卷7《咨固原、宁夏、榆林买弓箭》，北京：大众文艺出版社，2008年，第243页。

④ （明）李化龙：《平播全书》卷4《克破龙爪等囤五报捷音疏》，北京：大众文艺出版社，2008年，第107页。

⑤ （明）戚继光撰，邱心田校释：《练兵实纪》杂集卷5《军器解》，北京：中华书局，2001年，第323页。

4. 铜弩机

2件。均出自铁柱关。略呈5字形，亦似双股剪之一股，无刃。上端扁平，右上开一槽；下端扁圆，末端则作半圆凿状，缺口向外。中央相交处开一圆孔。TG44③：1，通长10.5、扁柄最宽（穿孔处）1、扁圆柄径0.5厘米（图版145-2）。TG44③：33，形制同TG44③：1，柄略粗（图版145-1）。疑系简易弩机之扳机，上端浅槽以置弦，下端呈圆凿状以增大与手指的接触面。

5. 铁矛与镦

包括铁矛和木柄末端的锥形铁套（镦）共24件。

（1）铁矛

11件。与铁镞相似，由刃头和骹（柄）两部分组成，除个别为扁平柄外（ⅣT0807①：3），余均銎（圆筒状）柄。根据矛头形状的不同，分为四型（表1-18；图版144-1）。

表1-18 铁矛统计表

序号	编号	尺寸/厘米				出土地点	特征	类型
		通长	柄/骹长	刃长	刃宽			
1	ⅣT0807①：3	残10.2	4.6	残5.6	3.1	新王宫	团叶形，扁平柄	A型
2	老王宫采：8	21	13.8	7.2	3.5	老王宫	团叶形，长骹	
3	TG46②：16	26.4	14.2	12.2	2.5	铁柱关	团叶形，木柄残长3.6厘米	
4	TG48①：5	20.7	14	6.7	残1.3	铜柱关	细叶头，长骹	B型
5	TG48①：7	26.4	21.4	残5	残1.2	铜柱关		
6	TG44③：26	18.3	9.3	残9	2	铁柱关	断面呈菱形	C型
7	TG46②：5	22.2	10.7	11.5	1.4	铁柱关		
8	TG48①：6	16.5	8	8.5	1.7	铜柱关		
9	TG58②：1	21	6.5	14.5	1.3	构树		
10	TG3③：2	残39	残13	残26	1.5	老王宫	断面呈四棱形	D型
11	TG37②：2	残28.2	残14.8	残13.4	残1.1	西关		

A型 3件。团叶形。刃头扁平，呈树叶状，较大，中脊不显。但刃头长短及柄部形状有所差别。ⅣT0807①：3，前锋略残，两翼弧收，扁平柄。通长10.2、柄长4.6、刃头残长5.6、最宽3.1厘米（图版144-3）。老王宫采：8，细长骹。通长21、刃头长13.8、最宽3.5厘米（图版144-2）。TG46②：16，刃头细长，长骹，内遗木柄残段。通长26.4、骹长14.2、刃头长12.2、最宽2.5、外露木柄长3.6厘米（图版144-1）。

B型 2件。细叶形。刃头短小，中脊不甚明显，细长骹。TG48①：5，通长20.7、骹长14、刃头长6.7、最宽约1.3厘米（图版144-5）。TG48①：7，刃头锈蚀较甚，形状不甚清晰，长骹较前者更细长。通长26.4、骹长21.4、刃头残长5、残宽1.2厘米（图版144-4）。

C型　4件。断面呈菱形。刃头中脊明显，长骹。TG46②：5，前锋尖锐，中脊高挺，棱角分明，刃骹交接处不明显。前锋或经特殊处理，鲜见锈蚀。通长22.2、骹长10.7、刃头长11.5、最宽1.4厘米（图版144-6）。TG44③：26，两刃较宽，后端弧收。通长18.3、骹长9.3、刃头残长9、最宽2厘米（图版144-7）。TG48①：6，形制同TG44③：26，略短。通长16.5、骹长8、刃头长8.5、最宽1.7厘米（图版144-8）。

D型　2件。断面呈四棱形。刃头较修长，尖锐前锋均残，长骹。TG3③：2，残。銎内残余木柄。残长39、骹残长13、刃头残长26、最宽1.5厘米（图版144-9）。TG37②：2，残，銎内残余木柄。形制同TG3③：2，略短。残长28.2、骹残长14.8、刃头残长13.4、残宽1.1厘米（图版144-10）。

（2）铁镦

13件。铁矛木柄末端的金属套子，都为中空的圆锥形，两侧无刃，且前锋较钝。形制差异较小，唯长短和銎口直径有别（表1-19；图版144-11～20）。较完整者通长12.1（TG16②：8）～20.5厘米（TG10③：31），銎口直径2（G20①：6）～2.9厘米（TG33①：3）。

表1-19　铁镦统计表

序号	编号	通长/厘米	出土地点	特征	类型
1	TG10③：31	20.5	万安关		圆锥形
2	TG16②：8	12.1	万安关		
3	TG33①：3	12.9	土城墙南门		
4	TG36②：22	16.1	西关	銎口有铁钉	
5	TG37②：5	18.8	西关	銎口有圆箍	
6	TG39①：1	残9	绣花楼门道		
7	ⅠT0103③：1	13.5	新王宫	前端四棱形	
8	F8①：7	残11.3	新王宫		
9	F8①：120	残4.7	新王宫		
10	G20①：6	15.9	新王宫	銎部开槽	
11	ⅣT0205②：1	残5.4	新王宫		
12	TG36②：35	残4	西关		
13	TG36②：36	残6.9	西关		

《平播全书》中并无矛的记录，但有“枪”“花枪”“长标”“长枪”等记载[①]。参照明代其他文献，知为同一器[②]。

①　（明）李化龙：《平播全书》，北京：大众文艺出版社，2008年，第61、129、148、165页。

②　（明）王圻、王思义编集：《三才图会·器类·兵器类》，上海：上海古籍出版社，1988年，第1196、1197页。

6. 铁刀

12件。锈蚀较甚，大小不一，未必全为兵器，部分或为工具。主要出土于各关隘附近，新王宫与老王宫内有少量发现。均为单刃，刀柄则有直柄、筒柄、环首、曲首等不同类型，分为六型（表1-20）。

表1-20　铁刀统计表

序号	编号	尺寸/厘米				出土地点	特征	类型
		通长	柄长	刃长	刃宽			
1	TG21②：154	残52.5	残12.5	残40	残3	朝天关	直柄长刀	A型
2	ⅢT2614③：2	残28.6		残28.6	残3	万安关南	柄残	
3	TG57②：11		残15.7			构树	仅存柄部	
4	TG46②：2	残19.8	残5	残14.8	2.8	铁柱关	直柄小刀	B型
5	TG3③：1	残17.8		残17.8	残2.1	老王宫	柄残	
6	TG10③：59	残10.7	残7.2	残3.5	1.2	万安关	刀身残	
7	采：23	32	16.5	15.5	3.3	龙虎大道南侧溶洞	环首刀	C型
8	TG40②：1	残30.5	30.5			西关门道		
9	TG19①：1	残17	9.5	残7.5	残2.3	朝天关北（转山）	曲首刀	D型
10	TG46②：10	残22	残11	残11	残2.9	铁柱关		
11	F3①：23	残19.2	14.2	残5	2.4	新王宫	尺形刀	E型
12	TG16②：5	残23	8.2	残14.8	残3.3	万安关	筒柄刀	F型

A型　3件。直柄长刀。为铁刀中最大的一类，刀身较长，后端为嵌入木柄的锥状长柄。TG21②：154，锈蚀较甚，但整体略完整。残长52.5、柄残长12.5、刃残长40、最宽约3厘米（图版145-13）。ⅢT2614③：2，仅存刀身，柄部残损。刀身与TG21②：154一致，据此推测应为同一类铁刀。残长28.6、最宽3厘米（图版145-12）。

B型　3件。直柄小刀。形制与A型相似，但较小，为削刀一类器物。TG46②：2，残。刀背较直，弧刃，刀头微上翘。残长19.8、柄残长5、刃残长14.8、最宽2.8厘米（图版145-10）。TG3③：1，刀身同TG46②：2，柄部残。残长17.8、残宽2.1厘米（图版145-11）。TG10③：59，残。刀身较单薄，背部微弓，刃较直。残长10.7、柄残长7.2、刃残长3.5、最宽1.2厘米（图版145-9）。

C型　2件。环首刀，形制有别。采：23，小环首刀。采集于龙虎大道南侧溶洞内，较完整。刀背微弓，斜刃，前锋尖锐，刀身呈尖叶形。直柄，上开四小圆孔（一孔生锈）以加固竹木柄，后端有大圆环。通长32、柄长16.5、刃长15.5、最宽3.3、环径4.1厘米（图版145-8）。TG40②：1，大环首刀。残存环与柄部。长直柄。残长30.5、环径10.5～11厘米。

D型　2件。曲首刀。刀柄后端卷曲成小圆圈状。TG19①：1，刀背微弓，刃口较残。扁柄上卷，如蕨芽。残长17、柄长9.5、刃残长7.5、残宽2.3厘米（图版145-7）。TG46②：10，残为两段。刀背微下凹，弧刃，刀头上翘。扁柄后端微卷，柄首一小穿。残长22、柄残长11、刃残长11、最宽2.9厘米（图版145-6）。

E型　1件。尺形刀。F3①：23，通体笔直，状如直尺，于一端开三圆孔，用铁铆钉加固竹木板而成刀柄，后端圆弧形。残长19.2、柄长14.2、刃残长5、宽2.4厘米（图版145-5）。

F型　1件。筒柄刀。TG16②：5，筒形柄，中空。刀背微弓、较厚。尖头，直刃。残长23、柄长8.2、刃残长14.8、最宽3.3厘米（图版145-4）。

另有铜铁质刀箍数件。TG44③：24，铜质刀箍和格各1件，为一套。内残遗木柄一段。箍为扁圆形，最大径3.5、最小径1.3、宽2厘米（图版145-3）。

7. 铠甲片

铁铠甲片33片、铜铠甲片2片，其中仅29件铁铠甲片可辨形制。

铁铠甲片，形制各异，有方形、长方形和梯形三类，据此可分三型。大小不一，但厚度均在0.16厘米左右。每片上有铁铆钉2～3枚，用以连缀甲片（表1-21）。

表1-21　铁铠甲片统计表

序号	编号	尺寸/厘米		铆钉	出土地点	类型
		长	宽			
1	K5①：4-1	6.5	5.8	2	新王宫	A型（方形）
2	K5①：4-3	6.5	6.1	2		
3	K5①：4-5	6.7	6	2		
4	K5①：4-6	6.5	6.1	2		
5	K5①：4-7	6.3	6	2		
6	K5①：4-8	6.4	6.3	2		
7	K5①：4-12	6.5	5.8	2		
8	K5①：4-13	6.5	5.9	存1		
9	K5①：4-14	6.3	6.2	2		
10	K5①：4-15	6.6	6.3	2		
11	ⅣT0203①：10-2	6.6	6.6	2		
12	C1①：4	6.2	6.2	2		
13	现代坑2：2	6.3	6.2	存1		
14	F12①：17	6.4	6	存1		
15	ⅣT0203①：10-3	6.5	6	2		
16	ⅠT0102①：3	6.6	6.2	2		
17	F8①：3-1	6.3	6.1	3		
18	K5①：4-10	6.5	6.2	3		
19	TG36②：4-1	6.5	6.4	2	西关	
20	TG36①：5	6.5	6.2	2		

续表

序号	编号	尺寸/厘米		铆钉	出土地点	类型
		长	宽			
21	ⅣT0101①：2	10.1	6.2	2	新王宫	B型（长方形）
22	K5①：4-2	残9.5	6.5	2		
23	K5①：4-4	10	6.5	2		
24	K5①：4-9	9.9	6.2	2		
25	TG36②：4-2	11.6	6.9	残佚	西关	
26	TG37②：4	9.8	残6.4	残佚		
27	F8①：3-2	6.8	残2.7～3.4	2	新王宫	C型（梯形）
28	K5①：4-11	8.8	3.8～4.7	2		
29	ⅣT0203①：10-1	7	4.1～5	2		
30	ⅣT0404①：1	铠甲残块，锈蚀严重，可计1件				残损严重，形不可辨
31	K5①：4-16	铠甲残块，锈蚀严重，可计3件				
合计		铁铠甲片共33件，可辨形制者29件				

A型　20片。方形。平均宽度在6.5厘米左右，带3枚铆钉者2件，余均2枚铆钉（图版146-1～20）。

B型　6片。长方形。长约10、宽约6.5厘米。均应为2枚铆钉（图版146-22～26）。

C型　3片。梯形。大小略异，长6.8～8.8、宽2.7～5厘米。均带铆钉2枚（图版146-21、27、28）。

35件铠甲片中，4件见于西关，余均出土于新王宫内。据《平播全书》记载，明军攻破万安关、飞龙关后，“各贼惊惶奔溃，官兵拥入，直薄酋巢”[①]。“酋巢”即新王宫，由于几乎未受抵抗，该处出土的铠甲片应非明军所遗。而西关所出4块甲片分属A、B型，形制与新王宫所出者全同，据此完全可以肯定囤上出土的所有铠甲片均为杨氏遗物。不同类型的甲片均见于新王宫K5内，表明类型的不同仅意味着所缀部位的不同而已。前书又记，杨氏所用铠甲有皮甲、铁甲、银线黑甲、锁子铜甲等，战时明军还曾缴获“盔甲”9件[②]。出土者当系其中的“铁甲”。

（二）年代

A型礌石集中出土于土城墙南门道内，与A型板瓦伴出，为南宋龙岩新城时期遗物，当是储存于门楼上尚未使用的兵器。铁刀中的F型（筒柄铁刀），年代可能偏晚，因为类似形制的

① （明）李化龙：《平播全书》卷7《破囤塘报》，北京：大众文艺出版社，2008年，第258页。

② （明）李化龙：《平播全书》卷4《大报捷音疏》，北京：大众文艺出版社，2008年，第61、62、112、163、166页。

铁刀至今仍流行于遵义民间。

其余各种类型的礌石、铅（铁）弹、铁镞、铁矛（含镦）、铁刀、铁铠甲片、弩机等，均应为明代之物，是播州之役中使用之后遗落龙岩战场的遗物。据《平播全书》，战时斩级以及缴获俘虏、牛马、器械等的数量，皆是战功的标识，被各路明军详细记录在案。如战后清点的“献俘器物”中即包括“大皮盔四顶，大皮甲四领，马鞍四副，铁剑二口，倭刀一把，苗刀三十把，花枪二十根，大弩十二张，箭筒六个（内箭共七十枝）”[①]。因此囤上出土的上述明代兵器，应是双方交战后无法回收的部分遗物。

（三）火器与冷兵器的交锋

如前所述，为抗蒙而建的龙岩新城并未真正投入战争，而明代重建的海龙囤却成为震惊朝野的“万历三大征”中播州之役的主战场。是役也，明军八路并发，每路三万人，凡二十四万，播军亦有十万之数，合之三十余万人，在播鏖战百余日[②]。

在兵器的使用上，明军除冷兵器外，还使用了火砖、火箭、大将军灭虏铳炮、灭虏虎蹲炮、涌珠炮、西瓜炮、大铳、百子铳、三眼枪、鸟铳、百子铳、百子发熕、佛郎机等火器，张吉、刘二、薛嘉猷等有名有姓者为“大炮手”[③]。并有“日本降夷”参与战事，充任铳炮手等角色[④]。而“播贼无火器”，播军因此俘虏明兵“使教土兵放铳、制火药，倘教不会，将我兵就杀”。攻囤时，明军曾“当阵夺获百子铳一门”，这也是文献记载中仅见的播军火器，系此前从明军手中截获亦未可知[⑤]。播军主要使用的是梭杆、滚木、礌石、刀（腰刀、斩马腰刀、倭刀、苗刀）、弓弩（硬弩、大弩）、箭（药箭）、长标、长枪、花枪等冷兵器[⑥]。由于几乎

① （明）李化龙：《平播全书》卷4《大报捷音疏》，北京：大众文艺出版社，2008年，第129页。

② 关于播州兵力，向无确数。《平播全书》多处提及“老虎兵十万”“酋兵十万”“播贼十余万”。参见（明）李化龙：《平播全书》，北京：大众文艺出版社，2008年，第161、280、353页。

③ （明）李化龙：《平播全书》，北京：大众文艺出版社，2008年，第107、111、146、148、154、200、201页。

④ 据日本学者久芳崇推断，有“日本降夷”在播州之役中充任火炮手。参见〔日〕中岛乐章：《2002年日本史学界关于明清史的研究》，《复印报刊资料·明清史》2005年第2期。《平播全书》关于“日本降夷”的记载有：a. 总兵刘綎呈称：三月“初一日丑时，杨朝栋等果先来犯，本职亲率官兵并各家丁、日本降夷达子与贼大战”（卷2《二报捷音疏》，第75页）；b. 綦江路川东监军参政张栋报：三月二十九日，明军“阵亡内丁日本一名，重伤官兵三十二名”（卷4《攻克娄山、崖门等关四报捷音疏》，第99页）；c. 綦江路川东监军参政张栋报：三月二十九日，“（刘）綎知贼势重大，亲统守备周以德，千把总刘可春”等“各家丁、日本降夷，与贼血战”；四月十七日，刘綎又亲率指挥千把总李朝栋等“并各日本降夷，逐处应援”（卷5《叙功疏》，第139、140页）；d. 刘綎手本报称：四月二十五日，本职督兵攻囤时，“各营监纪官俱见一贼身披银线黑甲，被我兵一铳打死。移时，据日本九儿禀称，打死披银线黑甲一头目”（卷4《六报捷音疏》，第112页）；应是日本九儿持铳打死“披银线黑甲”头目。由上所引可知，“日本降夷”主要服务于明军中的刘綎一路，充任铳炮手及“内丁”等角色，并不单一。

⑤ （明）李化龙：《平播全书》，北京：大众文艺出版社，2008年，第27、154、422页。

⑥ （明）李化龙：《平播全书》，北京：大众文艺出版社，2008年，第61、74、75、129、138、148、165页。

没有火器，土司在万历年间重建海龙囤时并未在城防设施上为火器预留位置，关隘城垣上不见炮台、枪眼等设施，表明因客观条件的限制，火器防御并未进入建囤者的战术意识。此类与火器相关的设施在黔北山城中普遍涌现，是入清之后的事[①]。炮台、枪眼等设施因此是明清山城断代的标志性遗迹。

一方普遍使用了火器，一方则几乎无火器而以冷兵器负隅顽抗，双方共投入兵力约达三十万之众，共同演绎了一场中国历史上大规模的火器与冷兵器的交锋。播州之役的最终结果是结束了杨氏在播州七百余年的世袭统治，设府置官，成为事实上的“改土为流”[②]。因此有论者认为“明清时期西南地区的改土归流是以强大的武力为后盾的，其中火器的应用尤为关键，是改土归流得以实现的技术保证”[③]。

四、钱　币

487枚。含开元通宝1枚，元符通宝1枚，万历通宝5枚，崇祯通宝189枚，弘光通宝、隆武通宝、永历通宝、兴朝通宝等南明钱171枚，顺治通宝、康熙通宝、乾隆通宝、嘉庆通宝、道光通宝、咸丰通宝、同治通宝、光绪通宝等清钱78枚，以及因锈蚀或残损太甚而铭文不可识者42枚（表1-22；附表10）。

表1-22　钱币简表

序号	类型	尺寸/厘米				数量	出土地点
		直径	穿宽	郭宽	厚		
1	开元通宝	2.04	0.6	0.2	0.1	1	新王宫
2	元符通宝	2.33	0.7	0.25	0.07	1	新王宫
3	万历通宝	2.44 ~ 2.54	0.46 ~ 0.56	0.25 ~ 0.32	0.11 ~ 0.19	5	铁柱关4、新王宫1
4	崇祯通宝	1.26 ~ 2.48	0.39 ~ 0.69	0.12 ~ 0.42	0.03 ~ 0.14	189	除1枚乾隆通宝（TG10③：2）、1枚嘉庆通宝（TG10③：35）与1枚道光通宝（TG10③：34）共计3枚出自万安关外，余均出自新王宫
5	弘光通宝	2.03 ~ 2.5	0.44 ~ 0.61	0.21 ~ 0.38	0.07 ~ 0.16	127	
6	隆武通宝	2.02 ~ 2.5	0.51 ~ 0.68	0.2 ~ 0.35	0.09 ~ 0.13	39	
7	永历通宝	2.06 ~ 4.63	0.62 ~ 1	0.3 ~ 0.62	0.1 ~ 0.26	4	
8	兴朝通宝	2.83	0.62	0.38	0.13	1	
9	顺治通宝	1.09 ~ 2.74	0.59 ~ 0.6	0.3 ~ 0.33	0.08 ~ 0.1	3	
10	康熙通宝	2.03 ~ 2.59	0.5 ~ 0.63	0.3 ~ 0.31	0.04 ~ 0.09	3	
11	乾隆通宝	2.04 ~ 2.54	0.44 ~ 0.61	0.3 ~ 0.4	0.1 ~ 0.2	15	

① 参见贵州省博物馆、贵州省文物考古研究所、凤冈县文体广电新闻出版局：《玛瑙山：考古、文献与口碑》，北京：科学出版社，2018年。

② （明）李化龙：《平播全书》卷7《破囤塘报》：“即今播已尽平，兵已渐撤，改土为流已渐有成议。”北京：大众文艺出版社，2008年，第258页。

③ 张文：《火器应用与明清时期西南地区的改土归流》，《民族研究》2008年第1期。

续表

序号	类型	尺寸/厘米				数量	出土地点
		直径	穿宽	郭宽	厚		
12	嘉庆通宝	2.06 ~ 2.59	0.45 ~ 0.6	0.22 ~ 0.4	0.1 ~ 0.15	9	除1枚乾隆通宝（TG10③：2）、1枚嘉庆通宝（TG10③：35）与1枚道光通宝（TG10③：34）共计3枚出自万安关外，余均出自新王宫
13	道光通宝	1.5 ~ 2.6	0.48 ~ 0.63	0.2 ~ 0.36	0.07 ~ 0.19	21	
14	咸丰通宝	1.72 ~ 2.54	0.43 ~ 0.58	0.18 ~ 0.35	0.08 ~ 0.18	19	
15	同治通宝	1.84 ~ 2.27	0.53 ~ 0.58	0.29 ~ 0.37	0.06 ~ 0.11	4	
16	光绪通宝	1.82 ~ 2.1	0.53 ~ 0.59	0.21 ~ 0.33	0.05 ~ 0.13	3	
17	光绪元宝	2.87		0.17	0.22	1	
18	铭文不详	1.4 ~ 2.38	0.44 ~ 残0.82	0.21 ~ 0.37	0.06 ~ 0.3	42	
总计：487枚							

1. 唐宋钱币

2枚。开元通宝、元符通宝各1枚。

开元通宝　1枚。ⅣT0603④：4，圆形方穿，对读“开元通宝”，“元”字首画略长，次横左挑，“通”字走部前几笔呈连续拐折状。钱背下似有纹饰，模糊不识。钱径2.04、穿宽0.6、郭宽0.2、厚0.1厘米（图1-17-1）。

元符通宝　1枚。ⅣT0303③A：3-15，面文篆书，旋读“元符通宝”，光背。钱径2.33、穿宽0.7、郭宽0.25、厚0.07厘米（图1-17-2）。

2. 明代钱币

194枚。为万历通宝与崇祯通宝。

万历通宝　5枚。其中4枚出土于铁柱关、1枚出土于新王宫，上下对读“万历通宝”。钱径2.44 ~ 2.54、穿宽0.46 ~ 0.56、郭宽0.25 ~ 0.32、厚0.11 ~ 0.19厘米。TG44③：6-1，三角“通”，光背（图1-17-3）。TG44③：6-3，两点“通”，背文“工”（图1-17-4）。

崇祯通宝　189枚。面文楷书，对读“崇祯通宝”。钱径1.26 ~ 2.48、穿宽0.39 ~ 0.69、郭宽0.12 ~ 0.42、厚0.03 ~ 0.14厘米。K3①：6、C4①：2-2，背文“贵”字（图1-17-5）。C4①：2-4，背文“重”字（图1-17-6）。

3. 南明钱币

171枚。有弘光通宝、隆武通宝、永历通宝和兴朝通宝。

弘光通宝　127枚。圆形方穿，对读“弘光通宝”。钱径2.03 ~ 2.5、穿宽0.44 ~ 0.61、郭宽0.21 ~ 0.38、厚0.07 ~ 0.16厘米。C4①：1-6-1，行弓旁，双点通，光背（图1-17-7）。G2②：41，行弓旁，双点通，背上星。

隆武通宝　39枚。圆形方穿，对读“隆武通宝”。钱径2.02 ~ 2.5、穿宽0.51 ~ 0.68、郭宽

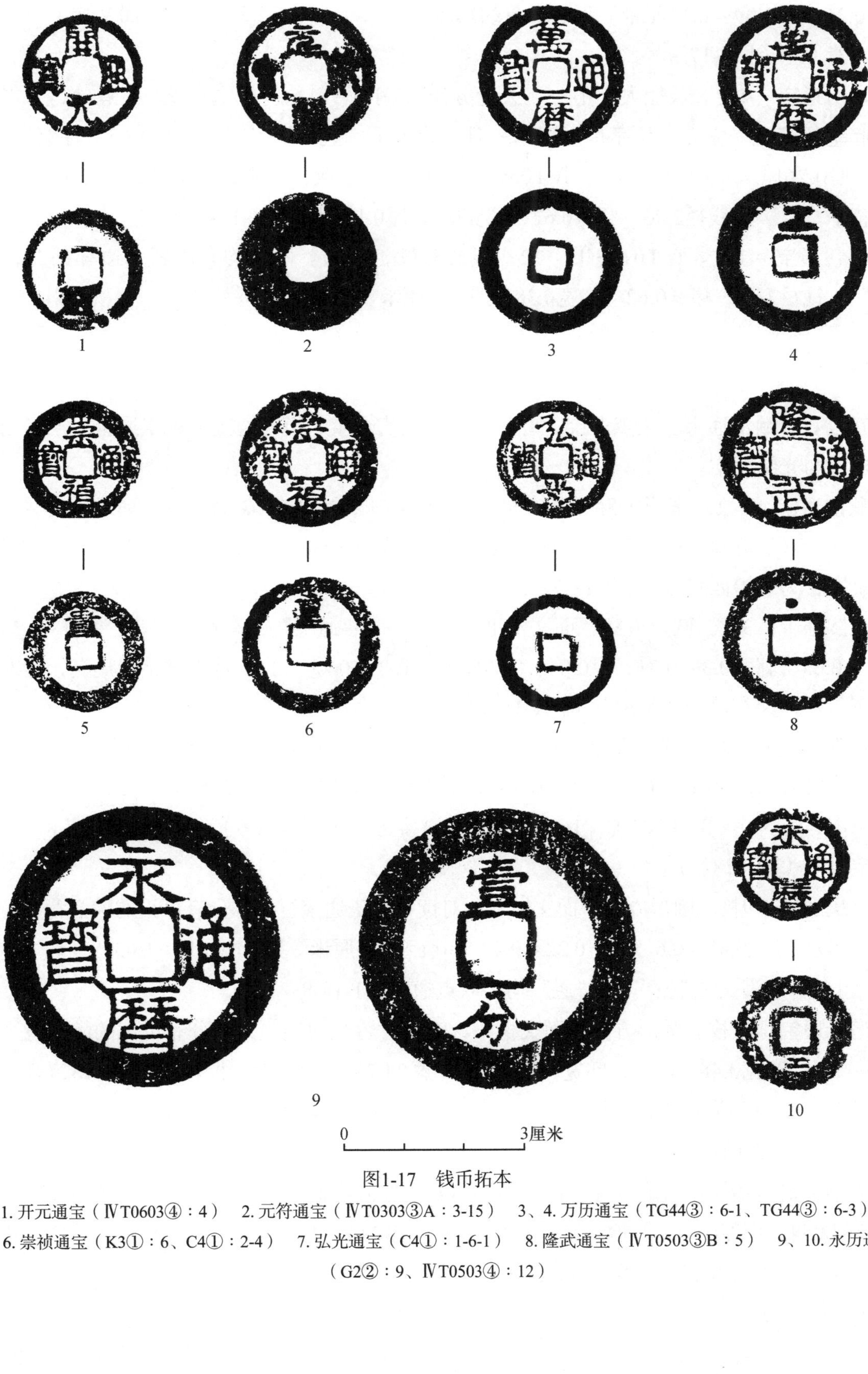

图1-17 钱币拓本

1. 开元通宝（ⅣT0603④：4） 2. 元符通宝（ⅣT0303③A：3-15） 3、4. 万历通宝（TG44③：6-1、TG44③：6-3） 5、6. 崇祯通宝（K3①：6、C4①：2-4） 7. 弘光通宝（C4①：1-6-1） 8. 隆武通宝（ⅣT0503③B：5） 9、10. 永历通宝（G2②：9、ⅣT0503④：12）

0.2～0.35、厚0.09～0.13厘米。ⅣT0503③B：5、G2②：42、G2①：11-2，面文均上点武，双点通，背上星（图1-17-8）。

永历通宝　4枚。钱径大小不一，大壹分3枚，小平钱1枚。G2②：9，大壹分，二水永，通字起笔顿笔成一立点，历字厂下双禾一日，背上下“壹分”二字。钱径4.63、穿宽1、郭宽0.62、厚0.26厘米（图1-17-9）。ⅣT0503④：12，小平钱，点永，三角通，历字厂下双禾一日，背下“工”。钱径2.06、穿宽0.62、郭宽0.3、厚0.1厘米（图1-17-10）。

兴朝通宝　1枚。ⅣT0103①：12，钱文对读，楷书。两面均有周郭，边郭甚宽，背下“工”。钱径2.83、穿宽0.62、郭宽0.38、厚0.13厘米（图1-18-1）。

4. 清代钱币

78枚。有顺治通宝、康熙通宝、乾隆通宝、嘉庆通宝、道光通宝、咸丰通宝、同治通宝、光绪通宝与光绪元宝。

顺治通宝　3枚。圆形方穿，面文楷书，对读“顺治通宝”，背满文。钱径1.09～2.74、穿宽0.59～0.6、郭宽0.3～0.33、厚0.08～0.1厘米。ⅣT0103①：2-1、ⅣT0103①：2-2，背满文“宝泉”，为顺治四式钱（图1-18-3、2）。

康熙通宝　3枚。圆形方穿，面文楷书，对读“康熙通宝”，有背文。钱径2.03～2.59、穿宽0.5～0.63、郭宽0.3～0.31、厚0.04～0.09厘米。ⅣT0506②：11，背满汉字纪局名，穿左铸满文“东”字，穿右铸汉文“东”（图1-18-4）。

乾隆通宝　15枚。圆形方穿，面文楷书，对读“乾隆通宝”，部分有可识的满文背文。钱径2.04～2.54、穿宽0.44～0.61、郭宽0.3～0.4、厚0.1～0.2厘米。ⅣT0505①：2，背书满文“宝昌”（图1-18-5）。ⅣT0305①：16，背书满文“宝苏”（图1-18-6）。ⅣT0103①：8，背书满文“宝泉”（图1-18-7）。

嘉庆通宝　9枚。圆形方穿，面文楷书，对读“嘉庆通宝”，部分有可识的满文背文。钱径2.06～2.59、穿宽0.45～0.6、郭宽0.22～0.4、厚0.1～0.15厘米。ⅣT0201①：16-3、现代坑7：3、C5②：1，背书满文“宝云”，“通”均为双点通（图1-18-8～10）。

道光通宝　21枚。圆形方穿，面文楷书，对读“道光通宝”，部分有可识的满文背文。钱径1.5～2.6、穿宽0.48～0.63、郭宽0.2～0.36、厚0.07～0.19厘米。ⅣT0507①：73，背书满文“宝云”，“通”为双点通（图1-18-11）。ⅣT0304①：4，背书满文“宝泉”，“通”为单点通（图1-18-12）。

咸丰通宝　19枚。圆形方穿，面文楷书，对读“咸丰通宝”，部分有可识的满文背文。钱径1.72～2.54、穿宽0.43～0.58、郭宽0.18～0.35、厚0.08～0.18厘米。ⅣT0305①：17，背书满文“宝陕”（图1-18-13）。ⅣT0303③A：3-1，背文穿左满文“宝”字可识，穿右满文模糊不辨（图1-18-14）。

同治通宝　4枚。圆形方穿，面文楷书，对读“同治通宝”，背满文。钱径1.84～2.27、穿宽0.53～0.58、郭宽0.29～0.37、厚0.06～0.11厘米。ⅣT0201①：16-1，背书满文“宝昌”（图

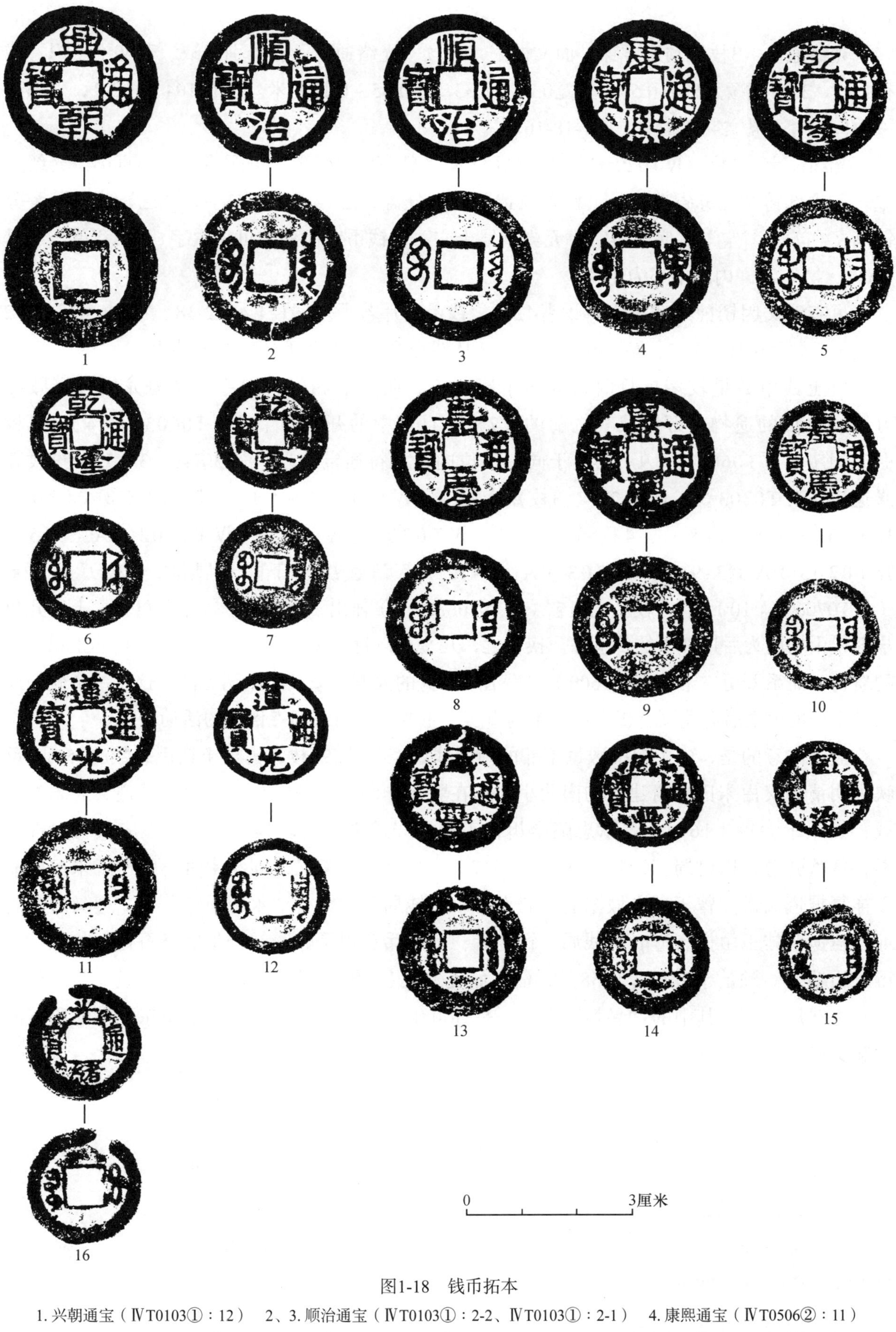

图1-18　钱币拓本

1. 兴朝通宝（ⅣT0103①：12）　2、3. 顺治通宝（ⅣT0103①：2-2、ⅣT0103①：2-1）　4. 康熙通宝（ⅣT0506②：11）　5～7. 乾隆通宝（ⅣT0505①：2、ⅣT0305①：16、ⅣT0103①：8）　8～10. 嘉庆通宝（ⅣT0201①：16-3、现代坑7：3、C5②：1）　11、12. 道光通宝（ⅣT0507①：73、ⅣT0304①：4）　13、14. 成丰通宝（ⅣT0305①：17、ⅣT0303③A：3-1）　15. 同治通宝（ⅣT0201①：16-1）　16. 光绪通宝（ⅣT0104①：3-1）

1-18-15）。

光绪通宝　3枚。圆形方穿，面文楷书，对读“光绪通宝”。个别残缺、背文不可识。钱径1.82～2.1、穿宽0.53～0.59、郭宽0.21～0.33、厚0.05～0.13厘米。ⅣT0104①：3-1，外郭有一缺口，背书满文“宝福”（图1-18-16）。

光绪元宝　1枚。ⅣT0205①：2，钱径2.87、郭宽0.17厘米。正面铭文中心直读“光绪元宝”，顶部铸“江苏省造”，“江”“造”字旁分铸“乙”“巳”二字，“乙”“巳”旁分铸满文“苏”“宝”。底部铸“每元当制钱十文”。钱币背面外圈可见数字“0”和英文字母“C”“A”等，内圈中心为龙纹。

另有钱文因锈蚀或残损不可识者42枚，钱币残片若干。钱径1.4～2.38、穿宽0.44～0.82（残）、郭宽0.21～0.37、厚0.06～0.3厘米。从钱径看，均当为万历之后的钱币。

出土钱币数量较多，且时代涵盖了唐、宋、明、清四朝，但主要系海龙囤被摧毁的万历朝之后的遗物，万历及其之前的仅7枚。且其中的开元通宝（ⅣT0603④：4）与1枚弘光通宝（ⅣT0603④：9）出土于同一层位内，元符通宝（ⅣT0303③A：3-15）与1枚乾隆通宝（ⅣT0303③A：3-12）、3枚嘉庆通宝（ⅣT0303③A：3-4、ⅣT0303③A：3-6、ⅣT0303③A：3-8）、4枚道光通宝（ⅣT0303③A：3-3、ⅣT0303③A：3-5、ⅣT0303③A：3-9、ⅣT0303③A：3-11）等清钱出土于同一层位，1枚万历通宝（ⅣT0706②：10）则与1枚弘光通宝（ⅣT0706②：9）伴出（附表10）。据此可知，上述几枚早期钱币均应为后期埋入的传世品。换言之，几乎可以肯定囤上出土的所有钱币均非土司时期的遗物，而系万历二十八年（1600）之后活动于此的人群所遗，与土司无涉。这从一个侧面反映了土司覆灭之后海龙囤上仍人烟不绝的事实，主要可能与海潮寺僧侣的活动相关。

值得注意的是，内中包括数量不菲的南明钱币，共计171枚，占出土钱币总数的35%，反映出明清之交由朱氏后裔建立的南明小朝廷在黔北非同一般的影响。据道光《遵义府志》记载：崇祯十七年（1644）张献忠陷全川，王祥据守遵义。明以其前大学士王应熊为兵部尚书，督师驻遵，以讨蜀。清顺治四年（1647），孙可望陷遵义。同年十月，明桂王朱由榔命王祥复据遵义，并曾于遵义城东府学署设“永历钱局”，铸行“永历通宝”。“遵义府学署址，盖遗明桂王由榔有遵时铸钱局。司之者，其总兵官田子禄”“今学墙外石台下，往往拾得永历钱”。顺治十五年（1658），清兵始克遵义[①]。囤上所见大壹分“永历通宝”，可能系永历钱局所铸。其中的“兴朝通宝”，是孙可望于清顺治六年（1649）称东平王时所铸的“起义钱”。

① （清）郑珍、莫友芝编纂：《遵义府志》卷10《古迹·永历钱局》、卷41《年纪三》，成都：巴蜀书社，2013年，第174、792～796页。

第四节 分 期

基于前文的讨论，可对囤上遗存进行初步分期，以便后文的讨论。综合遗迹与遗物考察，可以分为南宋时期、万历时期与万历之后三期，分别对应前土司时代、土司时代和后土司时代。

一、遗 迹

包括关隘、城垣、房址、道路、窑址、采石场与海潮寺等。

39组房址中，F39为南宋时期建筑，颇简陋。其余38组，因为采用了与有明确纪年各关隘上城楼一致的砖、瓦与脊兽等，所以均可确定为明万历时期遗存。窑址（Y1）所出砖与砖坯同前，为明万历遗存无疑。采石场的石质及其所遗开采痕迹（楔眼）与前述关隘、房址用材完全一致，因此亦为万历遗存。而现存石铺路面，部分与前述关隘、房址相接，部分石板之下发现万历青花，亦为万历时期遗存。

关隘中现存的铜柱关、铁柱关、飞虎关、飞龙关、朝天关、飞凤关、万安关、西关与后关九关，除飞虎关外，均发现年代特征明确的砖、瓦等建筑材料；且朝天关与飞龙关匾额上有明确纪年，分别于万历二十三年（1595）与二十四年（1596）“重建”，而匾额已佚的飞虎关以及磨泐难辨的万安关，清道光年间尚有“骠骑将军杨应龙书”等字可读[①]。该九关为万历遗存至明。与之连为一体的用加工工整的较大型灰岩砌筑的城垣，年代与之一致。

在铜柱关、朝天关、万安关南等地点，上述城垣内包裹着一类以砂岩叠砌的简易城垣，绵延而出，主要分布在大城的南北两侧，其相对早晚关系十分清晰。该类墙体上开设门道4座，分别为绣花楼1座、土城墙3座，除用材外，其形制也与前述万历九关门道判然有别，内中出土A型板瓦与筒瓦，为南宋遗物。此外，环山顶大城城垣内外，18个地点采集到A型板瓦瓦砾（绣花楼兼有明代瓦砾，S8、S13和S16三处为早年调查记录，我们的调查未发现瓦砾，从地形看，S8与S16若确有瓦砾，当属A型瓦，即宋瓦，S13则为明代遗存的可能性较大，因为周边未见宋代遗存），应为哨台遗迹。因此该四关及其与之相连的砂岩城垣、哨台为南宋遗存，亦即文献所记的“龙岩新城”。

海龙囤被明军攻陷不久，一座崭新的寺庙出现在新王宫大堂旧址上，这就是海潮寺，由播州之役中任重庆知府的傅光宅在遵义兵备道任上修建，香火至今不灭。海潮寺僧侣也因此成为土司之后海龙囤新的主人。

要之，目前确认的南宋遗迹有位于构树的F39、绣花楼与土城墙上4座门道以及与之相接的

① （清）郑珍、莫友芝编纂：《遵义府志》卷10《古迹·海龙九关》，成都：巴蜀书社，2013年，第168页。

以砂岩叠砌的城垣，以及大城城垣内外18处哨台遗迹。明万历时期遗迹有铜柱关、铁柱关、飞虎关、飞龙关、朝天关、飞凤关、万安关、西关和后关9座关隘以及与之相接的以灰岩砌筑的高大城垣；分布于新王宫（30组）、老王宫（5组）与金银库、转山、万安关南（各1组）等地点的共38组房址，以及窑址、采石场等。万历二十八年（1600）播平后的遗迹则以海潮寺为代表。

二、遗　　物

前文讨论了见于囤上多个地点并带有一定普遍性的建筑材料、生活用器、兵器和钱币等四类遗物，其年代涵盖了唐、宋、元、明、清等不同时期。

唐代遗物仅见开元通宝1枚，但因与弘光通宝伴出，应为传世品。

宋代遗物有湖田窑影青瓷残片（26片）、龙泉窑青瓷残片（17片）和清溪窑白瓷残片（18片），出土于新王宫、老王宫和朝天关三地，年代约在南宋中晚期；A型板瓦与筒瓦，出于土城墙与绣花楼门道（CM10～CM13）、飞龙关（CM4）和朝天关（CM5）及构树等地点，年代为南宋晚期；A型勾头（7件）与滴水（5件），多数在构树TG57内与A型板瓦伴出，亦为南宋晚期遗物；A型礌石（15件），均出自土城墙南门道（CM12）内，为南宋晚期遗物；北宋元符通宝（1枚），但与乾隆通宝等清钱伴出，因此当系传世品。

可大致确定的元代遗物仅1件，即龙泉窑青瓷折沿盘（G1②：48），其年代约在元末明初。

明代遗物数量最多，除A型板瓦与筒瓦、A型勾头与滴水外的所有建筑材料，除A型礌石外的绝大多数兵器，有明确年代特征的细瓷（包括青花瓷、哥釉瓷、彩瓷、白瓷、仿龙泉青瓷等）以及万历通宝（5枚）与崇祯通宝（189枚）等钱币均为明代遗物。瓷器的情况比较复杂，有少量明弘治、正德年间的青花瓷器，约占可断代青花瓷器的8%；亦有部分天启、崇祯年间的青花瓷器，约占可断代青花瓷器的4%；绝大多数为嘉靖、万历时期遗物。

清代遗物亦有一定数量，瓷器中的粉彩、部分青花及粗瓷（部分粗瓷的年代可能延至民国），钱币中的南明钱（171枚，其在纪年上可归入清代）和顺治通宝等清钱（78枚）均为该期遗物。此外还有部分碑刻。

三、分　　期

结合遗迹与遗物，以万历二十八年（1600）海龙囤被明军攻陷而终结土司统治为标志，可将海龙囤的历史划分为南宋时期、万历时期与万历之后三期。由于土司制度在元代才正式确立，所以该三期可分别与前土司时代、土司时代和后土司时代对应。

1. 前土司时代：南宋时期

遗迹有绣花楼与土城墙上4座门址，与之相接的以砂岩叠砌的城垣，设在大城城垣内外的18处哨台，以及构树的F39等。遗物有A型板瓦与筒瓦，A型勾头与滴水，A型礌石，以及部分湖田窑、龙泉窑和清溪窑瓷器残片等。

遗物反映的遗迹年代应在南宋晚期，与文献中播州杨氏第15世土官杨文于宋宝祐五年（1257）建“龙岩新城”的记载相吻合。换言之，以上所列即为“龙岩新城”遗存。

该期城垣分布较广，包括大城的南北城垣、土城墙以及东西瓮城中的部分城垣，已探明的4座门道均开设于这类城垣上，而A型板瓦与A型筒瓦即主要发现于上述门道内，为门楼上遗物。此外，在飞龙关、朝天关两处明代关隘亦发现有少量A型板瓦瓦砾，表明该两关确如现存明代匾额所称是在宋代关隘基础之上“重建”。A型礌石是储存于土城墙南门道（CM12）内尚未使用的兵器。大城南北城垣沿线还有哨台18座，但仅见少量A型板瓦瓦砾。由于囤前铜柱关东北已发现长段南宋城垣包裹于明代城垣内，而囤后宋墙至少已延至万安关一线，因此明代海龙囤的大体格局在南宋晚期已基本奠定，万历时期的大规模重建是在龙岩新城的基础上进行的，重点是东西两端的关隘、城垣与囤内新王宫、老王宫等建筑群。大城的南北城垣因下临深渊不易攻破而一仍其旧，继续使用龙岩新城城垣以作防御。

遗憾的是，除关隘、城垣与哨台外，囤内目前发现的南宋时期遗迹较少，仅构树一处，其性质亦尚不甚明了。少量湖田窑、龙泉窑、清溪窑瓷器残片以及发现于新王宫内的A型筒瓦瓦当也提供了部分线索，这是未来探索的方向。目前囤上未发现较“龙岩新城”更早的线索。

2. 土司时代：万历时期

绝大多数遗迹、遗物均集中于该时期。遗迹有飞龙、朝天等九关以及与之相连的城垣，新王宫、老王宫与金银库等建筑群，以及采石场、窑址等作坊类遗存。遗物则涵盖了建筑材料、生活用器与兵器等出土遗物的绝大多数。

以有纪年匾额的飞龙、朝天等关所用砖、瓦、石、脊兽等建筑材料为参照，可确定上述遗迹的年代均在明万历时期。并非巧合的是，有清晰年代信息的瓷器亦集中在嘉靖、万历两朝。这反映出万历时期是海龙囤上人群活动的高峰期，经历了从重建（采石场、砖窑及建筑材料）、使用（瓷器等生活用器）到废弃（兵器）的全过程。文献对杨氏第30世土司杨应龙重建海龙囤的具体时间并无确切记载，朝天关上纪年表明这个时间当不晚于万历二十三年（1595）。《平播全书》亦称杨应龙“彼其数年精力，用之一囤，前后重关，左右深谷，将自谓负隅之虎，莫可谁何”①。推测在万历十八年（1590）应龙与贵州交恶而“贵州巡抚叶梦熊疏论应龙凶恶诸事，巡按陈效历数应龙二十四大罪”之后即已着手准备②。不久之后的万历

---

① （明）李化龙：《平播全书》卷5《叙功疏》，北京：大众文艺出版社，2008年，第157页。

② （清）张廷玉等：《明史》卷312《四川土司二·播州宣慰司》，北京：中华书局，1974年，第8045页。

二十八年（1600），播州之役爆发，海龙囤即在战火中化作一片废墟。

从南宋晚期到明万历时期的300余年间，海龙囤并不见诸传世或出土文献的记载，囤内目前亦未发现与之相应的遗迹，但出土遗物中有部分元末明初及明代中期的瓷器，主要见于新王宫与万安关、朝天关、西关等关口及其附近，因数量较少而较可能为土司家藏的传世品，不能反映该时期囤上人群的活动。

种种迹象表明，在杨文创建的“龙岩新城”与杨应龙重建的“龙岩囤”之间，海龙囤可能长期处于一种荒废的状态。

3. 后土司时代：万历二十八年（1600）以降

万历二十八年（1600）农历六月初六，明军破囤，杨氏覆灭。攻囤时，明军采取了“拆墙烧楼”的策略。初六日“我兵乘胜战夺二层飞虎关，严谕举火烧毁。我兵愈加精强，先登贼之大囤，举火延烧酋房”。与此同时，“酋见兵勇，缢颈放火自焚，本职（吴广）亲蹈烈焰中擒出，酋已气绝”。战火之后，“八百年之酋囤，尽成丘墟”[①]。不久，傅光宅于新王宫内建海潮寺[②]。海潮寺僧众渐成海龙囤新的主人，海龙囤也由此进入后土司时代。

该时期的遗迹以海潮寺为代表。遗物则有粉彩、粗瓷等生活用器，所有钱币均应为该时期所遗，此外还有部分与平播和海潮寺相关的碑刻。新王宫坑、池中发现的大量崇祯通宝与南明钱币（占出土钱币总数的近74%）表明，明末清初时海潮寺僧众可能曾有意摊平废墟以便活动。据弘光元年（1645）《海龙山为天开胜地》“神宗朝，狐鼠盗弄干戈，此间遂为腥血之野。削平后，僧人建茅椽于其上，终草□弗堪也。主宾相待，炤月始来，遂举故迹，昌大□颜”（详见第九章）。僧人营建寺庙，往往就近取用新王宫旧址的石材与砖块，对遗址造成了一定程度的破坏。大约从清中期开始，囤上渐有人家而终成今日之格局。

要之，海龙囤于宋宝祐五年（1257）由杨氏第15世土官杨文为抵御蒙军而创建，此即文献所记的“龙岩新城”。明万历年间第30世土司杨应龙为自保而进行大规模重建，旋即毁于万历二十八年（1600）播州之役的战火。战后于新王宫废墟上新建海潮寺，僧众渐成海龙囤的主角。相关的遗迹、遗物均集中于这三个时期，目前囤上未见较“龙岩新城”更早的遗存，元至明代早、中期，亦无人群大规模活动的线索，此时的海龙囤可能因“土司无城”[③]的成例而处于荒废的状态。

---

① （明）李化龙：《平播全书》卷4《六报捷音疏》、卷7《破囤塘报》，北京：大众文艺出版社，2008年，第112、255、257页。

② （清）郑珍、莫友芝编纂：《遵义府志》卷8《坛庙》：“海朝寺，在海龙囤，明平播后兵备道傅光宅建。”成都：巴蜀书社，2013年，第131页。

③ （明）郭子章：《黔记》卷5《舆图志二·龙泉县城》：“土司无城，例也，惧尾大也。即播悍且叛，不敢城夜郎。今水西、永顺、保靖，犹无城也。”贵州省文史研究馆编：《续黔南丛书》（第一辑），贵阳：贵州人民出版社，2012年，中册，第1120页（案：原书标点有误，今改）。

第二章　城垣与关隘

城垣与设于其中的关隘所构成的外围轮廓，是海龙囤的重要组成部分。石砌城垣随山势绵延，与关隘一起将全囤分隔为不同的空间，形成“前后重关，左右深谷”（《平播全书·叙功疏》）的格局。由于绝大多数城垣与关隘均裸露于地表，具体工作中采用探沟法进行解剖（城垣）加以局部试掘（关隘），以厘清城垣结构与关隘形制。在调查、勘探与试掘的基础上，用RTK测绘仪对城垣的平面布局进行测绘，所有关隘则绘制了平、剖面图。共布探沟30条（TG10～TG21、TG31～TG41、TG44～TG46、TG48、TG49、TG55、TG56）（图1-1；附表1）。

目前探明的城垣总长5786.45米（含新王宫垣墙476.6米，不含大城北侧冲沟内三段数十米长的附属性城垣），外围城垣所围合的海龙囤总面积近38万平方米；设在城垣上的关隘共计13个（CM1～CM13）；部分城垣拐角及关隘前设墩台，共8个（DT1～DT8）；以上不同类型的城垣、关隘与墩台，分属宋、明两个不同时期。沿外围城垣设有哨台19个（S1～S19），多数为南宋遗存，明代已废弃不用，绣花楼（S7）则并见明代遗物，后关南侧的S13可能为明代遗存（图1-1）。

第一节　城　　垣

所有城垣皆石砌，内外平直，中填泥土与乱石，部分可见明显的石灰浆填缝。依山势而筑，外壁陡直，内壁低平，部分设女墙，部分拐角处设墩台。石材均就近取用，有灰岩与砂岩两类。砂岩呈薄片状层理，较松软，易于开采；灰岩则较前者坚硬，不易开采。

一、城垣的类型与年代

从调查和清理的情况看，根据砌筑方式及用材的不同，城垣可分三类，部分类型间存在明显的叠压关系，早晚关系明确（表2-1）。

表2-1　城垣统计表　　　　（单位：米）

时代	类型	位置	起止点	长	宽	高		备注	总长
						内高	外高		
宋代城垣	A类	大城南城垣	转山—飞凤关—土城墙南	1744.5	0.9～2.1	0.2～1.2	0.4～5.5	女墙宽0.5～1.2、高0.1～0.8	3623.85
		大城北城垣	万安关北墩台—飞龙关西	1599.8	0.9～1.8	0.1～1.3	0.9～2.9	女墙宽0.5～1.1、高0.1～0.9	
		大城北城垣附墙	西墙	15.9	不详	不详	1.1～5.2		
			中墙	35.9	不详	不详	0.5～6		
			东墙	23.8	不详	不详	1～4.5		
		铜柱关东北侧城垣	铜柱关东	32.85（残）	0.94	不详	2.72（残）		
		土城墙	土城墙南门—土城墙北门	171.1	6.5～11.9	0.2～1.5	0.1～3.7		
明代城垣	B类	土城城垣	后关两侧	396.6	0.5～2.3	0.1～1.8	0.1～2.6		2162.6
		新王宫垣墙	环新王宫	476.6	0.4～2.7	0.1～1.6	0.5～6.1		
	C类	月城城垣	万安关两侧至西关两侧	303.1	1.1～2.75	0.1～2.4	0.4～8.6	女墙宽0.5～1.1、高0.1～1.1	
		朝天关瓮城	飞龙关东侧—朝天关—飞凤关北侧	155.8	2～2.7	0.4～2.5	2.3～7.2	女墙宽0.7～0.8、高0.3～0.5	
		歇马台	第一歇马台（DT2）—第二歇马台（DT3）	230.1	0.4～0.9	0.3～0.8	0.7～3.7		
		囤下诸关	铜柱关以西—铁柱关—第一歇马台（DT2）	592.3	1.8～3.7	1.1～3.5	3.3～8		
		万安关北侧附墙	万安关北侧冲沟	8.1	不详	不详	3.1（残）		
总长：5786.45									

（一）类型

1. A类城垣

以片状砂岩平铺或立砌而成。石材大小不一，以平砌为主，局部则将石块直立栽于泥中，其上覆以平铺的石块。一般外侧墙体平砌，内侧立砌，中填以土。石材向外的一侧往往留有錾痕，錾痕宽一指左右，特征明显。石材多干砌，部分则使用石灰作黏合剂（图版147）。

2. B类城垣

灰岩与砂岩均有，方形与片状石块混用。部分墙体上半部以片状砂岩斜置而成，无黏合剂，多数石材较糙，不见明显加工痕迹。后关两侧的土城城垣与新王宫垣墙均为该类城垣（图版148）。

3. C类城垣

以灰岩石块错缝叠砌而成。石块经加工后形体方正，较大。普遍以石灰作黏合剂。内、外两壁陡直，中间则多填以斜置的砂岩石块（无明显加工痕迹）。这类墙体普遍高大、厚实，与关隘连为一体（图版149）。

（二）叠压关系与年代

以上三类城垣中，A、C两类间存在清晰的叠压关系，早晚关系明确。目前已在铜柱关东北侧（两段）、飞凤关东侧、万安关南侧、朝天关北侧与东侧等6个地点发现二者的叠压关系，呈现C类城垣将A类城垣包裹于其中的状态（图2-1；图版150、图版151）。

C类城垣与带有明确纪年的关隘连为一体，而无纪年的关隘，根据砖、瓦、石等建筑材料，也完全可以确定其年代与有纪年者一致，因此该类城垣为明万历时期的遗迹。

A类城垣分布的大城南、北沿线均可零星采集A型板瓦瓦砾，在与之连为一体的绣花楼门道（CM13）与土城墙北、中与南门道（CM10～CM12）内则较为集中出土，绣花楼门道内还发现了A型筒瓦。A型板瓦与筒瓦，在构树（TG57）内则与A型滴水伴出。类似遗物均见于新蒲杨价墓墓垣，杨价为杨文之父，卒于1243年，其墓当筑于该年前后[①]。据此可知，上述4座门道以及与之相连的A型城垣，为南宋晚期遗存无疑，应即杨文神道碑记载的杨文于宋宝祐年间创建的“龙岩新城”的遗迹。

B类城垣主要分布于后关两侧，以及新王宫周围。由于后关、新王宫均为万历时期遗存，与之关系密切的城垣自然亦为万历时期遗存。

综上所述，A类城垣及与之相连的4座门道（CM10～CM13），时代在南宋晚期，为杨氏第15世土官杨文所建的“龙岩新城”的遗存。B、C两类城垣及与之相连的其余9道关隘（CM1～CM9），时代在明万历时期，是杨氏第30世土司杨应龙重建的“龙岩囤”的遗迹。

二、宋代城垣

现存宋代城垣全长约3623.85、宽0.9～11.9、高0.1～6米，均为A类城垣。主要分布于大城南北，囤西土城墙与万安关一线，囤东转山及囤下铜柱关东北；部分包裹在明代城垣内（图1-1；表2-1）。

① 贵州省文物考古研究所、中国社会科学院考古研究所、遵义市文物局：《贵州遵义市新蒲播州杨氏土司墓地》，《考古》2015年第7期；李飞：《夷夏之间：播州杨氏羁縻·土司墓葬研究》，四川大学博士学位论文，2017年，第118、119页。

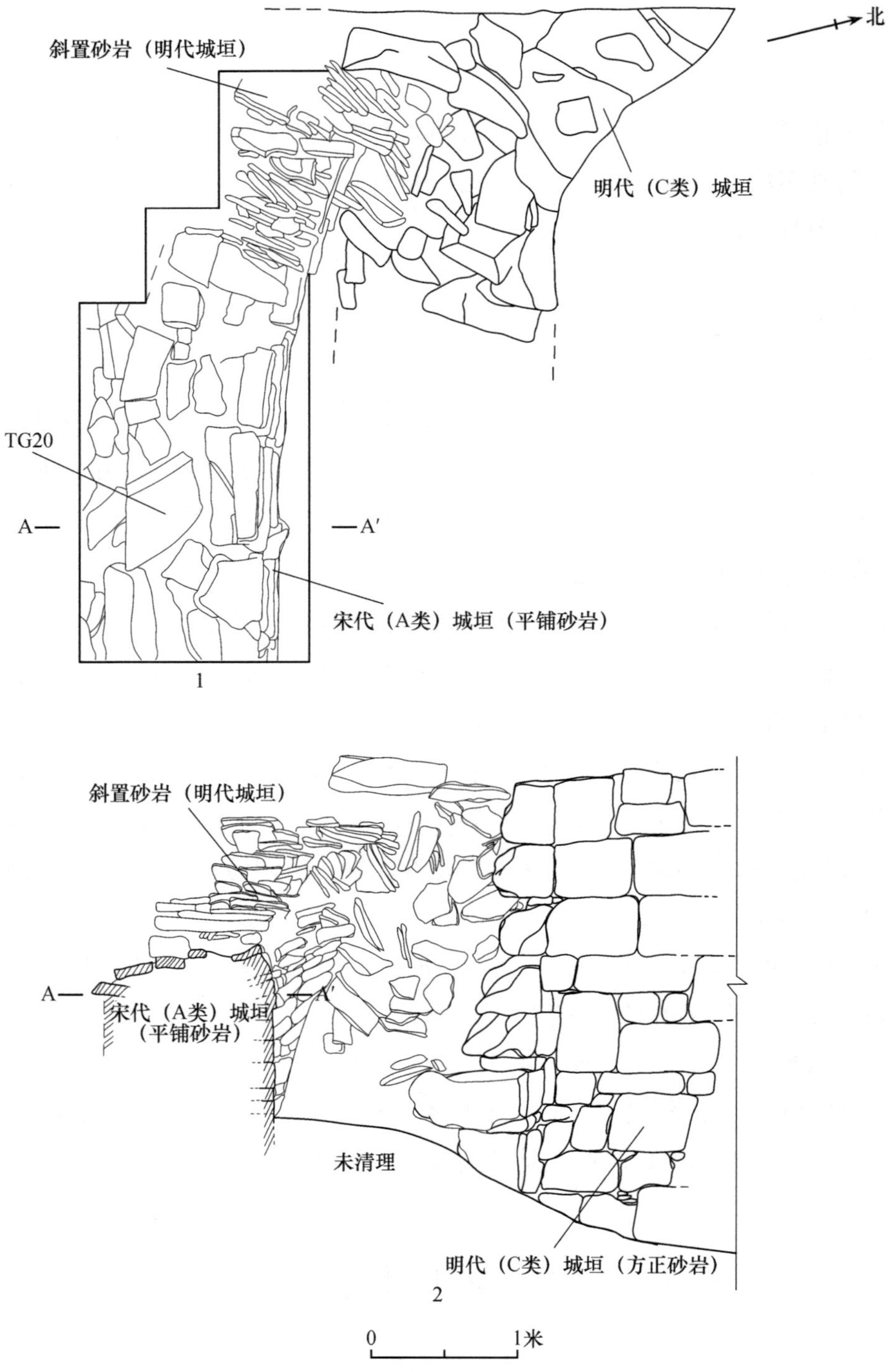

图2-1　宋明城垣叠压关系图
（飞凤关段）
1. 平面图　2. 剖视图

大城南、北城垣是宋代城垣的主体，占其总长度的92%。墙均临渊而筑，因有天险可恃，墙体相对单薄，不如明代城垣高大厚实。临渊的外壁均平砌，部分内壁则立砌，即石板侧立，两头用凿有浅槽的石板垂直扣合，中央形成槽状，填以土。局部设有女墙，即内壁向外凸，形成台阶状。尚存女墙宽约1、残高约0.5米。女墙内侧石台普遍高、宽仅约0.5米，较窄（图2-2）。

大城南部中央有一道向南逸出的山脊，宛若天然马面。尽头处平台三面临渊，地势险峻，此即“绣花楼”。南墙于此开一口，设有门道（CM13）。大城北墙外的3条冲沟内另发现了3段石砌附墙，砌筑方式较为随意，长15.9～35.9米，视冲沟宽窄而定，附于主墙外侧，以增强防御力。

“土城墙”是当地民间对囤西万安关以里一道横亘南北的土埂的称呼。经勘探，确认是一道城垣，其两端与大城南、北城垣相接。因建于地势平缓处，墙体颇厚实，全长171.1、宽6.5～11.9、残存最高处3.7米。内外均用砂岩石板平砌，中间填土，夹杂较多碎石及少量瓦砾。墙顶颓圮较甚，结构不明，局部顺墙有直立石板。其北段外侧局部发现有石砌护坡，北、中、南侧各设一门道（CM10～CM12）（图版152）。

另有迹象显示，万安关两侧城垣应是在该处原有的宋代城垣基础上修筑而成，其与向西延伸的大城南、北城垣形成土城墙外一瓮城（图版152）。2015年3月，万安关南侧明代城垣局部坍塌，于其中发现带有明显加工痕迹的砂岩石材，部分垒砌有序（图2-3）。这表明宋代城垣的西端至少抵达万安关一线。

囤东朝天关北凸起的圆形山丘，称“转山”，其东、西、北三面均环有宋代城垣，东南角与朝天关北侧明代城垣存有叠压关系。转山西侧为“杀人沟”，沟之东沿有宋代残垣向飞龙关延伸。朝天关外有一墩台（DT5），现存者为明代遗存，其东北侧明代城垣与飞龙关延伸而来者连为一体。但2015年冬施工时发现，明代墩台内包有一宋代墩台，宋代墩台东北角亦有城垣向飞龙关延伸，裹于明代城垣内，长度不明。

飞龙关以下至铁柱关之间，目前未见宋代城垣的遗迹。但铜柱关东北侧的明代城垣内则包裹有逾30米长的宋代城垣，分别于2014年春与2018年春的两次遗址保护工程实施过程中发现。两段出露的城垣总长32.85、宽0.94、外侧残高2.72米，尚有继续向北延伸的趋势。

砌筑宋代城垣所用的砂岩，质地较松软，漫山皆是，均应系就地采用。部分石料向外的一侧有阴刻铭文，已发现的有“十”“十九”“井”和“四渡水”等。其中的“四渡水”为地名，在囤东北20千米的今泗渡镇一带[①]。

① （明）张瓒：《东征纪行录》，《丛书集成初编》，北京：中华书局，1985年，第6页。

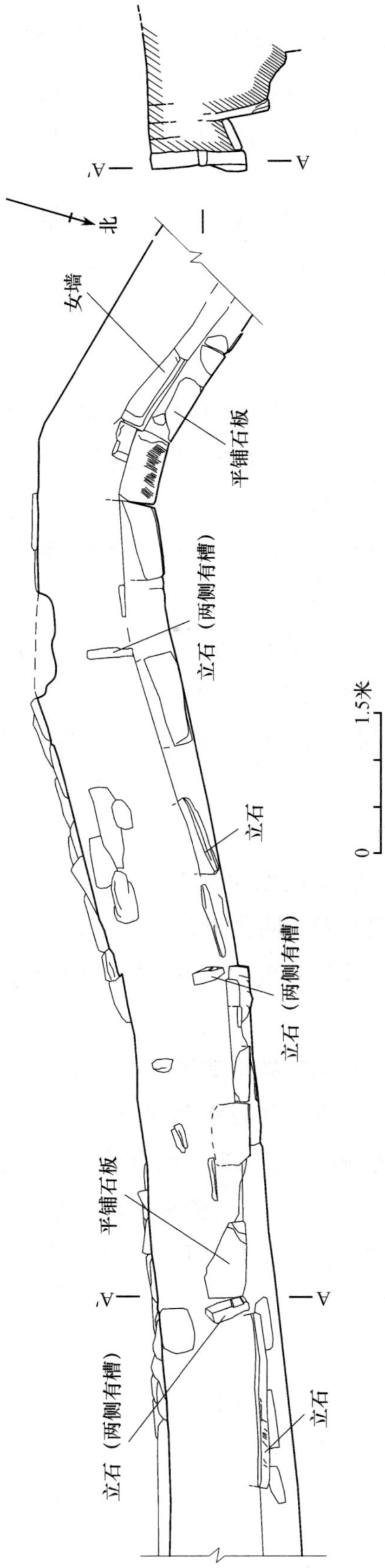

图2-2　宋代城垣结构图
（绣花楼段）

三、明代城垣

明代城垣集中分布于海龙囤的东西两端以及新王宫周围，属B、C两类城垣，全长2162.6米。局部则利用山险，未筑城垣，主要见于铜柱关西南、飞龙关前及后关土城南部（图1-1；表2-1）。

囤西土城城门（后关）两侧城垣与新王宫垣墙属B类城垣，即方形灰岩和片状砂岩混用，部分城垣上部用未经加工、形状各异的片状砂岩层层斜置垒砌，中间填土，墙体较薄，未见女墙。后关两侧的“土城”城垣长396.6、宽0.5～2.3、残高0.1～2.6米，因城垣靠压在后关基座上，可知其年代不早于后关。用同样方法砌筑的新王宫垣墙，与新王宫同属明万历时期遗存。

现存的飞龙关、朝天关等明代九关及其两侧的城垣均属C类城垣，该类城垣往往与关隘连为一体，没有明显区分，因此时代明确。与关隘相同，该类城垣多用方正灰岩青石块砌筑内外墙，中间填以斜置的片状砂岩石块而成。其中，万安关两侧、月城南墙、飞龙关至朝天关段南墙、龙虎大道、铜柱关西南墙等处城垣均筑有女墙，其余则不见此结构（不排除坍塌无存的可能）。朝天关至飞凤关以及铁柱关至歇马台（DT2）的两段城垣，城垣随地势起伏，顶作台阶状。墙体因所处位置不同而高矮、厚薄有别，一般在临渊处因有天险可凭，墙体往往薄且矮。如龙虎大道一侧的城垣就较为单薄，且保存不佳。明代亦有在主体城垣外再筑附墙的例子，如万安关北侧冲沟内便保留一段长8.1、外高3.1米的明代附墙。整体而言，明代城垣较宋代城垣更显高大、厚实。

以万安关南墙为例。该段城垣保存较好，陡直的外墙通高（含女墙）8.6米，低矮的内墙高1.2米，墙体宽2.8米。女墙残高1.1、宽0.6米，内侧道路宽2.1米，表面用砂岩石板铺砌。以方正灰岩石块砌筑内外墙，中间填砂岩石板，与城墙垂直方向立砌；其中混杂一定数量有明显加工痕迹的砂岩石板，为宋代城垣石材（图2-3）。

除万安关南墙外，铜柱关东北、朝天关东北、飞凤关东等处的明代城垣内都包裹有长短不一的宋代城垣。

四、墩　台

在部分城垣拐角、山脊尽头、关隘正前等处设有石砌平台，共计8个（图1-1）。其中4个设在城垣拐角（DT1、DT6～DT8），3个设在关隘正前（DT3～DT5），1个设在道旁（DT2）。这些平台有的上面有建筑，有的则无，统称为墩台。其平面多呈长方形，应兼有防御、歇息等功能。道旁墩台（如DT2）也被民间称为“歇马台”，意指登囤途中供人马歇息之地。但所处位置不同，功能侧重亦当有所区别。据此，可将之粗分为“角楼”与“歇马台”两

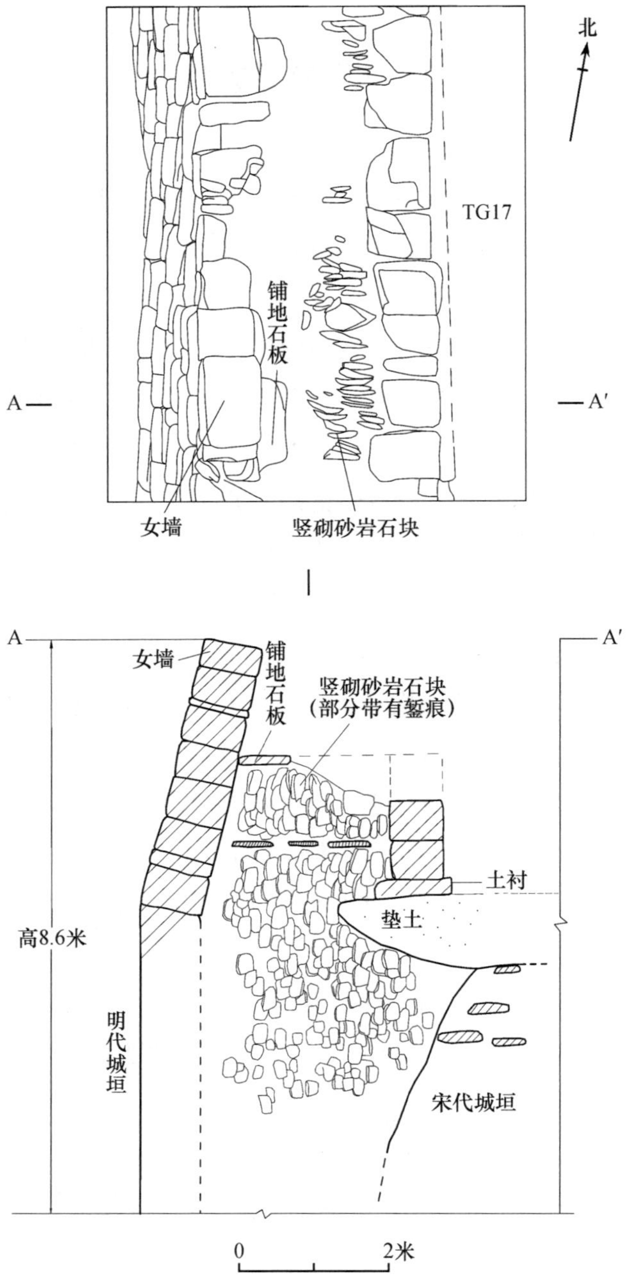

图2-3　明代城垣结构图
（万安关南墙）

大类，设于城垣拐角处者为角楼，设于道旁、门前者称歇马台。此外，在城垣与山脊外凸处虽未见明显人工砌筑的墩台，但有一定数量的瓦砾发现，表明原应有建筑，当为哨台一类遗迹，共发现19处（图1-1）。

（一）角楼

4座。其中2座（DT6、DT7）位于万安关两侧城垣拐角处，与城垣连为一体。台基用方正灰岩石块错缝砌筑，保存较差，平面近方形，边长约7米。地表遗有较多B型明代板瓦瓦砾，知其上原有建筑（图版152）。

其余2座一在西关南侧（DT8），平面呈长方形，长14、宽5.5、高近2米，其北侧有踏道通向西关顶，地表未见瓦砾。另一座位于铜柱关东城垣拐角处（DT1），平面略呈梯形，长6～7.5、宽4、高6.6米，地表未见瓦砾（图版153-1）。

上述墩台与明代城垣连为一体，因此均为明代遗迹。

（二）歇马台

4个。皆在囤东登囤道上，设于山脊前沿，或关隘正前。用方正灰岩石块砌筑，平面呈方形或长方形。三十六步（飞虎关）、飞龙关与朝天关前各有1座（DT3～DT5），1个设在道旁的山脊尽头处（DT2）。除供人马歇息外，应还具有向下御敌的功能。

DT2，在铁柱关与三十六步之间的道旁山脊尽头处，上下与城垣相接。长方形石砌墩台，长6.2～10.8、宽5～10、高3～7米。DT3，在三十六步正前，长方形，长11、宽5.9、高3米（图版153-1）。DT4，在飞龙关前山脊尽头处，近方形，长6.7、宽6.2、高4.8米。DT5，在朝天关正前，近方形，长10.7、宽10.5、高5.8米。

以上暴露于地表的墩台，均为明代遗迹。但其中DT5内包裹有宋代墩台遗迹，长度基本一致，进深略小（图版154）。

（三）哨台

19处（S1～S19）。2019年春，我们在调查中于大城城垣沿线16个地点采集到零星板瓦瓦砾。除绣花楼兼有A型板瓦（宋瓦）和B型板瓦（明瓦）外，其余地点所发现的均为A型板瓦。瓦砾的发现，表明这些地点原应有建筑设在城垣或其附近。另3个地点（S8、S13、S16）未发现瓦砾，但早年调查资料有记录（图1-1）。

早年调查发现，“囤周都有了望台（哨），在城墙较高处修建，共计16个，有零星砖瓦出现”[①]。言明根据砖瓦确认这些地点。据葛镇亚先生2000年绘制的平面图，该16处“了望台（哨）”除转山上的F33标为“了望台”外（该建筑的性质将在第八章讨论），其余15处均标为“敌楼”，分别位于后关南侧山顶、土城墙南北两侧以及大城南北城垣沿线，并未包括绣花楼在内[②]。现在可以判明，土城墙两侧所见瓦砾，应是其南北门址（CM12、CM10）门楼上的遗物，与“敌楼”无涉；转山F33也非“敌楼”。其余13个地点中，10处与我们发现瓦砾的地点重合，而另3处早年确认的地点，我们调查时无瓦砾发现，包括后关南侧山顶S13及S8、

① 海龙囤文物考察组：《海龙囤遗址调查报告》（刘世野执笔，未刊稿），1999年。按：“了望台”应为“瞭望台”。

② 葛镇亚：《海龙囤遗址平面示意图》，中国人民政治协商会议贵州省遵义市委员会宣教文卫委员会编：《海龙囤烟云录》，内部印行，2000年，第378页。

S16。除这些早年记录的地点外，我们又在6个新地点发现了A型板瓦瓦砾（宋瓦），分别为S4、S5、S7、S10、S11与S19，使该类遗迹达到19处（S1～S19）之多，分布于囤周山脊外凸处、地势高敞处或冲沟近旁。大城所有外凸的山脊上，几乎均有该类遗迹发现，宛若天然的马面。这些瓦砾分布点，居高敞处者一则便于向远眺望，一则便于左右呼应；居冲沟旁者则便于向下查看敌情，它们应为哨台一类遗迹。

其中的绣花楼（S7），民间传说是杨家小姐绣花、谈情之地，故名。位于大城南侧一道向南逸出的山脊尽头，地势高敞，视野开阔，山顶平整，面积约27平方米。三面临渊，下为腰带岩沟，海拔1322米，距谷底的相对高差300余米。大城南墙上专为其开一门（CM13），并有路延至绣花楼。调查中，在绣花楼平台上采集到少量A、B型板瓦瓦砾及砖屑，知其创于南宋，明代沿用。大城山脊上的其他发现表明，绣花楼与之为同类遗迹，是一处哨台，而非绣花之地（图版153-2）。

（四）年代

结合墩台的用材及采集瓦砾，可推知其年代。

现存于地表的DT1～DT8，均为明万历时期遗迹，因其均与明代城垣连为一体，且部分可见B型板瓦瓦砾。其中朝天关前墩台（DT5），明代遗迹内包裹有宋代遗迹，可确定该墩台南宋即有，明时略作拓展。现存的铜柱关东侧墩台（DT1）为明代遗迹，但其左右两侧的明代城垣内皆有长段宋城发现，因此可能南宋时亦设有墩台。由于万安关以西目前未见宋代遗迹，表明宋城西限约止于万安关一线，所以西关南侧墩台（DT8）内应无宋代遗迹，其余墩台内则不排除未来有宋代遗迹发现的可能性。

大城南北城垣附近的18处哨台（S1～S12、S14～S19）均应为南宋遗迹，其中绣花楼上（S7）另有明代瓦砾与砖屑发现，表明宋、明时期皆有楼。其余地点，则在明时即已废弃不用。S8、S16两个地点，我们调查时虽无瓦砾发现，但均处在大城向外凸出的山脊上，与发现A型瓦砾的多数地点所处地形一致，故亦当为南宋哨台遗迹。而后关南侧山顶上的哨台（S13），因无遗物发现而时代不明，若确有哨台，则为明代遗迹的可能性较大，因为万安关以西目前尚未发现南宋遗存。

第二节　关　隘

共13座。宋代4座，明代9座。实即城门，但明代9座文献记载及尚存匾额皆称之为“关”，不称“门”，以彰显其军事性，下文循其旧称。宋门则均为新发现，文献无征，且有的（如绣花楼门址）仅为通道，防御性并不明显，因此称之为“门”。均依门址形状布探沟予以揭示。

一、宋代四门

宋代四门（CM10～CM13），包括土城墙中央及南北两端各1座，大城南墙绣花楼入口处1座。均用砂岩修筑，结构大致相同，较狭长，平面大致呈凸字形，外窄内宽（为便于描述，将入口较窄一段称外门道，门内较宽一段称内门道），内端呈八字形或曲尺形。内、外门道交接处设门槛，两侧有门臼。均已坍塌，顶部结构不详，部分塌落的石板遗留在门道内。各门址均有一定数量的A型板瓦发现，主要分布于门道前后两端，中央则较少。门道左右两侧有隆起的土堆，高出与之相连的城垣。可知各门原均应建有门楼，石砌门道为叠涩顶的可能性较大，其上有木构建筑，上覆青瓦。除此之外，有A型筒瓦、A型礌石等宋代遗物，以及青花瓷、白瓷、彩瓷、铅弹和铁镞等明代遗物出土（表2-2）。

表2-2 宋代门址一览表 （单位：米）

门址	所在探沟	方向	外门道		内门道		土堆高	门臼		出土遗物/件
			长	宽	长	宽		直径	深	
土城墙北门址（CM10）	TG31	310°	2.85	1.18	3.47	2.2	0～3.3			仅见零星A型板瓦瓦砾
土城墙中门址（CM11）	TG32	235°	1.7	1.68～1.7	4.84	2.14～2.4	5.72	0.13～0.16	0.28～0.36	较完整A型板瓦120（另有瓦砾12片）、Ba型板瓦1、青花瓷39（含复原盘2件）、红绿彩瓷1、白瓷2、铅弹1（C型）、木构件残件1
土城墙南门址（CM12）	TG33	320°	1.24	1.04～1.06	9.92	1.36～1.4	2.2～2.55			较完整A型板瓦6（另有瓦砾若干）、礌石15、铁镦1、铁錾2、铁镞1、包边铁皮饰1、铁脚码1、铁钉及其残件3、铅弹2（A型）、青花瓷5（含复原盘1件）、釉上绿彩方碟1、白瓷盘1
绣花楼门址（CM13）	TG39	155°	2.22	1.62～1.65	4.25	2.78～2.86	2.14～2.2	0.2～0.22	0.1	较完整A型板瓦7（另有瓦砾164片）、Ba型板瓦（明代）1、A型筒瓦1、铁镦1、青花瓷5、白瓷盘1（可复原）

注：表中的板瓦数量指较完整者，残碎的瓦砾数量不在其中

（一）绣花楼门址（CM13）

位于大城南城垣中段的绣花楼入口处，故名。清理前该门址仍作为绣花楼的通道使用，门道内散落有一定数量的石板，两侧石墙隐现。布探沟（TG39）予以清理（图版153-2）。

1. 遗迹

平面略呈凸字形。方向155°。门道通长6.47、宽1.62～2.86米，其中外门道长2.22、宽1.62～1.65米，内门道长4.25、宽2.78～2.86米，两侧土堆残高2.14～2.2米。内、外门道交接处有整石制作的方形门臼石，方形孔，边长0.2～0.22、深0.1米。门道内原铺有石板，仅少量残存。门道西壁以砂岩石板平砌而成，东壁则平砌和立砌混用（图2-4；图版155）。

2. 遗物

门道内堆积可分2层。第1层为表土层，除石板外，还出土了少量瓷器碎片、铁器及部分瓦砾，内有Ba型板瓦1件。遗物较集中分布于北端入口处。第2层为瓦砾层，出土了较多A型板瓦及其碎块，另有A型筒瓦1件，较集中出土于西侧土堆的北沿。出土遗物按用途可分为建筑材料、生活用器和兵器三类（表2-3）。

表2-3　绣花楼门址（CM13）出土遗物统计表

序号	出土单位/编号	名称	类型	保存状况	残片数量	可计件数	时代	备注
1	TG39①：1	铁镦		残	1	1	明晚	
2	TG39①：2	青花寿字盘（底）		残片	1	1	明晚	
3	TG39①：3	白瓷瓜棱腹折腰花口盘		可修复	3	1	明晚	花口盘
4	TG39①：4	青花如意云纹罐		残片	2	1	明晚	
5	TG39①：5	青花寿字盘（底）		残片	1	1	明晚	
6	TG39①：6	青花缠枝花卉纹碗		残片	2	1	明晚	
7	TG39①：7	青花杯	B型	残片	1	1	明晚	侈口杯
8	TG39①：8	板瓦	Ba型	较完整	1	1	明晚	
9	TG39②：1	筒瓦	A型	残	1	1	南宋	
10	TG39②：2	板瓦	A型	较完整		1	南宋	
11	TG39②：3	板瓦	A型	较完整		1	南宋	
12	TG39②：4	板瓦	A型	较完整		1	南宋	
13	TG39②：5	板瓦	A型	较完整		1	南宋	
14	TG39②：6	板瓦	A型	较完整		1	南宋	
15	TG39②：7	板瓦	A型	较完整		1	南宋	
16	TG39②：8	板瓦	A型	较完整		1	南宋	
17	TG39②	板瓦	A型	残	164		南宋	瓦砾残块

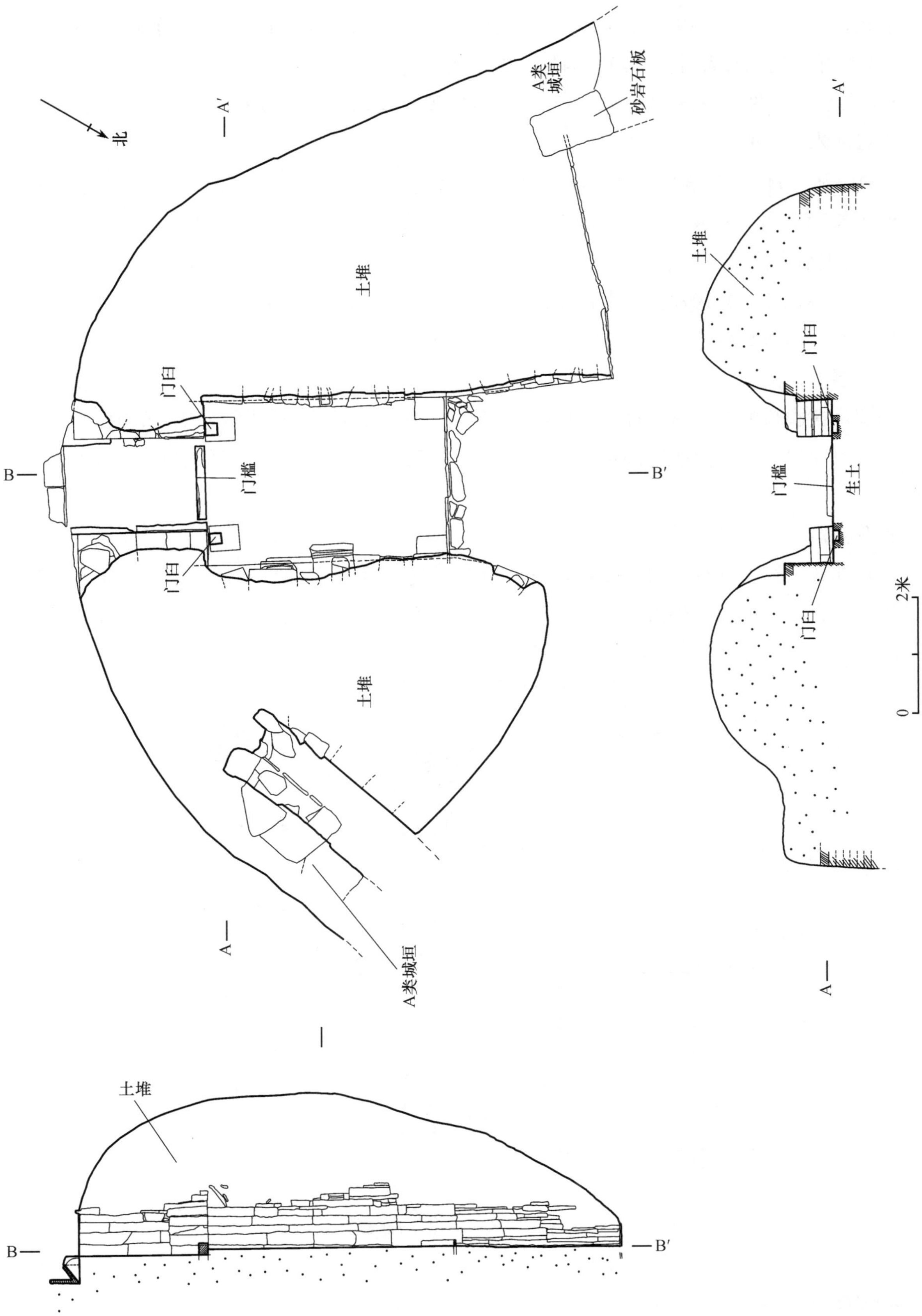

图2-4　绣花楼门址（CM13）平、剖面图

（1）建筑材料

有板瓦与筒瓦两类，以前者为主，后者仅1件。第1、2层均有出土，主要见于第2层内。

A型板瓦　较完整者7件，碎片164片。为宋瓦。

Ba型板瓦　1件。TG39①：8，灰白色。较完整，仅缺一角，弧形。长27、宽16～18、厚0.9～1.12厘米。为明瓦。

A型筒瓦　1件。TG39②：1，灰白色，质地松软。残，仅存熊头部分。熊头短小。残长12、熊头长2.5、残宽11.4～11.8、厚1.1～1.2厘米（图2-5-6；图版10-2）。为宋瓦。

（2）生活用器

均为瓷器残片，共10片，其中青花瓷7片、白瓷3片。可辨器形有盘、杯、碗、罐，仅个别可大致复原。均为明嘉靖、万历时期遗物（图版158-1）。

白瓷器　1件。

白瓷瓜棱腹折腰花口盘　1件。TG39①：3，3片拼合，可大致复原。与ⅣT0101①：4属同一类器。菱花口，窄沿外折，圈足（残）。白釉，略泛灰。口径16、足径9、残高2.9厘米（图2-5-1）。

青花瓷器　残片7片。

青花如意云纹罐　1件。TG39①：4，肩及口沿残片2片，纹饰、形制一致，知属同一器，不可拼合。直口，广肩。外沿饰三周青花弦纹，肩部饰一周如意云头纹。残高2.2、口径约7厘

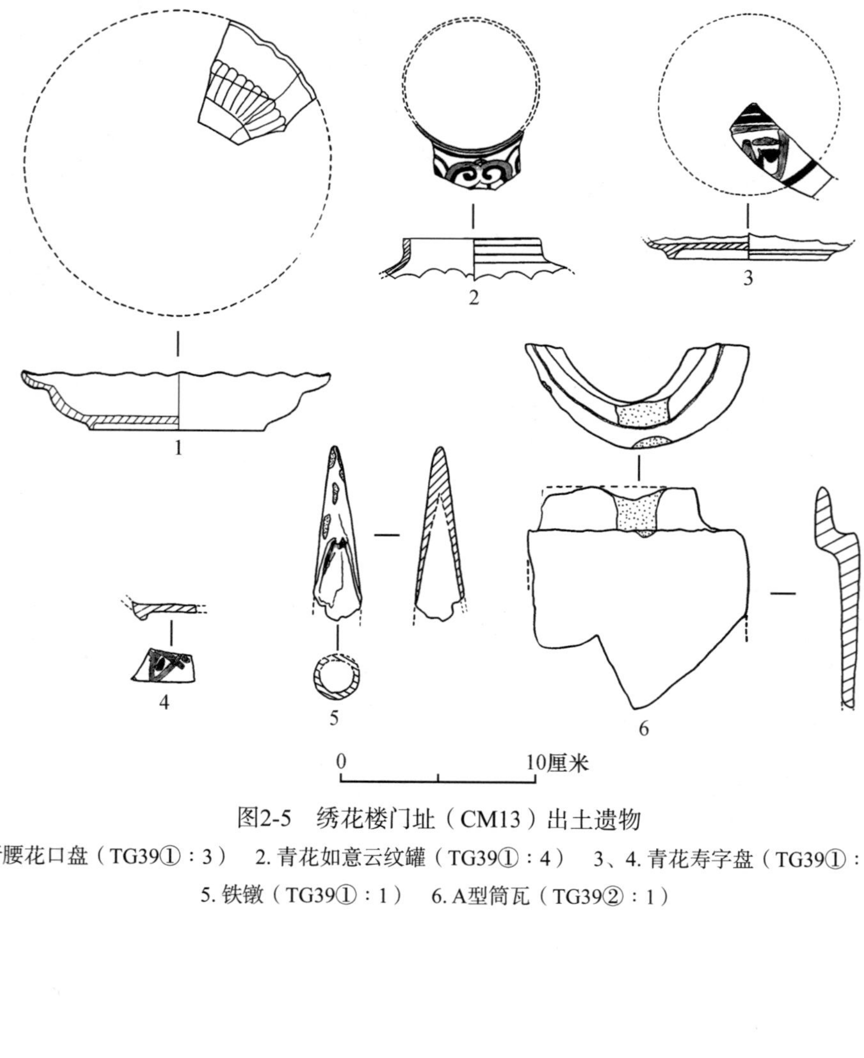

图2-5　绣花楼门址（CM13）出土遗物

1. 白瓷瓜棱腹折腰花口盘（TG39①：3）　2. 青花如意云纹罐（TG39①：4）　3、4. 青花寿字盘（TG39①：2、TG39①：5）　5. 铁镦（TG39①：1）　6. A型筒瓦（TG39②：1）

米（图2-5-2）。

青花寿字盘　2件。TG39①：2、TG39①：5，均只存盘底残片各1片，不可复原。内底弦纹内均以青料书一“寿”字。前者残高1.4、足径约8.2厘米，后者残高1厘米（图2-5-3、4）。

青花缠枝花卉纹碗　1件。TG39①：6，口沿及下底残片各1片，不能拼合，亦不能完全肯定属同一器。沿外侈，圈足。足沿及下底涩胎。内底及外腹下部青花纹饰不明，口沿残片外壁绘缠枝花卉纹。

青花杯　1件。TG39①：7，仅存底腹部残片1片，不可复原。上腹较直，下腹微鼓，内底较平，圈足。内底及足外沿各绘单圈弦纹。器形与TG47③：3（B型）相似。

（3）兵器

铁镦　1件。TG39①：1，残。圆锥形。残长9、銎径约3厘米（图2-5-5；图版144-12）。

（二）土城墙中门址（CM11）

位于土城墙中央，与万安关相对。发掘前门址已被填平，有自万安关而来的通道越墙而过，地表观察不到门址的任何迹象。探寻囤内道路交通网时发现，布探沟（TG32）进行清理（图版152）。

1. 遗迹

平面略呈凸字形，内侧八字形展开。方向235°。门道通长6.54、宽1.68～2.4米，其中外门道长1.7、宽1.68～1.7米，内门道长4.84、宽2.14～2.4米。两侧土堆距地面最高5.72米。内、外门道交接处泥岩上凿有圆形门臼，直径0.13～0.16、深0.28～0.36米。门道内遗落较多砂岩石板，原应为叠涩顶（图2-6；图版156）。

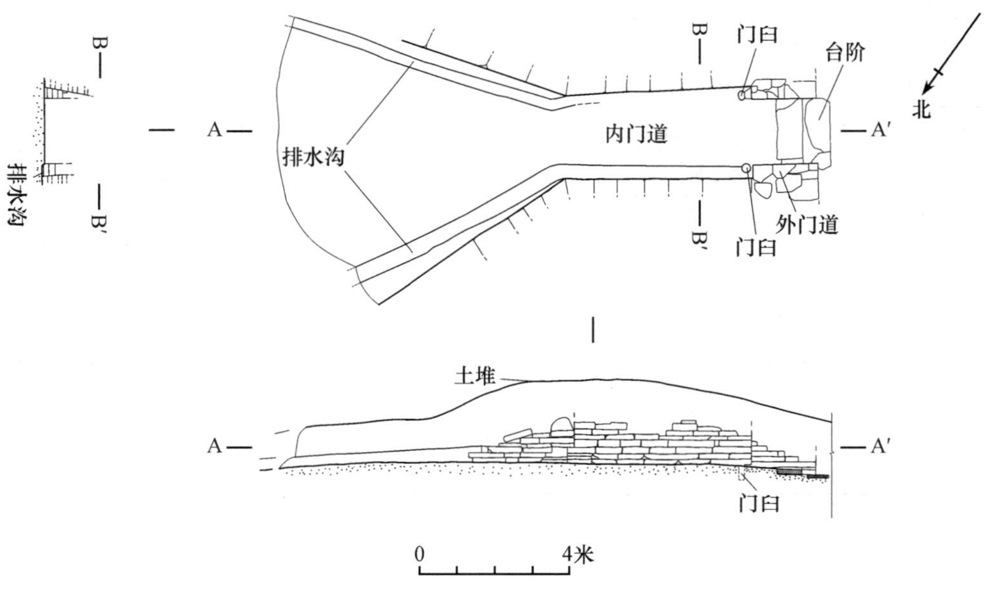

图2-6　土城墙中门址（CM11）平、剖面图

2. 遗物

门道内堆积呈坡状，中间厚，两头薄，可分2层。第1层为灰褐色表土层，较疏松，包含较多砂岩石块、碎瓦砾（以A型板瓦为主，含较完整Ba型板瓦1件）及瓷器碎片，并出铅弹1枚。第2层，黄褐色泥土，夹杂较多砂岩石块与较完整A型板瓦，主要分布于东侧入口处。出土遗物可分为建筑材料、生活用器和兵器三类（表2-4；图版159）。

表2-4　土城墙中门址（CM11）出土遗物统计表

序号	出土单位/编号	名称	类型	保存状况	残片数量	可计件数	年代	备注
1	TG32①：1	板瓦	Ba型	较完整	1	1	明晚	
2	TG32①：2	青花蟹纹盘	C型	已修复	8	1	明晚	撇口，外底有款，不识
3	TG32①：3	铅弹	C型	较完整	1	1	明晚	大型铅弹
4	TG32①：4	青花缠枝花卉纹盘	C型	可修复	1	1	明晚	撇口，外腹饰缠枝花卉纹
5	TG32①：5	青花寿字碗（底）		残片	1	1	明晚	
6	TG32①	青花花卉纹碗		残片	40	15	明晚	
7	TG32①	青花伞纹碗（口沿）		残片	2	2	明晚	
8	TG32①	青花花卉纹盘（底）		残片	1	1	明晚	
9	TG32①	青花螭龙纹碗（口沿）		残片	2	1	明晚	
10	TG32①	青花花卉纹碗（底）		残片	3	2	明晚	
11	TG32①	青花山水纹碗（口沿）		残片	2	2	明晚	
12	TG32①	青花菊花纹碗		残片	1	1	明晚	
13	TG32①	青花寿字碗（底）		残片	4	4	明晚	
14	TG32①	青花缠枝花卉纹（口沿）		残片	3	1	明晚	
15	TG32①	青花葡萄纹碗（口、腹）		残片	6	2	明晚	内腹饰葡萄纹
16	TG32①	青花杯（底）		残片	1	1	明晚	
17	TG32①	青花高官厚禄纹杯（底）		残片	1	1	明晚	
18	TG32①	青花花卉纹盘（口沿）		残片	5	2	明晚	
19	TG32①	青花螭龙纹盘（底）		残片	1	1	明晚	
20	TG32①	红绿彩瓷碗（口、底）		残片	2	1	明晚	绘于外腹，红绿彩绘花卉纹
21	TG32①	白釉盘（口、底）		残片	3	2	明中晚	
22	TG32②	木构件		残	1	1	南宋	底部出土
23	TG32②：1～TG32②：120	板瓦	A型	多数较完整，少量残	120	120	南宋	翘头小板瓦

（1）建筑材料

有较多板瓦及其瓦砾，包括较完整A型板瓦120件，Ba型板瓦1件。第1、2层均有出土，主要见于第2层内。

另有木构件残块一段，应系门楼上残构件。

（2）生活用器

均系瓷器碎片，共87片。有白瓷、红绿彩和青花三类，可辨器形有碗、盘、杯等，仅个别可复原。均为明嘉靖、万历时期遗物。

白瓷　3片。为2件盘之口沿与底部残片，不可连缀。

红绿彩瓷　2片。当为同一件碗的口沿与底部残片，无法连缀。白釉，撇口，圈足。外腹近口沿处釉上以红彩与绿彩绘花卉纹。

青花瓷　82片。纹饰有花卉、葡萄、寿字、螭龙、蟹纹、高官厚禄等，器类有碗、盘、杯。修复完整者仅1件。

青花蟹纹盘　1件。TG32①：2，修复完整。撇口，浅弧腹，矮圈足。内壁近口沿处绘重十字菱形锦地纹，内底双圈内绘海水蟹纹，外围作一周变形莲瓣纹，呈齿状；外壁绘缠枝灵芝纹；足底心绘方款，残不识。高2、口径12、足径6.6厘米（图2-7-7；图版89-1、2）。

（3）兵器

铅弹　1枚。TG32①：3，直径2.9～3.1厘米，重163.48克。属C型（大型）铅弹（参见表1-16）。

（三）土城墙南门址（CM12）

位于土城墙南端，土城墙与大城南墙交接处。发掘前门道已被石块和泥土填平，周边可采集A型板瓦瓦砾。布探沟（TG33）进行清理（图版152）。

1. 遗迹

前端平面略呈凸字形，内门道后端折而向南，整体为曲尺形。方向320°。门道通长11.16、宽1.04～1.4米，其中外门道长1.24、宽1.04～1.06米，内门道长9.92、宽1.36～1.4米。两侧土堆高2.2～2.55米。结合门道结构及其内遗落石板分析，原应为叠涩顶（图2-8；图版157）。门道的前后两端都有石砌踏步以供上下。

2. 遗物

门道内堆积可分2层。第1层为灰褐色表土层，包含较多砂岩石块、瓦砾，以及少量瓷器碎片、铁器残件及铅弹等。第2层为瓦、石混合的堆积层，包含较多从门道两侧及顶部坍塌的砂岩石块、A型板瓦瓦砾及部分完整者，并出土砂岩加工的A型礌石15件，从堆积情况看，当系从门道顶部的门楼垮塌入门道的。亦可分为建筑材料、生活用器和工具以及兵器三类（表2-5；图版158-2）。

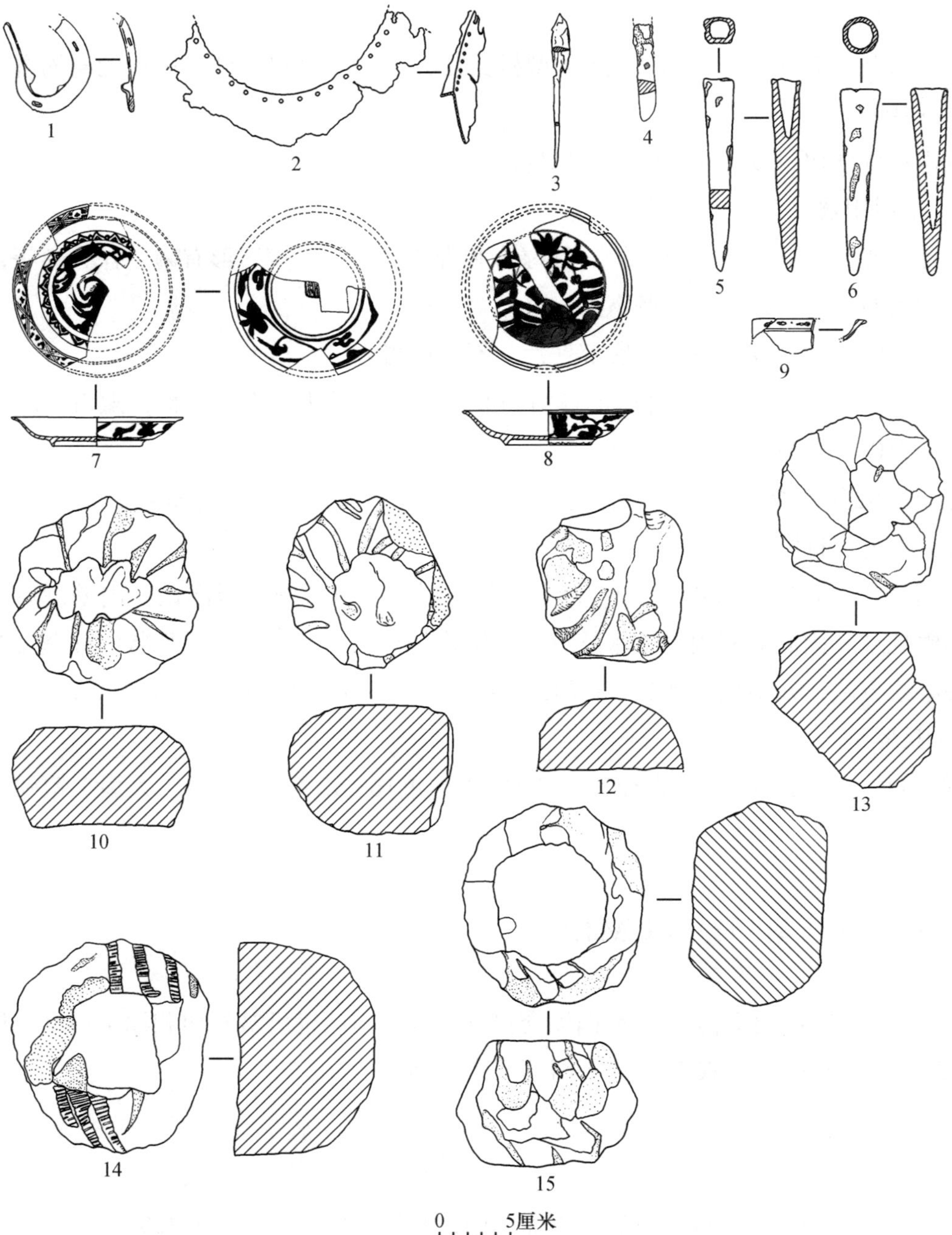

图2-7　土城墙中、南门址（CM11、CM12）出土遗物

1. 铁脚码（TG33①：10）　2. 包边铁皮饰件（TG33①：9）　3. Hc型铁镞（TG33①：1）　4、5. 铁錾（TG33①：8、TG33①：12）　6. 铁镦（TG33①：3）　7. 青花蟹纹盘（TG32①：2）　8. 青花树石栏杆纹盘（TG33①：2）　9. 绿彩方碟（TG33①：11）　10～15. A型礌石（TG33②：3、TG33②：6、TG33②：2、TG33②：12、TG33②：9、TG33②：13）

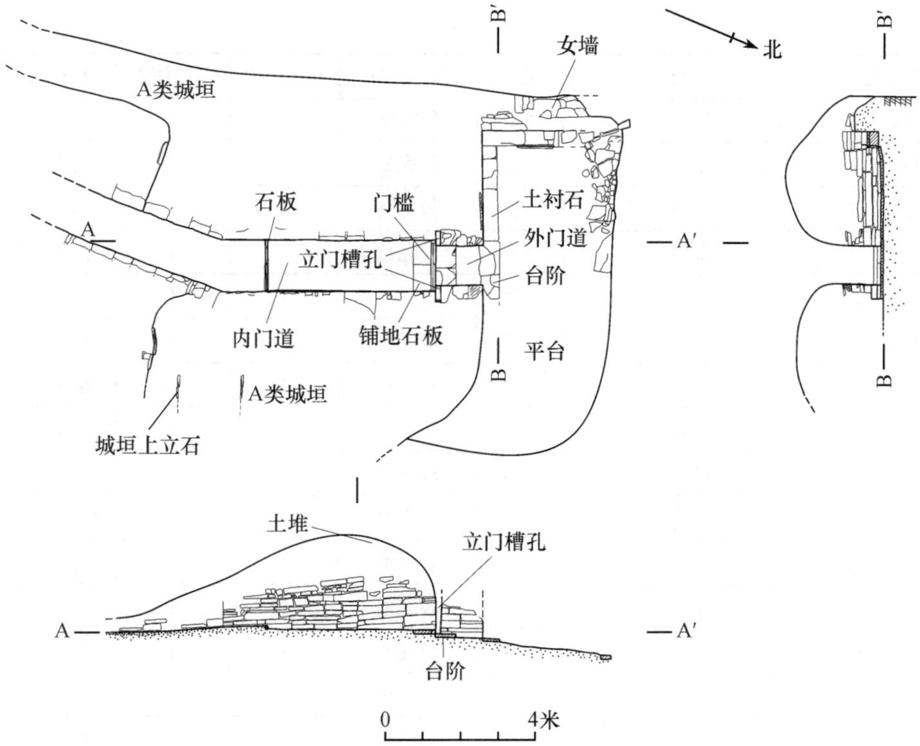

图2-8　土城墙南门址（CM12）平、剖面图

表2-5　土城墙南门址（CM12）出土遗物统计表

序号	出土单位/编号	名称	类型	保存状况	残片数量	可计件数	年代	备注
1	TG33①：1	铁镞	Hc型	残	1	1	明晚	三角形矢头
2	TG33①：2	青花树石栏杆纹盘	C型	可修复	13	1	明晚	撇口盘
3	TG33①：3	铁镦		较完整	1	1	明晚	断面圆形
4	TG33①：4	铁钉		残	3	3	明晚	
5	TG33①：5	铅弹	A型	完整	1	1	明晚	小型铅弹
6	TG33①：6	铅弹	A型	完整	1	1	明晚	小型铅弹
7	TG33①：7	青花螭龙纹盘（底）		残	1	1	明晚	
8	TG33①：8	铁錾		残	1	1	南宋	实心
9	TG33①：9	包边铁皮饰件		残片	2	1	明晚	
10	TG33①：10	铁脚码		残	1	1	明晚	四足
11	TG33①：11	釉上绿彩方碟		残片	2	1	明晚	
12	TG33①：12	铁錾		较完整	1	1	明晚	断面四棱形
13	TG33①	青花花卉纹碗		残片	4	3	明晚	
14	TG33①	白瓷瓜棱腹折腰花口盘		残	1	1	明晚	

续表

序号	出土单位/编号	名称	类型	保存状况	残片数量	可计件数	年代	备注
15	TG33②：1	礌石	A型	较完整	1	1	南宋	砂岩加工，扁圆形
16	TG33②：2	礌石	A型	较完整	1	1	南宋	
17	TG33②：3	礌石	A型	较完整	1	1	南宋	
18	TG33②：4	礌石	A型	较完整	1	1	南宋	
19	TG33②：5	礌石	A型	较完整	1	1	南宋	
20	TG33②：6	礌石	A型	较完整	1	1	南宋	
21	TG33②：7	礌石	A型	较完整	1	1	南宋	
22	TG33②：8	礌石	A型	较完整	1	1	南宋	
23	TG33②：9	礌石	A型	较完整	1	1	南宋	
24	TG33②：10	礌石	A型	较完整	1	1	南宋	
25	TG33②：11	礌石	A型	较完整	1	1	南宋	
26	TG33②：12	礌石	A型	较完整	1	1	南宋	
27	TG33②：13	礌石	A型	较完整	1	1	南宋	
28	TG33②：14	礌石	A型	较完整	1	1	南宋	
29	TG33②：15	礌石	A型	较完整	1	1	南宋	
30	TG33②：16	板瓦	A型	较完整	1	1	南宋	翘头小板瓦
31	TG33②：17	板瓦	A型	较完整	1	1	南宋	
32	TG33②：18	板瓦	A型	较完整	1	1	南宋	
33	TG33②：19	板瓦	A型	较完整	1	1	南宋	
34	TG33②：20	板瓦	A型	较完整	1	1	南宋	
35	TG33②：21	板瓦	A型	较完整	1	1	南宋	

（1）建筑材料

仅出土有铁钉及板瓦。铁钉3枚，均呈四棱锥形，局部锈蚀。A型板瓦，较完整者6件，均出在第2层。A型板瓦碎片若干，第1、2层均有出土。均应为门楼上遗物。

（2）生活用器与工具

按质地有瓷器、铁器两类，均出于第1层内。

瓷器　共出土瓷片21片，其中青花瓷18片、彩瓷2片、白瓷1片。青花可辨纹饰有树石栏杆、花卉、螭龙等，器形有盘与碗。修复完整者1件。均系明嘉靖、万历时期瓷器。

青花树石栏杆纹盘　1件。TG33①：2，修复完整。撇口盘（C型）。口微外撇，浅弧腹，矮圈足。足沿涩胎。内底双圈弦纹内绘树石栏杆纹，外壁绘缠枝花卉纹。高2.5、口径12.7、足径6.2厘米（图2-7-8；图版88-5、6）。

绿彩方碟　1件。TG33①：11，残，仅存部分口沿及腹部。方口，宽沿外折，弧腹。施白釉，口沿处釉上施绿彩。残高2.5、口残长3.4厘米（图2-7-9）。

铁器　4件。有脚码、錾、包边铁皮饰件等。

铁脚码　1件。TG33①：10，残，略变形。椭圆形。类似器物也见于铁柱关（1件）、飞凤关（2件）、西关（1件）、土城墙南门址（1件）与新王宫（3件），系用扁平铁条环作椭圆形，下置四短足，椭圆形两端各有一穿，用以系绳捆于足底，以防滑，民间称“脚码”或“脚码子”。直径5.5～7、高1.3厘米（图2-7-1）。

铁錾　2件。TG33①：8，仅存刃部残段，实心，断面呈梯形。残长7、宽1～1.4、刃宽1厘米（图2-7-4）。TG33①：12，方锥形，中空，带方銎，尖刃。通长14、銎径2厘米（图2-7-5）。

包边铁皮饰件　1件。TG33①：9，残。较薄，状如罐之口肩部位，直口，广肩。肩部近口沿处一周小圆孔，推测系竹木器口沿部分的包边饰件。口径约15、铁皮厚0.26厘米（图2-7-2）。

（3）兵器

有礌石15件，铁镞、铁镦各1件，铅弹2枚。

礌石　15件。编号为TG33②：1～TG33②：15，均为A型礌石，即用砂岩加工而成的扁圆形礌石（图2-7-10～15；参见表1-15）。錾痕清晰，宽约1厘米。其宽度与南门址第1层出土的铁錾（TG33①：8）一致。

铁镞　1件。TG33①：1，残，属Hc型，即带三角形细长矢头，长铤，无关。残通长10.8、铤长6.4、翼长4.4、残宽1.3厘米（图2-7-3）。

铁镦　1件。TG33①：3，较完整。形制与前述铁錾（TG33①：12）相似，但呈圆锥形，器壁略显单薄，銎内残余木屑一段。通长12.9、銎径2.8厘米（图2-7-6）。

铅弹　2枚。TG33①：5、TG33①：6，均为A型（小型）铅弹，直径约1厘米，分别重8.07、3.61克（参见表1-16）。

（四）土城墙北门址（CM10）

位于土城墙北端，北与土城墙延长线及大城北墙相接。布探沟（TG31）进行清理。门址北部已被夷平，清理中除少量A型板瓦瓦砾外，未发现其他遗物，知亦有门楼。

门道平面呈凸字形，外门道狭长。方向310°。门道通长6.32、宽1.18～2.2米，其中外门道长2.85、宽1.18米，内门道长3.47、宽2.2米。北侧土堆已被夷平，南侧土堆高3.3米。内门道以里有石砌台阶。外门道西侧有石砌城垣与土城墙连为一体，但窄且低矮，应系一道女墙（图2-9）。

（五）小结

宋代四门从用材到结构均与明代九关有别。门道狭长，俱用扁平砂岩板材砌筑而成。从门道内遗落较多石材与板瓦，且不见柱础或柱洞等遗迹推知，门道应为叠涩顶，其上建木结构门

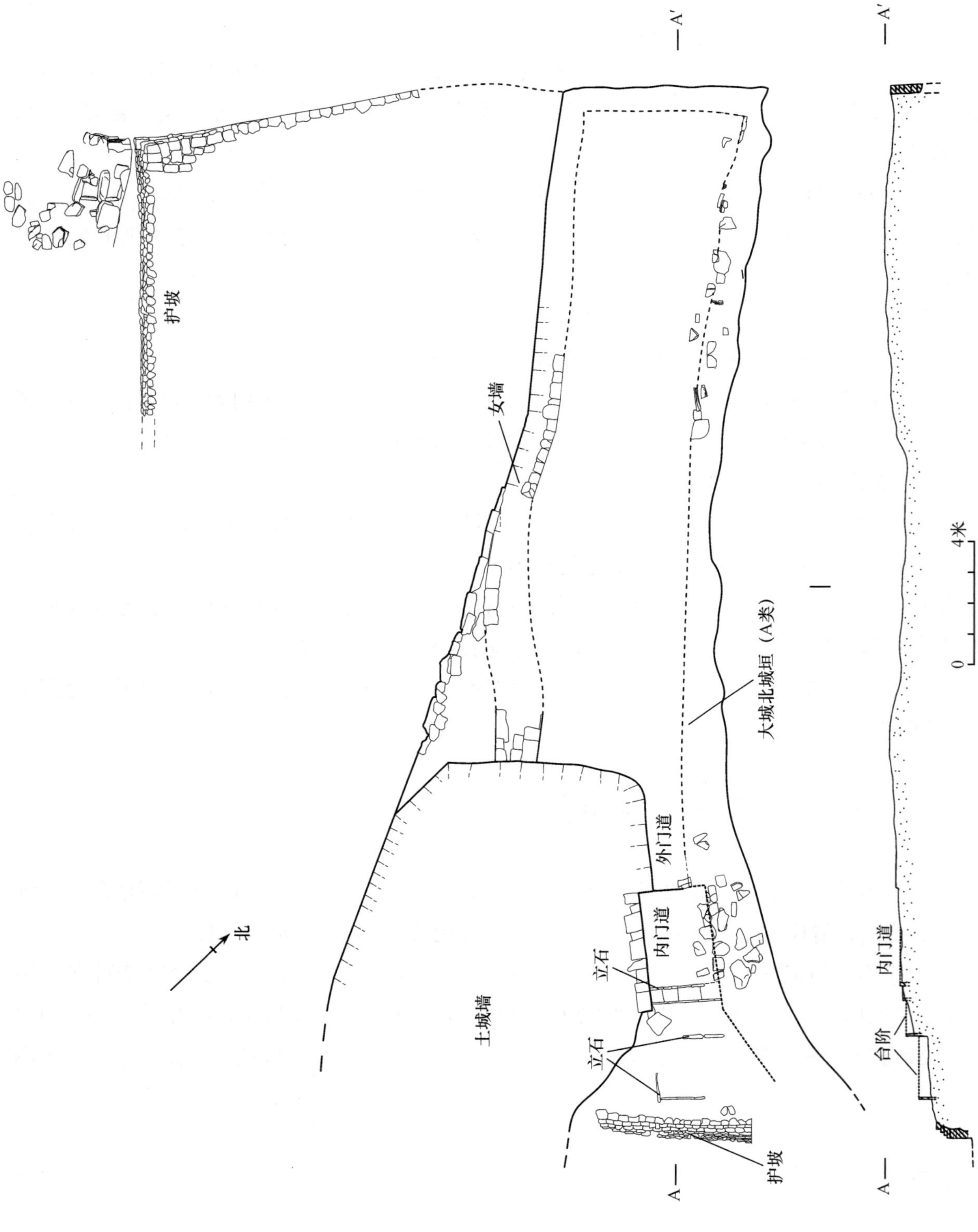

图2-9　土城墙北门址（CM10）平、剖面图

楼，顶苫翘头板瓦（A型）。出土板瓦的堆积状态亦可资佐证，它们较集中出土于门道的内外两侧，门道中央则与坍塌石材混出，知门楼坍塌后部分瓦砾先坠于门道两侧，落于门道顶部的则在门顶坍塌后与石材一起坠入门道内。

门址与A类城垣连为一体，其内出土的A型板瓦具有鲜明的时代性（个别门址如CM13也出土了A型筒瓦）。除瓦件外，与之同一时期的遗物还有A型礌石（15件），应是储于门楼之上尚未使用的守城兵器。此外土城墙南门址（CM12）出土的1件铁錾残件（TG33①：8），刃宽与门址及宋代城垣上遗留的錾痕宽度一致，均在1厘米左右，亦可能为宋代遗物。其余则均为明万历时期遗物，出土于各门址的表层堆积中，有青花、白瓷、彩瓷等瓷器碎片，镞、镦、钉、脚码和包边铁皮等铁器残件，以及铅弹（A、C型）等兵器，属生活用器、工具与兵器类遗物。仅绣花楼门址（CM13）与土城墙中门址（CM11）各发现了1件Ba型板瓦。堆积情况表明，宋代四门在明时便已废弃，万历时并未重修。四门共发现铁镞1件、铁镦2件、铅弹3件，均为明代遗物，表明明军攻囤时这些地点并未发生激烈战事，与《平播全书》中明军攻破万安关后即长驱直入的记载吻合。此亦可反证土城墙在万历时期并未发挥防御性功能，应已废弃不用。明代遗物在上述门道内的发现当与明时仍循旧路出入有关。

二、明代九关

明代九关（CM1～CM9），包括囤前（东）铁柱、铜柱、飞虎（含三十六步）、飞龙、朝天和飞凤六关，以及囤后（西）万安关、西关和后关三关，是上下海龙囤的必经之道。多数关隘正前，有山峰与之遥遥相对，应是基于风水的考量。关隘与明代城垣连为一体，均用方正硕大的灰岩石块砌筑而成，门洞券拱，高大厚实，上建城楼，但均已无存，仅存石砌基座及其下门洞（下文统称关座）。部分关隘上的纪年匾额及砖、瓦、石等建筑材料均清晰指示其为明代遗存。各关的形制有所不同，出土遗物除建筑材料外，另有兵器和生活用器等。飞龙、朝天与万安三关还发现了少量A型板瓦瓦砾，表明南宋时亦在此设有关隘。共布探沟23条（TG10～TG17、TG19～TG22、TG36～TG38、TG40、TG41、TG44～TG46、TG48、TG49、TG55），予以试掘清理（表2-6；附表1）。

表2-6　明代关隘一览表　（单位：米）

关隘	关座			外门道			内门道			门道通长	方向	备注
	面阔	进深	高	长	宽	高	长	宽	高			
铜柱关（CM1）	10	5.7	残5.1～6.8	1.4	2.05	2.75	4.3	2.8	4.55	5.7	160°	
铁柱关（CM2）	约11	6.7	残5.1～8.4	1.28	1.65	2.55	5.22	2.77	4.05	6.5	10°	吊桥关
飞虎关（CM3）	10.5	6.45～7.25	2.55～7.4	1.35	2.62	3.9	5.15	3.2	5.35	6.5	45°	

续表

关隘	关座			外门道			内门道			门道通长	方向	备注
	面阔	进深	高	长	宽	高	长	宽	高			
飞龙关（CM4）	14.5	10.2	6.1～7.6	1.35	2.85	3.5	8.75	3.1	残4	10.1	8°	平面略呈凵字形，西耳室残，东门道长7.15、宽2.85米
朝天关（CM5）	10.3	6.8	7.15～8.1	1.35	2.58	3.9	5.45	3.25	5.9	6.8	75°	
飞凤关（CM6）	13.3～17.7	11.8	7～7.25	1.35	2.65	3.8	8.25	3.3	6.15	9.6	340°	关前两进院落
万安关（CM7）	9.65	6～6.2	5.85～8.6	1.35	2.18	3.15	4.65	3.15	4.95	6	241°	吊桥关
西关（CM8）	25	8.05～8.4	6.2～9.3	西：1.4 东：1.33	2.1	3.1	5.62	3.2	5.2	8.35	300°	吊桥关，平面呈十字形，前后有门，左右有耳室
后关（CM9）	12	2.35	4.45	1.5	2.18	2.85	5.5	3.5	4	7	300°	内门道为木结构

（一）铜柱关（CM1）

位于囤东偏南处，是现存关隘中循白沙水由东南登囤的第一关，与铁柱关处在同一圈层上。关座与两侧城垣浑然一体，唯关顶向上凸起，高于城垣。两侧城垣东北与铁柱关接，西南随山势蜿蜒，接于悬崖最陡处。关隘、城垣与山险，将囤东围合成一个闭合的空间，因处于飞龙关前，可视为飞龙关瓮城。关隘有部分残损，一直作为出入海龙囤的通道存在。布探沟2条对门道外侧（TG45）及关顶（TG48）进行了清理。

1. 遗迹

门道平面呈凸字形。方向160°。券拱顶，内门道较外门道高且宽。门槛整石凿就，内侧两端设门臼，两侧墙上设方形门闩二组4个。其上有门楣孔一组2个，石质或木质的门楣已不存。门道地面铺石板。关顶平整，上建门楼，仅存石柱础1方（原应有4方）。

因正面坍塌较甚，无法确认原本是否有匾，所遗空间够置一匾。

关座面阔10、进深5.7、残高5.1～6.8米。门道通长5.7、宽2.05～2.8、高2.75～4.55米，其中外门道长1.4、宽2.05、高2.75米，内门道长4.3、宽2.8、高4.55米（图2-10；图版160）。

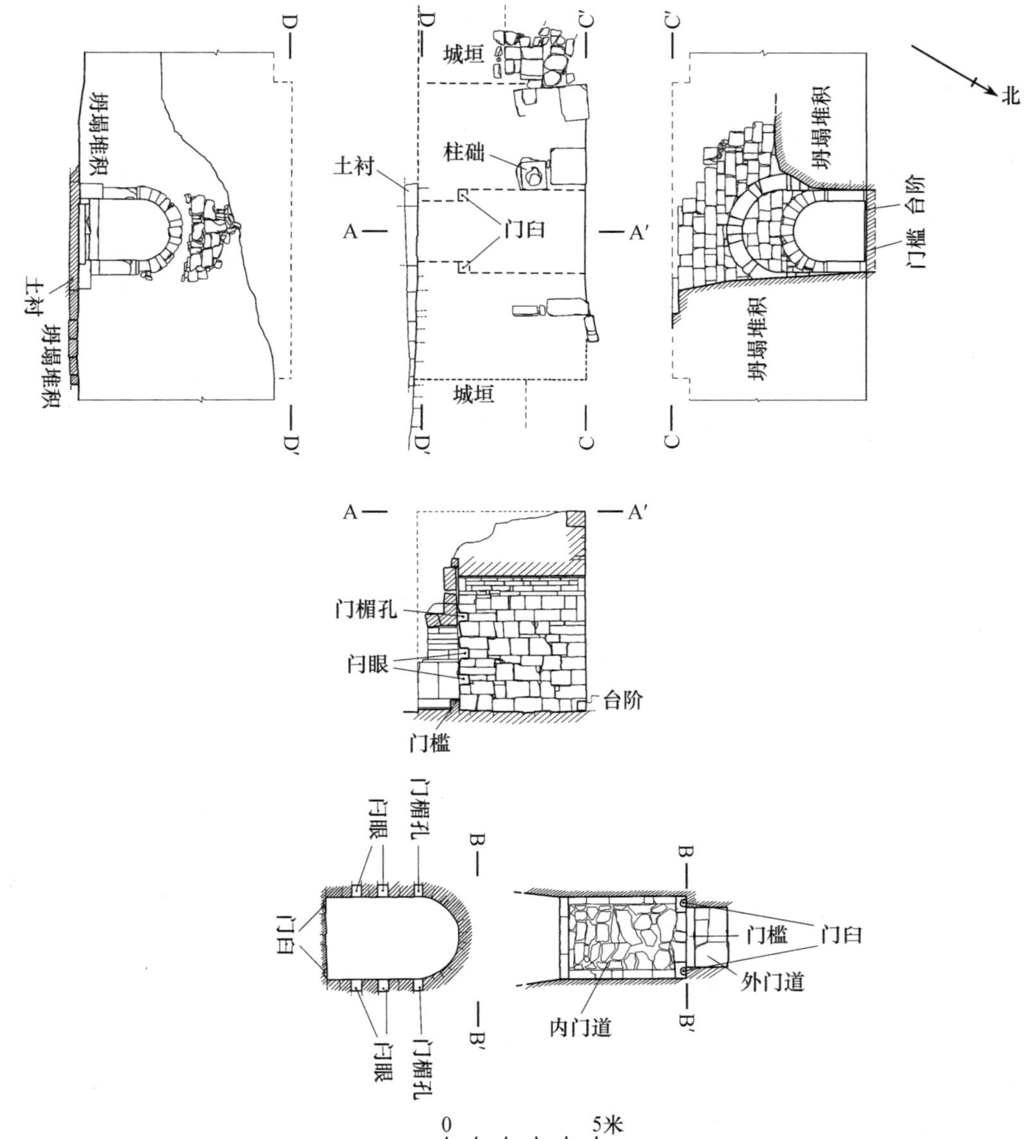

图2-10　铜柱关（CM1）平、剖面图

2. 遗物

门道外侧与关顶的堆积均仅一层，出土遗物早晚混杂，以明代的居多，也有部分清代甚至更晚的遗物。按功用，有建筑材料、生活用器、兵器等类，另有兽骨等遗物出土（表2-7；图版161）。

（1）建筑材料

有脊兽、脊砖、瓦当、砖与铁钉等，另有B型瓦砾若干。

脊兽　5块3件。均为残块，大小不一。有正吻和垂戗兽两类。

表2-7 铜柱关（TG45、TG48）出土遗物统计表

序号	出土单位/编号	名称	类型	保存状况	残片数量	可计件数	备注
1	TG48①：1	酱釉瓷罐		残	1	1	可复原
2	TG48①：2	青花寿字碗		残	1	1	明晚
3	TG48①：3	铜饰件		完整	1	1	亚腰椭圆形，穿孔
4	TG48①：4	铁环		较完整	1	1	
5	TG48①：5	铁矛	B型	较完整	1	1	细叶形矛头
6	TG48①：6	铁矛	C型	较完整	1	1	菱形矛头
7	TG48①：7	铁矛	B型	较完整	1	1	细叶形矛头
8	TG48①：8	铁器残片		残	2	1	
9	TG48①：9	铁三脚		残	1	1	
10	TG48①：10	铁钉		残	2	1	钉尖弯曲呈钩状
11	TG48①：11	铁钩		残	2	1	
12	TG48①：12	铁钉		残	2	2	
13	TG48①：13	铁锅残片		残	5	1	
14	TG48①：14	铁犁		残	1	1	
15	TG48①：15	铁钉		较完整	17	17	
16	TG48①：16	铁钉		较完整	18	18	
17	TG48①：17	铁钉		残	7	7	
18	TG48①：18	正吻（背兽）	B型	残件	1		
19	TG48①：19	勾头	Ba型	较完整	1	1	
20	TG48①：20	勾头	Ba型	较完整	1	1	
21	TG48①：21	滴水	Ba型	残	1	1	
22	TG48①：22	滴水	Ba型	较完整	1	1	
23	TG48①：23	滴水	Ba型	较完整	1	1	
24	TG48①：24	滴水	Ba型	较完整	1	1	
25	TG48①：25	大长方形砍制砖	Bb型	残	1	1	一端内凹，较短
26	TG48①：26	大长方形砍制砖	Bb型	残	1	1	一端内凹，较长
27	TG48①：27	正吻（背部）	B型	残	1	1	
28	TG48①：28	正吻（尾部）	B型	残	1	1	
29	TG48①：29	正吻（剑把）	B型	残	1		
30	TG48①：30	缠枝葡萄纹小脊砖	Fb型	残	1	1	
31	TG48①：31	垂戗兽（眼眉）	Bc型	残	1	1	
32	TG48①：32	筒瓦	Bb型	残	1	1	
33	TG48①：33	缠枝牡丹纹脊砖	Fa型	残	1	1	
34	TG48①	动物骨		残	2		马
35	TG45①：1	铁钉		残	1	1	
36	TG45①：2	铁钉		残	1	1	
37	TG45①：3	铁镞	F型	残	1	1	单翼

续表

序号	出土单位/编号	名称	类型	保存状况	残片数量	可计件数	备注
38	TG45①：4	铁片		残	1	1	
39	TG45①：5	青花花卉纹盘		残片	2	1	明晚
40	TG45①：6	青花树石栏杆纹盘		残	1	1	明中晚
41	TG45①：7	大长方形砍制砖	Bb型	残	1	1	一端砍断，较齐
42	TG45①：8	滴水	Ba型	残	1	1	明晚
43	TG45①：9	滴水	Ba型	残	1	1	明晚
44	TG45①：10	滴水	Ba型	残	1	1	明晚
45	TG45①：11	滴水	Ba型	残	1	1	明晚
46	TG45①：12	滴水	Ba型	残	1	1	明晚
47	TG45①：13	滴水	Ba型	残	1	1	明晚
48	TG45①：14	滴水	Ba型	残	1	1	明晚
49	TG45①：15	滴水	Ba型	残	1	1	明晚
50	TG45①：16	滴水	Ba型	残	1	1	明晚
51	TG45①：17	滴水	Ba型	残	1	1	明晚
52	TG45①：18	滴水	Ba型	残	1	1	明晚
53	TG45①：19	滴水	Ba型	残	1	1	明晚
54	TG45①：20	滴水	Ba型	残	1	1	明晚
55	TG45①：21	滴水	Ba型	残	1	1	明晚
56	TG45①：22	滴水	Ba型	残	1	1	明晚
57	TG45①：23	滴水	Ba型	残	1	1	明晚
58	TG45①：24	滴水	Ba型	残	1	1	明晚
59	TG45①：25	滴水	Ba型	残	1	1	明晚
60	TG45①：26	滴水	Ba型	残	1	1	明晚
61	TG45①：27	滴水	Ba型	残	1	1	明晚
62	TG45①：28	滴水	Ba型	残	1	1	明晚
63	TG45①：29	滴水	Ba型	残	1	1	明晚
64	TG45①：30	滴水	Ba型	残	1	1	明晚
65	TG45①：31	滴水	Ba型	残	1	1	明晚
66	TG45①：32	滴水	Ba型	残	1	1	明晚
67	TG45①：33	滴水	Ba型	残	1	1	明晚
68	TG45①：34	勾头	Ba型	残	1	1	明晚
69	TG45①：35	勾头	Ba型	残	1	1	明晚
70	TG45①：36	勾头	Ba型	残	1	1	明晚
71	TG45①：37	勾头	Ba型	残	1	1	明晚
72	TG45①：38	勾头	Ba型	残	1	1	明晚
73	TG45①：39	勾头	Ba型	残	1	1	明晚
74	TG45①：40	勾头	Ba型	残	1	1	明晚

续表

序号	出土单位/编号	名称	类型	保存状况	残片数量	可计件数	备注
75	TG45①：41	勾头	Ba型	残	1	1	明晚
76	TG45①：42	勾头	Ba型	残	1	1	明晚
77	TG45①：43	勾头	Ba型	残	1	1	明晚
78	TG45①：44	勾头	Ba型	残	1	1	明晚
79	TG45①：45	勾头	Ba型	残	1	1	明晚
80	TG45①：46	勾头	Ba型	残	1	1	明晚
81	TG45①：47	勾头	Ba型	残	1	1	明晚
82	TG45①：48	勾头	Ba型	残	1	1	明晚
83	TG45①：49	勾头	Ba型	残	1	1	明晚
84	TG45①：50	勾头	Ba型	残	1	1	明晚
85	TG45①：51	勾头	Ba型	残	1	1	明晚
86	TG45①	青花法螺纹碗（口沿）		残	3	2	明中晚
87	TG45①	青花花卉纹碗		残	6	1	明晚
88	TG45①	青花缠枝花卉纹碗		残	7	1	明晚
89	TG45①	青花葡萄纹大碗		残	1	1	明晚
90	TG45①	青花凤穿花纹盘		残	1	1	明晚
91	TG45①	青花折枝花卉纹碗		残	1	1	明晚
92	TG45①	青花十字菱形锦地纹碗		残	3	2	明晚
93	TG45①	青花螭龙纹碗底		残	1	1	明晚
94	TG45①	青花魁星踢斗纹盘		残	1	1	明晚
95	TG45①	青花草虫纹碗		残	1	1	明晚
96	TG45①	青花缠枝莲纹碗		残	7	2	明晚
97	TG45①	青花十字菱形锦地纹碟		残	1	1	明晚
98	TG45①	青花杯		残	8	4	明晚
99	TG45①	青花碗残片		残	13	7	明
100	TG45①	哥釉青花牡丹纹碗		残	1	1	清
101	TG45①	青花兰草点纹碗		残	1	1	清初
102	TG45①	青花粗瓷碗		残	4	2	清末
103	TG45①	板瓦	B型	残片	259		明晚

正吻　4块2件。均属B型（粗糙型）正吻。含背兽（TG48①：18；图2-11-7）、背部（TG48①：27）、尾部（TG48①：28；图2-11-8）与剑把（TG48①：29）残块各1块。胎体灰白，部分表面亦为灰白色，部分则泛黑，知约分属2个个体。

垂戗兽　仅眼部残片1件。TG48①：31，属Bc型，即带凸棱的粗糙型垂戗兽。残高4、厚1.8厘米（图版161-1）。

脊砖　2件。TG48①：33，Fa型，缠枝牡丹纹小脊砖。TG48①：30，Fb型，缠枝葡萄纹小脊砖，砖之两侧饰缠枝葡萄纹。高13.2、残长17.4、壁厚2.4厘米（图2-11-12；图版161-1）。

瓦当　50件。均残，为板瓦勾头与滴水，其中勾头20件、滴水30件。

勾头　均属Ba型，即当面偏大的六瓣莲花纹勾头，花下有须蔓向左卷曲。TG48①：19，残高14.5、宽19.8、厚2.6厘米（图2-12-2）。TG48①：20，高18.6、宽21.5、厚2.9厘米（图2-11-11）。

滴水　亦属Ba型，为当面较大的六瓣莲花纹滴水，莲叶两侧有卷曲须蔓。TG48①：23，高16.9、宽21.8、厚3.3厘米（图2-11-10；图2-12-10；图版161-1）。因附近并无其他建筑发现，可以确定二者配合使用。

筒瓦　1件。TG48①：32，残。属Bb型筒瓦。残长10.9、宽12.2～12.5、厚1.5～2.1、矢高4.2～7、熊头长2.8厘米（图2-11-9；图版161-1）。

砖　3件。均残。属Bb型砖，即经二次加工的长方形大砖。有的将砖的一端砍断

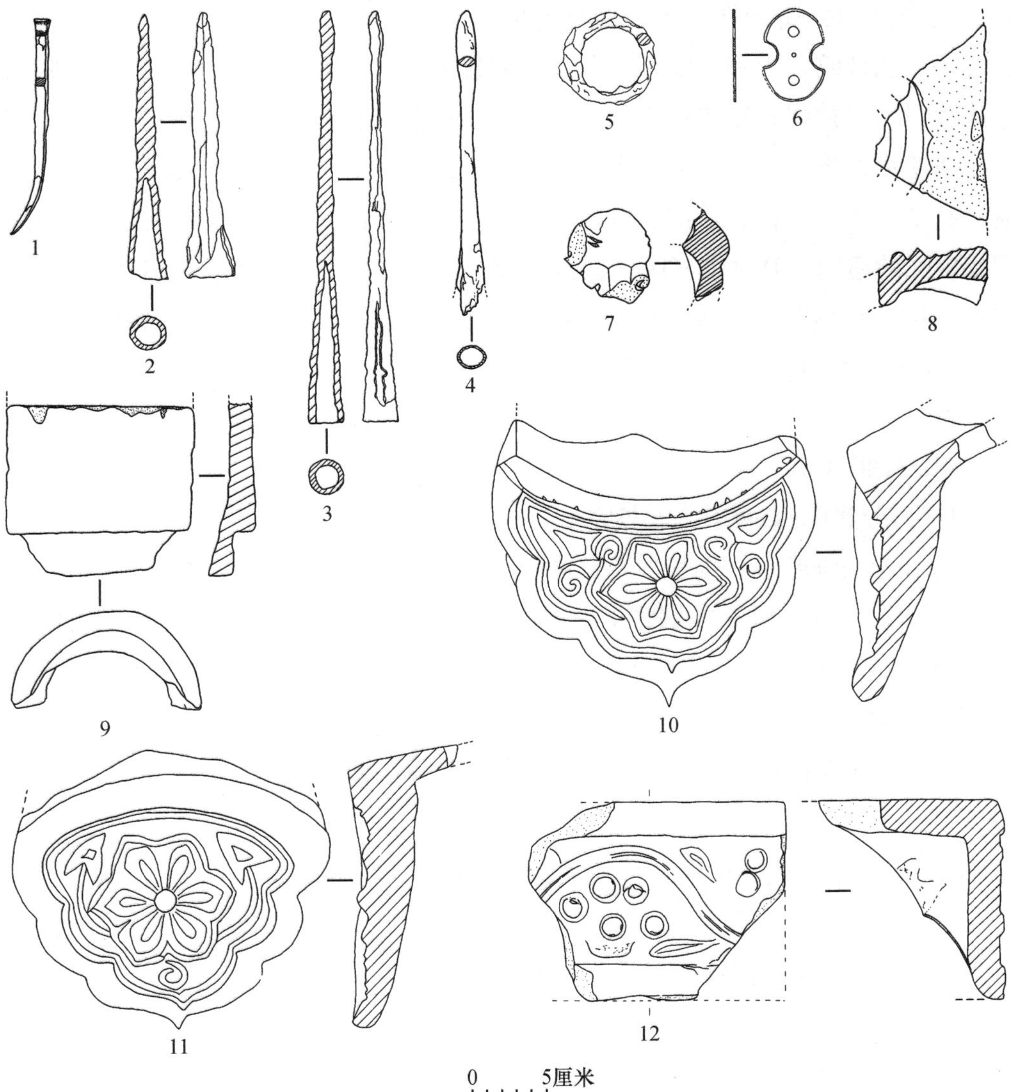

图2-11　铜柱关（CM1）出土遗物

1. 铁钉（TG48①：16-11）　2. C型铁矛（TG48①：6）　3、4. B型铁矛（TG48①：7、TG48①：5）　5. 铁环（TG48①：4）　6. 铜饰件（TG48①：3）　7. B型正吻背兽（TG48①：18）　8. B型正吻尾部（TG48①：28）　9. Bb型筒瓦（TG48①：32）　10. Ba型滴水（TG48①：23）　11. Ba型勾头（TG48①：20）　12. Fb型脊砖（TG48①：30）

（TG45①：7），有的将断处又凿为内凹圆弧形（TG48①：25、TG48①：26），用以包柱（图版161-1）。

铁钉　47枚。四棱方锥形，多数较完整，均锻打而成，为瓦钉或木构件间的加固之用。TG48①：16-11，较完整。长15、大头宽0.7～0.9厘米（图2-11-1；图版161-1）。

铁环　1件。TG48①：4，较完整。环径6.5、铁条直径1厘米（图2-11-5；图版161-1）。可能为门环。

以上遗物，应与铜柱关门楼相关，年代均在明万历时期。

（2）生活用器

有瓷器、铁三脚、铁锅、铜饰片、铁犁残片等。按质地缕述于次。

瓷器　共出土瓷器碎片65片，其中青花59片、粗瓷5片、哥釉青花1片。

59片青花瓷片约分属30件个体，器类包括碗、盘、碟、杯等，可辨纹饰有花卉纹、树石栏杆纹、寿字、法螺纹、十字锦纹、螭龙纹、缠枝莲纹、凤穿花纹、葡萄纹等。哥釉青花为牡丹纹碗，残片1片。5片粗瓷则包括酱釉瓷罐1件、青花粗瓷碗2件。以上瓷器，绝大多数为明嘉靖、万历时期遗物，与关隘、门楼年代一致，仅少数为清代遗物（图版161-2）。

铁器　有铁三脚、铁钩、铁锅、铁环和铁犁残件各1件，另有铁器残片3片。其中的铁犁应为清代甚或更晚的遗物，其余铁三脚、铁锅残片各关多有出土，应为明代遗物。

铜器　1件。TG48①：3，较完整。穿孔铜饰，亚腰椭圆形，两侧开圆孔，中央一小穿。长6、宽4、厚0.2厘米（图2-11-6；图版161-1）。

（3）兵器

有铁矛和铁镞两类。

铁矛　3件。分属B、C两型，均较完整。

B型　2件。矛头细叶形，细长骹。TG48①：7，通长26.4、柄长21.4、刃残长5、刃残宽1.2厘米（图2-11-3）。TG48①：5，通长20.7、柄长14、刃长6.7、刃残宽1.3厘米（图2-11-4）。

C型　1件。TG48①：6，菱形矛头。刃头中脊明显，断面呈菱形。通长16.5、柄长8、刃长8.5、刃宽1.7厘米（图2-11-2；图版144-8）。

铁镞　1件。TG45①：3，残甚。F型，单翼矢头，铤部锈蚀。残长4.6厘米。

（4）其他

兽骨2段，出于TG48内，即铜柱关顶，为马骨。

（二）铁柱关（CM2）

在铜柱关北，是现存关隘中自囤东北登囤的第一关，亦是距白沙水最近的关隘。与铜柱关一起围合的囤东平阔之地，播平之后，渐有居民迁入，称“城门洞”。清理前部分关顶已坍塌，无法通行。在门道内（TG46）外（TG44）两端各布探沟一条进行清理。

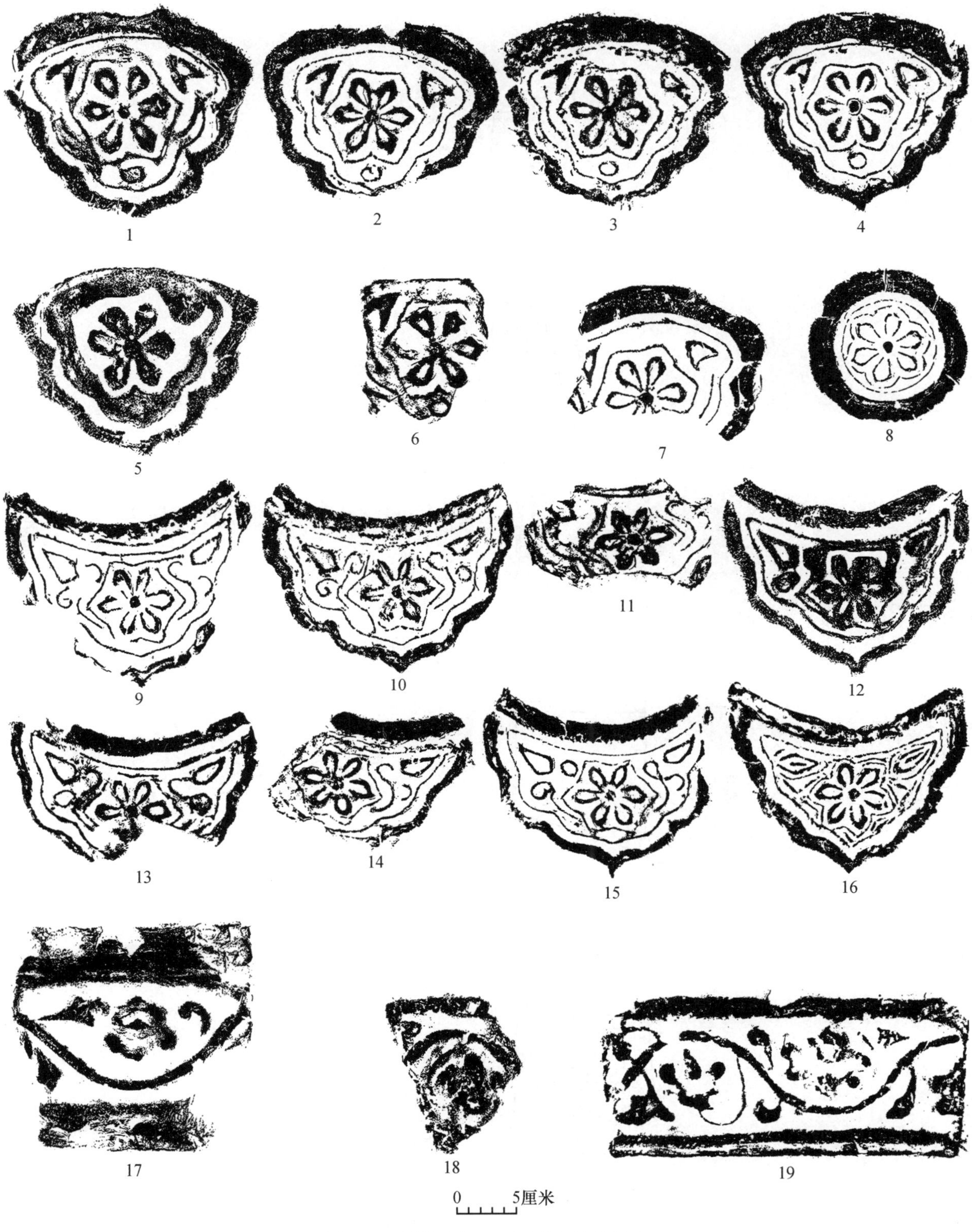

图2-12　明代各关出土瓦当与脊砖拓本

1～7. Ba型板瓦勾头（TG44③：71、TG48①：19、TG55②：14、TG21②：11、TG23②：8、TG37②：17、TG41③：30）　8. Bb型筒瓦勾头（TG21②：26）　9～15. Ba型滴水（TG44③：79、TG48①：23、TG55②：28、TG21②：19、TG23②：9、TG10③：54、TG41③：34）　16. Bc型滴水（TG44③：44）　17. C型脊砖（TG44③：147）　18、19. Fa型脊砖（TG21②：156、TG41③：35）

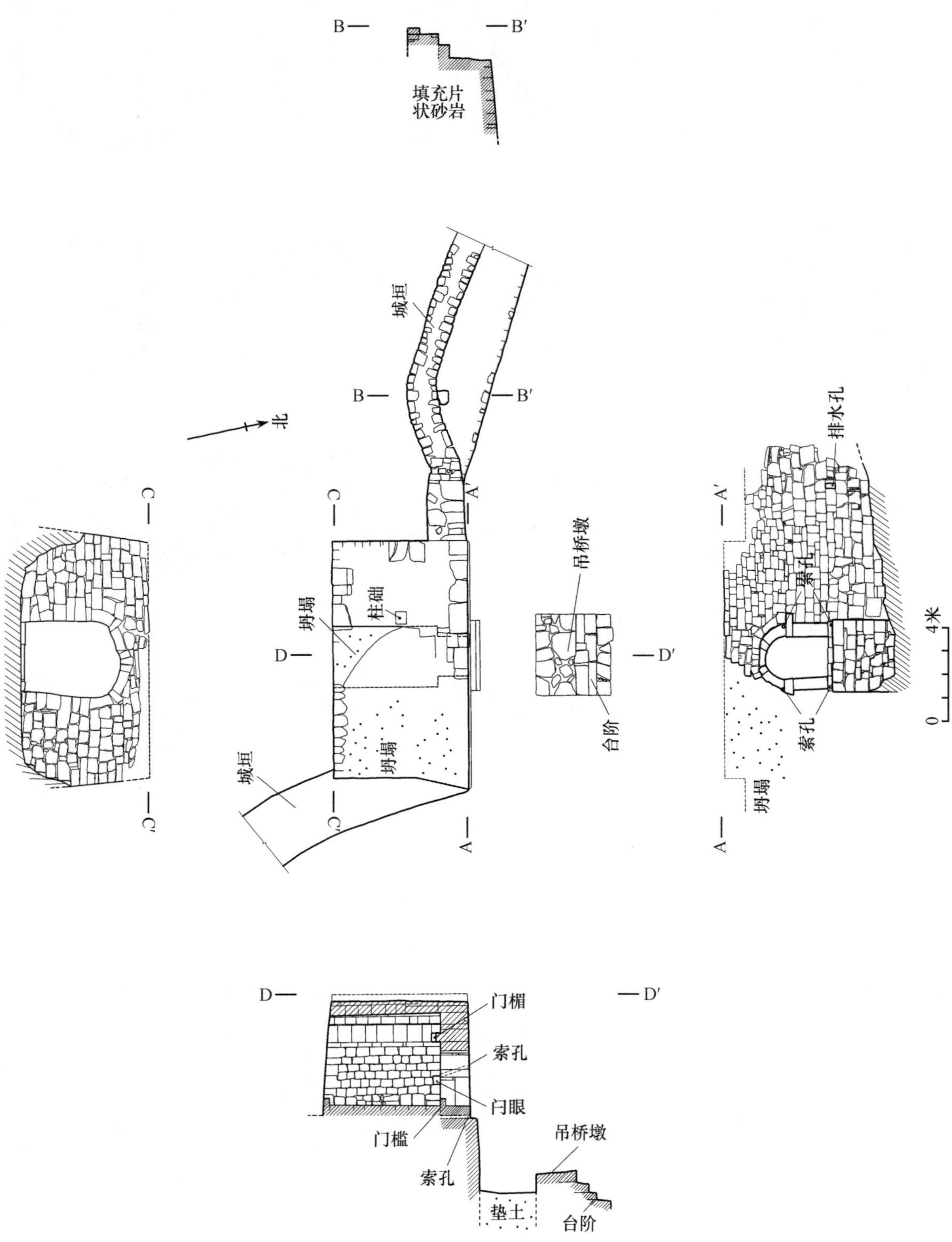

图2-13　铁柱关（CM2）平、剖面图

1. 遗迹

为吊桥关。外门道高悬，距地面高3.3米，门外2.4米处设石砌桥墩，外侧有踏步以供上下。门之两侧设对称索孔两组4个，用以升降吊桥。门道平面呈凸字形。方向10°。券拱顶，内门道较外门道高敞。门槛整石凿就，内侧两端设门臼，略雕若花瓣形，与上端连弧形石质门楣相对。两侧墙上方形门闩2个。关顶残留石柱础1方。

从残存的迹象看，原应无匾。

关座面阔约11、进深6.7、高5.1～8.4米。门道通长6.5、宽1.65～2.77、高2.55～4.05米，其中外门道长1.28、宽1.65、高2.55米，内门道长5.22、宽2.77、高4.05米。石砌吊桥墩宽3.15～3.4、最高1.5米（图2-13；图版162）。

2. 遗物

门道两端的堆积均分为3层，第1层为表土层，第2层为关隘与城垣坍塌后的堆积，第3层为灰褐色泥土。遗物主要出在第2、3层内。出土遗物有建筑材料、生活用器和工具、兵器与兽骨等，同时出土较多B型瓦砾。第3层中主要为明代遗物，同时混有少量清代遗物。值得注意的是，铁柱关所出的铅弹与Bc型滴水占据了囤上出土同类器的相当比例（表2-8）。

表2-8　铁柱关（TG44、TG46）出土遗物统计表

序号	出土单位/编号	名称	类型	保存状况	残片数量	可计件数	备注
1	TG46②：1	铁吊环		较完整	1	1	
2	TG46②：2	直柄铁刀	B型	残	1	1	
3	TG46②：3	包门铁皮		残	若干		
4	TG46②：4	铁镞	G型	残	1	1	带倒刺
5	TG46②：5	铁矛	C型	完整	1	1	
6	TG46②：6	铁镞	Da型	残	1	1	细叶形
7	TG46②：7	铅弹	B型	完整	1	1	中型
8	TG46②：8	铅弹	A型	完整	1	1	小型
9	TG46②：9	铅弹	A型	完整	1	1	小型
10	TG46②：10	曲首铁刀	D型	残	1	1	
11	TG46②：11	铁门扣		残	2	1	
12	TG46②：12	铁三脚		残	3	1	
13	TG46②：13	铁镞（残铤）		残	1		
14	TG46②：14-1	铁钉		残片	17	17	
15	TG46②：14-2	铁钉		残片	36	36	
16	TG46②：14-3	铁钉		残片	20	20	
17	TG46②：14-4	铁钉		残片	2	2	
18	TG46②：14-5	铁钉		残	30	30	

续表

序号	出土单位/编号	名称	类型	保存状况	残片数量	可计件数	备注
19	TG46②：15	铁镞（残铤）		残	13		铤部残段
20	TG46②：16	铁矛	A型	较完整	1	1	
21	TG46②：17	铅弹	A型	完整	1	1	小型
22	TG46②：18	铅弹	A型	完整	1	1	小型
23	TG46②：19	铅弹	A型	完整	1	1	小型
24	TG46②：20	铁插销		残	1	1	
25	TG46②：21	三足铁锅		残	若干	1	
26	TG46②：22	克拉克瓷盘		残	1	1	
27	TG46②：23	铁刀箍		残	1	1	
28	TG44③：1	铜弩机构件		较完整	1	1	
29	TG44③：2-1	铅弹	A型	完整	1	1	小型
30	TG44③：2-2	铅弹	A型	完整	1	1	小型
31	TG44③：2-3	铅弹	A型	完整	1	1	小型
32	TG44③：2-4	铅弹	A型	完整	1	1	小型
33	TG44③：2-5	铅弹	B型	完整	1	1	中型
34	TG44③：2-6	铅弹	A型	完整	1	1	小型
35	TG44③：2-7	铅弹	A型	完整	1	1	小型
36	TG44③：2-8	铅弹	A型	完整	1	1	小型
37	TG44③：2-9	铅弹	B型	完整	1	1	中型
38	TG44③：2-10	铅弹	A型	完整	1	1	小型
39	TG44③：2-11	铅弹	B型	完整	1	1	中型
40	TG44③：2-12	铅弹	A型	完整	1	1	小型
41	TG44③：2-13	铅弹	A型	完整	1	1	小型
42	TG44③：2-14	铅弹	A型	完整	1	1	小型
43	TG44③：2-15	铅弹	B型	完整	1	1	中型
44	TG44③：2-16	铅弹	A型	完整	1	1	小型
45	TG44③：2-17	铅弹	A型	完整	1	1	小型
46	TG44③：2-18	铅弹	A型	完整	1	1	小型
47	TG44③：2-19	铅弹	A型	完整	1	1	小型
48	TG44③：2-20	铅弹	A型	完整	1	1	小型
49	TG44③：2-21	铅弹	A型	完整	1	1	小型
50	TG44③：2-22	铅弹	A型	完整	1	1	小型
51	TG44③：2-23	铅弹	A型	完整	1	1	小型
52	TG44③：2-24	铅弹	A型	完整	1	1	小型
53	TG44③：2-25	铅弹	A型	完整	1	1	小型
54	TG44③：2-26	铅弹	A型	完整	1	1	小型
55	TG44③：2-27	铅弹	A型	完整	1	1	小型

续表

序号	出土单位/编号	名称	类型	保存状况	残片数量	可计件数	备注
56	TG44③：2-28	铅弹	A型	完整	1	1	小型
57	TG44③：2-29	铅弹	A型	完整	1	1	小型
58	TG44③：2-30	铅弹	A型	完整	1	1	小型
59	TG44③：2-31	铅弹	A型	完整	1	1	小型
60	TG44③：2-32	铅弹	A型	完整	1	1	小型
61	TG44③：2-33	铅弹	A型	完整	1	1	小型
62	TG44③：2-34	铅弹	A型	完整	1	1	小型
63	TG44③：2-35	铅弹	A型	完整	1	1	小型
64	TG44③：3	铜拉环		残	1	1	
65	TG44③：4	铜饰件		残	1	1	
66	TG44③：5	铜镊		残	1	1	
67	TG44③：6-1	万历通宝		锈蚀	1	1	
68	TG44③：6-2	万历通宝		锈蚀	1	1	
69	TG44③：6-3	万历通宝		锈蚀	1	1	
70	TG44③：6-4	万历通宝		锈蚀	1	1	
71	TG44③：7	铜钥匙		残	1	1	
72	TG44③：8	铜钥匙		残	1	1	
73	TG44③：9	铜箍		残片	4	1	穿孔铜片
74	TG44③：10	铅网坠		残	1	1	
75	TG44③：11	铁脚码		较完整	1	1	
76	TG44③：12	铜钥匙		残	1	1	
77	TG44③：13	铅网坠		残	1	1	
78	TG44③：14	簪形铜饰		完整	1	1	
79	TG44③：15	铜锔		完整	1	1	
80	TG44③：16	铜饰件		残	1	1	
81	TG44③：17	铜环		残	1	1	
82	TG44③：18	铜拉环		残	1	1	
83	TG44③：19	铜钥匙		残	1	1	
84	TG44③：20	铜钥匙		残	1	1	
85	TG44③：21	铜饰件		残	1	1	
86	TG44③：22	铜饰件		残	1	1	
87	TG44③：23	铁镞	G型	残	1	1	团叶形
88	TG44③：24	铜刀箍与格		残	2	2	
89	TG44③：25	铁环		残	1	1	
90	TG44③：26	铁矛	C型	较完整	1	1	
91	TG44③：27	铜针		残	1	1	
92	TG44③：28	簪形铜饰		完整	1	1	

续表

序号	出土单位/编号	名称	类型	保存状况	残片数量	可计件数	备注
93	TG44③：29	铜饰件		残	1	1	
94	TG44③：30	铜饰件		残	1	1	
95	TG44③：31	铜片		残片	2		
96	TG44③：32	青花寿字盘		残	1	1	明晚（万历）
97	TG44③：33	铜弩机构件		较完整	1	1	
98	TG44③：34	釉上红彩盘底		残片	1	1	
99	TG44③：35	簪形铜饰		完整	1	1	
100	TG44③：36	带帽铜钉		残	1	1	
101	TG44③：37	骨管		微残	1	1	
102	TG44③：38	铁锅耳		残	1	1	
103	TG44③：39	铁钉		残	2	2	
104	TG44③：40	铁凿		残	1	1	
105	TG44③：41	铁三脚		残	1		
106	TG44③：42	铁钉		残	1	1	
107	TG44③：43	滴水	Bc型	完整	1	1	
108	TG44③：44	滴水	Bc型	完整	1	1	
109	TG44③：45	滴水	Bc型	残件	1	1	
110	TG44③：46	石臼		残件	1	1	
111	TG44③：47	铁器残片		残	1		
112	TG44③：48	铁刀箍		较完整	1	1	
113	TG44③：49	铁钉		残段	9	9	
114	TG44③：50	滴水	Bc型	较完整	1	1	
115	TG44③：51	滴水	Bc型	完整	1	1	
116	TG44③：52	滴水	Bc型	完整	1	1	
117	TG44③：53	滴水	Bc型	残件	1	1	
118	TG44③：54	滴水	Bc型	较完整	1	1	
119	TG44③：55	勾头	Ba型	残件	1	1	
120	TG44③：56	滴水	Bc型	较完整	1	1	
121	TG44③：57	勾头	Ba型	残件	1	1	
122	TG44③：58	滴水	Ba型	残件	1		
123	TG44③：59	滴水	Bc型	较完整	1	1	
124	TG44③：60	滴水	Bc型	较完整	1	1	
125	TG44③：61	滴水	Bc型	残件	1	1	
126	TG44③：62	滴水	Bc型	较完整	1	1	
127	TG44③：63	滴水	Bc型	残件	1		
128	TG44③：64	滴水	Bc型	残件	1	1	
129	TG44③：65	滴水	Bc型	较完整	1	1	

续表

序号	出土单位/编号	名称	类型	保存状况	残片数量	可计件数	备注
130	TG44③：66	滴水	Bc型	较完整	1	1	
131	TG44③：67	滴水	Bc型	较完整	1	1	
132	TG44③：68	滴水	Bc型	残件	1	1	
133	TG44③：69	滴水	Bc型	残件	1	1	
134	TG44③：70	勾头	Ba型	较完整	1	1	
135	TG44③：71	勾头	Ba型	较完整	1	1	
136	TG44③：72	滴水	Bc型	较完整	1	1	
137	TG44③：73	勾头	Ba型	残件	1	1	
138	TG44③：74	勾头	Ba型	残件	1	1	
139	TG44③：75	勾头	Ba型	残件	1	1	
140	TG44③：76	勾头	Ba型	残件	1	1	
141	TG44③：77	勾头	Ba型	残件	1	1	
142	TG44③：78	滴水	Ba型	残件	1		
143	TG44③：79	滴水	Ba型	完整	1	1	
144	TG44③：80	滴水	Ba型	残件	1		
145	TG44③：81	滴水	Ba型	残件	1	1	
146	TG44③：82	滴水	Ba型	残件	1	1	
147	TG44③：83	滴水	Bc型	完整	1	1	
148	TG44③：84	滴水	Bc型	较完整	1	1	
149	TG44③：85	滴水	Bc型	残件	1		
150	TG44③：86	滴水	Bc型	残件	1		
151	TG44③：87	滴水	Bc型	残件	1		
152	TG44③：88	滴水	Bc型	残件	1	1	
153	TG44③：89	滴水	Bc型	较完整	1	1	
154	TG44③：90	滴水	Bc型	残件	1	1	
155	TG44③：91	滴水	Bc型	残件	1	1	
156	TG44③：92	滴水	Bc型	残件	1	1	
157	TG44③：93	滴水	Bc型	残件	1		
158	TG44③：94	滴水	Bc型	残件	1		
159	TG44③：95	滴水	Bc型	较完整	1		
160	TG44③：96	滴水	Bc型	残件	1		
161	TG44③：97	滴水	Bc型	残件	1		
162	TG44③：98	滴水	Bc型	残件	1		
163	TG44③：99	滴水	Bc型	残件	1	1	
164	TG44③：100	滴水	Bc型	残件	1		
165	TG44③：101	滴水	Bc型	残件	1	1	
166	TG44③：102	滴水	Bc型	残件	1		

续表

序号	出土单位/编号	名称	类型	保存状况	残片数量	可计件数	备注
167	TG44③：103	滴水	Bc型	残件	1		
168	TG44③：104	滴水	Bc型	残件	1	1	
169	TG44③：105	滴水	Bc型	较完整	1	1	
170	TG44③：106	滴水	Bc型	残件	1		
171	TG44③：107	滴水	Bc型	残件	1	1	
172	TG44③：108	滴水	Bc型	残件	1	1	
173	TG44③：109	滴水	Bc型	残件	1	1	
174	TG44③：110	滴水	Bc型	较完整	1		
175	TG44③：111	滴水	Bc型	较完整	1	1	
176	TG44③：112	滴水	Bc型	残件	1	1	
177	TG44③：113	滴水	Bc型	残件	1	1	
178	TG44③：114	滴水	Bc型	残件	1		
179	TG44③：115	滴水	Bc型	残件	1		
180	TG44③：116	滴水	Bc型	残件	1		
181	TG44③：117	滴水	Bc型	残件	1		
182	TG44③：118	滴水	Bc型	残件	1		
183	TG44③：119	滴水	Bc型	残件	1		
184	TG44③：120	滴水	Bc型	残件	1		
185	TG44③：121	滴水	Bc型	残件	1		
186	TG44③：122	滴水	Bc型	残件	1		
187	TG44③：123	勾头	Ba型	残件	1	1	
188	TG44③：124	勾头	Ba型	残件	1	1	
189	TG44③：125	勾头	Ba型	残件	1	1	
190	TG44③：126	勾头	Ba型	残件	1	1	
191	TG44③：127	勾头	Ba型	残件	1		
192	TG44③：128	勾头	Ba型	残件	1		
193	TG44③：129	勾头	Ba型	残件	1		
194	TG44③：130	勾头	Ba型	残件	1	1	
195	TG44③：131	勾头	Ba型	残件	1	1	
196	TG44③：132	勾头	Ba型	残件	1		
197	TG44③：133	勾头	Ba型	残件	1		
198	TG44③：134	勾头	Ba型	残件	1		
199	TG44③：135	勾头	Ba型	残件	1		
200	TG44③：136	勾头	Ba型	残件	1		
201	TG44③：137	勾头	Ba型	残件	1	1	
202	TG44③：138	勾头	Ba型	残件	1		
203	TG44③：139	勾头	Ba型	残件	1		

续表

序号	出土单位/编号	名称	类型	保存状况	残片数量	可计件数	备注
204	TG44③：140	勾头	Ba型	残件	1	1	
205	TG44③：141	勾头	Ba型	残件	1		
206	TG44③：142	勾头	Ba型	残件	1		
207	TG44③：143	勾头	Ba型	残件	1		
208	TG44③：144	勾头	Ba型	残件	1		
209	TG44③：145	脊砖	C型	残块	1	1	
210	TG44③：146	脊砖	C型	残块	1		
211	TG44③：147	脊砖	C型	残块	1	1	缠枝牡丹纹大脊砖
212	TG44③：148	脊砖	C型	残块	1		
213	TG44③：149	脊砖	C型	残块	2		
214	TG44③：150	脊砖	C型	残块	1		
215	TG44③	青花梅花纹方盘		残片	2	1	明晚（万历）
216	TG44③	青花锦纹方盘		残片	1	1	明晚（万历）
217	TG44③	青花折枝花卉纹碗底		残片	2		明晚（万历）
218	TG44③	青花寿字盘		残片	1		明晚（万历）
219	TG44③	青花兔纹盘		残片	1	1	明晚（万历），“福”
220	TG44③	青花树石栏杆纹盘		残片	1	1	明中晚
221	TG44③	青花缠枝纹盘		残片	1		明末清初
222	TG44③	青花莲池水禽纹碗	Bf型	残片	1	1	明晚（万历）
223	TG44③	青花匙		残片	1	1	清
224	TG44③	青花月华纹口沿		残片	1	1	明晚（万历）
225	TG44③	青花杯		残	3		明晚
226	TG44③	白瓷带耳杯		残片	1	1	
227	TG44③	青花灵芝茶花纹碗底		残片	2	1	清中晚
228	TG44③	青花太阳花卉纹折腰碗		残片	1	1	清中
229	TG44③	青花缠枝菊纹碗		残片	5		清初
230	TG44③	青花折枝花卉纹杯		残片	2		明晚
231	TG44③	青花莲池水禽纹碗		残片	1	1	明晚（万历）
232	TG44③	青花螺旋纹碗底		残片	3		明晚
233	TG44③	青花碗残片（杂宝）		残片	33	2	明
234	TG44③	青花缠枝花卉纹碗		残片	5	1	明晚
235	TG44③	青花螭龙纹碗		残片	2	1	明晚
236	TG44③	青花梵文碗		残片	1	1	清
237	TG44③	青花螭龙纹碗底		残片	1	1	明晚
238	TG44③	青花螭龙纹碗底		残片	1	1	明晚

续表

序号	出土单位/编号	名称	类型	保存状况	残片数量	可计件数	备注
239	TG44③	青花海水纹盘		残片	1	1	明晚
240	TG44③	白瓷碗		残片	6	1	明
241	TG44③	白瓷束腰盘		残片	6	1	明中晚
242	TG44③	青花粗瓷碗		残片	36	3	清晚
243	TG44③	粗瓷碾钵		残片	5	1	明
244	TG44③	粗瓷罐		残片	13	1	
245	TG44③	粗瓷杯		残片	1		
246	TG44③	粗瓷碗		残片	24		
247	TG44③	粗瓷印花罐		残片	2		
248	TG46③	青花莲池水禽纹碗	Bf型	残片	4		明晚（万历）
249	TG46③	青花莲池水禽纹碗	Aa型	残片	1		明晚（万历）
250	TG46③	青花叶纹碗		残片	7	1	明晚
251	TG46③	青花五彩狮纹碗		残片	1		明晚，外壁彩
252	TG46③	青花折枝花卉纹杯底		残片	2		明晚
253	TG46③	青花树石栏杆纹盘底		残片	1		明中晚
254	TG46③	青花兰草花卉纹碗		残片	3		明晚
255	TG46③	青花寿字盘底		残片	3		明晚
256	TG46③	青花寿字碗底		残片	2		明晚
257	TG46③	青花杂宝纹盘口沿		残片	1		明晚
258	TG46③	青花螭龙纹碗		残	5		明晚
259	TG44③	动物肢骨		残	140		马、黄牛、猪等
260	TG44③	兽牙		残	48		
261	TG44③	硫黄			3		
262	TG44③	铁炼渣			3		
263	TG44③	板瓦	B型	残片	142		
264	TG46③	板瓦	B型	残片	189		

（1）建筑材料

有脊砖、勾头、滴水、铁钉、包门铁皮、铁吊环、铁门扣和铁插销等（图版163）。

脊砖　2件。均为残块，无可复原者。属C型脊砖，即缠枝牡丹纹大脊砖。TG44③：149，为脊砖一侧残块。上下饰凸棱纹，中央为缠枝牡丹纹。残高15.5、残长12、壁厚2厘米（图2-14-6）。TG44③：147，残。顶部尚存两孔之半边。高18.8、残长21.5、残宽8厘米（图2-12-17；图2-14-7）。

勾头　17件。多残，花纹可辨，均属Ba型板瓦勾头，即六瓣莲花纹勾头，花瓣外无连弧纹装饰，花型偏大（图2-12-1）。

滴水　40件。多残，分属Ba、Bc两亚型。

Ba型　3件。TG44③：79，六瓣莲花纹滴水，当面较大，莲叶两侧有须蔓卷曲（图2-12-9）。

Bc型　37件。TG44③：44，六瓣莲花纹滴水，莲叶呈菱形，若双目（图2-12-16；图2-14-5）。

铁钉　117件。部分完整，部分则为残段。四棱方锥形，无钉帽。为瓦钉或木构件的加固之用。

包门铁皮　残片若干，锈蚀较甚。为钉于木门上的带状铁皮（图版163-7）。TG46②：3，宽8.5～10、厚0.3厘米。用带帽小铆钉固定，铁皮上等距钉入铆钉1～3枚，完整者长3.5厘米，木门厚度当过之。知明代各关隘城门不用门钉，而用铁皮带包裹（图2-14-2）。

铁吊环　1件。TG46②：1，较完整。由大铁环、环套和铆钉组成，颇为坚实，应为吊桥上的吊环。环径8.7、厚1.2厘米，环套长13、铆钉长11厘米（图2-14-3；图版163-5）。

铁门扣　1件。TG46②：11，锈蚀，断为两截。长椭圆形铁条，两头开椭圆形孔。长约6.5、宽1.8、厚0.4厘米（图2-15-13；图版163-6）。

铁插销　1件。TG46②：20，残。窄铁片，以带孔铆钉固定，铆钉孔间横有圆柱形铁条。残长6.7、宽2.3、厚0.1厘米。铆钉至1厘米处分叉，此亦所钉木板厚度。

以上遗物均应与铁柱关城门、门楼及吊桥相关。

（2）生活用器与工具

包括瓷器、铁锅、铁三脚、铜饰件、石臼和骨管等，按质地缕述如次。

瓷器　有细瓷与粗瓷两类，均为碎片，无可复原者。细瓷分白瓷、彩瓷与青花三类，以青花为主，彩瓷仅2片，为釉上红彩盘底残片与青花红绿彩狮纹碗底。白瓷残片13片，器类有杯、碗和盘。青花残片104片，纹饰有梅花纹、锦纹、折枝花卉纹、树石栏杆纹、莲池水禽纹、月华纹、梵文、螺旋纹、海水纹、螭龙纹、杂宝、寿字、兔纹、菊纹、灵芝茶花纹等，可辨器形有盘、碗、杯、匙等。粗瓷残片81片，有青花和酱釉粗瓷两类。青花粗瓷36片，均为碗。酱釉粗瓷45片，器类有碗、碾钵、杯和罐。该组遗物的时代以明嘉靖、万历时期为主，有少量清代遗物。

铁器　均为残片。有锅、三脚、凿、环和脚码等。

铁锅　1件。残片若干。TG46②：21，形制较为特殊，三足，与锅一体铸成。口径不明，足部中空。足残高8、锅壁厚0.6厘米（图版164-20）。

铁三脚　TG46②：12，仅剩残段，据同类遗物推知为三脚残件（图版164-22）。

铁脚码　1件。TG44③：11，较完整。扁椭圆形，两头上翘（以便系绳），下带四足。长11.5、宽7、足高1厘米（图2-14-4；图版164-19）。

另有铁炼渣3块，是在关口附近炼铁的实物遗存（图版163-1）。

铜器　有拉环、钥匙、镊、锔、针、环、钉、箍和饰件等。

铜拉环　2件。TG44③：3、TG44③：18，较完整。形制相同，大小略异。两片菊花形铜垫片，中穿铜条。铜条内侧分叉，外挂小铜环。TG44③：3，垫片直径2.1、厚0.08厘米，环径2、厚0.3厘米（图2-15-5；图版164-2）。TG44③：18，形制同TG44③：3，略小（图2-15-6；图版164-1）。

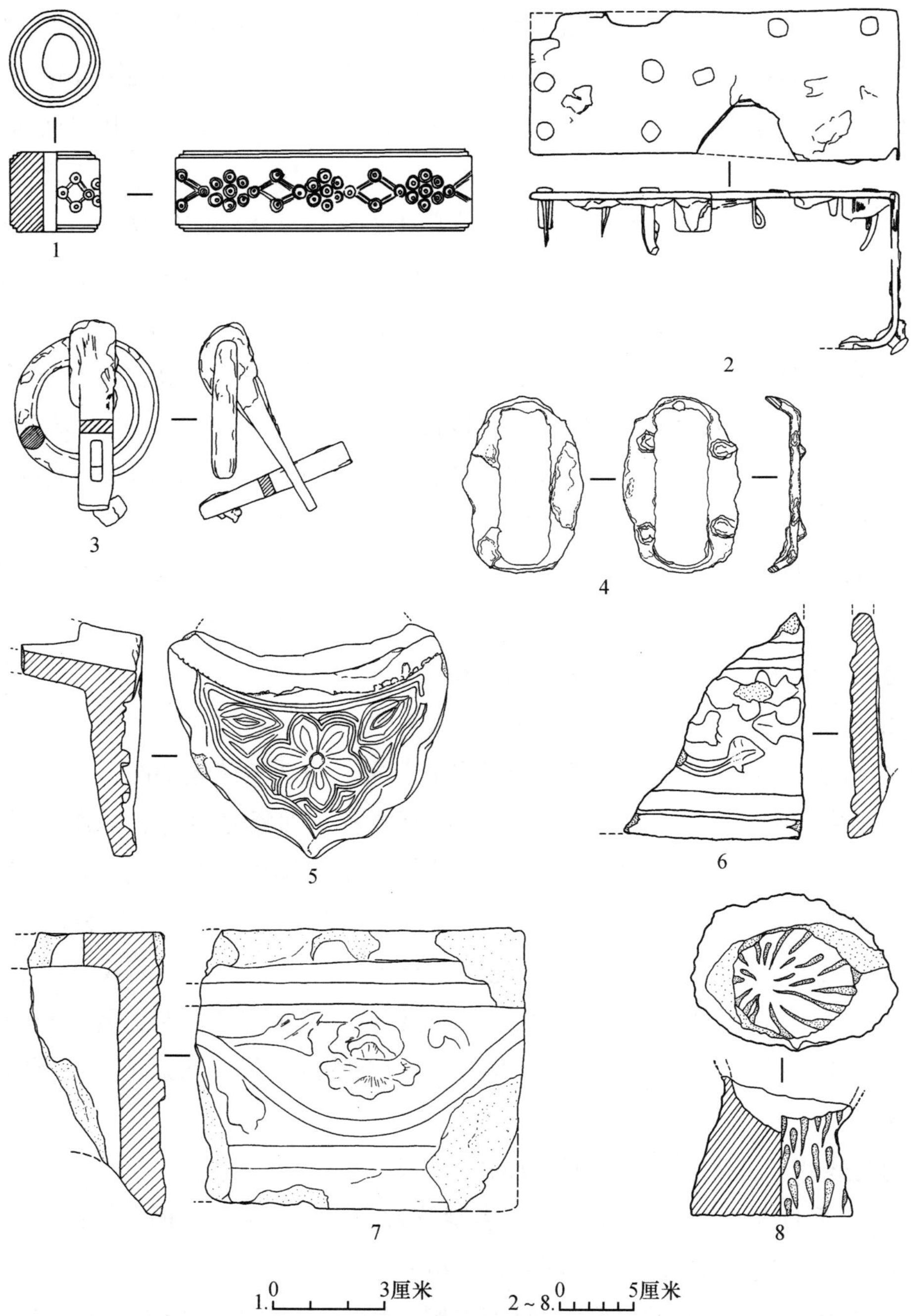

图2-14 铁柱关（CM2）出土遗物

1. 骨管（TG44③：37） 2. 包门铁皮（TG46②：3） 3. 铁吊环（TG46②：1） 4. 铁脚码（TG44③：11） 5. Bc型滴水（TG44③：44） 6、7. C型脊砖（TG44③：149、TG44③：147） 8. 石臼（TG44③：46）

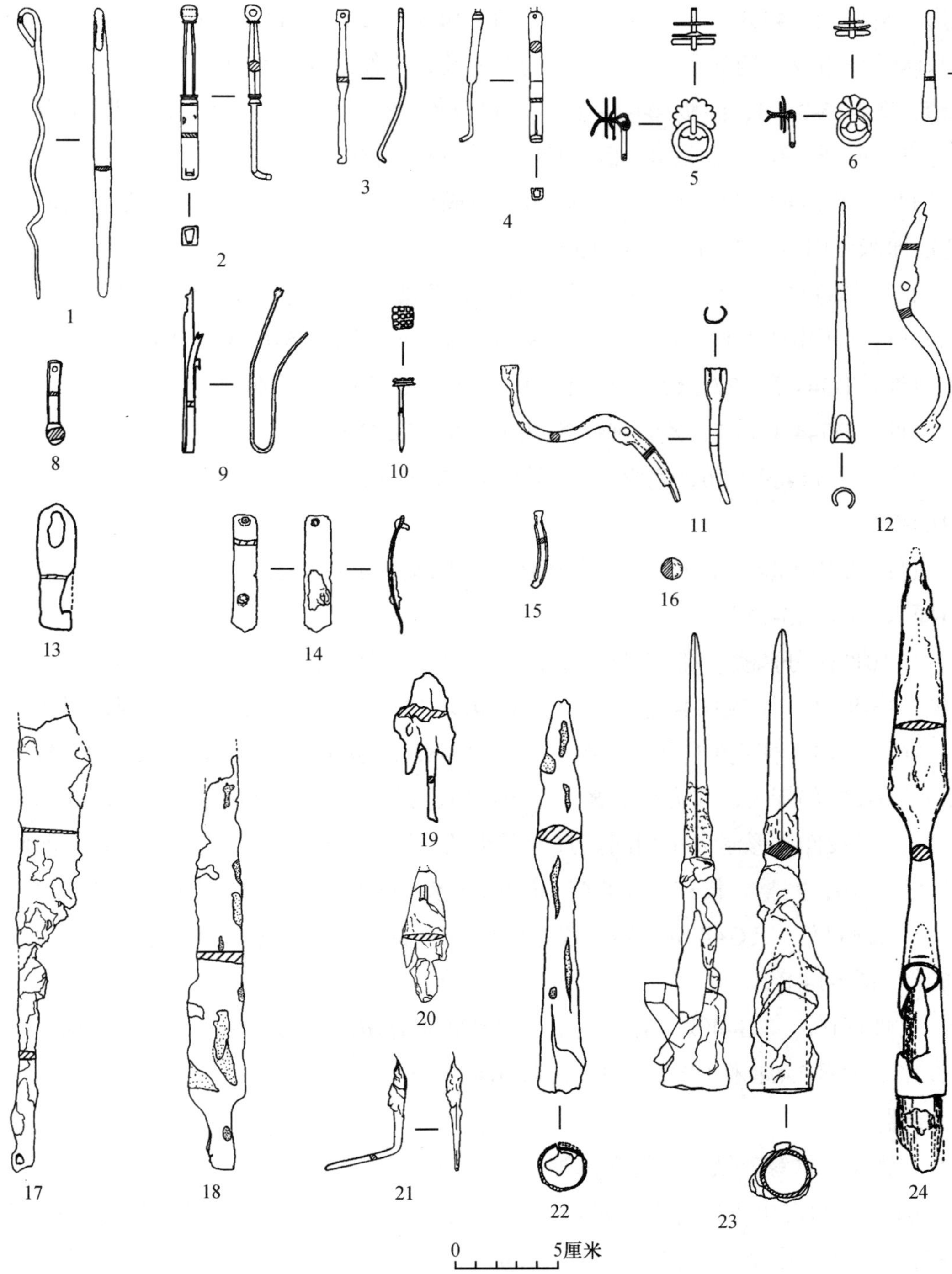

图2-15　铁柱关（CM2）出土遗物

1. 铜锔（TG44③：15）　2～4. 铜钥匙（TG44③：8、TG44③：20、TG44③：7）　5、6. 铜拉环（TG44③：3、TG44③：18）　7. 铜镊（TG44③：5）　8、9. 铜饰件（TG44③：28、TG44③：4）　10. 铜钉（TG44③：36）　11、12. 铜弩构件（TG44③：1、TG44③：33）　13. 铁门扣（TG46②：11）　14. 铜箍（TG44③：9）　15. 铅网坠（TG44③：10）　16. 铅弹（TG44③：2-3）　17. D型铁刀（TG46②：10）　18. B型铁刀（TG46②：2）　19、20. G型铁镞（TG44③：23、TG46②：4）　21. Da型铁镞（TG46②：6）　22、23. C型铁矛（TG44③：26、TG46②：5）　24. A型铁矛（TG46②：16）

铜钥匙　5件（TG44③：7、TG44③：8、TG44③：12、TG44③：19、TG44③：20）。由柄和匙身两部分组成，柄部形制各异，但均穿一孔，以便系挂。钥身扁平，头微上翘，前开一孔或一槽（图2-15-2～4；图版164-3～6）。TG44③：8，完整。方形长柄，圆球形首，开一孔。扁平匙身，前开一孔。通长8.4、柄长4.8、身长3.6、宽0.76、厚0.2厘米（图2-15-2）。

铜镊　1件。TG44③：5，较完整。以铜片曲成V形，镊尖内曲，状似女性所用眉夹。长5.3、股宽0.6厘米（图2-15-7；图版164-10）。

铜锔　1件。TG44③：15，完整。前端稍尖的铜条，后端卷作环首状，铜条则曲为波浪形。疑系编制竹席所用的工具。长14、宽0.78、厚0.2厘米（图2-15-1；图版164-7）。

铜针　1件。TG44③：27，较完整。长10、径0.1～0.2厘米（图版164-8）。

铜环　1件。TG44③：17，残。细铜条圈成。直径2.2厘米。

铜钉　1件。TG44③：36，完整。方形钉帽，饰方格纹。长3.7、帽边长1厘米（图2-15-10；图版164-9）。

铜箍　1件。TG44③：9，残片4片。为带圆形小铆钉的穿孔铜片，应为漆木器上装饰。宽1.1、厚0.1厘米（图2-15-14）。

铜饰件　10件。分两类，带圆球形帽饰的簪形铜饰3件，做成各种形状的细铜条7件，用途不明（图2-15-8、9；图版164-11～15）。TG44③：28，完整。簪形铜饰。圆球形帽，扁平柄，前开一穿。长4.1、柄宽0.5、厚0.3厘米（图2-15-8；图版164-13）。TG44③：4，较完整。U形铜条，两端及中部带齿，或为锁上簧片。通长15、宽0.45、厚0.16厘米（图2-15-9）。

铅器　仅网坠2件。形制大小相同。月牙形铅条，两端有槽，以便拴挂。为系于渔网上的铅坠。TG44③：10，完整。长3.7、宽0.46、厚0.2厘米（图2-15-15；图版164-17、18）。

石器　仅石臼1件。TG44③：46，残存臼座。整石凿成，碗形腹，平底。残高9、底径10.5～13厘米（图2-14-8）。

骨器　仅骨管1件。TG44③：37，完整。用动物肢骨做成，两端刻弦纹，中央饰圆圈纹与菱形纹。长2.2、直径2.4厘米（图2-14-1；图版164-16）。

（3）兵器

有铅弹、铁矛、铁镞、铁刀、弩铜机等。

铅弹　41枚。约占出土铅弹总数的80%，反映了铁柱关战事的激烈程度。其中A型（小型）铅弹36枚，B型（中型）铅弹5枚。TG44③：2-3，A型（小型）铅弹，完整。球形。直径1厘米（图2-15-16；图版142-1）。

铁矛　3件。分属A、C两型。

A型　1件。大叶形。TG46②：16，较完整。刃头细长，长骹，内遗木柄残段。通长26.4厘米（图2-15-24）。

C型　2件。菱形。刃头中脊明显，断面呈菱形，长骹。TG46②：5，完整。前锋尖锐，中脊高挺，棱角分明。通长22.2厘米（图2-15-23；图版144-6）。TG44③：26，较完整。两刃较宽，后端弧收。通长18.3厘米（图2-15-22；图版144-7）。

铁镞　3件。分属Da、G两型。

Da型　1件。细叶形。TG46②：6，残。矢头扁平短小，无脊。残长7.4厘米（图2-15-21）。

G型　2件。团叶形。矢头扁平，弧形两翼，带倒刺。TG44③：23，残长7.2厘米（图2-15-19；图版143-18）。TG46②：4，残长6厘米（图2-15-20；图版143-19）。

另有残铤14段，残长2.5～10.3厘米。

铁刀　2件。分属B、D两型。

B型　1件。TG46②：2，残。直柄铁刀。残长19.8厘米（图2-15-18）。

D型　1件。TG46②：10，残。扁柄后端微卷，柄首一小穿。残长22厘米（图2-15-17；图版145-6）。

另有铁刀箍2件，铜刀箍与格各1件。

铜弩机　2件。状似双股剪之一股，疑系弩机之扳机。TG44③：1，长10.5厘米（图2-15-11；图版163-3）。TG44③：33，长11.4厘米（图2-15-12；图版163-4）。

（4）其他

有钱币、硫磺和兽骨等。

钱币　4枚。均为“万历通宝”。钱径2.44～2.48、穿宽0.46～0.56、郭宽0.25～0.32、厚0.11～0.19厘米（见表1-22）。

硫黄　碎片3块（图版163-2）。硫黄是配制火药的基本原料，平播时明军曾随军携带，并禁军民卖“硝磺”入播[①]。

兽骨　数量不菲，有肢骨140段、牙48枚。为黄牛、马、猪骨，以黄牛、马为主，猪较少。

（三）三十六步与飞虎关（CM3）

位于铁柱关西南侧的陡坡上，自铜柱、铁柱两关入囤的道路汇成一线后经此而过，是登囤的必经之途。关隘建于外侧陡直的原生基岩上，地势险峻，下接三十六级石砌长梯，上接凿崖而成的“龙虎大道”。长梯直插云霄，俗谓“天梯”，文献中则称“三十六步”[②]。囤破之后，三十六步与龙虎大道渐掩于草木之下而无人识，仅残破的关隘孤悬崖前。1999年重新发现并进行了清理，次年对毁弃的三十六步进行修复，2009年修复了飞虎关。因此，现场已无石材之外的其他遗物发现。同时，现存遗迹与其原貌可能存有些许偏差，特别是三十六步（图版165）。

---

① （明）李化龙：《平播全书》卷6《奏议》：“蜀无硝磺，差人别省收买”“收买数万，陆续解运，自始事以至贼平，用之不尽。”卷12《书札·陈总兵》：“播贼无火器，攻之须用火器。今该镇带来有硝磺，有火器，便是长技矣。”卷8《牌票》：“严禁军民人等，不许擅将硝磺盐斤卖与播夷。”北京：大众文艺出版社，2008年，第201、277、422页。

② （明）李化龙：《平播全书》卷4《六报捷音疏》：“查先破水关、铁柱关，盖止到关下，或登城复出，而贼犹然有关。今烧楼溃墙，贼始失险，拟越三十六步，急攻飞虎关。”北京：大众文艺出版社，2008年，第112页。

三十六步全长52、宽4.15米，坡度30°。每级踏步高0.3～0.55、进深0.76～1.44米不等。阶面略向下倾斜。两侧有护墙，亦作阶梯状。上接飞虎关，下连墩台（DT3）。墩台一侧连接另一组12级踏步，与三十六步形成曲尺形。三十六步与飞虎关相邻的一端搭于一巨石上，与关下巨石两相对峙。没有迹象表明该关为吊桥关，因此两者之间的连接情况已不明朗，原或券有石桥，今架以木桥。

关座建于危岩之上，部分门道两侧的墙体乃下凿基岩而成，券拱顶。门槛整石凿成，内侧设门臼；上为连弧形石门楣，亦设门臼。两侧有方形门闩两组4个。门道平面呈凸字形。方向45°。关座面阔10.5、进深6.45～7.25、高2.55～7.4米。门道通长6.5、宽2.62～3.2、高3.9～5.35米，其中外门道长1.35、宽2.62、高3.9米，内门道长5.15、宽3.2、高5.35米（图2-16）。

飞虎关原有石匾，但风化较甚，2009年维修时拆除，今无存。据道光《遵义府志》记载："飞虎、飞龙、朝天、万安榜并款'骠骑将军杨应龙书'，余榜不存。"①

（四）飞龙关（CM4）

位于囤东北山脊外凸处，是自东部登临囤顶的第一关。西临深渊（杀人沟），部分墙体自半崖起砌；前接缓坡，于基岩上凿有踏步，前接墩台（DT4）。关座券顶俱已坍塌，门道内遗落大量石材，西北角有墙体柱状逸出，据信为明军炮火摧毁所致②，现已经成海龙囤一景（图版166）。于关座南墙下布探沟一条（TG55）进行清理。

1. 遗迹

飞龙关的结构较为复杂，平面略呈4形，由两纵一横3条门道组成，设门两道，于西侧形成一耳室。中门道方向8°。与正（北）门相对的南墙上嵌有整石雕成的镂空石窗，上饰方胜纹，设计精巧，平添几许灵动。窗之内侧，上下设有小门臼两组4个，表明石窗内侧原设有可开合木窗。临渊一侧的西墙上部多已坍塌，仅存自半崖起砌的部分基础。关座顶部多已坍塌，残存墙体显示关顶沿门道起券。厚实墙体两侧用加工规整的灰岩石块砌筑，中央则填以斜置的砂岩碎片。正门门槛整石凿成，内侧设门臼。相对的上端为连弧形石门楣，亦设门臼。两侧墙体设对称门闩两组4个。东门道中央偏南处设侧门，向南而开，尚存部分券拱与门楣，北侧雕出花卉形门簪。

正门顶石匾尚存，长305、宽127、厚约30厘米。中央自右而左横书"飞龙关"三大字，右侧竖书"唐太师守播三十代孙」钦赐飞鱼品服」敕封骠骑将军杨应龙书立"，左侧落款"皇明万历丙申岁夹钟月□」未日吉旦重建"。丙申岁为万历二十四年（1596），夹钟月为农历二

① （清）郑珍、莫友芝编纂：《遵义府志》卷10《古迹》，成都：巴蜀书社，2013年，第168页。

② （清）郑珍、莫友芝编纂：《遵义府志》卷10《古迹》："独飞龙毁左角，乃刘綎自对山飞炮所摧者"。成都：巴蜀书社，2013年，第168页。

月，磨泐之字当为“已”，即1596年农历二月二十三（详见第九章）。

关顶坍塌而柱础无存，但地面遗有八棱形柱础1个，当系自关顶垮落者。

关座面阔14.5、进深10.2、高6.1～7.6米。主门道呈凸字形，通长10.1、宽2.85～3.1、残高3.5～4米，其中外门道长1.35、宽2.85、高3.5米，内门道长8.75、宽3.1、残高4米。东门道长7.15、宽2.85、残高4.9米。西耳室长约5、宽3.2、高约4米。镂空石窗长1.75、高1.3、厚0.2米（图2-17；图版167）。

2. 遗物

在关座南墙外布探沟一条（TG55）。堆积可分2层。第1层为表土层，包含有较多瓦砾，多为B型板瓦，有零星A型板瓦。第2层为关隘坍塌后的堆积，包含较多瓦砾、残砖和瓷器碎片。遗物主要出在第2层内。可分建筑材料、生活用器两类（表2-9）。

（1）建筑材料

有瓦、瓦当、砖、脊砖和脊兽等。

瓦　有板瓦与筒瓦两类。板瓦瓦砾俯首皆是，以B型板瓦为主，为明代遗物，均未采集。另有5片A型板瓦残块，为南宋遗物。筒瓦仅2件（TG55②：42、TG55②：56），为Ba型筒瓦残件，即两翅未经二次加工的明代筒瓦。

瓦当　14件。均为板瓦瓦当残件，分勾头与滴水两类。

勾头　5件。均为Ba型，即花下须蔓向左卷曲的六瓣莲花纹勾头，当面偏大（图2-12-3；图版168-3）。

滴水　9件。均为Ba型，即莲叶两侧有卷曲须蔓的六瓣莲花纹滴水，当面较大（图2-12-11）。

砖　15件。分属Aa、Ab、Ba、Bb诸型，为形状各异的大小两类长方形砖。

Aa型　11件。未经二次砍琢加工的标准小长方形砖。普遍长31、宽15、厚7.5厘米。11件长方形小砖（Aa型）上有铭文，铭“初一号”者9件，铭“十六”者2件。系明代关隘上的铺地砖与墙砖。

Ab型　2件。TG55②：2、TG55②：40，将小长方形砖一端砍磨为内凹圆弧形，用以包柱（图2-18-9；图版168-5）。

Ba型　1件。TG55②：41，未经二次加工的长方形大砖。

Bb型　1件。TG55②：9，将长方形大砖一端砍制为内凹圆弧形（图版168-6）。

脊砖　3件。TG55②：50，残。Fa型脊砖，即缠枝牡丹纹小脊砖。高12、残长16、残宽6.5、厚3厘米（图2-18-8；图版168-4）。TG55②：51，残存部分顶部及中央挡板，纹饰不明，大小与前者相近，推测亦为Fa型。高14、残长11、残宽10、厚3厘米。TG55②：55，残甚。应为C型，即缠枝牡丹纹大脊砖的局部残块。

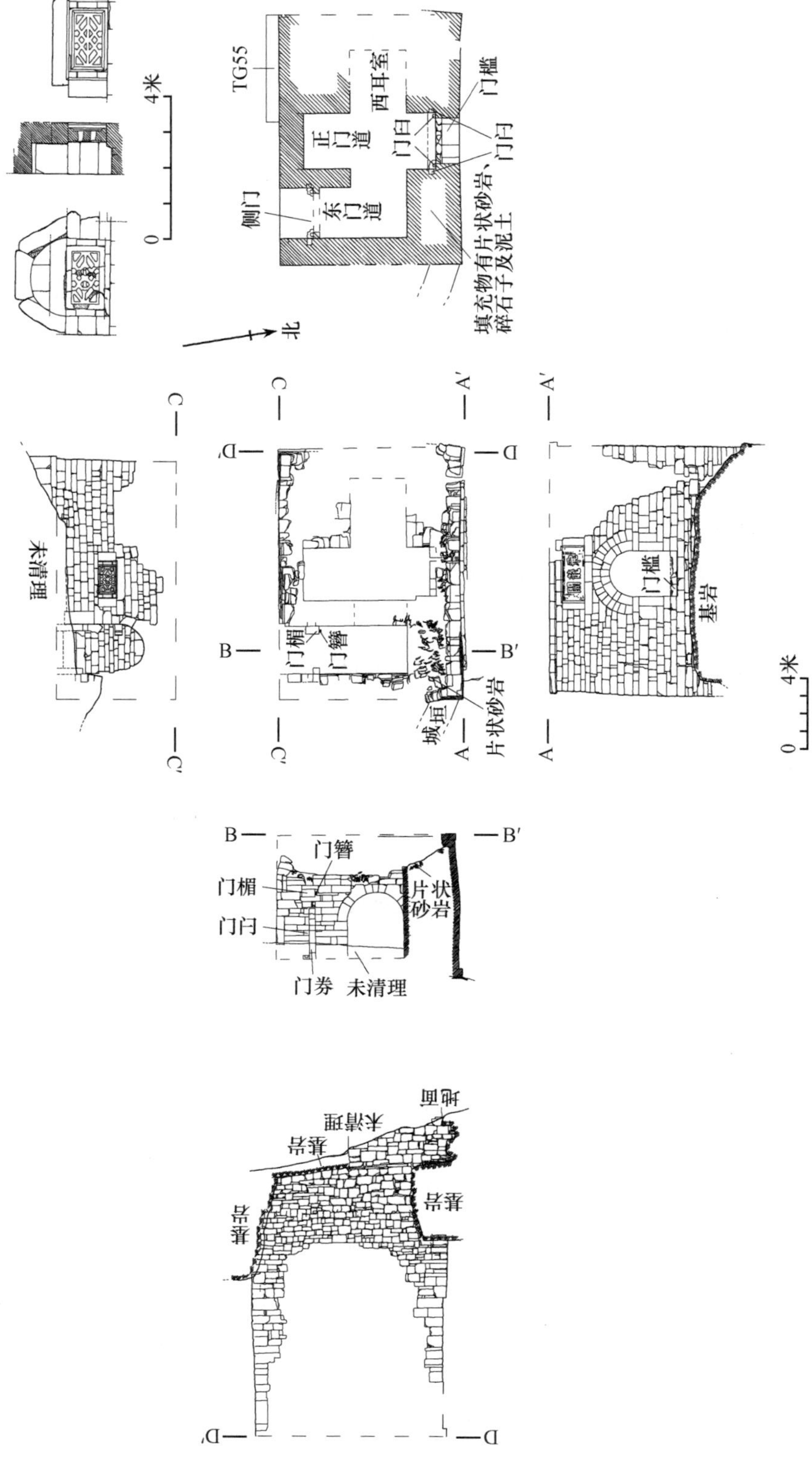

图2-17　飞龙关（CM4）平、剖面图

表2-9 飞龙关（CM4）出土遗物统计表

序号	出土单位/编号	名称	类型	年代	保存状况	残片数量	可计件数	备注
1	TG55②：1	小长方形砖	Aa型		残	1	1	“初一号”
2	TG55②：2	小长方形加工砖	Ab型		残	1	1	砍制成内凹弧形
3	TG55②：3	小长方形砖	Aa型		残	1	1	“初一号”
4	TG55②：4	小长方形砖	Aa型		残	1	1	“初一号”
5	TG55②：5	小长方形砖	Aa型		残	1	1	“初一号”
6	TG55②：6	勾头	Ba型		残	1	1	当面较完整
7	TG55②：7	小长方形砖	Aa型		残	1	1	“初一号”
8	TG55②：8	小长方形砖	Aa型		残	1	1	“初一号”
9	TG55②：9	大长方形砍制砖	Bb型		残	1	1	大砖砍制成内凹圆弧形
10	TG55②：10	勾头	Ba型		残	1	1	
11	TG55②：11	勾头	Ba型		残	1	1	
12	TG55②：12	勾头	Ba型		残	1		
13	TG55②：13	勾头	Ba型		残	1	1	
14	TG55②：14	勾头	Ba型		残	1	1	当面完整
15	TG55②：15	勾头	Ba型		残	1		
16	TG55②：16	勾头	Ba型		残	1		
17	TG55②：17	勾头	Ba型		残	1		
18	TG55②：18	勾头	Ba型		残	1		
19	TG55②：19	勾头	Ba型		残	1		
20	TG55②：20	勾头	Ba型		残	1		
21	TG55②：21	滴水	Ba型		残	1		
22	TG55②：22	滴水	Ba型		残	1	1	
23	TG55②：23	滴水	Ba型		残	1	1	
24	TG55②：24	滴水	Ba型		残	1	1	
25	TG55②：25	滴水	Ba型		残	1	1	
26	TG55②：26	滴水	Ba型		残	1	1	
27	TG55②：27	滴水	Ba型		残	1		
28	TG55②：28	滴水	Ba型		残	1	1	
29	TG55②：29	滴水	Ba型		残	1		
30	TG55②：30	滴水	Ba型		残	1	1	
31	TG55②：31	滴水	Ba型		残	1	1	
32	TG55②：32	滴水	Ba型		残	1		
33	TG55②：33	滴水	Ba型		残	1	1	
34	TG55②：34	滴水	Ba型		残	1		
35	TG55②：35	小长方形砖	Aa型		残	1	1	“初一号”
36	TG55②：36	小长方形砖	Aa型		残	1	1	“初一号”
37	TG55②：37	小长方形砖	Aa型		残	1	1	“初一号”
38	TG55②：38	小长方形砖	Aa型		残	1	1	“十六”
39	TG55②：39	小长方形砖	Aa型		残	1	1	“十六”

续表

序号	出土单位/编号	名称	类型	年代	保存状况	残片数量	可计件数	备注
40	TG55②：40	小长方形加工砖	Ab型		残	1	1	砍制成内凹弧形
41	TG55②：41	大长方形砖	Ba型		残	1	1	
42	TG55②：42	筒瓦	Ba型		残	1	1	未二次加工
43	TG55②：43	青花螭龙纹盘		明晚	可修复	5	1	
44	TG55②：44	青花螭龙纹盘		明晚	可修复	4	1	
45	TG55②：45	铁三脚			残块	2	1	
46	TG55②：46	铜钥匙			较完整	1	1	
47	TG55②：47	铁锅			残片	3	1	
48	TG55②：48	青花十字宝杵纹盘		明早中期	残片	1	1	
49	TG55②：49	青花螭龙纹碗		明晚	可修复	3	1	
50	TG55②：50	脊砖	Fa型		残	1	1	缠枝牡丹纹小脊砖
51	TG55②：51	脊砖	不明		残	1		
52	TG55②：52	青花树石栏杆纹盘		明中晚	可修复	3	1	
53	TG55②：53	青花兔纹盘		万历	残片	1	1	
54	TG55②：54	垂戗兽	Bc型		残块	1	1	尾部残块，凸棱形
55	TG55②：55	脊砖	C型		残块	1	1	缠枝牡丹纹大脊砖
56	TG55②：56	筒瓦	Ba型		残块	1	1	存雄头部分
57	TG55②	青花花鸟纹碗		万历	残片	1	1	
58	TG55②	青花山石纹碗		明晚	残片	1		
59	TG55②	青花过墙龙纹碗		清	残片	2	1	
60	TG55②	青花缠枝花卉纹碗		明中晚	残片	2		
61	TG55②	青花缠枝花卉纹碗		明中晚	残片	7	1	
62	TG55②	青花莲托八宝纹碗		明晚	残片	3	1	
63	TG55②	青花寿字碗		明晚	残片	4	1	
64	TG55②	青花灵芝茶花纹碗		清	残片	4	1	
65	TG55②	青花葡萄纹碗		隆庆	残片	4	1	
66	TG55②	青花螭龙纹盘		晚晚	残片	1	1	
67	TG55②	青花果枝栖雀纹盘		明晚	残片	6	1	
68	TG55②	青花盘		明	残片	7		
69	TG55②	青花花卉纹杯		明晚	残片	5		
70	TG55②	青花菱形锦地纹盘		明晚	残片	5	1	
71	TG55②	粗瓷碗底		明清	残片	3		
72	TG55②	粗瓷碾钵		明	残片	1		
73	TG55②	粗瓷罐		明清	残片	25	1	
74	TG55②	粗瓷带系罐		明清	残片	5	1	
75	TG55②	白瓷盘（口沿）		明	残片	4	1	
76	TG55②	粗瓷罐			残片	7		
77	TG55①	A型板瓦		南宋	残片	5		

脊兽　1件。TG55②：54，为Bc型（凸棱型）垂戗兽的尾部残块。末端微上翘，划六道栉纹，一侧残存一道凸棱。残长9、残宽9.6、厚2.8厘米（图2-18-4；图版168-1）。

飞龙关出土的建筑材料有两点格外重要：一是A型板瓦的发现，表明飞龙关原应有南宋门址，现存明代关隘当如匾额铭文所言是在南宋门址基础上“重建”。二是由于飞龙关有明确纪年（1596），所出明代建筑材料便具有年代标尺的意义。

（2）生活用器

有瓷器、铁器与铜器。

瓷器　114片。均为瓷器碎片，少量可复原。可分细瓷和粗瓷两类。

细瓷　73片。又有青花与白瓷两类，以青花为主。

白瓷　4片。为白瓷盘口沿残片。

青花　69片。可辨纹饰有螭龙纹、十字宝杵纹、树石栏杆纹、花鸟纹、山石纹、龙纹、兔纹、葡萄纹、灵芝茶花纹等，可辨器形有盘、碗、杯等，仅3件盘和1件碗可修复（图版169-1～6）。择其典要者略作介绍。TG55②：48，青花十字宝杵纹盘。仅存底部残片，不可复原。圈足。内底双圈弦纹内绘十字宝杵纹，青料艳丽。足径约11厘米（图2-18-1）。TG55②：53，青花兔纹盘。仅存底部残片。圈足。内底双圈弦纹内绘白地兔纹。足径7.8厘米（图2-18-2）。TG55②：44，青花螭龙纹盘。可修复。口部近直，弧腹，圈足。内壁近口沿处绘重十字菱形锦地纹，内底双圈弦纹内绘团螭纹。青花略显晦暗。高2.7、口径13.4、足径7.2厘米（图2-18-3）。

粗瓷　41片。器形有罐、碗和碾钵等。

粗瓷的年代不易判定，细瓷则绝大多数为来自景德镇的明代晚期遗物，仅有少量（6片）瓷片年代可确定为清代。

铁器　2件。铁锅（TG55②：47）与铁三脚（TG55②：45）残件各1件，均残甚（图2-18-6、7；图版169-8、9）。

铜器　1件。TG55②：46，铜钥匙。较完整，存匙身部分，柄部缺失。长方形铜条，顶端上翘，开一方孔。残长6、宽0.6、厚0.14厘米（图2-18-5；图版169-7）。

（五）朝天关（CM5）

在飞龙关南侧不远处，南与飞凤关接（连接的城垣顶作台阶状），是大城的东门。前设墩台（DT5），且明代墩台内包裹有南宋墩台。关座两侧与墩台东北侧有城垣相接，这三段城垣叠压或包裹着南宋城垣，早晚关系清晰。一直作为出入海龙囤的通道使用（图版166）。在门道内侧布探沟一条（TG21）进行清理。

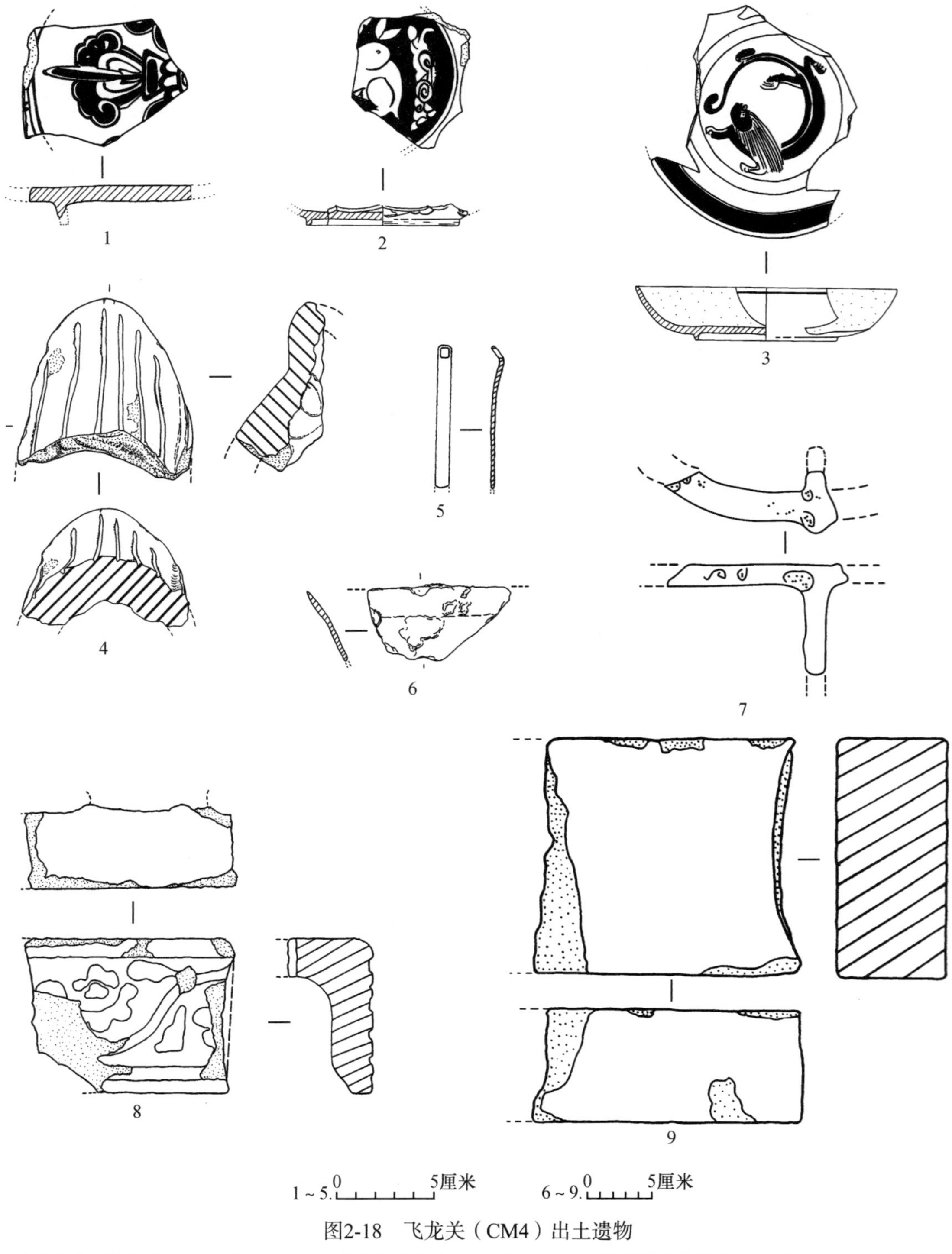

图2-18　飞龙关（CM4）出土遗物

1. 青花十字宝杵纹盘（TG55②：48）　2. 青花兔纹盘（TG55②：53）　3. 青花螭龙纹盘（TG55②：44）　4. 脊兽尾部（TG55②：54）　5. 铜钥匙（TG55②：46）　6. 铁锅（TG55②：47）　7. 铁三脚（TG55②：45）　8. Fa型脊砖（TG55②：50）　9. Ab型砖（TG55②：40）

1. 遗迹

关座与其两侧城垣连为一体，一次筑成，仅关顶高出两侧垣墙约1米。关顶有八棱形柱础4个，地面铺砖。门道外侧设踏步。门道平面呈凸字形，方向75°（或因门道向东而取名朝天关）。内门道较外门道高敞。整石门槛两侧设门臼，上为连弧形石门楣，有对称门臼。两侧墙体设对称方形门闩两组4个。

石匾尚存，长260、宽118、厚约30厘米。中央自右向左横书“朝天关”三大字，右侧竖书“唐太师守播三十代孙」钦赐飞鱼品服」敕封骠骑将军杨应龙书立”，左侧落款“皇明万历乙未岁中吕月乙」卯日吉旦重建”。为万历二十三年（1595）农历四月十三。

关座面阔10.3、进深6.8、高7.15～8.1米。门道通长6.8、宽2.58～3.25、高3.9～5.9米，其中外门道长1.35、宽2.58、高3.9米，内门道长5.45、宽3.25、高5.9米。门外墩台（DT5）近方形，长10.7、宽10.5、高5.8米，其内包裹的南宋墩台较之略小，约5米见方，上设排水孔。门楼近方形，面阔3.6、进深3.3米（图2-19；图版154、图版170）。

2. 遗物

遗物主要出土于TG21内，瓦砾、砖屑则随处可见。探沟内堆积可分2层。第1层为表土层。第2为灰褐色堆积，遗物主要出土于该层内。有建筑材料、生活用器和兵器等（表2-10）。

（1）建筑材料

有砖、瓦、瓦当、脊砖、脊兽和铁钉等。

砖　Ba型长方形砖8件，即未经二次加工的长方形大砖，应为墙砖。另有大量Aa型长方形砖，即小长方形砖，为关顶门楼铺地砖，未提取。

瓦　板瓦、筒瓦皆有。

板瓦　数量较多，均为瓦砾，主要为B型板瓦，即明代小型板瓦，有441块之多；另有A型板瓦瓦砾6块，即南宋板瓦。

筒瓦　2件。均系Ba型筒瓦残件，即两翅未经二次加工的明代筒瓦。

瓦当　出土瓦当残块122块，可计66件。含筒瓦瓦当1件（TG21②：26），为Bb型勾头，即六瓣莲花纹外有一周连弧纹，花形略偏小（图2-12-8、图2-20-17；图版171-12）。余均板瓦瓦当，共65件。分勾头、滴水两类。

勾头　34件。均为Ba型板瓦勾头，即花下须蔓向左卷曲的六瓣莲花纹勾头，当面较大（图2-12-4；图版171-13）。

滴水　31件。亦均为Ba型，即莲叶两侧有卷曲须蔓的六瓣莲花纹滴水，当面较大（图2-12-12；图版171-14）。

脊砖　4件。均为残块，分属C、Fa、Fb三型。

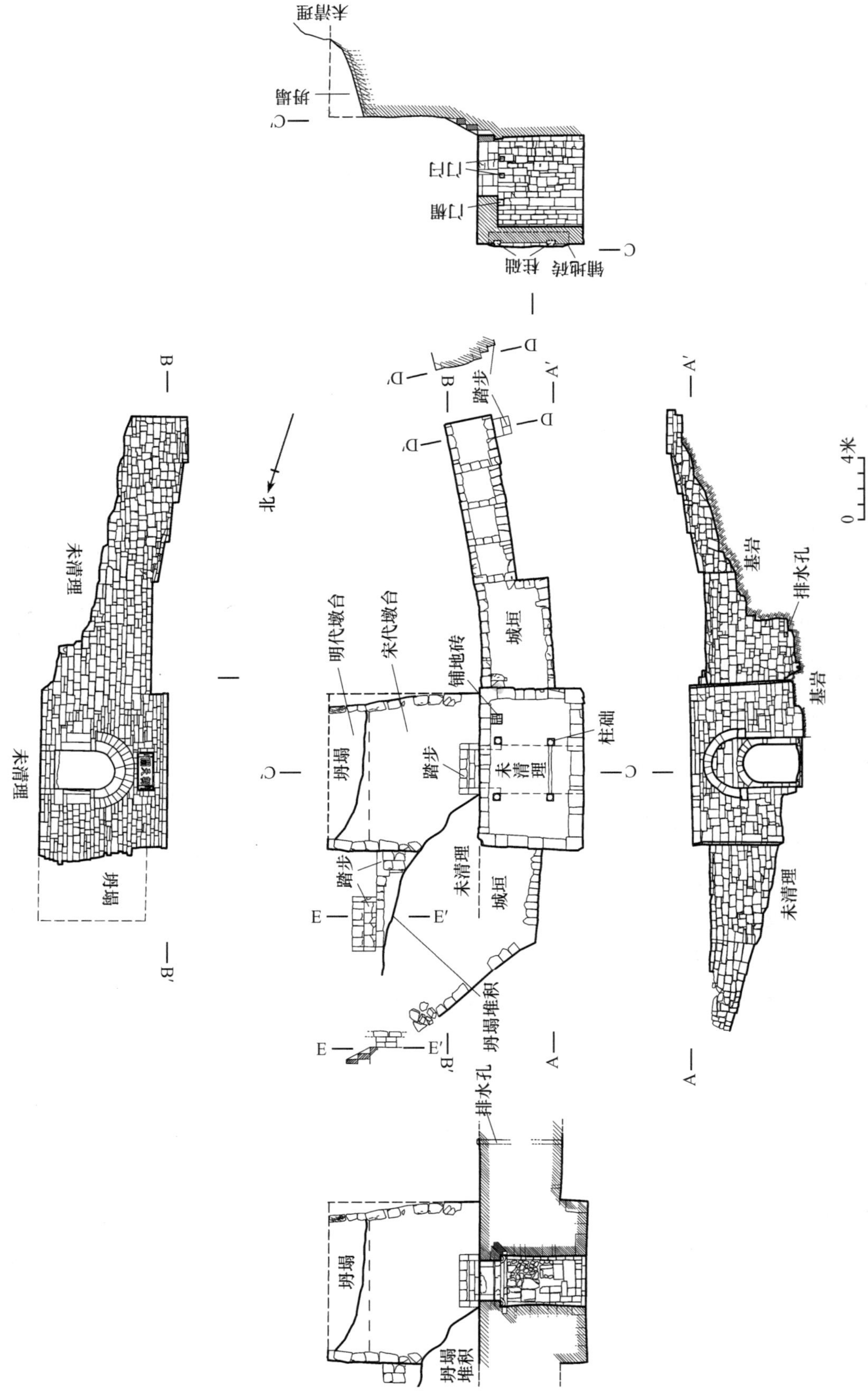

图2-19　朝天关（CM5）平、剖面图

表2-10　朝天关（CM5）出土遗物统计表

序号	出土单位/编号	名称	类型	保存状况	残片数量	可计件数	备注
1	TG21②：1	青花卍字云纹碗	Cc型	已修复	6	1	明中晚
2	TG21②：2	大长方形砖	Ba型	残	1	1	
3	TG21②：3	大长方形砖	Ba型	残	1	1	
4	TG21②：4	大长方形砖	Ba型	残	1	1	
5	TG21②：5	青花福字碗		残片	1	1	明晚
6	TG21②：6	勾头	Ba型	残	1	1	板瓦勾头，下同
7	TG21②：7	勾头	Ba型	残	1	1	
8	TG21②：8	勾头	Ba型	残	1	1	
9	TG21②：9	勾头	Ba型	残	1	1	
10	TG21②：10	勾头	Ba型	残	1	1	
11	TG21②：11	勾头	Ba型	较完整	1	1	
12	TG21②：12	勾头	Ba型	残	1	1	
13	TG21②：13	勾头	Ba型	残	1	1	
14	TG21②：14	滴水	Ba型	残	1	1	
15	TG21②：15	滴水	Ba型	残	1	1	
16	TG21②：16	滴水	Ba型	残	1	1	
17	TG21②：17	滴水	Ba型	残	1	1	
18	TG21②：18	滴水	Ba型	完整	1	1	
19	TG21②：19	滴水	Ba型	较完整	1	1	
20	TG21②：20	垂戗兽（角）		残	2	1	
21	TG21②：21	铁钉		残	1	1	
22	TG21②：22	白瓷印花碗		可修复	1	1	南宋，施化妆土
23	TG21②：23	白瓷撇口盘		可修复	1	1	明中
24	TG21②：24	青釉粗瓷瓶		残	1	1	口部残缺
25	TG21②：25	铁锅残件		残	7	1	撇口
26	TG21②：26	筒瓦勾头	Bb型	完整	1	1	六瓣莲花外有连弧纹
27	TG21②：27	青花寿字碗（底）		残片	2	1	
28	TG21②：28	筒瓦	Ba型	残	1	1	
29	TG21②：29	筒瓦	Ba型	残	1		
30	TG21②：30	筒瓦	Ba型	残	1	1	
31	TG21②：31	滴水	Ba型	残	1		板瓦滴水，下同
32	TG21②：32	滴水	Ba型	残	1		
33	TG21②：33	滴水	Ba型	残	1	1	
34	TG21②：34	滴水	Ba型	残	1		
35	TG21②：35	滴水	Ba型	残	1	1	
36	TG21②：36	滴水	Ba型	残	1	1	
37	TG21②：37	滴水	Ba型	残	1	1	

续表

序号	出土单位/编号	名称	类型	保存状况	残片数量	可计件数	备注
38	TG21②：38	滴水	Ba型	残	1		
39	TG21②：39	滴水	Ba型	残	1		
40	TG21②：40	滴水	Ba型	残	1		
41	TG21②：41	滴水	Ba型	残	1		
42	TG21②：42	滴水	Ba型	残	1		
43	TG21②：43	滴水	Ba型	残	1		
44	TG21②：44	滴水	Ba型	残	1		
45	TG21②：45	滴水	Ba型	残	1		
46	TG21②：46	滴水	Ba型	残	1	1	
47	TG21②：47	勾头	Ba型	残	1	1	
48	TG21②：48	滴水	Ba型	残	1		
49	TG21②：49	滴水	Ba型	残	1		
50	TG21②：50	滴水	Ba型	残	1	1	
51	TG21②：51	滴水	Ba型	残	1		
52	TG21②：52	滴水	Ba型	残	1	1	
53	TG21②：53	勾头	Ba型	残	1		莲花纹大勾头
54	TG21②：54	勾头	Ba型	残	1	1	莲花纹大勾头
55	TG21②：55	滴水	Ba型	残	1		
56	TG21②：56	脊砖	Fa型	残	1	1	缠枝牡丹纹小脊砖
57	TG21②：57	脊砖	Fa型	残	1		缠枝牡丹纹小脊砖
58	TG21②：58	脊砖	Fa型	残	1		缠枝牡丹纹小脊砖
59	TG21②：59	脊砖	Fa型	残	1		缠枝牡丹纹小脊砖
60	TG21②：60	滴水	Ba型	残	1	1	
61	TG21②：61	勾头	Ba型	残	1		
62	TG21②：62	勾头	Ba型	残	1		
63	TG21②：63	滴水	Ba型	残	1		
64	TG21②：64	滴水	Ba型	残	1		
65	TG21②：65	滴水	Ba型	残	1		
66	TG21②：66	滴水	Ba型	残	1		
67	TG21②：67	滴水	Ba型	残	1	1	
68	TG21②：68	滴水	Ba型	残	1		
69	TG21②：69	滴水	Ba型	残	1	1	
70	TG21②：70	滴水	Ba型	残	1		
71	TG21②：71	勾头	Ba型	残	1		
72	TG21②：72	勾头	Ba型	残	1	1	
73	TG21②：73	滴水	Ba型	残	1	1	
74	TG21②：74	滴水	Ba型	残	1	1	

续表

序号	出土单位/编号	名称	类型	保存状况	残片数量	可计件数	备注
75	TG21②：75	勾头	Ba型	残	1		
76	TG21②：76	滴水	Ba型	残	1		
77	TG21②：77	滴水	Ba型	残	1		
78	TG21②：78	滴水	Ba型	残	2	1	
79	TG21②：79	滴水	Ba型	残	1		
80	TG21②：80	滴水	Ba型	残	1		
81	TG21②：81	滴水	Ba型	残	1		
82	TG21②：82	滴水	Ba型	残	1		
83	TG21②：83	滴水	Ba型	残	1		
84	TG21②：84	滴水	Ba型	残	1		
85	TG21②：85	滴水	Ba型	残	1		
86	TG21②：86	滴水	Ba型	残	1	1	
87	TG21②：87	滴水	Ba型	残	1	1	
88	TG21②：88	勾头	Ba型	残	1		
89	TG21②：89	勾头	Ba型	残	1	1	
90	TG21②：90	滴水	Ba型	残	1		
91	TG21②：91	勾头	Ba型	残	1		
92	TG21②：92	勾头	Ba型	残	1	1	
93	TG21②：93	滴水	Ba型	残	1	1	
94	TG21②：94	滴水	Ba型	残	1	1	
95	TG21②：95	滴水	Ba型	残	1		
96	TG21②：96	滴水	Ba型	残	1	1	
97	TG21②：97	滴水	Ba型	残	1	1	
98	TG21②：98	勾头	Ba型	残	1	1	
99	TG21②：99	滴水	Ba型	残	1	1	
100	TG21②：100	滴水	Ba型	残	1	1	
101	TG21②：101	勾头	Ba型	残	1	1	
102	TG21②：102	勾头	Ba型	残	1	1	
103	TG21②：103	滴水	Ba型	残	1	1	
104	TG21②：104	勾头	Ba型	残	1	1	
105	TG21②：105	勾头	Ba型	残	1		
106	TG21②：106	滴水	Ba型	残	1		
107	TG21②：107	滴水	Ba型	残	1	1	
108	TG21②：108	滴水	Ba型	残	1		
109	TG21②：109	勾头	Ba型	残	1		
110	TG21②：110	滴水	Ba型	残	1	1	
111	TG21②：111	滴水	Ba型	残	1	1	

续表

序号	出土单位/编号	名称	类型	保存状况	残片数量	可计件数	备注
112	TG21②：112	勾头	Ba型	残	1		
113	TG21②：113	勾头	Ba型	残	1	1	
114	TG21②：114	勾头	Ba型	残	1	1	
115	TG21②：115	勾头	Ba型	残	1	1	
116	TG21②：116	勾头	Ba型	残	1		
117	TG21②：117	勾头	Ba型	残	1	1	
118	TG21②：118	勾头	Ba型	残	1		
119	TG21②：119	滴水	Ba型	残	1		
120	TG21②：120	勾头	Ba型	残	1	1	
121	TG21②：121	勾头	Ba型	残	1	1	
122	TG21②：122	勾头	Ba型	残	1		
123	TG21②：123	勾头	Ba型	残	1		
124	TG21②：124	勾头	Ba型	残	1	1	
125	TG21②：125	勾头	Ba型	残	1	1	
126	TG21②：126	勾头	Ba型	残	1	1	
127	TG21②：127	勾头	Ba型	残	1	1	
128	TG21②：128	勾头	Ba型	残	1		
129	TG21②：129	勾头	Ba型	残	1	1	
130	TG21②：130	勾头	Ba型	残	1	1	
131	TG21②：131	勾头	Ba型	残	1		
132	TG21②：132	勾头	Ba型	残	1	1	
133	TG21②：133	勾头	Ba型	残	1		
134	TG21②：134	勾头	Ba型	残	1	1	
135	TG21②：135	勾头	Ba型	残	1	1	
136	TG21②：136	勾头	Ba型	残	1		
137	TG21②：137	勾头	Ba型	残	1	1	
138	TG21②：138	勾头	Ba型	残	1		
139	TG21②：139	正吻（卷尾）	B型	残	1		
140	TG21②：140	正吻（剑把座）	B型	残	1	1	
141	TG21②：141	正吻（大腿）	B型	残	1		
142	TG21②：142	正吻背兽（嘴岔）	B型	残	1		
143	TG21②：143	正吻（卷毛）	B型	残	1		
144	TG21②：144	垂戗兽（背部凸棱）	Bc型	残	1	1	
145	TG21②：145	垂戗兽（草胡子）	Bc型	残	1	1	
146	TG21②：146	垂戗兽（角）		残	1	1	
147	TG21②：147	垂戗兽（角）		残	1	1	
148	TG21②：148	礌石	C型	残	1	1	

续表

序号	出土单位/编号	名称	类型	保存状况	残片数量	可计件数	备注
149	TG21②：149	礌石	C型	残	1	1	
150	TG21②：150	礌石	C型	残	1	1	
151	TG21②：151	礌石	C型	残	1	1	
152	TG21②：152	礌石	C型	残	1	1	
153	TG21②：153	礌石	C型	残	1	1	
154	TG21②：154	直柄长铁刀	A型	残	1	1	
155	TG21②：155	脊砖	C型	残	1	1	缠枝牡丹纹大脊砖
156	TG21②：156	脊砖	Fa型	残	1	1	缠枝牡丹纹小脊砖
157	TG21②：157	脊砖	Fb型	残	1		缠枝葡萄纹小脊砖
158	TG21②：158	脊砖	Fb型	残	1	1	缠枝葡萄纹小脊砖
159	TG21②：159	脊砖	Fa型	残	1		缠枝牡丹纹小脊砖
160	TG21②：160	勾头	Ba型	残	1		
161	TG21②：161	大长方形砖	Ba型	残	1	1	
162	TG21②：162	釉上红彩凤纹碗		残片	7	1	明晚
163	TG21②：163	青花山水楼阁纹大盘	D型	可修	20	1	折沿盘，明晚
164	TG21②：164	青花缠枝灵芝寿字盘	B型	残片	3	1	嘉靖
165	TG21②：165	青花寿字盘（底）		残	1	1	明晚
166	TG21②：166	青花菊纹碗（底）		残	1	1	"大明万历年制"款
167	TG21②：167	青花寿字碗（底）		残片	1	1	明晚
168	TG21②：168	青花寿字碗（底）		残片	1	1	明晚
169	TG21②：169	铁钉		较完整	15	15	
170	TG21②：170	铁合页		残	1	1	
171	TG21②：171	铁三脚		残	1	1	
172	TG21②：172	铁马掌		残	1	1	
173	TG21②：173	青花寿字碗（底）		残	1	1	明晚
174	TG21②：174	青花寿字碗（底）		残	1	1	明晚
175	TG21②：175	铁壶		残	1	1	明晚
176	TG21②：176	青花寿字盘（底）		残	1	1	明晚
177	TG21②：177	白瓷撇口盘		可修复	1	1	明中晚
178	TG21②：178	青花海水纹碗	Ee型	可修复	1	1	明晚
179	TG21②：179	影青刻花盘		残片	1	1	南宋，湖田窑
180	TG21②：180	青花八仙贺寿纹碗	Bd型	残片	5	1	明晚
181	TG21②：181	青花灵芝茶花纹碗	Ce型	残片	3	1	清
182	TG21②：182	大长方形砖	Ba型	残	1	1	
183	TG21②：183	大长方形砖	Ba型	残	1	1	
184	TG21②：184	大长方形砖	Ba型	残	1	1	
185	TG21②：185	大长方形砖	Ba型	残	1	1	

续表

序号	出土单位/编号	名称	类型	保存状况	残片数量	可计件数	备注
186	TG21②：186	勾头	Ba型	残	1	1	
187	TG21②：187	青花寿山福海纹碗		残片	1	1	明晚
188	TG21：188	青花寿字盘（底）		残片	1	1	明晚
189	TG21②	青花花卉纹碗		残片	18	1	明中晚
190	TG21②	青花并蒂莲纹大碗		残片	3	1	万历
191	TG21②	青花葡萄纹碗	Ea型	残片	5	1	隆庆
192	TG21②	青花螭龙纹盘		残片	4		明晚
193	TG21②	青花草书福禄寿字碗（底）		残片	2	1	明中晚
194	TG21②	白瓷撇口盘（口沿）		残片	4	1	明中晚
195	TG21②	青花杯		残片	5	1	明
196	TG21②	青花碗与杯残片		残片	78	5	明
197	TG21②	青花螭龙纹碗		残片	4	1	明晚
198	TG21②	青花螭龙纹盘（底）		残片	2	1	“[玉][堂][佳]器”，明晚
199	TG21②	青花火焰纹盘（底）		残片	1	1	明晚
200	TG21②	青花缠枝莲叶纹碗		残片	14	1	明晚
201	TG21②	青花碗残片		残片	17	2	明
202	TG21②	粗瓷罐		残片	13	1	
203	TG21②	粗瓷碾钵（底）		残片	1	1	
204	TG21②	青花粗瓷碗（口沿）		残片	3		
205	TG21②	青花山水纹碗	Bd型	残片	1		明晚
206	TG21②	青花碗（口沿）		残片	3		明晚
207	TG21②	青花花卉纹碗		残片	8	1	
208	TG21②	粗瓷碗（底）		残	2		
209	TG21②	粗瓷罐（口沿）		残	1		
210	TG21②	粗瓷罐（口沿）		残	1		
211	TG21②	青花高官厚禄纹杯	A型	残	2	1	明晚
212	TG21②	粗瓷残片		残片	1		
213	TG21②	青花缠枝花卉纹盘		残片	1	1	
214	TG21②	炭样			1		
215	TG21②	板瓦	A型	残片	6		南宋
216	TG21②	板瓦	B型	残片	441		残甚，Ba型与Bb型均有

C型　1件。TG21②：155，缠枝牡丹纹大脊砖。灰白色。为一侧残片，尚存牡丹藤蔓与叶。残高18、残长11.7、壁厚2.5厘米（图2-20-16；图版171-11）。

Fa型　6块2件。缠枝牡丹纹小脊砖，均残（图2-12-18）。

Fb型　2块1件。缠枝葡萄纹小脊砖。

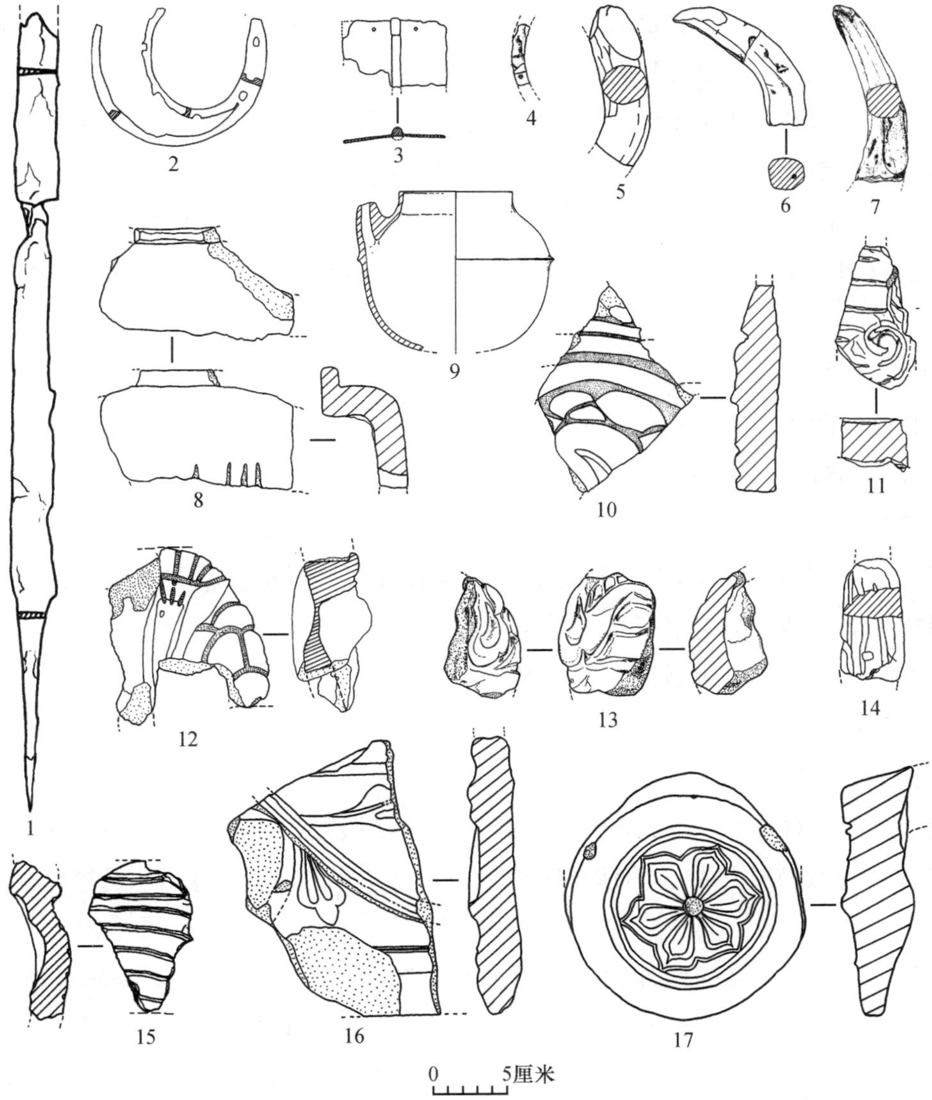

图2-20　朝天关（CM5）出土遗物

1. A型铁刀（TG21②：154）　2. 铁马掌（TG21②：172）　3. 铁合页（TG21②：170）　4. 铁三脚（TG21②：171）　5～7. 垂戗兽角（TG21②：147、TG21②：20、TG21③：146）　8. B型正吻剑把座（TG21②：140）　9. 铁壶（TG21②：175）　10. B型正吻卷尾（TG21②：139）　11. B型正吻卷毛（TG21②：143）　12. B型正吻大腿（TG21②：141）　13. B型背兽嘴岔（TG21②：142）　14. Bc型垂戗兽草胡子（TG21②：145）　15. Bc型垂戗兽背部凸棱（TG21②：144）　16. C型脊砖（TG21②：155）　17. Bb型筒瓦勾头（TG21②：26）

大者（C型）当系正脊上装饰，小者（Fa型、Fb型）则为垂脊或戗脊上装饰。

脊兽　11块。分属正吻与垂戗兽，均为碎块。

正吻　5块1件。均系B型（粗糙型）正吻的局部残片，仅巴掌大小。含卷尾（TG21②：139）、剑把座（TG21②：140）、大腿（TG21②：141）、背兽（TG21②：142）、卷毛（TG21②：143）各1块。质地与颜色一致，均黏土烧造，呈红褐色，不可拼合（图2-20-8、10～13；图版171-6～10）。

垂戗兽　6块。残甚，但可辨属B型（粗糙型）垂兽或戗兽的局部残片。含带背部凸棱

（TG21②：144）、草胡子（TG21②：145）各1件，兽角3件（TG21②：20、TG21②：146、TG21②：147）。有灰白、红褐两色，至少分属2个以上个体（图2-20-5～7、14、15；图版171-1～5）。部分残件（TG21②：144、TG21②：145）特征清晰，可进一步判明为Bc型脊兽，即粗糙型脊兽中兽身两侧腿背之间有三至五条凸棱者。

铁钉　16枚。四棱方锥形，无钉帽，多数较完整，当为瓦钉（图版172-11、12）。

上述建筑材料，A型板瓦应系南宋门楼遗物，其余则均与万历二十三年（1595）朝天关门楼相关。

（2）生活用器

有瓷器和铁器两类。

瓷器　残片255片，分细瓷与粗瓷两类。

细瓷　232片。有影青瓷、白瓷、青花与彩瓷之分。

影青瓷　1件。TG21②：179，刻花盘。残存底及腹。圈足。胎质灰白，露胎。内腹及内底刻有鱼鳞状纹饰。湖田窑南宋产品（图2-21-4；图版172-7）。

白瓷　7片可计4件。可辨器形有盘、碗。

撇口盘　3件，其中2件（TG21②：23、TG21②：177）可复原。为景德镇明代产品（图2-21-2、3；图版172-3）。

印花碗　1件。TG21②：22，可复原。敞口，腹壁微弧，圈足。内外壁均施化妆土，足、底涩胎。内壁模印缠枝牡丹纹。为清溪窑南宋产品。高3.3、口径约15、足径5厘米（图2-21-1；图版172-2）。

彩瓷　7片。属同一器的残片，可大致复原。TG21②：162，釉上红彩凤纹碗。沿微外侈，深腹微弧，圈足。足沿及下底涩胎，余施白釉。内底及外腹壁釉上绘红彩图案，内底纹饰残，外壁绘凤纹。残高2.2、足径4.6厘米（图2-21-6；图版118-6～12；图版172-1）。

青花瓷　217片。多为残片，可辨纹饰有卍字云纹、山水楼阁纹、八仙贺寿纹、寿山福海纹、高官厚禄纹、并蒂莲纹、菊纹、螭龙纹、火焰纹、葡萄纹、福字、寿字、灵芝茶花纹等，可辨器形有碗、盘、杯。部分可复原。TG21②：1，已修复。青花卍字云纹碗。属Cc型，即上腹近直、下腹弧收、深腹的撇口小碗。口沿内侧饰锦纹，内底饰卍字云纹，外腹饰缠枝花卉纹。青料晦暗。高5.5、口径12.6、足径5厘米（图2-21-8；图版172-9）。TG21②：163，可复原。共有不可再拼合的残片20片。青花山水楼阁纹大盘。属D型（折沿）盘。口沿内外饰缠枝花卉纹，内底绘山水楼阁纹。高3.8、口径24、足径12.4厘米（图2-21-7；图版172-8）。TG21②：187，残。青花寿山福海纹碗。内底双圈弦纹内绘海水仙山纹，外底铭一“寿”字，意指寿山福海。残高1.7、足径4厘米（图2-21-9；图版172-5）。TG21②：180，残。青花八仙贺寿纹碗。圈足。釉带冰裂纹。内底绘寿星，外腹为八仙。足径4.6厘米（图版172-4）。个别带年号款，TG21②：166，青花菊纹碗底残件。下底有“大明万历年制”款（图版172-6）。

粗瓷　23片。据釉色有青釉、酱釉及青花三种，器类有罐、瓶、碗和碾钵等。TG21②：24，青釉粗瓷瓶。口残，细颈，弧腹，平底。除底外遍施青釉。腹部饰弦纹。残高12.6、底径7.7厘

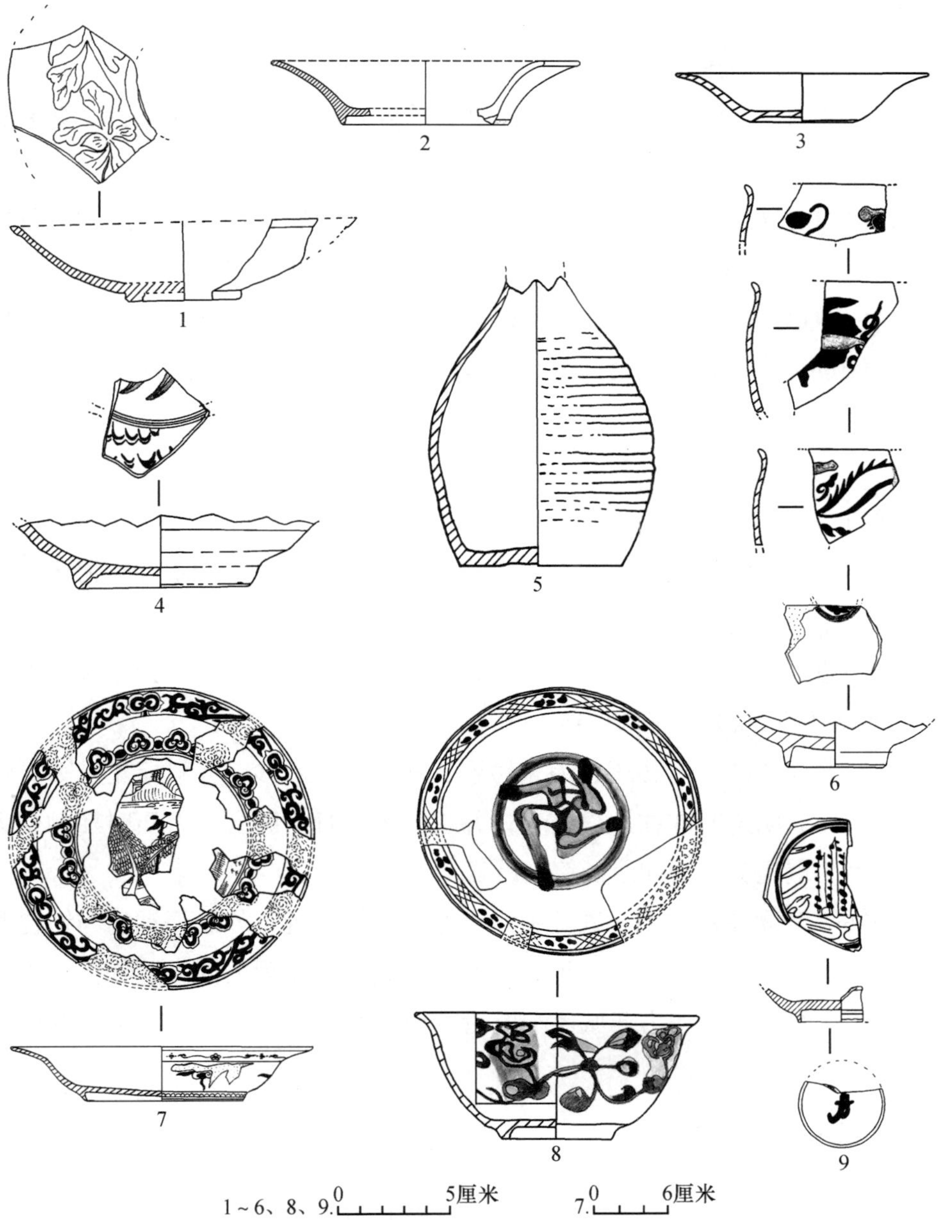

图2-21　朝天关（CM5）出土瓷器

1. 白瓷印花碗（TG21②：22）　2、3. 白瓷撇口盘（TG21②：23、TG21②：177）　4. 影青刻花盘（TG21②：179）　5. 青釉粗瓷瓶（TG21②：24）　6. 釉上红彩凤纹碗（TG21②：162）　7. 青花山水楼阁纹大盘（TG21②：163）　8. 青花卍字云纹碗（TG21②：1）　9. 青花寿山福海纹碗（TG21②：187）

米（图2-21-5；图版172-10）。

可辨年代的瓷器中，有少量南宋遗物，如影青刻花碗（TG21②：179）与白瓷印花碗（TG21②：22）；个别为清代遗物，如青花灵芝茶花纹碗（TG21②：181）；其余则主要为明代晚期遗物，相对单纯。

铁器　有铁三脚、铁锅、铁壶、铁合页和铁马掌等。

铁三脚　1件。TG21②：171，残存圈及足残段各1截。结合其他关口的发现，知为铁三脚残件（图2-20-4；图版172-15）。

铁锅　1件。TG21②：25，仅存碎片若干（图版172-14）。

铁壶　1件。TG21②：175，残。敛口，肩部带流，球形腹，圜底略残。残高10.5、口径7.5厘米（图2-20-9）。

铁合页　1件。TG21②：170，锈蚀较甚。中为轴，两侧为长方形叶片，各有钉眼3个，呈三角形分布。残长6.8、残宽4.2、厚0.15厘米（图2-20-3；图版172-16）。

铁马掌　1件。TG21②：172，残，一端分叉。半月形铁条，一面带槽，槽内钉眼5个。直径约8、宽1.5、厚0.6厘米（图2-20-2；图版172-13）。马掌，又名马蹄铁、马脚涩，播州之役中用量不菲[①]。

（3）兵器

有礌石、铁刀。

礌石　6件。均为天然砾石，属C型礌石。直径在10厘米左右。囤上并无河床，这些砾石应是自囤下河道移来做防御用的礌石（见表1-15；图版141）。

铁刀　1件。TG21②：154，锈蚀较甚。直柄长刀，属A型。残长52.5、柄残长12.5、刃残长40、最宽约3厘米（图2-20-1；图版145-13）。

朝天关明代墩台（DT5）内叠压有南宋墩台，相应地也有少量A型板瓦、影青瓷和印花白瓷等南宋遗物发现，表明宋时亦在此设有关口并建门楼，且设墩台。万历时期的朝天关，是在南宋关口的基础上“重建”，一如匾额铭文所言。

铁三脚、铁锅等遗物在铜柱关、铁柱关、飞龙关均有发现，如果说铜柱与铁柱两关附近因有后人居住而无法确定其为明代遗物，那么飞龙关与朝天关发现的同类遗物为后人带入的可能性是极小的，因此这类遗物应均为守城播军所遗。相当部分粗瓷器，亦应为万历时期遗物。

（六）飞凤关（CM6）

在朝天关南，彼此有城垣相连，相距仅约25米，是自东面登囤的最后一关。与其他关隘比较，飞凤关有三个鲜明的特点：一是与其他关隘夹在城垣中央不同，飞凤关居于城垣一侧，城垣从东北角过，地势亦不甚险峻，其防御功能因此大大弱化；由于不经城垣登临城门楼，特在关座内侧两端各设踏步以供上下。二是关座（门楼）前有垣墙围合的高低两进院落，中央以踏步相连；前开两门，一为入关通道，一则通向东北侧城垣顶部，为防御性通道。三是关内及其附近立有石碑3通：院内2通，一为土司杨应龙手书的“骠骑将军示谕龙岩囤严禁碑”，一为万历二十八年（1600）攻囤时首登绝垒的明将王鸣鹤的诗碑；关南不远处1通，为万历二十八年六月播平后湖广偏桥路的纪功碑（上被弘光元年“道府厅县碑”碑文覆盖）；从大小判断，纪

① （明）杨寅秋：《临皋文集》卷4《平播覆议机宜》：“各营通计应用马脚涩五百副，每副价七厘。”《景印文渊阁四库全书》，台北：台湾商务印书馆，1986年，第1291册，第755页。

功碑原可能为飞凤关缺失的匾额（3通碑刻铭文详见第九章）。这些特点表明，飞凤关防御性较弱，应是一个仪式性的空间（图版166、图版173）。

1. 遗迹

关座平面呈凸字形，东侧略有塌陷。两侧凸起处设对称踏步，各15级。正前有匾，清道光时即已不存，基座尚在。关顶八础尚存其五，知为三开间门楼，地面铺砖。凸字形门道。方向340°。内外门道交接处下设门槛，上有连弧形门楣相对应，两侧墙上设对称方形门闩两组4个。内门道近尽头处亦设门槛一道。

关座面阔13.3～17.7、进深11.8、高7～7.25米。门道通长9.6、宽2.65～3.3、高3.8～6.15米，其中外门道长1.35、宽2.65、高3.8米，内门道长8.25、宽3.3、高6.15米。

门楼面阔三间，通面阔9、进深4.2米，明间面阔4.6米，次间面阔2.2米。柱础硕大，方座，鼓镜八棱形，座径近1米。关前两进院落，通进深18.4、宽12.4米，其中第一进进深8米，第二进进深10.4米（图2-22）。

2. 遗物

在关之东北角A类与C类城垣交接处（TG20）、门楼踏道旁（TG22）与“道府厅县碑”所在地（TG23）各布一条探沟进行初步清理，出土部分遗物。此外，2018年春对关座顶部进行修缮时，也掘出大量砖屑，我们采集了其中较完整者（编号为飞凤关采：1～采：41）。探沟内堆积均为2层。第1层为表土层。第2层为灰褐色堆积，均有遗物出土。有建筑材料、生活用器和兵器（表2-11）。

（1）建筑材料

有砖、瓦、瓦当、抱鼓石、铁钉和铁门环等。

砖 41件。修缮关顶时采集，多为门楼铺地砖。均为Aa型，即未经二次加工的小长方形砖。其中34件带铭文。铭“十六”者2件、“十六砖”者12件、“初一号”者19件、“验”者1件。

瓦 板瓦、筒瓦均有。

板瓦 均为B型板瓦（明代）碎片，未采集。未见A型板瓦（南宋）。

筒瓦 2件。均残。属Ba型，即两翅未经二次加工的明代筒瓦。均出在关座踏道附近（TG22），可确定为门楼上遗物（图版174-2、3）。

瓦当 共10块，可计9件。均为板瓦勾头与滴水。

勾头 1件。TG23②：8，残。属Ba型。六瓣莲花下有须蔓向左卷曲，当面较大（图2-12-5；图版174-6）。

滴水 8件。均属Ba型，即莲叶两侧有卷曲须蔓的六瓣莲花纹板瓦滴水，当面较大（图2-12-13；图版174-7）。

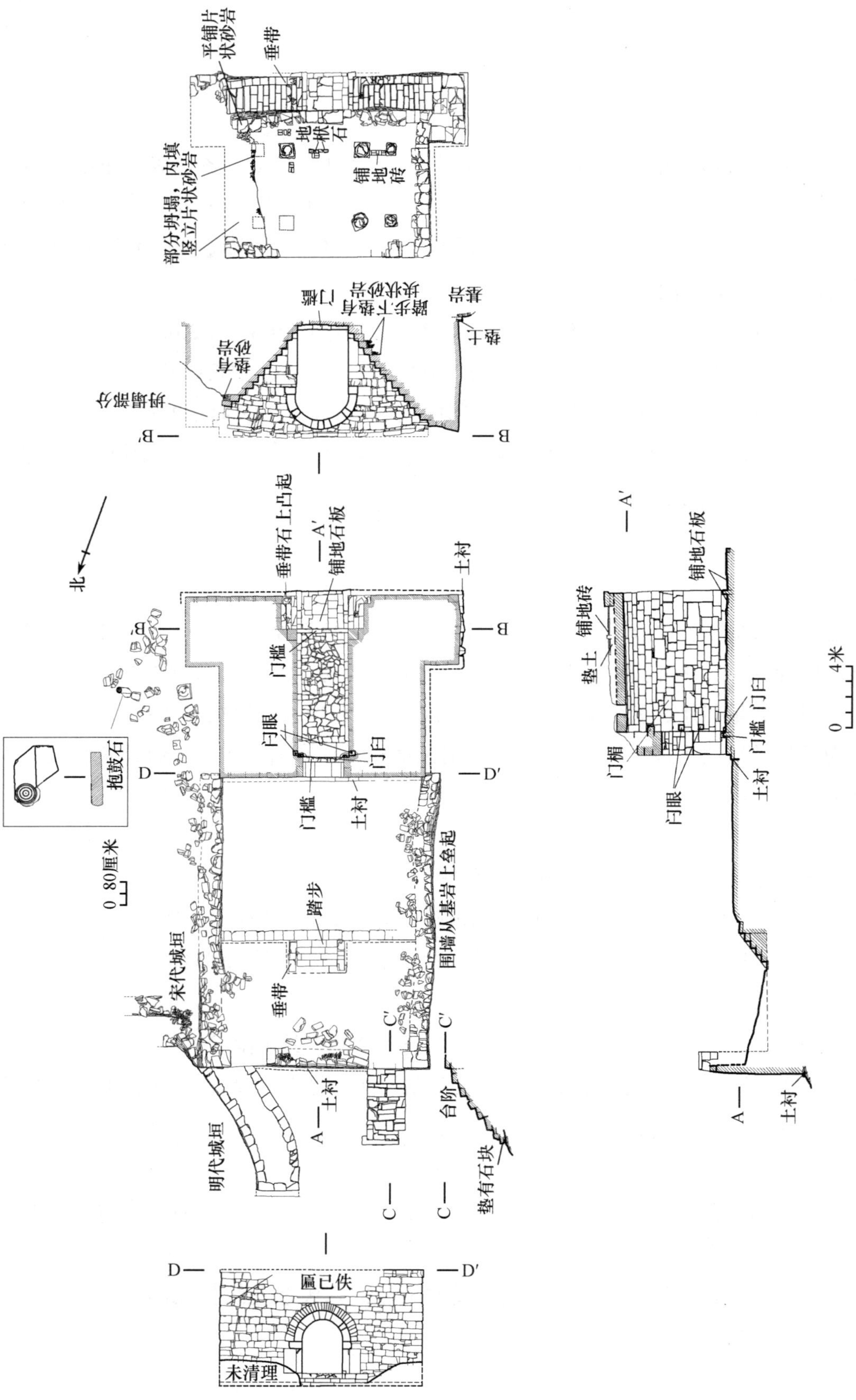

图2-22　飞凤关（CM6）平、剖面图

表2-11　飞凤关（CM6）出土遗物统计表

序号	出土单位/编号	名称	类型	保存状况	残片数量	可计件数	备注
1	TG20②	青花菱花口盘（口沿）	Ac型	残	1	1	明晚
2	TG20②	青花花卉纹碗（底）		残片	2	1	明晚
3	TG20②	青花粗瓷碗		残片	51	5	清
4	TG22①：1	青花寿字盘（底）		残片	1	1	明晚，寿
5	TG22①：2	青花寿字盘（底）		残片	1	1	明晚，寿
6	TG22①：3	青花寿字碗（底）		残片	1	1	明晚，寿
7	TG22②：1	铁镞	Ha型	残段	2	1	明晚
8	TG22②：2	青花寿字碗（底）		残片	1	1	明晚，寿
9	TG22②：3	青花螭龙纹盘	B型	可复原	1	1	直口，明晚，寿，福
10	TG22②：4	青花状元及第碗（底）		残片	1	1	“状元及第”，明晚
11	TG22②：5	青花寿字盘（底）		残	1	1	明晚，寿
12	TG22②：6	铁脚码		较完整	1	1	明晚
13	TG22②：7	铁门环		较完整	1	1	明晚
14	TG22②：8	抱鼓石残件		残	1	1	明晚
15	TG22②：9	青花寿字盘（底）		残片	1	1	明晚，寿
16	TG22②：10	青花寿字盘（底）		残片	1	1	明晚，寿
17	TG22②：11	铁钉		较完整	3	3	明晚
18	TG22②：12	铁锅		残块	3	1	敞口，明晚
19	TG22②：13	筒瓦	Ba型	残	1	1	明晚
20	TG22②：14	筒瓦	Ba型	残	1	1	熊头尚存，明晚
21	TG22②：15	铜锁芯		完整	1	1	明晚
22	TG22②：16	青花托字碗（口沿）		残片	1	1	明晚
23	TG22①	青花粗瓷碗（底）		残片	2	1	清
24	TG22①	粗瓷罐		残片	21	1	明
25	TG22①	粗瓷罐（口沿）		残片	4		明
26	TG22①	粗瓷碗（底）		残片	9	2	明
27	TG22①	粗瓷钵（口沿）		残片	2	1	明
28	TG22①	粗瓷罐（流）		残片	1		
29	TG22①	粗瓷罐（底）		残片	7	1	
30	TG22①	青花灵芝茶花纹碗残片	Ce型	残片	43	5	清
31	TG22①	青花婴戏纹碗		残片	3	1	明晚
32	TG22①	粗瓷罐（耳）		残片	2		
33	TG22①	釉上红彩碗（口沿）		残片	1	1	明晚
34	TG22②	青花山水船帆纹碗	Bd	残片	4	1	明晚
35	TG22②	釉上绿彩碗（口沿）		残片	1	1	明晚
36	TG22②	孔雀绿釉盘（底）		残片	1	1	明晚
37	TG22②	青花花卉纹盘		残片	30	3	明晚

续表

序号	出土单位/编号	名称	类型	保存状况	残片数量	可计件数	备注
38	TG22②	青花花卉纹碗（口沿）		残片	74	6	明晚
39	TG22②	青花折枝花卉纹碗（底）		残片	3	1	明晚
40	TG22②	青花缠枝银杏叶纹碗（腹）	Ab	残片	3	1	万历
41	TG22②	青花杯		残片	9	2	明
42	TG22②	白瓷盘（底）		残片	5	1	明中晚
43	TG22②	粗瓷印花罐		残片	2		明
44	TG22②	青花螭龙纹盘（底）		残片	7	2	明晚
45	TG22②	青花八卦纹盘（口沿）	B	残片	1	1	万历
46	TG22②	青花蟹纹盘	C	残片	2	1	明晚
47	TG22②	青瓷碗（腹）		残片	1		仿龙泉窑，明晚
48	TG22②	青花碗（底）		残片	28	4	明晚
49	TG22②	青花螭龙纹碗		残片	9	1	明晚
50	TG22②	青花菊纹碗（口沿）	Ce	残片	1	1	清初
51	TG22②	白瓷盘（口沿）		残片	7		明中晚
52	TG22②	青花兔纹碗（底）		残片	1	1	明晚
53	TG22②	青花碗（底）		残片	1		“大明宣德年制”，明晚
54	TG22②	青花花卉纹盘		残片	4	1	
55	TG22②	青花碗		残片	128	8	
56	TG22②	青花草书福禄寿字碗	Ee型	残	1	1	明晚，福
57	TG23②	青花花卉纹折腰盘		残	2	1	万历，内外壁均开光，内壁绘花卉纹，克拉克瓷
58	TG23②：1	青花花鸟纹碗（底）		残片	1	1	“流芳□□”款，明晚
59	TG23②：2	青花花鸟纹碗（底）		残片	1	1	“□芳□□”款，明晚
60	TG23②：3	青花寿字碗（底）		残	1	1	外底“福”字款，明晚
61	TG23②：4	铁脚码		残	1	1	
62	TG23②：5	滴水	Ba型	残	1	1	板瓦滴水，下同
63	TG23②：6	滴水	Ba型	残	1	1	明晚
64	TG23②：7	铁三脚		残段	3	1	明晚
65	TG23②：8	勾头	Ba型	残	1	1	板瓦勾头
66	TG23②：9	滴水	Ba型	残	1	1	明晚
67	TG23②：10	滴水	Ba型	残	1	1	
68	TG23②：11	滴水	Ba型	残	1	1	
69	TG23②：12	滴水	Ba型	残	1	1	
70	TG23②：13	滴水	Ba型	残	1		
71	TG23②：14	滴水	Ba型	残	1	1	
72	TG23②：15	滴水	Ba型	残	1	1	
73	TG23②：16	铁门环		残段	1	1	

续表

序号	出土单位/编号	名称	类型	保存状况	残片数量	可计件数	备注
74	TG23②：17	铁刀箍		残	1	1	
75	TG23②：18	青花折枝菊纹碗（底）		残	1	1	万历
76	TG23②	粗瓷罐		残片	3		明
77	TG23②	青花碗		残片	28	3	
78	TG23②	青花缠枝花卉纹碗		残片	8	1	明晚
79	TG23②	青花兰草纹碗（口沿）		残片	2	1	明晚
80	TG23②	青花莲池水禽纹碗	Aa型	残片	4	1	万历
81	TG23②	青花螭龙纹盘（底）		残片	2	1	明晚
82	TG23②	青花高官厚禄纹碗（底）		残片	1	1	明晚
83	TG23②	青花螭龙纹碗（底）		残片	2	1	明晚
84	TG23②	青花缠枝牡丹纹碗		残片	3	1	明晚
85	TG23②	青花花卉纹盘（底）		残片	3	1	明晚
86	TG23②	青花山水船帆纹碗（口沿）	Bd	残片	4		明晚
87	TG23②	青花折枝花卉纹碗（底）		残片	2	1	明晚
88	TG23②	青花缠枝花卉纹碗（口沿）		残片	8	1	明晚
89	TG23②	粗瓷印花罐		残片	1	1	明
90	TG23②	粗瓷碗		残片	4	1	明
91	TG23②	粗瓷罐（耳）		残片	1		
92	TG23②	青花婴戏纹杯（口沿）		残片	1		明晚
93	TG23②	粗瓷罐（口沿）		残片	2		
94	TG23②	青花花卉纹盘（底）		残片	1	1	明晚
95	TG23②	粗瓷罐（底）		残片	4		明
96	TG23②	青花螭龙纹碗（底）		残片	1	1	明晚
97	TG23②	青花白描菊纹盘		残片	5	2	明晚
98	TG23②	青花螭龙纹盘（底）		残片	3	1	明晚
99	TG23②	青花花卉纹杯（底）		残	1	1	明晚
100	TG23②	青花鹿纹盘（底）		残	1	1	明晚
101	TG23②	青花寿山福海纹碗（底）		残	1	1	万历
102	TG23②	青花蟹纹碗（底）		残	1	1	明晚
103	TG23②	青花葡萄纹碗（口沿）		残	2	1	明晚
104	TG23②	青花山水纹杯（底）		残	1	1	明晚
105	飞凤关采：1	小长方形砖	Aa型	残	1	1	“初一号”
106	飞凤关采：2	小长方形砖	Aa型	残	1	1	“十六砖”
107	飞凤关采：3	小长方形砖	Aa型	残	1	1	“十[六][砖]”
108	飞凤关采：4	小长方形砖	Aa型	残	1	1	“十六”
109	飞凤关采：5	小长方形砖	Aa型	残	1	1	“十六砖”
110	飞凤关采：6	小长方形砖	Aa型	残	1	1	“十[六][砖]”

续表

序号	出土单位/编号	名称	类型	保存状况	残片数量	可计件数	备注
111	飞凤关采：7	小长方形砖	Aa型	残	1	1	“[十]六”
112	飞凤关采：8	小长方形砖	Aa型	残	1	1	“初一号”
113	飞凤关采：9	小长方形砖	Aa型	残	1	1	“十六砖”
114	飞凤关采：10	小长方形砖	Aa型	残	1	1	“十六砖”
115	飞凤关采：11	小长方形砖	Aa型	残	1	1	“初一号”
116	飞凤关采：12	小长方形砖	Aa型	残	1	1	“初一号”
117	飞凤关采：13	小长方形砖	Aa型	较完整	1	1	“初一号”
118	飞凤关采：14	小长方形砖	Aa型	较完整	1	1	
119	飞凤关采：15	小长方形砖	Aa型	残	1	1	“初一号”
120	飞凤关采：16	小长方形砖	Aa型	残	1	1	“十六砖”
121	飞凤关采：17	小长方形砖	Aa型	残	1	1	“十六砖”
122	飞凤关采：18	小长方形砖	Aa型	较完整	1	1	
123	飞凤关采：19	小长方形砖	Aa型	较完整	1	1	“初一号”
124	飞凤关采：20	小长方形砖	Aa型	残	1	1	“十六砖”
125	飞凤关采：21	小长方形砖	Aa型	较完整	1	1	“初[一][号]”
126	飞凤关采：22	小长方形砖	Aa型	较完整	1	1	“初一号”
127	飞凤关采：23	小长方形砖	Aa型	较完整	1	1	“初一号”
128	飞凤关采：24	小长方形砖	Aa型	较完整	1	1	
129	飞凤关采：25	小长方形砖	Aa型	残	1	1	“十六砖”
130	飞凤关采：26	小长方形砖	Aa型	残	1	1	“初一号”
131	飞凤关采：27	小长方形砖	Aa型	较完整	1	1	“十六砖”
132	飞凤关采：28	小长方形砖	Aa型	较完整	1	1	
133	飞凤关采：29	小长方形砖	Aa型	较完整	1	1	“十六砖”
134	飞凤关采：30	小长方形砖	Aa型	残	1	1	“初一号”
135	飞凤关采：31	小长方形砖	Aa型	较完整	1	1	“初一号”
136	飞凤关采：32	小长方形砖	Aa型	较完整	1	1	
137	飞凤关采：33	小长方形砖	Aa型	残	1	1	“验”
138	飞凤关采：34	小长方形砖	Aa型	残	1	1	“初一号”
139	飞凤关采：35	小长方形砖	Aa型	残	1	1	“初一号”
140	飞凤关采：36	小长方形砖	Aa型	较完整	1	1	
141	飞凤关采：37	小长方形砖	Aa型	残	1	1	
142	飞凤关采：38	小长方形砖	Aa型	较完整	1	1	“初一号”
143	飞凤关采：39	小长方形砖	Aa型	较完整	1	1	“初一号”
144	飞凤关采：40	小长方形砖	Aa型	残	1	1	“初一号”
145	飞凤关采：41	小长方形砖	Aa型	残	1	1	“初一号”

抱鼓石　2件。TG22②：8，残甚。上有减地弦纹装饰，为抱鼓石的石鼓一角（图2-23-8；图版174-4）。相对完整者，在关东乱石头亦有1件（图2-22）。原或立于关座两侧踏道前。

铁钉　3件。均为瓦钉。TG22②：11-2，较完整。四棱方锥形，无钉帽。长10、宽0.5、厚0.3厘米（图2-23-6）。TG22②：11-1，残。四棱方锥形，顶部弯曲。残长4.7厘米（图2-23-5）。

铁门环　2件。TG22②：7，较完整。铁铆钉一端曲为8字形，上挂一铁环，下有菊花形铁垫圈。环径4.8、铁条直径0.7厘米（图2-23-7；图版175-11）。TG23②：16，残存环之一段，较大。环径约9、铁条直径0.8厘米（图2-23-2）。小者当为门楼门扉装饰，大者为关隘门扉装饰。

（2）生活用器

有瓷器、铜器和铁器。

瓷器　共有各类瓷片588片，分细瓷与粗瓷两类。

细瓷　472片。又有白瓷、青瓷、青花和彩瓷之别，青花为大宗。

白瓷　12片。均为盘的残片，无可复原者（图版175-8）。

青瓷　1片。碗的腹部残片。为景德镇仿龙泉窑产品。

彩瓷　3片。釉上红彩碗、釉上绿彩碗与孔雀绿瓷盘残片各1件（图版175-1～3）。

青花瓷　454片。为碗、盘与杯的残片，可辨纹饰有花卉纹、缠枝银杏叶纹、牡丹纹、葡萄纹、菊纹、八卦纹、莲池水禽纹、寿山福海纹、寿字、福字、山水船帆纹、婴戏纹、螭龙纹、鹿纹、兔纹以及灵芝茶花纹等。TG23②：18，残。青花折枝菊纹碗底。内底绘折枝菊花纹。残高1.4、足径6.7厘米（图2-23-10；图版175-6）。少量带款。TG22第2层出土的1件青花碗底有“大明宣德年制”六字款。TG22②：4，青花碗，残。内底有“状元及第”四字款（图版175-7）。TG22②：2与TG23②：3，青花碗，残。内底各书一“寿”字，后者外底另书一“福”字（图2-23-9；图版175-4、5）。仅个别可复原。TG22②：3，修复完整。青花螭龙纹盘。属B型。口较直，弧腹，圈足。口沿内侧饰十字锦纹，内底单圈弦纹内绘螭龙纹。高2.5、口径14、足径8厘米（图2-23-11；图版175-9）。

粗瓷　116片。有青釉、酱釉和青花三种，以青釉为主，部分有印花。可辨器形有罐、碗、钵等，以罐为多。

可判断年代的瓷器，集中在明代晚期，“大明宣德年制”为明嘉靖、万历时期寄托款。另有少量清代瓷器，主要为青花灵芝茶花纹碗残片。

铁器　4件。锅、三脚各1件，脚码2件。

铁锅　1件。TG22②：12，残块3片，不可复原。锅壁颇厚实，达0.5厘米（图版175-12）。

铁三脚　1件。TG23②：7，残甚。为圈与足的残段，共3段。

铁脚码　2件。圆形或椭圆形，下有四短足，两侧有穿孔。TG22②：6，较完整。椭圆形。直径5.3～7厘米。TG23②：4，锈蚀较甚。圆形。直径6厘米（图版174-5）。

铜器　1件。TG22②：15，完整。蝌蚪状，大头中央一穿，小头微折。疑为铜锁的锁芯。

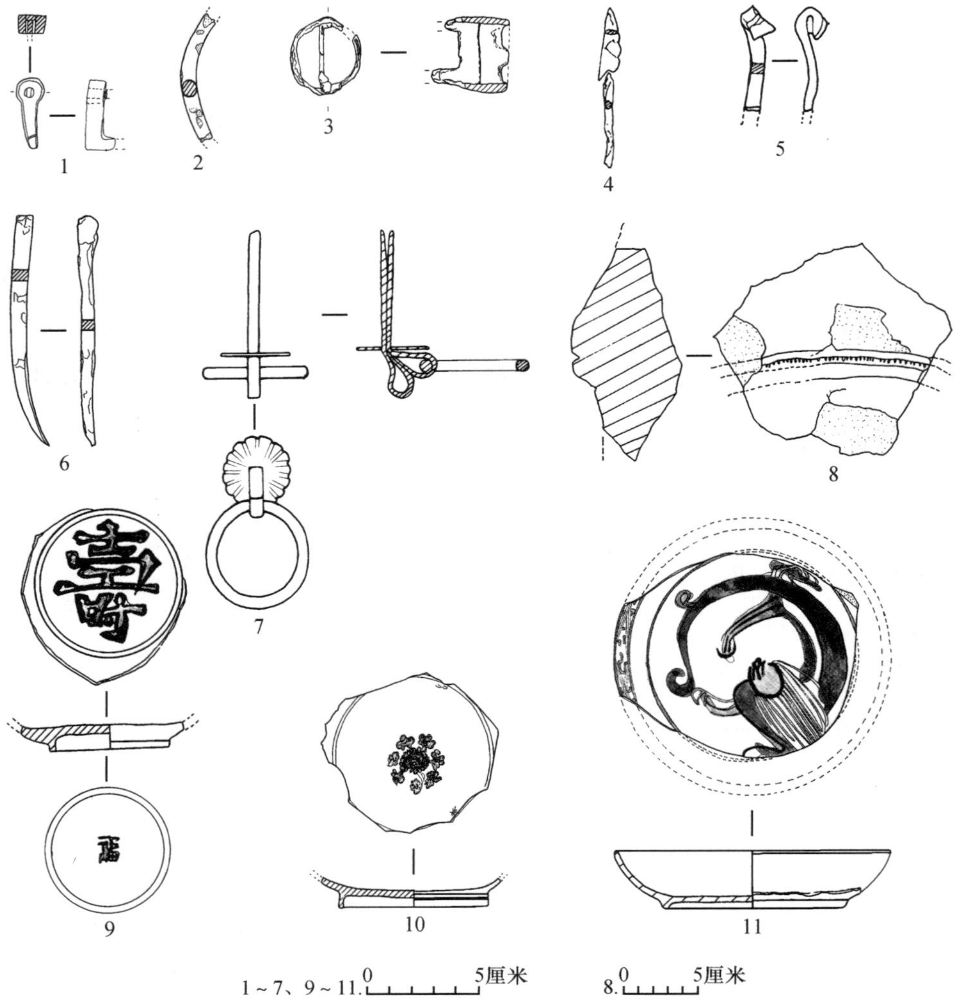

图2-23　飞凤关（CM6）出土遗物

1. 铜锁芯（TG22②：15）　2、7. 铁门环（TG23②：16、TG22②：7）　3. 铁刀箍（TG23②：17）　4. Ha型铁镞（TG22②：1）　5、6. 铁钉（TG22②：11-1、TG22②：11-2）　8. 抱鼓石残件（TG22②：8）　9. 青花寿字碗（TG23②：3）　10. 青花折枝菊纹碗（TG23②：18）　11. B型青花螭龙纹盘（TG22②：3）

长3.15、宽0.85厘米（图2-23-1；图版175-10）。

（3）兵器

有铁镞和刀箍。

铁镞　1件。TG22②：1，残为2段。属Ha型。矢头细长，三角形，较小，无关。残长6.8、铤残长3.7、翼残长3.1、残宽0.7厘米（图2-23-4）。

铁刀箍　1件。TG23②：17，残。环状，其内残存片状金属一段。应为刀箍。直径3.15、宽1.75厘米（图2-23-3；图版174-1）。

飞凤关出土的兵器较少，反映彼时发生于此的战事并不激烈，这与前文基于飞凤关的位置与结构所得出的其防御性偏弱而主要为一个仪式性空间的认识是一致的。从未见南宋建筑材料看，该关隘当系明代新设。

（七）万安关（CM7）

囤西三关中最内一关，为大城西门。关座与两侧城垣连为一体，城垣外陡内平，南北两端设墩台。关座高出城垣约2米，北侧设踏步上下。关南平台上（民间俗称“大土”）另有建筑遗迹（F31），当为营房类遗存。在门道内及门西布探沟一条（TG10）进行清理（图版176）。

1. 遗迹

吊桥关。外门道高悬，距地面高2.6米，门外3米处设石砌桥墩，外侧有踏步以供上下。门之两侧设对称索孔两组4个，用以升降吊桥。门道平面呈凸字形，方向241°。券拱顶，内门道较外门道高敞，地面铺石板。门槛整石凿就，内侧两端设门臼，与上端连弧形石质门楣相对。两侧墙上设方形门闩两组4个，大小有别。石砌吊桥墩顶有圆孔两个，用以固定吊桥（图2-24）。

石匾尚在，但风化较甚，仅横书的“安”“关”两大字局部模糊可辨，两侧题记与落款无存。但据前揭《遵义府志·古迹》，道光时尚可辨：“飞虎、飞龙、朝天、万安榜并款‘骠骑将军杨应龙书’，余榜不存”。知所书内容应与前述飞龙关与朝天关大致相同。

关座面阔9.65、进深6～6.2、高5.85～8.6米。门道通长6、宽2.18～3.15、高3.15～4.95米。其中外门道长1.35、宽2.18、高3.15米，内门道长4.65、宽3.15、高4.95米。吊桥墩长3.2、宽1.9、最高1.3米。

2. 遗物

遗物均出土于TG10内，碎瓦砾随处可见。堆积分3层。第1层为表土层。第2层为坍塌堆积，包含较多石块与瓦砾。第3层为灰褐色堆积。遗物主要出土于第1层与第3层内。可分建筑材料、生活用器、兵器和钱币四类，瓷器数量较多（表2-12）。

（1）建筑材料

有瓦、滴水、脊兽、铁钉等，数量不多。

瓦　均为板瓦，无完整者。以B型板瓦瓦砾为主，值得注意的是第3层内出土了3块A型板瓦瓦砾，当为南宋门楼上遗物，表明宋时亦在此设有关隘。

滴水　1件。TG10③：54，残。为Ba型板瓦滴水，即莲叶两侧有卷曲须蔓的六瓣莲花纹滴水，当面较大（图2-12-14）。

脊兽　1件。TG10③：66，为兽角，残。灰褐色。残长9、直径2.4～3.3厘米。在兽角中属尺寸偏小者，当为垂戗兽的兽角，类型莫辨，但据其他关隘的出土情况推断，当属Bc型垂戗兽（图2-25-16）。

铁钉　43枚。部分完整。分两类：第一类，瓦钉。均四棱方锥形铁钉，共42枚。第二类，铆钉。仅1枚。TG10③：32，中央弯曲成环，整体呈兄字形，应为悬挂拉环的铆钉。

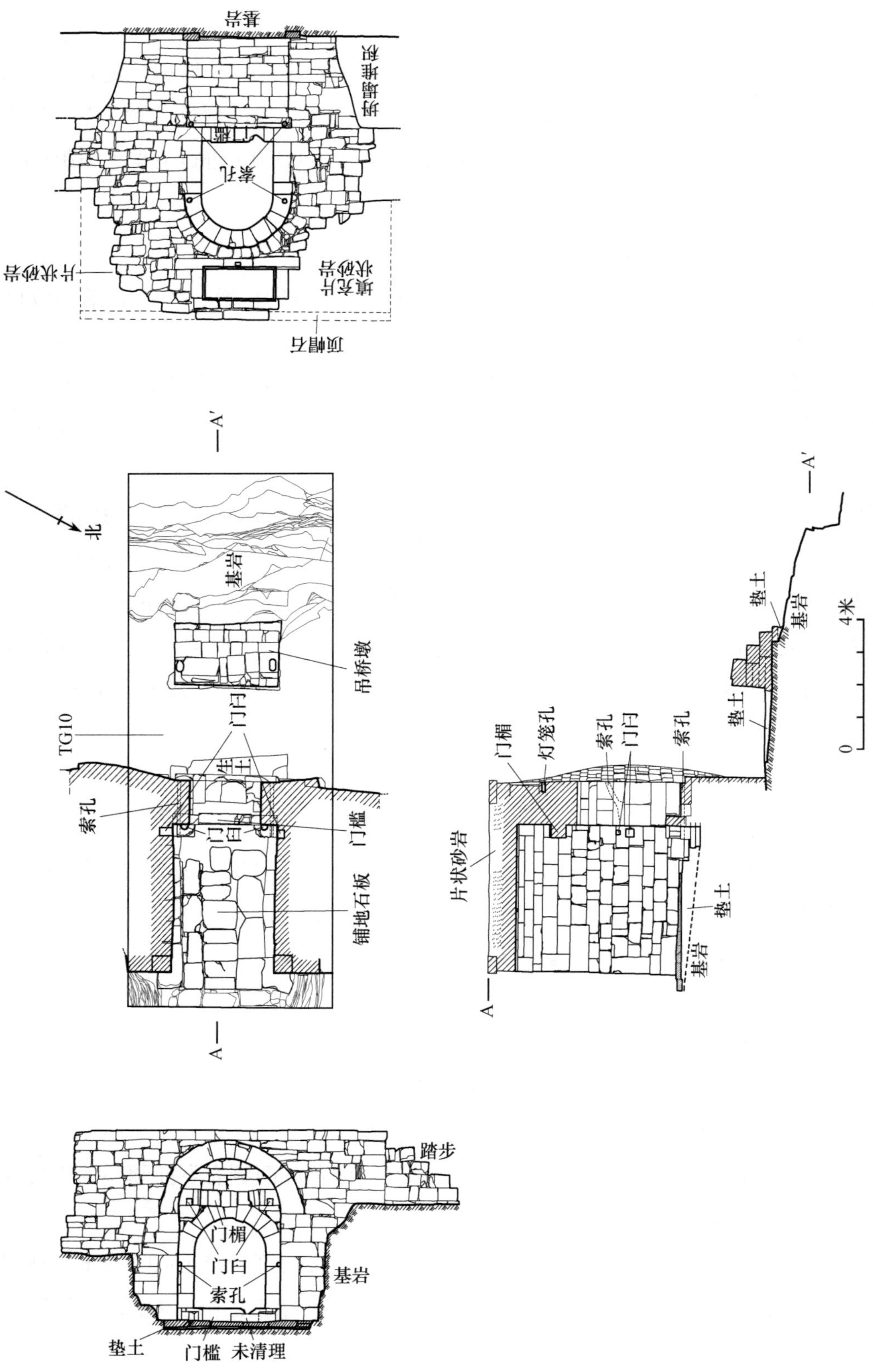

图2-24　万安关（CM7）平、立、剖面图

表2-12　万安关（CM7）出土遗物统计表

序号	出土单位/编号	名称	类型	保存状况	残片数量	可计件数	备注
1	TG10①	青釉粗瓷罐		残	5	1	
2	TG10①	酱釉粗瓷缸（口沿）		残	3		
3	TG10①	粗瓷钵		残	3	1	
4	TG10①	粗瓷碗（底）		残	23	3	
5	TG10①	青花粗瓷碗		残	39	3	
6	TG10①	酱釉印花粗瓷罐		残	6	1	
7	TG10①	砂陶钵（口沿）		残	2		
8	TG10①	青花盘（口沿）		残	1		
9	TG10①	青花碗		残	158	7	
10	TG10①	青花水纹碗		残	1		
11	TG10①	青花碗		残	1	1	“大明嘉靖年制”，嘉靖
12	TG10①	青花菊纹碗（底）		残	1	1	
13	TG10①	青花花卉纹盘（底）		残	20	2	
14	TG10①	青花莲池水禽纹碗		残	4	1	
15	TG10①	青花月华纹碗（口沿）	Ab型	残	1	1	万历
16	TG10①	青花灵芝茶花纹碗（底）	Ce型	残	12	1	清
17	TG10①	青花高官厚禄纹杯	A型	残	5	1	明晚
18	TG10①	哥釉青花牡丹纹碗（底）		残	1	1	清
19	TG10①	青花梵文碗		残	2	1	
20	TG10①	青花牡丹纹碗（口沿）	Bd型	残	1		明晚
21	TG10①	青花螺旋纹碗	Db型	残	15	1	明晚
22	TG10①	青花杂宝纹盘		可修复	5	1	万历
23	TG10①	青花山水船帆纹碗	Bd型	残	7	1	明晚
24	TG10①	青花花卉纹碗（口沿）		残	14	1	
25	TG10①	青花碗		残	73	7	明晚
26	TG10①	青花花托春字碗	Ab型	残	1	1	
27	TG10①	青花寿碗（底）		残	9	2	明晚
28	TG10①	青花方盒		残	1	1	
29	TG10①	青花卍字纹碗（底）		残	3	3	明晚
30	TG10①	青花缠枝灵芝纹盘（底）		残	1	1	明晚
31	TG10①	青花寿字盘（底）		残	1	1	明晚，寿
32	TG10①	青花汤匙		残	1	1	清
33	TG10①	青花银杏叶纹碗		残	2	1	万历
34	TG10①	青花花卉纹碗（口沿）		残	14	1	
35	TG10①	青花瓜果纹杯（口沿）	A型	残	1	1	明晚
36	TG10①	青花山水纹杯（口沿）	A型	残	3	1	明晚
37	TG10①	青花树石栏杆纹盘（底）	C型	残	3	1	明中晚

续表

序号	出土单位/编号	名称	类型	保存状况	残片数量	可计件数	备注
38	TG10①	青花寿星纹盘（底）		残	1	1	万历
39	TG10①	青花葡萄纹碗		残	3	1	隆庆
40	TG10①	青花花卉纹杯（口沿）		残	5		明晚
41	TG10①	青花过枝龙纹盘	B型	残	1	1	清
42	TG10①	青花莲池水禽纹杯残片	B型	残	1	1	明晚
43	TG10①	粗瓷罐（底）		残	1		
44	TG10①	青花福字碗（口沿）		残	6	1	明晚
45	TG10①	酱釉粗瓷罐		残	3		
46	TG10①	青花粗瓷碗（口沿）		残片	8	1	
47	TG10③	青釉粗瓷罐		残	51	2	
48	TG10③	青釉粗瓷罐耳		残	2		
49	TG10③	酱釉粗瓷罐耳		残	5	1	
50	TG10③	酱釉粗瓷罐（底）		残	20		
51	TG10③	青花螭龙纹盘（底）		残	9	2	明晚
52	TG10③	青花折枝花卉纹碗（口沿）		残	9		
53	TG10③	青花螭龙纹碗		残	35	3	明晚
54	TG10③	青花蟹纹盘（底）	C型	残	3	1	明晚
55	TG10③	青花折枝花卉纹碗（底）		残片	3		
56	TG10③	青花喜鹿蜂猴纹碗（口沿）		残片	10	1	万历
57	TG10③	青花碗		残	22		
58	TG10③	板瓦	A型	残片	3		南宋，碎片
59	TG10③	青花花卉纹碗		残片	19		
60	TG10①：1	青花粗瓷蝴蝶纹碗		可修复	6	1	清至民国
61	TG10①：2	青花粗瓷蝴蝶纹碗		可修复	8	1	清至民国
62	TG10①：3	青花马纹碗（底）		残	3	1	“上品佳器”
63	TG10③：1	铜簪		残	1	1	
64	TG10③：2	乾隆通宝			1	1	乾隆
65	TG10③：3	铜钥匙		完整	1	1	
66	TG10③：4	石臼		残	1	1	
67	TG10③：5	带柄铁锅		残片	14	1	敞口
68	TG10③：6	铁镞	Hc型	残	1	1	三角形细长矢头
69	TG10③：7	铁镞	Ha型	残	2	1	三角形细长矢头
70	TG10③：8	铁镞	Hc型	残	2	1	三角形细长矢头，有槽
71	TG10③：9	铁镞	Ha型	残	1	1	三角形细长矢头
72	TG10③：10	铁镞	Db型	较完整	1	1	细叶形长矢头
73	TG10③：11	铁镞	G型	残	1	1	团叶形矢头
74	TG10③：12	铁镞	I型	残	1	1	四棱形矢头

续表

序号	出土单位/编号	名称	类型	保存状况	残片数量	可计件数	备注
75	TG10③：13	铜饰片		残	2	1	
76	TG10③：14	铁合页		残片	3	1	残存中轴和叶片
77	TG10③：15	残铁片		残	3		
78	TG10③：16	带耳铁锅		残	2	1	仅存耳部
79	TG10③：17	青花寿字碗	Ec型	已修复	24	1	明晚
80	TG10③：18	青花正面五爪龙纹靶盏	E型	已修复	19	1	“大明万历年制”，官样
81	TG10③：19	青花并蒂莲纹碗	Ba型	已修复	21	1	侈口
82	TG10③：20	青花螭龙纹碗	Bd型	已修复	3	1	侈口，明晚
83	TG10③：21	青花缠枝花卉纹碗	Eb型	已修复	9	1	敞口小碗
84	TG10③：22	青花团螭纹碗	Ed型	已修复	12	1	明晚
85	TG10③：23	青花团螭纹碗	Ed型	已修复	12	1	敞口，明晚
86	TG10③：24	青花卍字云纹碗	Ec型	已修复	13	1	敞口微敛，明晚
87	TG10③：25	青花山水船帆纹碗	Cd型	已修复	12	1	撇口，明晚
88	TG10③：26	青花螭龙纹碗	Ec型	已修复	7	1	敞口微敛，明晚
89	TG10③：27	青花八卦纹盘	B型	已修复	14	1	口部近直，明晚
90	TG10③：28	青花螭龙纹杯	B型	已修复	3	1	侈口，明晚
91	TG10③：29	青花婴戏纹碗	Bc型	已修复	8	1	“大明万历年制”
92	TG10③：30	青花花草纹碗		残底	1	1	“玉堂佳□”
93	TG10③：31	铁镦		较完整	1	1	
94	TG10③：32	铁铆钉		残	1	1	
95	TG10③：33	铁镞	Da型	残	1	1	细叶形短小矢头
96	TG10③：34	道光通宝		较完整	1	1	道光
97	TG10③：35	嘉庆通宝		较完整	1	1	嘉庆
98	TG10③：36	青花蓝地白花海水纹碗	Ab型	可修复	11	1	直口，“宣德年制”
99	TG10③：37	青花凤穿花纹碗	Bd型	已修复	19	1	侈口，万历，“玉堂佳器”
100	TG10③：38	青花兰草纹碗	Cc型	可修复	2	1	撇口，明晚
101	TG10③：39	青花蓝地白花梅花纹碗	Ab型	可修复	26	1	直口，明晚
102	TG10③：40	青花莲池水禽纹碗	Bf型	已修复	4	1	侈口，明晚
103	TG10③：41	青花缠枝花卉纹碗	Eb型	已修复	7	1	敞口小碗，明晚
104	TG10③：42	青花月华纹碗	Eb型	已修复	15	1	敞口小碗，明晚
105	TG10③：43	青花卍字云纹碗	Cc型	已修复	17	1	撇口小碗，明晚
106	TG10③：44	青花松竹梅寿字碗（底）		残	1	1	明晚，寿
107	TG10③：45	青花松竹梅寿字碗	Ec型	已修复	19	1	明晚
108	TG10③：46	青花寿字碗（底）		残	1	1	明晚，寿
109	TG10③：47	青花寿字碗（底）		残	3	1	明晚，寿
110	TG10③：48	青花寿字碗（底）		残	1	1	明晚，寿
111	TG10③：49	青釉瓷钵		已修	3	1	

续表

序号	出土单位/编号	名称	类型	保存状况	残片数量	可计件数	备注
112	TG10③：50	铜烟斗范		较完整	1	1	
113	TG10③：51	铜盒		半边	1	1	
114	TG10③：52	铁炉箅		残	1	1	
115	TG10③：53	板瓦	Ba型	残	1	1	万历
116	TG10③：54	滴水	Ba型	残	1	1	
117	TG10③：55	青花碗	Db型	可修复	6	1	折沿
118	TG10③：56	青花法螺纹碗	Ee型	可复原	10	1	敞口，深腹，明中晚
119	TG10③：57	青花螺旋纹碗	Db型	已修复	8	1	折沿，明中晚
120	TG10③：58	青花莲瓣纹碗	Aa型	可修复	12	1	直口，微外展，明晚
121	TG10③：59	铁刀	B型	残	1	1	直柄小刀
122	TG10③：60	铁钉		残	4	4	
123	TG10③：61-1	铁镞	Ea型	残	1	1	菱形矢头
124	TG10③：61-2	铁镞	Ea型	残	1	1	菱形矢头
125	TG10③：62	青花莲托八宝纹碗（底）	Aa型	残底	1	1	万历
126	TG10③：63	青花牡丹纹碗（底）	Ba型	残底	2	1	万历
127	TG10③：64	铁镞（铤）		残	5		
128	TG10③：65	铁钉		残	18	18	
129	TG10③：66	垂戗兽（角）	Bc型	残	1	1	
130	TG10③：67-1	铁镞	Ea型	残	1	1	菱形矢头
131	TG10③：67-2	铁镞	I型	残	1	1	四棱形矢头
132	TG10③：68	铁钉		残	20	20	
133	TG10③：69	青花莲池水禽纹碗	Aa型	已修复	5	1	直口，明晚
134	TG10③：70	青花螭龙纹碗	Bc型	已修复	5	1	侈口，明晚
135	TG10③：71	白瓷撇口盘		可修复	1	1	明中晚
136	TG10③：72	青花海水纹葫芦瓶		残片	1	1	
137	TG10③：73	青花方盘（口沿）	C型	残	1	1	
138	TG10③：74	釉上绿彩方盘（残底）		残	1	1	
139	TG10③：75	青花方盘（底）		残	1	1	
140	TG10③：76	青花螭龙纹碗（口沿）		残片	11	1	

（2）生活用器

有瓷器、铁器、铜器和石器。

瓷器　有细瓷与粗瓷两类。

细瓷　除少量白瓷和釉上绿彩瓷残片外，余均青花瓷，数量不菲。可辨器形有靶盏、碗、杯、盘、葫芦瓶等，纹饰则有花卉纹、葡萄纹、凤穿花纹、卍字、寿字、瓜果纹、螭龙纹、高官厚禄纹、莲池水禽纹、山水纹、婴戏纹、梵文等。部分有“大明嘉靖年制”（TG10①）

和“大明万历年制”（TG10③：18、TG10③：29）等年号款，年代明确。铭“宣德年制”（TG10③：36）者则系嘉靖、万历时期的寄托款。已修复或可修复者达30件，均为明代晚期遗物。择其要者，介绍如次。

靶盏　1件。TG10③：18，青花正面五爪龙纹靶盏。修复完整。为官样瓷器。侈口，深腹，内底心微下塌，外底接柱状高圈足，略呈喇叭形。足沿及部分内壁涩胎。内壁近口沿处饰

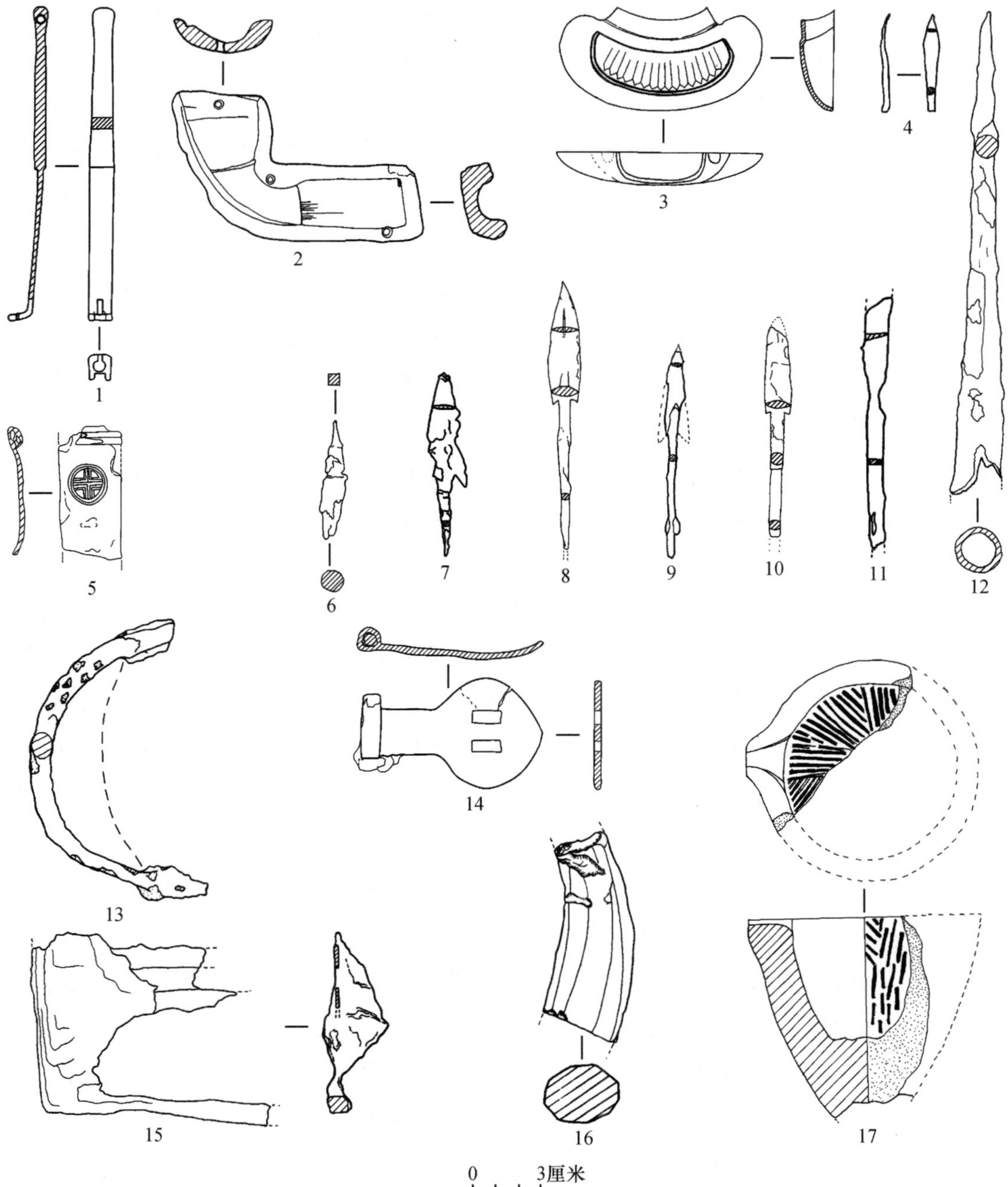

图2-25　万安关（CM7）出土遗物

1. 铜钥匙（TG10③：3）　2. 铜烟斗范（TG10③：50）　3. 铜盒（TG10③：51）　4. Da型铁镞（TG10③：33）　5. 铜饰片（TG10③：13）　6. Ea型铁镞（TG10③：61-2）　7、8. Hc型铁镞（TG10③：6、TG10③：8）　9、10. Ha型铁镞（TG10③：9、TG10③：7）　11. B型铁刀（TG10③：59）　12. 铁镦（TG10③：31）　13. 带耳铁锅（TG10③：16）　14. 铁合页（TG10③：14）　15. 铁炉箅（TG10③：52）　16. 垂戗兽角（TG10③：66）　17. 石臼（TG10③：4）

重十字菱形锦地纹，内底双圈弦纹内绘正面五爪龙纹；外壁双圈弦纹下绘赶珠龙纹，外胫部绘变形莲瓣纹，柱状足外壁寿山福海纹下横书“大明万历年制”六字楷款。高10.5、口径13.4、足径3.6厘米（图2-26-1；图版126）。

碗　已修复者或可修复者25件，数量最多。其中A型（直口）4件、B型（侈口）6件、C型（撇口）3件、D型（折沿）2件、E型（敞口）10件（图2-27～图2-29；图版177～180）。多数前文已有叙及（详见第一章），以下仅择未及者略作介绍。TG10③：69，青花莲池水禽纹碗。修复完整。Aa型。直口，弧腹较浅，圈足，下底微上拱。内底双圈弦纹内绘水禽纹，内壁绘莲枝纹。高3.6、口径11、足径5.8厘米（图2-28-3；图版177-3）。TG10③：39，青花蓝地白花梅花纹碗。可修复。Ab型。直口，弧腹微鼓，圈足。内底单圈弦纹内绘蓝地白花梅花纹，外壁绘缠枝莲花纹，颇精细。高7、口径13、足径4.8厘米（图2-28-5）。TG10③：38，青花兰草纹碗。可修复。Cc型。撇口，下腹弧收，圈足。内底单圈弦纹内绘折枝花卉纹，外壁仅见兰草纹。高6、口径12、足径4.8厘米（图2-29-12）。TG10③：70，青花螭龙纹碗。修复完整。Bc型。侈口，弧腹弧收，圈足。内底单圈弦纹内绘折枝花卉纹；外壁绘螭龙纹，间饰折枝花卉纹。高5.8、口径12.4、足径4.6厘米（图2-29-6；图版178-1、2）。TG10③：20，青花螭龙纹碗。修复完整。Bd型。侈口，弧腹圆转，圈足。内底绘折枝花卉纹，外壁饰螭龙纹。高5.6、口径12、足径4.8厘米（图2-29-8）。TG10③：40，青花莲池水禽纹碗。修复完整。Bf型。侈口，弧腹较浅，圈足。口沿处饰带状花卉纹，内底双圈弦纹内绘莲池水禽纹。高3.8、口径12.4、足径6.5厘米（图2-29-10；图版178-3、4）。TG10③：55，青花碗。可修复。Db型。沿微外折，弧腹斜直，圈足。青料晦暗，足沿及下腹露胎，下底有跳刀痕。器身带凹点，略显粗糙。内底及外腹有简单青花装饰，纹饰不明。高4.5、口径约12.5、足径5.5厘米。TG10③：45，青花松竹梅寿字碗。修复完整。Ec型。敞口微敛，弧腹，圈足，底心略下塌。内底书一“寿”字；内腹绘折枝花卉纹，画面疏朗。高5.5、口径15、足径5.5厘米（图2-27-6）。TG10③：56，青花法螺纹碗。可修复。Ee型。敞口，弧腹较直，圈足。内底绘法螺纹，外壁口沿处绘海水纹，外腹部纹饰不可识。高5.5、口径12.8、足径4.8厘米（图2-27-5）。另有部分碗底，类型不明，分饰马（TG10①：3）、牡丹（TG10③：63）及“玉堂佳□”（TG10③：30）款（图2-28-2、4；图2-29-9；图版177-2、图版180-2）。

盘　已修复者1件。TG10③：27，青花八卦纹盘。B型。口部近直，弧腹。圈足露胎。内壁饰八卦纹，内底双圈弦纹内绘海水纹，外壁饰人字云纹。高3、口径13.6、足径7.8厘米（图2-26-5；图版86-1、2）。TG10③：73，青花方盘。残。折沿，直腹，底无存。口沿内侧青料涂抹，内底有青花装饰，残不识。口沿残长4.6厘米（图2-26-3）。

杯　已修复者1件。TG10③：28，青花螭龙纹杯。B型。器形清瘦，侈口，下腹弧转，圈足。内底单圈弦纹内绘折枝花卉纹；外壁行螭二尾，龙首冲下，鳞爪飞扬。高4.3、口径6、足径2.5厘米（图2-26-4；图版95-1、2）。

瓶　1件。TG10③：72，青花海水纹葫芦瓶。残。上下圆腹，当中束腰，呈葫芦状。内外均施釉。上腹底饰海水纹，下腹上部饰杂宝纹，束腰处绘双线弦纹。残高4.3厘米（图2-26-2）。

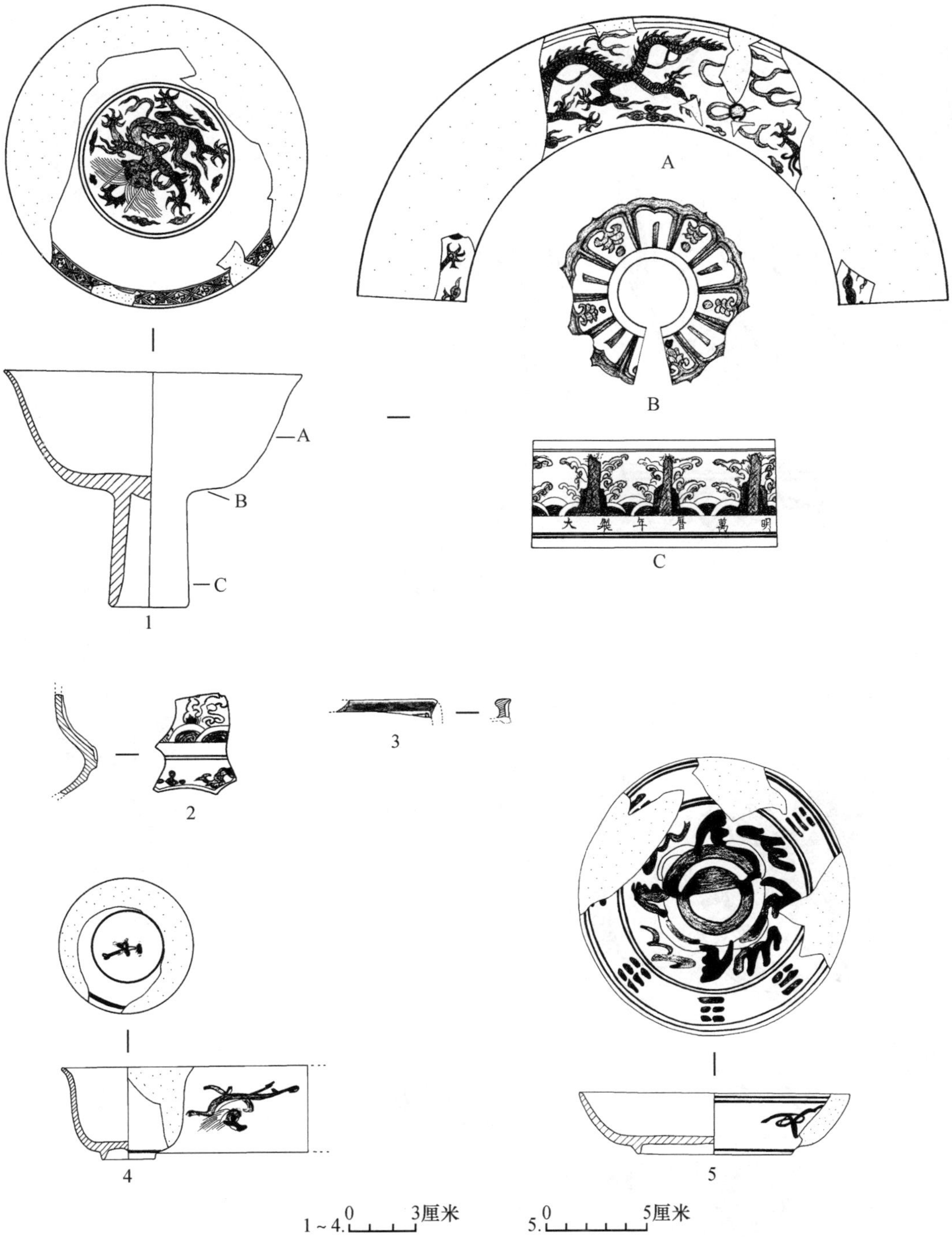

图2-26　万安关（CM7）出土青花靶盏、杯、盘及瓶

1. 正面五爪龙纹靶盏（TG10③：18）　2. 海水纹葫芦瓶（TG10③：72）　3. 方盘（TG10③：73）
4. 螭龙纹杯（TG10③：28）　5. 八卦纹盘（TG10③：27）

图2-27　万安关（CM7）出土青花碗

1. 月华纹碗（TG10③：42）　2. 蓝地白花海水纹碗（TG10③：36）　3. 凤穿花纹碗（TG10③：37）　4. 并蒂莲纹碗（TG10③：19）　5. 法螺纹碗（TG10③：56）　6. 松竹梅寿字碗（TG10③：45）

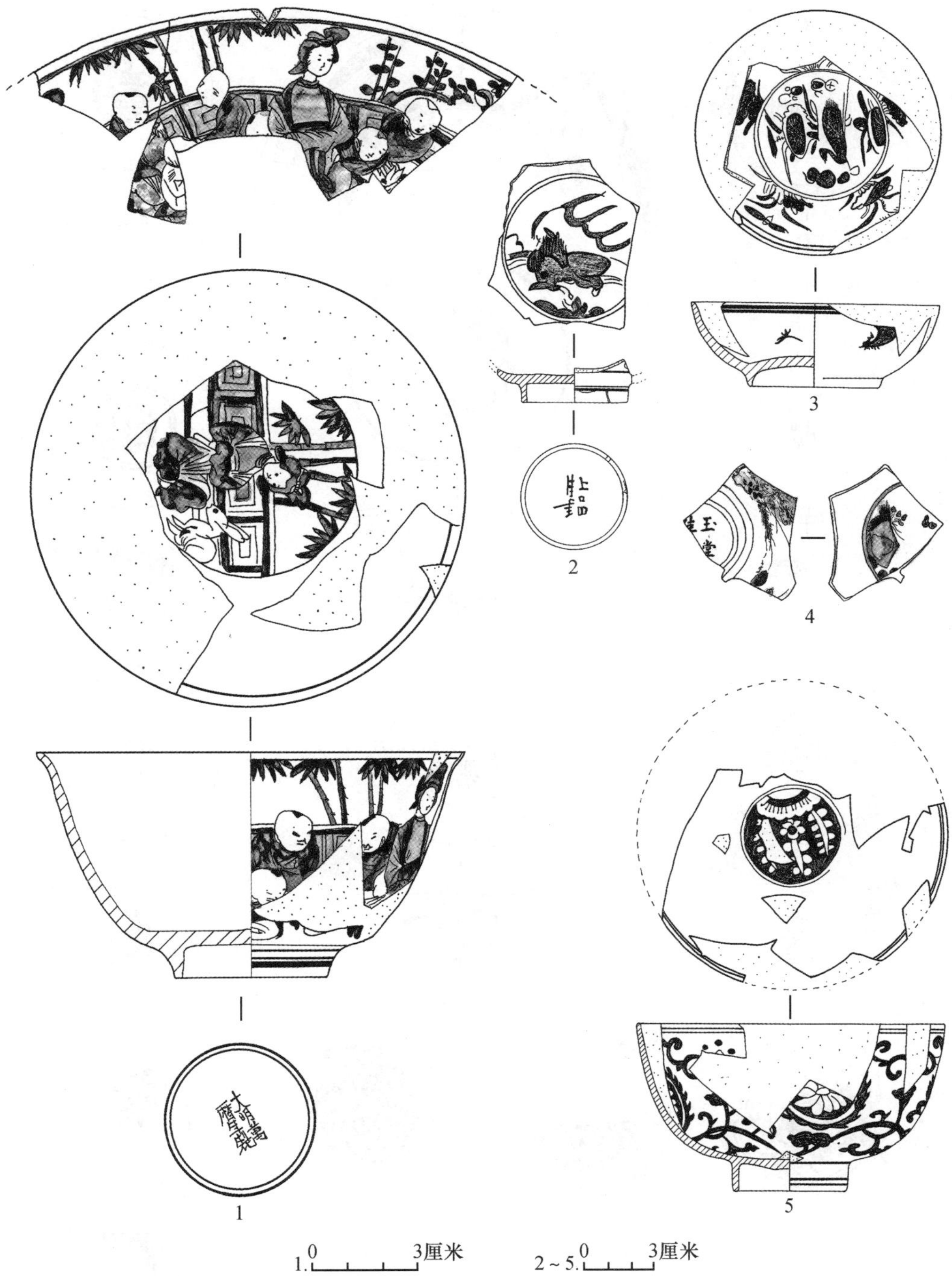

图2-28　万安关（CM7）出土青花碗

1. 婴戏纹碗（TG10③：29）　2. 马纹碗（TG10①：3）　3. 莲池水禽纹碗（TG10③：69）　4. 花草纹碗（TG10③：30）
5. 蓝地白花梅花纹碗（TG10③：39）

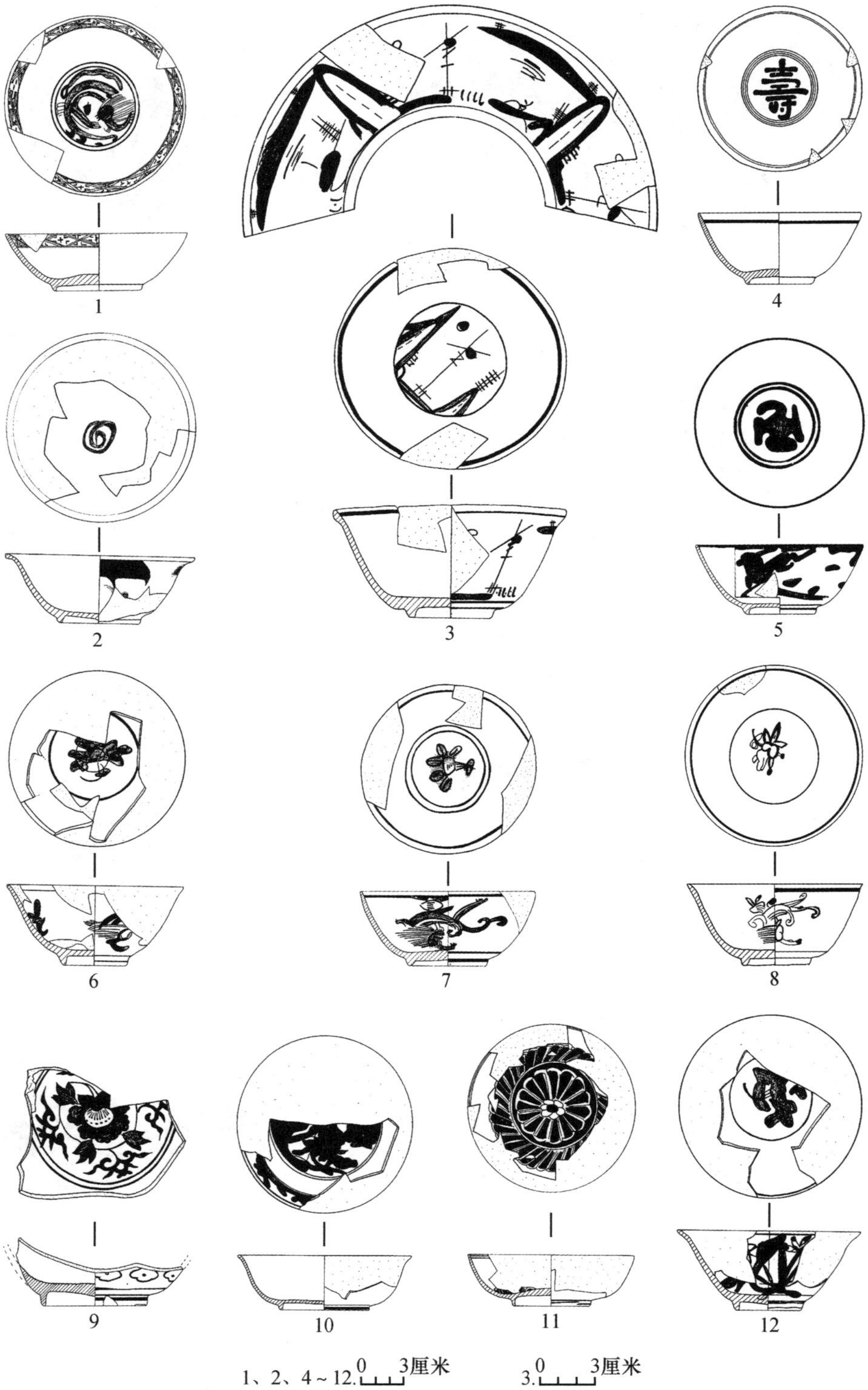

图2-29 万安关（CM7）出土青花碗

1. 团螭纹碗（TG10③：22） 2. 螺旋纹碗（TG10③：57） 3. 山水船帆纹碗（TG10③：25） 4. 寿字碗（TG10③：17）
5. 卍字云纹碗（TG10③：24） 6～8. 螭龙纹碗（TG10③：70、TG10③：26、TG10③：20） 9. 牡丹纹碗（TG10③：63）
10. 莲池水禽纹碗（TG10③：40） 11. 莲瓣纹碗（TG10③：58） 12. 兰草纹碗（TG10③：38）

粗瓷　有酱釉、青釉和青花三类，部分有印花；器类有碗、罐、缸等。其中2件青花粗瓷碗可复原（TG10①：1、TG10①：2），形制基本相同，釉色泛黄泛绿，并带冰裂纹，青花晦暗，内底有叠烧涩圈；其时代可能偏晚，为清代民国时期遗物。

铁器　4件。有锅、炉箅、合页等，多残损较甚，无完整者。

铁锅　2件。形制不一。TG10③：5，残片14片，为带柄铁锅。TG10③：16，残片2片，为带耳铁锅（图2-25-13）。

铁炉箅　1件。TG10③：52，残作U形。残长10、宽7.5厘米（图2-25-15）。

此外尚有部分铁器残件，残损较甚，其中1件（TG10③：14）应为合页（图2-25-14），其余残甚莫辨。

铜器　5件。有钥匙、范、盒、簪和饰片等。

铜钥匙　1件。TG10③：3，完整。略呈7字形。长柄带穿，匙身末端上翘，有蝌蚪形穿。长13.5、宽1、厚0.5厘米（图2-25-1；图版181-1）。

铜范　1件。TG10③：50，仅存一半。曲尺形，中空，由两半合成，有孔眼固定。内腔作烟斗状，据此推测为烟斗范。长11、宽3～3.8、半边厚1.6厘米（图2-25-2；图版181-3）。

铜盒　1件。TG10③：51，仅存一半。“猪腰子”状，中空，由两半合成，上端开孔，腹部有圭形纹饰。长8.5、半边厚1、高3.8厘米（图2-25-3；图版181-4）。

铜簪　1件。TG10③：1，残。细圆锥形，大头一端略残。长13.5、直径0.16～0.26厘米（图版181-2）。

铜饰片　1件。TG10③：13，残。薄长方形，一面刻有圆形纹饰，锈蚀不明。或为合页残件。残长5.5、宽2.6、厚0.16厘米（图2-25-5）。

石器　仅石臼1件。TG10③：4，残。整石凿成，带流，外壁经打磨，内壁粗糙。残高8.5、口径约10.5厘米（图2-25-17；图版181-5）。

（3）兵器

有铁镞、铁镦和铁刀。

铁镞　12件。分属Da、Db、Ea、G、Ha、Hc和I型。

Da型　1件。TG10③：33，残。细叶形短小矢头，脊不甚明显，长铤，无关（图2-25-4）。

Db型　1件。TG10③：10，较完整。细叶形长矢头，有脊。

Ea型　3件。TG10③：61-1、TG10③：61-2、TG10③：67-1，均残。菱形矢头（图2-25-6）。

G型　1件。TG10③：11，残。团叶形矢头，器身硕大，有倒刺。

Ha型　2件。TG10③：9、TG10③：7，均残。三角形细长矢头，偏小，无关（图2-25-9、10）。

Hc型　2件。TG10③：6、TG10③：8，均残。三角形细长矢头，偏大，无关，后者矢头前锋处开有槽（图2-25-7、8）。

I型　2件。TG10③：12、TG10③：67-2，均残。四棱形矢头。

铁镦　1件。TG10③：31，较完整。圆锥形，中空。长20.5厘米（图2-25-12）。

铁刀　1件。TG10③：59，残。直柄小刀，属B型。刀身单薄，背部微弓。残长10.7、柄残长7.2、刃残长3.5、最宽1.2厘米（图2-25-11；图版145-9）。

（4）钱币

3枚。乾隆通宝（TG10③：2）、嘉庆通宝（TG10③：35）、道光通宝（TG10③：34）各1枚，均出土于第3层，反映该处的地层堆积不具有年代参照价值，遗物早晚相混，但可基于已有认识将之区分开来。除少量A型板瓦瓦砾为南宋遗物外，少量钱币以及青花过枝龙纹盘、哥釉青花牡丹纹大碗、青花灵芝茶花纹碗等瓷器可确定为清代遗物（烟斗范亦应为清代遗物），主体仍为明代晚期遗物。

（八）西关（CM8）

现存关隘中自西入囤的第二关，为“月城”城门。夹于两山之间的低处，依地势起建。关座西侧与城垣连为一体，东侧方转，顶部高出城垣约0.2米。南端高处设墩台（DT8），带踏步，通向关顶。分别在关之西侧（TG36）、东侧（TG37）、门道内（TG40）和关顶（TG49）各布一条探沟进行局部清理。

1. 遗迹

吊桥关。门道平面呈十字形，东西设门，南北形成耳室。中门道平面略呈亞字形，东西两侧的外门道偏窄，中央宽，方向300°。两门均设门槛与连弧形门楣，门内各设闩眼一组2个。关顶较其他关隘宽敞，上遗方形石柱础两排7个（原应为12个），知城门楼应为面阔五间的长房。西门高悬，距地面高4米，门之两侧设收放吊桥的索孔4个。门外2.6米远处有石砌吊桥墩，西侧设踏步。

西门顶原有石匾，已佚，仅存匾座。因此关名不详，“西关”乃后起之名。

关座面阔25、进深8.05～8.4、高6.2～9.3米。中门道通长8.35、宽2.1～3.2、高3.1～5.2米。其中，东西两条外门道大小基本一致，西门道长1.4、东门道长1.33、宽均2.1、高均3.1米，内门道长5.62、宽3.2、高5.2米。南北两耳室对称，大小一致，长3.6、宽2、高3.5米。门楼通面阔20.4、进深4.4米，其中明间面阔4.4、次间面阔4、梢间面阔4.4米。吊桥墩长3.2、宽2.7、最高2.14米（图2-30；图版182）。

2. 遗物

遗物主要出土于关西（TG36）、关东（TG37），其地层堆积情况相似，即表土之下为坍塌的石块、瓦砾和砖屑。门道内（TG40）与关顶（TG49）堆积简单，遗物相对较少。有建筑材料、生活用器、兵器等（表2-13）。

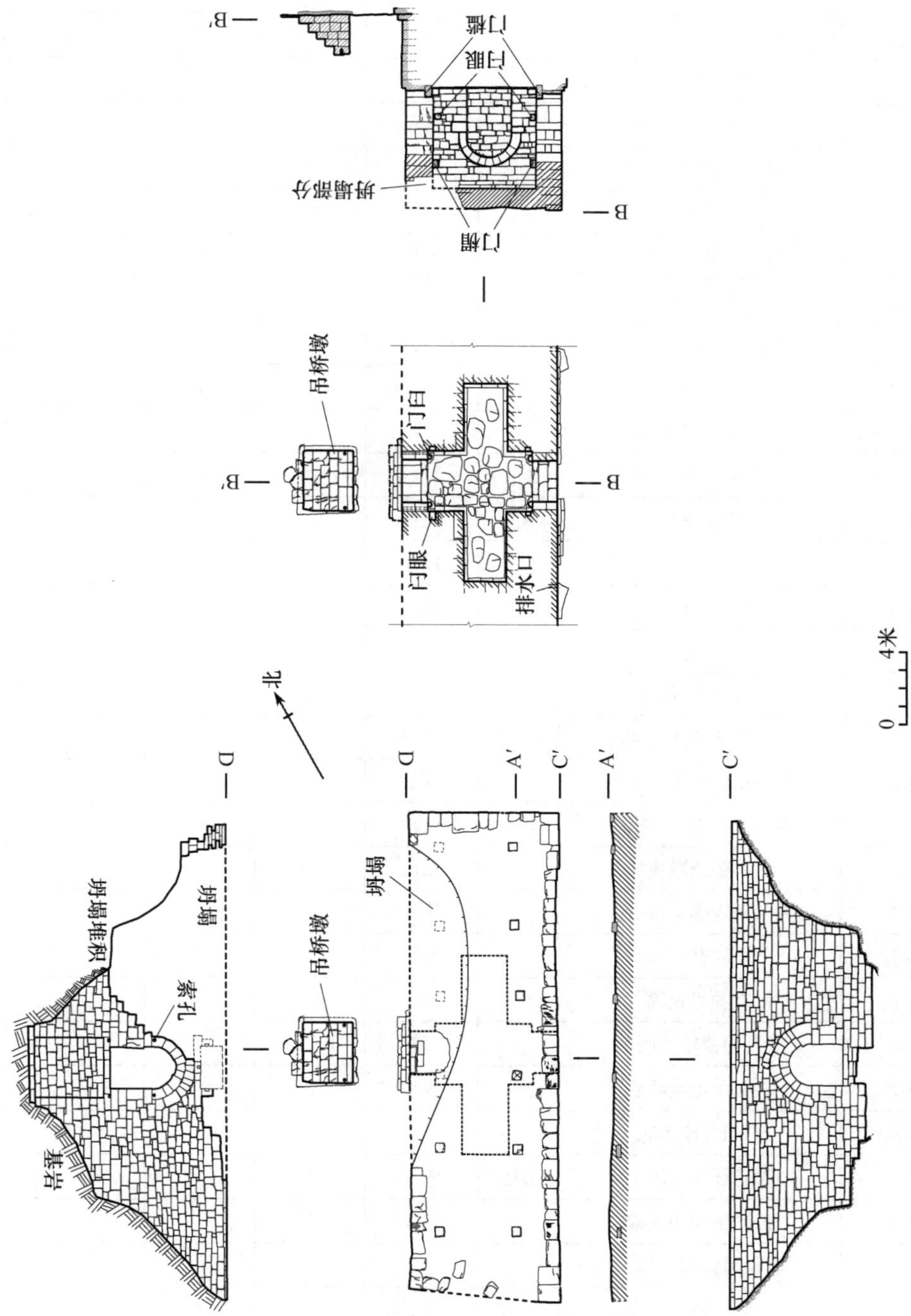

图2-30　西关（CM8）平、剖面图

表2-13　西关（CM8）出土遗物统计表

序号	出土单位/编号	名称	类型	保存状况	残片数量	可计件数	备注
1	TG36①	酱釉粗瓷碾钵（底）		残	1		
2	TG36①	青花灵芝茶花纹碗（底）	Ce型	残	1	1	清
3	TG36①	青花螭龙纹盘（底）		残	1		明晚
4	TG36①	青花碗残片		残片	41	3	
5	TG36①	酱釉印花粗瓷罐		残片	1		
6	TG36①	酱釉粗瓷罐（底）		残片	3		
7	TG36①	竹炭标本		残段	数块		
8	TG36①	青花粗瓷碗（底）		残片	5		
9	TG36①	青花碗（底）		残片	4		
10	TG36①：1	铁弹	D型	较完整	1	1	超大型
11	TG36①：2	铁刀箍		较完整	1	1	
12	TG36①：3	青花寿字碗（底）		残	1	1	寿
13	TG36①：4	青花乘云折桂纹碗	Bc型	已修复	14	1	“大明宣德年制”，万历
14	TG36①：5	铁铠甲片	A型	完整	1	1	方形
15	TG36①：6	铁锅		残片	1	1	
16	TG36①：7	铁弹	C型	较完整	1	1	大型
17	TG36①：8	铁钉		残	7	7	部分完整
18	TG36①：9	铁器残件		残片	2		片状
19	TG36①：10	青花灵芝茶花纹大碗	Ce型	已修复	4	1	清
20	TG36②	酱釉粗瓷罐（口沿）		残	1		
21	TG36②	青釉粗瓷壶（口沿）		残片	7		
22	TG36②	青釉粗瓷罐残片		残片	26		
23	TG36②	青釉粗瓷罐（口沿）		残片	2		
24	TG36②	动物肢骨		残段	2		猪，其中1段有刀痕
25	TG36②	青釉粗瓷罐		残片	9		
26	TG36②	青釉粗瓷罐（底）		残	5		
27	TG36②	酱釉粗瓷罐		残片	6		
28	TG36②	酱釉粗瓷罐（底）		残	1		
29	TG36②	青花杯（口沿）	B型	残片	2		
30	TG36②	酱釉粗瓷印花罐		残片	2		
31	TG36②	青釉粗瓷罐（耳）		残	1		
32	TG36②：1	青花缠枝花卉纹碗	Eb型	已修复	17	1	明中晚
33	TG36②：2	铁提环		较完整	1	1	半月形，带铆钉
34	TG36②：3	铅弹	C型	残	1	1	大型
35	TG36②：4-1	铁铠甲片	A型	较完整	1	1	方形
36	TG36②：4-2	铁铠甲片	B型	较完整	1	1	长方形
37	TG36②：5	铁钉		残	5	5	部分完整

续表

序号	出土单位/编号	名称	类型	保存状况	残片数量	可计件数	备注
38	TG36②：6	板瓦	Bb型	较完整	1	1	
39	TG36②：7	铁镞	B型	残	1	1	
40	TG36②：8	铁镞	Ca型	残	1	1	
41	TG36②：9-1	铁镞	I型	残	1	1	
42	TG36②：9-2	铁镞	I型	残	1	1	
43	TG36②：9-3	铁镞	I型	残	1	1	
44	TG36②：9-4	铁镞	I型	残	1	1	
45	TG36②：9-5	铁镞	I型	残	1	1	
46	TG36②：9-6	铁镞	Ha型	残	1	1	
47	TG36②：10-1	铁镞（铤）		残段	1	1	仅存铤
48	TG36②：10-2	铁镞	Eb型	残	1	1	
49	TG36②：11-1	铁镞	Hb型	残	1	1	
50	TG36②：11-2	铁镞	G型	残	1	1	
51	TG36②：12-1	铁镞（铤）		残段	1	1	仅存铤
52	TG36②：12-2	铁镞	F型	残	1	1	
53	TG36②：12-3	铁镞	F型	残	1	1	
54	TG36②：13-1	铁镞	Da型	残	1	1	
55	TG36②：13-2	铁镞	Da型	残	1	1	
56	TG36②：13-3	铁镞	Da型	残	1	1	
57	TG36②：13-4	铁镞	Db型	残	1	1	
58	TG36②：13-5	铁镞	Da型	残	1	1	
59	TG36②：13-6	铁镞	Da型	残	1	1	
60	TG36②：13-7	铁镞	Da型	残	1	1	
61	TG36②：14	铁镞	Cb型	残	1	1	
62	TG36②：15	铁镞（铤）		残段	1	1	仅存铤
63	TG36②：16	铁镞	F型	残	1	1	
64	TG36②：17-1	铁镞	Ea型	残	1	1	
65	TG36②：17-2	铁镞	Ec型	残	1	1	銎柄
66	TG36②：18	铁镞	I型	残	1	1	
67	TG36②：19	铁镞	Ca型	残	1	1	
68	TG36②：20	铁镞	F型	残	1	1	
69	TG36②：21	铁镞	Da型	残	1	1	
70	TG36②：22	铁镦		较完整	1	1	
71	TG36②：23	铁环		残	1	1	
72	TG36②：24	陶坩埚		较完整	1	1	
73	TG36②：25	青花平步青云纹碗（底）	Bc型	残	4	1	“大明宣德年制”
74	TG36②：26	铁镞	I型		1	1	

续表

序号	出土单位/编号	名称	类型	保存状况	残片数量	可计件数	备注
75	TG36②：27	礌石	B型	略残	1	1	
76	TG36②：28	铁镞	Ea型	残	1	1	
77	TG36②：29	石磨		残	1	1	
78	TG36②：30	长方形砖	Aa型	残甚	1	1	
79	TG36②：31-1	铁镞	Cb型	残	1	1	
80	TG36②：31-2	铁镞	A型	残	1	1	
81	TG36②：31-3	铁镞	A型	残	1	1	
82	TG36②：31-4	铁镞	A型	残	1	1	
83	TG36②：31-5	铁镞	A型	残	1	1	
84	TG36②：31-6	铁镞	A型	残	1	1	
85	TG36②：31-7	铁镞（铤）		残段	52		均为残段
86	TG36②：32	铁钉		残	1	1	
87	TG36②：33	铁钉		残	17	17	部分完整
88	TG36②：34	铁钉		残	30	30	多为带钉帽的短钉
89	TG36②：35	铁镦残件		残段	1		扁圆柱状
90	TG36②：36	铁镦残件		残段	1		圆柱状
91	TG36②：37	铁钉		残	1	1	
92	TG36②：38	铁炼渣		残	3		
93	TG37①	青花灵芝茶花碗（底）	Ce型	残片	6	1	清
94	TG37①	青花灵芝茶花碗（底）	Ce型	残片	11	2	清
95	TG37②	青花折枝花卉纹碗（底）		残	1		
96	TG37②	粗瓷方格纹罐		残	1		
97	TG37②	青釉粗瓷罐（底）		残片	6		
98	TG37②	青花盘（底）		残片	2		
99	TG37②	青花花卉纹碗（口沿）		残片	2		
100	TG37②	青花碗（口沿）		残片	4		
101	TG37②	青花螭龙纹碗（底）		残片	2		明晚
102	TG37②	青花山水纹杯（口沿）	A型	残片	2		
103	TG37②	青花碗		残片	29	2	
104	TG37②	动物肢骨		残段	5		马、黄牛
105	TG37②	动物牙		残	2		
106	TG37②	青釉粗瓷罐		残片	6		
107	TG37②	酱釉粗瓷罐		残片	5		
108	TG37②	青花碗残片		残片	3		
109	TG37②	青花缠枝花卉纹碗（口沿）		残片	12	1	
110	TG37②	青花碗		残	1		
111	TG37②	青花缠枝莲纹碗（底）		残片	2	1	

续表

序号	出土单位/编号	名称	类型	保存状况	残片数量	可计件数	备注
112	TG37②	青花螺旋纹碗	Db型	残片	3	1	明晚
113	TG37②	青花菊纹碗（口沿）		残片	2		
114	TG37②	青花折枝花卉纹杯（底）		残	1		
115	TG37②	青花螭龙纹盘（底）		残	2		明晚
116	TG37②	青花花卉纹碗（口沿）		残片	2		
117	TG37②	青花卍字纹碗（底）		残片	1		明晚
118	TG37②：1	青花莲托八宝纹碗	Bf型	已修复	17	1	
119	TG37②：2	铁矛	D型	残	1	1	
120	TG37②：3	铁锄		较完整	1	1	
121	TG37②：4	铁铠甲片	B型	残	1	1	长方形
122	TG37②：5	铁镦		残	1	1	
123	TG37②：6	铁脚码		较完整	1	1	
124	TG37②：7	铁钉		残	3	3	1枚完整
125	TG37②：8	铁镞	Ca型	残	1	1	
126	TG37②：9	铁钉		残	1	1	
127	TG37②：10	青花螺旋纹碗	Db型	已修复	11	1	明晚
128	TG37②：11	青花寿字碗	Ed型	可修复	14	1	明晚
129	TG37②：12	青花红彩鱼藻纹碗		已修复	5	1	釉上矾红，万历
130	TG37②：13	长方形砖	Aa型	残	1	1	“十六”（端头）
131	TG37②：14	长方形砖	Aa型	残	1	1	
132	TG37②：15	板瓦	Bb型	残	1	1	
133	TG37②：16	铁器残件			1		圆弧形片状
134	TG37②：17	勾头	Ba型	残	1	1	板瓦，须蔓向左卷曲
135	TG37②：18	炼渣		残块	2		
136	TG40①	青釉粗瓷罐		残片	3		
137	TG40①	青花碗残片		残片	7	1	
138	TG40①	青釉粗瓷罐（耳）		残	1		
139	TG40①	青花莲荷纹碗（底）		残片	1		
140	TG40①	青花灵芝茶花纹碗	Ce型	残片	16	1	清
141	TG40②	酱釉粗瓷罐（耳）		残	1		
142	TG40②：1	环首铁刀	C型	残	1	1	残存环与柄
143	TG40②：2	青花寿字盘（底）		残	1	1	明晚，寿
144	TG40②：3	炼渣		残块	2		
145	TG40②：4	青花莲叶纹碗（底）		残	2	1	“大明万历”
146	TG40②：5	回字形石构件		残	1		中孔未穿
147	TG40②：6	回字形石构件		残	1		断为两截
148	TG40②：7	回字形石构件		完整	1		重77千克
149	TG49①：1	铅弹	B型	较完整	1		中型

（1）建筑材料

有砖、瓦、勾头、铁钉和回字形石构件等。砖屑与瓦砾较多，仅采集了相对完整或带铭文者。

砖　3件。完残不一。均为Aa型长方形砖，即未经二次加工的标准长方形小砖。其中TG37②：13端头有“十六”铭文（图2-31-24）。

瓦　2件。较完整。均为Bb型板瓦，即两翅光滑、经二次加工的小型板瓦。

勾头　1件。TG37②：17，残。Ba型板瓦勾头。花下须蔓向左卷曲，当面偏大（图2-12-6；图2-31-23；图版183-16）。

铁钉　65枚。部分锈蚀残断，部分完整。分两类：一类为四棱方锥形长铁钉，数量较多，多应为瓦钉。一类则为带钉帽的短铁钉，与铁柱关（CM2）包门铁皮上铁钉大小相仿，用途可能一致。

回字形石构件　3件。为中央凿孔的长方形条石，整石为之。中孔呈方锥形，一头大一头小，一侧倾斜较甚。其中TG40②：5，略残，中孔未穿。TG40②：6，断为两截。TG40②：7，完整。长55、宽42、厚10厘米，中孔大头边长23～24、小头边长16～16.5厘米，重达77千克（图版183-17～19）。类似石构件后关亦出土3件，用途不明。西关的3件均出在门道内（TG40），疑系顶门木柱之石座。

（2）生活用器

有瓷器、铁器与石器。

瓷器　分细瓷与粗瓷两类。

细瓷均为青花瓷器，个别为青花加彩。

青花瓷　251片（含青花加彩）。纹饰有螭龙纹、寿字、螺旋纹、缠枝花卉纹、折枝花卉纹、莲荷纹、菊纹、莲托八宝纹、乘云折桂纹、山水纹和灵芝茶花纹等，部分有“大明万历”“大明宣德年制”款。器形有碗、杯、盘等，以碗为主。其中7件碗可复原或已修复，B型（侈口）2件、C型（撇口）1件、D型（折沿）1件、E型（敞口）2件，青花红彩碗1件（TG37②：12）。TG36①：4，青花乘云折桂纹碗。修复完整。Bc型。侈口，弧腹较深，高圈足，底心下塌。内底双圈弦纹内绘一高士乘于云上，手持折桂；外壁绘庭院、人物和龙纹，一人站立，手指腾飞之龙，回望身后安坐之人，或为望子成龙之意；足底双圈弦纹内楷书“大明宣德年制”六字双行款，为寄托款。高5.8、口径10.8、足径4.4厘米（图2-32-1；图版53）。TG36②：25，青花平步青云纹碗。仅存器底及少量腹部，器形与TG36①：4同，当为Bc型碗。纹饰也大致相同，唯内底乘云之人手中无桂；外底亦铭“大明宣德年制”款（图2-33-2；图版184-1）。TG37②：1，青花莲托八宝纹碗。修复完整。Bf型。侈口，口部变形，近椭圆形，弧腹较浅，底心微下塌，圈足。内底双圈弦纹内及腹部绘莲托八宝纹，外壁绘草虫纹，足底饰双圈弦纹。高4.3、口部最大径13.4、足径7.6厘米（图2-32-3；图版60-3、4）。TG36①：10，青花灵芝茶花纹大碗。修复完整。Ce型。口部近直，沿微外撇，深弧腹，圈足，挖足过肩。口沿端饰弦纹，晕散成蓝口；腹壁饰双圈弦纹；内底绘折枝茶花纹，茶花下

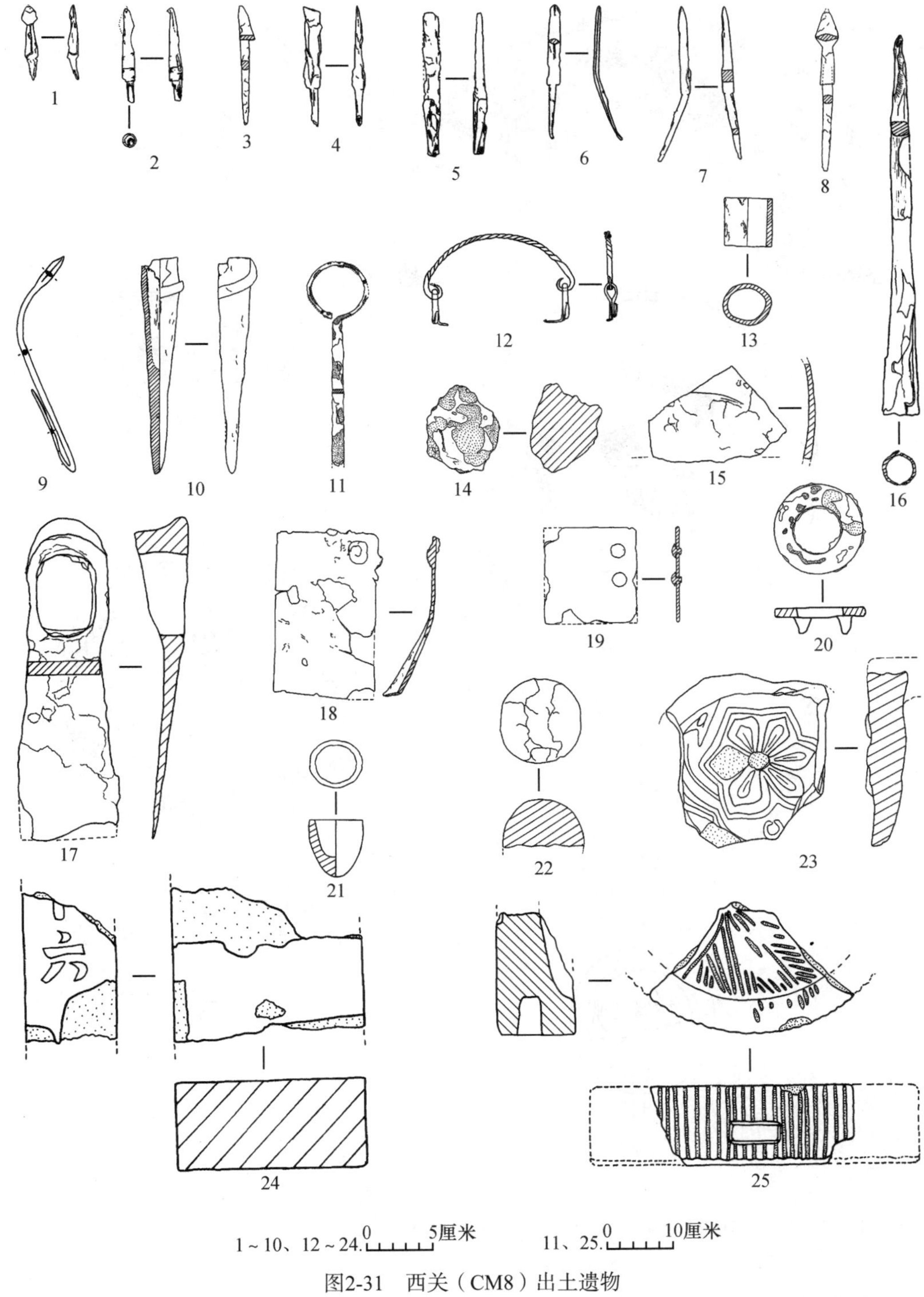

图2-31　西关（CM8）出土遗物

1. 铁镞（TG36②：10-1）　2. Eb型铁镞（TG36②：10-2）　3. F型铁镞（TG36②：12-3）　4、5. A型铁镞（TG36②：31-4、TG36②：31-5）　6. B型铁镞（TG36②：7）　7. I型铁镞（TG36②：9-4）　8. Hb型铁镞（TG36②：11-1）　9. Da型铁镞（TG36②：13-2）　10. 铁镦（TG36②：22）　11. C型铁刀（TG40②：1）　12. 铁提环（TG36②：2）　13. 铁刀箍（TG36①：2）　14. 炼渣（TG36②：38）　15. 铁锅（TG36①：6）　16. D型铁矛（TG37②：2）　17. 铁锄（TG37②：3）　18、19. 铁铠甲片（TG36②：4-2、TG36①：5）　20. 铁脚码（TG37②：6）　21. 陶坩埚（TG36②：24）　22. B型礌石（TG36②：27）　23. Ba型板瓦勾头（TG37②：17）　24. Aa型长方形砖（TG37②：13）　25. 石磨（TG36②：29）

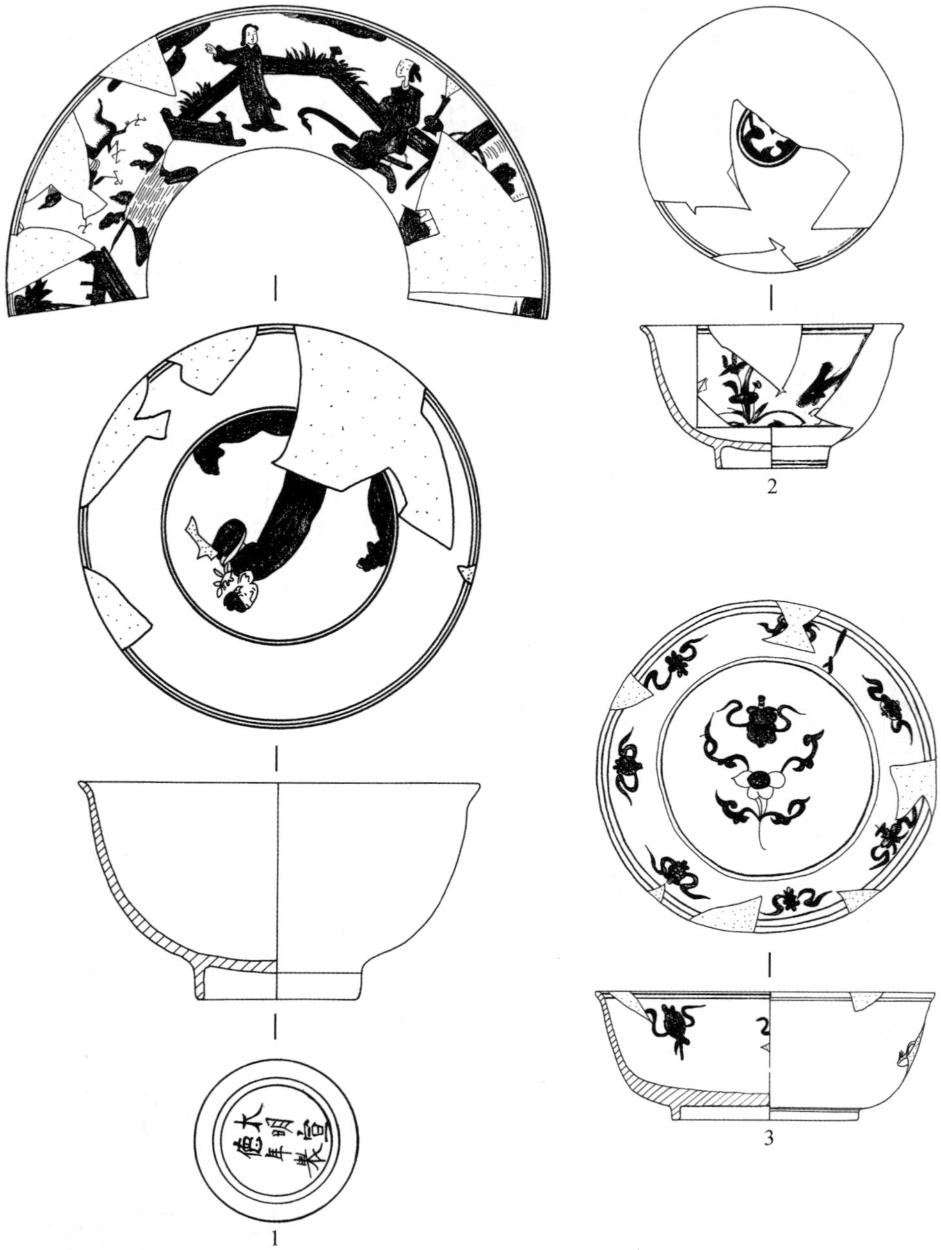

1. 0　3厘米　　2、3. 0　3厘米

图2-32　西关（CM8）出土青花碗

1. 乘云折桂纹碗（TG36①：4）　2. 红彩鱼藻纹碗（TG37②：12）　3. 莲托八宝纹碗（TG37②：1）

侧于釉面刻有图案，不识；外壁纹饰分两层，以多组开光组合，其内饰灵芝和茶花纹；足底双圈弦纹内绘方款，为花押款。高7.5、口径16、足径7.2厘米（图2-33-3；图版64-1、2）。TG37②：10，青花螺旋纹碗。修复完整。Db型。折沿，弧腹近斜，圈足。足沿及足底露胎，局部缩釉，略显粗糙。口沿外侧涂绘三道柳叶形青料，其下各绘螺旋纹。高4.6、口径13.2、足径5.7厘米（图2-33-6；图版184-3）。TG36②：1，青花缠枝花卉纹碗。修复完整。Eb型。敞口，弧腹近直，内底下塌，矮圈足。内底双圈弦纹内绘团花纹，外壁绘缠枝花卉纹，外胫部绘

变形莲瓣纹。高4.6、口径13.4、足径5.4厘米（图2-33-7；图版69-1、2）。TG37②：11，青花寿字碗。可复原。Ed型。敞口，浅弧腹，内底近平，矮圈足。内底双圈弦纹内书“寿”字。高4、口径12.2、足径5.6厘米（图2-33-4；图版74-3）。TG40②：4，青花莲叶纹碗。仅存底部。内底双圈弦纹内绘莲池纹，外底有“大明万历”四字款。足径4.6厘米（图2-33-1；图版184-2）。TG37②：12，青花红彩鱼藻纹碗。修复完整。侈口，弧腹较深，高圈足。内底青花绘制蓝地白花海水纹；外腹青花绘制海藻纹，间用矾红堆塑游鱼四尾。高5.8、口径11.2、足径4.5厘米（图2-32-2；图版114-4；图版184-4）。

粗瓷　93片。分酱釉、青釉和青花三类，部分有印花、方格纹装饰。器类有碾钵、罐、壶和碗，以罐为多，无可复原者。

多数细瓷可判明年代，除部分青花灵芝茶花纹碗属清代外，余均应为明代遗物。2件铭“宣德”款者，实为明嘉靖、万历时期遗物。

铁器　有锅、脚码、提环、锄和铁器残件等。

铁锅　1件。TG36①：6，仅存口沿残片1块。较厚实。残长10、宽6.6、厚0.74厘米（图2-31-15；图版184-7）。

铁脚码　1件。TG37②：6，较完整。圆环，下带四足。锈蚀较甚，两侧是否有孔眼不明。高2、环径6.8厘米（图2-31-20；图版184-5）。

铁提环　1件。TG36②：2，较完整。辫索纹弓形环，两端卷曲，上悬铆钉。当为木箱一类器具两端的提环。环径11、矢高5、铁条直径0.53厘米（图2-31-12；图版184-6）。

铁锄　1件。TG37②：3，锈蚀较甚。刃部微缺，长条形穿。长24、宽7.5、厚0.4～4厘米，穿径4.2～6.5厘米（图2-31-17；图版184-8）。

另有残铁环1件（TG36②：23）以及铁器残件数件，残甚，器形莫辨。

石器　仅石磨1件。TG36②：29，为磨之上盖的局部残件。砂岩。圆盘状，上部下凹，底部凿槽，下底中央有装轴圆孔，一侧则有装柄方孔。直径约36、厚11.5厘米（图2-31-25；图版184-9）。

（3）兵器

有铁镞、铁铠甲片、铁矛、铁镦、环首铁刀、铁刀箍、铅弹、铁弹和礌石。

铁镞　37件。分属A（5件）、B（1件）、Ca（3件）、Cb（2件）、Da（7件）、Db（1件）、Ea（2件）、Eb（1件）、Ec（1件）、F（4件）、G（1件）、Ha（1件）、Hb（1件）、I（7件）诸型。另有铁铤残件55段（图2-31-1～9；参见表1-17）。

铁铠甲片　4件。A型（方形）与B型（长方形）各2件（TG36①：5、TG36②：4-1、TG36②：4-2、TG37②：4），除1件稍残外，余均完整（图2-31-18、19；图版183-9～11）。囤上共出土铁铠甲片33件，除该4件外（出自关隘的内外两端），余均出自新王宫内，当为播军遗物，而非明军所遗（见表1-21）。

铁矛　1件。TG37②：2，残。D型（四棱形）。残长28.2厘米（图2-31-16；图版183-1）。

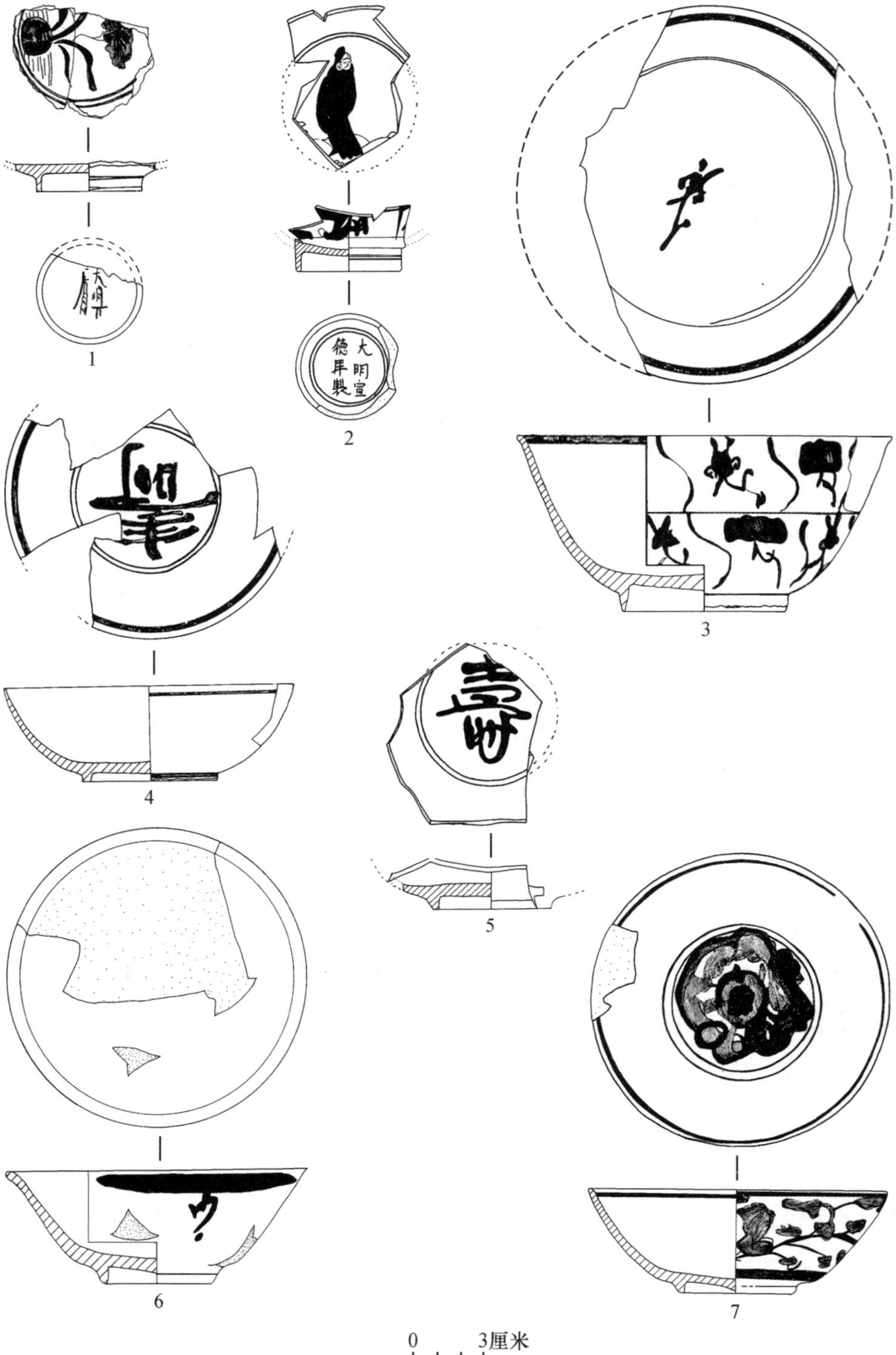

图2-33　西关（CM8）出土青花碗

1. 莲叶纹碗（TG40②：4）　2. 平步青云纹碗（TG36②：25）　3. 灵芝茶花纹大碗（TG36①：10）
4、5. 寿字碗（TG37②：11、TG36①：3）　6. 螺旋纹碗（TG37②：10）　7. 缠枝花卉纹碗（TG36②：1）

铁镦 4件。TG37②：5与TG36②：22，较完整。中空圆锥形，为矛柲末端装饰（图2-31-10；图版183-2、3）。另有残件2件（TG36②：35、TG36②：36），残甚。

铁刀 1件。TG40②：1，残存环与柄部。C型。大环首，长直柄。残长30.5、环径10.5～11厘米（图2-31-11；图版183-12）。

铁刀箍 1件。TG36①：2，较完整。圆筒形。长3、直径3～3.3、厚0.3厘米（图2-31-13；图版183-13）。

铅（铁）弹 4枚。铅弹与铁弹各2枚。分属B型（中型）、C型（大型）与D型（超大型），为铳、炮弹丸（见表1-16；图版183-4～7）。

礌石 1件。TG36②：27，略残。B型，即经加工的圆球形石丸。直径6.1～6.7、残厚3.7厘米（图2-31-22；图版183-8）。

西关所出兵器均为万历二十八年（1600）播州之役的遗物，其数量在诸关中仅次于铁柱关（CM2），火器与冷兵器均有，其中铁镞占海龙囤出土铁镞数量半数以上，反映该处彼时战事的激烈程度。

（4）其他

有陶坩埚、炼渣和兽骨等。

陶坩埚 1件。TG36②：24，修复完整。尖底小杯状。内外施酱釉。高4.5、口径4.2、壁厚0.6厘米。器形偏小，或用以熔铅（图2-31-21；图版183-15）。

炼渣 7块。大小不一。TG36②：38，黑褐色，略偏黄。外表粗糙，火山岩状，布满不规则气孔。长5.2～6.2、厚4.2厘米，重223克。或与炼铁有关（图2-31-14；图版183-14）。

兽骨 9件。含肢骨7段、牙2枚。属马、黄牛、猪等动物。

另有少量竹炭。

（九）后关（CM9）

是囤西最后一关，亦是自西入囤的第一关，为“土城”城门。与其他关隘比较，后关有两个鲜明的特点：一是石砌关座单薄且独立，与两侧城垣泾渭分明。二是在石砌关座内侧，另建落地木结构建筑，与关座共同构成城门楼，颇具特色。在关座内侧布探沟一条（TG41）进行清理。

1. 遗迹

长方形石砌关座，中央为券顶门道（外门道）。条石门槛内侧设门臼，上方对应处亦设门臼，但未见连弧形石门楣。门内设对称闩眼一组2个。关座内侧地面上自南向北排列八棱形石柱础4列12个（每列3个），关座顶当再立木柱4根（柱础无存），如此便形成部分落地、部分则置于关座上的干栏式吊脚半边城门楼，类似于苗族吊脚楼。复原的门楼应三间三进，高至少二层。底层中央为门道，两侧为两厢，上下门楼的木梯或设于此。门道整体呈凸字形，方向

300°。外门道石质，内门道则为木结构。门道内铺石板，两厢则铺砖。

可确定无石匾，至于是否有木匾则已不可考。

关座面阔12、进深2.35、高4.45米。门道通长7、宽2.18～3.5、高2.85～4米，其中石质外门道长1.5、宽2.18、高2.85米，木结构内门道长5.5、宽3.5、高约4米。门楼三间三进。通面阔10.7、通进深5.95米，其中明间（门道）面阔3.8、次间（厢房）面阔3.45米，第一进与第三进进深1.55、第二进进深2.85米（图2-34；图版185）。

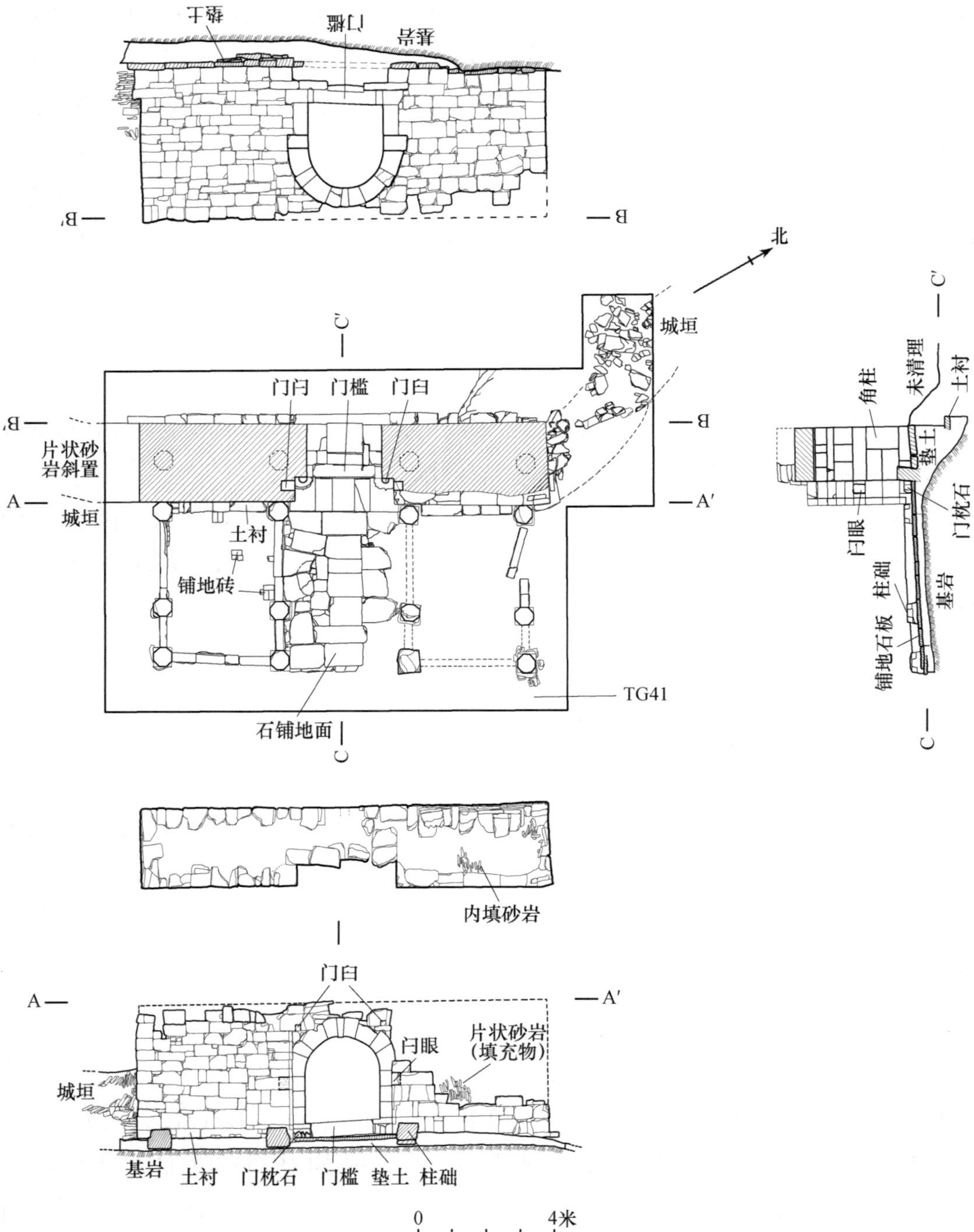

图2-34　后关（CM9）平、剖面图

2. 遗物

遗物主要出于TG41。堆积可分为表土、坍塌堆积与灰褐色黏土三层，各层均有遗物出土。碎砖屑与瓦砾较多，多未采集。分建筑材料、生活用器与兵器三类（表2-14）。

表2-14　后关（CM9）出土遗物统计表

序号	出土单位/编号	名称	类型	保存状况	残片数量	可计件数	年代	备注
1	TG41①：1	青花螭龙纹碗	Cc型	可修复	9	1	明晚	撇口小碗
2	TG41①：2	铁钉		较完整	1	1	明	
3	TG41①	酱釉粗瓷罐（口沿）		残	3	1	明	
4	TG41①	穿孔石片		残	1	1	明	
5	TG41①	青釉粗瓷碗（底）		残	1	1	明	
6	TG41①	青花同心圆纹碗（底）		残片	1	1	清	
7	TG41①	青花碗		残片	9	2	明晚	
8	TG41①	青釉粗瓷钵（口沿）		残	1			
9	TG41①	酱釉粗瓷罐（底）		残	2	1		
10	TG41②	青花花卉纹碗（底）		残	2		明晚	
11	TG41②	青花凤纹碗（口沿）	Bd型	残	1	1	明晚	
12	TG41②	青花螭龙纹碗（底）		残	1	1	明晚	
13	TG41②	青花莲池水禽纹碗（底）		残	1	1	万历	
14	TG41②	青花螭龙纹碗（底）		残	1	1	明晚	
15	TG41③	青花杯（底）		残	1	1	明晚	
16	TG41③	酱釉粗瓷罐		残片	1		明晚	
17	TG41③	筒瓦熊头残块	Ba型	残	1	1	明晚	青灰色
18	TG41③	筒瓦残块	Bb型	残	1	1	明晚	砖红色，局部呈青灰色
19	TG41③：1	大长方形砖	Bb型	残	1	1	明晚	将长方形大砖的一端砍琢为内凹圆弧形，用以包柱，下同
20	TG41③：2	大长方形砖	Bb型	较完整	1	1	明晚	
21	TG41③：3	大长方形砖	Bb型	较完整	1	1	明晚	
22	TG41③：4	大长方形砖	Bb型	较完整	1	1	明晚	
23	TG41③：5	大长方形砖	Bb型	完整	1	1	明晚	
24	TG41③：6	大长方形砖	Bb型	较完整	1	1	明晚	包柱，铭“验”字
25	TG41③：7	大长方形砖	Ba型	完整	1	1	明晚	未经二次加工的大长方形砖
26	TG41③：8	大长方形砖	Ba型	完整	1	1	明晚	
27	TG41③：9	大长方形砖	Ba型	较完整	1	1	明晚	
28	TG41③：10	大长方形砖	Ba型	完整	1	1	明晚	
29	TG41③：11	大长方形砖	Ba型	较完整	1	1	明晚	
30	TG41③：12	大长方形砖	Ba型	完整	1	1	明晚	

续表

序号	出土单位/编号	名称	类型	保存状况	残片数量	可计件数	年代	备注
31	TG41③：13	小长方形砖	Aa型	残	1	1	明晚	未经二次加工的标准小长方形砖，均有“十六砖”铭文
32	TG41③：14	小长方形砖	Aa型	残	1	1	明晚	
33	TG41③：15	小长方形砖	Aa型	残	1	1	明晚	
34	TG41③：16	小长方形砖	Aa型	残	1	1	明晚	
35	TG41③：17	礌石	C型	完整	1	1	明晚	天然砾石
36	TG41③：18	正吻（背部）	B型	残块	1		明晚	
37	TG41③：19	正吻（吞口）	B型	残块	1	1	明晚	
38	TG41③：20	正吻（爪毛）	B型	残块	1	1	明晚	
39	TG41③：21	正吻（卷尾）	B型	残块	1		明晚	
40	TG41③：22	垂戗兽（爪）	Bc型	残块	1	1	明晚	
41	TG41③：23	垂戗兽（雀台）	Bc型	残块	1	1	明晚	
42	TG41③：24	垂戗兽（尾部）	Bc型	残块	1		明晚	
43	TG41③：25	垂戗兽（尾部）	Bc型	残块	1		明晚	
44	TG41③：26	垂戗兽（尾部）	Bc型	残块	1		明晚	
45	TG41③：27	垂戗兽（尾部）	Bc型	残块	1		明晚	
46	TG41③：28	垂戗兽（尾部）	Bc型	残块	1		明晚	凸棱两道
47	TG41③：29	铁锅		可复原	1	1	明晚	敞口
48	TG41③：30	勾头	Ba型	残	1	1	明晚	板瓦勾头
49	TG41③：31	铁钉		较完整	17	17	明晚	
50	TG41③：32	正吻（剑把座）	B型	残块	1		明晚	
51	TG41③：33	滴水	Ba型	残	1	1	明晚	板瓦滴水
52	TG41③：34	滴水	Ba型	残	1	1	明晚	板瓦滴水
53	TG41③：35	缠枝牡丹纹小脊砖	Fa型	残	1	1	明晚	
54	TG41③：36	回字形石构件		完整	1	1	明晚	
55	TG41③：37	回字形石构件		完整	1	1	明晚	
56	TG41③：38	缠枝牡丹纹小脊砖	Fa型	残	1		明晚	
57	TG41③：39	缠枝牡丹纹小脊砖	Fa型	残	1	1	明晚	
58	TG41③：40	缠枝牡丹纹大脊砖	C型	残	1		明晚	
59	TG41③：41	缠枝牡丹纹大脊砖	C型	残	1	1	明晚	
60	TG41③：42	缠枝牡丹纹小脊砖	Fa型	残	1		明晚	
61	TG41③：43	缠枝牡丹纹小脊砖	Fa型	残	1		明晚	
62	TG41③：44	缠枝牡丹纹小脊砖	Fa型	残	1		明晚	
63	TG41③：45	缠枝牡丹纹小脊砖	Fa型	残	1		明晚	
64	TG41③：46	缠枝牡丹纹小脊砖	Fa型	残	1	1	明晚	
65	TG41③：47	缠枝牡丹纹大脊砖	C型	残	1		明晚	
66	TG41③：48	缠枝牡丹纹小脊砖	Fa型	残	1		明晚	
67	TG41③：49	缠枝牡丹纹大脊砖	Fa型	残	1		明晚	

续表

序号	出土单位/编号	名称	类型	保存状况	残片数量	可计件数	年代	备注
68	TG41③：50	缠枝牡丹纹大脊砖	C型	残	1		明晚	
69	TG41③：51	缠枝牡丹纹大脊砖	C型	残	1		明晚	
70	TG41③：52	缠枝牡丹纹小脊砖	Fa型	残	1		明晚	
71	TG41③：53	缠枝牡丹纹大脊砖	C型	残	1		明晚	
72	TG41③：54	缠枝牡丹纹大脊砖	C型	残	1		明晚	
73	TG41③：55	缠枝牡丹纹大脊砖	C型	残	1	1	明晚	
74	TG41③：56	缠枝牡丹纹大脊砖	C型	残	1	1	明晚	
75	TG41③：57	缠枝牡丹纹大脊砖	C型	残	1		明晚	
76	TG41③：58	缠枝牡丹纹大脊砖	C型	残	1		明晚	
77	TG41③：59	缠枝牡丹纹大脊砖	C型	残	1		明晚	
78	TG41③：60	缠枝牡丹纹大脊砖	C型	残	1		明晚	
79	TG41③：61	缠枝牡丹纹小脊砖	Fa型	残	1		明晚	
80	TG41③：62	缠枝牡丹纹大脊砖	C型	残	1	1	明晚	
81	TG41③：63	缠枝牡丹纹大脊砖	C型	残	1	1	明晚	
82	TG41③：64	缠枝牡丹纹大脊砖	C型	残	1		明晚	
83	TG41③：65	缠枝牡丹纹大脊砖	C型	残	1		明晚	
84	TG41③：66	缠枝牡丹纹大脊砖	C型	残	1		明晚	
85	TG41③：67	缠枝牡丹纹大脊砖	C型	残	1	1	明晚	
86	采：24	回字形石构件		完整	1	1	明晚	关北冲沟内采集

（1）建筑材料

有砖、筒瓦、瓦当、脊兽、脊砖、铁钉和石构件等。

砖　16件。均为长方形砖，有大、小两类。

大长方形砖　12件。又分未经二次加工（Ba型）和将一端砍琢为内凹圆弧形（Bb型）两型，各6件。前者用以砌墙，后者用以包柱。其中1件（TG41③：6）带“验”字铭文（图2-35-3）。

小长方形砖　4件。为未经二次加工的长方形标砖（Aa型），均有“十六砖”铭文。

筒瓦　2件。Ba型、Bb型各1件。均残。

瓦当　3件。为板瓦勾头与滴水。

勾头　1件。TG41③：30，残。Ba型，即花下须蔓向左卷曲的六瓣莲花纹勾头，当面偏大（图2-12-7；图2-35-5；图版187-4）。

滴水　2件。TG41③：33、TG41③：34，残。均属Ba型，即莲叶两侧有卷曲须蔓的六瓣莲花纹滴水，当面偏大（图2-12-15；图2-35-4；图版187-5）。

脊兽　12块。均为脊兽的局部残块，无可复原者。有正吻和垂戗兽两类（图版186）。

正吻　5块。为B型（粗糙型）正吻的背、吞口、卷尾、爪毛和剑把插孔等部位残件，不可拼合。有灰白与灰褐两色，知应属2件个体。

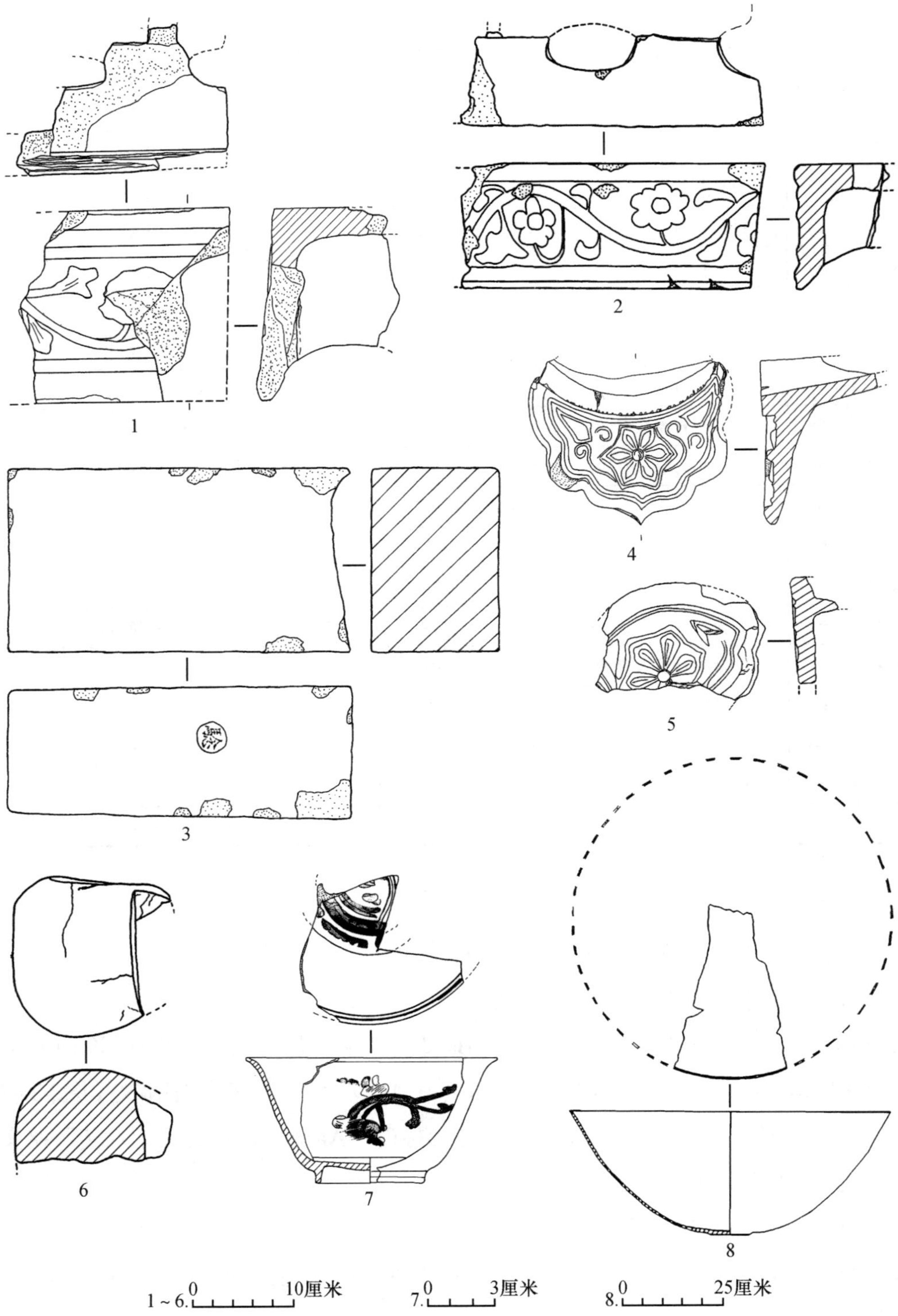

图2-35　后关（CM9）出土遗物

1. C型脊砖（TG41③：67）　2. Fa型脊砖（TG41③：35）　3. Bb型砖（TG41③：6）　4. Ba型滴水（TG41③：33）
5. Ba型板瓦勾头（TG41③：30）　6. C型礌石（TG41③：17）　7. 青花螭龙纹碗（TG41①：1）　8. 铁锅（TG41③：29）

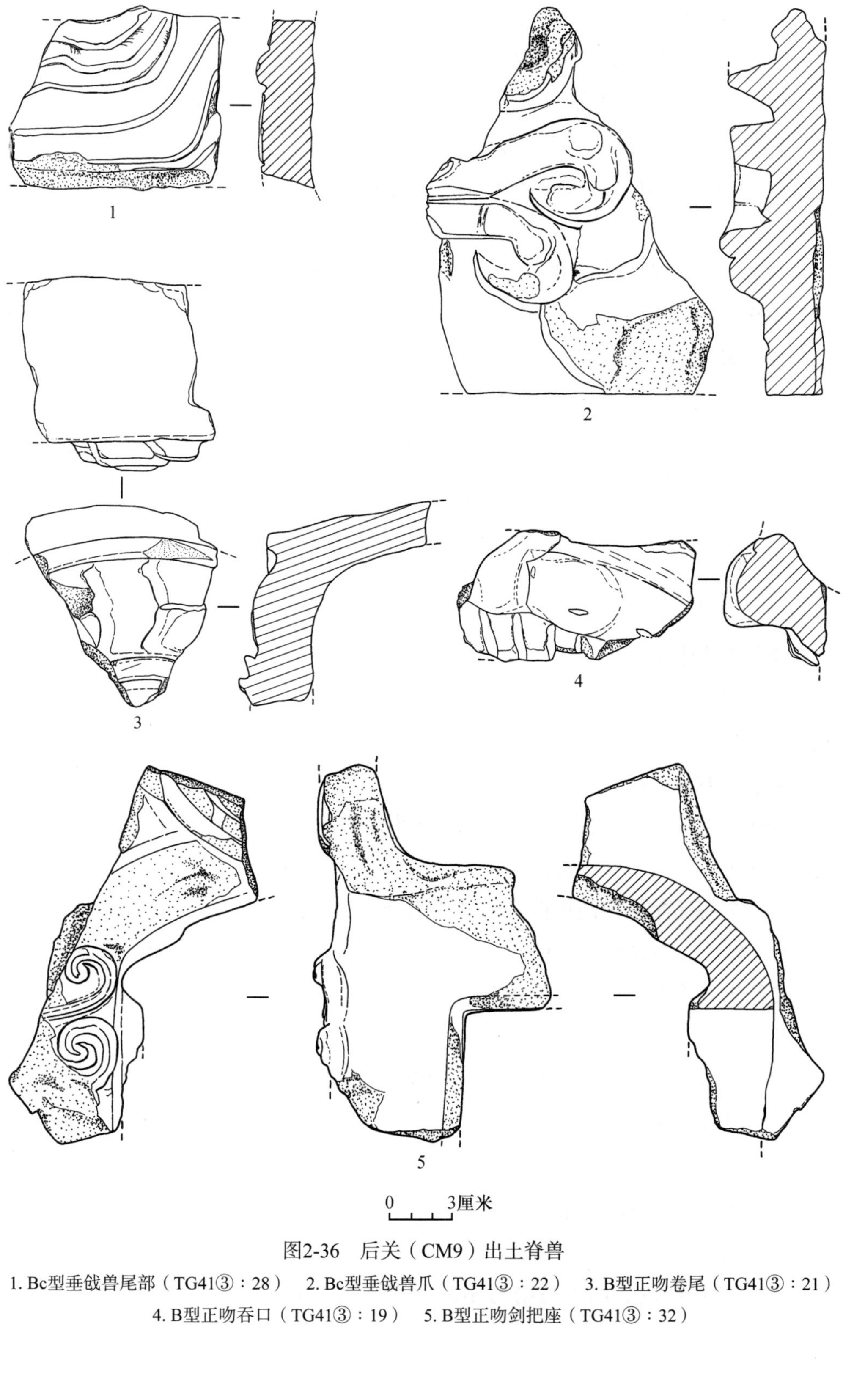

图2-36　后关（CM9）出土脊兽

1. Bc型垂戗兽尾部（TG41③：28）　2. Bc型垂戗兽爪（TG41③：22）　3. B型正吻卷尾（TG41③：21）
4. B型正吻吞口（TG41③：19）　5. B型正吻剑把座（TG41③：32）

垂戗兽　7块。为Bc型（凸棱型）垂兽或戗兽的尾、爪和雀台等部位残块，不可拼合。有灰白与灰两色，知至少分属2件个体（图2-36）。

脊砖　10件。均为缠枝牡丹纹脊砖，分大（C型）、小（Fa型）两类。

C型　19块约6件。缠枝牡丹纹大脊砖。TG41③：67，残。上下各有两条凸棱，侧面饰缠枝牡丹纹，顶部残留二孔，一端挡板尚存。高18、残长20、残宽11厘米（图2-35-1；图版187-6）。

Fa型　12块约4件。缠枝牡丹纹小脊砖。TG41③：35，残存一半。高12.5、残长29、残宽9厘米（图2-12-19；图2-35-2；图版187-7）。

铁钉　18枚。较完整。均为四棱方锥形，为瓦钉。

回字形石构件　3件。TG41内出土2件（TG41③：36、TG41③：37），均完整。另在后关北侧的冲沟内亦发现1件（采：24）。这3件回字形石构件形制与万安关所出者相同，大小亦相近（图版187-1～3）。

另有穿孔石片1件，出于第1层内。砂岩薄石片残块，三角形，上钻一孔，用途不明。

（2）生活用器

有瓷器与铁器两类。

瓷器　有细瓷与粗瓷两类。

细瓷　均为青花瓷。

青花瓷　26片。为碗、杯残片。纹饰有螭龙纹、凤纹、花卉纹、莲池水禽纹、同心圆纹等。仅1件可复原。TG41①：1，青花螭龙纹碗。Cc型。内底与外壁饰螭龙纹。高5.4、口径11.6、足径4.8厘米（图2-35-7；图版187-8）。青花瓷中除个别（青花同心圆纹碗）属清代外，余均为明代晚期遗物。

粗瓷　8片。釉色有青釉和酱釉两类。器类有碗、钵和罐。

铁器　仅铁锅1件。TG41③：29，可基本复原。敞口，斜腹，小平底。高30、口径78、底径14、壁厚0.75厘米（图2-35-8；图版187-9）。

（3）兵器

礌石　1件。TG41③：17，完整。为近扁圆形天然砾石，属C型礌石。直径11.6～16.5、厚10.4厘米（图2-35-6）。

（十）关隘的结构与使用

结合明代九关现存遗迹、出土遗物与相关文献记载，可以就相关问题展开讨论，进一步明确各关的结构与使用情况。

1. 关隘结构

可以依据残存柱础以及脊兽、瓦当等遗存对关隘的结构作初步推断。

现存明代九关中，朝天、飞凤、西关和后关柱础保存较好，门楼的平面形制比较清楚。朝天关四础皆在，门楼平面近方形，单间单进。铜柱、铁柱、飞虎和万安诸关，关座规模与朝天关相当，仅铜柱、铁柱两关顶各存一础，门楼形制当与朝天关同。但需特别指出的是，据柱础复原的朝天关门楼面阔3.6、进深3.3米，左右两侧柱础距关座南北边缘尚各有3.3米，空间宽裕却未见柱础，但地面铺砖，知仍应为室内地面（海龙囤上砖铺地面一般仅见于室内）。据此，朝天关门楼较可能为三间一进的形制，次间两侧可能不用石础，而直接将木柱立在关座边缘的压面石上（见图2-19）。相应地，其余四关的情况亦应如此。客观地看，以上两种可能性都是存在的。但就空间关系并结合其余诸关的情况来看，后一种可能性更大，即为三间一进的门楼，单间门楼略显狭陋。

飞凤、飞龙和后关门楼均面阔三间。其中，飞凤关关顶门楼八础尚存其五，格局清晰，是三间一进的平面形制。通面阔9、进深4.2米，明间面阔4.6米，次间面阔2.2米。后关则是石砌关座与落地木结构建筑相结合的干栏式吊脚半边门楼，于第二层形成三间三进的格局。飞龙关关顶坍塌，仅于地面遗有石础1件，但关座规模与朝天关基本相当（见表2-6），因此有理由相信其门楼结构与飞凤关相同。

与其他关隘尚存石础均为方座八棱形鼓镜的形制不同，西关石础均方形，无上凸的鼓镜，略显粗糙。尚存八础表明，西关门楼为面阔五间的长房，通面阔20.4、进深4.4米，其中明间面阔4.4、次间面阔4、梢间面阔4.4米。这是关隘门楼中仅见的面阔五间的建筑，但石础折射出西关门楼虽然规模宏大但建筑可能相对粗疏。

综合来看，明代九关的门楼，除西关面阔五间外，余均面阔三间，除后关三进外，余均一进。至于其高度，据《平播全书》记载：明军綦江路五月初十日攻囤前，“攻夺铁柱关，掀挖城垣五处，每处约长五六丈。烧毁三层城楼二座，房屋数处”①。该处的“三层”或包括城门石砌基座在内，其余诸关应与之同。

根据出土遗物，门楼的屋面装饰亦有规律可循。在脊兽的使用上，为B型正吻+Bc型垂戗兽的组合，即使用粗糙型正吻与凸棱型垂戗兽。正吻带背兽，饰于正脊两端，垂戗兽则饰于垂脊和戗脊上。有脊兽出土的铜柱关、朝天关、万安关与后关，均属此例。其他关隘，亦当如此。脊砖仅见缠枝牡丹纹大脊砖（C型）和缠枝牡丹纹小脊砖（Fa型）两类，见于铜柱关、铁柱关、飞龙关、朝天关和后关。前者用于正脊，后者则用于垂脊与戗脊。板瓦瓦当，普遍为Ba型勾头+Ba型滴水的组合，仅铁柱关出土了一定数量的Bc型滴水。也有少量的筒瓦与筒瓦勾头出土。出土砖的数量不少，主要为小长方形砖（A型）与大长方形砖（B型），用于铺地与砌墙。屋面形制推测为重檐歇山顶。脊兽、脊砖与瓦当等建筑构件形制与组合的一致性，反映门楼的修建经过统一的规划。

此外，铁柱关发现的包门铁皮表明，关隘木质大门包有带状铁皮，以铆钉加固。铁柱、万

① （明）李化龙：《平播全书》卷4《六报捷音疏》，北京：大众文艺出版社，2008年，第113页。这一记载也揭示，除门楼外，铜柱与铁柱两关以里的平阔处，尚有其他房屋。

安和西关三关门外再置吊桥，吊桥应为木质，一端搭于桥墩上（桥墩与高悬的城门之间形成壕沟），端头钉有铁环以系绳索；一端则在门券两侧上下设对称索孔4个，下面一组2个用以固定木桥，上面一组2个索孔自内而外倾斜向上，用以收放绳索。

2. 使用情况

万历二十八年（1600）播平之后，囤上人群的活动并未停止，明代诸关中的大部分仍作为出入海龙囤的主要通道使用，该过程中又因年久失修而不断坍塌，因此关隘及其附近的堆积简单但遗物早晚混杂，地层堆积不足以反映遗物的年代，但整体上以明代晚期遗物为主，混有少量清代遗物。除建筑构件、兵器与青花瓷等具有鲜明年代特征的遗物外，其余遗物的年代如何判定？如果同类遗物在不同关口反复出现，那么其为使用最频繁的明万历时期所遗的可能性便大增。这类遗物包括铁三脚、铁锅、铁脚码、粗瓷与兽骨等，在绝大多数关隘均有出土，当可认定为与关隘同时期的遗物。其在用途上为炊具（铁三脚、铁锅）、日常生活用器（粗瓷器）、登山防滑工具（铁脚码）与畜力或肉食（兽骨），与其他明代遗物一起出土反映出关隘主要使用时期的相关情况。

铁锅与铁三脚等炊具，以及碗、盘、杯、罐等瓷器为日常生活所用器具，在各关隘的大量出土表明诸关均有常备人员驻守，并就地炊煮。即便在非战争时期亦如此，这在《骠骑将军示谕龙岩囤严禁碑》中有所反映。碑文称“予（杨应龙）今设用守囤名役：总管、总领、把总、提调、书吏，各理事务；守衙小童、守仓户、打扫户、总旗、小旗、军士、苗军并住囤医生、匠作、住持人等，各有役次，时刻不可擅离。各给年貌号牌稽考，内无‘出关’字样。倘若解取物件，或告假下囤，赴总管厅乞帖照验，方许放行。其运送口粮帮户，给有年貌号票，各带在身，执照进出，毋得阻滞。若官差取发物件人役，各关视验硃批帖文，毋得延缓。但恐亲临本囤，跟随一应人役，书房听点题单，预发龙凤关，查点进出。回日，具手本封缴原单。及来往工匠人夫，但遇进关者，龙凤关把总查审的实何项人役，给帖照身，各关验放，到囤赴总管厅缴帖，上名应役。役满工完，仍赴总管厅告乞水帖出关，验实放行，又到龙凤关将帖回缴。”诸关在日常负责出入海龙囤人员的审查与验放，战时则是兵力驻守的重要地点。重要关隘委派头目管理，上述碑文中即明确提到龙凤关设有“把总”，而囤西的万安关则在播州之役中由舒自清担任“提调”①。

万安关出土瓷器数量较多，可复原者近30件，内中有青花正面五爪龙纹靶盏（TG10③：18）等官样瓷器，显示使用者不一般的身份。根据文献记载，万历二十八年六月初五日，明军先后攻破土城、月城，播军退入大城，明军扎营月城内，两军在万安关形成对峙。其间，“应龙父子亲领苗贼披坚出城，冲突三次。每次我兵用佛郎机、百子铳等项直对城门齐打，贼被伤退回”。

---

① （明）李化龙：《平播全书》卷5《叙功疏》：五月二十九日夜，“把守后囤万安关提调舒自清率妻子十一名口来降”，六月初五日夜，吴广暗令曹希彬等“带领舒自清，引郑子龙”等“从水道上城，约入城举炮为号”。北京：大众文艺出版社，2008年，第149、150页。

次日黎明，囤破，应龙自缢死。而后，应龙的尸首被移至万安关城楼查验，并“盐尸用棺盛贮”[①]。万安关在此时成为一个重要的活动场域，出土遗物偏多似在情理之中。

各关隘出土的兽骨数量不菲，计有马、牛、猪等种属，以牛、马居多。大约有畜力、食用与仪式用三种用途。马供乘骑和货运。部分猪、牛、鹿骨上遗有明显刀痕，应为食用痕迹。同时牛、马等大型动物也作为仪式用牲，《平播全书》中便有播州土司“杀牛祭旗”“砍牛纠苗”“剁牛会话”“宰杀牛马，歃血为盟”“宰杀牛马猪羊，将綦江拿来五司七姓本头枭示，歃血同盟”的多处记录。杨应龙败退海龙囤时，还曾“用土石填门。门外遗弃牛马并掳掠綦江老幼男妇，俱不暇顾”。播州之役中，明军共夺获牛马1055头，马多为战马，牛则有水牛、黄牛[②]。

囤上共发现铁脚码8件，分别出土于新王宫（3件）、飞凤关（2件）、西关（1件）、铁柱关（1件）和土城墙南门址（1件）。这是一种特殊的登山工具，缚于脚底以防滑，主要见于各关隘，疑平时亦存于关内，上下囤时方取用。

三、关隘名实考

宋代四门因是新的发现，文献无载，亦无具体的称谓流传下来。而明代九关中的部分关隘文献有载，民间亦有口碑相传，但两相比较不难发现其中存在名实不符的现象。如“铜柱关”并不见诸明代文献，而最早见于清人的记载，“西关”“后关”等关名则文献无征，是更晚出之名。明代九关中仅“飞虎关”、“飞龙关”、“朝天关”与“万安关”四关因匾额尚存（或较晚仍存）而关名确凿，其余均待考。

（一）左右之辨

由于文献记载中多用“左右前后”来记载关隘具体位置，因此欲辨关名，需先明左右。所有记载中“囤前”均指囤东，“囤后”指囤西。如《平播全书》记海龙囤“前后重关，左右深谷”“囤前重关叠嶂，仰攻为难。据所访闻，囤后差平，唯临囤之路，深谷老箐，树木摩霄蔽日”[③]。明人诸葛元声《两朝平攘录》亦记：杨应龙“自己日夜督工修理海龙囤。此囤周匝危崖，四壁斗绝，飞鸟不能度，猿狖不能攀，乃播州第一险囤，杨酋恃此为退路。止有囤前一条小路，又造极险九关：一曰海门，二曰飞凤，三曰海道，四曰铁铸，五曰飞虎，六曰飞龙，七

① （明）李化龙：《平播全书》卷5《叙功疏》，北京：大众文艺出版社，2008年，第154、150页。

② （明）李化龙：《平播全书》卷4《攻克娄山、崖门等关四报捷音疏》、卷5《叙功疏》、卷7《塘报播事》《咨贵州集兵》，北京：大众文艺出版社，2008年，第100、145～167、234～236页。

③ （明）李化龙：《平播全书》卷5《叙功疏》，北京：大众文艺出版社，2008年，第148、157页。

曰朝天，八曰太平，九曰海源。囤后二关：一曰万安，一曰永清”[①]。

前后既定，左右自明，左即囤北，右为囤南。实情果如此否，还需结合文献再作考察。据载，万历二十八年四月十八日川兵四路先期抵囤后，遂画地分营，谋攻囤之策。议定：

> 四川綦江路（刘綎），南川路（马孔英），攻囤前门之西北。
> 湖贵偏桥路（陈璘），平越路（李应祥），攻囤前门之东北。
> 四川合江路（吴广），永宁路（曹希彬），攻囤后门之西南。
> 贵州乌江路（童元镇），沙溪路（朱鹤龄），攻囤后门之东南[②]。

不久，合江、永宁路的部分兵力即在曹希彬等率领下，“向后砍伐箐林，从泥淖中逐步开通路径”，并于四月二十一日，攻至囤后洗衣塘；二十二日在白沙水与播兵遇，追至永靖关；二十三日在后山合哨[③]。偏桥路陈璘抵达较晚，五月初六日方“直薄囤左扎营”，二十二日则“从左槽移兵囤后”[④]。明军信地的划分，前后有所调整（见《平播全书·再行分地攻囤》），但从上述时间节点看，此系四月十八日至五月二十二日间共同遵守的方略。彼时，攻打“囤前门之西北”的刘綎具体负责“前左”一带地势，他在报告中称“囤前左槽一带，虽分为职信地，见该二路吴（广）、陈（璘）二镇官兵屯扎，所余无几。但左槽既为酋可奔逸之处，而内水巷尤为吃紧要地，恐贼从此脱逸”[⑤]。而负责攻打前门东北的陈璘扎营“囤左”，而后即“从左槽移兵囤后”。据杨寅秋记载：五月“十九日出前路，不意是日各路不打阵。业已进铁柱关，进退无门。经飞龙、飞虎关下，贼弩石俱发，齐喊直突。徼天之灵，策马直上陡坡，即陈总兵（璘）营旁稍避之”。知陈璘“囤左”营地应在飞龙附近[⑥]。由上所引可知，囤前门之东北、西北俱为“囤左”，飞龙关一带即在囤左范围内。综上，囤左即囤北至明，囤右即囤南。

明确了左右关系，除对下文的关名考辨有坐标性意义外，还有助于对全囤地势与战事的了解。如前揭“囤前左槽一带”，“为酋可奔逸之处，而内水巷尤为吃紧要地，恐贼从此脱逸”，结合地形，“水巷”即今杀人沟。又“据降民田良玉禀称：囤前左边水巷，右边婆婆

---

① （明）诸葛元声：《两朝平攘录》卷5《播上》，《续修四库全书·史部·杂史类》，上海：上海古籍出版社，1995年，第434册，第204、205页。

② （明）李化龙：《平播全书》卷11《分布四面攻囤》，北京：大众文艺出版社，2008年，第357页。

③ （明）李化龙：《平播全书》卷5《叙功疏》，北京：大众文艺出版社，2008年，第148页。

④ （明）李化龙：《平播全书》卷5《叙功疏》，北京：大众文艺出版社，2008年，第149、163页。

⑤ （明）李化龙：《平播全书》卷15《批详》，北京：大众文艺出版社，2008年，第527页。

⑥ （明）杨寅秋：《临皋文集》卷3《征播与子嘉祎》，《景印文渊阁四库全书》，台北：台湾商务印书馆，1986年，第1291册，第720页。从记载看，既进铁柱关，经飞虎、飞龙关下（据《六报捷音疏》明军已于五月初十日攻陷铁柱关，并挖毁城垣五处，每处长五、六丈，即约80米，遂可经铁柱关出入飞虎、飞龙关下），“策马直上陡坡”，大约便是沿今之旅游便道直上，抵达“囤左”陈营。其营当在今飞龙关下的小山头（俗称“小湾顶”）一带。

巷，又宝峰山左侧，各有小路一条，共三处可以攀上，前日玉等由此脱逃”[①]，“右边婆婆巷”即今之腰带岩沟。左边水巷、右边婆婆巷，均有密道可上下，因此为播军可奔逸处。“宝峰山”或即今龙嘴，旧有小道可上下。再如六月初四日，明军议定于囤后轮番进攻。初五日，刘綎攻土城门以左，李应祥攻土城门以右。右路又分左、中、右岭三支，右岭攻凤凰嘴，先得地势后俯攻土城，破之。凤凰嘴即土城门南喙状凸出的山脊，海拔1352米，是土城海拔最高处，适合“乘高顶”俯攻。初六日，陈璘率兵攻万安关，王鸣鹤从右，应在万安关南DT7附近登囤，成就“首登绝垒”的不朽功业。初六日黎明，此前降明的万安关把总舒自清引部分明军从“水道”登梯入城，里应外合，“举炮为号”，亦为明军破囤立下功勋[②]。文献未明确记载水道的具体位置，为囤南罗家湾一带的可能性较大。这里下临冲沟，地势较平，可抵腰带岩沟。或因可向下取水，故称“水道”。

要之，文献所记的“左右前后”是以海龙囤的坐向为坐标，前为东，后为西，左为北，右为南。

（二）囤上诸关

囤上尚存的明代九关，飞虎、飞龙、朝天与万安四关关名确凿，不赘。其余五关则因榜额不存而谬误较多，需加以辨析。

1. 铜柱关与铁柱关

如前所述，“铜柱关”并不见于明人著述，而最早见于道光《遵义府志》的记载。该书“海龙九关”条引清初顾祖禹（1631～1692）《读史方舆纪要》称：“杨应龙于囤前筑九关以拒官军。”其下按语对“九关”予以考辨：“海龙囤前后关，今可考者，前六关曰铜柱、铁柱、飞虎、飞龙、朝天、太平；后三关首曰万安，余未详。此所谓九关也。《明史·马孔英传》所称海龙第二门，《吴广传》称第二关，皆此九关之一。铜柱八关皆在囤上，惟太平距囤前十里，址今无存。飞虎、飞龙、朝天、万安榜并款‘骠骑将军杨应龙书’，余榜不存。独飞龙毁左角，乃刘綎自对山飞炮所摧者。若《孔英传》海岩、海门，《吴广传》第四关、第一关，皆非此数。”[③]

“九关”说，最早见诸前揭诸葛元声的记载，但仅就囤前诸关而言，并未涉及囤后三关。郑珍的“海龙九关”说因此颇可商榷。同书“海龙囤示禁碑”条叙及飞龙关铭文，为“骠骑将军杨应龙书，皇明万历丙申岁夹钟月己未日□□□王世芬立”，亦有不确处[④]。值得注意的

① （明）李化龙：《平播全书》卷11《用计破囤》，北京：大众文艺出版社，2008年，第375页。

② （明）李化龙：《平播全书》卷5《叙功疏》，北京：大众文艺出版社，2008年，第150、154、164、179页。

③ （清）郑珍、莫友芝编纂：《遵义府志》卷10《古迹》，成都：巴蜀书社，2013年，第168页。

④ （清）郑珍、莫友芝编纂：《遵义府志》卷11《金石》，成都：巴蜀书社，2013年，第190页。

是，这里最先提到了铜柱关，表明该名至迟在清道光时即有，并流传至今。另同书卷43收录的明人蹇达《西南平播记》中记“铁柱关”为“铁铸关”，与诸葛元声的记载一致。“铁铸”强调其坚实，似方得其真。

关于海龙囤的所有记载中，根据前线报告等辑录而成的《平播全书》应最具权威性。该书记有“铁柱关”，未见“铜柱关”，但铁柱关附近确另有一关，称“左水关”、“水关”或“水门”。据载，川兵四路于四月十八日冲破铁柱关直抵囤下，形成拉锯，“贼奔囤上，自是以铁柱关为守，不复得出关矣”。此后又在四月二十五日再破铁柱关，而真正摧毁上述两关，进逼三十六步的则是五月初十之战。当日马孔英在“关前攻打”，刘綎“在前左攻打”，“马总兵（孔英）、千总马积，冒伤先登铁柱关。正楼之侧左水关楼，则刘总兵（綎）部兵先登”。又“查先破水关、铁柱关，盖止到关下，或登城复出，而贼犹然有关。今烧楼溃墙，贼始失险。拟越三十六步，急攻飞虎关”[①]。铁柱关与左水关为今之铁柱关与铜柱关至明。

今之铜柱关（CM1）居南，铁柱关（CM2）居北。文献记载则表明，刘綎在“前左”攻破了“左水关”，据前文考证“前左”即囤北，即刘綎攻破的是囤前北侧关隘（CM2），此系文献所记的“左水关”“水关”或“水门”，非“铁柱关”。换言之，今之铜、铁柱两关是错位的，在民间的口碑相传中弄反了方位，今之铜柱关（CM1）才是明代的“铁柱关”，而今之铁柱关（CM2）实为明代的“左水关”。铁柱关是囤之“前门”，为“正楼”，而其北侧的“水关”，当因在囤左之故遂有“左水关”之称，居于从属的位置。现存遗迹中，“左水关”（CM2）确定无石匾，而“铁柱关”（CM1）则不排除有石匾的可能，若匾之有无可作关隘尊卑的标志，则此不啻一旁证。

2. 飞凤关与太平关

“飞凤关”一名，最早见诸前揭诸葛元声的记载，《平播全书》未见。但诸葛氏的记载将之与囤下海门、海道诸关并提，应是《平播全书》与《骠骑将军示谕龙岩囤严禁碑》所记的“龙凤关”之误。道光《遵义府志》记有囤前六关，称“前六关曰铜柱、铁柱、飞虎、飞龙、朝天、太平”。前五关是从囤前自下而上的顺序，照此则太平关约当今飞凤关处，与诸葛元声所记一致。但郑珍却说“惟太平距囤前十里，址今无存”，即认为太平关在囤前白沙水畔今太平一带，这一认识是错误的。“太平关”即今之飞凤关。

《平播全书·查妄报功》记合江路蔡宪宗报：五月初十，明军将“铁柱、飞虎二关城楼城墙焚拆殆尽，贼兵屡合屡败，被铳打伤甚多，止存飞龙、朝天、太平三关”[②]。事实上，五月初十之战，明军仅攻破铁柱、左水两关，止于三十六步下，并不曾破飞虎关。因此蔡宪宗的报

① （明）李化龙：《平播全书》卷4《六报捷音疏》，北京：大众文艺出版社，2008年，第111～113页。卷5《叙功疏》、卷11《查妄报功》所记同此，卷7《破囤塘报》则记“已于五月初十日，囤前攻毁铁柱、水门二关”，知“水门”、“水关”与“左水关”为同一关。见第140、144、253、372页。

② （明）李化龙：《平播全书》卷11《查妄报功》，北京：大众文艺出版社，2008年，第371、372页。

告被李化龙认为是“厚颜无耻”的妄报之举。但若飞虎关一破，囤前确仅存飞龙、朝天和飞凤三关，这是飞凤关即太平关最直接的证据。

飞凤关是有石匾的，惜已不存，但匾座尚在，因此造成关名的混乱。该关民间又称“楼子”“五凤楼”。众所周知，紫禁城午门亦称“五凤楼”，是一组位于紫禁城中轴线上平面呈凹字形的建筑，正楼居中，左右两翼向前伸出，拐角处各有重檐方亭一座，正楼和方亭间连以明廊，亭间连以雁翅楼，檐牙高啄，气魄雄伟。“五凤楼”盛唐时即已出现，历五代、宋、辽迄于清而不绝，为宫城正门，是仅次于正殿的重要建筑物，不仅具有供出入的实用功能，更是遵照礼仪举行隆重大典的重要场所[①]。飞凤关平面亦大略呈凹字形，门楼居中，前接左右两墙成两翼，正前开两门，中央为两进院落。院内立“骠骑将军示谕龙岩囤严禁碑”“王鸣鹤诗碑”，关旁有陈璘一路的纪功碑。制度性与纪功性碑刻集中在飞凤关附近，表明其应如“五凤楼”一样，是举行礼仪活动的重要空间。

3. 永靖关与铜鼓关

囤后现存三关，自内而外分别为万安关、西关和后关。万安关石匾尚在，惟风化较甚，字迹模糊，但关名确凿。西关石匾已佚，仅存部分匾座，关名不详。后关无石匾，门楼上是否悬有木匾，则不得而知。前揭道光《遵义府志》“后三关首曰万安，余未详”的记载表明，清人已不能指称其余二关名。但晚明时人诸葛元声却称“囤后二关：一曰万安，一曰永清”，不知何所据。

囤后情势与囤前不同，数十里群山连绵起伏，地形更见复杂，因山为屏且各有苗兵潜藏。杨寅秋即记播军“所凭恃海龙一囤，前有三十六步之云梯，后有二十四山之峻岭”[②]。突出可以群山为守，又有三门于囤西形成二瓮城，自外而内分别为土城（又称头城）、月城（又称石城、二城）。如《平播全书》即记六月初五日明军于囤后攻破“头城”，“进攻二城”；“后门克贼土、石二城”；“克破土城，连破月城”；“刘总兵（綎）攻土城门以左，李总兵（应祥）攻土城门以右”，“攻倒土城”，“贼据月城”，“将月城拆倒，将土城、月城楼，同刘总兵即时放火烧毁。贼奔入大城死敌”；“一攻克其头关土城，再攻克其二关石城”[③]。各路明军的报告有所不同，但所指皆一也。相应地，后关与西关又被称为“头关”“二关”或“土城门”“月城门”，均无确凿关名被记录。

《平播全书》中倒是两次提到了“永靖关”，关在囤后，具体位置则未言明。据载，明军四月十八日破养马城抵囤前，而后画地分营，永宁路曹希彬率兵向囤后开路，潜入四十里。四月二十日扎营乐窑（又作乐摇），二十一日与在囤后把截的播军鹿罕父子战于洗衣塘，斩鹿

① 萧默：《五凤楼名实考——兼谈宫阙形制的历史演变》，《故宫博物院院刊》1984年第1期。

② （明）杨寅秋：《临皋文集》卷3《答云南陈毓台中丞》，《景印文渊阁四库全书》，台北：台湾商务印书馆，1986年，第1291册，第696页。

③ （明）李化龙：《平播全书》卷5《叙功疏》、卷7《破囤塘报》，北京：大众文艺出版社，2008年，第141、145、149、154、253页。

罕。“二十二日至白沙水，贼兵四出，喊声大震，官兵杀退，追至永靖关”①。“乐窑”即今毛石镇罗尧沟，在囤西南7千米处。前文也记，自乐窑至石关山十五里，石关山为“三圆山相连之西南山也”，三圆山“离囤城仅二箭之地”。由此，曹希彬路的进攻路线比较明了，乃先迂回至囤西今毛石一带再渐次东进，逼近囤后。至囤西北的白沙水上游（今油沙坪一带）与播军遇，播军溃败奔山箐，明军“追至永靖关”。囤后自白沙水至后关，除山岭屏障外今别无关隘，因此“永靖关”应即后关与西关中的某关。但后关无匾而西关有，当有确凿关名，故“永靖关”为西关的可能性更大。再审以关名，“靖”意安定，“永靖”与“万安”意同。参照囤前“飞龙”与“飞虎”相连并举之例，更增添了“永靖关”为今西关的可能。诸葛元声所记的囤后“永清关”，应即“永靖关”。

《平播全书》又记，五月初二日，永宁路攻至石关山下，初四日“贼退保三圆山”，初十日克三圆山，“周三圆山之上，棋布星列，莫非我兵；逆酋囤中，家室帷帐，往来出入，历历可数。官兵营房离囤城仅二箭之地，而贼汲水樵采之路从此断绝，不能出跬步矣”。两军自此在后关对峙。在夺取石关山的五月初二日，永宁路还派出“哨探”向前探路，“遇贼于铜鼓关接战”，斩获“有名贼首赵仕登弟赵仕真首级”。在另一条记载里则称“五月初二日，兵至地名铜锣关”②。从时空来看，该关在囤后三圆山附近。“铜鼓”或“铜锣”与前门“铁柱”形成呼应，该关或即今之后关，而不同称呼或因后关无匾而名称不确所致。

综上，文献对囤后三关的关名无清晰记载，除万安关因石匾尚存而关名确凿外，其余二关则不易厘清。结合零星线索，我们推测今之西关为永靖关，后关为铜鼓关或铜锣关，但尚需更多证据的支持。

4. 水关

水关，也叫水门，是城垣上城内外通水的设施，样式与城门同③。明人郭子章《黔记》中记有明城“水关”多处，从所附城池图看，均是引水入城或排水出城的设施。有的又称“水洞”或“水窦”，许是大小有别④。据文献和传世碑刻，囤之内外存在多个“水关”。

其一为囤东与铁柱关并列的关隘（CM2），文献记为“水关”“左水关”或“水门”。前已叙及，明军四月十八日从养马城攻至囤下水关与铁柱关，日暮收兵。此后再战，并于五月初十彻底将之攻陷，抵三十六步与飞虎关下。根据现存遗迹，但该关显然不具备供水出入的功能，但离白沙水最近，或可理解为是门楼及囤东守军（五月十日之战“烧毁三层城楼二座，房

① （明）李化龙：《平播全书》卷4《六报捷音疏》、卷5《叙功疏》，北京：大众文艺出版社，2008年，第110、148页。

② （明）李化龙：《平播全书》卷4《六报捷音疏》、卷5《叙功疏》，北京：大众文艺出版社，2008年，第111、148页。

③ 张驭寰：《中国城池史》，北京：中国友谊出版公司，2009年，第252页。

④ （明）郭子章：《黔记》卷4《舆图志一》、卷5《舆图志二》，贵州省文史研究馆编：《续黔南丛书》（第一辑），贵阳：贵州人民出版社，2012年，中册，第1065、1091、1093、1107、1118、1124、1126、1138页。

屋数处”，表明两关附近守军不少）自河道汲取生活用水的通道。

其二为囤上水关。明军统帅李化龙在给前线将领的一封书札中提到：“闻囤上有一水关，贼先闸住，待我兵近关放下冲之，不可不防。”[①]写信时，“兵已入巢，贼已上囤”，应该是在杨应龙退回海龙囤的四月十六日之后[②]，但下限不明。该“水关”在文献中仅此一见，目前囤上亦无符合其条件的关隘遗存，推测存在两种可能：一是“左水关”的误报。如果信写于四月十八日之前，此时酋已上囤而明军未至，尚不清楚铁柱关侧水关的具体情况，李化龙便可能得到错误的情报。换言之，这一可以放水的“水关”即实无此功能的“左水关”。二是囤上确有该关，但战时并未派上用场，所以他文不载。囤上符合这一条件的关隘只能设在“杀人沟”即水巷的尽头，址已不存。两种可能均不能排除。但若该水关确在杀人沟尽头，结合地形其顶多为“水洞”或“水窦”一类设施，不可能具备城门的规模。

其三为白沙水上水关。铁柱关以东的白沙水河谷中尚有关隘数道，其中今庙林嘴一带当地民间称“水关”。该处吴氏祖茔中的3通清代碑刻亦提到“北隅里五甲地名水关”或“庙林嘴水关”，其中1通出自咸丰十一年（1861）吴荣鋐墓，另2通出自光绪二十二年（1896）吴荣斌墓与吴母余氏墓。可知该地名由来已久，当因附近的白沙水上设有关隘故名。但文献中并无于此设水关的记载，推测是《平播全书》所记的“海道关”的俗称（说详下文）。

（三）囤外诸关

囤前今存六关，但多种文献均记杨应龙于囤前筑九关，虽关名各说不一却表明铁柱关以外尚有其他关隘存在的事实。由于白沙水是出入海龙囤最为近便的通道，因此这些关隘均应设置在河谷里，并如娄山诸关一样“砌石为垒，架木为楼，重设木关”[③]。址今均不存，但有零星线索可考。

前揭诸葛元声与郑珍关于海龙九关的考证均不足据，对囤外诸关的认识还需回到据实呈报的《平播全书》中，与明军的进攻线路联系起来考察。该书记载，四月十八日，川军四路攻破养马城后继续兵分三路向海龙囤挺进。“十八日攻破养马城，（永合路）起龙领兵攻左路，南川（马孔英）攻右路，（綦江路）刘总兵（綎）攻中路，直抵铁柱关”[④]。此后，各路的战报则出现了不同的陈述。南川路称：“十八日，合綦江路兵复攻进海崖关，连破海道、海门关，贼奔囤上，我兵即扎囤侧。自是，酋以铁柱关为守，不复得出关矣”。又称“攻进海崖关，连打破险关四道，杀至海龙囤，径上养马城、养鸡城，贼始大奔”。綦江路则报：“后攻至养马

---

① （明）李化龙：《平播全书》卷14《总兵监军监纪》，北京：大众文艺出版社，2008年，第472页。

② （明）李化龙：《平播全书》卷4《六报捷音疏》：“看得贼以四月十六日上囤，我师以十八日合围，环而攻之”。北京：大众文艺出版社，2008年，第115页。

③ （明）李化龙：《平播全书》卷5《叙功疏》，北京：大众文艺出版社，2008年，第139页。

④ （明）李化龙：《平播全书》卷4《克破龙爪等囤五报捷音疏》，北京：大众文艺出版社，2008年，第105页。

城，乘胜追进海门关、龙凤关、水关，夺获海门关牌钥呈验讫。又攻破养鸡城”。“又攻克龙凤关、海门关、铁柱关、养鸡城，又夺获海门关牌钥。官兵势大难止，欲乘胜追上海龙囤，但天暮收兵，就彼扎营”。永合两路的报告相对简单，仅称“十八日，会綦江、南川兵合攻养马城，綦江路攻中路，南川兵攻右，永合兵攻左，拔其城，乘胜直破水关，逼贼囤下”；或“十八日攻破龙爪囤、养马城、铁柱关三处”①。

不同的陈述应与不同的进攻路线相关，而不同路线上关隘不同。综合起来看，应为右路南川兵攻破海崖、海道两关，中路綦江兵攻破龙凤关、养鸡城；两路合兵共破海门关，因此该两路兵均记有海门关；三路汇合后于囤东破铁柱关与水关，天暮收兵，因此该两关在三路兵的报告中均有提及。如此，铁柱关与水关以东便存有海崖、海道、龙凤和海门四关。

一直以来，自养马城抵海龙囤至少有三条便道：一条由龙坑抵龙嘴，此为北线，当即永合兵的进攻的左路；一条从养马城冲沟直下，达白沙水畔谢家坝再逆水而上，此为中线，当即綦江路所取的中路；一条则从教场坝下抵白沙水畔太平寺再逆水而上，此为南线，当即南川兵所取的右路。结合地形和相关遗存，各关的位置便可大致推定（图2-37）。

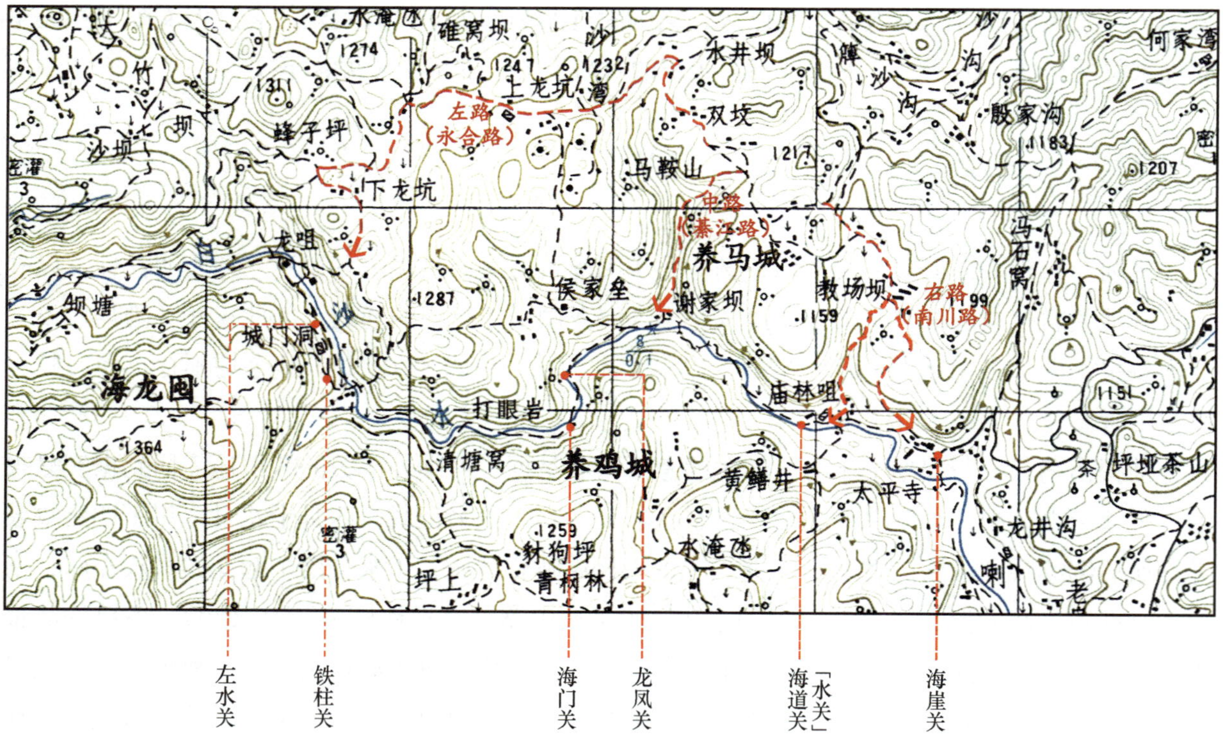

图2-37　囤前关隘示意图
（底图为1979年地形图）

① （明）李化龙：《平播全书》卷4《克破龙爪等囤五报捷音疏》、卷5《叙功疏》，北京：大众文艺出版社，2008年，第104～106、140～148页。

1. 海崖关

南川路攻破的海崖关，应在今太平一带，因为这里是从南线取道白沙水进海龙囤的首冲之地。另南川路的报告中称十七日“杀入养马城，追至海龙囤第二层关”，十八日“复攻进海崖关，连破海道、海门关”。“复”字显示海崖关是第二次被攻破，破此方才至“海龙囤第二层关”。相应地，海崖关便是海龙囤第一层关，应居最外侧。

关隘遗迹今已无存，但调查中我们曾在太平小学北侧土坎上发现明代窑址3座，内中所出勾头、滴水与囤上所见者并无二致，许是关楼所用者（详见第六章）。郑珍关于太平关具体位置的推断虽是错误的，但他亦认为太平一带应有关隘。“惟太平距囤前十里，址今无存”，所指的就是今之太平。逆白沙水而来与由茶山南下的两条通道在太平相汇，再逆水而行可抵海龙囤。关隘设在此处可堵截不同方向的来犯。此处若有关，则在太平小学所在的山峦上的可能性最大，因为这里地势高敞，视野开阔。

2. 海道关

海崖关既破，南川路又逆流而上攻破了海道关，即“海龙囤第二层关”。两关均未出现在綦江路的报告里，其位置应在綦江兵沿冲沟抵达白沙水的谢家坝以东、太平以西的河谷中。与之对应的便是今庙林嘴一带。

如前所述，当地民间及清代碑刻均称庙林嘴为“水关”，定非空穴来风，应反映这里曾设有水上关隘的事实。审以地形，养马城南峰向南凸出，逼至白沙水岸而称庙林嘴，两岸逼仄，中通一水，故有“嘴”之谓。关隘横跨白沙水的可能性最大，上架木楼，下通流水，是名副其实的水关。

3. 龙凤关

龙凤关仅出现在綦江路的报告中，该路明军同时攻破了养鸡城，而后与逆水而来的南川路共破海门关，这反映出龙凤关当在养鸡城附近。除《平播全书》外，囤上传世的《骠骑将军示谕龙岩囤严禁碑》中也提到了龙凤关。文曰：

> 但恐亲临本囤，跟随一应人役，书房听点题单，预发龙凤关，查点进出。回日，具手本封缴原单。及来往工匠人夫，但遇进关者，龙凤关把总查审的实何项人役，给帖照身，各关验放，到囤赴总管厅缴帖，上名应役。役满工完，仍赴总管厅告乞水帖出关，验实放行，又到龙凤关将帖回缴。

囤上服役人员进关时，龙凤关先查验清楚，发给水帖，各关验放。下囤时，则先到总管厅领帖，各关验放，最后将帖交至龙凤关。若土司亲临，随从进出也需将题单先发龙凤关，查点进出。龙凤关与囤上的总管厅上下呼应，实际承担着“囤下总管厅”的职能，因此设有“把总”守护，是一个非常重要的关隘。记载也显示，龙凤关是囤下相对靠外的一处关隘。

养鸡城北侧的白沙水河道逼仄处，2003年时曾筑有一水坝，后拆除。据多人回忆，筑坝时曾在北岸石壁发现1米见方的凿孔数个，深数十厘米，传系土司杨应龙的“茶店”[①]。这极有可能便是龙凤关旧址，且与海道关一样，是一座水上关隘。该址与綦江兵破龙凤关与养马城的记载契合。

4. 海门关

綦江路与南川路的报告中都提到了海门关，表明该关应是两军分别攻下海崖、海道和龙凤、养鸡诸关城后，于白沙水会师并合力攻破的。该关在龙凤关以里，离海龙囤更近，因此于此夺获“牌钥”。据《骠骑将军示谕龙岩囤严禁碑》铭文，出入海龙囤有五种凭证：年貌号牌、年貌号票、朱批帖文、题单和水帖，对应不同人群。“守囤名役”，给“年貌号牌”；“运送口粮帮户”，“给有年貌号票”；“官差取发物件人役”，用“朱批帖文”；土司随从，则有“题单”；“来往工匠人夫”，用“水帖”。题单和水帖，囤下由龙凤关收发。这里所说的“牌钥”，可能便是“年貌号牌”一类凭证，由海门关负责收发。

铁柱关（CM1）东1.2千米处的白沙水南岸有一壁宽约40、高30米的石崖，其上有人工开凿的方孔约40个，当地人称打眼岩。孔径20厘米见方，深约20厘米。大致分五排，底排距地面高约2.5米，最高则达约15米。排间距1～4米，同排孔间距2～3米不等[②]。这可能是一处关隘遗存。若是，则可能即海门关旧址（图版188）。

左路（北路）明军取道龙坑可直抵白沙水，近攻左水关，途中并无其他关隘，故在其报告中仅有破水关和铁柱关的记录，而该两关亦出现在綦江、南川两路明军的报告中，表明为三军合力共破。因此，四月十八日自养马城发兵，明军除攻破养鸡城外，还摧毁了白沙水上海崖、海道、龙凤和海门四关，最后攻入铁柱、左水二关，又天暮撤出。其数合于南川路报告中所记的“攻进海崖关，连打破险关四道，杀至海龙囤”。

如此，则囤东铁柱关以外的白沙水河谷中自外而内依次有海崖、海道、龙凤和海门四关，合囤上六关则共计十关，囤前九关说并不准确。

（四）小结

综上，海龙囤共有明代关隘十三道，囤上九关、白沙水四关。囤上九关，分别为囤前铁柱、左水、飞虎、飞龙、朝天和太平六关，囤后万安、永靖和铜鼓（或铜锣）三关。白沙水上四关，自外而里为海崖、海道、龙凤和海门。以方位计，则囤前十关、囤后三关，故囤前九关

① 李飞：《复活的土司城堡：海龙囤考古手记》，贵阳：贵州教育出版社，2014年，第57页。

② 李飞：《复活的土司城堡：海龙囤考古手记》，贵阳：贵州教育出版社，2014年，第56页。

说不准确。

关于海龙囤的诸多细节体现在平播明军的战报中，而不同明军进攻路线不同，《平播全书》用“左右”来区分，因此辨明何为左、何为右，是厘清囤前诸关的前提。结合文献和现存遗迹不难发现，其左右是以被攻击目标海龙囤的左右为左右的。万历二十八年四月十八日，明军自养马城兵分三路进攻海龙囤，左路直抵水关、铁柱关，所走的应是龙坑一线，即北线；而右路则沿白沙水而上，走南线。这进一步验证了文献记载的左右乃北为左、南为右。

基于此，囤前铁柱、左水两关应前者居南而后者居北，即今之铜柱关（CM1）实为《平播全书》所记的铁柱关，而今之铁柱关（CM2）则为左水关，铁柱关为正门，而左水关居从属地位，因此文献记为“正楼（铁柱关）之侧左水关楼”，又名“水关”或“水门”。“铜柱关”最早见诸道光《遵义府志》的记载，明人无记，是晚出之名。囤前“飞凤关”一名虽见于明人诸葛元声的记载，但显非今之飞凤关，而可能是“龙凤关”的误记。诸葛氏并未到过现场，所引用的应是他人的记述，因此可信度不高。今之飞凤关（CM6）为《平播全书》所记的“太平关”。囤后三关中的西关（CM8），可能即《平播全书》所记的“永靖关”，后关（CM9）为“铜鼓关”或“铜锣关”，但目前的证据尚未充分，留待将来进一步探明。

白沙水上关隘，南川、綦江两路明军的记录有所差异，有相同者亦有不同者。这种差异应是进攻路线不同使然（綦江攻中路，南川攻右路），相同者为共同攻破，不同者为独立攻破。明确了这一点，就可还原白沙水上应有海崖、海道、龙凤和海门四关，依次而进。结合相关遗迹，则可大致推定海崖关在今太平，海道关在庙林嘴，龙凤关在养鸡城下“茶店”，海门关在打眼岩，其中海道关民间亦称“水关”。

此外，《平播全书》记载囤上有一水关，可蓄水攻敌，可能为左水关的误报，亦有可能确有其关，址今无存。确定了左右关系，还可知“左边水巷”即今之杀人沟，“右边婆婆巷”即腰带岩沟。

第三节　格　　局

结合不同时代的关隘、城垣与相关遗物的分布情况，可以进一步明晰海龙囤城郭格局及其由宋至明的历时变迁。

一、宋　　城

宋墙的分布较广，总长约3.6千米，较明墙长。囤顶南北城垣的主体是宋墙，明代是否再行修缮则无迹可考。囤顶东西两侧，东侧环转山之墙均系宋墙，朝天关前延向飞龙关的明代墙体内亦包有宋墙；西侧土城墙为宋墙，万安关明代南墙内亦有宋墙的遗迹。囤下铜柱关

（CM1）与铁柱关（CM2）之间的明代墙体内包有长逾30米的宋墙。囤顶南、北城垣向外凸出或临冲沟处，还建有哨台至少18座（S1～S12、S14～S19），这些地点均有宋代板瓦（A型）发现。又在南墙中段设一门，通向绣花楼（S7）。

宋代门址，除土城墙和绣花楼四门（CM10～CM13）外，今飞龙、朝天和万安三关亦曾建有，因为三地都发现了少量宋代瓦砾，而朝天关外明代墩台（DT5）下所叠压的宋代墩台更确定了宋代门址的存在。明代关隘匾额上铭文亦显示其是在宋代基础上“重建”的。已清理的宋代四门，石砌门洞之顶均已坍塌，但根据用材（为板材）并结合养马城诸门[1]，可知当为叠涩顶（即圭形门洞）。其上再立木结构门楼，以瓦苫顶。这当是海龙囤宋代城门的一般形制，其规模稍逊于明代。

无疑，这正是杨文神道碑所记的十五世土官杨文始建于宋宝祐年间的“龙岩新城”。其西至少抵今万安关一线，东达铁柱关（CM1）与左水关（CM2）一线。其整体格局亦中央为大城，两端设瓮城。土城墙为大城西界，上设三门，其外于万安关与土城墙间形成一重瓮城。再西则尚无宋代遗存发现，即目前的发现表明宋城西线止于今万安关一线。东侧环转山的宋墙与南北城垣相接，城门设于朝天关，此为大城东界。朝天关与飞龙关之间，亦由城门与城垣构成一重瓮城。而自飞龙关以下至铁柱关（CM1）一线，目前仅在铁柱与左水两关之间发现局部宋墙，不知其如该处的明墙一般串联成线，还是像囤顶北墙外的附墙仅筑于地势低平处，所以无法确定是否形成一个相对封闭的瓮城。

要之，宋时于囤顶朝天关与土城墙之间建大城，两侧各有一重瓮城，铁柱关一线的瓮城是否存在则尚需更多证据支持。

二、明　　城

明城是在宋城基础上修建的，因此沿用了部分宋代设施，如大城南北城垣。但部分宋墙明时已弃用，如囤西土城墙。除环新王宫垣墙外，明墙主要分布在明代关隘两侧并与关隘一体，总长约2千米。其在用材与砌筑方式上与宋墙有明显区别，且两者在多个地点存在叠压关系，因此早晚关系清晰。

明代关隘共13座，囤上9座，囤前白沙水上4座。分别为囤东铁柱、左水、飞虎、飞龙、朝天、太平六关，囤西万安、永靖、铜鼓（或铜锣）三关，白沙水上海崖、海道、龙凤、海门四关。囤上九关遗迹尚存，均由关座、券拱门洞和门楼组成，今仅存石砌关座与门洞。木结构门楼高二至三层，均已无存，仅见部分石础。左水、万安、永靖三关前设吊桥。白沙水上四关，应“架木为楼，重设木关”，是名副其实的“关”，但迹多无存。其中部分关隘，如海道关应

---

① 贵州省文物考古研究所等：《贵州遵义市养马城遗址调查与试掘简报》，《考古》2015年第11期。并见第十二章。

直接跨于白沙水上，因此有“水关”之称。

明城是三十世土司杨应龙在万历年间重建的，并在万历二十八年毁弃，部分关隘匾额上有“杨应龙书立”铭文。由中央大城和东、西各两重瓮城组成。囤东朝天关、囤西万安关与南北城垣构成明代大城。囤西永靖关、铜鼓关及其两侧城垣形成土城、月城两重瓮城。囤东朝天关、飞龙关之间形成一重瓮城（朝天关瓮城）；飞龙关以下，有城垣沿山势逶迤而下，将飞虎、左水、铁柱三关串联为一体，最终向东南与悬崖接，这一囤东封闭的空间实际也构成了一重瓮城（飞龙关瓮城）。囤东最后一关太平关不具备防御功能，关前设两进院落，与其他关迥然有别，应是一个举行重要仪式的空间。

白沙水四关沿河道分布，与夹白沙水对峙的养马、养鸡等城一起构成囤东防线，护卫进囤主道（图2-37）。

三、演　　变

明城的整体格局宋时即已基本奠定，但微有变化，反映在以下几个方面。

一是大城。由宋至明，大城东线不变，仍以朝天关为门，西线则向外扩展至万安关，宽大厚实但建于地势低平处而防御性偏弱的土城墙被废止。南北因临渊，明代继续沿用宋墙，是否再行修缮则未留下明显证据（见图1-1）。

二是瓮城。南宋大城东西两端各有一重瓮城，囤西土城墙与万安关间的空间构成一重瓮城，万安关以西则暂未发现宋代遗存。囤东朝天关与飞龙关之间的空间亦构成一重瓮城。囤脚铁柱关、左水关间虽有宋墙发现，但因他处暂无发现而不确定是否封闭成圈并形成瓮城，但该处的宋墙至少包围城门洞一带的地势低平处却可肯定，因为不如此则不足以防御。明时则大城东、西各设两重瓮城，西有土城、月城，东有朝天关和飞龙关瓮城，明显强化了东西两端的纵深防守。东线的大格局未变，西线则明显向外拓展。由于囤东宋墙界限不明，所以歇马台（DT2）以上宋时登囤道路是否同于明代目前尚不得而知。飞龙关与飞虎关之间的龙虎大道，局部是在悬崖上凿成的，现能观察的均是明代开凿痕迹，且局部尚未完全竣工，宋时是否循此而行因此成疑。但如果飞虎关如同飞龙、朝天、万安三关一样，也是在南宋关隘基础上重建，那么明代龙虎大道在南宋基础上扩建的可能性较大，因为经飞虎关抵飞龙头，今之龙虎大道是最佳选择。

三是防御设施。主要包括关隘、城垣与哨台等。明代关隘明显较宋代的高峻坚固，明代加固的关隘两侧城垣亦如此。由宋至明，关隘的数量应有所增损，如南宋创建的绣花楼门址（CM13）明时仍继续使用，但不详是否有门楼。此系通向绣花楼的唯一通道。而土城墙三门（CM10～CM12）则已废止。飞龙、朝天和万安三关则在宋代基础上再建明代关隘。太平关则可能明时新建。值得注意的是，明代的重建并未为火器预留空间，囤上不见枪眼、炮台等与火器相关的设施，反映以火器防御的理念尚未进入筑城者的意识，这与播无火器的文献记载契合。播军手中的零星火器（百子铳一门），多半是从明军阵营中夺获的。海龙囤的这一特点成为西南山城断代的一个重要参照，即但凡出现枪眼、炮台等设施的山城，其年代当不早于明，而主要是清代遗存。此外由于宋瓦的发现，可确定大城南北两侧临冲沟或山脊外凸处至少建有18座哨台一类防御设施，但除绣花楼外，他处未发现明代再建的迹象。

四是囤外防御。囤外白沙水一线，如前所述明时有养马城、养鸡城等山城，河谷内则有海崖、海道、龙凤和海门四关，构成海龙囤东部屏障，再外围尚有望军、海云、龙爪等大量山城，构成比较严密的山城防御体系。目前可以肯定，养马城亦始建于南宋，是与海龙囤同时的防御性山城，但其余防御设施是否宋时即有则尚无确凿证据。

总之，海龙囤由宋至明的历时变迁主要反映在内、外两个方面，内指海龙囤本身，外则指外围防御体系。于内，加固了部分城垣和关隘，并向西拓展了纵横防御线。于外，则遍筑山城与关隘，形成“以海龙囤为老囤，以四围边界扎子囤，酋居中调度”的防御格局[①]。内外防御都得以强化。

① （明）杨寅秋：《临皋文集》卷4《平播覆议机宜》，《景印文渊阁四库全书》，台北：台湾商务印书馆，1986年，第1291册，第751页。

内 容 简 介

海龙囤，又名龙岩新城、龙岩囤或海龙屯，始建于南宋宝祐五年（1257），而毁于明万历二十八年（1600）的播州之役，是杨氏治下的播州最负盛名的羁縻·土司城堡。2015年7月与湖南永顺老司城、湖北唐崖土司城一起列入世界文化遗产名录。本书是海龙囤2012～2014年度考古发掘研究报告，对海龙囤相关遗存进行了全面介绍与深入研究。

本书适合从事考古、历史、文物研究的专家学者、教师及学生参考、阅读。

图书在版编目（CIP）数据

海龙囤 / 贵州省文物考古研究所，贵州省博物馆，遵义海龙屯文化遗产管理局编著. —北京：科学出版社，2022.7
（考古贵州之报告系列）
ISBN 978-7-03-072754-1

Ⅰ. ①海… Ⅱ. ①贵… ②贵… ③遵… Ⅲ. ①古城遗址（考古）-考古发掘-发掘报告-遵义 Ⅳ. ①K878.35

中国版本图书馆CIP数据核字（2022）第128052号

责任编辑：柴丽丽 / 责任校对：邹慧卿
责任印制：肖　兴 / 封面设计：美光设计
封面题字：戴明贤 / 封面绘图：顾　静

科学出版社 出版
北京东黄城根北街 16 号
邮政编码：100717
http://www.sciencep.com
中国科学院印刷厂 印刷
科学出版社发行　各地新华书店经销
*
2022年7月第　一　版　开本：889×1194　1/16
2022年7月第一次印刷　印张：78 1/4　插页：191
字数：2 250 000

定价：1600.00元（全四册）
（如有印装质量问题，我社负责调换）

考古贵州之报告系列

海龍囤

·肆·

贵州省文物考古研究所
贵州省博物馆
遵义海龙屯文化遗产管理局
编著

科学出版社
北京

东—西

海龙囤远眺

图版2

1～3. Aa型（Y1①：11、F8①：253、F8①：243） 4. Ab型（K9①：7）
5. Ba型（TG41③：10） 6. Bb型（TG41③：6） 7. C型（Y1①：9）

长方形砖

图版3

1. Ab型（F10①：55）

2. Ab型（F10①：56）

3. C型（F5①：217）

长方形砖

图版4

1. A型（F8①：260）

2. A型（新王宫采：17）

3. C型（F6①：15）

4. C型（F6①：172）

抹角砖

1. Ba型（新王宫采：11）

2. Ba型（F6①：9）

3. Bb型（F8①：228）

4. Bb型（F8①：261）

抹角砖

图版6

1. B型（ⅣT0202①：2）

2. A型（F5①：215）

3. A型（F6①：193）

抹肋砖

1. A型（F19②：26）

2. C型（F1①：54）

方形砖

图版8

1. A型（F1①：55）

2. A型（F8②：30）

3. C型（G1②：25）

4. C型（F10①：102）

5. B型（F8①：258）

方形砖

1. A型（TG32②：8）

2. A型（TG32②：1）

3. Ba型（F8①：119）

4. Bb型（F12②：13）

板瓦

1. Ba型筒瓦（F1②：6）

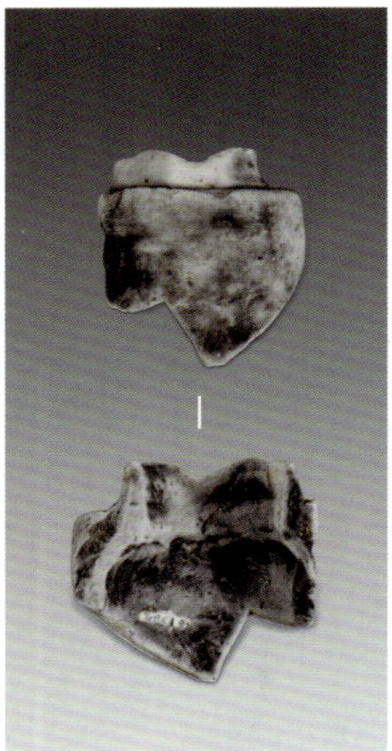

2. A型筒瓦（TG39②：1）

3. Bb型筒瓦（F19①：59）

4. D型板瓦（F3①：121）

筒瓦、板瓦

1. Aa型筒瓦勾头（F8③：4） 2. Ab型筒瓦勾头（TG57③：2） 3. Ba型筒瓦勾头（F1②：3）
4. Ba型板瓦勾头（ⅠT0103④：46） 5. Bb型板瓦勾头（G9①：14） 6. C型板瓦勾头（G2②：50）
7. Bc型滴水（TG44③：83） 8. C型滴水（G2②：33） 9. D型滴水（G2①：2）
10. Bb型滴水（ⅣT0102①：18） 11. Ba型滴水（G1①：25）

瓦当

图版12

1. BcⅠ型板瓦勾头（G12①：23）

2. BcⅡ型滴水（C3①：3）

3. Bb型筒瓦勾头/Bc型筒瓦（F1②：5）

4. E型滴水/C型板瓦（G20①：1）

瓦当

1. A型（ⅣT0305①：28-1）

2. B型（ⅣT0103①：30）

3. C型（G2①：12）

4. C型（G2①：12）

5. D型（ⅣT0305①：29）

6. D型（ⅣT0305①：29）

脊砖

图版14

1. E型（ⅠT0102②：53）

2. E型（ⅠT0102②：53）

3. Fb型（F5①：262）

4. Fb型（F5①：262）

脊砖

K4②：9

Fa型脊砖

图版16

1. A型（F1③：3）

2. A型（F1③：3）

3. B型（G8①：2）

4. B型（G8①：2）

正吻

1. 背兽（ⅠT0101①：4）

2. 背兽（ⅠT0101①：4）

3. 背兽（ⅠT0101①：4）

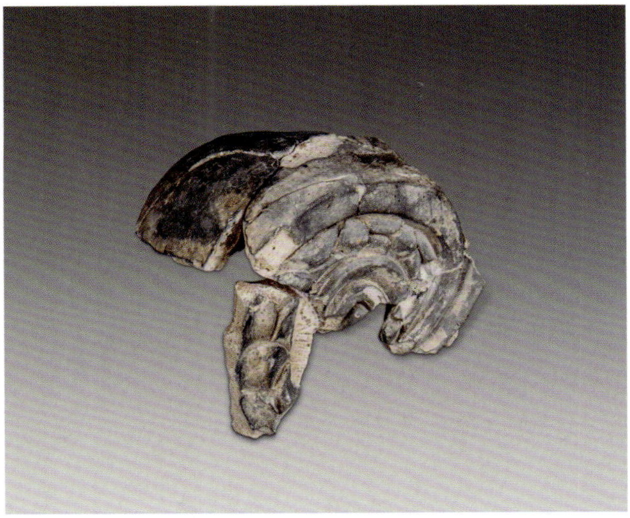

4. 卷尾（F1③：9）

5. 剑把（F1③：5）

6. 剑把（F1③：5）

A型正吻残件

图版18

1. F1③：1

2. F1③：2

3. F1③：2、F1③：1

合角吻

1、2. 下颌（F3①：72、ⅣT0305④：17）　3. 上颌（含鼻）（ⅣT0403①：3）　4. 草胡子（ⅣT0306①：7）　5、6. 卷毛（现代坑2：6、F3①：62）　7～9. 后颈（ⅣT0305④：16、ⅠT0104④：6、ⅣT0201①：1）　10. 雀台（含爪）（F3①：71）　11. 尾（ⅣT0504④：29）　12. 耳（ⅣT0403①：4）

A型望兽残件

图版20

1. 颈部（F19①：53）

2. 颈部（F19①：53）

3. 雀台（F3①：60）

4. 雀台（F3①：60）

A型望兽

1～6. 头部（ⅣT0504③：1、C6①：1、ⅣT0305④：31、F19②：13、F19①：25、ⅠT0101①：9）
7. 卷毛（F8①：142） 8、9. 爪毛（C6①：2、F19①：26） 10、11. 爪（现代坑4：2、ⅣT0305④：18）
12～14. 腿（ⅠT0104④：4、ⅣT0207①：4、ⅠT0103②：7）（1、4. A型垂戗兽）

B型望兽、A型垂戗兽残件

图版22

1. 头部（F19①：33）

2. 头部（F19①：33）

3. 头部（F19①：29）

4. 头部（F19①：29）

5. 腿部（F19①：55）

6. 腿部（F19①：55）

B型望兽

F8②：1-1

C型望兽

图版24

1. Aa型（C8①：1）

2. Aa型（F10①：33）

3. Aa型（F12①：60）

4. Ab型（F8②：2）

A型垂戗兽

1. Ab型（F2②：1）

2. Ba型（F8②：7-1）

垂饯兽

1. F1③：4-1

2. F9①：193

Ab型垂戗兽

1. Ba型（K4②：1-1）

2. Bb型（F8②：26）

垂饯兽

1. L2④：36

2. L2①：4

Bc型垂戗兽

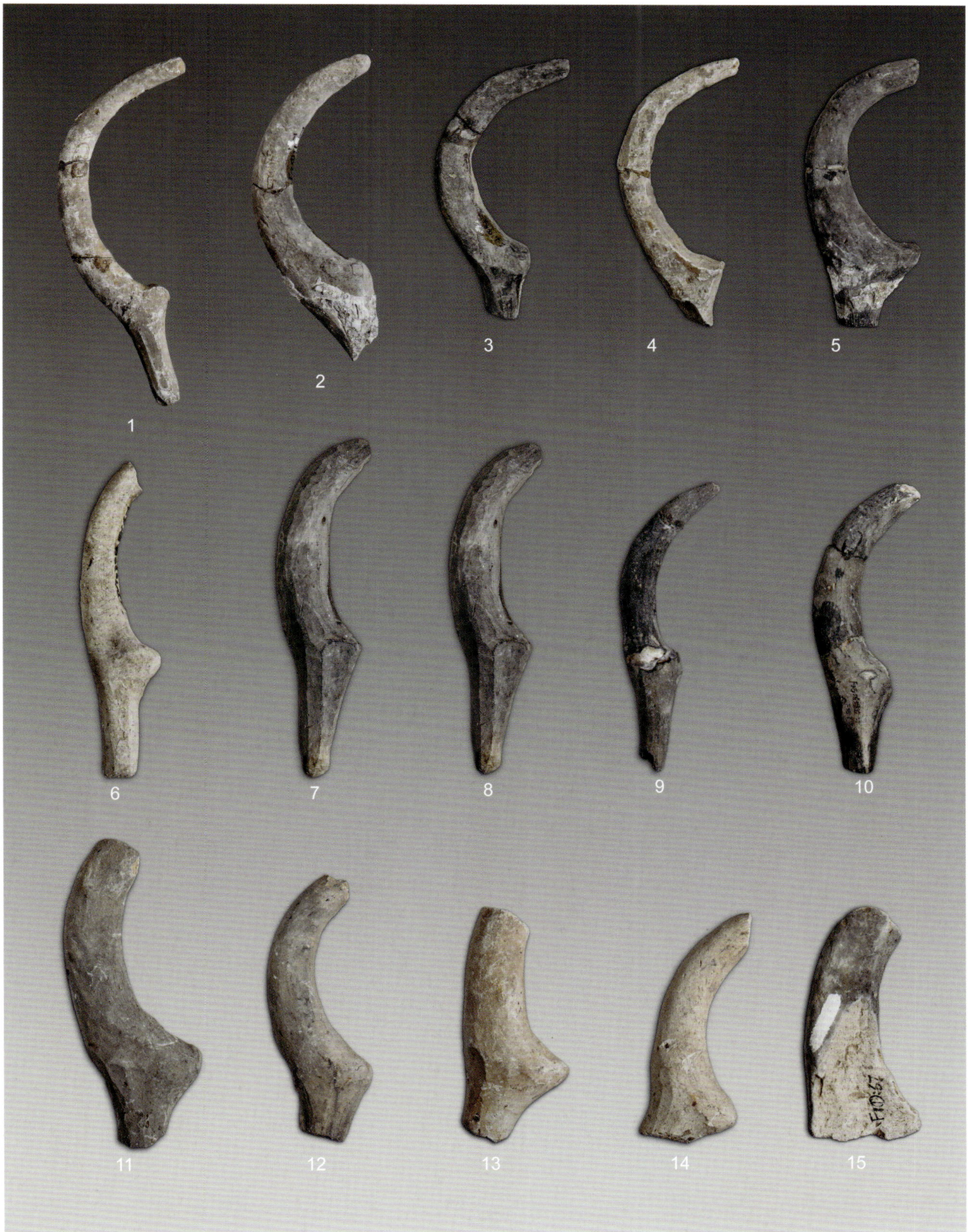

1. ⅢT0101①：2　2. F19①：1-1　3. F8②：7-2　4. F1③：4-2　5. F19天井②：3
6. ⅣT0204①：6-1　7. ⅣT0204①：5　8. ⅣT0306①：5-1　9. F9①：204-1　10. F9①：204-2
11. ⅢT0101①：3　12. ⅠT0102②：4-1　13. G8①：1　14. ⅣT0304①：28　15. F1①：67

兽角

图版30

1. 弦纹筒形炉（F10①：54）

2. 弦纹筒形炉（F10①：54）

3. 弦纹筒形炉（ⅣT0102①：31）

4. 凤鸟纹鼎式炉（F10①：3）

5. 凤鸟纹鼎式炉（F10①：3）

白瓷炉

1. 瓜棱腹折腰花口盘（ⅣT0101①：4）

2. 瓜棱腹折腰花口盘（ⅣT0101①：4）

3. 撇口小盘（L2②：1）

4. 撇口小盘（L2②：1）

5. 撇口小盘（F9②：108）

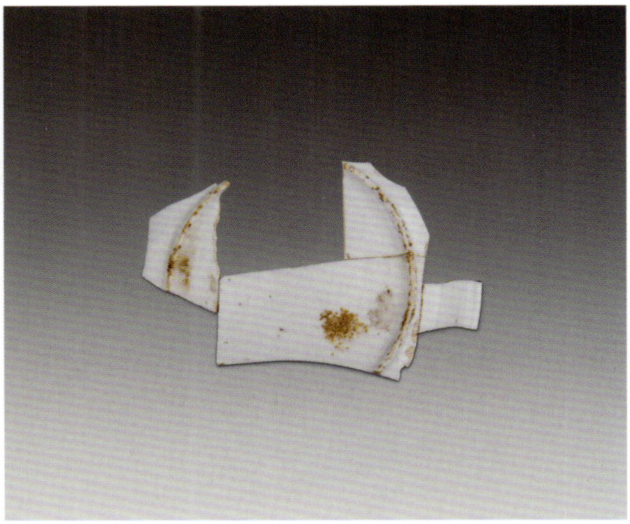

6. 撇口小盘（F9②：108）

白瓷盘

图版32

1. 卧足杯（F9②：102）

2. 卧足杯（F9②：102）

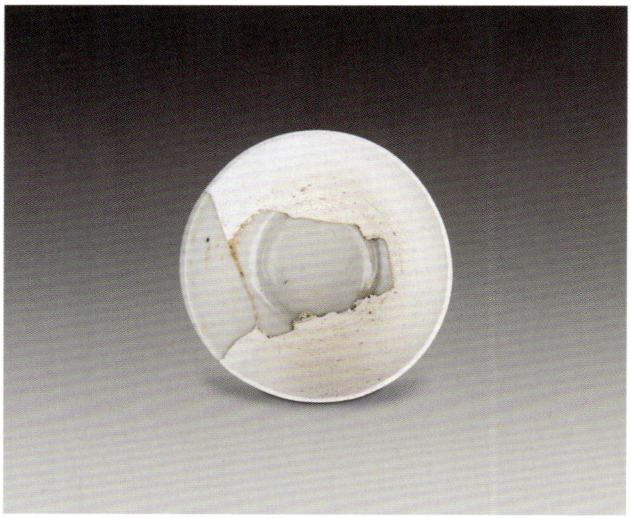

3. 卧足杯（F9②：102）

4. 鱼跃龙门纹杯（ⅣT0503④：41）

5. 鱼跃龙门纹杯（ⅣT0503④：41）

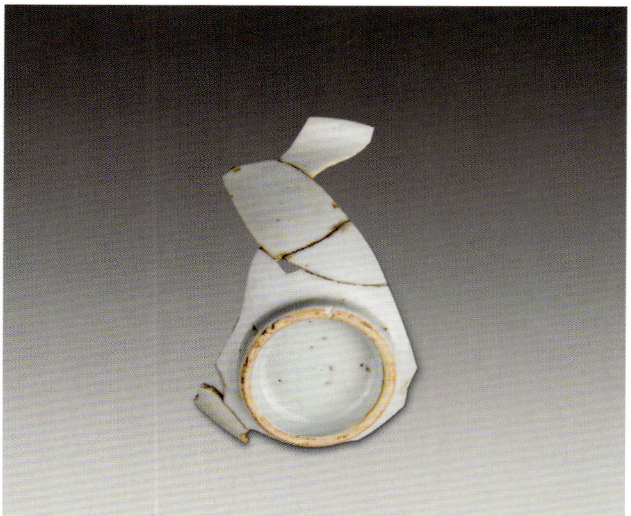

6. 鱼跃龙门纹杯（ⅣT0503④：41）

白瓷杯

1. 侈口小碗（F8①：134）

2. 侈口小碗（F8①：134）

3. 侈口小碗（F8①：135）

4. 侈口小碗（F8①：135）

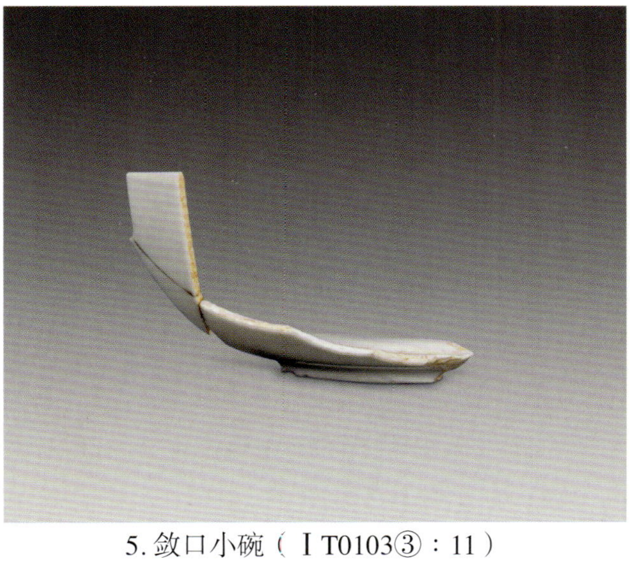

5. 敛口小碗（ⅠT0103③：11）

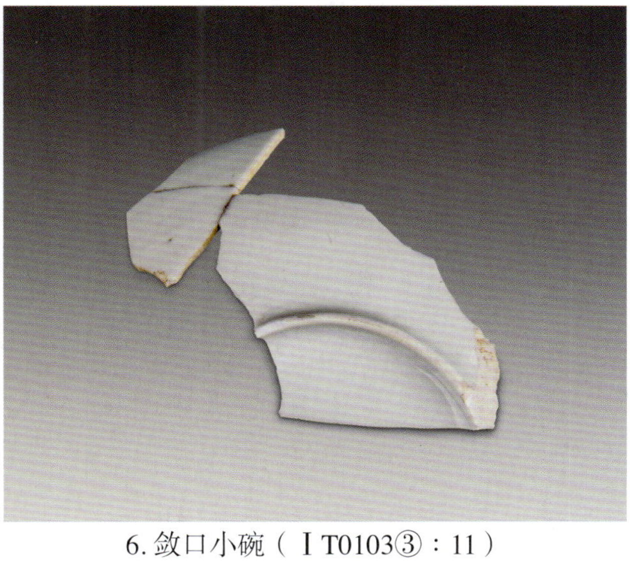

6. 敛口小碗（ⅠT0103③：11）

白瓷碗

图版34

1. TG21②：22　2. ⅣT0506②：17　3. ⅣT0103①　4、5. ⅣT0604④
6. ⅠT0103②　7. TG3②　8. F9②：129　9. TG2③：1　10. ⅠT0103④

清溪窑白瓷碗残片

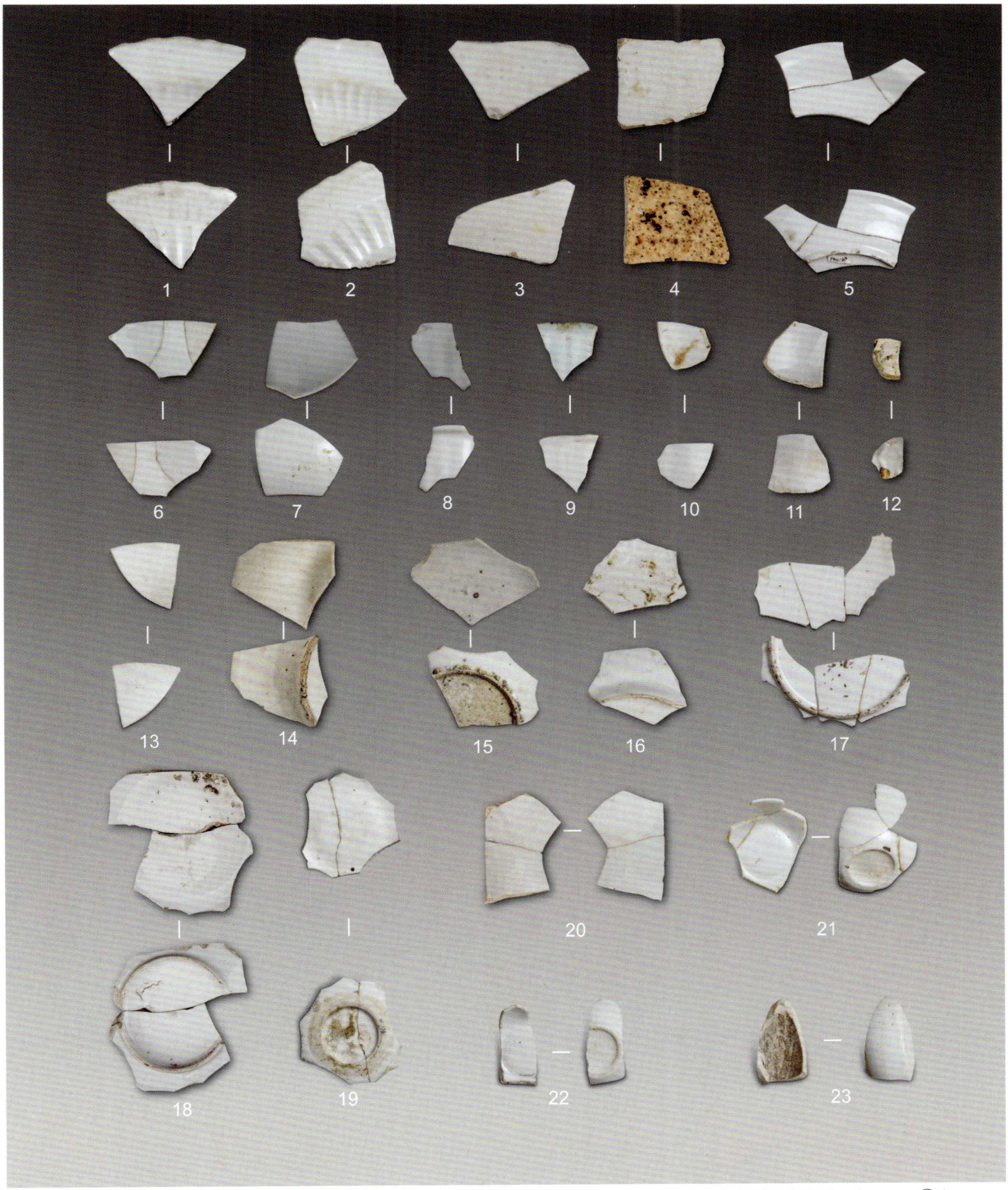

1～3. 瓜棱腹折腰花口盘（ⅣT0102①、ⅣT0102①、ⅠT0103①） 4. 暗刻龙纹大盘（TG47③）
5. 撇口小盘（F9②：109） 6. 碗（F9②） 7、10、11. 杯（F9②）
8、9. 瓜棱腹花口碗（ⅠT0103④、ⅣT0102①） 12. 瓷塑（ⅣT0202①）
13～15. 撇口盘（ⅠT0103②、TG21②：23、F9①） 16. 印花缠枝花卉纹盘（ⅠT0304④）
17. 盘（F9①） 18. 碗（ⅠT0101①/ⅠT0405①：13） 19. 卧足碗（F9②：138）
20. 印花碗（ⅣT0201①） 21、22. 卧足杯（F9②） 23. 水盂（ⅣT0305①：22）

景德镇窑白瓷器

图版36

1、4～7. 刻花碗（老王宫采：3、ⅣT0201①、TG47③：31、F10①、ⅠT0202①）
2、3. 刻花盘（ⅣT0202①、ⅠT0103②：14） 8. 钵（ⅣT0403①：11）

影青瓷器

G1②：48

青瓷折沿盘

1～6. 龙泉窑青瓷［炉或罐（G1②：45）、莲瓣碗（ⅢT0201①：3）、莲瓣碗（L2③：18）、莲瓣碗（老王宫采：1）、莲瓣碗（老王宫采：2）、瓜棱碗（C5①）］

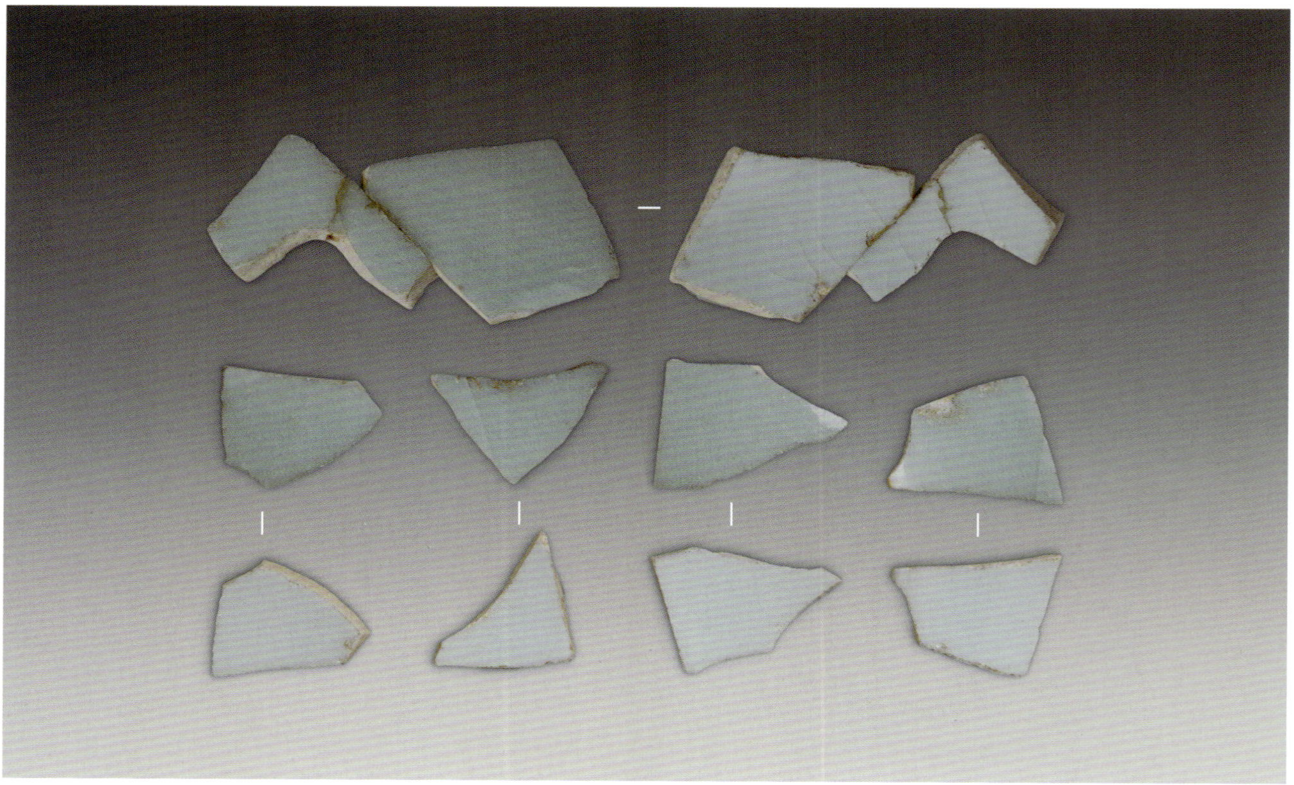

7. 仿龙泉窑青瓷碗（F9②）

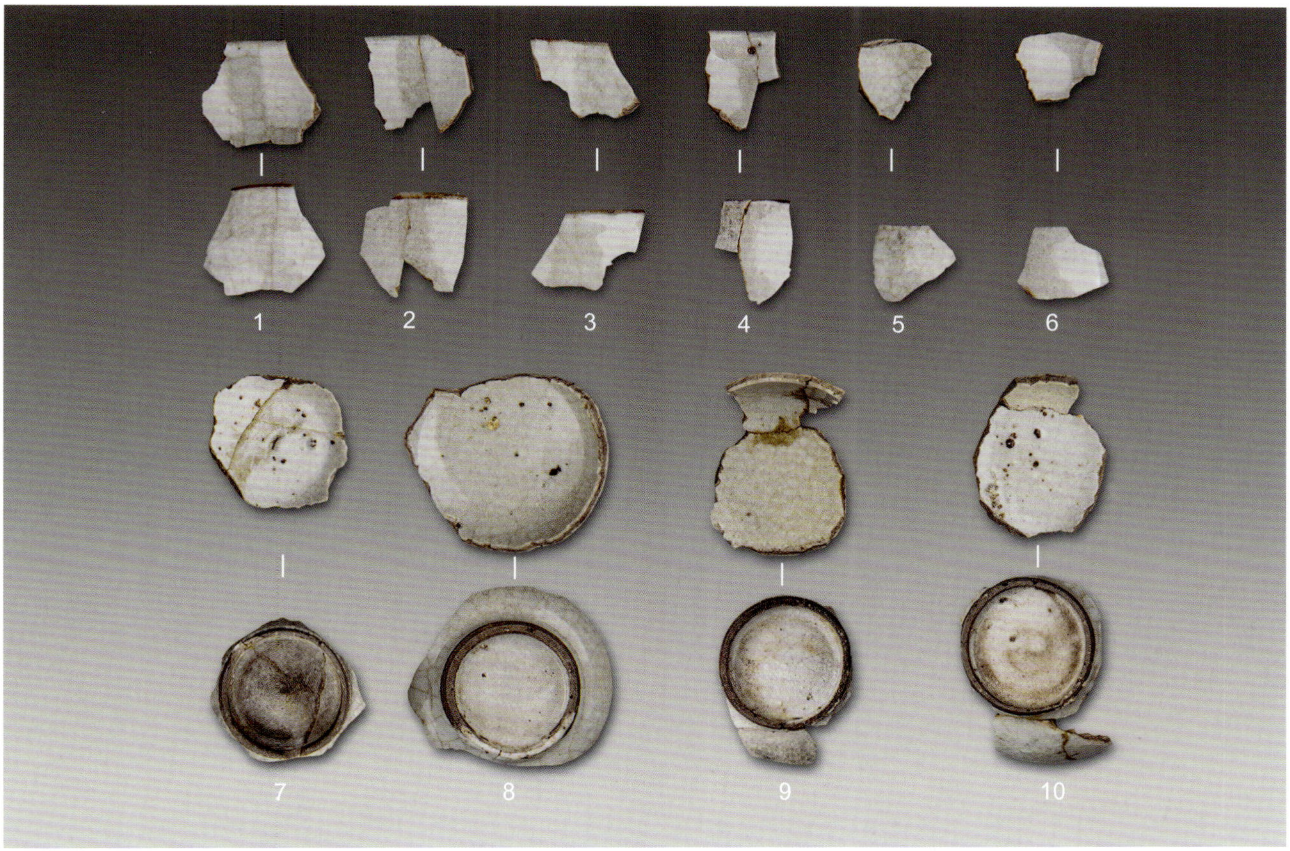

1～10. 杯（上排均出自F9①，下排编号依次为F9①：209、F9①：211、F9①：210、F9①：198）

11～14. 瓶（F19①：61、F9①、F29①、ⅣT0706①）

图版40

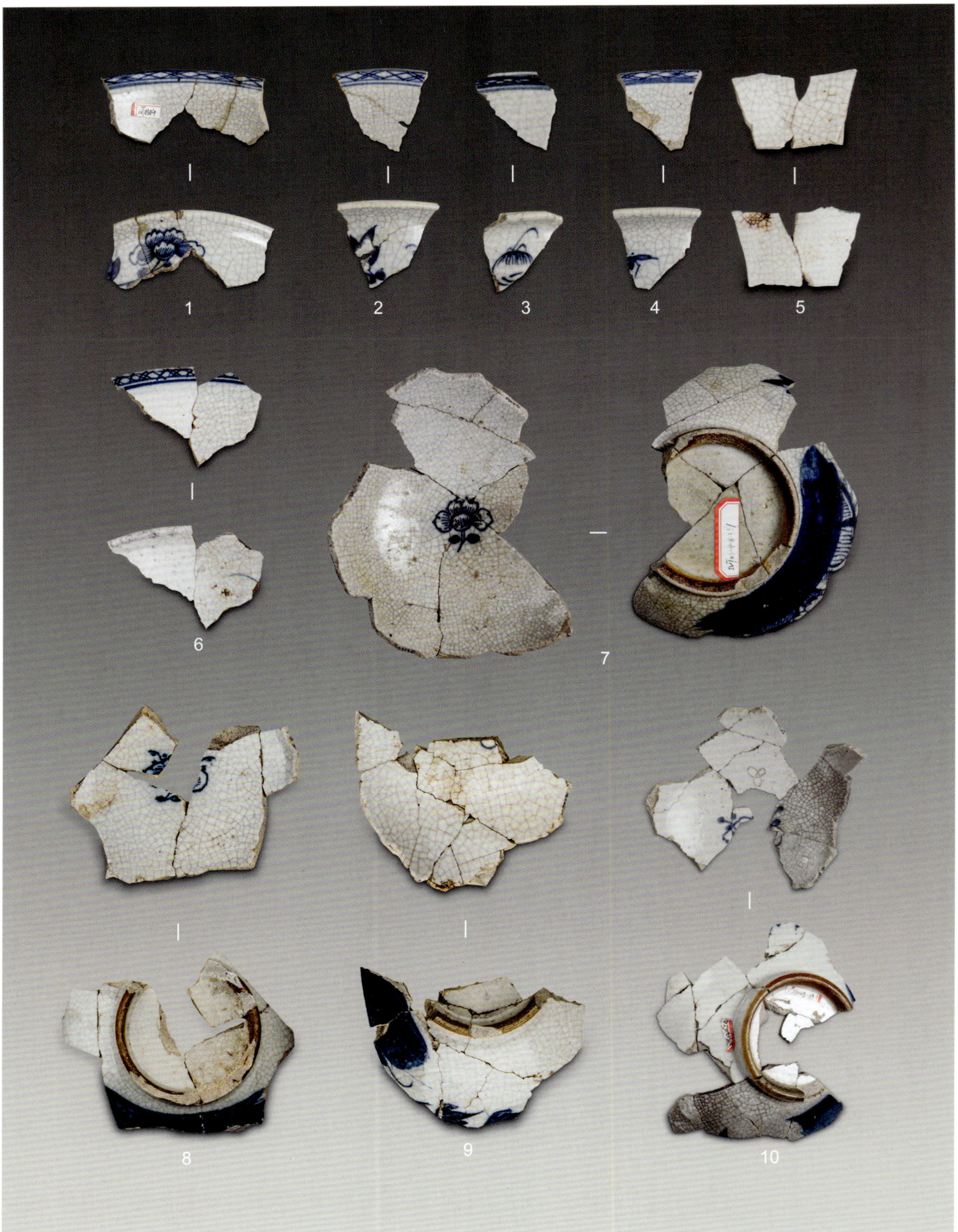

1. ⅣT0304①/F9①　2～4. ⅣT0304①　5. ⅠT0105①　6. ⅣT0106①/ⅣT0304①　7. ⅣT0304①：57
8. ⅣT0304①：58　9. F19①：4　10. ⅣT0304①：59

哥釉青花碗

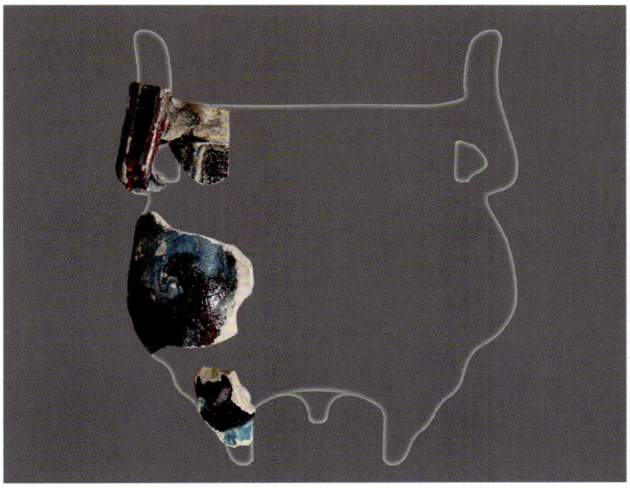

1. 鼎式炉（F10①：5）

2. 器盖（ⅠT0101②：7）

3. 福字盘（ⅣT0305①：43） 4. 莲瓣纹罐（ⅣT0305①） 5、6. 盘（ⅠT0103①）
7. 花口碟（TG47③：20） 8. 盘（ⅠT0201②：1） 9. 碗（ⅣT0202①）
10. 碟（ⅠT0101②） 11. 莲瓣纹盘（TG3③：28）

孔雀绿釉瓷器

1、4～11. 碗（ⅣT0205①：5、ⅣT0202①、ⅣT0304①、ⅣT0205①、ⅣT0304①、ⅣT0202①：72、ⅣT0304①：61、ⅣT0203②A：2、ⅣT0202①：71） 2. 笔架（ⅣT0103①：31）
3. 杯（ⅠT0103②：15）

蓝釉瓷器

1. 素三彩海水蟹纹笔筒（ⅣT0305④：8）

2. 素三彩云纹瓷塑（ⅣT0106①：124）

3. 绿釉剔刻牡丹纹瓷瓶（ⅣT0102①：32） 4. 绿釉莲瓣纹碟（L2②：30）
5. 绿釉菊瓣碟（老王宫采：19）

绿釉瓷器、素三彩瓷器

1. 莲池水禽纹碗（TG47③：12）

2. 莲池水禽纹碗（TG47③：12）

3. 莲池水禽纹碗（F8①：125）

4. 莲池水禽纹碗（F8①：125）

5. 莲池水禽纹碗（F9①：137）

6. 莲池水禽纹碗（F9①：137）

Aa型青花碗

1. 莲托八宝纹碗（F9①：129）

2. 莲托八宝纹碗（F9①：129）

3. 白描折枝菊纹碗（F9①：130）

4. 白描折枝菊纹碗（F9①：130）

5. 莲瓣纹碗（TG10③：58）

6. 莲瓣纹碗（TG10③：58）

Aa型青花碗

图版46

1. 乘云折桂纹碗（F9②：18）

2. 乘云折桂纹碗（F9②：18）

3. 乘云折桂纹碗（F9②：18）

4. 乘云折桂纹碗（F9①：37）

5. 乘云折桂纹碗（F9①：37）

6. 乘云折桂纹碗（F9①：37）

Ab型青花碗

1. 缠枝花托梵文碗（ⅣT0506①：14）

2. 缠枝花托梵文碗（ⅣT0506①：14）

3. 缠枝花卉纹碗（K4①：15）

4. 缠枝花卉纹碗（K4①：15）

5. 月华纹碗（F19①：18）

6. 月华纹碗（F19①：18）

Ab型青花碗

图版48

1. 蓝地白花海水纹碗（TG10③：36）

2. 蓝地白花海水纹碗（TG10③：36）

3. 蓝地白花梅花纹碗（TG10③：39）

4. 蓝地白花梅花纹碗（TG10③：39）

5. 月华纹大碗（F8③：21）

6. 月华纹大碗（F8③：21）

Ab型青花碗

1. Ab型花草纹碗（ⅣT0207①：7）

2. Bc型夔龙纹碗（F9①：2）

3. Bc型夔龙纹碗（F9①：2）

3. Bc型夔龙纹碗（F9①：2）

5. Bc型螭龙纹碗（F9①：231）

6. Bc型螭龙纹碗（F9①：231）

Ab型、Bc型青花碗

图版50

1. 高士纹大碗（ⅡT0101①：3）

2. 高士纹大碗（ⅡT0101①：3）

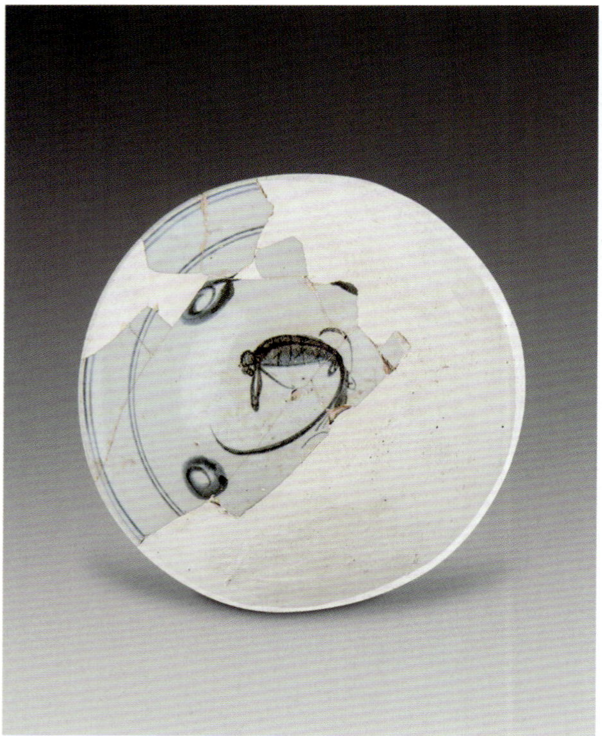

3. 鱼藻纹大碗（K4①：12）

4. 鱼藻纹大碗（K4①：12）

Ba型青花碗

并蒂莲纹大碗（TG10③：19）

Ba型青花碗

1. 螭龙纹碗（G20①：3）

2. 螭龙纹碗（G20①：3）

3. 高官厚禄纹碗（C4③：1）

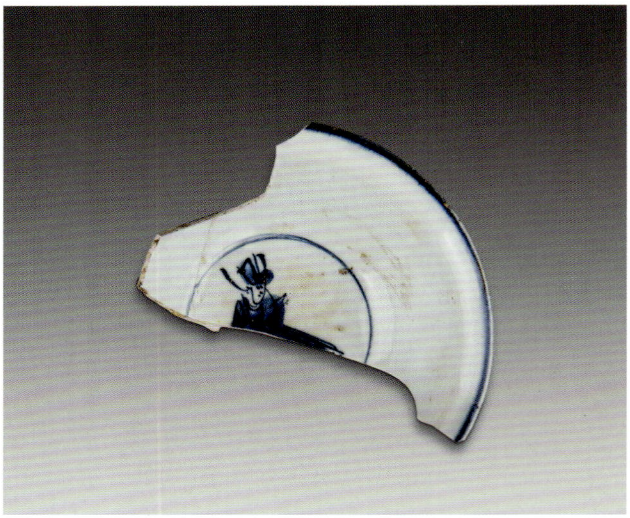

4. 高官厚禄纹碗（C4③：1）

5. 高官厚禄纹碗（C4③：1）

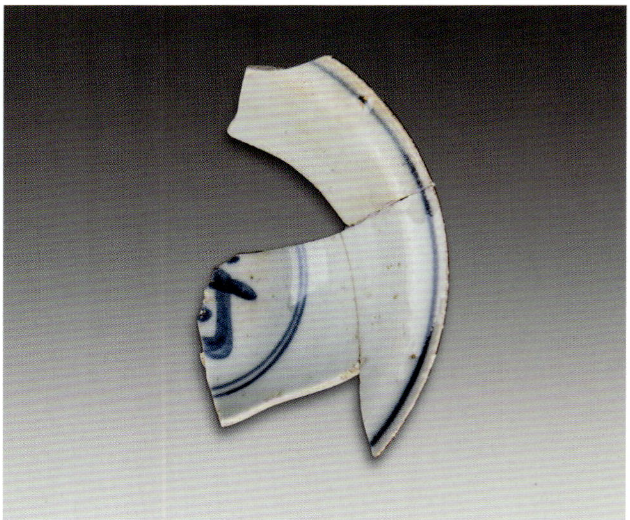

6. 寿字碗（F10①：94）

Bb型青花碗

乘云折桂纹碗（TG36①：4）

Bc型青花碗

图版54

婴戏纹碗（TG10③：29）

Bc型青花碗

1. 花果纹碗（TG4③：41）

2. 花果纹碗（TG4③：41）

3. 花果纹碗（TG4③：41）

4. 花果纹碗（F9②：69）

5. 花果纹碗（F9①：55）

6. 花果纹碗（F9①：55）

Bd型青花碗

图版56

1. 螭龙纹碗（ⅣT0106①：8）

2. 螭龙纹碗（ⅣT0106①：8）

3. 螭龙纹碗（TG2④：26）

4. 螭龙纹碗（TG2④：26）

5. 缠枝牡丹纹碗（F9①：89）

6. 缠枝牡丹纹碗（F9①：89）

Bd型青花碗

凤穿花纹碗（TG10③：37）

Bd型青花碗

图版58

1. 八仙贺寿纹碗（F9①：108）

2. 山水船帆纹碗（ⅣT0405①：15）

Bd型青花碗

1. 葡萄纹碗（F8①：128）

2. 兰草纹碗（ⅣT0506①：8）

3. 兰草纹碗（ⅣT0506①：8）

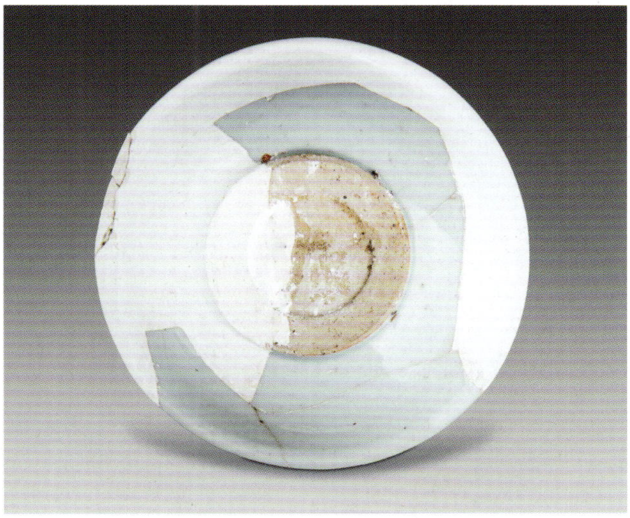

4. 兰草纹碗（ⅣT0506①：8）

5. 兰草纹碗（ⅣT0506①：7）

6. 兰草纹碗（ⅣT0506①：7）

Be型青花碗

图版60

1. Be型莱菔纹碗（ⅣT0506①：9）

2. Be型莱菔纹碗（ⅣT0506①：10）

3. Bf型莲托八宝纹碗（TG37②：1）

4. Bf型莲托八宝纹碗（TG37②：1）

5. Bf型莲池水禽纹碗（F9①：84）

6. Bf型莲池水禽纹碗（F9①：84）

Be型、Bf型青花碗

八仙贺寿纹大碗（F9②：93）

Ca型青花碗

1. Cd型蓝地白花莲池纹碗（L2①：54）

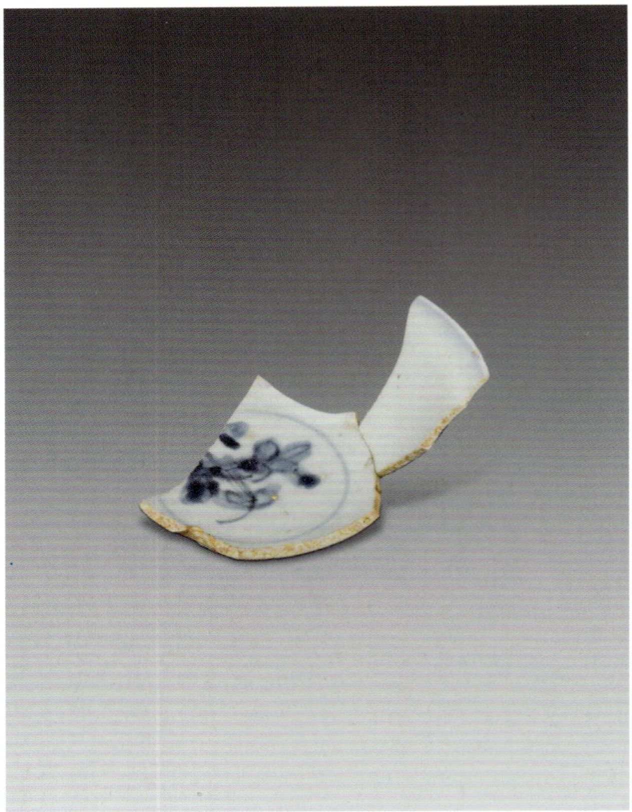

2. Cc型兰草纹碗（TG10③：38）

3. Cb型山水人物纹碗（G1①：31）

Cb型、Cc型、Cd型青花碗

1. Cc型卍字云纹碗（TG21②：1）

2. Cc型卍字云纹碗（TG21②：1）

3. Cd型山水船帆纹碗（TG10③：25）

4. Cd型山水船帆纹碗（TG10③：25）

Cc型、Cd型青花碗

1. 灵芝茶花纹大碗（TG36①：10）

2. 灵芝茶花纹大碗（TG36①：10）

3. 缠枝花卉纹大碗（F19①：2）

4. 缠枝花卉纹大碗（F19①：2）

5. 兰花纹碗（ⅣT0305①：20）

6. 兰花纹碗（ⅣT0305①：20）

Ce型青花碗

狮子穿花纹碗（ⅣT0506①：13）

Da型青花碗

图版66

1. 莱菔纹碗（ⅣT0506①：11）

2. 莱菔纹碗（ⅣT0506①：11）

3. 莱菔纹碗（ⅣT0506①：12）

4. 莱菔纹碗（ⅣT0506①：12）

Da型青花碗

1. 螭龙纹碗（K4①：11）

2. 螭龙纹碗（K4①：11）

3. 螭龙纹碗（F8①：266）

4. 螭龙纹碗（F8①：266）

5. 柳下观景图碗（TG4③：54）

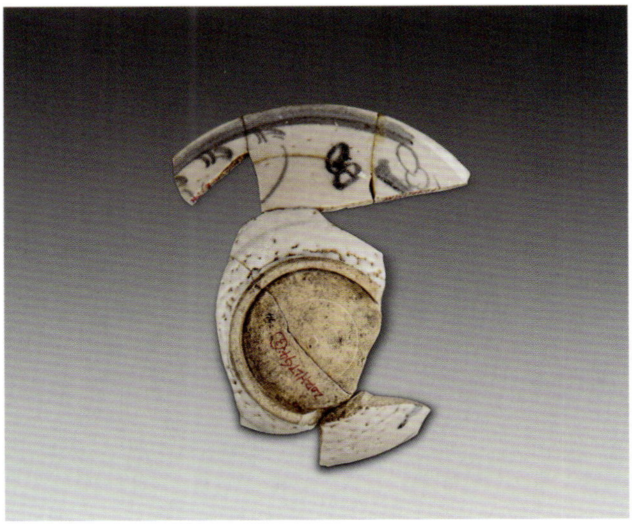

6. 柳下观景图碗（TG4③：54）

Db型青花碗

图版68

1. 写意高士纹大碗（ⅣT0106①：9）

2. 写意高士纹大碗（ⅣT0106①：9）

3. 写意高士纹大碗（ⅣT0106①：14）

4. 写意高士纹大碗（ⅣT0106①：14）

5. 葡萄纹大碗（F9①：90）

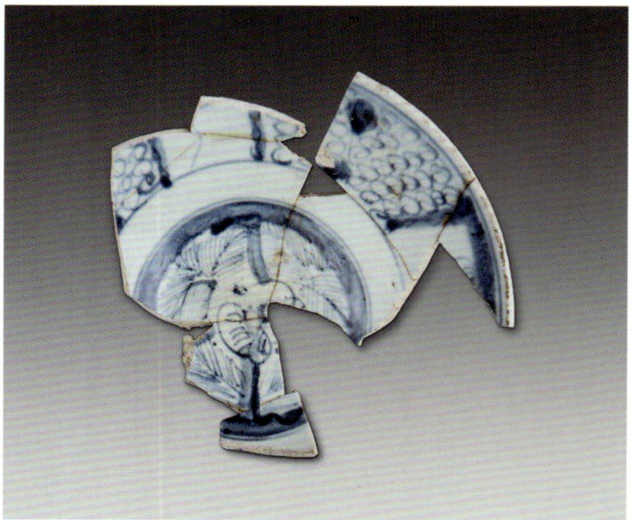

6. 葡萄纹大碗（F9①：90）

Ea型青花碗

1. 缠枝花卉纹碗（TG36②：1）

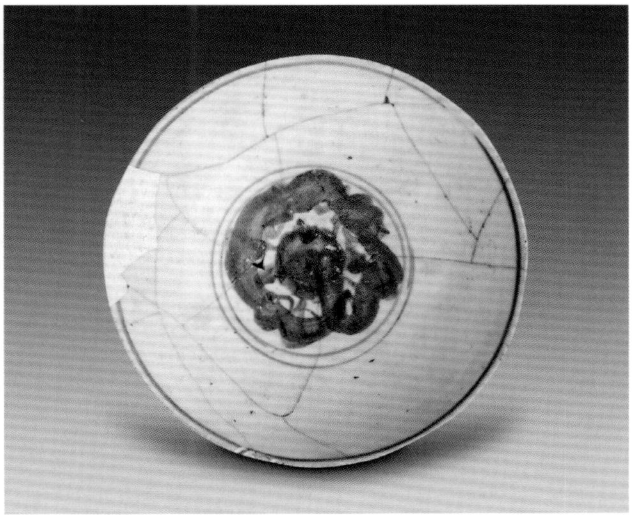
2. 缠枝花卉纹碗（TG36②：1）

3. 缠枝花卉纹碗（TG10③：21）

4. 缠枝花卉纹碗（TG10③：21）

5. 缠枝花卉纹碗（TG10③：41）

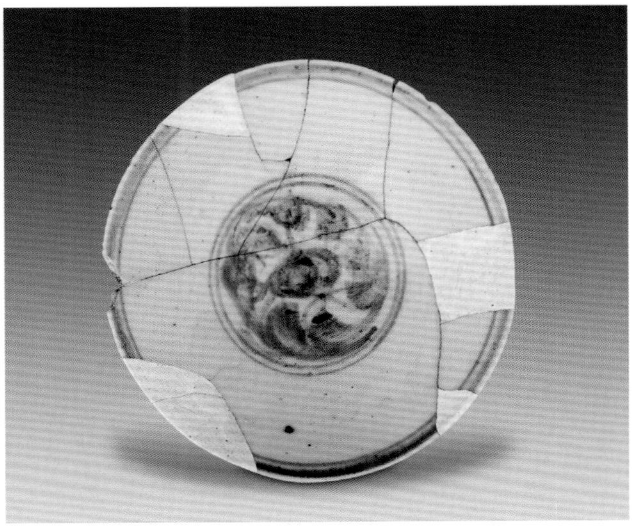
6. 缠枝花卉纹碗（TG10③：41）

Eb型青花碗

图版70

月华纹碗（TG10③：42）

Eb型青花碗

1. 寿字碗（F9①：122）

2. 寿字碗（F9①：122）

3. 寿字碗（F9①：131）

4. 寿字碗（F9①：131）

5. 寿字碗（F9①：139）

6. 寿字碗（F9①：139）

Ec型青花碗

图版72

1. 螭龙纹碗（G12①：60）

2. 螭龙纹碗（G12①：60）

3. 螭龙纹碗（TG10③：26）

4. 螭龙纹碗（TG10③：26）

5. 缠枝花卉纹碗（TG47③：11）

6. 缠枝花卉纹碗（TG47③：11）

Ec型青花碗

1. 卍字云纹碗（TG10③：24）

2. 卍字云纹碗（TG10③：24）

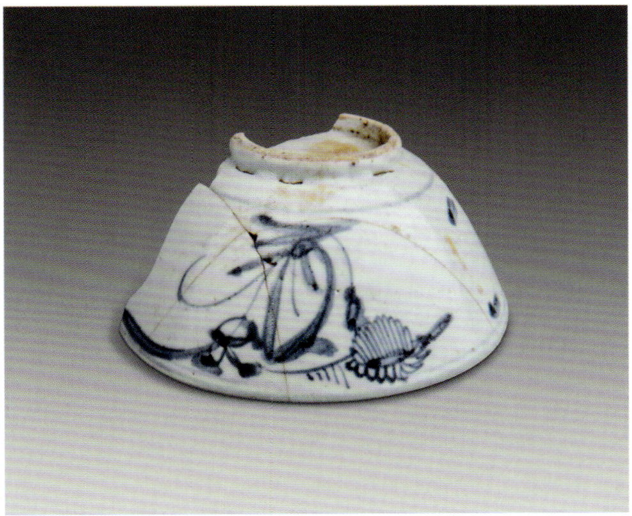

3. 花草纹碗（ⅣT0706②：15）

4. 花草纹碗（ⅣT0706②：15）

5. 白玉斋铭文碗（G2②：4）

6. 碗（TG2④：3）

Ec型青花碗

图版74

1. Ed型团螭纹碗（TG10③：23）

2. Ed型团螭纹碗（TG10③：23）

3. Ed型寿字碗（TG37②：11）

4. Ee型法螺纹碗（TG10③：56）

5. Ee型福字碗（TG47③：13）

6. Ee型福字碗（TG47③：13）

Ed型、Ee型青花碗

F9②：50

青花山水楼阁纹靶盏

图版76

F9①：17

青花凤穿花纹靶盏

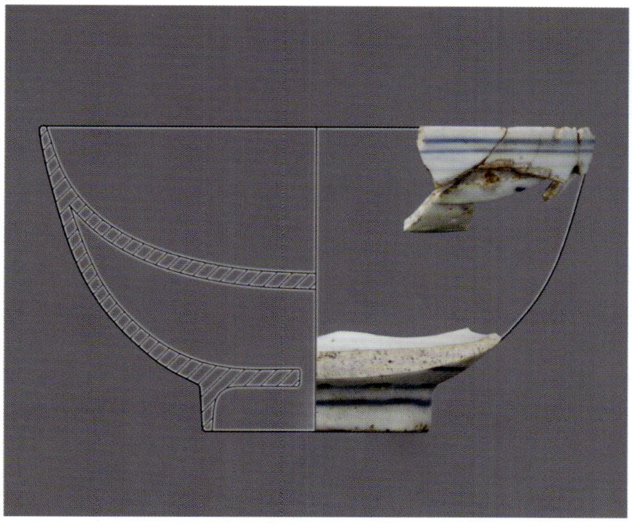

1. 复原示意图（F8③：16）

2. 残底（F8③：16）

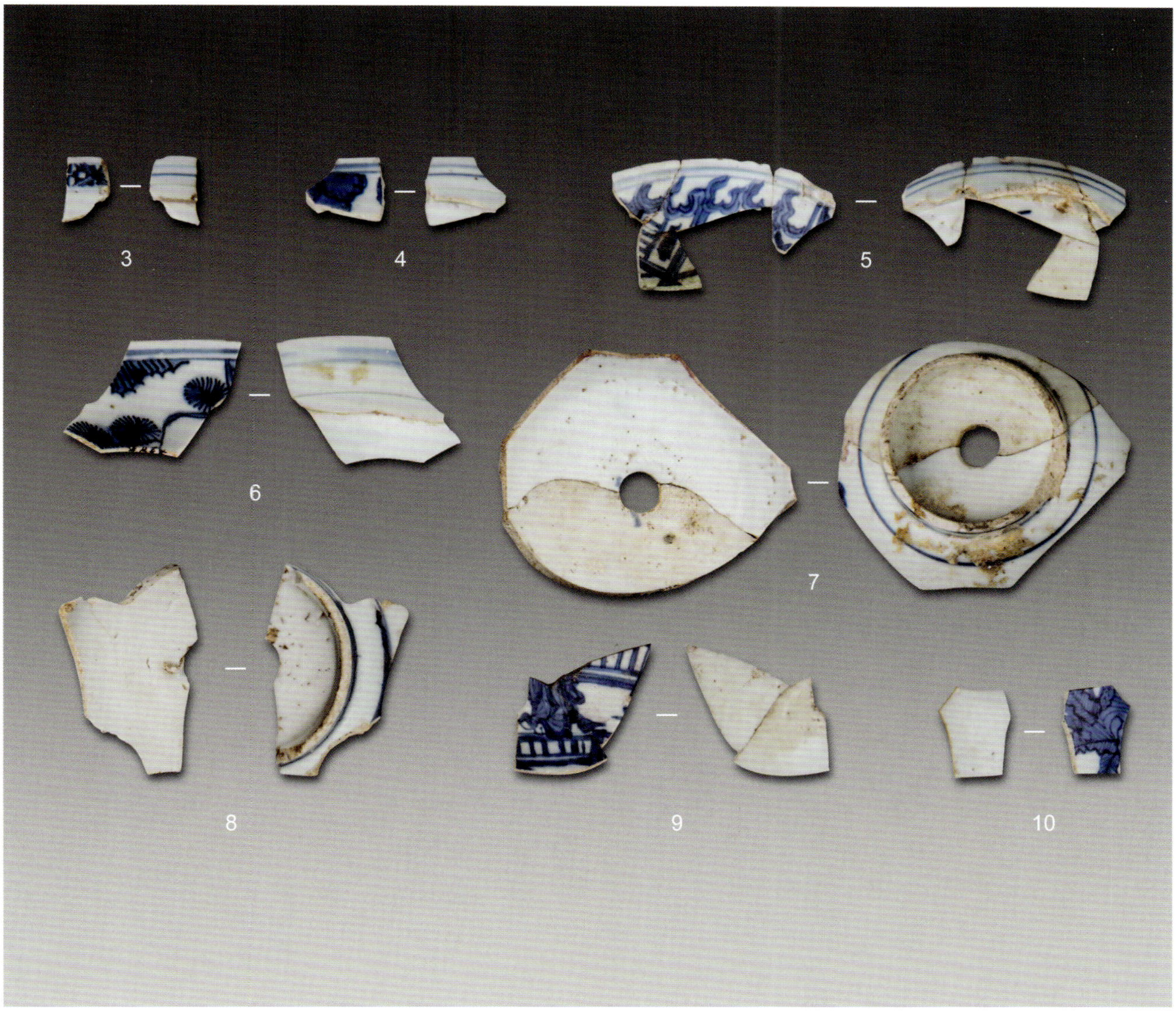

3～10. 残件（ⅣT0405①、ⅣT0405①、F19①：32、老王宫采：20、F8③：16、ⅣT0607①、ⅣT0405①、ⅣT0405①）

青花诸葛碗

1. 碾钵（F10①：4）

2. 茶碗、盖组合（盖ⅣT0304①：14、茶碗ⅣT0106①：15）

3. 钵（F19①：5）

4. 钵（F19①：5）

青花茶碗、碾钵、钵

1. Aa型莲池水禽纹大盘（F9②：14）

2. Ab型鹭莲纹印花盘（F9①：88）

Aa型、Ab型青花盘

图版80

鹭莲纹印花盘（F9①：23）

Ab型青花盘

1. Ac型松鹿纹折腰盘（F8①：274）

2. B型魁星踢斗纹盘（ⅣT0106①：4）

3. B型寿字盘（TG47③：28）

4. B型寿字盘（TG47③：28）

5. E型白描缠枝莲纹盘（ⅣT0506②：31）

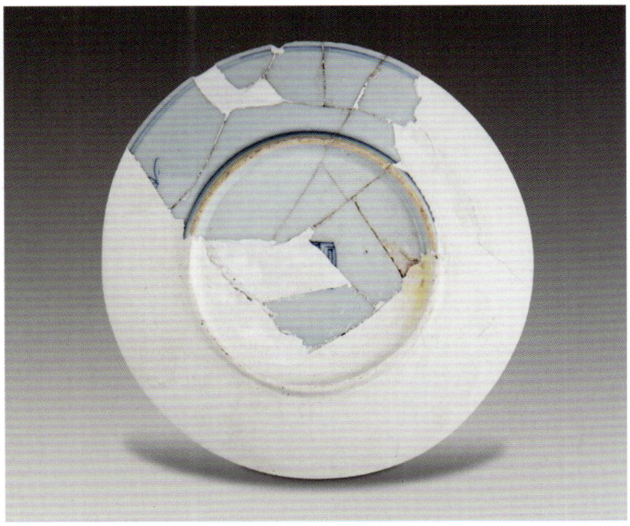

6. E型白描缠枝莲纹盘（ⅣT0506②：31）

Ac型、B型、E型青花盘

图版82

1. 果枝栖鹊纹盘（TG47③：16）

2. 果枝栖鹊纹盘（TG47③：16）

3. 果枝栖鹊纹盘（G17①：1）

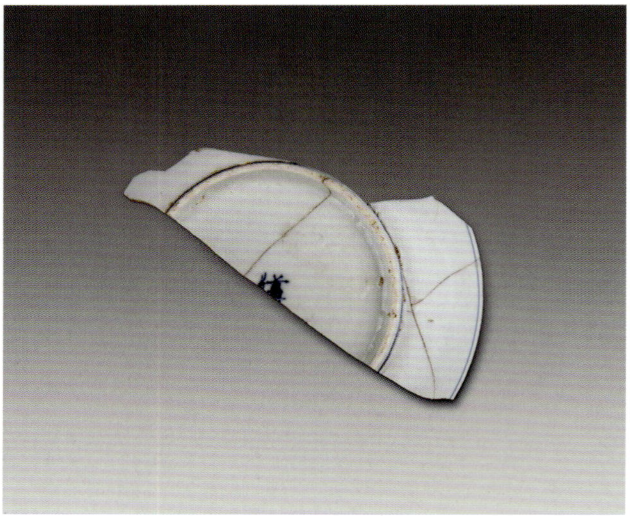

4. 果枝栖鹊纹盘（G17①：1）

5. 果枝栖鹊纹盘（F9①：127）

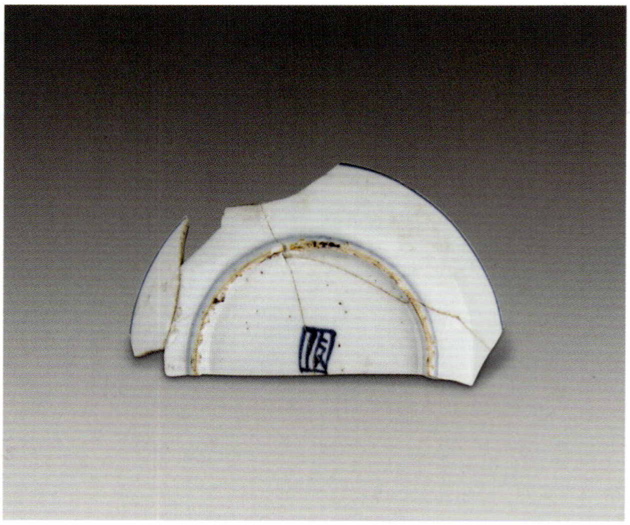

6. 果枝栖鹊纹盘（F9①：127）

B型青花盘

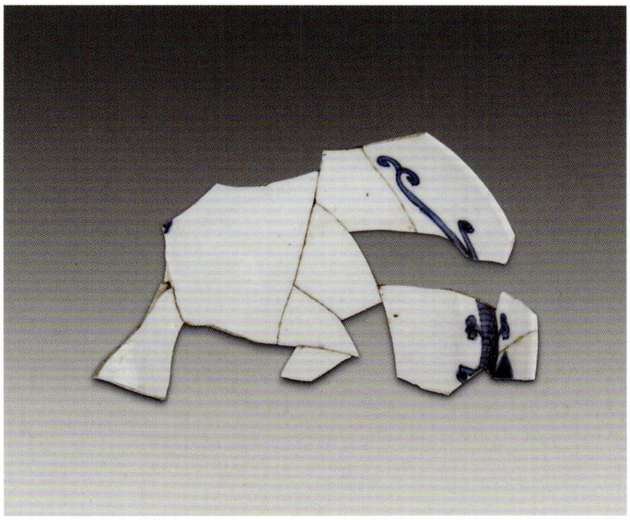

1. 螭龙纹盘（F9①：64）

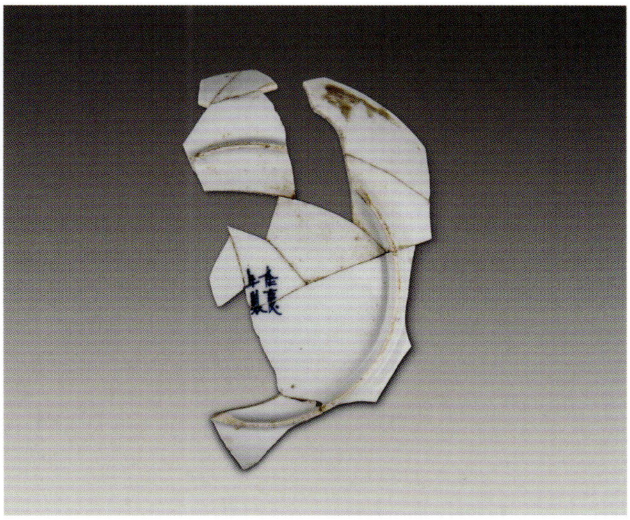

2. 螭龙纹盘（F9①：64）

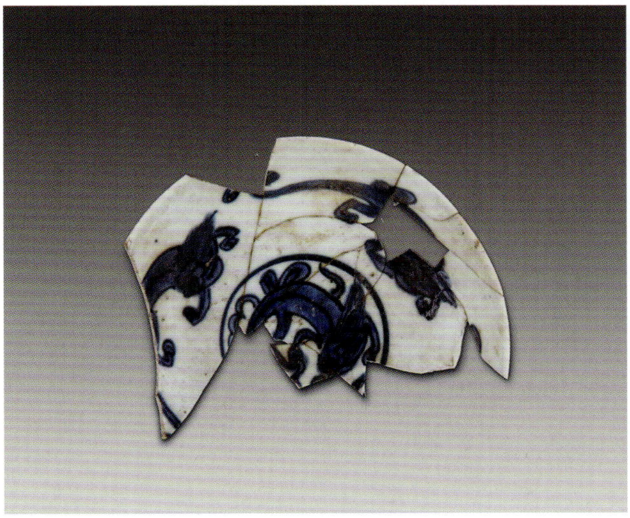

3. 螭龙纹盘（F9②：23）

4. 螭龙纹盘（F9②：23）

5. 螭龙纹盘（F9①：125）

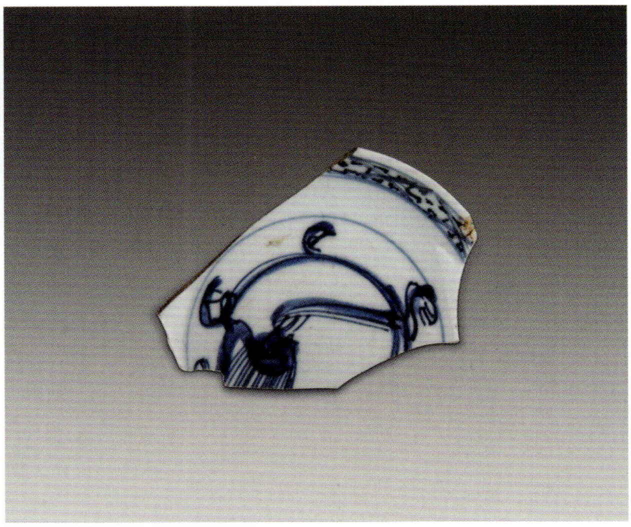

6. 螭龙纹盘（F9①：30）

B型青花盘

双艳纹盘（F9②：71）

B型青花盘

1. 双艳纹盘（F9①：6）

2. 双艳纹盘（F9①：6）

3. 双艳纹盘（F9①：6）

4. 花卉纹盘（ⅣT0609①：1）

5. 花卉纹盘（ⅣT0609①：1）

6. 花卉纹盘（ⅣT0609①：1）

B型青花盘

图版86

1. 八卦纹盘（TG10③：27）

2. 八卦纹盘（TG10③：27）

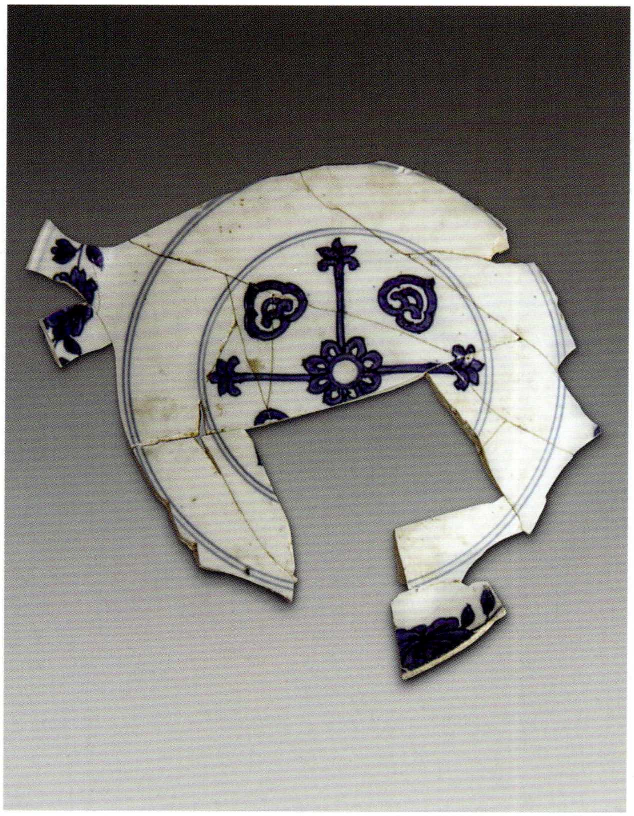

3. 十字宝杵纹盘（L2④：21）

4. 十字宝杵纹盘（L2④：21）

B型青花盘

1. 白描灵芝纹盘（F9②：76）

2. 白描灵芝纹盘（F9②：76）

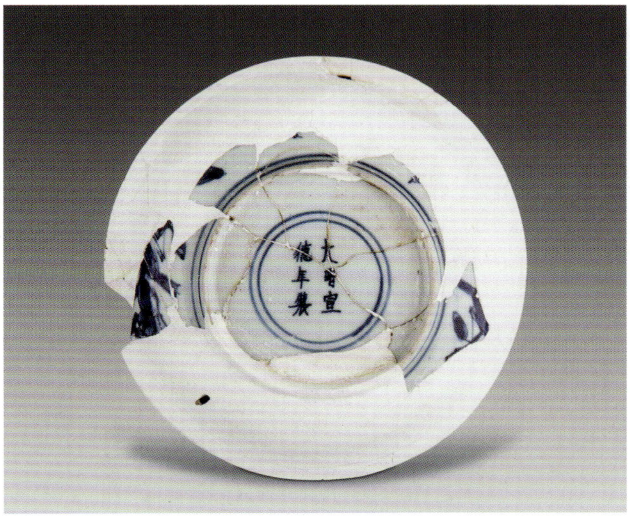

3. 白描灵芝纹盘（F9②：76）

4. 白描灵芝纹盘（F9①：126）

5. 白描灵芝纹盘（F9①：126）

6. 白描灵芝纹盘（F9①：126）

C型青花盘

图版88

1. 魁星踢斗纹盘（ⅣT0106①：5）

2. 魁星踢斗纹盘（ⅣT0106①：5）

3. 果枝栖鹊纹盘（G1②：46）

4. 果枝栖鹊纹盘（G1②：46）

5. 树石栏杆纹盘（TG33①：2）

6. 树石栏杆纹盘（TG33①：2）

C型青花盘

1. 蟹纹盘（TG32①：2）

2. 蟹纹盘（TG32①：2）

3. 山水船帆纹盘（F29天井①：1）

4. 山水船帆纹盘（F29天井①：1）

5. 螭龙纹盘（F9①：29）

6. 螭龙纹盘（F9①：29）

C型青花盘

图版90

1. 松竹梅盘字纹盘（F9①：128）

2. 松竹梅盘字纹盘（F9①：128）

3. 松竹梅盘字纹盘（F9①：128）

4. 松鹤纹盘（ⅢT2613③：2）

5. 松鹤纹盘（ⅢT2613③：2）

6. 松鹤纹盘（ⅢT2613③：2）

D型青花盘

1. A型松竹梅纹碟（F9②：61）

2. A型松竹梅纹碟（F9②：61）

3. A型灵芝茶花纹碟（ⅣT0304④：5）

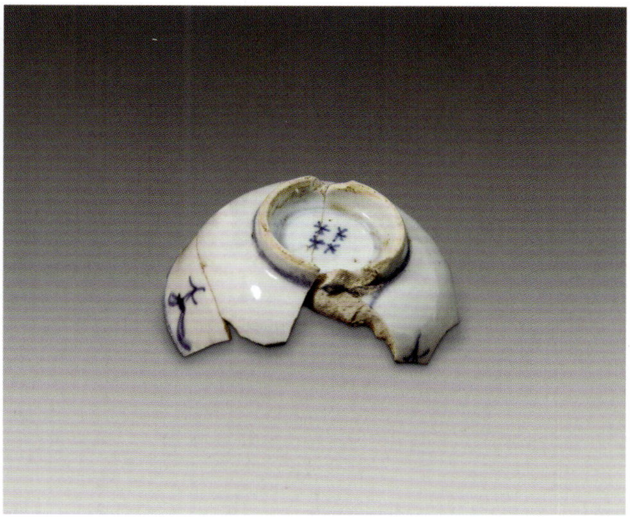

4. A型灵芝茶花纹碟（ⅣT0304④：5）

5. C型花卉纹碟（F2①：21）

6. C型花卉纹碟（F2①：21）

A型、C型青花碟

图版92

1. 团螭纹杯（F9②：43）

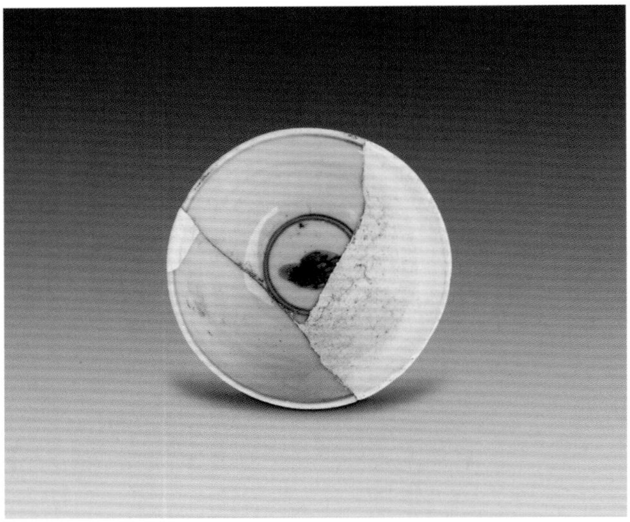

2. 团螭纹杯（F9②：43）

3. 高官厚禄纹杯（TG2④：1）

4. 高官厚禄纹杯（TG2④：1）

5. 蟾蜍纹杯（ⅣT0605①：1）

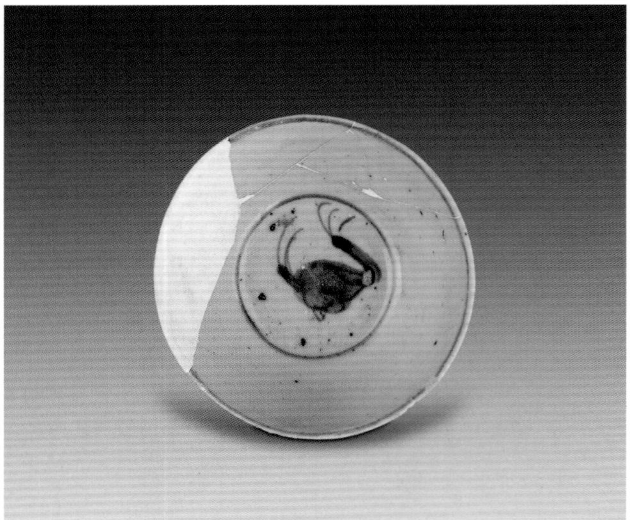

6. 蟾蜍纹杯（ⅣT0605①：1）

A型青花杯

1. 山水纹杯（F9②：56）

2. 山水纹杯（F9②：56）

3. 山水纹杯（F9②：56）

4. 折枝花卉纹杯（TG47③：6）

5. 缠枝花卉纹杯（TG4③：44）

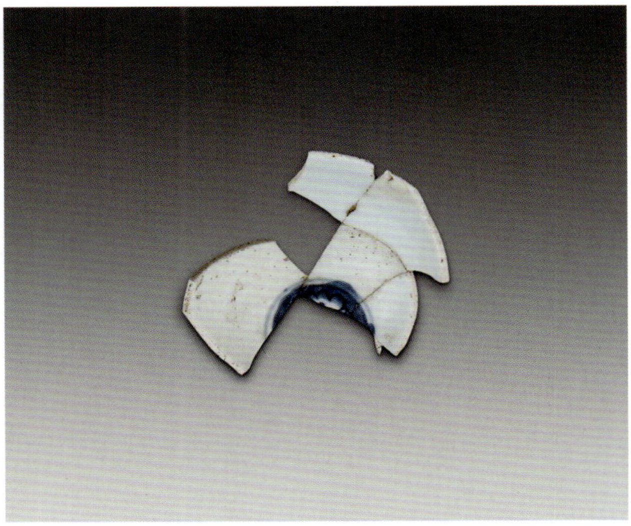

6. 蓝地白花团花纹杯（F9②：107）

A型青花杯

图版94

1. 松鼠瓜果纹杯（F9②：34）

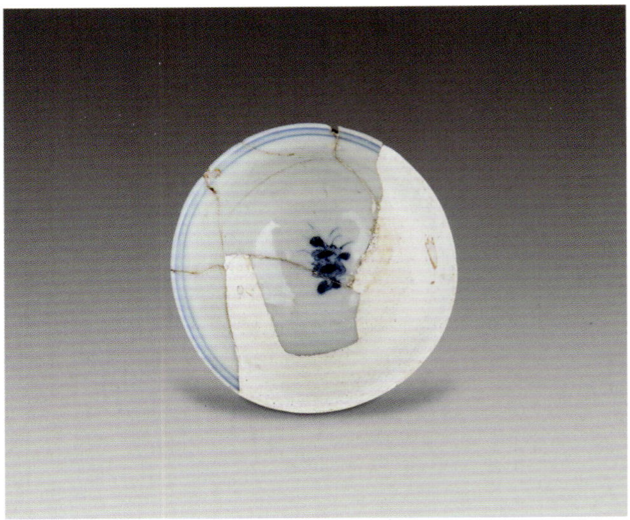

2. 松鼠瓜果纹杯（F9②：34）

3. 松鼠瓜果纹杯（F9②：34）

4. 莲池水禽纹杯（F9①：77）

5. 莲池水禽纹杯（F9①：77）

6. 莲池水禽纹杯（F9①：77）

B型青花杯

1. 螭龙纹杯（TG10③：28）

2. 螭龙纹杯（TG10③：28）

3. 螭龙纹杯（TG47③：3）

4. 螭龙纹杯（TG47③：3）

5. 螭龙纹杯（TG47③：4）

6. 螭龙纹杯（TG47③：4）

B型青花杯

图版96

1. 兰草纹杯（TG47③：1）

2. 兰草纹杯（TG47③：1）

3. 兰草纹杯（F8③：11）

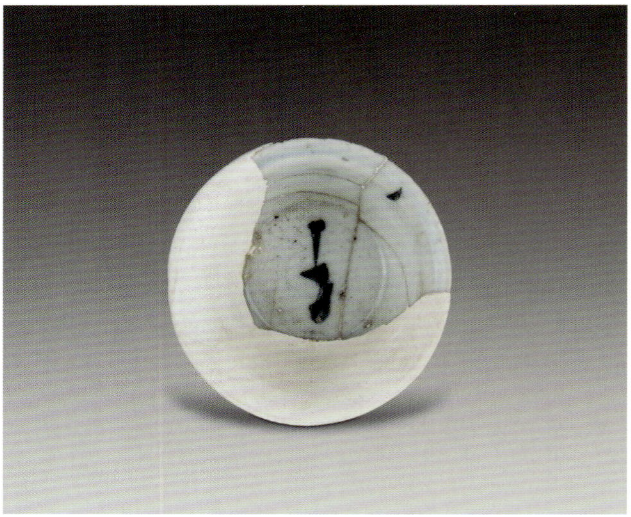

4. 兰草纹杯（F8③：11）

5. 花卉纹杯（TG47③：2）

6. 花卉纹杯（TG47③：2）

B型青花杯

1. 缠枝花卉纹杯（F9①：79）

2. 缠枝花卉纹杯（F9①：79）

3. 兔纹杯（TG47③：5）

4. 兔纹杯（TG47③：5）

5. 兔纹杯（ⅣT0506①：16）

6. 兔纹杯（ⅣT0506①：16）

B型青花杯

图版98

1. 凤纹杯（F9①：14）

2. 凤纹杯（F9①：14）

3. 凤纹杯（F9①：14）

4. 凤纹杯（F9①：66）

5. 凤纹杯（F9①：66）

6. 凤纹杯（F9①：66）

C型青花杯

1. C型三桃纹杯（G2②：77）

2. C型三桃纹杯（G2②：77）

3. C型三桃纹杯（G2②：78）

4. C型三桃纹杯（G2②：78）

5. D型金榜题名杯（F8①：3）

6. D型金榜题名杯（F8①：3）

C型、D型青花杯

图版100

TG56①：1

青花公道杯

F8③：7、F8③：8

青花庭院人物纹盖罐

图版102

F8①：131

青花凤穿花纹罐

1. 花卉纹盖（F8①：139）

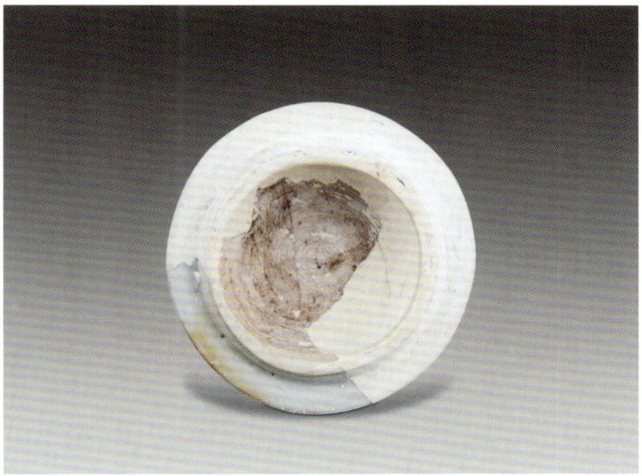

2. 花卉纹盖（F8①：139）

3. 白描缠枝莲托双喜纹茶碗盖（ⅣT0304①：14）

4. 白描缠枝莲托双喜纹茶碗盖（ⅣT0304①：14）

5. 喜字罐盖（ⅣT0103①：1）

6. 喜字罐盖（ⅣT0103①：1）

青花器盖

图版104

1. 海水纹盒（ⅣT0305①：45）

2. 海水纹盒（ⅣT0305①：45）

3. 回纹瓜棱腹盒（ⅣT0405④：4）

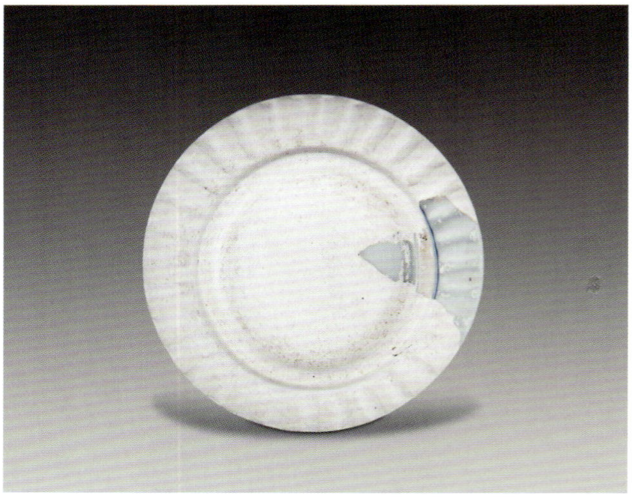

4. 回纹瓜棱腹盒（ⅣT0405④：4）

5. 缠枝花托杂宝纹盖（ⅣT0503④：42）

6. 缠枝花托杂宝纹盖（ⅣT0503④：42）

青花盒、器盖

F10①：14

青花螭龙纹鼎式炉

图版106

1. 人头（G1①：2）

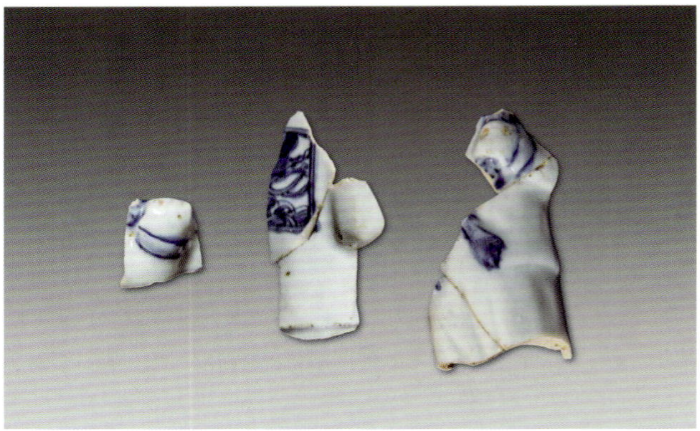

2. 持莲人物（F19①：82）

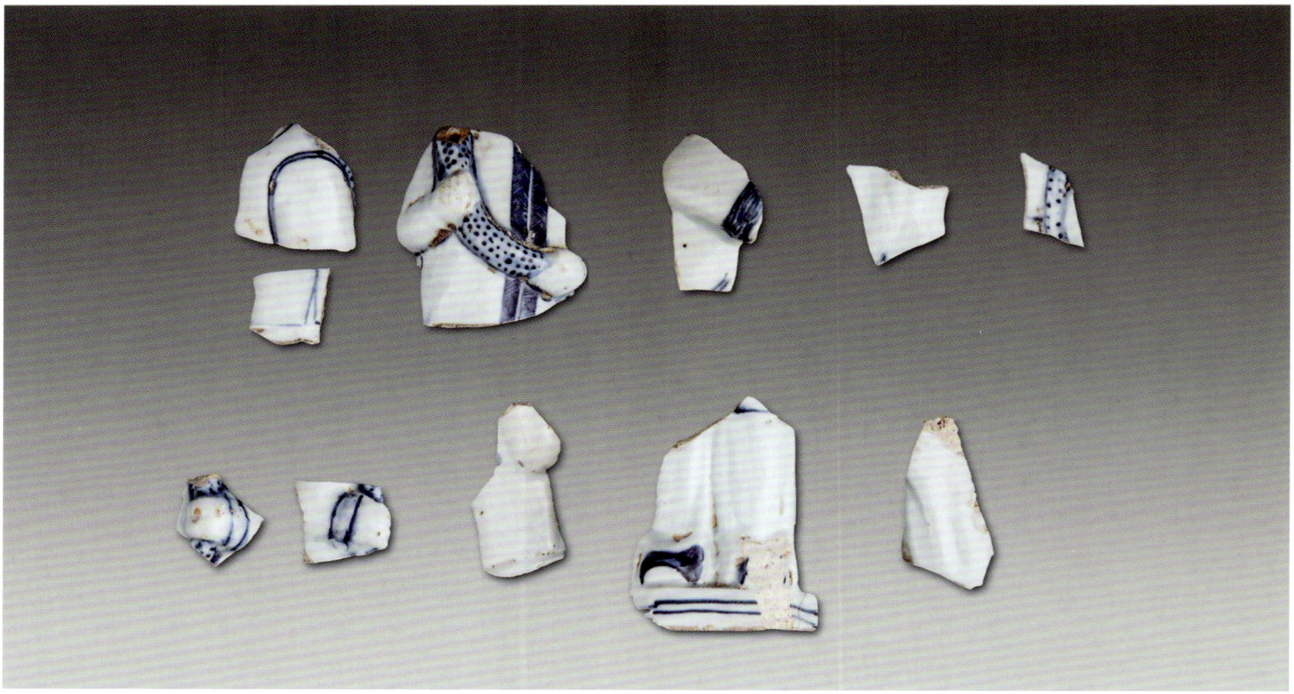

3. 持莲人物（F19①：24）

4. 白描缠枝莲纹茶船（ⅣT0304③A：4）

5. 白描缠枝莲纹茶船（ⅣT0304③A：4）

青花瓷塑、茶船

1. ⅣT0304①：35

2. ⅣT0304①：35

3. ⅣT0304①：36

4. ⅣT0304①：36

5. ⅣT0304①：8

6. ⅣT0304①：8

青花汤匙

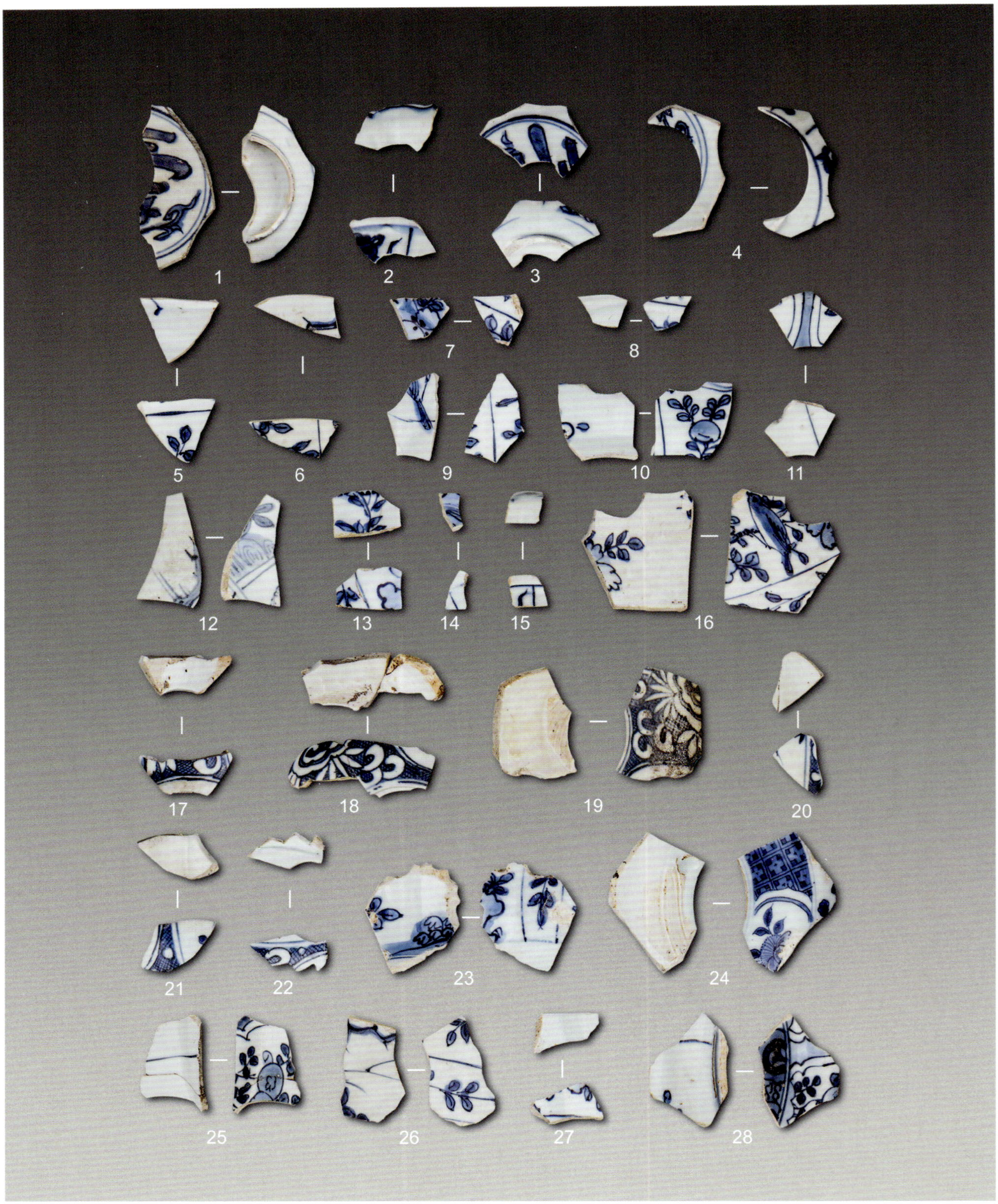

1～4. 寿字碗（F10①） 5、6. 花卉纹盘（ⅠT0101②） 7、8. 花卉纹碗（ⅠT0103①、ⅠT0103②）
9. 花鸟纹盘（ⅣT0104①） 10. 花卉纹折沿盘（ⅣT0104①） 11～14. 花卉纹盘（ⅣT0202①）
15. 寿字碗（ⅣT0202①） 16. 花鸟纹盘（ⅣT0203④） 17. 镂空灵芝纹香熏（F19①）
18～22. 镂空灵芝纹香熏（ⅣT0305③A：4） 23. 山石花卉纹盘（ⅣT0305④）
24. 开光折枝花卉纹罐（ⅣT0306①：150） 25、28. 花卉纹折腰盘（TG23②、TG46②：22）
26、27. 花卉纹盘（F8③、ⅣT0305③A）

克拉克瓷器残片

1. F9②：21

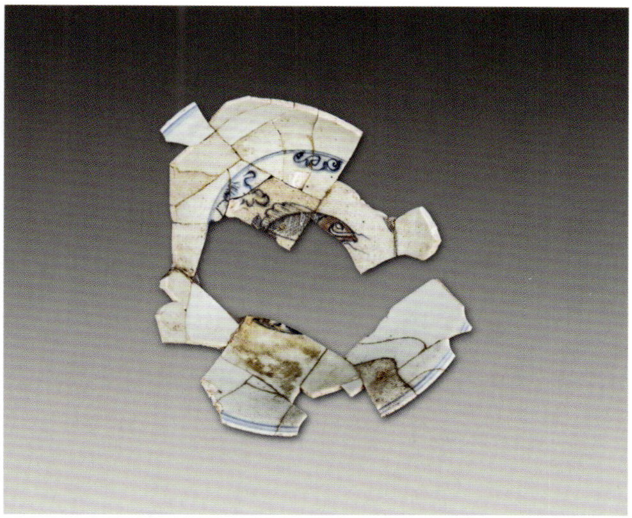

2. F9②：21

3. F9②：21

4. F8①：104

5. F8①：104

6. F8①：104

青花釉里红鱼藻纹碗

图版110

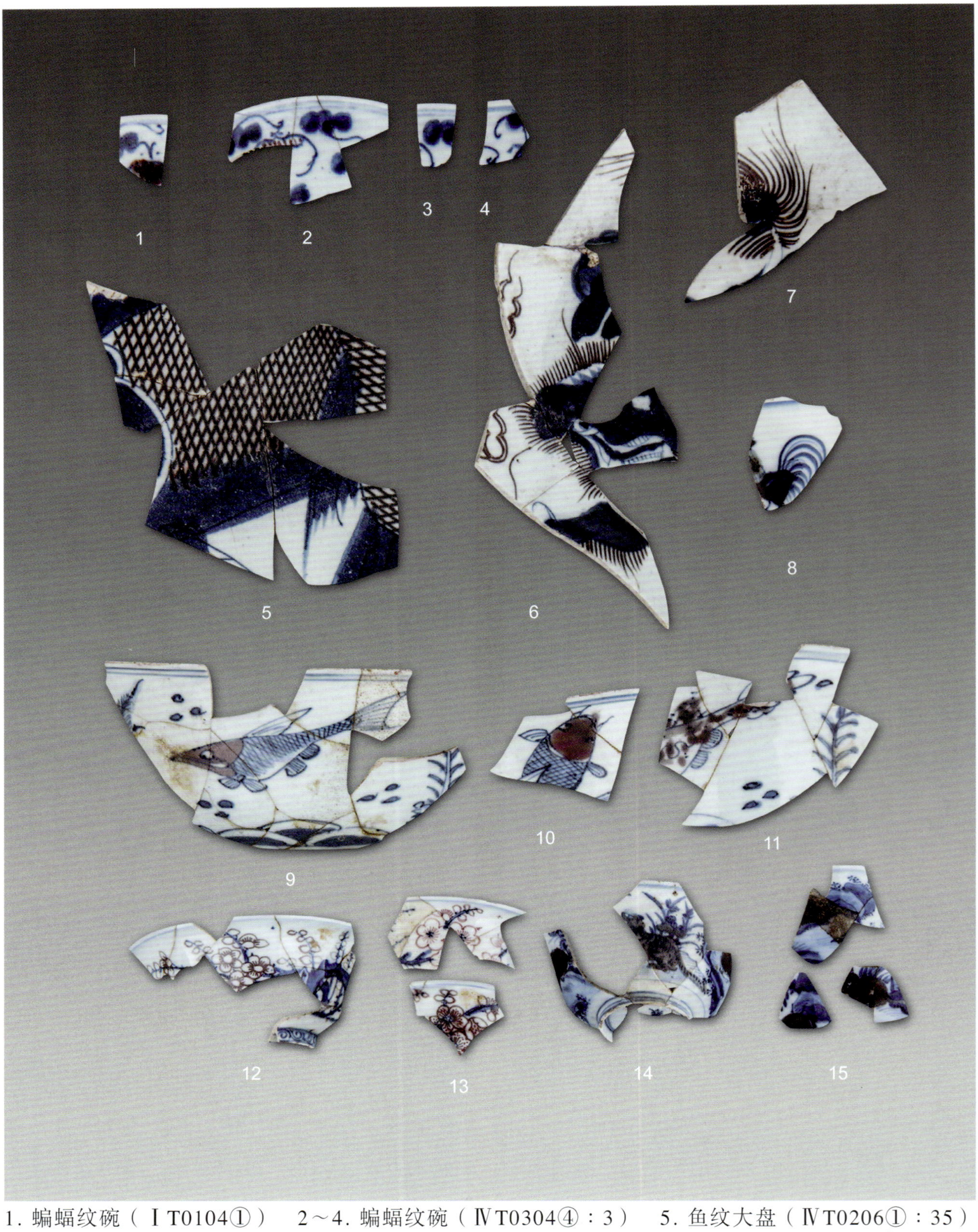

1．蝙蝠纹碗（ⅠT0104①） 2～4．蝙蝠纹碗（ⅣT0304④：3） 5．鱼纹大盘（ⅣT0206①：35）
6、7．狮子戏球纹盘（ⅣT0206①：36） 8．鸡纹碗（老王宫采：4） 9～11．鱼藻纹碗（F9①：215、F9①、F9①） 12、13．喜鹊登梅纹碗（F9①：146、F9①） 14、15．乳虎纹杯（F9①：97、F9①）

青花釉里红瓷器残件

1. F9①：53

2. F9①：53

3. F9①：50

4. F9①：50

5. F9②：72

6. F9②：72

青花釉里红喜鹊登梅纹碗

图版112

1. F9②：40

2. F9②：40

3. F9①：16

4. F9①：16

5. F9①：115

6. F9①：115

青花釉里红乳虎纹杯

1～5. F9① 6. F9①：214 7. F9①：213 8. F9①：85

青花釉里红花卉纹杯

图版114

1. F9②：105

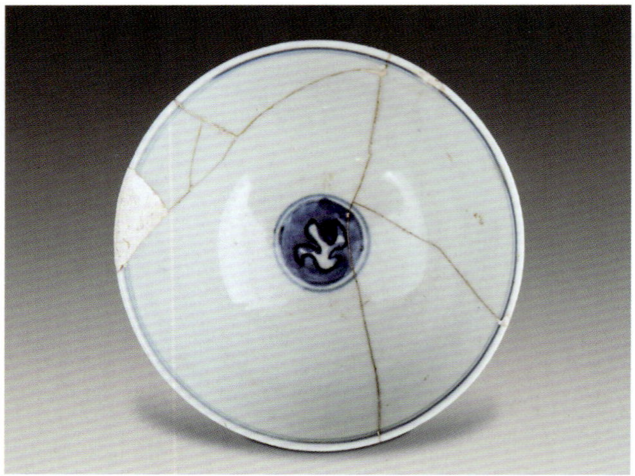

2. F9②：105

3. F9②：105

4. TG37②：12

5. F9②：105

青花红彩鱼藻纹碗

F9②：66

青花五彩高士纹盘

图版116

F9②：91

青花五彩刘海戏金蟾纹盘

1. 五彩仕女纹盘（ⅣT0106①：2） 2. 五彩狮子戏球纹盘（F9②：82） 3. 五彩鹭莲纹盘（F9①：9）
4. 五彩盘（F9①） 5. 五彩花卉纹盘（ⅣT0603①：1） 6. 五彩菱形锦纹杯（F8①：264）
7. 红彩花卉纹杯（TG4③：29） 8. 红彩狮子戏球纹杯（G12①：2） 9. 红彩麒麟纹碗（ⅡT0101①：26）
10、11. 红彩鹭鸶纹碗（F8①：263、F10①：92）

图版118

1. 绿彩萱草纹碗（ⅣT0202①：73） 2. 绿彩花卉纹碗（ⅠT0405①） 3.红彩花卉纹碗（ⅣT0203②A：3） 4. 红彩莲瓣纹碗（ⅣT0203④） 5. 绿彩碗（L2②） 6～12. 红彩凤纹碗（TG21②：162） 13～16. 红彩花卉纹盘（ⅣT0202①、ⅣT0202①、ⅠT0103③、ⅣT0103①） 17. 红彩喜字碗（ⅣT0103①） 18. 红彩碗（ⅣT0202①） 19. 红彩花卉纹喜字碗（ⅣT0106①） 20.红彩鼻烟壶（ⅣT0305④：42） 21、22.红绿彩人物纹笔筒（ⅣT0203①：11）

红彩、绿彩及红绿彩瓷器残片

1. 缠枝莲纹碗（L2①：78）

2. 缠枝莲纹碗（L2①：78）

3. 龙凤纹碗（L2①：79）

4. 龙凤纹碗（L2①：79）

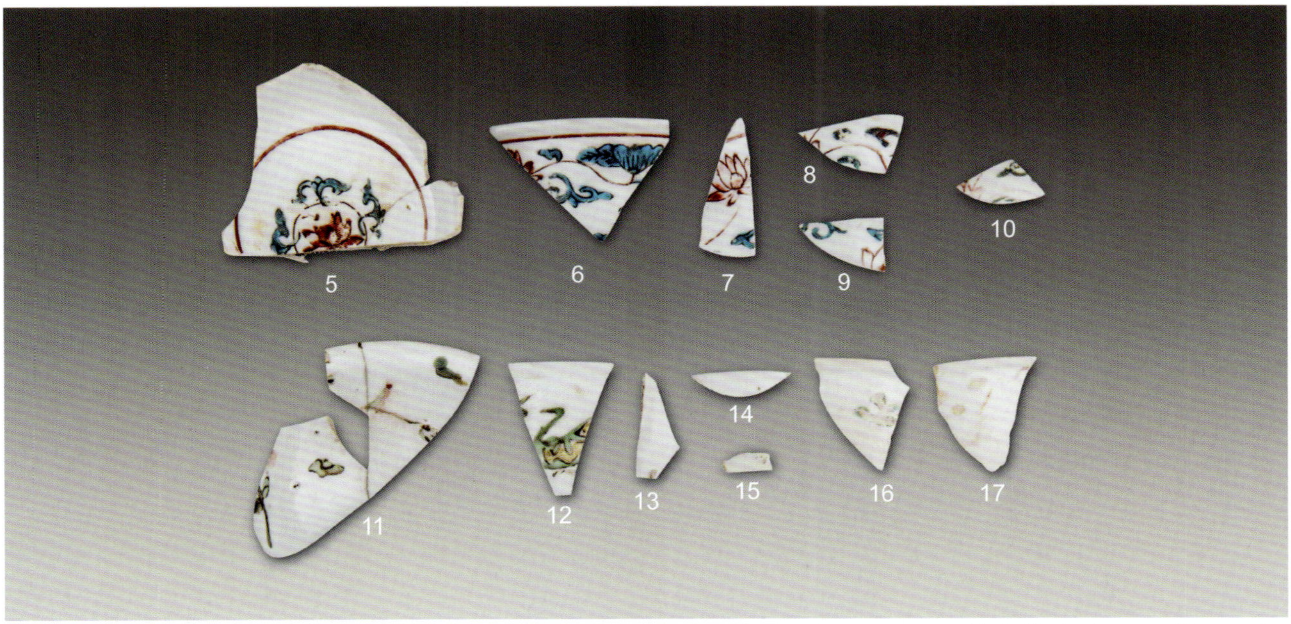

5～10. 缠枝莲纹碗（G1①：40） 11～15. 龙凤纹碗（TG2④：20） 16、17. 花卉纹碗（TG47③：32）

图版120

F19①：12

粉彩开光竹纹碗

1. 器盖（ⅣT0203②A）

2. 缠枝莲开光喜字盖
（ⅣT0507①：7）

3. 双艳纹盘
（ⅣT0106①：86）

4～10. 碗（ⅣT0102①、ⅣT0203①、ⅠT0104①、ⅣT0103①：33、ⅠT0105①：45、F19①、F19①：3）

图版122

1. F9②：32

2. F9②：32

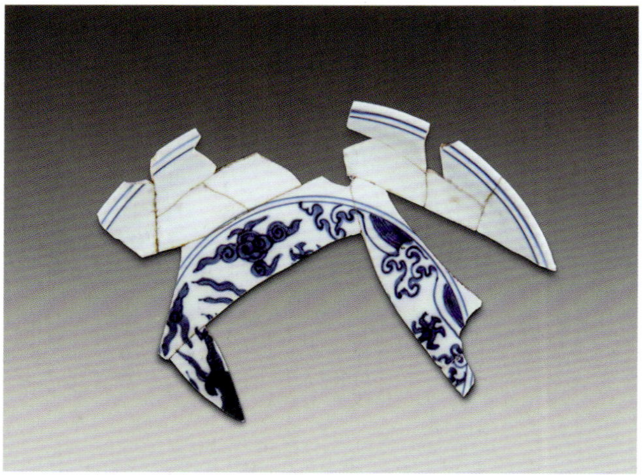

3. F9①：80

4. F9①：80

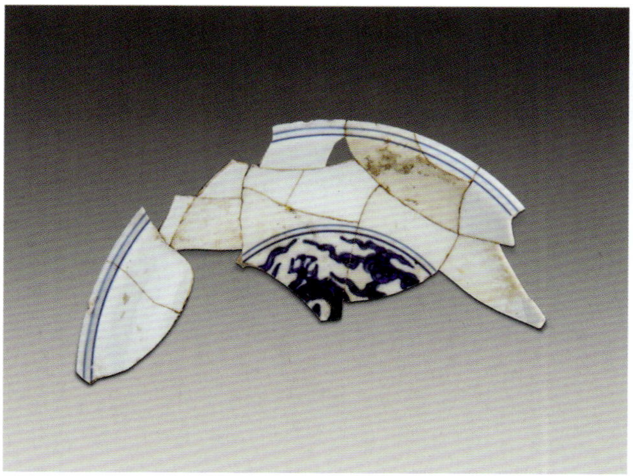

5. F9①：81

6. F9①：81

青花正面五爪龙纹盘

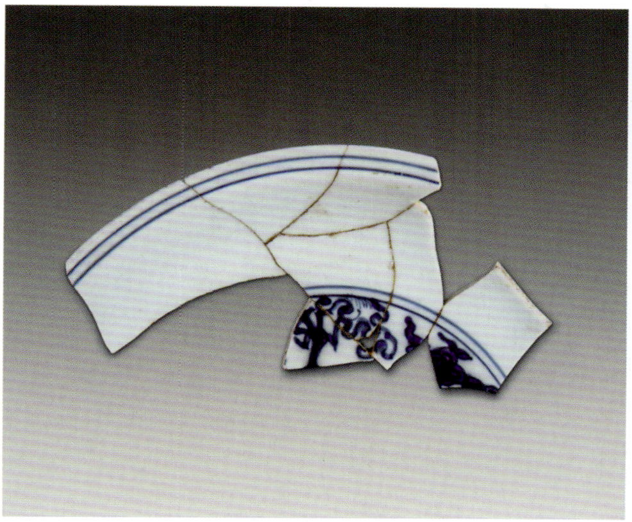

1. F9②：103

2. F9②：103

3. F9①：105

4. F9①：105

5. F9①：208

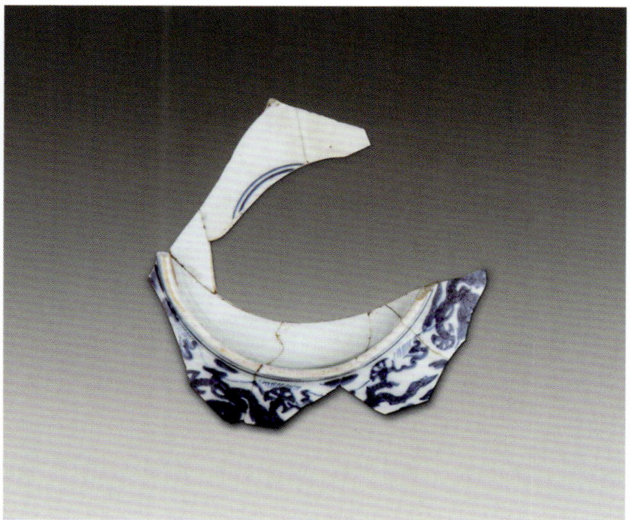

6. F9①：208

青花正面五爪龙纹盘

图版124

1. F9②：103　2. F9①：81　3. F9①：208　4. F9①：80　5. F9②：32　6. F9①：105　7. F8①：259
8. ⅣT0304①：55

青花五爪龙纹盘

1. F9②：103　2. F9①：81　3. F9①：208　4. F9①：80　5. F9②：32　6. F9①：105　7. F8①：259
8. ⅣT0304①：55

青花五爪龙纹盘

图版126

TG10③：18

青花正面五爪龙纹靶盏

1. 靶盏（F9①：207）

2. 靶盏（F9①：207）

3. 靶盏（ⅣT0306①：1）

4. 靶盏（ⅣT0306①：1）

5. 靶盏（F9②：85）

6. 炉或罐（ⅣT0304①：56）

青花五爪龙纹靶盏、炉（罐）

图版128

F9①：1

青花八仙五爪龙纹碗

1. F9①：52

2. F9①：52

3. F9①：52

4. F9②：130

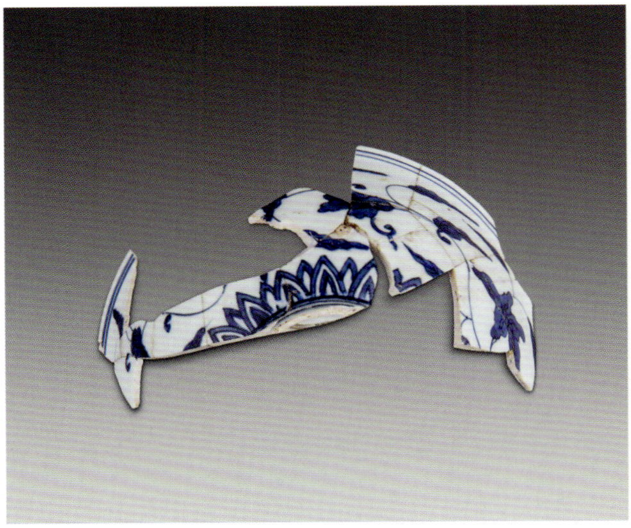

5. F9②：130

6. F9②：130

青花缠枝四季花卉纹碗

图版130

1. 青花八仙五爪龙纹碗（F9①：1） 2. 青花缠枝四季花卉纹碗（F9①：52） 3、5. 青花正面五爪龙纹盘（F9①：105、F9②：32） 4. 青花五爪龙纹盘（F8①：259） 6、7. 青花正面五爪龙纹靶盏（TG10③：18、F9②：85）

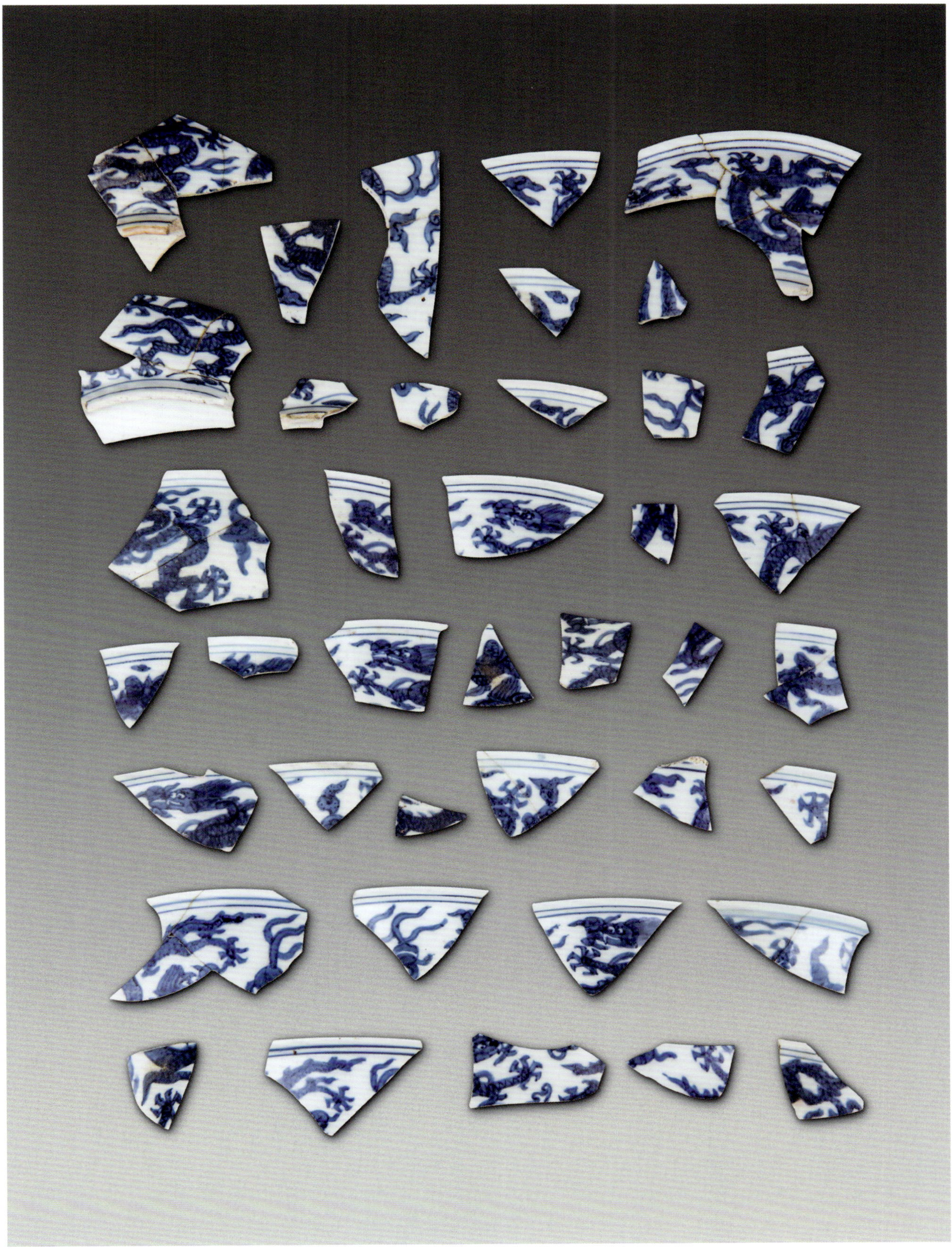

青花五爪龙纹盘残片

图版132

1. 内侧（上组F9①：52，下组F9②：130）

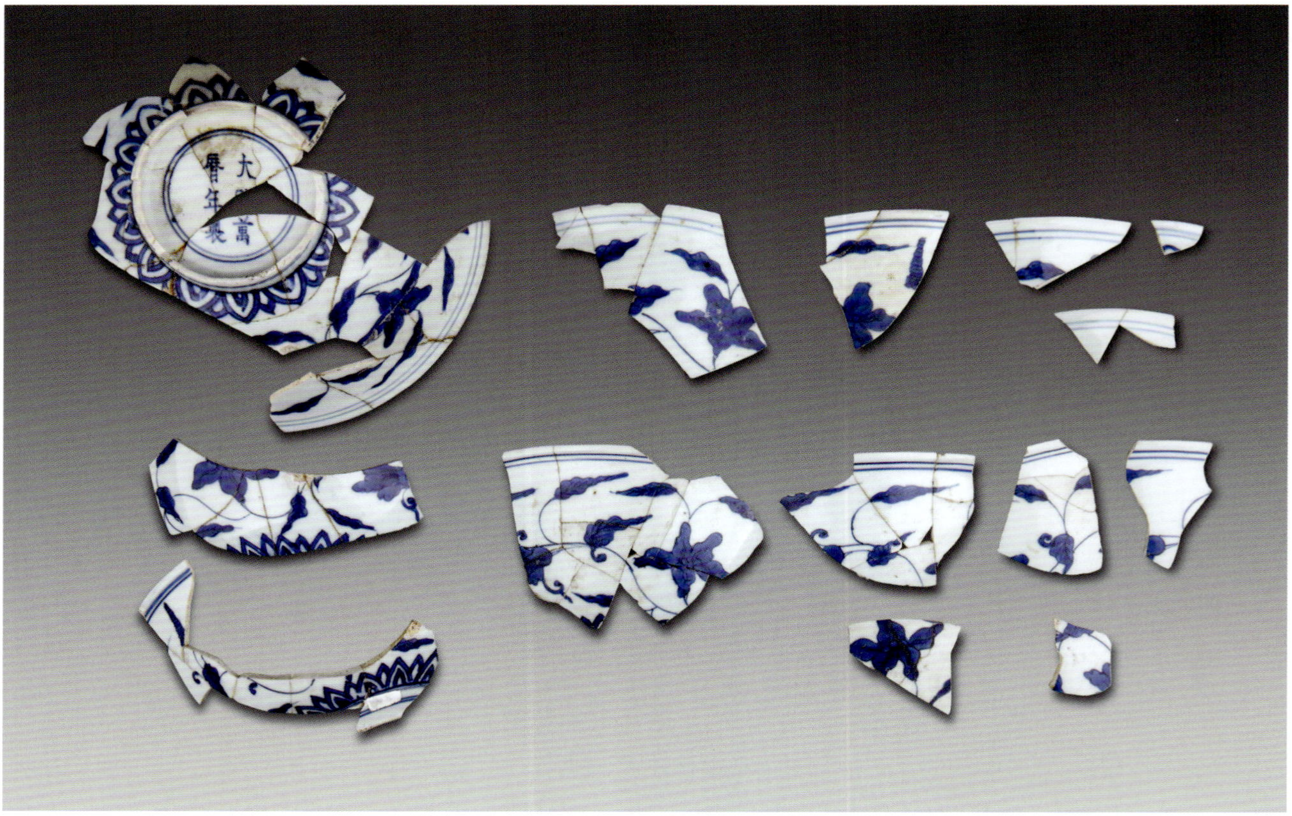

2. 外侧（上组F9①：52，下组F9②：130）

青花缠枝四季花卉纹碗

1. 碗（F1①：62）

2. 碗（L2①：80）

3. 盘（ⅣT0202①：105）

4. 小杯（ⅣT0303①：7）

5. 盘（ⅣT0201①：24）

青花粗瓷器

图版134

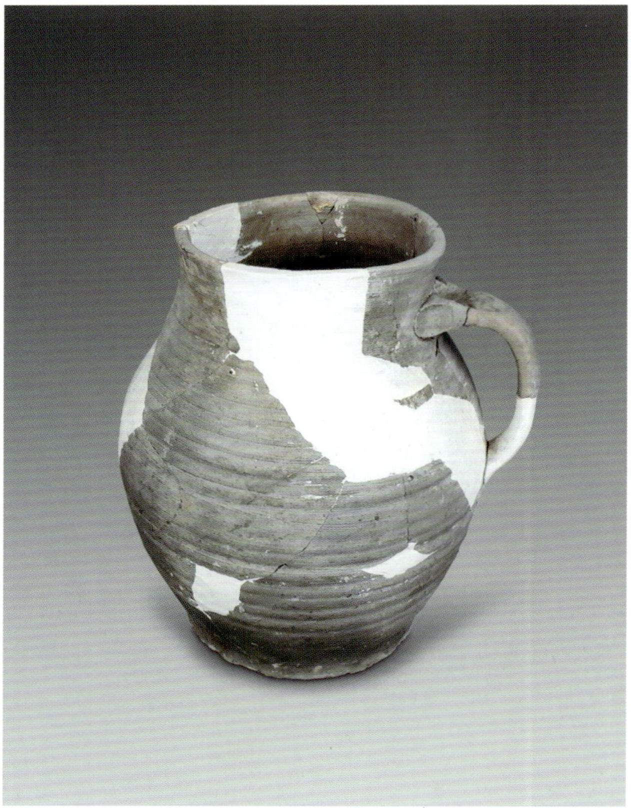

1. 单耳带流罐（K4①：16）

2. 单耳带流罐（F9①：160）

3. 单耳盘口罐（ⅣT0606②：6）

4. 盘口罐（ⅣT0205②：2）

粗瓷罐

1. 双系罐（新王宫采：19）

2. 双系罐（G12①：24）

3. 大罐（老王宫采：5）

粗瓷罐

图版136

1. 连体罐（ⅠT0204①：104）

2. 小罐（F19②：1）

3. 小罐（L2④：8）

粗瓷罐

1. 碗（G2②：27）

2. 碗（G2②：27）

3. 碗（F8①：124）

4. 钵（F9①：154）

5. 碾钵（F3①：104）

6. 碾钵（F3①：104）

粗瓷碗、钵、碾钵

图版138

1. 碾钵（G1①：36）

2. 瓶（C4③：2）

3. 瓶（TG2②：1）

粗瓷碾钵、瓶

1. 夜壶（ⅣT0202①：111）

2. 夜壶（L2④：325）

3. 灯台（ⅣT0302①：1）

4. 盆（ⅣT0706②：25）

5. 缸（ⅣT0104①：28）

粗瓷器

1. 烟嘴（ⅡT0102①：14）

2. 器盖（G2①：47）

3. 香熏盖（ⅣT0102①：54）

4. 盏（ⅣT0706②：27）

5. 炉（F1①：85）

粗瓷器

1～15. A型（TG33②：9、TG33②：15、TG33②：7、TG33②：11、TG33②：12、TG33②：10、TG33②：13、TG33②：4、TG33②：3、TG33②：6、TG33②：5、TG33②：1、TG33②：8、TG33②：14、TG33②：2） 16～20. B型（ⅣT0507①：55、K4①：8、L2①：120、ⅣT0405④：6、海潮寺采：1） 21～30. C型（TG41③：17、采：20、TG21②：153、采：21、TG21②：150、TG21②：149、TG21②：152、TG21②：148、TG21②：151、ⅣT0908①：28）

礌石

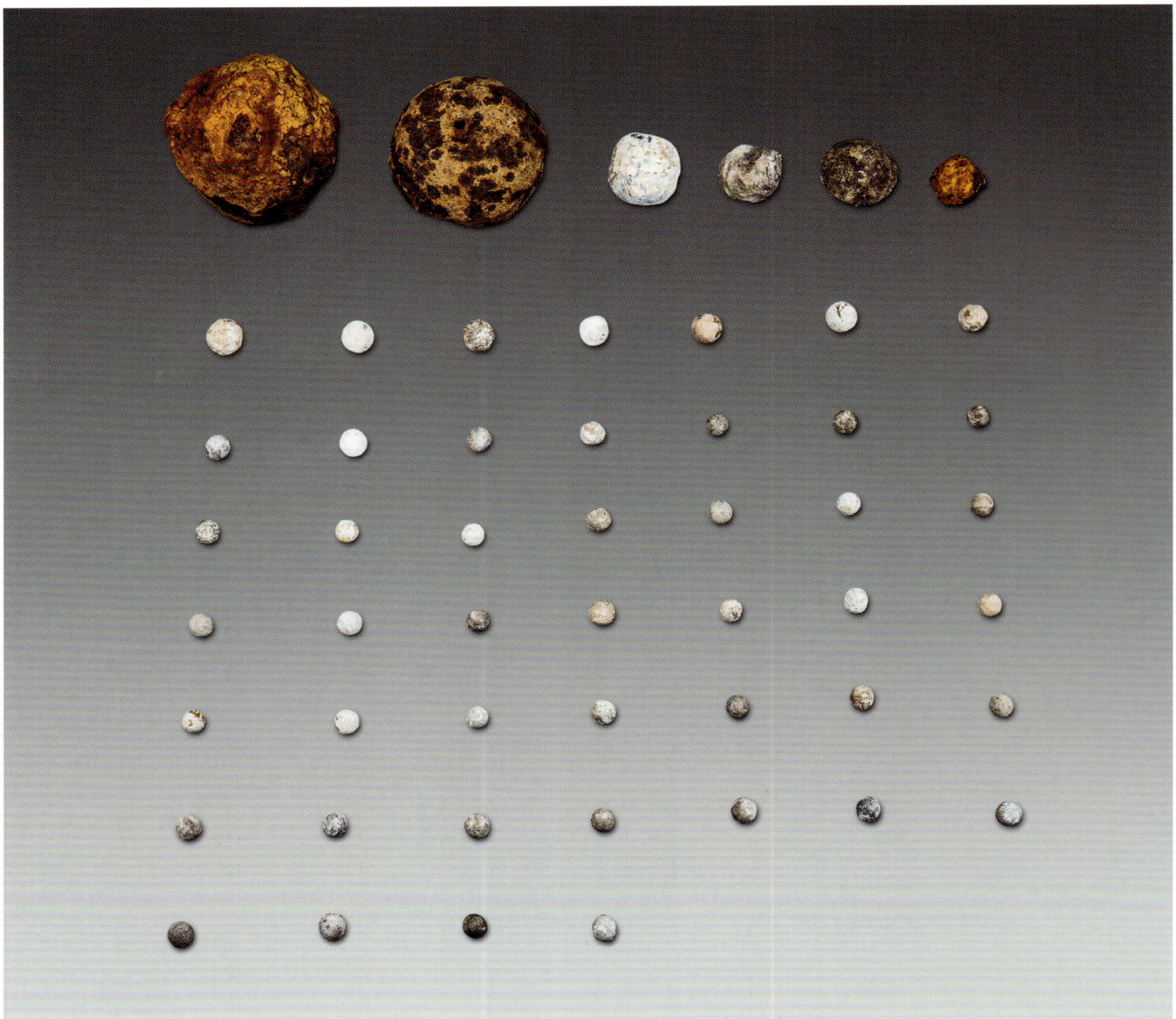

1. 铁弹与铅弹（第1排1、2为D型铁弹，其余为C型铅弹与铁弹；第2排为B型铅弹；第3～8排为A型铅弹）

2. 陶珠、石珠（左一为穿孔石珠，其余为陶珠）

弹丸

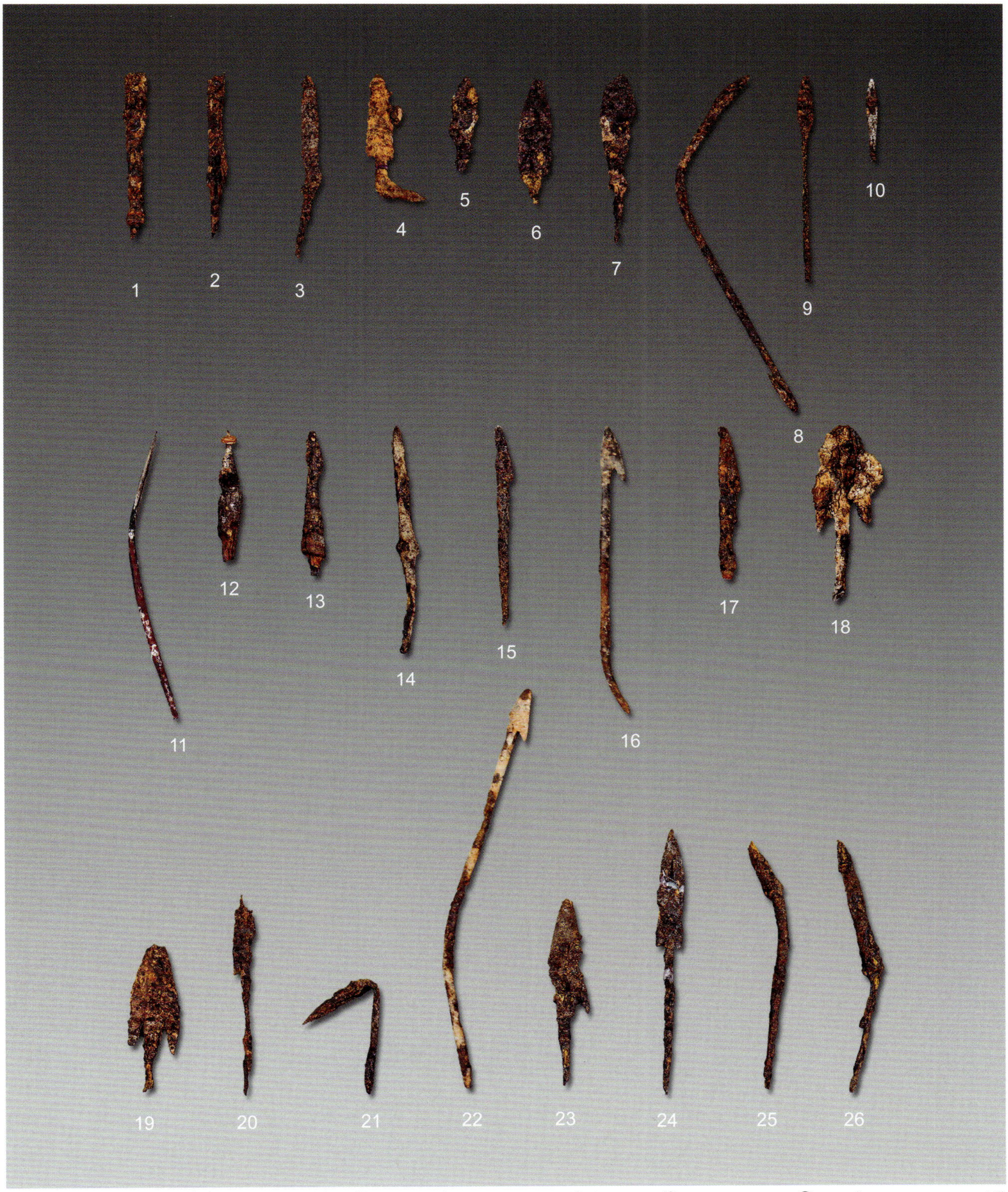

1、2. A型（TG36②：31-2、TG36②：31-5） 3、4. B型（TG36②：7、TG38①：1） 5、6. Ca型（TG36②：8、TG36②：19） 7. Cb型（F8①：75） 8～10. Da型（TG36②：13-2、TG36②：13-3、TG10③：33） 11. Db型（TG10③：10） 12. Ea型（TG10③：61-2） 13. Eb型（TG36②：10-2） 14. Ec型（TG36②：17-2） 15～17. F型（TG36②：12-3、G1②：1、TG36②：20） 18、19. G型（TG44③：23、TG46②：4） 20～22. Ha型（TG10③：7、TG36②：9-6、G1②：2） 23、24. Hc型（TG10③：6、TG10③：8） 25、26. I型（TG36②：9-1、TG36②：9-4）

铁镞

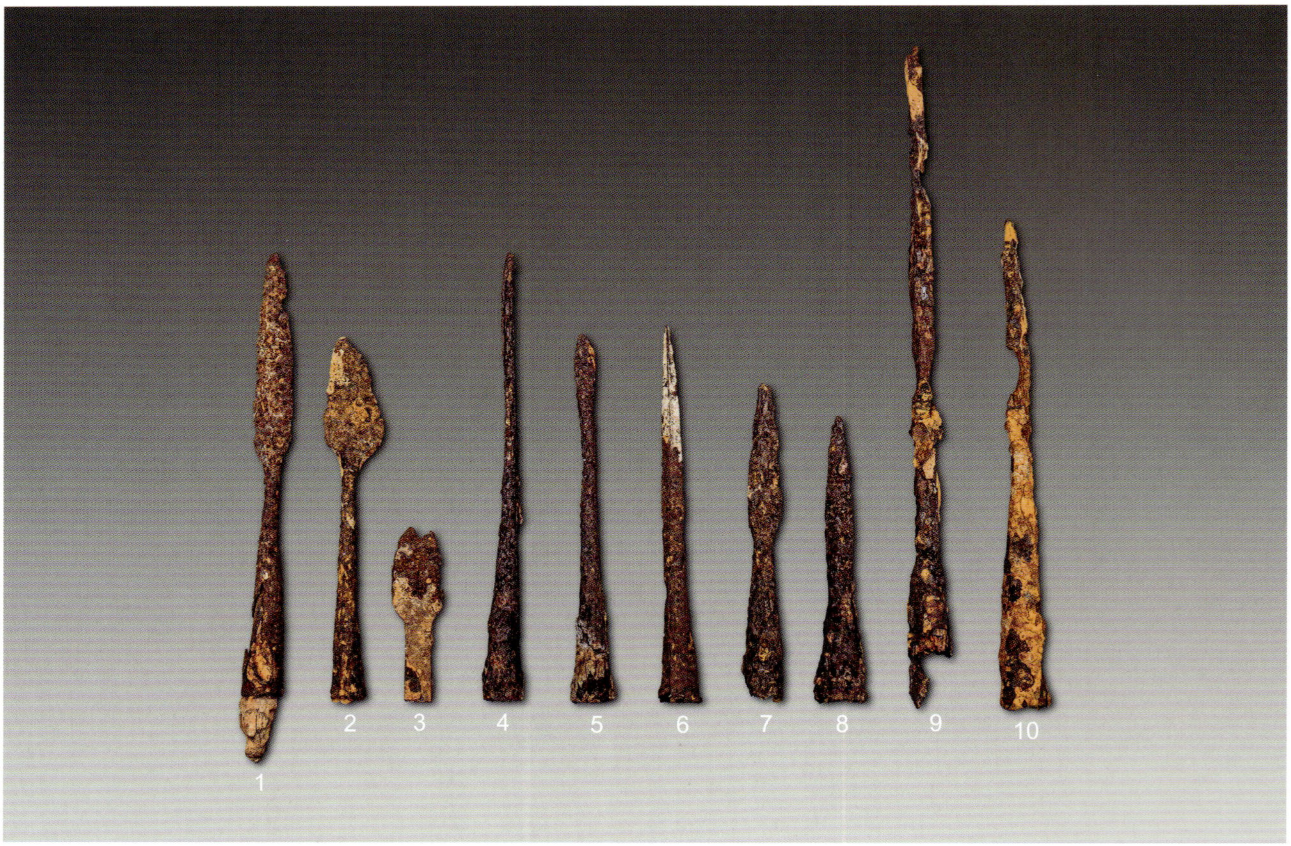

1～10. 铁矛（TG46②：16、老王宫采：8、ⅣT0807①：3、TG48①：7、TG48①：5、TG46②：5、TG44③：26、TG48①：6、TG3③：2、TG37②：2）

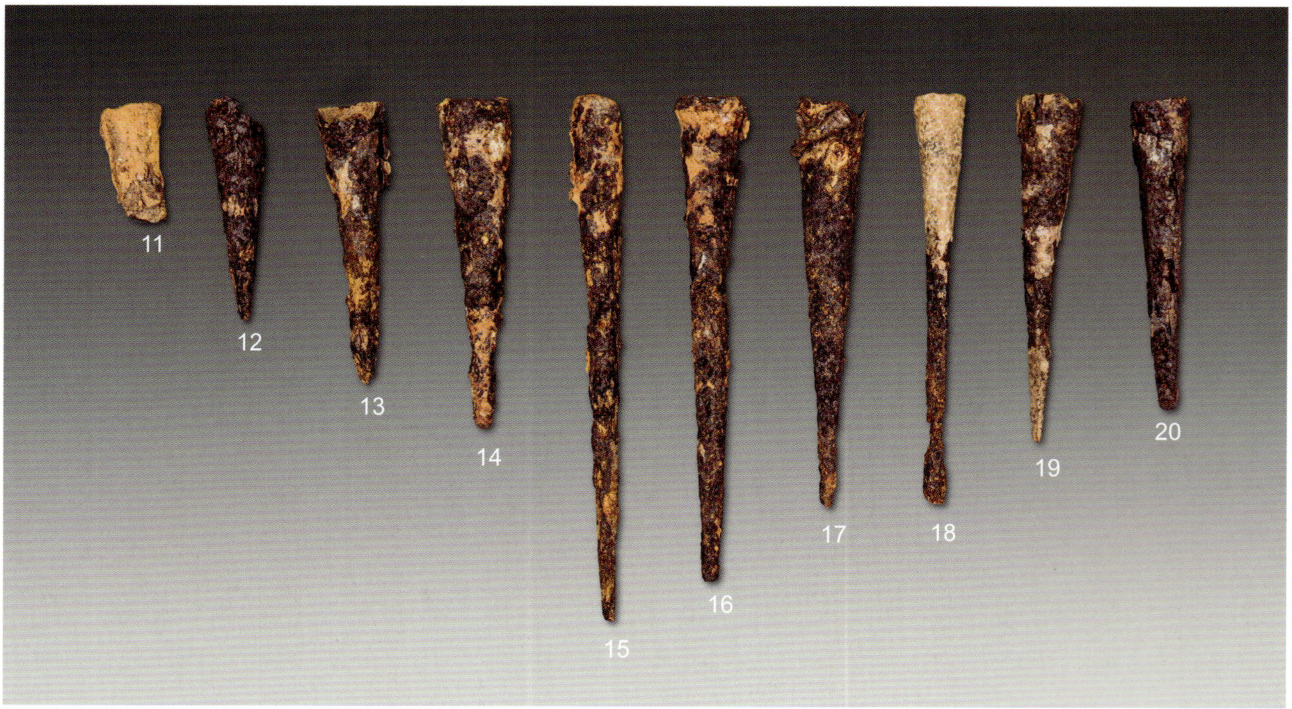

11～20. 铁镦（F8①：120、TG39①：1、F8①：7、TG33①：3、TG10③：31、TG37②：5、TG36②：22、G20①：6、ⅣT0103③：1、TG16②：8）

铁矛、铁镦

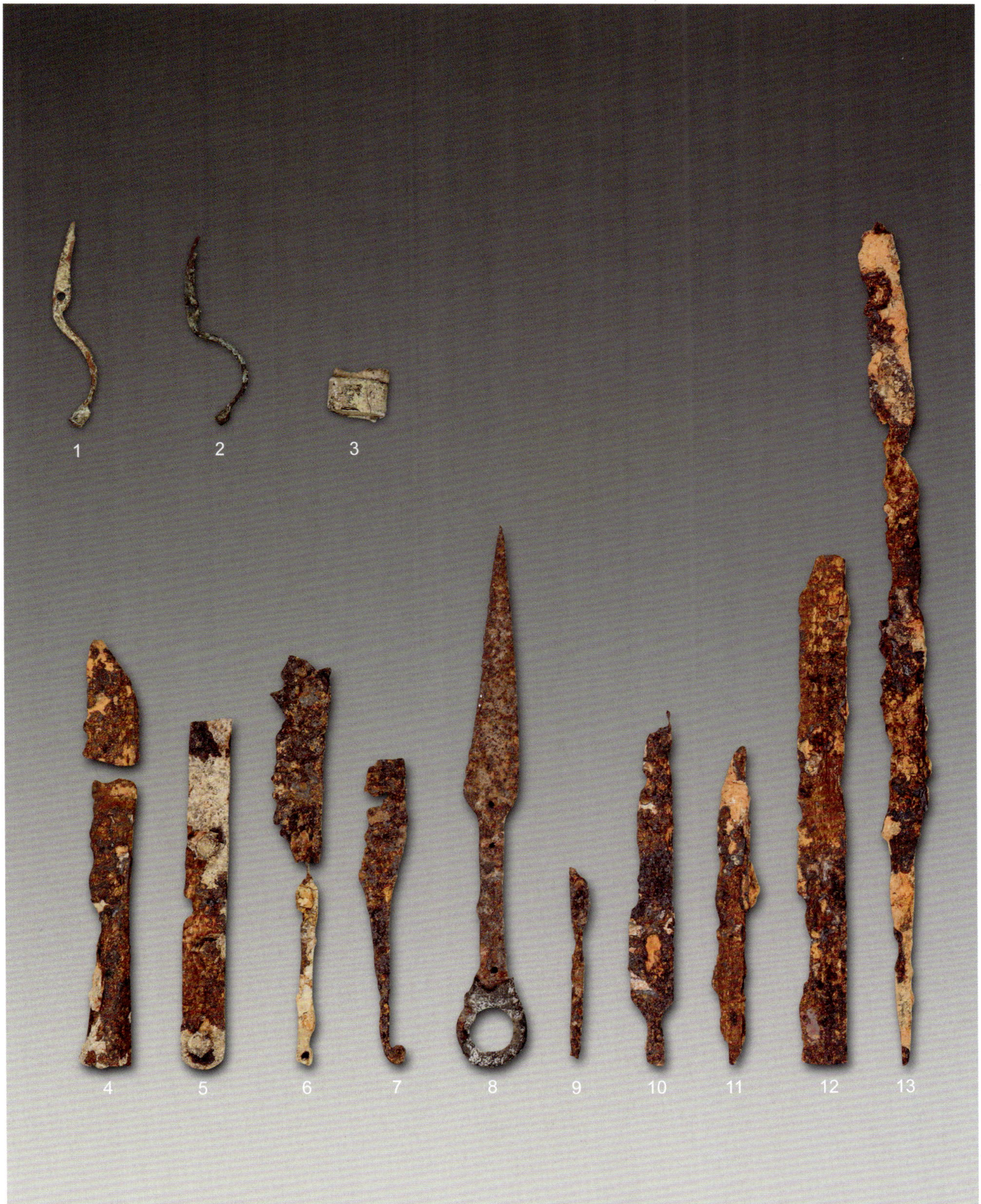

1、2. 铜弩机（TG44③：33、TG44③：1） 3. 铜刀箍（TG44③：24） 4. F型铁刀（TG16②：5） 5. E型铁刀（F3①：23） 6、7. D型铁刀（TG46②：10、TG19①：1） 8. C型铁刀（采：23） 9～11. B型铁刀（TG10③：59、TG46②：2、TG3③：1） 12、13. A型铁刀（ⅢT2614③：2、TG21②：154）

铁刀、铜弩机、铜刀箍

图版146

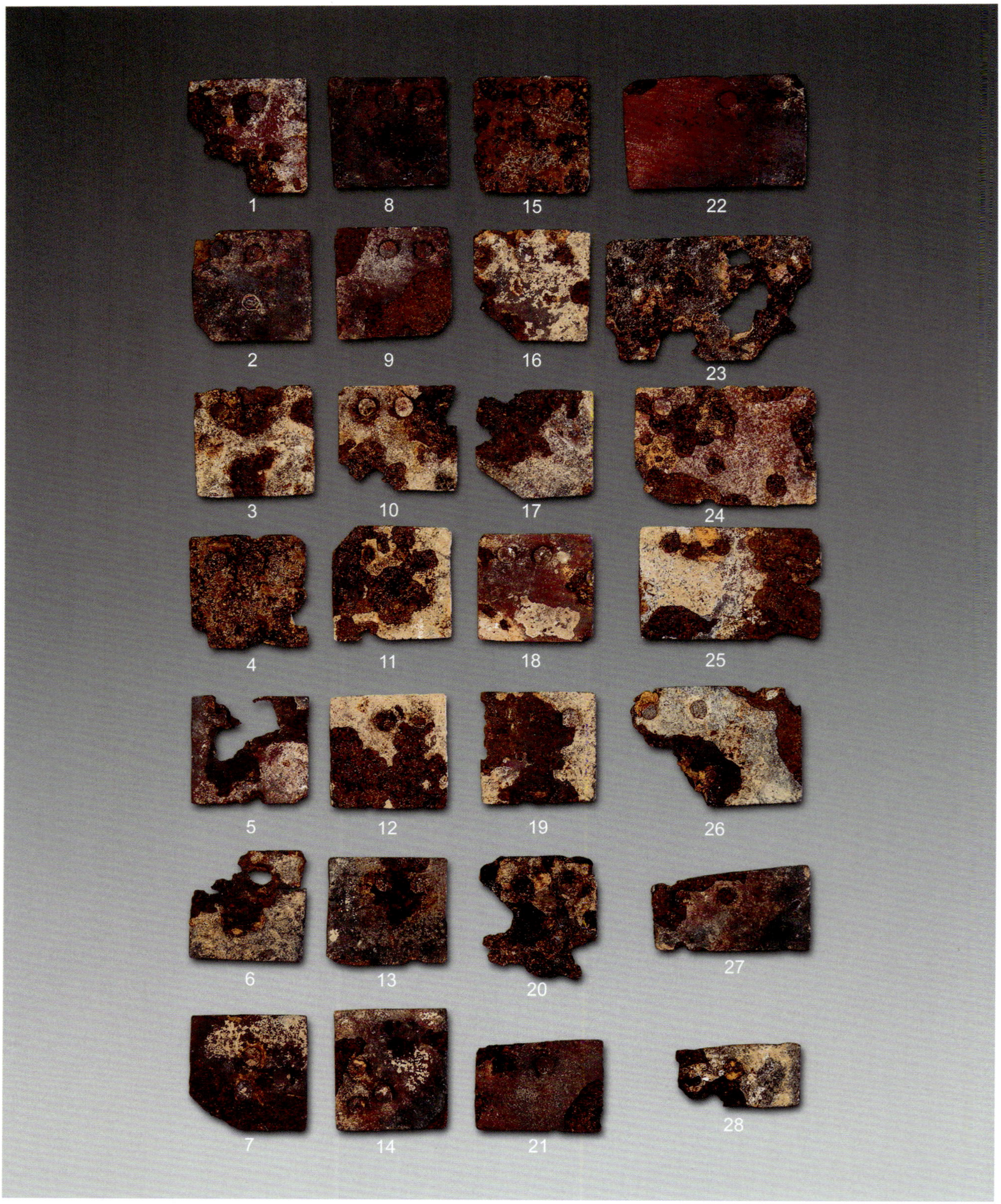

1～20. A型（K5①：4-15、ⅣT0203①：10-2、K5①：4-5、TG36①：5、F12①：17、现代坑2：2、F8①：3-1、ⅣT0203①：10-3、C1①：4、K5①：4-1、K5①：4-3、K5①：4-8、K5①：4-12、K5①：4-10、TG36②：4-1、K5①：4-6、K5①：4-13、K5①：4-7、K5①：4-14、ⅠT0102①：3） 21、27、28. C型（ⅣT0203①：10-1、K5①：4-11、F8①：3-2） 22～26. B型（ⅣT0101①：2、TG36②：4-2、K5①：4-4、K5①：4-9、K5①：4-2）

铁铠甲片

1. 大城南墙罗家湾段（南—北）

2. 大城北墙（南—北）

A类城垣

1. 新王宫（东北—西南）

2. 后关南侧（东—西）

B类城垣

1. 万安关南墙（西—东）

2. DT2至铁柱关段（东北—西南）

图版150

1. 侧视图（东—西）

2. 航拍图（上为西）

宋明城垣的叠压关系（铜柱关段）

1. 侧视（东—西）

2. 俯视（南—北）

3. 远眺（北—南）

宋明城垣的叠压关系（飞凤关段）

1. 俯视（东—西）

2. 侧视（西—东）

土城墙

1. 囤东部分遗迹（北—南）

2. 绣花楼俯视（东—西）

墩台与哨台

图版154

1. 宋代墩台（东—西）

2. 宋代墩台（东北—西南）

3. 宋明墩台的关系（东—西）

朝天关墩台（DT5）

1. 内门道（北—南）

2. 外门道（南—北）

3. 清理中（北—南）

绣花楼门址（CM13）

图版156

1. 西—东

2. 东—西

3. 北—南俯拍

土城墙中门址（CM11）

1. 外门道（北—南）

2. 内门道（南—北）

3. 远眺（北—南）

土城墙南门址（CM12）

1. 绣花楼门址（CM13）

2. 土城墙南门址（CM12）

绣花楼门址（CM13）、土城墙南门址（CM12）出土遗物（明代部分）

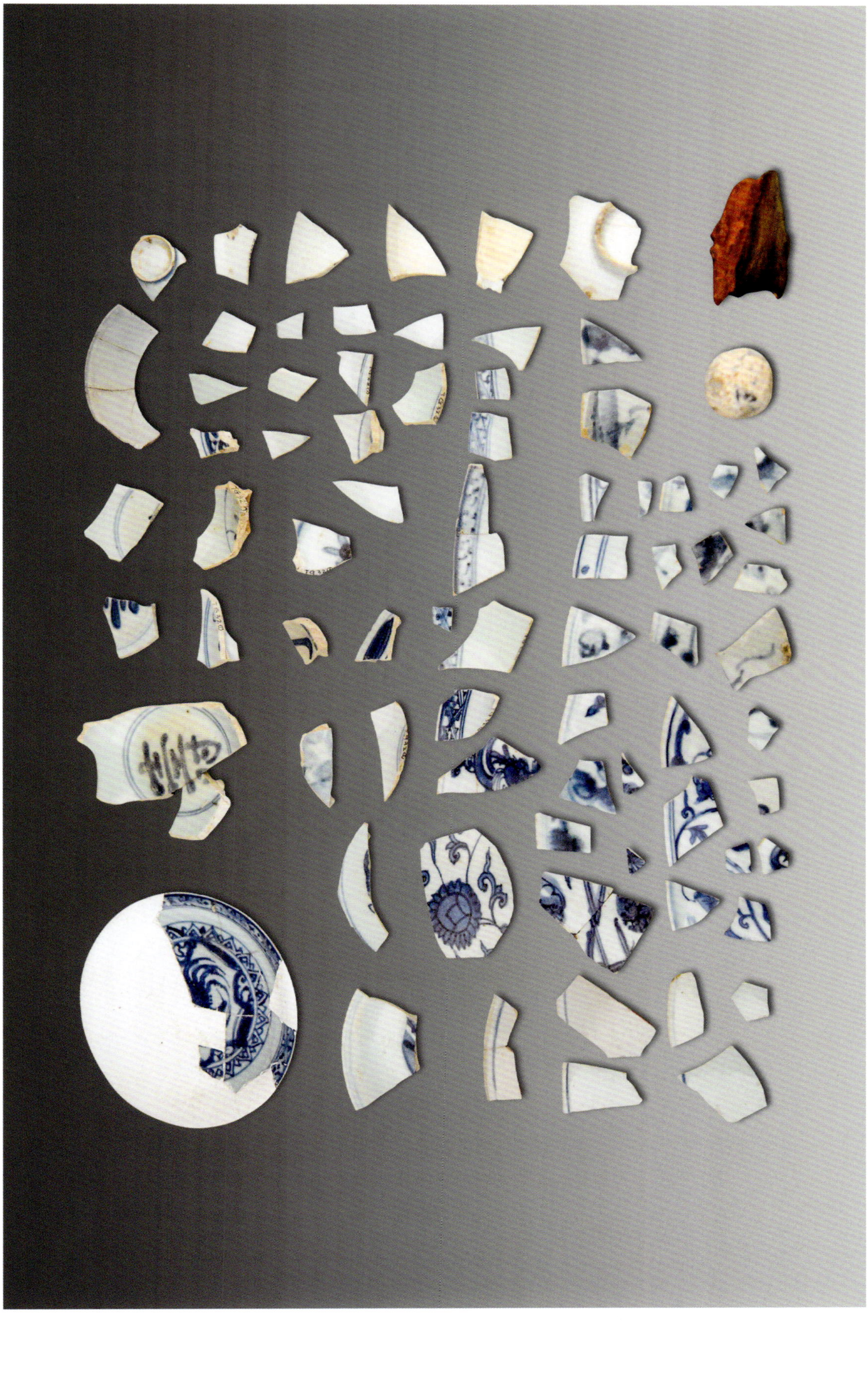

土城墙中门址（CM11）出土遗物（明代部分）

图版160

1. 外侧（南—北）

2. 内门道（北—南）

3. 外侧全貌（南—北）

铜柱关（CM1）

1. 建筑材料及饰件

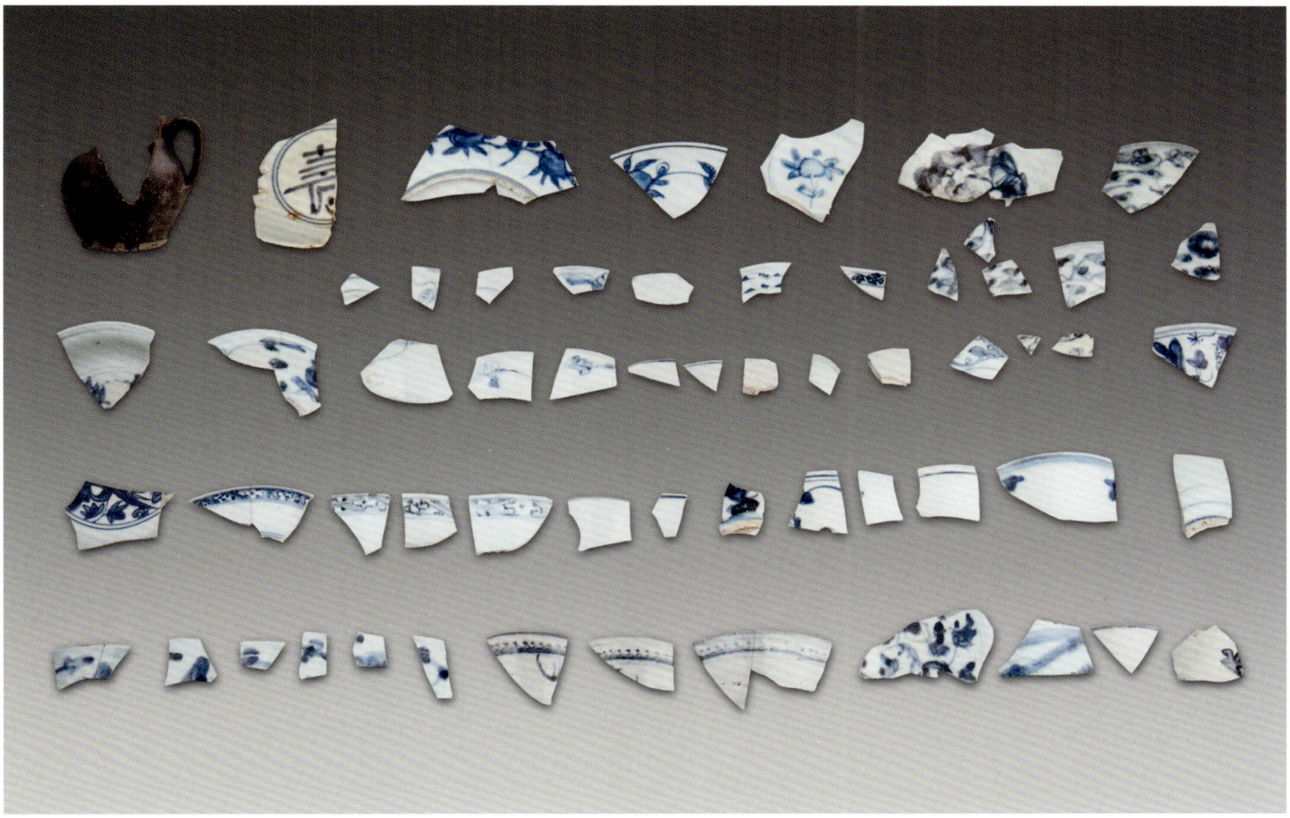

2. 瓷器

铜柱关（CM1）出土部分遗物

图版162

1. 门道（南—北）

2. 连弧形门楣

3. 全景（东北—西南）

1. 铁炼渣（TG44③） 2. 硫黄（TG44③） 3、4. 铜弩机构件（TG44③：1、TG44③：33）
5. 铁吊环（TG46②：1） 6. 铁门扣（TG46②：11） 7. 包门铁皮（TG46②：3）

铁柱关（CM2）出土遗物

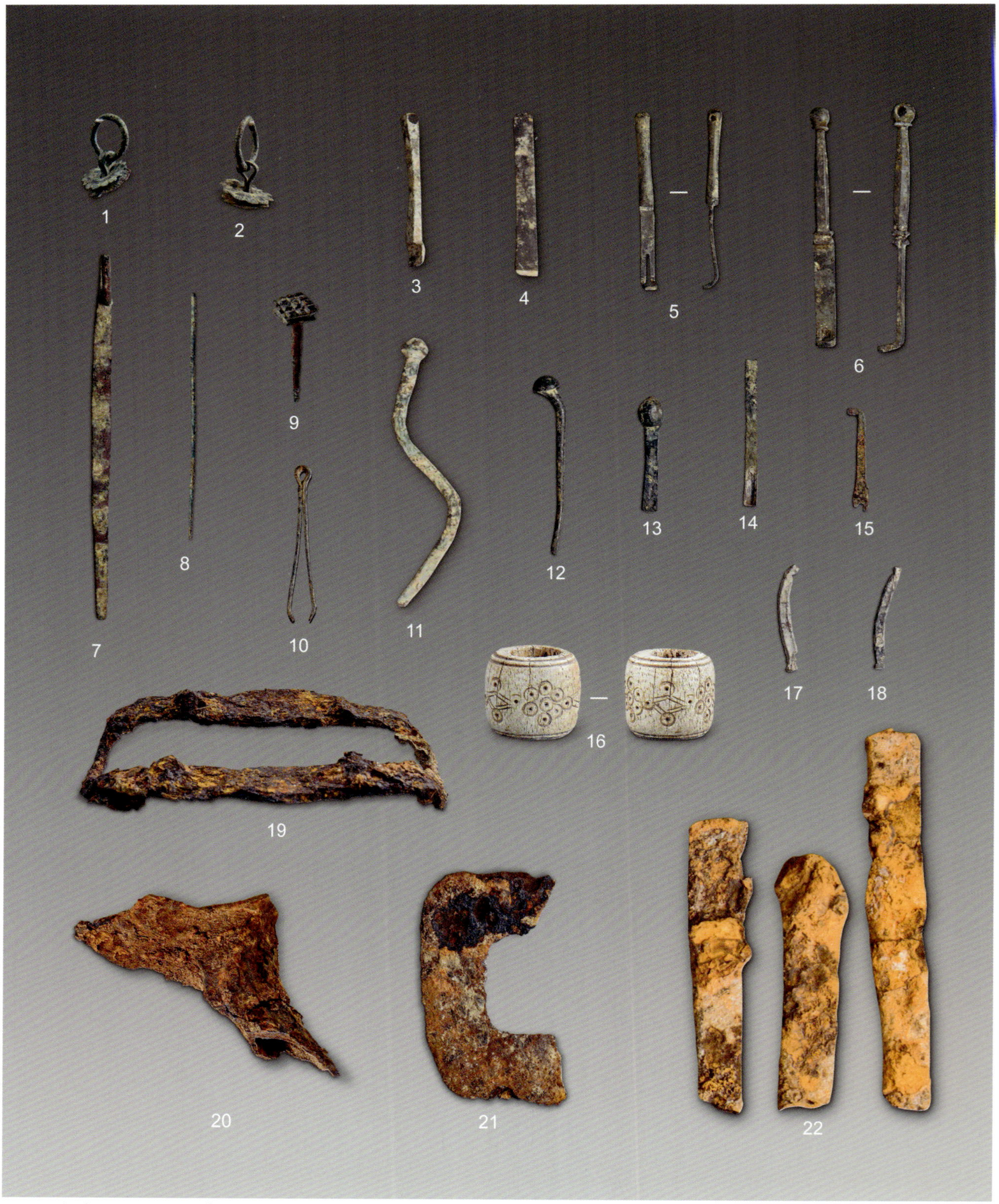

1、2. 铜拉环（TG44③：18、TG44③：3） 3～6. 铜钥匙（TG44③：7、TG44③：12、TG44③：20、TG44③：8） 7. 铜锔（TG44③：15） 8. 铜针（TG44③：27） 9. 铜钉（TG44③：36） 10. 铜镊（TG44③：5） 11～15. 铜饰件（TG44③：14、TG44③：35、TG44③：28、TG44③：30、TG44③：29） 16. 骨管（TG44③：37） 17、18. 铅网坠（TG44③：10、TG44③：13） 19. 铁脚码（TG44③：11） 20. 铁锅（TG46②：21） 21. 铁锅耳（TG44③：38） 22. 铁三脚（TG46②：12）

铁柱关（CM2）出土生活用器

1. 飞虎关（东北—西南；1999年）

2. 三十六步（东北—西南；1999年）

3. 三十六步与飞虎关（南—北；2019年）

三十六步与飞虎关（CM3）

图版166

飞龙关、朝天关与飞凤关

1. 北门（北—南）

2. 西侧（西—东）

3. 南侧（南—北）

飞龙关（CM4）

1. Bc型垂戗兽尾部（TG55②：54） 2. Ba型滴水（TG55②：30） 3. Ba型勾头（TG55②：14）
4. Fa型脊砖（TG55②：50） 5. Ab型砖（TG55②：2） 6. Bb型砖（TG55②：9）

飞龙关（CM4）出土建筑材料

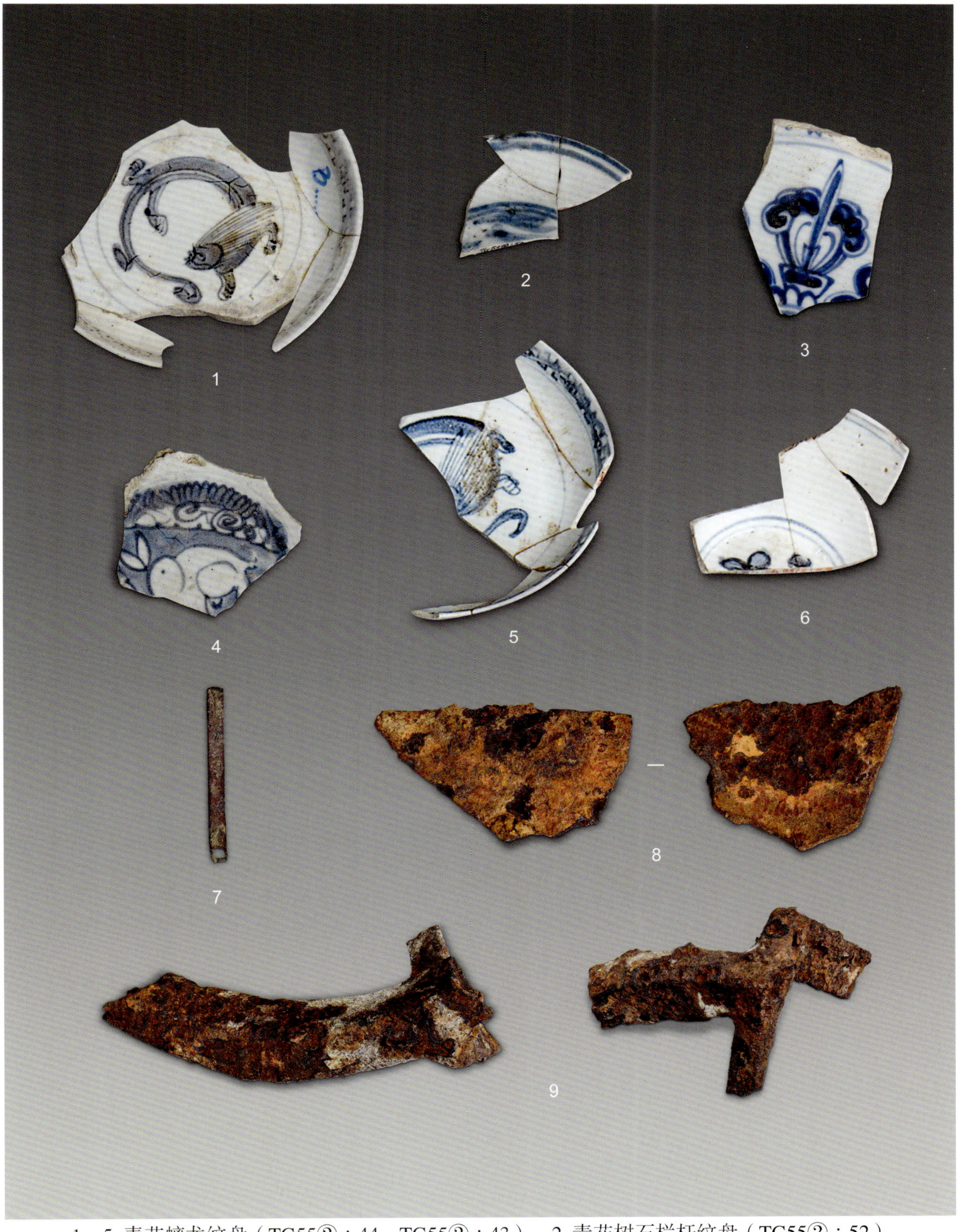

1、5. 青花螭龙纹盘（TG55②：44、TG55②：43） 2. 青花树石栏杆纹盘（TG55②：52） 3. 青花十字宝杵纹盘（TG55②：48） 4. 青花兔纹盘（TG55②：53） 6. 青花螭龙纹碗（TG55②：49） 7. 铜钥匙（TG55②：46） 8. 铁锅（TG55②：47） 9. 铁三脚（TG55②：45）

飞龙关（CM4）出土生活用器

1. 正面（东北—西南）

2. 俯瞰（东北—西南）

朝天关（CM5）

1. Bc型垂戗兽草胡子（TG21②：145） 2. Bc型垂戗兽背部凸棱（TG21②：144） 3～5. 垂戗兽角（TG21②：147、TG21②：146、TG21②：20） 6. B型正吻卷尾（TG21②：139） 7. B型正吻剑把座（TG21②：140） 8. B型正吻卷毛（TG21②：143） 9. B型正吻大腿（TG21②：141） 10. B型正吻背兽嘴岔（TG21②：142） 11. C型脊砖（TG21②：155） 12. Bb型筒瓦勾头（TG21②：26） 13. Ba型勾头（TG21②：186） 14. Ba型滴水（TG21②：18）

朝天关（CM5）出土建筑材料

1. 釉上红彩凤纹碗（TG21②：162） 2. 白瓷印花碗（TG21②：22） 3. 白瓷撇口盘（TG21②：23） 4. 青花八仙贺寿纹碗（TG21②：180） 5. 青花寿山福海纹碗（TG21②：187） 6. 青花菊纹碗（TG21②：166） 7. 影青刻花盘（TG21②：179） 8. 青花山水楼阁纹大盘（TG21②：163） 9. 青花卍字云纹碗（TG21②：1） 10. 青釉粗瓷瓶（TG21②：24） 11、12. 铁钉（TG21②：169-1、TG21②：169-2） 13. 铁马掌（TG21②：172） 14. 铁锅残件（TG21②：25） 15. 铁三脚（TG21②：171） 16. 铁合页（TG21②：170）

朝天关（CM5）出土遗物

1. 侧视（北—南）

2. 俯瞰（西—东）

飞凤关（CM6）

1. 铁刀箍（TG23②：17） 2、3. Ba型筒瓦（TG22②：14、TG22②：13） 4. 抱鼓石残件（TG22②：8）
5. 铁脚码（TG23②：4） 6. Ba型勾头（TG23②：8） 7. Ba型滴水（TG23②：6）

飞凤关（CM6）出土建筑材料、兵器

1. 孔雀绿釉盘（TG22②） 2. 釉上绿彩碗（TG22②） 3. 釉上红彩碗（TG22①） 4、5. 青花寿字碗（TG22②：2、TG23②：3） 6. 青花折枝菊纹碗（TG23②：18） 7. 青花状元及第碗（TG22②：4） 8. 白瓷盘（TG22②） 9. B型青花螭龙纹盘（TG22②：3） 10. 铜锁芯（TG22②：15） 11. 铁门环（TG22②：7） 12. 铁锅（TG22②：12）

飞凤关（CM6）出土生活用器

1. 东侧（东南—西北）

2. 西侧（西南—东北）

3. 万安关及其两侧城垣（西—东）

万安关（CM7）

1. Aa型莲托八宝纹碗残底（TG10③：62）

2. Ba型牡丹纹碗残底（TG10③：63）

3. Aa型莲池水禽纹碗（TG10③：69）

万安关（CM7）出土青花碗

图版178

1. Bc型青花螭龙纹碗（TG10③：70）

2. Bc型青花螭龙纹碗（TG10③：70）

3. Bf型青花莲池水禽纹碗（TG10③：40）

4. Bf型青花莲池水禽纹碗（TG10③：40）

万安关（CM7）出土青花碗

Cc型青花卍字云纹碗（TG10③：43）

万安关（CM7）出土青花碗

图版180

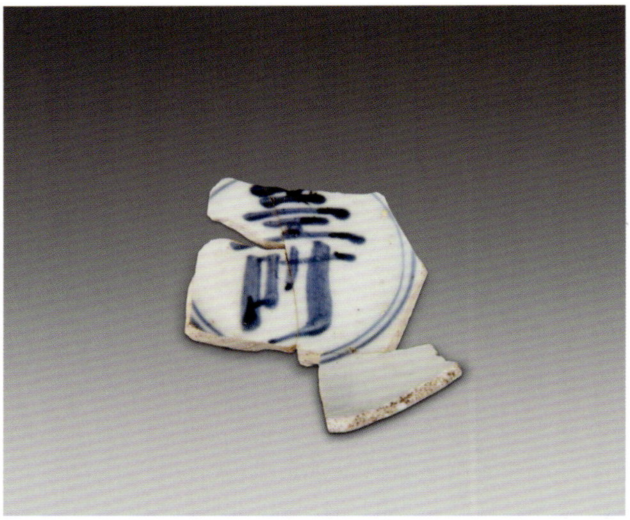

1. 寿字碗底（TG10③：47）

2. 马纹碗底（TG10①：3）

3. Db型青花螺旋纹碗（TG10③：57）

万安关（CM7）出土青花碗

1. 铜钥匙（TG10③：3） 2. 铜簪（TG10③：1） 3. 铜烟斗范（TG10③：50）
4. 铜盒（TG10③：51） 5. 石臼（TG10③：4）

万安关（CM7）出土铜器、石器

1. 西侧（西南—东北）

2. 东侧（东南—西北）

3. 关顶（东北—西南）

西关（CM8）

1. D型铁矛（TG37②：2） 2、3. 铁镦（TG37②：5、TG36②：22） 4. B型铅弹（TG49①：1）
5. C型铅弹（TG36②：3） 6. D型铁弹（TG36①：1） 7. C型铁弹（TG36①：7）
8. B型礌石（TG36②：27） 9、11. B型铁铠甲片（TG37②：4、TG36②：4-2）
10. A型铁铠甲片（TG36②：4-1） 12. C型铁刀（TG40②：1） 13. 铁刀箍（TG36①：2）
14. 炼渣（TG36②：38-1） 15. 陶坩埚（TG36②：24） 16. Ba型勾头（TG37②：17）

17～19. 回字形石构件（TG40②：7、TG40②：5、TG40②：6）

西关（CM8）出土兵器、建筑材料

图版184

1. 青花平步青云纹碗（TG36②：25）　2. 青花莲叶纹碗（TG40②：4）
3. 青花螺旋纹碗（TG37②：10）　4. 青花红彩鱼藻纹碗（TG37②：12）

5. 铁脚码（TG37②：6）　6. 铁提环（TG36②：2）　7. 铁锅残片（TG36①：6）
8. 铁锄（TG37②：3）　9. 石磨（TG36②：29）

西关（CM8）出土生活用器

1. 全景（西—东俯拍）

2. 南侧门券

3. 门楼结构（东—西）

后关（CM9）

1. B型正吻剑把座（TG41③：32） 2. B型正吻吞口（TG41③：19） 3. B型正吻卷尾（TG41③：21）
4. B型正吻背部（TG41③：18） 5. B型正吻爪毛（TG41③：20） 6. Bc型垂戗兽爪（TG41③：22）
7. Bc型垂戗兽雀台（TG41③：23） 8～12. Bc型垂戗兽尾部（TG41③：24、TG41③：26、TG41③：25、TG41③：28、TG41③：27）

后关（CM9）出土脊兽

1～3. 回字形石构件（TG41③：36、TG41③：37、采：24）

4. Ba型勾头（TG41③：30） 5. Ba型滴水（TG41③：34） 6. C型缠枝牡丹纹大脊砖（TG41③：67） 7. Fa型缠枝牡丹纹小脊砖（TG41③：35） 8. Cc型青花螭龙纹碗（TG41①：1） 9. 铁锅（TG41③：29）

后关（CM9）出土遗物

图版188

白沙水上，西—东

打眼岩

F32（金银库）
F17
F18
F12
F1
F7
F8
K3
C2
G1
G21
L2
L3
F21
G12
F11
F10
F22
G26
F19
C8
F20
G25
G27
C10
G23
F9
L6
G13
G28
F3
C3
C4
F13
G14
F24
C5
F23
L8
F14
F27
G16
F26
F30
F2
F4
F25
Z6
Z5
L9
F28
F29

东北—西南

新王宫航片

1. 垣墙西北段（C4旁；西—东）

2. 垣墙北段（F4旁；南—北）

3. 垣墙东南段（F12旁；北—南）

4. TG52（西—东）

5. TG7（西—东）

1. 东南部排水系统（东北—西南）

2. 中西部排水系统（东北—西南）

3. C3与C4（南—北）

4. C2（北—南）

新王宫部分排水系统

东北—西南

新王宫中路建筑

1. 俯视（南—北）

2. 西北角墙砖（西—东）

3. 墙砖内侧抹灰（东—西）

新王宫F8

图版194

东北—西南俯拍

新王宫F19

东北—西南

新王宫西路建筑

1. 西侧台基（北—南）

2. 俯拍（东南—西北）

3. 第四级平台山墙R状石脚与第五级平台局部（北—南）

新王宫F17（三台星）

东北—西南

新王宫东路建筑

1. 航拍（东北—西南）

2. 建筑废墟（东—西）

1. Z1（F8内，东北—西南）

2. Z2（F9内，东—西）

3. Z7（F3内，东北—西南）

4. F29内石锅圈（F29①：29）

新王宫内灶、石锅圈

1. F8与F19叠压关系

3. F7与西厢叠压关系

2. F13与F24叠压关系

4. L3与F8叠压关系

新王宫内建筑叠压关系

1. F11、F12、F1靠压关系

2. C10与F18靠压关系

3. L3与F17靠压关系

4. L2与F4、F9靠压关系

新王宫内建筑靠压关系

图版202

1. 海潮寺全景（北—南）

2. 雕花挑梁

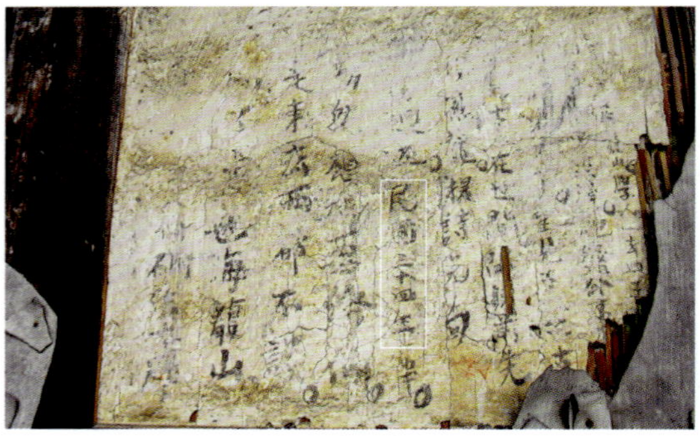

3. 民国三十四年（1945）壁题

4. 民国三十一年（1942）壁题

5. 梁上墨书

海潮寺

1. 玻璃器上的烧结痕（F8③：15）

2. 碗底的烧结痕（F8①：104局部）

3. 靶盏上的烧结痕（F9②：85）

4. 五爪龙纹盘上的烧结痕（F9②：32）

5. F8门环旁的火烧痕

6. F9东梢间第1层下堆积（北—南）

火烧新王宫的考古证据

1. F8上砖瓦堆积（北—南）

2. F8脊兽、脊砖与灰烬

3. L2内堆积（北—南）

4. F10上砖瓦堆积（西—东）

新王宫建筑废墟堆积

1. 廊道

2. 石窗台

3. 石望柱

4. 门楣石

新王宫F10廊道、石窗台、石望柱、门楣石

图版206

1. F1①：76

2. ⅠT0105①：8

3. ⅣT0305④：77

4. 庙台2：5

5. C5①：6

新王宫出土石饰件

1. 石鸱尾（ⅣT0102①：57）

2. 石鸱尾（ⅣT0102①：56）

3. 石构件（C2①：1）

新王宫出土石鸱尾、石构件

图版208

1. ⅠT0104①：2

4. ⅣT0606②：8

2. G12①：64

3. G12①：65

5. ⅣT0603②B：2

新王宫出土砖雕

1. F3①：102

2. F10①：30

3. G12①：7

新王宫出土陶构件

图版210

1. A型（C3①：8）

2. A型（C3①：8）

3. B型（F3①：128）

4. C型（ⅠT0103④：41）

新王宫出土陶排水管

1. 牙签状铁钉（F9②：47）

2. 牙签状铁钉（F8①：269）

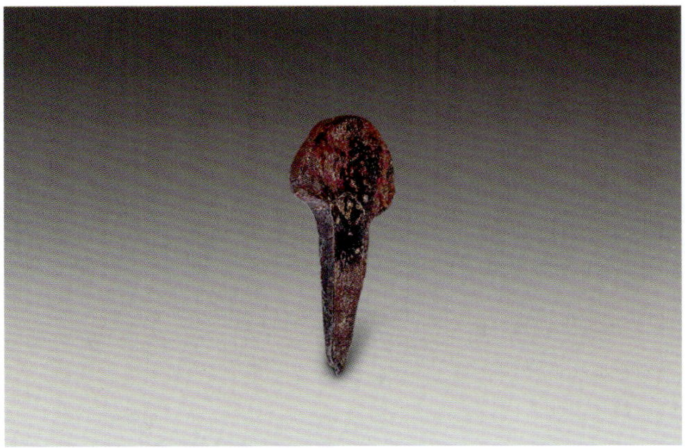

3. 扁首扇形铁钉（F9②：88）

4. 扁首方形铁钉（ⅠT0103③：6）

5. 圆锥状铁钉（F19②：31-1、F19②：31-2）

新王宫出土铁钉

图版212

1. 普通大型铁钉（F8①：18）

2. 普通大型铁钉
（K3②：1-2、K3②：1-1）

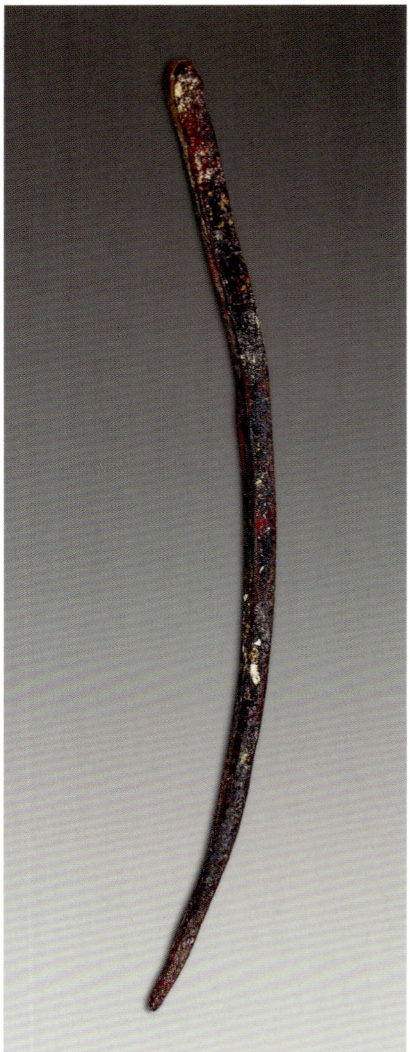

3. 普通特大铁钉（F8①：121）

4. 锔钉（L2①：95）

5. 普通小型铁钉
（F1①：25-1、F1①：25-2）

新王宫出土铁钉、锔钉

1. 普通中型铁钉（F8①：275-2、F8①：275-1）

2. 大头钉（ⅣT0305①：53）

3. 大头钉（K2①：46）

4. 泡钉（ⅣT0304①：19）

5. 泡钉（ⅠT0105①：3）

6. 大头钉（F8①：77）

新王宫出土铁钉、泡钉、大头钉

图版214

1. Aa型莲池水禽纹碗（F9①：242）

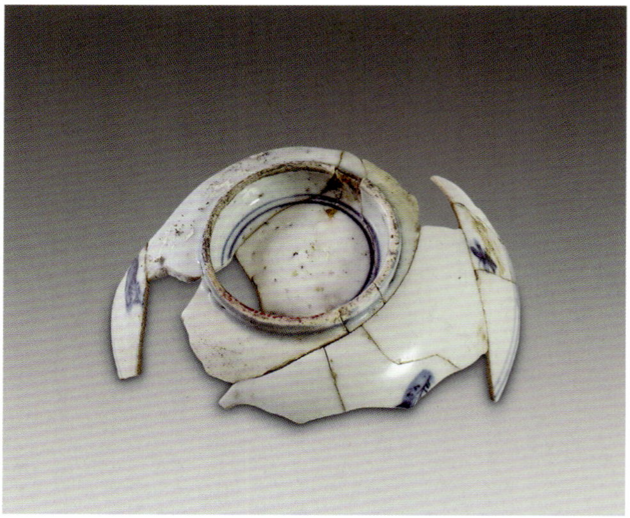

2. Aa型莲池水禽纹碗（F9①：242）

3. Aa型莲池水禽纹碗（F8①：267）

4. Ab型鱼藻纹碗（F19②：43）

5. Ab型月华纹碗（ⅣT0603④：8）

6. Ab型月华纹碗（ⅣT0603④：8）

新王宫出土Aa型、Ab型青花碗

1. Bb型狮子结带绣球纹碗（F9①：142）

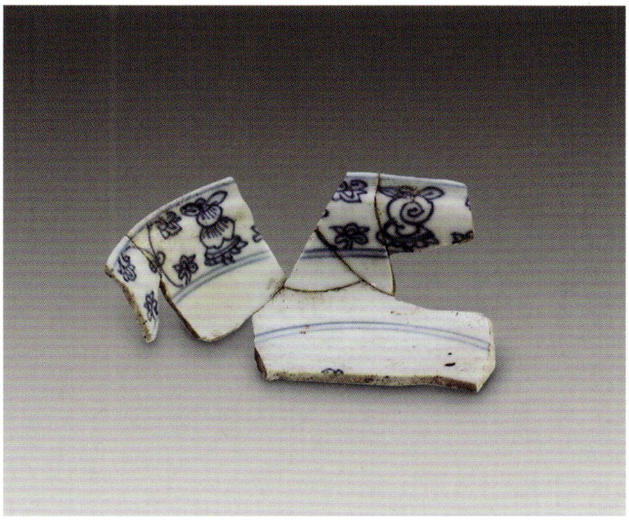

2. Bf型白描莲托八宝纹碗（F9①：241）

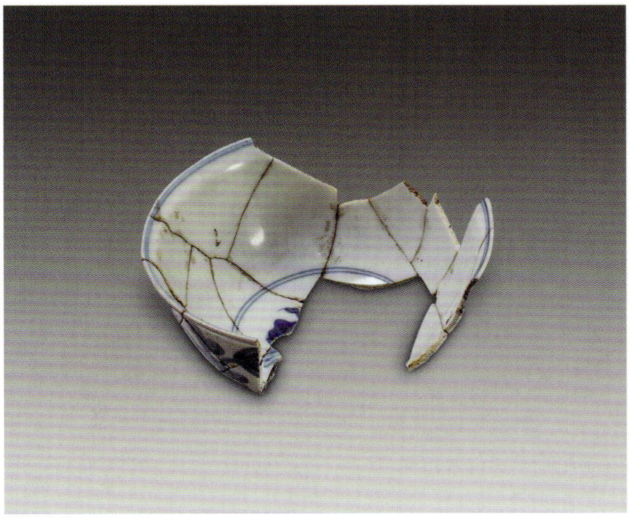

3. Bd型花果纹碗（F9①：143）

4. Bd型花果纹碗（F9①：143）

5. Bd型狮子穿花纹碗（ⅣT0507①：40）

6. Bd型狮子穿花纹碗（ⅣT0507①：40）

新王宫出土Bb型、Bd型、Bf型青花碗

图版216

1. 螭龙纹碗（ⅣT0106①：88）

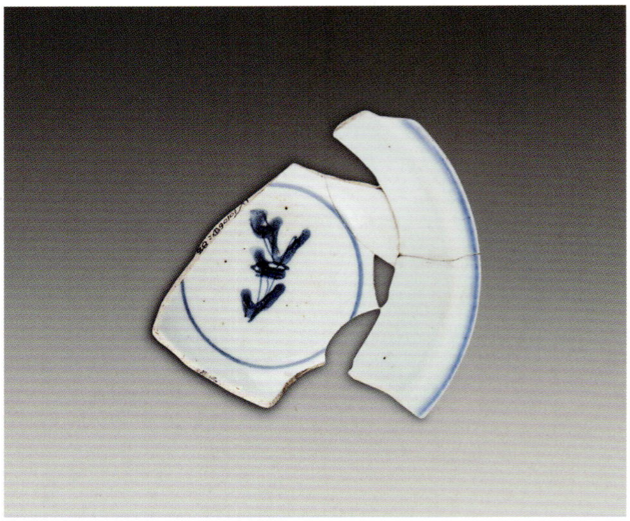

2. 螭龙纹碗（ⅣT0106①：88）

3. 狮子穿花纹碗（F9②：98）

4. 狮子穿花纹碗（F9②：98）

5. 缠枝花果纹碗（F19②：25）

6. 缠枝花果纹碗（F19②：25）

新王宫出土Bd型青花碗

1. Cc型卍字云纹碗（G1①：37）

2. Cc型卍字云纹碗（G1①：37）

3. Ce型缠枝菊纹碗（ⅣT0106①：125）

4. Da型草虫纹碗（ⅣT0502①：1）

5. Da型草虫纹碗（ⅣT0502①：1）

6. Da型草虫纹碗（ⅣT0502①：1）

新王宫出土Cc型、Ce型、Da型青花碗

图版218

1. Ea型葡萄纹大碗（F3①：41）

2. Ea型葡萄纹大碗（F3①：41）

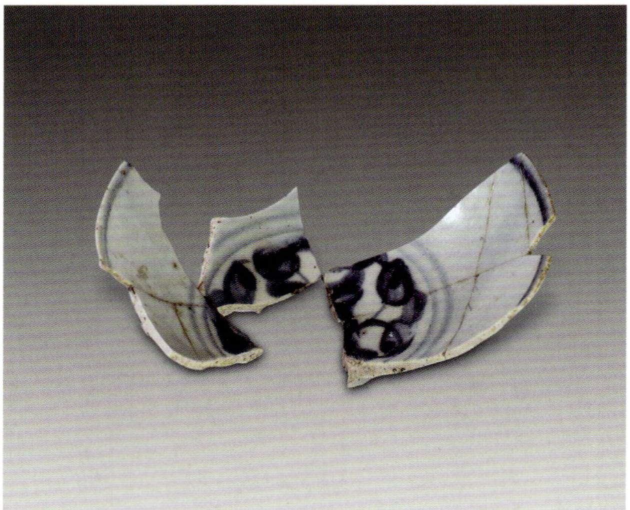

3. Eb型缠枝花卉纹碗（ⅣT0706②：24）

4. Eb型缠枝花卉纹碗（ⅣT0706②：24）

5. Eb型缠枝花卉纹碗（ⅣT0908①：25）

6. Eb型缠枝花卉纹碗（ⅣT0908①：25）

新王宫出土Ea型、Eb型青花碗

1. Ee型草书福禄寿字碗（ⅣT0404④：1）

2. Ee型草书福禄寿字碗（ⅣT0404④：1）

3. Ec型寿字碗（ⅣT0506②：14）

4. Ec型寿字碗（ⅣT0506②：14）

5. Ec型螭龙纹碗（ⅣT0106①：89）

6. Ec型螭龙纹碗（ⅣT0106①：89）

新王宫出土Ec型、Ee型青花碗

图版220

1. F型海水奔马纹印花大碗（F3①：139）

2. 茶碗（ⅣT0305①：67）

3. Ed型团螭纹碗（L2①：17）

4. Ed型折枝灵芝纹碗（ⅡT0101①：24）

5. Ed型团螭纹碗（ⅣT0207①：3）

6. Ed型团螭纹碗（ⅣT0207①：3）

新王宫出土青花碗、茶碗

1. 螭龙纹盘（F9②：35）

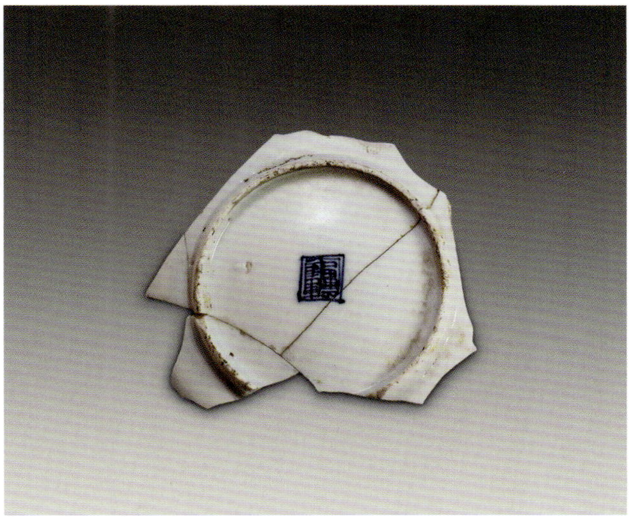

2. 螭龙纹盘（F9②：35）

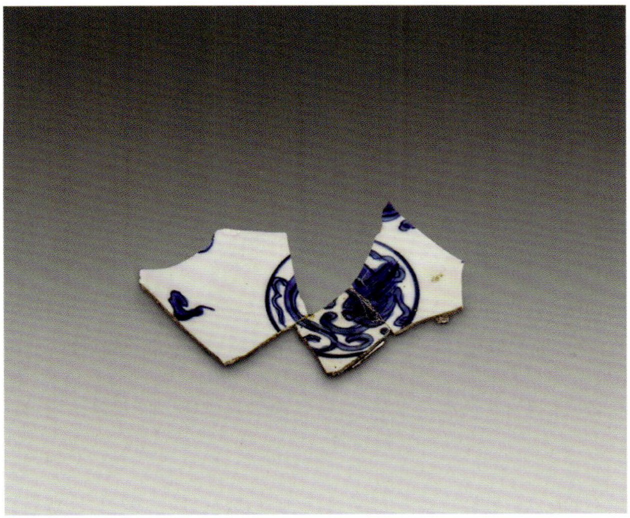

3. 螭龙纹盘（F9①：116）

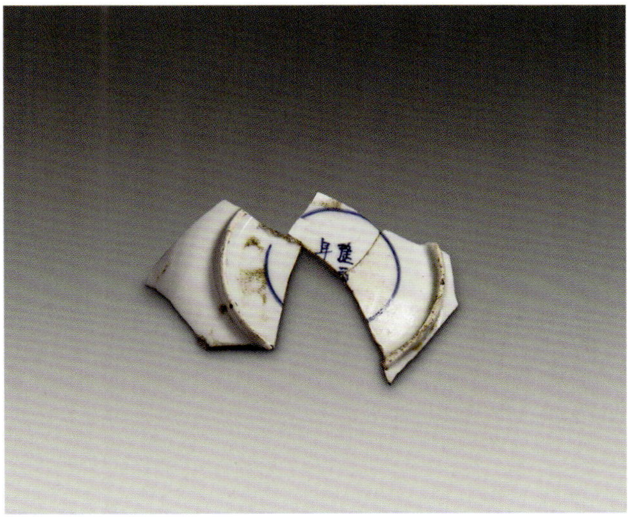

4. 螭龙纹盘（F9①：116）

5. 菊纹盘（F8③：14）

6. 螭龙纹盘（F9①：141）

新王宫出土B型青花盘

图版222

1. 寿字盘（F3①：135）

2. 寿字盘（ⅠT0101②：8）

3. 缠枝灵芝寿字盘（F9①：132）

4. 缠枝灵芝寿字盘（F9①：132）

5. 缠枝灵芝寿字盘（F3①：58）

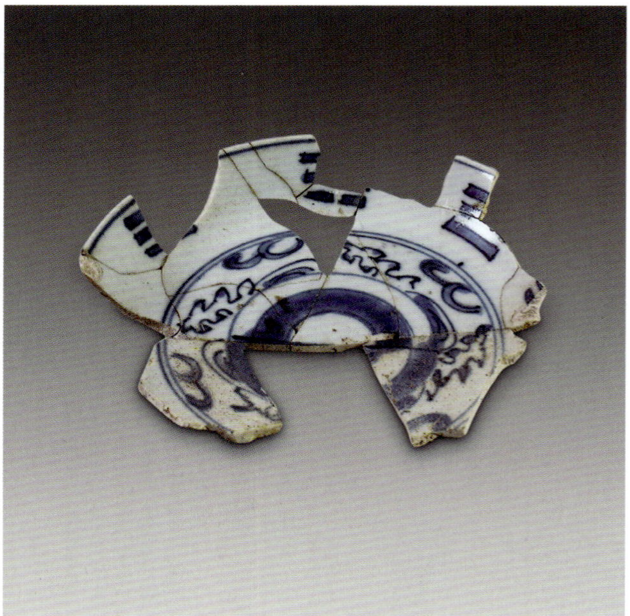

6. 八卦纹盘（F9①：133）

新王宫出土B型青花盘

1. 松竹梅纹盘（ⅣT0405①：24）

2. 松竹梅纹盘（ⅣT0405①：24）

3. 松竹梅纹盘（F9①：134）

4. 凤穿花纹盘（F9①：151）

5. 十字宝杵纹盘（F9①：22）

6. 十字宝杵纹盘（F9①：22）

新王宫出土B型青花盘

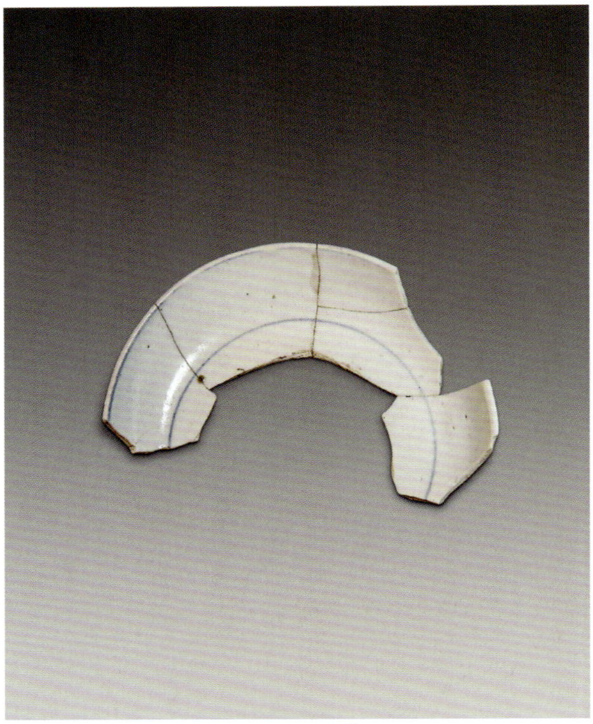

1. 盘（ⅣT0304④：1）

2. 莲池鸳鸯纹盘（ⅣT0506①：15）

3. 梵文寿字大盘（ⅣT0303③A：5）

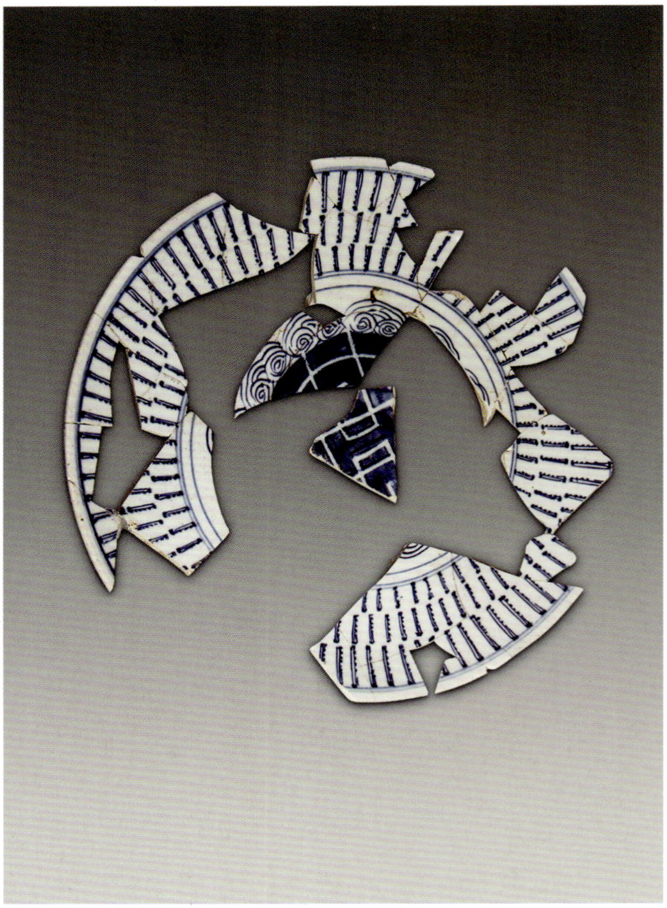

4. 梵文寿字大盘（ⅣT0305③A：5）

新王宫出土B型青花盘

树石栏杆纹盘（F9②：73）

新王宫出土C型青花盘

图版226

1. C型魁星踢斗纹盘（ⅣT0106①：117）

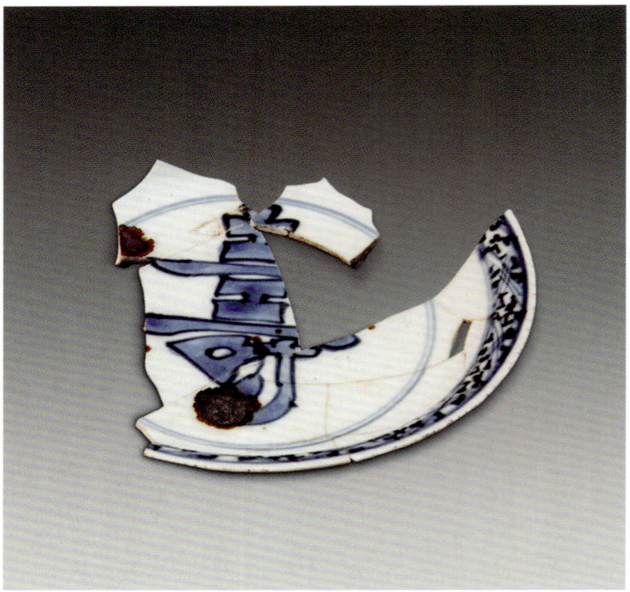

2. C型寿字盘（ⅣT0405④：3）

3. C型蟹纹盘（F29①：65）

4. C型蟹纹盘（F29①：65）

5. C型蟹纹盘（ⅣT0503④：39）

6. F型盘（ⅣT0503④：35）

新王宫出土C型、F型青花盘

1. D型菊石纹盘（ⅣT0606④：9）

2. D型菊石纹盘（ⅣT0606④：9）

3. E型白描缠枝莲纹盘（ⅣT0304①：65）

4. E型白描缠枝莲纹盘（ⅣT0304①：65）

5. E型灵芝茶花纹盘（ⅣT0304①：66）

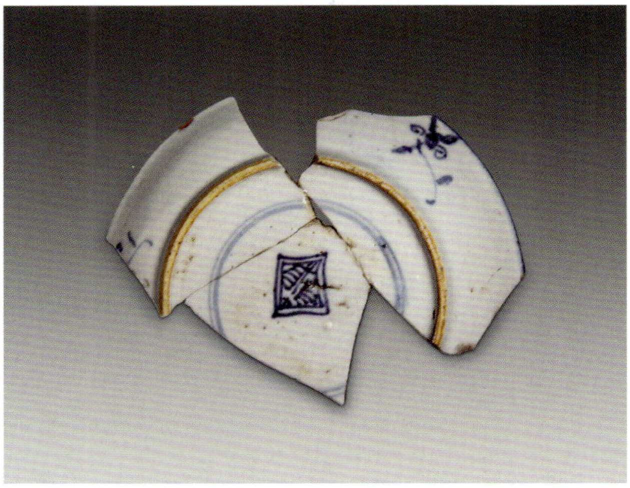

6. E型灵芝茶花纹盘（ⅣT0304①：66）

新王宫出土D型、E型青花盘

图版228

1. 行螭纹碟（F9②：101）

2. 行螭纹碟（F9②：101）

3. 灵芝茶花纹碟（ⅣT0305①：50）

4. 灵芝茶花纹碟（ⅣT0305①：50）

5. 蝙蝠捧寿纹碟（ⅣT0304①：76）

6. 蝙蝠捧寿纹碟（ⅣT0304①：76）

新王宫出土A型青花碟

1. 花卉纹杯（C9①：24）

2. 花卉纹杯（C9①：24）

3. 缠枝花卉纹杯（ⅣT0207①：2）

4. 兰草纹杯（ⅣT0106①：3）

5. 灵芝茶花杯（ⅣT0101①：7）

6. 灵芝茶花杯（ⅣT0101①：7）

新王宫出土A型青花杯

图版230

1. 螭龙纹杯（F9①：86）

2. 螭龙纹杯（F9①：86）

3. 兰草纹杯（F3①：55）

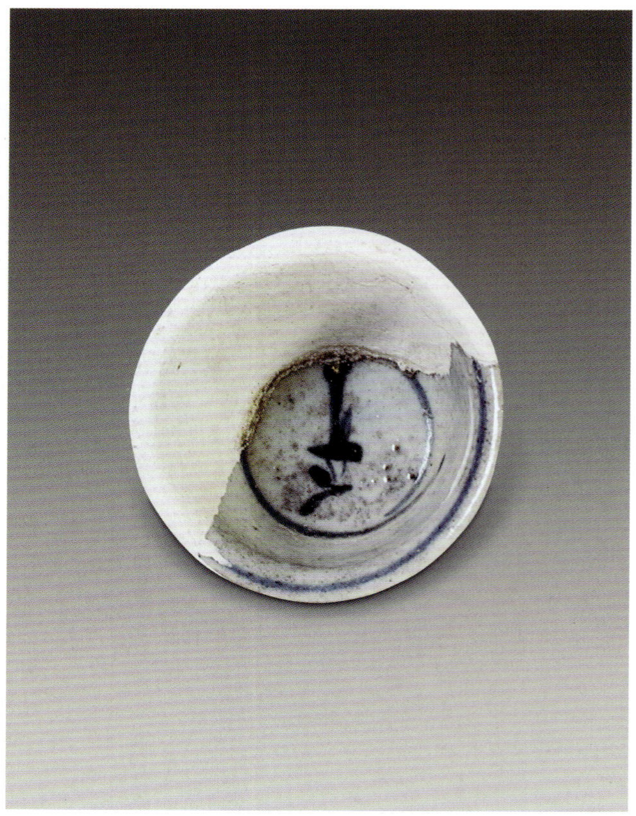

4. 兰草纹杯（F3①：55）

新王宫出土B型青花杯

1. 螭龙纹杯（F8③：12）

2. 螭龙纹杯（F8③：12）

3. 状元杯（ⅣT0606②：15）

4. 状元杯（ⅣT0606②：15）

5. 寿字杯（ⅣT0305①：9）

6. 寿字杯（ⅣT0305①：9）

新王宫出土B型青花杯

图版232

1. 灵芝纹靶盏（G2②：38）

2. 灵芝纹靶盏（G2②：38）

3. B型莲叶纹杯（C5①：34）

4. B型菊石纹杯（ⅣT0606④：11）

5. E型狮子戏球纹杯（ⅣT0104①：21）

6. E型狮子戏球纹杯（ⅣT0104①：21）

新王宫出土青花杯、靶盏

F8①：130

新王宫出土青花缠枝花卉纹罐

图版234

1. 云鹤纹罐（F19①：20）

2. 缠枝莲纹罐（K3①：38）

3. 白描缠枝莲托双喜纹茶碗盖（ⅣT0304①：64）

4. 缠枝花托杂宝纹盖（ⅣT0101①：10）

5. 白描缠枝花卉纹罐盖（ⅣT0304①：72）

6. 克拉克瓷罐（ⅣT0306①：150）

新王宫出土青花罐、器盖与克拉克瓷罐

1. 缠枝花卉纹盒（ⅣT0305①：21）

2. 山石花草纹盒（ⅣT0102①：2）

3. 开光折枝花卉纹盒（F1①：44）

4. 瓷塑底座（F9①：201）

5. 山水纹双耳炉（ⅣT0102①：55）

新王宫出土青花盒、瓷塑、香炉

图版236

1. 红彩鹭鸶纹碗（G12①：3）

2. 红彩鱼藻纹碗（F9①：238）

3. 釉里红鱼藻纹大碗（F9②：92）

新王宫出土青花釉里红与青花红彩瓷器

1. 鸳鸯纹大碗（ⅣT0706①：2）

2. 鸳鸯纹大碗（ⅣT0706①：2）

3. 人物纹盖（ⅣT0404①：22）

4. 菊纹盖（ⅣT0203②A：5）

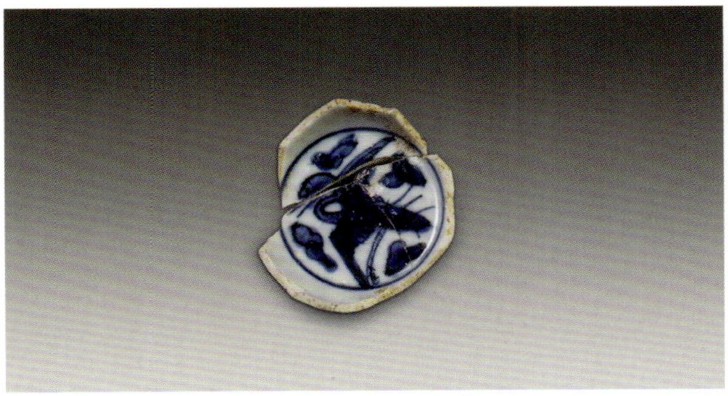

5. 云鹤纹杯（ⅣT0603②A：6）

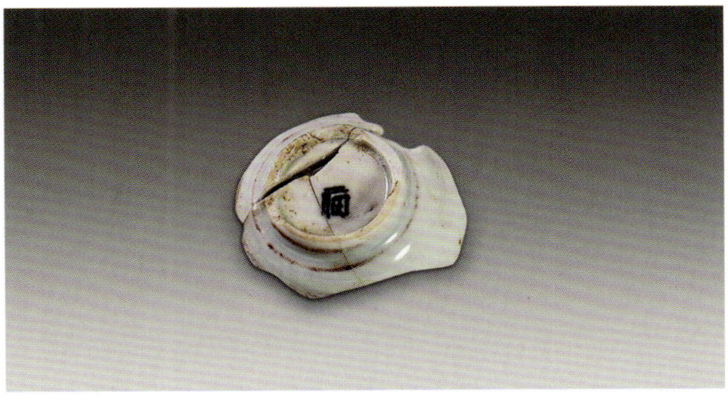

6. 云鹤纹杯（ⅣT0603②A：6）

7. 鹭莲纹盘（F9①：9）

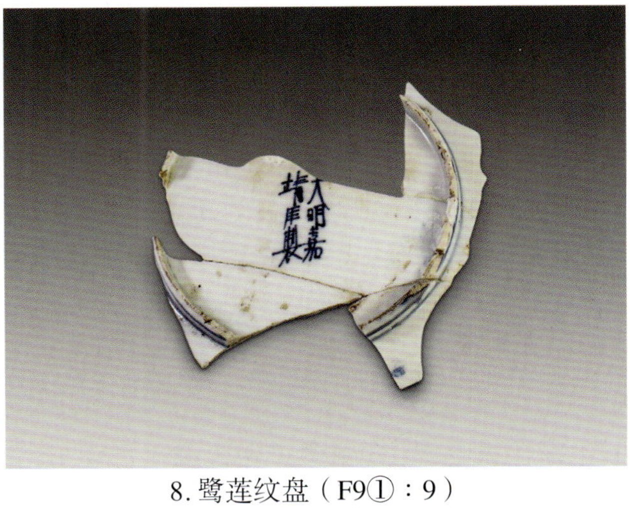

8. 鹭莲纹盘（F9①：9）

图版238

1. 粉彩杯（ⅣT0103①：32）

2. 粉彩竹纹碗（ⅣT0102①：33）

3. 粉彩人物纹碗（ⅣT0104①：27）

4. 红绿彩花卉纹碗（ⅣT0706②：31）

5. 红绿彩翼龙纹碗（F29①）

6. 红绿彩寿山福海纹碗（ⅣT0908①：26）

7. 红彩花卉纹汤匙（ⅣT0505②A：4）

8. 红彩花卉纹鼻烟壶（ⅣT0305④：42）

9. 红彩龙纹大碗（F3①：131）

新王宫出土红彩、红绿彩、粉彩瓷器

1. L2①：83

2. L2①：82

3. ⅣT0102①：6

4. ⅣT0101①：1

5. L2①：122

新王宫出土青花粗瓷碗

图版240

1. 印花团花纹盘（ⅣT0101①：12）

2. 碟（ⅣT0203①：18）

3. 器盖（ⅣT0506④：14）

新王宫出土青花粗瓷盘、碟、器盖

1. ⅣT0202①：110

2. ⅣT0303①：5

新王宫出土青花粗瓷杯

图版242

1. ⅣT0106①：123

2. ⅣT0507①：61

新王宫出土青花粗瓷汤匙

1. 单耳带流罐（F9①：159）

2. 单耳带流罐（K4①：18）

3. 碗（G2②：81）

4. 碾钵（ⅣT0204①：3）

新王宫出土粗瓷单耳带流罐、碗、碾钵

图版244

1. 盘口罐（L2④：322）

2. 盘口罐（L2④：323）

3. 盘口罐（K4①：20）

4. 小罐（G1①：33）

新王宫出土粗瓷盘口罐、小罐

1. 灯台（ⅠT0104①：1）

2. 灯台（ⅣT0203④：1）

3. 盏（ⅠT0204①：103）

4. 盏（ⅣT0706②：28）

新王宫出土粗瓷灯台、盏

图版246

1. 烟嘴（ⅣT0304①：68）

2. 烟嘴（ⅣT0304①：69）

3. 器盖（F19①：8）

4. 器盖（ⅣT0201①：5）

5. 器盖（G12①：8）

新王宫出土粗瓷烟嘴、器盖

1. 碟（ⅣT0101①：13）

2. 盘（ⅣT0101①：11）

3. 盘（ⅣT0101①：14）

4. 盘（ⅣT0203④：15）

5. 杯（ⅣT0303①：6）

6. 杵嘴（ⅣT0101①：36）

新王宫出土粗瓷器

图版248

1. 石砚台（ⅣT0305①：19）

2. 石笔架（F10①：2）

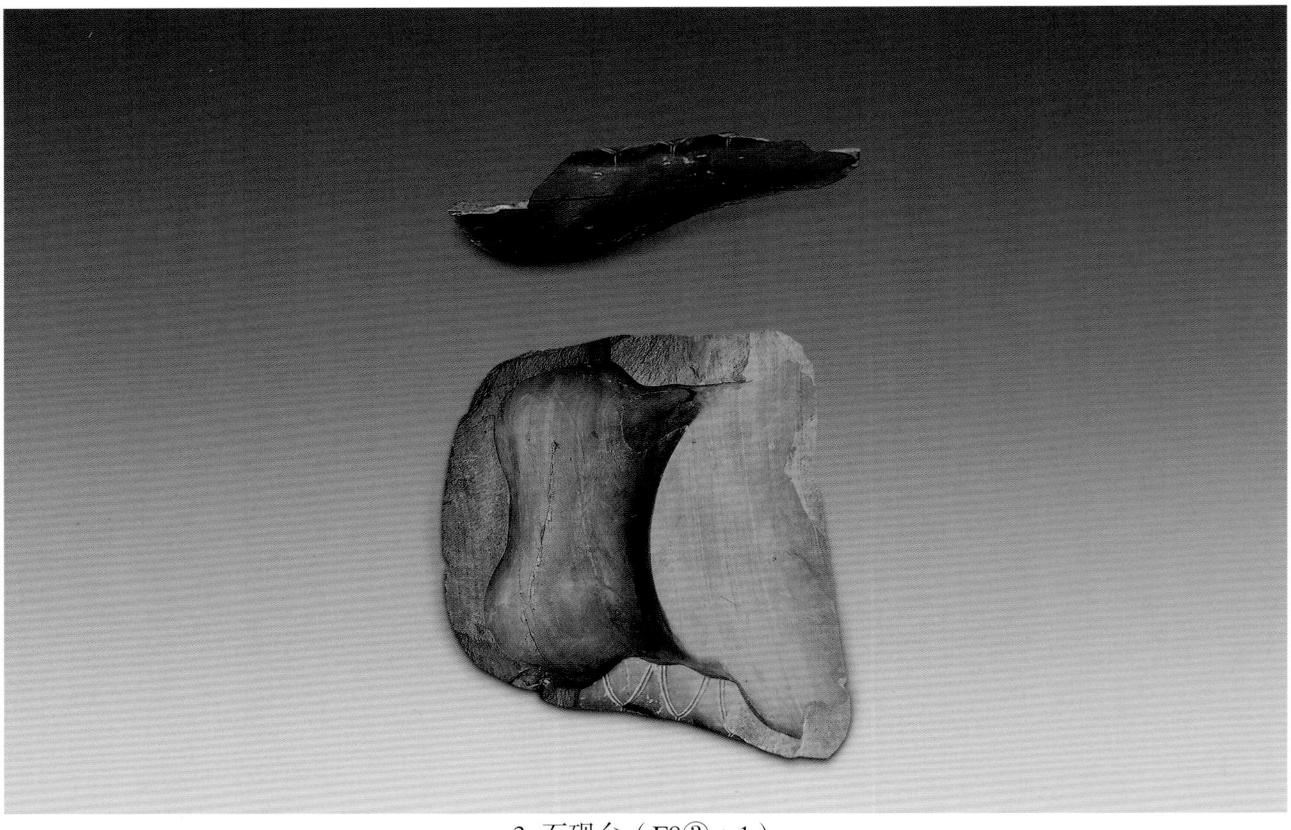

3. 石砚台（F8③：1）

新王宫出土石砚台、石笔架

1. F10①：8

2. F10①：8

3. F29天井①：2

新王宫出土石砚台

图版250

1. 石珠（ⅣT0304①：9）

2. 石杵（ⅣT0102①：15）

3. 石杵（ⅠT0104④：1）

新王宫出土石珠、石杵

1. 平底铁锅（G12①：1）

2. 敞口铁锅（F19②：40）

新王宫出土铁锅

图版252

1. 敞口铁锅（ⅣT0305④：3）

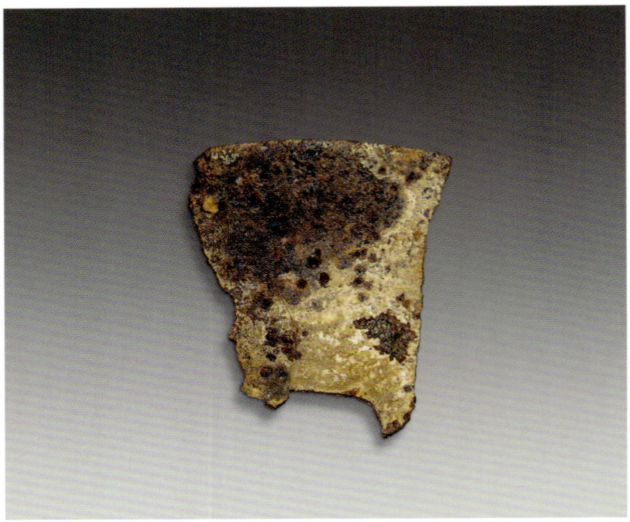

2. 敞口铁锅（ⅠT0102②：41）

3. 敞口铁锅（F9②：75）

4. 敞口铁锅（G12①：59）

5. 撇口铁锅（F10②：4）

6. 花口铁锅（ⅣT0707②：27）

新王宫出土铁锅

1. 直口铁锅（ⅣT0304①：17）

2. 筒式铁锅（ⅠT0102②：40）

3. 敛口铁锅（L2①：29）

新王宫出土铁锅

图版254

1. 铁釜（L2①：89）

2. 铁三脚（L2①：91）

3. 铁三脚（L2①：86）

4. 铁三脚（C3①：7）

新王宫出土铁釜、铁三脚

1. ⅣT0504④：36

2. ⅣT0402②A：1

3. F19①：64

4. F19②：42

5. F9①：240

新王宫出土铁门扣

图版256

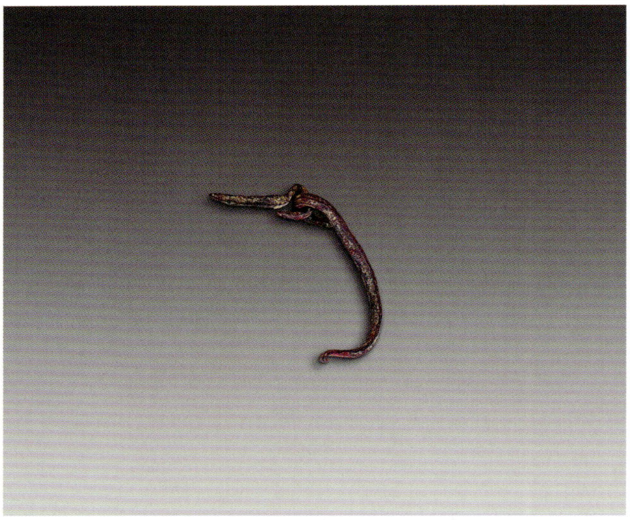

1. 铁钩（F8②：13）

2. 铁钩（F8③：2）

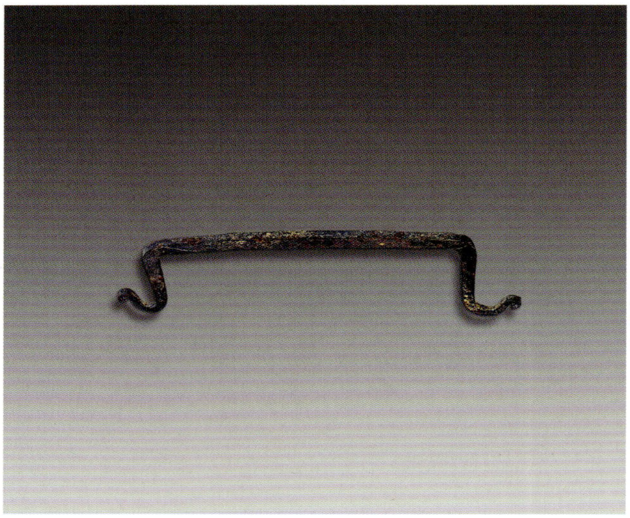

3. 铁提环（F8②：21）

4. 铁提环（F19②：30）

5. 铁提环（F8①：44）

6. 铁提环（F12①：59）

新王宫出土铁钩、铁提环

1. K4②：75

2. F19②：29

3. F10②：9

4. F10①：10

5. F8①：54

6. ⅣT0102①：53

7. ⅣT0404①：8

8. ⅠT0101②：12

新王宫出土铁扣（蛐蛐）

图版258

1. 铁拉手（F8①：45）

2. 铁拉手（ⅣT0606①：2）

3. 铁拉手（F8①：25）

4. 铁拉手（F30①：9）

5. 铁箍（L2①：88）

6. 铁箍（ⅣT0102①：41）

新王宫出土铁拉手、铁箍

1. 铁门带（F19②：32）

2. 铁合页（C1①：5）

3. 铁杈（ⅣT0706②：1）

4. 铁杈（ⅢT0101①：1）

5. 铁门环（F8③：6）

新王宫出土铁器

图版260

G1①：4

新王宫出土铁杵嘴

1. 铁钥匙（ⅣT0606②：3）

2. 铁钥匙（ⅣT0203①：14）

3. 铁锤（ⅣT0706②：2）

4. 铁勺（ⅣT0205①：3）

5. 铁脚码（现代坑1：2）

6. 铁锁（ⅣT0606②：7）

新王宫出土铁器

图版262

1. 铁锁插（F8①：110）

2. 铁锁插（F12②：1）

3. 铁錾（F8③：13）

4. 铁平凿（F12①：61）

新王宫出土铁器

1. 铁包角（F8①：40）

3. 铁钉耙（现代坑2：10）

2. 铁钳（ⅣT0607①：84）

4. 铁钉耙（ⅣT0203①：16）

新王宫出土铁器

图版264

1. ⅣT0706②：22

2. F8①：62

3. F19②：33

4. ⅠT0104④：2

5. ⅣT0706②：18

6. ⅣT0706②：19

新王宫出土铁器

1～3. 玻璃器（F9②：89、F8③：15、F9②：140）

4～6. 玉石器（F8①：17、F8③：3、ⅣT0405①：6）

7. 铁器（ⅣT0304①：15）

8. 铁器（ⅣT0305①：73）

新王宫出土玻璃器、玉石器、铁器

图版266

1. 铜锁（F9②：49）

2. 铜锁（F9②：49）

3. 铜锁（ⅠT0306①：1）

4. 铜锁（ⅠT0306①：1）

5. 铜香炉足（G1②：47）

6. 铜香炉足（G1②：47）

新王宫出土铜锁、铜香炉足

1. ⅣT0304①：13

2. ⅣT0304①：13

3. ⅣT0505②B：1

4. ⅣT0505②B：1

新王宫出土铜锁

1. 铜吊牌（ⅣT0305①：12）

2. 铜拉手（G2②：24）

3. 铜提环（F2②：3）

4. 铜天平（F8③：5）

新王宫出土铜器

1. 铜钥匙（ⅣT0404①：17）

2. 铜钥匙（L2④：1）

3. 铜钥匙（ⅣT0404①：2）

4. 铜钥匙（G2②：22）

5. 铜合页（G2①：8）

6. 铜合页（ⅣT0706①：7）

7. 铜勺（G2②：32）

新王宫出土铜钥匙、铜合页、铜勺

1. 铜饰（G2②：1）

2. 铜饰（ⅣT0506②：7）

3. 铜饰（ⅠT0102①：11）

4. 铜饰（ⅣT0506②：6）

5. 铜饰（ⅠT0103④：7）

6. 铜簪（ⅣT0404①：6）

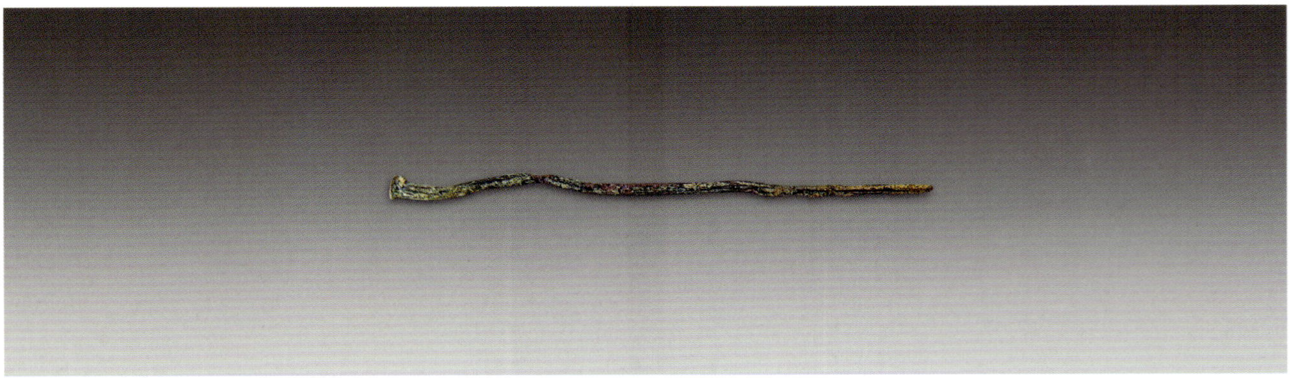

7. 铜簪（L2③：23）

新王宫出土铜饰、铜簪

1. 铜錾（F10①：11）

2. 铜象棋（K3①：31）

3. 铜管（F10②：5）

4. 铜管（ⅣT0503②：4）

5. 铜暖炉残件（G2②：20）

6. 铜暖炉残件（ⅣT0503④：7）

新王宫出土铜器

图版272

1. 铜扣（蛐蛐）（F8①：28）

2. 铜扣（蛐蛐）（F10②：6）

3. 铜扣（蛐蛐）（ⅣT0305①：44）

4. 铜锣（ⅣT0103①：28）

5. 铜锣（G2②：5）

新王宫出土铜锣、铜扣（蛐蛐）

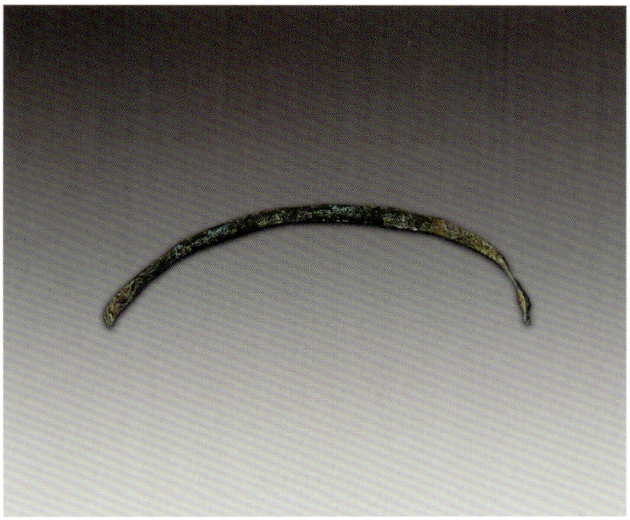

1. 铜器（G2②：29）

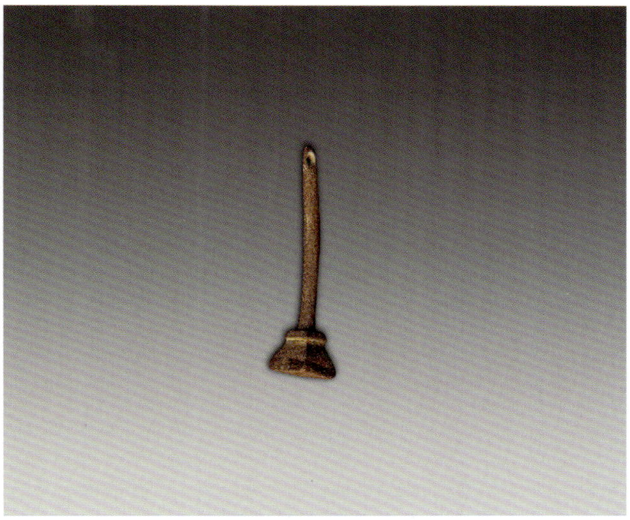

2. 铜器（ⅣT0505①：4）

3. 铜器（ⅠT0101①：2）

4. 锡器盖（ⅣT0203①：1）

5. 金属环（ⅣT0304①：24）

6. 金属残件（ⅣT0101①：17）

新王宫出土金属器

图版274

1. ⅣT0706①：3

2. L2①：121

3. ⅠT0102②：52

4. ⅠT0102②：52

新王宫出土陶花盆

1. 陶花盆（ⅠT0102②：51）

2. 陶香炉（F3①：120）

3. 陶香炉（ⅣT0304①：29）

新王宫出土陶花盆、陶香炉

图版276

1. 陶杈（ⅣT0102①：4）

2. 陶杈（ⅣT0102①：5）

3. 陶纺轮（G2②：44）

4. 陶器盖（L2②：40）

5. 陶网坠（ⅣT0202①：98）

6. 陶钵（F1①：4）

新王宫出土陶器

1. C1①：39

2. C1①：39

3. C1①：39

4. ⅣT0205①：18

5. ⅣT0205①：18

6. ⅣT0205①：18

新王宫出土陶香座

图版278

ⅣT0104①：11

新王宫出土陶香座

F19天井①：4

新王宫出土陶香座

图版280

ⅣT0305①：48

新王宫出土陶香座

1. 小罐（ⅣT0304①：5）

2. 小罐（ⅣT0304①：5）

3. 小罐（ⅣT0507①：14）

4. 小罐（ⅣT0507①：14）

5. 不明陶器（ⅣT0506②：8）

6. 不明陶器（ⅣT0607①：21）

新王宫出土陶器

1. 航拍图

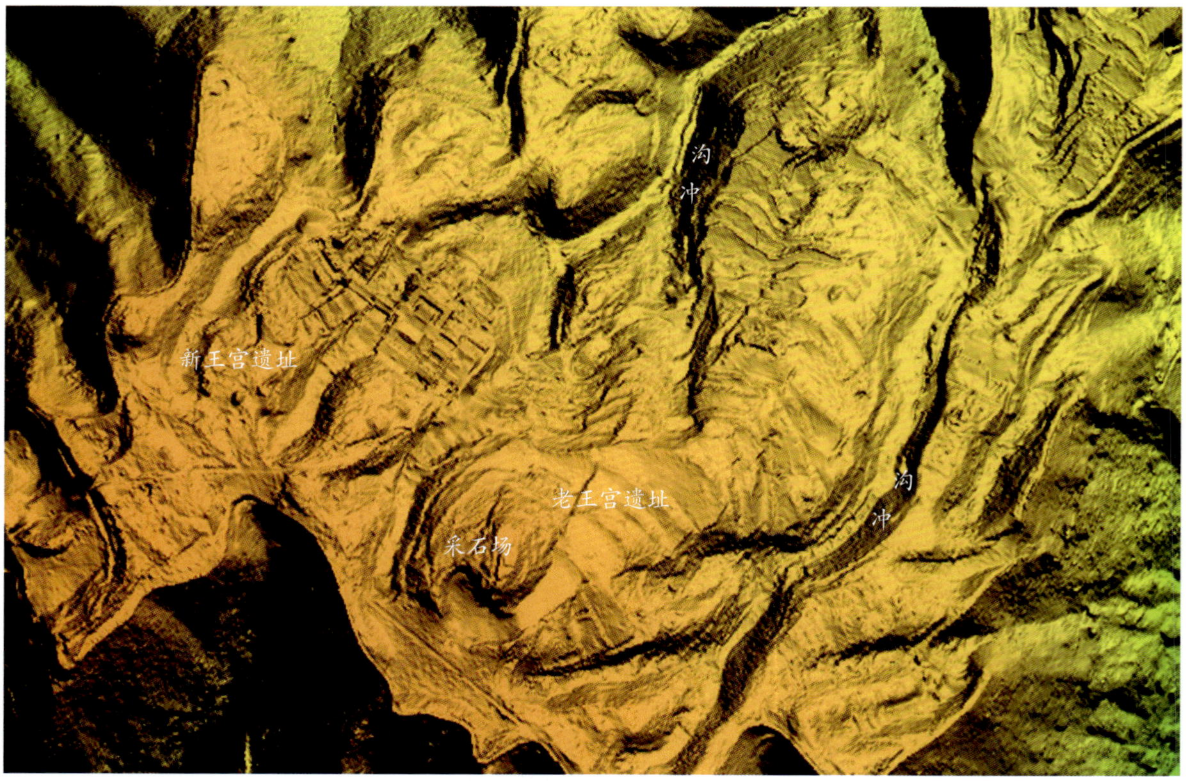

2. 数字高程模型图

老王宫航拍图及数字高程模型图

1. 第二级台基西段（西北—东南）

2. 第二级台基踏步（北—南）

3. 第六级台基与踏步（东北—西南）

老王宫石砌台基与踏步

1. TG1（西—东）

2. TG2（西—东）

3. TG2（北—南俯拍）

老王宫TG1、TG2及其内遗迹

1. 北—南

2. 南—北

3. 局部（南—北）

老王宫TG3及其内遗迹

1. 北—南

2. 南—北

3. 北—南俯拍

4. 南—北俯拍

老王宫TG4及其内遗迹

1. 东—西

2. 西—东

3. 东部堆积（西—东）

老王宫TG5及其内遗迹

图版288

1、2、4～6. 碗（TG1④：3、TG5③：1、TG1③：4、TG47③：31、老王宫采：17）
3. 盘（老王宫采：10）

老王宫出土南宋影青瓷器

1. 青花粗瓷碟（老王宫采：18） 2. 青花红彩花卉纹杯（TG4③：29）
3. A型青花折枝花卉纹杯（TG47③：6） 4. B型青花兔纹杯（TG47③：5）
5. 青花釉里红鸡纹碗残片（老王宫采：4） 6. 青花诸葛碗口沿残片（老王宫采：20）
7. 红绿彩龙凤纹碗残片（TG2④：20） 8. Bd型青花花果纹碗（TG4③：41）
9. Aa型青花莲池水禽纹碗（TG47③：12） 10. 铜铲（TG1④：1）
11. 青花粗瓷碾轮（老王宫采：12）

12. 铁锅（TG2④：4） 13. 石磨（TG2④：6）

老王宫出土遗物

图版290

1. 歇马台段（北—南）

2. 歇马台段（南—北）

3. 老票房段（东南—西北）

4. 局部（用砂岩片石竖砌填缝）

1. 三十六步原状（西南—东北）

2. 龙虎大道局部（东南—西北）

3. 清理龙虎大道（西北—东南）

龙虎大道（1999年）

图版292

1. 飞虎关段（东北—西南）

2. 未竣工的路段（北—南）

3. 排水沟（东北—西南）

4. 开凿于石崖上的“龙虎大道”（东北—西南）

龙虎大道现状

西—东

主干道（飞龙关—飞凤关段）

图版294

1. L1新王宫段（南—北）

2. TG27（南—北）

3. TG26（北—南）

4. TG29（南—北）

L1局部

1. L10（东—西）

2. 万安关南墙内侧道路（北—南）

环囤马道（局部）

图版296

1. L2与L11（南—北）

2. L2涵洞顶部结构（北—南）

3. L2南部（南—北）

4. L2北部（北—南）

立体交通（L2与L11）

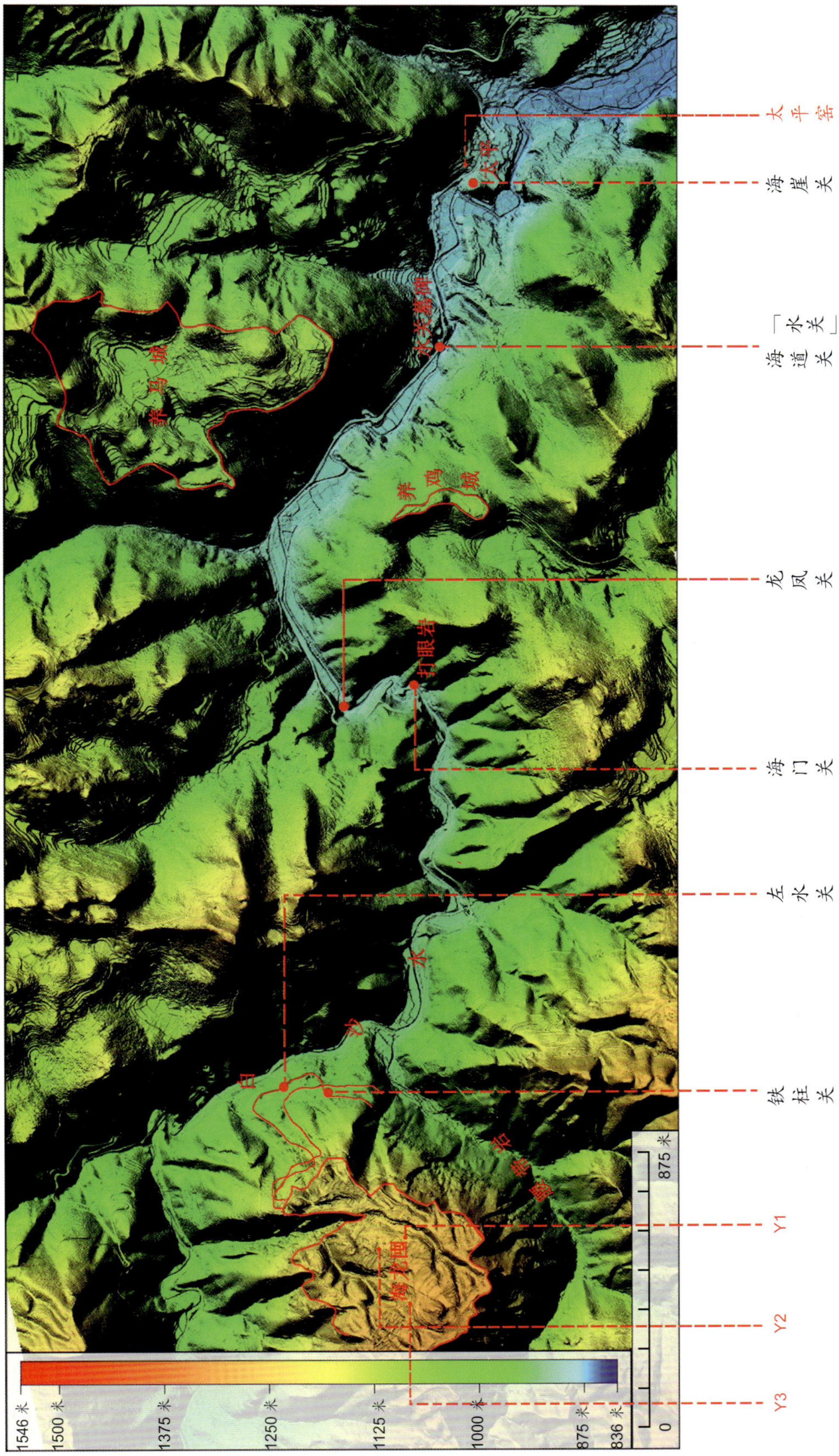

窑址与囤前诸关分布示意图

图版298

1. 窑内堆积（东—西）

2. 窑内堆积（东—西）

3. 窑内疑似砖坯

4. 窑内疑似砖坯

5. 窑址清理后（西—东）

Y1清理后及窑内堆积

东—西

Y1全景

1. 窑址断面（北—南）

2. 焚口（北—南）

Y2局部

1. 西—东

2. 东—西

3. 北—南

Y3全景

图版302

1. 东烟道口（石板封盖）

2. 东烟道口及窑壁

3. 焚口

4. 西烟道口及局部券顶

5. 出土遗物

Y3局部及出土遗物

1. 窑址位置（南—北）

2. 窑址分布（东—西）

3. 太平Y1（西—东）

4. 太平Y1（东—西）

5. 太平Y1（南—北）

6. 太平Y1出土Aa型长方形砖

图版304

1. 航拍图（西—东）

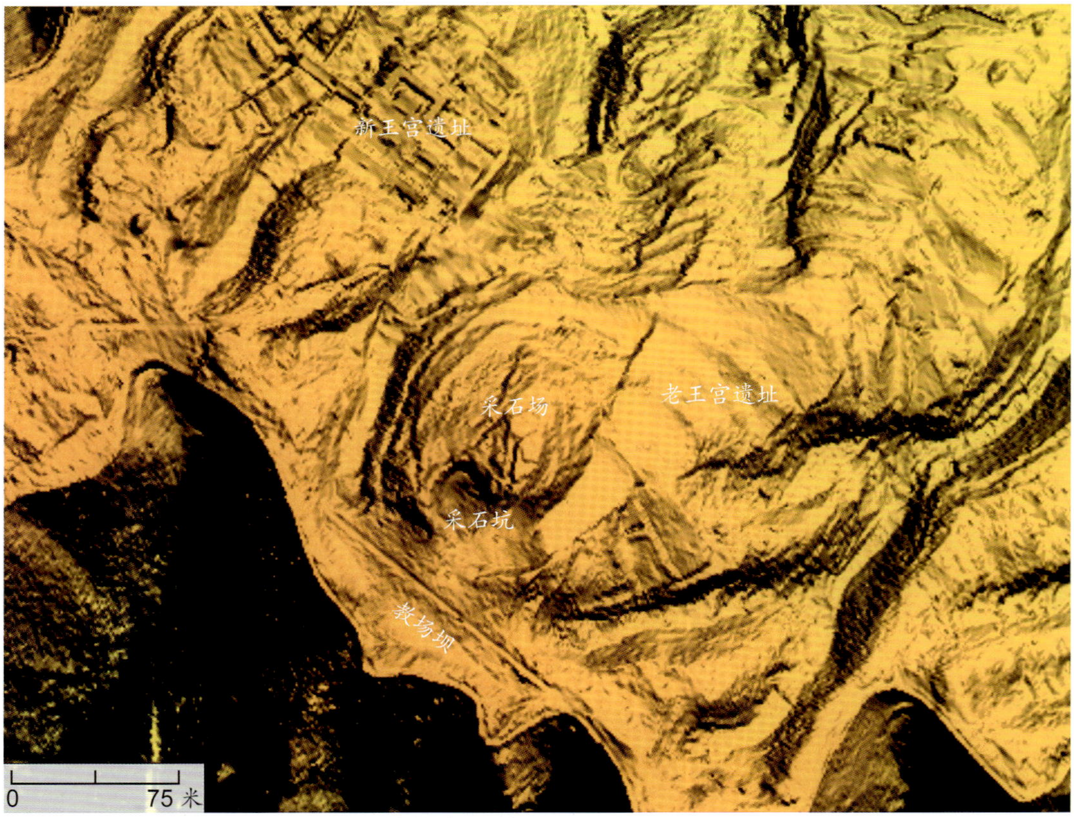

2. 数字高程模型图（南—北）

采石场航拍图及数字高程模型图

1. 开采工具

2. 开凿楔眼

3. 钉楔入眼

4. 击楔裂石

传统采石工艺（习水同民；2012年）

图版306

1. 11～13、14与16、17～20三组组合

2. 60与61组合（大型长条形楔眼）

3. 37～40组合

4. 192～195组合

5. 横向楔眼（其中238、241为近方形楔眼，余为长条形楔眼）

楔眼类型与组合

1. 航拍图（南—北）

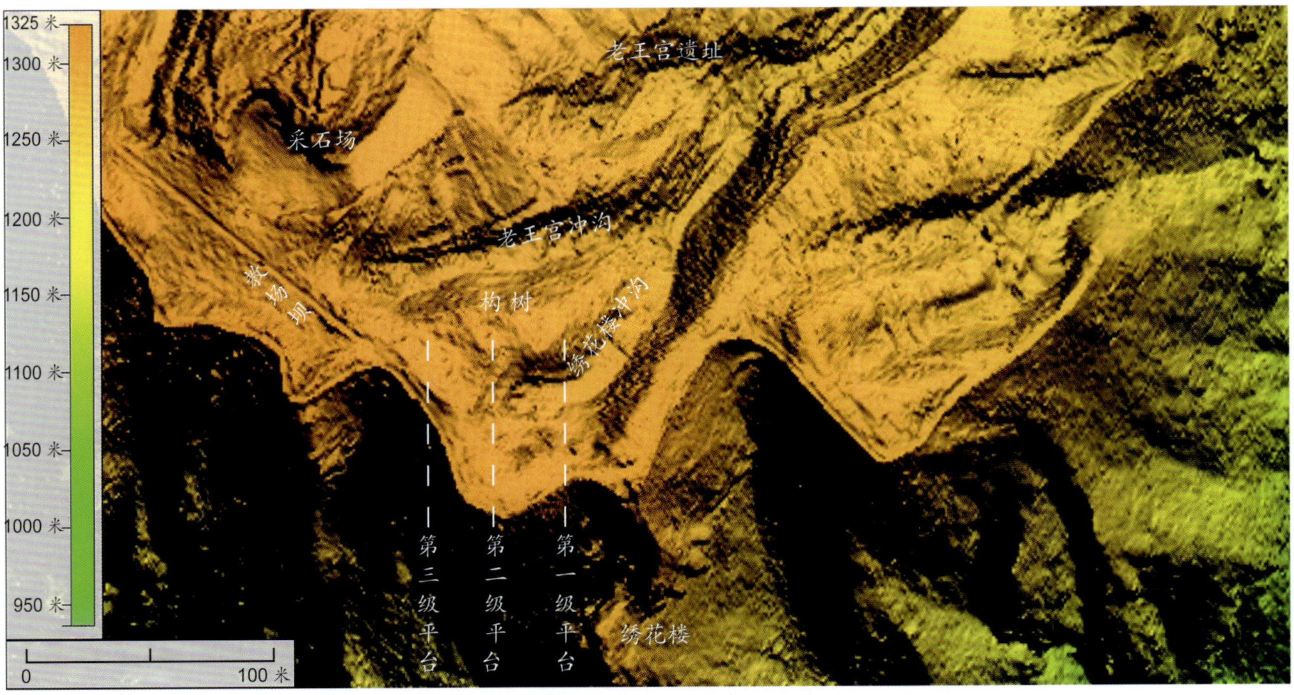

2. 数字高程模型图（南—北）

构树航拍图及数字高程模型图

图版308

1. F39东侧台基与踏步（TG57；东—西）

2. TG57航拍图（东—西）

3. 北侧踏步（TG59；西—东）

4. F39南侧台基（TG58；西—东）

构树TG57～TG59内遗迹

1. A型板瓦（TG58②：7）

2. A型筒瓦（TG57③：6）

3. A型筒瓦（TG57②：5）

构树出土南宋板瓦、筒瓦

图版310

1、2. Ab型筒瓦勾头（TG57②：7、TG57③：4） 3～5. A型板瓦勾头（TG57③：5、TG57③：3、TG57②：8） 6～10. A型滴水（TG57②：6、TG57②：3、TG57③：1、TG57②：1、TG57②：2）

构树出土南宋建筑构件

1. 西—东俯拍

2. 东—西俯拍

3. 西—东俯拍

F33位置与结构

1. 西厢西南角（北—南）

2. 东厢东南角（北—南）

3. 西厢西墙墙基与柱础
（自北而南第二础，西—东）

4. 东厢东侧砖墙（南—北）

5. 西厢西墙墙基北段（西—东）

F32局部

1. 十六砖（F32①：7）

2. 十六砖（F32①：18）

3. 十六砖（F32①：9）

4. 十六（F32①：15）

5. 十六（F32①：4）

6. 验（F32①：19）

9. 初一号（F32①：20）

7. 初一号（F32①：13）

8. 初一号（F32①：3）

F32出土砖上铭文

南—北俯拍

大土（F31）与万安关

1. 天井北侧墙基（东—西）

2. 天井（局部）及南侧墙基（西—东）

3. 西侧城墙（北—南）

4. 天井西南角排水孔（北—南）

F31局部

1. 鼎山城远眺（北—南）

2. 北坡垣墙（南—北）

3. 北坡垣墙（南—北）

4. “三官堂”挡土墙（西南—东北）

5. “三官堂”挡土墙（西南—东北）

鼎山城环境与垣墙

1. 大营门门址（东—西）

2. “三官堂”建筑基石（南—北）

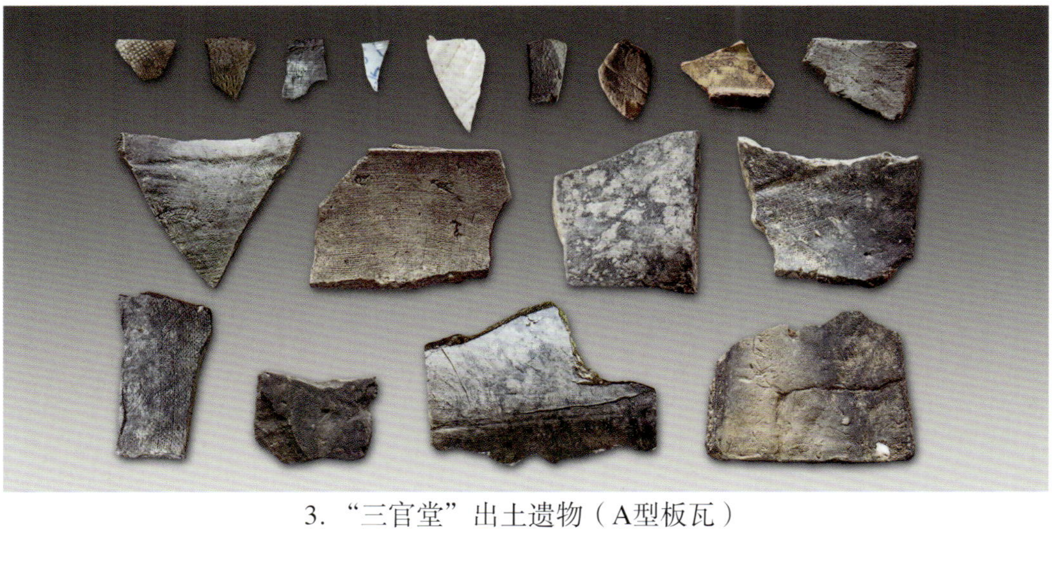

3. “三官堂”出土遗物（A型板瓦）

1. CM1南段城墙（东北—西南）

2. CQ1-TG1剖面（东—西）

养马城城垣结构

1. CM1（张家城门，北—南）

2. CM2（西门，西—东）

3. CM3（田家湾门，西南—东北）

养马城城门（CM1～CM3）

1. CM4（小东门，西南—东北）

2. CM5（东门，东—西）

养马城城门（CM4、CM5）

1. CM6（月儿门，西—东）

2. CM6（月儿门，东—西）

3. CM6-2清理后（瓮城门，东北—西南）

养马城城门（CM6）

1. 衙门遗址航拍图（南—北）

2. 衙门遗址全景（南—北）

养马城衙署区

1. 楔眼

2. 楔眼

3. 楔眼

4. 楔眼

5. 采石场局部（南—北）

养马城采石场

图版324

1. Ab型筒瓦勾头（TS49W01③：2）

2. A型筒瓦（H2④：13）

3. A型筒瓦（H3④：1）

4. A型板瓦（TG4⑥：1）

5. C型板瓦（TG5-1③：1）

6. Bb型板瓦（TG15③：1）

7. Bb型板瓦（TS49W01④：1）

养马城出土瓦件

1. 石础（采：4）

2. 石望柱（H2④：2）

3. 石望柱（采：2）

养马城出土石构件

图版326

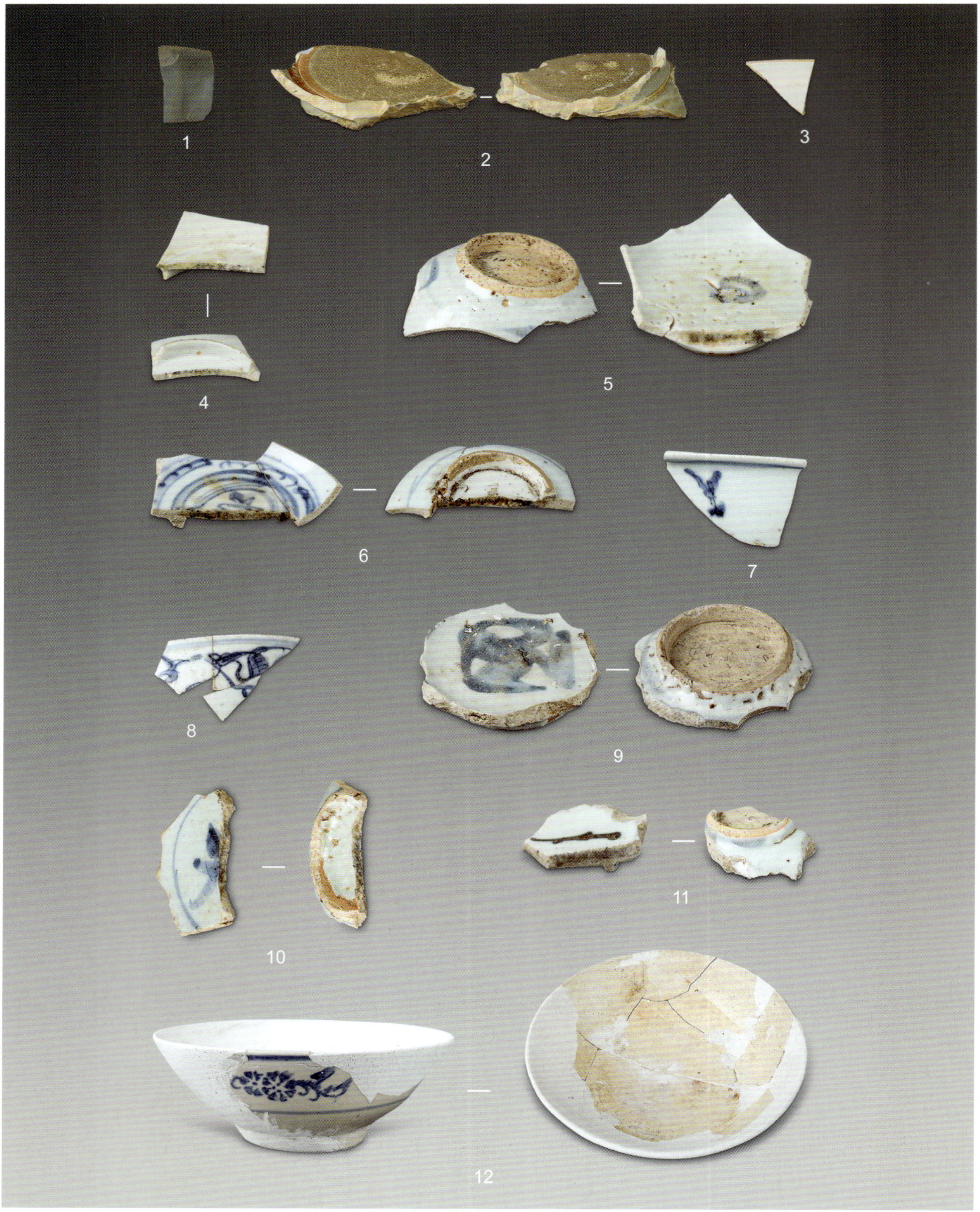

1. 青釉莲瓣纹碗（采：3） 2. 青釉碗（TG11③：1） 3、4. 白釉碗（F16：3、P2④：1）
5. 青花螺旋纹碗（TG5-2⑥：1） 6. 青花螭龙纹碗（TS49W01③：3） 7、12. 青花花卉纹碗（TS49W01③：6、TG5-1①：3） 8. 青花凤穿花纹碗（TS49W01③：8） 9. 青花卍字云纹碗（TS49W02④：3） 10. 青花碗（F16：2） 11. 青花花卉纹杯（TS49W01③：7）

养马城出土瓷器

1～4. 罐（F10：1、TG4⑦：1、TG5-2⑦：1、TG11④：1） 5. 炉（TG5-1①：2）
6～10. 碗（TG5-1②：2、采：1、TG6①：1、TG6①：2、TG5-1②：1）

养马城出土粗瓷器

图版328

1、2. 礌石（TN21E20③：1、TN18E20①：1） 3. 铜钗（TS49W01③：1） 4、5. 乾隆通宝（TN20E20①：5、TN29W21②：1） 6. 铁马掌（TG5-1①：1） 7. 铁锸（TN29W21③：1） 8. 铁三脚（TN29W21①：2）

养马城出土遗物

1. 从养鸡城望养马城（西南—东北）

2. 城垣（西—东）

3. 城垣（西—东）

4. 城内地势（东北—西南）

养鸡城

图版330

1. 垣墙上外凸马面（南—北）

2. 罗钜墓碑

3. 城门（北—南）

罗家寨

1. 东侧城垣（东—西）

2. 南门（西—东）

3. 东门旧址（东—西）

图版332

1. 垣墙（南—北）

2. 垣墙（南—北）

3. 射击孔（西—东）

4. 门址（西—东）

反背寨

1. 大岗寨远眺（西南—东北）

2. 城内出土“吴兴”押印

3. 垣墙（东—西）

4. 垣墙（北—南）

5. 城内地形（南—北）

图版334

1. 前山垣墙（东—西）

3. 后山地势（南—北）

2. 梳妆台万历二十六年（1598）题记

4. 梳妆台（北—南）

5. 梳妆台石砌遗迹（北—南）

习水九龙囤

1～3. 月华纹筒瓦勾头（南宋） 4～6. 花卉纹筒瓦勾头（明） 7、8. 兽面纹筒瓦勾头（明）
9、10. 花卉纹板瓦勾头（明） 11. 覆莲纹檐砖（明） 12. 骑凤仙人（明） 13、14. 卷草纹脊砖（明）

郑莫祠出土宋明建筑构件

1. 一期（A类）城垣（西—东）

4. 三期（A、B、C类）城垣叠压关系（南—北）

2. 二期（B类）城垣（东—西）

3. 三期（C类）城垣（西—东）

5. 一号马面（西—东）

1. “大明□□”白瓷杯底部残片（ⅣT0405①：25）

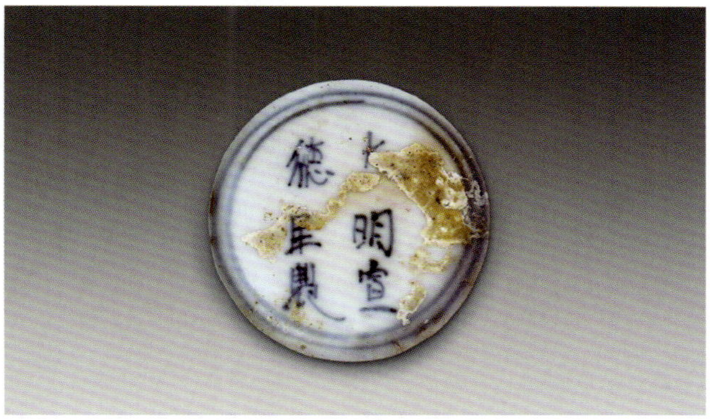

2. “大明宣德年制”青花夔龙纹碗残片（F8①：101）

3. “大明宣德年制”青花夔龙纹碗残片（F8①：113）

4. “宣德年置”青花双艳纹盘（F9①：6）

5. “大明宣德年制”青花凤纹杯残片（F9①：7）

6. “大明宣德年制”青花凤纹杯（F9①：14）

7. “宣德□制”青花凤穿花纹靶盏（F9①：17）

8. “大明宣德年制”青花鹭莲纹印花花口盘（F9①：23）

寄托款（纪年款）款识

图版338

1. “大明宣德□□”青花白描灵芝纹盘残底（F9①：28）

2. “大明宣德年制”青花山水动物纹碗残底（F9①：33）

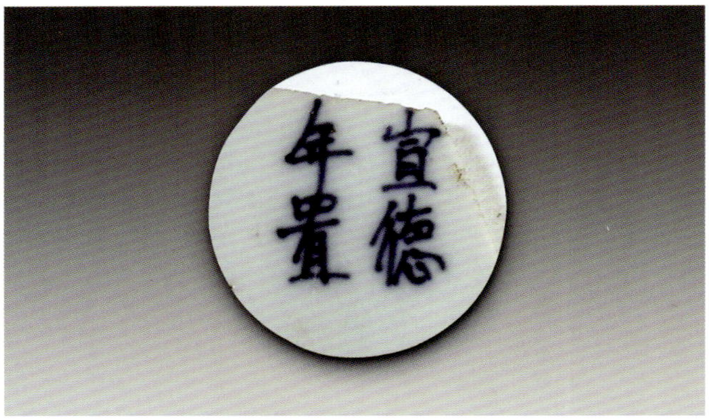

3. “宣德年置”青花双艳纹大盘残片（F9①：36）

4. “大□□德年制”青花松鼠瓜果纹杯（F9①：44）

5. “宣德年制”青花花果纹小碗残底（F9①：46）

6. “大明宣德年制”青花凤纹杯（F9①：51）

7. “宣德年制”青花花果纹小碗（F9①：55）

8. “宣德年制”青花花果纹小碗残底（F9①：63）

1.“大明宣德年制”青花凤纹杯（F9①：66）

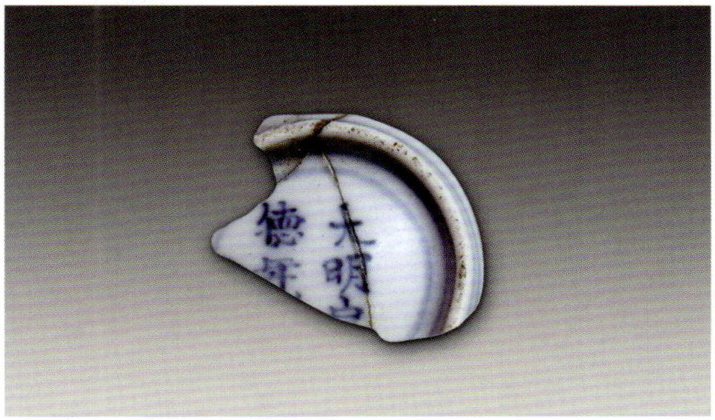

2.“大明宣德年□”青花莲池水禽纹杯（F9①：68）

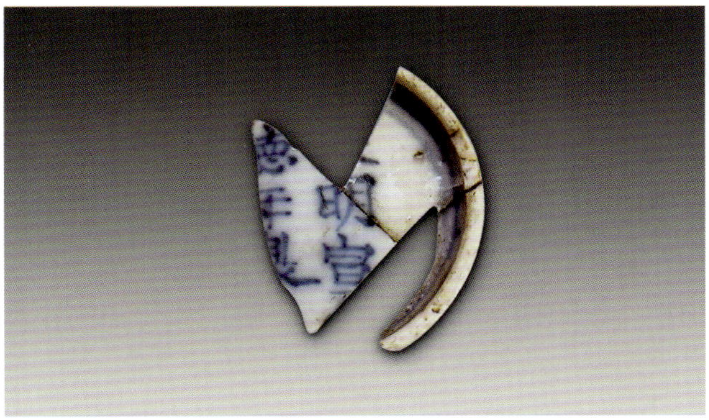

3.“□明宣德年制”青花莲池水禽纹杯（F9①：93）

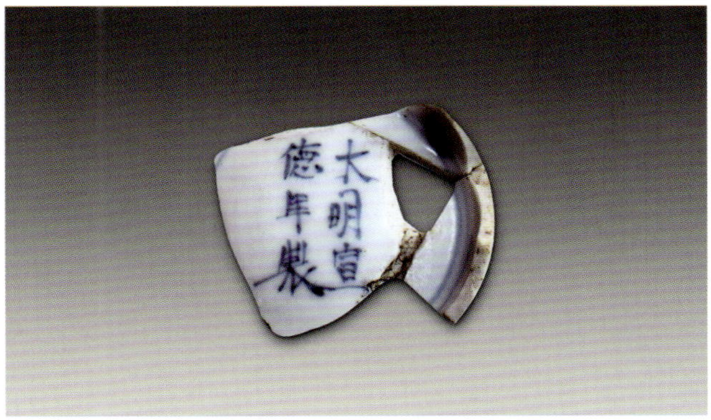

4.“大明宣德年制”青花夔龙纹碗残片（F9①：100）

5.“□□宣□□制”青花白描灵芝纹盘（F9①：110）

6.“大明宣德年制”青花团花纹杯残底（F9①：112）

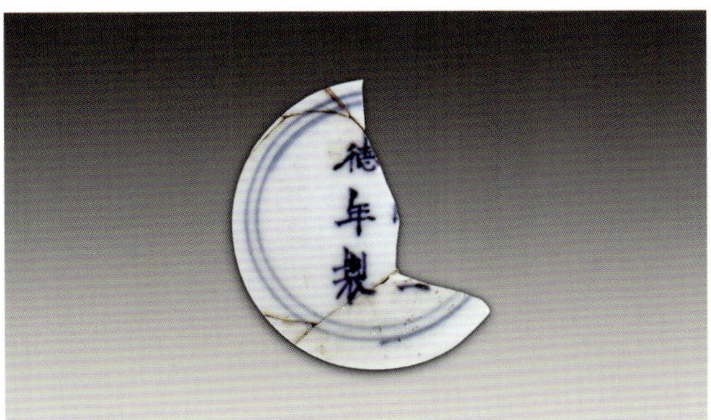

7.“□□□德年制”青花鹭莲纹印花花口盘（F9②：10）

8.“宣德年置”青花双艳纹盘（F9②：15）

寄托款（纪年款）款识

图版340

1. “大明宣德年制”青花夔龙纹碗残片（F9②：19）

2. “宣德年制”青花花果纹小碗残底（F9②：27）

3. “大明宣德年制”青花松鼠瓜果纹杯（F9②：34）

4. “宣德年置”青花双艳纹盘（F9②：36）

5. “大明宣德年制”青花山水纹杯（F9②：56）

6. “□□宣德年制”青花山水纹杯（F9②：57）

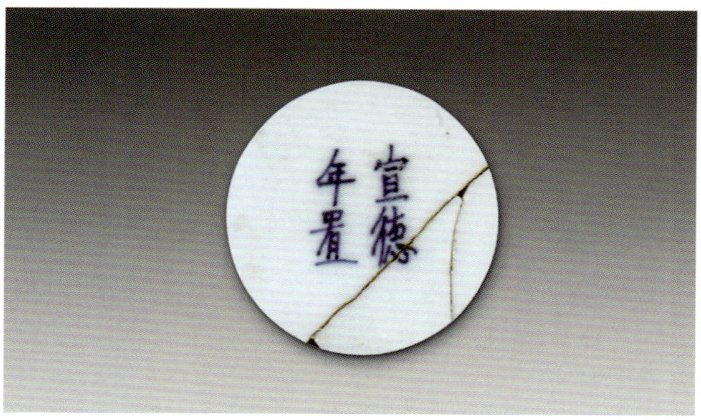

7. “宣德年置”青花双艳纹大盘（F9②：59）

8. “宣德年置”青花双艳纹大盘（F9②：60）

寄托款（纪年款）款识

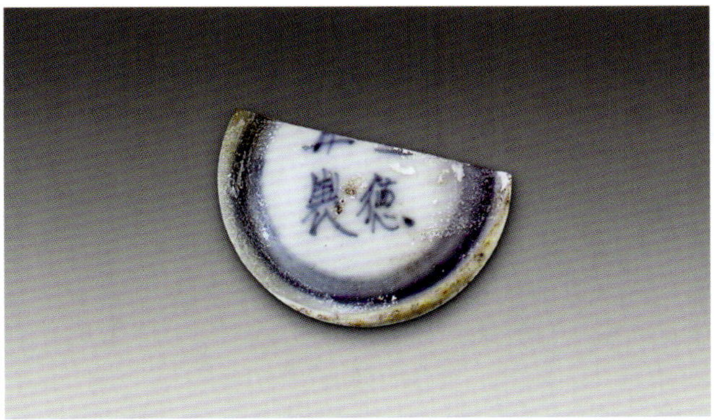

1.“□德□制”青花花果纹碗（F9②：69）

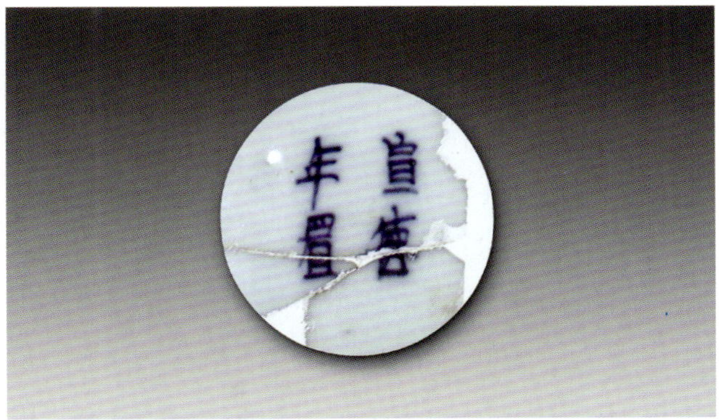

2.“宣德年置”青花双艳纹大盘（F9②：71）

3.“大明宣德年制”青花白描灵芝纹盘（F9②：76）

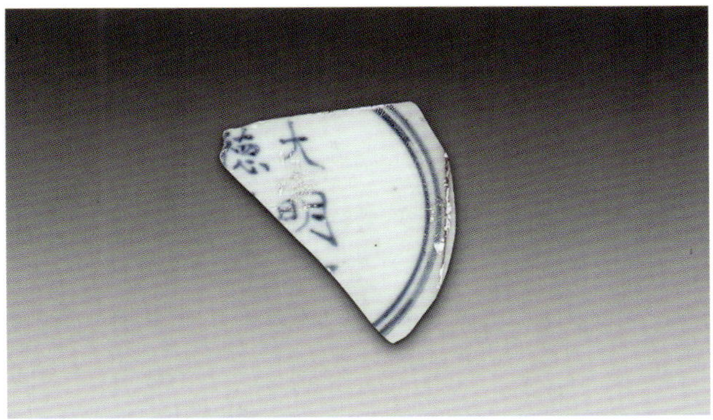

4.“大明□德□□”青花八仙贺寿纹大碗（F9②：93）

5.“大明宣德年制”青花莲托八宝纹碗残底（F17①：1）

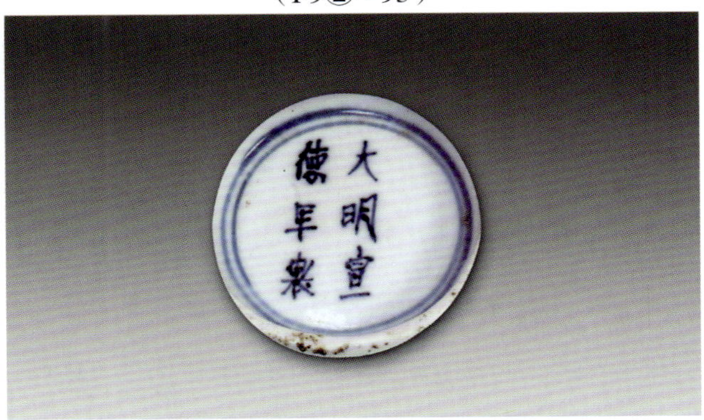

6.“大明宣德年制”青花花果纹大碗残底（F19①：58）

7.“大明宣德年制”青花缠枝花果纹碗（F19②：25）

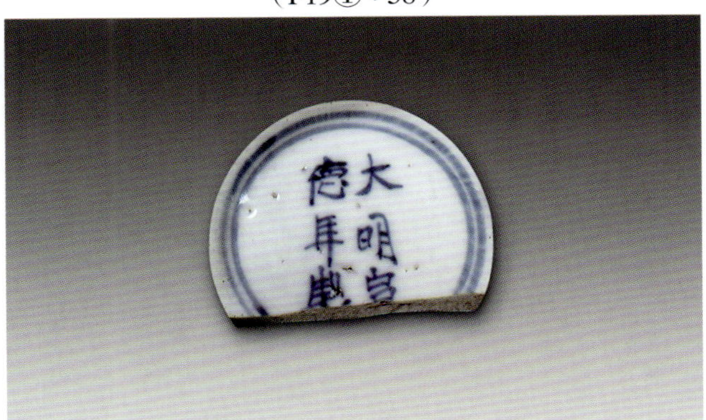

8.“大明宣德年制”青花花果纹碗残底（K3①：34）

寄托款（纪年款）款识

图版342

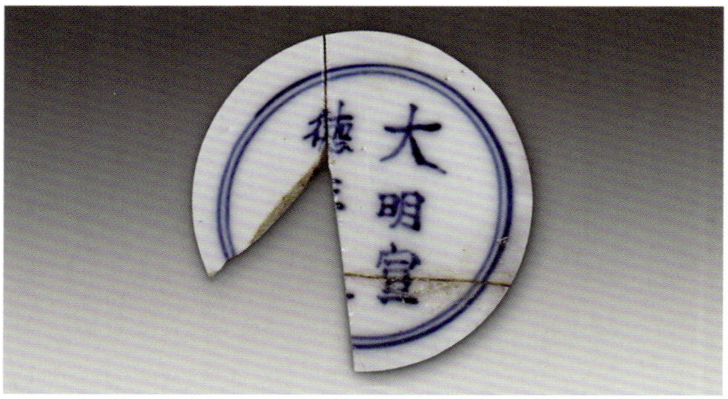

1. “大明宣德□□”青花花鸟纹盘残片
（ⅠT0103②：29）

2. “大□□德□□”青花人物纹碗残底
（ⅣT0203②A：1）

3. “大明□德年□”青花牡丹纹盘残底
（ⅣT0204①：1）

4. “宣德年造”青花海水纹杯残底
（ⅣT0205①：1）

5. “□□年制”青花花鸟纹碗残底
（ⅣT0303③A：2）

6. “宣德年制”青花凤穿花纹靶盏残片
（ⅣT0306①：3）

7. “□明宣德年制”青花乘云折桂纹碗残底
（ⅣT0405①：22）

8. “宣德年制”青花花鸟纹碗底残片
（ⅣT0505②B：2）

寄托款（纪年款）款识

1. “大明宣德年制”青花夔龙纹碗残片（ⅣT0506①：60）

2. “大明宣德年□”青花狮子穿花纹大碗残片（ⅣT0507①：32）

3. “大明宣德年制”青花夔龙纹碗残片（ⅣT0603③B：1）

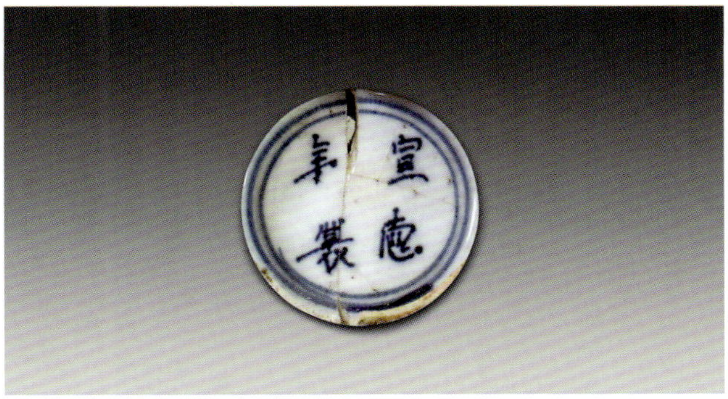

4. “宣德年制”青花蓝地白花海水纹碗（TG10③：36）

5. “大明宣德年制”青花乘云折桂纹碗（TG36①：4）

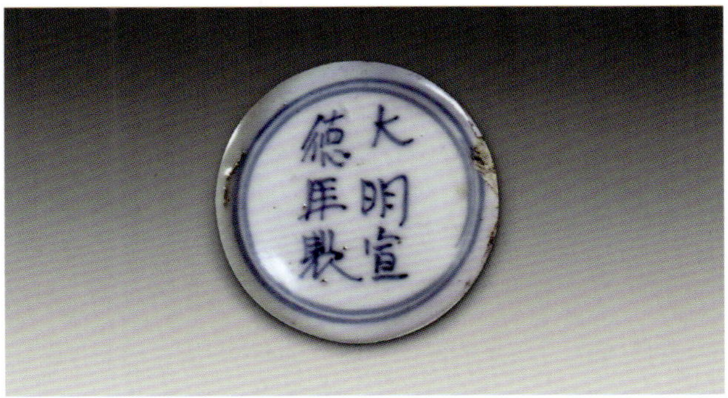

6. “大明宣德年制”青花平步青云纹碗残底（TG36②：25）

7. “大明宣德年制”青花花果纹碗（TG4③：41）

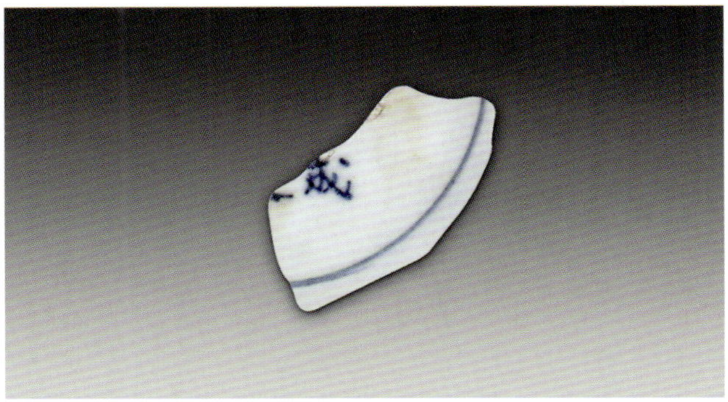

8. “□□成□□□”青花碗残底（K3①：27）

寄托款（纪年款）款识

图版344

1. 寄托款（纪年款）："大明成化年制"青花花卉纹碗残底（ⅣT0103②：1）

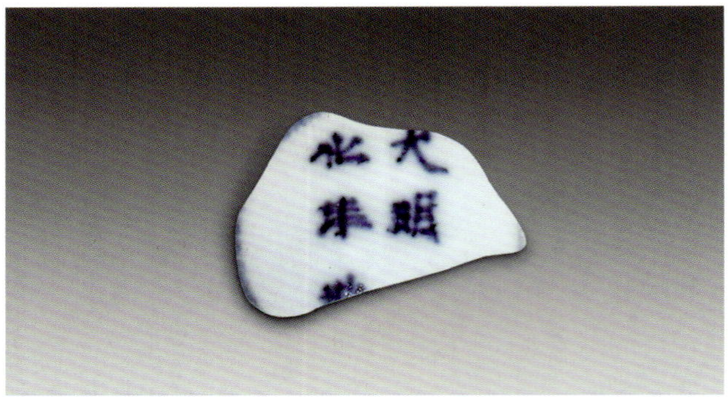

2. 寄托款（纪年款）："大明□化年制"青花碗残底（ⅣT0303①：2）

3. 寄托款（纪年款）："□□成□□制"青花莲池水禽纹碗残片（ⅣT0303④：3）

4. 寄托款（纪年款）："大明成化年制"青花杯底残片（ⅣT0403②B：3）

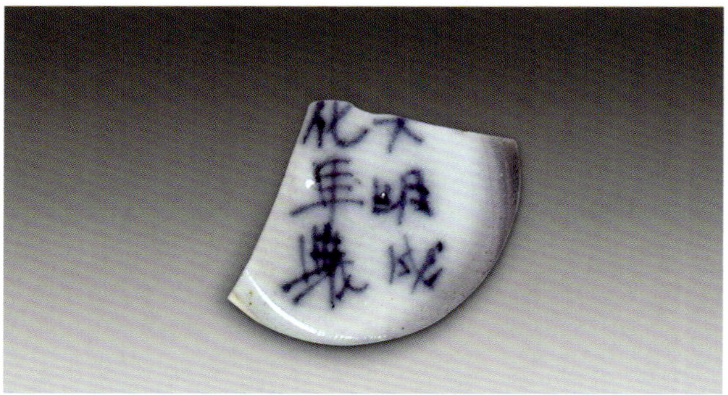

5. 寄托款（纪年款）："大明成化年制"青花杯残底（ⅣT0405②A：2）

6. 寄托款（纪年款）："成化年造"青花草虫纹碗残底（ⅣT0502①：1）

7. 纪年款："大明嘉靖年制"青花正面五爪龙纹盘（F9②：32）

8. 纪年款："大明嘉靖年制"青花海水鱼纹碗残片（TG47③：22）

寄托款、纪年款款识

1. 嘉靖："丙寅年制"青花花草纹器底残片
（ⅣT0405①：14）

2. 嘉靖："丙寅年□"青花山石花卉纹盘
（老王宫采：29）

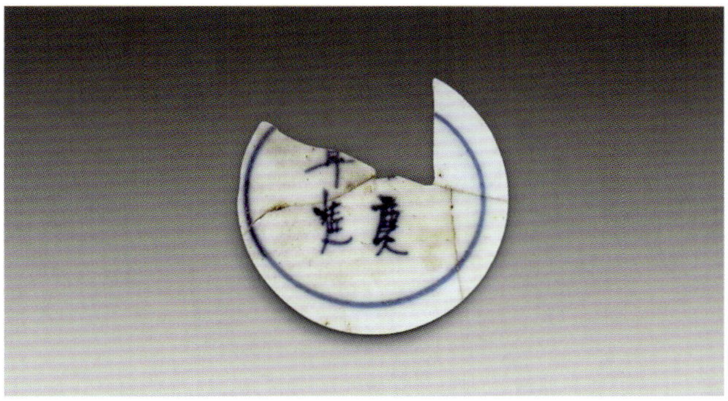

3. 隆庆："□庆年造"青花螭龙纹盘残底
（F9①：42）

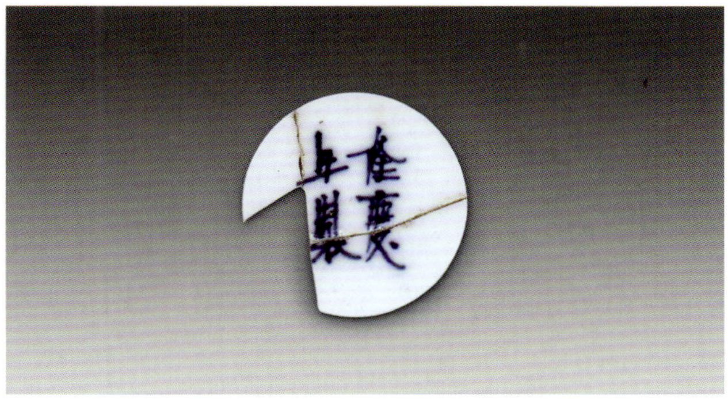

4. "隆庆年制"青花行螭暗刻灵芝纹大盘
（F9①：64）

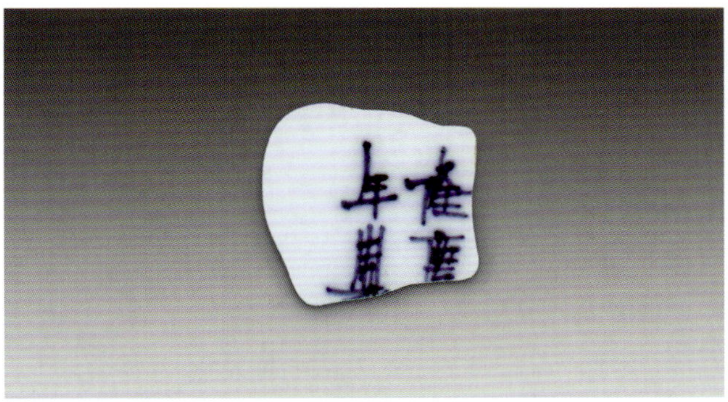

5. "隆庆年制"青花行螭暗刻灵芝纹盘残片
（F9①：65）

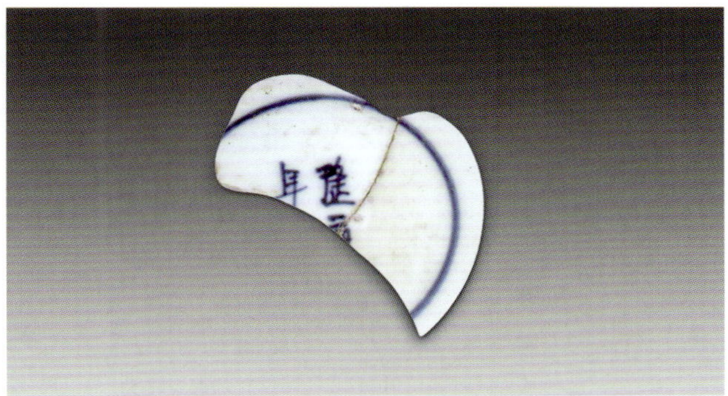

6. 隆庆："隆□年□"青花螭龙纹盘
（F9①：116）

7. "隆庆年制"青花螭龙纹盘残底（F9①：123）

8. 万历："大□□历四年"青花敛口钵残片
（F1①：90）

图版346

1. “大明万历年制”青花缠枝四季花卉纹碗（F9①：52）

2. “大明万历年制”青花山水楼阁纹靶盏残片（F9②：50）

3. “大明万□年制”青花十字宝杵纹盘（L2④：21）

4. “大□□历□□”青花兔纹盘残底（ⅣT0504④：8）

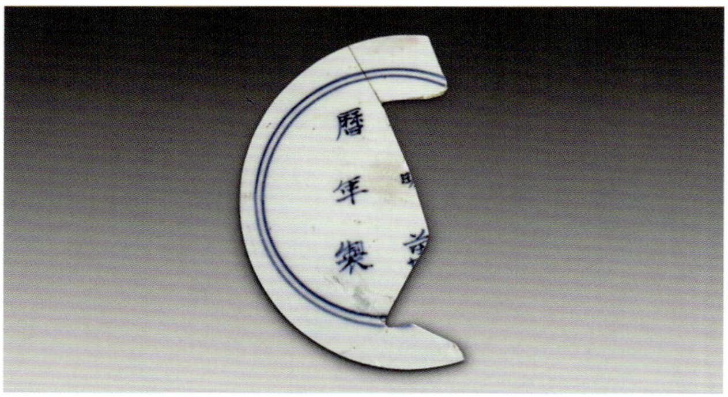

5. “□明万历年制”青花十字宝杵纹盘残片（ⅣT0507①：63）

6. “大明万历年制”青花花卉纹盘（ⅣT0609①：1）

7. “大明万历年制”青花婴戏纹碗（TG10③：29）

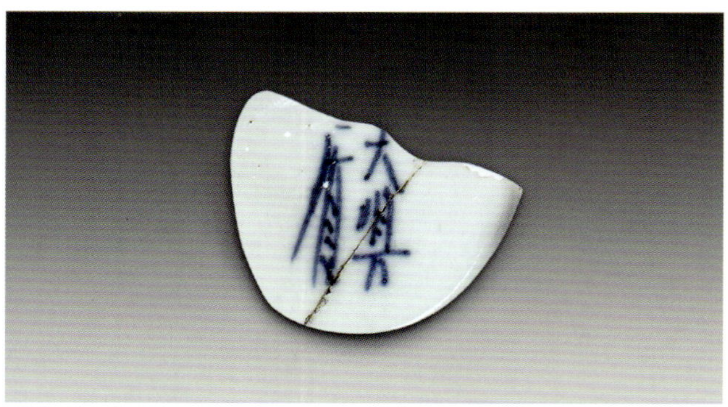

8. “大明万历”青花莲叶纹碗残底（TG40②：4）

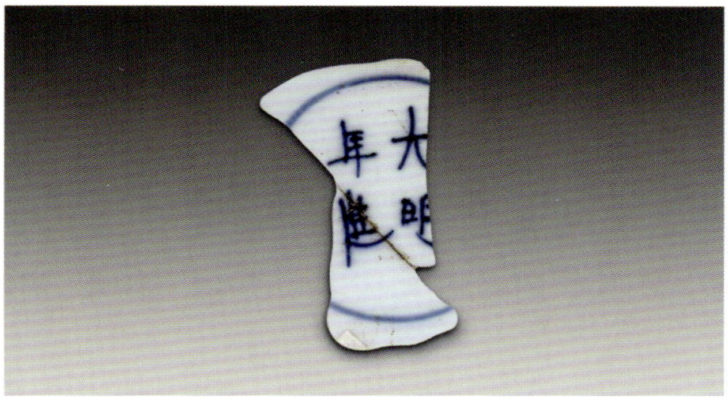

1. “大明年造”青花螭龙纹盘残底（F9①：12）

2. “大明年造”青花螭龙纹盘（F9①：48）

3. “大明年造”青花螭龙纹盘残底（F9①：61）

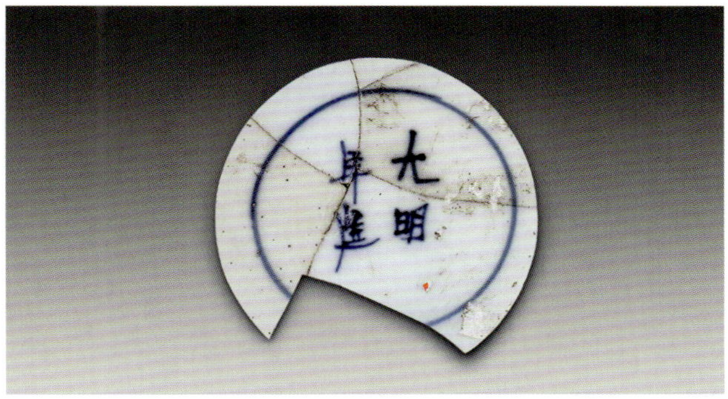

4. “大明年造”青花螭龙纹盘残底（F9①：73）

5. “大明年造”青花螭龙纹盘残底（F9①：104）

6. “大明年造”青花螭龙纹盘残底（F9②：5）

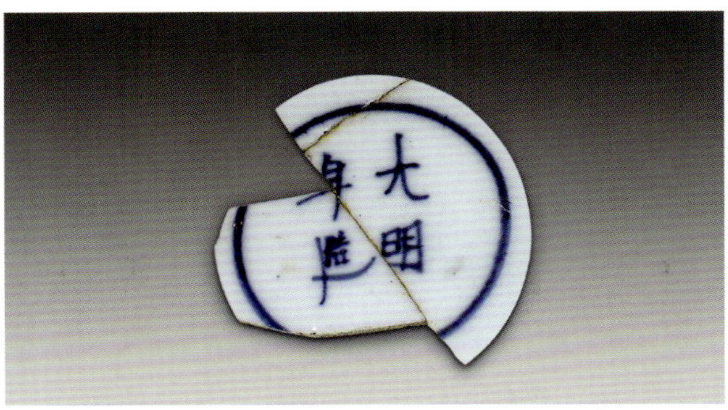

7. “大明年造”青花螭龙纹盘残底（F9②：7）

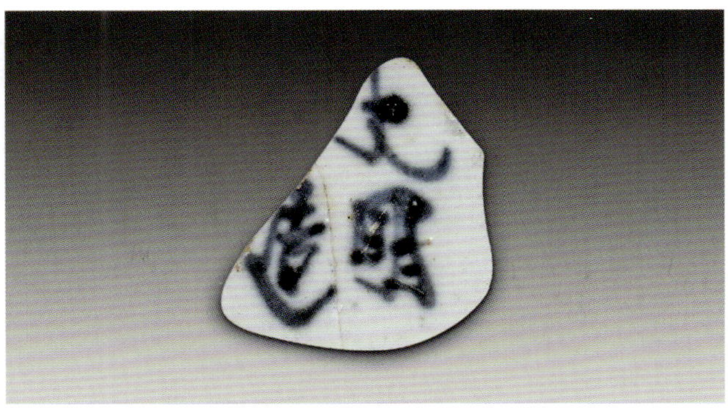

8. “大明□造”青花盘残片（ⅣT0405①：5）

图版348

1. 纪年款："嘉庆年制"青花白描缠枝莲托双喜纹茶碗盖（ⅣT0304①：14）

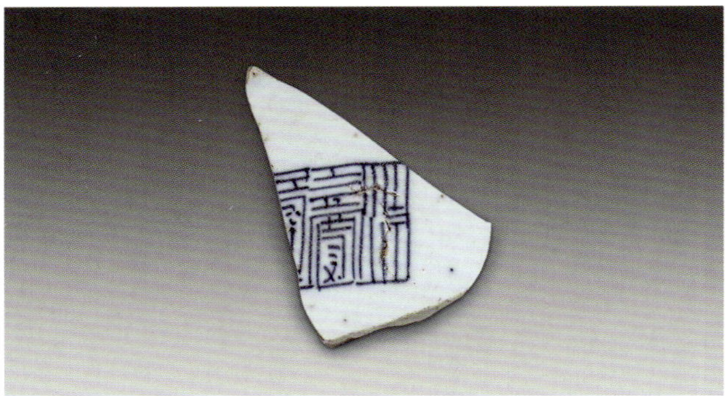

2. 纪年款："大清嘉庆年制"青花盘残底（ⅣT0105①：4）

3. 纪年款："大清嘉庆年制"青花白描缠枝莲纹碗残片（ⅣT0305①：68）

4. 纪年款："大清嘉庆年制"青花白描缠枝花卉纹盖残片（ⅣT0305④：11）

5. 纪年款："□清□光□制"青花白描缠枝莲纹盘（ⅣT0304①：65）

6. 吉语款：青花寿字盘残底（F9①：76）

7. 吉语款：青花寿字碗（F9①：122）

纪年款、吉语款款识

1. 青花寿字盘残底（F12①：43）

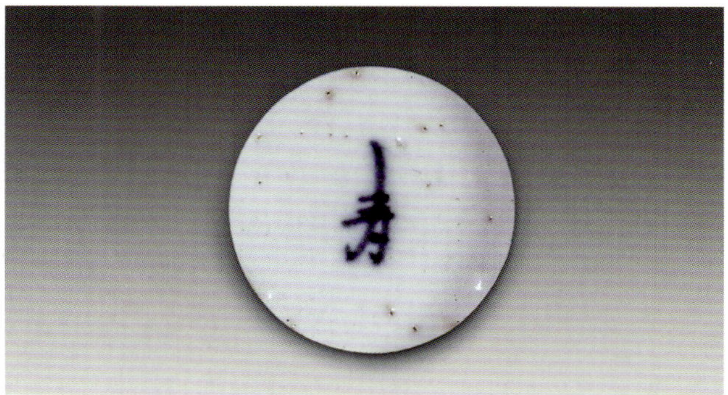

2. 青花高官厚禄纹杯残片（G2②：82）

3. 青花寿字碗残底（C5①：1）

4. 青花寿字盘（ⅠT0101②：9）

5. 青花团寿纹大碗内底（ⅣT0304①：11）

6. 青花团寿纹大碗外底（ⅣT0304①：11）

7. 青花寿字盘残底（ⅣT0405④）

8. 青花寿字杯残底（ⅣT0506①：2）

图版350

1. 青花寿字碗（ⅣT0506②：14）

2. 青花寿字碗（TG37②：11）

3. 青花寿字碗（TG47③：26）

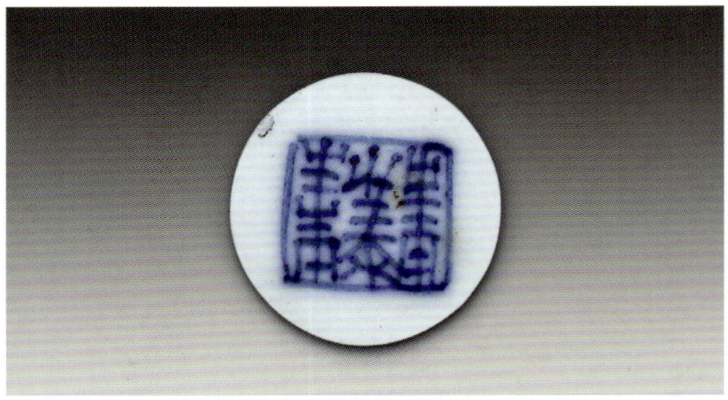

4. “寿 山泰 寿”青花白描缠枝莲托双喜纹茶碗盖（ⅣT0304①：64）

5. 青花寿字盘内底（ⅣT0503④：28）

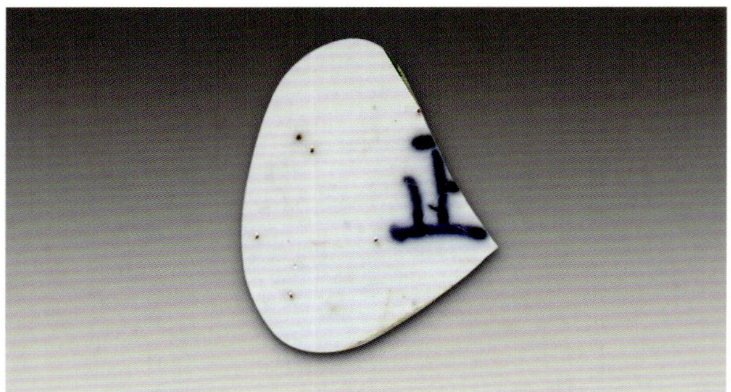

6. 青花寿字盘外底（正，ⅣT0503④：28）

7. 青花寿字碗内底（TG23②：3）

8. 青花寿字碗外底（福，TG23②：3）

1. 青花寿字盘残内底（F9①：25）

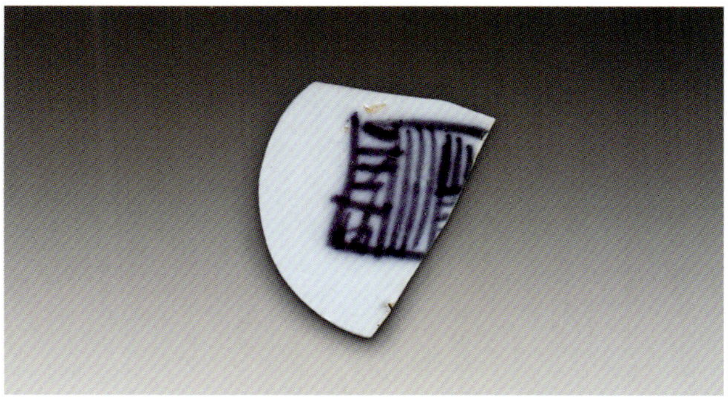

2. 青花寿字盘残外底（F9①：25）

3. 青花寿字盘残内底（F9①：99）

4. 青花寿字盘残外底（F9①：99）

5. 青花寿字盘（ⅢT2613③：4）

6. 青花寿字盘残底（ⅣT0603③A：1）

7. 青花寿字盘残底（TG4③：45）

8. 青花寿字盘残底（TG4③：46）

图版352

1. 青花福字碗残底（F3①：43）

2. 青花草书福字杯残底（F9①：32）

3. 青花螭龙纹盘残片（福，F9②：104）

4. 青花寿山福海纹杯残片（G2①：44）

5. 青花缠枝花托吉语碗残片（福，L2②：8）

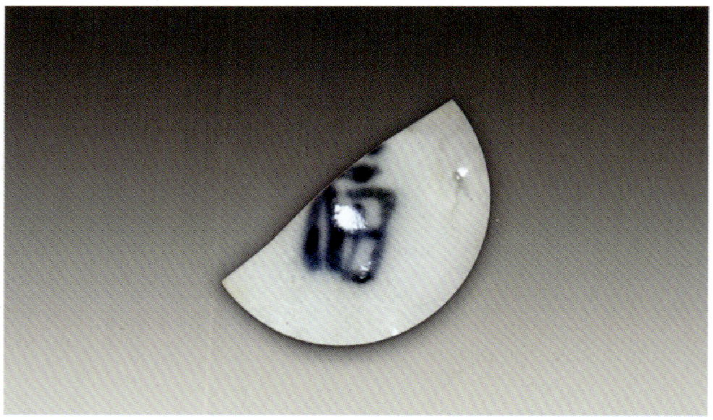

6. 青花螭龙纹杯残底（福，ⅣT0404①：23）

7. 青花福字碗残片（TG21②：5）

8. 青花福字杯残底（TG2④：5）

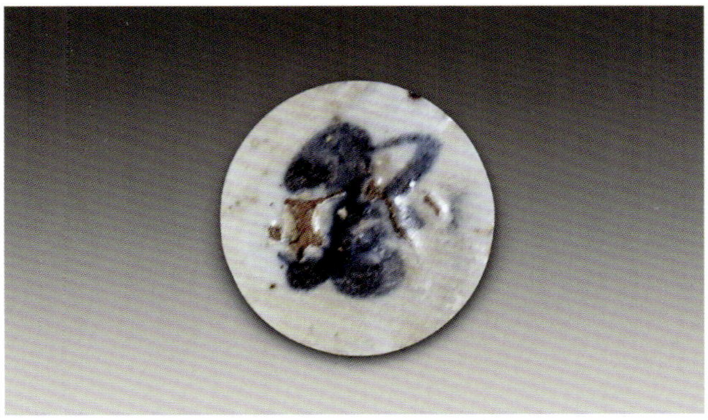

1. 青花草书福字碗（TG47③：13）

2. 青花螭龙纹杯残底（福，TG47③：35）

3. 青花草书福禄寿字碗内底（ⅣT0404④：1）

4. 青花草书福禄寿字碗外壁（ⅣT0404④：1）

5. 青花折枝花卉纹杯残底（福，TG58②）

6. 青花金榜题名杯残底（贵，ⅣT0504④：10）

7. “万福攸同”青花团螭纹盘残底（F9①：13）

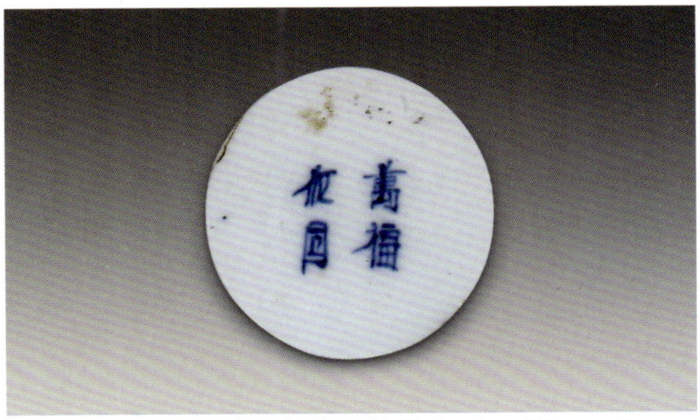

8. “万福攸同”青花团螭纹盘（F9①：45）

吉语款款识

图版354

1. “万福攸同”青花双艳纹盘（F9①：49）

2. “万福攸同”青花团螭纹盘残底（F9①：74）

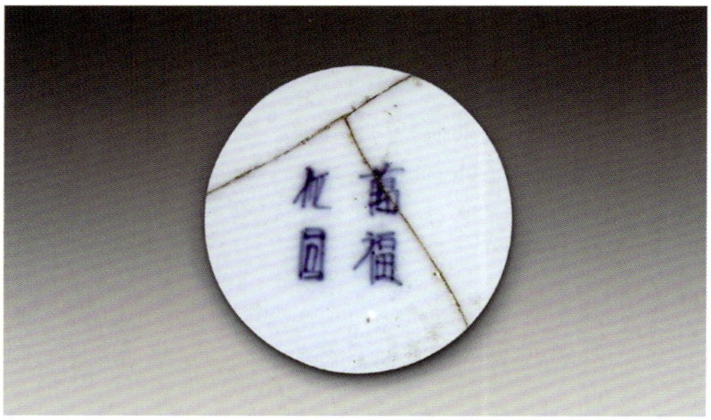

3. “万福攸同”青花团螭纹盘（F9②：62）

4. “万福攸同”青花团螭纹盘（F9②：80）

5. “万福攸同”青花葡萄纹大碗残底（F12①：42）

6. “万福攸同”青花鹭鸶纹碗残底（L2①：6）

7. 青花寿字盘内底（L2④：6）

8. 青花寿字盘外底（万福攸同，L2④：6）

1. 青花状元杯（ⅣT0606②：15）

2. 青花状元及第碗残底（□元□第，L2①：16）

3. 青花状元及第碗残底（状元□□，ⅣT0405④：12）

4. 青花状元及第碗残底（□元□□，ⅣT0504④：12）

5. 青花金榜题名杯（金榜□□，F8①：3）

6. 青花金榜题名杯（金榜□□，F8①：3）

7. 青花状元及第碗（□□及第，TG22②：4）

8. 青花金榜题名碗残片（□榜□□，ⅣT0304③A：1）

吉语款款识

图版356

1. 吉语款："长命富贵"青花松下独吟纹碗残底
（F9②：97）

2. 吉语款："长命富贵"青花人物纹碗残底
（ⅣT0105①：2）

3. 吉语款："福寿康宁"青花山石虫草纹盘残底
（F3①：57）

4. 吉语款："□□长□"青花缠枝花托吉语碗残片
（ⅣT0506④：5）

5. 堂名款：青花白玉斋铭文碗残底（F8①：1）

6. 堂名款：青花白玉斋铭文碗残底（F19①：7）

7. 堂名款：青花白玉斋铭文碗残底
（ⅣT0405④：13）

8. 堂名款：青花白玉斋铭文碗残片
（ⅣT0604③B：5）

吉语款、堂名款款识

1. “玉堂佳器”青花奔马纹碗残底（F1①：38）

2. “玉堂□器”青花乘云折桂纹碗（F9①：37）

3. “玉堂□□”青花八仙贺寿纹碗（F9①：108）

4. “玉堂佳器”青花乘云折桂纹碗（F9②：18）

5. “玉堂佳器”青花乘云折桂纹碗残底（F9②：58）

6. “玉堂佳器”青花狮子穿花纹碗残片（F9②：98）

7. “玉堂佳器”青花折枝菊纹碗残底（F10①：9）

8. “玉堂佳器”青花乘云折桂纹碗残片（ⅣT0403②A：1）

图版358

1.“玉堂佳□”青花花草纹碗残底（TG10③：30）

2.“玉堂佳器”青花凤穿花纹碗（TG10③：37）

3.“上品佳器”青花折枝菊纹碗残底（F1①：43）

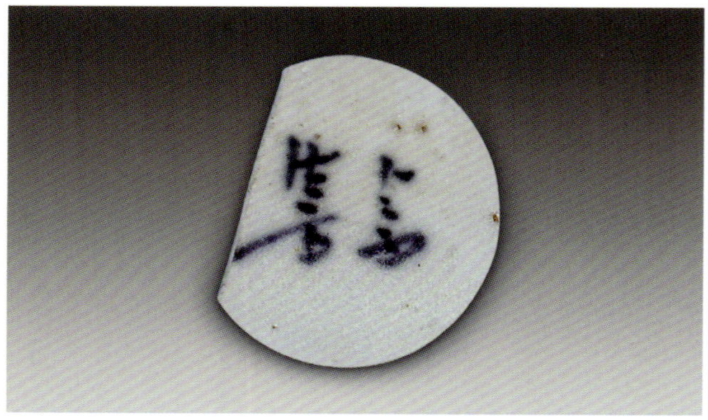

4.“上品佳器”青花螭龙纹碗残底（G1①：42）

5.“□品□器”青花奔马纹碗残底（ⅠT0204①：101）

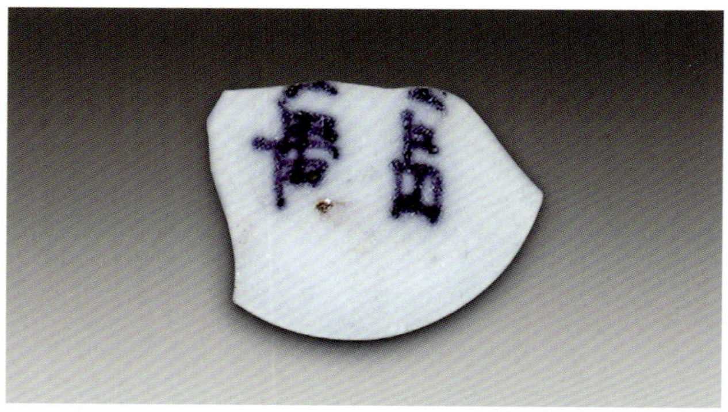

6.“□品□器”青花月华纹碗残底（ⅠT0204①：102）

7.“上品佳器”青花卧马纹碗残底（ⅣT0506④：13）

8.“上品佳器”青花马纹碗残片（TG10①：3）

1. 赞颂款："富贵佳器"青花螭龙纹碗残底（F3①：42）

2. 赞颂款："富贵佳器"青花蓝地白花花卉纹盘残片（ⅠT0103②：28）

3. 赞颂款：青花螭龙纹盘残底（美器，庙台3：2）

4. 赞颂款：青花盘残底（美器，ⅠT0101①：57）

5. 赞颂款：青花螭龙纹盘残片（美器，ⅣT0506①：4）

6. 青花铭文碗残底（二，F19天井①：3）

7. 青花乘云折桂纹碗口沿残片（…精…，F9②：41）

8. 青花杯残片（…周…，C5①：3）

图版360

1. 图案款（兔纹）：青花乘云折桂纹碗残底（F8①：4）

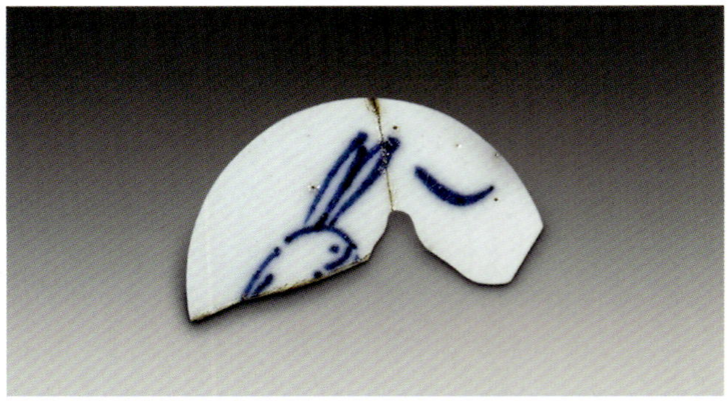

2. 图案款（兔纹）：青花八仙贺寿纹碗残底（G1①：44）

3. 图案款：青花折枝花卉纹杯残片（F9①：239）

4. 图案款（盘长结）：青花狮子戏球纹花口杯（ⅣT0104①：21）

5. 图案款：青花白描缠枝花卉纹汤匙（ⅣT0304①：8）

6. 图案款：青花灵芝茶花纹大碗（TG36①：10）

7. 青花乘云折桂纹碗残片（…像…，ⅠT0105①）

8. 青花秋叶纹碗残片（…叶…，ⅣT0504②B：3）

1. 青花秋叶纹碗残片（…桐…，ⅣT0504④：7）

2. 青花铭文碗口沿残片（不可识，ⅣT0504④：9）

3. 青花秋叶纹碗残底（…天下…，ⅣT0604④：3）

4. 青花铭文碗残片（不可识，ⅣT0604④：4）

5. 青花铭文碗残片（不可识，ⅣT0604④：5）

6. 青花铭文碗残片（不可识，ⅣT0604④：6）

7. 青花铭文碗残片（不可识，ⅣT0604④：7）

8. 青花铭文碗残片（不可识，ⅣT0604④：8）

图版362

1. “富贵佳器”青花螭龙纹盘（F9②：35）

2. 青花螭龙纹碗残底（方款不识，F19①：6）

3. 青花魁星踢斗纹盘（方款不识，ⅣT0106①：5）

4. 青花螭龙纹盘（方款不识，TG55②：44）

5. 青花寿字盘内底（ⅣT0706①：5）

6. 青花寿字盘外底（方款不识，ⅣT0706①：5）

7. 青花魁星踢斗纹盘残片（方款不识，TG47③：24）

8. 吉语款：“□□攸同”青花红彩鹭鸶纹碗底残片（F8①：263）

不识方款、吉语款款识

1. “成化年造”青花红彩狮子戏球纹杯残片
（G12①：2）

2. “大□宣□□造”青花釉里红鱼藻纹大碗残片
（F8①：102）

3. “大□□德□□”青花釉里红鱼藻纹大碗
（F8①：104）

4. “□明宣□年制”青花釉里红乳虎纹杯
（F9①：16）

5. “大明宣德年制”青花釉里红喜鹊登梅纹碗残片
（F9①：50）

6. “大明宣德年□”青花釉里红乳虎纹杯
（F9①：82）

7. “□明宣德年制”青花釉里红乳虎纹杯
（F9①：115）

8. “□□宣□年造”青花釉里红鱼藻纹大碗
（F9②：21）

寄托款（纪年款）款识

图版364

1. 寄托款（纪年款）："大明宣德年制"青花釉里红喜鹊登梅纹碗残片（K5①：1）

2. 寄托款（纪年款）："□明宣□年制"青花釉里红乳虎纹杯残片（ⅣT0606②：9）

3. 纪年款："大明嘉靖年制"青花五彩鹭莲纹盘残片（F9①：9）

4. 纪年款："大明嘉靖年制"青花五彩高士纹盘（F9②：66）

5. 纪年款："□明嘉□□制"青花五彩狮子戏球纹盘残片（F9②：82）

6. 赞颂款："玉堂□□"青花五彩仕女纹盘残底（ⅣT0106①：2）

7. 纪年款："大清嘉庆年制"粉彩碗残片（F19①：3）

8. 纪年款："大清嘉庆年制"粉彩开光竹纹碗（F19①：12）

寄托款、纪年款、赞颂款款识

科学出版社互联网入口　　赛博古二维码

文物考古分社
电话：(010) 64009636
邮箱：arch@mail.sciencep.com

www.sciencep.com
(K-3644.01)
ISBN 978-7-03-072754-1

定价：1600.00元（全四册）

考古贵州之报告系列

海龍囤

·贰·

贵州省文物考古研究所
贵州省博物馆
遵义海龙屯文化遗产管理局
编著

科学出版社
北京

内 容 简 介

海龙囤，又名龙岩新城、龙岩囤或海龙屯，始建于南宋宝祐五年（1257），而毁于明万历二十八年（1600）的播州之役，是杨氏治下的播州最负盛名的羁縻·土司城堡。2015年7月与湖南永顺老司城、湖北唐崖土司城一起列入世界文化遗产名录。本书是海龙囤2012～2014年度考古发掘研究报告，对海龙囤相关遗存进行了全面介绍与深入研究。

本书适合从事考古、历史、文物研究的专家学者、教师及学生参考、阅读。

图书在版编目（CIP）数据

海龙囤 / 贵州省文物考古研究所，贵州省博物馆，遵义海龙屯文化遗产管理局编著. —北京：科学出版社，2022.7

（考古贵州之报告系列）

ISBN 978-7-03-072754-1

Ⅰ. ①海… Ⅱ. ①贵… ②贵… ③遵… Ⅲ. ①古城遗址（考古）-考古发掘-发掘报告-遵义 Ⅳ. ①K878.35

中国版本图书馆CIP数据核字（2022）第128052号

责任编辑：柴丽丽 / 责任校对：邹慧卿

责任印制：肖 兴 / 封面设计：美光设计

封面题字：戴明贤 / 封面绘图：顾 静

科学出版社 出版

北京东黄城根北街 16 号

邮政编码：100717

http://www.sciencep.com

中国科学院印刷厂 印刷

科学出版社发行 各地新华书店经销

*

2022年7月第 一 版 开本：889×1194 1/16

2022年7月第一次印刷 印张：78 1/4 插页：191

字数：2 250 000

定价：1600.00元（全四册）

（如有印装质量问题，我社负责调换）

第三章　新　王　宫

新王宫是民间对海龙囤内最大建筑群的俗称。所谓“新”是相对于“老”而言的，即过去认为老王宫年代早于新王宫，实际上这是同一时代不同性质的两组建筑群（详见第四章）。遗址坐落于囤顶西北部，有闭合垣墙环绕（见图1-1），为海龙囤的“内城”，文献中又称“衙”“衙院”“衙宇”“衙舍”等，知其具衙署性质。垣墙围合的面积约1.8万平方米，共有建筑30组（F1～F30）。建筑整体坐西南向东北（未山丑向），有清晰的中轴线，并大致形成“三进三路”的格局，自前而后逐级向上抬升，规模宏大，布局严整（图版189）。

第一节　环境与堆积

作为海龙囤的核心功能区，新王宫的选址较为考究，这里也是我们考古发掘的重点区域，出土的遗迹、遗物最为丰富。地层堆积反映出不同时期的人群活动对遗址的影响。

一、新王宫的选址

偏处囤顶西北隅的新王宫坐落于“三沟夹两山”的缓坡地带，其左、中、右各有三条西南—东北向的天然冲沟，冲沟之间是相同走向的两道山脊，整体地势东北低西南高。

营建时，填平中沟前部并削平两山前部，以垣墙和数道挡土墙使整体地势呈台阶状，建房于其上。中轴线设于东侧山脊的前半部，山脊的后半部则连同其后海拔1346米的圆阜形土山而成为其“靠山”；沿中轴线向前1760米处，一座海拔1126米的尖山为其“朝山”，未见明显“案山”。轴线方向为38°。“靠山”左右两翼各有一山连同绵延向前的山脊构成砂的意象，两脊的主峰海拔均在1341～1342米。右砂主峰即采石场，其顶部或有意取石降低，以与左砂呼应。两侧冲沟不常有水，但与砂山相邻起到分隔空间的效用（图3-1）。经此调整，新王

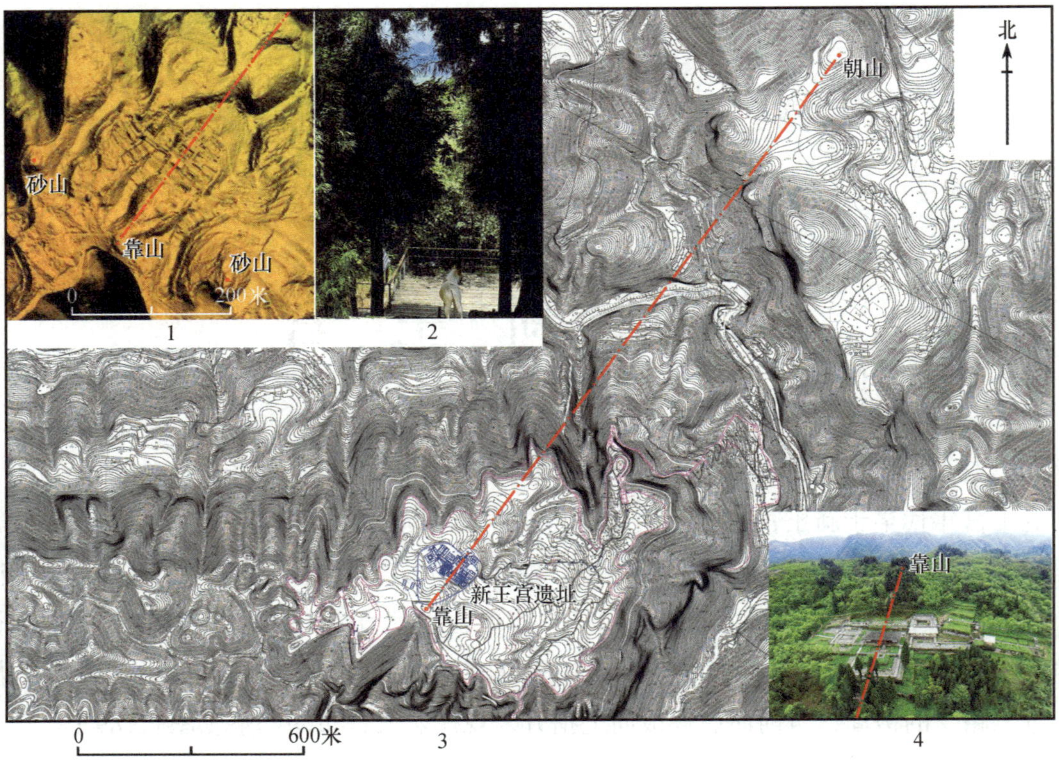

图3-1　新王宫形势图

1. 新王宫地势　2. 朝山远眺　3. 新王宫山水格局　4. 靠山远眺

宫遂成地理先生所说的“前有帽，后有靠，左有湾，右有抱”的最佳风水格局①。养马城宋代衙门遗址亦是按“前帽后靠”的山川形势来布置的②。明嘉靖十六年（1537）刊行的《思南府志》所附“图形”中，“沿河祐溪长官司署”与“朗溪蛮夷长官司署”均有“靠山”，后者可见“朝山”③。可知类似选址应是一种普遍的现象。风水观念在杨氏土司墓葬中也反映得较为强烈④。

除“靠山”和“朝山”外，新王宫左右两侧还有护砂拱卫（左龙砂，右虎砂），形成前朝后靠、山环水抱之势（水势既反映在两侧冲沟中，也反映在环囤溪流中），强调了龙、穴、砂、水的周密权衡。靠山—中轴线建筑—朝山构成遗址的纵轴，左右砂山为两翼，河流则为横轴，形成左右对称的均衡格局。

---

① 李飞：《相土尝水：风水海龙囤》，氏著：《复活的土司城堡：海龙囤考古手记》，贵阳：贵州教育出版社，2014年，第171页。下文将多次使用“中轴线”与“中路建筑”两个概念，略作说明：“中轴线”范围较“中路建筑”小，仅就“中路建筑”中居于一线的大门（F28）、仪门（F25）、大堂（F22）与二堂（F7）而言；“中路建筑”则还包括六房（F23、F24）、卧房（F8）等。

② 养马城衙门遗址始建于宋，明代沿用。遗址背靠豪高坡，中轴线延长线的前端另有一山与之隔河相对。参见贵州省文物考古研究所等：《贵州遵义市养马城遗址调查与试掘简报》，《考古》2015年第11期。

③ （明）洪价修，钟添纂，田秋删补：《思南府志·图形》，《中国地方志集成·贵州府县志辑》，成都：巴蜀书社，2006年，第43册，第484页。

④ 李飞：《夷夏之间：播州杨氏羁縻·土司墓葬研究》，四川大学博士学位论文，2017年，第241页。

总之，新王宫的选址受到了当时风水观念的强烈影响。除强调大规模建筑组群的空间组织与礼制色彩外，还刻意追求山川形势之美，探究自然环境与人文景观的有机结合，营造出庄严、肃穆、崇高、永恒的环境与精神氛围，给人以强烈的艺术感染力。清代帝陵的营造，甚至更强调山川形势，“总以地臻全美为重，不在宫殿壮丽以侈观瞻”①。建筑与自然景观的有机融合，也反映在明代诸城门的选址与朝向上，几乎每座城门中轴线远端都有一座山峦与之形成对景。这样的安排，彰显了万历时期重建海龙囤“以为子孙万代之基”的高远追求。

二、发掘过程

因为部分挡土墙、台基及中轴线前端石砌踏道等遗迹一直裸露于地表，加之民间传说的渲染，新王宫遗址向来为人关注。1999年秋，由贵州省文物考古研究所、遵义县（今播州区）文物管理所等单位组成的“海龙囤文物考察组”对“龙位坪”东侧的“配殿”（即F1）进行了较为完整的揭露，试掘面积约100平方米，出土各类遗物60余件，包括转角方砖（博缝头）、勾头、滴水等建筑材料，碗、盘、杯、盒等瓷器碎片，以及铁钉、铁凿、铁刀、铁镞、铁铠甲片（方形与长方形各4件，较完整）、铅弹等金属器，并出土了数枚围棋子。部分青花瓷碎片上有“大明宣德”“大明万历”等纪年款②。这是新王宫也是海龙囤历史上的首次考古试掘活动。

2012年开始的大规模考古发掘是以新王宫为中心展开的。发掘以1999年的试掘地点为基础，以F1台基的东北角为基点，以象限法布覆盖全囤的10米×10米探方，围绕中轴线自后向前推进，调查、勘探与发掘相结合，发掘面积共约6000平方米（图3-2）。其中2012年度的发掘以“龙位坪”和东西两翼为重点，发现房址17座（F1～F17），并对除F5、F6、F13～F17等7座（组）外的房址进行了细致的清理。该年度的另一项重要发现是通过地面踏勘与试掘，确认了环新王宫存有一圈垣墙，使之成为海龙囤的“内城”。2013年度的发掘以中轴线的梳理为重点，从“龙位坪”渐次向前推进，发现F18～F28等11座（组）房址，并对除F18以外的所有房址进行了清理。2014年对其余空间进行了勘探，初步厘清了F29与F30的结构。

至此，新王宫内共计探明房址30座（组），对其中20座（组）进行了全面或局部清理（F9仅清理了东梢间），其中10座（组）则通过勘探厘清了结构，未进行大面积揭露。另发现道路、水池、灶台、排水沟、坑等遗迹。出土遗物数量颇巨，按功用有建筑材料、生活用器、工具、兵器和钱币等，按质地则有陶、瓷、石、铜、铁、铅等，以建筑材料和生活用器为主，另有部分动植物标本。

---

① 王其亨：《清代陵寝风水：陵寝建筑设计原理及艺术成就钩沉》，王其亨等：《风水理论研究》（第2版），天津：天津大学出版社，2005年，第175、176页。

② 海龙囤文物考察组：《海龙囤遗址调查报告》（刘世野执笔，未刊稿），1999年。出土遗物现存杨粲墓博物馆，遗物的识别，结合报告及实物。

三、地层堆积

发掘区内部分房址即裸露于地表，部分表土下便是房屋基址，以龙位坪西北段的地层堆积最为完整，现以ⅣT0503为例予以说明（图3-3）。

该处房址（F8）以上的堆积可分4层。

第1层：灰褐色表土，较为疏松，含少量砖块、瓦砾及零星瓷片（青花、粗瓷皆有）。厚0.07～0.2米。

第2层：黄褐色黏土，可分二亚层。第2A层：土质致密，含少量瓦砾、瓷片等。局部缺失。厚0～0.25、深0.07～0.2米。第2B层：土色偏灰，含少量砖块、瓦砾、瓷片等。局部缺失。厚0～0.3、深0.1～0.4米。

第3层：灰褐色黏土，可分二亚层。第3A层：土质较紧密，含较多风化石片，出土物以瓦砾、瓷片为主，出土弘光通宝1枚。主要分布在探方的西北部，东南部缺失。厚0～0.38、深0.3～0.6米。第3B层：浅褐色淤土，包含物与第3A层同，略少，有少量崇祯通宝、弘光通宝、隆武通宝等钱币。主要分布于探方西北部。厚0～0.25、深0.7～0.9米。

第4层：灰色黏土，土质疏松，略显驳杂，含大量风化石渣、瓦砾及零星砖块、勾头、滴水与脊砖残块，出土崇祯通宝、弘光通宝、永历通宝等钱币，以及罐、碗、盘等瓷器碎片。东南部和中部缺失。厚0～0.4、深0.35～1.05米。F8、K3、K4与Z1等遗迹单位即开口于此层下。

该处F8地面以上堆积可分3层。

F8第1层：砖瓦砾堆积，以砖为主。出土遗物除砖瓦砾外，有勾头、滴水、脊砖、脊兽、铁钉、铁扣及瓷器碎片等。局部堆积，厚0～0.37米。

F8第2层：砖瓦砾堆积，以瓦为主。出土遗物除砖瓦砾外，有脊兽、脊砖、铁器等。局部堆积，厚0～0.65米。

F8第3层：灰褐色灰烬，含较多炭屑。出土遗物有瓷器碎片、铁钉、铜铁器残件、零星瓦当及1件石砚台，同时出土了一定数量的稻米、燕麦、粟、黍等植物标本。主要分布于天井内，较薄，厚0～0.05米。

该层之下，为F8砖或石铺地面，未再向下清理。在铺地砖和石铺地面残损处局部可见垫土层。

ⅣT0503内堆积，充分反映了新王宫内地层堆积的主要特点，可以解释遗址废弃及其被掩埋的整过程。概括起来，有以下几点。

第一，建筑坍塌后的废墟（即砖瓦砾层）构成了遗址内的重要堆积，我们将该堆积视为重要的遗迹来清理，以期较为准确地把握建筑的屋面结构。在技术处理上，将该层以上的堆积放在探方内，而将该层及其以下堆积（灰烬层）一并划归房址。若遗物未远距离搬运，探方内出土物对理解下层遗迹单位仍有参考意义。灰烬层的普遍存在，则反映新王宫确如文献所记毁于

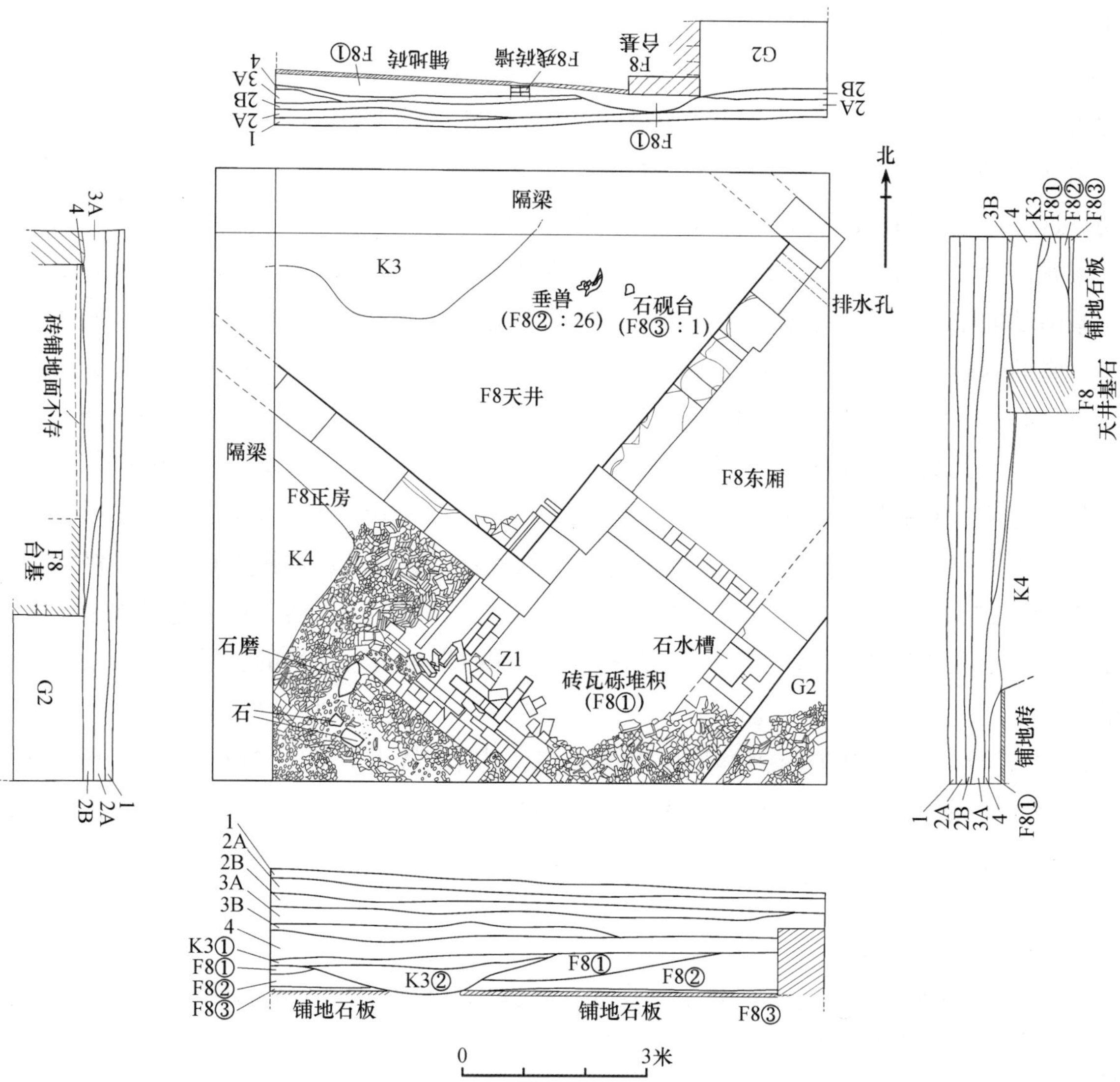

图3-3 新王宫ⅣT0503平、剖面图

大火[①]。

第二，宏大建筑群不太可能瞬间就全部倒塌于地，残垣断壁应是渐次坍塌的。当木结构骨架被焚毁之后，建筑材料便只剩砖、瓦、脊兽等屋面和墙体上的陶质用材保留下来，其坍塌的过程应是屋面先坠地，墙砖再陆续坍毁，因此砖瓦砾堆积层砖瓦混杂，而一般上层以砖为多，下层以瓦为多。与此同时，尚未坍塌的空间为后人进入其中活动提供了方便，因此屋内堆积中也可能混出稍晚的遗迹与遗物，但仍以土司时代的遗存为主，这是需要引起注意的。

第三，新王宫毁弃后曾遭人为盗掘。盗掘的目标应是土司财物，主要表现在F8（有K3、K4）与F10（有K1、K2）内，下掘的深坑致使房址地面遭受破坏，并反映出该两组建筑不一般的功能。土司住宅内储有数量可观的金银，明代文献中已有记载[②]，“金银库”传说则反映了民间的解读。从地层堆积看，盗掘活动大约发生在遗址废弃之后至被掩埋之前的明代晚期。盗掘严重的两座房址，F8推测为土司卧房，F10则系府库，是最有可能储存金银之地，因此受灾最重。

第四，种种迹象表明，新王宫遗址曾于明末清初进行过一次较大规模的挖高填低的平场活动，这一过程当与海潮寺的寺僧有关。建筑坍塌所形成的废墟往往高耸于地表，一如“金银库”现状；废弃的水池、天井则形成深坑，必然对后人的活动造成不便。而遗址废弃之后，于此频繁活动的正是海潮寺寺僧。结合文献，海潮寺是明军攻破海龙囤后由兵备道傅光宅于土司衙署大堂的基础上创建的，其始建年代应在万历二十八年至三十一年（1600～1603）间。弘光元年（1645）《海龙山为天开胜地》碑则显示：寺之初建为“茅椽”，崇祯年间，僧人炤月驻锡此地，昌大其颜并广置庙产。彼时“道府厅县明文：将海龙地土开垦永充龙岩常住”（崇祯十五年“道府厅县碑”），海潮寺一时鼎盛（说详后）。350余枚崇祯通宝与弘光通宝、隆武通宝等钱币的出土，正反映了这一历史过程。而这些钱币除部分出自探方地层外，绝大多数则出土于C4（275枚）、K3（16枚）、K4（6枚）、G2（26枚）等水池、坑穴与排水沟内，占此类钱币出土总数的90%强，表明这些下陷之地是南明时期被有意填平的，目的是方便海潮寺寺僧的活动。

探方地层堆积中，ⅣT0503第4层所出明末与南明时期钱币最多（13枚），相应地，该层当为南明时期堆积，可与前述海潮寺寺僧在该时期的平场活动相互验证。而此层以上的堆积，则与清人及近人的活动相关。

---

① （明）李化龙：《平播全书》卷5《叙功疏》：六月初六日黎明，杨应龙惊知明军已入城中，为免其尸落明军手中，遂“入卧房将门钉闭，举火烧房”，“须臾，火烧楼房一空”。北京：大众文艺出版社，2008年，第150页。

② （明）李化龙：《平播全书》卷4《六报捷音疏》：四月，“杨酋差人带兵搬运家财皮箱上囤”。卷11《行湖贵镇道申饬密示条款》：“至于贼获之后，道、镇与监纪官，公同至囤验视贼之家资宝物金银衣器等件，登记封识，拨人看守。”《止陈总兵追献银物》：“责令回营严加查搜，得各兵在巢所得银锅、银盔等项，共重一千九百二十三两四钱三分”云云。可知杨应龙败退海龙囤前已着手安排将家财运往囤上，明军破囤前便严禁官兵争夺土司财物，但仍禁而不止，仅陈璘一路便抢得银器上千两，足见财物之丰，惜发掘中未得见。北京：大众文艺出版社，2008年，第113、368、380页。

第二节 遗 迹

新王宫遗址内共发现内城垣墙一周，房址30座（组），道路10条（L1～L9、L11），水池11个（C1～C11），排水沟28条（G1～G28），灶台7个（Z1～Z7），坑9个（K1～K9），现代坑7个（现代坑1～现代坑7）等遗迹。房址为核心遗迹，余则多系其基础性或附属性设施。除部分灶台及全部坑穴（坑与现代坑）为晚期遗迹外，其余均土司时代遗存，亦是介绍的重点（图3-4）。

一、基础设施

这里将与房址关系密切而又相对独立的垣墙、挡土墙、台基、道路与给排水系统等视为基础性设施。

（一）垣墙

中轴线前端的大门两侧，一圈石砌垣墙沿山势逶迤向上，于“靠山”前交汇，整体呈心形，构成内城的轮廓。部分垣墙尚残存于地表，多数则已夷平后掩于地下，仅存墙基，因此长期不为人知。2012年4月经地面踏勘发现可能存有环新王宫的垣墙后，为探明其走向和结构，随即布探沟8条（TG6～TG8、TG50～TG54）予以揭示（图3-4）。

试掘显示，垣墙全长476.6米，现存宽度0.4～2.7米（底部略宽），残高0.1～6.1米（南端垣墙外侧较高），其所围合的面积约1.8万平方米。垣墙土石混筑，未见明显的黏合剂，主体以灰岩或砂岩石块砌筑内外壁，中填以土，杂有石块，略经夯筑，与囤后土城城垣同属B类城垣（图3-5；图版190）。少量砂岩及其上所遗工具痕迹，接近于南北宋城上的同类石材。除TG6外，其余7条探沟内均有瓦砾出土。鉴于目前所存的主要是垣墙的下半部分，上半部结构不明，瓦砾的发现存在两种可能：一是垣墙顶部有瓦苫盖，二是附近建筑上的遗物，已不易判明。此外，因未全线清理，新王宫除前开大门外，余处是否仍设有旁门则不得而知。

垣墙的发现，确认了文献所记“内城”的具体位置，框定了新王宫的具体范围，使建筑内部关系与内外关系（如与“金银库”）的深入认识成为可能。

（二）挡土墙与台基

建筑沿坡而建，于坡坎外缘以条石砌筑挡土墙，从而形成多级平台，房址即坐落其上。

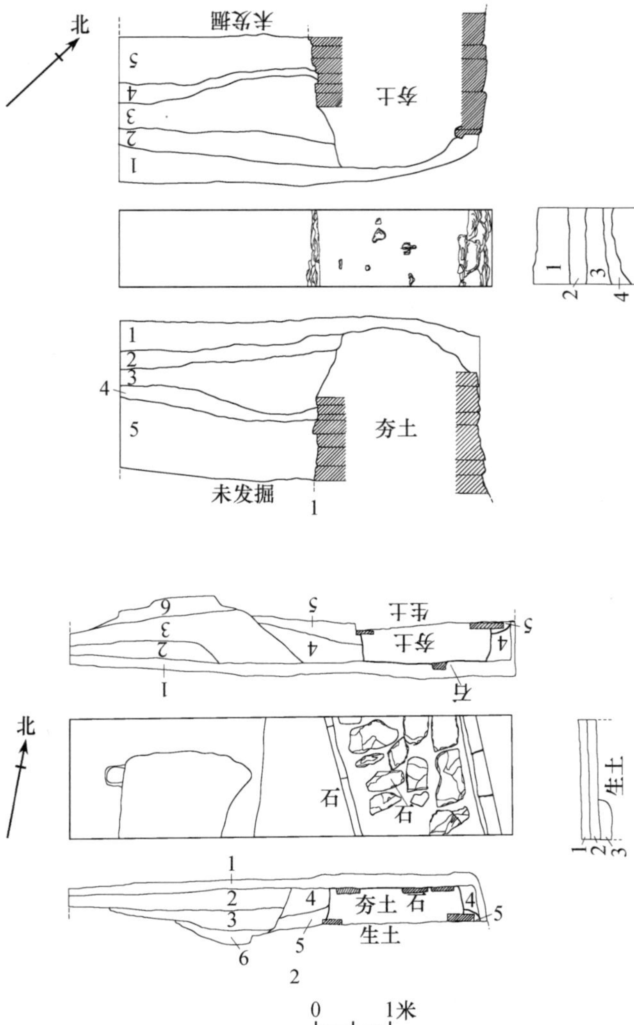

图3-5　新王宫垣墙结构

1. TG7平、剖面图（第1层：灰褐色土层，第2层：浅灰黄色土层，第3层：黄褐色土层，第4层：瓦砾堆积，第5层：灰色土层）
2. TG52平、剖面图（第1层：灰褐色土层，第2层：浅灰色土层，第3层：灰黄褐色土层，第4层：黄褐色土层，第5层：瓦砾堆积，第6层：黄灰色土层）

挡土墙形制、长短、高低、方向不一，但以东西向为主。粗略而言，由后往前（自南而北），大略有6道（Q1～Q6），高1.1～5.5米。居南者二道（Q1、Q2）曲折贯通东西，两端各与垣墙接，长136～150米，大堂（F22）、二堂（F7）即分别坐落其上。大门两侧的垣墙，临坎而筑，外侧残高最高达4.1米，墙内平整，因此也有挡土墙的功用（图3-6）。

台基、屋身和屋顶构成了房屋核心的座、架、顶三部分。新王宫的房址均沿坡而建，台基往往与挡土墙融为一体，挡土墙构成台基的前沿部分，其后再用加工规整的大石包砌，围合为完整台基，因之均外侧陡直，内侧低平，中填土、碎石屑（多为石料加工过程中的废料）等。中轴线及其东侧部分台基（F7、F1与F10）的阶沿石宽大厚重，大者长2.7、宽0.95、厚0.4米，重近3吨。其向上向外的一侧边缘有倒角现象，形成台基的台帮，其上起砌砖墙，构成屋身。二堂（F7）台基正面陡板石用料较大，并经打磨，形成精美影壁。“三台星”（F17）台基左

图3-6　新王宫挡土墙

右两侧山墙石脚内侧作“R”状起伏，呈枭混线，颇精致，并仅见于此。

挡土墙与台基既构成了建筑的基础，又借助地形而将新王宫分隔为不同空间，彼此之间以道路和踏步相连接。

（三）道路系统

踏步、门、甬道、廊道、木桥、涵洞等组成了新王宫内部道路交通网络，将由挡土墙、台基与围墙分隔的不同空间有机地串联起来，并可借此审视不同建筑之间的相互关系，深化各空间功能的认识（图3-7）。

新王宫内共发现道路10条（L1～L9、L11）。L1是自飞龙关通往新王宫的主干道，总长约787、宽1.56～3米。用砂岩石板和条石铺砌而成，以小石块竖砌填缝。由此拾级而上，依次经大门（F28）、仪门（F25），由踏步下至大堂（F22）前天井（C5）中央凸起的石铺甬道（L5），复沿阶登临月台，至大堂（F22）。穿越大堂，沿石铺廊道至二堂（F7）。二堂（F7）前挡土墙高逾2米，但廊道尽头未见石砌踏步，应用木质者取代，不存。二堂（F7）与其西侧的F8之间隔着一条既宽且深的排水沟（G2），水沟两侧对称分布的四个凿孔（尚存其三）表明两者之间原应有木质桥梁相连接。该组道路构成了新王宫中轴线上的主要通道，并将并列分布的F7（二堂）与F8串联为一个有机的整体，反映后者亦应为中轴线上重要建筑，推测系土司卧房。

通向东西两路建筑的道路都是从中轴线延伸出去的，且大致呈对称分布。自前而后，仪门前九级踏步两侧各设门，有路通向两侧配房（F26、F27）。西侧另设九级踏步（L9）下达地势低处的姚家凼。大堂（F22）月台前端两侧，各设踏步（L6、L7），可自两厢（F23、F24）经月台通向东西两路建筑；同时在挡土墙上凿孔眼，架设木栈道，通向两侧地势低处。大堂（F22）亦有通道与东西两路建筑相连（西侧通往F19处设踏步一级，尤为明显）。

西路交通以F19为中转枢纽，东连中轴，向西则有L11贯通全线，向南有踏步和门道连接"三台星"（F17），并有迹象表明F19东西两侧廊道内可能有木梯连接高台上的F8，从而将两者连为一体。三台星（F17）居于新王宫主体建筑的最高处，其东西两侧设踏步与门槛（L2、L3），西侧的L2下通姚家凼，并可能与F18相连。L2主体由长7.2、宽1.3、高2.3米的券拱涵洞与前后两端各七级踏步组成，与L11上下相交，形成立体交通（图版201-2～4）。

东路交通因遗迹保存不佳而不甚明朗。但从残迹看，与西路类似，亦以紧邻大堂（F22）的F10为中转，东通F11，上接F1。F11东西两侧皆有石墁道路，俱上通高坎上的F1。居西者在挡土墙上凿孔，架设木梯；居东者（L4）则以石砌踏步相连。

要之，道路系统是认识建筑空间关系的重要证据之一。新王宫内道路系统整体略呈芈字形，中轴线上干道贯穿前后，为通往东西两路建筑的中枢，并多以门道与左右相通，具有一定的封闭性。东西两路建筑内道路则纵横交错，连接上下左右，相对开放。大堂（F22）两侧的F10与F19为向两侧中转的次中枢，亦彰显出该两组建筑不一般的地位。道路将F7（二堂）与F8彼此串联，成为判断F8性质的关键证据。同时反映F8与F19之间可能也存在密切关联。居于西北隅的F18则为几经幽曲方可抵达的静僻之处。从新王宫如何通达后三关，目前仍未明了。

（四）给排水系统

因沿坡而建，排水最为要紧，而人居衙内，也需充足水源，相关设施便构成了新王宫的给排水系统。包括水池11个（C1～C11；其中C5实为天井），排水沟28条（G1～G28），天井7个（含C5在内），庭院4个，以及石水槽6个等，彼此组合，相互贯通。这些设施用于汇集、排泄屋面雨水与山洪，以及贮存与使用饮用水源，同时可能兼具消防的功用。主要呈南北向分布，最终将水顺势而下排向垣墙之外（图3-8）。

1. 水池

水池、天井与庭院均有蓄水与排水的功用，形制相近，唯大小与位置不同。因此发掘过程中，亦给个别天井以水池的编号（F22天井C5）。若将之排除在外，新王宫内实有水池10个（C1～C4、C6～C11），均有排水沟与之相连。

按修筑方式，可分两类：一类凿基岩而成，缺处补以石块。仅C6一例。一类则从地面下掘坑槽，四壁石块砌筑，底墁石板。除C6外的9例均如是。按功用，亦可分两类：一类用以存储饮用水，有C1、C10、C11。一类用以排泄雨水与山洪，有C3、C4、C6～C9等6例，均将水流暂时储存，再以暗沟排往他处。C2的情况比较特殊，是用带凸棱的规整大石在F8天井北角隔成一近方形小池，用途不明，疑系后期遗存。以下举例予以说明。

C1，位于F1南。池呈横长方形，以F1台基南壁为池北壁，余三壁则以方正整石为之，南壁中央设影壁，西壁石上复以砖垒墙，东壁亦如是（残存的石灰痕及砖块可资佐证）。底墁石板，仅存部分。中央今为井，四季不涸。北有暗沟二条（G5、G6），将水向右前排出。内长10.75、内宽5.3、深0.5米。其内贮存的是干净的饮用水源，可引向C11内（图3-9；图版191-1）。

C3与C4，位于F9西侧，西邻垣墙。两池并列，一深（C4）一浅（C3）。均为长方形，石块垒壁，石灰填缝，居中一壁两池共用。C4以基岩为底，C3底铺石板，北端设踏步一级。C4口长3.02、宽1.55～1.65、深1.9～2.3米。基岩底部南高北低，南壁底部设宽大进水孔，高0.94、宽0.52米，与石砌暗沟相连，引入山洪或屋面雨水；西壁设出水孔，以石砌暗沟将废水排出新王宫垣墙之外。C3口长2.93、宽0.84～0.9、深0.43～0.52米。南壁底部设出水孔，外接陶质排水管，将水引向C4暗沟，再流往C4内。两池的北壁与东西两壁尚存墙砖1～2层，南端铺地石板上凿有彼此对称枋板眼3个，孔长0.15～0.23、宽0.05～0.07、深0.03米，当为入口处（图3-10；图版191-3）。由此观之，两池空间是封闭的，或有屋顶。C4具有贮水与排水的功能，C3则只出不进，且并未于其西壁开孔将水直排，而是迂回至C4进水道中。据此推测C3或为洗浴用池，C4可能兼有厕所的功用。发掘前两池均已被填平，内出大量砖瓦砾、瓦当与南明钱币，并有完整青釉葫芦瓶1件（C4③：2）。

C6，位于F12东，东邻垣墙。与C7、G11、G7与G17形成一组相对完整的排水系统（图3-11；图版191-1）。垣墙内侧设G11，将水顺势引入C6内。池南高处另有C7（汇集山洪与F12屋面雨水），将水经G7汇入C6。C6内水最后由G17排向垣墙外。C6直接在基岩上凿成，其北壁、西壁与底皆基岩，南壁与东壁则以块石垒砌。南壁设进水孔，与G11通；东壁底开八字形排水孔，外连G17。池之平面略呈梯形，口宽1.7～2.2、残深0.9～1.4米。池内出较多砖瓦砾、少量脊兽残块、青花瓷片等，坑底基岩中尚插有开凿用的铁錾1件（C6①：5）。

C8，位于F19与F20之间，与C9对称分布。汇G1、G8与G12内水于其中，又以暗沟（G25）将水引向挡土墙下的G13内。平面长方形，壁面以条石垒砌，较光滑，底铺石板。口长3.65、宽1.95～2、深0.48米。南、西、北三壁各开一孔，以进水和排水（图3-12；图版191-2）。

C10，位于F9与F18之间。平面呈梯形，四壁垒石（南壁就Q1挡土墙），底铺石板，未全面清理。口长18.62～20.25、宽5.1、深0.46～0.75 米。自F18东侧暗沟（G21）与连通F18天井的暗沟（G22）内流来的水源灌入其中，两沟末端均有挑头沟嘴嵌于南壁。池之西壁有出水孔将水经G23引入C4内。其中G21内水源清洁可用，至今仍不时流淌（图3-8）。

C11，位于F11东南角。平面长方形，设踏步一级以供出入，底铺石板，内置长方形石水槽1个，将C1内水经G5引入槽中，可饮用。口长2.8、宽2.58、深0.42米（图3-13）。

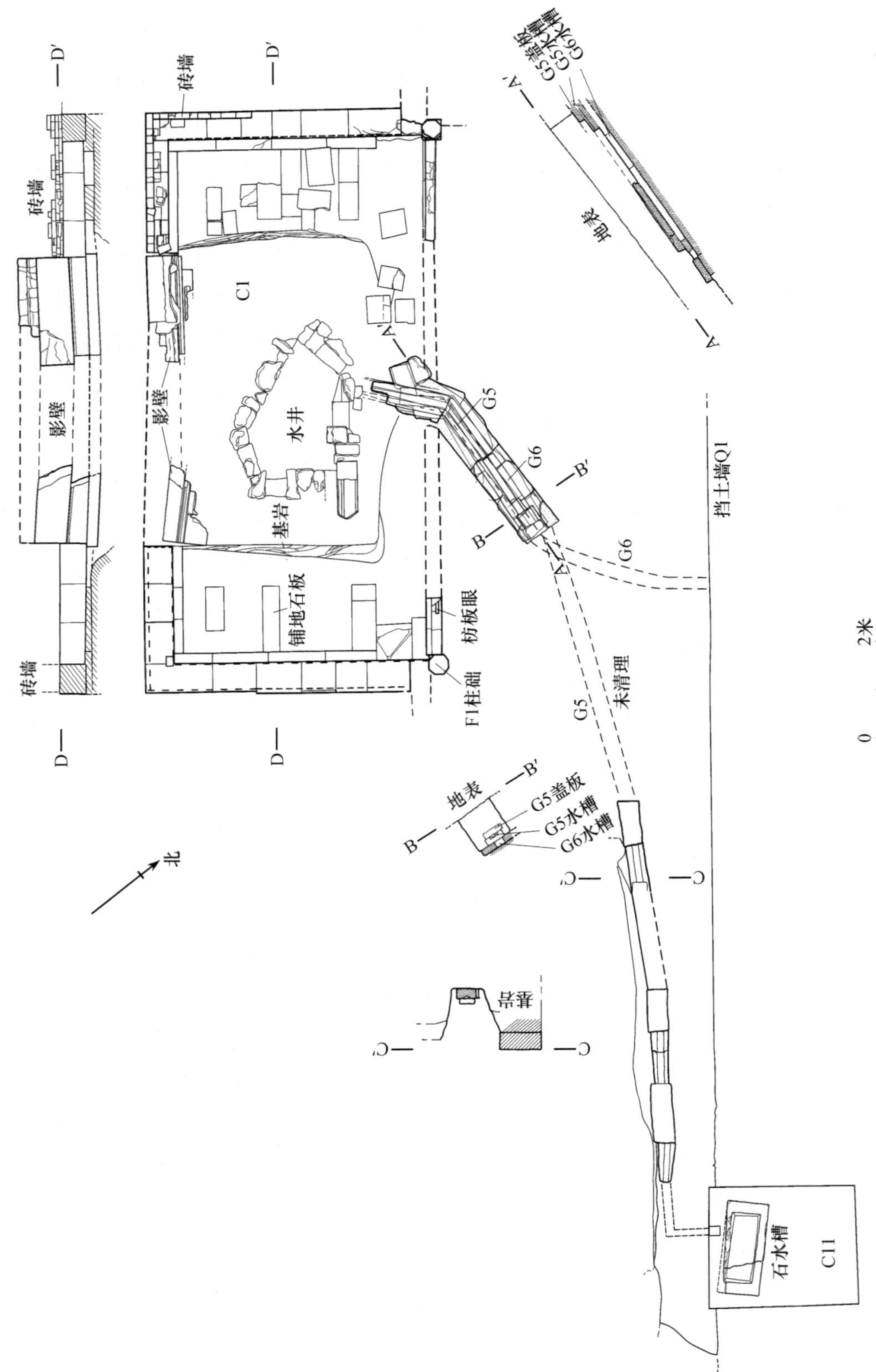

图3-9 新王宫C1与G5、G6平、剖面图

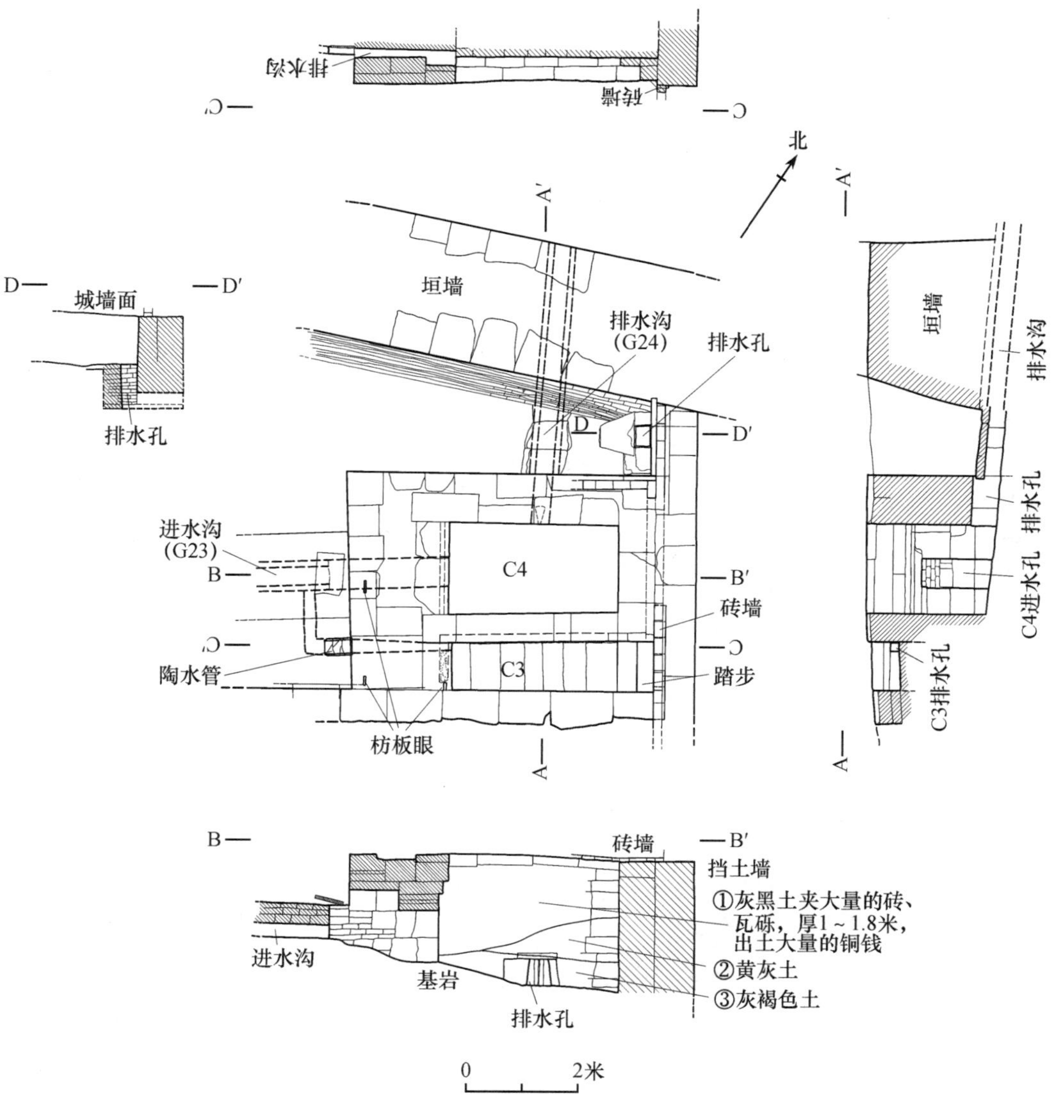

图3-10　新王宫C3、C4平、剖面图

2. 天井与庭院

天井与庭院是建筑的有机组成部分，均为室外空间，俱以石板铺地（F18天井除外），其区别主要在于所处环境不同：居合院式建筑中央且四面围合者为天井，居房屋一隅或未围合者为庭院。它们既是室外活动的空间，又是排水系统的一部分，具有承接、贮存屋面雨水的功能，并均有沟门、暗沟等将水向外引出。共发现天井7个（包括发掘时编号为C5的F22前天井）；庭院4个，其中F10前院居于建筑前端的敞开空间，余3处则在建筑左右侧空地，并专设一门以供出入（图3-8）。

7处天井可分两类：一类为下凹式天井，即天井下陷，低于室内地面。又有可出入与难出入之别。可出入者，于天井一侧或两侧设踏步上下，有F19、F22两例；或虽无踏步但井浅而便出入，有F7、F10、F29三例。难出入者仅F8一例，天井四壁陡直，深1.05～1.1米，未见可供出

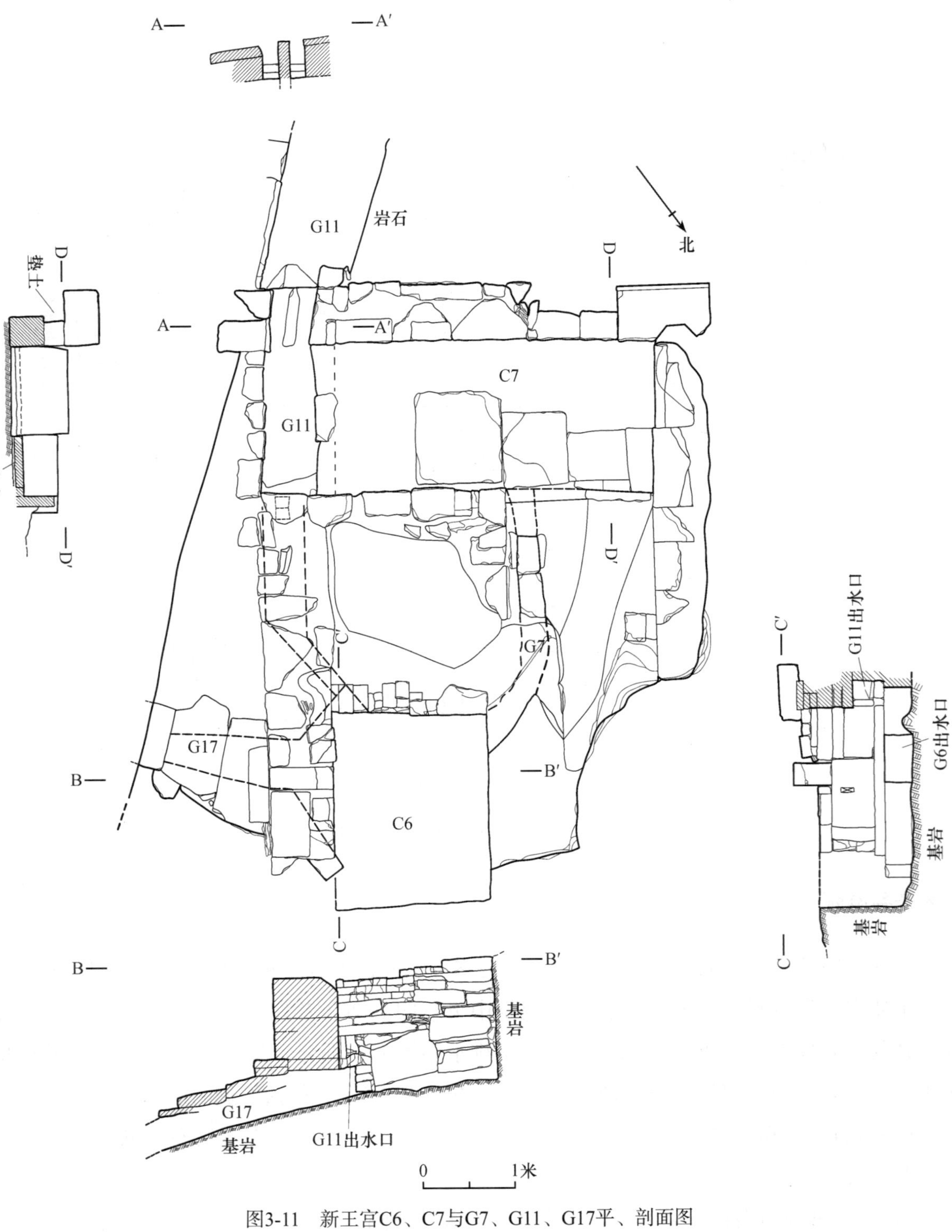

图3-11　新王宫C6、C7与G7、G11、G17平、剖面图

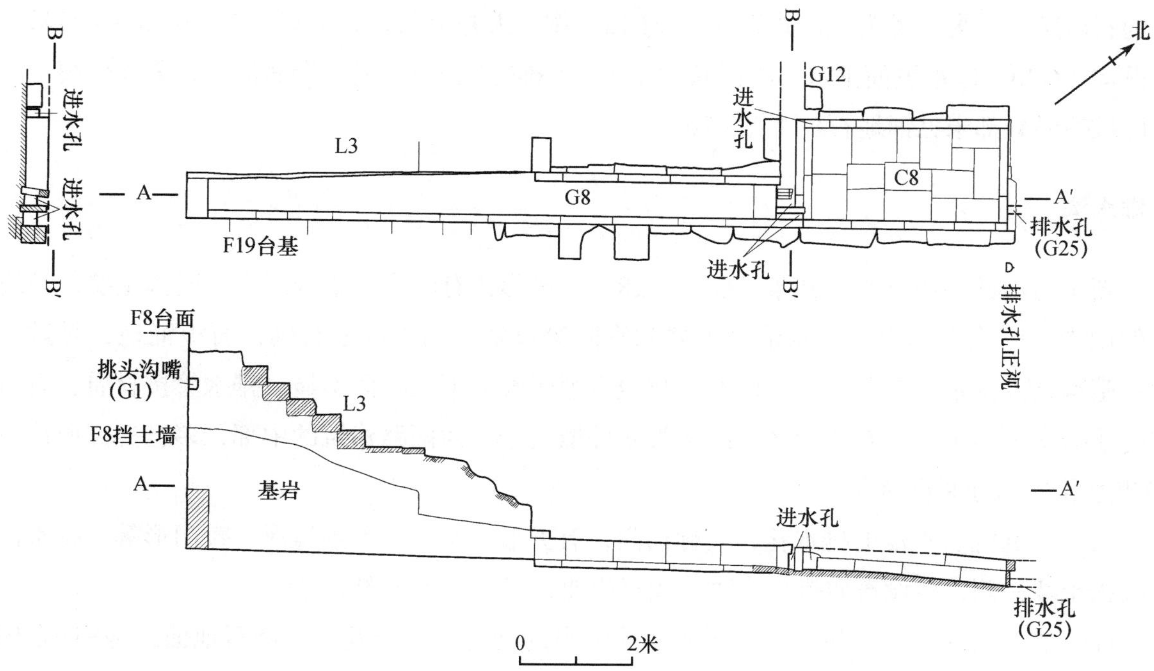

图3-12 新王宫C8平、剖面图

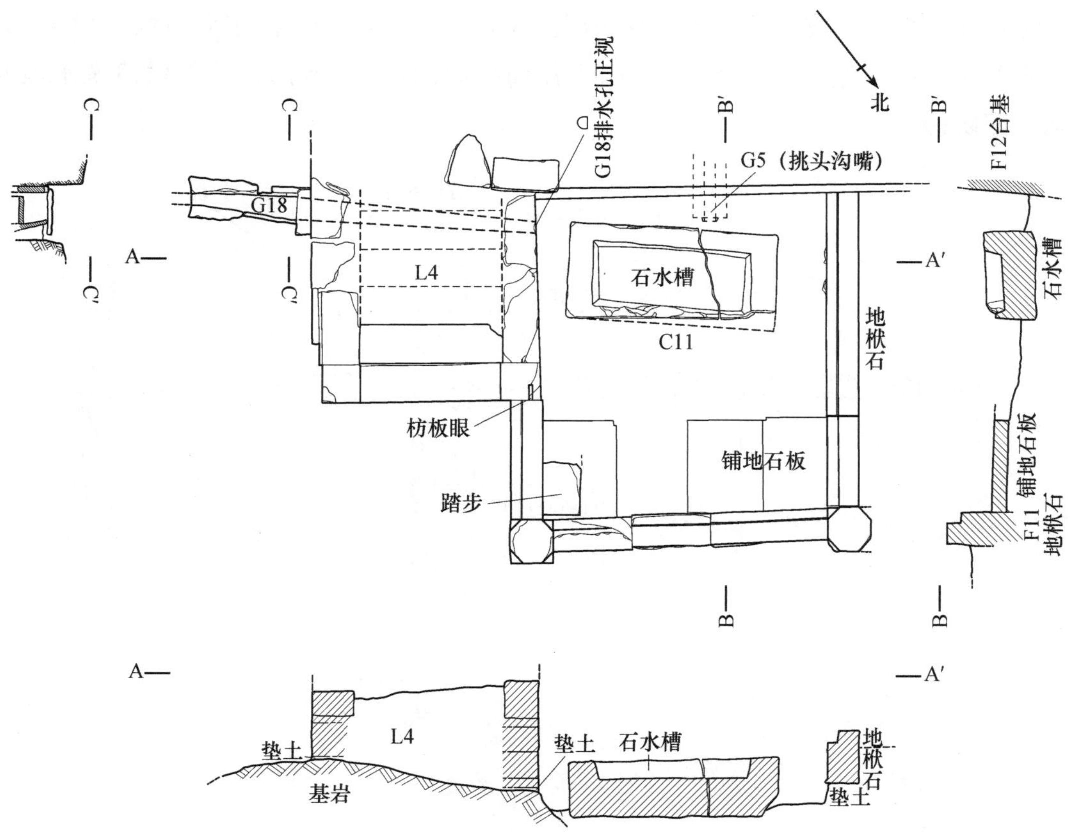

图3-13 新王宫C11平、剖面图

入的石质踏步。另一类为上凸式天井。仅F18一例。天井上凸，高出室内地面0.15～0.25米。四面设沟（G20）以承屋面雨水，再经暗沟（G22）排向C10内。因未全面清理，天井全貌不明，但已试掘的局部未见铺地石板（图3-26）。

3. 排水沟

新王宫内共探明排水沟28条（G1～G28）。按形式有明沟、暗沟两类。明沟主要是环绕房址的阳沟，暗沟则用以连接水池、天井和庭院等设施。明沟两壁石砌，石板铺地，是敞开式的；暗沟则以排水管节节相套，以石板封盖后埋于地面下，隐而不显。排水管按材质，有石质与陶质排水管两种，以石质为多。陶水管残件散见于东西两路建筑的中部，多已挪离原位，仅C3出水孔处部分原物尚存。

天井、庭院、水池的排水孔，又称沟门，有方形、半圆形、莲瓣形、壶门形等。排水沟尽头临挡土墙一侧，多设石质挑头沟嘴，或直或曲，因势而定（图3-8）。

G3，是一条将F10天井内水长距离向外引出的暗沟。叠压其上的铺石地面，为F10东侧阳沟，同时兼作道路。G3前端，有F10前院与F11北端石槽内水来汇（图3-14）。

G5与G6，是从C1北壁将水向外引出的两组排水沟，均以长条形石质排水管节节相套而成，局部有重叠，形成上下两层，G5居上、G6居下。G5将C1内水向右前引出至C11内，并以石槽承接，可以饮用。G6则将C1内水往前排向F10的阳沟内，或仅供清洗水池时使用（图3-9；图版191-1）。

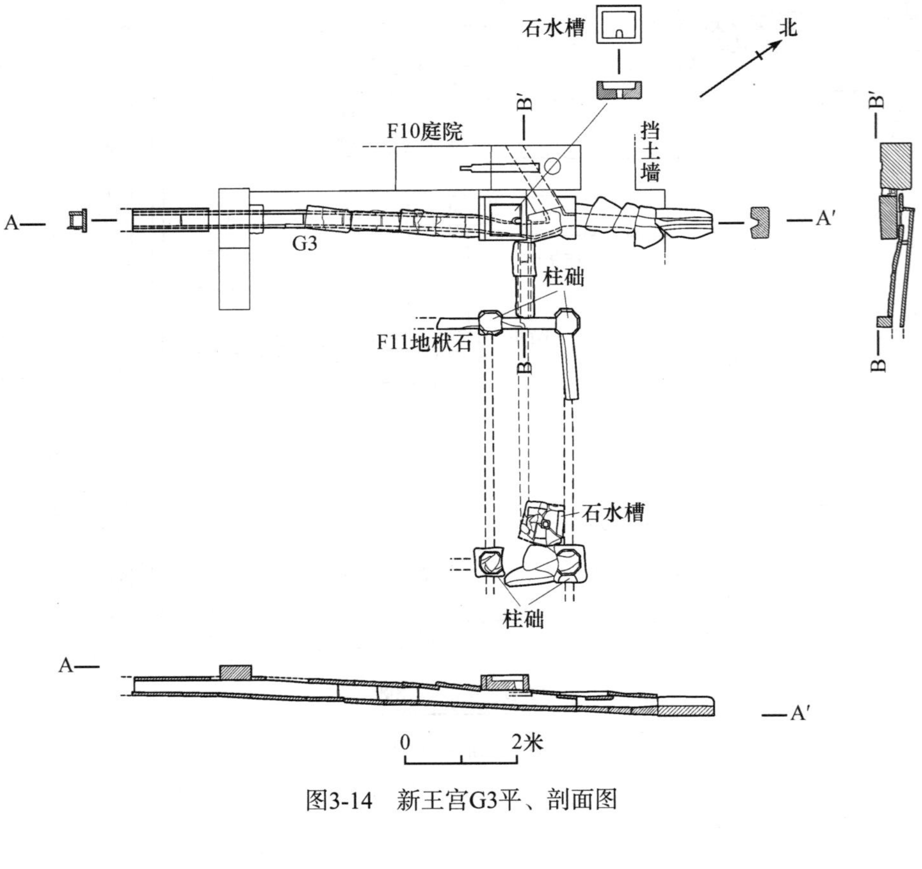

图3-14　新王宫G3平、剖面图

G13，是较为特殊的一组排水设施。在挡土墙Q2下再筑一道略低的石台，其上斜置石板成散水，前铺石槽成水沟，即G13。台高约3、宽1.45～1.58、残长12米。自F8与F19流下的水汇聚于此，再注入G28内（图3-22；图版191-2）。

4. 石水槽

共发现整石雕琢的水槽6个，除个别可能经后期挪移外，多数尚保留于原地，并有挑头沟嘴或排水沟与之相通，因此亦为排水设施的重要组成部分。

6例水槽按形制可分两类：长方形水槽与方形水槽。长方形者仅C11内水槽1例，外长1.86、宽0.86、残高0.47米，内腔长1.4、宽0.6、残深0.17米（图3-13）。方形水槽5例，大小相近，形制相同，底部一侧凿一圆孔以排水。分布于F8、F9、F11与G3上，其中F11内2个，居南者可能经后期移动，居北者底部有暗沟与G3上者相通。G3上石槽保存较完整，边长0.68～0.78、高0.3米，内腔边长0.49～0.59、深0.13米，下底孔径0.11～0.14米（图3-14）。

新王宫内给排水系统，特别是水池、天井等设施，除用以蓄水、供水与排水外，应有消防、景观的功用，或许还有风水的考量。

二、建筑格局

新王宫核心建筑整体呈“三进三路”的格局，前后三进，左中右三路，布局严整。中路从大门（F28）、仪门（F25）、大堂（F22）到二堂（F7），形成自前而后的三进空间；左右两路亦由挡土墙Q1～Q5大致区隔为三进空间，逐级向上抬升。相对于由挡土墙分隔的前后三进空间，左右空间的布局并不十分明朗，我们先识别出中路建筑，而将其以西的建筑统称为西路建筑，以东者为东路建筑，分布在核心建筑群周边的零星建筑，则归为“其他建筑”（图3-15）。

（一）中路建筑

中路建筑自前而后由十一级踏步、五级踏步与大门（F28）、东西配房（F26、F27）、九级踏步与仪门（F25）、两厢（F23、F24）、天井（C5）及其中央甬道与两端踏步、月台、大堂（F22）、两厢及其天井、二堂（F7）、卧房（F8）与F19等组成。其中大门—仪门—大堂—二堂一线为中轴线，其西侧F8、F19则属广义的中路建筑。方向皆38°，中轴线后有靠山，前有朝山（图3-1；图版192）。

1. 大门（F28）

大门（F28）前接五级踏步，三阶并列。再前平台下为十一级踏步，略散乱，阶条石多整石为之，长者达2.55米。门之两侧为八字墙，其外侧与垣墙相接。

门址长方形，左右各三础，呈三角形对称分布（西北角一础残佚）。础皆方座、八棱形鼓镜。柱础方座边长0.95、通高0.4米，鼓镜直径0.65、高0.15米。居中两础间连有石质门槛，柱础内侧凿有对称的半圆形门臼；两外侧亦凿有稍小半圆形浅槽，可能亦为门臼，双门侧开。门址面阔6.7、进深2米（以柱础中心点为测量点，下同），门宽3米（图3-16）。

2. 仪门（F25）

仪门（F25），前通大门（F28），后接两厢与天井（F23、F24与C5）。其前设连三踏跺，三阶并列，主阶直通中门，附阶曲尺形，通中门两侧耳门。

仪门三开，前有廊，两侧附耳房。正房通面阔11、进深4米，其中明间面阔4.5、次间面阔3.25米，明间中央再立两础以设门，门与明间同宽。前廊三开，面阔11、进深2米。两侧附耳房，仅各见一础，两础内侧凿方孔，当系置木质门槛所用，其上设耳门，面阔1.75米，进深不明。廊道及耳房柱础较正房者小（图3-17）。

3. 两厢与天井（F23、F24与C5）

仪门两侧为三开间的对称两厢，中央为天井。该组建筑与仪门一起，建在挡土墙Q3所形成的台基之上。

两厢（F23、F24）破坏较甚，仅从阶沿石上部分残痕可大致复原出房屋的结构。两厢对称，通面阔约12.75、每间宽约4.25、进深亦约4.25米，平面呈方形。两厢与环台基分布的配房（F26、F27）关系密切。

天井（C5）横长方形，面阔17.5、进深9.75、深0.5米。四壁垒石，底铺石板。中央一条隆起的甬道，贯通南北，两端设踏步，北接仪门，南通月台。甬道长9.75、宽3.8、高0.05米。西北角有沟门与暗沟（G16）将水向前引出（图3-17）。

4. 配房（F26、F27）

环仪门及两厢台基分布的一组建筑，称配房（F26、F27），亦即将之视为两厢的附属性建筑。建于挡土墙Q4所形成的台基之上，立柱其上，而将梁横插于挡土墙Q3上（于其壁凿孔），房屋开间与两厢一致。在九级踏步两侧各开一门，形成门房，均面阔5、进深4.25米。由此通向两侧配房廊道，廊道外侧有枋板眼，当有栏。

曲尺形配房大致对称。正面均三开间，近踏步的次间与门房共用一壁，但房间的一半为踏步所占，明间内各有一砖砌灶台（Z5、Z6）。侧面则略有不同，居西的F26三开间，南端以砖

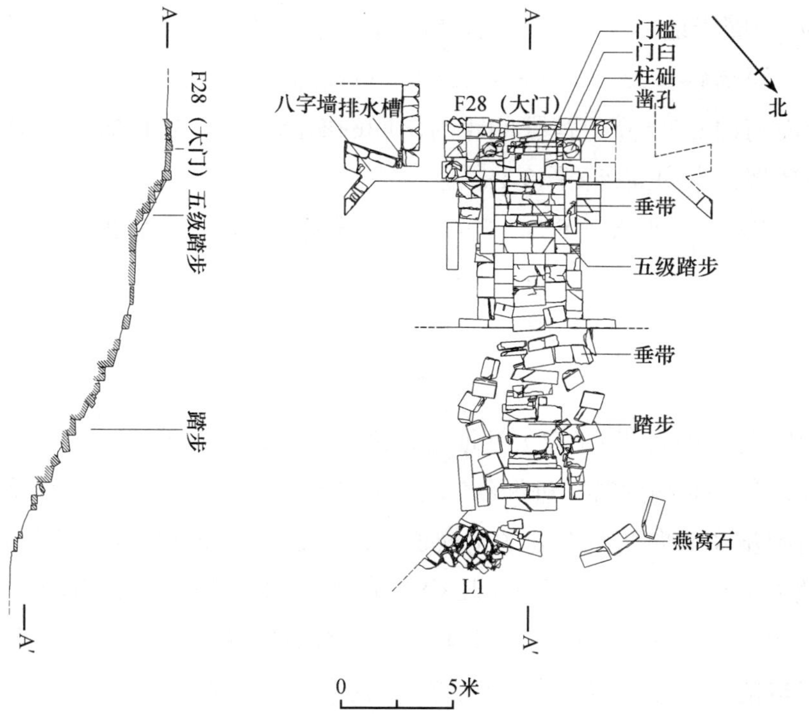

图3-16 新王宫大门（F28）平、剖面图

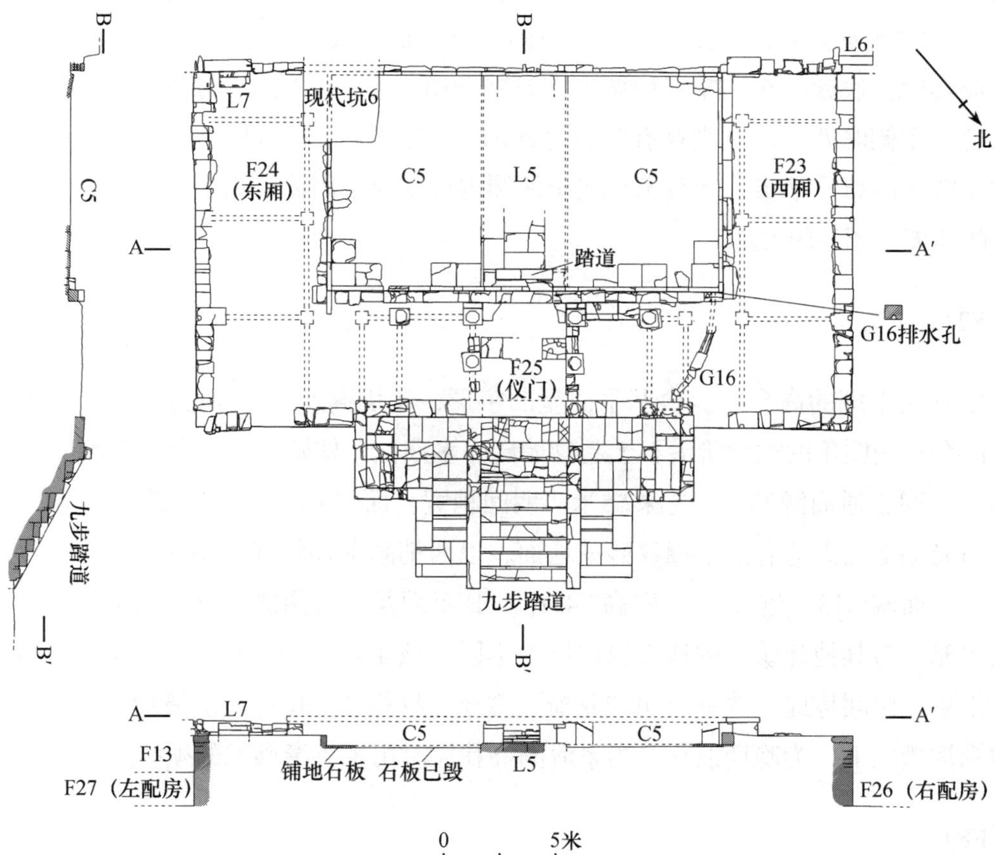

图3-17 新王宫仪门（F25）、两厢（F23、F24）与天井（C5）平、剖面图

墙封堵；居东的F27囿于地形仅一开间，末端用墙砖隔出狭小空间，用途不明。曲尺形配房每间大小大体一致，面阔4～4.25、进深3～3.25米。Q3石壁上凿孔椭圆形，一般长0.18、宽0.04、深0.03米，距地面高约2米。壁上凿孔间距与两厢的面阔一致。残存的八棱形石础间多有地栿石相连，局部有砖墙，室内铺砖（图3-18）。

配房与仪门（F25）、两厢（F23、F24）上下呼应，前后对称，形成一组规模宏大、形式复杂的建筑群。

5. 大堂（F22）

今之海潮寺即坐落在大堂（F22）基址上，因此大堂部分被叠压，部分被破坏，仅对局部进行揭示。前有月台，面阔约21、进深约7.8、高1.2米。月台正前有踏步与天井（C5）相接，其两端设对称石踏步及通向两侧低处的木栈道（L6、L7）。根据局部残存的柱础、柱础痕与地栿石，可大致复原F22的结构。通面阔23.8、进深7.3米，规模与其后的二堂（F7）相当。亦当五开间，但明、次间面阔不明，梢间则较窄，面阔2.5米。对海潮寺内东南角地面的试掘显示，大堂次间与梢间地面墁砖，作卍字锦纹。其平面结构或与F19正房同，即次间、梢间同宽，均较窄，明间宽大，或墁金砖。

大堂（F22）与二堂（F7）之间，有两厢与天井。两厢均单间，面阔6.5、进深4.75米。其南排柱础紧贴F7台基而立，并未预留排水空间。天井面阔10.3、进深6米。天井后壁大石方正平整，形成影壁，底铺石板，东、西两侧有石铺廊道。大堂（F22）与两厢、天井之间设东西贯通的廊道，东侧略残，西侧则存有踏步通往F19，两侧应大致对称。天井两侧廊道尽头未见登入二堂（F7）的石质踏步，当有木梯或于两厢内设木梯，因此该组建筑实际具有大堂、二堂之间穿堂的功能（图3-19）。

6. 二堂（F7）

位于中轴线末端的高台上。台基平面呈凸字形，正面高2.5米。前为长方形石板铺砌的廊道，余三面在外侧倒角的大型阶沿石上起砌墙砖，多残佚，柱础嵌于阶沿石内侧。

F7面阔五间，通面阔23.8、进深7.5米。明间稍宽，面阔5米，次间、梢间等宽，均4.7米。次间与梢间局部地面尚遗有卍字锦纹砖铺地面，以西梢间保存较好。明间后端有石砌须弥座，平面长方形，面阔5.13、进深1.8、残高0.45米。其正面及左右两侧石材刻出枭混，中央则以乱砖、石础填充。与其他建筑室内地面以砖墁地不同，该座与后墙之间以石板铺地，偶有砖，略显杂乱、粗陋。民间称此系放置土司“龙椅”之地，故称“龙位坪”。清理显示，座基叠压于F7明间地栿沟槽之上，为晚期遗存，当系海潮寺壮大时用于供奉佛像的须弥座（图3-20）。

7. 卧房（F8）

空间分布上，F8并未在中轴线上，而与二堂（F7）并列，居其左侧，两者之间有宽大的排

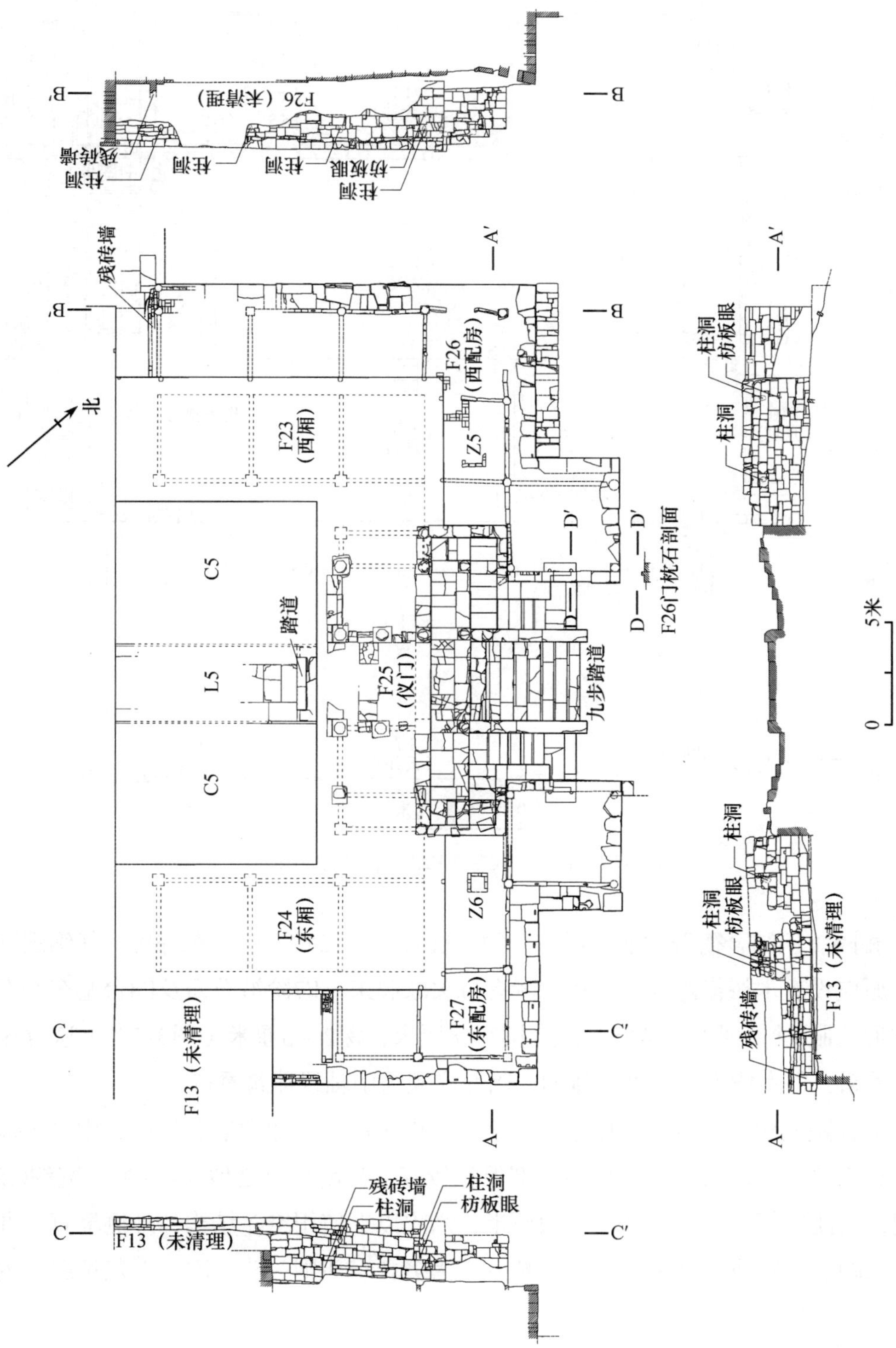

图3-18 新王宫配房（F26、F27）平、剖面图

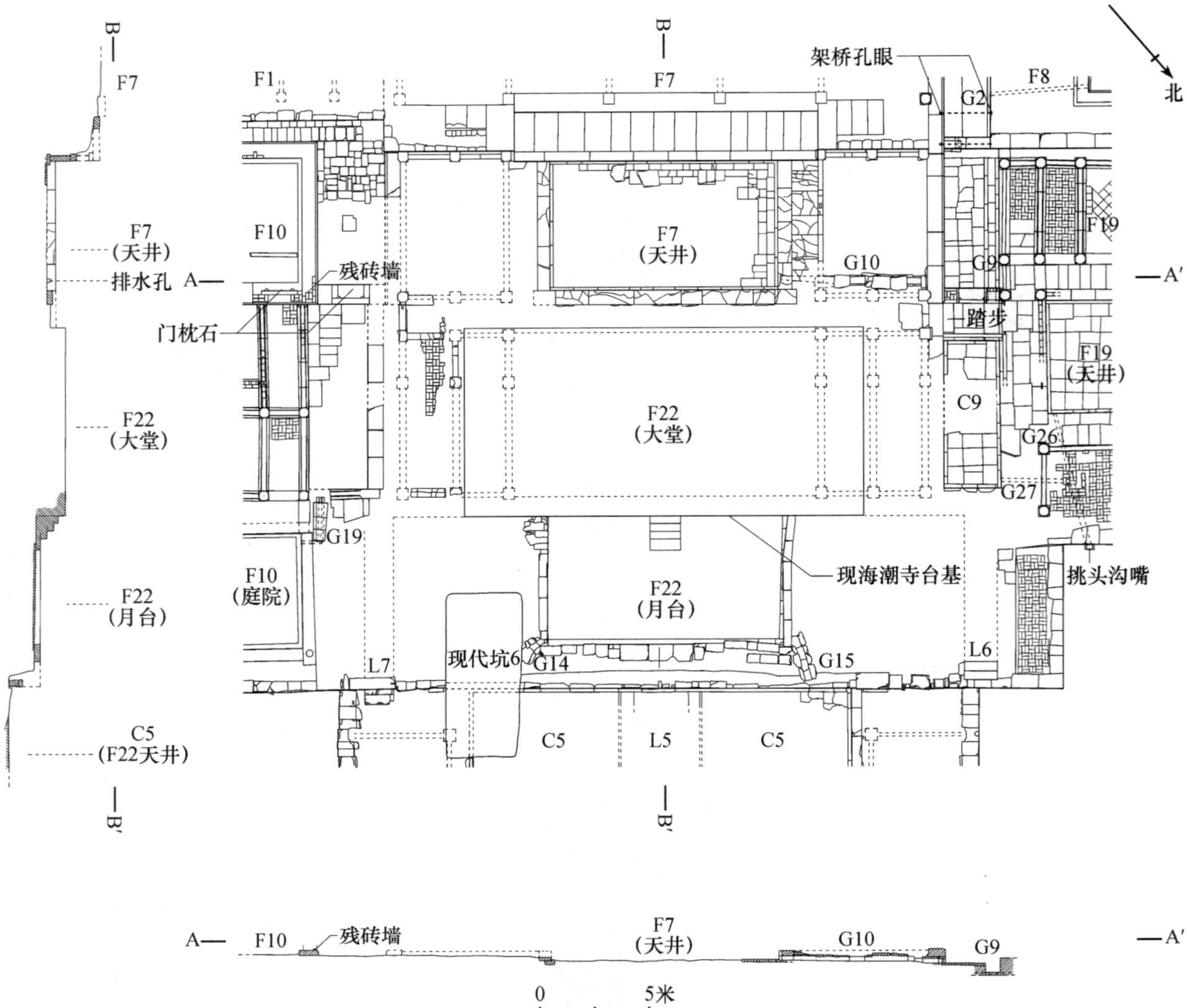

图3-19　新王宫大堂（F22）平、剖面图

水沟（G2）相隔。但结合衙署“前堂后室”的传统布局，二堂之后当有卧房。仔细观察发现，F7与F8之间原应设有木桥横跨沟上，将二者有机关联起来。F7阶沿石面及F8台基东侧石壁上，尚存对称方形孔眼3个（原应有4个），边长7～8厘米，深2～3厘米（图3-7）。这意味着空间上虽非前后关系，但本质上二者是一体的，因此应视为中轴线建筑看待。

F8是一组合院式建筑，台基整体呈倒凸字形，由正房、两厢和前廊组成，中央为深陷的天井。正房砖砌檐墙、山墙及西厢后檐墙下部保存较好，尚高出时之地面约1米，宽约0.5米。墙砖底层平铺，内侧底部四皮微向外凸1～2厘米，六皮以上使用空斗结构，外侧笔直，九皮以上空斗。底砖二顺、三顺或四顺一丁，以三顺一丁为多，空斗则一斗一眠。石灰填缝，内壁抹灰（图版193）。

正房面阔三间，通面阔12.3、进深5.9米，明、次间等宽，均4.1米。明间两侧石础间连有地栿石，自前而后第三组石础间亦横铺地栿，形成“后道”。两厢亦面阔三间，通面阔11.3、进深3.3米，明间稍宽，面阔3.9米，次间略窄，面阔3.7米。正房与两厢之间形成廊道，长8.7、

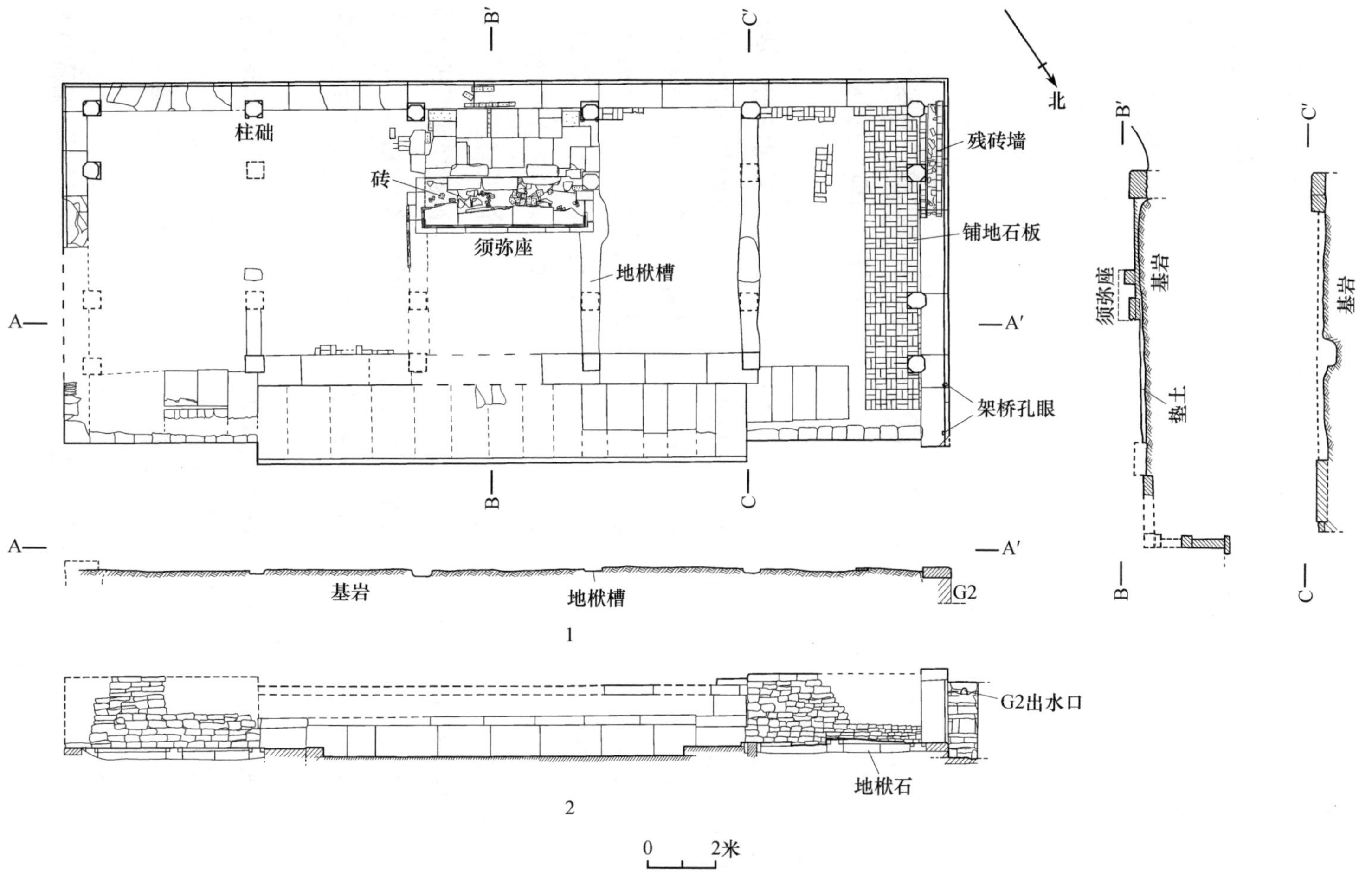

图3-20 新王宫二堂（F7）平、剖面图

1. F7平、剖面图 2. F7台基正面正视图

进深2米。前廊等长，宽达2.5米。室内及廊道地面均应墁砖，呈卍字锦纹。天井近方形，深1.05～1.1米，底铺石板，东北侧有沟门与暗沟将水引向G2内，未见踏步以供上下。其西北角用两块整石板隔出小池一个（C2）。天井北端的前廊较窄，且其前F19正房后檐柱紧贴F8台基边缘而立，推测可能共用屋顶（图3-21）。

东厢南次间西南角有砖砌灶台一个（Z1），叠于地栿之上，且与之相接的正房檐墙砌筑无序，因此Z1当为稍晚的遗存。该房的东北角有方形石水槽一个，嵌于阶沿石上，为原生遗迹。

因是填平冲沟而建，F8、F19一线遂成排水的重点区域，G1—G8—C8、G2—G9—C9彼此贯通，深且宽大。在环F8的G1、G2内出土了10件回字形石框，当为石窗，与5件长方形石板配合使用，具体用法不明。此外天井内还出土石砚台、青铜象棋子（“仕”）等遗物，并含较多炭化稻米、小麦等植物遗存。

8. F19

与F8一样，F19并未在传统意义的中轴线上，而居其一侧，在F8正前。但鉴于如下原因，将之归入中路建筑予以介绍：第一，F19正房屋面可能与F8两厢连为一体，且覆盖F8前廊；第二，从室内铺装判断，F19两梢间内可能有梯步通往F8前廊等。

F19是一组合院式建筑，由正房、倒座、天井及其四面回廊组成，交通便利，是从中路通向西路建筑的中枢。正房明五暗三，即柱网显示面阔五间，实则中央三间打通成明间，明、次间前后檐柱间以地栿石相连。正前及左右两侧（形式上为梢间）设廊，并均立廊柱。通面阔12.4、进深4.25米，明间面阔8.6米，次间面阔1.9米。均以长方形砖墁地，呈卍字锦纹。明间在此基础上再铺2～3厘米厚的细沙一层，其上铺方砖，方砖边长36、厚6.5厘米，表面经打磨，侧面经砍磨，铺装极为考究，类似于“金砖”。前廊长15.6、宽1.7米，侧廊长度与正房进深同，宽亦1.7米。前廊铺石，两侧廊道则前半铺石，后半墁砖。由于新王宫室外空间均以石板装铺，室内墁砖，表明该处可能有木梯通往F8前廊，前半敞开，后半被遮挡而形成室内空间。

倒座面阔三间，通面阔12.4、进深约4.2米，明间稍宽，面阔4.2米，次间4.1米。东次间地面卍字锦纹铺砖保存较好。尚存柱础二排8个，北排有地栿继续向台基边缘延伸，表明有后檐柱直接立于台基的阶沿石上。

中央为长方形石铺天井，面阔11.7、进深5.1、深0.6～0.8米。四面设石铺廊道，居正房一侧设踏步二级，与正房前廊通。其东廊两侧局部砖墙尚存。环天井的廊道东与大堂前后道路通，西接L3与L11，通向西路各组建筑，便利的交通暗示F19重要的地位，疑即《骠骑将军示谕龙岩囤严禁碑》所载的“总管厅”。

F19两侧排水沟上与F8排水沟相通，两侧水池（C8、C9）大体对称，再以暗沟将水引往台基下的G13中（图3-22；图版194）。

新王宫中路建筑包括了中轴线建筑及居其一侧的附属性建筑（F8、F19）。若以二堂（F7）后檐外侧两础与东西两厢（F23、F24）山墙外侧两础画对角线，交点恰落在大堂

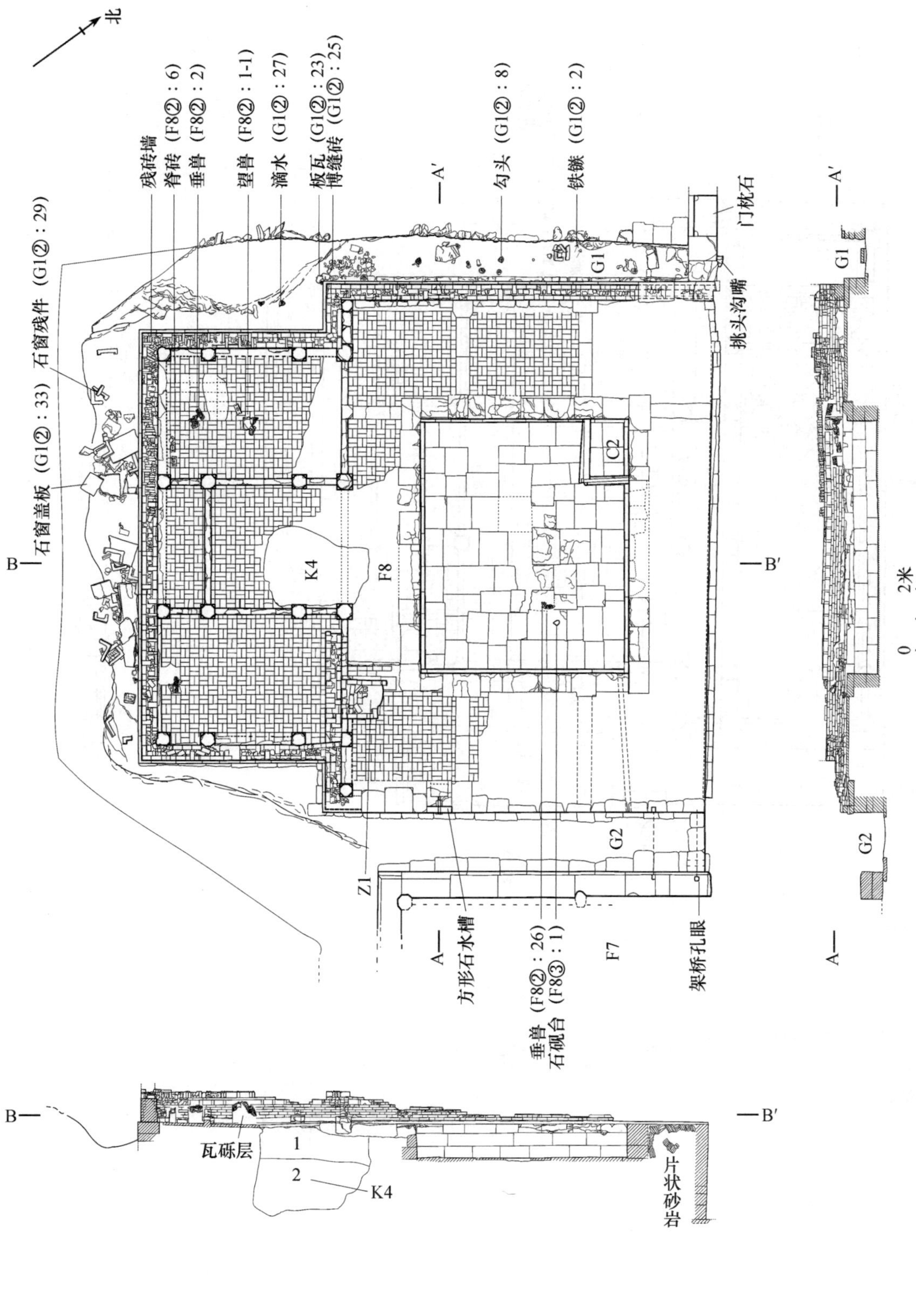

图3-21　新王宫卧房（F8）平、剖面图

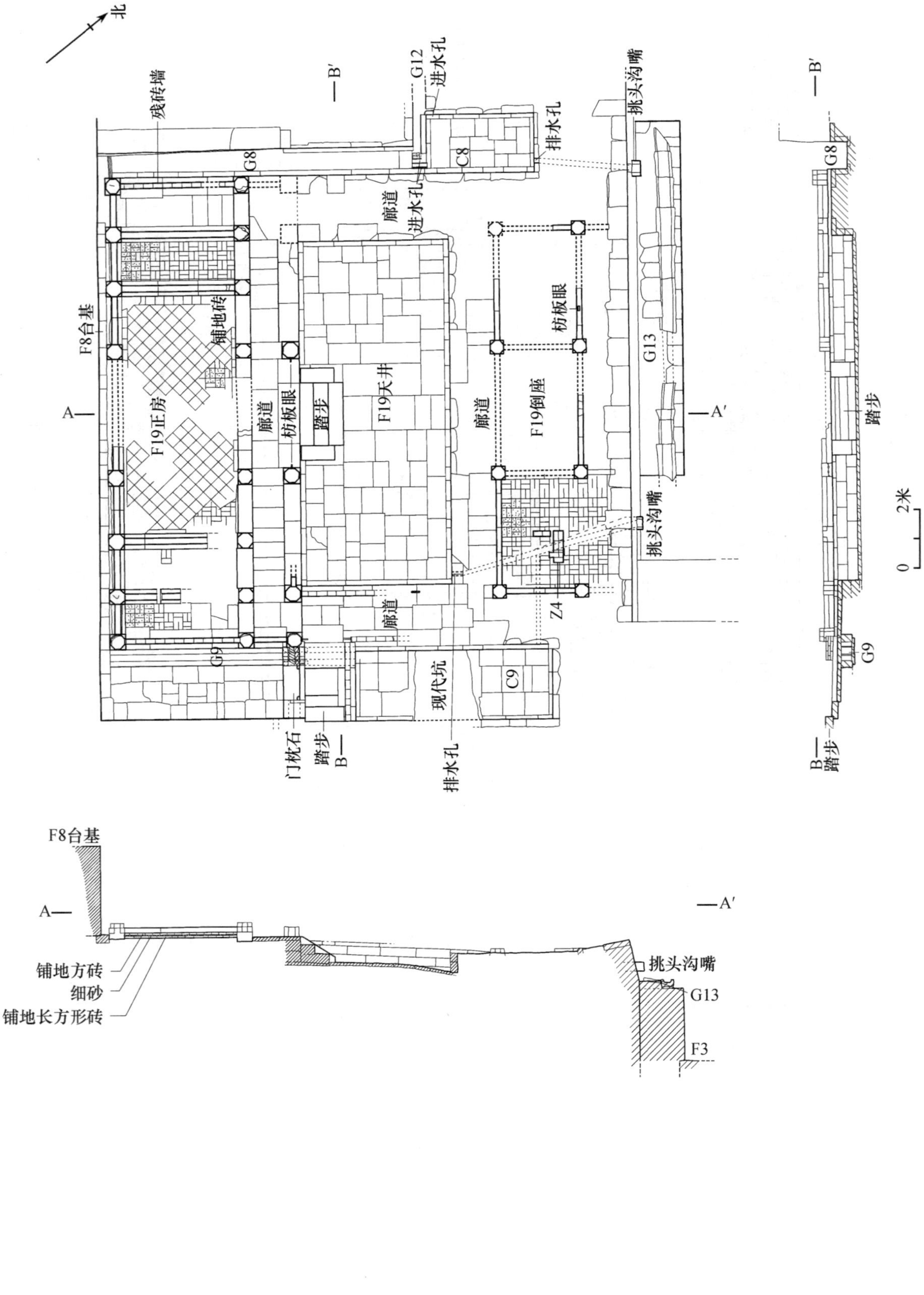

图3-22　新王宫F19平、剖面图

（F22）明间正中，表明中轴线建筑的规制与尺度经细致规划。中轴线延长线前朝后靠，其38°的方向是由山川形势决定的，其中建筑则展现出精心的设计、明晰的条理与严格的秩序。

（二）西路建筑

西路建筑包括F2～F4、F9、F17、F18、F20、F21、F30等9座房址，根据所处高度与方向的不同，可以分为三组：F9、F17与F18为一组，该组建筑的方向与中轴线不同，为54°，处在西路建筑末端的地势最高处。F20、F21为一组，处在中路建筑向西路建筑的过渡地带。F2～F4、F30为一组，居西路建筑的地势最低处（图3-15；图版195）。

1. F9

位于挡土墙Q2的最西端，台基高3.5米。东有L11与中路建筑通，路南为C10，西连C3与C4。

F9面阔五间，通面阔21.3、进深5米，各间等宽，均4.26米（图3-23）。在以探沟厘清全房格局后，对东侧梢间进行了全面清理。该室以长方形砖铺地，呈卍字锦纹。中央偏北处有一砖砌灶台（Z2），东北角一方形石水槽。室内设施与出土遗物表明其系一厨房[①]。水源可直接从C10中取用。

室内堆积可分2层，出土遗物异常丰富，有建筑材料、瓷器、铁器、铜器、玻璃器及大米、小麦等植物遗存。其中瓷片1万余片，可计540余件（含粗瓷42件），可修复者175件（160件由2～36片瓷片缀合）。第1层中含少量哥釉青花碗、灵芝茶花纹盘或碗、青花梵文碗等清代早、中期遗物。第2层则未见万历之后的遗物（图3-24；表3-1）。瓷器以景德镇青花为大宗，含官样瓷器12件，包括正面五爪龙纹盘7件（4件可修复）、八仙五爪龙纹碗1件、缠枝四季花卉纹碗2件、正面龙纹靶盏2件，反映出使用者身份较高。

2. F17

在西路建筑末端最高处，亦处于新王宫核心建筑群的最高处、最后端。房基由五级石砌平台组成，逐级向上，方向54°，民间称“三台星”。

台基面阔16.64、通进深37.4米，自下而上第一至第五级平台第一级进深7.45、正面高3.96、两侧高1.5～2.15米（西侧偏高，下同）；第二级进深10.9、正面高0.65～0.75米，两侧高0.65～2.06米；第三级进深9.6、正面高1.6、两侧高0.75～3.6米；第四级进深3.2、正面高1.65、两侧高1.45～2.55米；第五级进深6.25、正面高0.65～0.7、两侧高0.95～2.1米。第二级平台两侧设对称踏步与门槛，以出入整组建筑（分别与L2、L3接）。整组建筑中央设踏步贯穿上下，第二、三级平台间踏步保存较好。数里外另有朝山呼应，与中轴线建筑的朝山不同。左右两侧

---

① 该房址已有单独简报发表，参见贵州省文物考古研究所等：《贵州遵义海龙囤“新王宫”遗址F9发掘简报》，《文物》2017年第10期。

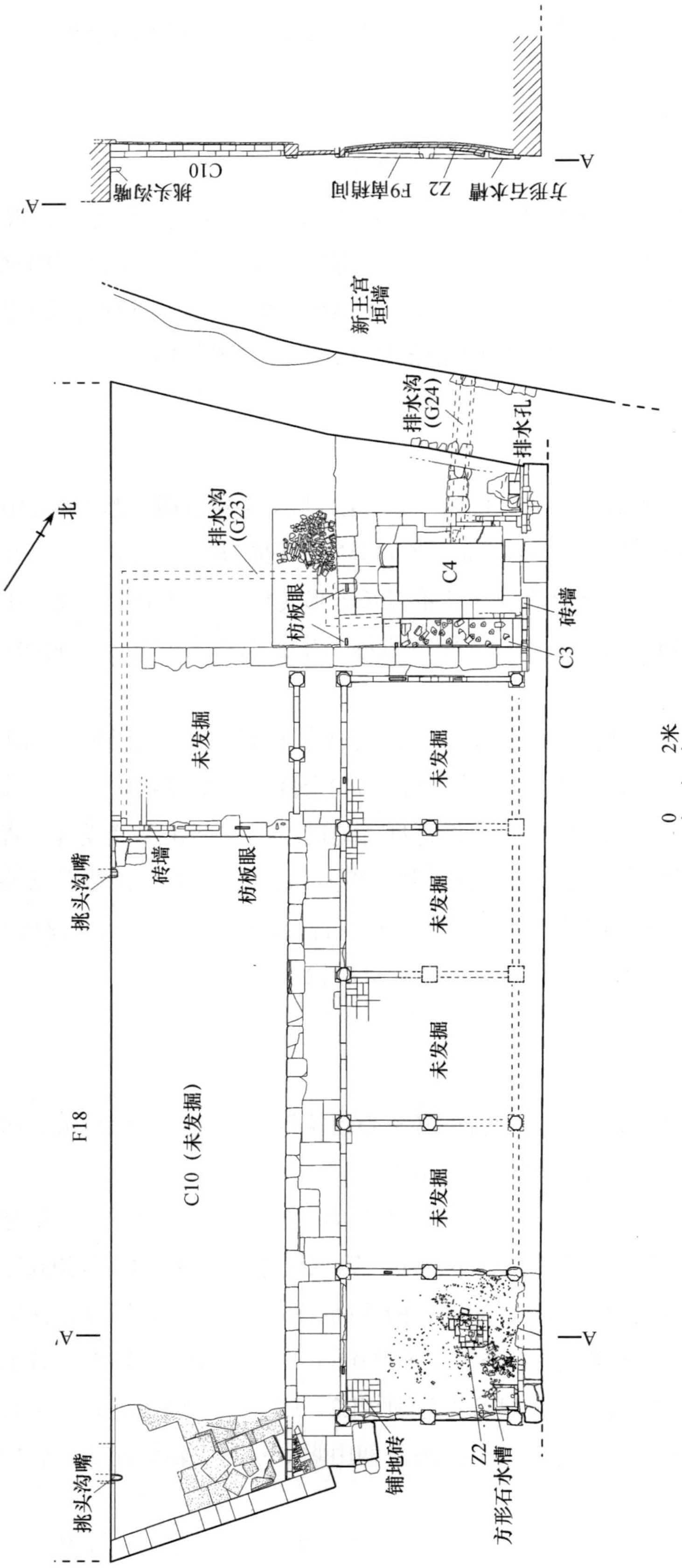

图3-23　新王宫F9平、剖面图

图3-24 新王宫F9东梢间器物分布图

为砖砌山墙，山墙石脚内侧作“R”状起伏，呈枭混线，其上砌墙砖，间见石础，多被扰动。第五级平台上建筑面阔三间，明、次间之间用条石作地栿隔断，通面阔16.61、明间面阔5.85、次间面阔5.38米。第四级平台较窄，当为其后建筑之月台。第三级平台上建筑结构与第五级同，从东次间残存地栿可大致还原通面阔16.6、明间面阔8.2、次间面阔4.2米。第一、二级平台上表土下即生土，相关遗迹已荡然无存。其格局也不排除第五级为三开正房，第四级为月台，第三级为两厢，第二级为倒座，第一级为庭院的可能（图3-25；图版196）。

表3-1　F9可复原瓷器一览表

序号	器类	器形	型式	名称	出土单位/编号	残片数量	可计件数	年代	款识（铭文）	备注
1	白瓷	杯		卧足杯	F9②：102	2	1	明晚		
2		盘		撇口小盘	F9②：108	4	1	明中晚		
3					F9②：109	3	1	明中晚		
4	白釉青花	碗	Aa	青花莲托八宝纹碗	F9①：129	9	1	明晚		内底上拱
5					F9①：135	5	1	明晚		内底上拱
6					F9①：147	8	1	明晚		内底上拱
7					F9①：148	5	1	明晚		内底上拱
8				青花白描折枝菊纹碗	F9①：130	7	1	明晚		内底上拱
9					F9①：136	3	1	明晚		内底上拱
10				青花莲池水禽纹碗	F9①：137	4	1	明晚		内底上拱
11					F9①：138	8	1	明晚		内底上拱
12					F9①：242	11	1	明晚		内底上拱
13				青花莲池水禽纹碗残片	F9①	324	2	明晚		内底上拱，残甚
14			Ab	青花乘云折桂纹碗	F9①：37	13	1	明晚	玉堂□器	
15					F9②：18	18	1	明晚	玉堂佳器	
16				青花蓝地白花团花纹碗残片	F9②	20	1	明晚		残甚
17			Bc	青花螭龙纹碗	F9①：231	23	1	明晚		
18				青花夔龙纹碗	F9①：2	12	1	明晚	□□□德年□	
19					F9①：149	9	1	明晚		
20					F9②：6	7	1	明晚	大明宣德年制	与F9②：78相拼
21					F9②：22	16	1	明晚	大□宣德年制	与F9②：51相拼
22			Bd	青花八仙贺寿纹碗	F9①：108	24	1	明晚	玉堂□□	
23				青花缠枝牡丹纹碗	F9①：89	10	1	明晚		内底绘缠枝菊
24				青花花果纹大碗	F9①：143	17	1	明晚	款残	
25				青花花果纹小碗	F9①：11	4	1	明晚	宣□□□	
26					F9①：55	6	1	明晚	宣德年制	
27					F9①：63	12	1	明晚	宣德年制	
28					F9②：69	9	1	明晚	□德□制	

续表

序号	器类	器形	型式	名称	出土单位/编号	残片数量	可计件数	年代	款识（铭文）	备注
29	白釉青花	碗	Bf	青花白描莲托八宝纹碗	F9①：241	6	1	明晚		侈口
30				青花莲池水禽纹碗	F9①：84	5	1	明晚		
31					F9①：87	5	1	明晚		
32					F9②：94	3	1	明晚		
33					F9②：95	6	1	明晚		
34				青花莲池水禽纹碗残片	F9①	480	4	明晚		残甚
35					F9②	160	2	明晚		残甚
36			Ca	青花八仙贺寿纹大碗	F9②：93	57	1	明晚	大明□德□□	22片已拼修
37			Ea	青花葡萄纹大碗	F9①：90	13	1	隆庆		
38					F9①：91	9	1	隆庆		
39				青花葡萄纹大碗残片	F9①	41	1	隆庆		残甚
40			Ec	青花寿字碗	F9①：122	1	1	明晚	寿	
41					F9①：131	3	1	明晚	寿	
42					F9①：139	4	1	明晚	寿	
43					F9①：140	2	1	明晚	寿	
44		盘	Aa	青花莲池水禽纹大盘	F9②：14	17	1	明晚		花口近敞
45			Ab	青花鹭莲纹印花花口盘	F9①：23	11	1	明晚	大明宣德年制	与F9②：55相拼
46					F9①：75	3	1	明晚	□□□德□□	
47					F9①：78	8	1	明晚		
48					F9①：88	10	1	明晚		
49					F9②：10	15	1	明晚	□□□德年制	
50			B	青花八卦纹盘	F9①：133	14	1	万历		
51				青花白描松竹梅纹盘	F9①：92	4	1	明晚		
52					F9①：134	5	1	明晚		
53					F9②：64	2	1	明晚		
54				青花缠枝灵芝纹寿字盘	F9①：47	9	1	明晚	寿	
55					F9①：132	7	1	明晚	寿	
56					F9②：29	10	1	明晚	寿	与F9②：67相拼
57					F9②：30	3	1	明晚	寿	
58					F9②：132	3	1	明晚	寿	
59					F9②：133	5	1	明晚	寿	
60					F9②：134	5	1	明晚	寿	
61					F9②：135	13	1	明晚	寿	

续表

序号	器类	器形	型式	名称	出土单位/编号	残片数量	可计件数	年代	款识（铭文）	备注
62	白釉青花	盘	B	青花螭龙纹盘	F9①：30	3	1	明晚		
63					F9①：31	1	1	隆庆	□明□造	
64					F9①：48	7	1	隆庆	大明年造	
65					F9①：98	2	1	隆庆		
66					F9①：101	6	1	隆庆		
67					F9①：116	3	1	隆庆	隆□年□	
68					F9①：194	6	1	明晚		
69					F9①：195	3	1	明晚		
70					F9①：196	3	1	隆庆		
71					F9①	15	1	明晚		口沿饰重十字菱形锦地纹，残甚
72					F9②：23	11	1	隆庆	大明年造	
73					F9②：35	7	1	隆庆	富贵佳器	
74				青花团螭纹盘	F9①：20	6	1	明晚	万福攸同	与F9②：63相拼
75					F9①：45	12	1	明晚	万福攸同	
76					F9①：125	2	1	明晚	□□□同	
77					F9②：33	17	1	明晚	万福攸同	
78					F9②：62	11	1	明晚	万福攸同	
79					F9②：80	8	1	明晚	万福攸同	
80					F9②：87	12	1	明晚	万□攸同	
81				青花行螭暗刻灵芝纹大盘	F9①：64	10	1	隆庆	隆庆年制	与F9②：17相拼
82				青花行螭暗刻灵芝纹盘	F9①：141	11	1	隆庆	款残	
83				青花果枝栖鹊纹盘	F9①：127	4	1	万历	方款不识	盘底方款
84				青花十字宝杵纹盘	F9①：22	11	1	万历	大明万历年□	
85				青花双艳纹大盘	F9①：67	11	1	明晚	□德□置	
86					F9①：144	3	1	明晚		
87					F9②：31	4	1	明晚	宣德□置	
88					F9②：44	8	1	明晚		
89					F9②：45	3	1	明晚		差一片
90					F9②：59	11	1	明晚	宣德年置	
91					F9②：60	9	1	明晚	宣德年置	
92					F9②：71	19	1	明晚	宣德年置	

续表

序号	器类	器形	型式	名称	出土单位/编号	残片数量	可计件数	年代	款识（铭文）	备注
93	白釉青花	盘	B	青花双艳纹盘	F9①：6	6	1	明晚	宣德年置	与F9②：68相拼
94					F9①：8	6	1	明晚	宣德年置	
95					F9①：35	6	1	明晚	宣德年置	
96					F9①：49	4	1	明晚	万福攸同	与F9①：70相拼
97					F9①：107	4	1	明晚	□□年□	
98					F9②：15	13	1	明晚	宣德年置	
99					F9②：36	18	1	明晚	宣德年置	
100					F9②：147	5	1	明晚		
101				青花松竹梅盘字纹盘	F9①：197	5	1	明晚		
102			C	青花白描灵芝纹盘	F9①：110	12	1	万历	□□宣□□制	
103					F9①：126	8	1	万历	款残	
104					F9①：150	8	1	万历		
105					F9②：76	10	1	万历	大明宣德年制	
106				青花螭龙纹盘	F9①：29	3	1	明晚		口沿饰重十字菱形锦地纹
107				青花树石栏杆纹盘	F9②：73	18	1	明中晚		与F9②：77相拼
108					F9②：100	1	1	明中晚		
109			D	青花松竹梅盘字纹盘	F9①：128	11	1	明晚		
110		碟	A	青花松竹梅纹碟	F9①：199	2	1	明晚		
111					F9②：61	11	1	万历		
112				青花行螭纹碟	F9②：101	6	1	明晚		
113					F9②：136	6	1	明晚		
114					F9②：137	5	1	明晚		
115		杯	A	青花团螭纹杯	F9②：43	2	1	明晚		
116				青花山水纹杯	F9②：56	3	1	明晚	大明宣德年制	
117					F9②：57	11	1	明晚	□□宣德年制	
118				青花蓝地白花团花纹杯	F9②：107	6	1	明晚		
119			B	青花缠枝花卉纹杯	F9①：79	3	1	明晚		
120				青花螭龙纹杯	F9①：86	4	1	明晚		

续表

序号	器类	器形	型式	名称	出土单位/编号	残片数量	可计件数	年代	款识（铭文）	备注
121	白釉青花	杯	B	青花松鼠瓜果纹杯	F9①：44	6	1	明晚	大□□德年制	与F9①：60相拼
122					F9②：34	7	1	明晚	大明宣德年制	与F9②：74相拼
123				青花莲池水禽纹杯	F9①：68	9	1	明晚	大明宣德年□	
124					F9①：77	9	1	明晚		
125					F9①：83	9	1	明晚		
126					F9①：93	4	1	明晚	□明宣德年制	与F9①：95相拼
127					F9②：1	8	1	明晚		
128			C	青花凤纹杯	F9①：14	7	1	明晚	大明宣德年制	
129					F9①：51	10	1	明晚	大明宣德年制	与F9①：62相拼
130					F9①：57	10	1	明晚	大明宣德年□	
131					F9①：66	5	1	明晚	大明宣德年制	与F9②：52相拼
132					F9②：53	7	1	明晚	□明宣德年制	
133		靶盏		青花凤穿花纹靶盏	F9①：17	13	1	明晚	宣德□制	与F9②：38相拼
134		碗	官样瓷器	青花八仙五爪龙纹碗	F9①：1	20	1	明晚	大明万历年制	官式、内壁花托“福如东海，寿□□□”
135				青花缠枝四季花卉纹碗	F9①：52	18	1	万历	大明万历年制	官式，与F9②：2相拼
136					F9②：130	24	1	万历	款残	官式，底款已残
137		盘		青花正面五爪龙纹盘	F9①：80	13	1	嘉靖		官式，与ⅣT0606②一片拼
138					F9①：81	12	1	嘉靖		官式，与F9②：42相拼
139					F9②：32	13	1	嘉靖	大明嘉靖年制	官式
140					F9②：103	7	1	嘉靖		官式
141		碗		青花缠枝花卉纹碗残片	F9①	14	1	明		足高双弦，残甚

续表

序号	器类	器形	型式	名称	出土单位/编号	残片数量	可计件数	年代	款识（铭文）	备注
142	青花红彩	碗		青花红彩鱼藻纹碗	F9②：105	6	1	明晚		
143					F9②：106	5	1	明晚		
144	青花五彩	盘		青花五彩高士纹盘	F9②：66	21	1	嘉靖	大明嘉靖年制	
145				青花五彩刘海戏金蟾纹盘	F9②：91	16	1	嘉靖	大明嘉靖□□	与L2①：15相拼
146	青花釉里红	碗		青花釉里红喜鹊登梅纹碗	F9①：53	11	1	明晚	大明□德年□	
147					F9①：145	9	1	明晚	款残	圈足外壁饰萱草纹
148					F9①：146	7	1	明晚	款残	圈足外壁饰萱草纹
149					F9②：26	9	1	明晚	□□□德年□	圈足外壁饰萱草纹
150					F9②：72	11	1	明晚	□明宣德年制	圈足外壁饰萱草纹，与ⅣT0607①：45相拼
151				青花釉里红鱼藻纹大碗	F9②：21	31	1	明晚	□□宣□年造	
152					F9②：92	37	1	明晚	大明宣□年制	
153		杯		青花釉里红乳虎纹杯	F9①：16	14	1	明晚	□明宣□年制	
154					F9②：40	16	1	明晚	□□□□□制	
155					F9①：82	5	1	明晚	大明宣德年□	
156					F9①：97	4	1	明晚	□□□□□制	与F9②：99相拼
157					F9①：115	8	1	明晚	□明宣德年制	与F9①：118相拼
158				青花釉里红花卉纹杯	F9①：85	5	1	明晚		
159	粗瓷	碗		青釉粗瓷碗	F9②：8	13	1	明		
160		钵		酱釉粗瓷钵	F9①：154	8	1	明		
161					F9①：155	17	1	明		
162					F9①：156	11	1	明		
163					F9②：20	16	1	明		
164		罐		青釉粗瓷单耳带流罐	F9①：157	1	1	明		
165					F9①：158	15	1	明		
166					F9①：160	7	1	明		

续表

序号	器类	器形	型式	名称	出土单位/编号	残片数量	可计件数	年代	款识（铭文）	备注
167	粗瓷	罐		酱釉粗瓷单耳带流罐	F9①：159	18	1	明		
168				酱釉粗瓷罐	F9①：163	13	1	明		
169					F9②：46	15	1	明		
170					F9②：90	4	1	明		
合计		残片数量：2546片					可修件数：175件			

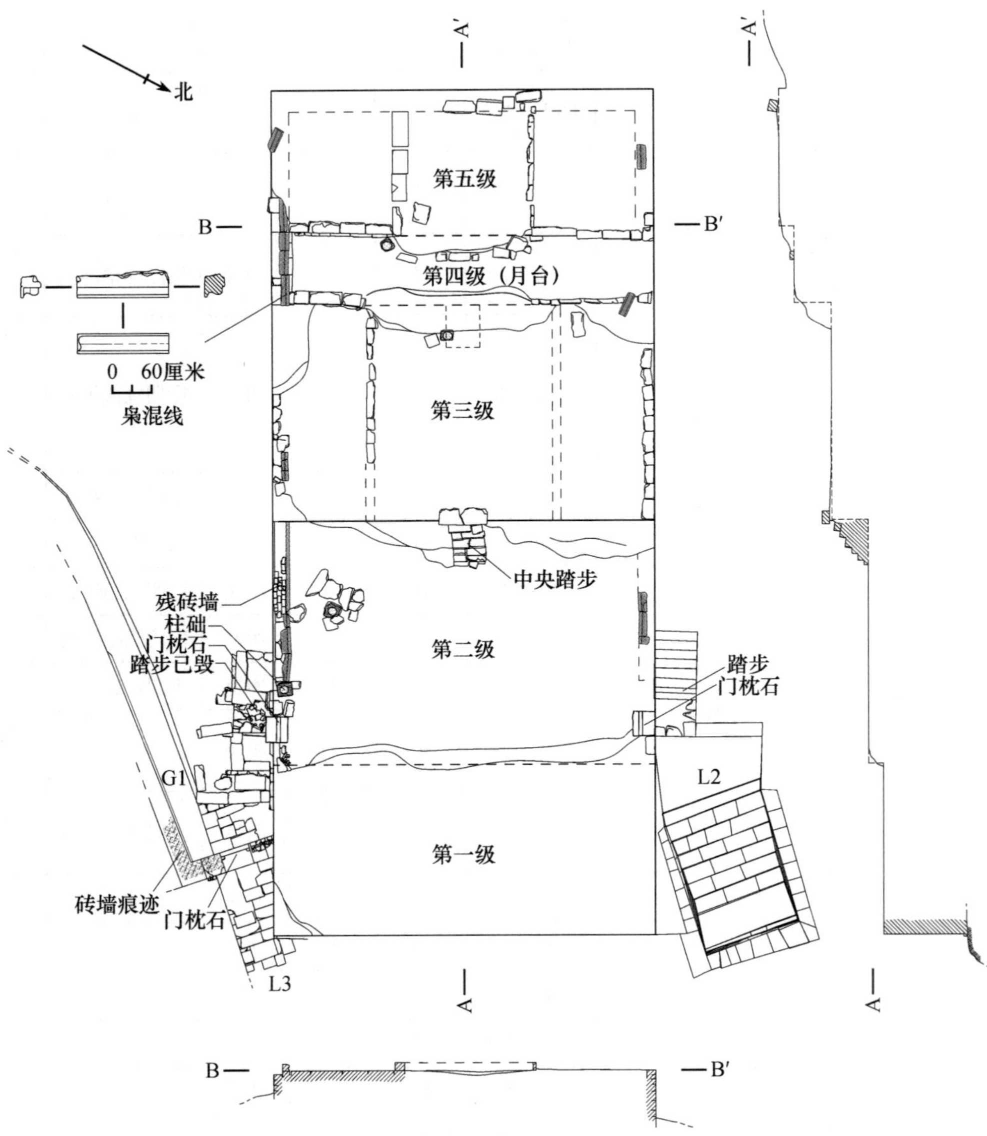

图3-25　新王宫F17平、剖面图

3. F18

位于F9与F17相夹的平阔地带，方向与之一致，均54°（图版195）。未全面揭示，仅用探沟大致探明结构。

F18是一组合院式建筑，由正房、倒座、两厢和中央天井组成。正房与倒座均面阔五间，两厢面阔三间，环天井设廊道，天井高高凸起，四面设排水沟。排水沟与廊道之间，有砖铺散水。室内、廊道及散水铺砖均作卍字锦纹。

正房通面阔21.9、进深4.4米。明间稍宽，次间次之，梢间略窄，面阔依次为4.6、4.4、4.25米。倒座尺度与之相同。由于明、次间前后檐柱间未见地栿石相连，因此不排除正房与倒座的实际结构为明五暗三的可能，即中央三间打通为一间，结构与F19正房同。两厢尺寸相当，通面阔13.7、进深4.25米，明间面阔4.36、次间面阔4.67米。中央凸起的天井呈方形，面阔6.75米，石砌壁面高0.9米（高出室内地面0.15～0.25米）。环天井廊道宽1.4～1.45米。天井四周排水沟（G20）宽0.75、深0.7米。西北角有沟门与暗沟通C10。环水沟的砖铺散水宽1～1.2米（图3-26）。

4. F20与F21

F20与F21是隔沟（G12）相望的两组建筑，方向与中轴线一致，均为38°。处在中路向西路建筑的过渡地带，L3、L11纵横其间。

F20面阔四间，前有廊道，廊侧为排水沟（G12）。通面阔15.9、进深4.1米，西侧第一间略宽，面阔4.2米（该间地面残存卍字锦纹铺砖，并存部分墙砖），余三间皆面阔3.9米。前廊为L11的一部分，宽1.7米，石板铺装，两侧有础。其西端为陡坎（高2.5米），坎顶设踏步四级，表明该处当有木梯以供上下。廊侧为排水沟（G12），南壁石料多已不存，将水向东引入C8内。沟宽0.4、深0.5米（图3-27）。

F21位于F20与“三台星”（F17）相夹的三角地带，东邻L3，地势狭促，破坏也较为严重。仅存局部石砌台基及一个柱础。平面呈梯形，上下两台，上台尚存局部砖铺地面。面阔4.1、通进深约2.8米（图3-27）。当系一栋建于空地的亭榭类建筑。

5. F2

F2～F4与F30均位于姚家凼，处于地势较低处，高低有所变化。其纵向或横向与中轴线保持一致。都未进行全面揭示（图版195）。

F2相对独立，以经加工的灰岩石块垒砌长方形台基，长20.2、宽8.7、高0.35米。房址面阔五间，南、北、西三面带回廊。通面阔15.5、进深5.25米。明间面阔3.8、次间面阔1.9、梢间面阔3.95米。次间较窄，因此较可能明、次间打通，为明五暗三的格局。回廊外侧立柱，廊道宽1.5米，地面铺砖呈卍字锦纹。西廊南侧尚存砖墙一道，残高0.9、宽0.45米（图3-28）。

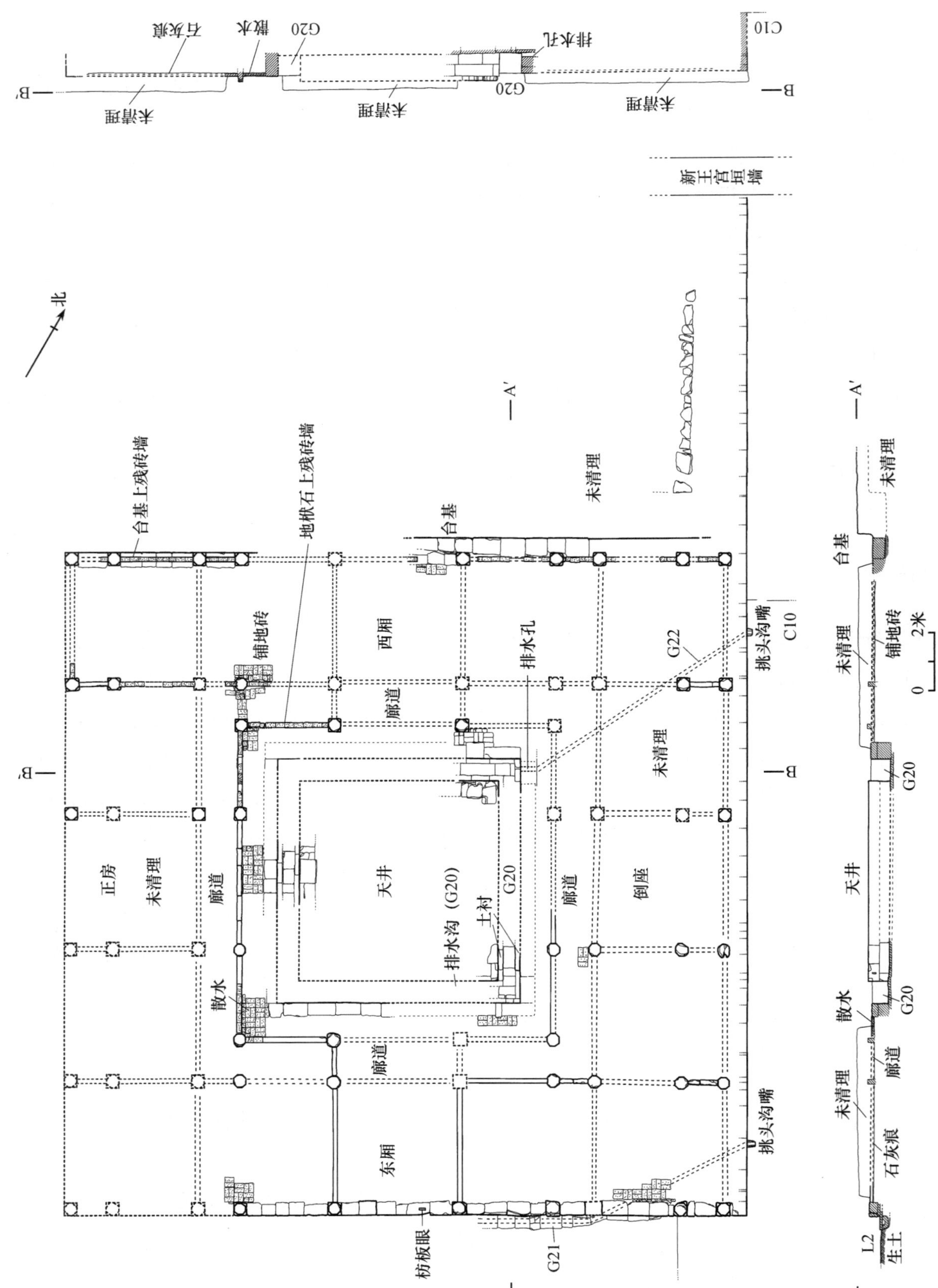

图3-26 新王宫F18平、剖面图

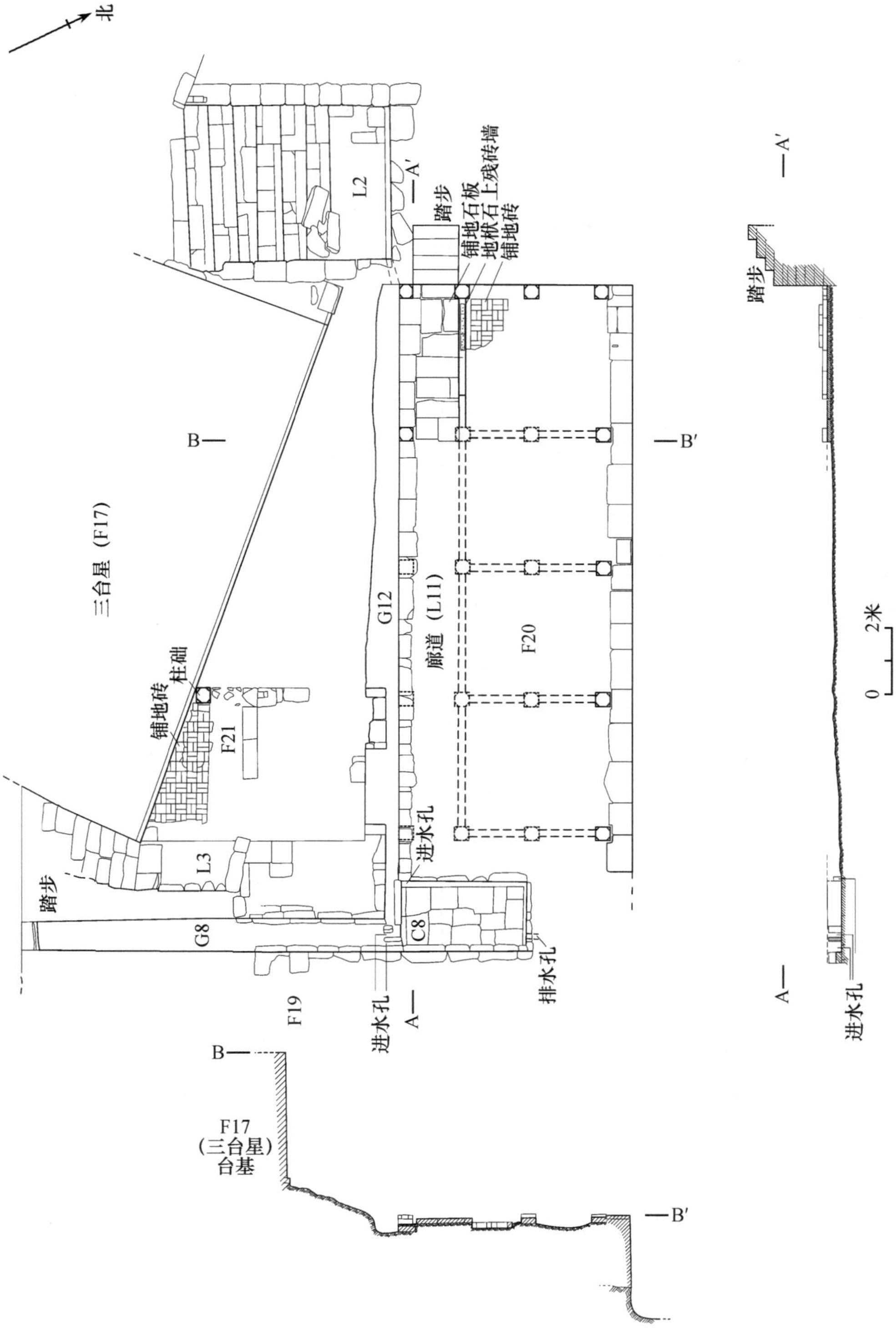

图3-27　新王宫F20、F21平、剖面图

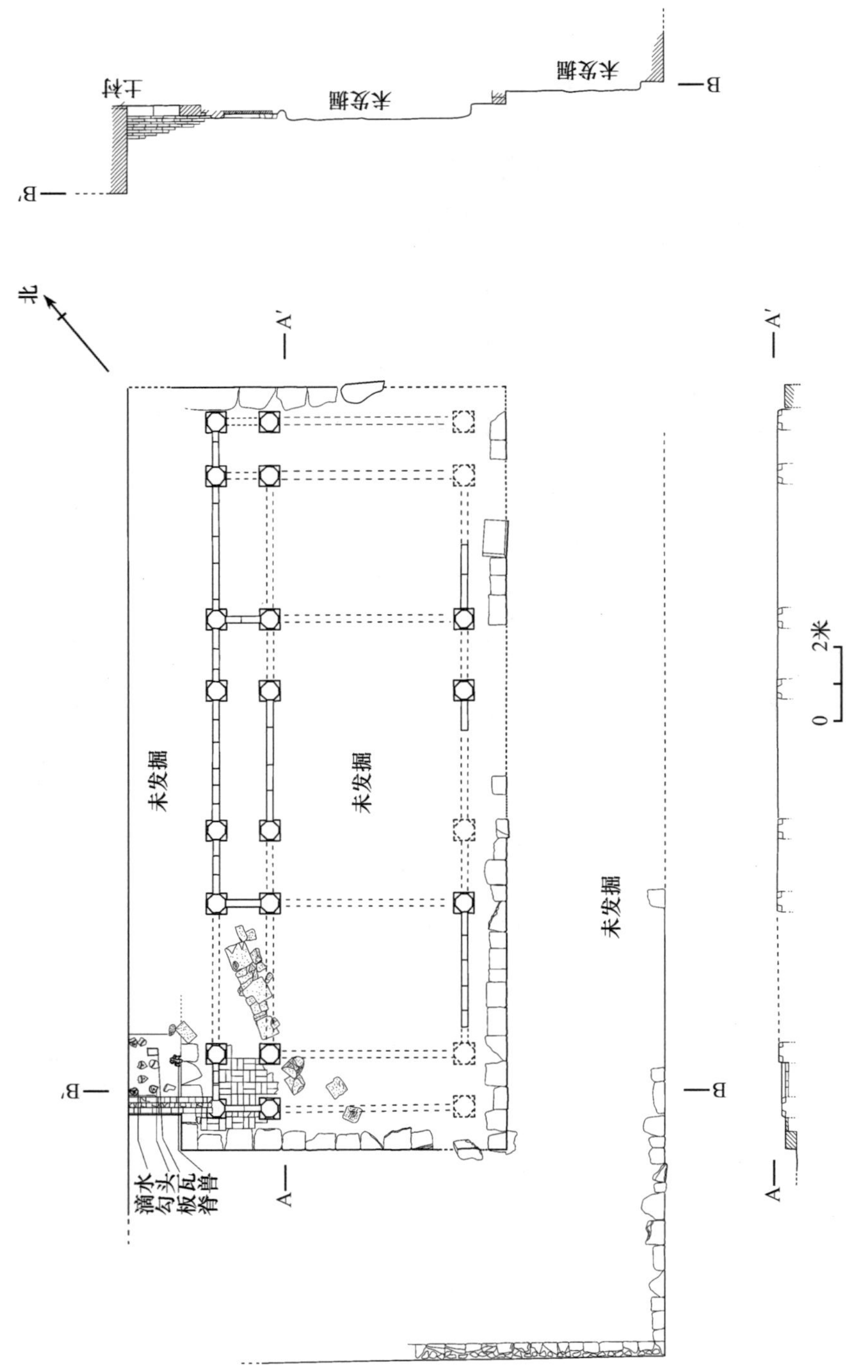

图3-28　新王宫F2平、剖面图

6. F3

在F19台基下，另起台基（因此为上台倾下的建筑废墟所覆盖）。台基长19.5、宽7.5、高1.5米。后为G13、G28，前设廊，上可经木梯通中路，下可由L8抵F30。台基西有砖墙，以绝交通。房址面阔四间，通面阔16.8、进深5米，各间等宽，皆4.2米。前廊宽1.4米，两侧有柱，以石铺地。室内铺砖作卍字锦纹（图3-29）。

7. F4

在F2西，西邻垣墙。破坏较甚。

台基整体呈凸字形，分上下两台，高差约0.5米。前台残存八棱形石础4个并地栿二段。通面阔约18.5、进深3.6米。当面阔五间，梢间面阔4米，余不详。室内铺砖呈卍字锦纹。后台则仅存石砌基脚一层，石甚糙。台基面阔20、进深6.4米。未见有序分布的石础，房址结构不明（图3-30）。

8. F30

在西路建筑最北侧的卑湿之地，东有L9可通中路（L8则有砖墙以绝交通），南为众水所汇处，北临垣墙。试掘探明结构。

F30起于平地之上，有独立长方形石砌台基。台基长16.45、宽7.6、高约1米，平面微有起伏，当填土下沉所致。面阔四间，前后有廊，均铺砖呈卍字锦纹。通面阔15.95、进深4.3、廊宽1.5米。西侧三间等宽，均4.25米；东侧一间较窄，为3.2米，居中两础间有地栿相连，上凿枋板眼。基于各间尺度，其整体结构的另一种可能是：面阔三间，居东稍窄者系门房（图3-31）。

西路建筑明显存在两个不同的方向，F9、F17与F18为54°，与中轴线的38°形成夹角，其余建筑方向（横向或纵向）则与中轴线同。方向的不同许是受地势影响，或另有深意。土城墙北段海拔1351.6米的山峦似能构成“三台星”（F17）单独的靠山，并另有朝山（图3-1）。

（三）东路建筑

东路建筑包括F1、F10～F14等6组房址，其中F13、F14仅试掘探明结构。6组房址处在三级不同平台上，方向与中轴线一致（图版197）。

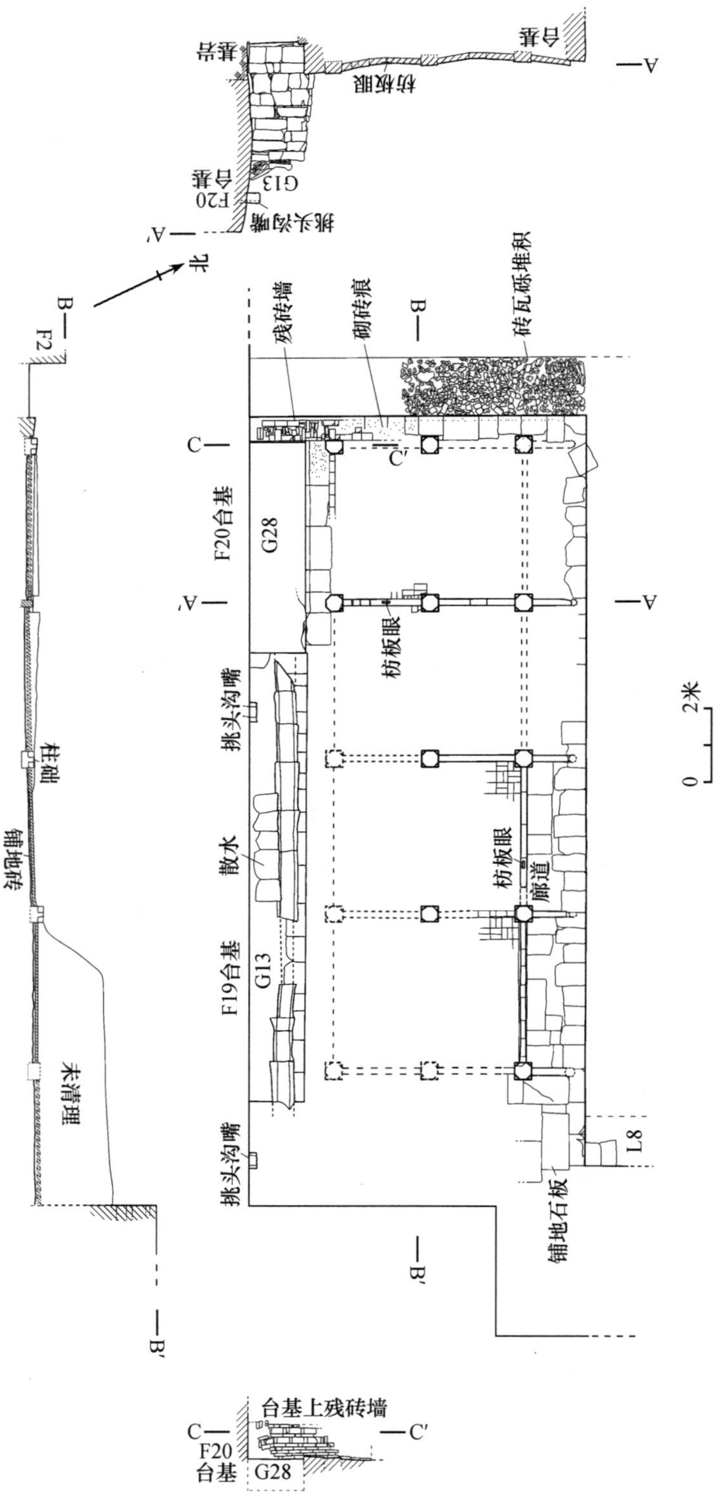

图3-29　新王宫F3平、剖面图

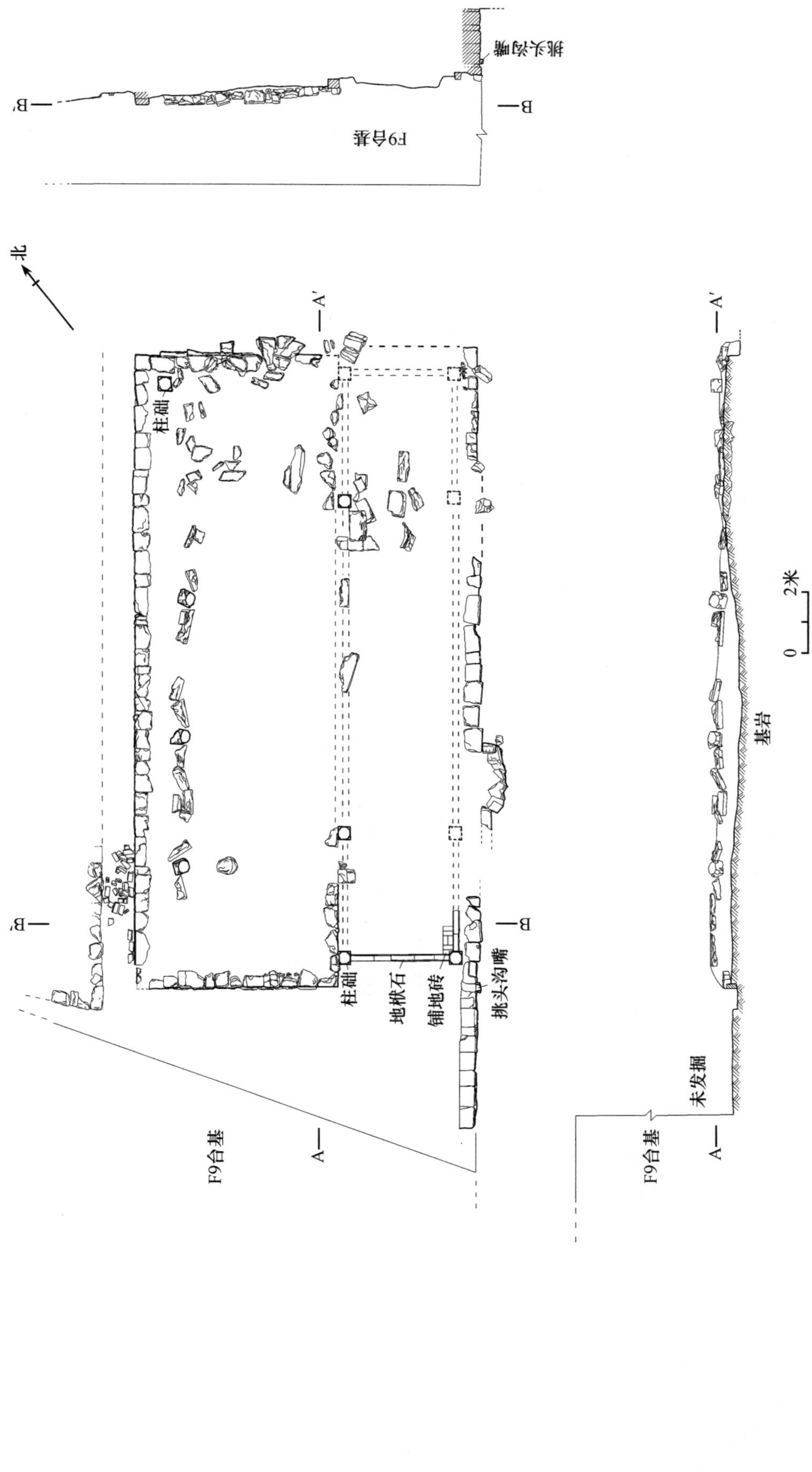

图3-30 新王宫F4平、剖面图

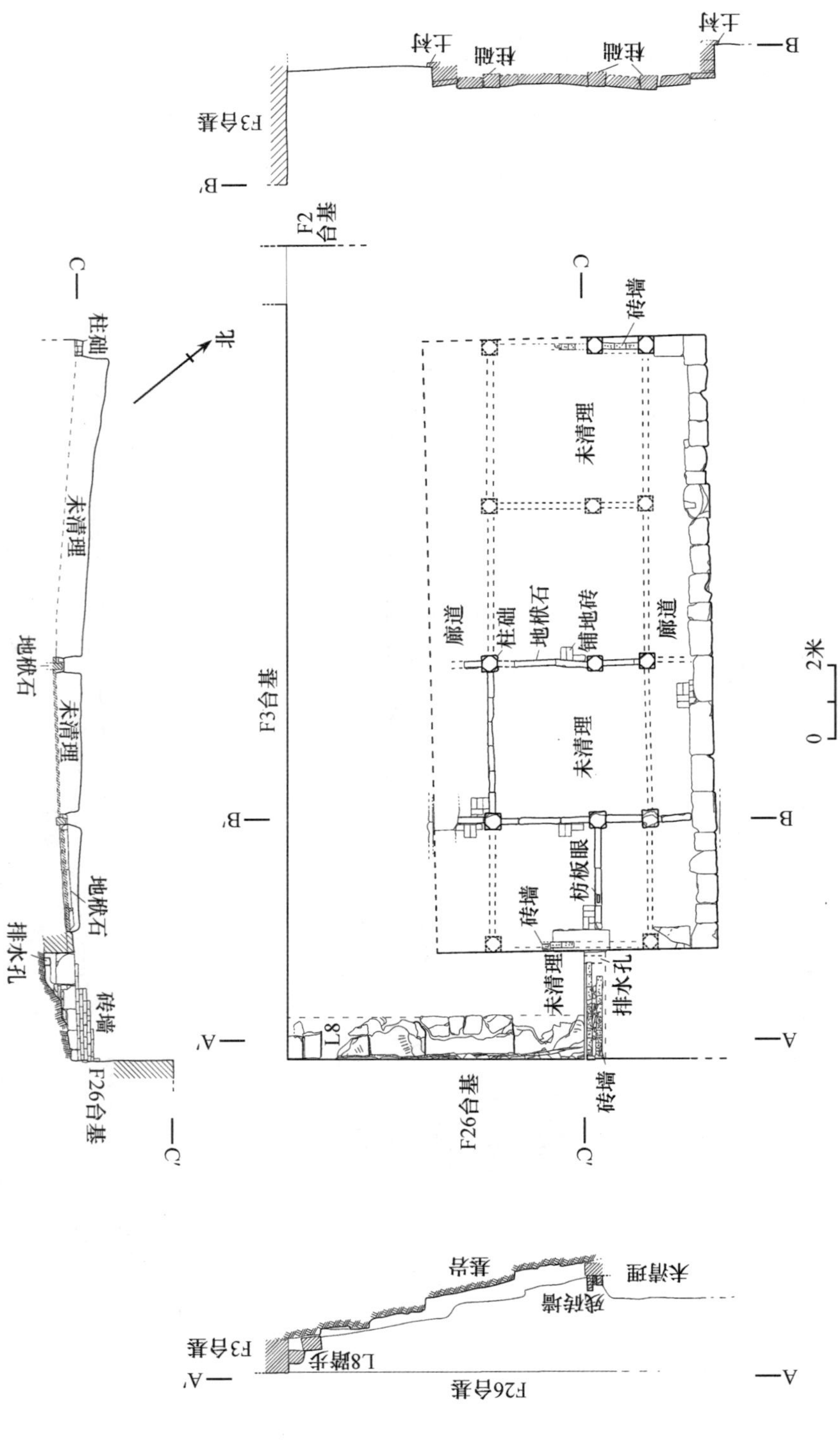

图3-31 新王宫F30平、剖面图

1. F1

在东路建筑末端最高处，与F7并排。以挡土墙Q1之部分为台基前部，阶沿石皆大石为之，外侧倒角。与南侧C1共用一壁，整体呈凸字形（图3-7）。1999年试掘时，曾于此获围棋子数枚。

F1面阔五间，东设门房以供出入。通面阔15.6、进深4.7米。明、次间等宽，皆3.7米，梢间略窄，宽2.25米。明、次间尚残存有砖铺地面，作卍字锦纹。东梢间内横亘巨型条石一方，长1.72、宽0.72、厚0.45米。其用途不明，联系围棋子的出土，或为博弈处。东梢间东另附门房一间，可与L4通。设四础（尚存其二），东、南础间连地栿，门则设于东梢间，有门枕石，上凿对称门臼。门房南北面阔2.5、东西进深2米（图3-32）。

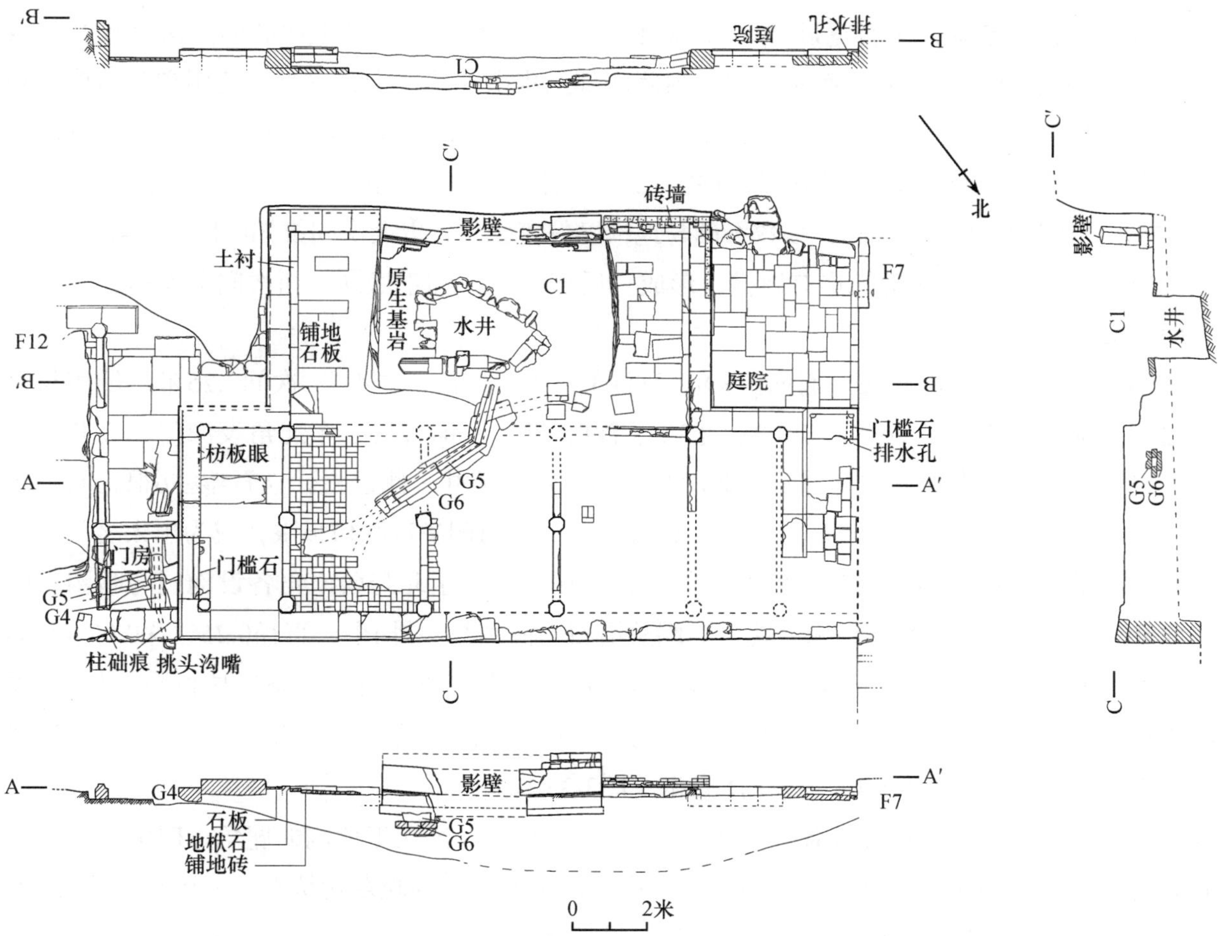

图3-32 新王宫F1平、剖面图

2. F12

在F1东，中隔排水沟（G4）。建于原生基岩之上，地势南高北低。台基南缘以倒角大石砌筑，中嵌石础4个（尚存其三）；北缘已毁，原生基岩上遗有基槽凿痕及置柱础处（东西两端尤明显）；东西两侧部分基石尚存。据此复原的房址面阔三间，通面阔5.8、进深3.75米。明间面阔2.8、次间面阔1.5米。房址尺度较小，且偏处一隅，当系一亭台楼阁类建筑（图3-4）。

3. F10

在大堂（F22）东，西与中路通，东邻F11（图版198）。

F10系一组合院式建筑，两进两院（天井），由正房、倒座、两廊和一院一天井组成。正房以倒角巨石为基础，条石宽近1米，长短不一，大者重近3吨。其上起砖墙，保存较好，墙宽0.49米，最高处达1.45米。底砖平铺，内侧底部三皮微外凸，十二皮以上使用空斗结构，外壁笔直。眠砖以三顺一丁为主，空斗则一斗一眠，空隙填以砖屑、泥土与少量石块。石灰填缝，内壁抹灰，并绘墨线。墙周散落石窗，由台、盖和栏组成。正房三开间，通面阔12.4、进深5.75米。因后期扰动与沉降，多数石础与地栿已偏离原位，以西次间推知明间面阔4.8、次间面阔3.8米，明间居后两础间连有地栿，形成“后道”，与F8正房同。西次间前设门，道自左（西）廊入。

倒座三开间，四面有廊。通面阔8.8、进深3.75米，明间面阔4.3、次间2.25米。倒座与正房之间为天井。天井长方形，长8.3、宽3.3、深0.6米。底铺石板，东北角设沟门。天井三面设廊，东西廊以砖墁地，北廊铺石。北廊与倒座共用，天井一侧设栏，立石望柱6根，间砌砖墙。东西廊临天井一侧，遗有砖墙，表明亦有栏，北栏两侧凿对称枋板眼，或为出入之门。倒座北廊略低，前以踏步通庭院。庭院长方形，石板墁地，东北与西南角各设沟门与暗沟。庭院面阔12.3、进深5.2、深0.55米。院台北端阶沿石上凿圆孔一排4个，直径0.25、深0.03～0.04米，间距4～4.25米。与外侧两孔相接的东西院台阶沿石上凿有对称长条形枋板眼，长1、深0.01米。当为栏之遗存。北栏外为通道，可沟通中路与东路建筑。廊道相互贯通，长与所环遗迹同，天井北廊略窄，宽1.4米，余均1.75米（图3-33）。

房址内出土遗物较重要者有骨质戥子（F10①：12）、经人工切割的鹿角（F10②：3）和石砚台（F10①：8）等。结合出土遗物及正房地面为数不少的晚期扰坑看，F10疑系一组府库性质的建筑，扰坑乃后期盗挖所致。其下尚有早于房址的坑穴一处（K7），石垒四壁。

4. F11

在F10东，与之并列。破坏较甚，结构不甚清晰，并稍显特殊。应为两组彼此毗邻但又相对独立的房址，整体呈曲尺形，居南者（F11-1）纵向，居北者（F11-2）横向，彼此高差约0.2米。所在地民间称“上马磴”（图版197）。

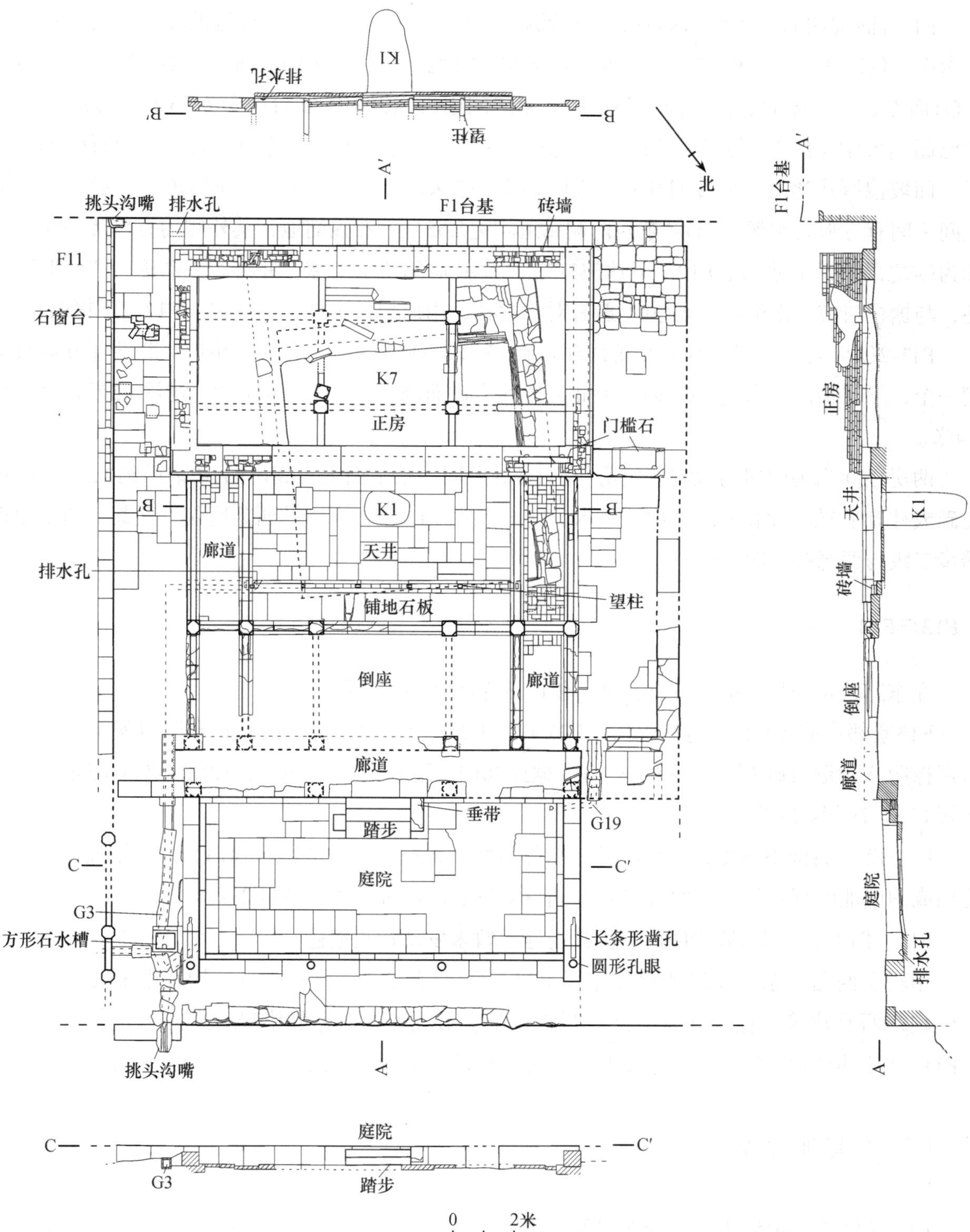

图3-33 新王宫F10平、剖面图

F11-1面阔四间，东西两侧有廊。通面阔15.2、进深8.4米。各间有地栿隔断，面阔不一，自南而北依次为3.2、3.9、3.9、4.2米。西南侧二间地面残存卍字锦纹铺砖，第一间铺砖贴挡土墙Q1而作，表明屋面当覆盖部分挡土墙；第二间中央残存砖砌灶台一个（Z3）。其8.4米的进深已超越大堂（F22）与二堂（F7）的7.5～7.8米，略显深邃，因此颇疑居东两列石础单独构成一面坡偏厦式建筑。偏厦四开间，面阔15.2、进深2.8米。其南端第一间为C11，第二间与第三间之间有方形石水槽。F11-1东西两侧廊道均宽1.65米，石板铺地，其外侧均有单砖墙体。东廊为L4之局部，上通F1、F12，下达F11-2。西廊砖墙间留出空隙，并将砖头砍琢为圆弧形以包柱，与檐柱对应；南端挡土墙Q1上遗有对称凿孔，用以架设木梯，上达F1、F12，下接F11-2。

F11-2破坏尤甚，仅在其西北角残存石础5个（三排二列），有地栿相连。北端存方形石水槽一个，下有暗沟将水引往G3内。据此复原的房址面阔三间，通面阔13.2、进深4.5米，每间宽4.4米。

两房之间当为门房与庭院。门房与F11-1处于同一水平面上，高出F11-2地面约0.2米，残存柱础或柱础痕3处，面阔4.3、进深3.5米。前与东廊（L4）相通。其西为庭院，残甚。西南角设踏步二级与西廊接（图3-34）。

5. F13与F14

在东路建筑的最前端，各有台基，仅试掘探明结构（图版197）。

F13紧邻东厢（F24）与东配房（F27），于其西侧F24台基上凿对称孔眼以架木梯上下。试掘探明八棱形石础7个（三排三列），据此知F13面阔三间，通面阔13.84、进深5.5米，明间面阔4.78、次间4.28米。

F14在F13右前不远处，地势略低，东邻垣墙。试掘探明八棱形石础13个（三排五列），由此构成的房址面阔四间，通面阔14.48、进深4.33米，各间等宽，均3.62米。

F13、F14与北部垣墙之间尚有大片空地，暂未发现建筑遗迹。

相较于西路，东路建筑的整体布局更见严整，其方向（或横或纵）均与中轴线一致，并与中轴线西侧建筑（包含部分中路与西路建筑）形成大致对称的格局。东路建筑“上马磴”（F11）连同垣墙外“下马蹬”（F29）的民间称谓，多少折射出该路建筑的部分功能。

（四）其他建筑

指新王宫南部垣墙内零星分布以及北部垣墙外相对独立的房址，与新王宫主体建筑略相隔离。包括F5、F6、F15、F16与F29等五组建筑，均未全面揭示。除F29与中轴线方向一致外，余四房因地势而方向各异。不论方向，但因所在不同，可分三组：F5、F6为一组，居西南；F15、F16为一组，居东南；F29独为一组，居墙侧大门外（图3-4）。

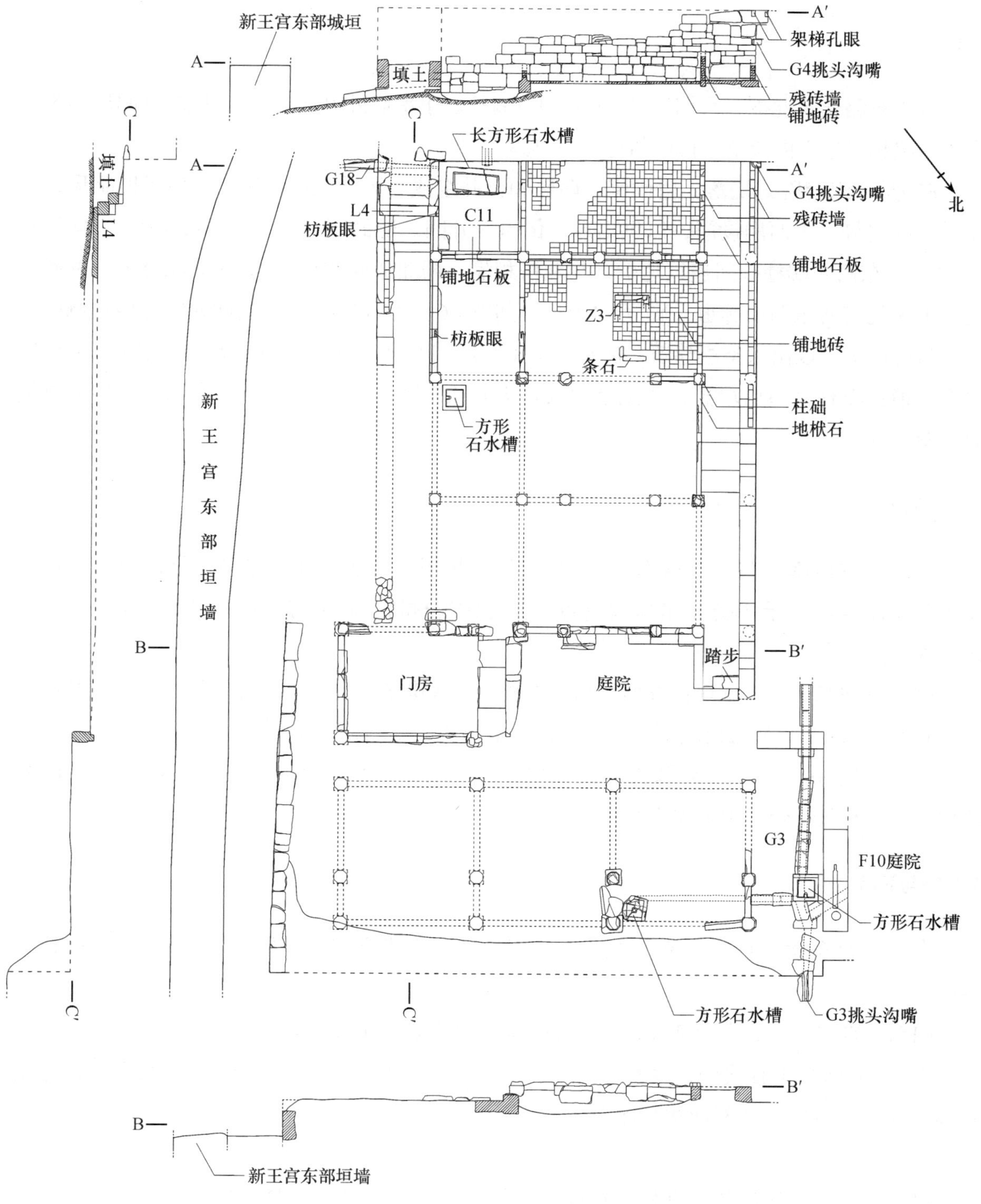

图3-34 新王宫F11平、剖面图

1. F29

位于东路建筑北端，大门（F28）东侧垣墙外。于垣墙外另起台基（基之正面高达3米），形成一组相对独立的院落。民间俗称“下马蹬”。

F29是一组合院式院落，由倒座、两厢和天井组成，天井三面设廊。整体呈凹字形，呈两厢夹倒座之势。于西厢设门，以供出入。倒座三开间，通面阔10.5、进深4.25米，三间等宽，皆3.5米。东西两端柱础间连以地栿，与厢房相隔。两厢通面阔10.4、进深亦4.25米。两厢三开间，中央是贯通东西的廊道，廊宽1.4米；南间宽4.6、北间宽4.4米。西厢北间之西设侧门（有门枕与门臼），以出入整组建筑，前与进新王宫的L1相通。此北间与环天井廊道（东厢内廊道除外）俱铺石板，室内墁砖，作卍字锦纹。天井长7.35、宽4.2、深0.6米，南侧起砖墙以绝交通（图3-35）。

2. F5与F6

在新王宫西南，与“金银库”（F32）隔墙相望。两房相邻，略呈八字形分布，均只清现台基（图3-4）。台基之上散落大量砖、瓦等建筑材料，砖多有“初一号”“十六”“十六砖”等铭文。

F5，方向326°。试掘现长方形台基，以灰岩石块砌筑。台基长12.2、宽5.1米。筑基石块长0.4～0.9、宽0.6米，砖墙已坍塌，但其上白灰痕隐现，知墙宽0.5米。

F6，方向90°。长方形台基长12.2、宽5.1、高0.5米。东南角尚存残墙，宽0.5、高0.4米。砖均平卧，石灰黏合，中填泥土与砖屑。

3. F15与F16

在新王宫东南，前后分布，相去约12米，亦仅试掘清理发现局部台基与少量石础（图3-4）。

F15，方向60°。石砌台基长11.3、宽5.4米。西北角揭现八棱形石础1个。

F16，方向与中轴线同，为38°。台基长12.4、宽5.42米。西北角揭现石础2个，彼此相距3.6米，房应三开间，各间面阔与此同。

以上五组建筑逸出新王宫核心建筑而散落分布，其中F5、F6与F15、F16各据“宫”后边线，当为驻军防守之所；F29独在大门之外，布局严整，有看护、管理之意。

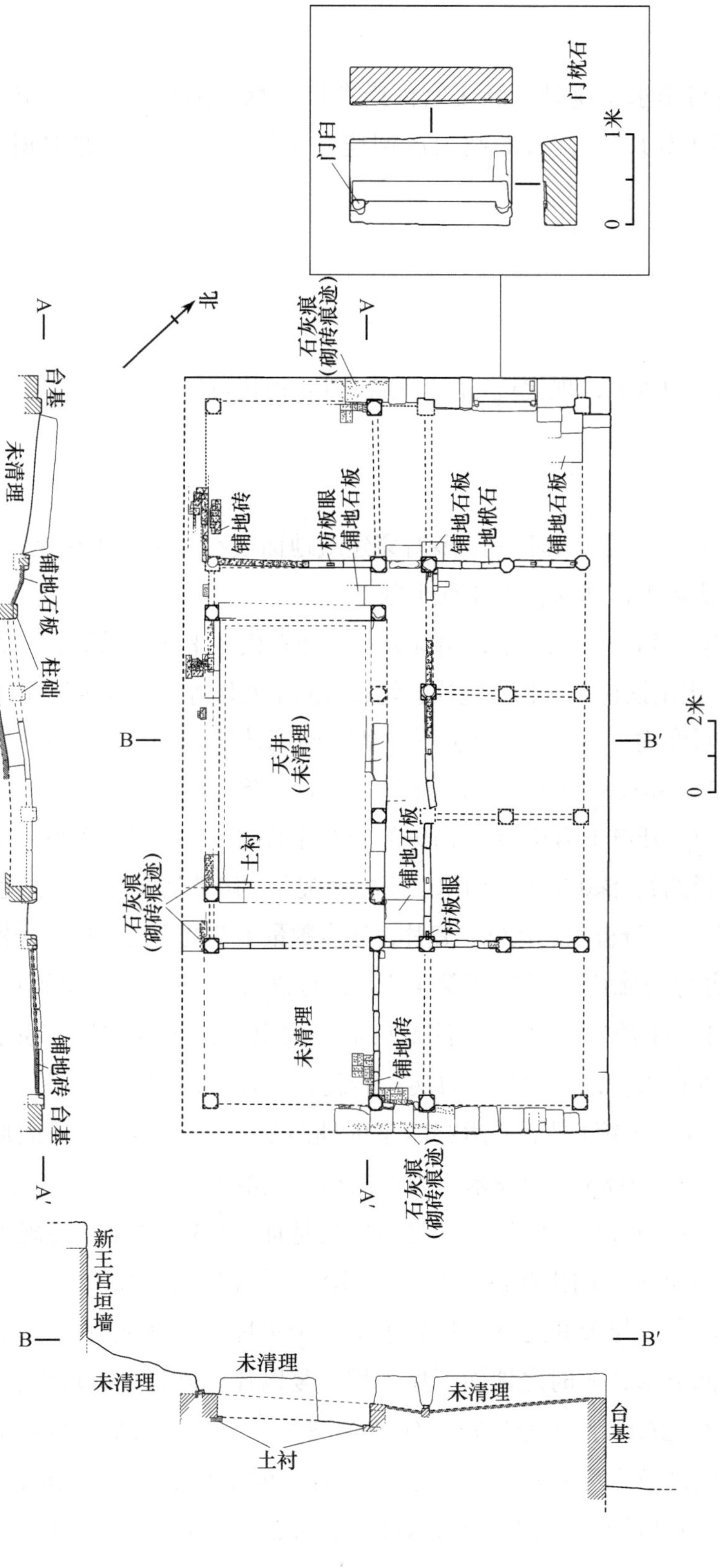

图3-35 新王宫F29平、剖面图

三、其他遗迹

除房址、道路与排水系统外，新王宫内尚有坑、灶等遗迹，多为土司时代遗迹（如多数灶台），个别略早（如K7），有的则为后期遗存（如现代坑），并对遗址造成了一定破坏（图3-4）。

（一）坑

包括坑9个（K1～K9），现代坑7个（现代坑1～现代坑7）。

1. 坑

9个（K1～K9），年代早晚不一。多凿穿建筑地面或在其下，可由之观察建筑下垫土堆积的一般情况，并确认新王宫建筑群的年代上限。

K1，F10天井内。开口于第2层下，凿穿天井铺地石板。平面近圆形，口大底小。口径1.29、底径0.76、深2.6米。内出铁钉、铁扣、瓷片、勾头与滴水残件等。坑底为淤泥。或曾做水井使用。

K2，在F10东回廊内。开口于第2层下，凿穿回廊砖铺地面，底为原生基岩。平面近椭圆形，口径1.04～2.12、深0.88～1米。内出勾头、滴水、脊砖和瓦砾等物。

K3，在F8天井内。开口于第4层下，凿破部分天井铺地石板。口大底小，开口形状不甚规则，口径3.67～4.52、底径约2、深0.56米。内出"崇祯通宝""隆武通宝""弘光通宝"等钱币，以及青铜象棋子（"仕"）、脊兽角、瓦砾、瓷片，还有数量不菲的小麦、稻谷等植物遗存。

K4，在F8正房与前廊内。开口于第4层下，打破部分铺地砖。平面略呈8字形，口大底小。口径2.7～3.53、底径2.1～2.56、深2.78米。内出"崇祯通宝""弘光通宝""隆武通宝""乾隆通宝"等钱币，以及脊兽、脊砖、砖瓦、瓷片等遗物。

K5，在F1内。开口于第1层下。凿穿F1室内铺砖地面并打破G5。平面略呈8字形，口大底小。口径1.45～2.1、底径0.85、深0.8米。内出遗物有铁铠甲片、铁钉、瓷片与砖瓦砾等。

K6，在F1门房内。开口于第1层下，打破门房地面及G5。平面不甚规则，口径0.6～1.6、底径0.58～1.58、深0.36米。内出铁钉、勾头、滴水、砖瓦砾及瓷片。

K7，叠压于F10正房与天井之下，打破生土。于房址西廊铺地石板下布探沟一条（TG9）进行解剖。坑之平面方形，于时之地面下掘土圹，复以片状砂岩叠砌坑壁，西壁及局部南北壁均如此（东南角垒石无存），底为基岩。石壁宽0.8～1.55、高1.4米。坑口宽7.3、深1.7米，坑壁内倾，底略窄。坑内堆积可分7层，碎石渣、石片、泥土与淤泥层等相间（图3-36）。

K8，在F12前。开口于第1层下，打破G5。平面近长方形，口长2.8、宽1.18～1.52米，底长1.82、宽0.58米，深0.56～1米。内出砖瓦砾、瓷片等遗物。

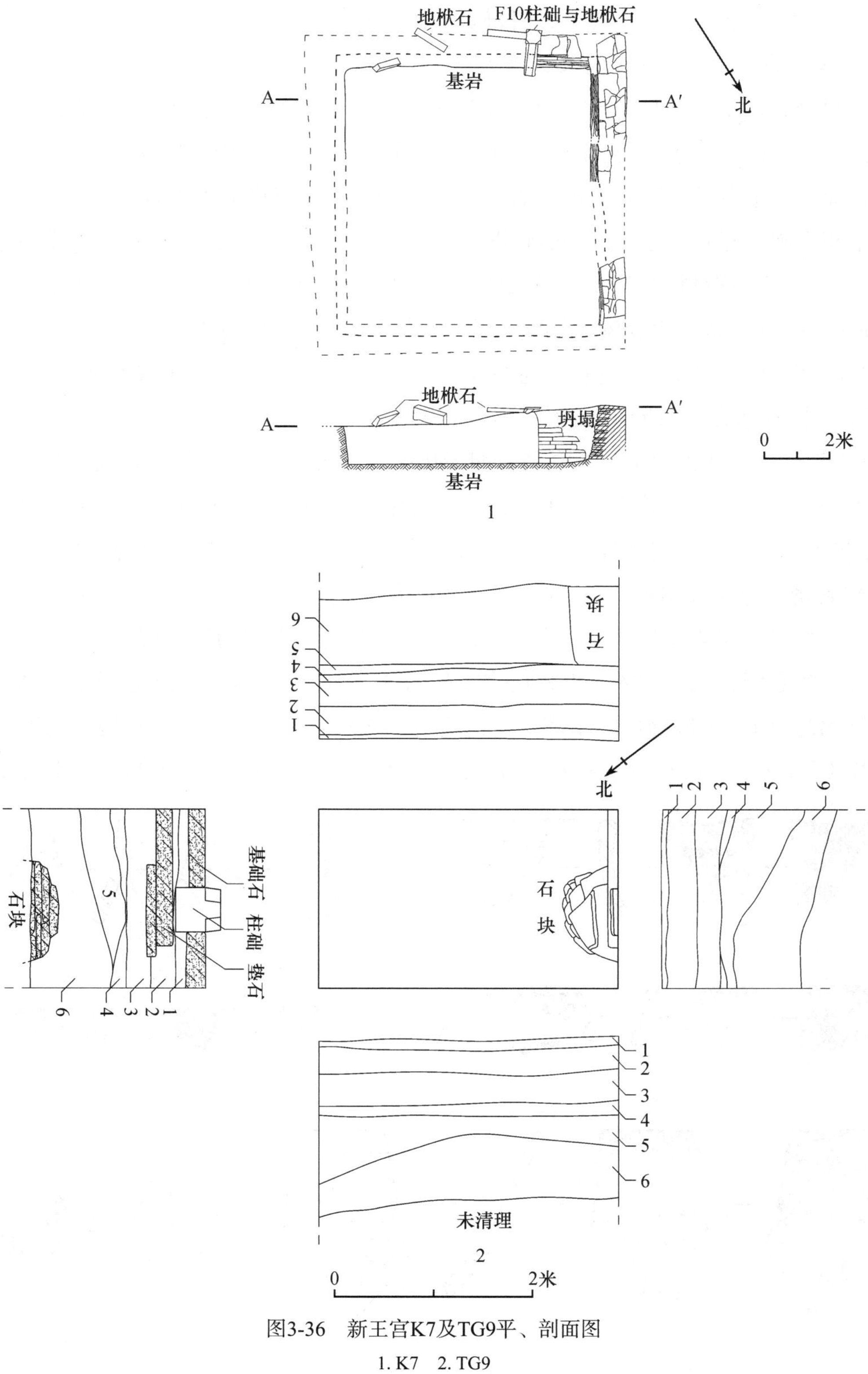

图3-36　新王宫K7及TG9平、剖面图

1. K7　2. TG9

K9，在F12前。开口于第1层下，打破G5。平面近长方形，口长2.34、宽0.64米，底长1.16、宽0.59米，深1.52米。内出勾头、滴水与铁钉等遗物。

按年代早晚，以上9坑可以分为两组：K7叠压于F10下，相对年代早于F10，其余则均打破房址或水沟，年代偏晚。诸坑的性质，晚期坑穴均为扰坑，部分可能曾为水井。K7因未见可资断代的遗物而年代不明，性质亦不甚明朗。K7内堆积以及凿破建筑地面铺装（砖或石）晚期诸坑的坑壁堆积反映了建筑下垫土的一般情况。以TG9为例，其内堆积可分6层（图3-36-2）：第1层为灰岩石渣，当系石料加工所产生的碎屑，厚0.05～0.1米。第2层深褐色夯土层，含较多风化石片，厚0.13～0.35米。出瓷碗、杯残片8片。其中清溪窑印花碗残片1片（TG9②：7），年代在南宋中晚期（图3-37-7）；青花碗与杯残片4片，1片青花晦暗，约在明中期（TG9②：3；图3-37-3），另3片在万历时期（TG9②：4～TG9②：6；图3-37-4、5、8）；白釉暗刻纹碗残片1片（TG9②：8；图3-37-2），约嘉靖时期遗物；青釉粗瓷罐残片2片，年代亦当在万历时期（图3-37-1、6）。第3层，深褐色夯土层，亦含大量风化石片，土质密致，未见文化包含物，厚0.05～0.35米。第4层，黄色淤泥，黏性较强，当系冲积形成，厚0～0.15米。第5层，灰褐色土层，土质紧密，厚0～0.8米。第6层，黄褐色土层，土质紧密，厚0.3～0.8米。以下未清理（图3-37）。可见，垫土最厚达1.45米，上层明显经夯筑，中间的冲积层（第4层）反映营建过程中曾有一次暴雨，表层的碎石堆积说明石料的细致加工是在施工现场进行的。值得注意的是，垫土层第2层内出土遗物反映了新王宫建筑群的年代上限，内中含少量南宋与明中期至嘉靖时期瓷片（3片），同时有少量明万历时期瓷片（5片），表明其年代上限不早于明万历。

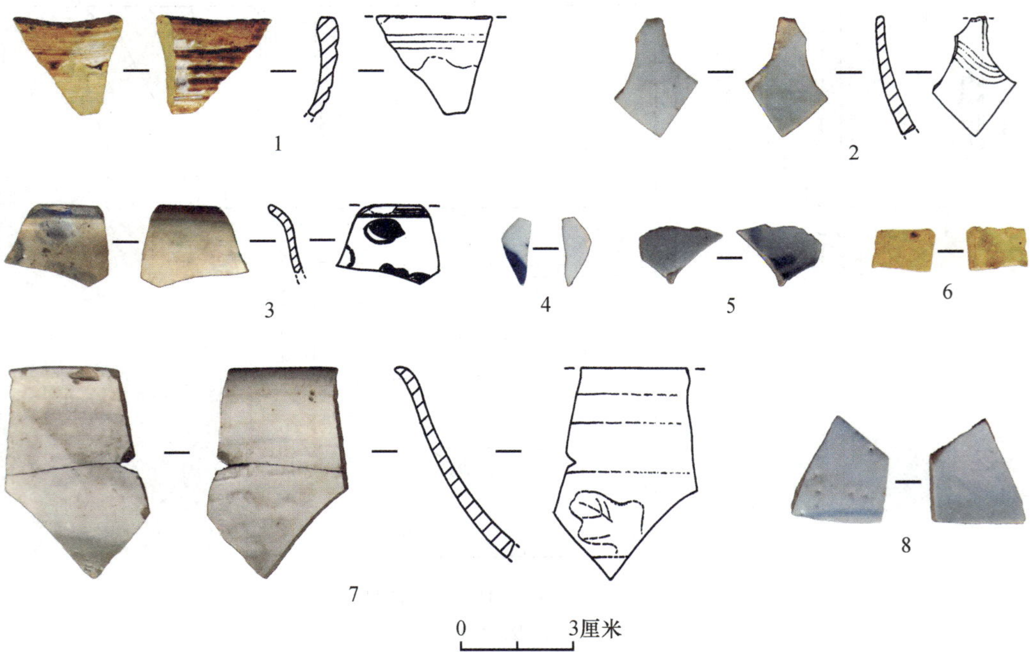

图3-37　新王宫TG9出土瓷器

1、6. 青花粗瓷罐残片（TG9②：1、TG9②：2）　2. 白釉暗刻纹碗残片（TG9②：8）　3、5、8. 青花碗残片（TG9②：3、TG9②：5、TG9②：6）　4. 青花杯残片（TG9②：4）　7. 印花碗残片（TG9②：7）

2. 现代坑

所谓现代坑，多系开口于表土下，今人尚能指认大约掘于何时者，共7个，有的为猪圈，有的为厕所。集中分布于后人活动频繁的海潮寺（F22）周边，对遗址造成了不同程度的破坏（图3-4）。

（二）灶

灶台7个（Z1～Z7），分别位于F8（Z1）、F9（Z2）、F11（Z3）、F19（Z4）、F26（Z5）、F27（Z6）与F3（Z7）内。另F29内出石锅圈一个，亦当有灶（图版199）。

形制一致，均砖土混筑，残破无完形。以长方形砖砌筑外框，中填土。长、宽1米许，高则多仅残存二三皮砖。多居房间中央，F8内Z1则靠墙而筑，保存稍好。Z1平面长方形，残长1.15～1.47、宽1.2～1.23、残高0.35米。中央填土已烤为烧土，一侧竖立砂岩石板与灶壁形成浅槽，或为贮灰处。该灶台叠压于东厢地栿之上，所靠压的正房檐墙砌筑随意，当系稍晚的遗存（图3-38；图版199-1）。结合F8内大量稻米等粮食作物的出土，以及战时土司家人大量涌入

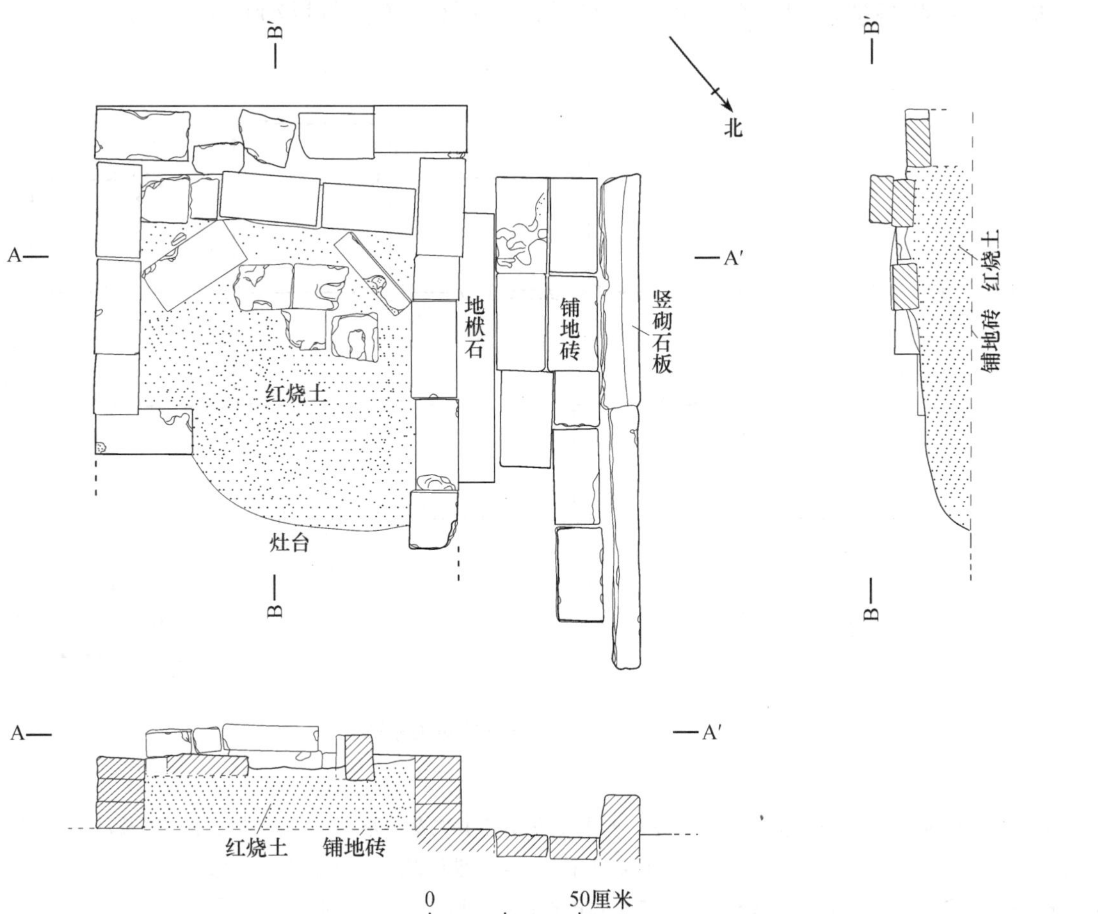

图3-38　新王宫Z1平、剖面图

衙署的事实，万历二十八年（1600）五、六月间，应有一些建筑被改变了原先规划的功能①。

灶台多与石水槽并见于屋内，Z1（F8）、Z2（F9）、Z3（F11）均如是，表明石水槽特别是固定于屋内的方形石水槽当有盥洗与排放生活废水等功用。

四、建筑关系

新王宫内不同建筑间存在着较为复杂的早晚关系，由此可窥见其营建过程与规划理念。

（一）建筑关系

因建筑遗迹均处在同一平面上，彼此间关系主要靠不同建筑台基与砖墙间的细微之处来识别。大致存在叠压、靠压与共时三种关系。所谓“叠压”指上下关系。“靠压”则为左右关系，即先有一墙，再筑一墙依附其旁。而建于同一挡土墙上的不同建筑，彼此间若无明显叠压或靠压关系，则视为共时。

据此，可将各遗迹间关系较明确者罗列如下（图3-39；图版200、图版201）。

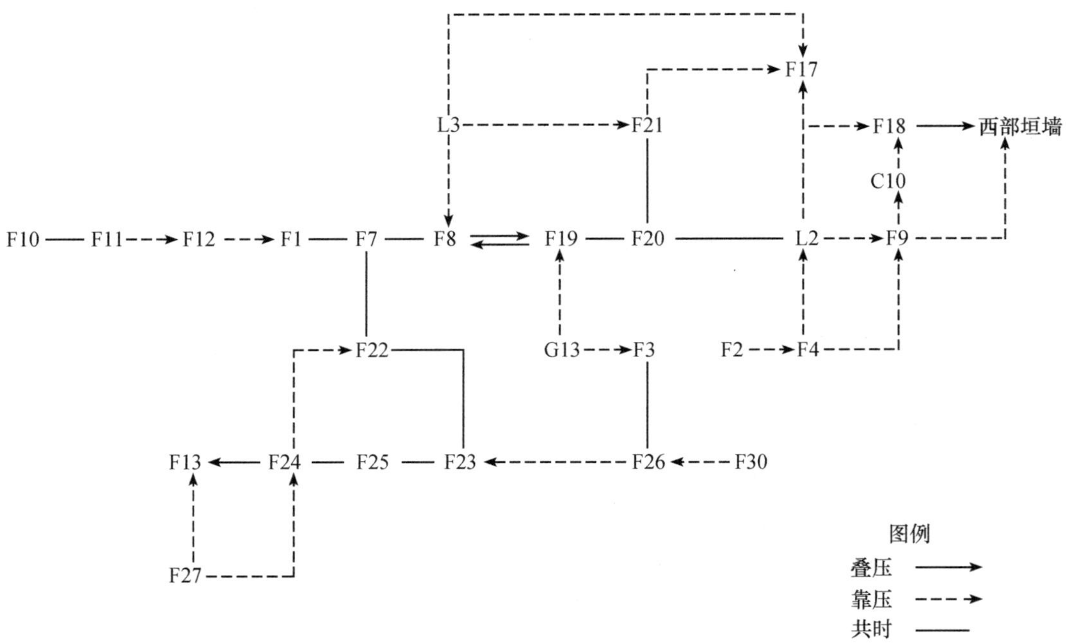

图3-39　新王宫建筑关系图

① 与杨应龙一起上囤的眷属，有三妻、七子（妻妾五）二女（婿一）、三弟二妹，以及从弟、侄子、族舍、心腹等，这些人员均应住在衙内（参见《平播全书》卷4《献俘疏》，第125～128页）。明军破囤后，“贼巢一空，我兵尽扎囤上”（参见《平播全书》卷7《撤各省官兵回咨》，第258页）。人员的大量涌入，是建筑功能改变的原因。但F8如果确为土司卧房，则系衙内较早被土司焚毁的建筑，明军登囤后再行利用的可能性极小。因此，Z1仍应为土司遗存，其在形制上与其他灶台的一致性也表明了这一点。而彼此的叠压关系表明，原先规划的土司卧房，在战时可能兼有了土司厨房的功能。

（二）建筑过程

从以上所列的建筑关系中，可以得出以下几点认识。

第一，新王宫营建过程存在自左（西）而右（东）的趋势。居于遗址最西侧与中轴线方向不同的F9、F17、F18与C10一组建筑的营建时间较其他建筑为早。这一营建过程可能与方便建筑材料特别是石材自东运入（采石场在遗址东南）有关（已建好的房址势必对运输造成障碍），同时可能还另有深意。

第二，新王宫营建过程存在自上（南）而下（北）的趋势。整体上，居于遗址南部的F7、F8、F17、F18、F9等一组建筑的营建时间早于北部的其他建筑，亦可能是便于材料运输使然。

第三，营建次序。营建之初，应先建挡土墙、平整场地，再依挡土墙构筑房屋台基（挡土墙因此构成了局部台基），垒砖其上。这一过程在挡土墙Q1与F7及其前两厢的相互关系中反映得尤为充分：先建Q1，再筑F7前两厢，两厢的柱础与阶沿石靠Q1而立，阶沿石上立大石，上被F7阶沿石叠压，阶沿石上起砌砖墙（图版200-3）。

第四，整体规划，一次建成。垫土中（TG9）出土遗物表明新王宫的年代上限不早于明万历，而其灾难性毁弃的时间在明万历二十八年（1600）也是清楚的，亦即建筑年代一致，仅营建的先后顺序有所不同。而多组建筑间此处我压你、彼处你压我的相互关系，以及道路与给排水系统彼此贯通为一体的格局，反映新王宫是经整体规划、一次建成的。

第三节　出土遗物

新王宫内出土遗物较为丰富，按功能，可以分为建筑材料、日常用器、兵器、钱币及动植物遗存等类；按质地，则有石、陶、瓷、金属与有机物等类。

一、建筑材料

建筑由石、瓦、砖、木等营建而成，木作俱毁。

（一）石作

重要者有柱础、地栿、望柱、窗台、挑檐、门槛与门楣等。

1. 石柱础

又称柱顶石，一般由座和鼓镜两部分组成，鼓镜指柱础的上凸部分。新王宫内柱础均素面，无雕刻。根据形制的不同，分为三型，以A型最为常见（表3-2）。

A型　八棱形柱础。即鼓镜呈八棱形的柱础。分为三亚型。

Aa型　方座，鼓镜四角内收呈八棱形，其余四面则与方座齐平。这类柱础数量最多。通高0.22～0.55、座径0.36～0.67、鼓径0.3～0.51米（图3-40-1、2）。

Ab型　方座，鼓镜整体内收，纵剖呈凸字形。主要见于大门（F28）、仪门（F25）与“三台星”（F17）。尺寸普遍偏大，大者通高0.42～0.62、座径0.7～1.07、鼓径0.5～0.66米（图3-40-3）。

Ac型　无座，通体呈八棱形，下大上小。数量较少。F10：D27，通高0.2～0.33、鼓径0.37～0.41米（图3-40-4）。

B型　六棱形柱础。实为Aa型的异化，即部分临边或临墙的柱础，其鼓镜凿成六棱形，形制因势而微有变化。数量不多，大小与Aa型同（图3-40-6）。

C型　联办柱础。即两个相连的柱础用一块整石或多块条石组合而成，中央为地栿。主要用于廊道、门房等处。数量较少，仅见于F1门房与F10内。鼓镜呈八棱形或T字形（图3-40-5）。

此外，尚有将柱直接落于台基阶沿石上者，未凿鼓镜，石之形状各异，不赘。

2. 地栿石

连接于柱础间的条石，其上多有长方形凿孔以立木枋，或砌有单砖墙体。整石凿成，长短不一。根据形制不同，分为二型，以B型为主。

A型　凸字形。即横剖面呈凸字形者，主要见于F10、F11与F19内。可分为二亚型。

Aa型　凸字形。前述联办柱础间地栿均属此型，做工考究。底宽约0.43、顶宽0.17～0.2、通高约0.35、凸棱高0.1～0.12米。

Ab型　半凸字形。即仅为前者一半，仅见于F11内。底宽0.3、顶宽0.19、通高0.47、凸棱高0.1米。

B型　四边形。即横剖面呈四边形者，是新王宫内最常见的地栿类型。可分二亚型。

Ba型　方形。断面近方形，顶及左右两侧加工规整，见于F7两厢。长约1、高与宽0.24～0.25米。

Bb型　长方形。断面呈长方形，出露部分加工规整，下埋部分则较粗糙。最为多见。一般宽0.16～0.2、通高0.4米。

表3-2 新王宫柱础统计表

遗迹单位	编号＼尺寸	通高/厘米	座/厘米			鼓镜/厘米		类型	照片	平面示意图
			长	宽	高	鼓径	高			
F1	D1	暴露部分16	36	36	2	32	14	Aa型		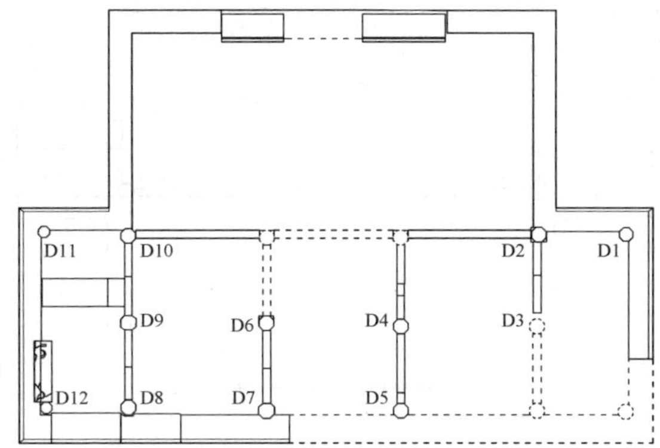
	D2	暴露部分34	42	42	20	40.5	14	Aa型		
	D3	暴露部分6	42	40	6	40	残	Aa型		
	D4	暴露部分8	未清理	未清理	未清理	35.5～38.5	8	Aa型		

续表

遗迹单位	尺寸/编号	通高/厘米	座/厘米			鼓镜/厘米		类型	照片	平面示意图
			长	宽	高	鼓径	高			
F1	D5	32	41	41	7	39	25	Ac型		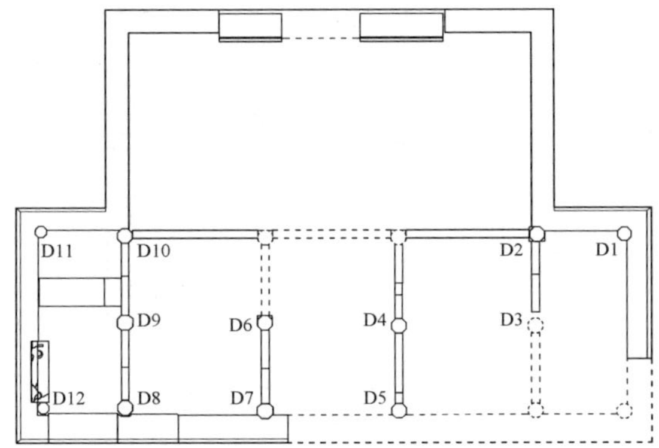
	D6	43	45	40	29	40	14	Aa型		
	D7	暴露部分7	未清理	未清理	未清理	39.5	7	Aa型		
	D8	暴露部分8	未清理	未清理	未清理	38	8	Aa型		

续表

遗迹单位	尺寸/编号	通高/厘米	座/厘米			鼓镜/厘米		类型	照片	平面示意图
			长	宽	高	鼓径	高			
F1	D9	暴露部分6	未清理	未清理	未清理	42	6	Aa型		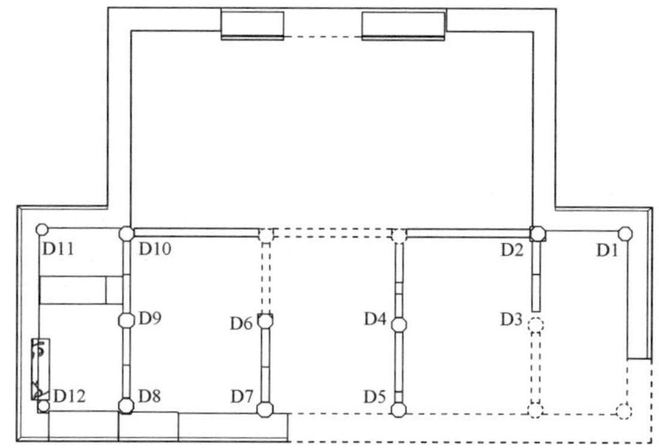
	D10	28	40	40	14	39	14	Aa型		
	D11	暴露部分2	未清理	未清理	未清理	30	2	Aa型		
	D12	暴露部分2	未清理	未清理	未清理	31	2	Aa型		

续表

遗迹单位	编号＼尺寸	通高/厘米	座/厘米			鼓镜/厘米		类型	照片
			长	宽	高	鼓径	高		
F2	D1	暴露部分11	54	50	未清理	43	11	Aa型	
	D2	暴露部分9	47	45	未清理	42	9	Aa型	
	D3	36	51	51	26	45	10	Aa型	
	D4	40	51	51	28	42.5	12	Aa型	

平面示意图

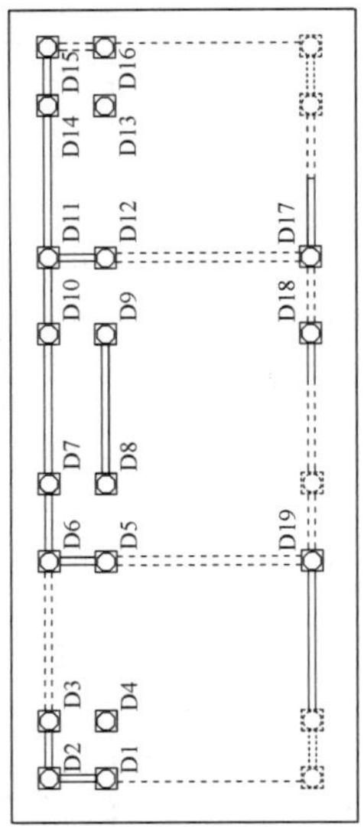

续表

遗迹单位	编号＼尺寸	通高/厘米	座/厘米			鼓镜/厘米		类型	照片	平面示意图
			长	宽	高	鼓径	高			
F2	D5	22	52	52	11	43	11	Aa型		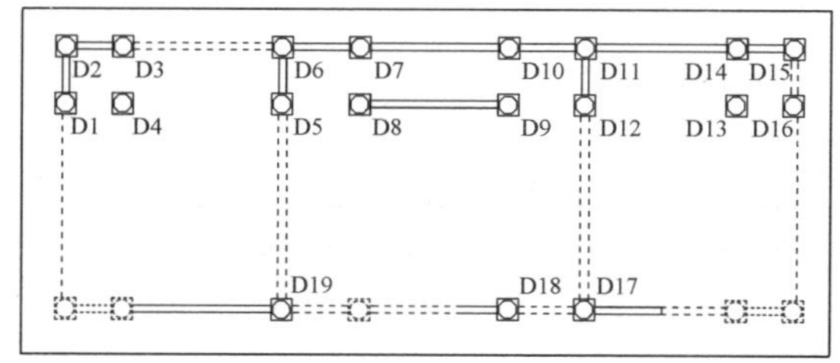
	D7	暴露部分10.5	未清理	未清理	未清理	40	10.5	Aa型		
	D8	暴露部分10	未清理	未清理	未清理	43	10	Aa型	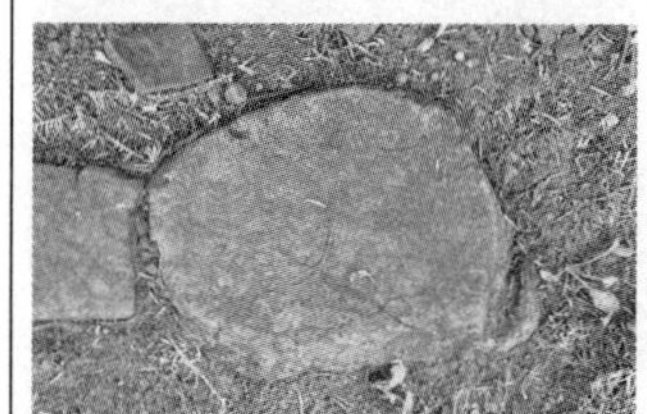	
	D9	暴露部分11	未清理	未清理	未清理	42	11	Aa型		

续表

遗迹单位	尺寸/编号	通高/厘米	座/厘米			鼓镜/厘米		类型	照片	平面示意图
			长	宽	高	鼓径	高			
F2	D10	暴露部分11	未清理	未清理	未清理	45	11	Aa型	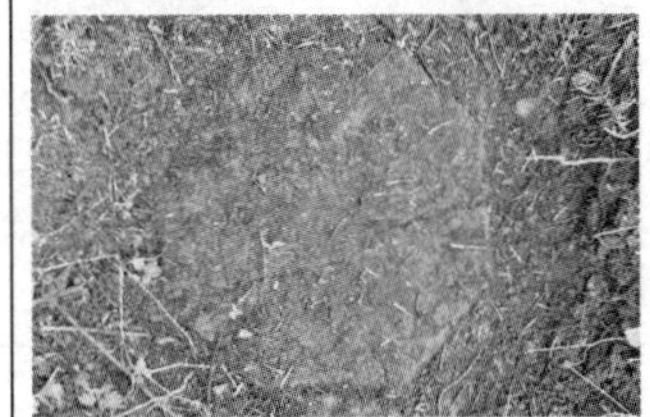	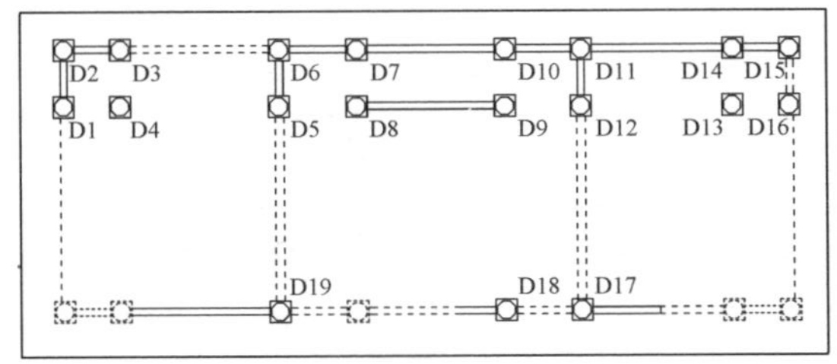
	D11	暴露部分11	未清理	未清理	未清理	40.5	11	Aa型		
	D12	暴露部分11	未清理	未清理	未清理	41.5	11	Aa型		
	D13	32	50	48	21	43	11	Aa型		

续表

遗迹单位	编号＼尺寸	通高/厘米	座/厘米			鼓镜/厘米		类型	照片	平面示意图
			长	宽	高	鼓径	高			
F2	D14	44	45	45	38	40～41	6	Aa型		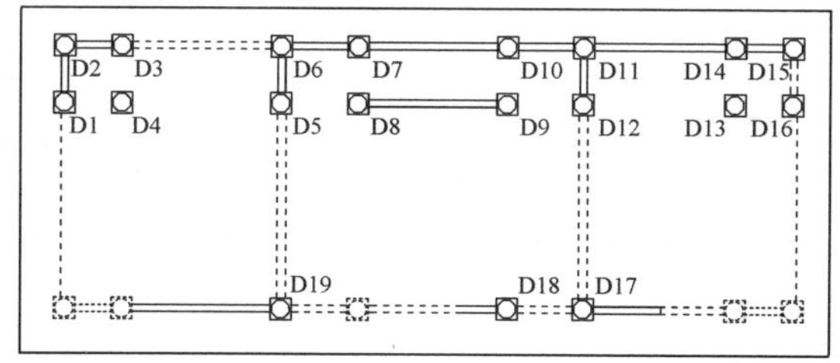
	D15	23	52	51	13	43	10	Aa型		
	D16	25	53	50	18	43	7	Aa型		
	D17	32	52	52	22	42	10	Aa型		

续表

<table>
<tr><th rowspan="2">遗迹单位</th><th rowspan="2">尺寸
编号</th><th rowspan="2">通高/厘米</th><th colspan="3">座/厘米</th><th colspan="2">鼓镜/厘米</th><th rowspan="2">类型</th><th rowspan="2">照片</th><th rowspan="2">平面示意图</th></tr>
<tr><th>长</th><th>宽</th><th>高</th><th>鼓径</th><th>高</th></tr>
<tr><td rowspan="2">F2</td><td>D18</td><td>暴露部分27</td><td>54</td><td>51</td><td>25</td><td>鼓底48</td><td>残2</td><td>Aa型</td><td></td><td rowspan="2">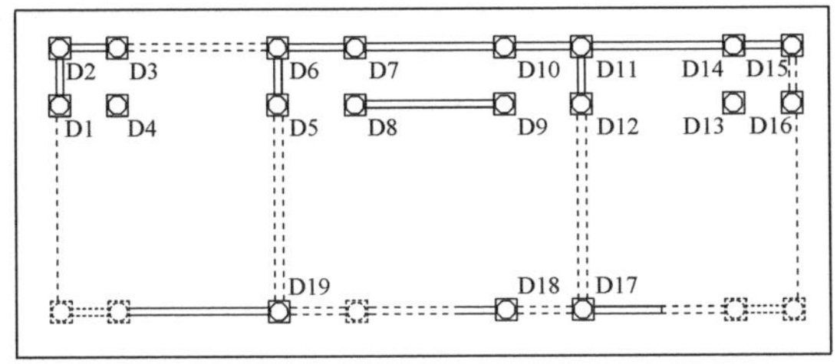</td></tr>
<tr><td>D19</td><td>暴露部分11</td><td>55</td><td>54</td><td>未清理</td><td>40～42</td><td>11</td><td>Aa型</td><td></td></tr>
<tr><td rowspan="2">F3</td><td>D1</td><td>暴露部分12.5</td><td>45</td><td>45</td><td>未清理</td><td>43</td><td>12.5</td><td>Aa型</td><td></td><td rowspan="2">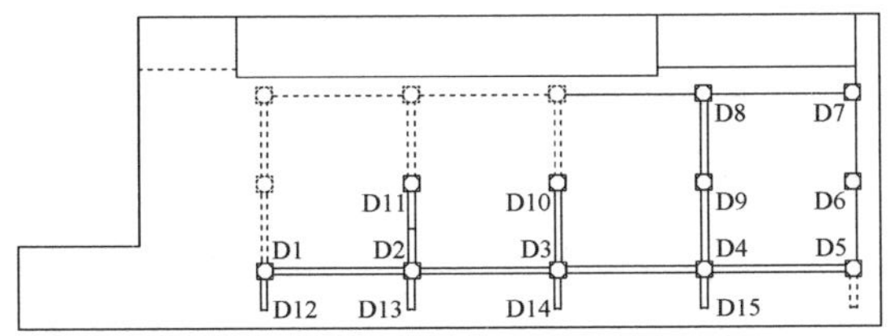</td></tr>
<tr><td>D2</td><td>暴露部分11</td><td>45</td><td>45</td><td>未清理</td><td>43</td><td>11</td><td>Aa型</td><td></td></tr>
</table>

续表

遗迹单位	尺寸/编号	通高/厘米	座/厘米			鼓镜/厘米		类型	照片	平面示意图
			长	宽	高	鼓径	高			
F3	D3	暴露部分13	45	45	未清理	42	13	Aa型		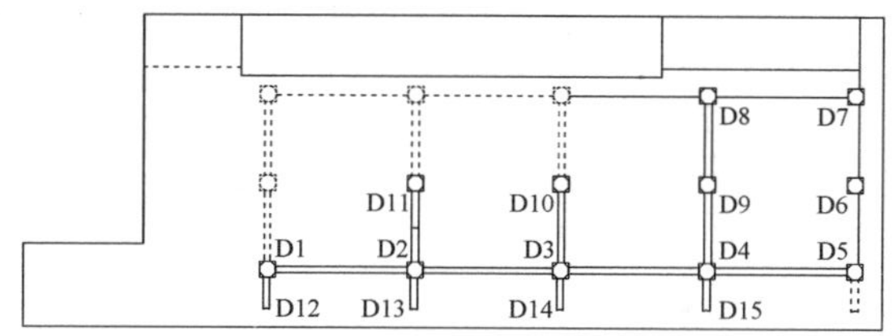
	D4	暴露部分13	未清理	未清理	未清理	39	13	Aa型		
	D5	暴露部分11	46	46	未清理	42.5	11	Aa型		
	D6	暴露部分11	46	46	未清理	42.5	11	Aa型		

续表

遗迹单位	尺寸 / 编号	通高/厘米	座/厘米			鼓镜/厘米		类型	照片	平面示意图
			长	宽	高	鼓径	高			
F3	D7	暴露部分12	未清理	未清理	未清理	45	12	Aa型		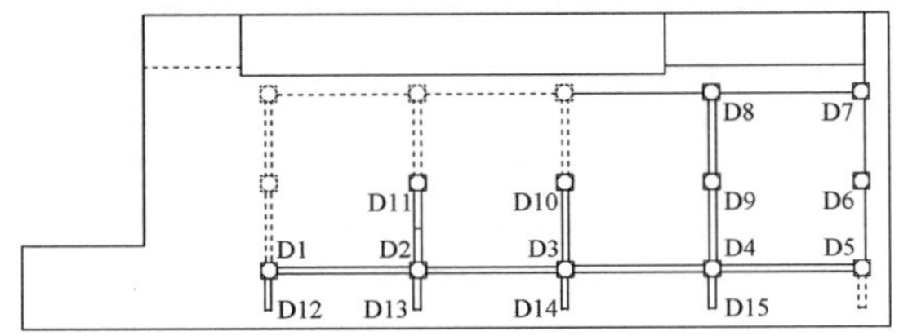
	D8	暴露部分10	未清理	未清理	未清理	42	10	Aa型		
	D10	暴露部分11	48	48	未清理	43	11	Aa型		
	D11	暴露部分11	45	45	未清理	43	11	Aa型		

续表

遗迹单位	尺寸/编号	通高/厘米	座/厘米			鼓镜/厘米		类型	照片	平面示意图
			长	宽	高	鼓径	高			
F4	D1	暴露部分10	43	43	未清理	39	10	Aa型		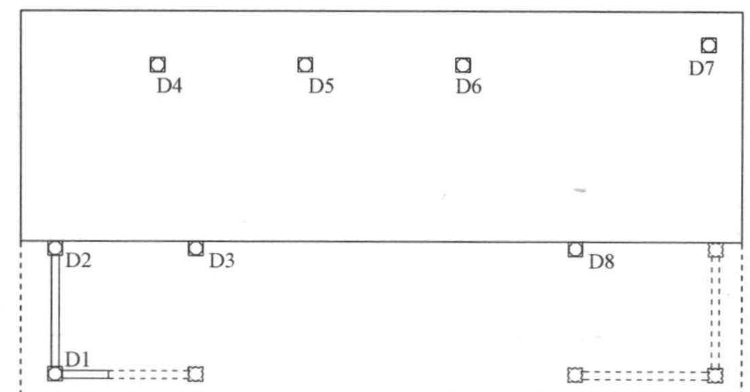
	D2	暴露部分10	43	44	未清理	40	10	Aa型		
	D3	暴露部分12	43	43	未清理	39.5	12	Aa型		
	D4	28	46	46	16	40.5	12	Aa型		

续表

遗迹单位	尺寸/编号	通高/厘米	座/厘米			鼓镜/厘米		类型	照片	平面示意图
			长	宽	高	鼓径	高			
F4	D5	38	50	50	25	39～40	13	Aa型		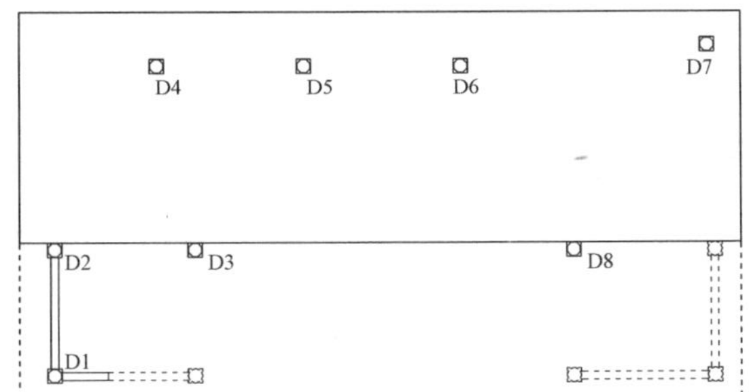
	D6	27	50	45	17	39～40	10	Aa型		
	D7	35	45	45	25	39～39.5	10	Aa型		
	D8	27	43	43	15	39	12	Aa型		

续表

遗迹单位	尺寸/编号	通高/厘米	座/厘米			鼓镜/厘米		类型	照片	平面示意图
			长	宽	高	鼓径	高			
F7	D1	残26.5	50	52	17	47	残9.5	Aa型		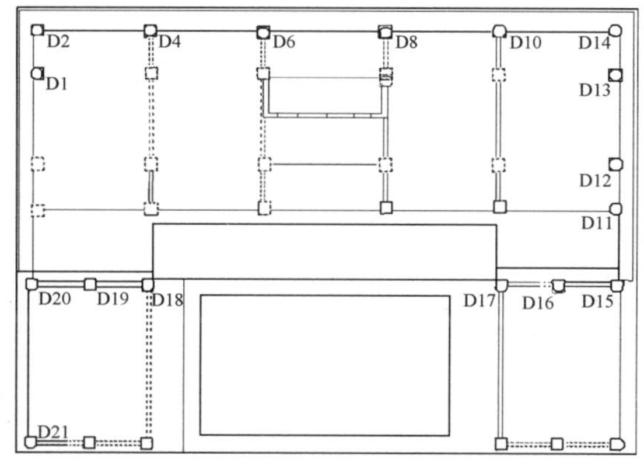
	D2	22	44	44	12	40	10	Aa型		
	D4	28	49	48	15	46	13	Aa型		
	D6	暴露部分14	49	47	未清理	43	14	Aa型		

续表

遗迹单位	编号（尺寸）	通高/厘米	座/厘米			鼓镜/厘米		类型	照片	平面示意图
			长	宽	高	鼓径	高			
F7	D8	31	49	49	18	46	13	Aa型	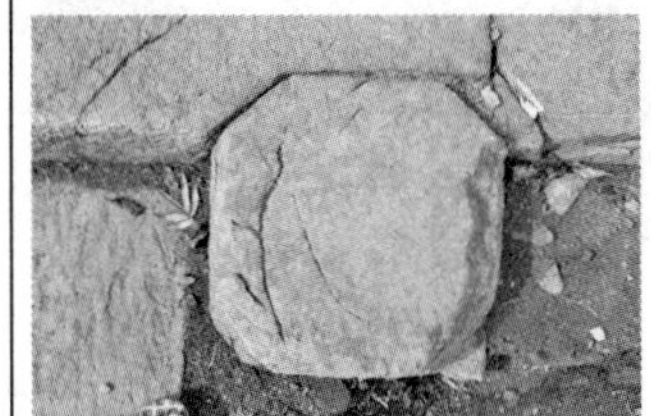	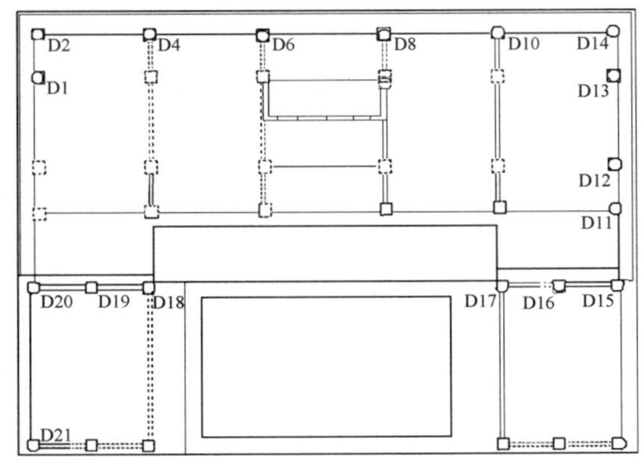
	D10	30	48	45	16	44.5	14	Aa型	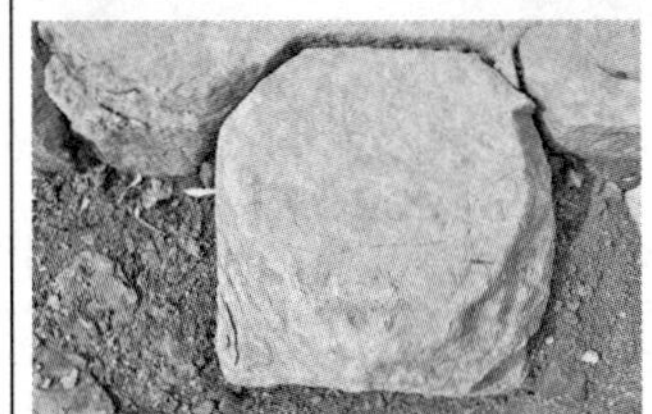	
	D11	暴露部分14	47	47	未清理	46～48	14	Aa型		
	D12	暴露部分15	46	46	未清理	43～45	15	Aa型		

续表

遗迹单位	尺寸/编号	通高/厘米	座/厘米			鼓镜/厘米		类型	照片	平面示意图
			长	宽	高	鼓径	高			
F7	D13	暴露部分14	49	47	未清理	46	14	Aa型		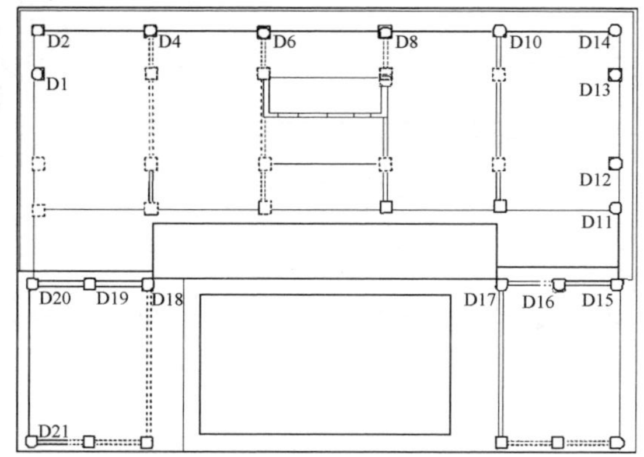
	D14	暴露部分14	46	46	未清理	43	14	Aa型		
	D15	31.5	50	48	17	47 ~ 47.5	14.5	B型		
	D16	33	54	48	16	46.5 ~ 47.5	13 ~ 17	B型		

续表

遗迹单位	尺寸/编号	通高/厘米	座/厘米			鼓镜/厘米		类型	照片	平面示意图
			长	宽	高	鼓径	高			
F7	D17	24	48	48	10	46	14	B型		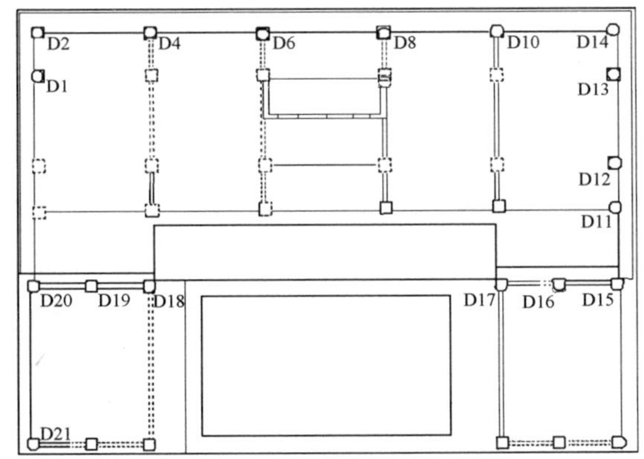
	D18	36	48	48	23	44.5～45.5	13	B型	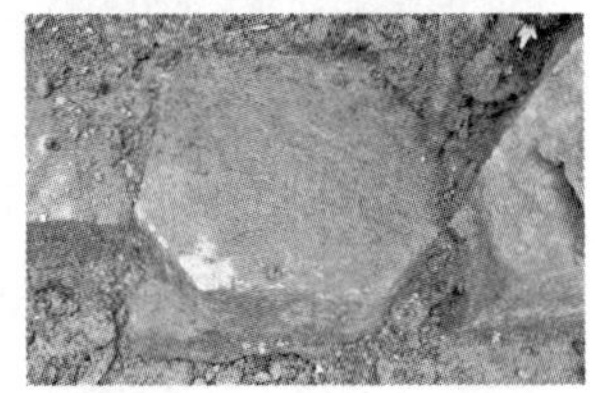	
	D19	32.5	51	51	18	46	14.5	B型		
	D20	29.5	50	50	17	47	12.5	B型		
	D21	28	47	47	13	45	15	Aa型		

续表

遗迹单位	尺寸/编号	通高/厘米	座/厘米			鼓镜/厘米		类型	照片	平面示意图
			长	宽	高	鼓径	高			
F8	D1	暴露部分14	未清理	未清理	未清理	部分压砖墙下未清理	14	B型		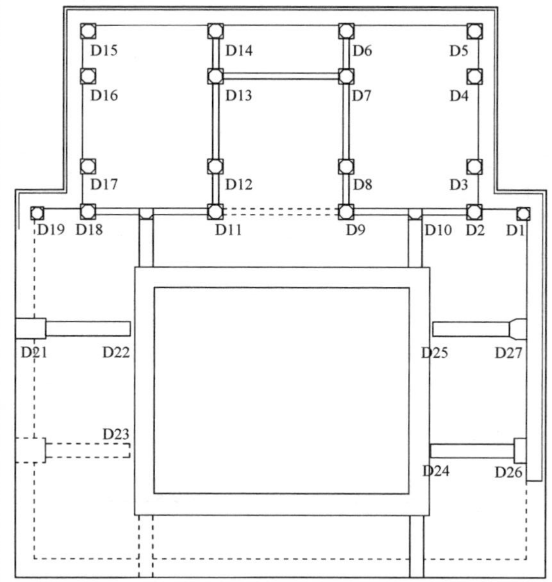
	D2	暴露部分14	57	57	未清理	46.5	14	Aa型		
	D3	暴露部分15	58	58	未清理	46	15	Aa型		
	D4	暴露部分14	50	50	未清理	46	14	Aa型		

续表

遗迹单位	编号＼尺寸	通高/厘米	座/厘米			鼓镜/厘米		类型	照片	平面示意图
			长	宽	高	鼓径	高			
F8	D5	暴露部分12	未清理	未清理	未清理	部分压砖墙下未清理	12	Aa型		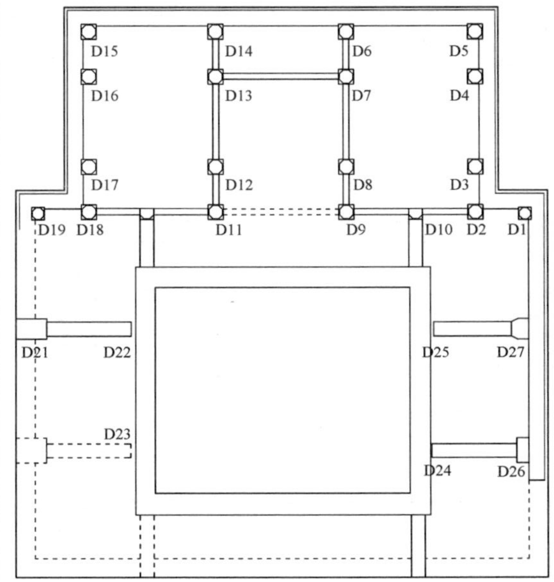
	D6	暴露部分14	48	48	未清理	45	14	Aa型		
	D7	暴露部分14	49	49	未清理	46	14	Aa型		
	D8	暴露部分10	50	50	未清理	44.5	10	Aa型		

续表

遗迹单位	尺寸 编号	通高/厘米	座/厘米			鼓镜/厘米		类型	照片	平面示意图
			长	宽	高	鼓径	高			
F8	D9	暴露部分11	49	49	未清理	45	11	Aa型		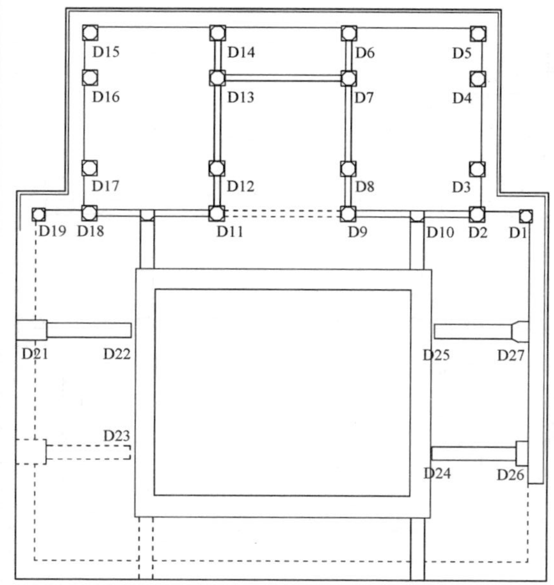
	D10	暴露部分12	47	47	未清理	45	12	B型		
	D11	55.5	48	48	45	45	10.5	Aa型		
	D12	55.5	50	50	45	45	10.5	Aa型		

续表

遗迹单位	编号＼尺寸	通高/厘米	座/厘米			鼓镜/厘米		类型	照片	平面示意图
			长	宽	高	鼓径	高			
F8	D13	暴露部分11	50	50	未清理	47	11	Aa型		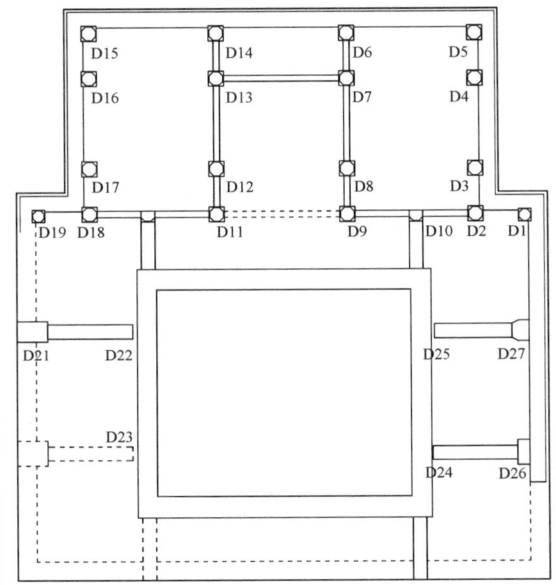
	D14	暴露部分12	50	50	未清理	49	12	Aa型		
	D15	暴露部分12	50	50	未清理	46	12	Aa型		
	D16	暴露部分12.5	49	49	未清理	46	12.5	Aa型		

续表

遗迹单位	尺寸/编号	通高/厘米	座/厘米			鼓镜/厘米		类型	照片	平面示意图
			长	宽	高	鼓径	高			
F8	D17	暴露部分11	50	50	未清理	46	11	Aa型		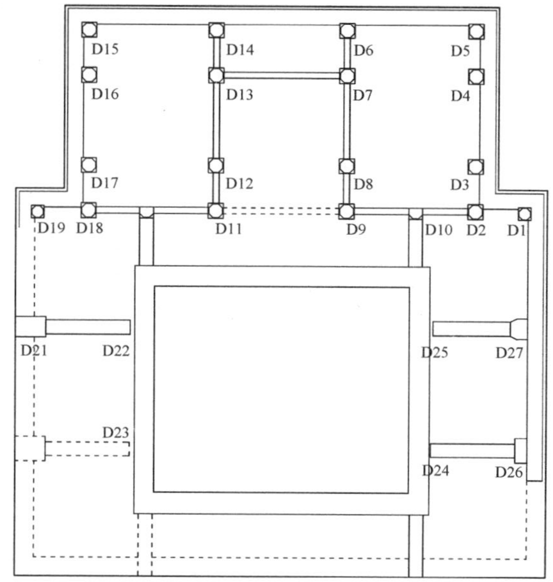
	D18	暴露部分11	49	49	未清理	40	11	Aa型		
	D19	暴露部分12	45	45	未清理	41	12	Aa型		

续表

遗迹单位	尺寸 编号	通高/厘米	座/厘米			鼓镜/厘米		类型	照片	平面示意图
			长	宽	高	鼓径	高			
F9	D1	暴露部分12	未清理	未清理	未清理	41.5	12	Aa型		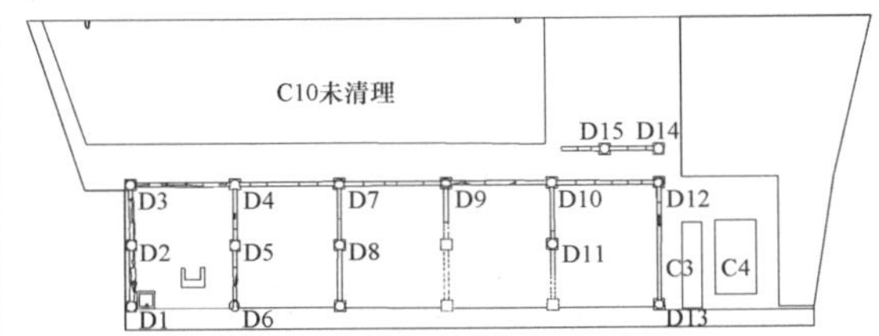
	D2	暴露部分12	46	46	未清理	41.5	12	Aa型		
	D3	暴露部分11	45	45	未清理	42	11	Aa型		
	D4	暴露部分12	45	45	未清理	41	12	Aa型		

续表

遗迹单位	尺寸/编号	通高/厘米	座/厘米			鼓镜/厘米		类型	照片	平面示意图
			长	宽	高	鼓径	高			
F9	D5	暴露部分11.5	45	45	未清理	42	11.5	Aa型		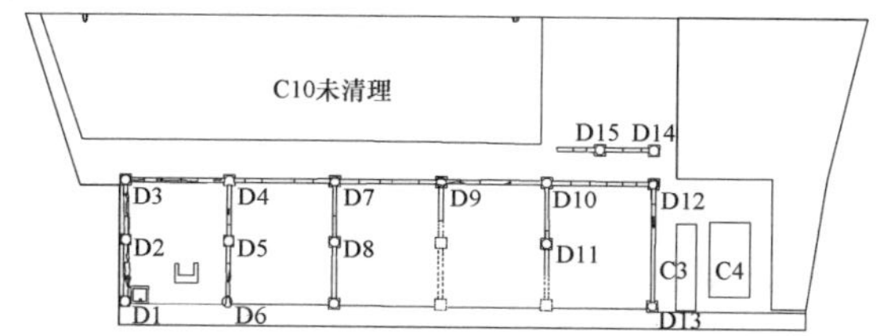
	D6	暴露部分12	44	44	未清理	41.5	12	Aa型		
	D7	暴露部分11	45	45	未清理	40	11	Aa型		
	D8	暴露部分12	45	45	未清理	40	12	Aa型		

续表

遗迹单位	编号＼尺寸	通高/厘米	座/厘米			鼓镜/厘米		类型	照片	平面示意图
			长	宽	高	鼓径	高			
F9	D9	暴露部分11	45	45	未清理	40	11	Aa型		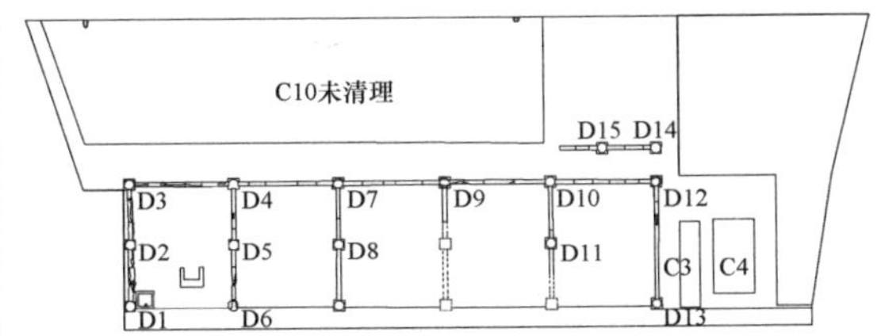
	D10	暴露部分11	45	4	未清理	41	11	Aa型		
	D11	未清理	未清理	未清理	未清理	40	未清理	Aa型		
	D12	暴露部分10	50	50	未清理	41	10	Aa型		

续表

遗迹单位	尺寸/编号	通高/厘米	座/厘米			鼓镜/厘米		类型	照片	平面示意图
			长	宽	高	鼓径	高			
F9	D13	暴露部分12	45	45	未清理	41	12	Aa型		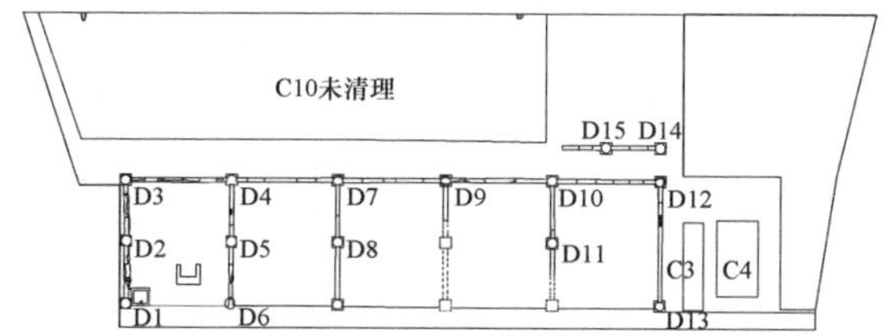
	D14	暴露部分11	45	45	未清理	40	11	Aa型		
	D15	暴露部分11	46	46	未清理	40	11	Aa型		

续表

遗迹单位	尺寸/编号	通高/厘米	座/厘米			鼓镜/厘米		类型	照片	平面示意图
			长	宽	高	鼓径	高			
F10	D1	34	44	44	20	41.5	14	Aa型		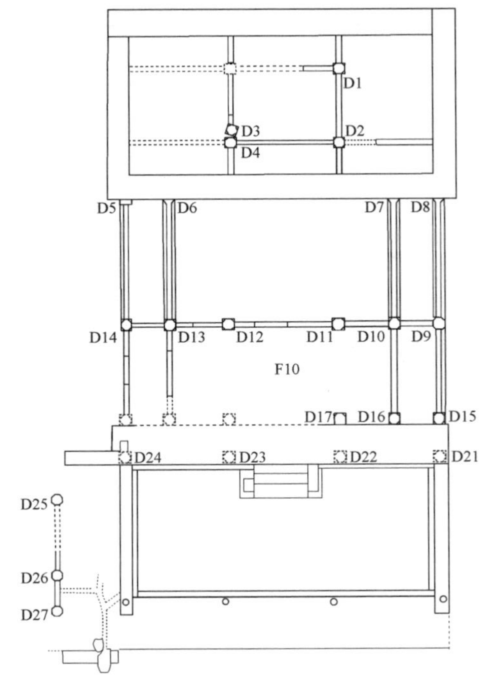
	D2	暴露部分12	45	44	未清理	42	12	Aa型		
	D3	34	45	45	19	42	15	Aa型		
	D4	33	45	45	19	42	14	Aa型		

续表

<table>
<tr><th rowspan="2">遗迹单位</th><th rowspan="2">尺寸
编号</th><th rowspan="2">通高/厘米</th><th colspan="3">座/厘米</th><th colspan="2">鼓镜/厘米</th><th rowspan="2">类型</th><th rowspan="2">照片</th><th rowspan="2">平面示意图</th></tr>
<tr><th>长</th><th>宽</th><th>高</th><th>鼓径</th><th>高</th></tr>
<tr><td rowspan="4">F10</td><td>D5</td><td colspan="6">长110.5、宽45、条宽20、条高14</td><td>C型</td><td></td><td rowspan="4">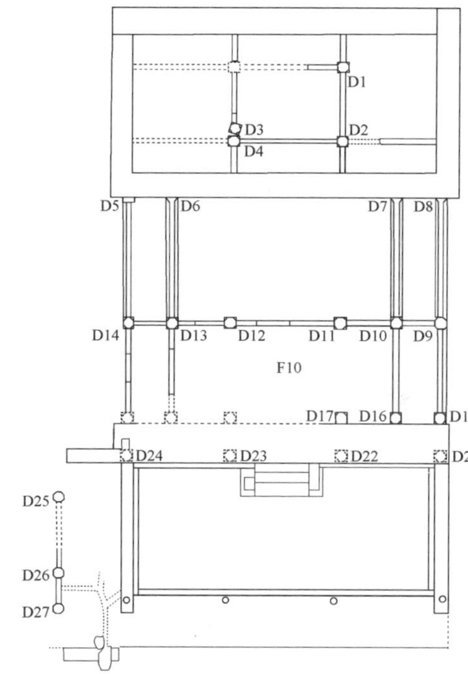</td></tr>
<tr><td>D6</td><td colspan="6">长170.5、宽48、条宽20、条高12</td><td>C型</td><td></td></tr>
<tr><td>D7</td><td colspan="6">长150、宽49、条宽20、条高13</td><td>C型</td><td></td></tr>
<tr><td>D8</td><td colspan="6">长117.5、宽44、条宽19、条高12.5</td><td>C型</td><td></td></tr>
</table>

续表

遗迹单位	尺寸/编号	通高/厘米	座/厘米			鼓镜/厘米		类型	照片	平面示意图
			长	宽	高	鼓径	高			
F10	D9	34	45	45	20	45	14	Aa型		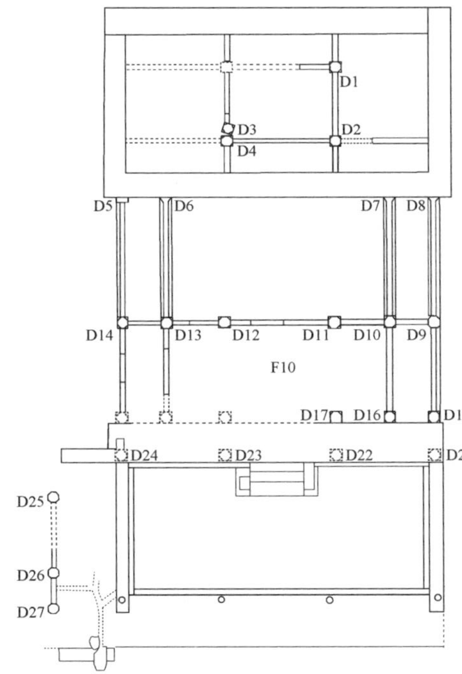
	D10	暴露部分13	45	45	未清理	45	13	Aa型		
	D11	55	44	44	40	44	15	Aa型		
	D12	45	45	44	30	44.5	14	Aa型		

续表

遗迹单位	尺寸/编号	通高/厘米	座/厘米			鼓镜/厘米		类型	照片	平面示意图
			长	宽	高	鼓径	高			
F10	D13	暴露部分13	47	47	未清理	44	13	Aa型		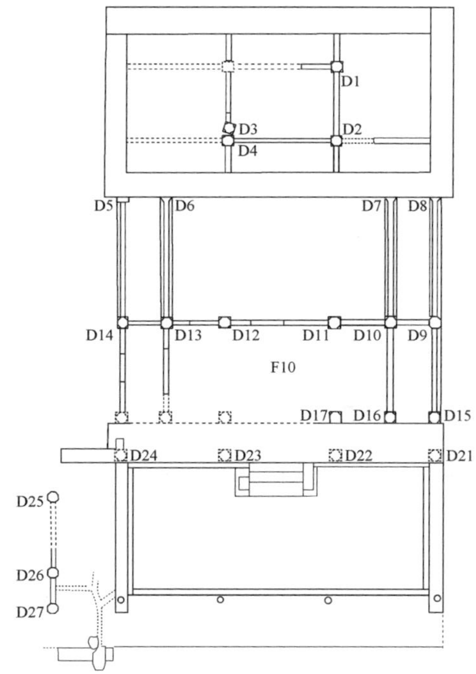
	D14	52.5	43	43	40	44	12.5	Aa型		
	D15	60	46.5	46.5	47	46.5	13	Aa型		
	D16	45	47	47	31	40	14	Aa型		

续表

遗迹单位	尺寸 / 编号	通高/厘米	座/厘米			鼓镜/厘米		类型	照片	平面示意图
			长	宽	高	鼓径	高			
F10	D17	暴露部分7	47	47	27	47	残7	Aa型		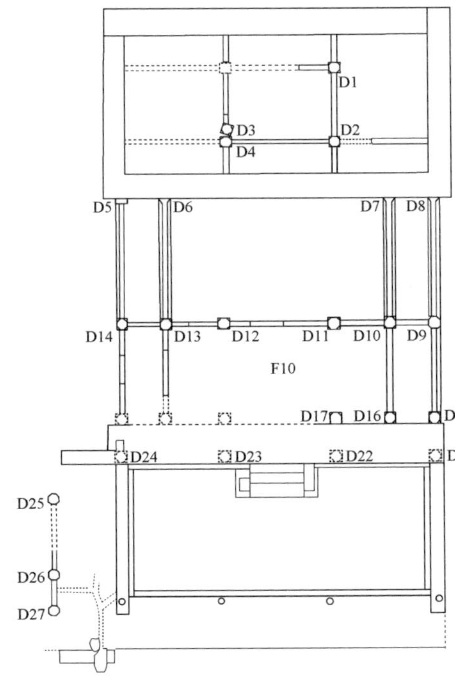
	D25	21	47	47	10	40	11	Aa型		
	D26	28	底44			38	28	Ac型		
	D27	33	底43			39	33	Ac型		

续表

遗迹单位	编号＼尺寸	通高/厘米	座/厘米			鼓镜/厘米		类型	照片	平面示意图
			长	宽	高	鼓径	高			
F11	D1	暴露部分12	40	38	未清理	36.5	铺地石板向上12	Aa型		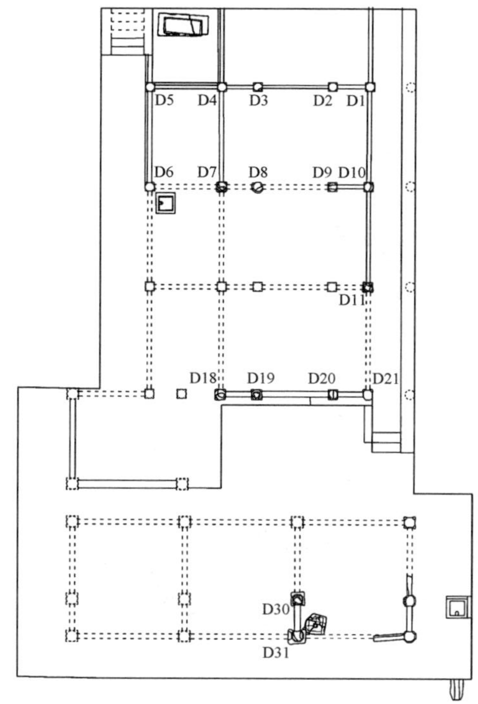
	D2	暴露部分13	40	37	未清理	35.7	铺地砖向上13	Aa型		
	D3	暴露部分9	40	37	未清理	36.5～36.7	铺地砖向上9	Aa型		
	D4	26.5～28.5	37.5	36.5	11	36.3～37.3	15～17.5	Aa型		

续表

遗迹单位	尺寸 / 编号	通高/厘米	座/厘米			鼓镜/厘米		类型	照片	平面示意图
			长	宽	高	鼓径	高			
F11	D5	38	39	39	25.5	37～38.5	12.5	Aa型		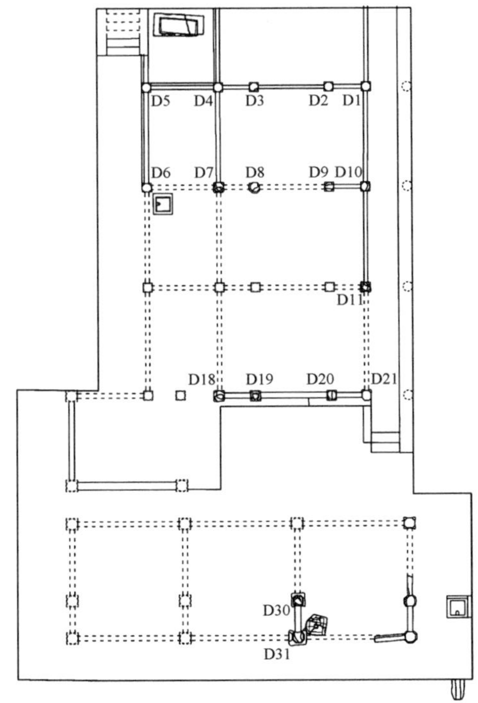
	D6	48	38	38	35	38	13	Aa型		
	D7	36	43.5	42	20	38	16	Aa型		
	D8	暴露部分14	39	39	13	36.5	残14	Aa型		

续表

遗迹单位	尺寸/编号	通高/厘米	座/厘米			鼓镜/厘米		类型	照片	平面示意图
			长	宽	高	鼓径	高			
F11	D9	32	38.5	38.5	13	31.5 ~ 35	19	Aa型		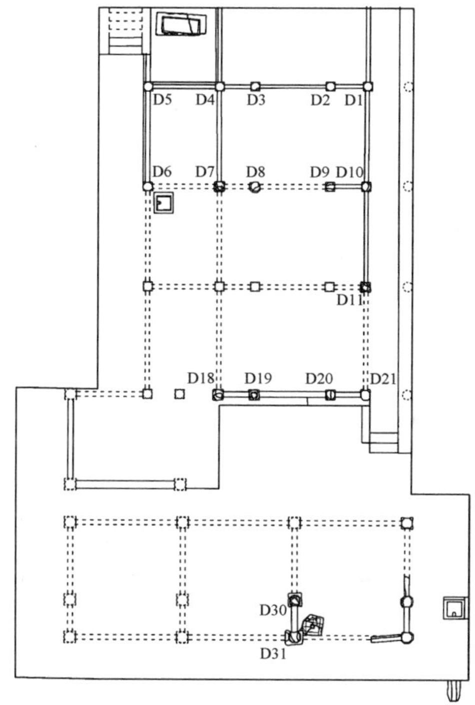
	D10	21.5	38	38	7	37.5 ~ 38	14.5	Aa型		
	D11	33	50	50	17	37	16	Aa型		
	D18	45	44	44	28	38	17	Ab型		

续表

遗迹单位	编号＼尺寸	通高/厘米	座/厘米			鼓镜/厘米		类型	照片	平面示意图
			长	宽	高	鼓径	高			
F11	D19	残35	41	41	26	38	残9	Ab型	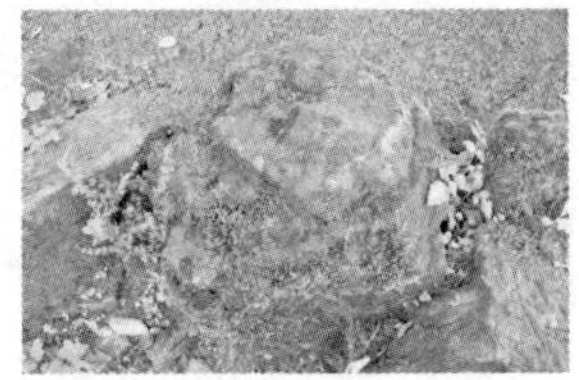	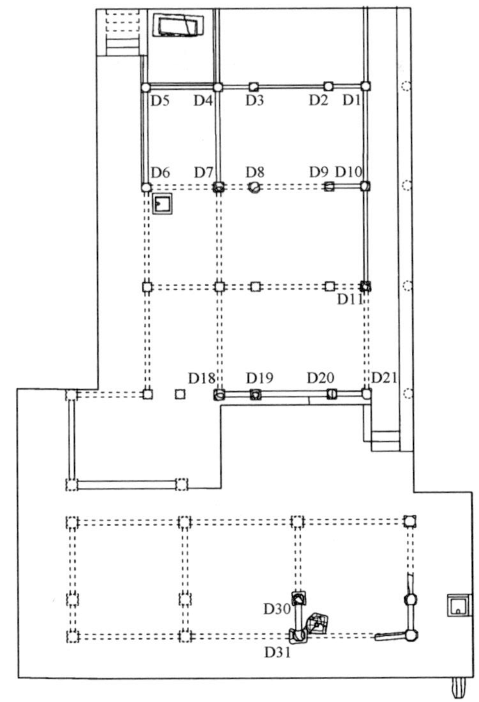
	D20	暴露部分18.5	42	40	未清理	38	18.5	Aa型		
	D21	残31	48	48	25	40.5～41.5	残6	Aa型	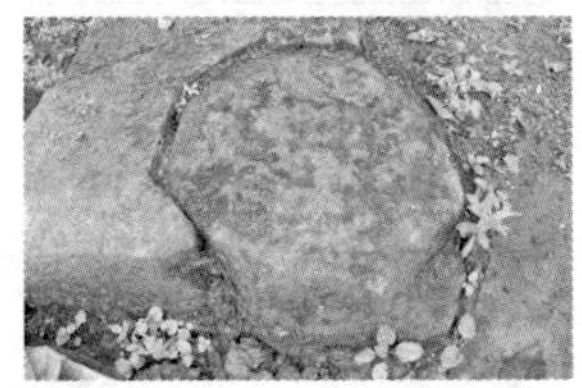	
	D30	38	46	46	17	37.5	21	Aa型		
	D31	50	67	55	30	37	20	Aa型		

续表

遗迹单位	尺寸/编号	通高/厘米	座/厘米			鼓镜/厘米		类型	照片	平面示意图
			长	宽	高	鼓径	高			
F12	D2	33	44	44	18	20～39.5	15	D2为B型，D4为Aa型，组合为C型，通长2.3米		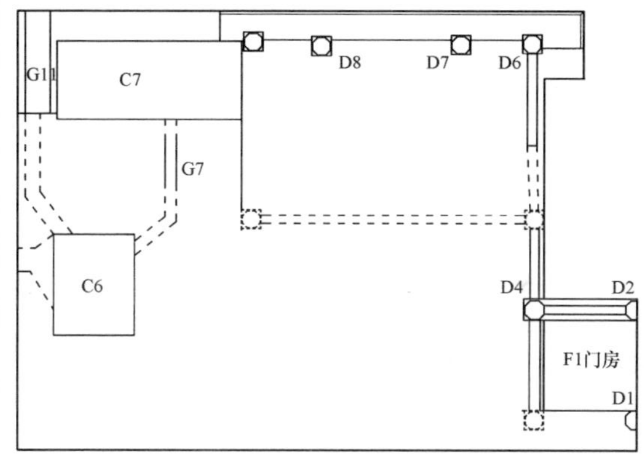
	D4	27.5	43	43	11.5	40	16			
	D6	17	40	40	5	38	12	Aa型		
	D7	32	42	42	20	38.5	12	Aa型		
	D8	24	41	41	12	39	12	Aa型		

续表

遗迹单位	尺寸/编号	通高/厘米	座/厘米			鼓镜/厘米		类型	照片	平面示意图
			长	宽	高	鼓径	高			
F13	D1	20	无底座			39.5	20	Ac型		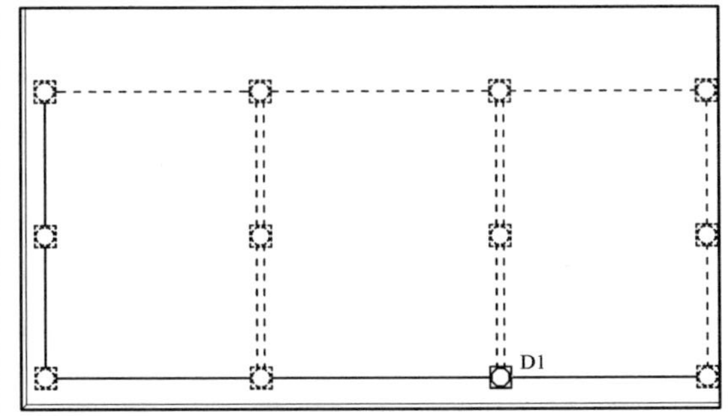
F14	D1	36	40	38	25	36.5	11	Aa型		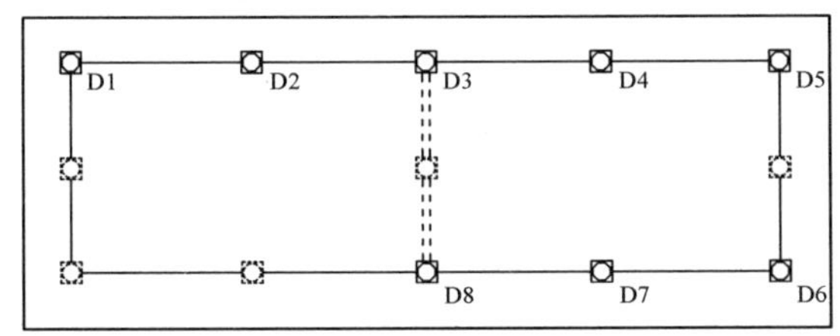
	D2	34	40	40	22	39	12	Aa型		
	D3	31.5	42	42	19	38～39	12.5	Aa型		

续表

遗迹单位	编号＼尺寸	通高/厘米	座/厘米			鼓镜/厘米		类型	照片	平面示意图
			长	宽	高	鼓径	高			
F14	D4	33	45	44	19.5	38.5	13.5	Aa型		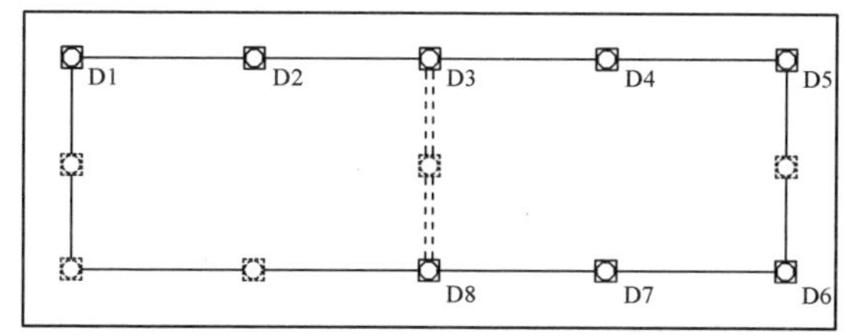
	D5	28	45	44	15	39	13	Aa型		
	D6	38.5	40	40	23	40	15.5	Aa型		
	D7	32	42	42	20	37.5	12	Aa型		
	D8	31.5	40	40	20	39.5	11.5	Aa型		

续表

遗迹单位	编号 \ 尺寸	通高/厘米	座/厘米 长	座/厘米 宽	座/厘米 高	鼓镜/厘米 鼓径	鼓镜/厘米 高	类型	照片	平面示意图
F17	D1	37	59	57	22	面35、底38	15	Ab型		
F18	D1	36.5	50	42	24.5	面39～41、底40	12	Aa型		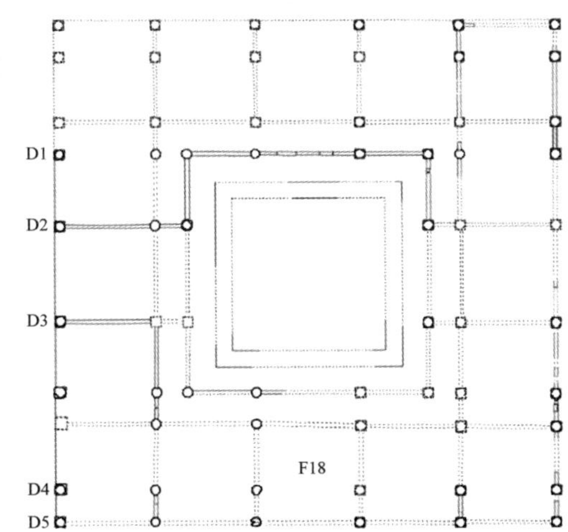
	D2	44.5	63	51	32.5	面40、底43	12	Aa型		
	D3	36	46	46	24	面40～41、底44	12	Aa型		
	D4				23.5	面40～41、底42		Aa型		

续表

遗迹单位	尺寸 编号	通高/厘米	座/厘米			鼓镜/厘米		类型	照片	平面示意图
			长	宽	高	鼓径	高			
F19	D1	49	47	47	14.5	46.5	34.5	Aa型		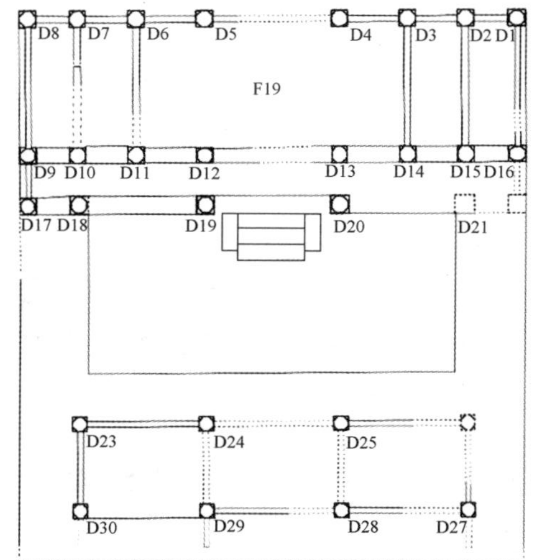
	D2	暴露部分12	55	55	未清理	50	12	Aa型		
	D3	暴露部分12	54	54	未清理	50	12	Aa型		
	D4	暴露部分12	53	53	未清理	50.5	12	Aa型		

续表

遗迹单位	尺寸/编号	通高/厘米	座/厘米			鼓镜/厘米		类型	照片	平面示意图
			长	宽	高	鼓径	高			
F19	D5	暴露部分12	53	53	未清理	50.5	12	Aa型		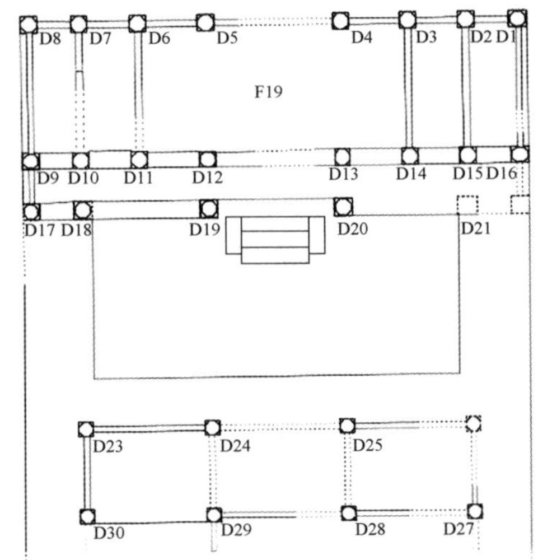
	D6	暴露部分13	53	53	未清理	50.5	13	Aa型		
	D7	暴露部分12	53	53	未清理	50	12	Aa型		
	D8	50	52.5	52.5	15	46	35	Aa型		

续表

遗迹单位	尺寸/编号	通高/厘米	座/厘米			鼓镜/厘米		类型	照片	平面示意图
			长	宽	高	鼓径	高			
F19	D9	49.5	55	53	15.5	46.5	34	Aa型		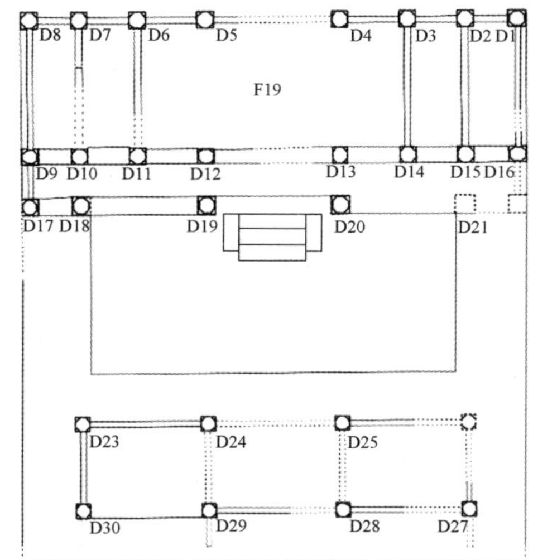
	D10	27	51.5	49.5	14	50.5	13	Aa型		
	D11	50.5	52	51	37	50.5	13.5	Aa型		
	D12	暴露部分13.5	52	50	未清理	49～50	13.5	Aa型		

续表

遗迹单位	尺寸 / 编号	通高/厘米	座/厘米			鼓镜/厘米		类型	照片	平面示意图
			长	宽	高	鼓径	高			
F19	D13	暴露部分12.5	50	50	未清理	50	12.5	Aa型		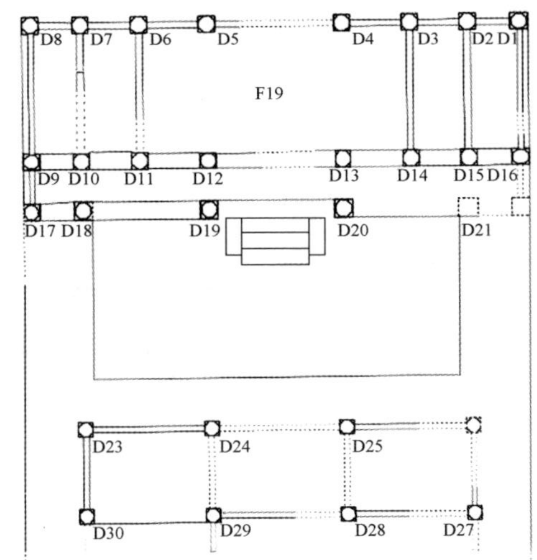
	D14	54	52	52	41	50.5	13	Aa型		
	D15	暴露部分13	52	52	未清理	51	13	Aa型		
	D16	49.5	55	52	14.5	45	35	Aa型		

续表

遗迹单位	编号＼尺寸	通高/厘米	座/厘米			鼓镜/厘米		类型	照片	平面示意图
			长	宽	高	鼓径	高			
F19	D17	49	54	54	14	46.5	35	Aa型		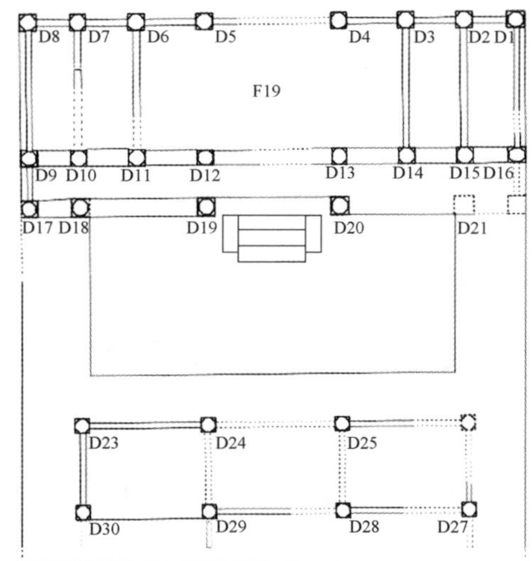
	D18	48	58	55.5	14	46.5	34	Aa型		
	D19	残26	55.5	55	14	48.5	残12	Aa型		
	D20	48.5	58	58	14	46	34.5	Aa型		

续表

遗迹单位	尺寸/编号	通高/厘米	座/厘米			鼓镜/厘米		类型	照片	平面示意图
			长	宽	高	鼓径	高			
F19	D21	残28	56	56	14	46.5	残14	Aa型		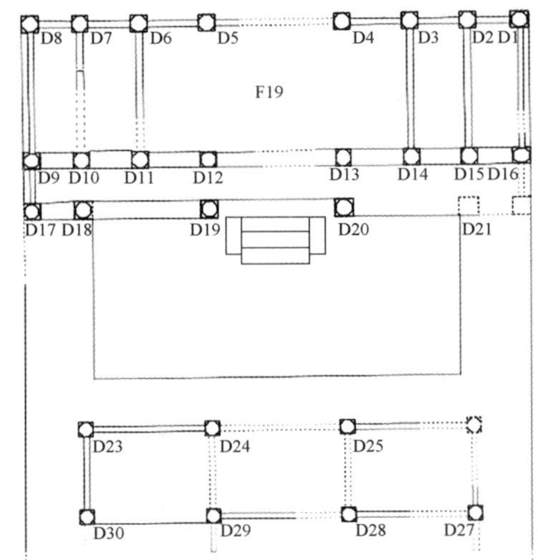
	D23	39	44	44	27	41	12	Aa型		
	D24	31.5	45	45	20	41	11.5	Aa型		
	D25	30	46	41	19	41	11	Aa型		

续表

遗迹单位	尺寸/编号	通高/厘米	座/厘米			鼓镜/厘米		类型	照片	平面示意图
			长	宽	高	鼓径	高			
F19	D27	37	46	44	23	40～41.5	14	Aa型		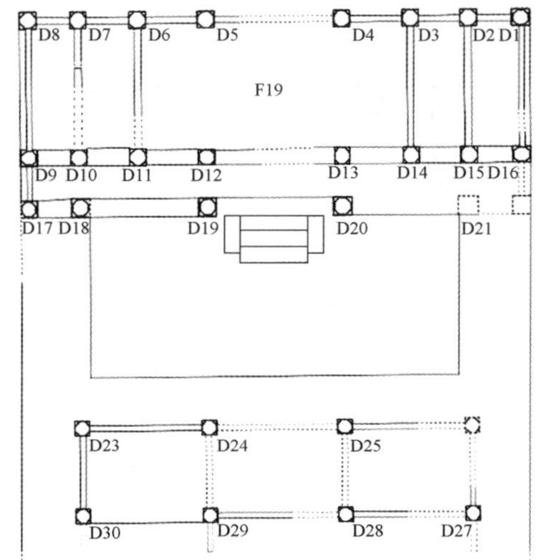
	D28	35	44	44	24	42	11	Aa型		
	D29	35.5	46.5	44	24	42	11.5	Aa型		
	D30	35	46	44	23	41.5	12	Aa型		

续表

遗迹单位	尺寸/编号	通高/厘米	座/厘米			鼓镜/厘米		类型	照片	平面示意图
			长	宽	高	鼓径	高			
F20	D1	37.5	44	40	24	38 ~ 41.5	13.5	Aa型		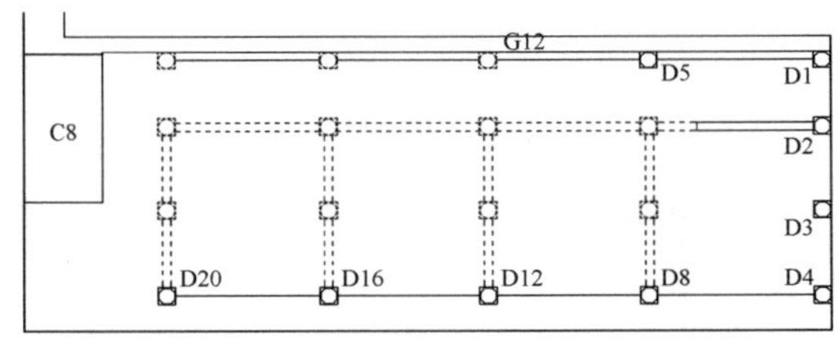
	D2	暴露部分11.5	44	40	未清理	41.5 ~ 40	11.5	Aa型		
	D3	36	44	44	25	38 ~ 41	11	Aa型		
	D4	35.5	42	42	24	37 ~ 40.5	11.5	Aa型		

续表

遗迹单位	尺寸/编号	通高/厘米	座/厘米			鼓镜/厘米		类型	照片	平面示意图
			长	宽	高	鼓径	高			
F20	D5	27.5	44	44	17	41.5	10.5	Aa型		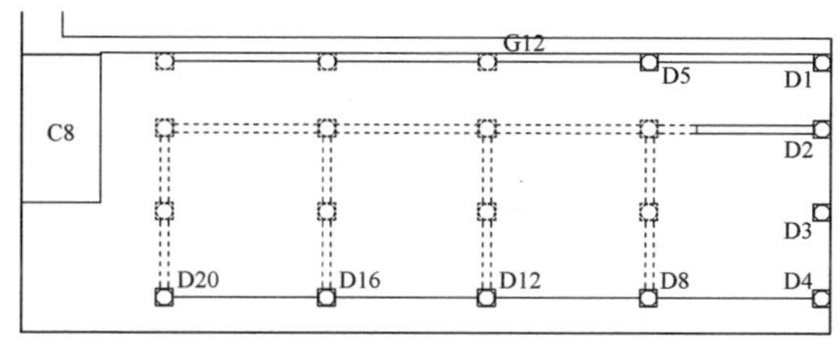
	D8	28.5	44	44	16.5	41	12	Aa型		
	D12	24.5	46	46	14.5	41.5	10	Aa型		
	D16	29	45	44	18	41	11	Aa型		
	D20	34	44	47	23	鼓面41.5鼓底45	11	Aa型		

续表

遗迹单位	尺寸/编号	通高/厘米	座/厘米			鼓镜/厘米		类型	照片	平面示意图
			长	宽	高	鼓径	高			
F21	D1	28	46	46	17	41	11	Aa型		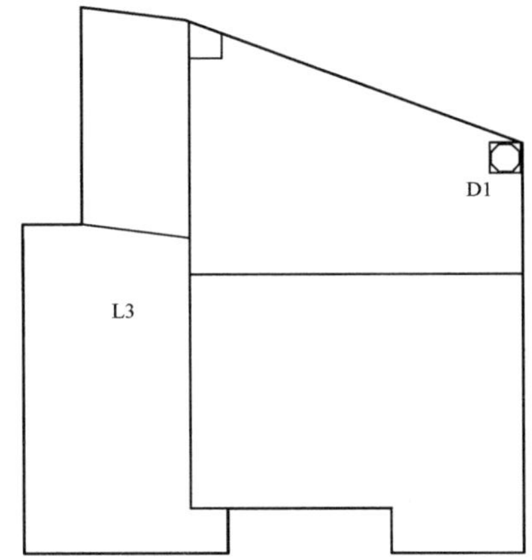
F22	D8	25	51	51	17	50	8～10	Aa型		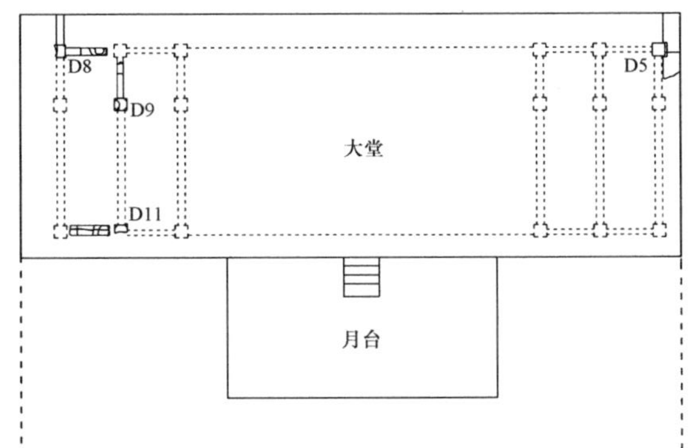
	D9	20	无底座			50.5	20	Ac型		
	D11	49.5	53	53	39	50	10.5	Aa型		

续表

遗迹单位	尺寸/编号	通高/厘米	座/厘米			鼓镜/厘米		类型	照片	平面示意图
			长	宽	高	鼓径	高			
F25	D1	残39	62	56	22	50	残17	Aa型		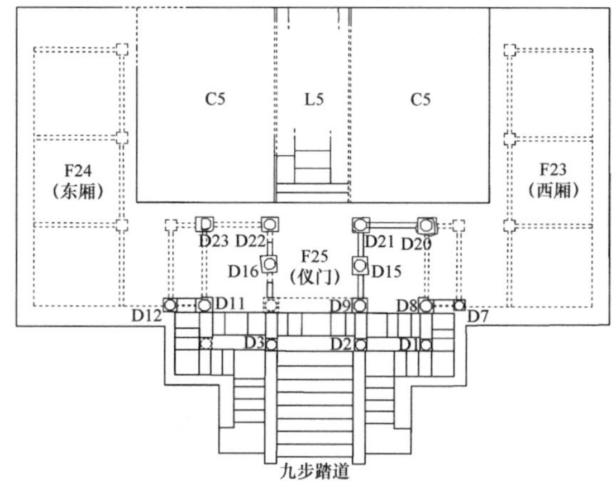
	D2	57	61	61	21	50	36	Ab型		
	D3	59	61	61	24	50	35	Ab型		
	D7	51	50	42	39	45	12	Ab型		
	D8	52	80	75	40	51	12	Ab型		

续表

遗迹单位	尺寸 / 编号	通高/厘米	座/厘米			鼓镜/厘米		类型	照片	平面示意图
			长	宽	高	鼓径	高			
F25	D9	53	74.5	70	40	50	13	Ab型		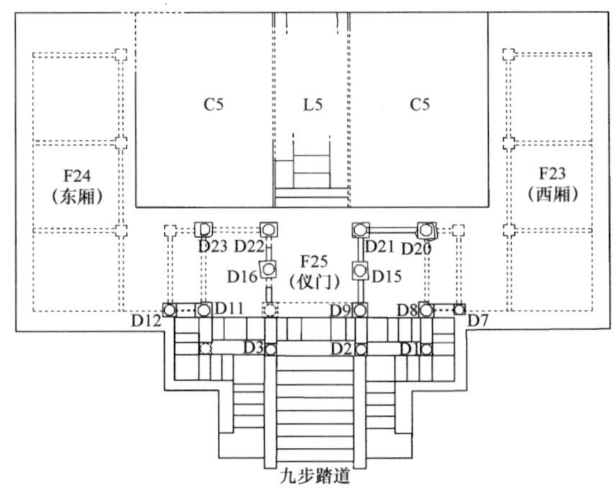
	D11	残42	84	80	40	鼓底57	残2	Ab型		
	D12	42.5	50	50	30	45	12.5	Ab型		
	D15	42	90	80	30	51	12	Ab型		
	D16	残30	85.5	75.5	25	鼓底54	残5	Ab型		

续表

遗迹单位	编号 \ 尺寸	通高/厘米	座/厘米			鼓镜/厘米		类型	照片	平面示意图
			长	宽	高	鼓径	高			
F25	D20	56	88	78	41	50	15	Ab型		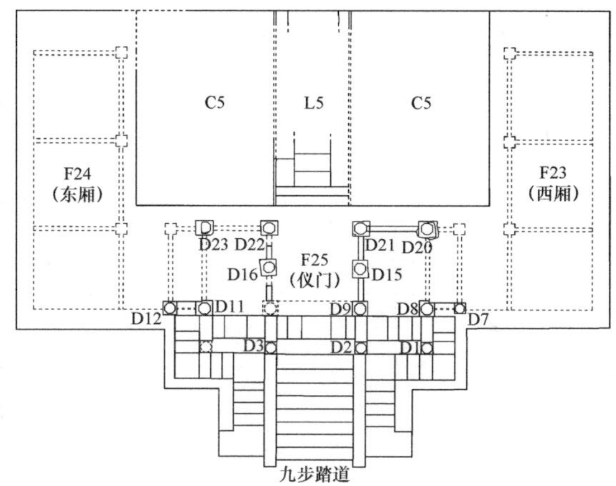
	D21	残30	85	76	26	鼓底54～56	残4	Ab型		
	D22	残44	87	70	40	鼓底54	残4	Ab型		
	D23	残61	88	72	55	鼓底56	残6	Ab型		

续表

遗迹单位	尺寸/编号	通高/厘米	座/厘米			鼓镜/厘米		类型	照片	平面示意图
			长	宽	高	鼓径	高			
F26	D1	未清理	未清理	未清理	未清理	38	未清理	Ab型		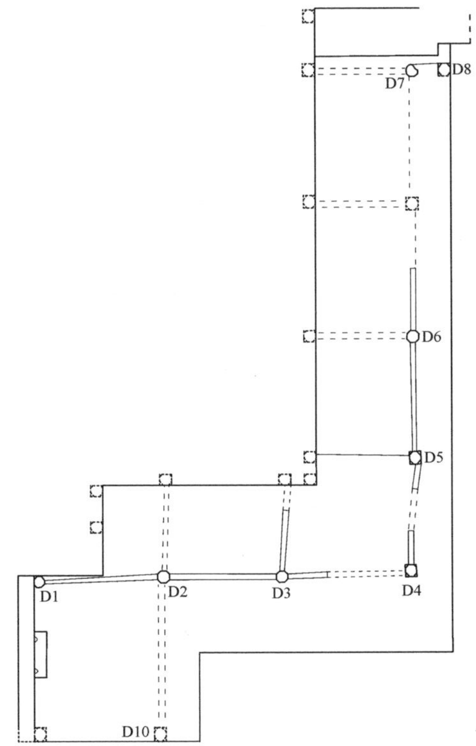
	D2	36	40	40	25	38.5	11	Aa型		
	D3	38	40	40	26	39	12	Aa型		

续表

遗迹单位	尺寸/编号	通高/厘米	座/厘米			鼓镜/厘米		类型	照片	平面示意图
			长	宽	高	鼓径	高			
F26	D4	残33	42	42	25	39	残8	Aa型		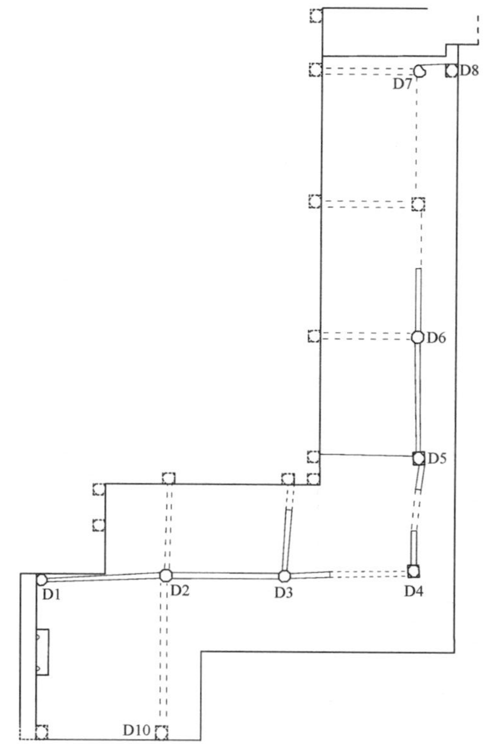
	D5	28	45	45	14.5	39	13.5	Aa型		
	D6	暴露部分11	未清理	未清理	未清理	39	11	Aa型		

续表

遗迹单位	尺寸/编号	通高/厘米	座/厘米			鼓镜/厘米		类型	照片	平面示意图
			长	宽	高	鼓径	高			
F26	D7	暴露部分12	未清理	未清理	未清理	38	12	Aa型		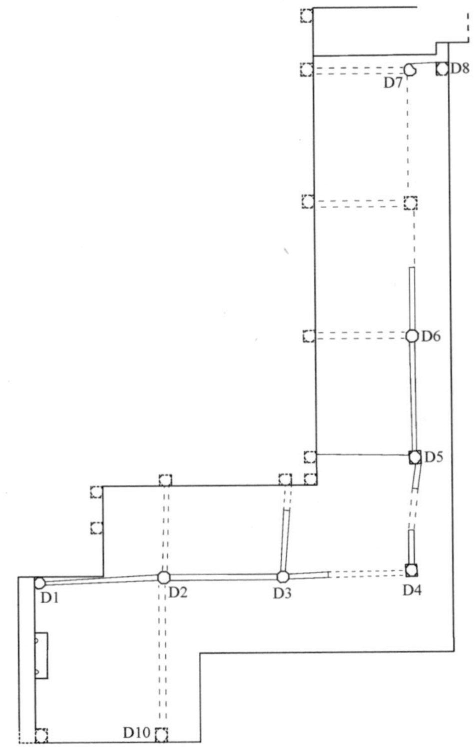
	D8	已佚，仅存印痕，可测鼓镜直径31.5						Aa型		

续表

遗迹单位	尺寸/编号	通高/厘米	座/厘米			鼓镜/厘米		类型	照片	平面示意图
			长	宽	高	鼓径	高			
F27	D1	暴露部分13.5	未清理	未清理	未清理	39.5	13.5	Aa型		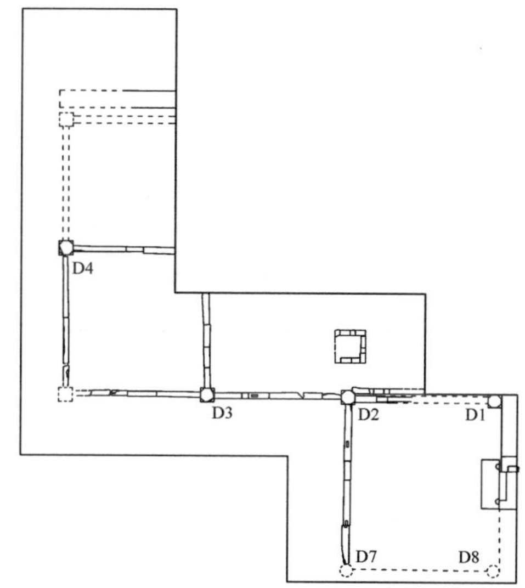
	D2	暴露部分13	未清理	未清理	未清理	39	13	Aa型		
	D3	暴露部分12	未清理	未清理	未清理	40	12	Aa型		
	D4	33	45	45	21	38	12	Aa型		

续表

遗迹单位	尺寸/编号	通高/厘米	座/厘米			鼓镜/厘米		类型	照片	平面示意图
			长	宽	高	鼓径	高			
F28	D2	45	107	89	17	55	28	Ab型		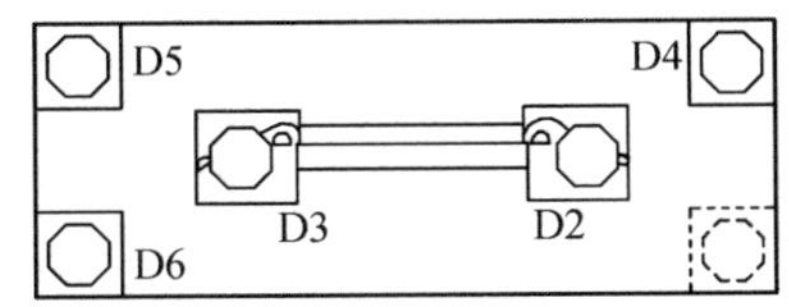
	D3	44	102	98	16	55	28	Ab型		
	D4	残29	94	85	17	鼓底60～62	残12	Ab型		
	D5	残21	100	93	18	鼓底63～66	残3	Ab型		
	D6	残28	100	95	18	鼓底60	残10	Ab型		

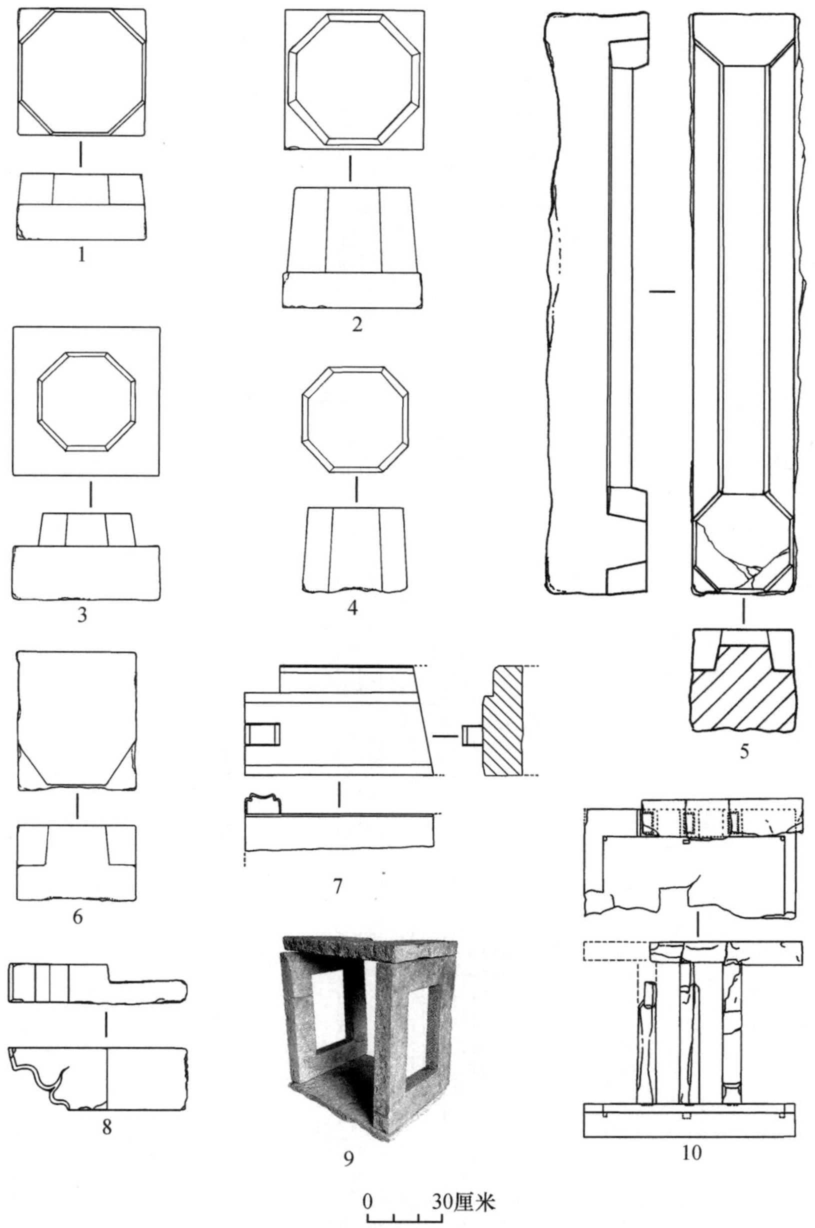

图3-40 新王宫石作

1、2. Aa型柱础（F19：D10、F19：D9） 3. Ab型柱础（F17：D1） 4. Ac型柱础（F10：D27） 5. C型柱础（F12：D2、F12：D4） 6. B型柱础（F7：D16） 7. 门楣石（F10①：325） 8. 挑檐石（ⅣT0103①：34） 9. B型石窗台（石框、G1②：29、G1②：30；盖板，G1②：33、G1②：36） 10. A型石窗台（F10①：13）

3. 石望柱

仅见于F10天井北侧廊道（图版205-1）。以长条石为地栿，上凿孔眼以立望柱，柱间砌以单砖墙体以成栏板。望柱凡6根，间距相等，均仅存下半部，周边散落少量柱头残件，可大致复原其全貌。由榫头、柱身和柱头组成。柱身断面长方形，柱头略呈宝瓶状。通高约1.26米，榫高0.06、宽0.075米，柱身残高0.88、宽0.15～0.165米，柱头高约0.32米（图3-41；图版205-3）。

此外F10前院北壁阶沿石上凿有等距圆形孔眼4个，未见相关遗物，疑原立木柱，无存。

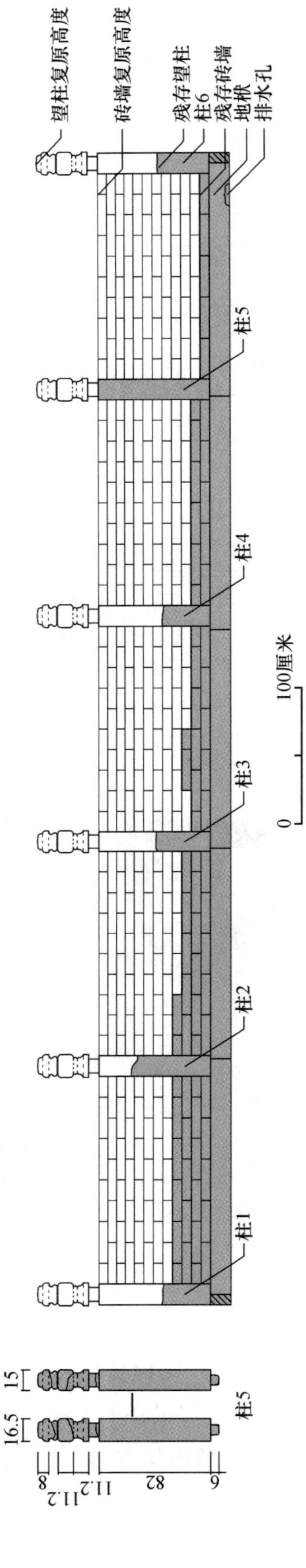

图3-41　新王宫F10廊道与望柱

4. 石窗台

仅见于F8与F10内。可分为二型。

A型 栏式窗台。由座、盖和栏组成。仅见于F10内，共发现盖或座10件，石栏残段若干，应分属5组窗台。从出土位置判断，应饰于正房（三开间）前檐墙及左右山墙。座、盖均长方形，槽状，彼此扣合，中凿栏槽与扉臼，置石栏3根，栏内设双扇木扉，无存。从座与盖看有大、小两类，依石栏则有大（高0.9米）、中（高0.75米）、小（高0.55米）三类。大小不同，可能与装饰位置有关。较完整的一组（F10①：13）底长0.79、残宽0.49、厚0.13米，栏高约0.9米（图3-40-10；图版205-2）。

B型 框式窗台。由上下盖板与前后石框四合一而成。仅见于F8内，散布于G1与G2内，共见回字形石框9件，方形盖板5件，应分属5组窗台。从出土位置判断，应饰于正房（三开间）后檐墙及两厢明间后檐墙上。石框（G1②：29、G1②：30）回字形，中空，外长64、外宽0.5、内长0.42、内宽0.27、厚0.07米，盖板（G1②：33、G1②：36）近方形，长0.51～0.64、宽0.5、厚0.05～0.09米（图3-40-9；图版193-2）。

5. 挑檐石

山墙墀头稍子部位的条石构件，一般用于硬山式建筑。由头和身两部分组成，身卡于墙内，头则挑出墙外。头作连弧状，有的两面刻云气纹；身之内侧呈曲尺形，以预留柱位。仅见6件，除1件（ⅣT0402③：1）出自F8东侧外，其余均采集自海潮寺南端后期所筑的石墙上，已被挪离原址。ⅣT0103①：34，保存较好。通长0.69、高0.24、厚0.15米（图3-40-8）。

6. 门槛石

12例。由下槛、门枕、门臼等组成。有的整石凿成，有的组合而成，有的门枕与柱础一体。部分门枕石海窝内另置杯状铁门臼，以石灰黏合。从海窝内普遍发现石灰痕看，多数均应置有铁门臼（表3-3）。

7. 门楣石

2件。分别出于F10与F1内。F10内所出者相对完整，长条形，正面边缘倒角，左右两侧饰有门簪，现存其一。门楣残长0.75、通宽0.45、厚0.12～0.15米。残存门簪略呈驼峰状，头长0.14、宽0.09、残高0.06米，插柄长短不一（图3-40-7；图版205-4）。

8. 石饰件

均为残块。C5①：6，残存局部。泥灰岩。线刻边框内雕刻山石、兰草、竹纹等。残高35.2、残宽30.6、残厚4.5厘米（图3-42-1；图版206-5）。庙台2：5、ⅠT0105①：8，形制同

表3-3　新王宫门槛石统计表

（单位：厘米）

序号	位置	门枕石	下槛			门臼	线图	备注
		长×宽-高	长×宽	内高	外高	长×宽-深		
1	F1门房	165×45−31.4	165×16	14.5	31.4	（16.5～19）×（11.5～13）−4.5	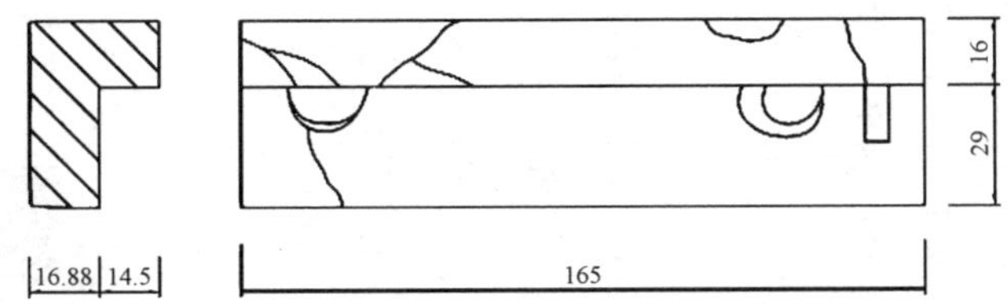	整石
2	F1与F7间	140×85−21	140×16	7	21	（15～16）×（12～13）−3	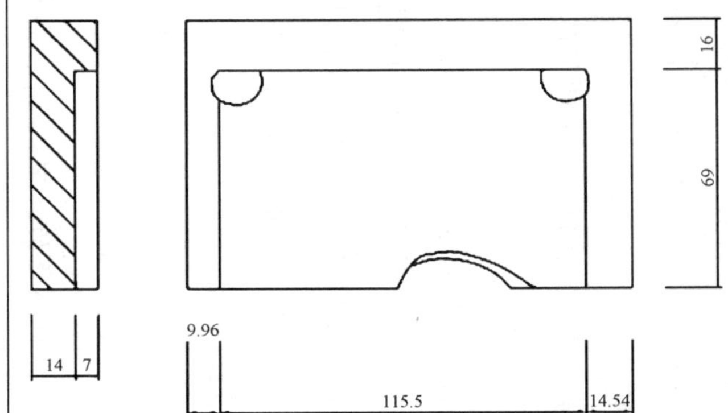	整石
3	L3	130×90.5−34	130×19	12.57	34	（16～16.5）×（11～14）−（3～4）	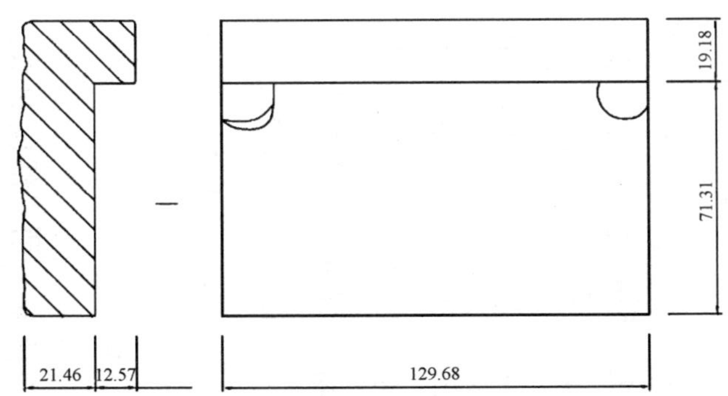	整石

续表

序号	位置	门枕石	下槛			门臼	线图	备注
		长×宽-高	长×宽	内高	外高	长×宽-深		
4	F10与F7东厢房间	169×90-34	169×27	10	34	（14～15）×10-4	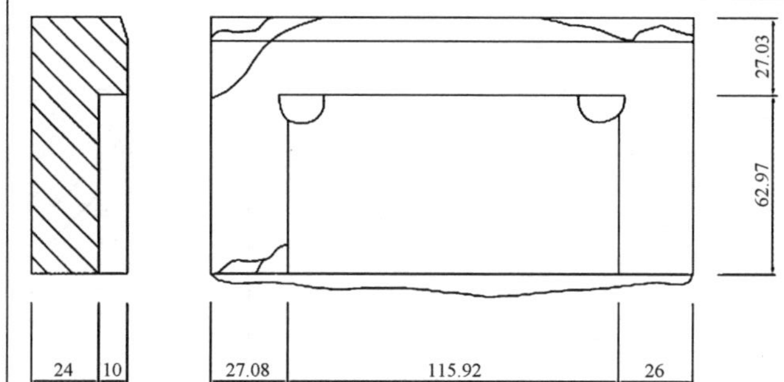	整石
5	F10门房	残165×96-71	残165×18	18.56	18.56	15×10-4	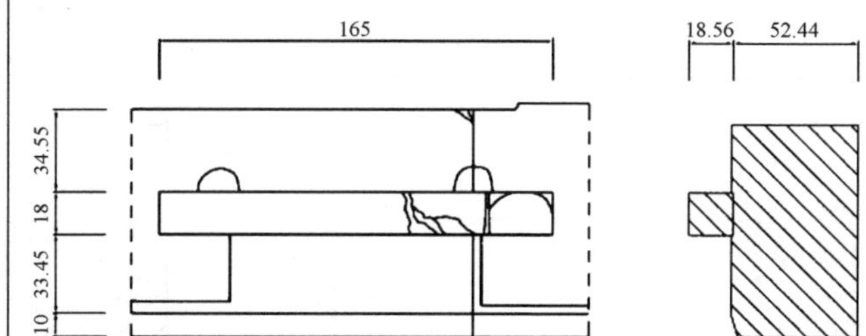	台基与门槛组合而成
6	F17东侧	124×97-39	124×16	7	16	无	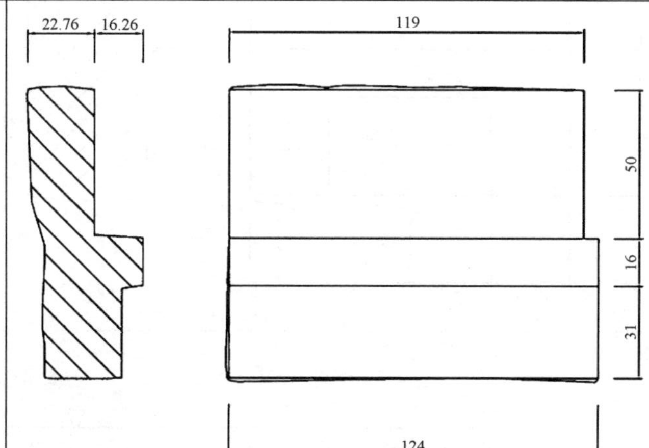	整石

续表

序号	位置	门枕石	下槛			门臼	线图	备注
		长×宽-高	长×宽	内高	外高	长×宽-深		
7	F17西侧	105×100−48	105×16	5.5~8.5	15.5	无	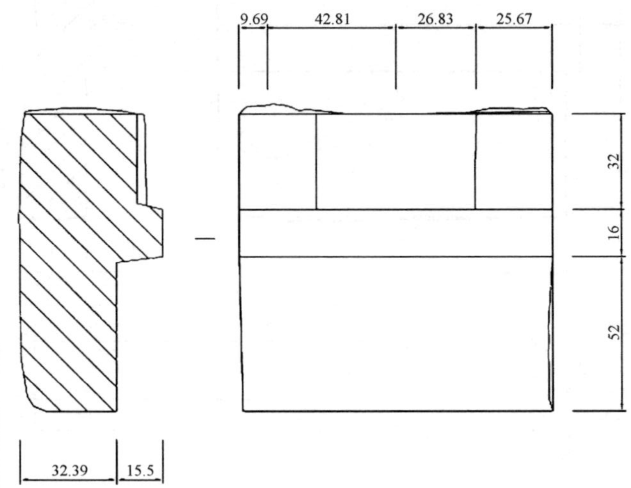	整石
8	F19与F22之间	119×71−34.5	119×18	14.5	34.5	14.7×11−7	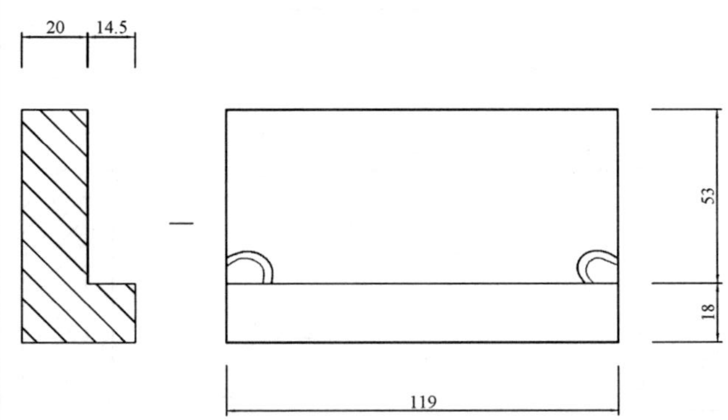	海窝内置铁门臼，臼径8、深4

续表

序号	位置	门枕石	下槛			门臼	线图	备注
		长×宽-高	长×宽	内高	外高	长×宽-深		
9	F26门房	163×92−30	101×18	15	13	（17~17.5）×15−（6~6.5）	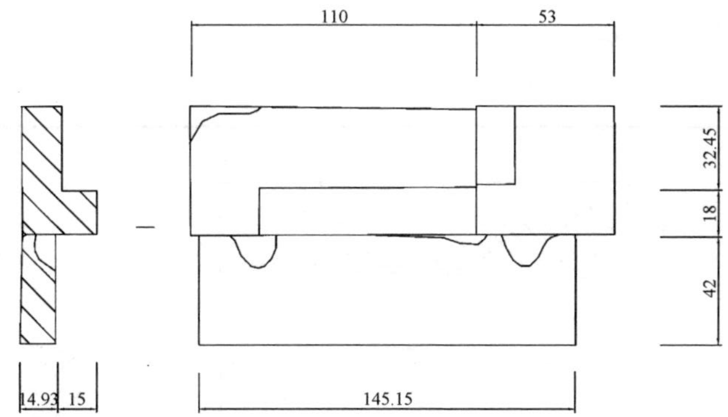	由三石块拼合而成
10	F27门房	156×102−31	残 109.4×19	16	11	15×11−5	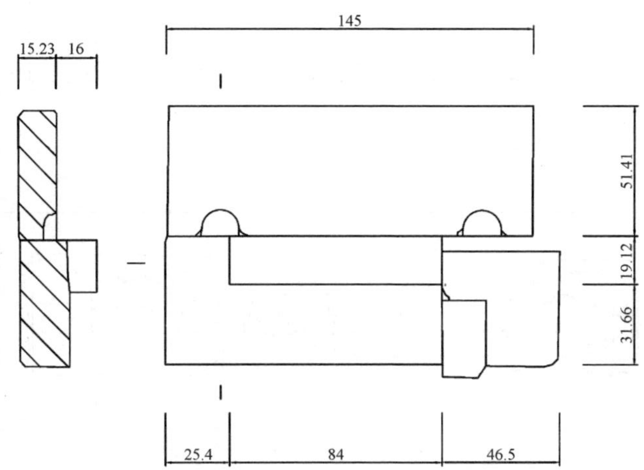	由三石块拼合而成

续表

序号	位置	门枕石	下槛			门臼	线图	备注
		长×宽-高	长×宽	内高	外高	长×宽-深		
11	F28（大门）	447×98	240×24	22	22	19×12-3	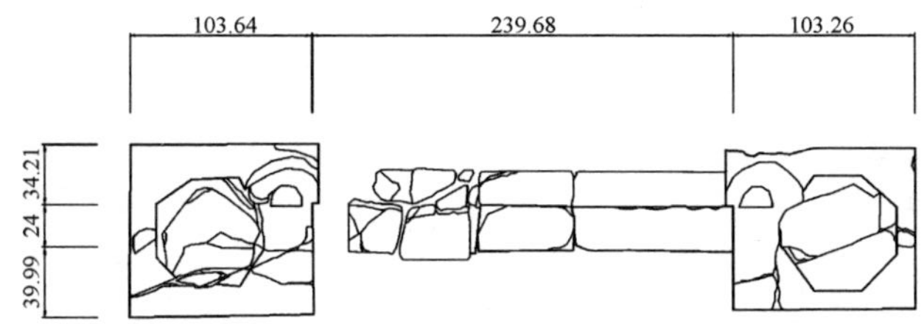	残甚，由柱础（带门臼）与门槛组合而成
12	F29门房	179×89-42				14×（11～12）-5	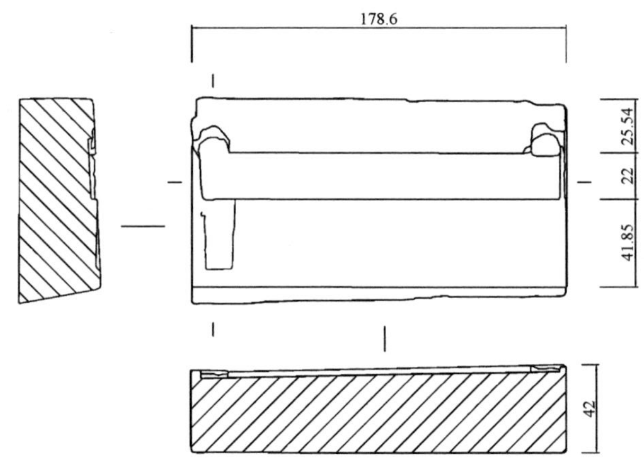	整石，门槛已失，门槛槽长171、宽22、深3厘米

前，残缺较甚。可见雕刻荷叶、荷花等纹饰。应为同一器物（图3-42-2、3；图版206-4、2）。ⅣT0305④：77，残存局部。石灰岩。深浮雕云龙纹。残长24.7、残宽13.3、残厚6.7厘米（图3-42-5；图版206-3）。F1①：76，小残块，为龙身局部，与前者应为同一件（图3-42-4；图版206-1）。

9. 石鸱尾

ⅣT0102①：56，泥灰岩。圆雕而成。残存尾部，形似鱼尾。残高27.8、宽13厘米（图版207-2）。ⅣT0102①：57，形制同前，残缺更甚（图版207-1）。

10. 石构件

C2①：1，残块。石灰岩。案几形雕刻，后部有榫头。上部于边棱处作倒角处理，束腰，下部转角雕刻案脚，底部残缺。残高15.3、残长9、宽29.5厘米（图3-42-6；图版207-3）。

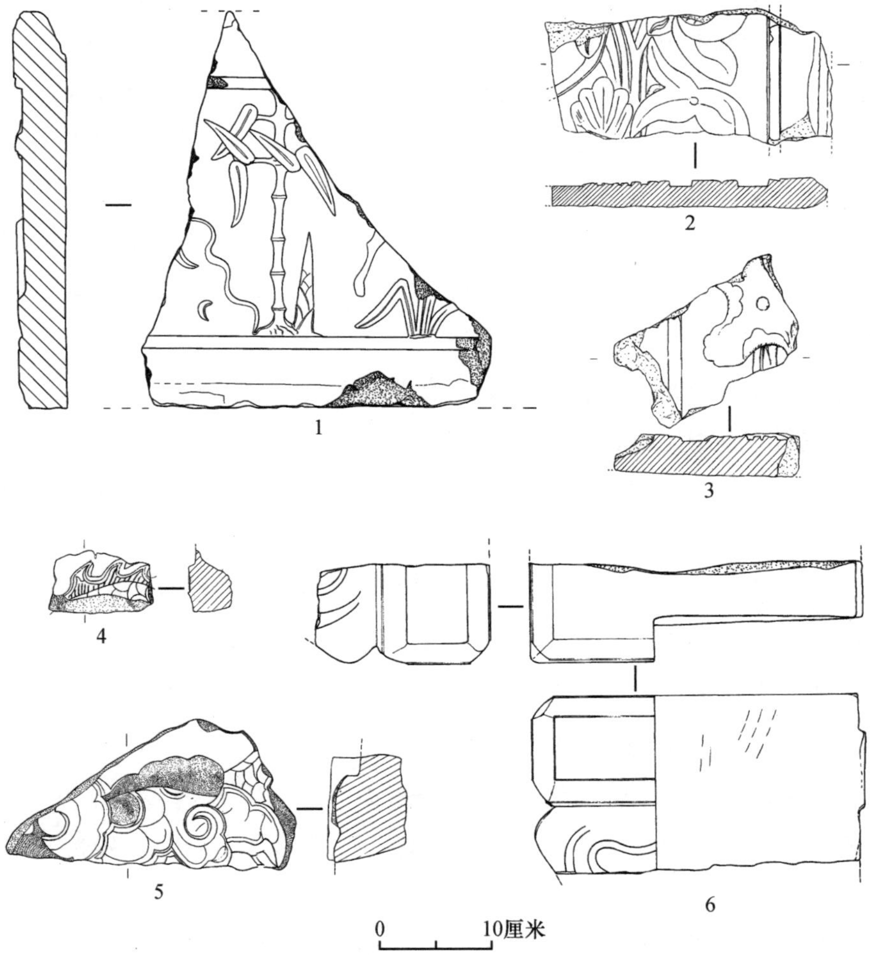

图3-42 新王宫出土石饰件、石构件

1～5. 石饰件（C5①：6、庙台2：5、ⅠT0105①：8、F1①：76、ⅣT0305④：77） 6. 石构件（C2①：1）

（二）砖

可分长方形砖、抹角砖、抹肋砖和方形砖四类。尚存于原址的墙砖不计入统计数。

1. 长方形砖

970件。可见A型和C型。

A型　908件。小长方形砖，是囤上最常见的砖料，成砖皆青灰色。长26.8～35、宽14～16.8、厚6～9厘米，其长、宽、厚的比例大致为4∶2∶1。根据有无二次加工痕迹，分为二亚型。

Aa型　887件。标准小长方形砖，未经二次砍琢加工。模印“初一号”者416件，模印“十六砖”者271件，存在有无边框的区别。模印“十六”者118件，模印“甸砖”者3件，模印“验”者13件，模印“砖”者15件，皆无边框。“王子□”，印于K4②∶8，有边框。“老”，铭于F8①∶245的一肋。字迹模糊难辨，疑为“老”字（见图1-3-6）。F6①∶215，于一肋侧模印“初一号”，端头局部残损。残长29、宽15、厚7.5厘米（图3-43-1）。F10②∶2，无模印铭文。长31.5、宽15、厚6.8厘米（图3-43-2）。F10②∶1，砖中部残块，肋侧模印“甸砖”两字。残长12.4、宽15.4、厚8厘米（图3-43-3）。戳印符号者11件，皆为圆圈纹。刻划文字者10件。“天田□”，写于F8①∶247的正面，一肋另有“十六砖”铭文（见图1-3-7）。“乙百”，写于C5②∶3一肋，“乙”字上端略残，不甚确定（见图1-3-11）。少量刻划“九”“十”“王”等。

Ab型　21件。对小长方形砖进行砍琢加工或模制而成，加工方式多样。

将一端砍制或模制为内凹圆弧形的包柱砖，7件。仅L2④∶163上有“初一号”铭文。F8①∶5，残存局部，端头模制成内凹圆弧形，局部有加工痕迹。残长18.6、宽15.8、厚7.5厘米（图3-43-5）。

砖的一面凿有浅槽，用以安插木枋，6件。F10①∶56，残长26.5、宽15.3、厚7.5厘米。一面凿有长方形浅槽，槽长15.3、宽3、深0.6厘米（图版3-2）。F10①∶60，残块，于一面和一肋凿有长方形浅槽。残长20、残宽14.7、厚6.8厘米（图3-43-6）。

整体磨为圆饼形，1件，F5①∶200。

将面之一端削为斜坡状，2件，F5①∶107上模印“十六砖”。

带大方孔者，1件。F10①∶107，于砖面凿有一近方形孔，未穿。残长21.9、宽15.3、厚6.8厘米（图3-43-7）。

砍制带铭文者，2件。ⅣT0102①∶51上有“十六砖”，ⅣT0201①∶7上有“甸砖”。

此外，F10①∶106，表面打磨、两端及一面砍制加工，砍制面均内凹。长26.8、宽14.2、厚6厘米（图3-43-4）。F10①∶55，将两角削平，一肋雕饰如意云纹两朵。长30.6、宽15.1、厚7厘米（图3-43-8；图版3-1）。F3①∶137，端头砍制成斜面。长31.5、宽15.5、厚7.5厘米（图

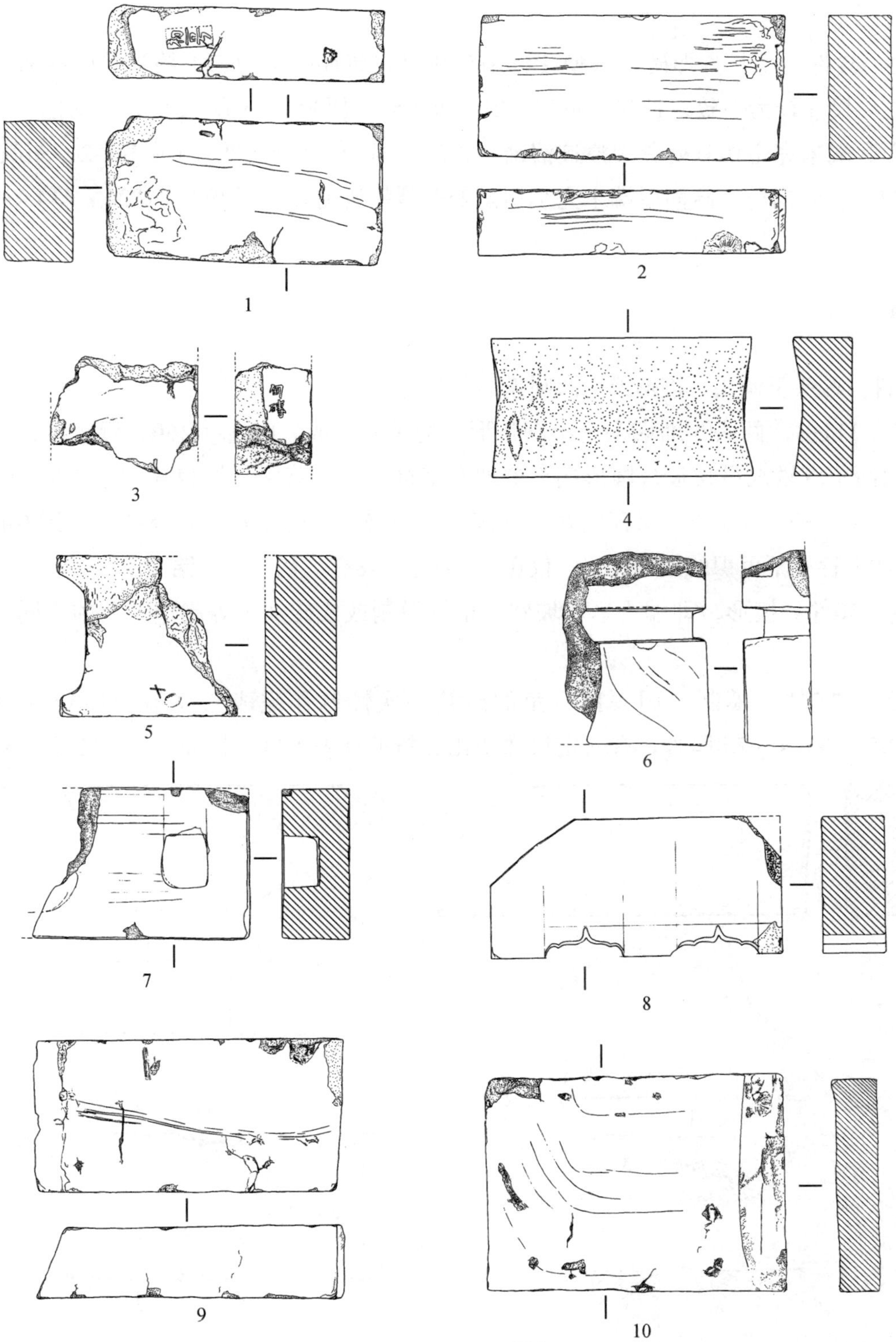

图3-43　新王宫出土长方形砖

1～3. Aa型（F6①：215、F10②：2、F10②：1）　4～9. Ab型（F10①：106、F8①：5、F10①：60、F10①：107、F10①：55、F3①：137）　10. C型（F8②：34）

3-43-9）。

C型 62件。薄长方形砖。该型砖皆用铁线弓将砖坯一剖为二，约半数砖料的切割痕迹十分明显。尺寸较为一致，长30、宽20～21、厚4.5～5厘米。F5①：217，红褐色。一分为二时，砖面后端未完全切割处撕裂痕迹清晰。长30、宽21、厚4.5厘米（图1-5-2；图版3-3）。F8②：34，浅红褐色。砖面后端未完全切割处撕裂痕迹清晰。长29.5、宽21、厚4.4厘米（图3-43-10）。

2. 抹角砖

174件。端头呈圆头、楔形或内凹圆弧形。分为三型。

A型 111件。圆头，即端头呈半圆弧形。均模制而成。F8①：260，青灰色，夹杂较多石子。两面留有铁线弓拉痕，圆形端头刻划有字符，内容莫辨。长34.4、宽12.6、厚6.6厘米（图版4-1）。F8①：272，保存较好。青灰色。长35.6、宽12.6、厚6.8厘米（图3-44-1）。F8①：249上存有不可识的刻划文字。仅ⅣT0102①：48有“初一号”铭文。

B型 30件。楔形，即端头呈斜坡状。根据模制或成砖加工等制作工艺的不同，分为二亚型。

Ba型 25件。模制。用去掉一角的砖箱一次性制作完成。完整者长32～36.5、宽11.2～12.5、厚6.4～7.8厘米，有一定尺寸变化。新王宫采：11，长36.5、宽12.5、厚7厘米，

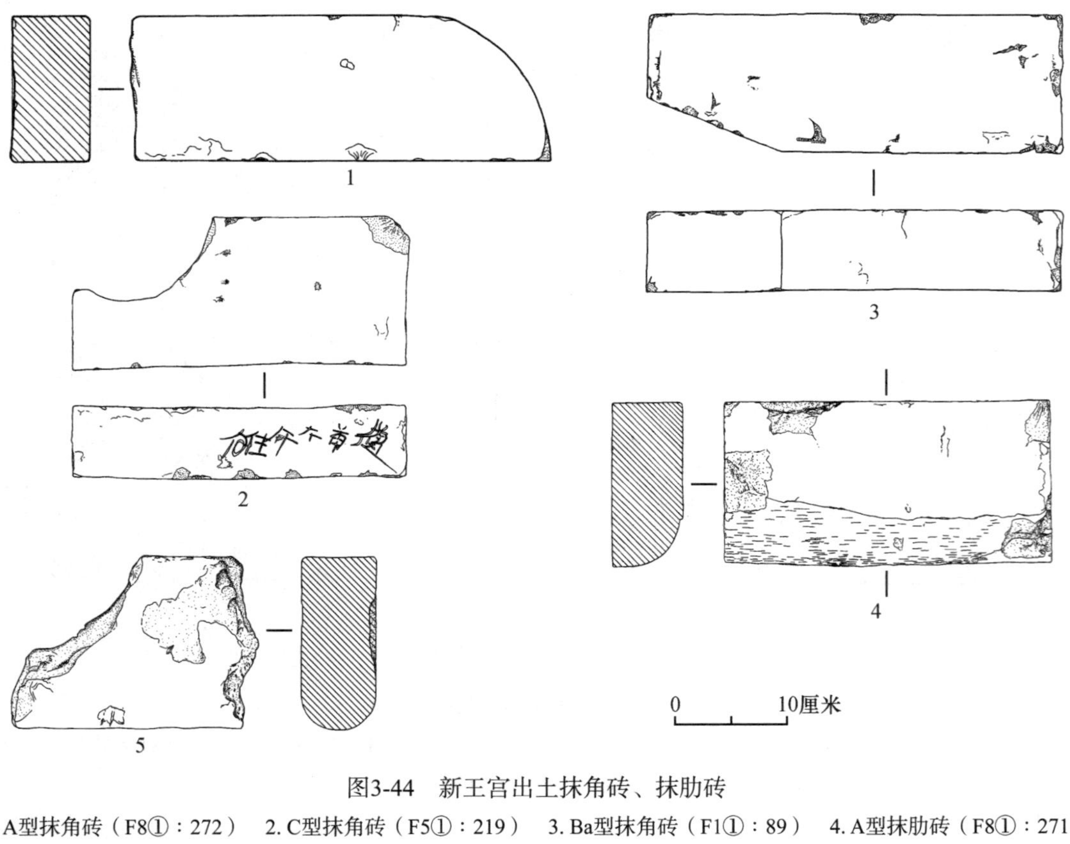

图3-44 新王宫出土抹角砖、抹肋砖

1. A型抹角砖（F8①：272） 2. C型抹角砖（F5①：219） 3. Ba型抹角砖（F1①：89） 4. A型抹肋砖（F8①：271） 5. B型抹肋砖（F3①：138）

是该型砖中的最长者（图版5-1）。F6①：9，一肋模印铭文“初一号”。长33、宽12、厚7厘米（图版5-2）。F1①：89，保存较好，棱角处多有磕碰。长36.8、宽12.2、厚7厘米（图3-44-3）。新王宫采：5，有“初一号”铭文。F5①：96，有“十六砖”铭文。ⅣT0507①：50、ⅣT0507①：51，有“砖”字铭文。

Bb型 5件。成砖加工，可以区分为砖坯加工和烧成后加工两种不同工艺。砖坯加工，指砖坯未干时，即将其一角切去，而后入窑烧造，切口平滑，成色一致。F8①：228，长34.5、宽12.5、厚6.8厘米（图版5-3）。烧成后加工，则是砖出窑后根据需要，砍去其一角，断口粗糙，砍磨痕迹明显。F8①：261，长31.6、宽13.5、厚6.5厘米（图版5-4）。

C型 33件。内凹圆弧形，该型砖整体偏小，尺寸变化不大，内凹弧度也基本一致。完整者长28～30、宽11.2～16.4、厚5～6.3厘米。F6①：15，一肋模印“初一号”铭文。长30、宽12、厚6厘米（图版4-3）。F6①：172，端头微残。一肋模印“十六”铭文。残长29.2、宽12、厚6厘米（图版4-4）。此外新王宫采：7、F8①：231有“初一号”铭文。F5①：154，带戳印圆圈纹。F6①：90，刻划“寅□□”。F5①：219，一肋写“道甫□年傩”，长28.5、宽13.4、厚5.8厘米（图1-3-15、图3-44-2）。

3. 抹肋砖

39件。其中1例较为特别（ⅣT0306①：138），小残块，肋侧模制内收，呈内凹圆弧形。其余38件将长方形砖的面与肋交接处的侧棱抹圆，其一肋遂成圆弧形，均模制而成。分为二型。

A型 32件。单棱抹圆，肋呈半圆弧形，又称“半混”。完整者长28.5～30.5、宽12～15.4、厚5.8～7.5厘米。F5①：215，青灰色。砖面粗糙，转角处一道凸棱，为砖箱留痕。长28.5、宽13.4、厚6.3厘米（图版6-2）。F8①：271，形制相同。长28.6、宽14.1、厚6.2厘米（图3-44-4）。

B型 6件。双棱抹圆，肋呈圆弧形，为标准“混砖”。ⅣT0202①：2，黄褐色。只存圆弧形肋。残长16.1、残宽5.9、厚5.8厘米（图版6-1）。F3①：138，残块。一肋呈圆弧形。残长21.8、宽15、厚6.7厘米（图3-44-5）。

4. 方形砖

33件。砖面呈正方形，或根据需要将之二次加工为不同形状。尺寸变化不大，根据形状的不同，分为三型。

A型 11件。标准方形砖。多数正面光滑，背面粗糙，以便粘贴。F19②：26，质地细腻，含少量细砂，扣之清脆。正面光滑，背面略粗糙，四肋略经凿打。边长35.5、厚6.5厘米（图3-45-2；图版7-1）。F1①：55，一肋砍作斜坡状，以便与同样形状的其他砖料相互咬合。残长25、残宽23、厚6.6厘米（图3-45-3；图版8-1）。F1①：56，保存较好，有细微磕碰。一

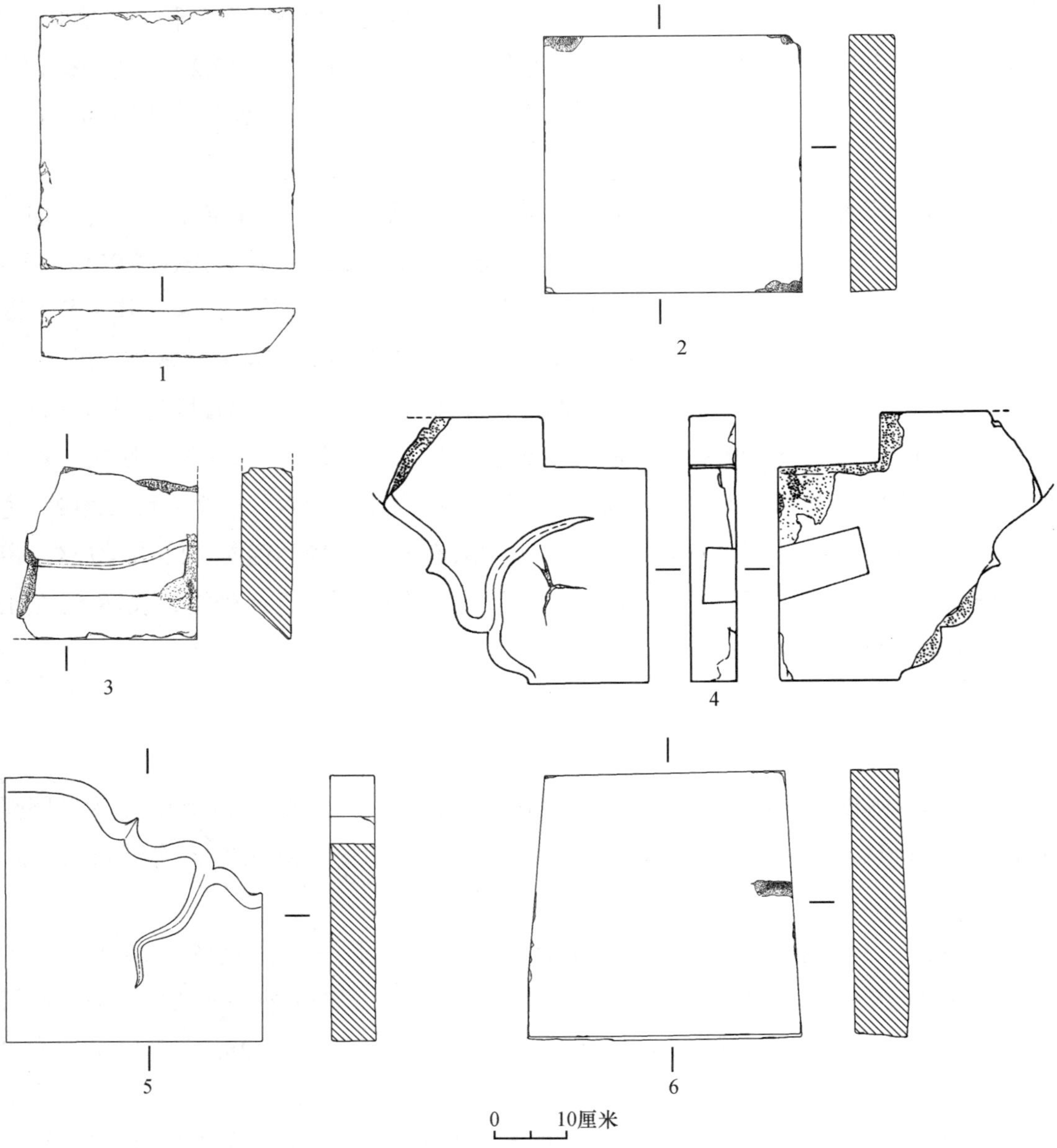

图3-45　新王宫出土方形砖

1～3. A型（F1①：56、F19②：26、F1①：55）　4、5. C型（F10①：57、F1①：54）　6. B型（F8①：257）

肋砍制成斜坡状。边长36.6、厚6.8厘米（图3-45-1）。

B型　3件。梯形方砖。将方形砖对称的两肋稍加砍磨，成为梯形。F8①：257，正面光滑，背面粗糙。高37、上底长33.5、下底长38、厚6.4厘米（图3-45-6）。ⅣT0306①：137，一肋侧见倒棱。

C型　19件。博缝头。将方形砖一角向内砍琢为连弧状，于砖的正面凿刻浅槽，与前者一起组成云气纹，云气作自屋面吐出状。F1①：54，背无插槽，装饰于房屋的右前或左后墀头。边长37.7、厚6.3厘米（图3-45-5；图版7-2）。G1②：25，背有插槽，装饰于房屋的左前或右后墀头。边长38.5、厚6.5厘米（图版8-3）。F10①：57，局部残损。砖角砍制成榫口，背有插槽。长37、残宽36、厚6.4厘米（图3-45-4）。

（三）瓦

分板瓦和筒瓦两类，又可分若干型。

1. 板瓦

3180件。属B、C、D三型。

B型　3163件。小型板瓦。根据两翅有无二次加工痕迹，以及瓦头有无当面的不同，分为三亚型。

Ba型　132件。两翅内侧切开后自然断裂，较为粗糙。F8①：119，青灰色。较厚实，内面粗糙。长25.9、小头宽15.6、大头宽17.9、小头厚2.3、大头厚2.5、小头矢高5.5、大头矢高6.3厘米（图版9-3）。F9①：222，青灰色。大头棱角残损，大头内侧切削痕迹明显，内面印有细小布纹。长26.8、小头宽18.3、大头残宽15.5、小头厚2、大头厚0.9、小头矢高5.1、大头矢高5.9厘米（图3-46-5）。

Bb型　26件。两翅切开后，又经二次加工。一般于两翅的内外侧各削一刀，断口光滑平整。F12②：13，略偏红褐色。长25.5、小头宽17、大头宽19、小头厚1.7、大头厚1.9、小头矢高4.8、大头矢高5.8厘米（图3-46-6；图版9-4）。

Bc型　3005件。瓦头带当面。均是在瓦的大头一端粘接莲花纹瓦当（黏合部用锐器令瓦身粗糙）。瓦的两翅多经二次加工，光滑平整。根据勾头、滴水的不同，又分二亚型。

BcⅠ型　1356件。勾头瓦。为盖瓦。G12①：23，青灰色。瓦残一角。两翅平整，大头饰莲花勾头，略向外扬。长22、小头残宽9、大头宽18、小头厚1.6、大头厚1.7、小头矢高4.6、大头矢高4.7厘米，勾头高15.5、宽18.5厘米（图版12-1）。

BcⅡ型　1649件。滴水瓦。为底瓦。C3①：3，青灰色。瓦缺一角。大头饰莲花纹滴水，瓦身接合处微外露，有篦状划痕。长24.5、小头宽16.5、大头宽19.5、小头厚1.4～1.6、大头厚1.9～2.2、小头矢高4.5、大头矢高5.2厘米，滴水高13.3、宽20.5厘米（图版12-2）。

C型　8件。中型板瓦。G20①：1，是该型瓦中唯一完整者，两翅平整，大头一端带菊花纹滴水当面，为一件底瓦（即在屋面上盖于底层的仰瓦，与之相对应的是覆于其上的“盖瓦”）。长41、小头宽28、大头宽34.7、小头厚1.8、大头厚2.5、小头矢高7.4、大头矢高6.2厘米，滴水高17.5厘米（图版12-4）。G20①：5，灰褐色。大头残缺。残长45、小头残宽25、大头残宽31.8、小头厚1.5、大头厚2.5、小头矢高6.9、大头矢高9.3厘米（图3-46-8）。

D型　9件。大型板瓦。体形硕大，是海龙囤出土板瓦中的最大者，两翅平整，没有明显的大小头之分。近两头处各有对称钉眼两组4个，以插瓦钉。F3①：121，长79.2、小头宽39.4、大头宽41.2、小头厚3.2、大头厚3.5、小头矢高16、大头矢高17厘米（图3-46-9；图版10-4）。G2②：85，青灰色。残块。双层，钉孔外大内小。残长34.2、残宽27、厚3.6厘米（图3-46-7）。F10①：69，青灰色。残块。带有一铁钉，锈蚀严重。残长20.7、残宽16、厚3.2厘米（图3-46-10）。

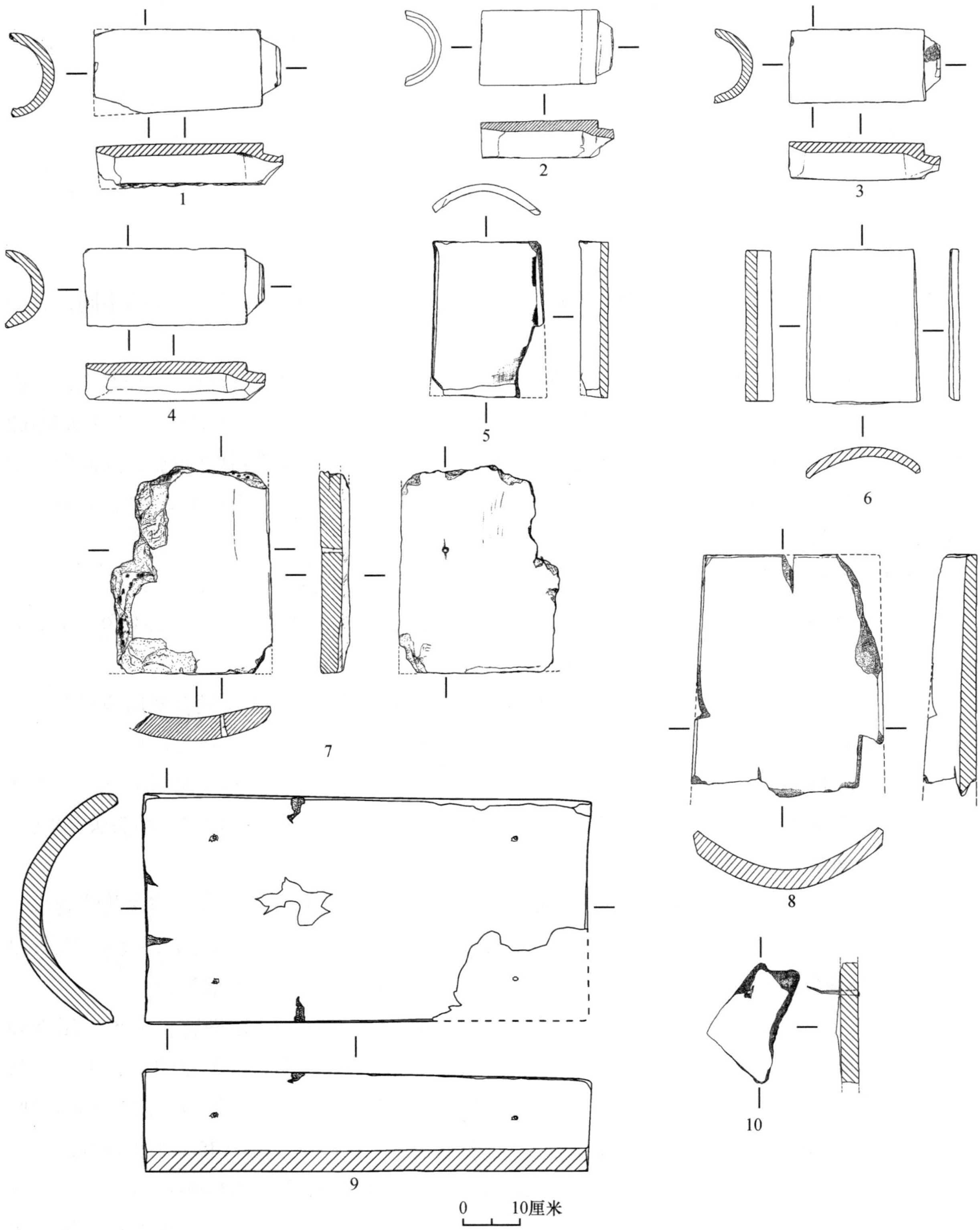

图3-46　新王宫出土板瓦、筒瓦

1、2. Ba型筒瓦（F8①：22、F18①：1）　3、4. Bb型筒瓦（ⅣT0607①：79、F29①：1）　5. Ba型板瓦（F9①：222）　6. Bb型板瓦（F12②：13）　7. D型板瓦（G2②：85）　8. C型板瓦（G20①：5）　9、10. D型板瓦（F3①：121、F10①：69）

2. 筒瓦

236件。均属B型。

B型 根据两翅有无二次加工痕迹的差异，以及瓦头有无当面的不同，分为三亚型。

Ba型 40件。两翅未经二次加工。F1②：6，两翅从内侧切开，外侧保留粗糙断口。熊头内侧再经切削呈斜坡状，后端内侧也经刮削呈斜坡状，以便与熊头相扣合。通长30.6、熊头长2.9、小头宽12.4、大头宽12.7、厚1.5、大头矢高6.3厘米（图版10-1）。F18①：1，灰褐色。较小。通长22.6、熊头长2.7、小头宽9.2、大头宽12.5、厚0.8～1.5、大头矢高6厘米（图3-46-2）。F8①：22，青灰色。大头棱角残损。通长31.8、小头宽9.6、大头残宽10.6、厚2、大头矢高7.1、熊头长3.2厘米（图3-46-1）。

Bb型 18件。两翅经二次加工，光滑平整。F19①：59，通长29.5、熊头长2.8、小头宽12.4、大头残宽9.5、厚1.4、大头矢高7.1厘米（图版10-3）。F29①：1，灰白色。通长30.4、熊头长3.2、小头宽10.2、大头宽13.3、厚2、大头矢高6.6厘米（图3-46-4）。ⅣT0607①：79，灰褐色。熊头处有磕残。通长26.4、熊头长3、小头宽12.2、大头宽12.6、厚1.8、大头矢高6.8厘米（图3-46-3）。

Bc型 178件。带勾头筒瓦。在Bb型筒瓦基础上，另于大头一端加圆形莲花纹瓦当，当面略向外扬，部分瓦身中央开有小孔，以置瓦钉。F1②：5，两翅平整，熊头内侧倾斜，大头饰圆形莲花纹勾头，瓦身中央设瓦钉孔。通长30.5、熊头长3.5、宽12、厚1.6～2、大头矢高10厘米，勾头直径12厘米（图版12-3）。

（四）瓦当

1. 勾头

饰于盖瓦上的瓦头，筒瓦和板瓦均有。

（1）筒瓦勾头

178件。筒瓦勾头均圆形。根据纹饰的不同，分为二型。

A型 月华纹勾头。新王宫仅见Aa型。

Aa型 1件。八瓣月华纹勾头。F8③：4，灰白色，质地疏松。残。饰八瓣月华纹。残高9.3、残宽7.2、厚1.5厘米（图1-6-1、图3-47-1；图版11-1）。

B型 177件。六瓣莲花纹勾头。根据花瓣外有无连弧纹，分为二亚型。

Ba型 14件。花瓣外无连弧纹装饰，花形因此稍大。F1②：3，当面直径13、厚2.3厘米（图1-6-3；图版11-3）。F12②：9，当面有一细缝，局部磕残。残高12、宽12.6、厚3.2厘米（图3-47-2）。F1①：48，轮廓残损严重。高11.3、残宽11.8、厚3厘米（图3-47-3）。

Bb型 163件。沿花瓣有一周连弧纹装饰，花形略小。F3①：7，高10.8、宽11.5、厚

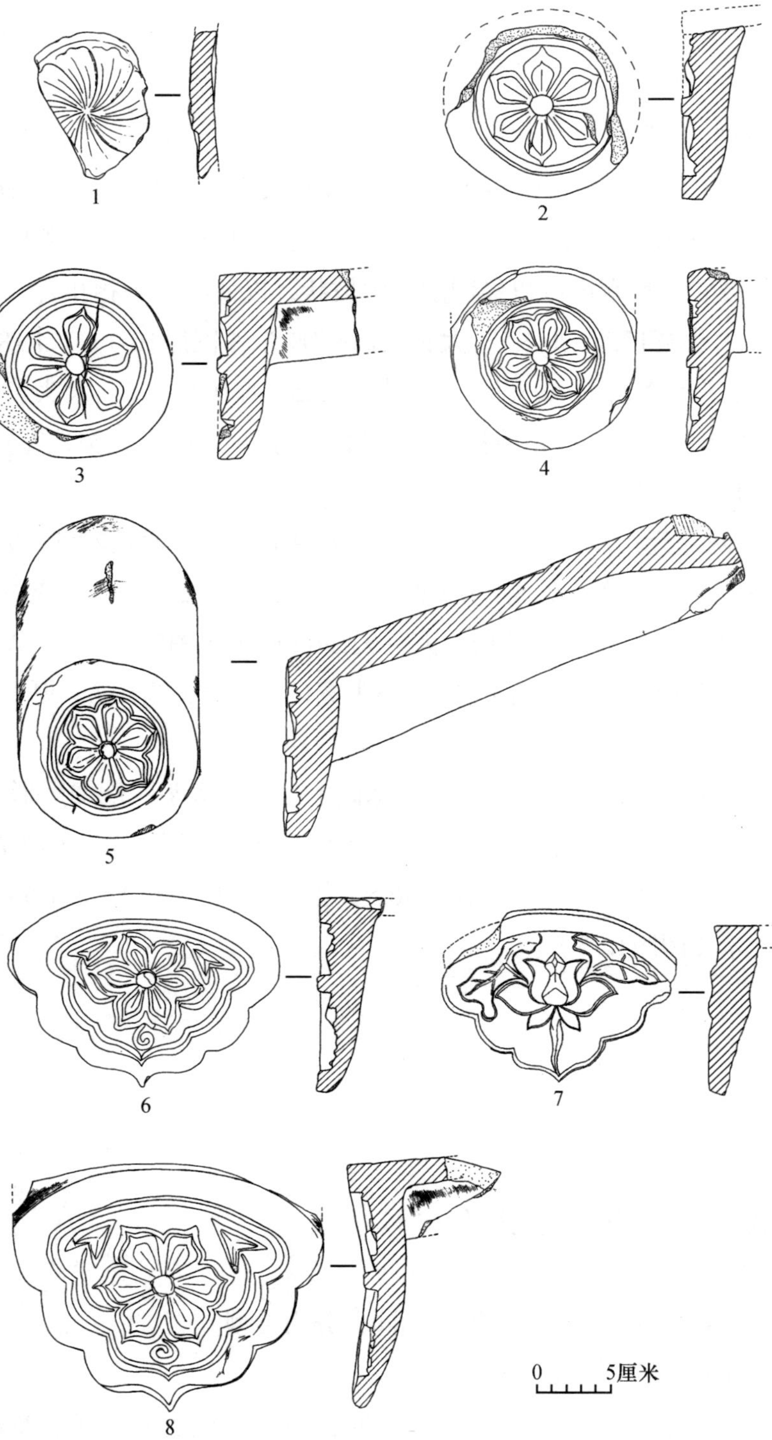

图3-47　新王宫出土勾头

1. Aa型筒瓦勾头（F8③：4）　2、3. Ba型筒瓦勾头（F12②：9、F1①：48）　4、5. Bb型筒瓦勾头（F1①：47、F1②：15）　6. Bb型板瓦勾头（F1①：51）　7. C型板瓦勾头（G2②：50）　8. Ba型板瓦勾头（ⅠT0103④：46）

1.1～3.5厘米（图1-6-4）。F1①：47，局部磕残。高11.6、宽12、厚3.3厘米（图3-47-4）。F1②：15，保存较好。高11.6、宽12、厚3.3厘米（图3-47-5）。

（2）板瓦勾头

1356件。新王宫仅见B、C二型。

B型 1349件。六瓣莲花纹勾头。根据尺寸的大小以及花纹的细微不同，分为二亚型。

Ba型 1167件。略大，花下须蔓向左卷曲。ⅠT0103④：46，瓦头下部微翘，当面保存完整，纹饰清晰。高16、宽20.3、厚1.5～2.7厘米（图1-6-9、图3-47-8）。

Bb型 182件。稍小，花下须蔓向右卷曲。G9①：14，高13.5、宽17.5、厚1.7～3.4厘米（图1-6-8；图版11-5）。F1①：51，残存瓦头。高12.8、宽17.9、厚3.1厘米（图3-47-6）。

C型 7件。侧视莲花纹勾头。G2②：50，高12.2、宽15.7、厚1.4～2.4厘米（图1-6-7、图3-47-7；图版11-6）。

2. 滴水

1649件。饰于底瓦上的瓦头，仅见于板瓦，均呈如意头状。当面饰莲、菊和牡丹等花纹。新王宫仅见B、C、D、E四型。

B型 1633件。六瓣莲花纹滴水。根据当面大小和莲叶的细微不同，分为三亚型。

Ba型 1408件。当面较大，莲叶两侧有卷曲须蔓。G1①：25，高14、宽23、厚2.3～2.7厘米（图1-6-15；图版11-11）。L2②：39，高12.8、宽20.4、厚3.3厘米（图3-48-1）。G2②：74，高13.4、宽19.6、厚2.8厘米（图3-48-2）。

Bb型 218件。当面瘦长，莲叶两侧无须蔓。ⅣT0102①：18，完整。高13、宽21、厚2～2.3厘米（图1-6-13；图版11-10）。F10①：74，保存较好。高10.2、宽21.2、厚2.8厘米（图3-48-4）。

Bc型 7件。莲叶呈菱形，状如双目。F29①：7，完整。高12.4、宽19、厚3.3厘米（图3-48-3）。

C型 7件。侧视莲花纹滴水。花纹与C型板瓦勾头相近，两者应配合使用。G2②：33，高9.2、宽17、厚1.1～1.5厘米（图1-6-12；图版11-8）。G2①：6，高8.8、宽17.8、厚2.6厘米（图3-48-5）。

D型 2件。牡丹纹滴水。G2①：2，瓦头较完整。残高12、残宽18、厚1.2～1.8厘米（图1-6-11、图3-48-6；图版11-9）。

E型 7件。菊花纹滴水，体形硕大，饰于C型板瓦上。G20①：1，修复完整。高17.5、宽34.7、厚1.8～2.5厘米（图1-6-16、图3-48-7；图版12-4）。

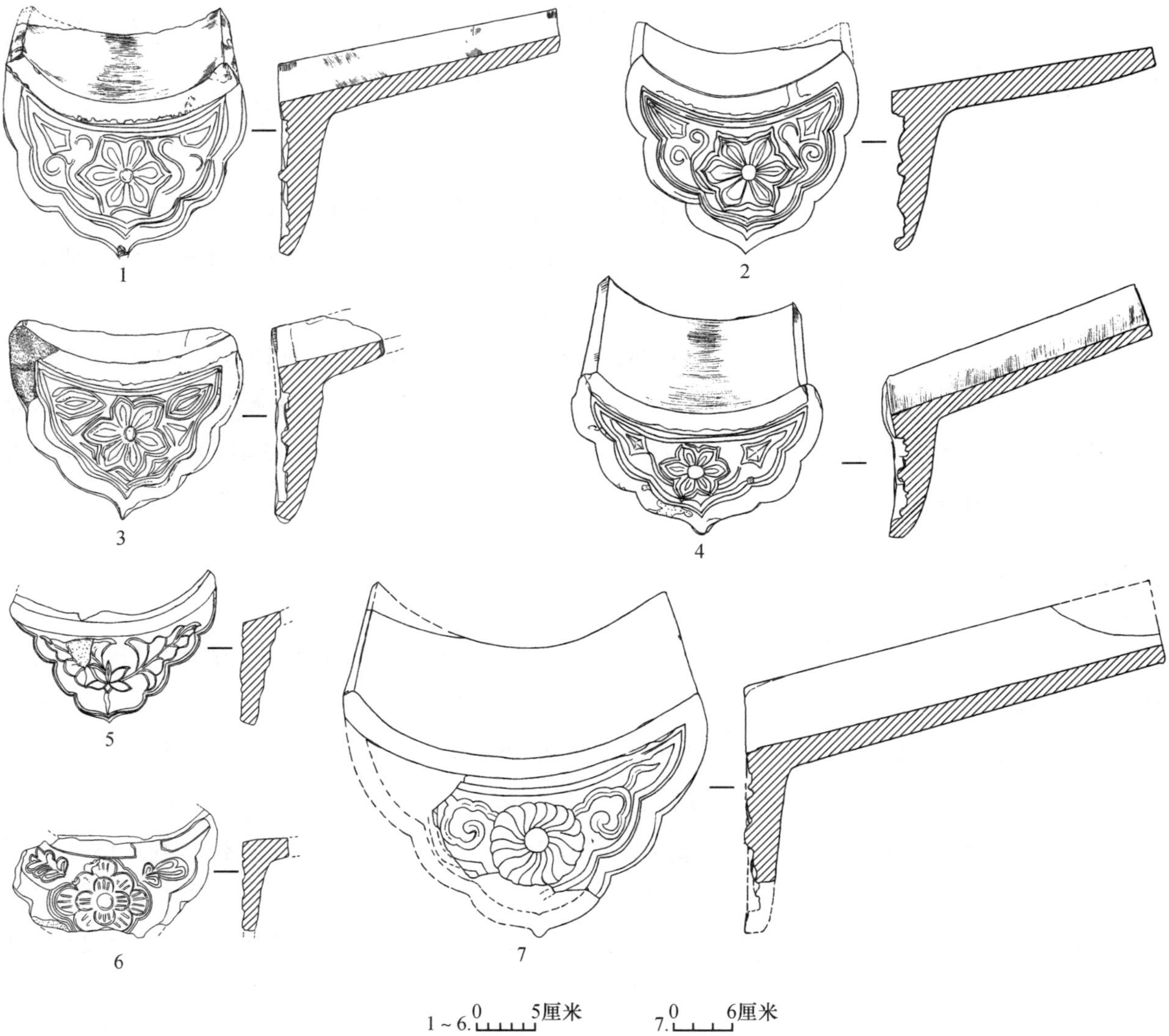

图3-48　新王宫出土滴水

1、2. Ba型（L2②：39、G2②：74）　3. Bc型（F29①：7）　4. Bb型（F10①：74）　5. C型（G2①：6）　6. D型（G2①：2）　7. E型（G20①：1）

（五）脊砖

351件，2件可修。根据大小、形制与纹饰的变化，分为六型。

A型　1件。素面大脊砖，平顶。整体呈须弥座状，上下两端为圆弧形小凸棱，中部圆弧形凸起。素面。ⅣT0305①：28-1，表面呈砖红色，局部泛青灰。残高19.4、残长15.1、残宽14.4、壁最厚4.4厘米（图3-49-1；图版13-1）。ⅣT0305①：28-3，砖红色。残高16.8、残长15.4、残宽5.6、壁最厚2.7厘米（图3-49-2）。

B型　6件。缠枝莲花纹大脊砖，弧顶。左右两侧饰缠枝莲花，侧视莲花一仰一覆，中隔藤蔓。一端带子母口，以便前后衔接。ⅣT0103①：30，青灰色。残，子母口不存。高21.4、长32.8、残宽14.4、壁厚2～2.9厘米（图3-49-3；图版13-2）。ⅣT0103①：36，青灰色。残，子

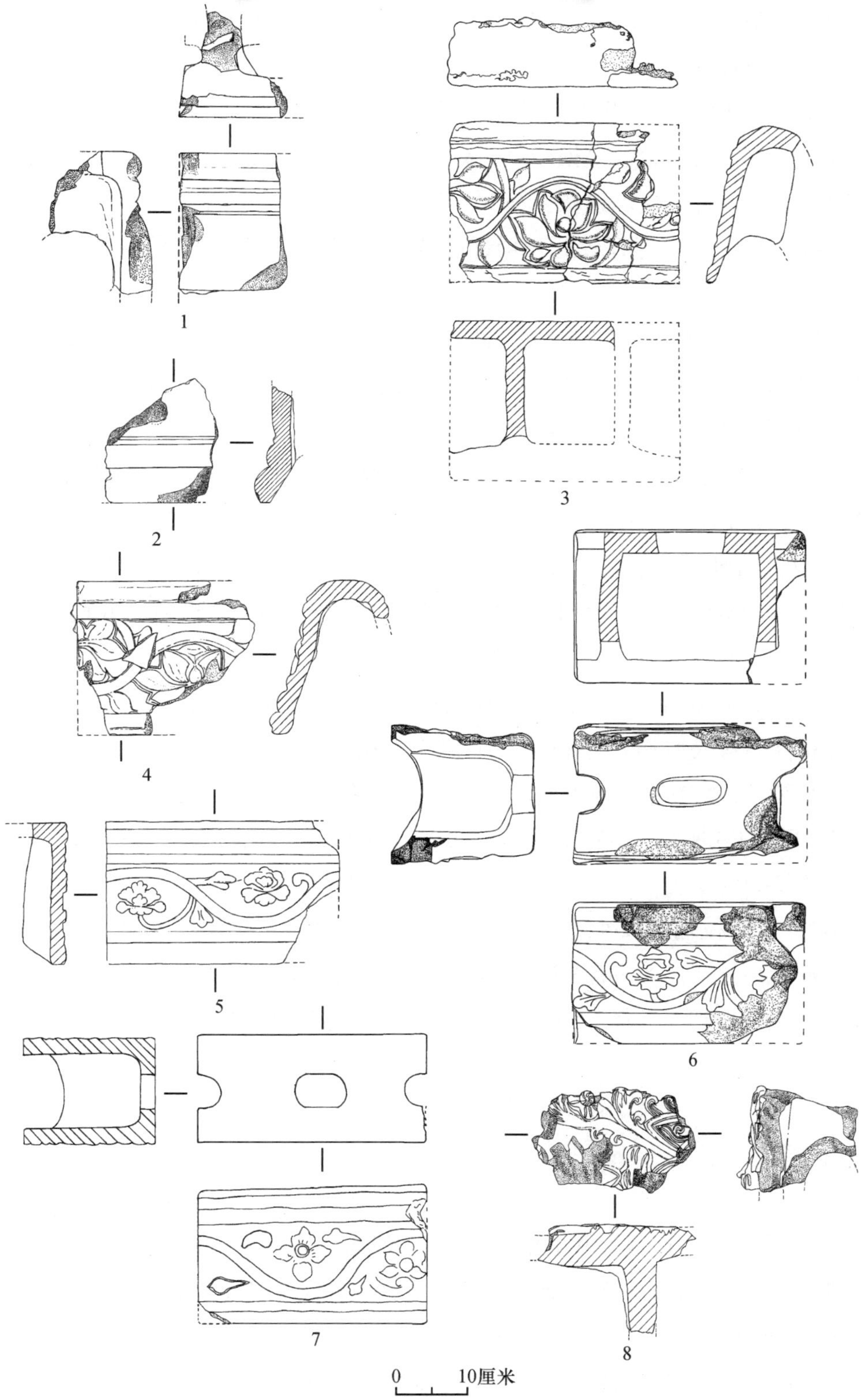

图3-49 新王宫出土脊砖

1、2. A型（ⅣT0305①：28-1、ⅣT0305①：28-3） 3、4. B型（ⅣT0103①：30、ⅣT0103①：36） 5～7. C型（ⅣT0706③：5、F8①：6、ⅣT0608①：48） 8. D型（ⅣT0305①：29）

母口磕残严重。高21.2、残长25.8、残宽16.6、壁厚1.6～2.6厘米（图3-49-4）。

C型　111件。缠枝牡丹纹大脊砖，平顶。G2①：12，灰白色。较完整。平顶开三孔。两侧上下饰凸棱，中央模印对称缠枝牡丹纹。高18.8、长30.8、宽15.6、壁厚1.8～3厘米（图版13-3、4）。F8①：6，青灰色。磕损严重。高18.3、长30.7、宽15.2、壁厚2～2.3厘米（图3-49-6）。ⅣT0706③：5，青灰色。残块。高20、长32、残宽6.4、壁厚1.6～2厘米（图3-49-5）。ⅣT0608①：48，青灰色。保存较好，局部磕残。高18.8、长31.4、宽14.5、壁厚2～2.2厘米（图3-49-7）。

D型　1件。贴塑花卉纹大脊砖。左右两侧以泥条贴塑出枝蔓与花朵，复施以刻划，花卉立体、粗犷。顶部情况不明。ⅣT0305①：29，灰白色，局部泛黄。残高14.6、残长23.4、残宽17.3、壁厚4厘米（图3-49-8；图版13-5、6）。

E型　4件。缠枝卷草纹长脊砖，平顶，偏小，颇长，是所有脊砖中的最长者。1件可修。ⅠT0102②：53，灰白色，略泛黄。顶开四孔，中央两孔椭圆形，两端各一孔半圆形。两侧模印卷草纹，纹饰清晰。除前后两端外，中央再设一弧形挡板。高15.4、长44.8、残宽17.5、壁厚1.6～2厘米（图3-50-2；图版14-1、2）。ⅠT0102②：54，灰白色。残块。高16.4、残长31.2、残宽5.7、壁厚1.6～2.1厘米（图3-50-1）。

F型　228件。缠枝花卉纹小脊砖。根据花卉的不同，分为二亚型。

Fa型　166件。缠枝牡丹纹小脊砖。平顶开三孔，两侧饰缠枝牡丹纹。F1②：16，青灰色。高12.5、长32.5、残宽17、壁厚1.1～3.2厘米。K4②：9，青灰色。局部磕残。高12.6、长32.4、宽18.7、壁厚1.3厘米（图3-50-5；图版15）。F8②：3，青灰色。高13.4、长32、宽17、壁厚1.6厘米（图3-50-6）。

Fb型　62件。缠枝葡萄纹小脊砖。平顶开三孔，两侧饰缠枝葡萄纹。F5①：262，青灰色。高12.5、残长29、宽16.5、最厚3.1厘米（图版14-3、4）。F5①：18，青灰色。高13.2、长31.2、宽17、壁最厚2.5厘米（图3-50-3）。F5①：21，青灰色。高13、长32.6、宽15.6、壁最厚2.6厘米（图3-50-4）。

（六）砖雕

17件。均用砖块加工而成。ⅣT0606②：8，泥质灰陶。较完整。平面形似A型抹角砖，端头半圆弧形，雕刻圆弧线条及叶状纹；后部凿刻成榫头，应嵌于墙体作装饰用。长17、残宽11.8、厚4.9厘米（图3-51-1；图版208-4）。ⅠT0104①：2，泥质灰白陶，表面局部呈青灰色。形制与前者同，局部残缺。残长15.6、残宽11、厚5.6厘米（图3-51-2；图版208-1）。ⅣT0603②B：2，泥质灰白陶，含石块及沙砾，背部表面呈青灰色。残块。正面雕刻云纹。长18.9、宽14.8、厚5.9厘米（图3-51-8；图版208-5）。G12①：64，泥质灰陶，含小沙砾，表面呈青灰色。较完整。背部经砍制较薄，正面雕刻萱草纹。长11、残宽8.3、厚3.3厘米（图3-51-3；图版208-2）。G12①：65，泥质灰白陶，含小沙砾。形制与前者相近，雕刻纹饰相反。残长11.1、残宽10.6、厚3.8厘米（图3-51-4；图版208-3）。

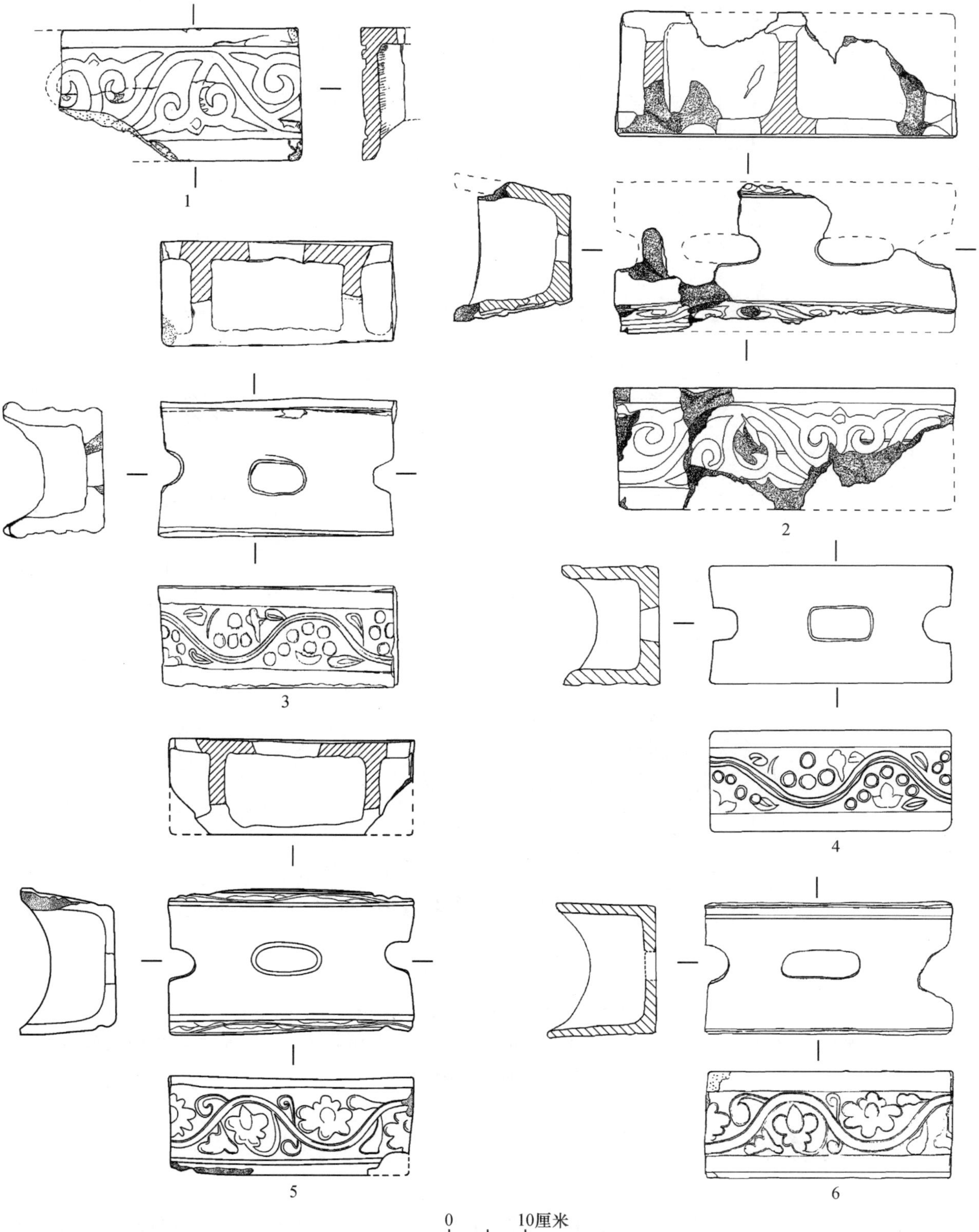

图3-50　新王宫出土脊砖

1、2. E型（ⅠT0102②：54、ⅠT0102②：53）　3、4. Fb型（F5①：18、F5①：21）　5、6. Fa型（K4②：9、F8②：3）

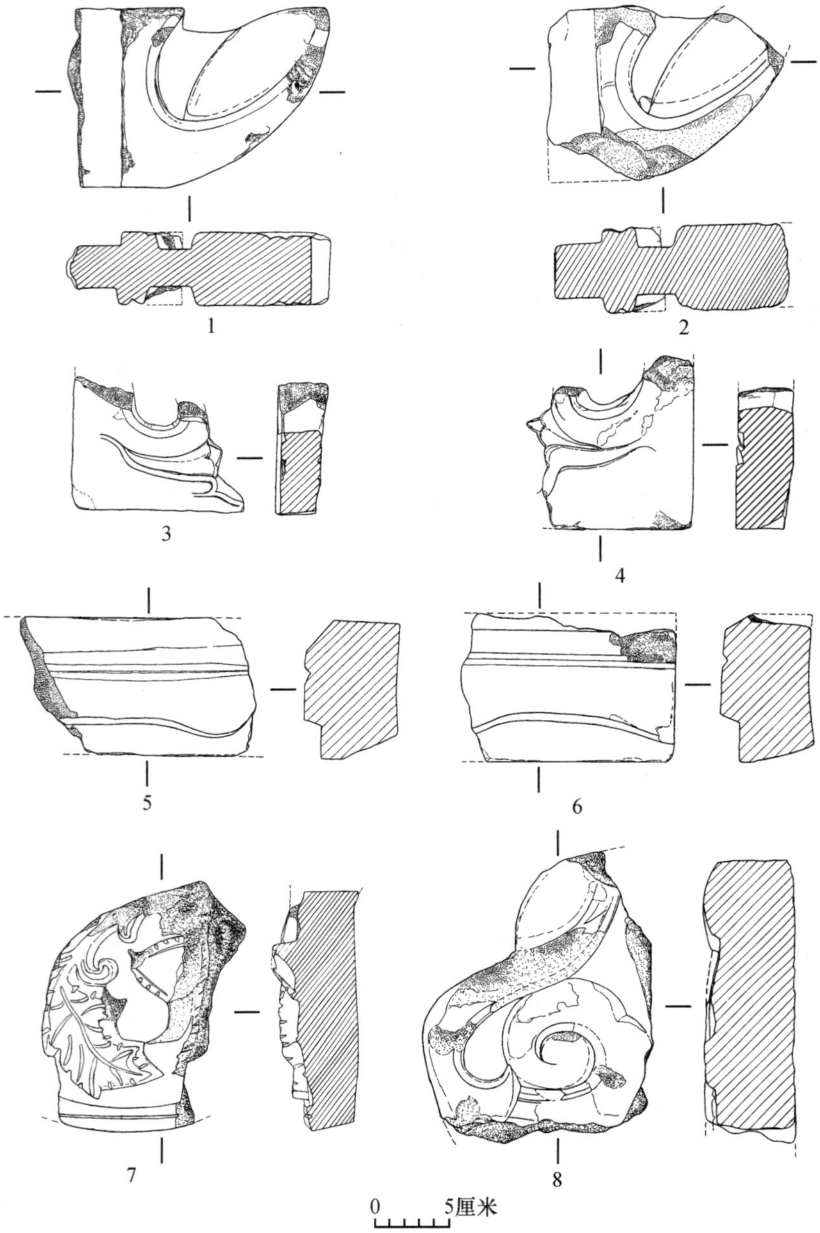

图3-51　新王宫出土砖雕、陶构件

1～4、8. 砖雕（ⅣT0606②：8、ⅠT0104①：2、G12①：64、G12①：65、ⅣT0603②B：2）　5～7. 陶构件（F3①：102、F10①：30、G12①：7）

（七）陶构件

3件。均残，形制相同。呈长条状，顶部近平，上部作倒角状，饰一凹弦纹，下部作波浪状凸起，底部内侧向上微翘，内侧略显粗糙。F3①：102，胎体及表面均呈红褐色。两端均残。高6、残长15.2、宽8.7厘米（图3-51-5；图版209-1）。F10①：30，泥质灰陶，表面呈青灰色。顶部残损，一端残缺。残高5.6、残长14、宽9.7厘米（图3-51-6；图版209-2）。G12①：7，泥质灰白陶，表面呈青灰色。残块，呈不规则状。上部残损近半圆状，下部微弧，于正面贴塑花叶纹。残高17.1、残宽13.1、厚5厘米（图3-51-7；图版209-3）。

（八）排水管

排水管残件仅见于新王宫，均陶质，共169块，可计件者30件。按其形制的不同，分为三型。

A型 26件，其中3件可修复。器形较大，长方形沟槽状，横截面呈U字形。两端均作子母口，一正一反，可与其他相同的排水管衔接使用。C3①：8，泥质灰陶，表面呈青灰色。修复完整。高15.4、长51、宽30、沟槽内宽24厘米（图3-52-3；图版210-1、2）。

B型 3件。均为残件，形制与A型相同，较小。F3①：128，泥质灰陶。为底部残块，两侧均残，一端残存有子母口。残高7.8、残长15.3、残宽17.5、沟槽内宽约15.2厘米（图3-52-1；图版210-3）。F9②：145，泥质灰陶。底部残块。与前者相同。残高5.8、残长14.5、残宽16.1、沟槽内宽约11.3厘米。

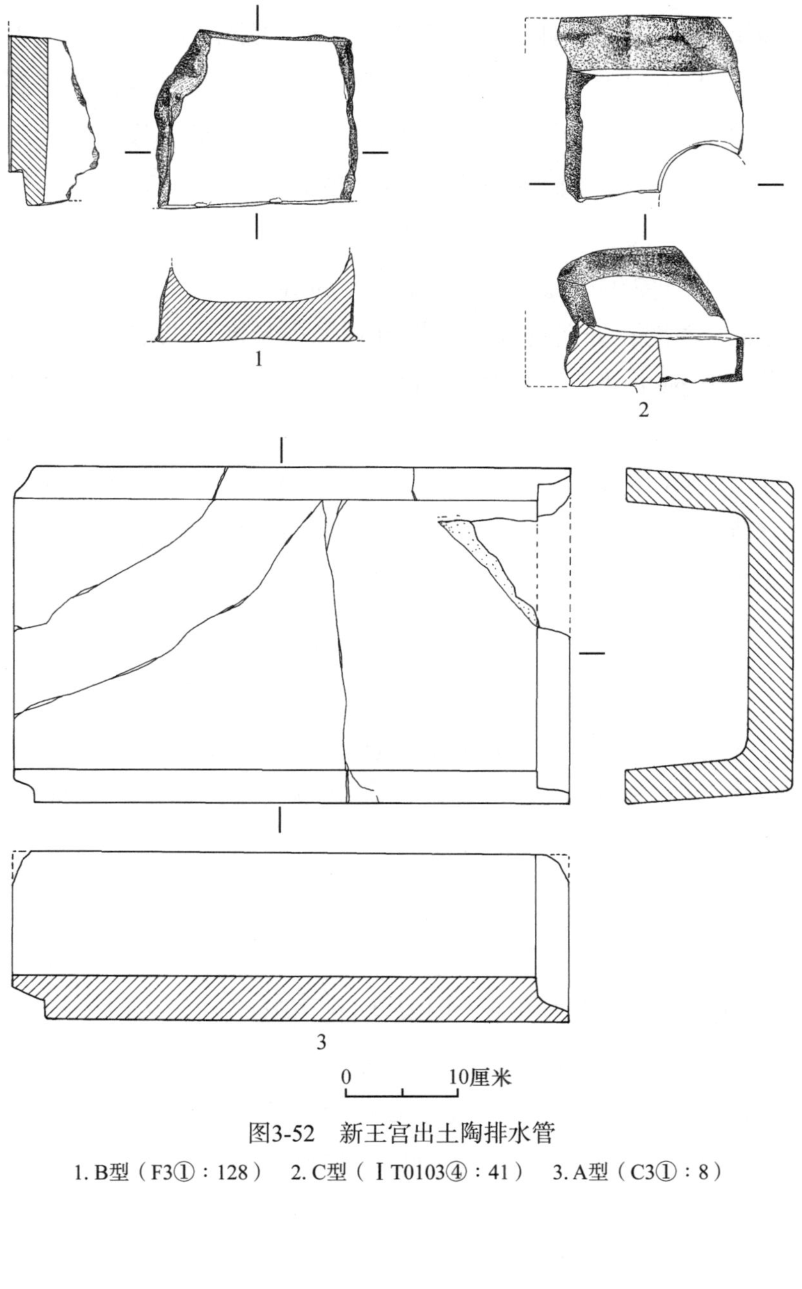

图3-52 新王宫出土陶排水管

1. B型（F3①：128） 2. C型（ⅠT0103④：41） 3. A型（C3①：8）

C型　1件。形制与A、B型差异明显。ⅠT0103④：41，泥质灰陶。残甚，沟壁残损严重，于底部置有一圆形孔洞，外底榫口已残。残高12、残长14.8、残宽14.5、孔径约7.4厘米（图3-52-2；图版210-4）。

（九）脊兽

出土脊兽可计件者达73件，占海龙囤可计件脊兽的82.95%。

1. 正吻

饰于正脊两端，头向里，口部作吞脊状。共96块，可计7件。

A型　4件。精细型。F1①：63，灰白陶，表面呈青灰色。6块拼合，残存兽头及一侧局部，残见眼、鼻、唇、额、嘴岔、耳、爪、草胡子等处。额部凸起，中空，上部戳有一圆形小孔洞；鼻尖上扬，嘴岔凸起，牙、舌残见局部，爪部仅存两趾。线条刻划流畅，做工精细。残高29.1、残长48.5、宽23.4厘米（图3-53-1）。F1③：5，灰白胎，表面呈青灰色。正吻剑把。剑身残损严重，剑格饰如意纹，柄部置五道凸棱，顶饰卷云纹，若鸡冠。残高26、宽11、厚5厘米（图3-53-2；图版17-5、6）。

B型　3件。粗糙型。ⅣT0507①：70，灰褐色，质地坚硬。正吻后部残块，后部与背兽相连，一体成型。上部近剑把孔处残见卷毛三鬃刻划线条装饰，下部腿爪凸起，残见三趾。背兽中空，眼、眉、耳等处磕损严重。整体刻划线条生硬，爪显无力。残高20.5、残长21、残宽15.2厘米（图3-53-6）。F19①：54，灰白胎，质地坚硬。正吻卷尾。两侧贴塑成型，复于其上刻划鱼鳞纹。残高20.5、残长22.7、残宽18.5厘米（图3-53-4）。ⅣT0504④：31，灰白胎，表面呈青灰色。正吻剑把。剑身及剑首残损严重。剑格处饰如意纹；柄部近直，饰凸棱纹。残高25.7、宽8.1、厚4.9厘米（图3-53-3）。

2. 合角吻

5件。后端呈一斜度，近45°角，两两组合使用。ⅣT0305④：13，灰白胎，表面呈青灰色。四块拼合，残存头部及一侧，尾部残缺。残见眼、鼻、嘴岔、腿爪、草胡子等。残高27.5、残长42.4、残宽17.2厘米（图3-53-5）。

3. 望兽

饰于正脊两端，头向外。形制与垂兽、戗兽类同，但体型更为硕大。

14件。根据大小，分为三型，渐次变小，但均远较垂兽、戗兽大。

A型　2件。合拼望兽，体型超大。因体型较大，故将其塑为数块，每块上留有孔眼，用以固定抓钉，拼合而成。F3①：62，青面呈青灰色。两块拼合，为颈部残块，见有卷毛

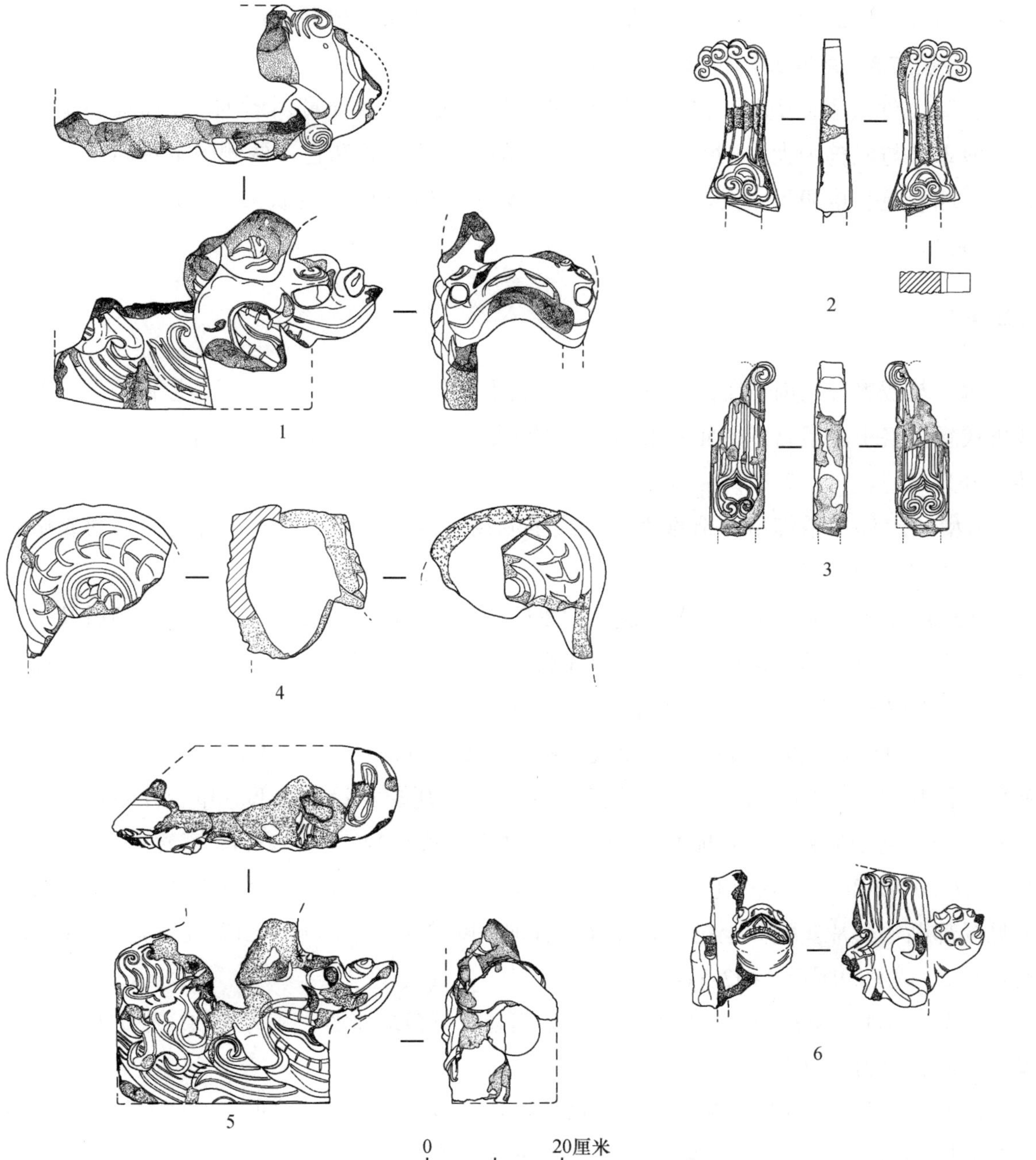

图3-53　新王宫出土正吻、合角吻

1. A型正吻（F1①：63）　2. A型正吻剑把（F1③：5）　3. B型正吻剑把（ⅣT0504④：31）　4、6. B型正吻（F19①：54、ⅣT0507①：70）　5. 合角吻（ⅣT0305④：13）

三鬃及火焰，上下两处各有一钉孔，均残。残高21.4、残长26.3、厚6.7厘米（图3-54-7）。F3①：71，砖红色，表面泛青灰。两块拼合，为望兽雀台处，残见贴塑鳞片及兽爪一趾。残高33.3、残长31.6、残宽23.5厘米（图3-54-8）。

B型　7件。大型望兽。均为残片，经细致比对，至少分属7个以上个体。残存兽头、腿、爪等部件，均较A型望兽小而比C型望兽大，据此推测完整B型望兽的体量应较C型大（图版

21）。F10①：22，灰陶，表面呈青灰色。望兽侧面残块，残存雀台、腿爪、颈等局部。残高32.1、残长37.3、最厚处12厘米（图3-54-9）。

C型　5件。小型望兽。修复完整者1件，其余残块至少分属4个个体。体形较B型略小，而较一般垂兽与戗兽为大。F8②：1-1，泥质灰陶，表面呈青灰色。两侧图案相同，一侧保存较好，一侧卷毛、草胡子、火焰、爪、雀台等残损。通高61.2、通长52.6、宽22.7厘米（图1-11-3；图版23）。

4. 垂兽与戗兽

垂兽与戗兽分别饰于屋面的垂脊与戗脊之上，与望兽形制相同，但体形偏小。一般而言，戗兽较垂兽略小，但离开屋面后很难进行细致划分，因之一并介绍。可计47件。根据其工艺特性，分为二型。

A型　23件。精细型。造型生动，线条流畅，做工精细。根据雀台鳞片刻划或贴塑的不同，分为二亚型。

Aa型　7件。雀台鳞片刻划而成。F12①：60，表面呈青灰色。可复原。颈后及颈下雀台与一侧残损严重，其余保存较好。残存雀台上平地刻划鱼鳞纹，刻划线条流畅。双角已佚。残高43.2、长37.3、残宽20.6厘米（图3-54-1；图版24-3）。

Ab型　16件。雀台鳞片贴塑而成。F3①：54，灰白陶，胎体见有瓦坯残块，表面呈青灰色。两块拼合。侧面残块，残存雀台、腿爪和草胡子及卷毛局部。雀台处贴塑鳞片，腿爪凸起，线条刻划流畅、兽爪略显有力，做工精细。残高24、残长28.4、残宽9.4厘米（图3-54-2）。ⅠT0102②：6，砖红色。七块拼合，残损严重。雀台及颈、尾等部残损严重，残存部分可见局部贴塑鳞片。头微上扬，眼部外凸有神，嘴岔及腿爪凸起，刻划线条流畅。残高29.5、残长35.5、宽16.9厘米（图3-54-3）。

B型　24件。粗糙型。造型略显拙稚，刻划线条粗疏滞涩，较为生硬。根据爪、爪毛和背发的不同，分为三亚型。

Ba型　5件。扁趾型。此类垂戗兽爪处较其他略平，力量感略逊，线条刻划生硬。可计件者共5件，修复完整者2件。F8②：7-1，表面呈青灰色。修复完整，残存兽角两节。如意头状鼻。腮后三鬃卷毛，微凸。下颌及雀台贴塑凸起鳞片。草胡子、发、腿毛等部的刻划线条较为随意、粗疏。高36、长39、宽13厘米（图1-14-2；图版25-2）。

Bb型　7件。针叶型。火焰短促，上刻短线，呈针叶状。无完整者。F5①：22，灰白陶，表面呈青色，光洁微发亮。残存头、颈、大腿等部。嘴岔内侧钻有孔洞，桃形耳，大腿部近圆形。腿部火焰扁平，刻有短线，形似针叶。残高30.2、残长27、残宽18.8厘米（图3-54-4）。G2①：31，灰白陶，表面呈青灰色。四块拼合。残存一侧腿爪及后部雀台，爪趾张弛有度、略显有力。大腿部近圆形，上部火焰扁平，似针叶状纹。残高23、残长22.5、宽16.6厘米（图3-54-5）。

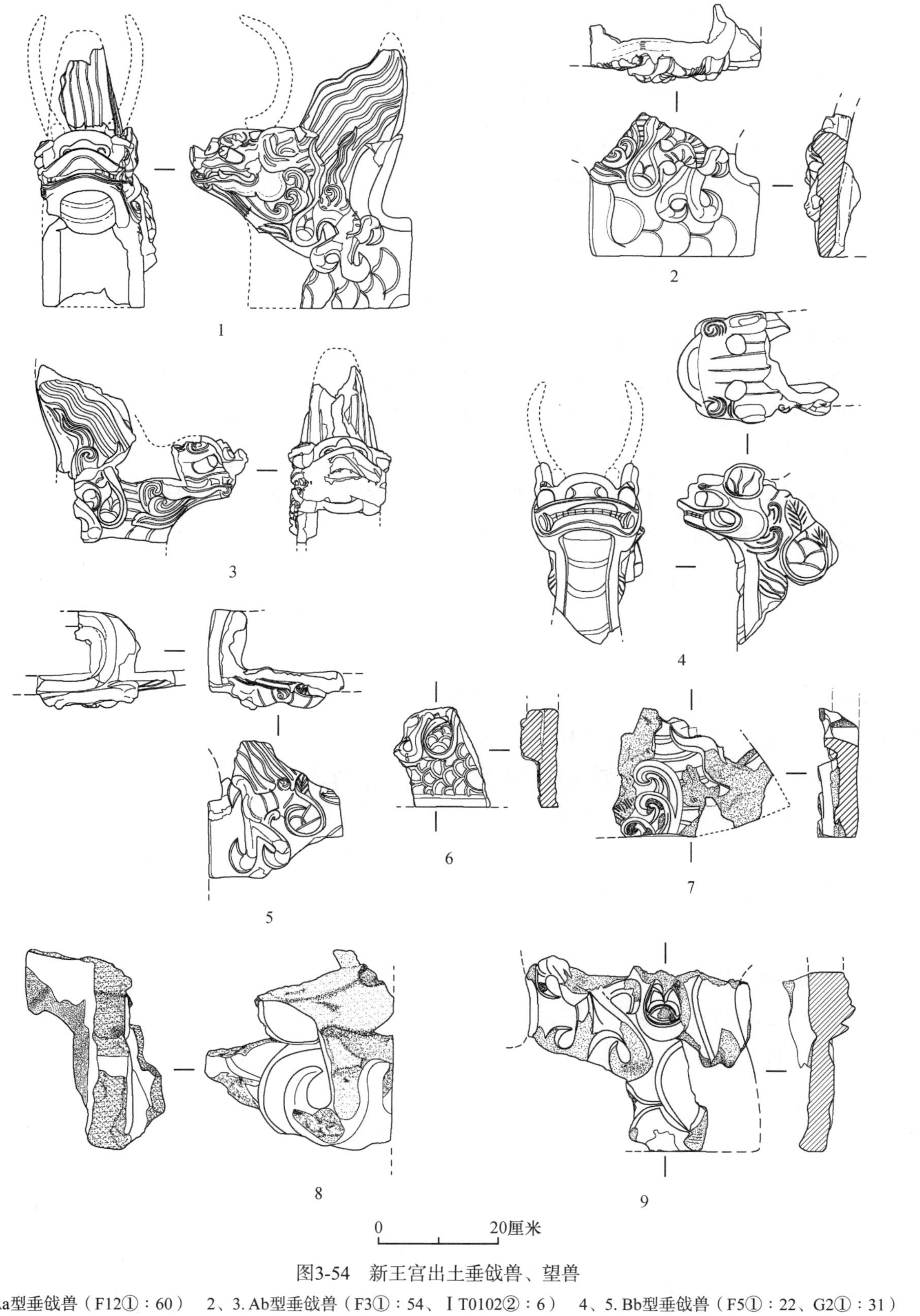

图3-54 新王宫出土垂戗兽、望兽

1. Aa型垂戗兽（F12①：60） 2、3. Ab型垂戗兽（F3①：54、ⅠT0102②：6） 4、5. Bb型垂戗兽（F5①：22、G2①：31）
6. Bc型垂戗兽（ⅠT0405①：1） 7、8. A型望兽（F3①：62、F3①：71） 9. B型望兽（F10①：22）

Bc型　12件。凸棱型。兽身两侧腿背之间有三至五条凸棱，自后颈与腿部延至兽尾。L2①：4，泥质灰白陶，表面呈青灰色。仅局部残损。大腿处较为粗壮，饰六片鳞片，兽爪略粗短。自后颈及腿部有五条凸棱延向尾部。残高51.4、长48.3、宽23.2厘米（图1-15-1；图版28-2）。ⅠT0405①：1，表面呈青灰色。小残块。残存雀台、腿爪局部。大腿外饰六片鳞片，火焰向上延伸，上部已残。雀台饰鳞片较小。残高16.9、长16.1、宽6.3厘米（图3-54-6）。

（十）铁钉

形状各异，反映用途不同。

圆锥状铁钉　4枚。F19②：31，2枚。锻打而成，局部锈蚀。截面圆形。一枚尖部微弧，一枚头部见有钳夹痕迹，尖部弯折。两枚长度均为7.6、钉身直径约0.5厘米（图3-55-9、10；图版211-5）。

牙签状铁钉　92枚。长条形，两端尖细。截面方形。应为拼接木料所用。F9②：47，长6.2、宽0.3、厚0.2厘米（图3-55-12；图版211-1）。F8①：269，一端呈四棱锥状渐细，一端扁平。长8.9、宽0.5、厚0.4厘米（图3-55-11；图版211-2）。

扁首扇形铁钉　3枚。钉首扁平呈扇形，钉身下部渐收成尖状。F9②：88，保存较好。长3.7、最宽2.1厘米（图3-55-7；图版211-3）。

扁首方形铁钉　1枚。ⅠT0103③：6，钉首扁平呈长方形，钉身下部呈四棱锥状。通长5.1厘米，钉首长2.1、宽1.6厘米（图3-55-6；图版211-4）。

普通铁钉　1359枚。此类铁钉数量最多，均为方形条状，尖端渐细，形如四棱锥状。钉首多扁平、弯折，或有钳夹痕迹。根据大小又可分为四类。特大者，1枚。F8①：121，微弯曲。长约17.5厘米（图3-55-14；图版212-3）。大型者，547枚。长约14厘米。K3②：1，2枚。两枚头部均扁平，一枚弯折。长分别为15、13.7厘米（图3-55-15、16；图版212-2）。F8①：18，钉首扁平弯折，钉身带有一方孔眼钱。长13.1、眼钱直径2.2厘米（图3-55-19；图版212-1）。中型者，287枚。长约10厘米。F8①：275，2枚。头部均扁平，一枚微曲，一枚弯折，局部锈蚀。长分别为10.8、9.3厘米（图3-55-17、18；图版213-1）。小型者，524枚。长约5厘米。F1①：25，2枚。两枚头部扁平，局部锈蚀，一枚头部弯曲。长分别为6.4、5.1厘米（图3-55-13；图版212-5）。

锔钉　2枚。整体呈U字形，两端尖细，器身扁平。L2①：95，局部锈蚀，已变形，两端分别向外、向内弯曲。宽6.5、厚0.3厘米（图3-55-8；图版212-4）。

大头钉　151枚。带钉帽作伞状，形似图钉，钉身呈四棱锥状。F8①：77，长3.2、钉帽直径1厘米（图3-55-1；图版213-6）。K2①：46，钉帽不甚规则，钉身弯曲。长3.3、钉帽直径约1.2厘米（图3-55-2；图版213-3）。ⅣT0305①：53，钉帽作三瓣花状，钉身细长。长5.1、钉帽直径1.2厘米（图3-55-3；图版213-2）。

泡钉　2枚。钉帽呈蘑菇状，钉身扁平，渐细。ⅣT0304①：19，锈蚀严重，钉身尖端残

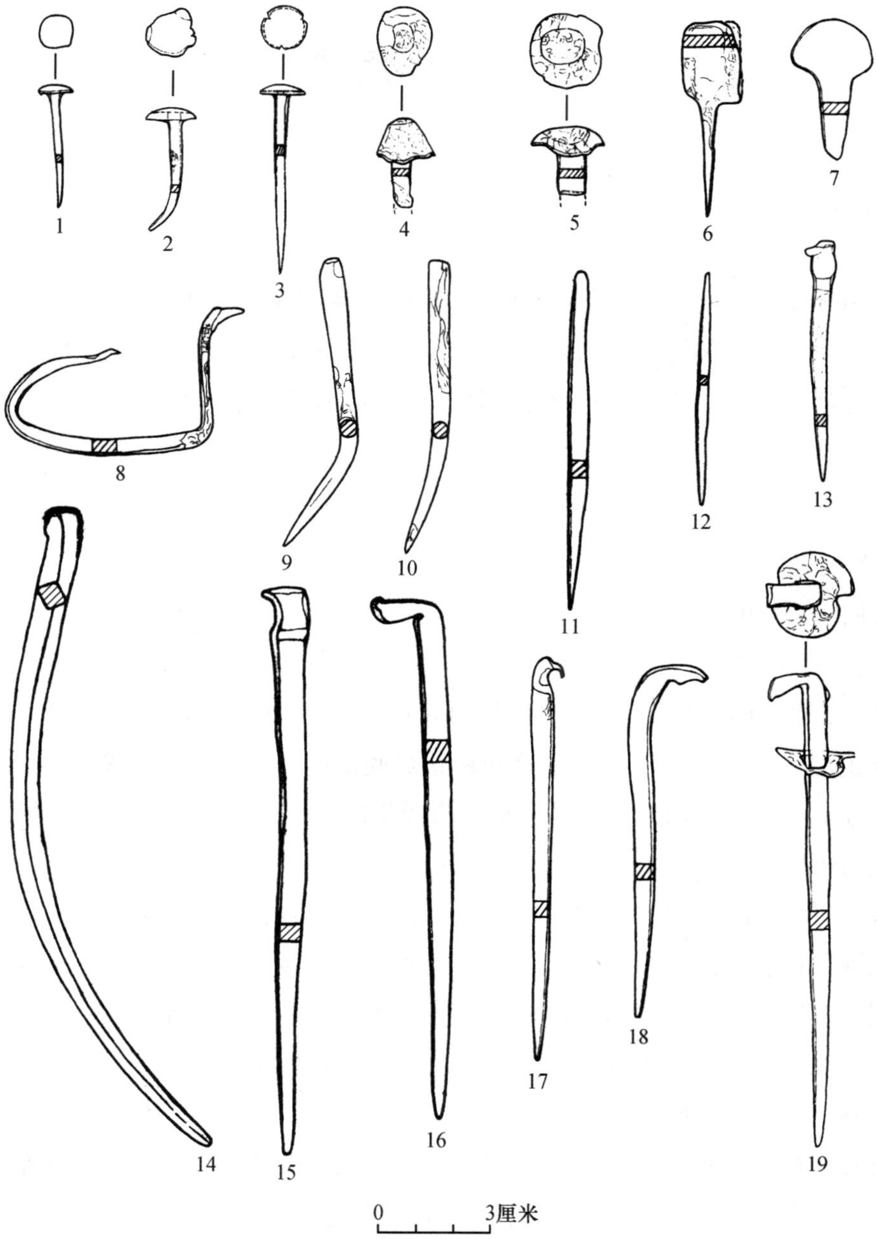

图3-55 新王宫出土铁钉

1～3. 大头钉（F8①：77、K2①：46、ⅣT0305①：53） 4、5. 泡钉（ⅣT0304①：19、ⅠT0105①：3） 6. 扁首方形铁钉（ⅠT0103③：6） 7. 扁首扇形铁钉（F9②：88） 8. 锔钉（L2①：95） 9、10. 圆锥状铁钉（F19②：31-1、F19②：31-2） 11、12. 牙签状铁钉（F8①：269、F9②：47） 13～19. 普通铁钉（F1①：25-1、F8①：121、K3②：1-1、K3②：1-2、F8①：275-1、F8①：275-2、F8①：18）

缺。长2.3、钉帽直径1.8厘米（图3-55-4；图版213-4）。ⅠT0105①：3，锈蚀严重。钉帽顶部近平，钉身弯折，尖端残缺。长1.8、钉帽直径2厘米（图3-55-5；图版213-5）。

其他 31件。为铁钉残件，残存局部，器形不可识，结合形制大小及残件数量推断可计件者31件。

二、日常用器

（一）瓷器

可计件者3000余件，可复原者400余件。根据瓷器的精细程度，可分为细瓷与粗瓷两大类，细瓷按色泽可分单色釉瓷（如白瓷、青瓷等）、青花瓷和彩瓷等三类。由于前文已进行较详尽的介绍（见第一章），这里仅介绍保存较好及较典型者。

1. 单色釉瓷器

（1）白瓷

可计105件，15件可修。

碗　38件，3件可修。

侈口小碗　2件。形制相同，修复完整。F8①：134，侈口微外卷，弧腹，矮圈足。内外壁均施釉，釉色白中带青，外壁见有细碎开片，足底涩胎。高5.1、口径9.4、足径4.4厘米（图3-56-2；图版33-1、2）。F8①：135，形制与前者相同，疑为一套。高5、口径9.4、足径4.2厘米（图3-56-3；图版33-3、4）。

敛口小碗　1件。ⅠT0103③：11，可复原。直口微内敛，弧腹，矮圈足，底微上凸。胎体轻薄，通体施釉，釉色光洁。高4.6、口径12.6、足径5.6厘米（图3-56-4；图版33-5、6）。

靶盏　残片2片，可计1件。ⅣT0204①，靶盏足壁残片。胎体较厚。外壁施白釉，内壁涩胎。F3①，靶盏底心残片。内外壁均施白釉，外壁见接高足痕迹。

盘　可计38件，7件可修。

瓜棱腹折腰花口盘　1件可修。ⅣT0101①：4，由4块残片拼合（分属不同单位），修复完整。菱花口，窄沿外折，瓜棱状腹，底心微下塌，圈足。胎质洁白，釉呈青白色。高3.4、口径19.7、足径10.5厘米（图3-56-7；图版31-1、2）。

撇口小盘　6件可修。形制相近，有腹部深浅、足底有无釉的变化，釉色亦微有不同。L2②：1，修复完整。腹壁内弧，内底心微下塌，浅圈足。釉色混浊泛灰，足、底涩胎。高2.2、口径12、足径6.4厘米（图3-56-5；图版31-3、4）。F9②：108，可复原。浅腹，底心微下塌，圈足。胎体轻薄，通体施釉，釉色白净，圈足粘有窑砂。高2、口径12.2、足径7.6厘米（图3-56-6；图版31-5、6）。F9②：109，形制与F9②：108相同（图版35-5）。

杯　可计13件，3件可修。

卧足杯　1件。F9②：102，修复完整。直口，弧腹较深，内底上凸，卧足。通体施釉。高3、口径5.4、足径2.4厘米（图3-56-1；图版32-1～3）。

鱼跃龙门纹杯　1件。ⅣT0503④：41，可复原。侈口，弧腹，圈足。口沿施酱黄釉，足

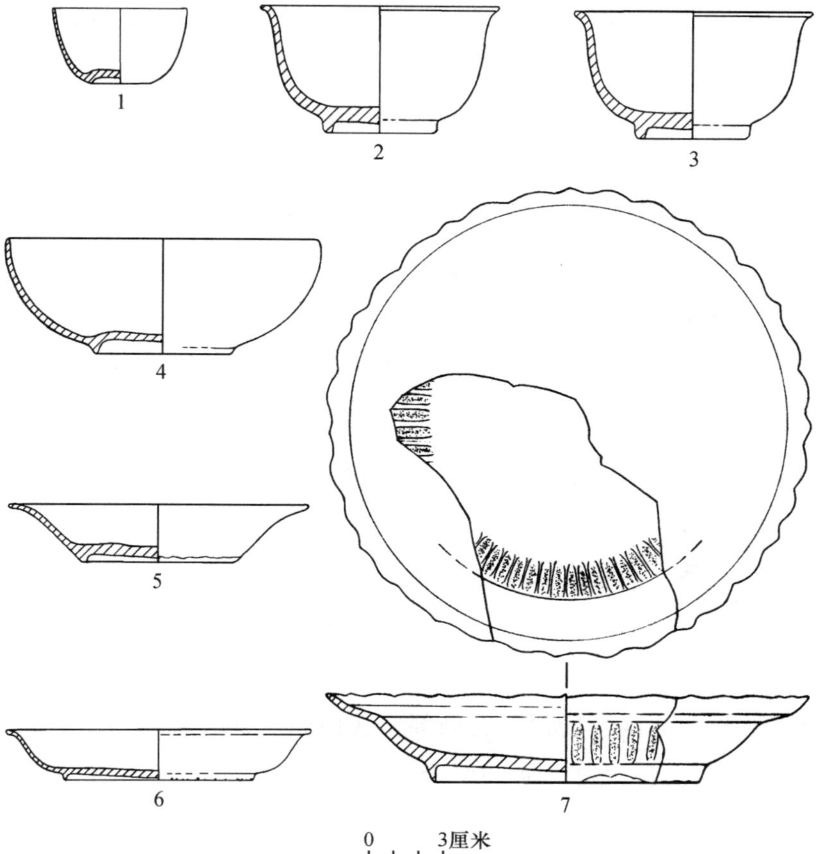

图3-56 新王宫出土白瓷器

1. 卧足杯（F9②：102） 2、3. 侈口小碗（F8①：134、F8①：135） 4. 敛口小碗（ⅠT0103③：11） 5、6. 撇口小盘（L2②：1、F9②：108） 7. 瓜棱腹折腰花口盘（ⅣT0101①：4）

沿涩胎。内底模印鱼跃龙门图，内壁印双龙戏珠纹。高4.7、口径9.6、足径3.6厘米（图版32-4～6）。

杯 1件。ⅣT0505②A：3，敞口近直，口沿外侧微凸，浅弧腹，圈足，内底心微下塌。口沿施酱黄釉，足沿涩胎。高3.6厘米。

炉 3件，2件可修。

弦纹筒形炉 2件。形制相同，大小微有别。F10①：54，基本修复完整。直口，沿略内折，筒形腹，三扁足。腹上饰数周凸弦纹，足上饰如意纹。通高约7.5、口径6.7厘米（图3-57-1；图版30-1、2）。ⅣT0102①：31，残存底、腹及口沿残片共5片，无法缀合。形制与前者同，器形略大（图版30-3）。

凤鸟纹鼎式炉 1件。F10①：3，修复完整。折沿，双附耳，长颈，球形腹，锥形三足。颈部模印八卦纹，上腹饰凤鸟纹（较抽象，应有二鸟相向的纹饰5组，中央以“Ⅰ”形纹区隔），足饰杂宝。通高13、口径8、腹径10厘米（图3-57-2；图版30-4、5）。

僧帽壶 1件。ⅣT0603④：12，残存口腹部。口部作僧帽状，束颈。部分残片可见二次火烧痕迹。残高约7厘米。

水盂　1件。ⅣT0305①：22，残存肩腹部。折肩，鼓腹。外壁施白釉不及底，内壁涩胎。残高2.5厘米（图版35-12、23）。

烟嘴　1件。ⅣT0605②：1，3片残片。外侧光洁莹润。内侧涩胎，局部见有细小气孔。通长3.8厘米。

鼻烟瓶　9片4件。均不可复原。C5②：2，残存口沿。喇叭口，细颈。内外壁均施白釉。残高1.8厘米。F19①，残存底部，矮圈足。内外壁均施白釉，外壁施釉不及底。残高2.6、足径2.7厘米。

此外尚有器盖、罐、汤匙、瓷塑等遗物，残甚。

（2）影青瓷

色泽淡雅，白中透青。新王宫出土影青瓷共17片，可计5件，均为残片，器形有碗、钵、盘，残片上多有刻花，均残不可识。

碗　14片3件。均残甚。器物内壁多有刻划纹。

钵　1件。ⅣT0403①：11，残存口沿。敛口。外壁施青白釉，内壁涩胎。口沿下饰三周凹弦纹。长5.2、宽2.4、厚0.5厘米（图版36-8）。

盘　1件。ⅠT0103②：14，残存盘底局部。灰白胎。外底釉色白、内底青。内底饰刻划纹，残甚，不辨何纹。残长4、宽2、厚0.3厘米（图版36-3）。

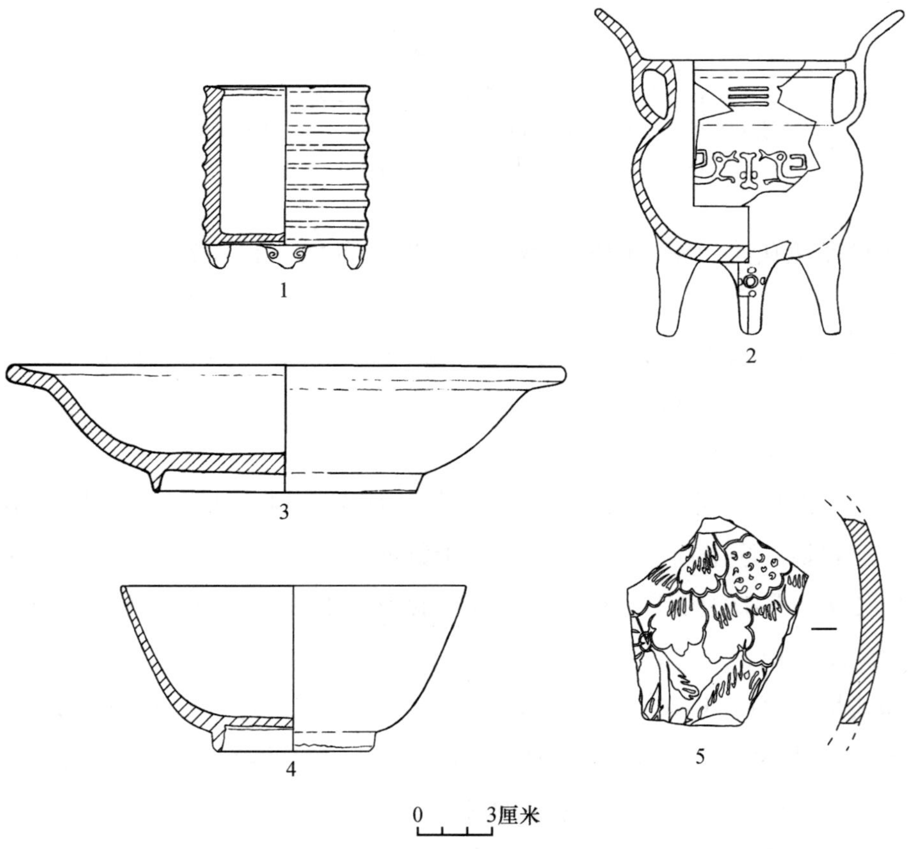

图3-57　新王宫出土单色釉瓷器

1. 白瓷弦纹筒形炉（F10①：54）　2. 白瓷凤鸟纹鼎式炉（F10①：3）　3. 青瓷折沿盘（G1②：48）　4. 蓝釉瓷碗（ⅣT0205①：5）　5. 绿釉瓷瓶（ⅣT0102①：32）

（3）青瓷

新王宫出土青瓷共43片，可计9件，仅1件可复原。器形有碗、盘、杯、炉（罐）、瓶。部分残片上有刻花，残甚不可识。

折沿盘　2件。G1②：48，由19块残片拼合，修复完整。宽折沿，弧腹，圈足。足沿露胎，呈火石红，余施青釉，微泛黄，有开片。高5、口径23、足径10.9厘米。为龙泉窑产品（图3-57-3；图版37）。ⅠT0105①：1，口沿残片。花口。施釉较厚，釉色莹润。口沿内壁刻划波浪状纹饰。长3、宽2.1、厚0.9厘米。

炉（罐）　1件。G1②：45，腹部残片。通体施青釉，釉色莹润青翠，有细小气泡。外腹饰一周凸弦纹，内壁旋胎痕迹明显。长7.25、宽5.95、厚0.5～1.1厘米（图版38-1）。

瓶　1件。出自G2①，口沿残片。撇口。施釉较厚，微泛白。长3.6、宽2.7、厚0.5厘米。

（4）哥釉瓷

根据釉下有无青花的变化，可分两组，哥釉瓷与哥釉青花瓷。

哥釉瓷　7件。器类有杯和瓶。

杯　6件，均为残片。胎体轻薄，釉层肥厚，开片细密，有层次感。口沿微外侈，外沿施一周酱釉；圈足沿涩胎，呈灰褐色；以追求“紫口铁足”的效果（图版39-1～10）。F9①：198，残存杯底及腹部。弧腹，圈足。残高 3.1、足径 3厘米（图版39-10）。

瓶　1件。F19①：61，颈部残存局部兽形耳，当为螭龙形耳。青灰胎，颇厚实，灰白色釉则较薄，内外均有冰裂纹，纵向部分纹理颇细长，纹路闪黑。整器残高约25、足径约16.5厘米（图版39-11～14）。

哥釉青花瓷　均为瓷碗残片，共计257片，可计12件。器形大致相同，皆窄折沿，弧腹，圈足。灰白釉，开片细密，足沿涩胎，多数略泛红。内底及外腹釉下以青料绘制牡丹纹，口沿内侧饰菱形锦纹（图版40）。ⅣT0304①：57，残存碗底及腹部。圈足。足沿涩胎，内外壁均施哥釉。内底心釉下以青料绘制折枝牡丹花纹，外腹平涂花叶纹。残高6、足径9.6厘米（图版40-7）。ⅣT0304①：59，残甚。内底及外壁纹饰已残不可识，应与前者同。残高7.5、足径7.6厘米（图版40-10）。

（5）孔雀绿釉瓷

新王宫出土孔雀绿釉瓷器碎片共36片，可计9件。多为灰白胎，胎体轻薄，可辨器形者有炉、器盖、盘、碟等。

鼎式炉　1件。F10①：5，残甚，残存口、腹、足等部分，共5片，不可连缀，但应属同一器。口沿外侧凸起，短束颈，双附耳与口沿相接，鼓腹，三锥形足。内壁涩胎，外壁釉色不均，或为烧造时窑变所致，孔雀绿釉与酱红釉相间，施孔雀绿釉不及底。颈部残见模印八卦纹，肩部模印卷曲状纹饰。残高约17、口径约9厘米（图版41-1）。

器盖　2件。ⅠT0101②：7，可基本复原。子母口。外壁施孔雀绿釉，内壁涩胎，灰白胎，略泛红。花边盖沿间饰卷云纹，内侧饰凸弦纹。高1.6、直径约6.7厘米（图版41-2）。ⅣT0404①：14，可修复。外形近碟状，折沿，圆唇，顶部近平，外壁棱角分明。外壁涩胎，内壁施孔雀绿釉。高1.3、直径6.9厘米。

碗　1件。仅2片口沿。侈口，方唇。内外壁均施孔雀绿釉。

盘　3件。均为残片，无可复原者。ⅣT0305①：43，仅存盘底及少量腹部。圈足，内底近平。内外壁均施孔雀绿釉，釉层局部脱落，足底心内釉呈绿色，圈足涩胎。内底中央草书“福”字；外壁有篦划痕，应为莲瓣腹。残高0.8、足径6厘米（图版41-3）。

碟　1件。ⅣT0506①：61，残存碟底，圈足。内外壁均施孔雀绿釉，外壁施釉不及底，圈足及外底心涩胎。足底心内模印一方框。残高0.6、足径5.9厘米。

罐　1件。残存腹部残片。外壁施孔雀绿釉，部分已脱落，内壁釉呈绿色。一残片（出自ⅣT0203④）外壁残见贴塑莲瓣纹及凸弦纹；另一残片（出自ⅣT0305①），贴塑纹饰不可识。

（6）蓝釉瓷

新王宫出土蓝釉瓷片共72片，可计13件，器类有碗、杯和笔架等。釉色多呈深蓝与霁蓝，少量泛绿。深蓝釉中多泛灰黑，间有麻点。霁蓝釉则釉质细腻，釉色青翠。所有碗及其残片均施深蓝釉，略显粗糙；施霁蓝釉的笔架和杯，更显精致。

碗　9件。均残，根据碗底残片判断至少分属9件个体，其中1件修复完整。形制相近，大小微异。均外壁施深蓝釉，内腹施透明釉，因胎体较粗糙，多呈灰白色，足沿涩胎，外底亦涩胎或施灰白釉。内底均留有明显涩圈，表明其烧造工艺亦相同，即不借助任何垫具，直接叠烧而成。ⅣT0205①：5，修复完整。敞口，弧腹，圈足。内底有涩圈，间遗有少量内叠碗壁的深蓝釉。高6.5、口径14.5、足径7厘米（图3-57-4；图版42-1）。

梅纹笔架　1件。ⅣT0103①：31，残存座及指状残片各1块。灰白胎，施霁蓝釉，釉质细腻，不及底。两面凸饰梅花，以白釉点缀。高约5、残宽3、厚1.2厘米（图版42-2）。

杯　3件。ⅠT0103②：15，仅存2块腹部残片，分别出自ⅠT0103②、ⅣT0305①两个不同单位。胎釉均较细腻，胎体白净，外腹施霁蓝釉，内腹罩透明釉（图版42-3）。ⅣT0203④：17，残存杯底。圈足。外壁施蓝釉，较为浑浊，泛绿。残高1.3厘米。ⅣT0404①：16，为杯耳残件，及ⅣT0405①、ⅣT0506②，共3片口腹残片，可能属同一器物。直口，圆唇。釉色微泛绿。

（7）绿釉瓷

新王宫出土绿釉瓷数量较少，残片仅8片，可计4件。

碟　1件。L2②：30，底部残片，圈足。内底施绿釉，足及外底均涩胎。外底饰一周凸弦纹；腹底残存凸棱痕，外腹应有莲瓣装饰。残高0.6厘米（图版43-4）。

瓶或罐　2件。ⅣT0102①：32，瓶腹部残片。胎体厚重，呈砖红色，内壁涩胎，外壁施绿色低温釉，凹处呈黑色。外壁于化妆土上剔刻牡丹花纹（图3-57-5；图版43-3）。ⅣT0706②：23，罐腹部残片。外壁二次火烧痕迹明显，釉层多有脱落，粘有灰尘及细砂。内壁施绿釉，釉面见细小开片。

器耳　1件。出自ⅣT0606④，残存两节，拼合而成。圆条形。通体施绿釉。

瓷塑　2片。实心圆条形，贴塑于器身。外壁通体施绿釉。也可能是素三彩海水鱼蟹纹笔筒器（ⅣT0305④：8）的局部残块。

器盖　1件。ⅣT0505①：7，仅存顶部残片，近平，贴塑乳钉。外壁通体施绿釉，内壁涩胎。

2. 青花瓷

囤上出土瓷器中，青花瓷是大宗，主要为景德镇产品。克拉克瓷与官样瓷器是青花瓷中的相对特殊者，将前者置于青花瓷下介绍（但与普通青花瓷区别开来），官样瓷器则单列一类讨论。

（1）青花瓷

碗　可计1113件，103件可修。形制、大小与纹饰均有所不同。根据口沿的不同，分为六型。

A型　172件，24件可修。直口碗。口部近直。根据腹及底部特征，分为二亚型。

Aa型　128件，13件可修。直口，浅腹，内底上拱，矮圈足。足沿涩胎。纹饰有所不同。

莲池水禽纹碗　57件，7件可修。F9①：242，可复原。足底有细小乳突。内底双圈弦纹内绘莲池水禽纹；内腹壁绘两组莲藻，每组三束；外壁饰草虫纹。高3.7、口径11、足径4.9厘米（图3-58-1；图版214-1、2）。F9①：137，修复完整。青花色泽艳丽，釉面火烧痕迹明显。纹饰同F9①：242。高3.5、口径11.5、足径5.1厘米（图3-58-2；图版44-5、6）。F8①：267，可复原。内腹壁绘缠枝莲纹，内胫部饰一周锦纹，外壁饰兰草纹。高4.1、口径11.8、足径5.6厘米（图3-58-3；图版214-3）。

莲托八宝纹碗　53件，4件可修。F9①：129，修复完整。内底绘折枝花托方胜，外围饰一周莲瓣纹；内腹壁绘其余七宝，多残佚；外壁绘草虫纹。高3.6、口径11.5、足径5.5厘米（图3-58-4；图版45-1、2）。

白描折枝菊纹碗　15件，2件可修。F9①：130，修复完整。内底双圈弦纹内绘白描折枝菊纹，内壁口沿处绘白描缠枝花卉纹，外壁绘白描兰草纹。高3.6、口径11.4、足径5.5厘米（图3-58-5；图版45-3、4）。

八卦纹碗　2件，均不可修。ⅠT0105①：81，无法修复。内底纹饰残甚，口沿处绘花鸟纹，外壁绘八卦纹及海水火焰纹。

Ab型　44件，11件可修。直口微内敛。腹壁较深，圈足。大小、纹饰各不相同。

乘云折桂纹碗　4件，2件可修。F9②：18，修复完整。圈足较高，内底微下塌。内底绘乘云折桂纹；外壁绘独占鳌头与魁星踢斗纹，间饰文字，结合残片，推测为“粲然星斗，焕然文章”与“玄极之精，太阴之像”两组文字；足底双圈弦纹内楷书“玉堂佳器”款。高6.1、口径11.5、足径4.7厘米（图3-59-1；图版46-1～3）。

缠枝花托梵文碗　1件。ⅣT0506①：14，修复完整。圈足较高，底心下塌。内底双圈弦纹内饰梵文“寿”字，外壁绘缠枝花托梵文“寿”字。高5.9、口径11.7、足径4.4厘米（图3-58-6；图版47-1、2）。

缠枝花卉纹碗　4件，1件可修。K4①：15，修复完整。内底绘缠枝花卉纹，外壁绘缠枝花卉纹，胫部勾绘连弧状纹饰。高5、口径10.3、足径约5厘米（图3-59-2；图版47-3、4）。

图3-58　新王宫出土A型青花碗

1～3. Aa型莲池水禽纹碗（F9①：242、F9①：137、F8①：267）　4. Aa型莲托八宝纹碗（F9①：129）　5. Aa型白描折枝菊纹碗（F9①：130）　6. Ab型缠枝花托梵文碗（ⅣT0506①：14）

月华纹碗　11件，2件可修。F19①：18，修复完整。深弧腹，高圈足，底心微下塌。内底双圈弦纹内绘蓝地白花月华纹，外壁口沿处饰一周半朵花卉纹，外胫部绘如意纹与变形莲瓣纹。高7.1、口径12.7、足径5.1厘米（图3-59-3；图版47-5、6）。ⅣT0603④：8，可复原。外壁口沿处所绘半朵花卉与前者不尽相同，胫部仅饰如意纹。高6.2、口径12、足径4.2厘米（图3-59-4；图版214-5、6）。

月华纹大碗　1件。F8③：21，可复原。器形较大，高圈足，内底下塌。胎体厚重，足底跳刀痕明显。内底双圈弦纹内绘蓝地白花月华纹，内腹壁绘折枝石榴纹，外壁为缠枝花卉纹，外胫部绘变形莲瓣纹。高8.7、口径约16.4、足径7.3厘米（图3-59-6；图版48-5、6）。

花草纹碗　1件。ⅣT0207①：7，修复完整。圈足较高且外撇。挖足过肩。内底绘兰草

图3-59 新王宫出土Ab型青花碗

1. 乘云折桂纹碗（F9②：18） 2. 缠枝花卉纹碗（K4①：15） 3、4. 月华纹碗（F19①：18、ⅣT0603④：8）
5. 鱼藻纹碗（F19②：43） 6. 月华纹大碗（F8③：21） 7. 花草纹碗（ⅣT0207①：7） 8. 缠枝银杏叶纹大碗（F3①：69）

纹，外壁饰花草纹。高6.7、口径11.4、足径5.2厘米（图3-59-7；图版49-1）。

缠枝银杏叶纹大碗　8件，1件可修。F3①：69，修复完整。器形较大，高圈足。内底双圈弦纹内莲池纹残存局部，外壁近口沿处绘一周回纹，外腹壁绘缠枝银杏叶纹，外胫部绘变形莲瓣纹，圈足外壁绘双圈弦纹。高9、口径16.8、足径7.4厘米（图3-59-8）。

鱼藻纹碗　1件。F19②：43，可复原。器形较小。足沿及足底涩胎。器内素白；外壁双圈弦纹下残见鱼藻纹，颇写意。高5.8、口径11、足径4.2厘米（图3-59-5；图版214-4）。

B型　189件，40件可修。侈口碗。根据腹部的不同，分为六亚型。

Ba型　8件，2件可修。器体硕大，侈口微敛，深腹，下腹弧收，圈足。足沿涩胎，足底心跳刀痕明显。纹饰各异。

高士纹大碗　1件。ⅡT0101①：3，修复完整。上腹近斜直，圈足较高。内壁口沿处绘重十字菱形锦地纹，内底双圈弦纹内绘高士纹，外壁绘庭院仕女纹。高9.6、口径19.4、足径7厘米（图3-60-1；图版50-1、2）。

鱼藻纹大碗　6件，1件可修。K4①：12，修复完整。圈足较矮。足沿及足底涩胎，底心有细小乳突。内底绘海水鱼纹，外壁绘鱼藻纹。高7.4、口径18.5、足径7.2厘米（图3-60-2；图版50-3、4）。

Bb型　7件，3件可修。侈口微敛，下腹微鼓、圆转，圈足。足沿涩胎。器形稍小，纹饰各异。

螭龙纹碗　1件。G20①：3，修复完整。上腹近直，下腹圆转。内底单圈弦纹内绘团螭纹；外壁绘二组螭龙纹，间饰折枝花卉纹。高6、口径12.2、足径4.6厘米（图3-60-3；图版52-1、2）。

高官厚禄纹碗　2件，1件可修。C4③：1，可复原。腹壁较深。内底单圈弦纹内绘高官厚禄纹，外壁绘母婴图，足底款不识。高6、口径12.2、足径4.4厘米（图3-60-4；图版52-3～5）。

寿字碗　3件，1件可修。F10①：94，可复原。腹壁较深。内底双圈弦纹内楷书“寿”字。高5.2、口径12.2、足径4.4厘米（图3-60-5；图版52-6）。

狮子结带绣球纹碗　1件。F9①：142，残甚，不可复原。内底纹饰残甚，不识；外壁绘狮子结带绣球纹。残高5.6、口径13厘米（图版215-1）。

Bc型　18件，5件可修。侈口，下腹弧收，圈足。足沿涩胎。大小各异，纹饰有别。

夔龙纹碗　14件，4件可修。F9①：2，修复完整。弧腹较深，内底下塌。内底双圈弦纹内饰海水宝珠纹，外壁饰两组夔龙赶珠纹，足底双圈弦纹内楷书“□□□德年□”六字双行款。高6.2、口径11、足径4.6厘米（图3-60-6；图版49-2～4）。

螭龙纹碗　1件。F9①：231，修复完整。弧腹较深，内底微下塌。内底单圈弦纹内绘团螭纹；外壁绘两组螭龙纹，间饰折枝花卉纹。高6.1、口径12.2、足径4.4厘米（图3-60-7；图版49-5、6）。

Bd型　71件，12件可修。侈口，下腹圆转，圈足。足沿涩胎。大小各异，纹饰不同，形制

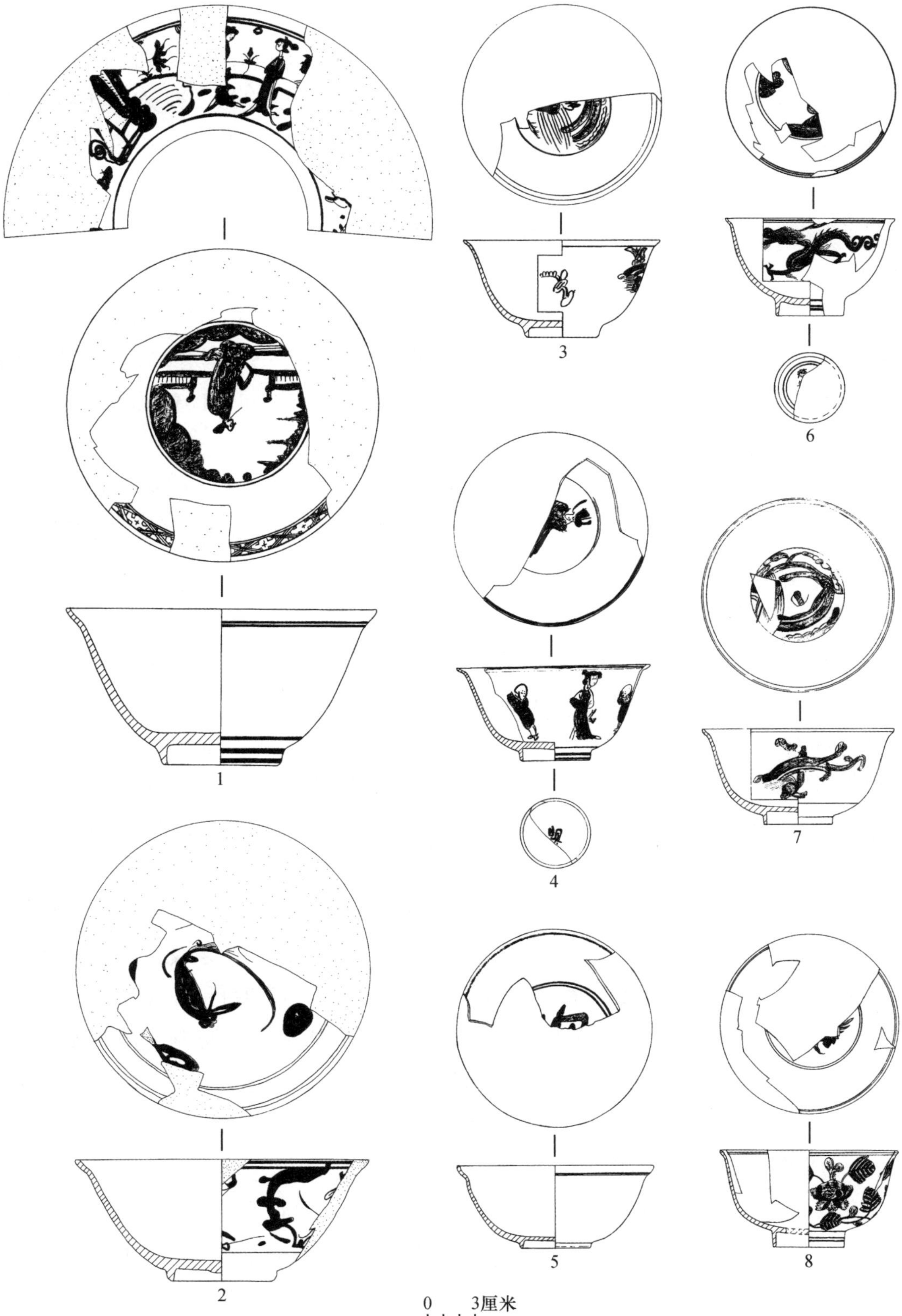

图3-60 新王宫出土B型青花碗

1. Ba型高士纹大碗（ⅡT0101①：3） 2. Ba型鱼藻纹大碗（K4①：12） 3. Bb型螭龙纹碗（G20①：3） 4. Bb型高官厚禄纹碗（C4③：1） 5. Bb型寿字碗（F10①：94） 6. Bc型夔龙纹碗（F9①：2） 7. Bc型螭龙纹碗（F9①：231） 8. Bd型花果纹碗（F9①：143）

略有区别。

花果纹碗　17件，5件可修。纹饰相近，大小有别。F9①：143，可复原。腹较深，内底下塌，残甚。内底残见果枝纹局部；外壁绘缠枝花卉纹；足底款识已残，残见双圈弦纹，原双圈内应书“大明宣德年制”六字款。高5.9、口径11、足径4.4厘米（图3-60-8；图版215-3、4）。F9①：55，修复完整。形制与纹饰与前者相同，器形稍小。足底双圈弦纹内书“宣德年制”款。高5、口径8.8、足径4.2厘米（图3-61-1；图版55-5、6）。F9②：69，形制、大小、纹饰、款识与F9①：143完全相同（图版55-4）。

螭龙纹碗　2件，均可修。ⅣT0106①：8，修复完整。腹壁较深，内底微下塌。足沿粘有窑砂。内底单圈弦纹内绘折枝花卉纹，外壁残见螭龙纹。高5.9、口径11、足径4.6厘米（图3-61-2；图版56-1、2）。ⅣT0106①：88，可复原。大小、纹饰同ⅣT0106①：8（图3-61-3；图版216-1、2）。

八仙贺寿纹碗　5件，1件可修。F9①：108，可复原。内底近平。内壁口沿处绘重十字菱形锦地纹，内底双圈弦纹内绘一寿星，外壁绘八仙，足底楷书“玉堂□□”四字双行款。高6、口径10.8、足径4.4厘米（图3-61-5；图版58-1）。

山水船帆纹碗　20件，2件可修。ⅣT0405①：15，修复完整。腹壁较深，内底下塌。内底双圈弦纹内及外壁均绘山水船帆纹，足底饰双圈弦纹。高5.8、口径11.4、足径4.4厘米（图3-61-4；图版58-2）。ⅣT0405④：2，修复完整。纹饰同ⅣT0405①：15。高6、口径11.5、足径4.8厘米（图3-62-1）。

缠枝牡丹纹碗　9件，1件可修。F9①：89，可复原。内底微下塌。内底双圈弦纹内绘缠枝菊纹，外壁绘缠枝牡丹纹，外胫部绘变形莲瓣纹，足底饰双圈弦纹。高5.9、口径10.5、足径4.2厘米（图3-61-6；图版56-5、6）。

狮子穿花纹碗　5件，均不可修。F9②：98，残甚，结合残片可知其形制。内底心微下塌。内底双圈弦纹内勾描留白连环如意纹，内侧填色，居中绘一方穿钱纹；外壁绘狮子穿花纹；外胫部绘变形莲瓣纹；足底双圈弦纹内书“玉堂佳器”四字双行款。残高5.6、足径5.2厘米（图3-61-7；图版216-3、4）。ⅣT0507①：40，结合残片可知其形制，器形较大，内底下塌。内底双圈弦纹内绘一菱形，边作齿状，内侧填色，其中饰四组如意纹勾描留白；外壁绘狮子穿花纹；外胫部饰变形莲瓣纹；足底双圈弦纹内楷书“大明宣德年制”六字双行款。残高5.1、足径6.3厘米（图3-61-8；图版215-5、6）。

缠枝花果纹碗　2件，1件可修。F19②：25，可复原。内底下塌。内壁口沿处绘缠枝花果纹，内底双圈弦纹内绘折枝菊纹，外壁绘缠枝花卉纹，足底双圈弦纹内书“大明宣德年制”六字双行款。高5.7、口径10.8、足径4.9厘米（图3-61-9；图版216-5、6）。

Be型　29件，7件可修。侈口微敛，浅弧腹，玉璧底。足沿及足底涩胎。器形相同，纹饰稍异。

兰草纹碗　16件，4件可修。ⅣT0506①：8，修复完整。底心微下塌。内壁口沿单圈弦纹下绘兰草纹，旁侧书一方款，款不识；外壁素面。高3.8、口径12.6、足径5.6厘米（图3-62-2；

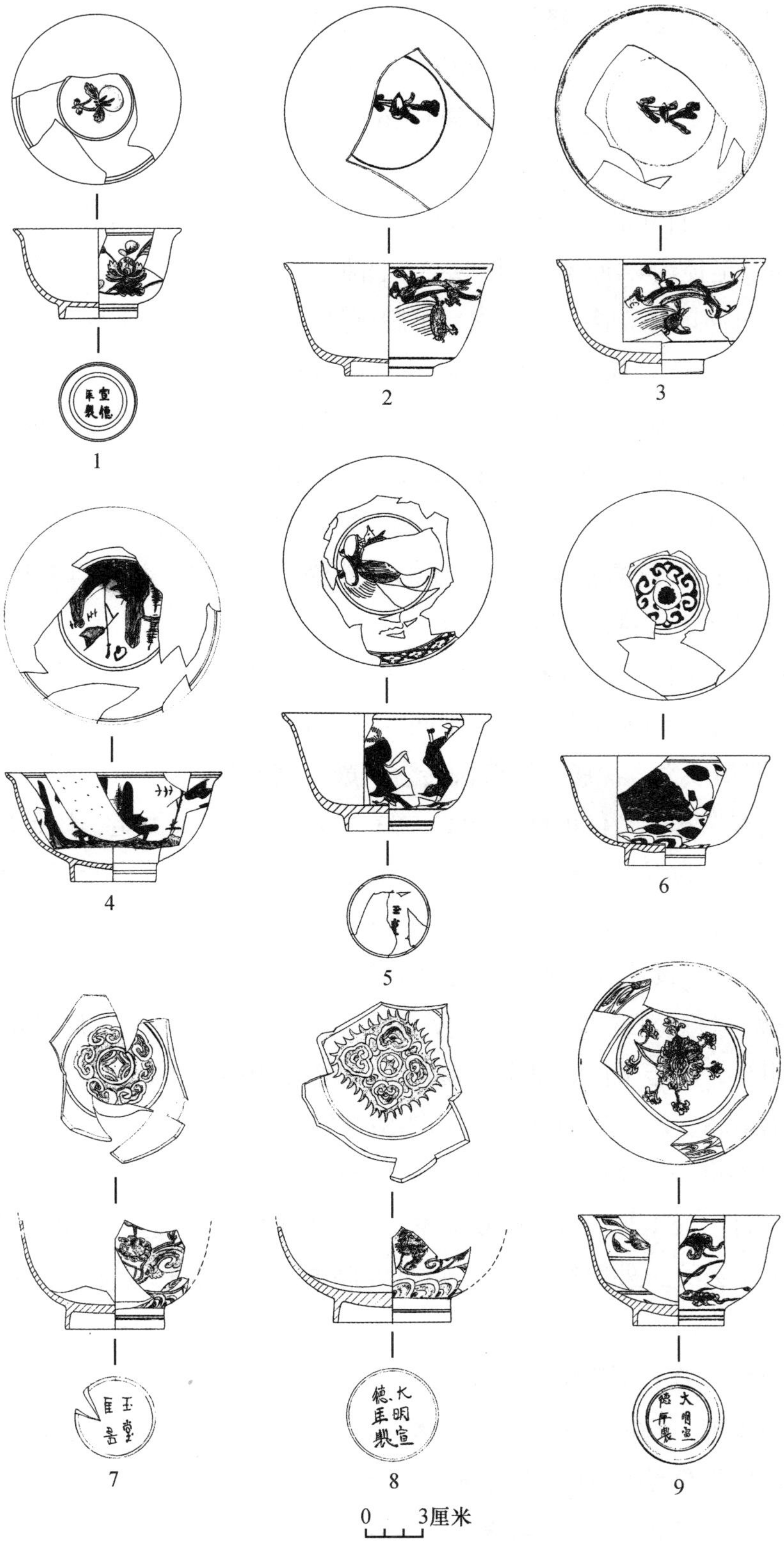

图3-61　新王宫出土Bd型青花碗

1. 花果纹碗（F9①：55）　2、3. 螭龙纹碗（ⅣT0106①：8、ⅣT0106①：88）　4.山水船帆纹碗（ⅣT0405①：15）
5. 八仙贺寿纹碗（F9①：108）　6. 缠枝牡丹纹碗（F9①：89）　7、8. 狮子穿花纹碗（F9②：98、ⅣT0507①：40）
9. 缠枝花果纹碗（F19②：25）

图版59-2～4）。ⅣT0506①：7，修复完整。与前者全同，款不存（图版59-5、6）。

莱菔纹碗　10件，2件可修。ⅣT0506①：9，修复完整。底心下塌。足沿粘有窑砂。器内饰莱菔纹，外壁素面。高3.9、口径12.6、足径5.2厘米（图3-62-5；图版60-1）。ⅣT0506①：10，与前者全同（图版60-2）。

葡萄纹碗　2件，1件可修。F8①：128，可复原。器形略小。器内绘制葡萄藤、叶、果纹。高3、口径9.5、足径约4.4厘米（图3-62-3；图版59-1）。

Bf型　56件，11件可修。侈口，浅腹，下腹圆转，圈足。足沿涩胎。

莲池水禽纹碗　51件，10件可修。F9①：84，修复完整。底心微下塌。足沿粘有细小窑砂。内壁口沿处绘一周莲池纹，内底双圈弦纹内绘莲池水禽纹，外壁绘草虫纹，足底饰双圈弦纹。高3.7、口径11.6、足径6.7厘米（图3-62-6；图版60-5、6）。

白描莲托八宝纹碗　2件，1件可修。F9①：241，可复原。底心下塌。内壁口沿处白描缠枝纹，间饰八宝纹；内底双圈弦纹内莲纹残缺；外壁白描云纹；足底饰双圈弦纹。高3.7、口径11.6、足径7厘米（图3-62-4；图版215-2）。

C型　154件，7件可修。撇口碗。口沿外展，无卷曲现象。纹饰各异，口沿有细微差别，圈足。足沿涩胎。根据形制大小及腹部的不同，分为五亚型。

Ca型　2件。器形硕大，深腹，下腹圆转、较鼓，高圈足。

八仙贺寿纹大碗　2件，1件可修。F9②：93，修复完整。高圈足，挖足过肩。内底残见栏杆、云气和人物等，应为寿星；外壁绘八仙贺寿纹；足底双圈弦纹内楷书“大明□德□□”六字双行款。高9.8、口径20.6、足径8.7厘米（图3-63-1；图版61）。

Cb型　1件。较大。腹较浅，弧腹近直，矮圈足。

山水人物纹碗　1件。G1①：31，修复完整。内底下塌。足沿及底部涩胎，足沿粘有窑砂，足底跳刀痕明显，底心下凸，部分被旋削。内底双圈弦纹内绘山水人物纹，外壁绘柳下观景图。高5.6、口径16.6、足径7.1厘米（图3-63-5；图版62-3）。

Cc型　9件，1件可修。小碗。上腹近直，下腹弧收。

卍字云纹碗　1件。G1①：37，修复完整。内底微塌，矮圈足。内壁口沿处绘重十字菱形锦地纹，内底绘卍字云纹，外壁绘缠枝花卉纹。高5.5、口径12.5、足径4.8厘米（图3-63-2；图版217-1、2）。

Cd型　4件，1件可修。下腹圆收、略鼓。

蓝地白花莲池纹碗　1件。L2①：54，修复完整。内底微下塌。足底可见跳刀痕。内底绘蓝地白花花卉纹，内腹壁绘蓝地白花莲池纹，外壁绘缠枝菊纹，足底残款不识。高5.8、口径11.2、足径5厘米（图3-63-3；图版62-1）。

Ce型　138件，3件可修。口部近直，沿微外撇，弧腹。大小、纹饰各不相同（均为清代遗物）。

缠枝花卉纹大碗　1件。F19①：2，修复完整。深腹，腹壁微鼓。口沿处施酱黄釉，足沿粘有窑砂，挖足过肩，足底心有细小乳突。内底绘折枝花卉纹，外壁绘缠枝花卉纹。高7.3、

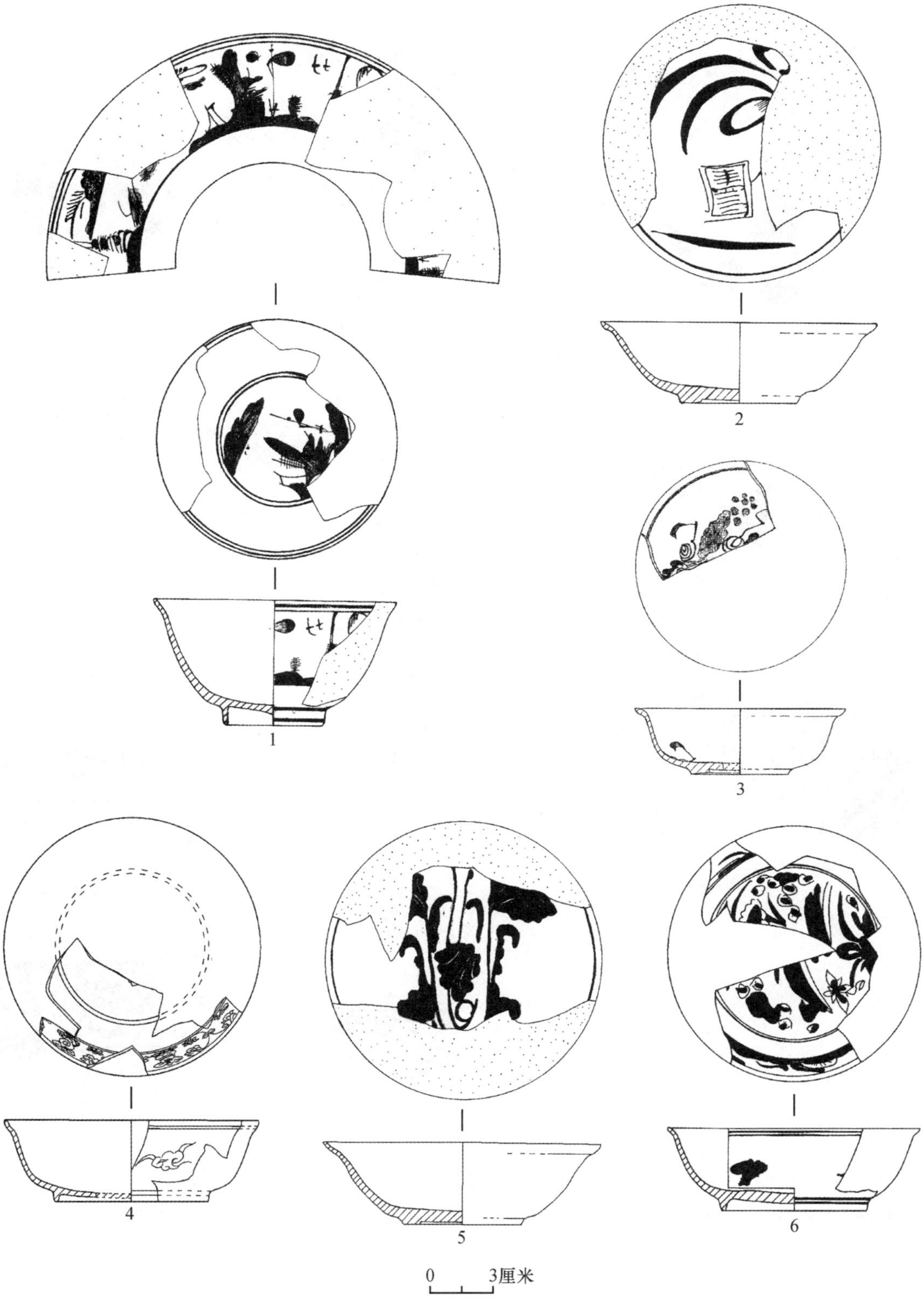

图3-62 新王宫出土B型青花碗

1. Bd型山水船帆纹碗（ⅣT0405④：2） 2. Be型兰草纹碗（ⅣT0506①：8） 3. Be型葡萄纹碗（F8①：128）
4. Bf型白描莲托八宝纹碗（F9①：241） 5. Be型莱菔纹碗（ⅣT0506①：9） 6. Bf型莲池水禽纹碗（F9①：84）

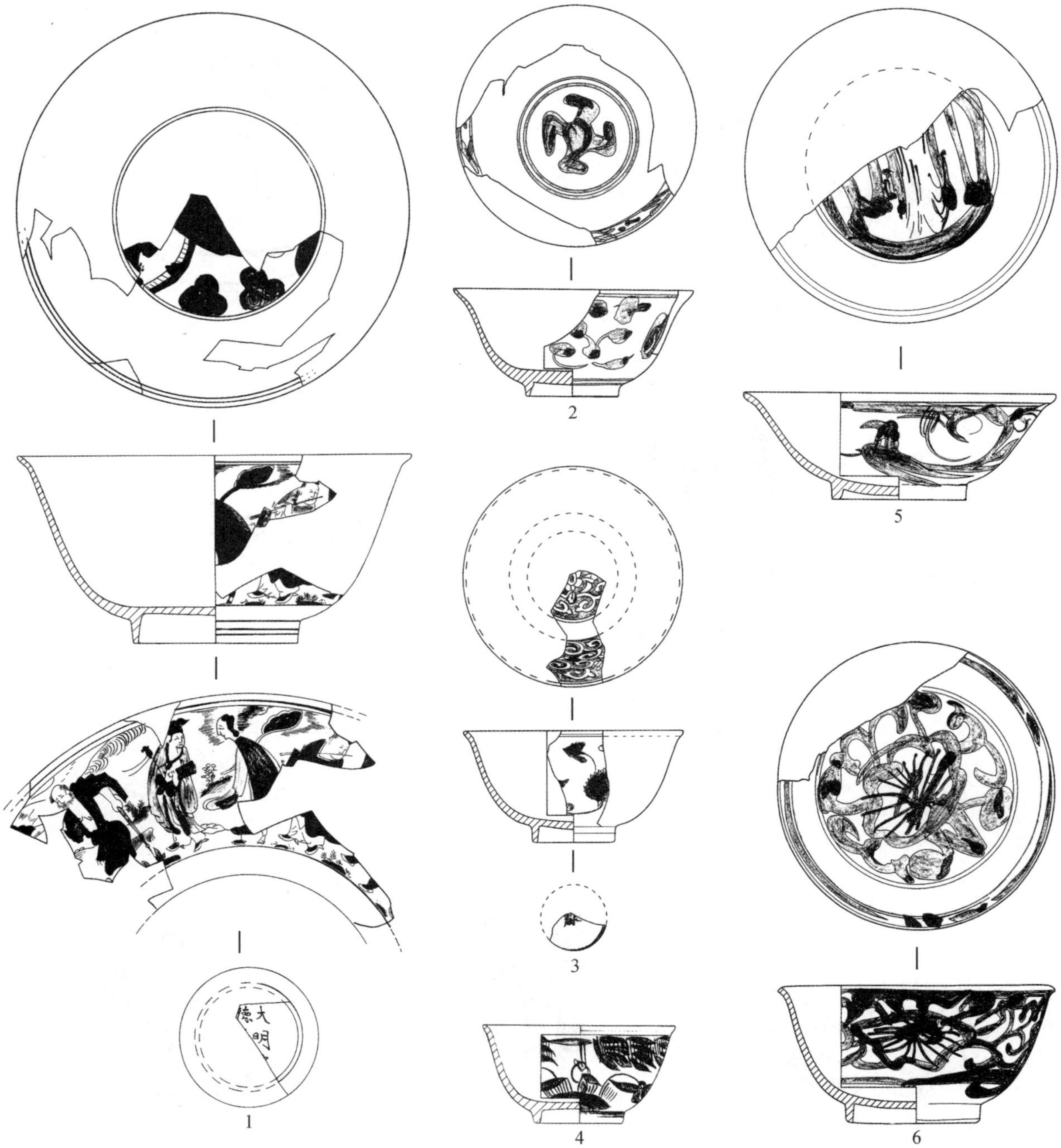

0　3厘米

图3-63　新王宫出土C型青花碗

1. Ca型八仙贺寿纹大碗（F9②：93）　2. Cc型卍字云纹碗（G1①：37）　3. Cd型蓝地白花莲池纹碗（L2①：54）　4. Ce型兰花纹碗（ⅣT0305①：20）　5.Cb型山水人物纹碗（G1①：31）　6. Ce型缠枝花卉大碗（F19①：2）

口径14.7、足径7厘米（图3-63-6；图版64-3、4）。

兰花纹碗　1件。ⅣT0305①：20，修复完整。器形较小。器内素白，内底刻“山友”二字，外壁绘兰花纹及其他花草纹。高4.9、口径9.8、足径4.5厘米（图3-63-4；图版64-5、6）。

缠枝菊纹碗　21件，1件可修。ⅣT0106①：125，可复原。圈足，挖足过肩。器内仅见口沿处及胫部饰双圈弦纹；外壁绘缠枝菊纹，菊纹已趋变形。高5.7、口径12.5、足径4.7厘米（图版217-3）。

D型　15件，6件可修。折沿碗。口沿略宽，圈足。足沿涩胎。根据腹部的不同，分为二亚型。

Da型　11件，4件可修。腹壁微鼓，下腹圆转，内底近平，圈足较高。纹饰不同。

狮子穿花纹碗　1件。ⅣT0506①：13，修复完整。挖足过肩。内壁口沿处饰一周锦纹，内腹壁饰双圈弦纹，内底绘变形如意纹，外壁绘狮子穿花纹，外胫部饰变形莲瓣纹。高5.9、口径11.6、足径5.2厘米（图3-64-3；图版65）。

莱菔纹碗　4件，2件可修。ⅣT0506①：11，修复完整。内底及外壁以没骨法绘莱菔纹。高5.8、口径11.8、足径4.8厘米（图3-64-2；图版66-1、2）。ⅣT0506①：12，修复完整。器形及内底纹饰与前者相同，外壁纹饰已残。高5.8、口径12、足径5.6厘米（图版66-3、4）。

草虫纹碗　1件。ⅣT0502①：1，可修复。足底微下凸。内底心绘折枝花卉纹；外壁绘草虫纹，残见山石花卉纹；足底行书“成化年造”四字款。高5.8、口径11.6、足径5厘米（图版217-4～6）。

Db型　4件，2件可修。腹壁近斜，弧收，矮圈足。

螭龙纹碗　2件。K4①：11，修复完整。腹壁较浅。内底绘变形螭龙纹；外壁绘两组螭龙纹，间饰花卉纹。高4.6、口径12.4、足径4.2厘米（图版67-1、2）。F8①：266，修复完整。仅足底有细小乳突，余与前者全同。高4.8、口径12.6、足径4.8厘米（图3-64-1）。

E型　157件，26件可修。敞口碗。腹壁微弧近斜直，整体呈喇叭状，圈足。足沿涩胎。根据腹部的不同，分为五亚型。

Ea型　21件，5件可修。大碗，深腹，腹壁微弧近直。

写意高士纹大碗　2件，均可修。ⅣT0106①：9，修复完整。足底心向下凸起。足沿粘有窑砂。内底绘高士纹；外壁纹饰或为鱼藻纹。高6.9、口径17、足径6厘米（图3-65-1；图版68-1、2）。ⅣT0106①：14，修复完整。与前者相同（图版68-3、4）。

葡萄纹大碗　18件，3件可修。F9①：90，可复原。内壁绘葡萄纹，内底绘葡萄叶纹，外壁绘缠枝葡萄藤蔓。高8.5、口径19.4、足径6.3厘米（图3-65-2；图版68-5、6）。F3①：41，残存底部，内底微上拱，高圈足。青花呈色偏灰黑。足底双圈弦纹内书“万福攸同”四字款。残高2.3、足径6.9厘米（图版218-1、2）。

Eb型　14件，2件可修。小碗，浅腹，腹壁微弧近直，底心下塌。

缠枝花卉纹碗　ⅣT0706②：24，可复原。内底绘团花纹，外壁绘缠枝花卉纹，外胫部绘变形莲瓣纹。高4.8、口径12.6、足径4.4厘米（图版218-3、4）。ⅣT0908①：25，残存局部，

图3-64　新王宫出土D型青花碗

1. Db型螭龙纹碗（F8①：266）　2. Da型莱菔纹碗（ⅣT0506①：11）　3. Da型狮子穿花纹碗（ⅣT0506①：13）

可复原。青花呈色偏灰黑。高4.4、口径12.6、足径4.8厘米（图3-65-3；图版218-5、6）。

Ec型　108件，16件可修。敞口微敛，腹壁较深、微弧，圈足。

寿字碗　96件，10件可修。F9①：122，较完整。内底微凸，矮圈足。足底缩釉明显。内底书“寿”字。高5.2、口径12、足径4.9厘米（图3-65-4；图版71-1、2）。F9①：131，修复完整。内底书“寿”字同前。高5.2、口径12、足径4.7厘米（图3-65-5；图版71-3、4）。F9①：139，修复完整。略小。足底跳刀痕明显。内底实笔书“寿”字，略草。高5.4、口径11、足径4.2厘米（图版71-5、6）。ⅣT0506②：14、G2②：3，两器均残，可复原。器形、纹饰同F9①：122（图版219-3、4）。G2②：3，内底双勾填色书“寿”字，腹壁近底处刻一“黄”字。

螭龙纹碗　2件，均可修。G12①：60，基本完整。内底微上拱，矮圈足。足底跳刀痕明

图3-65 新王宫出土E型青花碗

1. Ea型写意高士纹大碗（ⅣT0106①：9） 2. Ea型葡萄纹大碗（F9①：90） 3. Eb型缠枝花卉纹碗（ⅣT0908①：25） 4、5. Ec型寿字碗（F9①：122、F9①：131） 6. Ec型螭龙纹碗（G12①：60） 7. Ed型团螭纹碗（ⅣT0207①：3） 8. Ee型草书福禄寿字碗（ⅣT0404④：1）

显。内底绘折枝花卉纹；外壁绘两组螭龙纹，间饰折枝花卉纹。高5.4、口径12、足径5厘米（图3-65-6；图版72-1、2）。ⅣT0106①：89，可复原。器形、纹饰与前者同（图版219-5、6）。

缠枝花卉纹碗　2件，1件可修。C4①：5，可复原。底心下塌，矮圈足。底心有一乳突。内底双圈弦纹内绘折枝花卉纹，外壁绘缠枝花卉纹。

花草纹碗　2件，1件可修。ⅣT0706②：15，可复原。内底微拱，矮圈足。内底绘折枝花卉纹，外壁绘花草纹。高5、口径12.2、足径4.9厘米（图版73-3、4）。

白玉斋铭文碗　5件，2件可修。G2②：4，已复原。足沿及足底均涩胎。器内口沿处及腹部、外壁口沿处及胫部饰弦纹；内底所书铭文残甚，应为“白玉斋”。高5.3、口径12、足径4.8厘米（图版73-5）。ⅣT0503②：1，与前者相同。高5.3、口径约11.5、足径约4厘米。

Ed型　10件，2件可修。浅弧腹，矮圈足。

团螭纹碗　2件，均可修。ⅣT0207①：3，修复完整。内壁口沿处绘重十字菱形锦地纹，内底绘团螭纹，外壁素面。高4、口径12.4、足径5.4厘米（图3-65-7；图版220-5、6）。L2①：17，可复原。器形、纹饰同ⅣT0207①：3（图版220-3）。

青花折枝灵芝纹碗　6件，均不可修。ⅡT0101①：24，残存底部，内底上拱，圈足。足沿涩胎。内底双圈弦纹内绘折枝灵芝纹，灵芝绘网格纹装饰，上部及左右两侧饰以三至五片竹叶。残高1.7、足径5厘米（图版220-4）。

Ee型　5件，1件可修。腹壁较深，腹壁近斜直，圈足较矮。

青花草书福禄寿字碗　4件，1件可修。ⅣT0404④：1，可复原。内底近平。足沿及足底涩胎，足底心有一乳突，外围跳刀痕明显。内底草书“福”字，外腹壁残见一草书“禄”字。高5、口径13、足径6厘米（图3-65-8；图版219-1、2）。

F型　2件。花口碗。形制较大，均为残片，无可复原者。

海水奔马纹印花大碗　2件。F3①：139，残存口及底部残片。花口，口部微敛，深弧腹，高圈足。足沿涩胎，足底跳刀痕明显。内外壁近口沿处绘海水纹饰，内壁腹部模印萱草纹，内底双圈弦纹内绘海水奔马纹，外壁海水纹间绘海马及杂宝，胫部绘如意云头纹及变形莲瓣纹（图版220-1）。

靶盏　可计13件，1件可修。纹饰有花鸟纹、应龙纹、凤穿花纹、山水楼阁纹、月华纹等。

山水楼阁纹靶盏　2件。F9②：50，口腹残缺，下腹圆折，内底微下塌，外底心中部接柱状高足，中空，下部略呈喇叭形，圈足，近足端为平底，底心有一小圆孔。内底双圈弦纹内绘山水人物纹，外壁残见山水楼阁，足壁绘两组仰覆云纹，底部楷书“大明万历年制”六字双行款。残高8.1、足径4厘米（图3-66-2；图版75）。

月华纹靶盏　1件。ⅡT0101①：25，残存底心残片，下腹圆转，内底近平，外底高足已佚，底心呈乳钉状。外底涩胎，接足痕迹明显。内底双圈弦纹内绘月华纹；外壁纹饰已残，见有四道弦纹。

花鸟纹靶盏　2件。残存高足残件，分别出土于F9①与ⅣT0306①。足壁形制与F9②：50相似。内底绘花鸟纹；足壁上部绘蕉叶纹，下部绘仰覆云纹。

应龙纹靶盏　1件。F9①：243，口腹残片。撇口，弧腹。内壁仅见近口沿处饰双圈弦纹；外壁绘应龙、云气、海水、寿山纹等。

蕉叶纹靶盏　1件。出土于F9②，残存靶盏足壁。青花呈色灰黑，釉色较为浑浊，有缩釉现象，内壁见釉接痕迹，局部涩胎。仅见足壁局部饰有蕉叶纹。

凤穿花纹靶盏　5件，1件可修。F9①：17，可复原。撇口，腹壁较深，下腹圆转，内底近平，外底心中部接实心高足，略呈喇叭形，圈足。内底双圈弦纹内纹饰已残，外壁绘两组凤穿花纹，足壁绘两组折枝花卉纹，底部楷书“宣德□制”四字双行款。高8.3、口径9.1、足径3厘

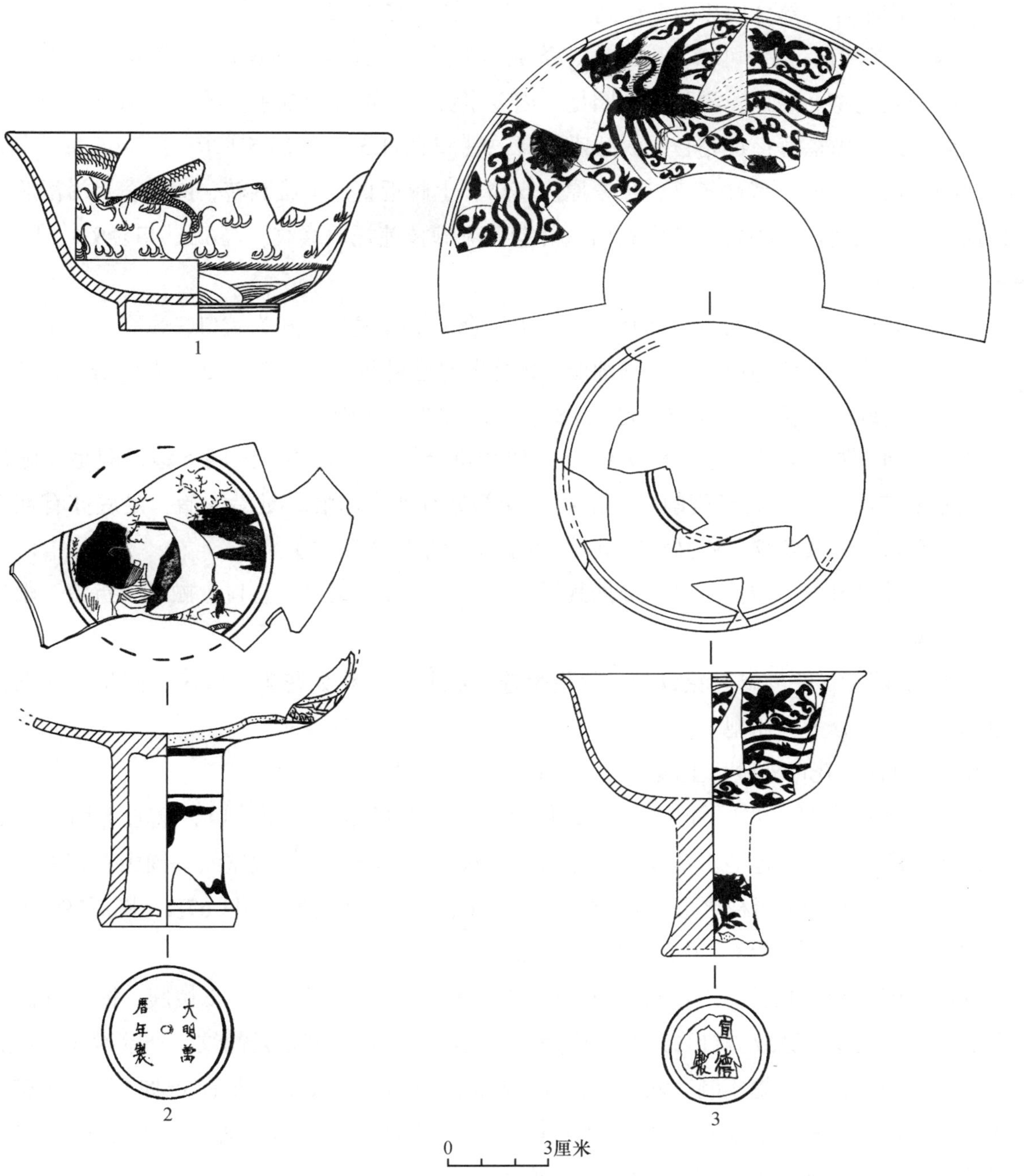

图3-66　新王宫出土青花茶碗、靶盏

1. 茶碗（ⅣT0106①：15）　2. 山水楼阁纹靶盏（F9②：50）　3. 凤穿花纹靶盏（F9①：17）

米（图3-66-3；图版76）。

灵芝纹靶盏　1件。G2②：38，残存柄足。足壁上下弦纹间以双勾填色绘三组灵芝纹，足底双圈弦纹内书“大明宣德年制”六字双行款。残高3.4、残足径2.9厘米（图版232-1、2）。

诸葛碗　可计3件。共有残片15片，其中带孔碗底2件，共用口沿的Y字形口沿残片4片（口沿纹饰有所不同）（图版77）。从残片特征推知应为诸葛碗。诸葛碗为内部中空、下底钻孔的碗状容器，即呈两碗相叠（上碗圜底无足）共用口沿，中为夹层之形，又称“暖碗”，具体用法不明。F8③：16，残底。高圈足。足沿涩胎。足墙饰单圈弦纹，外壁下底亦饰单圈弦纹，上部纹饰不详。部分残片内壁绘制庭院人物（图版77-1、2）。

茶碗　可计9件，2件可修。由茶盖、茶碗、茶托三部分组成。ⅣT0106①：15，盖、托已佚，茶碗修复完整。撇口，深弧腹，圈足。内壁素白；外壁以白描手法绘制龙凤纹，间饰火焰状纹；胫部绘寿山福海；足底心方款已残。高5.9、口径11.5、足径4.5厘米（图3-66-1；图版78-2）。ⅣT0305①：67，残缺较甚，可复原。直口，上腹近直，下腹圆转，圈足。足沿涩胎。青花色泽淡雅，釉色白中闪青。器内素白，外壁残见缠枝莲托双喜纹。高6.3、口径9.4、足径4.4厘米（图版220-2）。

碾钵　1件。F10①：4，残片8片，部分可拼合。结合残片可知为敛口，弧腹，饼足，足底微内凹。内外壁上部均施白釉，下部涩胎。内底刻划法螺纹；内胫部刻划一周莲瓣纹；外壁双勾填色，绘制缠枝莲纹。高约9.5、足径5.8、足厚2厘米（图版78-1）。

钵　可计3件，均不可修。F19①：5，残片拼合，存底腹部，内底下塌，圈足。施透明釉，旋胎痕迹明显；内底经旋削有一涩圈，局部见有糠壳印痕；足沿涩胎，足底亦有糠壳印痕。外腹壁饰梵文及弦纹。残高5.7、足径9.5厘米（图版78-3、4）。

盘　可计516件，112件可修。根据其形制特征，可分为花口、直口、撇口、折沿、敞口盘和方盘六型。

A型　24件，8件可修。花口盘。口沿呈连弧状起伏，犹如花瓣，浅腹，圈足。根据口沿及腹部的不同，分为三亚型。

Aa型　1件。花口外敞，上腹斜直，下腹圆转。

莲池水禽纹大盘　1件。F9②：14，修复完整。器形硕大，菱花口，底心下塌。足沿涩胎。内底双圈弦纹内绘莲池水禽纹，残见莲池及水禽部分身体；内腹壁绘一周山石花鸟纹；外壁绘花鸟纹，鸟儿栖于折枝之上。高6.5、口径36.6、足径21.6厘米（图3-67-1；图版79-1）。

Ab型　13件，5件可修。花口微外撇，浅腹。

鹭莲纹印花盘　12件，5件可修。F9①：23，修复完整。菱花口，瓜棱腹，圈足外撇，底心微下塌。内底单圈弦纹内饰鹭莲纹，内壁于瓜棱腹上印花加刻划云鹤纹，外壁素面，足底双圈弦纹内楷书“大明宣德年制”六字双行款。高3.1、复原口径11.6、足径6.6厘米（图3-67-2；图版80）。F9①：88，已复原。形制同F9①：23。内底残见荷叶纹，外底款识已残。高3、复原口径11.5、足径6.6厘米（图3-67-3；图版79-2）。

Ac型　10件，2件可修。菱花口，上腹斜直，折腰，下腹圆转，圈足。

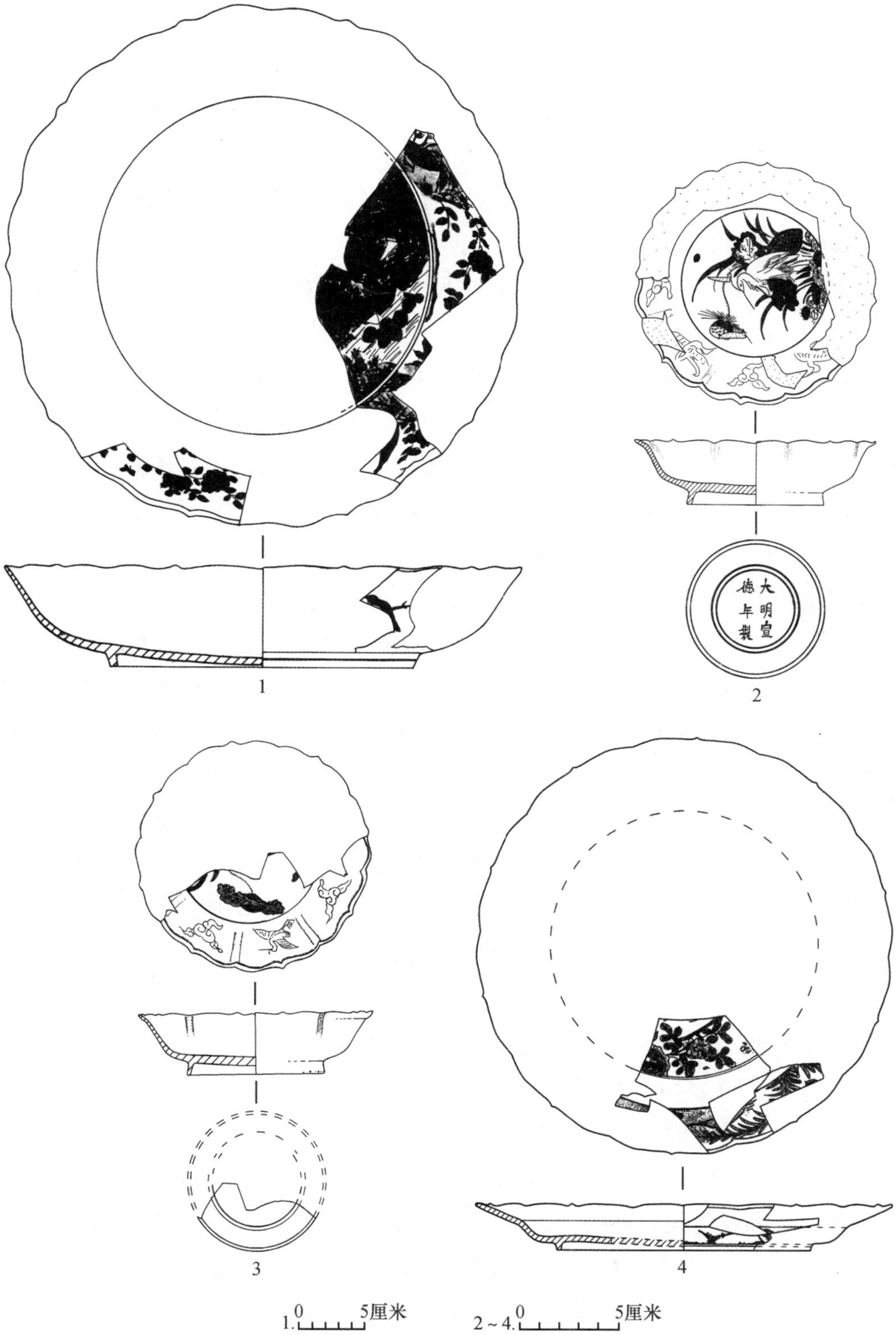

图3-67　新王宫出土A型青花盘

1. Aa型莲池水禽纹大盘（F9②：14）　2、3. Ab型鹭莲纹印花盘（F9①：23、F9①：88）

4. Ac型松鹿纹折腰盘（F8①：274）

松鹿纹折腰盘　5件。均残甚，结合残片，可知内底双圈弦纹内绘松鹿纹，内壁口沿处绘山石花卉及草虫纹。F8①：274，残缺较甚，可大致复原。内底心下塌明显。足沿涩胎。内底残见山石花卉及鹿脚部分，内壁口沿残见山石花卉纹。高2.3、口径21.1、足径12.8厘米（图3-67-4；图版81-1）。

B型　189件，72件可修。口部近直，浅弧腹，圈足。足沿涩胎。形制略有差异，纹饰、大小有别。按纹饰分述如下。

果枝栖鹊纹盘　3件，均可修。F9①：127，可复原。内底近平。足沿粘有窑砂。内壁口沿处绘重十字菱形锦地纹；内底绘果枝栖鹊纹；外壁口沿及胫部饰弦纹；足底心书一方款，不识。高2、口径10.2、足径6厘米（图3-68-1；图版82-5、6）。G17①：1，可复原。内底下塌。足底心书“万□攸□”四字双行款。高2.7、口径12.2、足径7.1厘米（图版82-3、4）。

螭龙纹盘　71件，22件可修。F9①：125，修复完整。底心下塌，矮圈足。内底残见团螭纹局部；内腹部绘两组行螭纹，间饰云纹；外壁素面；足底心楷书“□□□同”款。高2.5、口径11.6、足径7.2厘米（图3-68-2；图版83-5）。F9①：64，可复原。内底心刻划灵芝纹；内腹壁应绘三组行螭纹，残甚，可见两组；足底心书“隆庆年制”四字双行款。高3.1、口径14.5、足径9.1厘米（图3-68-4；图版83-1、2）。F9①：141，可复原，器形与F9①：64相同。内底心暗刻灵芝纹，内腹壁绘两组行螭纹，外壁素面。高2.5、口径11.4、足径7.2厘米（图版221-6）。F9②：23，可复原。内底单圈弦纹内绘团螭纹，内腹壁绘三组行螭纹，外壁素面，足底单圈弦纹内行书“大明年造”四字双行款。高3、口径12.6、足径7.1厘米（图版83-3、4）。F9②：35，可复原。器形稍大。足底心书方款，为“富贵佳器”四字。高3、口径14.6、足径8厘米（图3-68-5；图版221-1、2）。F9①：116，较小。内底单圈弦纹内绘团螭纹；腹壁绘两组行螭纹，间饰云纹；足底单圈弦纹内书“隆□年□”款（图版221-3、4）。F9①：30，可复原。内壁近口沿处饰重十字菱形锦地纹，内底单圈弦纹内绘螭龙纹。高2.3、口径11.3、足径7.2厘米（图3-68-3；图版83-6）。

双艳纹盘　31件，16件可修。盘内饰以菊和牡丹，花开斗艳。有大、小两种，形制相同，纹饰差异明显。F9①：6，修复完整。内底心微下塌。足沿粘有细小窑砂。内底绘菊和牡丹纹，内腹壁绘果枝及蜂蝶纹，外壁绘缠枝花卉纹，足底心行书“宣德年置”四字双行款。高2.4、口径10.5、足径6.3厘米（图3-68-6；图版85-1～3）。F9②：71，修复完整。内壁口沿处单圈弦纹下绘菊和牡丹纹，外壁绘云纹及杂宝，足底心楷书“宣德年置”四字双行款。高2.8、口径11.8、足径7.2厘米（图版84）。F9①：67，可复原。残存上半部分，纹饰相同。足底款存“□德□置”。高2.9、口径12.4、足径7厘米（图3-68-7）。

菊纹盘　3件，2件可修。F8③：14，残存局部，可复原。器底残缺较甚。足沿粘有窑砂。内底残见双圈弦纹内绘以菊纹，内外壁仅以单圈弦纹装饰（图版221-5）。

花卉纹盘　1件。ⅣT0609①：1，修复完整。内底绘牡丹纹；外壁绘缠枝花卉纹，足底心书“大明万历年制”六字双行款。高2.2、口径10.2、足径6.6厘米（图3-69-1；图版85-4～6）。

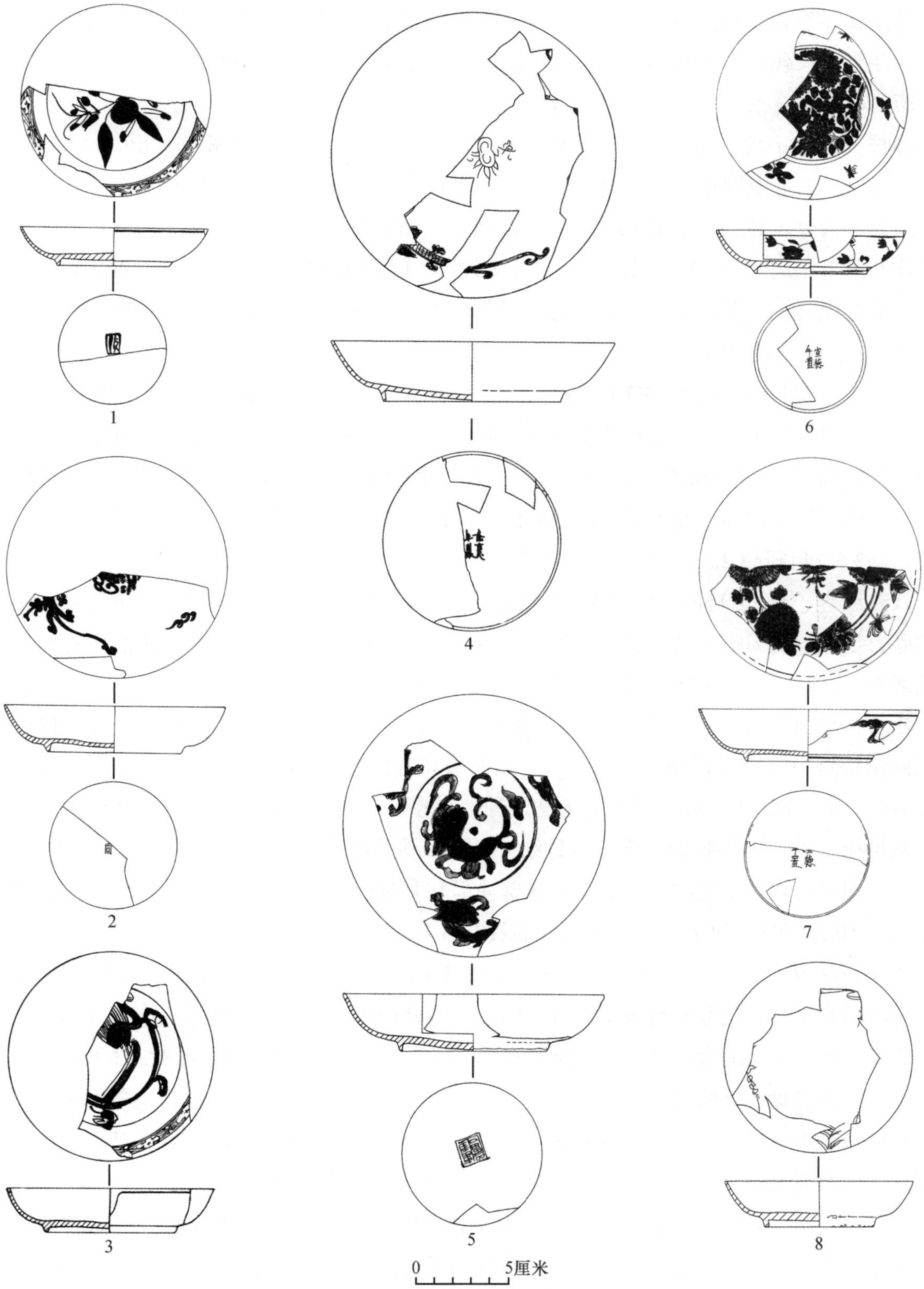

图3-68 新王宫出土B型青花盘

1. 果枝栖鹊纹盘（F9①：127） 2～5. 螭龙纹盘（F9①：125、F9①：30、F9①：64、F9②：35）
6、7. 双艳纹盘（F9①：6、F9①：67） 8. 松竹梅纹盘（F9①：134）

魁星踢斗纹盘　1件。ⅣT0106①：4，可复原。内壁口沿处饰重十字菱形锦地纹；内底绘魁星踢斗纹，仅残存人物头部；外壁仅口沿处及胫部饰单圈弦纹。高2、口径约14、足径7厘米（图版81-2）。

缠枝灵芝寿字盘　26件，10件可修。有大、小两种，形制及纹饰相同。F9①：132，修复完整。足沿、器底及腹壁局部粘有较粗窑砂。内底绘一“寿”字，内腹壁绘缠枝灵芝纹，外壁饰三组人字云纹。高2.8、口径13.8、足径8.2厘米（图版222-3、4）。F9①：47，可复原。形制及纹饰与前者相同。高2.7、口径13.8、足径8.2厘米（图3-69-2）。F3①：58，可复原。器形较大，足底心微外凸。足沿粘有窑砂，足底跳刀痕明显。器内纹饰与F9①：132相近，外壁残见草虫纹。高3.9、口径20.6、足径11.5厘米（图版222-5）。

寿字盘　3件，均可修。F3①：135，残存局部，可复原。足沿粘有窑砂，足底跳刀痕明显。内壁近口沿处饰重十字菱形锦地纹，内底双圈弦纹内残见“寿”字上部，外壁仅口沿处饰单圈弦纹。高2.7、口径14.5、足径9.5厘米（图版222-1）。ⅠT0101②：8，芒口，口沿外侧微凸，底心微下塌。口沿外侧流釉。内底双圈弦纹内实笔书绘“寿”字，内外壁口沿处均饰单圈弦纹。高2.6、口径13.2、足径8厘米（图版222-2）。

八卦纹盘　5件，1件可修。F9①：133，可复原。口沿外侧微凸。口沿外侧流釉，足沿粘有窑砂，足底有跳刀痕，胫部有缩釉现象。内底双圈弦纹内绘海水火焰纹，内腹壁饰八卦纹，外壁素面。高2.7、口径13.6、足径8.2厘米（图3-69-3；图版222-6）。

松竹梅纹盘　7件，5件可修。ⅣT0405①：24，残存局部，可复原。内底下塌。内底双圈弦纹内绘松竹梅纹，残存松纹上部；外壁绘缠枝花卉纹。高3.5、口径13.4、足径8.4厘米（图版223-1、2）。F29①：66，残片，无法复原。外壁胫部缩釉明显。内底双圈弦纹内绘松竹梅纹，残见松、梅；内外腹壁均饰折枝竹纹；足底双圈弦纹内款识已残，不可识。F9①：134，可复原。圈足内敛。足底涩胎，足沿与腹壁局部粘有窑砂。内腹壁用白描手法绘松竹梅纹。高2.5、口径10.2、足径6厘米（图3-68-8；图版223-3）。

凤穿花纹盘　3件，均为残片，不可复原。F9①：151，釉色浑浊，口沿处部分釉层已脱落，足沿粘有窑砂，足底心有细小乳钉。内壁口沿处饰重十字菱形锦地纹；内底双圈弦纹内绘凤穿花纹，画风较为随意；外壁绘缠枝花卉纹。残高1.3、足径6.2厘米（图版223-4）。

十字宝杵纹盘　5件，2件可修。L2④：21，可复原。内底下塌。内壁口沿单圈弦纹与胫部双圈弦纹间绘折枝牡丹纹；内底双圈弦纹内以变形十字宝杵分隔为四个区域，其间绘如意纹；外腹壁绘缠枝莲纹；外胫部饰变形莲瓣纹；外底近圈足处饰单圈弦纹；足底双圈弦纹内楷书“大明万□年制”六字双行款。高3.4、口径18.8、足径12.8厘米（图3-69-4；图版86-3、4）。F9①：22，可复原。底部残缺较甚，底心残片不可拼接。形制、大小及纹饰与前者相同，足底心青花双圈内楷书“大明万历年□”双行款（图版223-5、6）。

莲池鸳鸯纹盘　3件，2件可修。ⅣT0506①：15，修复完整。器形较大，内底微下塌。内壁近口沿处饰重十字菱形锦地纹，内底双圈弦纹内绘莲池鸳鸯纹，外壁仅口沿处饰弦纹。高4.3、口径18.8、足径11.4厘米（图3-69-5；图版224-2）。

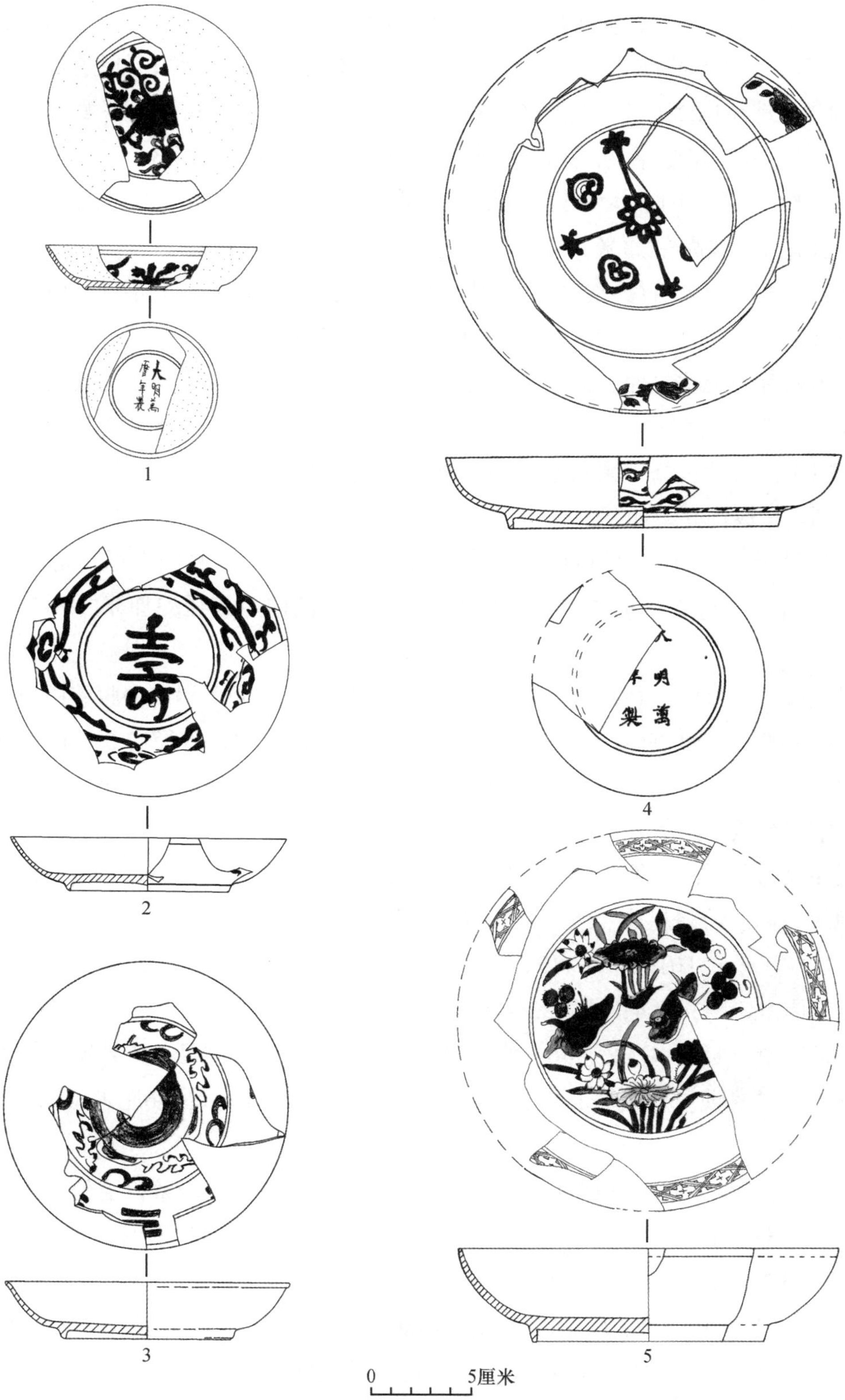

图3-69　新王宫出土B型青花盘

1. 花卉纹盘（ⅣT0609①：1）　2. 缠枝灵芝寿字盘（F9①：47）　3. 八卦纹盘（F9①：133）　4. 十字宝杵纹盘（L2④：21）　5. 莲池鸳鸯纹盘（ⅣT0506①：15）

梵文寿字大盘　7件，2件可修。ⅣT0305③A：5，器底残缺较甚，可修复。圈足较高。足底心涩胎。内腹壁饰梵文；内底绘团寿纹，淡描一周如意纹；外壁淡描杂宝纹。高4.6、口径24.2、足径14.2厘米（图版224-4）。ⅣT0303③A：5，残片，多无法拼接。形制与ⅣT0305③A：5相同。足墙厚重，足沿浑圆。内底绘一门寿（图版224-3）。

团兔纹大盘　1件。F10①：15，残存口腹部。器形硕大，口沿外侧微凸。内壁残见云鹤纹，外壁绘团兔纹。残高5.2厘米。

盘　ⅣT0304④：1，可修复，器底残缺较甚。足底及腹壁粘有较大窑砂。内外壁口沿处及胫部饰单圈弦纹。高2.7、口径12.6、足径7.9厘米（图版224-1）。

其他均为残片，无法复原，结合残片可知为B型盘。含明代青花凤穿花纹大盘、青花山水楼阁纹大盘，清代青花凤穿牡丹纹大盘、青花梵文寿字大盘、青花过枝龙纹大盘等。

C型　50件，21件可修。撇口盘。口沿外展，转角圆润，浅弧腹，圈足。足沿涩胎。纹饰、大小有别。按纹饰介绍如下。

树石栏杆纹盘　18件，7件可修。F9②：73，修复完整。内底微下塌。足沿粘有窑砂。内底绘树石栏杆纹，外壁绘缠枝莲托杂宝纹。高3、口径14、足径83厘米（图3-70-1；图版225）。

白描灵芝纹盘　11件，4件可修。F9①：126，可复原。底心下塌。内腹壁白描灵芝及卷草纹，内底白描卷草纹，外壁绘折枝花果纹，足底内款已残。高2、口径12.5、足径6.8厘米（图3-70-2；图版87-4～6）。F9②：76，口部残缺。大小、纹饰与前者相同。足底心楷书“大明宣德年制”六字双行款（图版87-1～3）。

魁星踢斗纹盘　4件，3件可修。ⅣT0106①：5，修复完整。底心下塌。内壁口沿处绘重十字菱形锦地纹，内底绘魁星踢斗纹，足底方款不识。高2.5、口径13.4、足径7.8厘米（图3-70-3；图版88-1、2）。ⅣT0106①：117，可复原。内底残存魁星足部，作踢斗状。高2.4、口径13.2、足径7.8厘米（图3-70-4；图版226-1）。

果枝栖鹊纹盘　1件。G1②：46，修复完整。底心下塌，矮圈足。内外壁口沿处均饰单圈弦纹，内底绘果枝栖鹊纹，足底心方款不识。高2.2、口径10.6、足径6厘米（图3-70-5；图版88-3、4）。

寿字盘　2件，均可修。ⅣT0405④：3，可复原。底心下塌。内壁口沿处绘重十字菱形锦地纹，内底绘“寿”字，外壁于口沿及胫部饰单圈弦纹，足底心方款不识。高2.5、口径12.8、足径7.8厘米（图3-70-8；图版226-2）。

螭龙纹盘　1件。F9①：29，修复完整。内底下塌，矮圈足。足沿粘有窑砂。内壁近口沿处饰重十字菱形锦地纹，内底绘团螭纹，外壁近口沿处饰单圈弦纹。高2.5、口径12.1、足径6.8厘米（图3-70-6；图版89-5、6）。

蟹纹盘　8件，2件可修。F29①：65，可复原。内底下塌。内壁近口沿处绘重十字菱形锦地纹；内胫部绘变形莲瓣纹，作齿状；内底双圈弦纹内绘海水蟹纹；外壁绘缠枝花卉纹；足底残见单圈弦纹。高2.5、口径13、足径7厘米（图3-70-7；图版226-3、4）。ⅣT0503④：39，残

图3-70　新王宫出土C型青花盘

1. 树石栏杆纹盘（F9②：73）　2. 白描灵芝纹盘（F9①：126）　3、4. 魁星踢斗纹盘（ⅣT0106①：5、ⅣT0106①：117）
5. 果枝栖鹊纹盘（G1②：46）　6. 螭龙纹盘（F9①：29）　7. 蟹纹盘（F29①：65）　8. 寿字盘（ⅣT0405④：3）
9. 山水船帆纹盘（F29天井①：1）

缺较甚，可复原。足底涩胎。内底单圈弦纹内绘蟹纹，见有窑斑；内外壁近口沿处饰单圈弦纹。高2、口径10.8、足径5.8厘米（图版226-5）。

山水船帆纹盘 1件。F29天井①：1，修复完整。内底心向上凸起，矮圈足。足底心有细小乳钉。内底绘山水、飞鸟和船帆，外壁素面。高2.2、口径11、足径6.5厘米（图3-70-9；图版89-3、4）。

D型 12件，3件可修。折沿盘。口沿外折，折沿处棱角分明，沿较宽。大小、纹饰有别。按纹饰介绍如下。

松竹梅盘字纹盘 2件，均可修。F9①：128，修复完整。浅腹微鼓，底心下塌，圈足。内壁近口沿处饰一周回形纹；内底绘松、竹、梅纹，松树弯折作盘字状；外壁素面。高2.7、口径11.5、足径6.3厘米（图3-71-2；图版90-1～3）。

缠枝灵芝纹盘 1件。F9②：148，残片，无法复原。残见内底局部，圈足。胎体轻薄，釉色莹润，青花色泽艳丽，足沿粘有窑砂。内壁近口沿处绘落花流水纹，内底绘缠枝灵芝纹，外壁素面。

菊石纹盘 1件。ⅣT0606④：9，残缺较甚，可复原。芒口，宽折沿，浅弧腹，圈足。足底可见跳刀痕。内底绘菊石纹，残见菊纹；外壁绘缠枝菊纹。高3、口径17.8、足径9.6厘米（图3-71-1；图版227-1、2）。

E型 66件，8件可修。敞口盘。浅腹、多近斜直，圈足。

白描缠枝莲纹盘 2件，均可修。ⅣT0506②：31，修复完整。腹壁近斜直，内底心微下塌。足沿涩胎。内腹壁绘缠枝莲纹，内底饰一莲花，外壁残见草虫纹，足底心方款不可识。高2.5、口径15.3、足径8.5厘米（图3-71-3；图版81-5、6）。ⅣT0304①：65，形制、纹饰与前者同。足底心残见方款内篆书“□清□光□制”（图版227-3、4）。

灵芝茶花纹盘 59件，5件可修。ⅣT0304①：66，可复原。腹壁微弧，矮圈足，挖足过肩。足沿涩胎。底心绘茶花纹，外围作一周菊瓣纹，外侧两层作多组扇形开光，其间绘灵芝、茶花纹；外壁绘茶花纹；足底饰花押款，为方形图记。高2.8、口径14.8、足径9.2厘米（图3-71-4；图版227-5、6）。

盘 1件。ⅣT0106①：121，残存局部，可复原。底部残甚。胎体较厚重，釉色浑浊泛灰，腹壁有缩釉现象。内外壁口沿处有弦纹装饰。高3.1、口径14.8、足径8.8厘米。

F型 4件，均不可修。方盘。窄折沿，浅腹，方形底足。足沿涩胎。均为残片，无可复原者。纹饰均为青花云龙纹。ⅣT0503④：35，共10片拼合，残存部分口沿及底足。口沿处饰卷曲状锦纹；内底纹饰残，不可识。高3.8厘米（图版226-6）。ⅣT0605①：3，底部残片，底微下塌。内底饰云龙纹，外底残存款识“□寿□疆”，当为“万寿无疆”四字。残高0.8、残长6.3、残宽3厘米。

碟 可计59件，10件可修。形制较小。根据形制的不同，分为撇口碟、直口碟和方碟三型。

A型 34件，8件可修。撇口碟。沿部外撇，浅弧腹，圈足。形制略有差异，按纹饰介绍

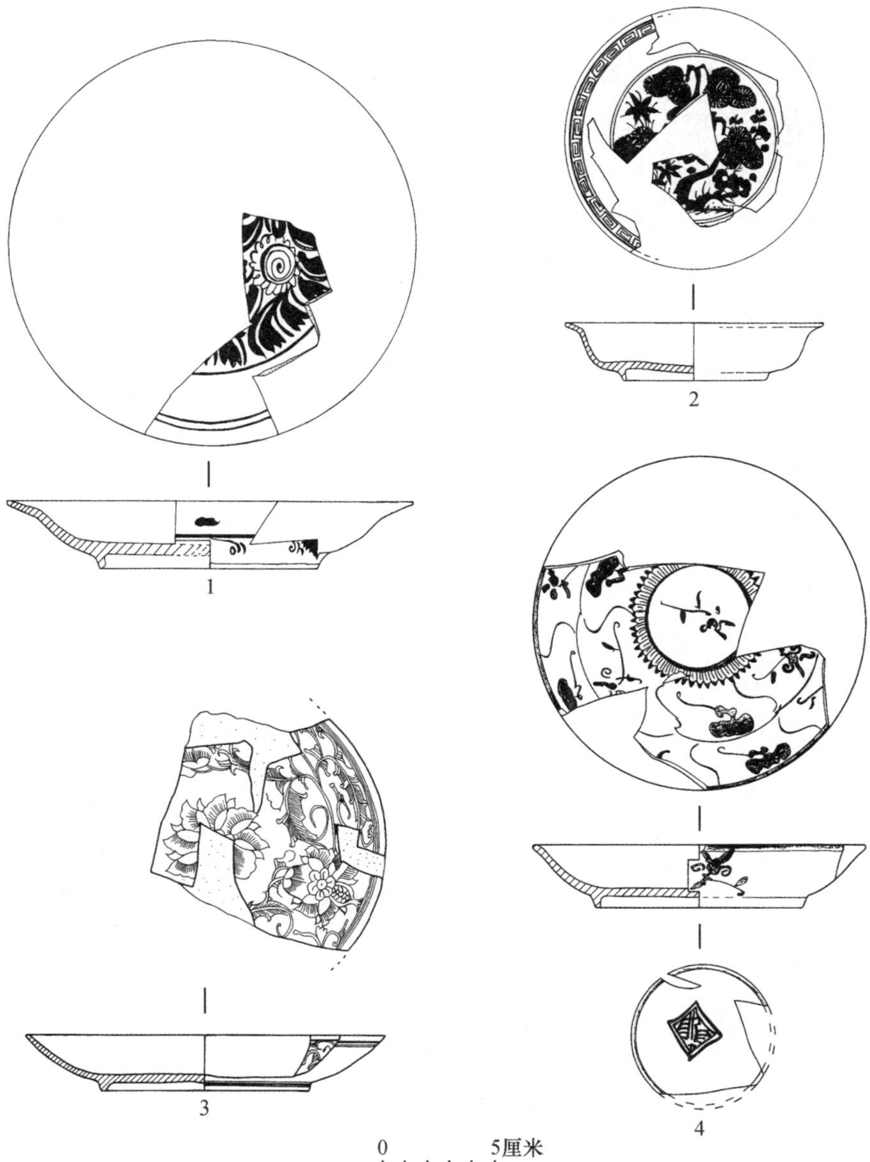

图3-71 新王宫出土D型、E型青花盘

1. D型菊石纹盘（ⅣT0606④：9） 2. D型松竹梅盘字纹盘（F9①：128） 3. E型白描缠枝莲纹盘（ⅣT0506②：31） 4. E型灵芝茶花纹盘（ⅣT0304①：66）

如下。

松竹梅纹碟 3件，2件可修。F9②：61，修复完整。弧腹下垂，底心下塌，矮圈足。足沿与足底涩胎，足底跳刀痕明显。内壁青花白描松、竹、梅纹，余均素面。高3.3、口径9.8、足径5.1厘米（图3-72-1；图版91-1、2）。

行螭纹碟 6件，3件可修。F9②：101，修复完整。内壁青花白描行螭纹，余与F9②：61相同（图3-72-2；图版228-1、2）。

灵芝茶花纹碟 23件，3件可修。ⅣT0304④：5，可复原。口部微外撇，圈足较高，挖足过肩。内底心绘一花卉纹，外侧两层作多组扇形开光，其间绘灵芝、茶花纹，并刻有弯曲状纹饰，形如桃心；外壁绘茶花纹；足底心书米字形花押款。高3.5、口径8.4、足径3.9厘米（图版91-3、4）。ⅣT0305①：50，可复原。形制与前者相同。纹饰略有差异。内底绘月华纹，足底双圈弦纹内绘花押款。高3.3、口径8.6、足径4.1厘米（图3-72-3；图版228-3、4）。

蝙蝠捧寿纹碟　2件，均不可修。ⅣT0304①：76，残片，无法复原。内腹壁绘变形螭龙纹；内底双圈弦纹内绘四蝠捧寿纹；外壁纹饰残；足底双圈弦纹内绘花押款，不识。残高2.5、足径4.8厘米（图版228-5、6）。

B型　2件，1件可修。口部近直，矮圈足。ⅠT0101①：53，可复原。口沿处施酱黄釉，足沿涩胎，粘有窑砂。内底及内外壁口沿处饰弦纹。高2.4、口径9.4、足径5.2厘米（图3-72-4）。

C型　22件，1件可修。方形碟。窄折沿，浅弧腹，方形底足。足沿涩胎。纹饰有山石花卉、花草、山水、松、仕女纹等。

花卉纹方碟　F2①：21，可大致复原。内壁口沿处饰一周卷曲状锦纹，内底绘山石花卉纹，外壁素面。高2.3、口宽9.9、足宽6.2厘米（图3-72-5；图版91-5、6）。

杯　可计275件，46件可修。这里所说的杯，是指除公道杯以外，与碗相较口径与足径均较小的容器。形制、纹饰与大小各异。根据口沿的变化，分为五型，口沿逐渐向外打开。

A型　123件，15件可修。直口杯。大小、纹饰及腹之深浅不同。按纹饰介绍如下。

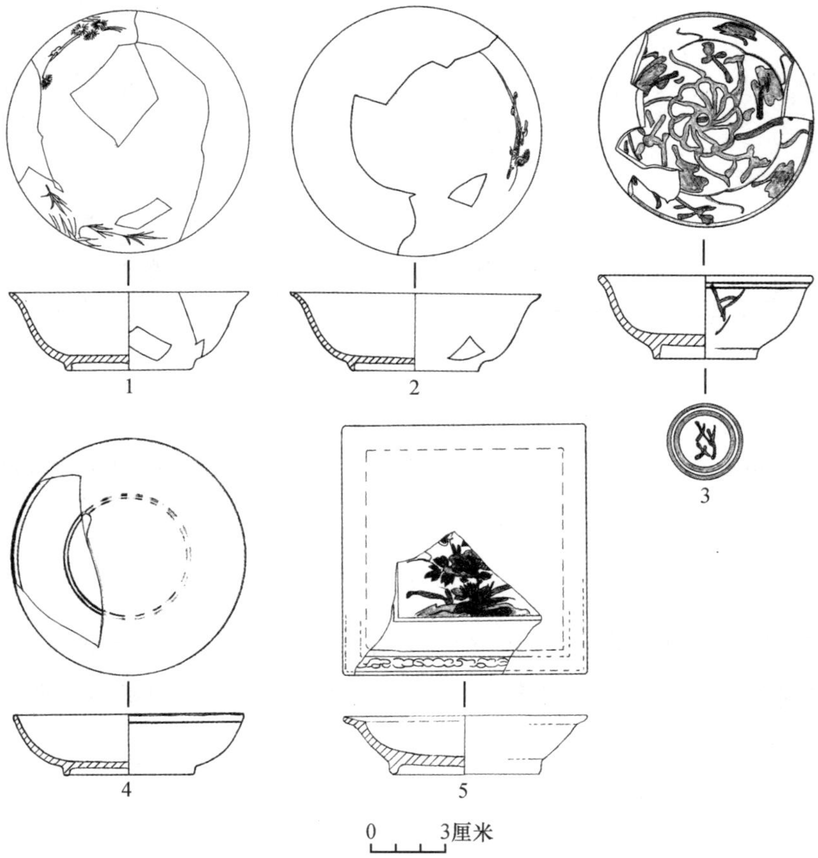

图3-72　新王宫出土青花碟

1. A型松竹梅纹碟（F9②：61）　2. A型行螭纹碟（F9②：101）　3. A型灵芝茶花纹碟（ⅣT0305①：50）
4. B型（ⅠT0101①：53）　5. C型（F2①：21）

团螭纹杯 6件，1件可修。F9②：43，修复完整。上腹近直，下腹圆转，圈足。内外壁口沿处及足墙上饰弦纹，内底绘折枝花卉纹，外壁饰四组团螭纹。高4.8、口径7.1、足径2.9厘米（图3-73-2；图版92-1、2）。

蟾蜍纹杯 10件，1件可修。ⅣT0605①：1，修复完整。斜弧腹，圈足。足沿涩胎。内外壁口沿处饰单圈弦纹；内底单圈弦纹内绘蟾蜍纹，应寓蟾宫折桂。高4.6、口径8.6、足径3.6厘米（图3-73-1；图版92-5、6）。

山水纹杯 3件，2件可修。F9②：56，修复完整。浅弧腹，内底上拱，矮圈足。足沿涩胎。内外壁口沿处饰双圈弦纹，内底及外壁均绘山水纹，足底铭“大明宣德年制”。高3.5、口径6.9、足径3厘米（图3-73-4；图版93-1～3）。

花卉纹杯 3件，1件可修。C9①：24，可复原。弧腹，圈足，挖足过肩。足沿及足底涩胎。内底纹饰残甚，外壁绘缠枝花卉纹。高3.5、口径6.6、足径4.4厘米（图版229-1、2）。

缠枝花卉纹杯 5件，1件可修。ⅣT0207①：2，可复原。上腹近直，下腹圆转，圈足。足沿及足底涩胎。器内素面，外壁绘缠枝花卉纹。高4.3、口径约5.5、足径2.3厘米（图版229-3）。

蓝地白花团花纹杯 2件，1件可修。F9②：107，可复原。上腹近直，下腹圆转，圈足较高。足沿及足底涩胎。内外腹壁均素面，内底绘蓝地白花团花纹，足墙外饰一周8字形锦纹。高5.4、口径8、足径3.5厘米（图3-73-3；图版93-6）。

兰草纹杯 1件。ⅣT0106①：3，可复原。上腹近直，下腹圆转，圈足。足沿及足底涩胎。器内素面，外壁残见兰草纹局部。高4.3、口径5.6、足径2.3厘米（图版229-4）。

灵芝茶花杯 46件，6件可修。ⅣT0101①：7，可复原。沿微侈，弧腹，宽圈足。足沿及足底涩胎。内底双圈弦纹内绘茶花纹；外壁绘两层多组开光，其内绘灵芝、茶花纹。高3.5、口径6.6、足径3厘米（图版229-5、6）。

B型 106件，19件可修。侈口杯。沿微外卷。大小与形制变化不大，只有下腹转角幅度大小的细微差别，纹饰有别。按纹饰介绍如下。

松鼠瓜果纹杯 5件，2件可修。F9②：34，修复完整。弧腹，下腹圆转，矮圈足。足沿涩胎。内外壁口沿处及足墙外绘双圈弦纹，内底饰折枝花卉纹，外壁绘松鼠瓜果纹，足底书“大明宣德年制”六字双行款。高3.6、口径6.6、足径2.8厘米（图3-74-2；图版94-1～3）。

莲池水禽纹杯 7件，5件可修。F9①：77，器底残甚，修复完整。外壁饰莲池水禽纹，余均与F9②：34相同，外底应书“大明宣德年制”六字双行款。高3.8、口径6.4、足径2.8厘米（图3-73-6；图版94-4～6）。

螭龙纹杯 21件，2件可修。上腹近直，下腹弧收或圆转，圈足。均于内底绘折枝花卉纹，外壁绘两组行螭纹。F9①：86，修复完整。下腹弧收，内底近平。足沿及足底涩胎。高4.4、口径6.4、足径2.3厘米（图3-74-3；图版230-1、2）。F8③：12，口沿残存局部，下腹圆转，内底心微下塌。足沿涩胎。足底心楷书一“寿”字款（图版231-1、2）。

兰草纹杯 8件，3件可修。上腹近直，下腹弧收或圆转，圈足。足沿与外底均涩胎。内底饰折枝花卉纹，外壁绘两组兰草纹。F3①：55，修复完整。器形清瘦，下腹弧转。内底单圈

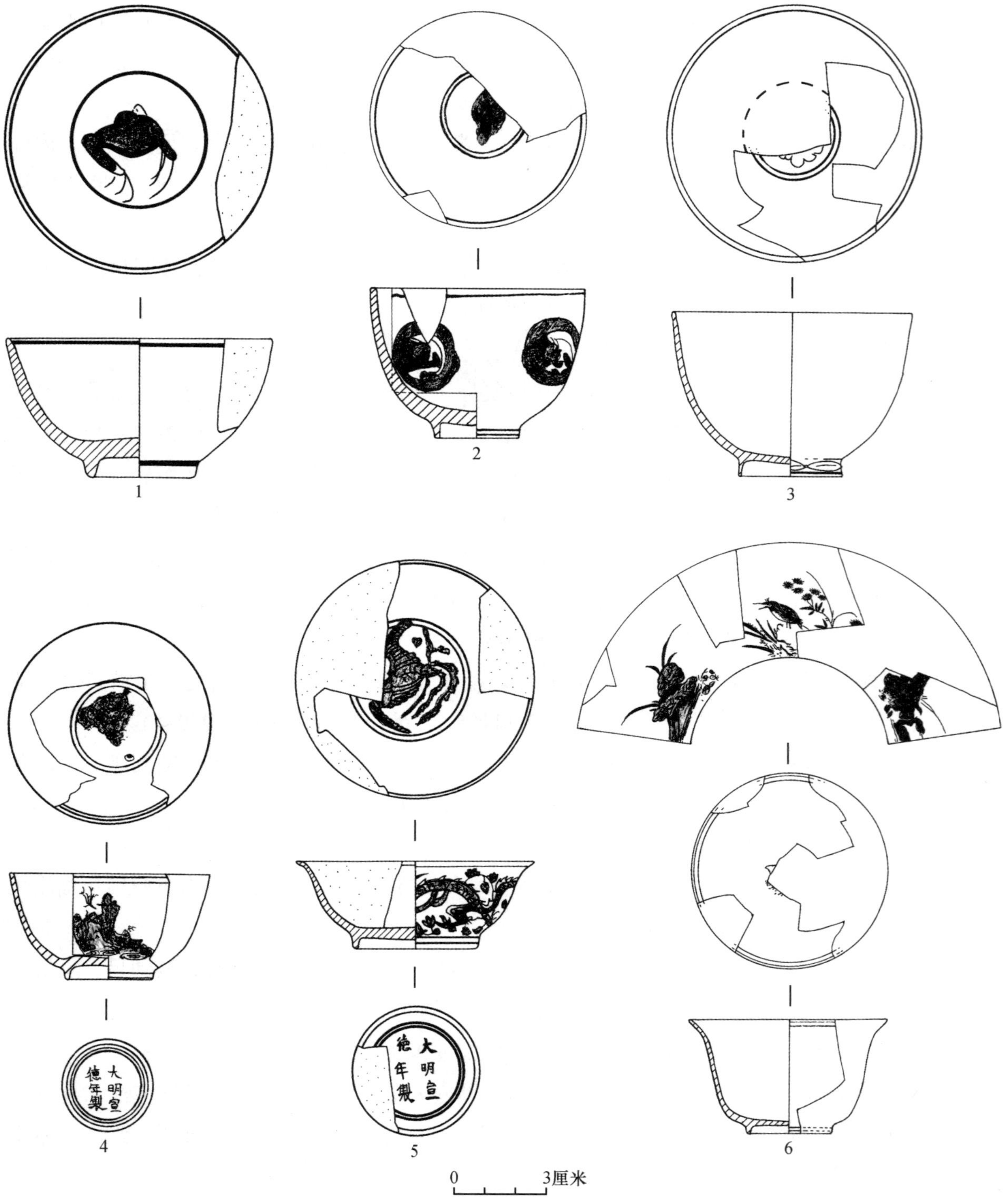

图3-73　新王宫出土A型、C型青花杯

1. A型蟾蜍纹杯（ⅣT0605①：1）　2. A型团螭纹杯（F9②：43）　3. A型蓝地白花团花纹杯（F9②：107）　4. A型山水纹杯（F9②：56）　5. C型凤纹杯（F9①：66）　6. B型莲池水禽纹杯（F9①：77）

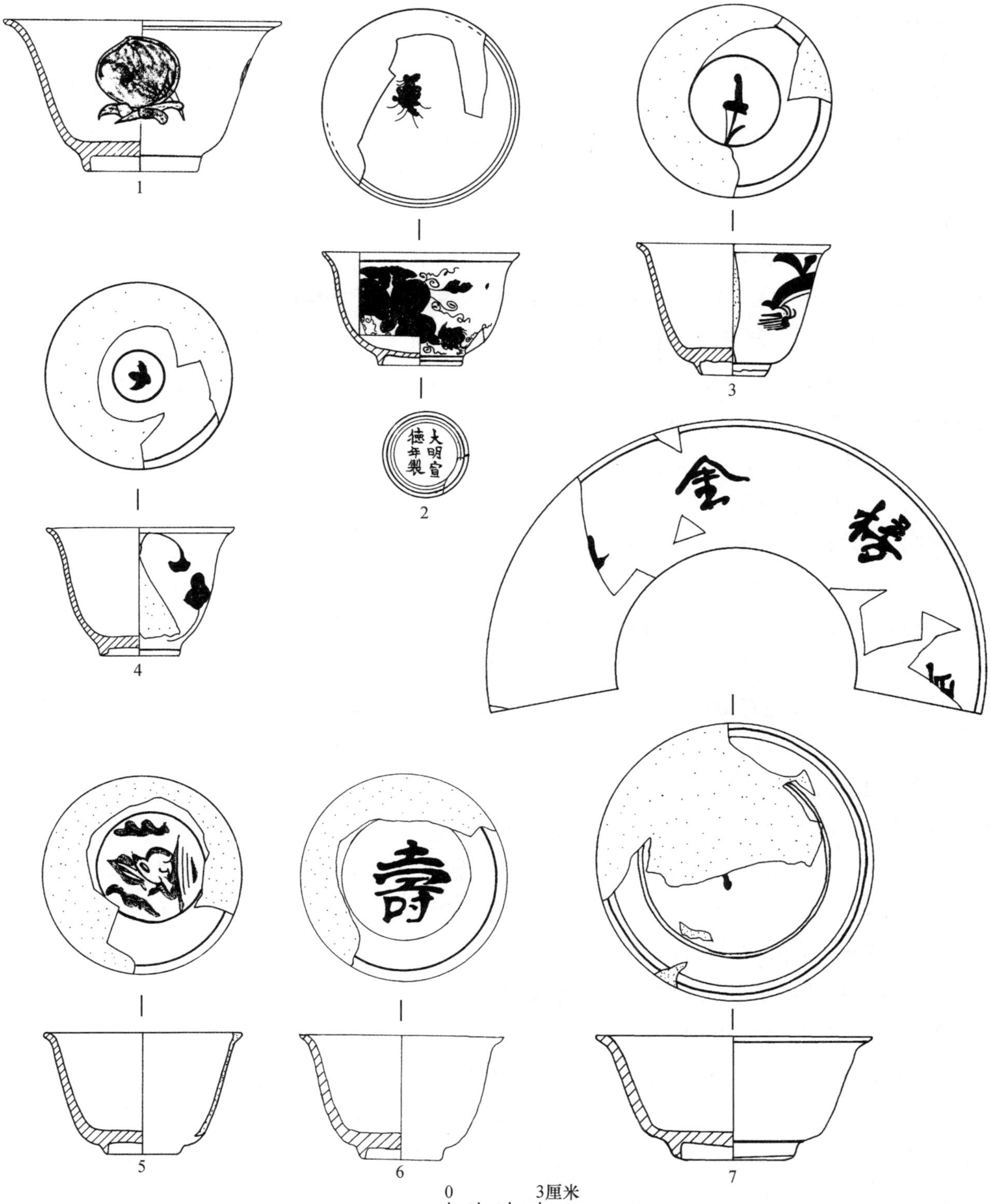

图3-74 新王宫出土B型、D型青花杯

1. C型三桃纹杯（G2②：77） 2. B型松鼠瓜果纹杯（F9②：34） 3. B型螭龙纹杯（F9①：86） 4. B型缠枝花卉纹杯（F9①：79） 5. B型兔纹杯（ⅣT0506①：16） 6. B型寿字杯（ⅣT0305①：9） 7. D型金榜题名杯（F8①：3）

弦纹内绘折枝花卉纹；外壁兰草略显肥厚。高4.2、口径6.6、足径2.2厘米（图版230-3、4）。F8③：11，器形略显矮胖，下腹圆转。内底心折枝花卉纹无单圈边饰。高4.2、口径6.5、足径2.6厘米（图版96-3、4）。

缠枝花卉纹杯　4件，1件可修。F9①：79，修复完整。下弧腹收，圈足较宽。足沿及足底涩胎。内底绘飞鸟纹，外壁饰缠枝花卉纹。高4.2、口径6.4、足径2.8厘米（图3-74-4；图版97-1、2）。

兔纹杯　1件。ⅣT0506①：16，修复完整。上腹近直，下腹圆收，圈足。足沿及足底涩胎。内底绘玉兔纹。高4.3、口径7、足径2.5厘米（图3-74-5；图版97-5、6）。

寿字杯　4件，2件可修。ⅣT0305①：9，修复完整。上腹近直，下腹圆转，圈足。足沿及足底涩胎。内壁近口沿处饰单圈弦纹，内底书一“寿”字，外壁素面。高4.1、口径6.9、足径2.6厘米（图3-74-6；图版231-5、6）。

菊石纹杯　1件。ⅣT0606④：11，可复原。上腹近直，下腹圆转。内底单圈弦纹内绘折枝花卉纹，外壁残见菊石纹。高4.7、口径6.4、足径2.5厘米（图版232-4）。

状元杯　1件。ⅣT0606②：15，可复原。上腹近直，下腹弧收，圈足。足沿涩胎，足底心跳刀痕明显。内底单圈弦纹内双勾填色“状元”两字；外壁残见一马身局部，一妇女右手高举，作回首状，或寓指日高升。高5.7、口径7、足径3厘米（图版231-3、4）。

莲叶纹杯　3件，1件可修。C5①：34，可复原。弧腹，圈足。足沿及足底涩胎。内底残见纹饰局部，或为寿山福海纹；外壁绘缠枝莲叶纹。高4.6、口径8.4、足径2.2厘米（图版232-3）。

C型　13件，10件可修。撇口杯。口沿外展幅度较侈口者大。

凤纹杯　8件，6件可修。F9①：14，修复完整。浅弧腹，圈足。足沿涩胎。内底饰凤纹，外壁绘二组穿花龙纹，足底书“大明宣德年制”。高2.8、口径8、足径4.2厘米（图版98-1～3）。F9①：66，修复完整。大小、纹饰均与前者相同（图3-73-5；图版98-4～6）。

三桃纹杯　3件，2件可修。G2②：77，修复完整。深腹，斜腹近直，圈足。口沿施酱黄釉，足沿涩胎。器内素面，外壁近口沿处饰双圈弦纹，外腹部饰三桃纹。高5、口径9.2、足径3.8厘米（图3-74-1；图版99-1、2）。

D型　4件，1件可修。折沿杯。口沿外折近平，窄折沿，腹壁较深，圈足。

金榜题名杯　4件，1件可修。F8①：3，修复完整。上腹斜直，下腹圆折，圈足。内壁口沿处及胫部饰弦纹；内底纹缺不识；外壁原楷书“金榜题名”四字，现残存“金榜”两字。高4、口径9.1、足径4.1厘米（图3-74-7；图版99-5、6）。

E型　2件，1件可修。花口，口部近直，口沿作连弧状。

狮子戏球纹杯　ⅣT0104①：21，可复原。深腹，上腹斜直，下腹弧收，圈足。足沿涩胎。器内素面，外壁绘狮子戏球纹，足底心绘盘长结花押款。高6.3、口径10.8、足径4.6厘米（图版232-5、6）。

罐　可计11件，3件可修。大小各异。

庭院人物纹盖罐　1件。F8③：7、F8③：8，大致修复完整。前者为盖，后者为罐。器体较大，卷沿，束颈，鼓腹，圈足近平。盖仅存局部，子母口，宽沿，面饰蕉叶纹。器身颈部饰一周杂宝纹，肩部开光内饰折枝花卉纹，腹部绘庭院人物，下底饰变形莲瓣纹。通高（含器盖）约34、口径15.5、足径15.8厘米（图版101）。

凤穿花纹罐　2件，1件可修。F8①：131，修复完整。直口，广肩，弧腹，圈足。足沿涩胎，余均施釉。肩部饰缠枝花卉纹，腹部绘凤穿花纹。高13.2、口径6、足径7厘米（图3-75-1；图版102）。

缠枝花卉纹罐　4件，1件可修。F8①：130，已修复。圆唇，短颈，丰肩，鼓腹，下腹内收至圈足。口沿处饰单圈弦纹，颈部饰杂宝纹，肩部绘一周如意云头纹，腹壁绘缠枝花卉纹，胫部绘变形莲瓣纹。高9.6、口径4.5、足径6厘米（图3-75-2；图版233）。

云鹤纹罐　1件。F19①：20，共5片。腹部及底部残片，鼓腹，圈足。腹壁绘云鹤纹。残高3.9厘米（图版234-1）。

缠枝莲纹罐　1件。K3①：38，腹部残片。内外壁均施白釉。外壁残见缠枝莲纹。残高4.3厘米（图版234-2）。

器盖　可计18件，8件可修。器形、纹饰有所不同。

花卉纹盖　1件。F8①：139，修复完整。应为青花罐盖（但非F8①：131之盖，子母口径略大）。环形纽，子母口。内沿及盖内涩胎，余均施釉。外壁绘制花卉等纹饰。高4、口外径7、口内径5.2厘米（图3-75-3；图版103-1、2）。

喜字罐盖　1件。ⅣT0103①：1，修复完整。整体呈豆形，杯状纽，子母口。口沿涩胎，余均施釉。外壁上下弦纹栏内书四个“囍”字，间饰S形交错的水波纹。高5.3、口径11、纽径3.6厘米（图3-75-4；图版103-5、6）。

白描缠枝莲托双喜纹茶碗盖　2件，均可修。ⅣT0304①：14，修复完整。圈足状纽，敞口外撇。通体施白釉。外壁绘缠枝花托蝙蝠纹，间饰双喜纹；纽底方款书“嘉庆年制”。高3.3、口径10.5、纽径3.7厘米（图3-75-5；图版103-3、4）。ⅣT0304①：64，圈足状纽，敞口外撇。通体施白釉。外壁绘缠枝花托蝙蝠纹，间饰双喜纹；纽底方款书“寿 山泰 寿”（图版234-3）。

缠枝花托杂宝纹盖　2件。ⅣT0503④：42，已修复，盖纽已残。平顶，弧腹。上腹饰缠枝花卉托杂宝纹，纽周饰萱草纹。残高1.3、口径9.8厘米（图版104-5、6）。ⅣT0101①：10，可修复。平顶，弧腹。顶部残缺较甚，纹饰残不可识；腹壁绘缠枝莲托杂宝纹。残高2.9厘米（图版234-4）。

白描缠枝花卉纹罐盖　1件。ⅣT0304①：72，可修复。纽及盖沿残缺，圈足状纽，敞口外撇，子母口。外壁绘白描缠枝花卉纹，近盖沿处饰一周回纹（图版234-5）。

盒　可计10件，5件可修。

海水纹盒　1件。ⅣT0305①：45，修复完整。盖缺，子母口，直腹，圈足。口涩胎。外腹绘海水纹。高2.5、口径5.4、足径5.8厘米（图3-76-1；图版104-1、2）。

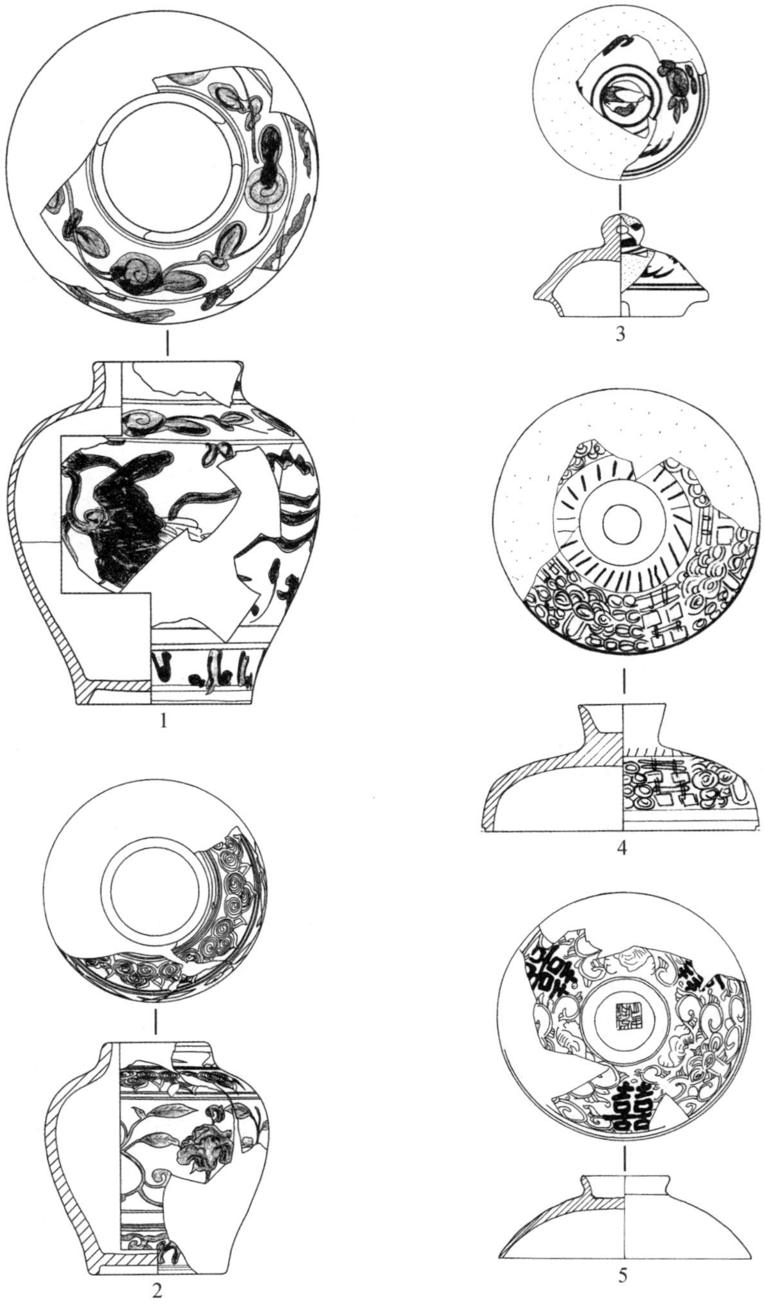

图3-75　新王宫出土青花罐、器盖

1. 凤穿花纹罐（F8①：131）　2. 缠枝花卉纹罐（F8①：130）　3. 花卉纹盖（F8①：139）　4. 喜字罐盖（ⅣT0103①：1）　5. 白描缠枝莲托双喜纹茶碗盖（ⅣT0304①：14）

回纹瓜棱腹盒　1件。ⅣT0405④：4，修复完整。盖缺，子母口，圈足。口涩胎。外沿双圈弦纹间绘一周回纹，腹部凸饰菊瓣纹。高3.3、口径8.8、足径5.8厘米（图3-76-2；图版104-3、4）。

缠枝花卉纹盒　2件，1件可修。ⅣT0305①：21，可修复。盖缺，子母口，直壁，圈足。青料呈灰黑色，口、圈足涩胎。外壁绘缠枝花卉纹。残高3.1厘米（图版235-1）。

山石花草纹盒　1件。ⅣT0102①：2，可修。盖缺，子母口，弧腹，圈足。器沿及圈足涩胎。外壁绘山石花草纹。高2.9厘米（图3-76-3；图版235-2）。

开光折枝花卉纹盒　1件。F1①：44，可修复。盖缺，子母口，近沿处外凸，弧腹，圈足。口沿及足沿涩胎。子母口外凸处绘一周卷曲状锦纹，腹壁绘开光，间饰鱼鳞状纹。高4.1厘米（图版235-3）。

香炉　可计3件，1件可修。

螭龙纹鼎式炉　1件。F10①：14，修复完整。口部双立耳，短束颈，鼓腹，三柱状足。足底涩胎。口部外壁绘一周菱形锦纹，颈部饰杂宝纹，腹部绘螭龙穿银杏叶纹。通高约10、口径7.7、最大腹径9.5厘米（图3-76-4；图版105）。

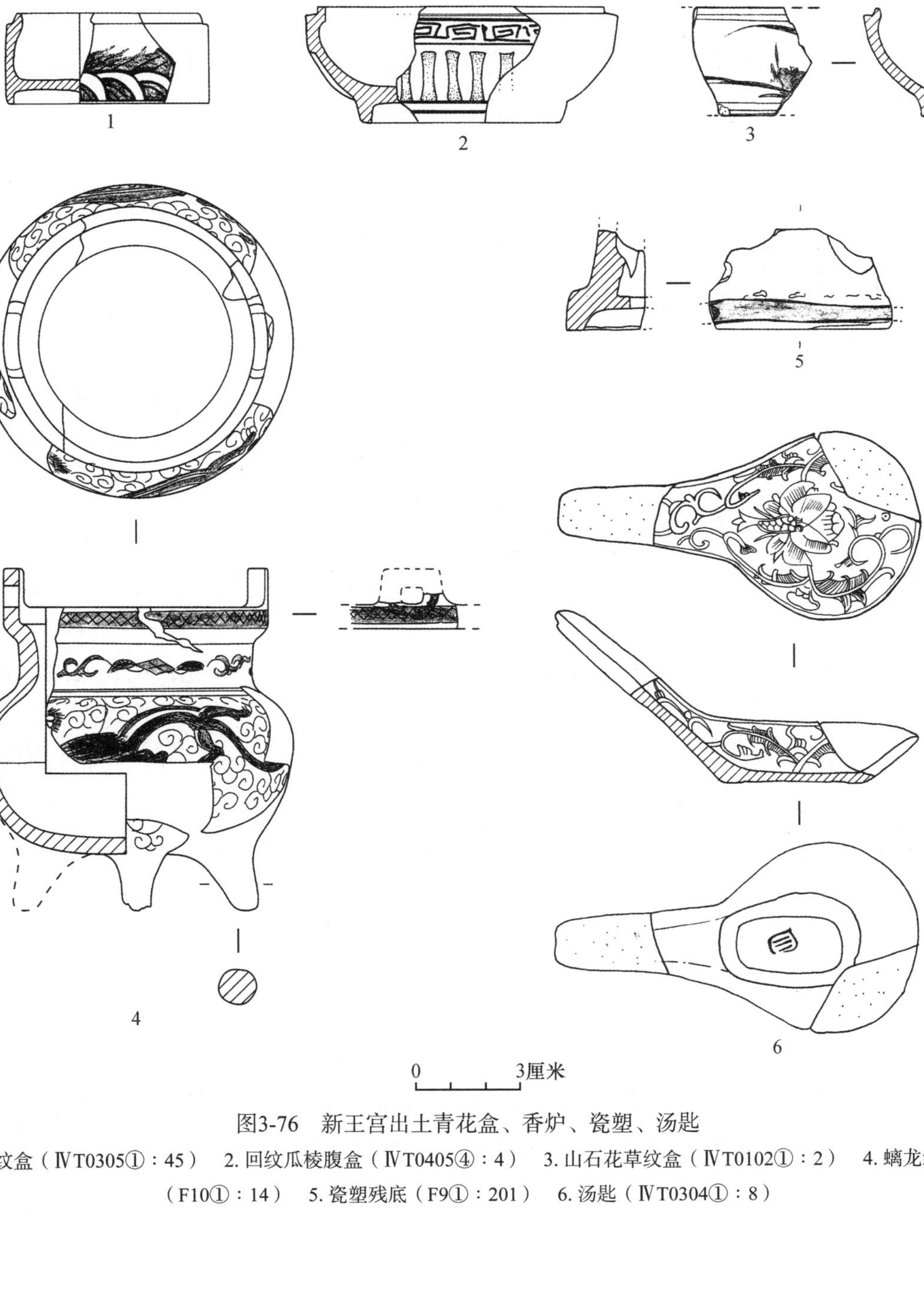

图3-76　新王宫出土青花盒、香炉、瓷塑、汤匙

1. 海水纹盒（ⅣT0305①：45）　2. 回纹瓜棱腹盒（ⅣT0405④：4）　3. 山石花草纹盒（ⅣT0102①：2）　4. 螭龙纹鼎式炉（F10①：14）　5. 瓷塑残底（F9①：201）　6. 汤匙（ⅣT0304①：8）

山水纹双耳炉　1件。ⅣT0102①：55，口沿及腹部残片。口部双立耳已残，平沿，颈部微束，弧腹。颈部绘一周钱纹，腹部绘山水楼阁纹。残高5.5、口径10.6厘米（图版235-5）。

瓷塑　可计4件，均不可修。形制不同。

持莲人物瓷塑　2件。F19①：24，残片，不可复原。中空，六棱形底座，外底内凹。人物着对襟长衫，双手作持莲状，莲杆以青料点状装饰。残高约15厘米（图版106-3）。F19①：82，形制与F19①：24同。残见持莲手部及腹背等位置，背部可见海马补子纹饰。残高7.5厘米（图版106-2）。明嘉靖、万历时期，仙佛塑像流行，两尊瓷塑或为持莲的观音或八仙之何仙姑。

瓷塑底座残片　1件。F9①：201，或为人物瓷塑底座。底座外壁双勾填色宽条状纹饰。残高2.9厘米（图3-76-5；图版235-4）。

茶船　1件。ⅣT0304③A：4，白描缠枝莲纹茶船。已修复。整体呈船形，平底。底部涩胎。器内素面，外壁绘白描缠枝莲纹。高3.4厘米，复原口长20、宽10厘米，复原足长19.4、宽9厘米（图版106-4、5）。

汤匙　可计51件，4件可修。ⅣT0304①：8、ⅣT0304①：35、ⅣT0304①：36，修复完整。器形一致，扁圆形匙，敞口，平底，长柄上翘。纹饰集中在内壁，绘制缠枝花卉纹、白描缠枝莲纹等。匙径约5、通长约11厘米。均为清代遗物（图3-76-6；图版107）。

（2）克拉克瓷

新王宫出土克拉克青花残片45片，可计7件，无可复原者，因残缺较甚，故有部分瓷片系推测为克拉克瓷。器形有碗、盘、罐、香熏等，纹饰有花卉纹、花鸟纹、山水花卉纹、寿字、灵芝纹等。

碗　2件。青花寿字碗，结合残片可知为花口，弧腹，腹部作瓜棱状，内底近平，圈足。内底双圈弦纹内绘花托寿字，内壁无纹，外壁开光内绘折枝花卉纹。F10①内一残底，残高1.4、足径约4厘米。

盘　3件。1件出自ⅣT0104①，残存腹片。瓜棱腹。外壁青料开光，饰花卉纹；内壁绘花鸟纹。残高3.4厘米。

罐　1件。ⅣT0306①：150，敛口，圆唇，鼓腹。外壁近口沿处开光内绘折枝花卉纹，间饰重十字菱形锦地纹；腹壁纹饰已残，残见花叶纹。残高2.4厘米（图版234-6）。

香熏　1件。ⅣT0305③A：4，残存口沿及腹片。子母口，鼓腹。外腹壁开光内做镂空状，间饰灵芝纹。残高2.1厘米。

3. 彩瓷

这里所说的彩瓷，是指在釉上或釉下施以青花以外其他颜色的一类瓷器，有的无青花，有的则与青花相互映衬。包括釉下彩、釉上彩、釉上与釉下相结合三种情况，具体根据颜色的特征及其多寡又可分为若干类。海龙囤出土的彩瓷中，釉下彩有青花釉里红；釉上彩有红彩、绿彩、红绿彩和粉彩；釉上与釉下相结合的则有青花加彩（青花红彩、青花五彩）。种类较为丰富，均系景德镇产品。

（1）青花釉里红

为素胎之上饰青花及红彩，再施以透明釉烧造而成。数量颇巨，新王宫出有残片558片，可计31件，可修15件。器形有碗、盘、杯等，其纹饰有花卉、喜鹊登梅、乳虎、鱼藻、云气、蝙蝠、狮子戏球等。

碗 19件，8件可修。有鱼藻纹大碗、喜鹊登梅纹碗、海水龙纹碗、云气纹碗、蝙蝠纹碗。

鱼藻纹大碗 6件，3件可修。形制相同，器形较大，撇口，曲壁，深腹，圈足。内底、外腹饰鱼藻纹，外底铭“大明宣德年制”（或“大明宣德年造”）款。F9②：21，可复原。深腹下垂，内底近平，高圈足。足沿涩胎。内底绘海水鱼纹，用红彩装饰鱼头及半轮红日，左右两侧饰云气，下部饰半圆形海水纹；外壁绘四组鱼藻纹，间饰海藻纹；足底残见“□□宣□年造”六字双行款。高8.4、口径19、足径8厘米（图3-77-4；图版109-1～3）。F8①：104，可复原。腹壁纹饰残甚，仅见海藻纹。高8.4、口径18.8、足径7.6厘米（图3-77-5；图版109-4～6）。F9②：92，内底鱼儿及红日以红彩勾绘而成，足底双圈弦纹内楷书“大明宣□年制”（图版236-3）。余者形制相近，红彩仅用于装饰鱼与云等。

喜鹊登梅纹碗 9件，5件可修。形制相同，撇口，斜腹圆收，圈足。纹饰大同小异，内底饰伏虎纹，外腹为喜鹊登梅纹，外底铭“大明宣德年制”六字双行款。F9①：53，可复原。底心微下塌。内底以青料绘山石、花草枝叶、明月及虎之眉须等，再以红彩绘虎身及花朵；外壁残见喜鹊登梅纹，以青料绘树干、山石、花草、喜鹊，再以红彩绘梅花及花蕊；足墙外饰一周卷草纹；外底楷书“大明□德年□”六字双行款。高3.6、口径10、足径4.1厘米（图3-77-2；图版111-1、2）。

海水龙纹碗 1件。出自ⅣT0505①，残存碗底。圈足。内底残见海水龙纹局部，以青料绘制海水，红彩饰龙身；外壁纹饰已残，残见圈足外壁及足底心绘双圈弦纹。残高1.3厘米。

蝙蝠纹碗 2件，均不可修。ⅣT0304④：3，残存口腹。侈口微撇，弧腹。内壁无纹；外壁双圈弦纹下以青料绘制灵芝纹，间饰釉里红彩蝙蝠纹。残高3.7厘米（图版110-2～4）。

盘 2件，1件可修。

鱼纹大盘 1件。ⅣT0206①：35，无法复原。结合残片，可知为敞口，弧腹，内底心微下塌，圈足，挖足过肩。足、底涩胎。内底青料绘制鱼身及海藻，红彩绘制网格状鱼鳞；口腹部残见海藻纹。足径约13.4厘米（图版110-5）。

狮子戏球纹大盘 1件。ⅣT0206①：36，拼接，可修复。敞口，弧腹，圈足较高，挖足过肩。足、底涩胎。外壁纹饰残；器内可辨识出狮子之头、爪、尾及火焰状纹等部分，青料绘出狮身，釉里红彩绘制毛发及火焰状纹。高5、口径25.6、足径15厘米（图版110-6、7）。

杯 10件，6件可修。有乳虎纹杯和花卉纹杯两类，均为残片，部分拼接，可修复。

乳虎纹杯 7件，5件可修。形制相同，撇口，斜腹圆收，底心下塌，圈足。纹饰略有差别，内底绘石间玉兔一组，外壁绘嬉戏于山石间的乳虎四组，外底铭“大明宣德年制”双行款。F9②：40，修复完整。内底绘山石花草纹，红彩勾勒出一兔；外壁以青料或红彩绘四组乳

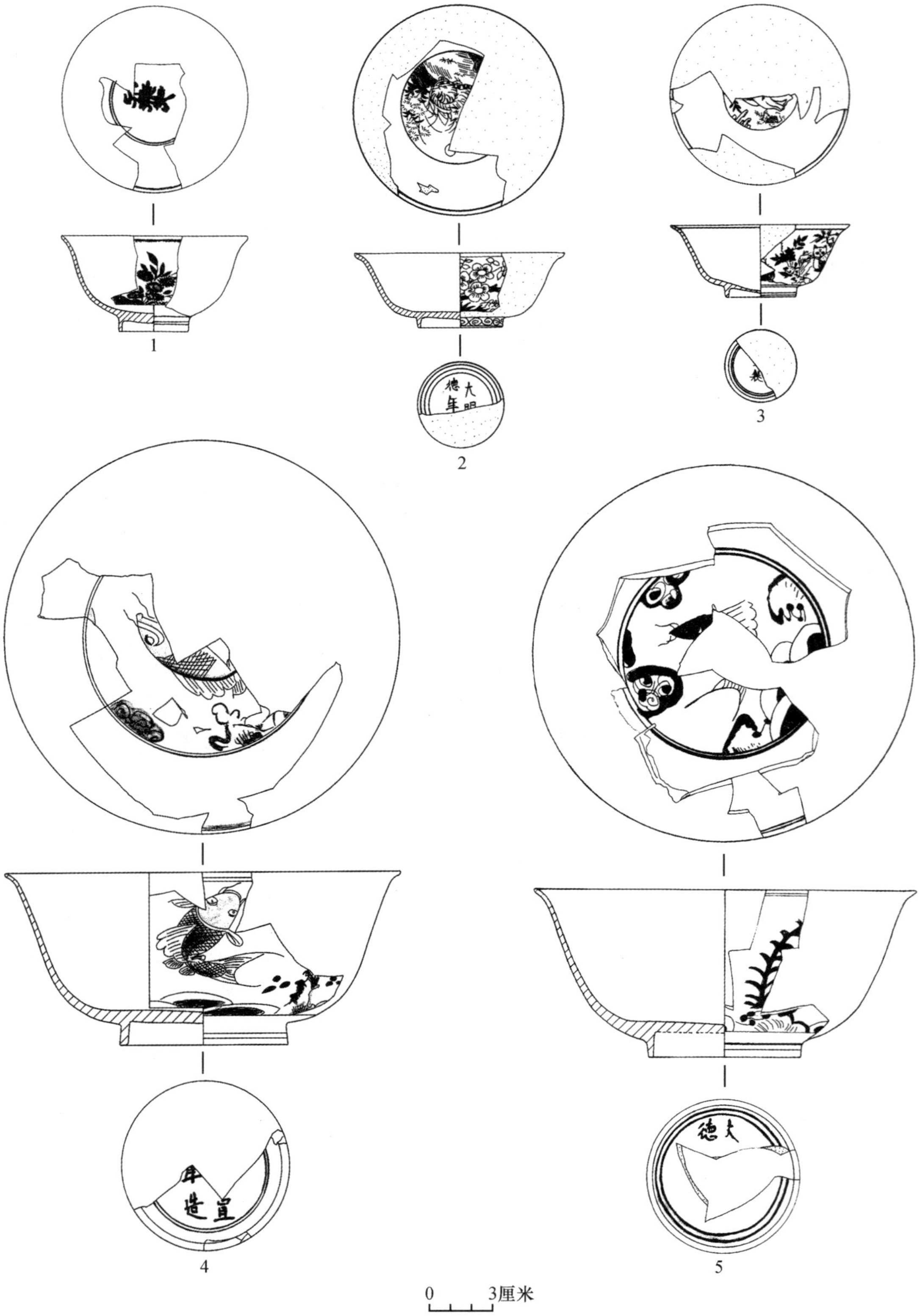

图3-77　新王宫出土青花釉里红碗、杯

1. 花卉纹杯（F9①：85）　2. 喜鹊登梅纹碗（F9①：53）　3. 乳虎纹杯（F9②：40）　4、5. 鱼藻纹大碗（F9②：21、F8①：104）

虎嬉戏于山石之上，间饰花卉纹；底部楷书“□□□□□制”款。高3.6、口径8.7、足径3.5厘米（图3-77-3；图版112-1、2）。

花卉纹杯 3件，1件可修。形制相同，撇口，弧腹较深，内底微弧，圈足较高。F9①：85，可复原。内底及外壁绘釉里红花卉纹，以青料绘枝叶和花朵外形，花朵以红彩填色，花色偏红或黄。高4.6、口径9、足径3.3厘米（图3-77-1；图版113-8）。

（2）青花加彩

釉下青花与釉上彩相结合的，称青花加彩。釉上有的仅施红彩（青花红彩），有的则兼施多种颜色（青花五彩）。新王宫发现该类瓷器残片310片，可计24件，4件可修。器形有碗、盘、杯、盖。

青花红彩瓷 残片57片，可计10件。可辨器形有杯、碗。

碗 9件，2件可修。

鹭鸶纹碗 4件，均不可修。F8①：263，残存底部。弧腹，圈足。内底双圈弦纹内绘鹭鸶、莲花纹，外壁施红彩，足底心残见“□□攸同”。残高1.2厘米（图版117-10）。G12①：3，残见底部。形制、纹饰与前者同。红彩多已脱落，足底心书“万福攸同”。残高2、足径3.8厘米（图3-78-1；图版236-1）。

麒麟纹碗 1件。ⅡT0101①：26，残见局部口沿及底部。撇口，弧腹，圈足。口沿内侧青花绘重十字菱形锦纹；内底青花绘麒麟纹；外壁施红彩，多已脱落；足底心书“□□攸□”。残高1.7厘米（图版117-9）。

鱼藻纹碗 4件，2件可修。F9②：105，已修复。敞口，深腹，圈足。足沿涩胎，余均施釉。外底、圈足、内底及口沿均饰青花弦纹；内底绘蓝地白花海水纹；外腹青花绘海藻纹，间用矾红堆塑游鱼四尾。高6.2、口径11、足径4.5厘米（图3-78-2；图版114-1～3、5）。F9②：106，形制与前者相同。F9①：238，口沿及腹部残片。撇口。内外壁近口沿处绘青花双圈弦纹；外腹青花绘制海藻纹，矾红堆塑游鱼一尾。残高4.2厘米（图版236-2）。

杯 1件。G12①：2，狮子戏球纹杯残片4片。弧腹，圈足。足、底均涩胎。内底书“成化年造”四字双行款，青花双圈外红彩绘制四组萱草纹；外腹青花绘狮子戏球纹，已残；胫部红彩绘一周萱草纹，但已脱落，可见印痕。残高2.7、足径3.6厘米（图版117-8）。

青花五彩瓷 残片253片，可计15件。可辨器形有碗、盘、杯、盖。

鸳鸯纹大碗 1件。ⅣT0706①：2，残存碗底。圈足，挖足过肩。内底心残见以青料和红绿彩绘制的莲池纹局部；外壁胫部残见变形莲瓣纹，彩料部分脱落。残高2.6厘米（图版237-1、2）。1片出自ⅣT0203①，近沿处口部残片。内沿饰一周青花弦纹，下以红彩绘重十字锦纹，外壁用红、绿彩绘枝叶纹。

盘 10件，2件可修。

高士纹盘 2件，1件可修。F9②：66，修复完整。口微侈，弧腹，圈足。内壁绘四组开光，开光内矾红描金，开光间以红绿彩绘菱形锦地纹，其上绘莲托宝纹；内底绘高士纹；外壁饰人字形云纹；足底行书“大明嘉靖年制”六字双行款。高4、口径13.5～14、足径7.2厘米

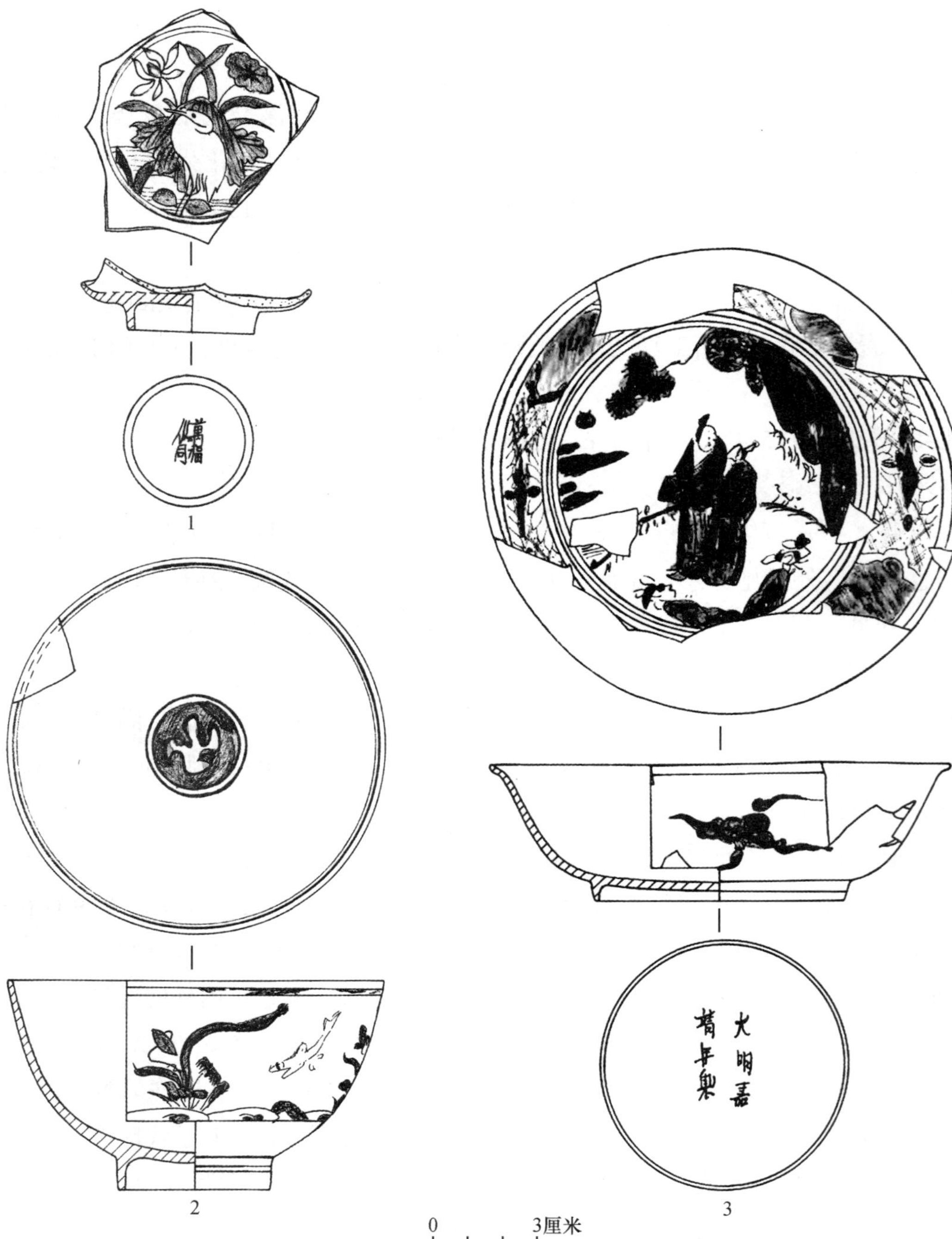

图3-78　新王宫出土青花红彩碗、五彩盘

1. 红彩鹭鸶纹碗（G12①：3）　2. 红彩鱼藻纹碗（F9②：105）　3. 五彩高士纹盘（F9②：66）

（图3-78-3；图版115）。

刘海戏金蟾纹盘　1件。F9②：91，修复完整。口微侈，弧腹，圈足。内壁绘四组开光，开光内矾红描金，开光间以红绿彩绘菱形锦地纹，其上绘莲托宝纹；内底绘刘海戏金蟾纹；外壁饰人字形云纹；足底行书“大明嘉靖□□”。高4、口径 13.5～14、足径 7.2厘米（图版116）。

狮子戏球纹盘 1件。F9②：82，不可修复。与F9②：66形制相似，弧腹，圈足。内底双圈弦纹内绘狮子戏球纹，外壁饰人字形云纹，足底行书“□明嘉□□制”。残高2.3厘米（图版117-2）。

鹭莲纹盘 1件。F9①：9，不可修复。形制同F9②：66。内底双圈弦纹内绘鹭鸶、荷花纹。残高1.8厘米（图版237-7、8）。

仕女纹盘 1件。ⅣT0106①：2，残存盘底，底心微下榻，圈足。内腹壁施红彩，部分脱落，局部见有描金；内底绘庭院人物纹；外腹壁纹饰已残；足底心残见楷书“玉堂”。残高2.1厘米（图版117-1）。

花卉纹盘 ⅣT0603①：1，残存腹部。近口沿处和胫部绘制青花和红彩弦纹，用红、绿等色于腹之内外壁上均绘制花卉纹。残高2.2厘米（图版117-5）。

盘 1件。F9①：212，残存底部，弧腹，圈足。内底双圈弦纹内绘松树山石纹，内腹壁残见两组开光，其余纹饰已残。残高2厘米。

杯 2件，均不可修。

云鹤纹杯 1件。ⅣT0603②A：6，残存杯底。圈足。内底单圈弦纹内绘云鹤纹；外壁彩绘多已脱落，残见三组圆形开光，其内填以红彩及金彩，开光间再饰以菱形锦纹及莲瓣纹；足底心书吉语款“福”字。残高2.3厘米（图版237-5、6）。

菱形锦纹杯 1件。F8①：264，口沿及腹部残片3片。口微侈，腹较直。内沿饰一周青花弦纹；外壁以红、绿彩绘锦纹等纹饰。残高2.6厘米（图版117-6）。

盖 2件，均不可修。

人物纹盖 1件。ⅣT0404①：22，残存肩部及口沿。口部近直，子母口，丰肩。口涩胎。近口沿处绘一周青花回纹，肩部绘一老翁坐于石桌旁，其余纹饰残不可识。残高3.2厘米（图版237-3）。

菊纹盖 1件。ⅣT0203②A：5，残存顶部及盖沿残片。平顶，弧腹，盖沿近直，顶部微凸。盖沿涩胎。顶部以青料及红彩绘制菊纹。残高3.4厘米（图版237-4）。

（3）红彩或绿彩

红彩、绿彩残片28片，可计7件，均不可修。器形有碗、盘、汤匙、鼻烟瓶。

红彩残片共25片，可计6件。器形有碗、盘、汤匙、鼻烟壶等，均残缺较甚，无可复原者。F3①：131，龙纹大碗腹部残片。上部近口沿，应为撇口，深弧腹。胎体较厚，釉色莹润，白中透青。内外壁纹饰均以红彩绘制；内外壁上部绘弦纹装饰，外壁腹部残见有龙身及云气纹，内壁纹饰不可识。残高约7厘米（图版238-9）。ⅣT0505②A：4，花卉纹汤匙。残片。仅内壁以红彩绘制一花卉纹。残高约1厘米（图版238-7）。ⅣT0305④：42，花卉纹鼻烟壶。残留器底及下腹。残见器身一面施红彩。残高2.8厘米（图版238-8）。

绿彩瓷仅见有3残片，可计1件。ⅣT0202①：73，口沿残片。内壁绿彩绘萱草纹，外壁素面。残高2.8厘米（图版118-1）。

（4）红绿彩

红绿彩残片共67片，可计13件，1件可修。器形仅有碗及笔筒两类，纹饰有龙凤、花卉、缠枝莲、人物等。

碗　12件，1件可修。

缠枝莲纹碗　2件，均不可修。G1①：40，可大致复原。侈口，弧腹，内底近平，圈足微内收。胎质细腻，釉色莹润，白中带青，足沿涩胎。内底红彩单圈弦纹内以红绿彩绘莲花纹，外壁红绿彩绘缠枝莲纹。残高3.6、足径3.4厘米（图版119-5～10）。

寿山福海纹碗　1件。ⅣT0908①：26，残存底及腹部残片。内底微下塌，圈足。足沿及外底涩胎，修足痕迹明显。内底以红绿彩绘寿山福海纹；外壁纹饰残缺较甚，不可识。残高1.7、足径4.1厘米（图版238-6）。

龙凤纹碗　6件，1件可修。L2①：79，撇口，弧腹，圈足。足沿及足底心涩胎。内底残存花卉纹局部；外壁残见龙尾及火焰状纹。高5.7、足径4.4厘米（图版119-3、4）。3片1件出自G2①，口腹残片。撇口，弧腹。口沿处施酱黄釉。内壁素白；外壁残见一凤，以红绿彩绘之，振翅而飞，作回首状，凤尾呈波浪状起伏。残高4.3厘米。

翼龙纹碗　1件。出自F29①，口沿残片。撇口，弧腹。内壁素面；外壁残见一龙，以红彩绘制发须，绿彩绘制龙首、龙身及双翼，其余纹饰均残。残高4.1厘米（图版238-5）。

花卉纹碗　2件，均不可修。ⅣT0706②：31，碗底残片。内底微下塌，圈足已残。内外壁及足底心均施白釉。内底以红绿彩绘制花卉纹。残高约3厘米（图版238-4）。

笔筒　1件。人物纹笔筒底部及腹部残片，分别出土于ⅣT0203、ⅣT0506、ⅣT0606等单位。ⅣT0203①：11，底部残片。直壁，玉璧底。内外壁及足底均施白釉，足沿涩胎。结合其余残片，可知其外壁绘人物纹。残高3.3厘米（图版118-21、22）。

（5）粉彩

粉彩残片共212片，可计18件，2件可修。器形有碗、盘、杯、器盖。

碗　10件，1件可修。

开光竹纹碗　1件。F19①：12，修复完整。口微侈，深腹，圈足。通体施釉。内底刻一“仁”字；外腹玻璃白上以黑彩绘云纹，间有开光四组，内以红彩绘修竹；外底心铭“大清嘉庆年制”青花款。高7.7、口径7.2、足径6.3厘米（图版120）。

竹纹碗　2件。ⅣT0102①：33，残存碗底圈足。内底素面；外壁胫部残见竹纹，足底心绘花押款盘长结。残高2.5厘米（图版238-2）。

瓜瓞绵绵吉祥如意纹大碗　1件。出自ⅣT0504③，均为残片，无可复原者。结合残片可分为两类，一类为花口，一类为敞口，均深弧腹，圈足。两者纹饰相近，内底绘花卉纹；外壁绘缠枝花果托以蝙蝠，其间留白处书“吉祥如意”四字；足底仅一片，外底心方款内残见一“年”字。残高6.2厘米。应为清嘉庆、道光时期器物。

花果纹小碗　3件。出自ⅠT0104①，底部残片。与出自ⅣT0504③者纹饰接近，但形制较小。

人物纹碗　1件。ⅣT0104①：27，残底。弧腹，圈足。通体施白釉。外腹壁残见局部人物纹饰。残高3.3厘米（图版238-3）。

碗　1件。F19①：3，残底。弧腹，圈足。外腹壁粉彩已脱落，纹饰不清；足底心书“大清嘉庆年制”。残高5.6、足径6.7厘米（图版121-10）。

盘　4件，多不可修。

莲纹盘　2件。ⅠT0105①：78，残存底部。浅弧腹，圈足。通体施白釉，足沿涩胎。内底与内腹壁绘莲池荷花纹。残高1.6厘米。

双艳纹盘　1件。ⅣT0106①：86，可修复。敞口，浅腹，圈足。足沿涩胎，余均施釉。器内底、腹于玻璃白上彩绘莲、菊纹，外腹纹饰残。高2.3、口径约14、足径8厘米（图版121-3）。

杯　3件，均不可修。ⅣT0103①：32，底部残片。通体施白釉，足沿涩胎。外壁残见局部粉彩纹饰。残高1.6、足径2厘米（图版238-1）。

盖　1件。ⅣT0507①：7，缠枝莲开光喜字盖。已修复。子母口，器身弧形，顶有敞口纽（残）。子母口涩胎，余均施釉。外壁饰缠枝莲夹二开光“喜”字，纽内底铭“道光年制”红彩款。残高3、口径7.8厘米（图版121-2）。

（6）素三彩

素三彩瓷于胎体上施绿、黄、紫等彩烧制而成。新王宫发现素三彩残片共6片，可计2件，均残。两器均应为清代遗物。

海水蟹纹笔筒　1件。ⅣT0305④：8，结合残片可知其腹壁近直，椭圆形底，宽平足。外壁模印海水施以绿彩，翻滚的浪花则呈胎体本色，螃蟹着紫色，鱼施黄彩；内壁涩胎，略显粗糙，局部印有细布纹。残高5.5、底长6.1～9.6厘米（图版43-1）。

云纹瓷塑　1件。ⅣT0106①：124，勺状，平底。内壁及底部涩胎。外壁模印云纹，上绿、黄两色。残高2.6厘米（图版43-2）。

4. 官样瓷器

“官样瓷器”，即按官家颁发的样式烧造的瓷器。新王宫发现官样瓷器残片共290片，可计16件，7件可修。按纹样，可分为五爪龙纹、四季花卉纹两大类。器形有盘、碗、靶盏、炉（罐）。

盘　9件，4件可修。

正面五爪龙纹盘　9件。纹饰略有差异。F9②：32，修复完整。口沿微折，浅腹，底心下塌，圈足较高，足壁内斜。内底绘正面五爪龙纹，外壁绘四组双龙戏珠纹，足底楷书“大明嘉靖年制”。高3、口径17.8、足径9.5厘米（图3-79-1；图版122-1、2）。F9①：80、F9①：81、F9②：103、F9①：105、F9①：208五件的器形、纹饰与之接近（图版122-3～6；图版123）。F8①：259、ⅣT0304①：55两器残甚，所存残片纹饰与前述几件微有区别，前者外底款识无双圈，尚存“制”字及“嘉”字左下角（图版124-7、8；图版125）。

靶盏　3件，均不可修。F9②：85，残存盏底及高足部分，不能拼合。下腹圆折，内底近平，外底心中部接高足，呈喇叭形，中空。足沿及局部足墙内壁经刮削无釉。内底绘正面五爪龙纹，外壁绘寿山福海纹，外胫部绘变形莲瓣纹，近底处楷书“□□□历年制”六字横款。残高5、足径3.6厘米（图3-79-2；图版127-5）。ⅣT0306①：1，残存底心部分。形制与前者相同，内底心微下凹。成色艳丽，釉色莹润（图版127-3、4）。

碗　3件，均可修。

八仙五爪龙纹碗　1件。F9①：1，修复完整。敞口，深弧腹，底心下塌，圈足。内底绘正面五爪龙纹；内腹壁绘缠枝花托吉语，残存“福如东海，寿□□□”；外壁绘八仙纹；足底楷书“大明万历年制”六字双行款。高8、口径17.2、足径5.8厘米（图3-79-4；图版128）。

缠枝四季花卉纹碗　2件。F9①：52，侈口，深腹，底心下塌，圈足，足壁内斜。内底绘菊纹，内外壁绘缠枝四季花卉纹，外壁近足处饰重叠莲瓣纹，足底楷书“大明万历年制”六字双行款。高7、口径15.8、足径5.8厘米（图3-79-3；图版129-1～3）。F9②：130，器形、大小、纹饰均与前者相同。器底款识不存（图版129-4～6）。

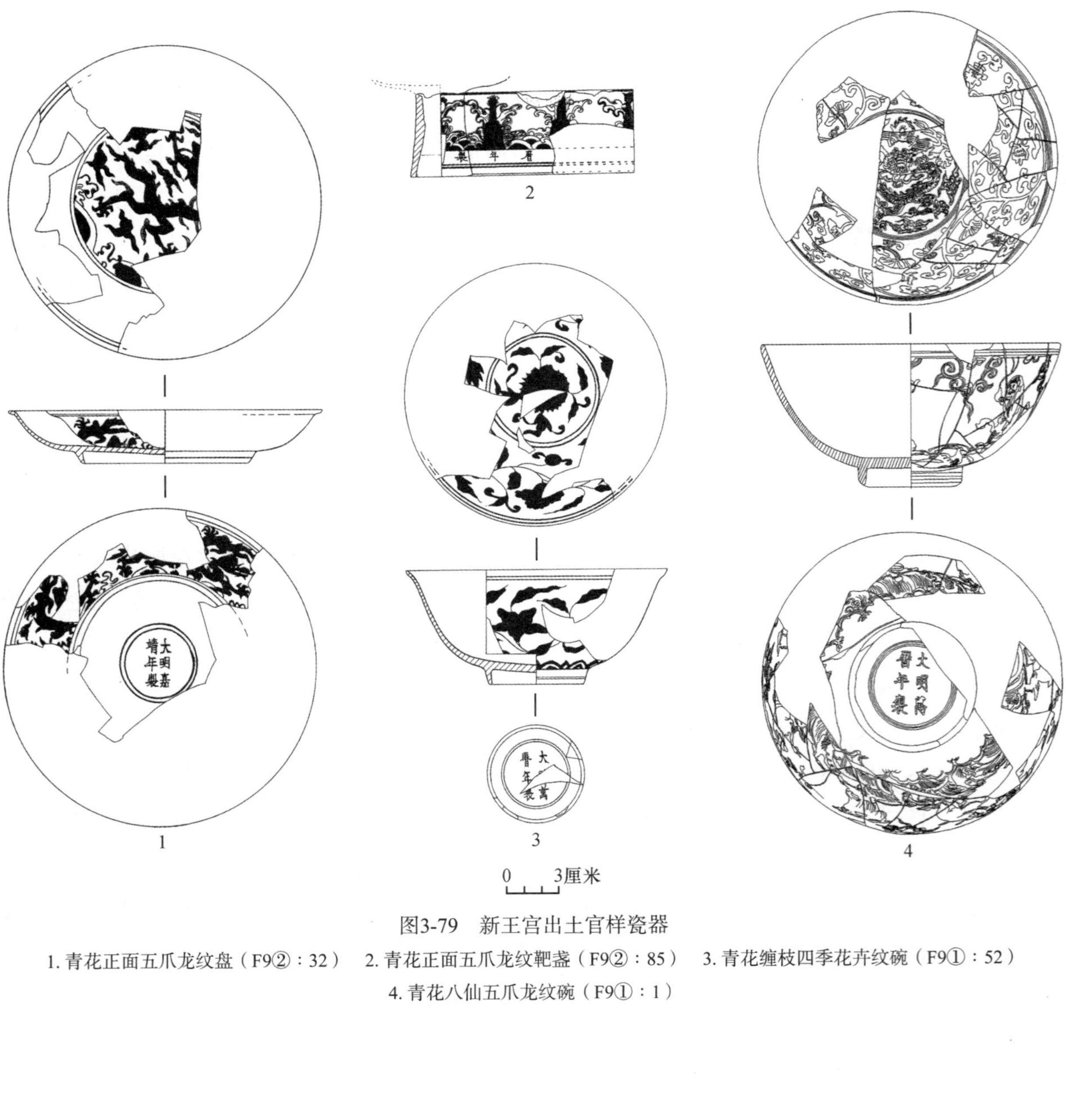

图3-79　新王宫出土官样瓷器

1. 青花正面五爪龙纹盘（F9②：32）　2. 青花正面五爪龙纹靶盏（F9②：85）　3. 青花缠枝四季花卉纹碗（F9①：52）　4. 青花八仙五爪龙纹碗（F9①：1）

炉（罐）　1件。ⅣT0304①：56，五爪龙纹炉或罐的腹部残片。弧腹。内外壁均施白釉，内侧见有旋胎痕。外壁青料绘制五爪龙纹及火焰纹。残高2.9、残长5.1、厚0.5厘米（图版127-6）。

5. 粗瓷

粗瓷，是与细瓷相比较做工略显粗疏的一类瓷器，应该产自本土或周边非著名窑口。按有无青花可分为青花粗瓷和粗瓷两类。青花粗瓷类器形有碗、盘、杯、碟、罐、盆、瓶、勺、汤匙、钵、器盖，粗瓷类器形有碗、杯、钵、盏、瓷塑、灯台、杵嘴、碟、器盖、缸、罐、壶、炉、碾钵、盘、盆、瓶、水盂、坛、汤匙、瓮、烟嘴、夜壶。以下按器形择要介绍。

（1）青花粗瓷

数量较多，但器类只有碗、盘、碟、杯等类，纹饰题材有灵芝茶花、梵文、兰花和鱼纹等数种。其中，梵文和灵芝茶花纹当借鉴于景德镇青花瓷。

碗　可计284件，13件可修。F1①：62，完整。敞口，弧腹近直，圈足。灰褐胎，釉色泛黄，青花晦暗，釉不及底，下腹、圈足、外底及内底均涩胎。内外壁各用青料绘制双圈弦纹。高4.5、口径14.3、足径6.8厘米（图3-80-3；图版133-1）。L2①：83，可复原。形制与前者相近，侈口，浅弧腹，内底微下塌，圈足。釉色浑浊，内底及腹壁施青釉，于胫部形成一涩圈；外壁施釉不及底，足沿及足底涩胎；外底心有细小乳钉。外壁残见青花局部，纹饰不可识。高4.8、口径12.9、足径6.7厘米（图3-80-2；图版239-1）。L2①：82，可复原。侈口，腹壁较深、微弧，内底下塌，圈足。施青釉，釉色浑浊呈灰白色，内底、足沿涩胎。外壁残见青花纹饰局部，不可识。高6.1、口径14、足径8.4厘米（图版239-2）。L2①：122，修复完整。撇口，弧腹，底心微下塌，圈足。内底有一道涩圈，足沿及足底涩胎，余施青釉，釉色较为浑浊。外壁口沿下勾绘纹饰，颇写意，不可识。高6.2、口径13.4、足径6.5厘米（图3-80-5；图版239-5）。L2①：80，可复原。形制、纹饰与前者完全相同。器内施满釉，足沿及足底涩胎。高6.2、口径13.6、足径6.4厘米（图版133-2）。ⅣT0102①：6，可复原。侈口，弧腹，高圈足，足底心有细小乳钉。施青釉，内底及足沿、足底涩胎。外壁口沿下绘云纹。高5、口径9.4、足径4.6厘米（图3-80-1；图版239-3）。ⅣT0101①：1，缠枝花卉纹碗。可复原。敞口，上腹微弧，下腹圆转，内底下塌，圈足，足底心有一乳突。内底有涩圈一道，足沿涩胎。外壁绘缠枝花卉纹。高5.2、口径13、足径6.6厘米（图3-80-4；图版239-4）。

盘　可计7件，4件可修。

灵芝茶花纹盘　1件。ⅣT0201①：24，可复原。敞口，弧腹，圈足。足沿涩胎，内底带涩圈。内外壁双圈弦纹间饰花草纹；内壁为灵芝茶花纹，已变形；外壁为草叶纹。高3.7、口径15.3、足径6.9厘米（图版133-5）。

印花团花纹盘　1件。ⅣT0101①：12，可复原。敞口，浅弧腹，圈足。内外壁上部罩以透明釉。内壁印团花纹。高2.8、口径12.4、足径6.4厘米（图3-80-6；图版240-1）。

盘　5件，2件可修。ⅣT0202①：105，可复原。敞口，弧腹，底微下塌，浅圈足。内底有涩

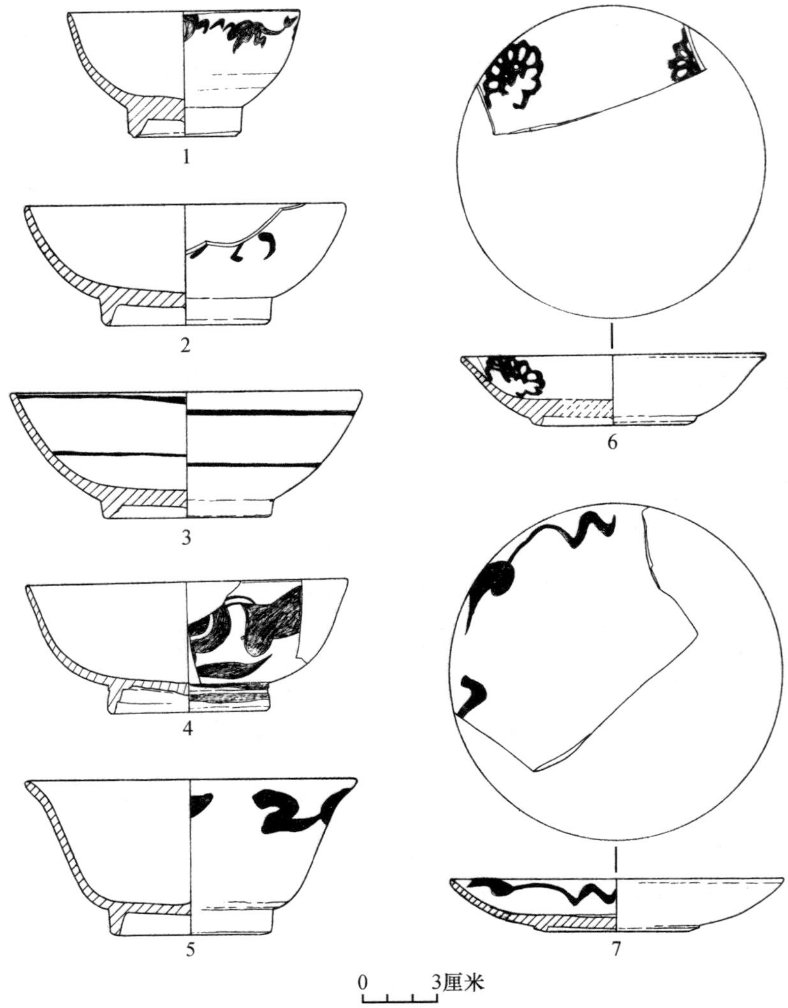

图3-80　新王宫出土青花粗瓷碗、盘

1～5. 碗（ⅣT0102①：6、L2①：83、F1①：62、ⅣT0101①：1、L2①：122）　6、7. 盘（ⅣT0101①：12、ⅣT0202①：105）

圈，下腹、圈足、下底均涩胎。内壁描绘草叶状纹饰。高2、口径13.4、足径6.4厘米（图3-80-7；图版133-3）。

杯　可计6件，4件可修。ⅣT0303①：5，基本修复完整。直口，上腹较直，下腹圆转，浅圈足作内外两级。足、底涩胎。外壁绘卷草花卉纹。高6、口径7、足径4.8厘米（图3-81-5；图版241-2）。ⅣT0303①：7，修复完整。器形颇小，敞口，浅腹，弧腹近直，浅圈足。内底有涩圈，圈足及下底涩胎。外壁近口沿处以青料点绘一周圆点纹。高2.1、口径5.3、足径3.2厘米（图3-81-3；图版133-4）。ⅣT0202①：110，可复原。形制与前者相近，稍小，圈足宽平，底心有细小乳钉。外壁口沿下饰青花纹饰，不可识。高2.1、口径4.6、足径2.6厘米（图3-81-4；图版241-1）。

碟　可计1件。ⅣT0203①：18，可复原。敞口，浅弧腹，矮圈足。内外壁口部施透明釉。内壁口沿处以青料绘制纹饰，不可识。高1.9、口径9.8、足径5.4厘米（图3-81-6；图版240-2）。

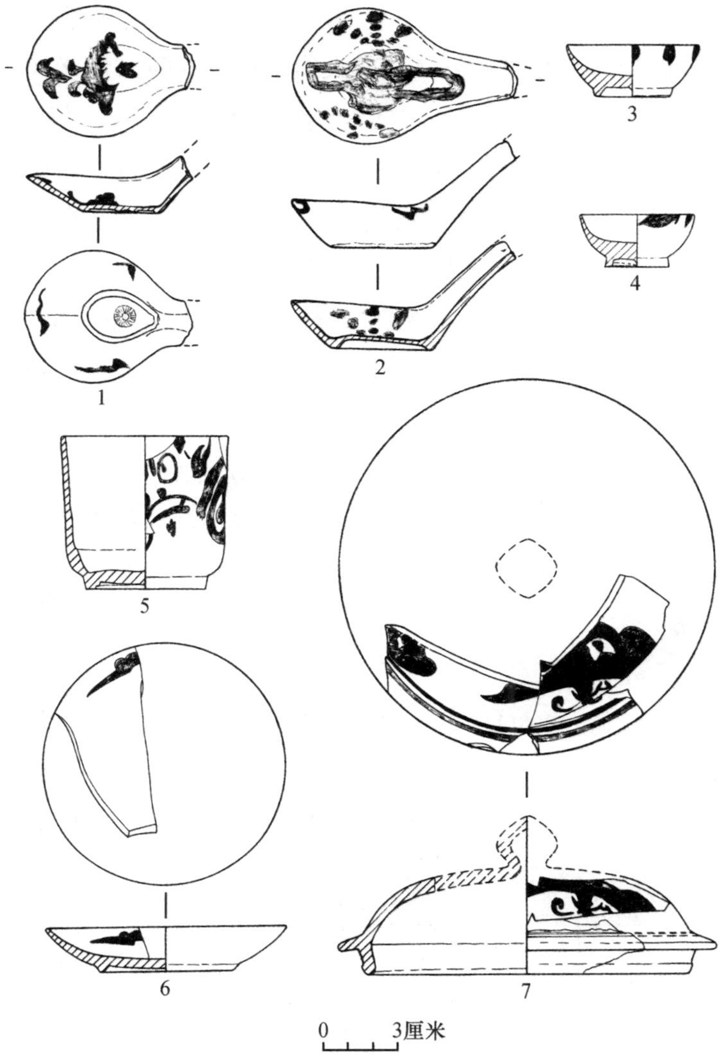

图3-81　新王宫出土青花粗瓷汤匙、杯、碟、器盖

1、2. 汤匙（ⅣT0106①：123、ⅣT0507①：61）　3～5. 杯（ⅣT0303①：7、ⅣT0202①：110、ⅣT0303①：5）

6. 碟（ⅣT0203①：18）　7. 器盖（ⅣT0506④：14）

器盖　可计2件。ⅣT0506④：14，顶部残缺，子母口。罩以透明釉，有细碎开片，盖沿涩胎。外壁以青料绘蝶纹，泛灰黑色。残高4、盖径约15.6厘米（图3-81-7；图版240-3）。

汤匙　可计10件。ⅣT0106①：123，匙柄残缺。灰白胎。内底及腹壁绘花卉纹，外壁绘波浪状纹，足底心模印菊纹。残高2.4、口长约6、口宽5.1、底长3.3、底宽2.2厘米（图3-81-1；图版242-1）。ⅣT0507①：61，柄尖残损。底部微拱。施透明泛青色釉。内底及腹壁绘璎珞纹，外壁近口沿处绘波浪状纹。残高4.3、口长约6.5、口宽5.3、底长4.2、底宽2.8厘米（图3-81-2；图版242-2）。

（2）粗瓷

罐　可计331件，30件可修。

单耳带流罐　49件，9件可修。F9①：159，直口，圆唇，溜肩，鼓腹，平底微内凹。器身一侧置圆条形执把，与之相对的一侧口沿处有半圆形短流。内外壁均有轮旋痕。灰胎，内外壁施酱釉，底部无釉。高10.8、口径6.4、最大腹径9.5、底径7厘米（图3-82-1；图版243-1）。K4①：19，形制与前者相近，直口，鼓腹，平底。施酱釉，不及底。高10.5、口径6、最大腹径9.5、底径7.2厘米（图3-82-2）。K4①：16，修复完整。直口，束颈，鼓腹，平底。颈腹之间置半圆形单把，与之相对的一侧口沿处设流，已残。底部涩胎，余均施青釉。高18、口径10、最大腹径15.5、底径11厘米（图3-82-7；图版134-1）。F9①：160，可复原。形制与K4①：19相同，但小、矮胖。施青釉。高7.5、口径6.4、最大腹径9、底径约7.5厘米（图3-82-3；图版134-2）。K4①：18，直口，短颈，溜肩，鼓腹，平底。器身一侧置圆条形执把，与之相对的一侧口沿处有半圆形短流。内外腹壁均有轮旋痕。灰胎，外壁施酱釉，釉层稀薄，部分已脱落，底部无釉，绳切痕迹明显。高12.9、口径8.1、最大腹径14、底径9.1厘米（图3-82-4；图版243-2）。K4①：17，形制与K4①：18相同，内外壁均施酱釉不及底。高12.7、口径9.3、最大腹径13、底径9厘米（图3-82-5）。K4①：9，形制与K4①：16相近，直口，尖唇，腹部轮旋痕迹明显，平底。施酱釉，釉层稀薄，底部无釉。高17.2、口径10、最大腹径16、底径11厘米（图3-82-6）。

盘口罐　14件，4件可修。K4①：20，修复完整。盘口，圆唇，束颈，丰肩，鼓腹，平底。内外壁于胫部均见有轮旋痕。外壁施酱釉不及底。颈部饰一周凸弦纹，内壁拍印同心圆状纹。高31、口径10.3、最大腹径24、底径11厘米（图3-83-5；图版244-3）。L2④：323，

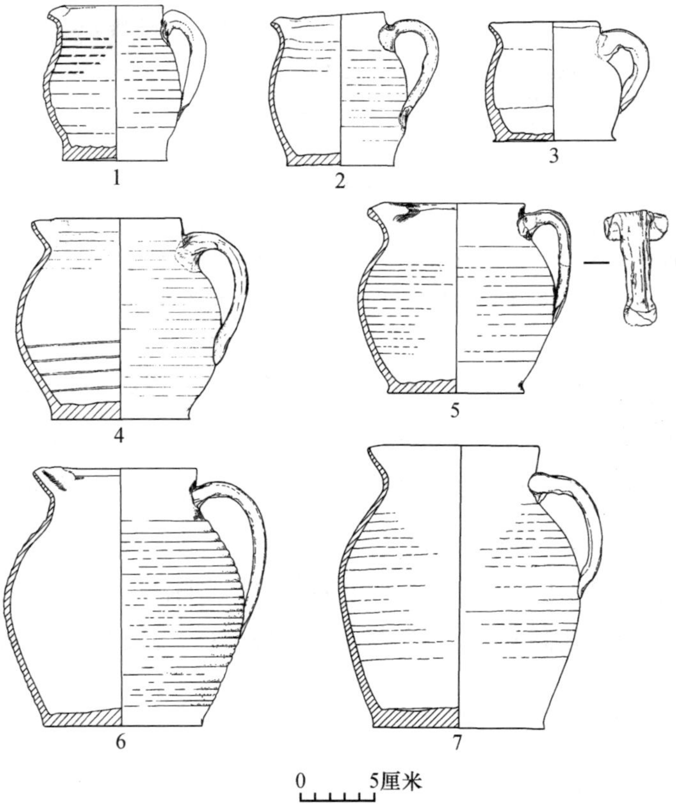

图3-82　新王宫出土粗瓷单耳带流罐

1. F9①：159　2. K4①：19　3. F9①：160　4. K4①：18　5. K4①：17　6. K4①：9　7. K4①：16

可复原。盘口微侈，带流，束颈，溜肩，鼓腹，平底微内凹。通体施酱釉，内壁局部涩胎，外壁旋胎痕迹明显。高25.7、口径9.4、最大腹径18、足径9.8厘米（图3-83-3；图版244-2）。L2④：322，口部残缺。形制与前者相同。通体施酱釉，足底局部涩胎，内外壁旋胎痕迹明显。残高24.6、足径11.4厘米（图版244-1）。ⅣT0606②：6，较完整。盘口，带流，短束颈，广肩，鼓腹，外底心微上拱。酱釉偏黑，外壁施釉不及底，下腹及下底涩胎。高18、最大口径6.5、最大腹径14、底径6.5厘米（图3-83-4；图版134-3）。ⅣT0205②：2，形制与前者相同，口部残缺。内外壁均施青釉，局部涩胎，足底无釉。内外壁轮制痕迹明显。残高18.2、底径8厘米（图版134-4）。

双系罐　2件，1件可修。新王宫采：19，修复完整。敛口，肩部有双系，鼓腹，平底。砖红胎，施青釉不及底。高10.7、口径8.4、最大腹径13、底径8.9厘米（图3-83-2；图版135-1）。G12①：24，口、底皆残，可大致复原。直口微侈，束颈，肩带双耳，腹颈之间有半圆形单把，球形腹。施青釉，下腹涩胎。残高12、口径约4、最大腹径9、底径约6厘米（图3-83-1；图版135-2）。

小罐　38件，3件可修。L2④：8，完整。口微侈，束颈，鼓腹，平底。砖红胎，施青釉不匀，半腹无釉，亦不及底，釉面粗糙，带麻点。高13、口径5.8、最大腹径9.7、底径6厘米（图3-84-1；图版136-3）。G1①：33，修复完整。口部近直，束颈，广肩，平底。施酱釉，露胎处泛红。高20.5、口径11、最大腹径18、底径9.4厘米（图3-84-2；图版244-4）。K4①：22，形制与前者相近。施酱釉。高14、口径8.6、最大腹径14、底径10.6厘米（图3-84-4）。F19②：1，修复完整。大口，鼓肩，浅弧腹，平底。施酱釉，涩胎。高10.7、口径11.5、最大腹径15.5、底径8厘米（图3-84-3；图版136-2）。

大罐　20件，均不可修。

连体罐　2件，均不可修。两个形制较小的罐用泥料粘接腹部，再施以酱釉。ⅠT0204①：104，连体罐粘接处残存一罐口腹部，另一罐仅存粘接处腹部残片。内壁下部均可见轮旋痕。两罐内外壁均施酱釉。残高7.2、罐口径约6厘米（图3-84-5；图版136-1）。F9②：128，粘接处残片，残存一罐腹部残片。

碗　可计414件，8件可修。F8①：124，修复完整。撇口，鼓腹较浅，底微下塌，圈足，外底中央有乳突。施青釉，足沿及下底涩胎。高4.2、口径10.4、足径6.1厘米（图3-85-1；图版137-3）。F9②：8，侈口，圆唇，弧腹，圈足。灰胎，内外壁均施青釉，足底无釉，可见窑红。高9、口径18.5、足径9.8厘米（图3-85-2）。G2②：27，可复原。撇口，弧腹，饼足，足底微上拱。通体施青釉，足底涩胎。足底墨书铭文较为随意，不识。高4.8、口径11.6、底径6.6厘米（图3-85-3；图版137-1、2）。G2②：81，可复原。撇口微卷，弧腹，下腹微鼓，平底，足底心上拱。内外壁均施青釉，足底涩胎，口沿有覆烧痕迹。高7、口径17.6、底径8.4厘米（图3-85-4；图版243-3）。

钵　可计73件，5件可修。F9①：154，可复原。敛口，斜直腹较深，平底微内凹。内壁有轮旋痕。内外壁均施酱釉，足底无釉。高10.6、口径25.2、底径12.2厘米（图版137-4）。

图3-83　新王宫出土粗瓷双系罐、盘口罐

1、2. 双系罐（G12①：24、新王宫采：19）　3～5. 盘口罐（L2④：323、ⅣT0606②：6、K4①：20）

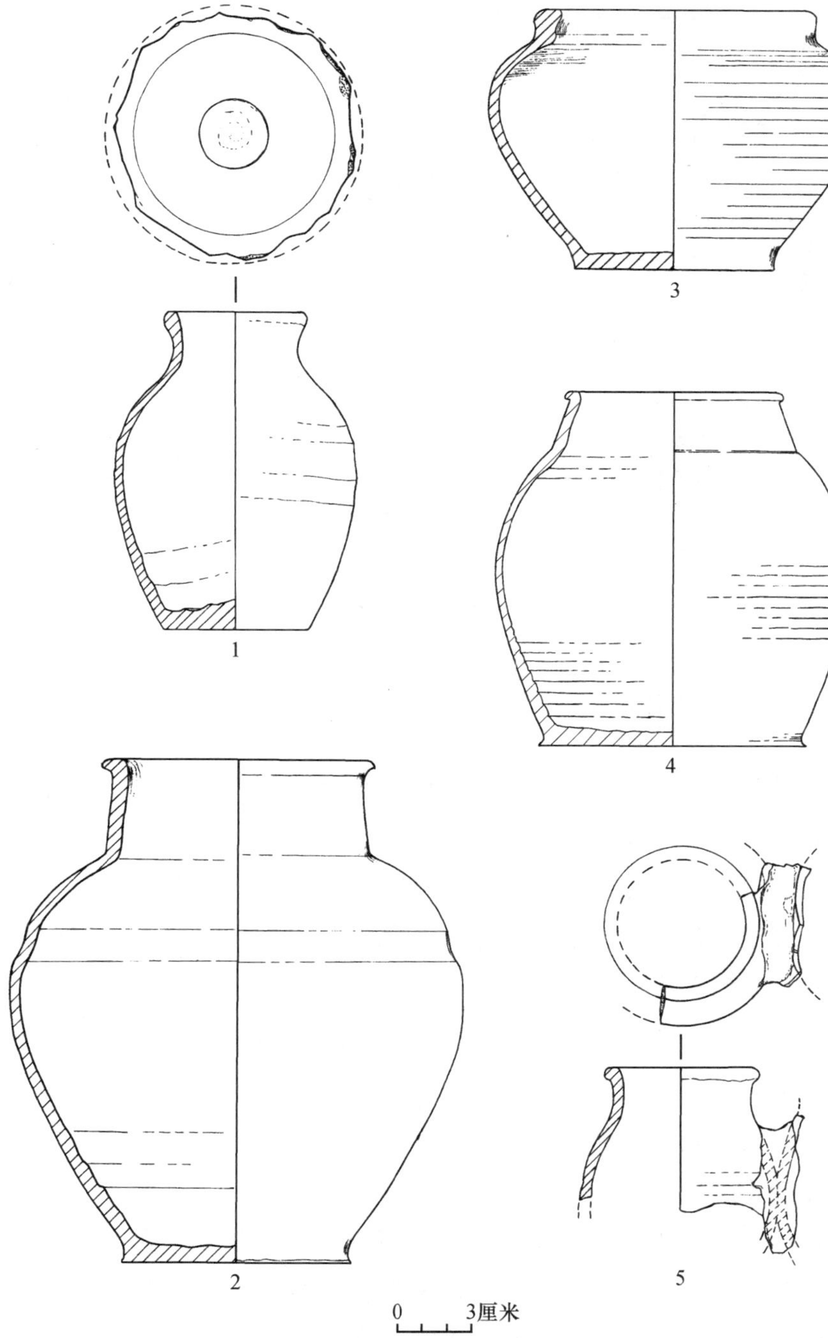

图3-84 新王宫出土粗瓷小罐、连体罐

1～4. 小罐（L2④：8、G1①：33、F19②：1、K4①：22） 5. 连体罐（ⅠT0204①：104）

F9①：155，可复原。敞口微撇，尖圆唇，斜弧腹较深，平底微内凹。内壁有轮旋痕。灰胎，内外施酱釉，底部无釉。高8.7、口径19.8、底径9.4厘米（图3-86-1）。F9①：156，可复原。敞口，圆唇，斜弧腹较深，平底微内凹。内外壁上部有轮旋痕。内壁施满酱釉，外壁施釉不及底，露胎处呈灰色。高8.7、口径20.4、底径11.5厘米（图3-86-2）。F9②：20，形制与前者相同。施酱釉。高7.7、口径19.5、底径11.6厘米（图3-86-3）。

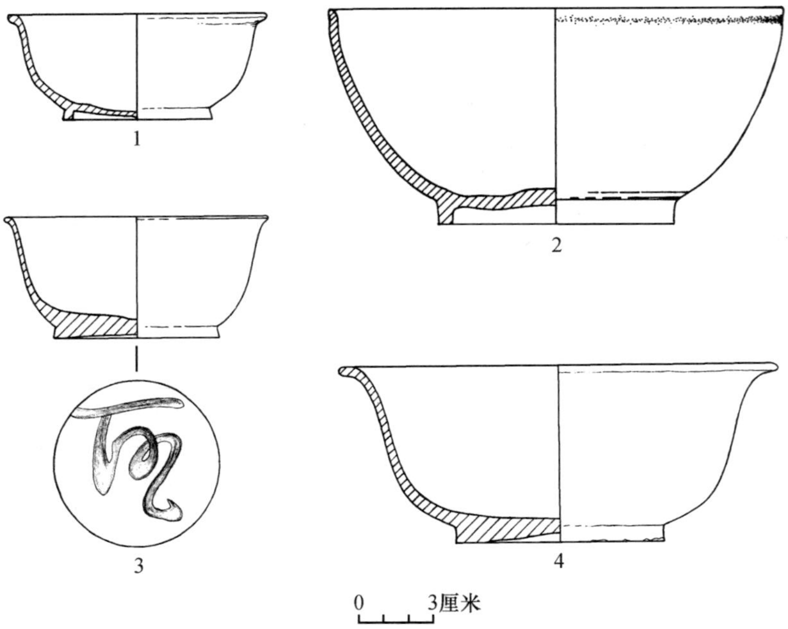

图3-85　新王宫出土粗瓷碗

1. F8①：124　2. F9②：8　3. G2②：27　4. G2②：81

碾钵　可计34件，6件可修。G1①：36，修复完整。侈口微敛，于口沿处置一半圆形短流，弧腹近直，饼状底。施酱釉，下腹、底及内壁均不施釉。内壁自底及口沿施篦划纹以令其粗糙。高8.5、口径13.8、底径7厘米（图3-86-4；图版138-1）。ⅣT0204①：3，可复原。口腹残存局部。敛口，腹壁近斜直，平底。腹壁残见执把粘接痕迹，另一侧应有流，现已残。内外壁均施酱釉，外壁施釉不及底。内底及胫部划螺旋状纹。高12、口径约18.2、底径10.2厘米（图3-86-6；图版243-4）。F9①：161，残存底部。饼足。土黄胎，外壁及足底均施酱釉。内部刻划碾齿痕。底径8.2、残高3.9厘米（图3-86-5）。F3①：104，可复原。敞口，弧腹近直，饼状底。施青釉，下腹、底及内壁均不施釉。内壁自底及口沿施篦划纹以令其粗糙。高8.4、口径15、底径7.5厘米（图版137-5、6）。

夜壶　可计5件，均不可修。由壶嘴、提梁、壶身等部分组成。ⅣT0202①：111，壶嘴、口沿残缺，提梁横跨壶身顶部，残存粘接处小部分。圆球形腹，顶部凸起，丰肩，鼓腹，平底微上拱。通体施青釉，局部涩胎。残高17.8、底径11.2厘米（图3-87-1；图版139-1）。L2④：325，壶嘴残缺，残存壶身及提梁局部。形制与前者相近。外壁通体施酱釉，仅足底局部涩胎。至梁高18.9、足径12.2厘米（图版139-2）。

盆　可计2件，1件可修。ⅣT0706②：25，可复原。口部微敛，小折沿，弧腹，平底微上拱。器内施酱釉，外壁口沿下露胎，微泛红。高8.4、口径27.2、底径16.2厘米（图3-87-2；图版139-4）。

炉　可计1件，不可修。F1①：85，残。筒形，腹壁近直，上部应作镂空状，平底微上拱。通体施酱釉。腹中部饰两周凸弦纹。残高17、底径20.8厘米（图3-87-3；图版140-5）。

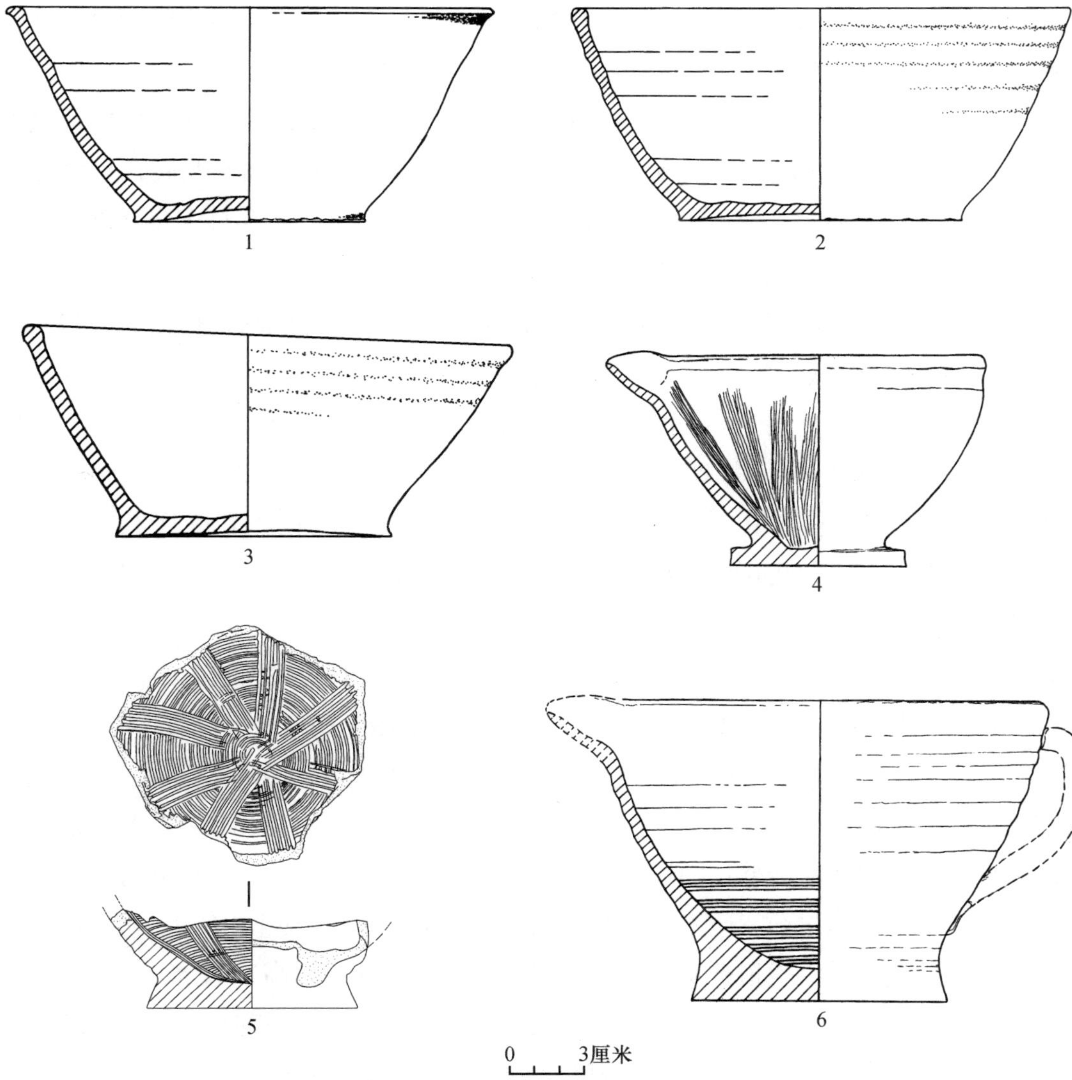

图3-86　新王宫出土粗瓷钵、碾钵

1～3. 钵（F9①：155、F9①：156、F9②：20）　4～6. 碾钵（G1①：36、F9①：161、ⅣT0204①：3）

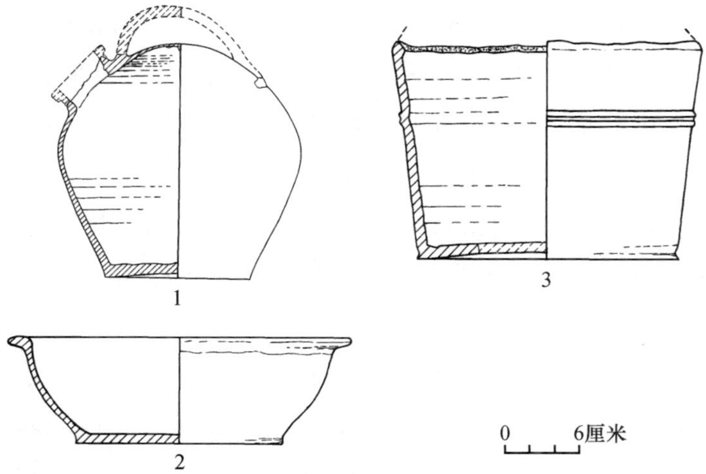

图3-87　新王宫出土粗瓷夜壶、盆、炉

1. 夜壶（ⅣT0202①：111）　2. 盆（ⅣT0706②：25）　3. 炉（F1①：85）

缸　可计15件，均不可修。ⅣT0104①：28，可大致复原。卷沿，浅弧腹近直。外壁施酱釉不及底。残高18.5、口径57、底径约35厘米（图版139-5）。

灯台　可计24件，均不可修。ⅠT0104①：1，灯台上部残缺，残存部分灯柱及执把粘接处，灯柱中空，灯盘外敞微敛，下接饼足，足底心上拱。外壁施青釉不及底，呈窑红。残高8.5、灯盘直径13.4、足径7.7厘米（图版245-1）。ⅣT0302①：1，残存灯座及柄部。圆盘状底座，座沿外撇，中空高柄，执把及灯台上部残佚。施青釉。残高12、灯盘口径12.4、足径10.2厘米（图版139-3）。ⅣT0203④：1，形制与前者相同，灯台上部残缺，执把及灯盘残损。施青釉。残高13.7厘米（图版245-2）。

烟嘴　可计9件，3件可修。ⅡT0102①：14，可大致复原。整体略呈卜字形，中空。胎体泛灰，施青釉。器身模印“S”形等纹饰。残长6.5、宽3.2厘米（图版140-1）。ⅣT0304①：68，完整。整体呈7字形，中空。罩以透明釉。器身模印乳钉及弦纹。长3.8、宽2.4厘米（图版246-1）。ⅣT0304①：69，形制与前者相近，可复原。通体施酱釉。器身模印乳钉及排线纹。长4.8、宽3.3厘米（图版246-2）。

器盖　可计8件，2件可修。G2①：47，修复完整。外形似攒尖顶状，顶部平整，盖沿为子母口。顶部旋切痕迹明显，内壁轮旋痕迹明显。整体涩胎。高4.5、盖径11.4、内径8.7厘米（图3-88-5；图版140-2）。G12①：8，盔帽形盖。纽残，子母口，沿部微上翘。外壁施酱釉，盖内及盖沿涩胎。残高3.7、盖径7.5、内径6.2厘米（图3-88-1；图版246-5）。ⅣT0201①：5，可复原。宝珠形纽，中空，器壁作两道波浪状起伏，盖沿作子母口状。外壁施青釉，盖内及盖沿涩胎。高4.5、盖径7、内径5.8厘米（图3-88-3；图版246-4）。F19①：8，不可复原。形制与前者相同。盖纽已残，盖沿残损严重，器壁上有一圆形小气孔。残高2.5厘米（图3-88-4；图版246-3）。ⅣT0102①：54，香熏盖。可大致复原。外形呈笼屉状，顶部见两个镂空叶状小孔，口沿局部作波浪状装饰。施青釉。高1.6、直径8.8厘米（图3-88-2；图版140-3）。

盏　可计6件，4件可修。ⅣT0706②：27，可复原。形制较小，敞口近直，口沿处有浅流，浅弧腹，内底微下塌，小平底。器内施透明釉，外壁涩胎，腹壁有叠烧痕迹。高3、口径8.5、底径3厘米（图3-88-8；图版140-4）。ⅠT0204①：103，可复原。形制与前者相近，口部微敛，有流。内底及外壁上部施酱釉。高2.2、口径8.4、足径4.4厘米（图3-88-6；图版245-3）。ⅣT0706②：28，可复原。胎体较厚重，敞口，浅弧腹，平底。内外壁均施酱釉，外壁施釉不及底。高3.1、口径8.2、足径4厘米（图3-88-7；图版245-4）。

碟　可计10件，4件可修。形制相同，均敞口，浅弧腹，矮圈足。ⅣT0101①：13，可复原。底心微下塌。内外壁仅于口部施透明釉。高2.5、口径9.4、足径4.6厘米（图3-89-1；图版247-1）。

盘　可计5件，3件可修。ⅣT0101①：11，可复原。撇口，腹壁内弧，平底微上拱。通体施酱釉，足底涩胎。高2.5、口径9.4、底径4.6厘米（图3-89-2；图版247-2）。ⅣT0101①：14，可复原。敞口，浅弧腹，内底下塌，矮圈足，足底心有细小乳突，外底下塌严重。内外壁口沿处施透明釉，余皆涩胎。高2、口径11.8、足径7.4厘米（图3-89-3；图版247-

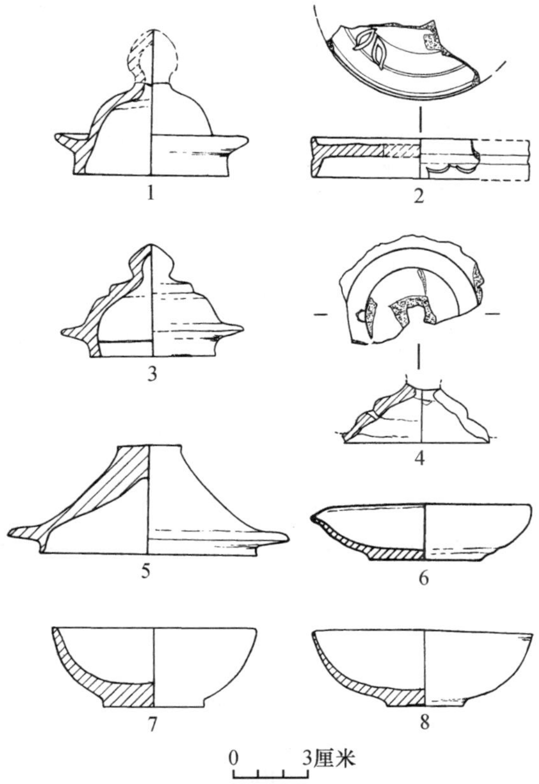

图3-88 新王宫出土粗瓷器盖、盏

1～5. 器盖（G12①：8、ⅣT0102①：54、ⅣT0201①：5、F19①：8、G2①：47） 6～8. 盏（ⅠT0204①：103、ⅣT0706②：28、ⅣT0706②：27）

3）。ⅣT0203④：15，可复原。形制与前者相近，足底心与足沿近平。高1.8、口径11.4、足径7.2厘米（图3-89-4；图版247-4）。

杯 可计21件，9件可修。ⅣT0303①：6，修复完整。敞口近直，上腹较直，下腹圆转，矮圈足。施青釉，足、底涩胎。高2.3、口径6、足径3厘米（图3-89-5；图版247-5）。

杵嘴 1件，可复原。ⅣT0101①：36，形同器盖，中空，略呈凹字形，底面圆弧形，磨损痕迹明显，推测为研磨器，中空处可置木柄。灰胎，质地坚硬，通体施青釉。通高4.2、杵径7厘米（图3-89-7；图版247-6）。

瓶 可计11件，1件较完整。C4③：2，完整。侈口，束颈，葫芦形腹，平底。施青釉，釉质细腻，下底涩胎。高5.8、口径2.4、最大腹径6、底径4.7厘米（图3-89-6；图版138-2）。

瓷塑 可计1件。G1①：2，人头。美髯，大耳，露齿，系一男性长者，或为寿星。素胎，中空，后颈残留绿釉一道。残高4.4厘米（图版106-1）。

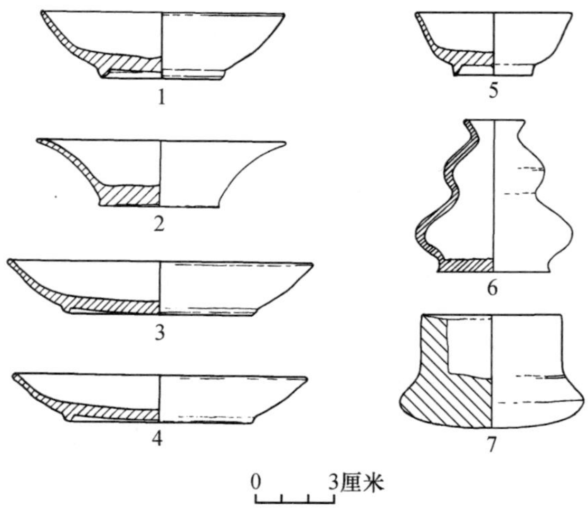

图3-89　新王宫出土粗瓷器

1. 碟（ⅣT0101①：13）　2～4. 盘（ⅣT0101①：11、ⅣT0101①：14、ⅣT0203④：15）　5. 杯（ⅣT0303①：6）
6. 瓶（C4③：2）　7. 杵嘴（ⅣT0101①：36）

（二）石制品

砚台　7件。均残甚，形制、大小不一。3件可大致复原。F8③：1，可大致复原。圆角箕形，砚额、砚边、砚尾破损较为严重。砚堂残存局部，砚岗近半圆形微凸，砚池较深。砚边饰荷叶纹。砚石坚致细润，纹理清晰，做工精细。高3.5、残长17.5、残宽17.4厘米（图版248-3）。ⅣT0305①：19，残块，大致复原。形制与前者相近，残存砚额、砚池、砚堂等部分。砚额处浮雕花卉及云气纹，砚岗处雕刻已残。高2、残长9.6、残宽5.5厘米（图3-90-1；图版248-1）。F10①：8，残块，大致复原。长方形抄手砚，形制规整，残存砚额等部分，砚额宽平，砚底向上倾斜。无纹饰。高2.8、复原长14.3、宽9.3厘米（图3-90-3；图版249-1、2）。F29天井①：2，残破严重。形制较小，长方形。残存砚池、砚岗等部分。砚边作子母口，原应有盖，已佚。砚石坚致细润，形制规整。高1.9、残长8.8、宽5.7厘米（图3-90-2；图版249-3）。

石杵　3件。ⅠT0104④：1，两块拼接而成，较完整。泥灰岩。近圆柱状，不甚规则。表面有錾刻和打磨痕迹，一端研磨痕迹明显。通长22.4、宽约5厘米（图3-90-4；图版250-3）。ⅣT0102①：15，杵身上部残缺，杵头经使用，研磨浑圆，杵身近方形。残长15.1、宽4.2～5厘米（图版250-2）。

笔架　1件。F10①：2，修复完整。黑石，质地偏软，易雕刻。呈山字形。高3.3、复原长7.8、宽1.7厘米（图3-90-5；图版248-2）。

石珠　1件。ⅣT0304①：9，残存一半。白石，表面不甚光洁。中部钻有圆形孔洞。直径3.6、孔径0.5厘米（图3-90-6；图版250-1）。

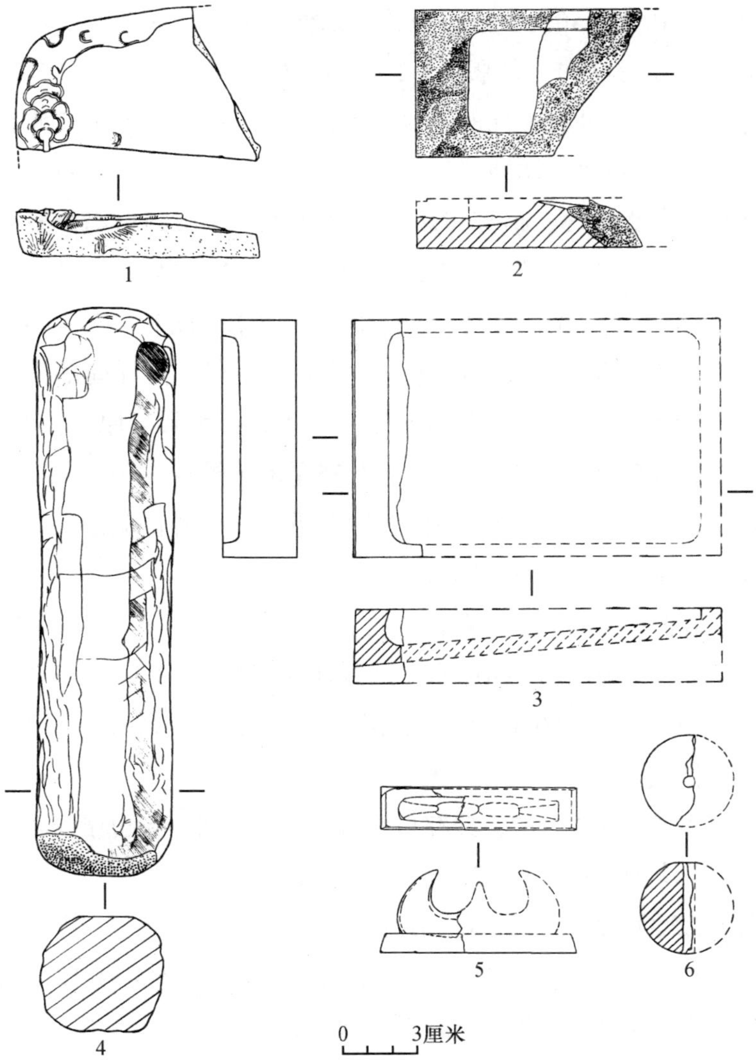

图3-90　新王宫出土石制品

1～3. 砚台（ⅣT0305①：19、F29天井①：2、F10①：8）　4. 石杵（ⅠT0104④：1）　5. 笔架（F10①：2）　6. 石珠（ⅣT0304①：9）

（三）金属器

金属器有铜器、铁器、锡器、合金器等，数量不菲。其中铁器最多，铜器次之。

1. 铁器

出土铁器数量较多，可计212件。有铁锅、铁釜、铁三脚、铁合页、铁锁、铁钥匙、铁錾、铁脚码、铁犁、铁火盆、铁箍、铁锤、铁拉手、铁提环、铁铲、铁钳、铁锁插、铁杵嘴、铁勺等。择其要者介绍如下。

铁锅　共有残片189块，可计26件。器形有敞口、撇口、直口、花口、敛口、筒式、平底锅等。因其特点分明，按其形制介绍如下。

敞口铁锅　13件。F19②：40，拼接近完整。锅柄残缺，锈蚀严重。弧腹，圜底。高9、口径29.8、口沿厚0.6厘米（图3-91-1；图版251-2）。ⅣT0305④：3，口部残块。腹壁斜直，器壁较薄，锈蚀严重。内壁近口沿处有三周凹弦纹。残高7.5、残长9、厚0.25厘米（图3-91-2；图版252-1）。ⅠT0102②：41，残块。锈蚀严重。弧腹，圜底。残高7.7、残长10.9、厚0.3厘米（图3-91-3；图版252-2）。F9②：75，口部残块，锈蚀严重。弧腹，口沿外置一锅柄。残高7.4、残长15.3、厚0.25厘米（图3-91-4；图版252-3）。ⅣT0506②：34，口腹残块。口沿微折，两口沿残块上见有短流及锅柄。残高6.4、残长19.6、厚0.35厘米（图3-91-5）。G12①：86，口部残块，锈蚀严重。口沿外部微凸，腹壁近斜直，口沿上残存有一立耳局部。残高6、残长14.2、厚0.25厘米（图3-91-7）。G12①：59，残块，锈蚀严重，可大致复原。器壁较薄，腹部斜直，底部近平，底心微下塌。高7.8、口径约38.4、厚0.35厘米（图3-91-6；图版252-4）。

撇口铁锅　3件。F10②：4，口腹残块，锈蚀严重。口沿外侧微凸，器壁较厚。残高6.3、残长13、厚0.25～0.35厘米（图3-91-8；图版252-5）。

直口铁锅　2件。ⅣT0304①：17，残存口腹，锈蚀严重。器形较小，腹壁近直微弧，应为圜底。残高9.7、口径15.3、厚0.25～0.4厘米（图3-91-9；图版253-1）。ⅣT0605②：6，近底处腹部残片，锈蚀严重。形制与ⅣT0304①：17相同，较大，器壁较厚，斜弧腹，腹壁残见一圆形小孔洞，应系铸造时所遗。

花口铁锅　1件。ⅣT0707②：27，残存口腹部，残块较小，锈蚀严重。两块口沿残片，斜弧腹。残高4.8、残长8、厚0.3厘米（图3-91-11；图版252-6）。

敛口铁锅　2件。L2①：29，可复原，锈蚀严重。腹部微外鼓，圜底，外壁置一锅柄。腹部有一周凸弦纹。高13.2、口径13.2、厚0.25、柄残长9.7厘米（图3-91-12；图版253-3）。

筒式铁锅　1件。ⅠT0102②：40，口腹部残块，锈蚀严重。器壁厚重，直口，直壁。残高13、残长15.8、厚0.7厘米（图3-91-10；图版253-2）。

平底铁锅　2件。G12①：1，可复原，锈蚀严重。敞口，浅腹，平底，口沿外侧置一锅柄。残高6、口径15.4、深约2、厚0.35、柄残长6.5厘米（图3-91-13；图版251-1）。

另有铁锅残器2件，仅存底腹，形制不明，或为敞口类铁锅残块。

铁釜　均为残块，不可复原，锈蚀严重，根据其形制，可计2件。L2①：89，腹部残块。器壁较厚，呈连弧状。内腹壁有一周凸弦纹。长8.95、宽6.85、厚0.6厘米（图版254-1）。ⅣT0405①：17，口部残块。撇口微敛，宽折沿微弧。近口沿及折沿处饰两周凹弦纹。长10、宽6.4、厚0.5厘米。

铁三脚　22块，可计10件。铁三脚呈支架状，设三足，上接圆环，足与铁环相接处置有支钉，用以固定炊具。C3①：7，锈蚀严重。铁环剖面近三角形，上置有较短支钉，与支钉对应处残存一足，外撇，下部残缺。残高15.9、环径18厘米（图3-92-12；图版254-4）。L2①：91，残存铁环局部。形制与C3①：7相同，支钉略短（图版254-2）。L2①：86，残存铁环局部及一足。足对应内侧置一支钉，较前两者略长。高19.8、复原环径约18厘米（图3-92-13；图版254-3）。

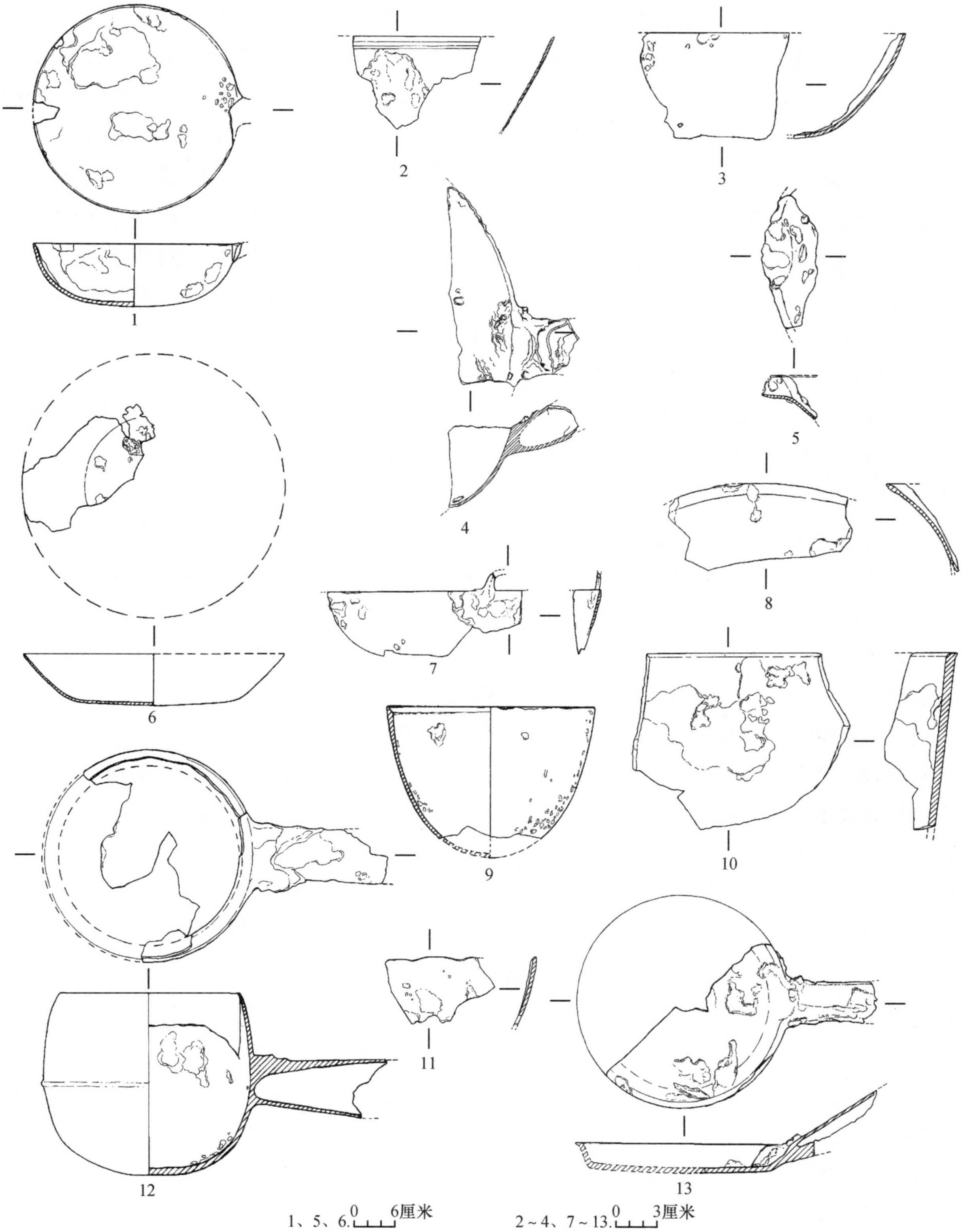

图3-91 新王宫出土铁锅

1～7. 敞口锅（F19②：40、ⅣT0305④：3、ⅠT0102②：41、F9②：75、ⅣT0506②：34、G12①：59、G12①：86）
8. 撇口锅（F10②：4） 9. 直口锅（ⅣT0304①：17） 10. 筒式锅（ⅠT0102②：40） 11. 花口锅（ⅣT0707②：27）
12. 敛口锅（L2①：29） 13. 平底锅（G12①：1）

铁门扣　12件。F19①：64，片状门扣整体呈圆角矩形，两端有穿孔，小孔一端套有一枚双脚式螺旋状蛐蛐。门扣长5.5、宽2、厚0.4厘米，蛐蛐残长4厘米（图3-92-3；图版255-3）。F19②：42，片状门扣呈椭圆长条形，两端开孔，一端孔上穿有一蛐蛐。长9.7、宽1.7、厚0.3厘米，蛐蛐长6.7厘米（图3-92-5；图版255-4）。F9①：240，形制与F19②：42相近，锈蚀严重，小孔一端穿有一双脚式蛐蛐，蛐蛐上套有眼钱。长17.5、宽2.15、厚0.3厘米（图3-92-4；图版255-5）。ⅣT0402②A：1，条状门扣，椭圆长条形，中部向内凹收。长8、厚0.4厘米，蛐蛐长5.7厘米（图3-92-6；图版255-2）。ⅣT0504④：36，片状门扣，形似拉链拉头，下端有一孔，套一枚双脚式蛐蛐，近上部约90°弯曲，上端片状铁片向内卷曲成插孔。长3.4、宽0.6～2.5、厚0.1～0.3厘米（图3-92-7；图版255-1）。

铁提环　10件。F8②：21，整体呈U字形，宽平条状，两端渐细，弯曲成钩状。长12、宽3.7、厚0.3厘米（图3-92-8；图版256-3）。F19②：30，光圆提环，整体呈U字形，末端渐细，向内卷曲成钩状。长13.3、宽6.5、厚0.7厘米（图3-92-9；图版256-4）。F12①：59，锈蚀严重。整体呈U字形，宽平条状，两端渐细，弯曲成钩状，一端钩部套有一枚蛐蛐。长14、宽6、厚0.5厘米（图3-92-10；图版256-6）。F8①：44，一侧残存一蛐蛐和八边形眼钱。整体呈U字形长条状，已变形，末端螺旋弯折成钩状。残长7.8、宽6.7、厚0.4厘米，蛐蛐长3.2厘米（图3-92-11；图版256-5）。

铁钩　11件。F8②：13，铁条弯折成钩状，上端穿有蛐蛐一枚。整体长7.5厘米（图3-92-1；图版256-1）。F8③：2，形制同前。整体长7.9厘米（图3-92-2；图版256-2）。

铁扣（蛐蛐）　36件。由扁平条状、两端渐细的铁条弯曲而成，双脚多向外弯折，部分套有眼钱（片状，或圆或方，部分呈花叶形，中部置长方孔套于铁扣上）。K4②：75，完整。形制较小，套有长方孔圆形眼钱。长2.6、眼钱直径1.5厘米（图3-93-1；图版257-1）。F19②：29，保存较好，双脚向外弯折。长2.9、眼钱直径1.9厘米（图3-93-2；图版257-2）。F10②：9，双脚由外向上弯折，一脚残损。长3、眼钱直径2.4厘米（图3-93-3；图版257-3）。F10①：10，双脚式，径直双向弯曲，带花片状眼钱。长3.4厘米（图3-93-4；图版257-4）。ⅣT0404①：8，花片状眼钱锈蚀严重，双脚向外弯折，一向上，一向下。长4.5、眼钱直径2.6厘米（图3-93-5；图版257-7）。F8①：42，由方正铁条将中部拧成螺旋状，下部双脚向外分开。残长3.2厘米（图3-93-6）。F8①：54，双脚式，径直双向弯曲，带一八边形和一方形眼钱。残长3.2厘米（图版257-5）。ⅣT0102①：53，完整。双脚式，尖端合为四棱锥状。长5.8厘米（图3-93-7；图版257-6）。F8①：37，形制与ⅣT0102①：53同。长5.6厘米（图3-93-8）。ⅠT0101②：12，两铁条弯折成8字形相套，各自在两端再接一枚蛐蛐。长10.5厘米（图3-93-9；图版257-8）。

铁拉手　12件。F8①：45，长方形，带两枚蛐蛐，蛐蛐上皆有两枚方形眼钱。长3、宽2、厚0.3厘米，蛐蛐长3.5厘米（图3-93-10；图版258-1）。ⅣT0606①：2，铁条锻打两端闭合成近圆形，带两枚蛐蛐，均为双脚式径直双向弯曲，均有一枚方形眼钱，其中一枚眼钱的一边呈锯齿状。长7.2、环径2.8、厚0.4厘米（图3-93-13；图版258-2）。F8①：25，形制与

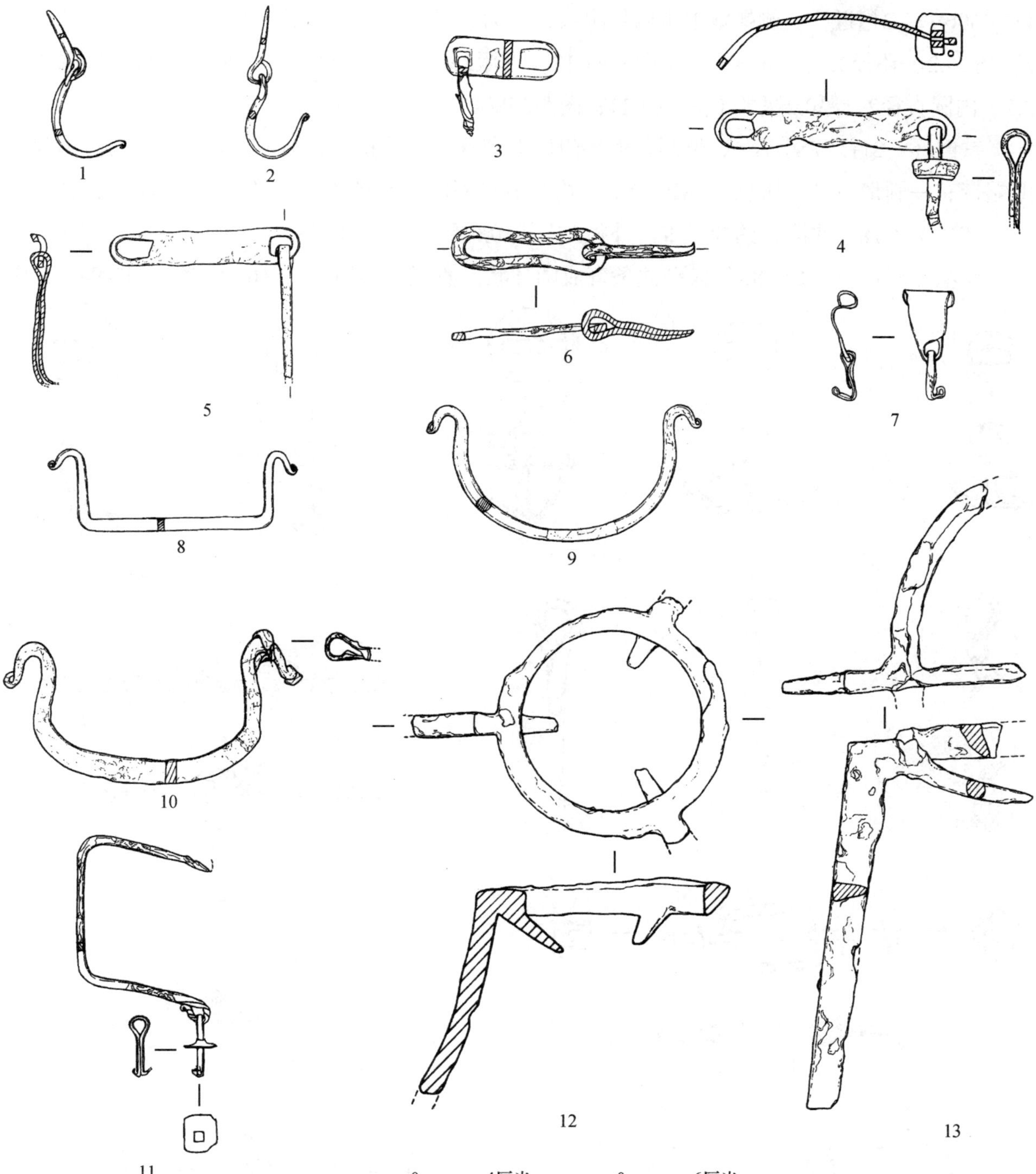

1～11、13. 0 4厘米　12. 0 6厘米

图3-92　新王宫出土铁器

1、2. 铁钩（F8②：13、F8③：2）　3～7. 门扣（F19①：64、F9①：240、F19②：42、ⅣT0402②A：1、ⅣT0504④：36）　8～11. 提环（F8②：21、F19②：30、F12①：59、F8①：44）　12、13. 铁三脚（C3①：7、L2①：86）

ⅣT0606①：2相近，一侧蛐蛐上带两枚眼钱，一为方形，一为八边形，另一侧蛐蛐上眼钱已脱落。长6.2、环径3.2、厚0.3厘米（图3-93-12；图版258-3）。F30①：9，圆环片状。外圆直径3.7、内圆直径2、厚0.2厘米（图3-93-11；图版258-4）。

铁门环　2件。F8③：6，形制较大，门环上套有一大铁扣（蛐蛐），双脚向外弯折内收，上端带有一圆形方孔大眼钱，锈蚀严重。均为锻打而成。环径约10厘米（图3-94-1；图版259-5）。F19①：10，残段，锈蚀严重。外径5.5、厚0.6厘米。似为门环。

铁箍　5件。L2①：88，扁平铁条弯成圆环状。直径3、宽1.3、厚0.3厘米（图3-94-4；图

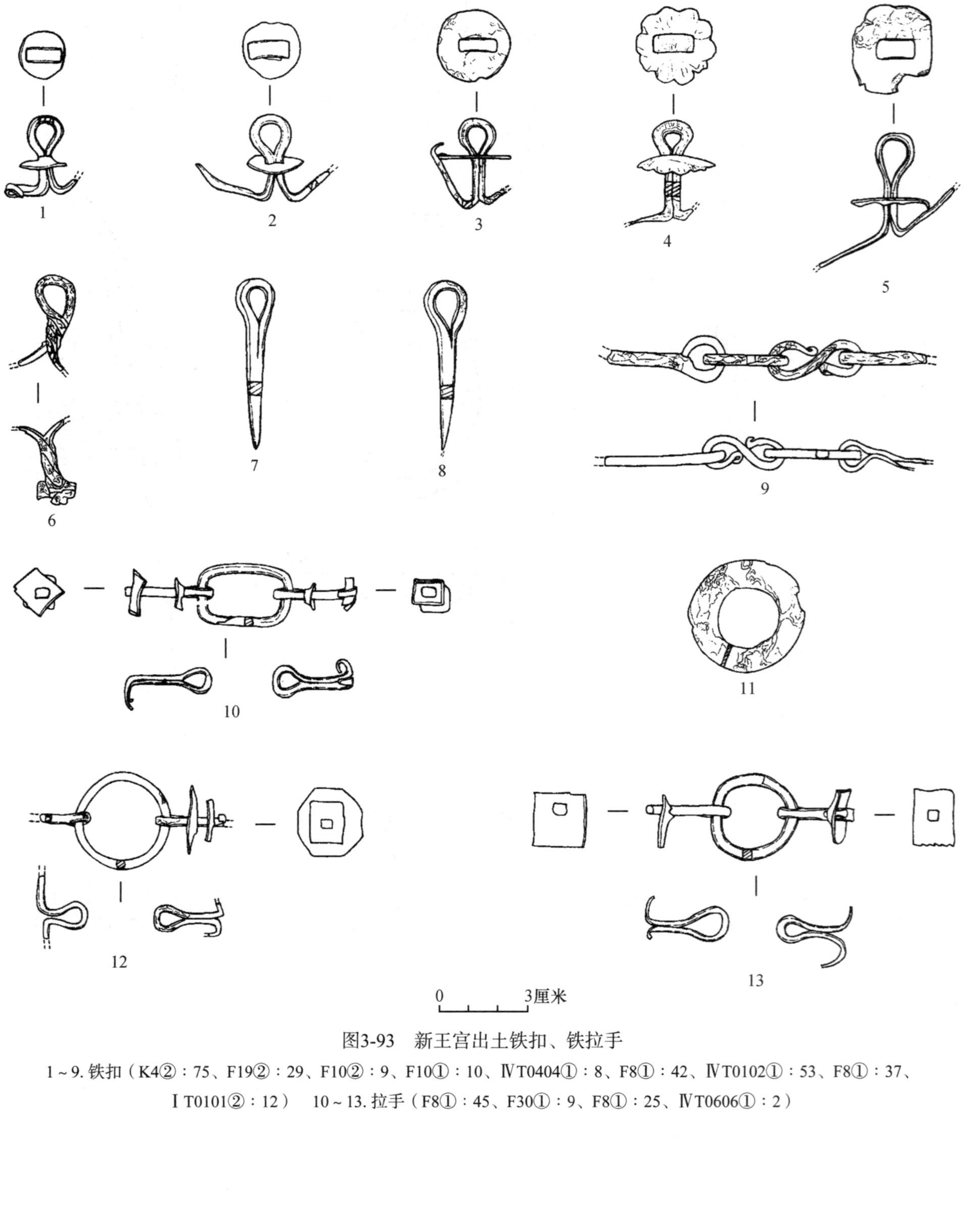

图3-93　新王宫出土铁扣、铁拉手

1～9. 铁扣（K4②：75、F19②：29、F10②：9、F10①：10、ⅣT0404①：8、F8①：42、ⅣT0102①：53、F8①：37、ⅠT0101②：12）　10～13. 拉手（F8①：45、F30①：9、F8①：25、ⅣT0606①：2）

版258-5）。ⅣT0102①：41，圆筒形。保存较好。直径3.1、宽2.6、厚0.25厘米（图3-94-5；图版258-6）。

铁合页 15件。C1①：5，残存一片合页面和合页槽及锈蚀在其中的轴部，合页面呈如意状，带三枚钉孔。残长5.6、残厚0.2、环径0.6厘米（图3-94-8；图版259-2）。

铁门带 1件。F19②：32，铁片两端向内弯折，带铁钉，锈蚀严重。残长8.6、宽5厘米（图3-94-6；图版259-1）。

铁杈 2件。ⅢT0101①：1，生铁铸造，锈蚀严重，局部残缺。整体呈葫芦状，顶部置一方形桥纽，纽中部有一圆形穿，溜肩，束腰，底部近平。腰部偏下有两周凹弦纹。通高6.3、底径4.5厘米（图3-94-7；图版259-4）。ⅣT0706②：1，锈蚀严重，纽部残缺。形制与前者相近，呈葫芦状，底部不甚规整。残高4.8、底径4.5厘米（图版259-3）。

铁钥匙 4件。均锈蚀严重。ⅣT0606②：3，匙身扁平，尾部渐窄，转手呈U字形，有一小方孔，无明显匙柄。长10.5、转手宽1.2厘米（图3-94-2；图版261-1）。ⅣT0203①：14，形制与前者相近，匙柄较厚。长9.8、转手宽1.1厘米（图3-94-3；图版261-2）。

铁杵嘴 1件。G1①：4，杵前端套筒。锈蚀严重，局部残缺。中空，口部较大，腹壁斜直，底部较小，略圆。外壁范印四条近对称的竖向凸弦纹，其间模印有斜向凸弦纹装饰。通高13.9、口径7.2厘米（图3-94-11；图版260）。

铁锤 1件。ⅣT0706②：2，锈蚀严重。中部有一长方形孔洞，下端近方形，上端呈斧刃状，刃部残缺变形，两端使用痕迹明显。长6.7、宽2.2、厚2厘米（图3-94-9；图版261-3）。

铁勺 1件。ⅣT0205①：3，锈蚀严重。较厚重，柄部残缺，平面呈圆形，整体近半球状。范铸而成。高2.9、口径9.3厘米（图3-94-10；图版261-4）。

铁脚码 3件。现代坑1：2，较为完整，锈蚀严重。整体闭合，两端向上翘起，中部扁平，底侧有钉状凸起。长8.8、宽5.5厘米（图3-95-4；图版261-5）。

铁锁 6件。ⅣT0606②：7，较为完整，锈蚀严重。整体呈凹字形，圆柱形锁身。锁孔位于锁身底部，锁舌上残存有门扣残件，因锈蚀粘于锁舌上。高4.1、长8.5、宽2厘米（图版261-6）。

铁锁插 7件。F8①：110，整体为长方形片状，两端向内呈圆状卷曲，一端轴部残存一枚蛐蛐。长4、宽4厘米，蛐蛐残长3.5厘米（图3-95-2；图版262-1）。F12②：1，带有两枚蛐蛐。一端长3.6厘米，一端长4.6厘米（图版262-2）。

铁平凿 1件。F12①：61，圆銎，凿身为锻打而成的长条块状，凿刃平整。长21.5、凿身宽1.3、銎径2.2厘米（图3-95-1；图版262-4）。

铁錾 2件。F8③：13，实心，后端圆柱形，前端呈四棱形，锋尖扁平，略残。残长14.6、圆径1.7、扁径2.2、錾尖宽0.6厘米（图3-95-8；图版262-3）。

铁包角 1件。F8①：40，4块残片，其中1块较完整。长方形铁片，中部对折近直角，带钉和钉孔。长7厘米，两侧铁片宽1.9厘米（图3-95-3；图版263-1）。

铁钉耙 2件。现代坑2：10，为一截钉耙齿，整体呈细长三角形。长8.4、宽0.5～1.6、厚

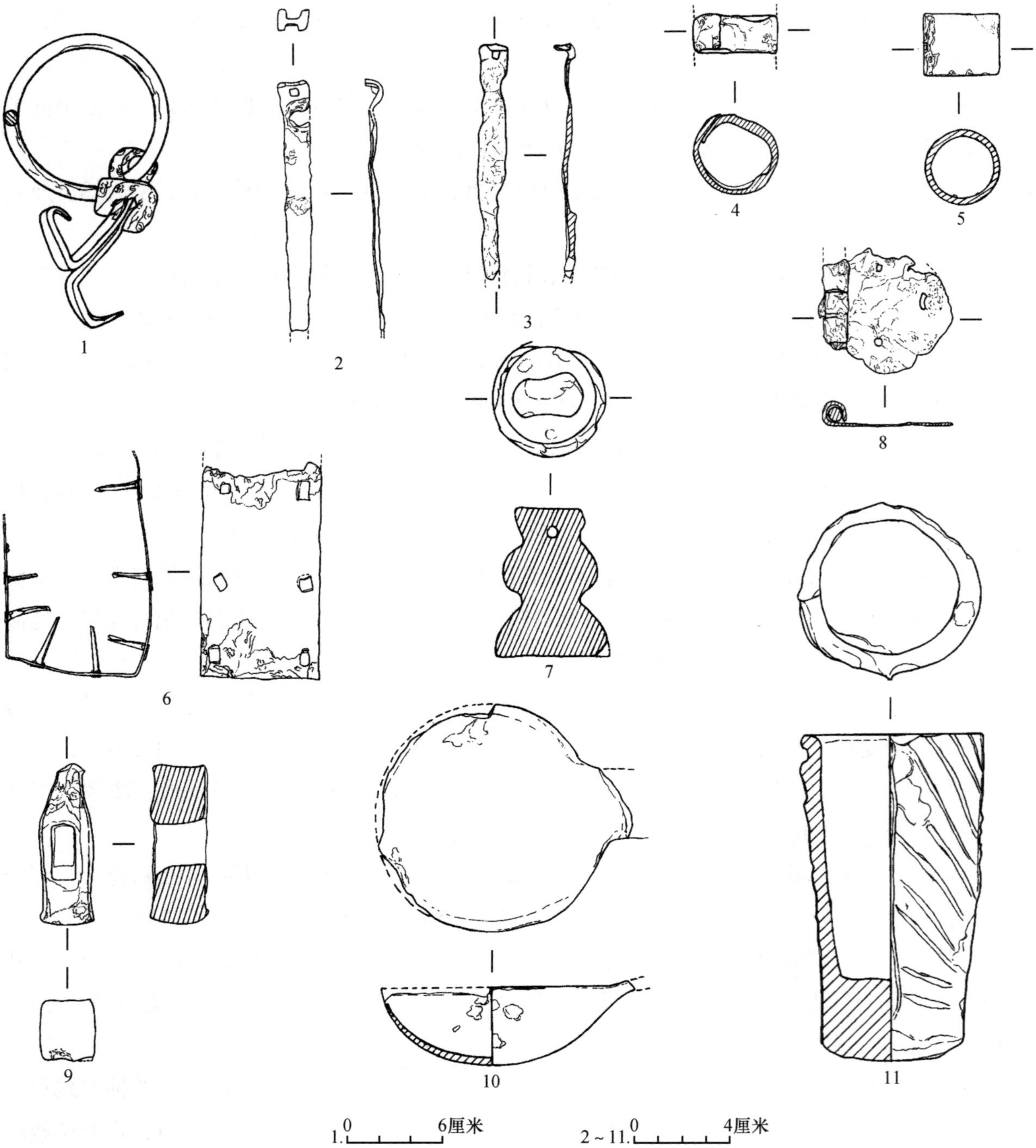

图3-94　新王宫出土铁器

1. 门环（F8③：6）　2、3. 钥匙（ⅣT0606②：3、ⅣT0203①：14）　4、5. 铁箍（L2①：88、ⅣT0102①：41）　6. 门带（F19②：32）　7. 铁杈（ⅢT0101①：1）　8. 合页（C1①：5）　9. 铁锤（ⅣT0706②：2）　10. 铁勺（ⅣT0205①：3）　11. 杵嘴（G1①：4）

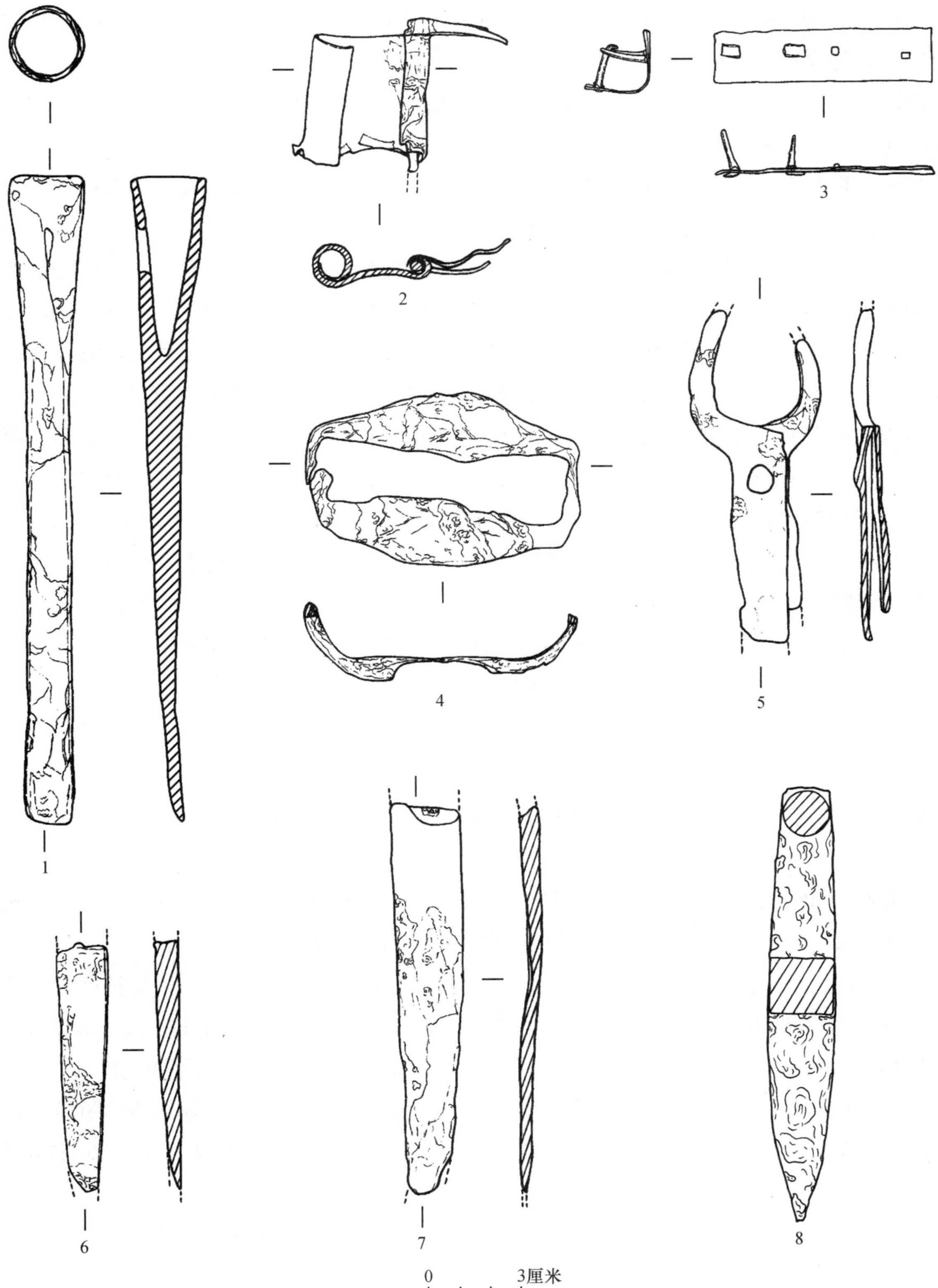

图3-95　新王宫出土铁器

1. 平凿（F12①：61）　2. 锁插（F8①：110）　3. 包角（F8①：40）　4. 脚码（现代坑1：2）　5. 铁钳（ⅣT0607①：84）
6、7. 钉耙（现代坑2：10、ⅣT0203①：16）　8. 铁錾（F8③：13）

0.2～0.8厘米（图3-95-6；图版263-3）。ⅣT0203①：16，长12.4、宽0.7～2.1、厚0.2～0.5厘米（图3-95-7；图版263-4）。

铁钳　1件。ⅣT0607①：84，以铁轴卯合两铁片，上端呈U字形，钳柄残存局部，扁平，中部凸起。锻打而成。长10.6厘米（图3-95-5；图版263-2）。

其他　ⅣT0706②：22，残存局部，锈蚀严重。形如铲状，或为炭箕。柄部由铁条锻打成环套状，中空，套以木柄使用，柄下端弯曲接口沿，沿部外展，下部残缺。柄长7.5、柄径2.2厘米（图3-96-1；图版264-1）。ⅣT0404④：57，圆锥形铁器残件。残长9.6、直径0.6厘米（图3-96-2）。ⅣT0305④：4，尖锥形铁片残件，或为铁刀局部。残长8.4、宽0.8、厚0.3厘米（图3-96-3）。F8①：62，锈蚀严重。柄与铲身近直，口沿内收。残长7.9、残宽4.9厘米（图版264-2）。F19②：33，由铁条及铁挂钩组合而成，铁条两端残缺，两侧面中部卯有挂钩，一侧挂钩残损。残长10.2厘米（图3-96-4；图版264-3）。ⅠT0104④：2，平面呈U字形，两端残缺，一端有一孔洞，一侧面见三乳钉状装饰，或为器耳。长7.5、宽1.1、厚0.5厘米（图3-96-5；图版264-4）。ⅣT0605①：2，弓形铁器残件，或为器耳。残长4.8、宽3.9厘米（图3-96-6）。ⅣT0304①：15，残缺变形，锈蚀严重。扁平圆环状。直径7.2、厚0.3厘米（图3-96-7；图版265-7）。ⅣT0706②：18，口部残件。外置一耳，耳中部置一圆形孔洞。残高5.6厘米（图3-96-8；图版264-5）。ⅣT0706②：19，口部残片。口沿外侧微凸，尖唇。腹中部有一周凸弦纹。残高8.3厘米（图3-96-9；图版264-6）。

2. 铜器

60件。有吊牌、铜锁、香炉足、提环、拉手、钥匙、天平、合页、铜勺、铜饰、铜簪、铜锣等。

铜吊牌　1件。ⅣT0305①：12，两侧戳印圆圈纹，中间下端有一圆形穿孔，整体形状为“壽”字上部。高3.5、宽4.2、厚0.15厘米（图3-97-1；图版268-1）。

铜锁　6件。整体均呈凹字形（图版267）。ⅠT0306①：1，铜套铁芯，锈蚀严重。长方形，一端带T字形锁孔。高3.6、长8.8、宽1厘米（图版266-3、4）。F9②：49，圆柱形锁身，侧面形似水滴状，一端带一字形锁孔。高2.6、长4.8、宽1.6厘米（图3-97-2；图版266-1、2）。

铜香炉足　1件。G1②：47，器形较大，作兽首形，兽角及鼻、耳等部凸起明显，其余等部微凸，怒目有神，毛发作卷曲状。兽嘴衔足，下部残缺，中空，内填陶土。残高7.4厘米（图版266-5、6）。

铜提环　1件。F2②：3，整体呈U字形，长条状，两端渐细，弯曲成钩状。通长16.2、矢高3.6厘米（图3-97-4；图版268-3）。

铜拉手　1件。G2②：24，提篮式，带一枚蛐蛐。通长3.6、宽2.4厘米（图3-97-3；图版268-2）。

铜钥匙　5件。ⅣT0404①：2，扁平状，已弯折变形，手柄处较厚，匙身前端较薄，尾端有一圆形系绳穿孔，转手残缺。长11.3、宽0.8、厚0.3～0.4厘米（图3-97-6；图版269-3）。

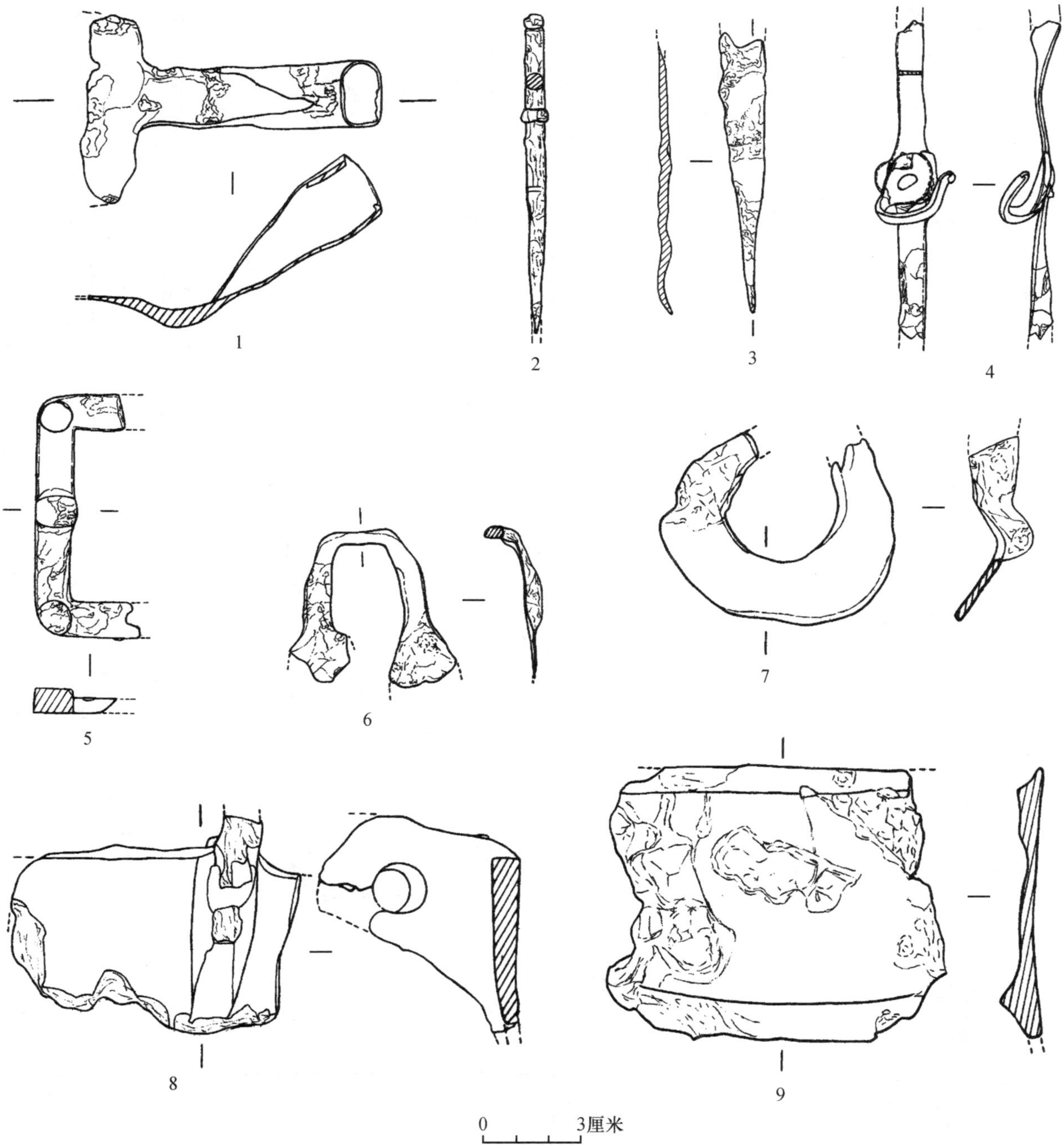

图3-96 新王宫出土铁器

1. ⅣT0706②：22 2. ⅣT0404④：57 3. ⅣT0305④：4 4. F19②：33 5. ⅠT0104④：2 6. ⅣT0605①：2 7. ⅣT0304①：15 8. ⅣT0706②：18 9. ⅣT0706②：19

L2④：1，扁平状，手柄处较厚，匙身前端较薄，末端向一侧弯折，形成系绳孔。长10.7、宽0.7～0.9、厚0.2～0.4厘米（图3-97-7；图版269-2）。G2①：10，扁平状，匙身较薄，已弯折变形，尾端有一圆形系绳穿孔，转手残缺。长13.3、宽0.6、厚0.1～0.2厘米。ⅣT0404①：17，扁平片状，手柄处呈领结状，顶端中部有圆形穿孔，匙身前端弯折变形。长8.5、宽0.8～1.6、厚0.2厘米（图3-97-5；图版269-1）。G2②：22，形制规整，保存较好。匙身扁平、手柄稍厚，

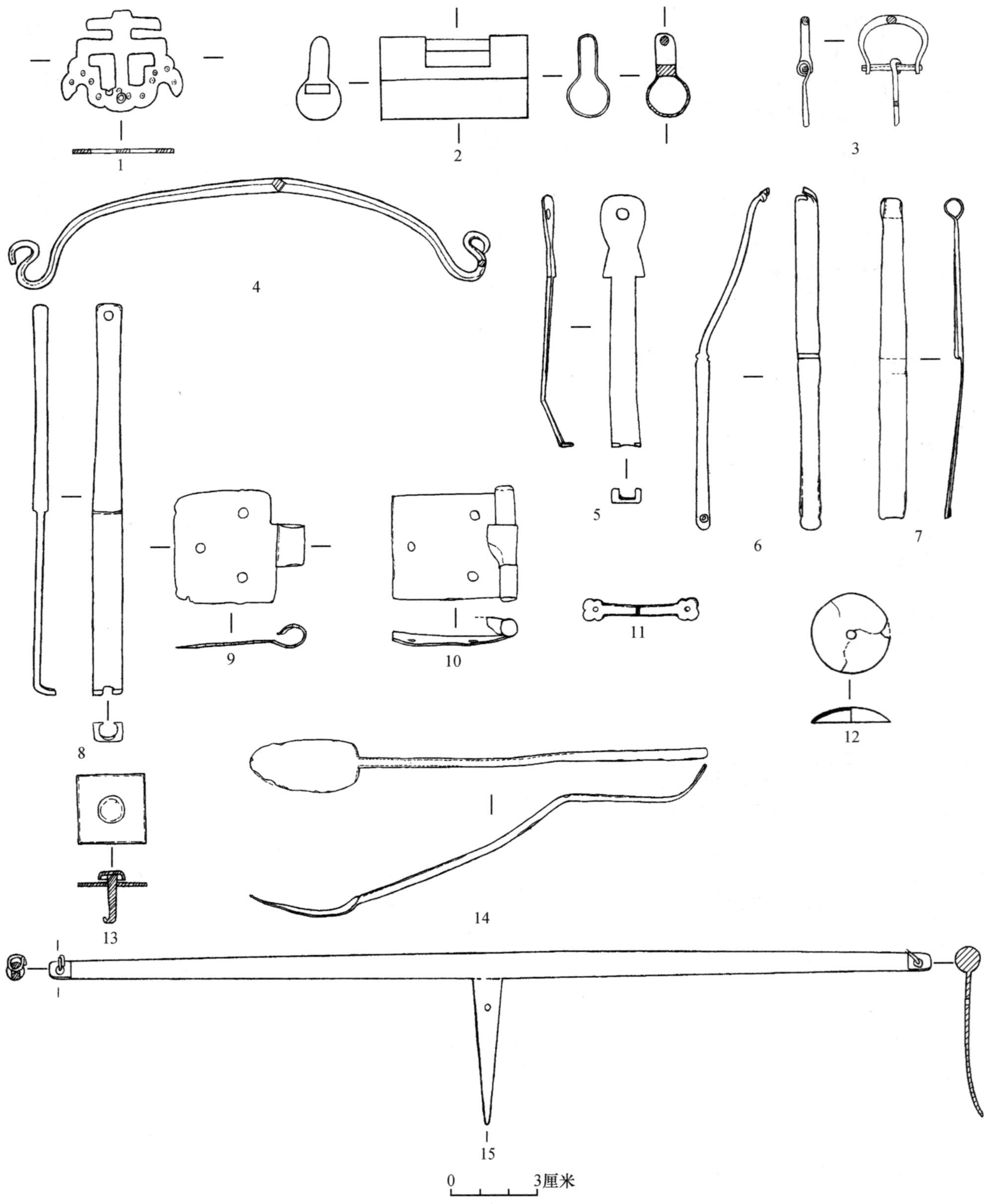

图3-97　新王宫出土铜器

1. 吊牌（ⅣT0305①：12）　2. 锁（F9②：49）　3. 拉手（G2②：24）　4. 提环（F2②：3）　5～8. 钥匙（ⅣT0404①：17、ⅣT0404①：2、L2④：1、G2②：22）　9、10. 合页（G2①：8、ⅣT0706①：7）　11～13. 铜饰（ⅠT0102①：11、ⅣT0506②：6、ⅠT0103④：7）　14. 勺（G2②：32）　15. 天平（F8③：5）

末端有一圆形穿孔。长13.5、宽1、厚0.2～0.5厘米（图3-97-8；图版269-4）。

铜天平 1件。F8③：5，残存横梁和指针。指针呈长三角形，中间有一圆形穿孔，横梁呈长条圆柱状，两端渐细，各有一圆形穿孔及穿环，用于挂住托盘。长30.5、高6、圆柱直径1厘米（图3-97-15；图版268-4）。

铜合页 2件。G2①：8，残存合页一面，合页面近方形。长3.7、宽3.3厘米。合页槽位于一侧中间，呈短管状，管径0.8厘米（图3-97-9；图版269-5）。ⅣT0706①：7，锈蚀严重。形制与前者相同，合页槽套以铁轴。页面长3.7、宽3.6厘米（图3-97-10；图版269-6）。

铜勺 1件。G2②：32，勺呈舌状，柄身细长，不甚规则，上部扁平弯曲。由铜条锻打而成。长15.6厘米（图3-97-14；图版269-7）。

铜饰 9件。ⅣT0506②：7，残件。斗笠状，镂空，以顶端作莲瓣状向四周展开，顶部置细小铁轴。高1、直径3.6厘米（图版270-2）。ⅠT0102①：11，哑铃状铜片，两端饰四瓣花，中间有圆形穿孔。长4.1厘米（图3-97-11；图版270-3）。ⅣT0606②：4，铃铛状，圆形空心小球上接一椭圆形穿孔。ⅣT0506②：6，圆形铜片，较薄，中部凸起，顶部置一圆形小孔。或为眼钱。直径2.25厘米（图3-97-12；图版270-4）。ⅠT0103④：7，蘑菇状钉首，钉身穿一方形铜片。方形铜片边长2.4厘米，钉帽直径0.9厘米（图3-97-13；图版270-5）。

铜簪 2件。L2③：23，细长条状，一端渐细，一端略有弯折，顶端呈不规则片状。长10.3、厚0.2～0.3厘米（图3-98-7；图版270-6）。ⅣT0404①：6，长条锥状，中部变形弯曲，一端渐细，簪尾为扁平圆角四棱形，再折成弯钩状。长8.3厘米（图3-98-6；图版270-7）。

铜錾 1件。F10①：11，表面作螺旋状刻划形成小凹槽，锐刃处扁平。长6厘米（图3-98-4；图版271-1）。

铜象棋 1枚。K3①：31，圆形，两面模印阳文“仕”字，郭边较窄，不甚规则。直径2.7、厚0.3厘米（图版271-2）。

铜管 1件。F10②：5，铜片向内卷成中空管状，未闭合，末端平齐，另一端残。残长6.6、管径1.7～1.9厘米（图3-98-8；图版271-3）。ⅣT0503②：4，铜片较薄，向内卷曲形成闭合的中空管状。残长10、管径1～1.1厘米（图3-98-9；图版271-4）。

铜暖炉残件 2件。G2②：20，残片。较薄，方形边框内为镂空卐字锦纹。残存的边框中部及一角带细小孔洞和铆钉。边框残长5.6、残宽2.1厘米（图3-98-10；图版271-5）。ⅣT0503④：7，残损严重。形制与前者相同。边框残长4.9、残宽6.2厘米（图3-98-11；图版271-6）。

铜锣 均为残片，可计1件。G2②：5，底部残块。器形较大。内外锻打痕迹明显，不甚规整。底径约39、残高2.3厘米（图3-98-13；图版272-5）。ⅣT0103①：28，口腹残片。口部略厚微内敛，腹壁微外凸，下部应已到底，局部向内弯折。残高7.9厘米（图3-98-12；图版272-4）。

铜扣（蛐蛐） 3件。F8①：28，由扁平条状、两端渐细的铜条锻打而成，双脚末端向外弯折，带长方形眼钱。长2.95、眼钱边长2.7厘米（图3-98-2；图版272-1）。ⅣT0305①：44，

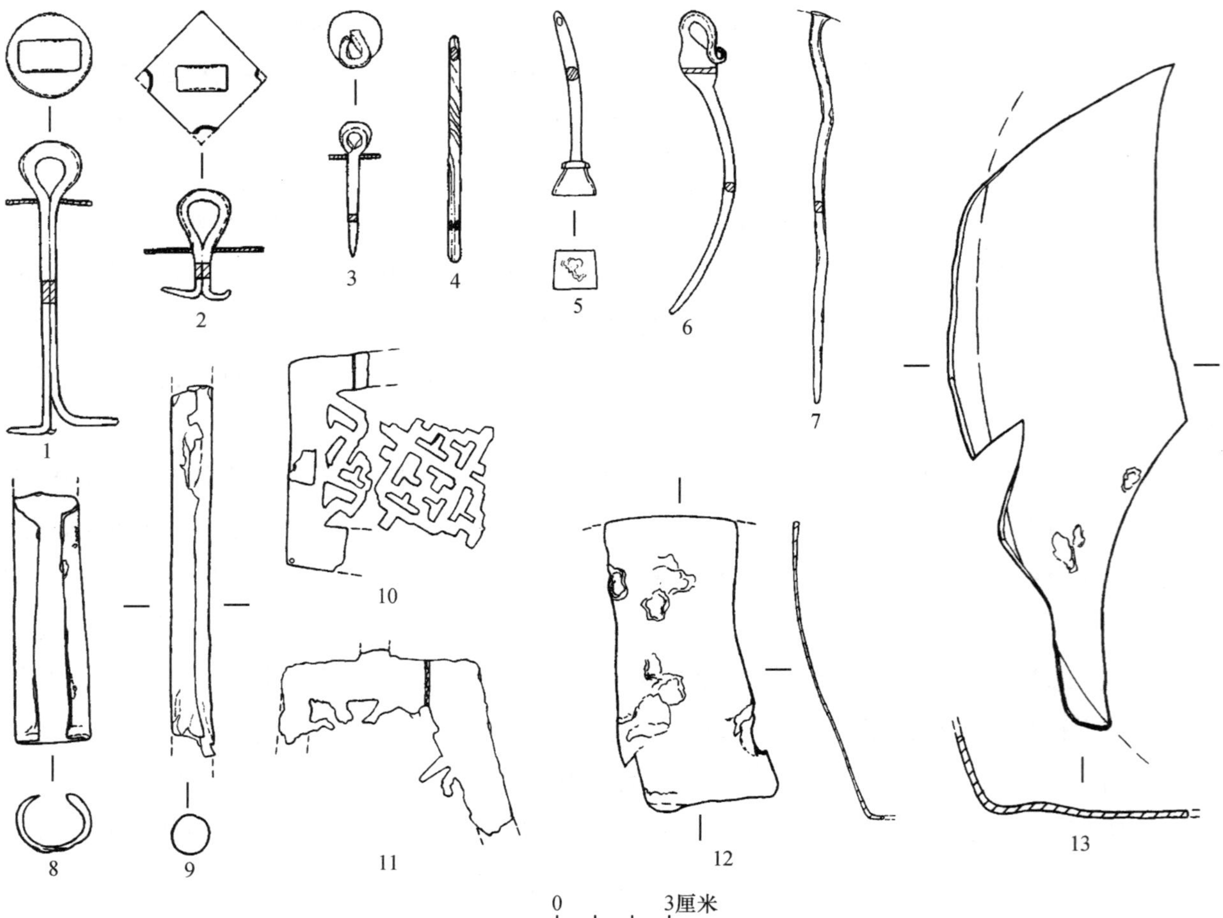

图3-98　新王宫出土铜器

1～3. 铜扣（ⅣT0305①：44、F8①：28、F10②：6）　4. 铜錾（F10①：11）　5. 其他（ⅣT0505①：4）　6、7. 铜簪（ⅣT0404①：6、L2③：23）　8、9. 铜管（F10②：5、ⅣT0503②：4）　10、11. 暖炉残件（G2②：20、ⅣT0503④：7）　12、13. 铜锣（ⅣT0103①：28、G2②：5）

形制与前者相似，双脚较长，末端向外弯折，带有圆形长方孔眼钱。长7.6、眼钱直径2.3厘米（图3-98-1；图版272-3）。F10②：6，单脚式铜扣，扣身为长方形条状，扣首弯曲闭合，扣脚渐细呈锥状，带有圆形方孔眼钱。长3.6、眼钱直径1.4厘米（图3-98-3；图版272-2）。

其他　ⅣT0505①：4，圆柱形柄，上端有孔，下部作倒斗状，斗面凹凸不平，或有纹饰。长4.8、斗面宽1～1.1、柄身直径0.3厘米（图3-98-5；图版273-2）。

3. 锡器

3件。ⅣT0203①：1，器盖。变形严重，顶部弧形凸起，上部近平，子母口。高3.4、最大直径6.8厘米（图3-99-1；图版273-4）。

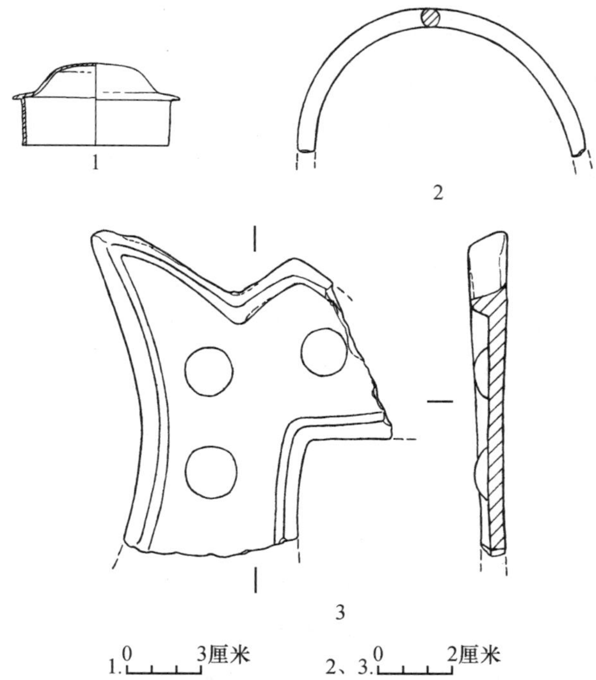

图3-99　新王宫出土锡器盖、金属环与金属残件

1. 锡器盖（ⅣT0203①：1）　2. 金属环（ⅣT0304①：24）　3. 金属残件（ⅣT0101①：17）

4. 其他

3件。均有一定磁性，或为铜铁合金。ⅣT0304①：24，金属环。表面圆润泛黄。环径8、厚0.5厘米（图3-99-2；图版273-5）。ⅣT0101①：17，残片。不规则状。正面残见三圆形模印乳钉，郭边凸起，较窄，内敛；背部素面，微弧。长9、宽6.8、厚0.4～0.7厘米（图3-99-3；图版273-6）。

（四）陶器

陶花盆　6件。均为残片，部分可拼合。有模印花卉纹和素面两种。ⅠT0102②：51，残存前后两面小部分及一侧面局部，结合其他残片大致复原。整体呈长方体状，中空，口沿宽平，下侧内收，底中部留有一圆形孔洞，外底置四足，作如意形边饰。前后两面模印折枝莲纹和折枝牡丹纹，两端面模印纹饰相近，为果枝纹，均有两半球状凸起，一侧光素，一侧于半球表面饰网格状纹。高16、复原长33.5、宽20.8厘米（图版275-1）。ⅠT0102②：52，可大致复原，底心中部残存孔洞。残存模印折枝莲纹一面和模印光素果枝纹一端。高16、残长31、残宽13厘米（图3-100-12；图版274-3、4）。L2①：121，口腹残块。形制与前者基本相同，略显粗糙。端、面无模印纹饰（图3-100-10；图版274-2）。ⅣT0706①：3，底部残块，残缺较甚，残存一足。面、端无模印纹饰。残高11.8、残长14.8、残宽5.5厘米（图3-100-11；图版274-1）。

陶鼎式香炉　2件。均残，泥质灰陶，表面呈墨黑色。F3①：120，由三块拼接而成，口腹残甚，四足均残。器形左右对称，近方形，中空。左、右、后三面光素，于正面贴塑并施以刻划纹，纹饰残甚，应为花卉纹。左右两端沿部外展上翘，外壁内弧下接四足。于炉沿四角留有小孔洞，应为插香所用。残高19.5、残长19.5、宽15.5厘米（图版275-2）。ⅣT0304①：29，两残块拼接而成，可大致复原。器形与前者相同。正面贴塑加刻划，饰菊花及双龙戏珠纹。高22.2、残长26、残宽11.8厘米（图版275-3）。

陶杈　2件。泥质灰陶。ⅣT0102①：4，外形近水滴状，上部稍扁，置有一圆形穿，下部浑圆。高3.9、宽3.4～4.1、穿径约0.4厘米（图3-100-1；图版276-1）。ⅣT0102①：5，整体呈铃形，局部残损。上部稍扁近方形，有一圆形穿。高3.8、宽约3.1、穿径0.3厘米（图3-100-2；图版276-2）。

陶钵　1件。F1①：4，内外壁均呈青灰色，胎质较松软。残存底部，内底研磨痕迹明显。残高4.2、足径7厘米（图版276-6）。

陶香座　6件。泥质灰陶。均呈倒斗状，四棱柱形，上窄下宽，下部中空。顶部均留有孔洞，以便插香烛；四壁模印或刻划铭文及图案。C1①：39，顶部有五个孔洞，一孔居中，另四孔分别位于顶部四角。残存相邻两壁纹饰，模印蝴蝶及团寿纹。高12、顶宽7.3、底残宽7.9厘米（图版277-1～3）。ⅣT0205①：18，胎质较为疏松。顶部残损，形制与前者相同。四壁模印寿、莲、钱纹。残高9、底部宽7.1厘米（图版277-4～6）。ⅣT0104①：11，残存一半，上顶中部留有一孔洞。腹壁刻划钱纹及花卉纹。高12.3、顶部残宽5.5、底部残宽10.3厘米（图版278）。F19天井①：4，表面呈青灰色。器形较为规整，顶部置五孔。四壁下部置镂空钱纹，残甚；四壁上部划“海龙山痤（座）”四字。残高10、顶部宽5厘米（图版279）。ⅣT0305①：48，下部残损严重。形制与ⅣT0104①：11相同。四壁上部划“香兹供养”及“□子年□十月十二日”等。残高8.8、顶部宽3.5厘米（图版280）。

陶纺轮　1件。G2②：44，泥质灰陶。较完整。圆形小块，不甚规则，中心有圆形小孔，一面刻十字形槽，应为瓦块磨制而成。外径3.5、孔径约0.3、厚1.9厘米（图3-100-3；图版276-3）。

陶器盖　1件。L2②：40，泥质灰陶，含细小沙砾。盖沿残片。顶部近平，子母口。高1.7、残长6.5、残宽3.4厘米（图3-100-4；图版276-4）。

陶网坠　1件。ⅣT0202①：98，泥质灰白陶。较完整。形似米粒状，中部较大，两头渐小。长3.8、中部直径约1厘米（图3-100-9；图版276-5）。

小陶罐　12件。胎质细腻，质地坚硬，部分或为澄浆泥制。形制多样，器身有方形、六棱形、多边形、圆形等。多呈砖红色，部分呈黑色、青灰色、灰白色。做工精致，小巧玲珑。仅2件可复原。ⅣT0507①：14，表面呈黑色。修复完整。直口，口颈外侧有两周凸棱，器身呈方形，平底。残存相邻两腹，一腹近平，中部委角边框内模印兰草纹；一腹向外凸起，中部委角边框内有一圆形小孔洞。高4、口径2.9、腹壁宽4～4.5、底径约3厘米（图3-100-5；图版281-3、4）。ⅣT0304①：5，青灰色。修复完整。直口，口颈外侧有两周凸棱，器身呈六棱形，底心微上拱。高3.8、口径3、腹径3.5、底径2.8厘米（图3-100-6；图版281-1、2）。

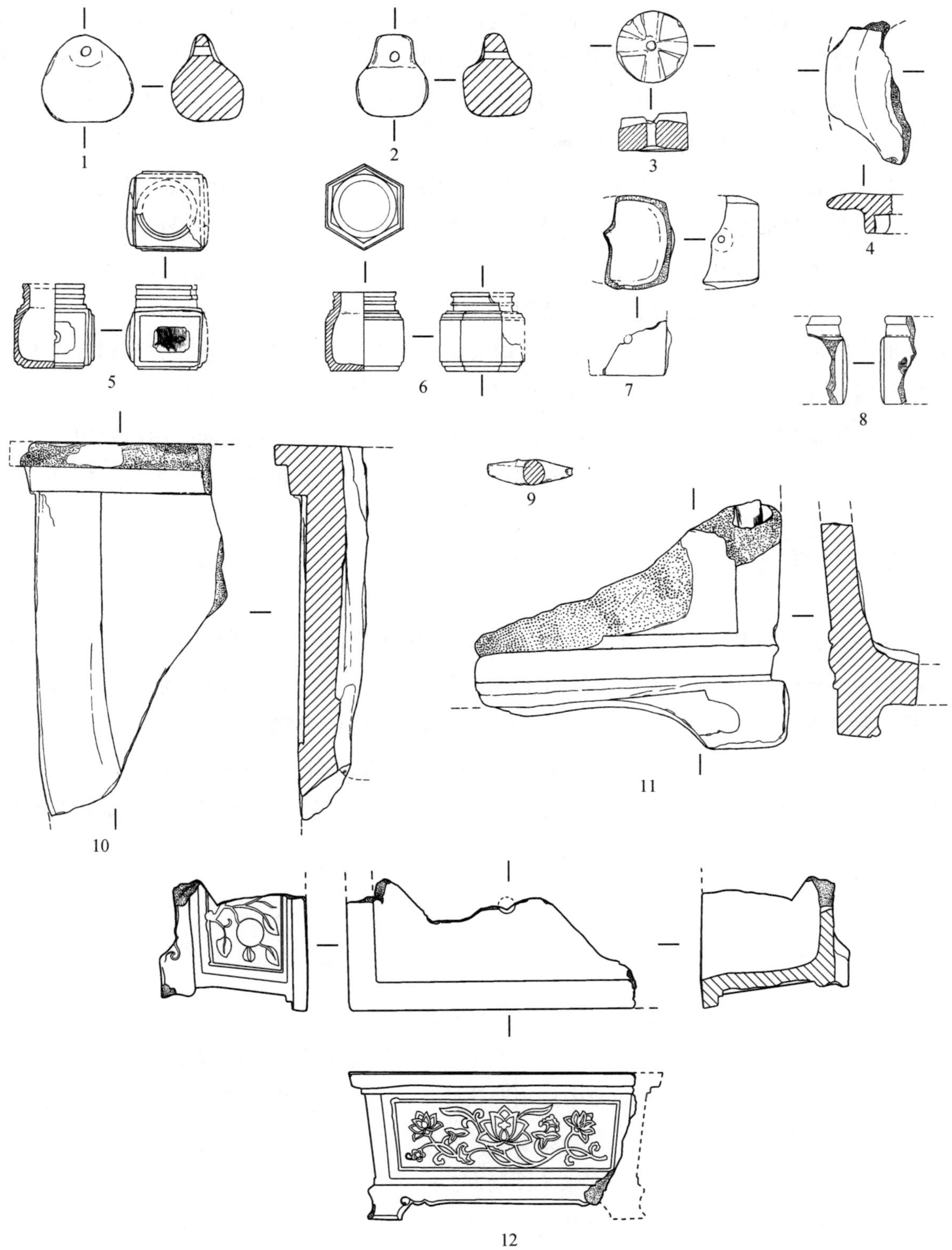

1 ~ 11. 0 3厘米　12. 0 10厘米

图3-100 新王宫出土陶器

1、2. 陶杈（ⅣT0102①：4、ⅣT0102①：5） 3. 纺轮（G2②：44） 4. 器盖（L2②：40） 5 ~ 8. 小罐（ⅣT0507①：14、ⅣT0304①：5、ⅣT0305①：5、ⅣT0303③A：1） 9. 网坠（ⅣT0202①：98） 10 ~ 12. 花盆（L2①：121、ⅣT0706①：3、ⅠT0102②：52）

ⅣT0305①：5，微泛红。底部残片。腹中部均向外凸出，一侧中部有一孔，一侧中部有一圆形小凹槽。残高2.5、宽4.3、厚0.25～0.3厘米（图3-100-7）。ⅣT0303③A：1，外壁呈砖红色，内壁呈灰黑色。残片。唇口，短颈，器身呈方形，腹壁微外凸，平底。一腹壁残见模印纹饰，不可识。高4.3、残宽1.9、厚0.15～0.3厘米（图3-100-8）。

此类小罐做工精美，质地坚硬、细腻。腹壁多模印有兰草及花卉等纹饰，且表面多莹润，或为把玩用器。口部多为唇口，或作棱状凸起，部分可见使用痕迹。或于沿口蒙以轻纱，或嵌木塞，或套小盖。部分又于腹部见有小孔洞，应为装活物所用。明清时期，斗蛐蛐、收藏鸣虫等颇为盛行，此类小罐又或为盛装鸣虫所用。

其他　2件。泥质，由砖块磨制而成，均未加工完成。形制相近，状如方形印章，上窄下宽，中部微弧，向上渐收。ⅣT0506②：8，灰陶，含细砂，较细腻。局部磕残。高4.9、上部宽5～6.5、下部宽7.5～8.5厘米（图版281-5）。ⅣT0607①：21，灰白陶，胎质较粗，含小沙砾。局部残缺。高5、上部宽5.8～6.3、下部宽8～8.7厘米（图版281-6）。

（五）玻璃器

仅存碎片，共52片，出土于F8、F9。部分碎片因火烧而变形，亦有部分显有虹彩现象。玻璃厚0.1～2.5毫米，大部分玻璃碎片胎体内可见较多气泡。F9②：140，划纹玻璃残片5片。玻璃表面刻划线条极细，类似针叶。残片较小。厚0.8毫米（图版265-3）。F9②：89，口沿残片2片。直口微敛，圆唇。残片体内气泡明显。或为杯、瓶残片。厚1～2毫米（图版265-1）。F8③：15，残片3片。为腹部残片，两残片上有带状凸起，中部如搅胎瓷般呈螺旋状向两端延伸。1片火烧痕迹明显，有虹彩现象。厚约2毫米（图版265-2）。

（六）玉（石）器

此类出土数量较少，玉、石难辨，仅将典型者介绍如下。

玉石器构件　1件。ⅣT0405①：6，整体近青色，局部带墨斑。横截面呈菱形，整体近塔状，下部略宽，上部渐窄，近上端及中部刻凹弦纹，内收。于菱形四角饰竖向段状凸弦纹，上端中部一圆形榫头凸起，直径0.5、高0.25厘米；底中部有一圆形孔洞，孔径0.25、深0.6厘米。通高3.1、底宽1～1.5、顶宽1～1.25厘米（图版265-6）。

玉串珠　4枚。F8③：3，圆形和椭圆形，中部穿孔，孔径较大。2枚稍有变形，呈青色；1枚近乳白色，较规整。直径0.9～1.1、孔径0.3～0.45厘米（图版265-5）。F8①：17，1枚。形制与F8③：3相同。已烧结变形。直径0.9厘米（图版265-4）。

三、兵　　器

新王宫所出土的兵器有礌石、铅弹、铁弹、铁镞、铁矛、铁镦、铁刀、铠甲片等。

1. 礌石

6件。属B、C两型。

B型　5件。圆球形。用砂岩或灰岩精加工为圆球形，未留下明显加工痕，大小略异，但整体偏小，可以掌握。ⅣT0507①：55，以圆形灰岩石核稍经加工而成，一侧凿有牛鼻状对穿小孔（未穿）。最大直径8.6、最小直径8.4、厚6.6厘米（图版141-16）。K4①：8，砂岩加工为球形。最大直径7、最小直径6.9、厚5.5厘米（图版141-17）。ⅣT0405④：6，砂岩加工为圆球形。直径4.9～5厘米（图版141-19）。

C型　1件。不规则砾石。天然砾石（灰岩），近扁圆形。囤上并无砾石，当系从囤下河谷中有意移来做礌石用。

2. 铅（铁）弹

5件。圆球形，仅个别呈半球形（ⅣT0305①：11），大小不一，为铳炮弹丸。质地有铅、铁两种，以铅弹为主。可分四型，其尺寸与重量渐次增大（参见表1-16）。

A型　1件。ⅣT0604③B：2，铅弹。直径0.9厘米。

B型　1件。ⅣT0603④：5，铅弹。直径1.2～1.3厘米。

C型　2件。ⅣT0305①：11，半球形铅弹。直径1.6～3.4厘米（图3-101-1）。

D型　1件。ⅣT0606②：11，铁弹。直径5.9～6.8厘米。

3. 铁镞

9件。锈蚀较甚。属C、D、E、F、H五型（参见表1-17）。

Cb型　2件。柳叶形矢头。矢头扁平，后锋弧收，状如柳叶，脊不甚明显。扁圆形铤较长。

Da型　2件。细叶形扁平矢头较短小，径将铁钎前端捶打呈尖叶状而成，无明显的脊。

Ed型　1件。菱形矢头，极短小。

F型　2件。单翼形矢头。扁平矢头较小，仅一侧有翼，铤较长，无关。

Ha型　1件。三角形矢头扁平，中脊不甚明显，两翼均带倒刺。矢头细长，长铤，无关。

Hc型　1件。三角形矢头偏大，扁平修长，长铤，无关。

另有残铤2段，残长10.9厘米。

4. 铁矛与铁镦

包括铁矛头和木柄末端的锥形铁套（镦），共6件。

（1）铁矛

A型　1件。ⅣT0807①：3，团叶形矛头，刃头扁平，呈树叶状，较大，中脊不显。前锋略残，两翼弧收，扁平柄。通长10.2、柄长4.6、刃头残长5.6、最宽3.1厘米（图3-101-3；图版144-3）。

（2）铁镦

5件。均为中空的圆锥形，两侧无刃，且前锋较钝。形制差异较小，唯长短和銎口直径有别。ⅠT0103③：1，前端为四棱形。残长13.5、銎口直径2.4厘米（图3-101-5）。F8①：7，锈蚀严重。残长11.3、銎口直径2.6厘米（图3-101-2）。

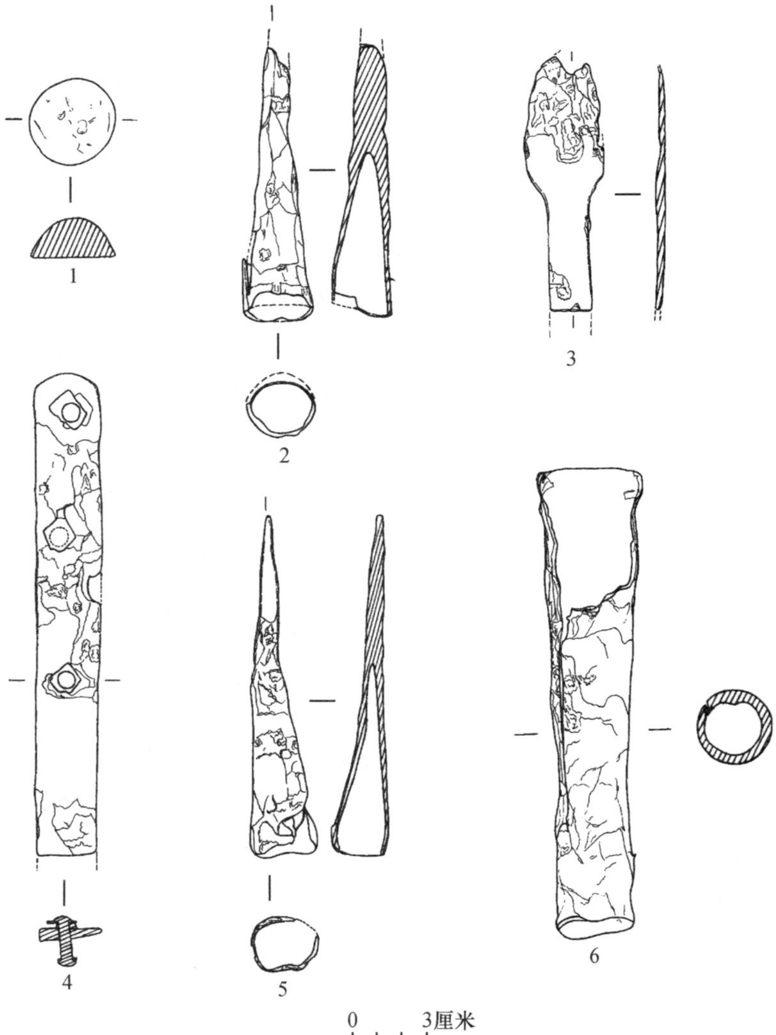

图3-101　新王宫出土兵器

1. C型铅弹（ⅣT0305①：11）　2、5. 铁镦（F8①：7、ⅠT0103③：1）　3. A型铁矛（ⅣT0807①：3）　4. E型铁刀（F3①：23）　6. 铁刀柄（G13①：1）

5. 铁刀

E型　1件。F3①：23，尺形刀。通体笔直，状如直尺，于一端开三圆孔，用铁铆钉加固竹木板而成刀柄，后端圆弧形。残长19.2、柄长14.2、刃残长5、宽2.4厘米（图3-101-4；图版145-5）。G13①：1，中空管状，一头大一头小。疑为刀柄。残长18.3、小头直径3、大头直径4.5厘米（图3-101-6）。

6. 铠甲片

新王宫共发现铠甲片31片，其中2片为铜质。铁铠甲片，形制各异，有方形、长方形和梯形三类。大小不一，但厚度均在0.16厘米左右。每片上有铁铆钉2～3枚，用以连缀甲片。

A型　18片。方形。平均宽度在6.5厘米左右，仅F8①：3-1和K5①：4-10带3枚铆钉，余均2枚铆钉。

B型　4片。长方形。长约10、宽约6.5厘米。均应为2枚铆钉。

C型　3片。梯形。大小略异，长6.8～8.8、宽2.7～5厘米。均带铆钉2枚。

其余几片，锈蚀严重，难辨其形，不赘。

四、钱　　币

480枚。含开元通宝1枚，元符通宝1枚，万历通宝1枚，崇祯通宝189枚，弘光通宝、隆武通宝、永历通宝、兴朝通宝等南明钱171枚，顺治通宝、康熙通宝、乾隆通宝、嘉庆通宝、道光通宝、咸丰通宝、同治通宝、光绪通宝等清钱75枚，以及因锈蚀或残损太甚而铭文不可识者42枚（附表10）。

1. 唐宋钱币

2枚。开元通宝、元符通宝各1枚。

开元通宝　1枚。ⅣT0603④：4，圆形方穿。钱宽2.04、穿宽0.6、郭宽0.2、厚0.1厘米（图1-17-1）。

元符通宝　1枚。ⅣT0303③A：3-15，钱径2.33、穿宽0.7、郭宽0.25、厚0.07厘米（图1-17-2）。

2. 明代钱币

190枚。为万历通宝与崇祯通宝。

万历通宝　1枚。上下对读“万历通宝”。ⅣT0706②：10，钱径2.54、穿宽0.55、郭宽

0.27、厚0.12厘米。

崇祯通宝　189枚。面文楷书，对读“崇祯通宝”。钱径1.26～2.48、穿宽0.39～0.69、郭宽0.12～0.42、厚0.03～0.14厘米。K3①：6、C4①：2-2，背文“贵”字（图1-17-5）。C4①：2-4，背文“重”字（图1-17-6）。

3. 南明钱币

171枚。有弘光通宝、隆武通宝、永历通宝和兴朝通宝。

弘光通宝　127枚。圆形方穿，对读“弘光通宝”。钱径2.03～2.5、穿宽0.44～0.61、郭宽0.21～0.38、厚0.07～0.16厘米。C4①：1-6-1，行弓旁，双点通，光背（图1-17-7）。G2②：41，行弓旁，双点通，背上星。

隆武通宝　39枚。圆形方穿，对读“隆武通宝”。钱径2.02～2.5、穿宽0.51～0.68、郭宽0.2～0.35、厚0.09～0.13厘米。ⅣT0503③B：5、G2②：42、G2①：11-2，面文均上点武，双点通，背上星（图1-17-8）。

永历通宝　4枚。钱径大小不一，大壹分3枚，小平钱1枚。G2②：9，大壹分，二水永，通字起笔顿笔成一立点，历字厂下双禾一日，背上下“壹分”二字。钱径4.63、穿宽1、郭宽0.62、厚0.26厘米（图1-17-9）。ⅣT0503④：12，小平钱，点永，三角通，历字厂下双禾一日，背下“工”。钱径2.06、穿宽0.62、郭宽0.3、厚0.1厘米（图1-17-10）。

兴朝通宝　1枚。ⅣT0103①：12，钱文对读，楷书。两面均有周郭，边郭甚宽，背下“工”。钱径2.83、穿宽0.62、郭宽0.38、厚0.13厘米（图1-18-1）。

4. 清代钱币

75枚。有顺治通宝、康熙通宝、乾隆通宝、嘉庆通宝、道光通宝、咸丰通宝、同治通宝、光绪通宝与光绪元宝。

顺治通宝　3枚。钱径1.09～2.74、穿宽0.59～0.6、郭宽0.3～0.33、厚0.08～0.1厘米。ⅣT0103①：2-1、ⅣT0103①：2-2，背满文“宝泉”，为顺治四式钱（图1-18-3、2）。

康熙通宝　3枚。钱径2.03～2.59、穿宽0.5～0.63、郭宽0.3～0.31、厚0.04～0.09厘米。ⅣT0506②：11，背满汉字纪局名，穿左铸满文“东”字，穿右铸汉文“东”（图1-18-4）。

乾隆通宝　14枚。钱径2.04～2.54、穿宽0.44～0.61、郭宽0.3～0.4、厚0.1～0.2厘米。ⅣT0505①：2，背书满文“宝昌”（图1-18-5）。ⅣT0305①：16，背书满文“宝苏”（图1-18-6）。ⅣT0103①：8，背书满文“宝泉”（图1-18-7）。

嘉庆通宝　8枚。钱径2.06～2.59、穿宽0.45～0.6、郭宽0.27～0.4、厚0.1～0.15厘米。ⅣT0201①：16-3、现代坑7：3、C5②：1，背书满文“宝云”，“通”均为双点通（图1-18-8～10）。

道光通宝　20枚。钱径1.5～2.6、穿宽0.48～0.63、郭宽0.2 ～0.36、厚0.07～0.19厘米。

ⅣT0507①：73，背书满文“宝云”，“通”为双点通（图1-18-11）。ⅣT0304①：4，背书满文“宝泉”，“通”为单点通（图1-18-12）。

咸丰通宝　19枚。钱径1.72～2.54、穿宽0.43～0.58、郭宽0.18～0.35、厚0.08～0.18厘米。ⅣT0305①：17，背书满文“宝陕”（图1-18-13）。ⅣT0303③A：3-1，背文穿左满文“宝”字可识，穿右满文模糊不辨（图1-18-14）。

同治通宝　4枚。钱径1.84～2.27、穿宽0.53～0.58、郭宽0.29～0.37、厚0.06～0.11厘米。ⅣT0201①：16-1，背书满文“宝昌”（图1-18-15）。

光绪通宝　3枚。钱径1.82～2.1、穿宽0.53～0.59、郭宽0.21～0.33、厚0.05～0.13厘米。ⅣT0104①：3-1，外郭有一缺口，背书满文“宝福”（图1-18-16）。

光绪元宝　1枚。ⅣT0205①：2，钱径2.87、郭宽0.17厘米。正面铭文中心直读“光绪元宝”，顶部铸“江苏省造”，“江”“造”字旁分铸“乙”“巳”二字，“乙”“巳”旁分铸满文“苏”“宝”。底部铸“每元当制钱十文”。钱币背面外圈可见数字“0”和英文字母“C”“A”等，内圈中心为龙纹。

第四节　海　潮　寺

海潮寺，又名海朝寺、龙岩寺或龙崖寺，今尚存之大殿镇于新王宫大堂（F22）之上。寺始建于明代，历经多次重修，香火不绝。寺僧的活动对遗址造成了一定影响。

一、海潮寺之前

海潮寺之前，囤上是否有庙宇？以下文献与碑文的记载提供了一些线索。

（1）明曹学佺《蜀中广记》卷20引《名胜志》：“海龙囤，为杨酋穴垒，在治北三十里，四面斗绝，后有侧径略一线，今居人尚不知通于何所。故老相传昔白龙太子据此，今为白龙寺。”同书又记“乾符初，播有白龙太子之乱”，则“白龙太子”为唐末之人[①]。

（2）《大清一统志》卷403：“海朝寺，在府城北海龙囤，旧为白龙寺。《名胜志》：海龙囤，相传昔白龙太子据此，今为白龙寺。”[②]

（3）杨应龙《骠骑将军示谕龙岩囤严禁碑》：“予今设用守囤名役：总管、总领、把总、提调、书吏，各理事务；守衙小童、守仓户、打扫户、总旗、小旗、军士、苗军并住囤医

① （明）曹学佺：《蜀中广记》卷20《遵义道》，《景印文渊阁四库全书》，台北：台湾商务印书馆，1986年，第591册，第244、250页。

② （清）和珅等纂修：《大清一统志》卷403《遵义府》，《景印文渊阁四库全书》，台北：台湾商务印书馆，1986年，第483册，第396页。

生、匠作、住持人等，各有役次，时刻不可擅离。”“住持”乃佛道用语，为掌管一寺的主僧或道观的道士。碑文中的“住持人”或与海龙囤上土司时代的寺观相关。

结合文献（1）与（2），囤上旧有白龙寺，后称海朝寺，白龙寺不知始建于何时。今海潮寺是否曾名白龙寺，文献无征。但“严禁碑”及相关文献记载，土司时代的海龙囤上可能确有寺观，不过断不可能建于土司衙署大堂之上。海潮寺之前囤上庙宇的具体情况，尚需更多的资料进一步厘清。

二、海潮寺之创建

今之海潮寺，是在万历二十八年（1600）杨氏覆灭之后才创建的，是后土司时代的遗存。对此，以下几条文献记载尤详。

（1）乾隆《贵州通志》卷10：“海潮寺，在府城北三十里海龙囤，明万历间平播后兵备道傅光宅建。”[①]

（2）《大清一统志》卷296：“傅光宅，聊城人，进士。万历中以御史左迁历工部郎，出知重庆府时，播贼方猖獗，总制李化龙莅郡，光宅督理戎马军饷皆有方略。播平，吊忠义、瘗遗骨、辑流亡、抚疮痍、修学宫，一一捐俸，率作出于诚恳。适遵义守缺，当事者委任之，遂星驰去，安抚夷汉，大著功绩，寻擢遵义兵巡道副使，复迁提学副使。”[②]

（3）道光《遵义府志》卷27：傅光宅“（万历）三十年以兵备道副使任，三十一年四月升本省提学道”[③]。

文献（1）言明海潮寺为傅光宅（1547～1604）平播后任职兵备道时所建。文献（3）确记其任兵备道的时间在万历三十年至三十一年（1602～1603）。但据文献（2），傅光宅参与了播州之役（时任重庆知府），播乍平即行“吊忠义、瘗遗骨、辑流亡、抚疮痍、修学宫”之事。当地民间传说，海潮寺是为超度阵亡将士的亡灵而修建的，合于文献所记傅光宅“吊忠义、瘗遗骨”之举。因此，海潮寺的始建年代或当略早，未必是其出任兵备道时所建。要之，海潮寺乃万历二十八年至三十一年（1600～1603）间由傅光宅所创建，应大致不误。

据弘光元年（1645）《海龙山为天开胜地》碑，彼时的海潮寺为“茅椽”，即以茅草苫顶，颇为简陋，其础石、屋架可能均借用了衙署大堂（F22）旧物。

---

① 乾隆《贵州通志》卷10《寺观》，《中国地方志集成·贵州府县志辑》，成都：巴蜀书社，2006年，第4册，第173页。

② （清）和珅等纂修：《大清一统志》卷296《重庆府二》，《景印文渊阁四库全书》，台北：台湾商务印书馆，1986年，第481册，第114页。

③ （清）郑珍、莫友芝编纂：《遵义府志》卷27《职官一》，成都：巴蜀书社，2013年，第478页。

三、海潮寺之修缮

结合庙前与囤上他处出土或传世的碑刻，以及现存建筑上的壁题，可知截至民国时期，海潮寺至少经历了三次重建，寺庙格局有所变化。

（一）弘光改造

寺前出弘光元年（1645）《海龙山为天开胜地》碑一通。碑原立海潮寺前，20世纪70年代被村民用作庙前一猪圈的建筑材料。2012年5月重新发掘出土，已断作数截，部分散佚不见。碑通高173、宽98、厚14厘米。两面有字，背面为万历三十二年（1604）林桐所书《题王羽卿诗后》，系古碑再用（详见第九章）。

碑文之前半段记载捐资买土重修寺庙的经过，后半段则是关于寺庙田产的诉讼，明确喻志贤籍没的田产归寺庙所有，勒碑以告。其文曰："神宗朝，狐鼠盗弄干戈，此间遂为腥血之野。削平后，僧人建茅椽于其上，终草□弗堪也。主宾相待，炤月始来，遂举故迹，昌大□颜。其寺曰龙崖，盖亦亲本之意也。"施主捐资后"得买正法叛逆喻志贤没官田三十六亩五分，以□五亩舍给本寺，乃立僧户耕种输差。"事在弘光元年（1645），亦是立碑的时间。后半段则昭示"遵义府理刑厅"早先即将所购喻志贤田"给寺僧上价为常住，诚为定议矣"的判决书，以官方文件强调龙岩寺僧对喻志贤田土的所有权，事在崇祯十六年（1643）。

碑文表明，崇祯年间僧人"炤月"驻锡海潮寺，主持修建了平播后以茅苫顶的海潮寺，并扩充庙产，昌大其颜。彼时寺名"龙崖寺"。当地方言中，"岩""崖"俱读为"ái"，因此龙岩寺即龙崖寺。这当是海潮寺创建后的第一次修缮。

（二）扩充庙产

飞凤关侧遗有残碑一通，上铭："奉道府厅县明文：将海龙地土开垦永充龙岩常住。壬午岁季冬吉日立。"（详见第九章）

铭文中出现的"道府厅县"，"道"应即兵巡道，"府"即遵义府，"厅"即理刑厅，"县"即遵义县，表明事在平播后。据前揭《海龙山为天开胜地》碑，崇祯时之遵义兵巡道、四川布政司参议李为珩曾批示将喻志贤叛田判给龙崖寺领种。"道府厅县明文"当指此事或与之相关。所谓"常住"，为佛教用语，指寺院僧众集体所有的屋舍、田土、林木等财产。因此，"龙岩"即前碑提到的"龙崖寺"甚明。

如此，"壬午岁"，应为崇祯十五年（1642）。此时，如果"道府厅县明文"所涉地土即"喻志贤没官田"，则两碑所记之事一致；若不同，则意味着除却"喻志贤没官田"外，"海龙地土"也为寺僧所有，庙产得到极大扩充，并"立僧户耕种输差"。

（三）乾隆再建

寺前有乾隆三十八年（1773）《惟忆千秋》碑一通。碑文磨泐，不可通读，但重修海潮寺之意甚明（详见第九章）。

文曰："庙兴历百年，所□□而□□□□为□迁谷□人□□高，而作贼郡城。□□时初谒以游，观则有为之前□美□若而莫为之后其美□□。况庙□□□□□□□□□□……目而惊心。后院之北□□初无事，改作前堂之壁，□将圮，宜各更新。"

"宜各更新"及"后院之北□□初无事，改作前堂之壁"等数语，揭示了海潮寺在乾隆三十八年（1773）的重修及其格局的变迁。

（四）民国重修

现存海潮寺，为民国时期遗迹，有以下几条证据。

（1）壁上题诗。今海潮寺东侧竹骨泥墙以及明间两侧木板壁上，以毛笔题诗数首，诗文残佚不可通读，但其中二首有题记，其纪年分别为"民国三十一年"（1942）与"民国三十四年"（1945）。表明寺之重建年代，当不晚于1942年（图版202）。

（2）梁上题记。现存海潮寺木梁上题有重修寺庙的主事者陈定国、葛成邦、葛成德等人之名（图版202）。据调查，诸人均已在20世纪50年代前后谢世，寺庙的重建当早于此。

民国时期担任过高坪区区长的吴必伦一家曾居海潮寺16年（1965～1981），彼时寺内仅有一刘姓和尚，各住一边。吴氏曾撰文认为今之海潮寺重建于民国十八年（1929），所根据的可能是"父老之言"①。结合前述题记，其说大致可信。吴文又记：民国十八年，"乡人又募款将上殿拆了重修，但下殿仍保持没有拆除。乾隆时留下来的下殿两边和前面，都用旧侯府拆留下来的青砖砌的封尖墙。到20世纪60年代，集体在囤下修烘房烘烤稻谷，遂将下殿那些青砖拆了，运下囤修烘房。囤下群众亦纷纷搬那些砖去砌柴灶，只剩下一个木架。最后集体把那些柱材料也拆了，只剩下一个空坝。"据当地老人回忆，木架被卖予董公寺修建了仓库。据此，现存者为民国重建的海潮寺的上殿，乾隆时修建的上殿亦在此处。

四、寺僧活动对遗址的影响

海龙囤在战火中毁弃后，海潮寺僧众遂成龙岩山的新主，其活动对新王宫乃至海龙囤遗址的现状产生了深远影响。

① 吴必伦：《海龙囤庙宇的变迁》，中国人民政治协商会议贵州省遵义市委员会宣教文卫委员会编：《海龙囤烟云录》，内部印行，2000年，第345页。

（一）遗址废弃的原因与过程

根据文献记载，海龙囤毁于明万历二十八年（1600）的平播战火，其中的新王宫经火焚毁，前已有所叙及。亦即其废弃的原因是明确的，但其废弃过程如何，是否有考古证据的支持？

1. 毁弃原因

考古证据支持火烧新王宫的文献记载。

首先，从地层堆积看。各房址的地板砖面上普遍有一层厚约5厘米的灰烬堆积，是建筑曾被火烧的直接证据（图版203）。灰烬含较多炭屑，应是室内陈设与建筑的木构部分被火焚毁后的遗存，与之相对应的是，考古发掘中未见成型的木质构件。

其次，从出土遗物看。灰烬层中往往包含大量生活用器的残件（以瓷器为主），以及一定数量的粮食标本，除少量后期混入者外，均应为时之屋内所置之物。如F9东梢间内即出瓷片万余片，分属540余件器物个体，其中可复原者达175件，有的由36片瓷片缀合而成，有的有明显的经火烧烤而胶结变形的痕迹（图版203）。这一埋藏状态表明居址被迅速摧毁，而带有战火的灾难性特征。

各房址内粮食遗存的普遍出土则表明，非常时期大规模人员在囤顶的聚集可能部分改变了某些建筑原本预设的功能。

2. 废弃过程

经火之后，木结构支撑的部分屋面率先坠地，砖墙再渐次坍塌，此后其余砖墙与尚有残木支撑的屋面再交互塌毁，遂在地面形成较厚的建筑废墟堆积。考古发掘的该堆积砖瓦砾混杂，而上层一般以砖为主，下层以瓦为主，正是这一废弃过程的反映（图版204）。

暂未坍塌的空间仍可供后人活动，因此屋内堆积中也可能混入部分稍晚的遗迹与遗物。

（二）寺僧活动对遗址的改造

海潮寺僧众对遗址的改造，至少表现在旧址新用、取高填低以及地土开垦三个方面。

1. 旧址新用

旧址新用，包括对基址与材料的利用。

土司衙署中的大堂（F22）是中轴线上最为重要的建筑之一，基址宏大、地势开阔，因此成为播平之后囤上建庙的首选之地。为便宜行事，此时所建“茅椽”可能直接利用大堂台基与柱础，甚至利用焚烧未尽的木材，架屋其上。此后的改造则于旧址上另立础石，至少民国十八年（1929）如此，因此其下有幸保存了大堂（F22）的部分柱础与地栿。乾隆时用遗址内石材于大堂前庭院（C5）内垒砌高台作为下殿的台基，据前揭吴必伦文，同时还取用了大量遗址砖料砌筑院墙。遗址东侧的清代瓦窑（Y3）亦可能与此次重建相关。

二堂（F7）内砖石混筑的须弥座是晚于F7的遗迹，当为供佛所用的台子，表明二堂（F7）也曾被辟为佛堂。如果清乾隆时的重建确如吴文所称仅有上、下两殿，再考虑寺之始建仅以茅草苫顶，至为简陋，则该须弥座为弘光时遗迹的可能性较大。

基址的再利用主要在中轴线上，其上的大堂（F22）、二堂（F7）因频繁的活动而颇为干净，鲜有土司时代的生活用器发现。材料的再利用包括石材、砖料，甚至包括残存的部分木材。海潮寺的格局在不同时期有所变迁。

2. 取高填低

随香火渐旺，海潮寺周边高低不平的地势难免成为僧众与香客活动的障碍。有证据显示，隆起的废墟曾被有意夷平，而废弃的水池、天井、水沟等低洼处则被填平，挡土墙坎下也往往成为弃置建筑废墟的垃圾场。与尚存于建筑基址之上的废墟不同，低洼处的堆积往往是无序的，反映处理的随意性（图版204）。ⅡT0101①：5/ⅢT0201①：1/ⅣT0305④：13是由4块残片（ⅡT0101①：5系两块拼合）相互拼合的同一件脊兽，应属F1屋面上装饰，却有残片被弃置于数十米开外的F3附近的挡土墙下（参见新王宫布方图，图3-2）。

前已叙及，从大量南明钱币在C4（275枚）、K3（16枚）、K4（6枚）、G2（26枚）等洼地出土来看，平场的时间大约发生在明末清初，与遗址第4层堆积形成的时间基本一致。崇祯至南明时期，僧人炤月驻锡此地，昌大寺颜，并广置庙产，海潮寺鼎盛一时。

3. 地土开垦

寺僧活动对海龙囤的另一影响是，开始将山林开垦为土地耕种。前揭崇祯十五年（1642）碑记：“奉道府厅县明文：将海龙地土开垦永充龙岩常住。”碑立于飞凤关附近，“海龙地土”当指囤上土地，政府允其广开山林并“立僧户耕种输差”（《海龙山为天开胜地》碑）。直至民国时期，囤顶及白沙水两岸许多田土仍为海潮寺庙产[①]。而土司时代，囤上应无田土，因此才设“运送口粮帮户”（《骠骑将军示谕龙岩囤严禁碑》），负责运粮入囤。海潮寺僧众开启了昔之土司“禁地”有田可耕的新历史。

① 李飞：《陈立举：我的海龙囤》，氏著：《复活的土司城堡：海龙囤考古手记》，贵阳：贵州教育出版社，2014年，第129页。

五、从衙到寺

海潮寺的出现，标志着海龙囤从土司时代进入后土司时代。新王宫所经历的从土司衙署到庙宇的变迁，使曾经戒备森严的土司“禁地”变身慰藉精神的宗教场所。这一转变，与国家对该地区的治理模式从土司统治到流官治理的调整相契合。

为何将寺庙建于土司衙署的正中而非他处？大约出于镇服、凭吊、教化所需。宗教性建筑对拟镇服对象的压胜作用，可以举出著名的雷峰塔的例子。白蛇娘娘被法海镇于雷峰塔下的传说，至迟在明冯梦龙的《警世通言·白娘子永镇雷峰塔》中便已出现。海潮寺镇于土司衙署大堂之上，用意或与此同。明军荡平海龙囤后，曾于囤巅立铜标以示镇服，“用镇疆土，以垂永久”[①]。凭吊之意，在前揭《大清一统志》傅光宅“播平，吊忠义、瘗遗骨”的记载中已有所反映，为超度阵亡将士亡灵而修建海潮寺的民间传说更为其平添了鲜活的注脚。宗教的教化意义所论已多，它具有治愈个体心理、维系集体情感、整合社区秩序的功用，因此播甫一平，明军将领李化龙即建议“用夏变夷”，“以图久安长治事”，议及“衙门、仓库、城隍、旗纛作何建立”诸事[②]。城隍、旗纛便与教化、祭祀相关。

无独有偶，杨氏的多处遗存也经历了类似变迁。如明成化时建于杨辉墓地的墓祠在平播后被改为雷音寺。道光《遵义府志》记：雷音寺“万历四十二年（1614），僧宗莲即杨辉墓祠基址建”。茅衙寺，“初为杨应龙妻田惜玉所居，称曰茅衙。平播后，李氏得之，改建为寺”[③]。另有证据显示，杨氏新蒲、高坪、桃溪寺等墓地，也曾在万历平播后经由了从墓祠到寺庙的改建历程[④]。

杨氏土司治下，断无任由他人于其上新建庙宇的可能，这一切均发生在万历改土归流之后。其改建的原因可能也各有不同，有的带有官方色彩，有的则是私家行为，但唯有土司的影响不复存在方能如此，并均以这样的方式宣告了土司统治的终结，国家在这一区域的治理由世袭土官的统治进入了流官治理的新时代。土司曾经的基址，因“地臻全美”而成为新落成的庙宇的首选之地，而官方主导的庙宇营建如海潮寺的落成，因教化需要而可能具有了更多象征的意味，其镇服的意义或大过其他。

海龙囤申报世界文化遗产的过程中，学者曾对遗址的真实性展开讨论，存在两种针锋相对的观点：一种认为既是土司遗产，则应去除所有与土司无关的遗存，保持其纯洁性，换言之，应移除海潮寺相关遗迹。另一种认为应保持历史的完整性，即尊重海潮寺存在的事实。最终海潮寺被保留，并进行了最新的一次修缮。这一举措，使得遗址的完整性得以充分保存。从衙到寺的变迁，书写了国家治理模式转变的废墟故事。

---

① （明）李化龙：《平播全书》卷11《立铜标》，北京：大众文艺出版社，2008年，第379页。

② （明）李化龙：《平播全书》卷7《查议善后》，北京：大众文艺出版社，2008年，第259、260页。

③ （清）郑珍、莫友芝编纂：《遵义府志》卷8《坛庙》，成都：巴蜀书社，2013年，第131、133页。

④ 李飞：《夷夏之间：播州杨氏羁縻·土司墓葬研究》，四川大学博士学位论文，2017年，第256～259页。

六、小　结

海龙囤在万历二十八年（1600）的播州之役战火下遭受迅速而灾难性的毁弃，考古学证据支持其被大火焚毁的文献记载。废弃不久，即于万历二十八年至三十一年（1600～1603）间修建海潮寺镇于土司衙署大堂旧址之上。崇祯至南明时期，僧人炤月驻锡，重修海潮寺，昌大其颜并广置庙产。乾隆三十八年（1773）再次修缮。现存建筑则为民国十八年（1929）所建。僧众对遗址的改造，表现在旧址与建筑材料的再利用两个方面，二堂（F7）鼎盛时期亦曾为佛堂。约在南明时期，寺僧还平整了遗址场地以便活动，即削平了隆起的废墟，填平了低洼之地。与此同时，广置庙产，开垦土地，开启了海龙囤有地可耕的历史。这些事件都在海龙囤遗址化过程中打下了深刻烙印，使之成为今日之海龙囤。

上述过程，有考古材料记录，亦有文献可征，为理解遗址化的过程提供了一个鲜活的样本。而恢宏的土司城堡因战火而毁弃，再由政府主导于其旧基营建寺庙的转变过程，展现了国家对该地区的治理模式从土官统治到流官治理的历时性变迁。

第五节　相关问题讨论

以下对新王宫的年代、性质、空间、功能与建筑特点等进行讨论，以深化相关认识。

一、新王宫的年代与性质

结合出土遗物、建筑格局与文献记载，可知新王宫建于明万历、亦毁于明万历时期，其性质为土司衙署。万历二十八年（1600）平播后仍作为寺庙被继续使用，但已与土司无涉。另有零星南宋时期遗物发现，但数量较少且以生活用器为主，无法据此确定南宋时期囤上是否建有衙署及其是否亦在新王宫内。

（一）年代

年代主要基于出土遗物、地层与遗迹关系推定。

1. 遗物

遗物中的建筑材料，其年代可与年代确凿的飞龙关、朝天关所出者比对后确定；生活用器中的瓷器，各大窑口所产者相关研究已较深入，可建立起清晰的年代框架；其余时代不明者，则可结合地层关系予以推断。

建筑材料是反映建筑年代的直接证据。海龙囤上飞龙、朝天二关匾额尚存，年代清晰，其中朝天关重建于万历二十三年（1595），飞龙关重建于万历二十四年（1596）。另万安关匾额尚存，但字迹磨泐难辨，飞虎关匾额因保存不佳而在早年维修时被拆除。但据《遵义府志·古迹》记载，清道光时上述四关匾额文字尚可读，均有“骠骑将军杨应龙书”款[①]。可知四关修筑年代一致，均在明万历年间。飞虎关因经后期维修而无遗物出土，其余三关出土的建筑材料则均较丰富，有砖、瓦、瓦当、脊兽、铁钉以及石柱础、地栿石等，除少量南宋时期板瓦瓦砾（A型板瓦）外，余均明万历时期遗物。因此，该三关出土的万历建筑材料可视为标型器，借以推断新王宫的建筑年代。整体上，新王宫所出同类遗物与上述诸关所见者类型与风格一致，石质建筑材料的质地、加工痕迹与类型亦相同，表明新王宫现存建筑主体应建于明万历时期。

再看生活用器。以年代特征鲜明的瓷器为例，新王宫出土这类遗物数量较多，年代涵盖宋元明清各朝，但以明代为大宗，明代瓷器又集中于嘉靖、万历时期。宋代瓷器主要为青瓷和白瓷，数量不多。新王宫所出1件龙泉窑青瓷折沿盘（G1②：48），年代约在元末明初。其余可断代瓷器以青花瓷为主。其中，约有8%的可断代瓷器年代在明嘉靖以前的弘治、正德年间；明嘉靖、隆庆、万历时期的约占可断代青花的77%，另有一定数量的哥釉瓷、彩瓷、白瓷、仿龙泉青瓷等亦为该时期遗物；明万历之后的天启、崇祯到清代中晚期的约占可断代瓷器的14%，所有粉彩均属该时期遗物。70%以上可断代瓷器集中在明嘉靖、万历时期，反映此时是新王宫内人群活动最为频繁的时代，与基于建筑材料所得出的新王宫现存建筑主体建于明万历时期的认识是一致的。遗址内也出现了部分稍早的瓷器该如何理解？这一方面应与瓷器的使用寿命有关，一件普通瓷器在不毁坏的前提下可使用数十上百年，万历朝仍使用嘉靖及其以前的瓷器便属正常。另一方面，部分前朝精美瓷器可能作为后世的收藏品，这在杨氏的活动中并不乏其例。如《平播全书·六报捷音疏》记载：万历二十八年（1600）四月间，杨应龙差人往囤上搬运财物，其中一身背黄包袱者被明军射倒，打开包袱，内装玉玺敕命一道，“系洪武十七年（1384）七月初二日，颁给播州宣慰使司蛮夷长官杨允中。及查杨允中根因，据播民何邦道供称：播州初时设有随司办事长官四十八员，止有龙诰，无地方，无印信。杨酋尽废旧制，或系收藏。”[②]但相去300年以上的宋代瓷器，当排除于上述两种情况之外，而视为彼时的遗物。自万历以降，由天启到清代各时期的瓷器，应为海潮寺僧众及相关人群活动的遗留，与土司已无关涉，不赘。

要之，建筑材料与年代信息明确的出土瓷器，均支持新王宫现存遗迹的主体为明万历时期遗存。

---

① （清）郑珍、莫友芝编纂：《遵义府志》卷10《古迹》，成都：巴蜀书社，2013年，第168页。

② （明）李化龙：《平播全书》卷4《六报捷音疏》，北京：大众文艺出版社，2008年，第113页。

2. 层位

新王宫内已清理的地层堆积可分三组，分别反映建筑的年代上限、建筑使用年代和废弃年代。

第一组：由石砌基础（挡土墙、台基、柱础与地栿等）、砖墙、道路、砖石地面以及坍塌的建筑废墟（砖、瓦、瓦当、脊兽与脊砖）等构成的新王宫主体建筑，以及屋内未经扰动的使用时期堆积（包含物主要为大量瓷片等生活用具），反映建筑的建设与使用年代。基于与年代确凿的飞龙、朝天、万安三关出土建筑材料的比对，可基本确定其年代在明万历时期。结合前述遗物的讨论，屋内瓷片年代指向亦为万历时期。

第二组：叠压于第一组堆积下的垫土层，可反映建筑的年代上限。出于保护需要，现存遗迹之下普遍未再进行清理，但从凿破第一组堆积的部分晚期坑穴断面可观察其堆积的大致情况，惜断面上均未见可资断代的遗物。发掘中，对F10西廊石铺地面下的堆积情况进行了试掘（TG9），在其第2层夯土中发现瓷碗、杯等瓷器残片8片。内含清溪窑印花碗残片1片，为南宋中晚期遗物；青花碗与杯残片4片，其中1片为明中期遗物，3片为万历时期遗物；白釉暗刻纹碗残片1片，约为嘉靖时期遗物；青釉粗瓷罐残片2片，年代亦当在万历时期（见图3-37）。这组遗物清晰表明，新王宫主体建筑的年代上限不早于明万历时期。另F10之下还叠压着更早的坑穴1个（K7），但缺乏可资断代的遗物。

第三组：遗址废弃后所形成的堆积，可大致反映遗址的废弃年代。遗址的建筑废墟上，普遍叠压的是第4层堆积。内含大量万历时期瓦砾及零星砖块、勾头、滴水、脊砖残块等，同时包含崇祯通宝、弘光通宝、隆武通宝、永历通宝等年代清晰的钱币。除该层堆积外，部分坑穴（如C4、K3、K4等）、沟渠（如G2）、道路（如L2、ⅣT0706内所出钱币即被称为“水牢”的L2内所出）等低洼之处的堆积中亦包含大量南明钱币（见表1-22），反映南明时期曾有过一次挖高填低的平场举措，应与土司毁灭不久之后即于新王宫内兴建的海潮寺内僧众的活动相关。所幸新王宫的毁弃年代文献有清晰记载，在明万历二十八年（1600）六月初六，土司自己与明军均曾先后放火予以摧毁①。遗址内也确有曾被火焚的考古证据。此后，新王宫逐渐成为海潮寺僧众的活动中心。地层堆积的情况与文献记载是一致的。

要之，结合层位关系与文献记载，可确定新王宫主体建筑始建于万历，亦毁于万历。

---

① 明军破囤前夕，杨应龙与爱妾周、何二氏在“新王宫”内卧房“举火烧房”，而后自缢，吴广等将其尸“急出诸烈焰中。须臾，火烧楼房一空”，“广中火毒，哑不能声，昏死在地”，足见火势之猛（《平播全书》卷5《叙功疏》，北京：大众文艺出版社，2008年，第150页）。而明军攻打播州期间，推行的是酋之衙屋“严谕举火烧毁”的政策，三、四月间，“大水田、永安庄、桃溪衙，皆贼所为世修庄院，僭拟侯王者，今且据之焚之”（《平播全书》卷4《攻克娄山、崖门等关四报捷音疏》，北京：大众文艺出版社，2008年，第103页）。四月十三日抵播州治，“随将衙宇家庙，新川、后川等衙，违禁房宅，阖州贼党民房，悉行烧毁”（《平播全书》卷5《叙功疏》，北京：大众文艺出版社，2008年，第152页）。攻囤时，各路明军则“拥入内城四面纵火”，“先登贼之大囤，举火延烧酋房”（《平播全书》卷7《破囤塘报》，北京：大众文艺出版社，2008年，第255～257页）。“内城”即“新王宫”，据此可知土司、明军均曾先后火烧“新王宫”，从此“八百年之酋囤，尽成丘墟”（《平播全书》卷7《破囤塘报》，北京：大众文艺出版社，2008年，第254页）。

3. 遗迹

新王宫内彼此贯通且体系严密的道路、排水网络，以及贯穿遗址东西的6道挡土墙，反映新王宫的建设有严密的规划。建筑的尺度，亦经严格控制，若从二堂（F7）后檐外侧两础到东西两厢（F23、F24）前端外侧两础间画对角线，交点恰落在大堂（F22）明间正中。

遗迹间存在复杂的叠压与靠压关系（见图3-39），反映建筑过程中存在先左后右（左右以衙署坐向论，左为西，右为东，下同）、自后而前的趋势。方向与中轴线不同的F9、F17、F18一组建筑最先建成，但其建筑材料与遗址内其他房址并无不同。种种迹象表明新王宫主体建筑是经整体规划、一次建成的。

综上所述，结合出土遗物、地层堆积、遗迹关系与文献记载，可确定新王宫现存主体建筑始建于明万历时期，亦毁于明万历，与杨应龙万历年间重建海龙囤“以为子孙万代之基”的相关记载一致。其建筑体系严密，并存在复杂的叠压与靠压关系，表明系经整体规划、一次建成的。

（二）性质

新王宫主体建筑的性质，可从文献记载与建筑格局两方面予以考察。

1. 作为内城的新王宫

明代海龙囤由东西各两重瓮城、囤顶大城和内城组成。《平播全书·叙功疏》记载：六月初五日，刘綎、李应祥率明军“将月城拆倒，将土城、月城楼，同刘总兵即时放火烧毁。贼奔大城死敌，自午至申，应龙父子亲领苗贼披坚出城，冲突三次。每次我兵用佛郎机、百子铳等项直对城门齐打，贼被伤退回”。当晚，明军“就于月城扎守”。初六日黎明，吴广、陈璘率“各路兵一齐登城，拥入内城。贼酋杨应龙将卧房发火，同爱妾缢死，要得自焚。时五路总兵官齐围贼衙。”[①]土城与月城为囤西瓮城，土城楼即后关，月城楼即西关。明军进入月城后，“贼奔大城死敌”，即是以万安关一线进行防御，其间“应龙父子亲领苗贼披坚出城，冲突三次”。万安关以里即为“大城”颇为明了。六月初六日黎明，明军攻破万安关，“拥入内城”并“齐围贼衙”，“内城”应即“贼衙”即“新王宫”。可资参照的是，南宋平江府城有内外两重城垣，分别称外城（或大城）、内城（又称子城或府城），其中内城为府衙所在[②]。海龙囤的格局与之相似。以上记载显示有单独垣墙围合的新王宫正是海龙囤“内城”，且系“贼衙”，即为土司衙署。

① （明）李化龙：《平播全书》卷5《叙功疏》，北京：大众文艺出版社，2008年，第154页。

② 郭黛姮：《南宋建筑史》，上海：上海古籍出版社，2014年，第62、63页。

2. 作为衙署的新王宫

新王宫的衙署性质在以下记载中反映得更为清晰。《骠骑将军示谕龙岩囤严禁碑》中提及“守衙小童”，明确囤上有“衙”。另《平播全书 · 破囤塘报》记载：六月初六日黎明，明军负责攻打前门的马孔英路“乘胜战夺二层飞虎关，严谕举火烧毁。我兵愈加精强，先登贼之大囤，举火烧酋房”，又“传令所部汉土官兵，不许一军进应龙衙宇，并不许夹带一物。其应龙见得前门兵已上囤，遂自缢死。应龙妻子即领阖家人口尽从后门逃生，方将囤门一开，后兵方拥而入，随将应龙衙舍府库，合兵围之。”同时，负责攻打囤后的吴广、陈璘路于当日“黎明，吴、陈兵上攻第三关（按即万安关），不见出敌者，乃知贼已前溃。遂各进关围衙院，而贼已死”。吴广“破城直冲杨应龙宅内”。明军贵州路的报告则称“各路兵一齐登囤，拥入内城四面纵火。贼酋杨应龙将卧房发火，同爱妾缢死，要将自焚。时五路总兵官齐抵贼衙”。又“三省官兵大众分路攀缘而上，贼党开门倒戈，奔溃如蚁。我兵直围杨应龙住宅，遵守前禁，不敢径入宅内，官兵中有从宅后掘墙数孔而入者。比刘、李二总兵引兵入宅，则杨应龙已缢死卧房”[①]。《叙功疏》记吴广、陈璘率“各路兵一齐登城，拥入内城”，《破囤塘报》则称吴广“破城直冲杨应龙宅内”，进一步表明“内城”即“杨应龙宅”，而该“宅”即“贼衙”，又有“衙宇”“衙舍”“衙院”等称呼，可见内城即土司衙署。

贵州路的报告中有掘墙入宅的细节，囤顶两组最大建筑群中老王宫无墙且布局散漫，新王宫不仅有围合的垣墙，而且规模宏大、布局严整，具有中轴对称、大堂居中、厅堂五间七架、大门三间三架等特点，与明代三品至五品官员的房屋之制吻合，亦与同时期其他府县及土司衙署的格局一致（表3-4）。

综上，新王宫系明代海龙囤“内城”，系一处土司衙署。

3. 家衙一体

前揭文献将土司衙署新王宫称为“应龙衙宇”、“应龙衙舍”、“衙院”、“贼衙”、“杨应龙宅”与“杨应龙住宅”等，“衙”“宅”并提，表明于土司而言衙即其家，其家即衙，家衙一体。

这并非孤例，明代文献中亦将位于今遵义老城内的播州宣慰司衙署称作时任宣慰使“杨爱家”。据《勘处播州事情疏》记载：明成化间，杨友奏称“杨爱僭拟朝廷，修立五门牌扁，正庭僭称宫庭，内立嵩呼门，僭设金水桥。睡房贴金描画，卧床雕刻龙凤，身穿星斗龙凤衣服。于玄妙观设本命金龙牌一座，与万岁牌并立”。等调查人员“亲至杨爱住宅内看得：并无五门牌扁及嵩呼门、金水桥，中庭扁作‘忠孝堂’，亦不曾僭称宫庭。睡房俱无贴金描画及金龙绕柱，卧床亦无雕刻龙凤。其祖先堂承恩堂并小厅、左右角门，俱有飞檐转角，放印亭重檐圆顶。杨爱并伊伯母田氏住房及中厅前俱有月台，台下各有水池，池中各搭石为桥，周围俱有青

---

① （明）李化龙：《平播全书》卷7《破囤塘报》，北京：大众文艺出版社，2008年，第254～257页。

石阑干，俱系杨昇存日起盖。西边又有玉皇祠”云云[①]。说的是宣慰司衙署，除玉皇祠外，余均在衙署内。按叙述的顺序，中路依次有大门、仪门、中庭（忠孝堂）、内宅。所谓“五门”当为衙署大门（按制只能用三间三架）；“嵩呼门”或为仪门；之后为居中的正庭（又称中庭、中厅），悬“忠孝堂”匾，为土司治事之所；后为内宅，有杨爱住房及前土司杨辉遗孀田氏住房，两组建筑的关系不明（或为左右关系，如同沿河祐溪蛮夷长官司署正厅之后张土官宅与吏目宅左右并置；表3-4-9），但与中庭一样都设有月台，且台下有水池，池中搭带栏杆石桥，足见其重要性。祖先堂（承恩堂）按制当在“正寝之东（左）”，而“杨铿墓志铭”记铿时曾“大修祖庙，增祭器□□□□传，置杠梁，及所居第宅左旁，缉而一新之瑎庭”[②]，暗示杨氏家庙（祖庙）确在衙署左路。放印亭规模较小，位置不明。《勘处播州事情疏》又记：成化二十二年（1486）七月初九日“翟庭蕙与杨纲、谢士元同到杨爱家看祖训碑。杨爱安排筵席相待，令人唤乐户刘鉴、郭福亮，又各不合依听到伊家弹唱”[③]。据《忠烈庙碑》，祖训（家训）碑在家庙内，而家庙在衙署左路，“到杨爱家看祖训碑”即到宣慰司治所看家训碑。可见，成化时播州宣慰司司治又被称为“杨爱家”或“杨爱住宅”，一如万历时明军对海龙囤的称呼。

家衙一体，是由土司“世守其土，世袭其职”的性质决定的。在此制度下，土司世居衙内，衙署前衙后邸，前衙为其治事之所，后邸则是袭职土司的世居之宅，故其家即其衙。同时，按朱子《家礼》的要求，又往往于“正寝之东”立家庙，由“宗子世守之”，“非嫡长子，则不敢祭其父”。因此，衙内家庙彰显了袭职土司的“宗子”地位。府州县衙亦设官邸于衙后（表3-4），但因流官任职有一定期限，居住亦仅限于任内，衙署非其世居之地，故而断不可能将家庙设于衙内，而多建于祖居地或私宅内，如宋相秦桧即设祖庙于临安私宅左侧[④]。而容美土司田氏在行署平山爵府所建的“魏博楼”，内供其祖唐魏博节度使田弘正（764～821）像，也具有家庙性质[⑤]。在此意义上，家庙是土司家衙一体的具体体现，家衙一体也构成土司衙署迥异于府县衙署的鲜明特色。

综上所述，新王宫是土司杨应龙于明万历年间营建的衙署，毁于万历二十八年（1600）的播州之役，具有家衙一体的特点。

---

① （明）何乔新：《勘处播州事情疏》，《丛书集成初编·张司马定浙二乱志（及其他二种）》，北京：中华书局，1985年，第77、94、95页。

② 贵州省文物考古研究所、遵义市文物局：《贵州遵义市新蒲明代播州土司杨铿墓》，《考古》2015年第11期。

③ （明）何乔新：《勘处播州事情疏》，《丛书集成初编·张司马定浙二乱志（及其他二种）》，北京：中华书局，1985年，第64页。

④ 冯尔康：《中国古代的宗族和祠堂》，北京：商务印书馆，2013年，第56页。

⑤ （清）顾彩著，高润身主笔：《容美纪游注释》，天津：天津古籍出版社，1991年，第37、45、59、66页。

表3-4 衙署比对表

序号	衙署名称	年代	格局	附图	出处
1	河南内乡县衙	始建于元大德八年（1304），现存者主要为清代建筑	坐北向南，庭院式族群布局，左尊右卑，左文右武 中路：照壁、宣化坊、大门、仪门、戒石坊、三班六房（吏户礼房居左、兵刑工房居右）、大堂（治事之所）、东庠（左）、承发房（右）、左右过厅、二堂（预审案件与休憩之所）、左右仓房、公署、账房（左）、西庠（右）、三堂（知县内邸）、左右花厅、大仙阁（左） 左路：衙神庙、典吏衙 右路：监狱、吏舍、马号、马王庙	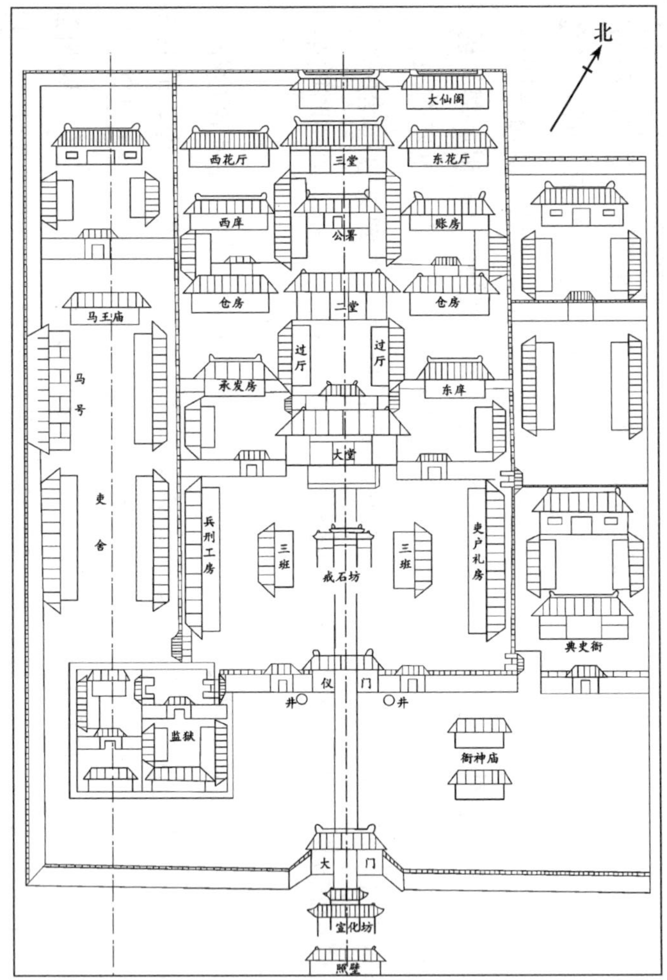	刘鹏九等：《明清县衙建筑考略》，《古建园林技术》1995年第4期

续表

序号	衙署名称	年代	格局	附图	出处
2	甘肃永登鲁土司衙门	始建于洪武十一年（1378）	中路（衙署）：照壁、牌楼、正门、两厢、仪门（提督军门）、两厢、大堂、东西耳房、如意门、两厢、燕喜堂（接官厅）、东西小院、朝阳门、东西配楼、祖先堂、库房 左路（宅园）：书房院、二堂、寝室院、灶房院、马厩、绿照亭等 右路（家寺）：山门、鹰王殿、科拉殿、塔尔殿、万岁殿、德尔经堂、大经堂等	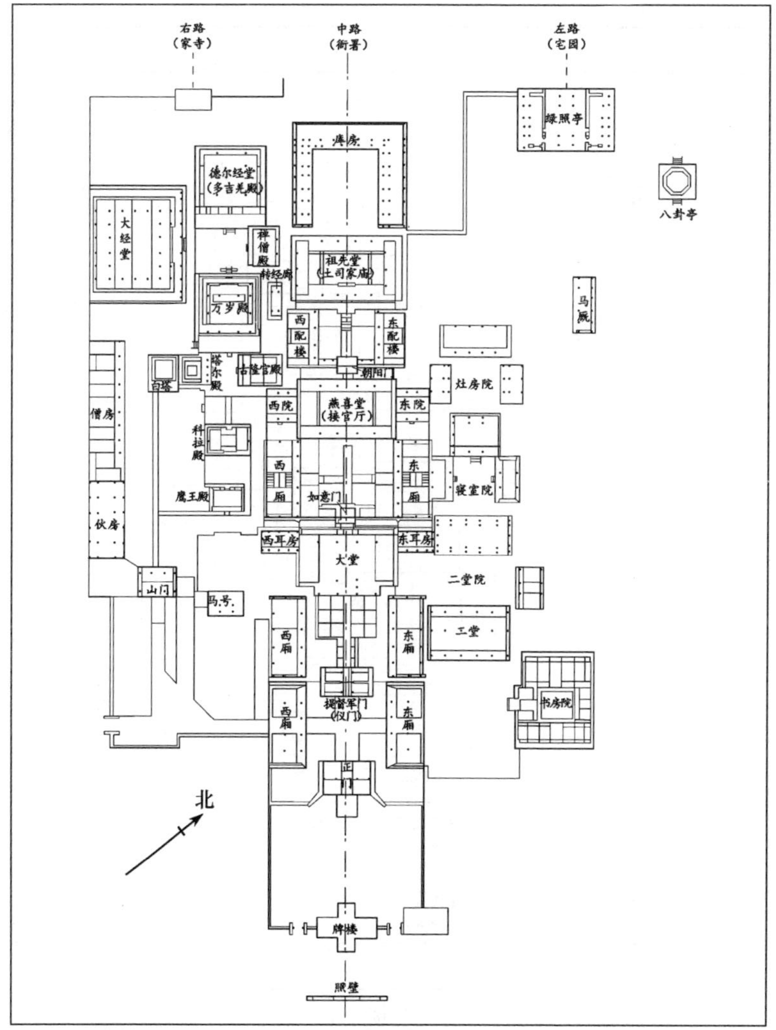	叶明晖等：《永登鲁土司衙门建筑形制述略》，《华中建筑》2009年第8期

续表

序号	衙署名称	年代	格局	附图	出处
3	广西忻城莫土司衙署	明清	背依翠屏山，五级，逐层抬升 中路（衙署）：照壁、大门、兵房（左）、牢房（右）、正堂、花廊、东花厅（宴会厅）、西花厅（刑讯所）、二堂（内部议事）、东西廊房、三堂（土司住所）、两厢、闺房（土司女儿住所） 左路（代理土司官邸）：大门、两厢、头堂、中堂、后堂 右路（祠堂）：大门、头堂、中堂（供祖先牌位）	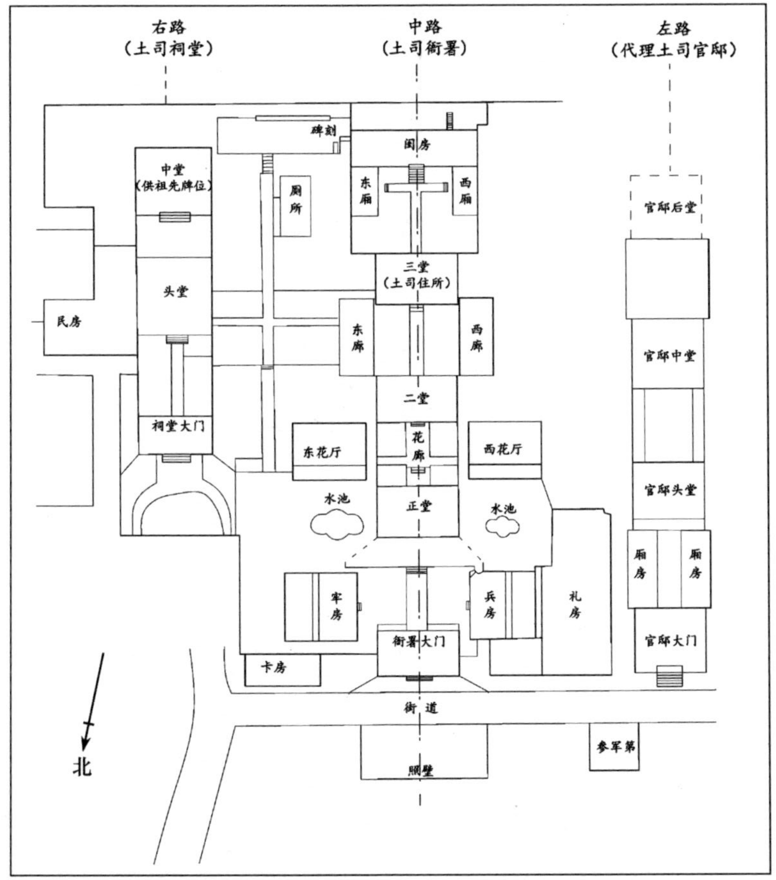	银晓琼等：《忻城土司城及衙署布局特色探析》，《古建园林技术》2017年第3期

续表

序号	衙署名称	年代	格局	附图	出处
4	贵州毕节大屯土司庄园	清	三层台，次第升高，四周有碉堡5座 中路：大堂、二堂、正堂、后花园 左路：轿厅、慷雅堂（客厅）、鱼池、时园（西花园）、余氏宗祠、长廊、马厩、厨房与佣人房等 右路：亦园（东花园）、客房、绣楼、粮仓	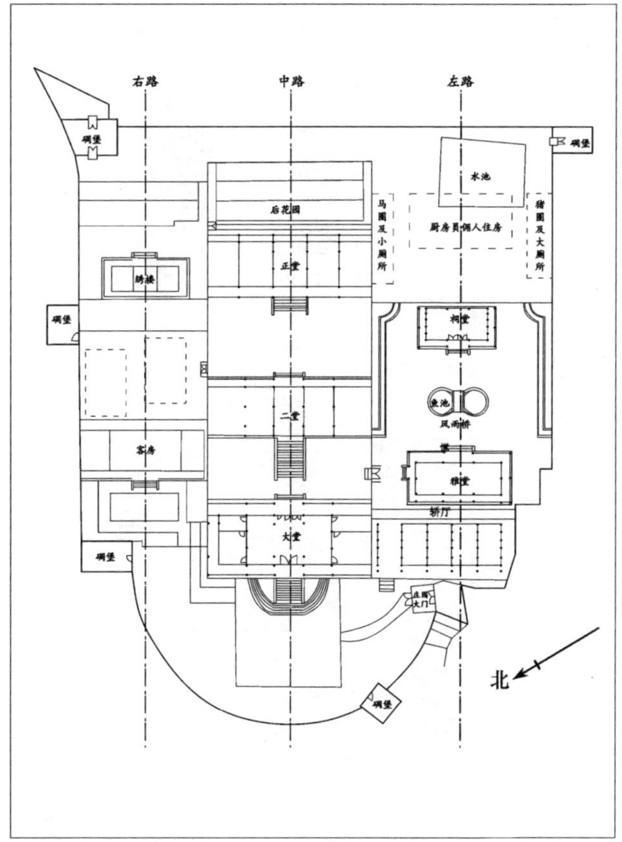	吴正光：《大屯彝族土司庄园》，《贵州文史丛刊》2004年第3期，毕节市文物局供图

续表

序号	衙署名称	年代	格局	附图	出处
5	云南南甸宣抚司衙署	清、民国	中路：大门、巡捕房与牢房（左）、茶库房与牢房（右）、公堂（升堂办案处）、官班房（左）、军械库（右）、会客厅、三班房（右）、看戏楼（左）、议事厅、书房（左）、账房（右）、内宅（土司起居处）、经书房（左）、后花园 左路：练兵场、马厩、官班房、戏楼、厨房、小姐楼等 右路：烟房、私塾、护印府等	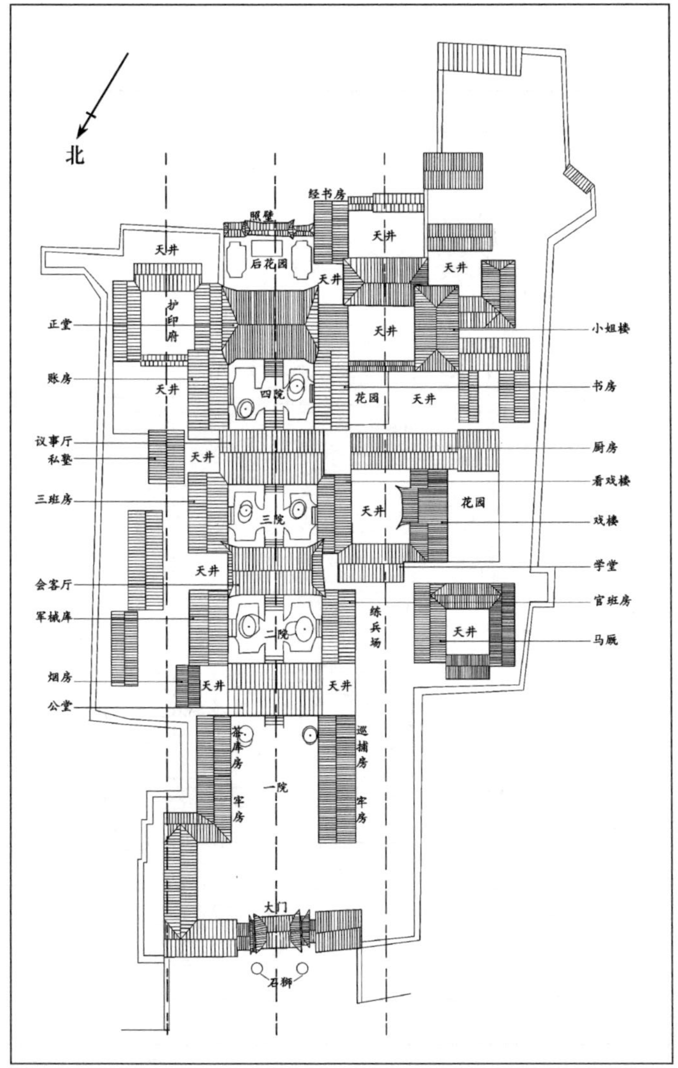	孙菲：《云南土司府建筑研究》，昆明理工大学硕士学位论文，2008年，第62～67页

续表

序号	衙署名称	年代	格局	附图	出处
6	云南武定慕连土司衙署	清、民国	中路：照壁、大门、左右马棚、佣人房（左）、二门、左右壮丁房、公堂、客房（左）、粮仓（右）、两厢、内宅（土司起居处）、两厢（佣人房与祭祀用厨房）、祖宗堂 左路：猪圈、客房、马棚、花厅、厨房、那康保住房、书房等 右路：碓房、谷仓、观音阁等	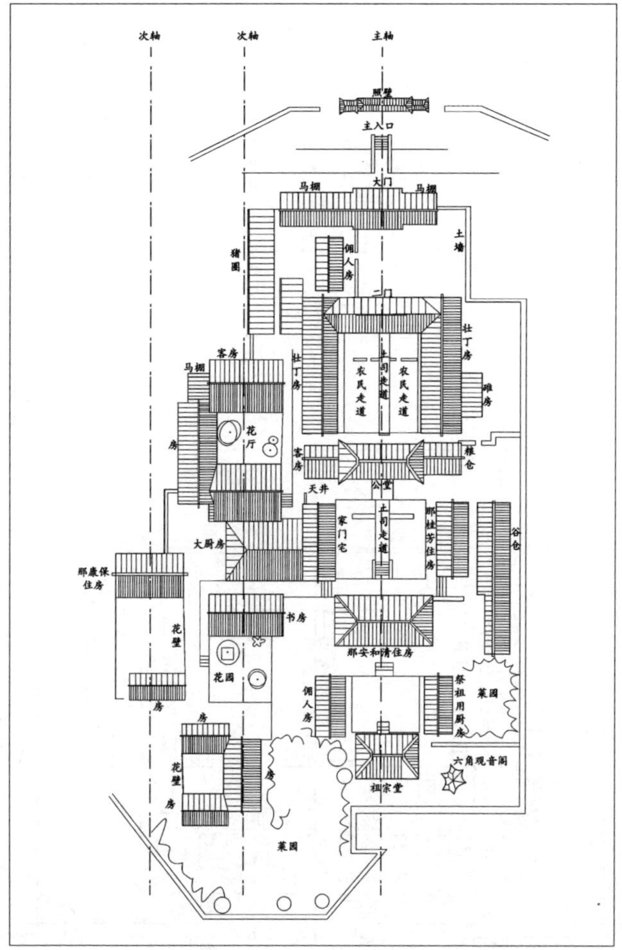	同上，第68页

续表

序号	衙署名称	年代	格局	附图	出处
7	思南水德江长官司署	明	中路：大门、东三房、西三房、正堂、东西耳房（左为吏目厅、右为吏目宅） 左路：吏舍 右路：监	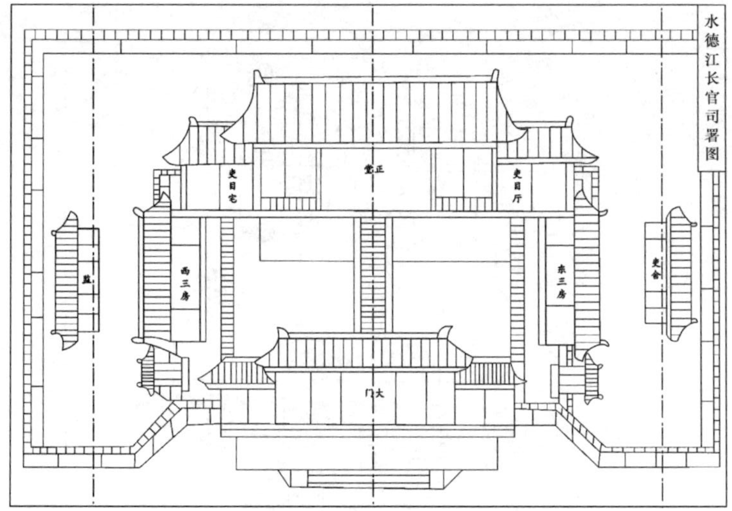	嘉靖《思南府志》，务川县政协文史委点校本，1990年，第42页
8	思南蛮夷长官司署	明	中路：牌坊（正己）、大门、仪门、东西三房、司厅、宅门、两厢、安土官宅 左路：吏舍 右路：社学、监、预备仓（干栏式）	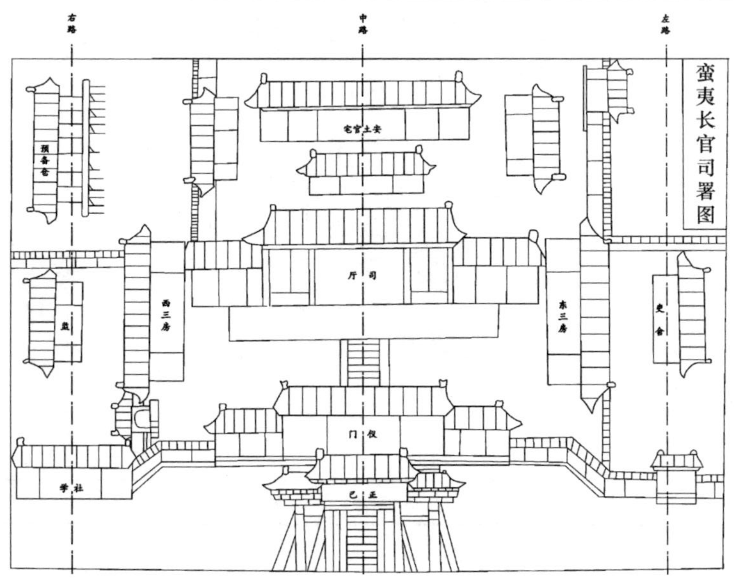	同上，第43页

续表

序号	衙署名称	年代	格局	附图	出处
9	思南沿河祐溪长官司署	明	后有靠山 中路：照壁、大门、东西三房、正厅、东西耳房（左为幕厅、右为公馆）、张土官宅（左）、吏目宅（右） 左路：城隍庙、铜佛寺、僧房、司铺、冉土官（副长官）宅 右路：司监、吏舍等	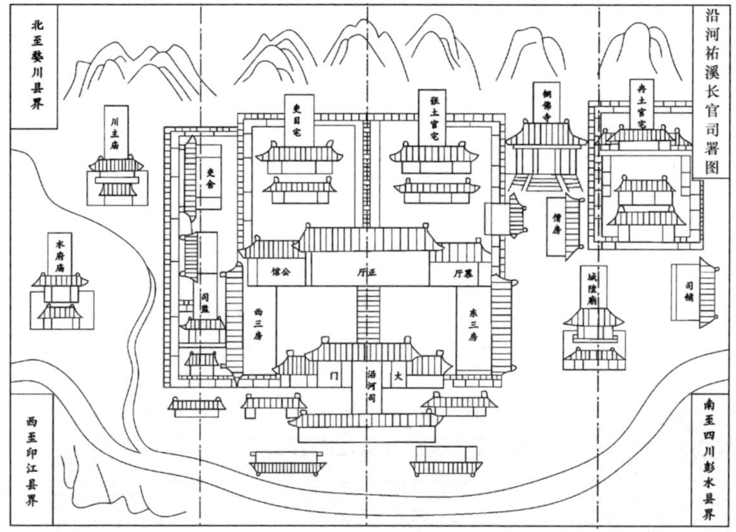	同上，第43、44页
10	思南朗溪蛮夷长官司署	明	前有朝山，后有靠山 中路：大门、吏舍（左）、监房（右）、仪门、东西三房、正厅、东西耳房（左为吏目厅、右为吏目宅）、龙亭 左路：田土官宅（正长官） 右路：司铺	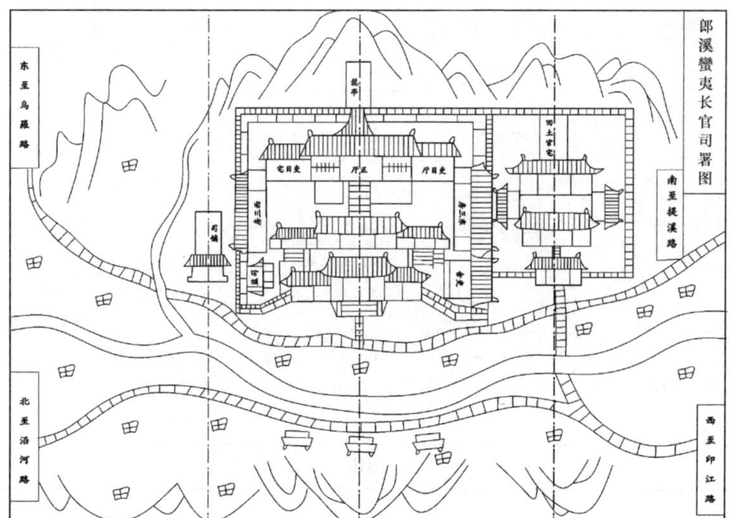	同上，第44页

续表

序号	衙署名称	年代	格局	附图	出处
11	思南府署图	明	后有靠山 中路：牌坊（承流宣化）、鼓楼（原为门）、土地祠（左）、二门（行台）、仪门、东西三房、正堂（黄堂）、东西耳房（左为经历司、右为照磨所）、后堂、知府宅 左路：吏舍、照磨宅、经历宅、南平仓、预备仓、莲池等 右路：吏舍、司狱司、府监、理刑厅、推官宅等	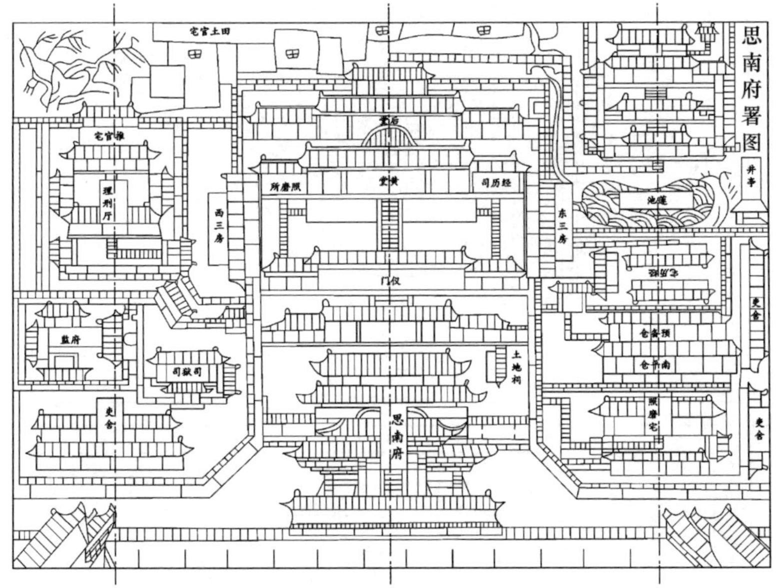	同上，第36、37、55页

注：关于“左中右”，中路为中轴线建筑，以其坐向之左右为左右，即背对靠山，面向朝山之左右为左右

（三）南宋衙署的线索

除万历时期的主体建筑土司衙署、万历以降以海潮寺为代表的“后土司时代”遗存外，新王宫内还发现了一组南宋时期遗存。前文主要讨论了万历时期的主体建筑，以下再对南宋遗存进行讨论。

新王宫内南宋时期遗存以遗物为主，遗物又以生活用器为主，另有零星建筑构件。生活用器均为瓷器，64片（少量可修复成器）。包括重庆清溪窑白瓷残片15件，其中1片印花碗残片出自F10垫土内（TG9），其年代约在南宋中晚期。湖田窑影青瓷残片17片（可计5件），年代约在南宋时期，个别或可早至北宋。龙泉窑青瓷残片32片（可计8件），年代约在南宋晚期（见表1-5）。类似遗物亦见于囤上老王宫、构树、朝天关等地点。建筑构件仅Aa型八瓣月华纹筒瓦勾头1件（F8③：4）。另有唐“开元通宝”与北宋“元符通宝”各1枚，与“弘光通宝”与“乾隆通宝”等晚期钱币伴出，或为传世品。

较万历主体建筑为早的遗迹，目前仅见K7一例，叠压于F10下并打破生土，可知其相对年代早于F10，但因未见具有典型年代特征的遗物而无法判定具体年代。该坑平面近方形，坑口宽7.3、深1.7米，以片状砂岩叠砌坑壁，石壁宽0.8～1.55、高1.4米。坑内堆积与万历时期主体建筑下的其他垫土层一致。关于K7的性质，存在两种可能：一是万历营建衙署时所用的临时蓄水池，最后被主体建筑覆盖。二是南宋时期水池。

据杨文神道碑，海龙囤的前身为南宋宝祐五年（1257）创建的抗蒙山城“龙岩新城”。目前已确认的该时期遗存，遗迹有绣花楼与土城墙上4座门址，与之相接的以砂岩叠砌的城垣，设在大城城垣及其附近的18处哨台，以及构树F39等。遗物有A型板瓦与筒瓦，A型勾头与滴水，A型礌石，以及部分湖田窑、龙泉窑和清溪窑瓷器残片等。其中，构树遗址出土南宋遗物最为丰富，有较多建筑材料发现，并确认房址1座（F39），但该地地势局促（仅约1600平方米），似不能构成衙署。海龙囤东的养马城内有南宋衙署发现，衙署区面积约1万平方米，有封闭的垣墙，前设谯门，后有两厢，再为大堂，其后设对称水池2个。衙署前后三台，逐级抬升。中轴线前有朝山，后有靠山（豪高坡），显示了堪舆之术对选址的影响[①]。以之为参照，龙岩新城内若建衙署，从地形来看，新王宫乃不二之选。于山城之内建衙署而将平原城内治所迁往其中，是南宋抗蒙山城的普遍做法。在已发掘的此类遗址中，衙署后部建对称水池的例子有养马城与重庆钓鱼城范家堰衙署区。如果K7确为南宋时期水池，结合遗址内出土的其他南宋遗物，意味着新王宫明代土司衙署之下可能叠压有南宋时期衙署，只因暂未清理而无法确认。

整体而言，新王宫内有南宋衙署存在的线索，但因保护需要，明代土司衙署之下未再行清理，所以目前的发现尚无法对其有或无做出肯定回答。

---

① 贵州省文物考古研究所、重庆市文化遗产研究院：《贵州遵义市养马城遗址调查与试掘简报》，《考古》2015年第11期。并见第十二章。

二、空间划分与功能蠡测

虽无具体文献记载，但结合明代典章制度以及已知土司衙署的一般格局，可以推定新王宫大致存在治事之所、宴息娱乐之所、礼仪宣教之所等不同功能空间。土司衙署的格局，受到堪舆之术、典章制度、礼仪规范以及个人喜好等因素的影响。

（一）治事之所

治事之所，分布于中轴线及其近旁，包括土司治事之所与吏攒办事之所等。这里是土司通过司法、礼仪、机制、策略与传统等进行权力运作的空间，彰显了严密的空间秩序与政治礼仪，某种意义上是土司统治合法性的政治表达，其整体格局与同一时期的府县衙署及土司衙署并无明显区别。房屋的规制，明代典章制度有明确规定。《明会典·房屋器用等第》记载：

> 凡房屋，洪武二十六年（1393）定：官员盖造房屋，并不许歇山转角、重檐重栱、绘画藻井，其楼房不系重檐之例，听从自便。
>
> 公侯，前厅七间或五间，两厦九架，造中堂七间九架，后堂七间七架，门屋三间五架，门用金漆及兽面摆锡环，家庙三间五架。俱用黑板瓦盖，屋脊用花样瓦兽，梁栋、斗栱、檐桷用彩色绘饰，窗、枋、柱用金漆或黑油饰。其余廊庑、库厨、从屋等房，从宜盖造，俱不得过五间七架。
>
> 一品、二品，厅堂五间九架，屋脊许用瓦兽，梁、栋、斗栱、檐桷用青碧绘饰，门屋三间五架，门用绿油及兽面摆锡环。
>
> 三品至五品，厅堂五间七架，屋脊用瓦兽，梁、栋、檐桷用青碧绘饰，正门三间三架，门用黑油摆锡环。
>
> 六品至九品，厅堂三间七架，梁、栋止用土黄刷饰，正门一间三架，黑门铁环。
>
> 一品官房舍，除正厅外，其余房舍许从宜盖造，比正屋制度，务要减小，不许太过，其门窗、户牖并不许用朱红油漆。
>
> 庶民所居房舍，不过三间五架，不许用斗栱及彩色妆饰①。

对厅堂与正门的开间、进深及其屋面装饰，梁、栋、门、檐桷的装饰作了细致的规定，依官阶依次递减，秩序井然。播州宣慰使司宣慰使属从三品，按制，其厅堂五间七架，屋脊可用瓦兽，梁栋等装饰色为青碧色，正门三间三架，锡环与黑油装饰。新王宫大堂（F22）、二堂

---

① （明）申时行重修，（民国）王云五总编纂：《明会典》卷62《礼部二十·房屋器用等第》，上海：商务印书馆，1936年，第1579～1580页。

（F7）均五间七架。大门（F28）、仪门（F25）均三间三架，但仪门左右另设耳门，前有廊。整体而言，建筑规制与主人身份相符，并未僭越。

参照明清土司衙署与府县衙署（表3-4），居中的大堂（F22）为土司治事之所，是衙署的中心所在。其前两厢（F23、F24）各三间，为六房，系吏攒办事之所。据河南内乡县衙，当按“左文右武”排列，即左为吏、户、礼，右为兵、刑、工。土司治下类似的设置，见何乔新《勘处播州事情疏》的记载：成化十四年（1478），“杨爱因见各里土民不谙书办，不合违例，将市民姚鉴佥充本司兵房典吏，王裕佥充本司刑房典吏，何文佥充本司户房典吏，杨仑佥充本司礼房令史”①。《骠骑将军示谕龙岩囤严禁碑》也提到囤上常设有“书吏”，亦当在此当差。刑事审理，是衙署空间最常见、最频繁的政治实践运作，土司衙署亦然，云南南甸宣抚司衙署的公堂（大堂）即是土司升堂办案处。前书有记成化十二年（1476），“杨辉令人叫韩瑄到司，唱令失记名皂隶，将韩瑄责打六十大棍才扶回家”，使其因伤而死。这类活动，应在播州城内的宣慰司司治的中庭（忠孝堂）进行，新王宫内大堂（F22）就是海龙囤上的“忠孝堂”。相应地，土司衙署内应有监狱的设置，嘉靖《思南府志》所载的水德江长官司、蛮夷长官司、沿河祐溪长官司、朗溪蛮夷长官司等四座明代土司衙署规模虽小，但均建有监房，且皆置于右侧。俗谓“东掌生，西掌死”。新王宫内有“水牢”的地名，虽发掘揭示其并非监房而系一条地下通道（L2），但暗示新王宫内应有监房的设置。参之前述四长官司署，新王宫内监房亦应在右路，则偏处右路前端且相对独立的F13、F14为监房的可能性最大。

二堂（F7）处于中轴线末端，五间七架。因明间有后期供佛用须弥座石台，民间俗称“龙位坪”。其前两厢仅面阔一间，当为连通大堂与二堂的穿堂，从天井左右两侧廊道尽头未见石质踏步看，当有木质楼梯设于两厢内，上抵F7内。广西忻城莫土司衙署的二堂是土司内部议事之所，土司于此处理日常事务。而内乡县衙的二堂，则是知县预审案件及大堂审案时退思、小憩之所。新王宫二堂功能应与之相当，乃土司处理内务及休憩之地。

土司杨应龙手书的《骠骑将军示谕龙岩囤严禁碑》显示，土司不在囤时，由“总管”总理囤上事务，并设“总管厅”，负责“上名、应役”及收缴与发放出入各关的凭证“水帖”。中路既为土司治事之所，则大堂左侧的F19即可能为“总管厅”。F19为一组合院式建筑，由正房、倒座、天井与回廊组成，是通往左路建筑群的中枢，且做工考究，以经打磨的方砖墁地，下铺河沙。前述明代四长官司署中“吏目厅”“幕厅”等辅佐土司工作的吏目治事之所即均设在大堂之左，内乡县衙亦以左为尊。

大堂（F22）右侧的F10是一组合院式建筑，由两院、正房、倒座和回廊组成，正房有精美石窗装饰，倒座前回廊立有石望柱。正房墙体厚实，仅于左前设单门出入。其内出土骨质戳子、有清晰人工切割痕的鹿角等遗物。据此推测F10可能为土司储存财物的府库类建筑。《平

① （明）何乔新：《勘处播州事情疏》，《丛书集成初编·张司马定浙二乱志（及其他二种）》，北京：中华书局，1985年，第22页。

播全书·破囤塘报》记：六月初六日，明军破囤而入，“随将应龙衙舍府库，合兵围之”①。将衙舍与府库并提，府库应在衙署内。有趣的是，F10正房后期曾屡遭盗扰，遗有较多坑穴，地面铺砖均已无存，部分石础与地栿下陷移位。这一现象，或即因其内储有财物故。

大门右前的F29是一组相对独立的合院式建筑，由倒座、两厢和天井组成，偏处新王宫垣墙之外、主道近旁。内出石锅圈等遗物。房址所在地，民间俗称“下马蹬”，意指人员在此停歇、下马。该俗名与房址位置暗含迎宾、看守之意。毕节大屯土司庄园于其右路前端设有客房，云南武定慕连土司署亦在左路前端设客房，明代府廨的客舍（寅宾馆）亦多置于右前②。基于此，F29较可能即客舍。另据《骠骑将军示谕龙岩囤严禁碑》，新王宫还专设“守衙小童”与“打扫户”，负责衙署看护与卫生，这些人员可能即住在衙署之外的客舍中，实现对衙署“守”与“扫”的日常维护。

据《骠骑将军示谕龙岩囤严禁碑》，囤上另设有总领、把总、提调、总旗、小旗、军士、苗军、住囤医生、匠作、住持人等。总领大约亦在大堂前六房办事，把总、提调、总旗、军士、苗军等应驻守于各关隘，如龙凤关设有把总，万安关设提调。匠作负责施工，住囤医生或主要负责施工人员伤情处理，住持人则居其所主持的庙宇内。新王宫后端沿垣墙分布的F5、F6、F15与F16，因地处后关入囤之要冲，具有明显的防御性，亦当有军士、苗军把守。

（二）宴息娱乐之所

宴息娱乐之所，指土司及其家人与吏目在衙署内的居住、宴饮与娱乐的场所。

一般而言，无论府县衙署还是土司衙署，知府、知县与土司宅多位于中轴线后端，少量居于一侧，如甘肃鲁土司衙署中土司宅居左路，朗溪蛮夷长官司署中正长官田氏宅亦在左路。

《平播全书·叙功疏》：六月初六日，明军破囤前夕，杨应龙“入卧房将门钉闭，举火烧房，同爱妾周氏、何氏自缢死”，吴广等“至后房，破门寻见酋尸，急出诸烈焰中。须臾，火烧楼房一空”③。应龙自缢的“卧房”即后来寻见尸首的“后房”，可见土司卧房居于后端。按衙署前衙后邸的一般布局，审看新王宫建筑格局，在中轴线近旁又居其后的，唯有F8一组建筑。这是一组合院式建筑，由三开间的正房、两厢、天井与前廊组成，右前有木栈道跨G2与二堂（F7）相接，反映其关联性。F8台基较F7高出约0.3米。当土司于二堂处理毕公务，可便利退居F8内休憩。因此，F8当即前述“后房”与“卧房”，为土司内宅，是其与妻妾的居所。天井内出土石砚台、青铜象棋子（仕）等遗物，表明F8除卧房外，可能还兼有“书房”的功用，即《骠骑将军示谕龙岩囤严禁碑》所谓“但恐亲临本囤，跟随一应人役，书房听点题单，预发

① （明）李化龙：《平播全书》卷7《破囤塘报》，北京：大众文艺出版社，2008年，第257页。类似记载亦见于（明）名衢逸狂演义：《征播奏捷传》第42回：杨应龙见大势已去，“乃令军士开各库藏，取出金银珍宝，罗缎细帛等物，分散众将”，遵义县文化体育局等点校本，内部印行，2004年，第186页。

② 王贵祥等：《中国古代建筑基址规模研究》，北京：中国建筑工业出版社，2008年，第107～109页。

③ （明）李化龙：《平播全书》卷5《叙功疏》，北京：大众文艺出版社，2008年，第150页。

龙凤关，查点进出”者。F8内有砖砌灶台1个（Z1），叠于F8正房的地栿石上，靠压的正房檐墙杂乱无序，当为后期遗存。

前述永登鲁土司署、朗溪蛮夷长官司署中，土司宅均居左路，结合内乡县衙除中轴线外“以左为尊”的特点，有理由认为新王宫左路的姚家凼一带（F2～F4、F30）应即土司家人的居所。据《平播全书·献俘疏》，应龙有四妻（正妻张氏早年为应龙所杀，次为田氏，再为与其自缢于卧房的何、周二氏）八子（次子可栋早年死于重庆）二孙三女[①]。妻妾与土司共居内宅（F8），其余家人可能即住上述四房内。甚至“姚家凼”一名或系“杨家凼”之讹，意为杨氏家眷所住之地。

思南明代四长官司署中，均考虑了“吏舍”，左右不拘。结合新王宫格局，六房台基下的东西配房（F26、F27）可能即“吏目”住所。配房呈曲尺形，环六房（F23、F24）与仪门（F25）而建，以其台基为配房后墙，墙上留孔，横梁插于其内。配房于仪门台阶下设对称入口，并各置一砖砌灶台（Z5、Z6），显系生活区。于六房办公的吏目，出仪门即可进入此间，往返便利。

右路中央的F11，系一组纵横交错的“L”形建筑，当地民间俗谓“上马磴”。纵向者四开，左右二列并置，右列稍窄，后端设水池（C11），水源以暗沟引自C1内；左列七架，自北而南第二间内有砖砌灶台（Z3），表明其系生活区。横向者三开，右设门房以通L4（上达右路建筑后端）。结合“上马磴”的俗称，此或系马厩及佣人居所，纵向者为居所，横向者为马厩。

左路最西侧的F9，五间三架，紧邻水池（C10）。已发掘的东梢间设灶台（Z2）及方形石水槽。内出瓷片1万余片，分属540余件器物个体，其中可复原者达175件，且不乏官样瓷器。另有铁锅等遗物。所有证据均指向，这是一组厨房，官样瓷器的发现，进一步表明使用者身份不凡。该厨房可能与家庙相关，亦可能与土司宴饮相关。F9东侧紧邻F20，为四间三架长房，前设石铺道路（L11），右连F19左通F9。因邻厨房（F9），F20的功能或同于忻城莫土司衙署大堂右侧的东花厅，为接待外来官员与宾客的宴会厅。

右路后端有C1、F1与F12，前有L4与之连通。F1五间三架，与二堂（F7）并列，东设门房与L4通，东梢间内横置巨石一方。1999年试掘时，曾于此获围棋子数枚。F1北接C1，池底墁石，后置加工规整的巨石为影壁，做工考究。水尤清冽，至今不涸，又以暗沟引往C11内饮用。池西与二堂（F7）之间形成小型庭院（并设门出入），院与池相接一侧垒有砖墙，墙头拐角处以合角吻装饰。池东的F12建于基岩之上，三间三架，但开间狭小，当系亭榭建筑。结合景观与所出遗物，这里当系一处宴游之地，扮演着后花园的角色。F1台基较F7低约0.15米，可惜据目前所遗残痕无法判断F1与二堂（F7）之间是否有路相通，从二堂（F7）可与左侧卧房（F8）相通看，亦应有路通向与F8大致呈对称分布的F1（并C1）。如此，土司公务之余便可

① （明）李化龙：《平播全书》卷4《献俘疏》、卷5《叙功疏》，北京：大众文艺出版社，2008年，第125～126、150页。

退居其间宴饮游乐，亦可为其在紧急情况下从二堂逃逸提供方便（见图3-4）。

特别值得注意的是位于左路后端的F18，这是一组四合院式建筑，由五间七架的正房与倒座（亦不排除中央三间打通呈明五暗三格局的可能）、三间三架的左右两厢、中央天井及其四周廊道组成。与衙署内其余建筑天井下沉为池状不同，F18中央天井向上凸起，台面高出周围建筑的室内地面0.15～0.25米，四周设排水沟。特殊的结构表明天井可能有着特殊的用途，或系一处仪式展演与戏曲表演的舞台，向上凸起的天井便于观者环坐四周观瞻。

播州境内，戏台与戏曲表演的场景最早见于赵家坝杨氏第20世土司杨元鼎（？～1371）夫妇合葬墓的石刻中，因葬于明初故仍保留元代墓葬的特点。该墓男女两室的左右龛内，左雕乐舞，右为奉食，男墓均男子，女墓为女子。人物皆处在形如戏台的建筑下（即勾栏），作面向后龛的墓主人像徐徐行进状。男墓左龛九男子，所奏乐器可辨者有琵琶、拍板、横笛和胡琴等。女墓八女子，奏琵琶、横笛和笙等；前导一人手持曲首杖，上有羽状装饰，或即《宋史·乐志》所谓"执麾人"[①]。另据《勘处播州事情疏》记载：明成化年间，陕西乐户刘寿、刘鉴、郭福亮、张顺等"因本处艰难"，逃来播州"趁食住过"。而后，杨友诬宣慰使杨爱"使抄捉良民庞兆期女胜真、福真等一百余名充女乐，令乐户刘寿教习杂剧"，后经查明杨爱令刘寿"教习杂剧是实，并无抄札良民妇女充女乐"事。因诬告事宜，成化二十二年（1486）"有参政谢士元、都指挥杨纲、副使翟庭蕙前来体勘"，七月初九日三人"同到杨爱家看祖训碑。杨爱安排筵席相待，令人唤乐户刘鉴、郭福亮，又各不合依听到伊家弹唱"[②]。杨爱家即播州城内宣慰使司衙署，所记并未说明弹唱是否在戏台进行，但反映了杂剧表演之风在播州流行的盛况。历代土司受其浸染，当以之为乐事。这一风气可能影响到海龙囤上衙署的布局。

在土司辖境的特定空间中进行仪式的展演以达教化之功，播州城有农历七月十二的"迎赛壁山土主"仪式，文庙前大街似是展演的主要场所，每年依例进行。活动中，播州军民"装扮义夫节妇过"，既喧嚣又严肃。前述来播体勘的三位明政府官员因在文庙仪门下坐看，又欲饮酒，"殊失表率之道"而受责罚[③]。这实际上是一场祭祀壁山神赵延之的活动，除求得"雨旸应祷"的心理慰藉外，还是一个宣扬教化的重要场域。以戏台为载体，通过仪式的展演和戏曲的表演，既可娱神又可娱人。云南南甸宣抚司署的左路建筑中即有戏楼的设置。清容美土司境内司治及各行署多设戏台，土司田九峰还于康熙四十三年（1704）延请戏曲作家顾彩客居土司辖境。如其宣慰司治衙署大堂之后的楼中设戏厅，行署平山爵府的关公庙前亦设戏楼，关公诞辰日（五月十三日）还"演戏于细柳城之庙楼"，并大会宾客，又"具朝服设祭"，乡民有百

---

① 李飞：《宴会、戏台与影堂：墓葬中的生死》，《当代贵州》2017年第46期。

② （明）何乔新：《勘处播州事情疏》，《丛书集成初编·张司马定浙二乱志（及其他二种）》，北京：中华书局，1985年，第10、64、74、90页。

③ （明）何乔新：《勘处播州事情疏》，《丛书集成初编·张司马定浙二乱志（及其他二种）》，北京：中华书局，1985年，第65页。

里来会者[①]。在关公庙前设戏楼，以及细柳城庙楼的戏剧表演，人神皆娱。衙署内设戏台，既是土司个性的表达，又是娱乐与教化的需要。

鉴于“新王宫”内F18天井高耸的特殊结构，加以处在家庙（F17）近旁的特殊空间，参之前例并结合播州戏曲之风颇盛的历史背景，其为戏楼的可能性较大。惜乎未进行全面揭示而取得更多的证据，故以上推测是否正确尚留待未来的田野工作予以检视。

（三）礼仪宣教之所：兼说杨氏家庙

前述戏台已具有一定的教化功能，但表现得更为突出的当属家庙。祠堂祭祀本身就是封建礼法的一部分，朱熹在《家礼》的开篇便讲祠堂，并规定“君子将营宫室，先立祠堂于正寝之东”。方向的取定，“凡屋之制，不问何向背，但以前为南，后为北，左为东，右为西，后皆效此”，即不论向背，一律视为坐北朝南。“祠堂之制，三间，外为中门，中门外为两阶，皆三级，东曰阼阶，西曰西阶。阶下随地广狭以屋覆之，令可容家众叙立。又为遗书、衣物、祭器库及神厨于其东。缭以周垣，别为外门，常加扃闭”。又规定，“凡祠堂所在之宅，宗子世守之，不得分析”，“非嫡长子，则不敢祭其父”[②]。于播州杨氏而言，继承土司职位的嫡长子便是“宗子”，族人须接受其治理，并由其主持祖先祭祀的仪式。家庙与祠堂性质相同，但也有所区别。据《明会典》，品官称“家庙”，庶民为“祠堂”，且因“国朝品官庙制未定，于是权仿朱子祠堂之制”[③]。因此朱子《家礼》于明一代有广泛影响，于播州杨氏亦然，其“土司”诸墓中，由宋至明，墓志铭从置于墓中到置于墓外的变化，即是受《家礼》将志石“埋之圹前近地面三四尺间，盖虑异时陵谷变迁，或误为人所动，而此石先见，则人有知其姓名者，庶能为掩之也”等要求影响的结果[④]。

播州杨氏家庙的营建，始于第13世杨粲主播时。据元人程钜夫撰于大德七年（1303）的《忠烈庙碑》记载：“嘉定六年（1213），高祖忠烈公（按即杨粲）始考典礼，建家庙，以祀五世。奉太师公（按即杨端）为始祖，百世不迁，余则有夹室以奉祧主”。至“咸淳四年（1268），考惠敏公（按即杨邦宪）又请于朝，锡今庙号（按即忠烈庙），刻家训（按即宋濂《杨氏家传》所记“家训十条”）于石榜，崇孝于楼”。杨粲不仅建了家庙，还开启了对华夏礼仪的全面吸纳，出土的杨粲墓志铭即记其“讲诸侯五月而葬之礼，棺椁制度，焕然鼎

① （清）顾彩著，高润身等注释：《容美纪游注释》，天津：天津古籍出版社，1991年，第37、45、59、78页。

② （宋）朱熹：《家礼》卷1《通礼》，朱杰人等主编：《朱子全书》，上海：上海古籍出版社、合肥：安徽教育出版社，2002年，第7册，第875、876页。

③ 正德《明会典》卷88《礼部四十七·祭祀九》“品官家庙”与“祠堂制度”条，《景印文渊阁四库全书》，台北：台湾商务印书馆，1986年，第617册，第824页。

④ （宋）朱熹：《家礼》卷1《通礼》，朱杰人等主编：《朱子全书》，上海：上海古籍出版社、合肥：安徽教育出版社，2002年，第7册，第917页；李飞：《夷夏之间：播州杨氏羁縻·土司墓葬研究》，四川大学博士学位论文，2017年，第127～129页。

新”[①]。而尊杨端为始祖反映了杨粲“改制”应还包括对其祖源记忆的重构，杨氏从此由本土土著转变为“太原诗礼旧家”[②]。杨氏的家谱，此时可能已经出现。至元二十八年（1291）杨文妻田氏墓志铭中有“穹爵修门，见之家谱”句，是宋元之际家谱已在黔北流行的信号[③]。杨氏超越空间（从太原到播州）的祖源构建，是华夏“英雄徙边记”的另一个案[④]，类似通过寻得或假借一个华夏祖先传说而实现华夏化，是华夏边缘人群的一种普遍策略[⑤]。这一策略，使得杨氏成为异于周边“夷陬”的华夏“诗礼旧家”，故而拒绝与水西安氏土司（彝族）通婚。杨粲的举措，对播州社会产生了深远影响，此中上层纷纷宣称其华夏身份。如宣慰使同知罗氏亦称其先为太原人，且先杨氏而入播；令狐、成、赵、谢等八姓则系太原人杨端的同乡；播州长官司王氏亦从太原入播；真州长官郑氏则为唐宰相郑畋之后云云[⑥]。足见华夏边缘人群对其所宣称的华夏祖源的倚重，家族血缘记忆终助其在蛮夷之地构建起复杂的社会网络，从而强化了其统治力量与统治的合法性。

---

① 《忠烈庙碑》载元程钜夫：《雪楼集》卷16，《景印文渊阁四库全书》，台北：台湾商务印书馆，1986年，第1202册，第222页；杨粲墓志铭参见谭用中：《杨粲墓及其出土碑志考》，《贵州民族研究》1982年第4期；杨氏已知墓志铭材料参见李飞：《夷夏之间：播州杨氏羁縻·土司墓葬研究》附录一“播州杨氏出土与传世文献选录”，四川大学博士学位论文，2017年，第348～350页。

② 关于杨氏的祖源，出土的杨粲墓志铭因残缺不全，未见杨端自太原入播的明确信息，但有“蜀无雍塞之患，而六诏绝烽烟之警，求其……秦潞二王为节度使。思权死，弟▢勉得旨出家”的零星记载。其中，“秦潞二王”，为唐明宗之子李从珂（潞王，曾为凤翔节度使）、从荣（秦王，曾为河东节度使）；“思权”即杨思权，邠州新平（今陕西彬县）人，先后事秦潞二王，曾任“邠宁节度使”。此杨与播州杨氏的关联不明。至杨文神道碑（当撰于杨文下葬的1267年前后）则称“宣宗末年，大理举兵，播州鼻祖端奉命平定，其功始著。五季乱，天日离隔，杨氏世守其土”。首次叙及杨端入播，但未言明祖籍何地。元大德七年（1303）《忠烈庙碑》记：“杨氏系本太原，唐乾符初赠太师讳端者，宦游会稽，后客长安。适南诏陷播州，大为边患。有旨募能安疆场者，太师慨然自效，遂命为将，以复播州。威畅恩融，夷夏畏服。因领其郡，是为播州杨氏始祖”。第一次明确杨端祖上为太原人，杨端自己则先宦游会稽，后客居长安，再领兵入播，而成播州杨氏始祖，这成为后世祖源叙事的范本。此后元人袁桷所撰杨汉英神道碑称“乾符鼎移，五季嗣兴。维并杨氏，太师肇初。往理其疆，以黜以助”，延续了杨文神道碑杨端乾符入播的叙事。元至正六年（1346）《玉皇观碑》记“播自唐乾符间，太师杨端肇基此土”。明初宋濂等撰《元史》卷165《杨赛因不花传》记杨汉英（杨赛因不花）“其先太原人。唐季，南诏陷播州。有杨端者，以应募起，竟复播州，遂使领之”。杨氏祖源写入官方正史，遂成定论。宋濂还专为杨氏撰写《杨氏家传》称“杨端，其先太原人，仕越之会稽，遂为其郡旺族。后寓家京兆。唐末，南诏叛，陷播州，久弗能平。僖宗乾符三年，下诏募骁勇士将兵讨之”。与杨文神道碑的记载无甚出入。至明万历时，杨氏因华夏身份而拒绝与水西安氏（彝族）通婚，《平播全书》卷14《杨监军》记：“安曾求亲，杨氏不从，求以女嫁之，亦不从。盖自负为太原诗礼旧家，而安为猡鬼，耻与之同盟也。”足见祖源记忆对土司的影响。第13世杨粲既“封太师公为始祖”，虽其墓志铭因文字缺损而叙事不清，但可肯定杨氏祖源叙事的范本此时已定，杨氏后人与时人不过延续其说而已。杨氏为土著之说，参见谭其骧《播州杨保考》。

③ 贵州省博物馆：《遵义高坪“播州土司”杨文等四座墓葬发掘记》，《文物》1974年第1期。

④ 王明珂：《英雄祖先与弟兄民族：根基历史的文本与情境》，北京：中华书局，2009年，第77～94页。

⑤ 王明珂：《华夏边缘：历史记忆与族群认同》，北京：社会科学文献出版社，2006年，第179页。

⑥ （清）郑珍、莫友芝编纂：《遵义府志》卷2《建置》、卷31《土官》，成都：巴蜀书社，2013年，第30、603～610页。

据杨文神道碑，杨文主播时，为先父杨价请命于朝，宋廷“赐庙忠显”。是价先受赐（杨文于1265年辞世），而粲后赐（1268）。杨铿墓志铭称其祖“有封公、封侯伯者，有赐庙、赐食封者”，将“赐庙”与封公侯并置，可见所谓“赐庙忠烈”或“赐庙忠显”与杨文自己“谥崇德”一样，乃朝廷于其死后所赐美名，而非专为其另建祖庙。《忠烈庙碑》即径称“锡今庙号”（忠烈），明确其系“庙号”，与“谥号”相类。杨粲墓志铭称粲“建家庙，以祀五世”，而端为始祖“百世不迁，余则有夹室以奉祧主”，则“五世”当为始祖、高祖、曾祖、祖、父，各置其神主（牌位）或遗像于家庙中。

杨粲兴建家庙，有着特殊的历史背景。宗法之制，虽在商周即已流行，但随科举制的推行，于唐代出现衰落的迹象。宋初，官员并无家庙，四时祭祀只在住宅内举行。12世纪初，宋徽宗“徇流俗之情”，允许节度使以上官僚祭五世祖先，文武升朝官祭三世，其余小官和士庶人许祭二世，庙址设在私宅内的左面，或住宅外侧。家庙于是开始流行。理学家程颐并不够祭五世祖的条件，却私自实行，民间僭越之举亦很普遍[①]。13世纪初主播的杨粲生前官至忠州防御使，按制亦不能祀五世，却在当时的社会风气影响下建家庙而祀五世。

杨粲创建的杨氏家庙，应设于播州城内衙署的左路。前揭《忠烈庙碑》记杨邦宪（1242～1285）请命于朝，“锡今庙号，刻家训于石榜，崇孝于楼”，所谓“家训”应即宋濂《杨氏家传》所记“家训十条”，为“尽臣节，隆孝道，守箕裘，保疆土，从俭约，辨贤佞，务平恕，公好恶，去奢华，谨刑罚”。据此可知，石碑立于家庙内。《勘处播州事情疏》记成化二十二年（1486）七月初九日，四川都布按三司官员“翟庭蕙与杨纲、谢士元同到杨爱家看祖训碑”。结合同书所记，可知所谓“杨爱家”即播州宣慰使司衙署。据此，杨氏家庙设于衙署之内。又杨铿墓志铭记：铿主播时，“冠、婚、丧、祭，一遵古典。大修祖庙，增祭器□□□□传，置杠梁，及所居第宅左旁，缉而一新之瑎庭”。可知家庙（祖庙）位于“所居第宅左旁”，即衙署左路。铭文称“大修祖庙”而非“新建”，是大修乃于已有家庙的基础上进行，并增设了祭器。其家庙的大致格局，据《勘处播州事情疏》记载：明政府官员在“杨爱住宅内看得”“中庭扁作忠孝堂”，“其祖先堂承恩堂并小厅、左右角门，俱有飞檐转角”[②]。此“祖先堂”即杨氏家庙，名曰“承恩堂”，而“杨爱住宅内”的“忠孝堂”为衙署正堂。该记载进一步表明杨氏家庙设于衙署之内，且其格局应是承恩堂居中，左右有小厅，设角门，屋面结构为“飞檐转角”。综上，自杨粲首创至杨铿大修，杨氏家庙俱在衙署之左，合于宋廷的规定，亦与朱子《家礼》的要求一致（立祠堂于正寝之左）。

回到新王宫，这所由杨应龙所创建的“以为子孙万代之基，保固之根本”的土司衙署，在布局上多取法于其播州城内宣慰司司治，亦可能在衙内设家庙，并置于正寝之左。新王宫内符合这一条件的有F9、F17与F18三座房址，且三房在空间与朝向上自成一体。空间上，居于左路

---

① 冯尔康：《中国古代的宗族和祠堂》，北京：商务印书馆，2013年，第55～57页。

② （明）何乔新：《勘处播州事情疏》，《丛书集成初编·张司马定浙二乱志（及其他二种）》，北京：中华书局，1985年，第94页。

建筑后端的高台上；朝向上，为54°，与中轴线建筑（38°）形成夹角，这样的处理当系有意为之。彼此间的叠压或靠压关系显示，三座房址形成的整体建筑，相对关系上略早于其他建筑。此与朱子“君子将营宫室，先立祠堂于正寝之东”的要求契合。拆分来看，前文已推测F9为厨房，F18为戏楼，那么最可能为家庙的便只有F17了。F17建于独立的高台之上，自前而后形成五级平台，当地称“三台星”，不似民间随口而呼，可能为故老相传并隐含一些重要信息。三台星，是中国古代的星辰司命信仰之一，与道教关系密切，并将之升格为星君，“上台虚精开德星君，中台六淳司空星君，下台曲生司禄星君”[①]。各星司职，据《晋书·天文志》：“三台六星，两两而居，起文昌，列抵太微。一曰天柱，三公之位也。在人曰三公，在天曰三台，主开德宣符也。西近文昌二星曰上台，为司命，主寿。次二星曰中台，为司中，主宗室。东二星曰下台，为司禄，主兵，所以昭德塞违也。又曰三台为天阶，太一蹑以上下。一曰泰阶。上阶，上星为天子，下星为女主；中阶，上星为诸侯三公，下星为卿大夫；下阶，上星为士，下星为庶人：所以和阴阳而理万物也。君臣和集，如其常度，有变则占其人。”[②]说法不一，但中台“主宗室”“三台为天阶，太一蹑以上下”等认识，使家庙与三台星之间产生了可能的关联，不过仍需更多证据支持。播州杨氏对占星术的重视，已有先例。据《勘处播州事情疏》记载：明成化间，江西人曾循道入播，只因“访得曾循道能观天象，暗晓兵机，迎请到州，拜作军师，日看兵书，夜观星斗”[③]。“三台星”（F17）建于五级平台之上，别有靠山与朝山，其前台高峻，道自左右两侧对称而入，径至第二级平台，右路（L3）在入口之外另设门道。其左右两侧起砌山墙，石脚呈枭混线，颇考究。中央设踏步，拾级而上。从残存的迹象看，末端正房三开间（第五级平台），前设月台（第四级平台）；台下为两厢（第三级平台）；再前为倒座（第二级平台），第一级平台应为庭院。这一格局，与《家礼》祠堂“三间”“阶下随地广狭以屋覆之”“缭以周垣，别为外门，常加扃闭”的要求大致吻合。亦与播州宣慰司衙署内家庙“承恩堂”居中、左右设小厅的布局相似。又“神厨于其东”，因坐北向南，东即左，确定为厨房的F9恰在F17之左，应非巧合，而表明F9可能亦作神厨之用。居其左侧的F18，若确为戏楼，则宛若前述容美土司于关公庙旁建戏楼及关公诞辰于庙楼演戏一样，既可娱神又可娱人。如此，这三组朝向一致而且先建的房址（F9、F17、F18）各自独立，又彼此关联，也增添了F17为家庙的可能性。

土司于衙署内建家庙的现象较为普遍，如永登鲁土司祖先堂设于衙署中轴线后端，忻城莫土司祠堂设于右路，大屯土司庄园余氏宗祠设于左路，武定慕连土司祖宗堂在中轴线末端，其前为左右两厢，分别为佣人房与祭祀用厨房。这种现象则断不可出现于府州县等流官衙署中，在于流官有任期而土司世守其土，文献记载显示其家即其衙，家衙一体，这也构成了土司衙署

① 孙伟杰：《“籍系星宿，命在天曹”：道教星辰司命信仰研究》，《湖南大学学报》（社会科学版）2018年第1期。

② （唐）房玄龄等：《晋书》卷11《志第一·天文上》，北京：中华书局，1974年，第293页。

③ （明）何乔新：《勘处播州事情疏》，《丛书集成初编·张司马定浙二乱志（及其他二种）》，北京：中华书局，1985年，第79页。

的一个鲜明特点。

如果说中轴线上的治事之所是土司政治权威的表达，那么凸显宗法意识的家庙则是土司合法性的血缘依据。按制，土司袭替朝廷有明确的规定，如拟袭者需提供“宗支图本”，有“官吏人等结状”，经官员“体勘”后方能上报，同时“土官册报应袭法”即预定承袭人[①]。《勘处播州事情疏》记载了一个职衔较低的长官司长官袭替的案例：“成化三年（1467）八月内，本司长官何庸病故户绝，有伊族侄何熙庆不合捏称系何庸嫡长男，告袭前职。杨辉不合准信，拘集亲族里老审取结状，备申四川都布按三司覆勘，具奏准令，冒袭前职。”[②]冒充亡故长官的嫡长子，相当于提供“宗支图本”；而袭职须有“结状”，其上司宣慰使杨辉通过“拘集亲族里老审取结状”得以实现；而后报“四川都布按三司覆勘”，并获通过。杨氏有“宗支图本”，自杨粲开始重塑祖源记忆，至明初宋濂撰《杨氏家传》，为其提供了清晰的宗支叙事。同时“杨氏家法，立嗣以嫡”[③]，即其“应袭法”。该“家法”至迟在杨文主播时即已订立，杨文神道碑记“君领郡，式遵家法”。继承土司职位的嫡长子遂成朱子《家礼》所规定的世守祠堂的“宗子”，负责主持家庙内祖先的祭祀。在此意义上，家庙是土司承袭合法性的血缘证据，因此在土司衙署中得以彰显。

土司通过始祖追认与祖先祭祀强化其内部认同，通过中央政权所赋予的职衔强化其政治权威，表现在衙署的格局上就是对两种礼仪性建筑的彰显：一是中轴线上的政治性礼仪建筑，与朝廷的要求保持一致，反映了土司的国家认同；二是宗族性礼仪建筑，将家庙置于衙署十分显著的位置上，强化宗法意识而实现家衙一体的衙署布局。两组建筑，遂成土司合法性的政治与血缘表达。由此，便可理解为何土司普遍将家庙建于衙署之内，而新王宫内F17应即杨氏家庙。

三、新王宫建筑特点

基于前文的讨论，可以对新王宫明代土司衙署的建筑特点予以梳理。概括起来有选址受堪舆之术的影响，建筑中轴对称、三进三路，台基呈阶梯式逐层抬升，平面布局前衙后邸、以左为尊，庭院式组群布局、并有部分四开间房址，中轴线建筑的屋面装饰较其他建筑有明显不同等。

---

① 龚荫：《中国土司制度史》，成都：四川人民出版社，2012年，第145、146页。

② （明）何乔新：《勘处播州事情疏》，《丛书集成初编·张司马定浙二乱志（及其他二种）》，北京：中华书局，1985年，第9页。

③ （明）何乔新：《勘处播州事情疏》，《丛书集成初编·张司马定浙二乱志（及其他二种）》，北京：中华书局，1985年，第11页。

（一）堪舆之术的影响

堪舆之术对新王宫的影响，主要反映在选址和坐向上。

新王宫的选址强调了龙、穴、砂、水的周密权衡。“穴”指选址的落脚点，是中心。穴后如卧龙般延绵奔来的山脉，谓之“龙”，龙头即主山。与“龙”相对的，居于穴前或其左右者，称“砂”；其中居穴之正前近而小者，为案山，远而高者，为朝山；左右砂山可以青龙、白虎称之。“水”指穴前河流的来势与流向，“吉地不可无水”。形势派称此为“地理四科”[①]。新王宫中轴线前有朝山，后有靠山，左右有护砂，形成前朝后靠、左湾右抱的风水格局。靠山—中轴线建筑—朝山构成遗址的纵轴，左右砂山为两翼，河流则为横轴，形成左右对称的均衡格局。靠山和朝山，决定了遗址中轴线的坐向。杨氏诸遗存中，养马城南宋衙署、湘江畔的播州宣慰司司治均具有这一特点。而业已发现的自13世杨粲以降至29世杨烈的15座“土司”墓葬，亦均前朝后靠，山环水绕，风水极佳[②]。明嘉靖《思南府志》所载沿河祐溪长官司署、朗溪蛮夷长官司署、思南府署均有靠山，反映风水形势派的广泛影响。

新王宫逐级抬升的地形，在土司衙署中并不鲜见。养马城南宋衙署、调查发现的杨氏“世修庄院”永安庄遗址、湖北唐崖土司城衙署遗址[③]、湖南永顺老司城衙署遗址[④]，以及尚存的毕节大屯土司庄园、忻城莫土司衙署（见表3-4）等均如是，其中或蕴含着民间所谓“步步高升”的寓意。

山水与地势所营造出的从微观到宏观、从自然到人文的风水图景，使新王宫成为囤顶土司衙署的不二之选。明代如此，南宋时期囤上若建有衙署，此地仍是最理想的地望。

（二）前衙后邸与左尊右卑

前衙后邸是从皇家宫苑到一般衙署的共同特点。新王宫明代土司衙署遵循了这一格局，但可能因地形限制，而将卧房（F8）置于二堂（F7）左侧，中间连以木桥而使之成为一个整体。由于土司世袭其职，其所居住的内宅便系其家，呈现家衙一体的特点。这是彰显政治礼仪的中路建筑的格局。

可资参照的是，河南内乡县衙中路建筑前部为知县治事之所，后部为其起居室。其中路建筑的左右两侧，县丞（八品）居左，主簿（九品）居右，呈现“左尊右卑”的特点[⑤]。沿河祐

① 参考戚珩、范为：《古城阆中风水格局：浅释风水理论与古城环境意象》，王其亨等：《风水理论研究》（第2版），天津：天津大学出版社，2005年，第61～75页。

② 李飞：《夷夏之间：播州杨氏羁縻·土司墓葬研究》，四川大学博士学位论文，2017年，第238～243页。

③ 湖北省文物考古研究所等：《咸丰唐崖土司城址衙署区发掘简报》，《江汉考古》2014年第3期。

④ 湖南省文物考古研究所：《湖南永顺县老司城遗址》，《考古》2011年第7期。

⑤ 刘鹏九、苗丙雪：《明清县衙建筑考略》，《古建园林技术》1995年第4期。

溪长官司署正厅之后两宅并列，张土官宅居左，吏目宅居右，亦以左为尊。

如果前文对新王宫空间的推论不谬，即左路建筑末端的F9、F17、F18分别为厨房（神厨）、家庙与戏台，紧邻大堂（F22）的F19为“总管厅”，F19左侧的F20为宴会厅，左路前端姚家凼内相对独立的F2～F4、F30为杨氏家眷的居所，则左路集中了土司祖先祭祀、家眷居住与总管治事之所，他们是土司最为亲近与倚重的人。右路末端的F1、F12与C1为宴游处；中部的F10为府库，F11为马厩与佣人房；前端的F13、F14为监房；因为监房的存在，使该路建筑略显卑下。整体布局上，新王宫亦显现出左尊右卑的特点。

（三）建筑组合：庭院式、四开间与亭榭

庭院式组群布局、四开间房址与少量亭榭等建筑错落其间，成为新王宫明代土司衙署的鲜明特色或与其他衙署的共同特征。

庭院式组群布局，是指建筑由正房、倒座、两厢（或两廊）、天井等围合而成相对封闭的空间，主要分布在中轴线及其附近，包括F7及其两厢、F22及其两厢（F23、F24）、F8（正房、两厢与前廊）、F10（正房、倒座与两廊）、F17（正房、倒座与两厢）、F18（正房、倒座与两厢）、F19（正房、倒座与两廊）和F29（倒座、两厢）8座房址，中央皆有天井，占新王宫房址总数的近三成。性质上，分别为大堂（F22）与六房（F23、F24）、二堂（F7）、卧房（F8）、总管厅（F19）、府库（F10）、客舍（F29）、家庙（F17）与戏楼（F18），皆是衙署区内的重要建筑。类似布局普遍见于同时期的其他衙署建筑中。

与房址普遍三间或五间等奇数开间形成鲜明对比的是，新王宫内出现了几组四开间房址，包括F3、F11-1、F14、F20、F30等5座，约占新王宫房址总数的17%，颇具特色。它们相对独立，不与其他房址构成组合关系。这样的开间处理，似乎不完全是地形限制的结果，而有其他考量，比如F30所处的姚家凼空间即相对开阔，可容纳更大开间的建筑。

在部分逼仄的空地，偶尔点缀些小体量的建筑，应为装饰性的亭榭，如F12、F21等。类似建筑也见于杨氏其他世修庄院，如“大水田庄宅制度，台沼亭榭，僭越非常”①。

（四）建筑样式

从柱网排列可推知建筑的间架结构，而从脊兽与博缝头的分布可以大略推知建筑的屋面装饰与屋顶结构。

---

① （明）李化龙：《平播全书》卷4《攻克娄山、崖门等关四报捷音疏》，北京：大众文艺出版社，2008年，第103页。

1. 柱网排列与间架结构

建筑平面柱网排列形式与建筑的面阔、进深尺度密切相关。间，表示房屋的面阔，正面两根立柱之间为“一间”。架，即檩（又称槫或桁）架，表示房屋的进深，檩数即架数[①]。居中者为脊檩，由内而外依次为三架檩、五架檩、七架檩等。因此，房址纵（进深）横（面阔）两个方向的柱础数，可反映其间架数量，而间架数量具有等级意义。

新王宫大堂（F22）与二堂（F7）正面均六础五间；侧面四础，居中两础间距较大，恰为前后两础间距的2倍，两柱之上别置五架梁与三架梁，上承脊瓜柱一根、瓜柱二根，从而达七檩（七架）；最终形成五间七架的结构。大门（F28）、仪门（F25）正面均四础三间；侧面二础，柱上别置横梁与脊瓜柱而形成三间三架的结构。正门与厅堂的间架结构与前揭《明会典》“三品至五品，厅堂五间七架”“正门三间三架”的房屋之制吻合。

除大堂、二堂外，新王宫内面阔五间的房址尚有F1（五间三架）、F2（五间三架，开间疑系明五暗三）、F9（五间三架）、F18（正房与倒座均面阔五间，不排除为明五暗三的可能）、F19（正房面阔明五暗三，三架）等5座。F2与F18因未全面揭示，结构尚未完全明了，其中F18正房与倒座通面阔接近大堂、二堂，但进深却与其他房址相当而远逊于前者，加之前为廊道，其架数当未至七架。此亦与《明会典》品官房舍“除正厅外，其余房舍许从宜盖造，比正屋制度，务要减小，不许太过”的要求一致。

整体而言，柱网排列反映的新王宫土司衙署的间架结构与明制相合。

2. 脊兽与屋面装饰

据前揭《明会典》，五品以上官员“屋脊许用瓦兽”。瓦兽即脊兽。海龙囤目前所出脊兽均为明万历时期遗物，暂未发现南宋者。根据形制，可分无角（吻兽）与有角两类。结合装饰部位的不同，无角脊兽（吻兽）可分正吻（饰于正脊）与合角吻（饰于围脊或两墙交会处）；有角脊兽则有望兽（饰于正脊）、垂兽（饰于垂脊）和戗兽（饰于戗脊），形制相近，大小有别。未见小跑。

正吻主要出土于新王宫和明代诸关。铜柱关、朝天关和后关（头道关）均有残片发现，并有垂兽伴出，知为正脊饰吻兽、垂脊饰垂兽的组合，明代九关均可能如此。新王宫内正吻主要发现于仪门（F25）、F1与F10一线、F19与三台星前端两侧等地点，应主要用于门楼、廊道等建筑的正脊之上。老王宫内也有零星正吻残片发现。合角吻仅见于新王宫内，数量不多，较为集中出土于C1附近及海潮寺左前方，其中2件保存较好者出土于C1西侧两墙交汇处，应即其装饰部位，其余亦当如此，非用于围脊。

望兽与垂戗兽形制相同，仅大小有别，判断其是否饰于正脊主要依据出土位置及其大小。

---

① 张十庆：《古代建筑间架表记的形式与意义》，王贵祥主编：《中国建筑史论汇刊》第2辑，北京：清华大学出版社，2009年，第109～127页。

因此一组出土于中轴线附近、尺度较大（其高度在垂兽的1.5倍以上）的有角兽被归入望兽中。可确定的望兽均出土于新王宫内，又分大、中、小三型。合拼式望兽（A型）体量最大，数量较少，均分布在中轴线核心建筑的左右两侧，可确定为大堂（F22）与二堂（F7）正脊两端装饰。大型望兽（B型），较前者略小，未见完整者，其碎片较为集中地分布在紧邻中轴线两侧的东（F1与F10一线）西（F8与F19一线）两路建筑上，应饰于该两路建筑的正脊，同时不排除其中部分为大堂（F22）、二堂（F7）垂兽的可能。小型望兽（C型），较B型略小。F8②：1-1出土于F8正房西端，与一件垂兽（F8②：2）伴出，彼此相距约2米，间有脊砖相接，大致保留着二者在屋脊上的相互关系，知其为F8的正脊兽，即望兽。其余C型望兽残片的空间分布与B型望兽大致重合而略广，表明其功用相同，为中轴线外建筑的正脊望兽或中轴线建筑的垂兽。

垂、戗兽饰于屋面的垂脊与戗脊之上，体量偏小，数量较多，但多为碎片，全囤可计件者57件，新王宫、金银库、老王宫、铜柱关、朝天关、飞龙关、万安关和后关均有发现。若遵循《明会典》“官员盖造房屋，并不许歇山转角”的规定，新王宫内应无歇山建筑，即无戗脊，因此无戗兽，垂、戗兽当尽为垂兽。但因中轴线成为后期人群活动的主要场所，堆积保存情况不佳而无法予以验证。

整体而言，有角兽是海龙囤脊兽的大宗且地位显赫，吻兽数量偏少且地位不显。明代诸关屋面采用吻兽+垂兽的装饰组合；而新王宫中轴线上核心建筑大堂、二堂则可能采用体量超群的有角兽为正脊饰，体量稍小的有角兽为垂脊饰；正吻在新王宫内可能主要饰于门楼、廊道等小型建筑的正脊，合角吻则饰于院墙交汇处，吻兽地位普遍不显。目前的发现不足以对新王宫内是否存有歇山建筑做出肯定回答。

3. 博缝头与屋顶结构

博缝，又作搏风，是山墙顶部边缘用以遮挡檩、枋、椽等木构端头的构件。悬山或歇山建筑的挑山部分，往往以木板装饰，称博缝板。硬山建筑则多用砖，称博缝砖，其两端则为博缝头。博缝头是用方砖砍磨加工而成的带有装饰与插槽的砖件；博缝砖则往往以方砖为之，离开装饰部位后与普通铺地方砖难以区分。

新王宫内可确定的博缝头或博缝砖出土于ⅣT0607（博缝头残件1件，背有插槽）、ⅢT0101（博缝头残件2件）、ⅣT0706（博缝头残件2件，背有插槽）、F1（博缝头3件，正面有装饰或背部有插槽）、F5（博缝头1件，背有插槽）、F10（博缝头4件，背有插槽）、F8（博缝头2件，梯形博缝砖2件）、G1与G2（博缝头各1件）等单位。博缝头系将方形砖一角向内砍琢为连弧状，砖之正面凿刻浅槽，与弧边一起组成云气纹，云气作自屋面吐出状；背面则多剔凿上挑的插槽，用以固定。博缝砖则以方砖砍磨成梯形，以便镶嵌。另有少量石质博缝头。上述单位中ⅣT0607与ⅣT0706位于“水牢”（L2）两端，内中遗物较可能来自相邻的F17；G1与G2位于F8左右两侧，且F8内本有博缝砖与博缝头出土，均可确定为F8遗物；F1及邻近的ⅢT0101内共出5件，其余各房址所出者，亦当为所在房址的砖件。

如此，结合博缝砖（头）只施于硬山建筑的特点，可基本确定F1、F5、F8（正房或两厢）、F10（正房）、F17（两厢或倒座）为硬山建筑。这些建筑均不在中轴线上。

综上所论，从柱网排列可推知新王宫明代土司衙署中轴线上大门、仪门为三间三架，大堂、二堂为五间七架，中轴线外建筑间架数未见超厅堂者。大堂、二堂以体量超大的有角脊兽为正脊兽，稍小者为垂兽或戗兽，后者同时也作为中轴线外建筑的正脊兽使用，反映了一定的灵活性。吻兽则只饰于明代诸关门楼，新王宫门楼、廊道等小型建筑的正脊，以及垣墙交汇处（合角吻），地位不显。出土博缝砖（头）反映F1、F5与F8等5组房址（或庭院式建筑中的部分房址）为硬山建筑。目前证据无法确定大堂、二堂是否为歇山建筑。

四、小　　结

综合前文所论，可得出以下认识。

第一，年代与性质。结合建筑格局、其他衙署资料与文献记载，可知新王宫为明代海龙囤的内城，其性质为土司衙署。现存主体建筑由杨氏第30世土司杨应龙创建于明万历时期，最终毁于万历二十八年（1600）的播州之役战火。明代建筑在营建顺序上存在先左后右、自后而前的趋势，但系整体规划、一次建成的。从地形推断，新王宫可能也是南宋“龙岩新城”的衙署所在地，但目前发现的零星南宋遗存尚不足以对此做出肯定回答。明代衙署毁弃后，海潮寺僧众成为新王宫的主人，也留下了不少遗迹、遗物，但已与土司无涉。

第二，空间与功能。新王宫明代土司衙署整体呈三进三路的格局，有治事之所、宴息娱乐之所与仪礼宣教之所。自前而后中路依次为大门（F28）、仪门（F25）、六房（F23、F24）、大堂（F22）、两厢（穿堂）、二堂（F7）与土司卧房（F8）；左路为吏舍（F26）、土司家眷居所（F2～F4、F30）、总管厅（F19）、宴会厅（F20）、神厨（F9）、戏楼（F18）与家庙（F17）；右路为客舍（F29）、吏舍（F27）、监房（F13、F14）、府库（F10）、马厩与佣人房（F11）以及宴游之所（F1、F12与C1）。呈现前衙后邸、左尊右卑的布局特点。值得注意的是，粮食作物在各房址的普遍出土，反映在播州之役爆发的特殊情况下，多数房址可能曾被挪作粮仓之用，以保障供给；同时随囤上驻扎人员的激增，原先规划的建筑功用可能被临时调整而辟作他用。

第三，建筑组合与样式。建筑组合上，明代衙署的核心建筑均庭院式组群布局，由正房、倒座、两厢（或两廊）、天井等组成，带有一定的封闭性，这是一般衙署的共性。与常见的三间、五间房址形成鲜明对比的部分四开间建筑的存在，则成为新王宫明代土司衙署的鲜明特色。局部还点缀些亭榭式小型建筑，具有装饰与宴游的功用。建筑样式上，大堂（F22）、二堂（F7）均五间七架，大门（F28）、仪门（F25）均三间三架，中路以外的建筑间架数未见超厅堂者，反映了对明制的遵循。大堂、二堂均用超大型望兽为正脊兽，卧房等重要建筑则用稍小的望兽为正脊兽；吻兽施于新王宫门楼、廊道等小型建筑的正脊，明代九关门楼正脊亦均用吻兽，合角吻则施于院墙交汇处；望兽的地位较吻兽更为显赫。博缝头、博缝砖的出土，表明土司衙署内有一定数量的硬山建筑存在；而大堂、二堂是否按制未用歇山顶则尚需更多证据的支持。

第四，影响衙署格局的因素。堪舆之术、典章制度、传统礼法、土司个人喜好以及对皇家宫苑的模仿等因素决定了土司衙署的格局。堪舆之术主要是对山形水势的周密权衡，土司衙署的选址与坐向均受其影响，新王宫亦不例外。典章制度是各朝官方颁行的约束官民的行为规范，明代典章制度集中反映在《明会典》中。就房屋之制而言，对建筑样式（官员房屋“不许歇山转角”）、间架结构（三至五品“厅堂五间七架”）与房屋装饰（三至五品“屋脊用瓦兽”，梁栋等“用青碧绘饰”）作了具体规定，新王宫明代土司衙署目前未见僭越迹象。传统礼法是官方颁行的典章制度外的礼仪规范，如朱子《家礼》对播州杨氏的影响。播州宣慰司司治与新王宫土司衙署均将家庙设于正寝之左，即与《家礼》的要求一致。戏楼与亭榭的设置，或可视为土司的个人喜好使然，因为它们并非衙署内的必备要素，也并非土司衙署内常见的设施。土司衙署在整体布局上与皇家宫苑的一致性暗示了对后者的刻意模仿。这些迹象也表明，新王宫土司衙署的营建可能是以播州宣慰司司治为蓝本进行的，受到诸多因素的制约，也留有时代与风尚的烙印。

第五，家衙一体。所谓家衙一体是土司住宅即其衙署，其衙署即其住宅，两者合而为一。该特点既反映在土司衙署的格局上，也反映在同时期文献记载中往往“家”“衙”不分上。衙署格局中，突出表现于前衙后邸中的“后邸”是袭职土司的世居之所，特别是土司衙署中对家庙的普遍彰显上。袭职土司通过家庙强调其“宗子”地位，以祖先祭祀强化内部整合，并通过中央政权所赋予的职衔强化政治权威，表现在衙署的格局上就是对两种礼仪性建筑的彰显：一是中轴线上的政治性礼仪建筑，乃其治事之所，与朝廷的要求保持一致，反映了土司的国家认同；二是宗族性礼仪建筑，将家庙置于衙署十分显著的位置上，强化宗法意识而突出家衙一体。两组礼仪性建筑，遂成土司合法性的政治与血缘表达。家衙一体是由土司“世守其土，世袭其职”的制度特点所决定的，也构成土司衙署与府县衙署的最大不同。

第四章　老　王　宫

老王宫是民间对采石场东北一条狭长山脊的俗称，与新王宫东西并列，是囤内两组规模大略相当的建筑群，彼此相距约120米。山脊东西两侧为冲沟，老王宫南抵采石场，北至陈立举老宅附近，面积约1.5万平方米（图4-1；图版282）。所谓"老"，自是相对于"新"而言，过去认为新王宫为明代遗址而老王宫为宋代遗址，老王宫老而新王宫新。这些民间口碑相传的称谓，均不见诸文献记载。老王宫南段近采石场处因常见石础（又名磉墩），民间又称"磉墩坪"，附近旧有茅棚，内供菩萨，前立五丈灯杆，传周西成（1893～1929）秘书曾隐居于此。北段陈宅以南一带旧称"新庙"，亦当有庙，但因无迹可考而年代不详[①]。

第一节　遗　　迹

老王宫所在山脊呈西南—东北向，西南高而东北低，阶梯状向上，形成多级平台，大致居于囤顶中央位置。调查发现，其中7级平台的边缘有石砌堡坎，部分带踏步，平台上则散落少量石础，而瓦砾、青花和粗瓷残片等则俯首可拾。因条件限制而未进行大规模揭露，仅随机布探沟予以揭示。结合地面暴露的遗迹与试掘结果，可对老王宫内遗迹有大致认识（图版283）。

一、调查与试掘过程

1999年秋，文物工作者在调查基础上首次对老王宫进行小规模试掘，在"磉墩坪"北端布2米×5米探沟一条，出土脊兽、脊砖、瓦当、铁钉、铁片（令牌状）、青花和粗瓷罐残片等遗物。试掘者认为"'老王宫'可能始建于南宋时期，'新王宫'始建于明万历年间"[②]。

① 李飞：《陈立举：我的海龙囤》，氏著：《复活的土司城堡：海龙囤考古手记》，贵阳：贵州教育出版社，2014年，第130、131页。

② 海龙囤文物考察组：《海龙囤遗址调查报告》（刘世野执笔，未刊稿），1999年。

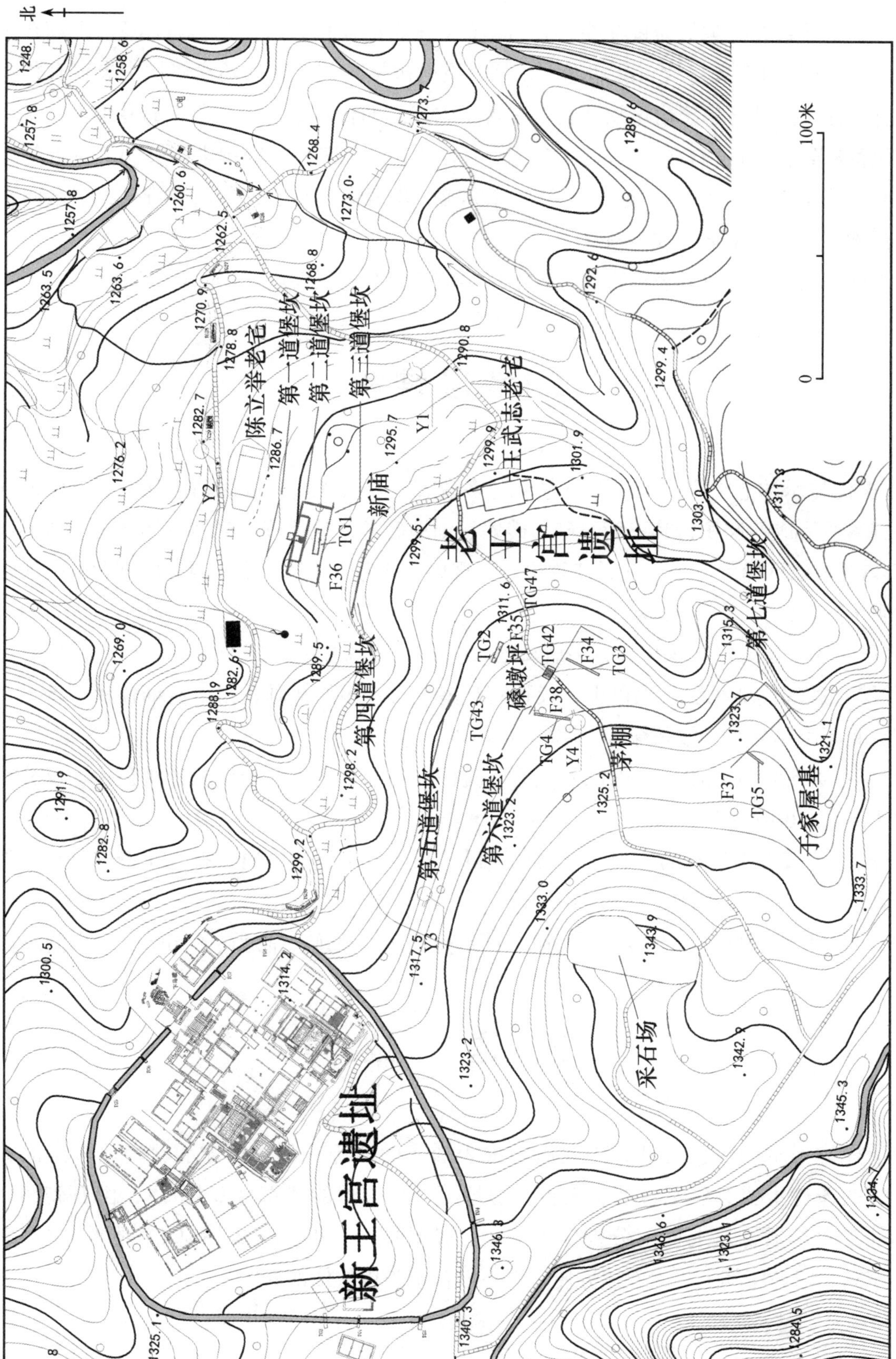

图4-1 老王宫平面布局图

2012～2014年，在新王宫发现环“宫”垣墙的同时，我们对老王宫进行了较为全面的地面踏勘，以确定是否亦有类似遗迹存在，进而框定老王宫的面积，结果并不如人意。但却在不同平台的边缘发现7组石砌堡坎，有的保存稍好，有的破坏较甚，南北两道堡坎中央存有踏步。与新王宫一样，房址即建于由堡坎及其后平台所构筑成的台基之上。在调查的基础上，于不同平台布探沟8条（TG1～TG5、TG42、TG43、TG47），对遗址内堆积进行解剖。调查与试掘结果表明，老王宫内至少有5组建筑（F34～F38），坐西南向东北，沿山脊排列，层层向上抬升，但具体方向并不完全一致（图4-1）。

囿于试掘面积，目前对老王宫的认识不可避免地带有局限性。

二、地层堆积

8条探沟显示的老王宫内堆积并不复杂，多数表土及近现代人群活动扰乱地层下便发现早期建筑倒塌所形成的堆积，其下为石础、砖墙、铺地砖等建筑遗迹。当然，局部也有所不同，譬如TG43表土以下即为生土，并无遗物出土。现以TG2为例，对老王宫内地层堆积的一般情况予以说明（图4-2）。

第1层：表土层。浅灰褐色土，土质疏松。厚0.1～0.25米。

第2层：近现代堆积层。褐色土，较致密，夹杂有较多的瓦砾，出土酱釉瓷片、青花瓷片等。该层北薄南厚分布于整条探沟。厚0.1～0.4米。

第3层：近现代堆积层。灰褐色土，土质疏松，夹杂有瓦砾、砖块及青花瓷片。仅分布在探沟西北部。厚0～0.3米。

第4层：建筑倒塌形成的堆积。有大量瓦砾、灰土及木炭渣，出土有青花瓷碗、盘、杯，铁锅及砖、瓦当等建筑构件。厚0.15～0.4米。

F35即开口于第4层下，有砖墙、石础、铺地砖等建筑遗迹。铺地砖下为垫土，未清理。

三、遗　　迹

由于探沟揭示的仅为局部，因此需与地表暴露的遗迹一起考察才能获得相对全面的印象。发现的遗迹主要有建筑台基、踏步、房址等。可辨识的建筑台基共7级，由石砌堡坎及其后端的平台组成，自北而南分别位于新庙、磉墩坪、茅棚、于家屋基4个地点，5座房址（F34～F38）即坐落其上。为叙述方便，以下以台基为单位依次介绍。

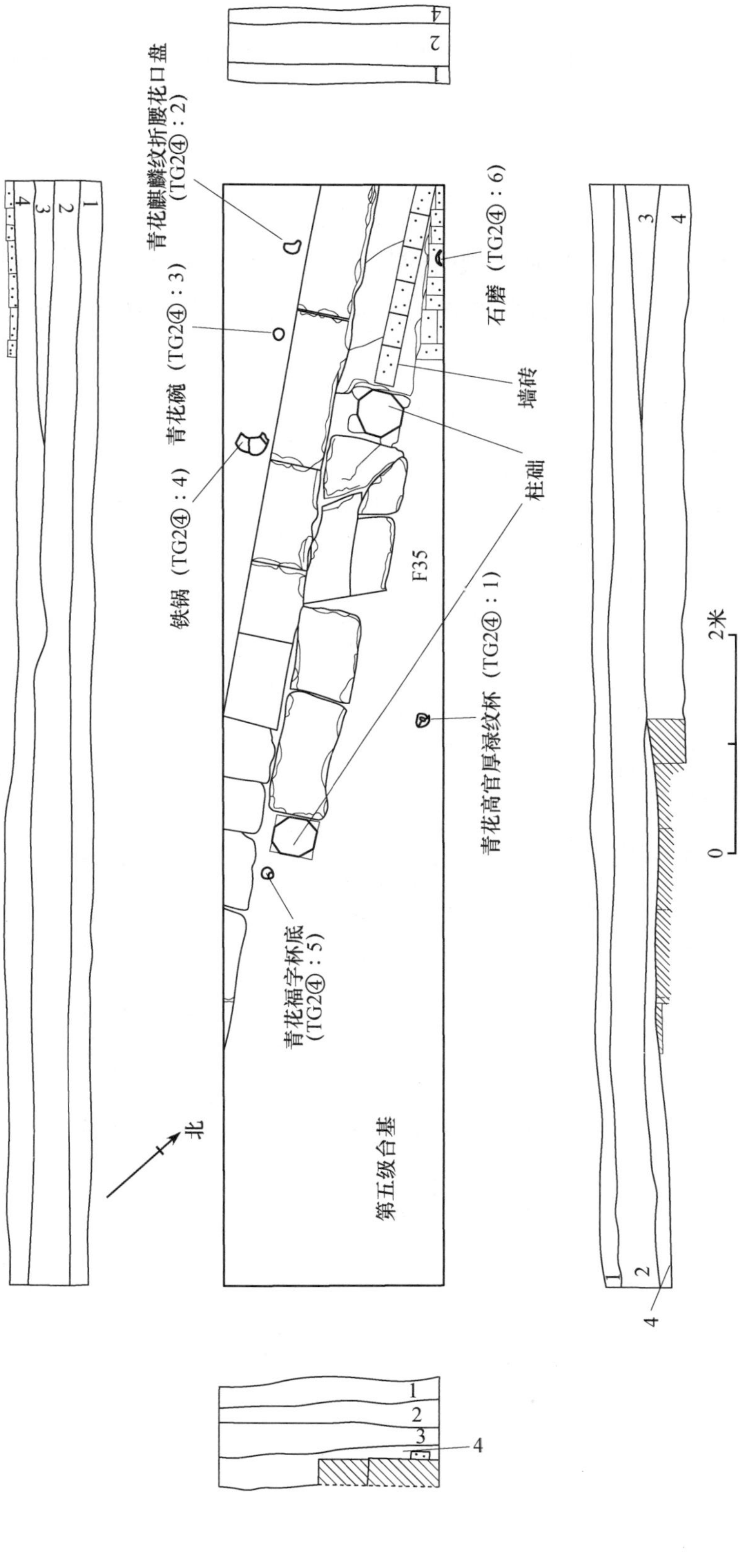

图4-2 老王宫TG2与F35平、剖面图

（一）新庙（F36）

可见台基4级，主要由4道东西向石砌堡坎及其后平台组成，由北向南渐次抬升，方向一致（图4-3；图版283-1、2）。

1. 第一级台基

陈宅南的第一道石砌堡坎，用加工规整的灰岩大石块砌筑而成，向外一面光滑平整，石灰填缝，局部保存较好。长约24、最高1.7米，所形成的台基进深约10米。此为第一级台基，方向15°。

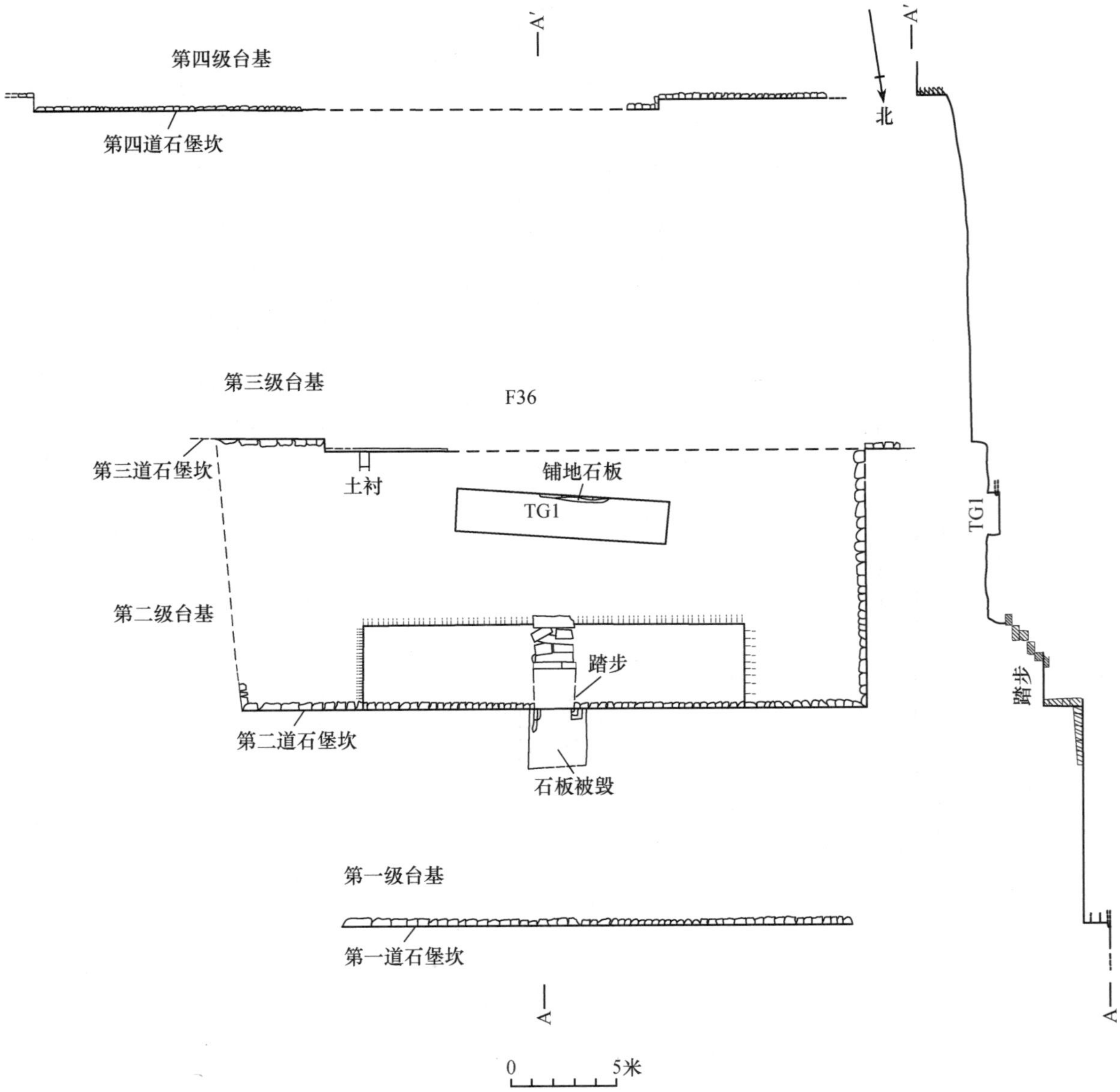

图4-3　老王宫第一至第四级台基平、剖面图

该级台基之前，另有一平台，进深约6米，平台北缘用不规则石块垒砌成堡坎，多已坍塌，不连贯，残长约20、残高1米，西端土坎中包含大量板瓦瓦砾（B型）。因石料不甚规整，不确定是否为早期遗迹。

2. 第二级台基

保存较为完整。由两级平台组成，平面略呈凹字形，正前及左右两侧用加工规整的灰岩大石块砌筑成高台，为第二道石堡坎；其后端有长约6、高约0.1米的低矮石坎。由此形成的第二级台基，通面阔约29.5、进深13、最高4.4米，方向18°。前端中央平台略低，面阔17.8、进深4、高出地面近2米。后端平台呈凹字形，高出前者2.6米。台基中央设踏步，前段已毁，后段残存石阶5级。

在台基中央布10米×2米东西向探沟一条（TG1）。堆积可分4层，其中第3、4层为建筑坍塌后所形成的堆积，包含物有脊砖残件（Fb型）、板瓦瓦砾（B型）、青花瓷片、铁片、石块等。南壁第2层下开口平铺石板一层，长2.9、石板厚0.1～0.15米，可能为铺地石板（图4-4；图版284-1）。

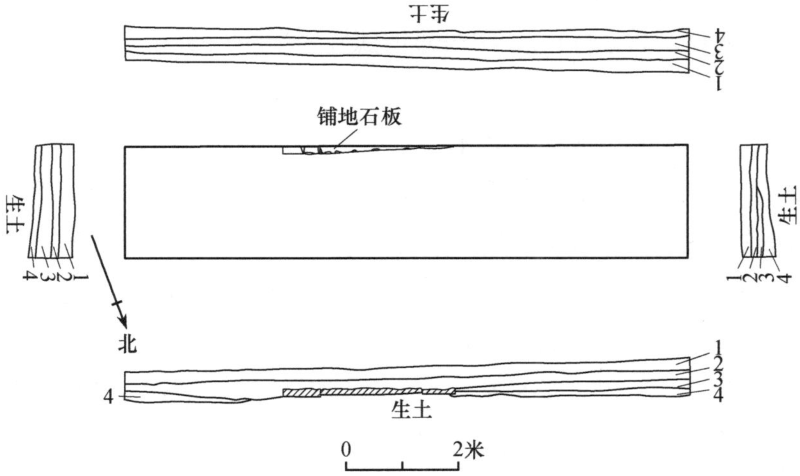

图4-4 老王宫TG1平、剖面图

3. 第三级台基

第二道石堡坎后端约11.6米处，有一道用规整灰岩石块砌筑的不连贯石坎（第三道），长约32、高出地面0.2～1.2米。在该道石坎与第四道石坎之间，形成进深约16米的平台。此为第三级台基，方向15°。

4. 第四级台基

在第三道石堡坎之后，为平面略呈凸字形的第四道石堡坎，用规整灰岩石块砌筑而成，石灰填缝，仅局部保存较好。残长38、最高1.8米。所形成的台基，进深约10米，此为第四级台基，方向15°。其后端为高约3米的土坎，未见石材，土坎断面偶见瓦砾（B型板瓦）。

在新庙地点，由北向南第一至第四级台基相连形成了一个方向一致（15°左右）、海拔渐次提升、面积逐渐扩大的多层台基建筑群。虽因发掘面积有限，尚不明了台基上建筑的具体布局，但从台基、踏步以及脊砖、瓦砾等遗存分布情况可大胆推测，这是一组建在多级台基之上的大型建筑群，暂编号为F36。

（二）磉墩坪（F35）

在第五、六道石砌堡坎（中央带踏步者）之间形成一个巨大平台，为第五级台基，民间称“磉墩坪”，是老王宫内面积最大、地势最平的台基。台基东西狭长，面阔约70、进深30米，总面积约2000平方米，方向43°。其中，第五道堡坎仅见于磉墩坪北缘一道长约70米土坎的西段，用加工规整的石板砌筑，残长5、残高0.7米，局部可见地栿石残段，推测多数被后期破坏。磉墩坪西北遗有近1米见方的大石一块，中有碗口大小圆孔，或即“灯杆”插座。

在该级平台上共布探沟4条（TG2、TG42、TG43、TG47），对其内堆积与遗迹进行解剖。其中，布TG42以清理第六道石堡坎中央踏步，无遗物出土。TG43位于“磉墩坪”西北侧，未见任何遗迹与遗物。TG2与TG47在1999年试掘探沟的东侧不远处，其内均有重要的遗迹与遗物发现。

TG2在磉墩坪北缘，大略东西向，10米×2米。其第4层下发现排列整齐的房屋基石一列，东西长8米，上叠墙砖一层，间有八棱形石础2件，石础边长约0.4米，础间距4米（柱础中心点之间的距离）。其北出露少量由长31、宽15厘米的长方形砖平铺成的卍字锦纹地面，应为屋内的铺地砖（图4-2；图版284-2、3）。据此判断，探沟内出露的是该房址的南端局部，其主体在临坎一侧，多数已被后期破坏。TG47在TG2东7米处，是为寻找当时的道路交通而布的2米×2米探沟（布于现行道路上），出土少量铁钉、大量瓦砾与瓷器碎片，以及一定数量水稻、豆类等农作物遗存，底部为大面积砖铺地面。两条探沟所揭示的应为同一房址，编号为F35。复原的房址方向44°，面阔应为五间，单间面阔4米，进深不明。

磉墩坪地势平阔，居于老王宫的中心地带，其上房址当不止F35一座，更多细节尚待未来揭示。

（三）茅棚（F34与F38）

磉墩坪后平台当地称“茅棚”。其前端的第六道石砌堡坎保存较好，用加工规整的灰岩石块砌筑而成，东西残长41、高1.8米。西段微向外凸，东端向南转角明显，残长约10米。堡坎中央设七级踏步，每级由两块长方体石块错缝拼接而成，石块大小不一，长0.8～1.5、宽约0.5、厚0.3米。两侧垂带石均由三块石条拼接而成，石条大小不一，长0.66～1.36、宽0.6米。两侧象眼由三层石块错缝拼接而成，第一层为三块，向上依次递减。其后平台进深约15米，面积约1000平方米。此为第六级台基，方向43°。在台基东西两侧各布南北向探沟1条（TG3、TG4），均为16.5米×1米，彼此相距约25米（图4-5；图版283-3）。

TG3位于台基东侧，其内堆积可分3层。第1、2层内出土少量瓷片，石砌水沟与磉墩等遗迹开口于第2层下。第3层仅分布于石砌水沟内，灰褐色土，夹杂较多砖屑、瓦砾，含不同类型的砖和勾头、滴水，为建筑坍塌后堆积。探沟南侧揭示局部石砌墙体一道，用3层不规则石块砌筑而成，长1、高0.7米，向外一面较平整，于其外侧形成水沟，可向两侧排泄南端高处溢下的雨水。其性质应为房址后端基石。其北石堆2个，高0.1米，略呈圆形，直径大者0.9、小者0.6米，前后相距2.3米，疑系石础下磉墩，但类似做法在新王宫建筑群中未见。结合遗迹与遗物可确定这是一座房址，编号F34，方向约60°，结构不明（图4-6；图版285）。

TG4位于台基西侧，北端距第六道堡坎边缘2米。探沟内出土遗物较丰富。第1、2层分别为表土与近现代人群活动所形成的堆积，包含有一定数量的瓦砾与瓷片。第1层下开口窑址1座（Y4），打破第2层，应为晚期窑址，规模较小，或用于烧炭，未清理。第3层为建筑坍塌所形成的堆积，出土较多砖屑、瓦砾、瓦当、脊砖、脊兽和瓷器残片等。主要遗迹即开口于该层下。第4层为黄色黏土，较致密，仅分布于探沟北端，内含少量砖屑与石块，可能为垫土层。其下为生土。探沟内遗迹也较为丰富，有4列平行的基石及部分砖墙与砖铺地面，均处在同一水平面上。自南向北第一列基石向南一侧较平整，中央嵌石础1个，北侧为砖铺地面。第二列基石北侧较平整，与前者两外侧边缘相距4.75米。第三列基石南侧平整，与第二列北壁相距3.8

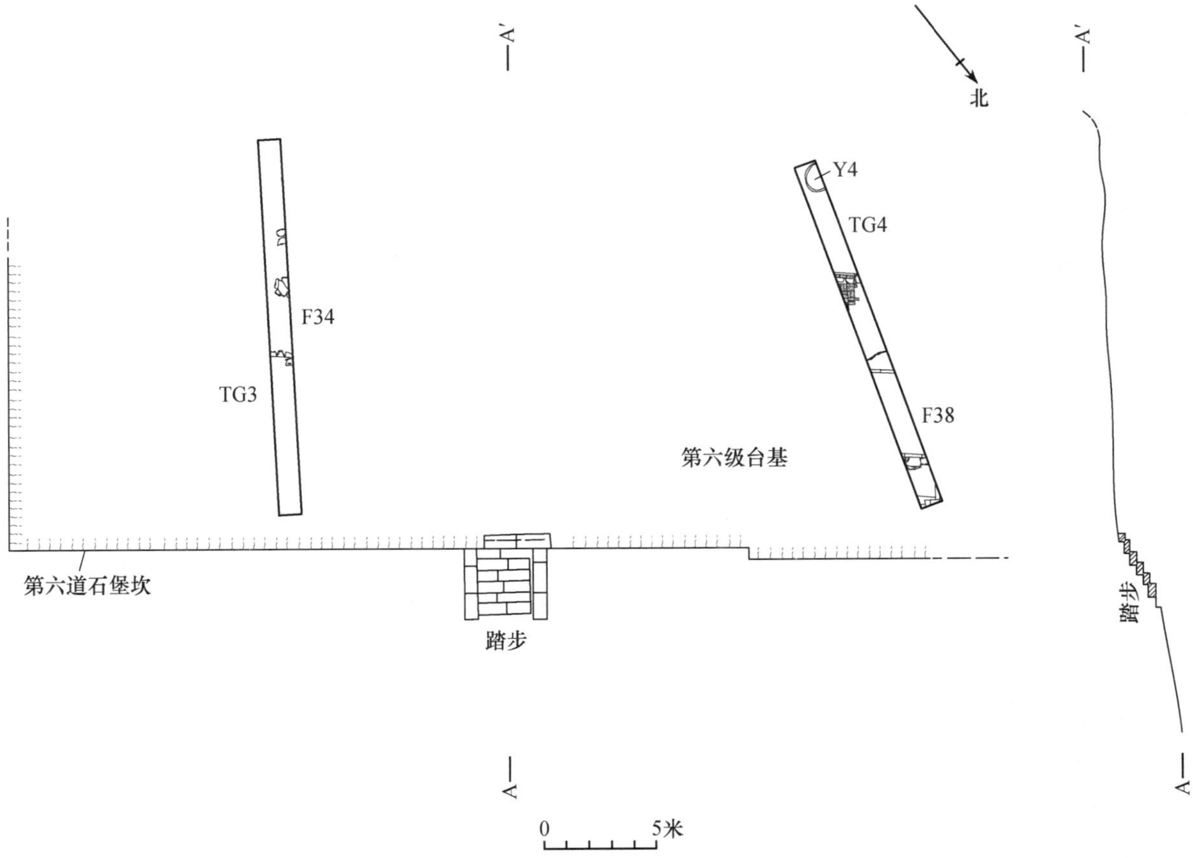

图4-5　老王宫第六级台基上遗迹分布图

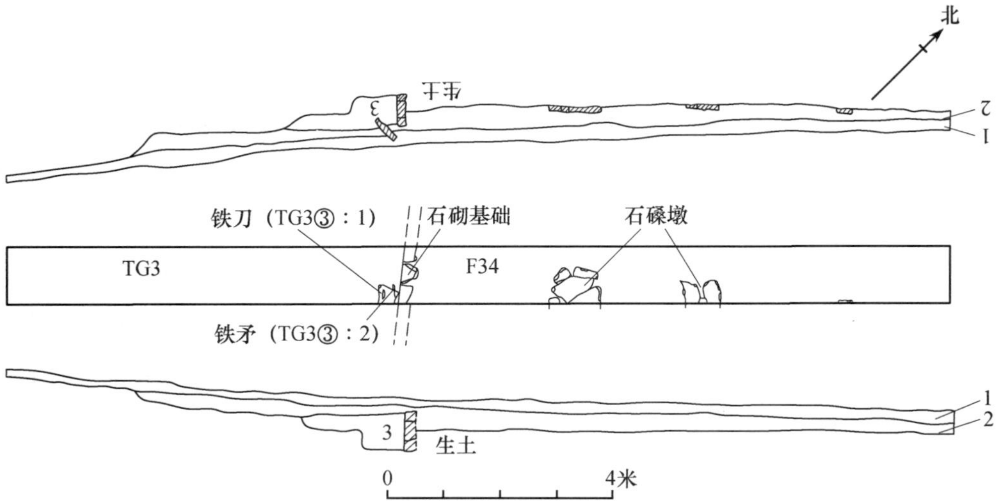

图4-6　老王宫TG3与F34平、剖面图

米。第四列一整石下垫有石板，西侧底层石板继续向西南角延伸，不甚规则。从房屋基石向外一侧比较规整判断，该四列基石应分别为两座房址的基础，一起构成一组合院式建筑，编号为F38。其中第一、二列为F38正房的前后基础，正房后壁起砌墙砖，室内地面铺砖，房屋进深4.75米，开间与面阔不明。第三、四列基石与第六道石堡坎共同构成该组建筑的倒座基础，第三列基石为其后壁墙基，第三、四列基石之间的第4层堆积内有砖、石块，但未见瓦砾，且较致密，应为垫土。自第六道石堡坎至第三列基石的南缘边距为4.25米，这也是倒座的大致进深。而第二、三列基石之间下凹的空间应为天井，进深3.8米。该组建筑方向42°，与台基方向基本一致，除正房、倒座外，可能还有左右两厢，但因揭露面积有限而难窥其全貌（图4-7；图版286）。

试掘的两条探沟表明，第六级台基上至少存在两组建筑，F34因遗迹有限而结构不明，F38的格局则大致清晰，其与磉墩坪上的F35方向基本一致。

（四）于家屋基（F37）

第七级台基位于老王宫西南角的“于家屋基”，由残存的前（北）、后（南）、右（东）三道石砌堡坎组成，整体略呈凸字形，前低后高。均用不规则灰岩石块砌筑而成，多已坍塌无存，仅局部有墙，且相对低矮，颇显粗疏。前坎高约1米，后坎最高1.5米，前后两坎残长约40米，右（东）坎残长23米，通进深约28米。在第二级平台偏北处布9米×1米的南北向探沟一条（TG5）。

TG5内堆积可分5层，第1～4层内均有少量遗物发现，主要为瓷片，亦有少量瓦砾。其中第4层为灰褐色黏土，夹杂大量烧土颗粒，该层下发现磉墩2个。第5层为黄褐色垫土，较纯净。磉墩用碎石堆砌而成，略呈圆形，直径约0.9、相距1.3米（中心点）。周边分布有零星石块。其所构成的房址编号为F37，方向约70°，除少量瓦砾外不见其他建筑构件，整体结构亦囿于发掘面积而不甚明朗（图4-8；图版287）。

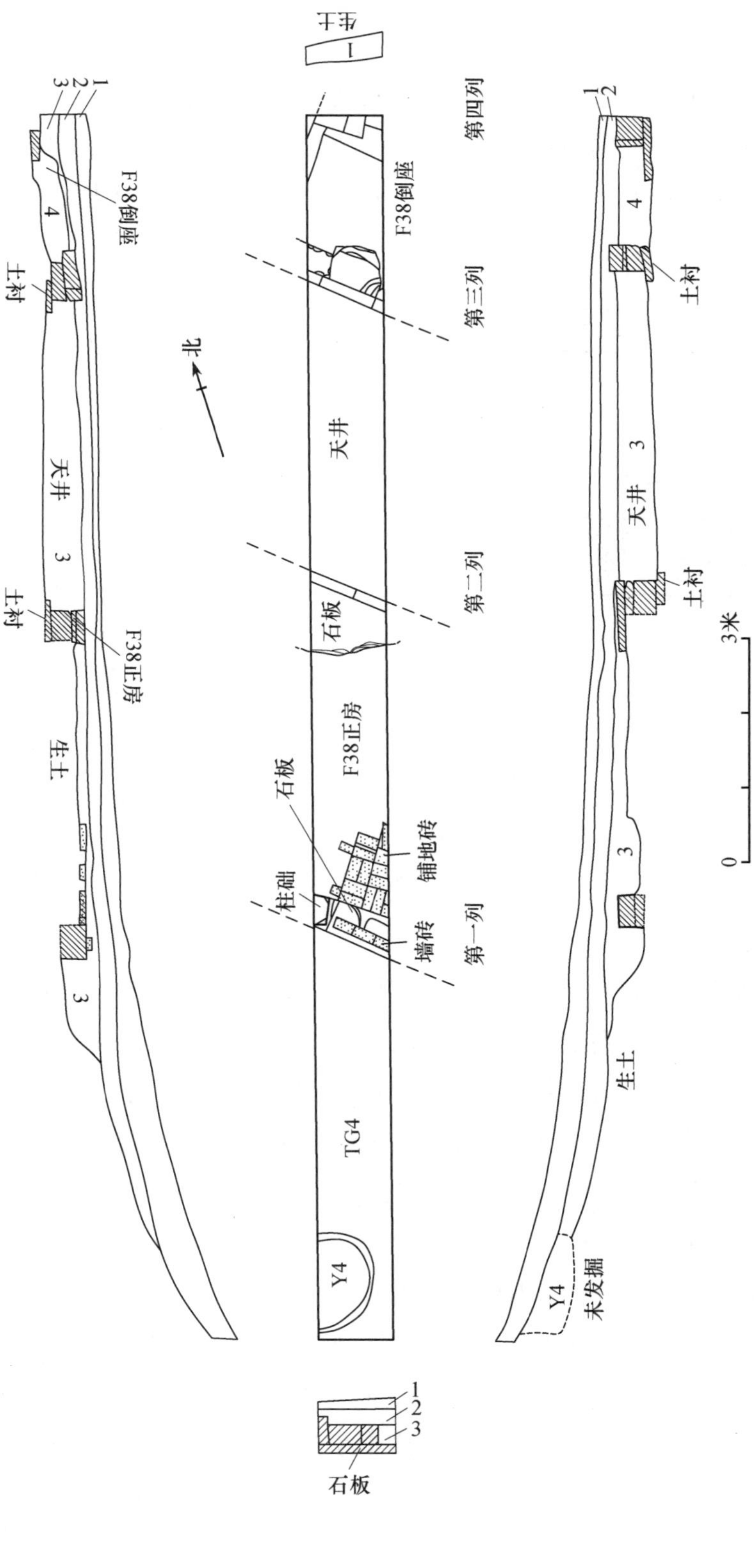

图4-7　老王宫TG4与F38平、剖面图

于家屋基偏居老王宫西南隅，与其他建筑台基有一定距离，所见两级平台前低后高，彼此相连，方向一致，但因堡坎不完整，整体结构并不明晰。其粗疏的风格，似预示不同时期都有修筑、加固的情况。台基上F37柱础下另垫磉墩，与茅棚F34相同，却不见于其他建筑，显得较为特别。

除上述七级台基及相关遗迹外，当地村民曾在老王宫北沿陈立举老宅前梯田间掘出石础，调查中确于田坎上发现被移动的零星石础，直径约1米，颇为硕大。王武志老宅附近（旧为耕地）亦见零星石础，瓷片则俯首可拾。因未进一步工作，情况不明，但表明老王宫的实际范围可能比预想的要大。

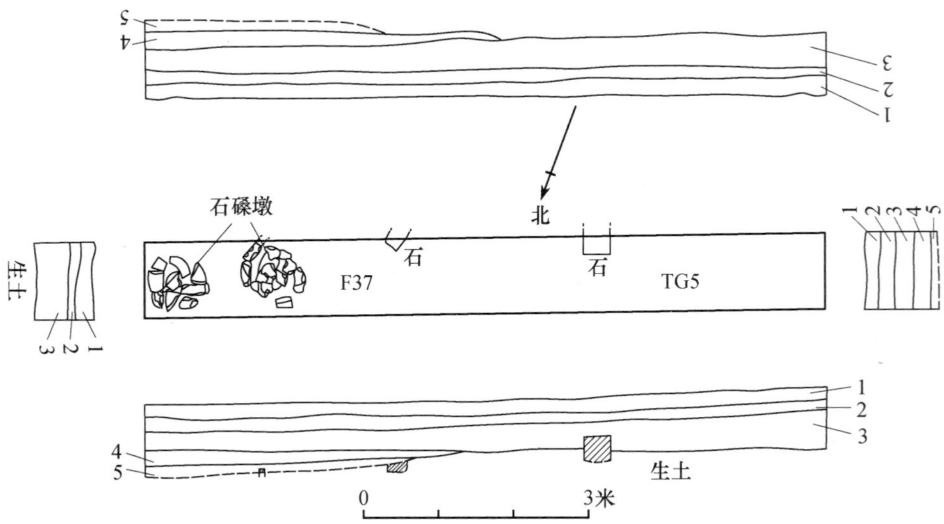

图4-8　老王宫TG5与F37平、剖面图

（五）格局

调查与试掘揭示的老王宫内建筑，根据台基及房址结构、方向可粗分为三组：第一组：新庙四级台基构成一组高台式建筑（F36），凡三进，渐次抬升，前端中央设踏步，而第一级台基构成该组建筑的月台。其方向约15°。第二组：磉墩坪与茅棚居于老王宫中心地带，地势宽敞，两级台基间有踏步相连。其上的F35与F38都保留有石础、局部墙砖与砖铺地面，特点相同，且方向与台基一致，在42°～44°间。第三组：茅棚F34与其西南侧的于家屋基F37构成第三组建筑。两者相去约80米，且处于不同台基，但方向基本一致，在60°～70°间；建筑特点相同，均在础下再置磉墩，这种做法并不见于囤内的其他建筑。

第一组建筑后端为高约3米的土坎，未见踏步痕迹，且方向与其后的第二组建筑并不相同，表明两组建筑不在同一条中轴线上，且彼此间应无道路直通，进而表明F36是一组相对独立的建筑。第二组建筑从空间与台基的精细程度判断，应是老王宫的腹心地带，出土遗物亦最丰富。砖、瓦与瓦当等建筑材料表明，第一、二组建筑均为明万历时期遗迹。第三组建筑带有一些与众不同的特点，可能与前者存在时代的差异。F34开口于第2层下，是一层晚近人群活动所形成的堆积，不足以判断F34的具体年代。F34南侧排水沟内出土了为数不少的砖瓦、勾头、滴水和脊砖等明代建筑构件，建筑年代应与之一致。F37则开口于第4层下，该层夹杂大量烧土颗粒及少量青花瓷片，应为明代堆积，表明F37年代当不晚于明代。

整体而言，与新王宫比较，目前所知的老王宫内建筑的整体布局略显分散，未见围合的垣墙，无统一、清晰的中轴线，房屋的坐向随地形不同而变化。这些特点表明，两者之间应非“老”与“新”的关系，本质上应是功能不同使然。

第二节　遗　　物

老王宫内8条探沟（TG1～TG5、TG42、TG43、TG47），除TG42与TG43外均有遗物出土，而以TG2、TG4与TG47最丰富。与此同时，在试掘地点以外的老王宫范围内，于地表或土坎采集部分遗物（以“老王宫采”编号）。遗物按质地有陶、瓷、石、铁等类，按用途有建筑材料、生活用器和兵器等类，按年代则有南宋、明和清三个时期，以明代晚期（隆庆、嘉靖与万历时期）遗物最多，南宋和清代遗物较少且均为瓷器（附表11）。

一、南　　宋

仅见青瓷残片10片，可计10件。其中碗9件、盘1件，分属湖田和龙泉两个窑口（图4-9；图版288）。另有白瓷残片2片，可计2件，均为碗，属清溪窑产品（图版34-7、9）。

（一）湖田窑影青瓷

7片，可计7件。含碗底3片、口沿及腹部残片3片，盘底1片。

碗　6件。老王宫采：3，底部残件。内底近平，圈足，足底心有细小乳突。灰白胎，青白釉，足、底涩胎。内底刻划抽象凤鸟纹。残高1.7、足径6厘米（图4-9-7；图版36-1）。老王宫采：17，底部残件。饼足。灰白胎，青白釉，足底涩胎。残高1.5、足径5厘米（图4-9-6；图版288-6）。TG47③：31，底部残件。圈足。灰白胎，青白釉较厚，带冰裂纹，局部呈翠绿色，足沿及下底涩胎。内腹下部有曲线形刻划纹，纹饰不明。残高2、足径约7.5厘米（图4-9-4；图版288-5）。TG5③：1，下腹残片。灰白胎，青白釉。内腹有曲线形刻划纹。残高4.5厘米（图4-9-2；图版288-2）。TG1③：4，口沿残片。口微侈，方唇。灰白胎，青白釉，口沿涩胎。残高2厘米（图4-9-5；图版288-4）。TG1④：3，口沿残片。口微侈，方唇。灰白胎，釉色青灰泛白，局部有冰裂纹，口沿涩胎。残高2.9厘米（图4-9-1；图版288-1）。

盘　1件。老王宫采：10，底部残件。圈足。灰白胎，青白釉，圈足涩胎，外底施釉。内底釉下刻划曲线纹。残高3.2厘米（图4-9-3；图版288-3）。

（二）龙泉窑青瓷

3片，可计3件。其中2件为莲瓣纹碗口沿残片，内腹平整，外腹莲瓣状凸起。老王宫采：1，沿略向外卷。灰白色胎偏灰，釉较厚，釉色匀净，青中泛灰，有油脂感。残高3.5厘米（图4-9-8；图版38-4）。老王宫采：2，口微敛。灰白色胎偏灰，釉较厚，釉色匀净，青中泛绿，有油脂感。残高3.6厘米（图4-9-9；图版38-5）。另TG3②内出碗口沿残片1件。

（三）清溪窑白瓷

2片，可计2件。均为印花花卉纹碗。TG2③：1，底腹残片。釉下施化妆土，外底涩胎。内壁模印花卉纹。残高4.1厘米（图版34-9）。另1件出自TG3②，腹部残片。釉下施化妆土。残高2.3厘米（图版34-7）。

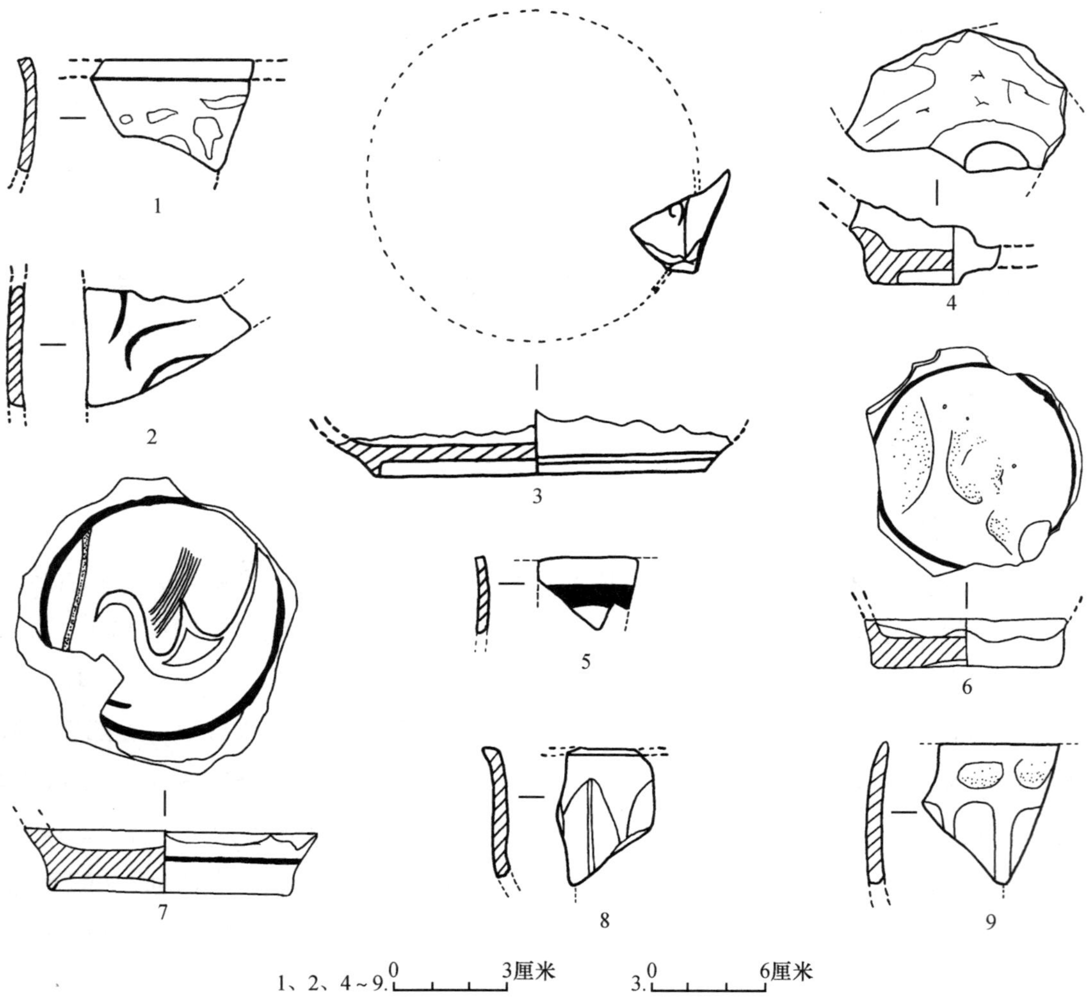

图4-9　老王宫出土南宋青瓷器

1～7. 湖田窑影青瓷（TG1④：3、TG5③：1、老王宫采：10、TG47③：31、TG1③：4、老王宫采：17、老王宫采：3）
8、9. 龙泉窑青瓷（老王宫采：1、老王宫采：2）

以上12件瓷器残片，7件出于探沟内，5件则采集自王武志老宅附近的耕土中，均应为南宋遗物。但探沟内7件均出在明代堆积中，而采集者均来自地表，目前尚未在老王宫内发现与遗物年代一致的地层堆积。

二、明　　代

明代遗物数量最多，类型亦较为多样，有建筑材料、生活用器和兵器几类。

（一）建筑材料

有砖、瓦、瓦当、脊砖、脊兽、铁钉等。

1. 砖

TG3（F34）、TG4（F38）、TG2与TG47（F35）内均发现了一定数量的砖，用于砌筑墙体与铺地，均属A型长方形砖。F35、F38内保存完好的墙砖与铺地砖均未采集而原状回填，所采集的主要是各探沟内堆积无序的砖块，共计26件。砖长27～33.5、宽14～16.5、厚6.5～8.4厘米，长、宽、厚的比例大致为4∶2∶1。其中23件为标准长方形砖（Aa型），3件则将砖之一端砍琢为内凹圆弧形作为墙砖上的包柱砖（Ab型）。

所采集的26件标本中，23件带铭文。其中铭“初一号”者 7 件，铭“十六砖”者16件（附表11）。

2. 瓦

有遗物出土的各探沟内均有一定数量的瓦砾发现，筒瓦、板瓦皆有，均属B型（明代），未见A型板瓦与筒瓦（南宋）。仅采集少量相对完整的B型瓦作为标本。

（1）板瓦

5件。分别出自TG2（F35）、TG3（F34）与TG4（F38）内，均为Ba型，即两翅内侧切开后自然断裂，未经二次加工的小型板瓦。TG2④∶21，完整。灰褐色。两翅粗糙，布纹清晰。长26.5、小头宽19.5、大头宽22、厚1.8、矢高5.5厘米。

（2）筒瓦

3件。均出自TG4（F38）内，为Ba型，即两翅未经二次加工的筒瓦。TG4③∶48，残。灰褐色。残长27.5、熊头长3、宽13、厚2、矢高6厘米。

3. 瓦当

42件。以板瓦瓦当为主，筒瓦仅1例。出自TG2（F35）、TG3（F34）与TG4（F38）内，2件采集于磉墩坪。分滴水、勾头两类。

（1）滴水

20件。均为Ba型，六瓣莲花纹两侧向上逸出的莲叶上饰有卷曲须蔓，当面较大。TG3③：11，当面与瓦身均较完整。瓦之两翅经二次加工，瓦长23、小头宽16.5、大头宽19、厚1.6、矢高5.5厘米，当面高13.5、宽21、厚1.5厘米（图4-10-1）。

（2）勾头

22件。其中板瓦勾头21件，均属Ba型，即花下有须蔓向左卷曲的六瓣莲花纹勾头，当面偏大。筒瓦勾头1件，Bb型，六瓣莲花纹外一周连弧纹装饰，花型偏小。TG4③：16，板瓦勾头。当面完整，瓦身已残。高16.5、宽20、厚1.9厘米（图4-10-2）。TG4③：66，筒瓦勾头。当面完整，瓦身已残。直径12、厚1.5厘米（图4-10-3）。

图4-10 老王宫出土瓦当、脊砖拓片

1. Ba型滴水（TG3③：11） 2. Ba型板瓦勾头（TG4③：16） 3. Bb型筒瓦勾头（TG4③：66） 4. C型脊砖（TG4③：57）

4. 脊砖

12块，可计7件。均系残块，分别出自TG1（F36）、TG3（F34）与TG4（F38）内，另于磉墩坪采集1件，以TG4（F38）内出土最多，达8块。除2块因残甚无法辨明类型外，其余为缠枝牡丹纹大脊砖与小脊砖，前者应饰于正脊，后者饰于垂脊或戗脊上。

牡丹缠枝纹大脊砖（C型）　5件。TG4③：57，残。灰褐色。高18.8、残长26、残宽9厘米（图4-10-4、图4-11-5）。

牡丹缠枝纹小脊砖（Fa型）　2件。TG1③：2，残。灰褐色。残高11、残长11、残宽7.5厘米（图4-11-4）。

5. 脊兽

3块，可计2件。均为残块，出自TG4内，为F38屋面装饰，属粗糙型垂戗兽中的凸棱型（Bc型）。1999年试掘的探沟内亦曾发现“龙吻”残件，当为F35屋面装饰，但数量与类型不明[①]。TG4③：62，垂戗兽爪部残片。灰褐色。残存部分鳞爪。残高14、残长11.5、厚3厘米（图4-11-1）。TG4③：61，垂戗兽尾部残片。泥质灰白陶。尚存数条凸棱。残高22.5、残长

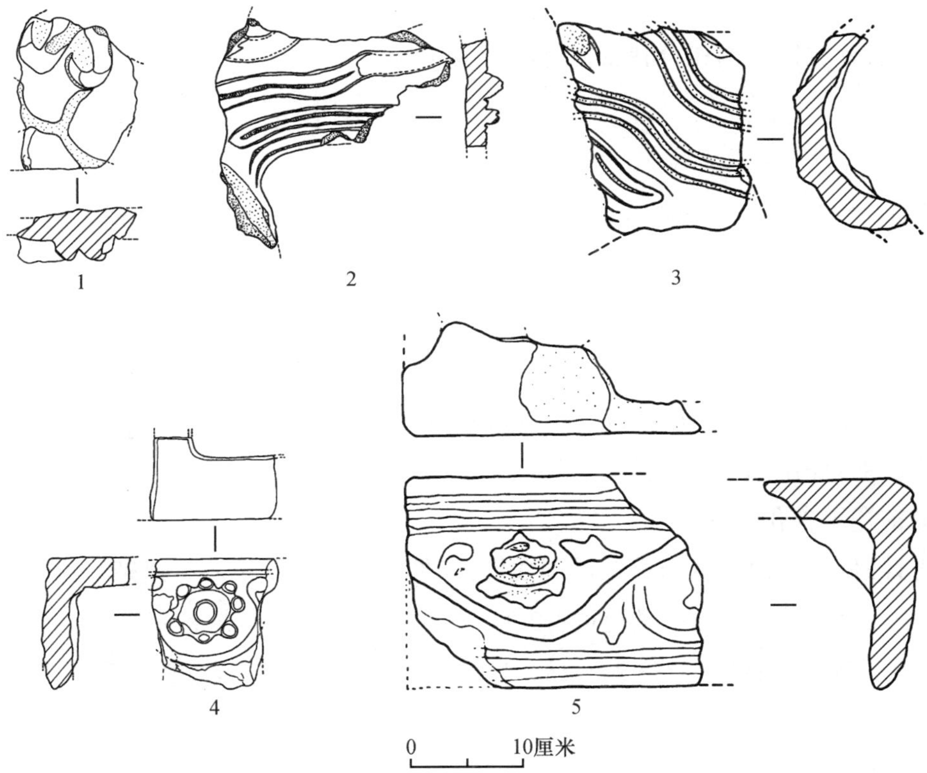

图4-11　老王宫出土脊兽、脊砖

1. 垂戗兽爪部残片（TG4③：62）　2、3. 垂戗兽尾部残片（TG4③：61、TG4③：60）　4. Fa型脊砖（TG1③：2）　5. C型脊砖（TG4③：57）

① 海龙囤文物考察组：《海龙囤遗址调查报告》（刘世野执笔，未刊稿），1999年。

20、厚2.4厘米（图4-11-2）。TG4③：60，垂戗兽尾部残片。灰白色。自后颈延至尾部的发作棱状凸起，棱上及其两侧各划线条一道，以凸显装饰效果。残存三条凸棱。残高19、残长17、厚2.4厘米（图4-11-3）。

根据陶色，上述3块残片至少分属2件垂戗兽个体。

6. 铁钉

29枚。分别出自TG2（F35）、TG3（F34）、TG4（F38）和TG47（F35）内，均为四棱方锥形，部分完整，多应为瓦钉。完整者（TG3③：20）长13.3、最大径0.95厘米，头端微曲作7字形。

由上可见，脊砖、瓦当、脊兽等建筑构件发现于F37以外的诸组建筑（F34～F36、F38）中，F38则一应俱全，表明老王宫屋面装饰与新王宫及明代诸关门楼基本相同。如果筒瓦的使用确实一定程度反映了建筑规制的话[①]，则第六级台基之上的F38当为老王宫内一组比较重要的建筑，该级台基中央规整的踏步恰与之相映成趣。

（二）生活用器

按质地，有瓷、铁、铜和石制品，瓷器最多。

1. 瓷器

按瓷器的精细程度，可分细瓷与粗瓷两大类。细瓷又有白瓷、绿釉瓷、青花瓷与彩瓷等类，以青花为大宗，均系外来产品；粗瓷有酱釉粗瓷、青釉粗瓷和青花粗瓷等类，数量亦不菲，多应为本地产品。

（1）白瓷

17片，可计12件。均为盘的残片。分别出自TG1④、TG47③内，王宅旁菜园表土中亦采集1件。灰白胎，釉色白净细腻，应为景德镇产品。

（2）绿釉瓷（含孔雀绿）

5片，可计5件。为碟、盘与香炉局部残件，2件可修复。釉色微有差别，绿中泛蓝者3件，称孔雀绿釉，均为盘或碟；绿中微泛黄者2件，称绿釉瓷，碟与香炉各一。

孔雀绿釉莲瓣盘　1件。TG3③：28，口沿残片。花口，莲瓣状腹。灰白胎。残高2厘米（图4-12-4）。

孔雀绿釉花口碟　1件。TG47③：20，花口，折沿，菊瓣状浅腹，圈足。灰白胎，略泛红，足沿及底涩胎。高1、口径约7、足径约5.8厘米（图4-12-16；图版41-7）。

绿釉菊瓣碟　1件。老王宫采：19，可复原。Y1前冲沟内采集。菱花口，折沿，菊瓣腹，

① 刘大可编著：《中国古建筑瓦石营法》，北京：中国建筑工业出版社，1993年，第161、259页。

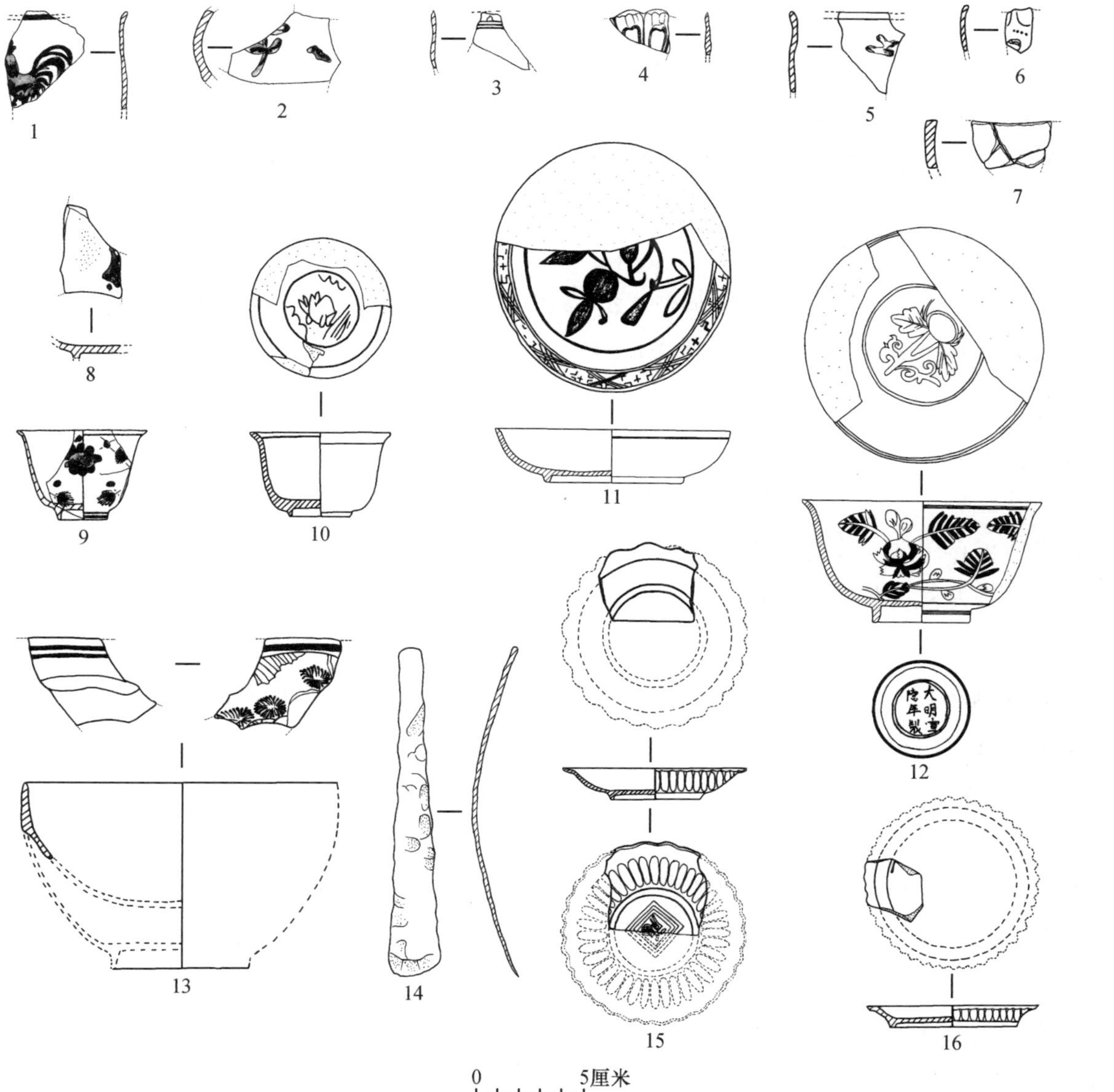

图4-12 老王宫出土瓷器、铜器

1. 青花釉里红鸡纹碗（老王宫采：4） 2. 红绿彩龙凤纹碗（TG2④：20） 3.青花红彩碗（TG47③：30） 4. 孔雀绿釉莲瓣盘（TG3③：28） 5、6. 红绿彩花卉纹碗（TG47③：32、TG1②：2） 7. 绿釉香炉残件（TG3②：1） 8. 青花红彩鱼纹碗（TG1③：1） 9. 青花红彩花卉纹杯（TG4③：29） 10. B型青花兔纹杯（TG47③：5） 11. B型青花果枝栖鹊纹盘（TG47③：16） 12. Bd型青花花果纹碗（TG4③：41） 13. 诸葛碗（老王宫采：20） 14. 铜铲（TG1④：1） 15. 绿釉菊瓣碟（老王宫采：19） 16. 孔雀绿釉花口碟（TG47③：20）

圈足。灰白胎，足沿与外底涩胎。外底模印一“福”字。高1.4、口径约10、足径4厘米（图4-12-15；图版43-5）。

绿釉香炉 1件。TG3②：1，残。直口，方唇，腹壁较直。灰白胎，火候较低，严格而言当属陶器，外罩绿釉。残高2.3、厚0.6厘米（图4-12-7）。

（3）彩瓷

16片，可计7件。有釉上红绿彩、青花釉里红和青花加彩三类。分别出自TG1、TG2、

TG4和TG47内，王宅后菜园内亦采集1件。器类有杯、碗两种，碗6件，杯1件，个别可修复（附表11）。

红绿彩龙凤纹碗　仅存口沿和腹部残片8片。TG2④：20，口微侈，弧腹。外腹釉上以红绿彩绘龙凤纹，仅龙身局部可辨。口径约11厘米（图4-12-2；图版119-11～15）。

红绿彩花卉纹碗　2件。存口沿残片2片。TG47③：32，形制同TG2④：20。外腹釉上以红绿彩绘花卉纹（图4-12-5；图版119-16、17）。TG1②：2，存口沿及腹部残片2片。形制同TG47③：32。外腹釉上以红绿两色彩绘花卉纹。口径约12厘米（图4-12-6）。

青花釉里红鸡纹碗　仅存口腹残片1片。老王宫采：4，侈口，腹较直。外壁青花单圈下绘一雄鸡，以青料绘制鸡尾，余用红彩。残片高4.5、宽3.7、厚0.25厘米（图4-12-1；图版110-8）。

青花红彩鱼纹碗　仅底部残块1片。TG1③：1，圈足。外底绘两周青花弦纹，内底矾红堆塑鱼身，仅存尾部。残高1.2厘米（图4-12-8）。

青花红彩碗　仅存口沿残片1片。TG47③：30，口沿内侧绘青花锦纹，外壁则以矾红通体涂红。残高2.5厘米（图4-12-3）。

青花红彩花卉纹杯　1件。可复原。TG4③：29，口微侈，腹较直，圈足。外腹壁青花间于釉上以红彩绘羽毛状装饰，微泛黑。高4.1、口径6、足径2.3厘米（图4-12-9；图版117-7）。

（4）青花

指除前述青花釉里红、青花加彩，以及下文将提及的青花粗瓷之外的其他青花瓷器，数量较多。经初步整理，老王宫内共出土和采集明代青花瓷片1000余片，可计314件，其中碗170件、盘91件、杯52件、诸葛碗1件，以餐饮用具为主。已修复或可修复者34件，含碗10件、盘13件、杯11件。

碗包括了Aa、Ab、Bd、Ce、Db、Ea、Eb、Ec、Ed、Ee诸型，盘有B、C、D、F四型，杯有A、B、D三型。纹饰有花卉、花果、月华、菊花、牡丹、梅花、兰草、葡萄、莲荷、银杏、松叶、卍、龙、马、鱼、蟹、狮、兔、螭龙、草虫、婴戏、山水、八卦、杂宝、树石栏杆、莲池水禽、果枝栖鹊、高官厚禄、柳下观景、魁星踢斗及“福”“寿”等铭文。2件碗之外底有纪年款，分别为“大明嘉靖年制”（TG47③：22）与“大明宣德年制”寄托款（TG4③：41）。以下选择相对完整或特殊者，简要介绍。

青花莲池水禽纹碗（Aa型）　TG47③：12，修复完整。直口，浅弧腹，内底上拱，矮圈足。足沿涩胎。口沿内外饰双圈弦纹，内底双圈弦纹内绘莲池水禽纹，内腹壁绘五组莲藻纹，外腹壁饰草虫纹，足底饰青花双圈。高3.4、口径10.5、足径4.9厘米（图4-13-1；图版44-1、2）。

青花花果纹碗（Bd型）　TG4③：41，修复完整。侈口，下腹圆转，腹较深，内底下塌，圈足。足沿涩胎。内底双圈弦纹内绘果枝纹；外壁绘缠枝花卉纹；足底书“大明宣德年制”六字双行款，为寄托款。高 5.6、口径11、足径4.4厘米（图4-12-12；图版55-1～3）。

青花海水鱼纹碗　TG47③：22，残。内底双圈弦纹内绘海水鱼纹，外壁近底处残见海水纹，外底铭“大明嘉靖年制”六字双行款。残高2.5、足径5.3厘米（图4-13-2）。

青花果枝栖鹊纹盘（B型）　TG47③：16，修复完整。浅圈足。内壁口沿处饰重十字菱形锦地纹；内底单圈弦纹内绘果枝栖鹊纹，仅存果枝。高2.2、口径11.4、足径7厘米（图4-12-11；图版82-1、2）。

青花折枝花卉纹杯（A型）　TG47③：6，修复完整。直口，上腹较直，下腹圆转，小圈足。胎体较薄，釉色莹润，足沿及外底涩胎。外壁绘不连贯花卉纹。高4.3、口径4.6、足径2.7厘米（图4-13-5；图版93-4）。

青花兔纹杯（B型）　TG47③：5，修复完整。侈口，下腹圆转，圈足。足沿与足底涩胎。口沿内侧绘单圈弦纹，内底单圈弦纹内绘玉兔作蹲坐回望状。高3.6、口径6.5、足径2.5厘米（图4-12-10；图版97-3、4）。

青花螭龙纹杯（B型）　TG47③：7，修复完整。侈口，下腹圆转，圈足。内底绘折枝花卉纹，外壁绘行螭二尾。高4.1、口径6.4、足径2.6厘米（图4-13-3）。

诸葛碗　老王宫采：20，口沿残片。口较直，腹分两层，中空。施釉。内腹饰松叶纹。残高4、口径约14厘米（图4-12-13；图版77-6）。

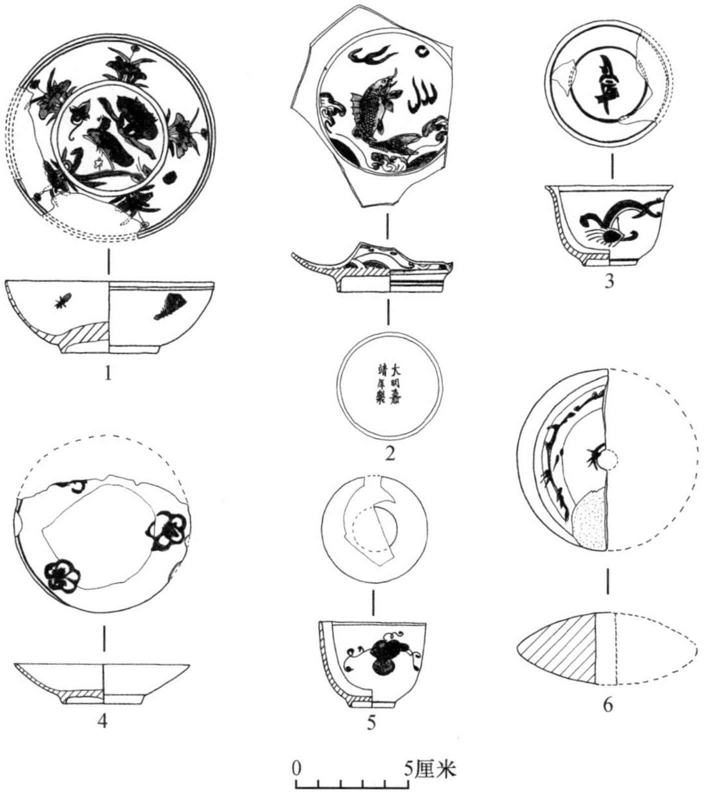

图4-13　老王宫出土青花瓷器

1. Aa型莲池水禽纹碗（TG47③：12）　2. 海水鱼纹碗（TG47③：22）　3. B型螭龙纹杯（TG47③：7）　4. 粗瓷碟（老王宫采：18）　5. A型折枝花卉纹杯（TG47③：6）　6. 粗瓷碾轮（老王宫采：12）

（5）粗瓷

粗瓷可分青釉、酱釉和青花粗瓷三类，数量亦不菲。其中青花粗瓷多为清末民国时期之物，不在讨论之列。青釉和酱釉粗瓷则各层均有出土，从伴出物看，各探沟第3层及其以下诸层所出的粗瓷，可确定为明代遗物。其与表层所见的粗瓷几无分别，因此这里将青花粗瓷以外的其他粗瓷一并介绍，即将之均视作明代遗物处理。

共出土和采集青釉、酱釉粗瓷残片约662片，约分属72件个体，其中罐48件、缸1件、壶4件、瓶1件、钵1件、碗16件、汤匙1件。以器形偏大的罐、缸、壶、瓶一类用以盛粮米、酒水的容器为主，这是对同一时期细瓷有益的补充。

青釉粗瓷大罐　TG2②：3，基本修复完整。卷沿，小高领，广肩，鼓腹，平底。内外均施青釉，略泛黄。内腹拍印圆圈纹以强化泥条间的黏合度。高54.5、口径18、最大腹径44、底径14厘米（图4-14-1）。

青釉粗瓷瓶　TG2②：1，基本修复完整。口沿残缺。小口，束颈，溜肩，瘦长腹，平底。外腹施青釉，略偏褐，颈、底涩胎。残高29、口径约4、最大腹径20、底径约12厘米（图4-14-5）。

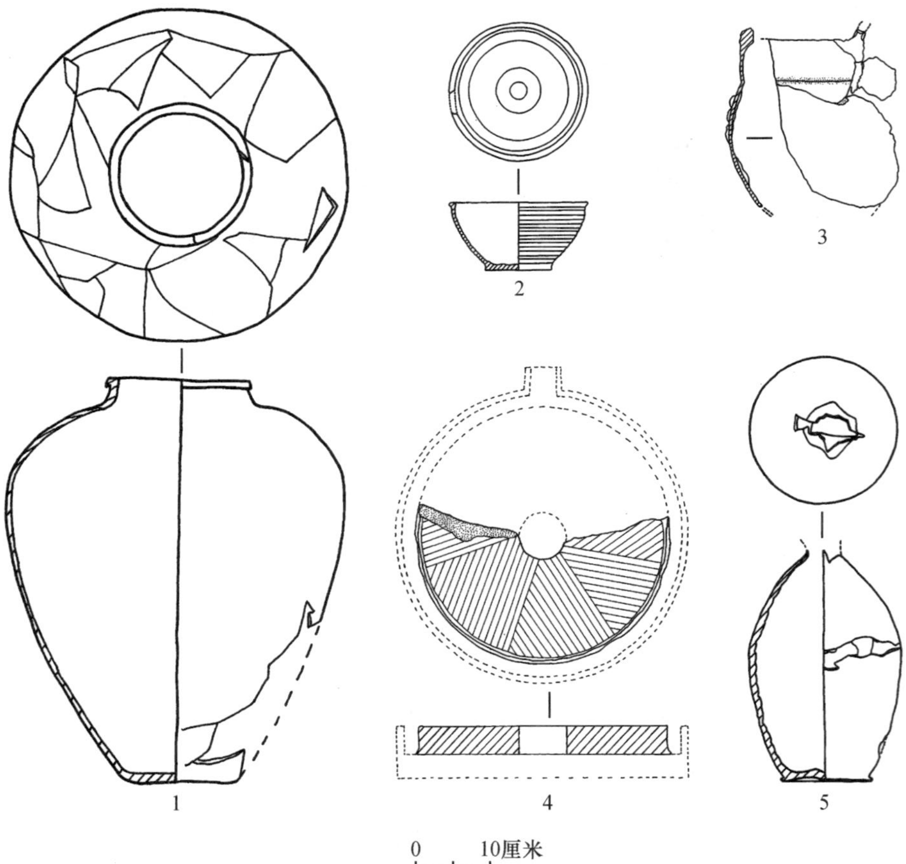

图4-14　老王宫出土生活用器

1. 青釉粗瓷大罐（TG2②：3）　2. 青釉粗瓷钵（老王宫采：28）　3. 铁锅（TG2④：4）　4. 石磨（TG2④：6）　5. 青釉粗瓷瓶（TG2②：1）

青釉粗瓷钵　老王宫采：28，较完整。卷沿微内敛，弧腹，平底。除底外余均施青釉，略泛黄。这类器物可用作钵，亦可为罐盖（图4-14-2）。

2. 铁器

可确定为明代的铁质生活用器仅铁锅2件，分别出自TG2④和TG4③，均为残片，伴出的均为明代遗物。TG2④：4，仅余残片3块，锈蚀较甚。敞口，带耳，弧腹，上腹微向内收，圜底。残高25、口径约40、厚0.4厘米（图4-14-3；图版289-12）。

3. 铜器

仅铜铲1件。TG1④：1，黄铜锻打而成。一端略宽且带刃的凿状铜条，较薄，微曲，后端残。残长15.4、宽1.2～2.3、厚0.25厘米（图4-12-14；图版289-10）。

4. 石制品

仅石磨2件。TG2④：6，红砂岩。石磨之一扇残件。圆形，中有轴孔，一面凿有规整浅槽。直径33.8、厚3.5厘米（图4-14-4；图版289-13）。

（三）兵器

仅矛、刀各2件。

铁矛　2件。TG3③：2，D型。残。刃头呈四棱形，长骹。銎内残余木柄。残长39、骹残长13、刃头残长26、最宽1.5厘米（图4-15-1；图版144-9）。老王宫采：8，A型。团叶形矛头，细长骹。通长21、刃头长7.2、最宽3.5厘米（图4-15-2；图版144-2）。

铁刀　2件。TG3③：1，B型。单刃，刀背较直，弧刃，刀头微上翘，柄部残。残长17.8、残宽2.1、厚0.3厘米（图4-15-3；图版145-11）。同层另出铁片残段4段，锈蚀较甚，宽2.3厘米。亦可能为直柄铁刀残件。

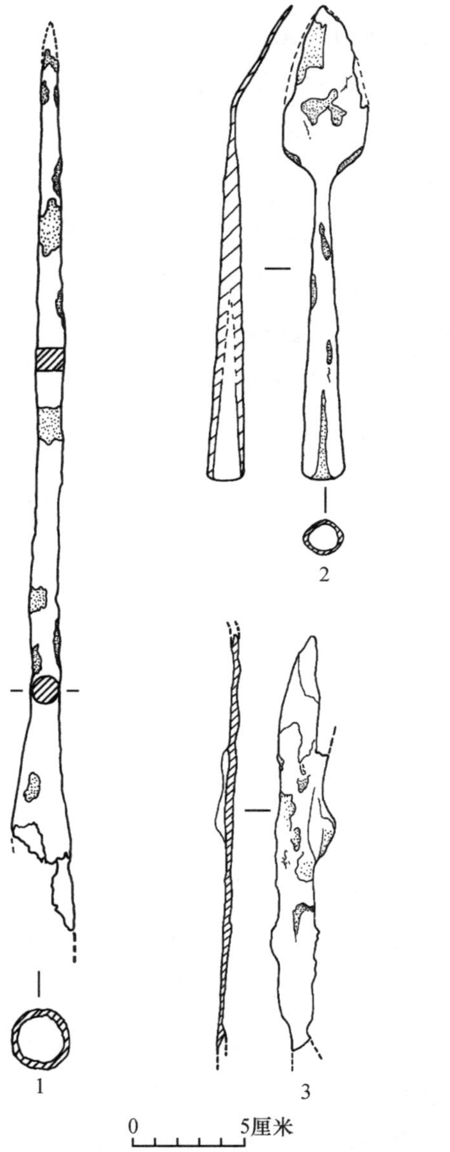

图4-15　老王宫出土兵器

1. D型铁矛（TG3③：2）　2. A型铁矛（老王宫采：8）　3. B型铁刀（TG3③：1）

三、清　　代

可确定的清代遗物均为瓷器，数量不多。共有各类瓷片50余片，约分属29件不同个体，器类有碗、盘、碟、汤匙、碾轮等，以碗为多，约24件。大致可分两组：一组为青花粗瓷器，一组为带有典型年代特征的青花瓷器。其中的青花粗瓷器均出在各探沟的第1、2层内，且青料、器形与周边民国时期窑址中所见者相似①，应为清至民国时期遗物。此外，带有灵芝茶花、梵文装饰的青花瓷器，均为清代遗物（附表11）。多为残片，仅少量可修复。举几例介绍如下。

青花粗瓷碟　老王宫采：18，修复完整。茅棚采集。敞口，浅腹，圈足。釉色灰白，青料泛蓝，内外底均涩胎。内腹青料绘制三朵花卉纹。高1.8、口径8、足径4厘米（图4-13-4；图版289-1）。

青花粗瓷碾轮　老王宫采：12，可复原。王宅后菜园采集。圆饼状，中央厚、边缘薄，中央一圆穿。白釉带冰裂纹，釉下以晦暗青料绘有纹饰，难辨其形。直径8、最厚3.8厘米（图4-13-6；图版289-11）。当为研磨茶叶或药材用的瓷碾轮，与船形碾槽配合使用。新王宫内便曾发现青花茶船。

第三节　年代与性质

结合遗迹、遗物及相关文献记载，可对老王宫内遗存的年代与性质形成初步认识。

一、年　　代

目前所见的老王宫内遗迹有石砌台基和房址两类，第一至六级台基堡坎的用材与砌筑方式与新王宫及明代各关隘、城垣相同，其时代亦应相当。第七级台基堡坎较为粗疏，或存在不同时期都有修筑、加固的情况。

坐落其上的5座房址（F34～F38），除F37外，其余均有砖、瓦、瓦当、脊砖、脊兽等建筑材料出土，与新王宫及有明确纪年的明代各关隘所出的同类遗物完全一致，表明该4座房址的建筑年代应在明万历时期。建筑坍塌堆积下发现的生活用具、兵器等遗物反映了房址的使用年代，其中有明确年代信息的青花瓷器绝大多数指向明嘉靖、万历时期，与建筑年代相呼应。囤上建筑毁于明万历二十八年（1600）是清楚的，因此房内遗物年代当不晚于万历，万历之前的遗物或为传世品。

① 2014年12月27日在遵义市播州区三合镇阁老村沙岗组调查所见。

F37与F34都使用了碎石堆砌的“磉墩”，略显特殊，叠压其上的地层中包含瓦砾、青花等遗物，为明代堆积，房址年代因此当不晚于明。F34的年代已如前述，故有理由认为F37与F34一样，亦为明万历时期建筑。

老王宫内出土遗物分宋、明和清三个时代，以明为主，宋、清遗物不多，且主要为瓷器。南宋遗物为12件（12片）湖田窑、龙泉窑及清溪窑所产的碗、盘碎片，但均出在明代堆积中或采集自地表，目前尚无与之对应的遗迹发现，亦无南宋瓦砾（A型）等同期遗物发现。所出少量清代民国时期遗物，可与口碑文献大致对应。

要之，老王宫内目前所见台基、房址均应为明万历时期遗迹。其内出土的大量明代遗物，反映明代才是其活动的高峰时期。少量南宋遗物可能为传世品，亦不排除南宋所遗的可能性。

二、性　质

老王宫内已知房址既均为明万历时期遗迹，则其与新王宫便不是早晚的关系，而应为同一时期不同功能的建筑，至少目前已暴露的遗迹当如此。新王宫既为“衙”，则老王宫应是何种性质的建筑群？当有军营、粮仓和庙宇等可能。但老王宫内鲜有兵器出土，军营的可能性似可排除。

（一）庙宇

老王宫诸小地名中的“新庙”“茅棚”均与庙宇相关，一定程度反映该地曾有此类建筑的事实，唯不知其具体年代。零星记载暗示囤上在海潮寺之前可能还有其他庙宇。

《骠骑将军示谕龙岩囤严禁碑》记：“予今设用守囤名役：总管、总领、把总、提调、书吏，各理事务；守衙小童、守仓户、打扫户、总旗、小旗、军士、苗军并住囤医生、匠作、住持人等，各有役次，时刻不可擅离。”其中的“住持人”为佛道用语，意指掌管一个佛寺的主僧或道观的道士。既有“时刻不可擅离”的“住持人”，则囤上万历时期应建有道观或佛寺。可资佐证的是，万历二十八年（1600）囤破后，俘虏的人员中便有“僧人广明等三十六名”[①]。明人曹学佺《蜀中广记》引旧志称“志云：海龙囤，为杨酋穴垒，在治北三十里，四面斗绝，后有侧径略一线，今居人尚不知通于何所。故老相传昔白龙太子据此，今为白龙寺。”同书又记：“古迹考云：赵家里之望鱼楼旁有三抚墓，按杨酋家庙碑，三抚姓赵氏，鄱阳人，乾符初，播有白龙太子之乱，其父当寨团练使，偕杨祖平之。”[②]据此，所谓“白龙太

① （明）李化龙：《平播全书》卷4《六报捷音疏》，北京：大众文艺出版社，2008年，第112页。

② （明）曹学佺：《蜀中广记》卷20《遵义道》，《景印文渊阁四库全书》，台北：台湾商务印书馆，1986年，第591册，第244、250页。

子”为唐时人，在杨端唐乾符三年（876）入播前曾据海龙囤。没有证据表明“白龙寺”即是囤破后新建的“海潮寺”。当地民间传说“白龙太子”为播州大盗，其所居之地即今老王宫一带，但老王宫内目前未见唐代遗存。

道光《遵义府志》引《綦江县志》载：“鲁一冲住仙源洞修真，播逆杨应龙修醮于海龙囤，以利剑锷逼令道士手紧握而不伤者，为有道行，乃不杀。冲闻而往，握之，锋尽卷，遂延为法师。”[①]修醮，即道士设坛作法事以禳灾。该记载显示除佛寺外，囤上可能还建有道观。

从空间看，土司时代囤上若有佛寺、道观，则建于老王宫的可能性最大。

（二）粮仓

土司治下，海龙囤上曾建有数量可观的粮仓以储存粮食。据《骠骑将军示谕龙岩囤严禁碑》，建囤时土司杨应龙即对囤上粮食储备作了充分考虑，设有专门负责运粮上囤的“运送口粮帮户，给有年貌号票，各带在身，执照进出，毋得阻滞”，并有专门的“守仓户”负责粮仓看守。至播州之役全面爆发时，据贵州监军杨寅秋在《临皋文集》的估算，“囤之粮可支岁余”，已非常可观。如此数量的粮食，必须相应数量的粮仓以供储存。囤上建有多少粮仓？《平播全书》的记载是“本囤实在仓米大小三四千间”[②]。

老王宫是囤上目前所知的除新王宫外最大的建筑群，新王宫既为土司办公与居住的“衙宇”，则粮仓建在老王宫的可能性最大，也仅有这里才有空间满足“仓米大小三四千间”。

老王宫内出土遗物，除大量建筑构件和少量兵器外，便是石磨、铁锅以及罐、瓶、壶、碗、盘、碟、杯等瓷器，多与粮食的储存、加工和食用相关。值得注意的是，在有限的发掘面积内所见的老王宫细瓷的精细程度要略逊于新王宫所出者，且未见“官样瓷器”等具有身份象征的“高级货”，可能反映居于老王宫者身份地位不高的事实。浮选结果显示，老王宫新庙断坎及F35砖铺地面之上有一定数量水稻、豆类等作物发现（详见第十一章）。

三、小　　结

老王宫是海龙囤上除新王宫外最大的建筑群，部分遗迹暴露于地表，总面积约1.5万平方米。曾有意见认为老王宫系宋代遗址，但目前揭示的房址均应为明万历时期遗迹；发现了少量南宋遗物，均为瓷器残片，且俱出土于晚期地层中，可能为传世品，也不排除确实存在南宋遗迹的可能性。

此中建筑无共用的封闭性垣墙，无统一的中轴线，略显分散，坐向也较多样。5座

① （清）郑珍、莫友芝编纂：《遵义府志》卷31《土官》，成都：巴蜀书社，2013年，第597页。

② （明）李化龙：《平播全书》卷9《行道、镇破酋狡计》，北京：大众文艺出版社，2008年，第317页。

房址根据坐向可分为三组：坐落于新庙的F36（15°）；坐落于磉墩坪和茅棚的F35、F38（42°～44°）；坐落于茅棚与于家屋脊的F34、F37（60°～70°）。这样的布局反映出它与新王宫有着不同的性质，而不同坐向的建筑其用途可能也不同。我们倾向于认为其中可能有庙宇（包括佛寺和道观）、粮仓等多种性质的建筑，但囿于发掘面积尚难细致区分。更为深入的认识则需建立在未来对老王宫更大面积揭露的基础上。

第五章　道　　路

道路是沟通不同空间的线性网络，将囤内囤外、囤内各功能区有机地连接为一个整体，通过它可对遗址有更深入的认识。本章基于调查与试掘情况，结合文献记载，对囤内外交通进行梳理，包括对外交通、上下囤道路和囤顶交通等。

第一节　对外交通

这里主要讨论囤前铁柱、左水两关以外的海龙囤外向交通干道，并尝试将之放在播州道路交通网中加以审视。

一、播州十三驿

有明一代，播州境驿道通东西南北，设有十三驿。据《平播全书》："播州旧辖松坎、桐梓、播川、永安、湘川、乌江、昌田、沙溪、仁水、湄潭、鳌溪、岑黄、白泥一十三驿，俱当川贵孔道。"[①]其中松坎驿在今桐梓县松坎镇，桐梓驿在今桐梓县新站镇山坡村[②]，播川驿在桐梓城外，永安驿在今汇川区泗渡镇；此四驿在遵义城北。湘川驿在播州城内府东二里湘江上，居于中心，并由此一分为三：向南有乌江驿，在乌江岸上，过江即入今贵阳境。向东南则有仁水驿，约在今虾子镇境；湄潭驿，在今湄潭县城；鳌溪驿，在今余庆县敖溪镇；岑黄驿，在今余庆县大乌江镇呈皇头；白泥驿，在今余庆县城；向南通向黄平境。向西南则有昌田、沙溪两驿，通向时之水西。每驿之间相去各60里，约当一日行进之途[③]。

明成化十二年（1476）十月，巡抚四川右副都御史张瓒入播征剿诸苗，自重庆府南行，经

① （明）李化龙：《平播全书》卷6《播州善后事宜疏》，北京：大众文艺出版社，2008年，第196页。

② 桐梓驿有新站、旧站之别。旧站在山坡村，2020年初，贵州省文物考古研究所曾对其进行初步发掘，资料现存该所。后迁往新地点，故得名"新站"。

③ （清）郑珍、莫友芝编纂：《遵义府志》卷10《古迹》，成都：巴蜀书社，2013年，第171、172页。

播州松坎、桐梓、播川、永安、湘川等驿，九天抵播。又向东三日抵余庆长官司（今敖溪），再二日抵白泥长官司（今余庆县城），一日抵黄平。张瓒逐日记事，并系以小诗，成《东征纪行录》。实录如次，以见各驿交通[①]：

（十月）十二日，宿松坎驿，即古夜郎故地，盖李白所贬处。去驿不三舍，有县治遗址及竹王祠基尚存。是日，过清斋、木交二坡，甚崎岖不可登行者。宣慰使杨爱率其部属，逆至境上。贵州镇守总兵、巡抚、三司亦遣指挥二人至。途间怀古有诗：

按节三苗过夜郎，徘徊因笑谪仙狂。
人亡邑废名空在，犹有祠基说竹王。

十三日，宿桐梓驿。其日过九龙山，山有合抱青枫万树，周围九山环绕，一山在中，土人谓之九龙夺珠。又过柜崖，崖如削壁，上有悬石如柜形。土人（谓）鲁班有木具在内，人近视之，辄出奇怪。殊荒唐可笑。为之诗曰：

颠崖悬石形如柜，怪诞相传鬼物封。
矗起一山环九岭，土人号作夺珠龙。

十四日，宿播川驿，俗谓鬼崖，又谓鼎山。其日过滴泪三坡，坡皆陟，数里迤逦陡峻。舆夫拾级而上，流汗如注。予亦步登，不里武，如重负在足，喘息莫之前。又过大小二箐，虽不高险，而广荐大莽，树阴交合，竟日不见天色，殊是凄楚。已而广东朱巡抚时杰遣百户刘昇至，询之旧事，历历非前日，有可感者。纪行有诗：

何代人称滴泪坡，陂陀一望更嵯峨。
舆夫踯躅频挥汗，拾级行行费力多。

十五日，宿永安驿，俗名四渡水。是日，过楼山，多磥砢，圆尖独立如楼，连珠数十不止，故名。中道两山相峙，树木蓊郁，曲迳百折，望之殊觉无路，而迤逦七十余里，皆能容八人肩舆，亦可爱也。抵晚，杨宣慰又率属来迎。道上有言：

两山对峙树交加，一迳潜通百路赊。
蓊郁不知天色暝，马蹄薄驿日西斜。

十六日，抵播州，为湘川驿。是日，山势自永安驿至播已渐低，路可通车，居民富庶，有江南气象。杨宣慰父子率其土兵万人布营垒于十里之郊，炮马交作，军容甚都。抵城，宿宣慰司。谩赋一诗：

山到湘川势渐平，田连阡陌戍连营。
居人万井青山外，云水中间是播城。

自松坎驿至永安驿，山势逶迤，驿路崎岖，却是自北入播的重要孔道。万历二十八年（1600）平播时，八路明军中的綦江路，即大致沿该线一路攻至永安庄，并由此攻养马城与海

① （明）张瓒：《东征纪行录》，《丛书集成初编》，北京：中华书局，1985年，第4～7页。引文与《四库全书存目丛书·史部·东征纪行录》版对校，济南：齐鲁书社，1996年，第46册，第135、136页。

龙囤[①]。而自永安驿至宣慰司，“路可通车，居民富庶，有江南气象”。所经之途应大致与今210国道重合，即从泗渡经高坪抵遵义城。

海龙囤就坐落在这条驿道的西侧约7千米远处，中间隔着一条山岭。

二、从司治到海龙囤

湘江西岸的遵义老城，自杨轸徙治穆家川的12世纪后叶以来，便一直是播州的政治、经济和文化中心。元明时代，是播州宣慰司司治之所在。关于司治的具体地点，一般认为即今遵义十一中所在地[②]。2016年夏，毗邻十一中的郑莫祠维修时，曾掘出宋明瓦当、脊砖等遗物，或即衙署旧物[③]。海龙囤在司治西北15千米，两地之间有喇叭水—湘江相互沟通。

《骠骑将军示谕龙岩囤严禁碑》称修囤目的乃是“吾先侯思处夷陬，不可无备，因而修之，以为保障。《易》云‘王公设险，以守其国’，吾先侯得之矣。今重缉之，以为子孙万代之基，保固之根本耳”。某种意义上，海龙囤是作为司治的“备胎”出现的，以备不时之需，并在土司治下的最后一段时间与司治一起成为播州的“双核心”。于土司而言，两地之间的交通便显得格外重要。

从司治到海龙囤，至少有两条通道：一是沿前述驿道至高坪附近，由此经蒙子桥或鸣庄抵白沙水，经鸣庄的道路也可至养马城。二是沿河道逆流而上，由湘江—白沙水而抵海龙囤。民间传说白沙水旧时可通舟楫。道光《遵义府志·古迹》记：“父老言，杨逆据此时，曾堰海龙坝之水使环囤下，自宣慰司至囤，二十里外即乘舟而往。未知然否？”[④]郑珍也不肯定这种说法是否可靠，而谨慎地说“未知然否”。但从司治至海龙囤，河谷无疑是一条近便的通道（见图0-1）。

万历二十八年（1600）的播州之役中，明军中的安疆臣路四月十三日攻陷司治后，“直抵播州海龙坝”，由此上攻海云、养鸡等囤。南川路于四月十一日经蒙子桥等处抵海龙坝。同时，綦江路“自四渡水进捣海龙囤”，攻克后水、龙爪等囤。四渡水即今永安庄一带，庄址尚存。前揭张瓒文即称“永安驿，俗名四渡水”。最终各路明军于四月十八日合力攻破养马城、海崖关、海门关、海道关、龙凤关和养鸡城后，“贼奔囤上，我兵即扎囤侧。自是，酋以铁柱关为守，不复得出关矣”[⑤]。明军进攻的路线，应是沿着既有道路和播军驻扎的作为“海龙羽

---

① （明）李化龙：《平播全书》卷5《叙功疏》，北京：大众文艺出版社，2008年，第139、140页。

② 翁仲康：《杨氏忠孝堂始末》，中国人民政治协商会议贵州省遵义市委员会宣教文卫委员会编：《海龙囤烟云录》，内部印行，2000年，第330页。

③ 资料现存贵州省文物考古研究所。

④ （清）郑珍、莫友芝编纂：《遵义府志》卷10《古迹》，成都：巴蜀书社，2013年，第168页。

⑤ （明）李化龙：《平播全书》卷5《叙功疏》，北京：大众文艺出版社，2008年，第140、143、144、152、153页。

翼”的小囤而行进的。永安庄、高坪和海龙坝是三个重要的节点，并最终汇集于白沙水上（白沙水上诸关见第二章）。

据此，明军进攻的路线一定程度反映了海龙囤的对外交通，其与前述从驿道插入海龙囤和逆流而上抵海龙囤的两条道路的推测是一致的。

第二节 登囤道路

囤之主体建在险峻山巅，登临大城至少存在囤前（东）、囤后（西）及左右（南北）三组道路。囤前自铁柱关、左水关上囤的道路为登囤主道；囤后自后关通向连绵群山的道路为“樵汲之路”；南北河谷中上囤的则系非常规的“密道”；从该三组道路都可以光明正大或秘密出入囤巅大城（见图1-1）。

一、囤东：登囤主道

囤前道路是出入海龙囤的主干道，这在前述对外交通中已呈现至明。相应地，自囤前登顶的道路便是登囤主道，是囤之“前门”。《平播全书》记：“又据安疆臣、陇澄报称：官兵屯扎养马城关口，攻打前门铁柱关大路。该司府分拨头目魁阿等砍伐后囤箐林，梯山攀岩，探寻小路三十余里，直抵海龙囤。”[①]这段记载有两点值得注意：一是铁柱关（CM1）为囤之前门，前有大路；二是囤后为群山箐林，并无坦途，行进尤难。

囤前道路逆白沙水而上，可分别自铁柱关（CM1）与左水关（CM2）入，而后汇为一途，拾级而上，经三十六步、龙虎大道而抵囤巅飞龙关。路以梯步为主，总长约1200、宽1.5～4米。其中铁柱关（CM1）段从碾坊湾葛富良老宅后上，长350米；左水关（CM2）段自白沙水大洞河段上，长250米；两者汇合后长625米（止于飞龙关）。

登囤古道相当部分与今之道路重合，换言之，相当部分已被后来重修的道路破坏，仅碾坊湾后、第一歇马台（DT2）附近及龙虎大道等局部仍有保存，后者保存尤好。尚存道路多数凿基岩而成梯步，残缺处补以石块；地势稍平处，则以不规则石板平铺而成，中央间隙斜置小石块（图版290）。

龙虎大道，是民间对飞虎、飞龙两关之间道路的称呼。囤破之后，该路渐被土石和草木掩盖而废弃，1999年8月重新发现并进行了清理（图版291）。路在半崖，总长285、宽1.5～4米，平均宽约2.5米。以原生基岩凿成平途或梯步，向内一侧山崖上往往留有清晰錾痕，下凿浅沟以排水，临渊一侧砌有低矮的石墙。局部还将石山一劈为二，从中央凿深槽通过。与多

---

① （明）李化龙：《平播全书》卷5《叙功疏》，北京：大众文艺出版社，2008年，第153页。

数路段内侧石崖光洁平整不同，个别路段临崖一侧参差不齐，或颇逼仄，似未完全竣工，但通行无碍（图版292）。文献记载显示，在播州之役爆发时杨氏的修囤活动仍未停止。《平播全书》记“内一名梁守富供系偏桥卫客人杨君五家丁，（万历）二十六年被播目何义虏去，跟随杨应龙族人杨统，名为老虎军，在内与酋修囤”。又“万历二十七年九月十一日，据贵州分守思仁道报：据思石守备杨惟中报称，有囤夫敖迎銮，在播州修囤回说”云云。万历二十八年（1600）二月十六日，龙泉路明军“拿获播贼胡兴仁，审系巡警朱敬管下差运粮米进播州修囤，及哨探四路官兵消息”[①]。虽未明言所修何囤，但作为核心的海龙囤必定是其中耗时耗力最巨的，战时仍未竣工也在情理之中。以上记载还反映了修囤人员的广泛来源，除播州本土之人外还包括今黔东地域（偏桥、思南与石阡）的“囤夫”。

上述道路，是登囤的正途。

二、囤西：樵汲之路

后关以西，数十里群山连绵，山高谷深，箐林密布。有路出入，为囤居者打柴和取水的去处，文献记为“樵汲之路”。为土路，未见石板铺砌。《平播全书》：“据宣慰安疆臣、土官陇澄呈称：司府之兵伐箐寻路，梯山攀崖，方得扎贼囤后山顶。营前一土山与左翼曹副将所扎营前一土山，系贼樵汲之路，贼屯劲兵数千据守。”五月十一日明军进据囤后三圆山，“逆酋囤中，家室帷帐，往来出入，历历可指。官兵营房离囤城仅二箭之地，而贼汲水樵采之路从此断绝，不能出跬步矣！”[②]囤后山高箐密，战时又有播军埋伏，行进不易。

类似记载，亦见于杨寅秋《临皋文集》：五月“初六日进海龙囤，世间未曾见之路。安之大营在海龙囤后，咫尺间纡回三十里，刊木伐箐，梯山缘磴，夷人谭之亦自攒眉云：猿猴之踪所不到”。又“从海龙坝入后囤，亦自有小路，须徒跣二十里，缘崖攀磴，一起一下，如登天、如落井者二十三山，泥深齐腿。侦者云：前路可去。十九日出前路”[③]。杨寅秋的家书进一步表明，从海龙坝到囤后是有小路的，但十分难行，所以他入囤时取的“前路”，即从海龙坝逆白沙水而上抵铁柱关。

综上所述，囤后虽有路并可迂回至海龙坝，但崎岖难行故非囤之正途而为其“樵汲之路”，战时丛林间有播兵防守。

---

① （明）李化龙：《平播全书》卷3《二报捷音疏》、卷5《叙功疏》，北京：大众文艺出版社，2008年，第76、165、238页。

② （明）李化龙：《平播全书》卷4《六报捷音疏》、卷5《叙功疏》，北京：大众文艺出版社，2008年，第115、149页。

③ （明）杨寅秋：《临皋文集》卷3《征播与子嘉祎》，《景印文渊阁四库全书》，台北：台湾商务印书馆，1986年，第1291册，第719、720页。

三、南北：登囤密道

除东西两端有路上下外，南北峭壁稍缓处另有密道可出入囤顶大城。

《平播全书》记载："据降民田良玉禀称：囤前左边水巷，右边婆婆巷，又宝峰山左侧，各有小路一条，共三处可以攀上，前日玉等由此脱逃"，"顷良玉等既能依附而下，则我兵亦可以攀缘而上"。曾负责攻打"囤前门之西北"的刘綎也报称"囤前左槽一带，虽分为职信地，见该二路吴、陈二镇官兵屯扎，所余无几。但左槽既为酋可奔逸之处，而内水巷尤为吃紧要地，恐贼从此脱逸"[①]。囤之东为前，西为后，则"左"为北，"右"为南。结合地形，"水巷"当即今之杀人沟。"右边婆婆巷"即腰带岩沟。"宝峰山"或即今龙嘴，旧有小道可上下。

同书又记：五月二十九日夜，"把守后囤万安关提调舒自清率妻子十一名口来降"。初六日夜，舒自清引部分明军"从水道上城，约入城举炮为号"，次日"黎明，兵从水道登梯上城"[②]。"水道"或即囤南罗家湾一带。

由上可见，在"囤前左边水巷"、"右边婆婆巷"、"宝峰山左侧"与"水道"等处至少还有四条小道可登囤。但从"依附而下"、"攀缘而上"及"登梯上城"等记载看，并非现成小道，而为囤之南北地势稍缓处的隐秘通道，因此是"密道"。

第三节　囤顶交通

囤顶交通指囤前飞龙关与囤后后关以里的道路交通，由连接城门和不同功能区之间的道路组成，分主干道、环囤马道与支线等。各功能区内部道路交通不在讨论之列，仅将部分特殊者（如立体交通）特别提出。囤顶共探明道路11条（编号L1～L11），其中L1为囤东主干线，L10为环囤马道的局部，其余均分布在新王宫内，L2与L11构成一组立体交通线。

一、主　干　道

主干道是连接前后城门与核心功能区老王宫、新王宫间的干线。部分暴露于地表，部分被后修道路叠压，多数则已掩于土下而废弃。由前路与后路构成，前路指从飞龙关经朝天关、飞

① （明）李化龙：《平播全书》卷11《用计破囤》、卷15《批详》，北京：大众文艺出版社，2008年，第375、527页。

② （明）李化龙：《平播全书》卷5《叙功疏》，北京：大众文艺出版社，2008年，第149、150页。

凤关（太平关）至老王宫与新王宫的道路（L1）；后路则是从后关经西关、万安关、土城墙通向新王宫方向的道路。

（一）前路（L1）

前路是自飞龙关直抵新王宫台阶下的干线，编号为L1。主体以石板铺砌而成。总长约787、宽1.56～3米。又可分前后两段。

1. 遗迹

前段指飞龙关至飞凤关（太平关）之间的道路，长约192米。该段道路暴露于地表并一直沿用至今，其中飞龙关至朝天关段经后期修缮而原貌不明；朝天关通向飞凤关（太平关）之间的局部道路则在基岩上凿成梯步（见图1-1；图版293）。

后段是飞凤关（太平关）经老王宫通往新王宫的道路，长约595米。用砂岩石板和条石铺砌而成，间以小石块竖砌填缝。均已掩于土下，布探沟9条（TG22～TG30）进行局部梳理（见图1-1）。其走向与现行道路大致相同，出飞凤关蜿蜒而上，抵于陈立举老宅前。陈宅居于老王宫前端，其后即为中央设踏步的F36，因此有理由认为L1亦是通向老王宫的主干道（见图4-1）。自陈宅至新王宫之间道路的具体走向不明，仅于新王宫前发现一段长约29米的较完整路面。

以下以探沟为单位，介绍L1各段的地层堆积与遗迹。

TG24，位于碓窝嘴。L1开口于表土层下。表土呈灰褐色，较疏松，含较多植物根茎、石片和青花瓷片等，厚0.15～0.2米。路用砂岩石板平铺而成，中央用小石块竖砌填缝。宽1.56～2.1米（图5-1-1）。

TG25，位于碓窝嘴。L1开口于表土层下。表土较疏松，含一定数量青花、白瓷、彩瓷与粗瓷等。厚0.35～0.5米。路面用石板平铺，小石块竖砌填缝。石板下发现青花草书福禄寿字碗残片1件（TG25②：1），为明嘉靖万历时期遗物。据此可断该段道路的修筑年代不早于明万历时期（图5-1-2）。

TG26，位于秧地田。堆积可分2层。第1层为表土层，包含少量残砖、现代瓦砾等，厚0.1～0.25米。第2层为冲刷堆积，包含较多细砂和石片，厚0.2～0.3米。L1开口在第2层下，用0.85～0.9米见方的砂岩石板铺砌，用0.02～0.05米的小石块竖砌填缝（图5-1-3；图版294-3）。

TG27，位于秧地田。L1开口于表土层下。表土层包含有少量青花、彩瓷和粗瓷，厚0.75～0.9米。L1该段残宽3.6米，用0.7～0.95米见方的石板平铺，用0.02～0.15米见方的小石块竖砌填缝（图5-2-1；图版294-2）。

TG28，位于万人坟。堆积分2层。第1层为表土层，土质疏松，包含较多植物根茎，少量砖瓦砾、青花残片及现代瓷片等，厚0.1～0.35米。第2层为灰褐色黏土，土质疏松，包含少量青花瓷片等，厚0.5～0.88米。L1开口于该层下，残宽0.7～1.65米（图5-2-2）。

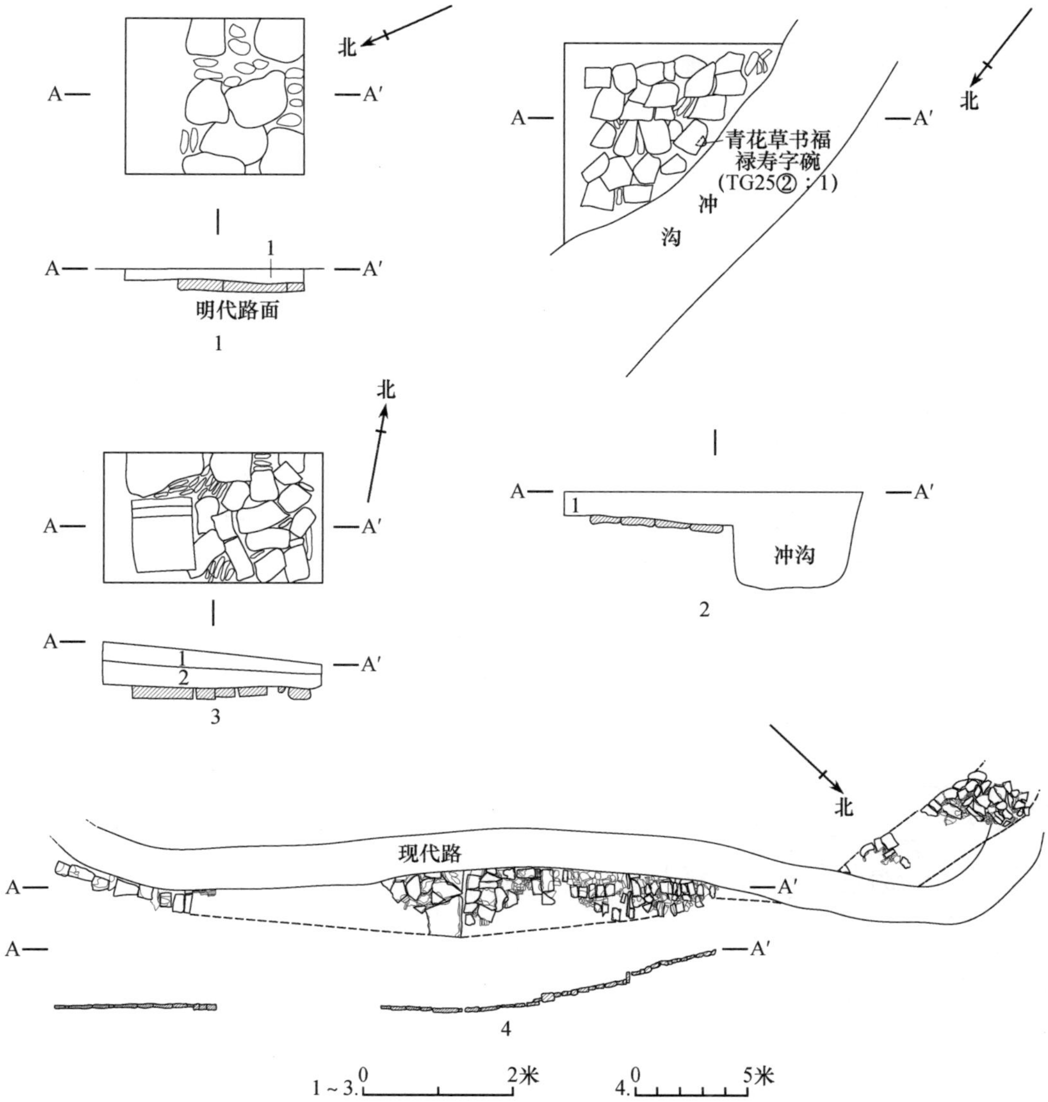

图5-1　L1局部平、剖面图

1. TG24平、剖面图　2. TG25平、剖面图　3. TG26平、剖面图　4. L1新王宫段平、剖面图

TG29，位于陈立举宅前。堆积分2层。第1层为表土层，土质疏松，包含较多植物根茎，少量砖瓦砾、青花瓷残片和现代煤渣等，厚0.18～0.25米。第2层为灰褐色沙土，含青花瓷片、粗瓷片、砖瓦砾和铅弹等，厚0.3～0.5米。L1开口于第2层下，宽1.8米。用大小不等石块平铺与竖砌而成（图5-2-3；图版294-4）。

TG30，位于牛滚凼。堆积分2层。第1层为表土层，土质疏松，包含较多植物根茎，少量砖瓦砾及青花、粗瓷残片等，厚0.25～0.55米。第2层为灰褐色黏土，含少量瓷片，厚0.75～0.98米。L1开口于该层下，内侧保存较好，外侧已破坏，长15、残宽0.4～1.1米。路的中央有一条排水沟，残长1.12、宽0.6～0.65米，有石板封盖，已碎裂（图5-2-4）。

L1新王宫段，位于新王宫前台阶下，跨ⅠT0407等探方。道路开口于表土层下，表土为现代路施工时的堆积层，遗物较少，主要为瓷器。该段道路长约29、最宽3米，局部呈阶梯状。

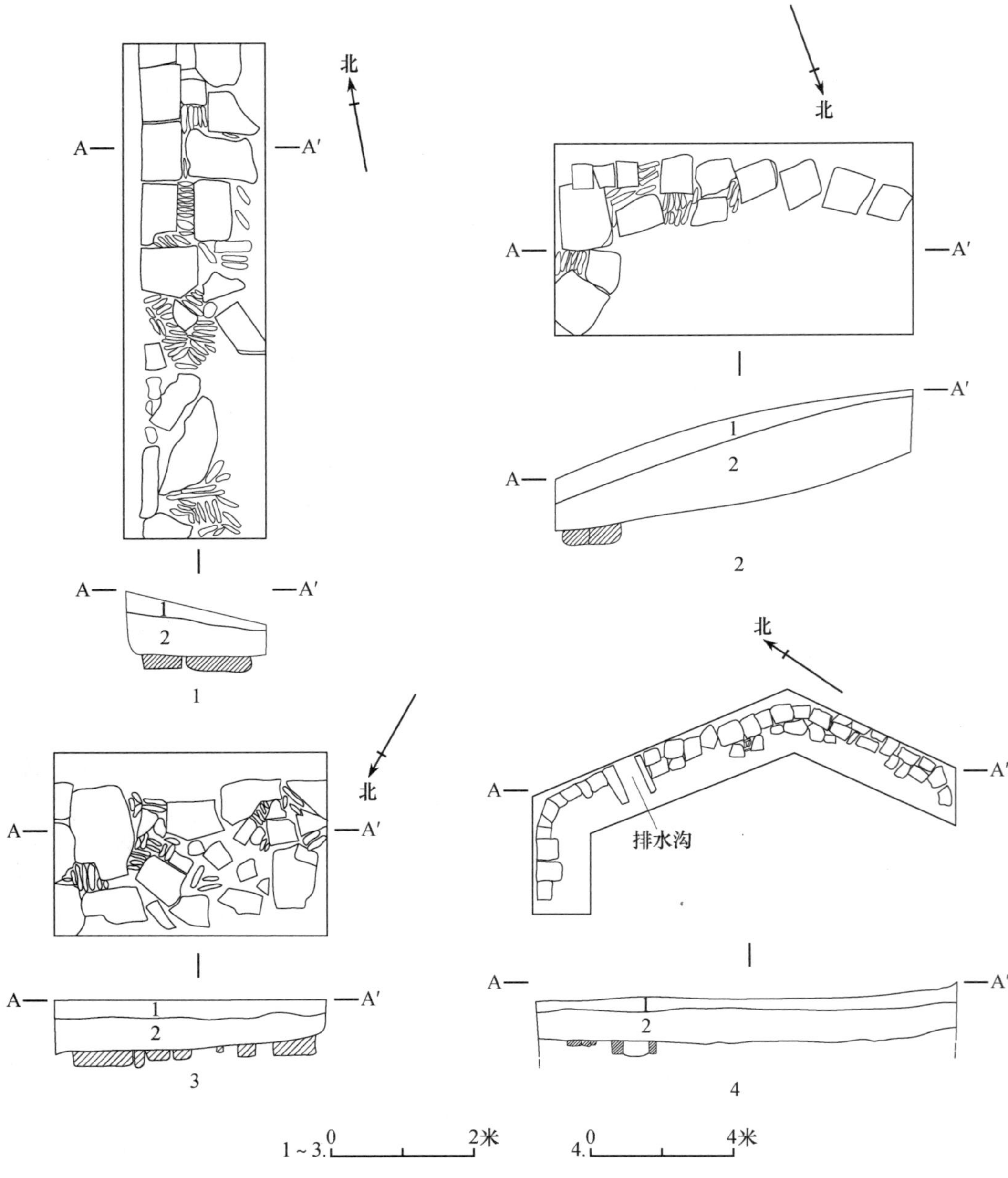

图5-2　L1局部平、剖面图

1. TG27平、剖面图　2. TG28平、剖面图　3. TG29平、剖面图　4. TG30平、剖面图

由石板和条石铺砌而成，均不甚规则，大型石材之间用小石片竖砌填缝。石板最大者长1.8、宽1.4、厚0.2米，其余多长1～1.2、宽0.1～0.9、厚0.15～0.5米。条石长0.4、宽0.2、厚0.15米左右。小石片长0.1～0.2、宽0.02～0.04、厚0.08～0.17米（图5-1-4；图版294-1）。

2. 遗物

各探沟内均有一定数量的遗物出土，按质地有陶、瓷、铁、铜、铅等类，以瓷器为主。按用途则有建筑材料、生活用器与兵器等，以生活用器为主，仅见少量建筑构件与零星兵器。年代以明代晚期为主，有个别南宋及一定数量的清代遗物（表5-1）。

表5-1 L1与L10出土遗物统计表

序号	出土单位/编号	名称	类型	保存状况	残片数量	可计件数	年代	备注	所属单位
1	Ⅰ T0407①：1	青釉粗瓷碗		可修	1	1	清		L1
2	Ⅰ T0407①	酱釉粗瓷罐口沿残片		残	2	1	明		
3	Ⅰ T0407①	青釉粗瓷罐残片		残	1	1	明		
4	Ⅰ T0407①	白瓷盘残片		残	1	1	明	口沿残片	
5	Ⅰ T0407①	青花花卉纹碗残片		残	6	3	明晚		
6	Ⅰ T0407①	青釉粗瓷碗残片		残	1	1	清		
7	Ⅰ T0407①	青釉粗瓷罐残底		残	1	1	明		
8	TG24①：1	铜扣		残	1	1	明		
9	TG24①	红绿彩碗残片		残	2	1	明晚	残甚，纹饰不可识	
10	TG24①	青花弦纹杯残片		残	2	1	明晚		
11	TG24①	青釉粗瓷罐残片		残	7	2	明		
12	TG24①	青釉粗瓷碗残片		残	3	3	明清		
13	TG24①	青花螭龙纹碗残片		残	4	2	明晚		
14	TG24①	白瓷碗残片		残	2	1	明中晚		
15	TG24①	青花碗残片		残	22	5	明晚		
16	TG24①	青花花卉纹碗残片		残	24	4	明晚		
17	TG24①	青花锦纹盘残片		残	2	2	明晚		
18	TG25①：1	红绿彩海水仙山纹碗		完整	1	1	明晚		
19	TG25①：2	青花蟾蜍纹碗残片		残	1	1	明晚		
20	TG25①：3	青花兰草纹碗残底		残	1	1	明末	饼足	
21	TG25②：1	青花草书福禄寿字碗	Ee	可修	4	1	明晚	铺路石板下出	
22	TG25①	青花法螺纹碗残底	Ee	残	1	1	明晚		
23	TG25①	青花寿字碗残底		残	2	2	明晚		
24	TG25①	青花蕉叶纹碗残片		残	1	1	明晚		
25	TG25①	青花灵芝茶花纹碗残片	Ce	残	12	3	清		
26	TG25①	青花莲池水禽纹碗残片	Aa	残	1	1	万历		
27	TG25①	青花粗瓷勺残片		残	1	1	清		
28	TG25①	青花粗瓷碗残片		残	54	15	清		
29	TG25①	青花卍字纹碗残底		残	1	1	明晚		
30	TG25①	青花花卉纹碗残片		残	14	5	明晚		
31	TG25①	青花花卉纹杯残底		残	1	1	明晚		
32	TG25①	青花树石栏杆纹盘残底	C	残	1	1	明中晚		
33	TG25①	青花莱菔纹碗残底		残	1	1	明末		
34	TG25①	青花莲托八宝纹盘残底		残	1	1	万历		
35	TG25①	青花花鸟纹碗口沿残片		残	1	1	明晚		

续表

序号	出土单位/编号	名称	类型	保存状况	残片数量	可计件数	年代	备注	所属单位
36	TG25①	青花莲禽纹碗残片	Aa	残	2	1	明晚		L1
37	TG25①	青花松纹盘残底		残	1	1	明晚		
38	TG25①	青花弦纹碗口沿残片		残	3	3	明晚		
39	TG25①	青花折枝花卉纹杯残底		残	1	1	明晚		
40	TG25①	青花变形如意纹大盘残片		残	1	1	明晚		
41	TG25①	青花花卉纹杯残片		残	1	1	明晚		
42	TG25①	青花宝相花纹碗残片		残	2	1	明晚		
43	TG25①	青花喜鹿封侯纹盘残底		残	1	1	万历		
44	TG25①	青花云纹碗口沿残片		残	1	1	明晚		
45	TG25①	青花螭龙纹碗残片		残	4	3	明晚		
46	TG25①	青花螭龙纹盘残片		残	1	1	明晚		
47	TG25①	白瓷碟残片		残	1	1	明晚	底部残片	
48	TG25①	青花粗瓷勺残片		残	1	1	清		
49	TG25①	青花粗瓷碗残片		残	18	5	清		
50	TG25①	青花灵芝茶花纹碗残片	Ce	残	3	3	清	内刻“杨”	
51	TG25①	青花凤穿花纹碗残底	Bd	残	1	1	万历		
52	TG25①	青花缠枝花卉纹碗残片		残	4	3	明晚		
53	TG25①	青花缠枝花卉纹盘口沿残片		残	1	1	明晚		
54	TG27①	青釉粗瓷罐残片		残	25	2	明晚		
55	TG27①	青釉粗瓷碾钵残片		残	4	1	明晚		
56	TG27①	绿釉罐残片		残	1	1	明中		
57	TG27①	白瓷盘残片		残	1	1	明中晚	口沿残片	
58	TG27①	青花粗瓷碗残片		残	2	1	清		
59	TG27①	青花缠枝花卉纹碗残片		残	6	3	明晚		
60	TG27①	青花螭龙纹碗残片		残	2	1	明晚		
61	TG27①	青花杯残片		残	3	2	明晚		
62	TG27①	青花折枝花卉纹碗残底		残	1	1	明晚		
63	TG27①	青花花卉纹碗残片		残	14	4	明晚		
64	TG27①	青花碗残片		残	20	5	明晚		
65	TG27①	青花花卉纹盘残片		残	11	3	明晚		
66	TG27①	红绿彩花卉纹碗残片		残	1	1	明晚		
67	TG28②：1	青花乘云折桂纹杯残片		残	1	1	万历		
68	TG28①	青花梅花纹碗残片		残	1	1	明晚		
69	TG28①	青花葡萄纹碗残片	Ea	残	1	1	明晚		

续表

序号	出土单位/编号	名称	类型	保存状况	残片数量	可计件数	年代	备注	所属单位
70	TG28①	青花螭龙纹碗口沿残片		残	1	1	明晚		L1
71	TG28①	青花缠枝花卉纹碗残片		残	1	1	明晚		
72	TG28②	青花山水船帆纹碗残片	Bd	残	2	1	明晚		
73	TG28②	青花碗口沿残片		残	1	1	明晚		
74	TG28②	青花花果纹碗残片	Bd	残	1	1	万历		
75	TG28②	青花缠枝花卉纹盘残片		残	1	1	明晚		
76	TG29②：1	莲瓣纹铜饰		完整	1	1	明		
77	TG29②：2	莲瓣形铁饰		完整	1	1	明		
78	TG29②：3	杯状铁器	残件	可修	5	1	明		
79	TG29②：4	白瓷莲瓣纹碗		残	1	1	宋	口沿残片，莲瓣腹	
80	TG29②：5	铅弹	B	完整	1	1	明	中型	
81	TG29②：6	青花法轮托吉语碗残片	Ab	残	1	1	万历		
82	TG29②：7	青花委角方碟残片	C	残	1	1	明晚		
83	TG29②：8	红绿彩花卉纹碗残片		残	5	1	明晚	残甚，外壁局部饰花卉纹	
84	TG29①	青花粗瓷碗残片		残	6	3	清		
85	TG29①	青花寿字盘残底		残	1	1	明晚		
86	TG29①	青花灵芝茶花纹碗残片	Ce	残	10	3	清		
87	TG29①	青花花卉纹碗残片		残	23	4	明晚		
88	TG29①	青花缠枝花卉纹碗残片	Ed	残	5	3	明中晚		
89	TG29①	青花葡萄纹碗残片	Ea	残	2	2	明晚		
90	TG29①	青花螭龙纹碗残片		残	17	3	明晚		
91	TG29①	青花螭龙纹盘残片		残	3	2	明晚		
92	TG29①	青釉粗瓷碗残片		残	3	2	明清		
93	TG29①	青花花卉纹杯残片		残	2	2	明晚		
94	TG29①	白瓷碗残片		残	9	5	明中晚		
95	TG29①	青釉粗瓷碾钵残片		残	1	1	明		
96	TG29①	青花花卉纹碗残片		残	55	8	明晚		
97	TG29②	青釉粗瓷钵残片		残	2	2	明		
98	TG29②	素面粗瓷罐残片		残	3	1	明		
99	TG29②	青釉粗瓷罐残片		残	91	4	明		
100	TG29②	青釉粗瓷罐残片		残	33	3	明		
101	TG29②	青釉粗瓷罐残片		残	10	1	明		
102	TG29②	青花釉里红碗口沿残片		残	1	1	明晚		
103	TG29②	青花螭龙纹碗残底		残	1	1	明晚		

续表

序号	出土单位/编号	名称	类型	保存状况	残片数量	可计件数	年代	备注	所属单位
104	TG29②	青花螭龙纹碗残片		残	2	1	明晚		L1
105	TG29②	青花山水纹碗残底		残	1	1	明晚		
106	TG29②	青花莲池水禽纹碗残片	Aa	残	1	1	万历		
107	TG29②	青花花卉纹盘残片		残	1	1	明晚		
108	TG29②	青花缠枝花卉纹盘残片		残	1	1	明晚		
109	TG29②	青花人物纹碗残片		残	1	1	明晚		
110	TG29②	青花花卉纹杯口沿残片		残	5	3	明晚		
111	TG29②	青花寿字盘残底		残	3	3	明晚		
112	TG29②	青花梵文碗残片		残	1	1	正德		
113	TG29②	青花花果纹碗残片	Bd	残	1	1	万历		
114	TG29②	青花缠枝花卉纹碗残片		残	5	3	明晚		
115	TG29②	青花高官厚禄纹碗残片		残	2	1	明晚		
116	TG30②：1	孔雀绿釉瓷盘残底		残	1	1	明		
117	TG30②：2	莲花纹滴水	Ba	残	1	1	明晚		
118	TG30①	青釉粗瓷罐残片		残	5	2	明		
119	TG30①	青花粗瓷碗残片		残	14	3	清		
120	TG30①	青釉粗瓷碗残片		残	5	2	明清		
121	TG30①	白瓷盘残片		残	1	1	明中晚		
122	TG30①	青花花卉纹盘残片		残	7	2	明晚		
123	TG30①	青花喜上眉梢纹碗残片		残	1	1	明晚		
124	TG30①	青花花卉纹碗残片		残	2	2	明晚		
125	TG30①	青花法轮纹碗残片		残	1	1	万历		
126	TG30①	青花花卉纹碗残片		残	43	6	明晚		
127	TG30①	青花寿字碗残底		残	1	1	明晚		
128	TG30②	青花螭龙纹碗残片		残	4	3	明晚		
129	TG30②	青花莲池水禽纹盘残底	Aa	残	4	3	万历		
130	TG30②	青花喜鹿蜂猴纹大盘残底		残	1	1	明晚		
131	TG56①：1	公道杯		已修	15	1	明晚	……损斋居士铭	L10
132	TG56①：2	铁三脚		残	2	1	明		
133	TG56①：3	铁锅		残	1	1	明		
134	TG56①	青釉粗瓷罐残片		残	3	3	明		
135	TG56①	青花粗瓷碗残片		残	3	1	清	带细小开片	
136	TG56①	青花人物纹碗残片		残	1	1	明晚		
137	TG56①	青花杯残片		残	1	1	明晚		

续表

序号	出土单位/编号	名称	类型	保存状况	残片数量	可计件数	年代	备注	所属单位
138	TG56①	青花螭龙纹盘残底		残	1	1	明晚		L10
139	TG56①	青花碗残片		残	3		明晚		
140	TG56①	青花莲池水禽纹碗残片		残	1	1	万历	根据器底计件	
141	TG56①	青花花卉纹碗残片		残	16	3	明晚		
142	TG56①	青花寿字碗残底		残	1	1	明晚		
143	TG56①	青花云纹碗口沿残片	Ab	残	1	1	明晚		
144	TG56①	青花蓝地白花莲纹碗残片	Cd	残	1	1	万历		
合计					788	260			

（1）瓷器

出土瓷器数量较多，有细瓷与粗瓷两类。细瓷又分白瓷、孔雀绿釉瓷、青花、彩瓷等，器类有杯、盘、碗、碟等。粗瓷分酱釉、青釉和青花粗瓷，器类有罐、碗、勺和碾钵等。择其要者介绍如下。

白瓷莲瓣纹碗　TG29②：4，口沿残片。直口微侈。黄褐胎，釉色亦偏黄。外腹饰莲瓣纹。为南宋遗物，窑口不明。残高2.5、厚0.25厘米（图5-3-1）。

青花乘云折桂纹杯　TG28②：1，口腹及残片。口微侈，腹较直。外腹青料绘一人，着官服，右手上举，手中之物残损，当为乘云折桂纹。残高5.3、厚0.2厘米（图5-3-2）。

青花兰草纹碗　TG25①：3，底腹残片。饼足。足露胎。内腹近底处绘盆栽兰草纹。残高2.3厘米（图5-3-3）。

青花蟾蜍纹碗　TG25①：2，口腹残片。口微外侈。外腹草丛间卧一蛙，仰头而望。残高4.8、厚0.25厘米（图5-3-4）。

青花委角方碟　TG29②：7，口腹残片。直口，浅腹，角微内凹，形成委角。残高2.3厘米（图5-3-5）。

青花草书福禄寿字碗　TG25②：1，可复原。直口，斜腹。圈足。圈足露胎。内底及内外口沿有弦纹装饰，外腹残见一草书“福”字。高6、口径13.5厘米（图5-3-9）。

红绿彩花卉纹碗　TG29②：8，底、腹及口沿残片共5片，不可拼合，但从胎质与釉色判断为一器。圈足。足沿及外底露胎。外腹及内底用红彩与绿彩绘制花卉纹，残损较甚。残高2、足径约4.8厘米（图5-3-6）。

红绿彩海水仙山纹碗　TG25①：1，底部残片。圈足。足沿及外底露胎。内底以红绿彩于釉上绘制海水仙山图，色多脱落，印痕犹在。残高2、足径4.2厘米（图5-3-7）。

孔雀绿釉盘　TG30②：1，底部残片。圈足。外底及局部足沿露胎，余均施孔雀绿釉。残高1、足径约7厘米（图5-3-8）。

（2）铁器

2件。均出于近老王宫的TG29内。

杯状铁器　1件。TG29②：3，可复原。整体作直筒杯状，平底，较浅。高3.1、口径7.2、底径6.8厘米。用途不明（图5-3-11）。

莲瓣形铁饰　1件。TG29②：2，完整。圆形铁饰片，莲瓣形，中央开一小孔。直径4.4、厚0.4厘米。应为拉环上垫圈（图5-3-12）。

（3）铜器与铅器

3件。铜器2件，铅弹1件。

铜扣　1件。TG24①：1，残。整体作如意形，一端开3孔，其内残存铁钉3枚，用以固定；一端为轴，可活动的铜片残佚。长4.6、宽3.8厘米（图5-3-13）。

莲瓣形铜饰　1件。TG29②：1，完整。整体呈圆锥形，中空。外腹呈莲瓣状。高0.9、直径1～2.3厘米。应为拉环下垫圈（图5-3-14）。

铅弹　1件。TG29②：5，完整。B型（中型）。圆球形，直径1.2～1.3厘米，重13.9克。

（二）后路

后路，指从后三关出入海龙囤的干线，为囤西“樵汲之路”的城内部分。

目前仅可确定从后关经西关、万安关至土城墙中门一段，长约220米。与囤东的“前路”不同，而与囤外的“樵汲之路”一致，未见石板铺砌，表明其原应为土路。因此，道路的宽窄及越过土城墙后的具体走向已不易探明，但相信该路可抵新王宫。

这符合囤后通道为“樵汲之路”的定位，也表明虽为囤西干道，但有其隐而不显的一面。兴许虑及囤后稍平而易于攻破故，因此未有清晰的石铺道路指引攻者入内城。

二、环囤马道

环囤马道，是指分布于囤顶大城及部分瓮城城垣内侧的环囤道路系统。原迹多被1999年前后因旅游开发重新铺砌的石板道路破坏而全貌不清，但以下四个迹象表明该条通道是存在的。

一是土城墙南北两侧城门及其上下踏步。囤西横亘南北的宋代城墙上有3座门址，除中央者（CM11）外，南北尚各有一座（CM10、CM12），且其内外两端设有踏步以供通行（见图2-8、图2-9）。这是沿南北城垣设有道路的一个重要证据。

二是绣花楼门址及局部石铺路面。囤南中央的宋墙上开一门（CM13），以通绣花楼。该门址的存在亦表明循墙应有道路。调查中，在门址西侧现行石板道路下，确发现局部石铺路面，当为旧时交通线（见图2-4）。

三是沿大城南北城垣内侧分布的18处哨台（S1～S12、S14～S19；S13不在大城南北城垣

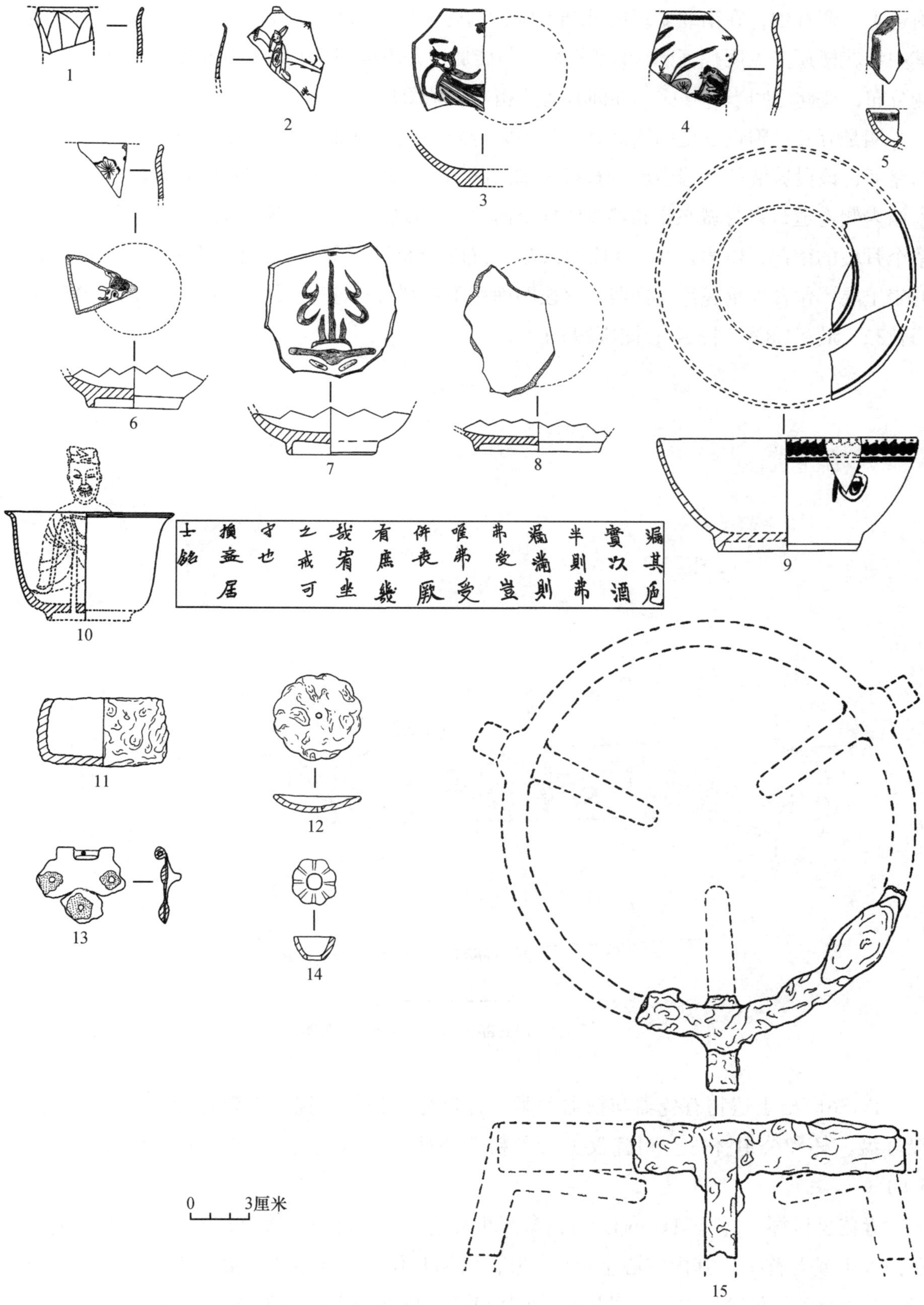

图5-3　道路出土遗物

1. 白瓷莲瓣纹碗（TG29②：4）　2. 青花乘云折桂纹杯（TG28②：1）　3. 青花兰草纹碗（TG25①：3）　4. 青花蟾蜍纹碗（TG25①：2）　5. 青花委角方碟（TG29②：7）　6. 红绿彩花卉纹碗（TG29②：8）　7. 红绿彩海水仙山纹碗（TG25①：1）　8. 孔雀绿釉盘（TG30②：1）　9. 青花草书福禄寿字碗（TG25②：1）　10. 青花公道杯（TG56①：1）　11. 杯状铁器（TG29②：3）　12. 莲瓣形铁饰（TG29②：2）　13. 铜扣（TG24①：1）　14. 莲瓣形铜饰（TG29②：1）　15. 铁三脚（TG56①：2）

附近）。调查中，在南北城垣的外凸或临冲沟处发现南宋瓦砾（A型板瓦），应为哨台遗迹，其中绣花楼还并见明代瓦砾（B型板瓦）与砖屑，是不同时期均在沿用的例证。哨台沿城垣内侧分布，彼此之间当有呼应，亦即有道路相通（见图1-1）。

四是万安关附近发现的路面。万安关附近路面包括两部分：一是万安关南墙（大城）内侧的路面，该段城墙的女墙内侧有石板铺砌的路面，宽2.1米（见图2-3；图版295-2）。二是月城南墙内侧通道，自月城东南角经DT8延至西关顶（DT8邻西关一侧设踏步以供上下），分布于整个月城的南部，编号L10，总长约145米。布TG56清理了其东南角一段。石铺路面上有薄薄的表土层，包含少量瓷片与铁器。该段路面用不规则石板铺砌，未见小石块竖砌填缝现象。路面长32、最宽1.8米（图5-4；图版295-1）。

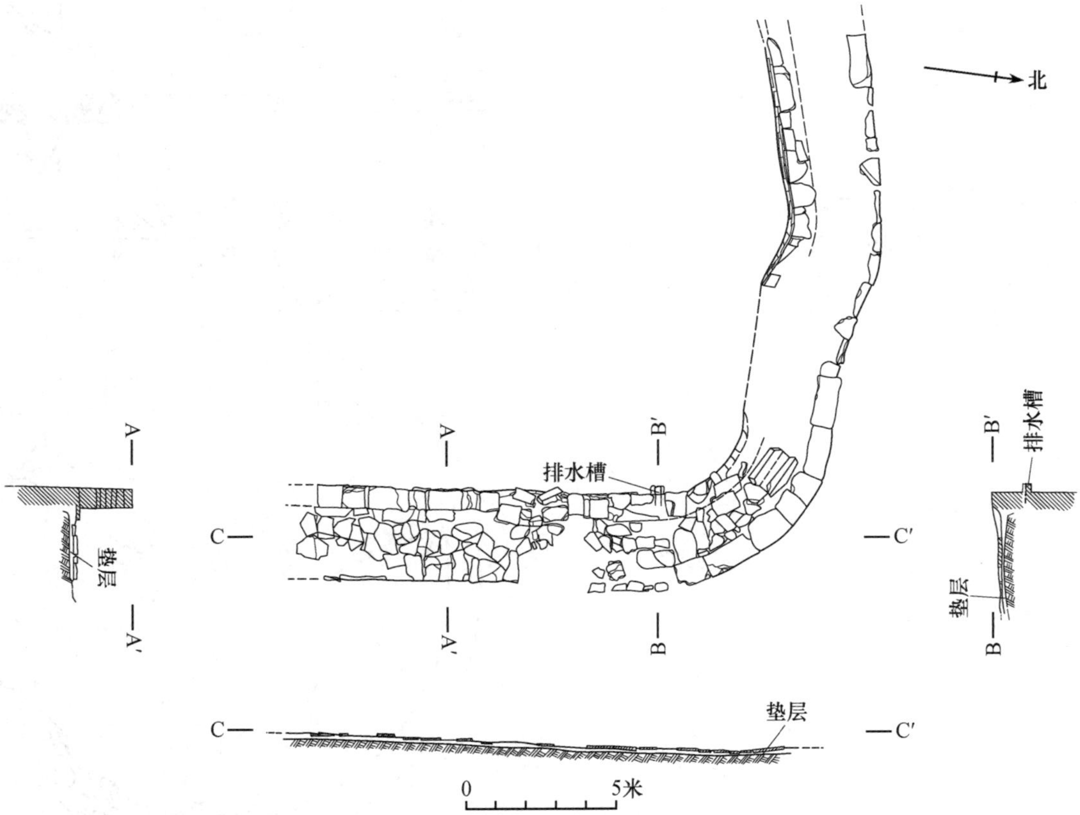

图5-4　L10局部（TG56）平、剖面图

TG56内出土遗物有瓷器与铁器两类。瓷器分细瓷与粗瓷，细瓷均为青花瓷器，器类有碗、盘、杯和公道杯等。粗瓷仅见青釉粗瓷罐残片。铁器有铁三脚和铁锅残片各1件（表5-1）。

青花公道杯　1件。TG56①：1，参照相关遗物大致复原。侈口，深腹，圈足。内底中央立一人（或龙首），其内空心呈倒U字形，两端开孔，一孔设于内底之隐蔽处，一孔开于外底，形成落差。外腹铭文：“漏其卮，实以酒。半则弗漏，满则弗受。岂唯弗受，并丧厥有。庶几哉，宥坐之戒，可守也。损斋居士铭。”高约9、口径9、足径约4.1厘米（图5-3-10；图版100）。

铁三脚 1件。TG56①：2，残。铁圆环下置三足，仅存部分铁环和足部残块。残高6.8厘米。铁条断面呈长方形，边长1.2～2.4厘米（图5-3-15）。

综上所述，目前所知的环囤马道主要分布于大城与月城城垣内侧，总长约3355米。已揭示的部分路段以石板铺砌而成，但因多数被破坏而无法确定全线均如此。以上迹象也表明，环囤马道当始建于南宋，明代继续沿用，并新建万安关两侧道路及环月城的通道。环囤马道与城垣一起，是囤顶防御设施的一部分。

三、支 线

支线指囤顶除主干线与环囤马道之外的其他交通线，包括主干线、环城马道与相关遗迹点之间的连接线，以及各功能区之间的交通线。比如采石场、砖瓦窑与主要用材区域如新王宫、老王宫之间的建筑材料运输线，新王宫与金银库之间的交通线，教场坝与驻军地点的交通线等。这些道路必定存在，但目前鲜有相关遗迹发现，推测多为土路，因而未留下清晰线索。

新王宫中轴线上部分阶石与建筑基础石往往达数吨之巨，其运输本身就是一桩浩大的工程，可能用滚木或直接在泼水的泥路上自采石场拖拽至施工地点，并留下清晰的痕迹，惜今已无迹可考。

支线是未来探索的重要方面，可借之进一步认识各功能区的格局。

四、立体交通

新王宫内有一条人工砌筑的涵洞（L2）及其顶部道路（L11）组合而成的立体交通线。因结构特殊而予以专门介绍，其内出土遗物较为丰富，已在新王宫一章详述，不赘。

L2是一条沟通新王宫南端姚家凼（F2～F4、F30）与北侧高台上三台星（F17）两组有高差的建筑之间的路线。主体由石券涵洞及其前后两端各七级踏步组成。涵洞以加工规整的灰岩石料筑成，两侧笔直，券顶，底铺砖（仅存局部）。长7.2、宽1.45、高2.2米。前（北）端七级台阶通长3.6、宽3.1、高2.83米，每级高0.2～0.6米，阶面略下倾。后（南）端七级台阶通长6.2、宽4.5、高3.1米，每级高0.3～0.5米，阶面亦略下倾（图5-5；图版296-2～4）。清理前仅涵洞前端及局部台阶外露，涵洞后段及后端台阶俱被掩埋，洞深不知几许，因此民间讹传此系土司关押犯人的“水牢”。

L11是中轴线西侧一条贯穿新王宫西路的东西向道路，从大堂（F22）经F19、F20抵F9，全长约95、宽1.25～1.8米。路面用较规整的石板铺砌。该线越L2涵洞顶而过，与之形成十字交叉的上下两层立体交通线。“水牢”东坎高2.5米，顶部有石砌台阶四级，下为1.8米高坎，当时应有木质楼梯与石阶连为一体，已毁（图5-5；图版296-1）。

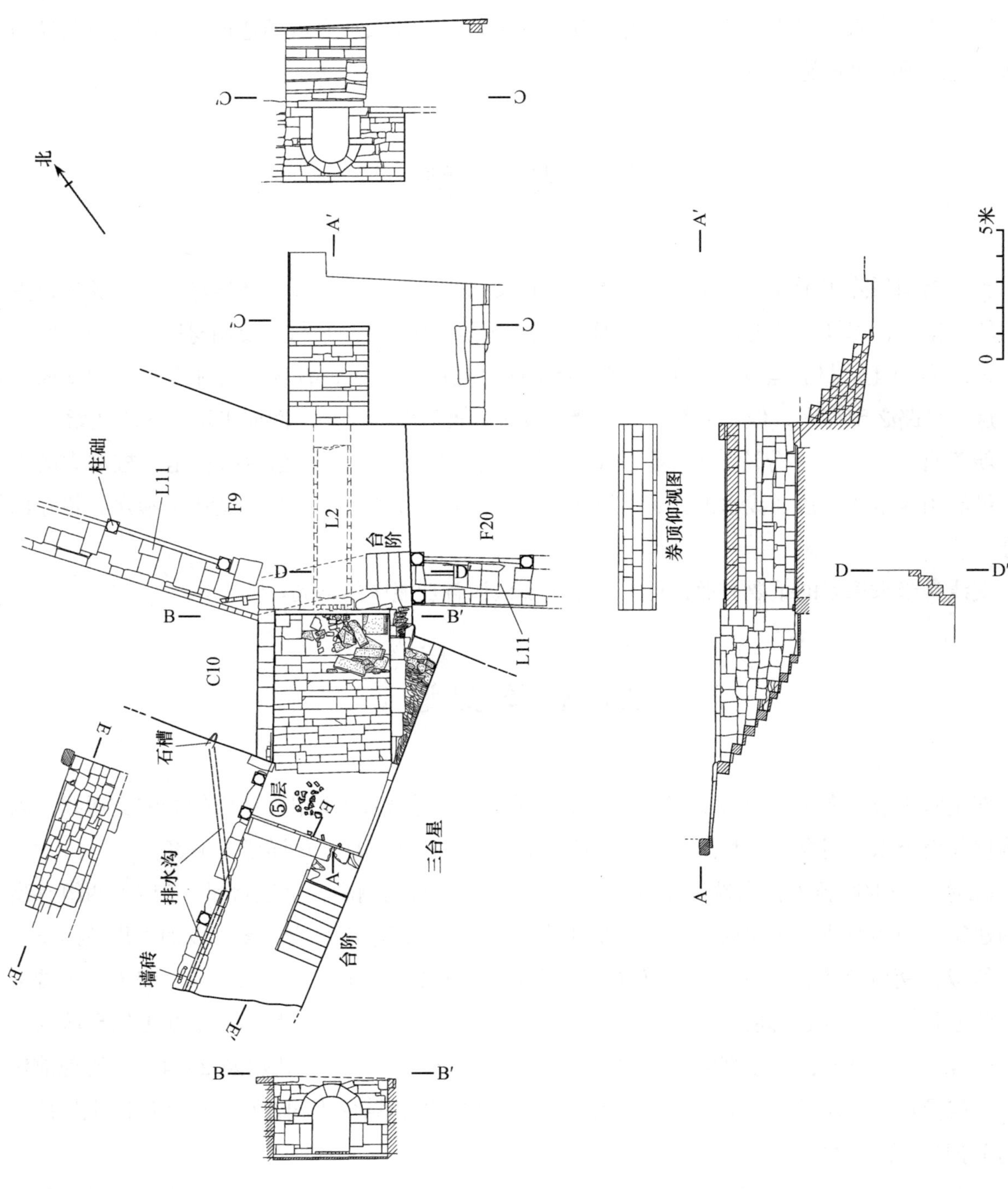

图5-5　立体交通（L2与L11）平、剖面图

由L2与L11共同构成的立体交通因势而为，是对地形的巧妙利用，也反映了较为高超的设计理念与建筑水平。

第四节 年 代

前述道路应分属宋、明两个时期，分别与杨文所建的“龙岩新城”和杨应龙重建的海龙囤相对应。

一、明代交通

铺路石板下出土的青花福禄寿字碗（TG25②：1），为L1的年代上限提供了最为直接的证据。该器应为明嘉靖、万历时期遗物，因此L1应是杨应龙万历重建海龙囤时所修道路。

L1的一个突出特点是大型石材间以小石块竖砌，一则填充了空隙，二则可防滑。目前所揭示的TG24～TG30以及新王宫踏步前路面皆如此（图5-1、图5-2）。囤东登囤主道的第一歇马台（DT2）以下部分亦如此（图版290），因此可确定其亦为万历时期遗存。

连通飞虎、飞龙两关的龙虎大道，与两关连为一体，且崖壁所开采的石料可就近用于砌筑城垣，城垣用材与以砂岩为主的宋墙存有明显区别，亦可确定为万历遗存。囤西万安关南墙上道路及月城南墙内侧道路（L10），实际上是明代城垣的一部分，年代相同。连通万安、西关与后关三道明代关口之间的道路，亦当为万历时期所遗。新王宫为万历时期的土司衙署，其内道路自然为万历遗存，即立体交通（L2与L11）为明代道路。

白沙水上海崖、海门、海道、龙凤诸关为明代遗存，经此的道路自然为明代遗存，惜已无迹可考（详见第二章）。

要之，目前所遗的囤东登囤主道、囤西樵汲之路，以及囤顶主干道（L1）均应为明万历时期遗存。新王宫与老王宫为明代遗存，其内道路与之同时。

二、宋代交通

环囤马道中的沿大城南北城垣段应为南宋遗迹。首先马道与城垣一体，是防御设施的一部分，而大城南北城垣俱为宋墙。其次，判断环墙有道的主要依据，一是土城墙南北两端与南北城垣交接处设有门道，南城垣中段通向绣花楼处亦设有门道；二是环大城设有哨台18处，彼此间必有道路相通。上述门道与哨台均为宋代遗存，与之相连的道路亦应为宋代遗存。局部残见的石铺路面（绣花楼门址西侧）表明，环囤马道（至少部分路段）亦用石板铺砌。

明万历时重建海龙囤，重点强化了东西两端的防御，同时也可能对南北城垣进行了修葺，但未留下清晰痕迹可对两者进行区分。不过可以肯定，绝大多数哨台已废弃不用，但南北城垣却仍是重要的防御线，内侧道路应仍在使用，万历时又对南宋道路加以修缮亦未可知。据此推断，大城南北城垣内侧道路始建于南宋，万历时继续使用。

此外，飞虎、飞龙、朝天、万安四关，其匾额尚存或早年仍存。其中飞龙、朝天两关匾上铭文明言乃万历“重建”，即是在南宋门址基础上重建。万安关匾上铭文已磨泐不清，飞虎关匾今已不存，但道光时尚存且铭文可读。据《遵义府志》记载，四关匾额均有“骠骑将军杨应龙书”款[①]。推测四关铭文除关名和时间有别外，其余内容应一致，即均系“重建”。飞龙、朝天和万安三关均有宋代板瓦（A型）发现，表明宋代确曾有建筑，应即门楼。

确认了这一点，宋时囤前囤后的交通也便大致明了。若飞虎关亦为“重建”，则飞虎关与飞龙关之间的道路宋时已有，明时应再拓展而成龙虎大道。飞龙关至朝天关之间的宋代道路亦与明代交通重合。囤后道路沿土城墙中门（CM11）与万安关前后延伸。又因囤东铁柱关与铜柱关一线有宋墙发现，该处亦当设有门道，且以设在囤之“前门”铁柱关（CM1）的可能性最大。若所论不谬，则宋时囤东登囤道路应与明代自铁柱关（CM1）入囤的道路重合。由于囤之整体格局宋时即已奠定，明代海龙囤是加固或扩展南宋“龙岩新城”的东西两端而成的，其东西道路格局应大致相同。但由于囤内目前仍未发现宋代的核心建筑遗存（衙署），因此过朝天关后的主干道走向不明。

三、小　　结

前文所梳理的道路，包括海龙囤对外交通、登囤道路与囤顶交通等，实际工作中重点对囤顶主干道（L1）和局部环囤马道（L10）进行了勘探。从交通关系中可见，海龙囤设在自川渝入播的驿道近旁的崇山峻岭间，既显又藏。自时之播州政治、经济与文化中心遵义老城（元明时期播州宣慰使司司治所在地）抵囤，至少有水陆两途，水路即逆湘江—白沙水而上，陆路则沿驿道而行再插入白沙水河谷。由于海龙囤左右临渊、前后重关，主要从东西两端出入囤顶，囤东前门是上下囤的主道，囤西则系樵汲之路。南北两侧地势稍平处，亦有密道可供上下。囤顶交通由连接前门和核心功能区新王宫与老王宫的主干道，环囤马道和连接各遗址点的支线组成。主干道用石板铺砌，间隙用小石块竖砌填充；环囤马道局部亦铺石板；自囤西出入的樵汲之路则为土路，支线所留遗迹较少，疑亦以土路为主。

因铺路石板下出土嘉靖、万历时期青花瓷器，故L1应为万历时期遗迹，或至少在万历时重新修葺过。环囤马道的万安关南墙段及月城南墙段（L10）为万历时期遗迹。其余环囤马道、东西两端的登囤道路以及飞龙关至朝天关之间的囤顶主干道，则南宋即有，明代继续沿用；但

① （清）郑珍、莫友芝编纂：《遵义府志》卷10《古迹》，成都：巴蜀书社，2013年，第168页。

上述道路因遗迹较少而全貌不明，局部亦可能用石板铺砌。飞龙关与飞虎关之间的登囤主道，如果飞虎关亦属“重建”，则该道宋时即有，明代予以拓展。整体而言，由于全囤格局南宋时已基本奠定，所以明代道路大致是在宋代道路的基础上展开的。但因除关隘与城垣外，宋代遗存目前发现不多，所以囤顶宋代主干道与支线尚不明了，明代主干道则起于飞龙关而终于新王宫，连接各功能区的支线则不甚明了。

明代囤顶主干道经老王宫前沿抵达新王宫，彰显了两地核心功能区的地位。其内部又各有迂回曲折的交通线，尤以土司衙署新王宫为甚，还出现了立体交通（L2与L11）。从地形看，宋代的核心功能区（衙署）亦较可能坐落于这两个空间内。

道路是连接不同空间的网络系统，在交通的维度下关于海龙囤的选址、囤内各功能区的划分可以呈现得更为清晰。

第六章　窑　　址

海龙囤已知的城门楼、衙宇等明代建筑均以砖筑墙、铺地，以瓦苫顶，脊上则有脊砖、脊兽等装饰。唯城垣不用砖，而就近取用石材筑成。砖瓦类建筑材料的用量极大，新王宫F10现存墙砖与铺地砖即在1600块左右。这些材料产自何地？为解决该问题，2012年6～8月，我们对海龙囤及其周边地区进行调查，于囤上发现窑址3座（编号Y1～Y3），囤东3千米的太平发现窑址3座（编号太平Y1～太平Y3），共6座（图版297）。并在调查的基础上，对囤上Y1进行了全面清理。6座窑址均为半地穴式、半倒焰、砖（坯）土混筑的马蹄形窑，系砖瓦窑（表6-1）。从而部分解决了海龙囤砖瓦的来源问题，并对其烧造工艺与管理方式有了初步认识。

表6-1　窑址统计表　　（单位：米）

编号	窑室平面	方向	窑室		焚口			窑床（高）	出土遗物	性质/年代
			直径	高	进深	宽	高			
Y1	椭圆形	60°	3.6×3	残1.56	0.84	0.35	残0.66	0.95	Aa、C型长方形砖，Aa型长方形砖坯；部分砖带“初一号”“十六”“砖”铭文	砖窑，明万历
Y2	椭圆形	15°	残2.66	残2.25	0.5	0.43	残0.3	1.15	Aa型长方形砖	砖窑，明万历
Y3	扇形	43°	3.4	残1.7	0.9	0.7	残0.9	?	Aa型长方形砖（部分带“十六砖”“初一号”铭文），少量Ba型抹角砖，大型半成砖，明代板瓦，清代青花瓷片等	瓦窑，清
太平Y1	椭圆形	约225°	残3	残1.6	?	?	?	?	Ba、Bb型勾头，Ba、Bb、Bc型滴水，C型脊砖，Aa、C型长方形砖，未见铭文	瓦窑，明万历

注：①窑室平面椭圆形，各取纵横方向的最大径；②窑床高指火膛面距窑床面的高度

第一节　囤上诸窑

囤上发现的3座窑址分别位于老王宫的东北侧（Y1）、北侧（Y2）和新王宫东侧（Y3），均分布在泥层较厚的坡坎之上，紧邻冲沟，用土取水均较近便（见图4-1；图版297）。3座窑

址是根据村民提供的线索，或施工、勘探囤上道路系统过程中发现的，规模基本相当。考虑到土遗址的保护难度，只对Y1进行了全面发掘，其余2座则仅顺着断坎或平面上露头的遗迹略做清理。窑址均发现了一定数量的砖或砖坯，部分成砖（指经火烧成者，以与砖坯相区别）带“初一号”“十六”“十六砖”“砖”字铭文。

一、Y1

（一）堆积

Y1位于老王宫东北侧，东临冲沟。窑址依坡而建，坐西南向东北，西南高而东北低，方向60°。系依地势下掘勺状深坑，局部用砖垒砌，形成半地穴式马蹄形窑室。其顶部已毁，残存者为窑体低于地面的下半部分。

Y1开口于表土层下，打破生土（局部为基岩）。表土中含少量瓷片及砖屑，瓷片分景德镇青花和本土粗瓷两类，可辨器形有碗、盘、罐等，年代则明、清兼有。窑腔内填土为灰褐色杂土，较厚，但未能分层，包含大量残砖和部分砖坯。我们将该层视为窑址堆积第1层，而将残存的窑壁及窑底视为第2层。其中第1层应多为窑壁坍塌的堆积，大量已经烧成的砖屑当系窑室用材。砖坯堆积无序，大多已还原为泥，仅提取3块相对成形者，为Ba型长方形砖的砖坯，可能为建窑用材，亦可能为窑内待烧的产品（图版298）。

（二）结构

Y1为半地穴式、半倒焰、砖土混筑的马蹄形窑。由操作坑和窑室两大部分构成。窑室平面呈横椭圆形，整体作勺状。东西总长（含操作坑）5.4、南北最宽3.6、残高1.56米。窑顶结构不明（图6-1；图版299）。

1. 操作坑

系与焚口相连的土坑，位于窑前中部，为燃料与窑器的出入通道。平面呈长方形，坑底由焚口向外呈缓坡状。坑长约1.68、宽0.92～1.16、残高0.38～0.42米。坑内有大量草木灰烬堆积，未清理至底。

2. 窑室

窑室是窑体的主要部分，由焚口、火膛、窑床、火槽、吸火孔与烟道六部分构成。平面呈椭圆形，南北径3.6、东西径3、残高1.56米。残存窑壁多直接掘土而成，局部用砖，较直，壁面坚硬，表层呈青灰色，里心呈红黄色。

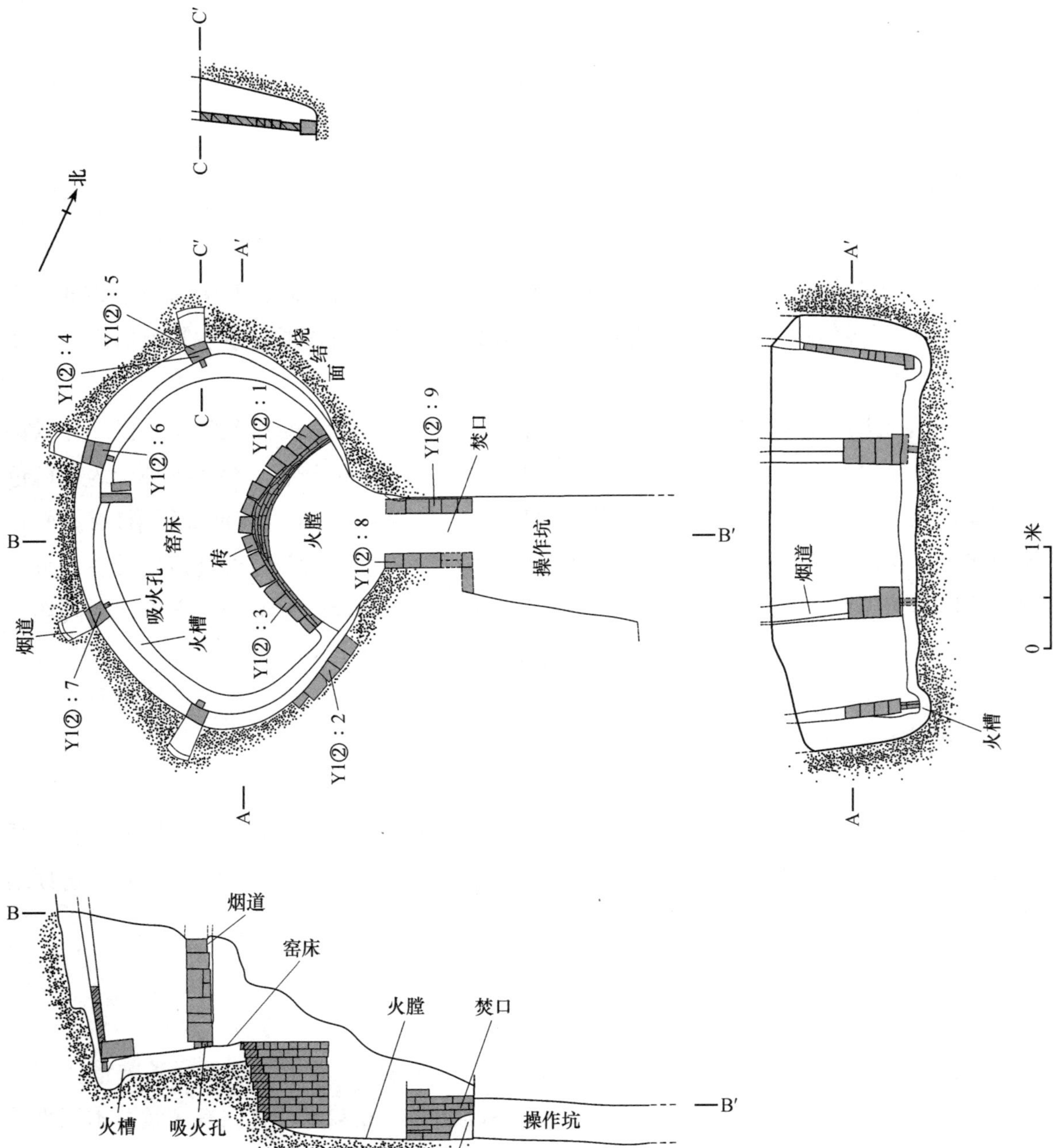
北
C— —C′
A— —A′
B— —B′
Y1②：1
Y1②：2
Y1②：3
Y1②：4
Y1②：5
Y1②：6
Y1②：7
Y1②：8
Y1②：9
烧结面
窑床
火膛
砖
吸火孔
火槽
烟道
焚口
操作坑
石
0 1米

图6-1 Y1平、剖面图

（1）焚口

系火膛与操作坑的连接处，燃料的投入口。平面呈长方形，进深0.84、宽0.35、残高0.66米。左右两侧由7层成砖错缝平铺砌筑，局部用石。用砖已残，残砖平均长29、宽16、厚7厘米。门上原应有顶，已不存。

（2）火膛

系窑体的燃烧室。平面呈扇形，底部平整，并留有较厚的灰烬。进深1.14、最宽1.9米，面积约占窑室的1/3。

（3）窑床

系窑体的烧成室。平面呈月牙形。进深1.6、宽3.3米，高出火膛约0.95米。床帮由11层砖平铺错缝砌筑而成，用砖已残，残砖平均长20、宽16、厚7厘米。

（4）火槽

系绕窑床一周的凹槽。其左、右两端与火膛相接，后端与吸火孔与烟道相连。火槽宽4～24、深14厘米。燃烧时，部分火焰在后壁的排烟孔的吸引下，可沿着火槽导向窑室后半部，极大提高用火效率。

（5）吸火孔

系烟道与火槽的连接孔，共4个。位于烟道底部，侧立成砖一块，将其分割为2个小孔，上承烟道外壁用砖。

（6）烟道

位于窑床后壁，竖直向上，是窑炉的排烟设施，共4条，等距分布。系由窑壁向外掘出边长约24厘米的方形竖槽，与窑室相接面用砖侧立封堵，外抹以泥，底部留孔（吸火孔）。平均残高约1.5米。

3. 窑顶结构推测

窑顶已毁，但窑室内出土的大量砖屑表明窑体高出地面部分应是用砖垒砌的，向上渐收而券成穹隆顶。窑之外顶平整，以便建“窑田”。窑田为窑顶的盛水设施，窑器烧成熄火后，使窑顶之水逐渐下渗而将之“转锈”成青灰色。据明人宋应星《天工开物》记载：“凡转锈之法，窑颠作一平田样，四周稍弦起，灌水其上。砖瓦百钧，用水四十石。水神透入土膜之下，与火意相感而成。水火既济，其质千秋矣。”[①]“窑颠作一平田样”即于窑顶设窑田，“转锈”即使窑田内水下渗令窑器转色。海龙囤出土的砖瓦多呈青灰色，部分灰白色，少量红褐色，表明大都经历了“渗水转锈”的过程，窑顶的结构也可据此大略推知，即用砖砌筑，呈内弧外平状。

---

① （明）宋应星著，曹小鸥注释：《天工开物图说》卷中《陶埏第七·砖》，济南：山东画报出版社，2009年，第271页。

（三）遗物

窑腔内出土物俱为砖料，包含大量砖屑和部分砖坯。成砖应为筑窑用材，仅提取了部分相对完整或带铭文者为标本（第1层），同时也选取了窑体上尚存的部分砖块，但未提取（第2层）。散落窑腔内的砖坯则可能为窑壁用砖或窑室内未经烧制的窑器，多已散碎并还原为泥，仅少量可辨其形，提取为标本（表6-2）。

1. 砖

数量颇多，但多已残碎。胎质多呈青灰色，少数局部呈浅红色。均为长方形砖，根据尺寸分属Aa型与C型两型，以Aa型砖为主，少数C型砖主要用于砌筑烟道。共选取18件相对完整者或特殊者为标本。

Aa型　14件。小长方形标砖，是海龙囤最常见的砖料，完整者长26.8～35、宽14～16.8、厚6～9厘米，其长、宽、厚的比例大致为4∶2∶1。Y1①∶2，残。青灰色，局部呈红褐色。残长14、残宽15.6、厚7厘米。端头模印“十六”阴文（图6-2-4）。Y1①∶6，残甚。青灰色。残长11.5、残宽8.5、厚6.7厘米。砖之一侧（或端）有戳印印记，框长2.7、残宽1.2厘米，其内残存部分笔画，参之其他完整印记，应为一“验”字（图6-2-6）。

C型　4件。中型长方形砖，既宽且薄，完整者长30、宽20～21、厚4.5～5厘米。Y1②∶6，较完整。青灰色，为封堵烟道用砖，未提取。残长28.1、宽20、厚4.5厘米。Y1①∶9，一端残损。部分呈青灰色，部分为红褐色。出土于窑腔内，实系两块尚未完全分割的C型砖。残长22、宽20、整体厚9.4厘米。该标本表明C型砖的制作乃将模制砖坯用铁线弓一分为二而成（图6-2-7）。

铭文与刻划符号共7例，均在Aa型砖的侧面或端头。其中“十六”3例，“初一号”、“验”与“砖”各1例，“×”形刻划符号1例，铭刻于不同砖上（图6-3）。

2. 砖坯

砖坯数量不少，但仅成功提取3件。均残。黄褐色，胎质疏松，表面略显粗糙，夹杂有植物根茎、零星小石子。标本残长14～19、宽15.4～16、厚8.1～9厘米。其尺寸与Aa型成砖基本相当而微大，但悬殊均在1厘米以内，尺寸差异应是成砖经火后缩水所致（图6-2-8）。

表6-2　窑址出土遗物统计表

序号	出土单位/编号	名称	类型	尺寸：长×宽×厚/高×宽×厚（厘米）	保存状况	铭文	铭刻方法	铭文位置	用途	件数	年代	备注
1	太平Y1：1	勾头	Ba型	残15×20.5×1.6	较完整					1	明晚	
2	太平Y1：2	勾头	Ba型	残14.5×残19.5×1.3	较完整					1	明晚	
3	太平Y1：3	勾头	Ba型	残4.5×残20×1.3	残					1	明晚	
4	太平Y1：4	勾头	Ba型	17.5×20.5×1.6	较完整					1	明晚	
5	太平Y1：5	勾头	Ba型	残12×残6.1×1.6	残						明晚	
6	太平Y1：6	勾头	Bb型	12×残17.5×1.2	较完整					1	明晚	
7	太平Y1：7	滴水	Ba型	残12×20.5×1.5	较完整					1	明晚	
8	太平Y1：8	滴水	Ba型	残8.5×残16×1.3	残					1	明晚	
9	太平Y1：9	滴水	Bb型	残10×残15×1.4	残					1	明晚	
10	太平Y1：10	滴水	Bc型	残12×19×1.3	较完整					1	明晚	
11	太平Y1：11	滴水	Bc型	残12×残16.5×1.4	残					1	明晚	
12	太平Y1：12	脊砖	C型		残					1	明晚	
13	太平Y1：13	脊砖	C型		残						明晚	
14	太平Y1：14	长方形砖	C型	残16.5×21×4.5	残					1	明晚	薄且宽
15	太平Y1：15	长方形砖	C型	残14×残13.5×5	残					1	明晚	薄且宽
16	太平Y1：16	筒瓦	Ba型	残22×残12×1.8	残					1	明晚	
17	太平Y1	长方形砖	Aa型		残					10	明晚	标砖，未采集
18	Y1①：1	长方形砖	Aa型	残14×15×7	残	田六	模印，阴文	侧面		1	明晚	青灰色，铭文无边框
19	Y1①：2	长方形砖	Aa型	残14×残15.6×7	残	田六	模印，阴文	端头		1	明晚	局部红褐色，铭文无边框
20	Y1①：3	长方形砖	Aa型	残21×残9.5×8	残	十六	模印，阴文	侧面		1	明晚	青灰色，铭文无边框
21	Y1①：4	长方形砖	Aa型	残16×13×7	残	初一号	模印，阴文	侧面		1	明晚	青灰色，铭文无边框
22	Y1①：5	长方形砖	Aa型	残19.5×15.2×7.3	残					1	明晚	青灰色
23	Y1①：6	长方形砖	Aa型	残11.5×残8.5×6.7	残	验	模印，阳文			1	明晚	青灰色，铭文有边框

续表

序号	出土单位/编号	名称	类型	尺寸：长×宽×厚/高×宽×厚（厘米）	保存状况	铭文	铭刻方法	铭文位置	用途	件数	年代	备注
24	Y1①：7	长方形砖	Aa型	残20.5×15.4×残6	残	砖	模印，阳文	端头		1	明晚	局部红褐色，铭文无边框
25	Y1①：8	长方形砖	Aa型	残18×15.5×7.5	残	×	刻划	端头		1	明晚	局部红褐色，铭文无边框
26	Y1①：9	长方形砖	C型	残22×20×9.4	残					1	明晚	两砖叠加，一剖为二
27	Y1①：10	砖坯	Aa型	残19×16×9	残					1	明晚	黄褐色，质地疏松，长方形
28	Y1①：11	砖坯	Aa型	残15.5×15.4×8.3	残					1	明晚	黄褐色，质地疏松，长方形
29	Y1①：12	砖坯	Aa型	残14×15.9×8.1	残					1	明晚	黄褐色，质地疏松，长方形
30	Y1②：1	长方形砖	Aa型	31×15.6×7.5	较完整					1	明晚	青灰色，未取
31	Y1②：2	长方形砖	Aa型	残27×15×7	残					1	明晚	青灰色，未取
32	Y1②：3	长方形砖	Aa型	残16.4×16.7×7.8	残					1	明晚	青灰色，未取
33	Y1②：4	长方形砖	C型	28.5×20×4.5	较完整				烟道	1	明晚	青灰色，未取
34	Y1②：5	长方形砖	Aa型	残18.7×15.4×残5	残					1	明晚	青灰色，未取
35	Y1②：6	长方形砖	C型	残28.1×20×4.5	较完整				烟道	1	明晚	青灰色，未取
36	Y1②：7	长方形砖	C型	残27.6×21×4.5	较完整				烟道	1	明晚	青灰色，未取
37	Y1②：8	长方形砖	Aa型	残19×15.6×7.5	残					1	明晚	青灰色，未取
38	Y1②：9	长方形砖	Aa型	残19×15.6×7	残					1	明晚	青灰色，未取
39	Y2①：1	青釉粗瓷碗			可修复					1	明清	
40	Y2②：1	长方形砖	Aa型	31×15×8	较完整					1	明晚	
41	Y2②：2	长方形砖	Aa型	残22×15.5×7.2	残					1	明晚	
42	Y2②：3	长方形砖	Aa型	残15×14.2×6.7	残					1	明晚	
43	Y2②	白瓷碗底			残					1	明	
44	Y2②	青花树石栏杆纹盘	C		残					1	明中晚	
45	Y2②	板瓦	Ba型	残13.5×残10×1.8	残片					1	明晚	

续表

序号	出土单位/编号	名称	类型	尺寸：长×宽×厚/高×宽×厚（厘米）	保存状况	铭文	铭刻方法	铭文位置	用途	件数	年代	备注
46	Y2③：1	长方形砖	Aa型	残13.5×15×7.5	残			侧面		1	明晚	狗爪印
47	Y2③：2	长方形砖	Aa型	残18.5×15×8	残					1	明晚	
48	Y2③：3	长方形砖	Aa型	残19.5×15×6.7	残					1	明晚	
49	Y3②	青花花卉纹碗			残					1	明晚	
50	Y3②	酱釉粗瓷罐			残					1	明	
51	Y3②	板瓦	Ba型	残15×残11.5×2.1	残					1	明晚	
52	Y3③：1	砖坯		残10×残12×残10	残				券顶	1	明晚	
53	Y3③：2	砖坯		残20×20×10.5	残				券顶	1	明晚	
54	Y3④：1	长方形砖	Aa型	31×15.5×7.2	完整	十六砖				1	明晚	
55	Y3④：2	长方形砖	Aa型	30×16.5×8	完整	十六砖				1	明晚	
56	Y3④：3	长方形砖	Aa型	29.5×14.5×7.2	完整					1	明晚	
57	Y3④：4	长方形砖	Aa型	30×15×7.3	较完整					1	明晚	
58	Y3④：5	抹角砖	Ba型	30×12.2×7.2	较完整					1	明晚	
59	Y3④：6	长方形砖	Aa型	残25×15.3×7.4	残	初一号				1	明晚	
60	Y3④：7	半成砖		残22×19.8×9.8	残				窑壁	1	明晚	
61	Y3④：8	青花粗瓷碗			残					1	清	
62	Y3④：9	板瓦	Ba型	残16.5×残15.5×（1～1.8）	残					2	明晚	

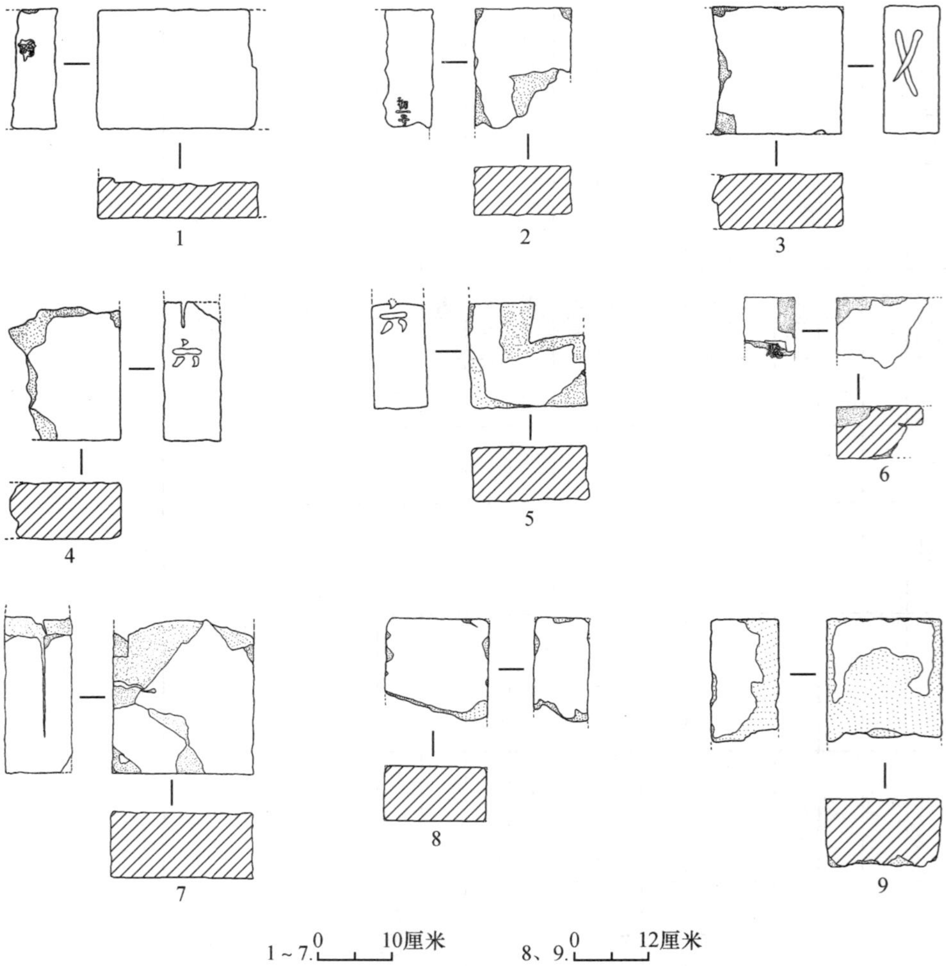

图6-2　窑址出土砖与砖坯

1～6. Aa型长方形砖（Y1①：7、Y1①：4、Y1①：8、Y1①：2、Y1①：1、Y1①：6）　7. C型长方形砖（两块合一，Y1①：9）　8. Aa型长方形砖坯（Y1①：11）　9. 砖坯（Y3③：2）

二、Y2

（一）堆积

Y2位于老王宫北端陈立举老宅前的田坎上。坐南向北，方向15°。仅就已暴露的断面稍做清理，大致明了焚口结构与窑室规模。

该处堆积可分3层。第1层为表土层，较疏松，夹杂大量植物根茎，含少量石块、瓦砾，厚1.1米。Y2即开口于该层下，打破生土。第2、3层为窑腔内堆积。第2层为灰褐色黏土，含较多石块，出土物有少量砖屑和明代瓷器残片2片（白瓷碗、青花树石栏杆纹盘残片各1片），堆积呈半月状，应是窑址废弃后形成的，最厚1.03米。第3层为红褐色黏土，夹杂较多红烧土块，出土物有少量砖屑，应为窑壁坍塌所形成的堆积，厚约1.2米（图6-4；图版300）。

图6-3　Y1出土砖上铭文拓本

1、2. "⊞六"（Y1①：1、Y1①：2）　3. 刻划符号"×"（Y1①：8）

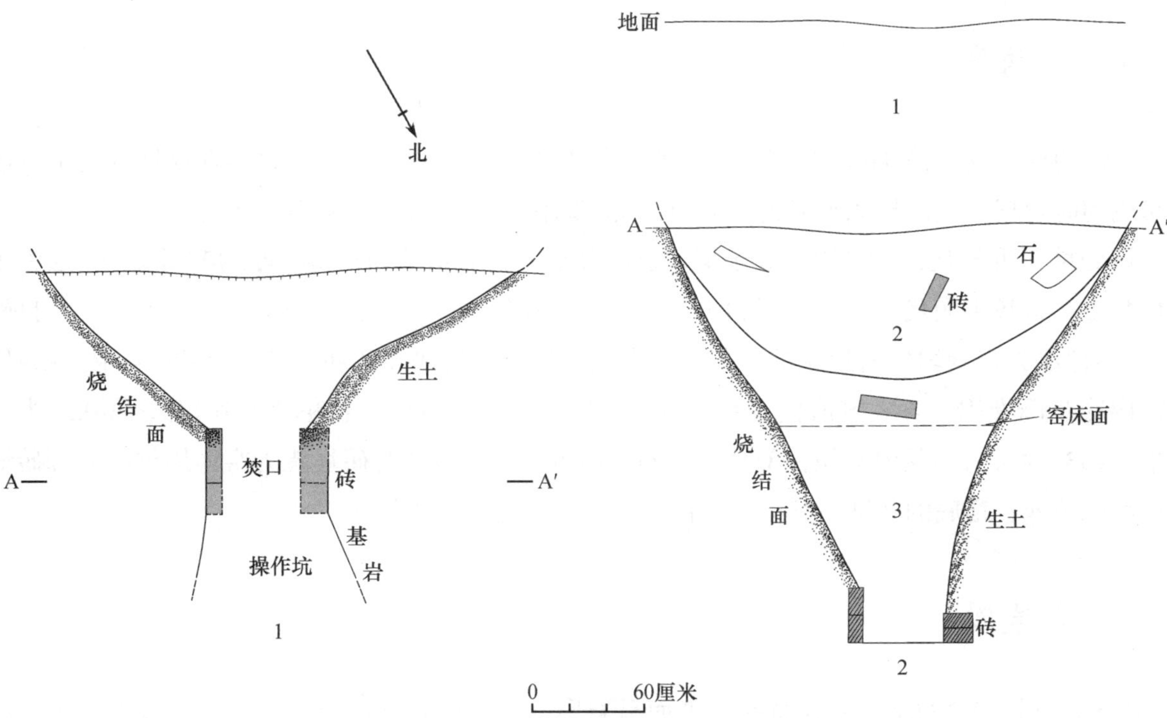

图6-4　Y2平、剖面图

1. 平面图　2. 剖面图

（二）结构

从断面可见焚口、部分操作坑和红烧土烧结面所形成的局部窑室。据此判断，Y2为半地穴式马蹄窑。窑室略呈椭圆形，出露部分最大直径2.66、残高2.25米，红烧土烧结面厚约0.2米。

焚口与操作坑凿于基岩之上。操作坑残长0.35、最宽0.85米。焚口用砖垒砌，左右各残存成砖2块，或侧立或平铺。焚口长约0.5、宽0.43、残高0.3米。

火膛、窑床结构不明，未见火槽、烟道等设施，推测应与Y1相同。自地面向下钻探2.1米深处见红烧土，应为窑床面，其与焚口底面的高差为1.15米，应即窑床高度。

（三）遗物

于第2层断面采集明代白瓷碗残片1片、青花树石栏杆纹盘残片1片、残砖3件；第3层采集砖3件，均残；焚口尚遗较完整成砖4件。

瓷片与窑址关联不大，不赘。上述10件成砖均为Aa型长方形砖，较完整者长31、宽15、厚8厘米。均未见铭文。应为砌筑窑体所用砖料。

三、Y3

（一）堆积

Y3位于新王宫东侧冲沟旁，距新王宫东墙仅约50米，方向43°。2014年在遗址区内下掘浅沟布电缆时发现，随即扩宽平面稍作清理，局部略做解剖，大致探明窑室结构。

该处堆积可分4层。第1层为表土层，土质疏松，含大量植物根茎，厚约0.2米。第2层为黄褐色黏土，含较多明代瓦砾、砖屑和少量青花、粗瓷片，厚1.15米。Y3即开口于该层下，打破生土。第3层为窑壁坍塌所形成的堆积，含大量红烧土、砖块和砖坯碎屑，厚约0.45米。第4层为窑内底瓦砾堆积，含大量清代残瓦、少量砖块、灰烬及清代青花粗瓷残片1片，厚0.55米。其中，第3、4层为窑腔内堆积，未全面清理，但可以肯定成砖与砖坯皆为窑体用材，局部砖缝还用瓦砾填塞；窑底的瓦则为其产品。据此可肯定，这是一座瓦窑。

（二）结构

与Y1比较，Y3的结构略显特殊，平面呈扇形。系从地表下掘扇形深坑（打破生土），坑壁用砖坯与成砖筑成窑室，以砖坯为主，或平铺叠砌，或侧立。砖坯因受火不均，其色或青或红，质地松脆，内壁多片状脱落。侧立砖坯外侧多见厚约0.1米的红烧土烧结面。两条直边相交处为操作坑与焚口，弧边与直边相交处各设一烟道。局部保存有砖券顶。火膛、窑床结构不明。扇形平面的两条直边大致呈直角相交，直径3.4米，窑室残高约1.7米（图6-5；图版301、图版302）。

1. 焚口

两条直边相交处设焚口，平面略呈梯形，内大外小。进深0.9、宽0.7、残高0.9米。底部尚存封口成砖（Aa型）一列，较完整，并排侧立。

焚口以外的操作坑未清理。焚口以里为火膛，稍做清理，发现大量清代残瓦，并含清代青花粗瓷碗残片1片，据此可推知该窑的性质与年代。火膛底部残留较多炭灰（图版302-3）。

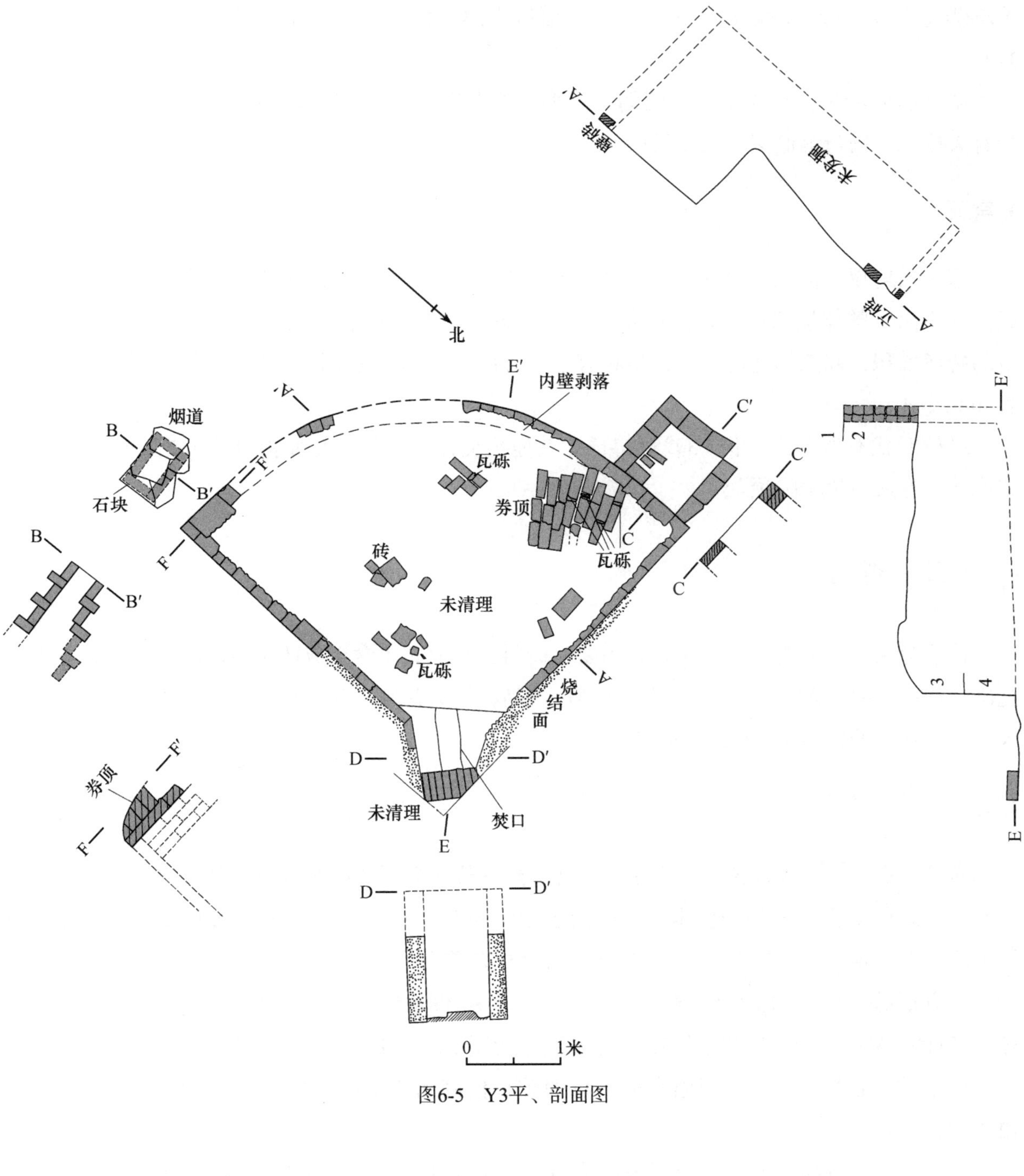

图6-5　Y3平、剖面图

2. 烟道

弧边与两条直边相交处各设烟道1个。系在扇形窑室外侧下掘方形竖槽，用砖坯砌筑四壁，高度与当时地面平齐。两个烟道的大小、形状略有差别，但其尺寸均较Y1烟道大。

西烟道平面呈方形，内腔边长0.7米。烟道上层平铺砖坯形制清晰，内壁经火烧烤为红褐色，外侧则仍为泥土（图版302-4）。东烟道平面呈长方形，内腔长0.4、宽0.2米。烟道上层以砖坯侧立砌成，砖坯均已烤为半成品。烟道口用薄石板和成砖封盖，以控制窑室温度（图版302-1）。

窑室因未清理，整体结构不明朗。但烟道的发现，表明Y3亦为半倒焰式窑，窑床周边亦当有火槽，火槽与烟道交接处设吸火孔。

3. 窑顶

窑顶已坍塌，但从部分残迹可知窑顶是用砖坯券成的。东烟道内侧窑壁上残存砖坯一排，微向内侈出，整体呈弧形，是窑壁向内的起券部分。西烟道旁窑腔内有一片1平方米见方较完整的砖坯堆积，间隙用瓦砾填塞，堆积有序，方向却与邻墙皆不同，当系整体坍塌的窑顶（图版302-2、4）。

虽然时代有所差别，但Y3残存窑顶为其他窑址顶部结构的复原提供了依据，即内壁用成砖或砖坯券成，呈穹隆顶。

（三）遗物

遗物分两类，一类为建窑用材，主要为砖料，有成砖（含半成砖）与砖坯两种；另有少量瓦砾，用以填塞砖隙。一类为窑器，即窑内产品，均为瓦砾。瓦砾堆积中还出土了少量同时混入、可资断代的瓷器（表6-2；图版302-5）。

1. 砖

砖分两类，一类为成砖，一类是窑壁砖坯经火烧烤后形成的半成品，其尺寸与同出的砖坯基本一致。仅采集部分作为标本。成砖用于砌筑局部窑壁与焚口，分属Aa型长方形砖与Ba型抹角砖，以前者为主，后者仅1例。半成砖尺寸远较前者大。

长方形砖　5件。均为Aa型。完残不一，其中3件带铭文，铭“十六砖”者2件，“初一号”者1件。Y3④：2，完整。长30、宽16.5、厚8厘米。一端铭“十六砖”。

抹角砖　1件。Ba型，即用去掉一角的砖箱模制而成的砖。Y3④：5，略残。长30、宽12.2、厚7.2厘米。

半成砖　窑壁砖坯受火烧烤所成的半成品，数量不多。仅采集近火膛处1件相对完整者为标本。Y3④：7，残。青灰色，局部泛红。为窑壁用砖，向内受火一面颇为粗糙，许是烧烤太过之故。残长22、宽19.8、厚9.8厘米。

2. 砖坯

窑壁、烟道等主要用砖坯筑成。多数砖坯因受火不均而颜色驳杂，青灰、红褐与土黄相间。有的局部经火硬化，局部则仍为泥坯。质地酥脆，可辨其形，却难以整体提取。完整者长30、宽20、厚10厘米。采集券顶用砖坯2件。Y3③：2，残。土黄色，局部泛红，质地松软。残长20、宽20、厚10.5厘米（图6-2-9；图版302-5）。

3. 瓦

窑腔底部瓦砾堆积厚达0.55米，数量颇丰，应为废弃的产品。均为板瓦碎片，青灰色，无一完整者。其大小、厚薄均与明代板瓦有明显区别，小且薄，与现代瓦接近，应为清代瓦砾。采集相对成形者8片，大者残长16.5、残宽15.5、厚1～1.8厘米（图版302-5）。

4. 瓷器

3件。Y3④：8，青花粗瓷碗底部。与瓦砾伴出。圈足。灰褐胎，釉色灰白，带冰裂纹，足沿露胎，内底有涩圈。外腹有青花装饰，青料泛黑。残高2.6、足径7.5厘米。应与瓦砾同时，为清代遗物（图6-6-8；图版302-5）。

第二节 太平诸窑

窑址位于囤东3千米的太平，坐落在玉龙小学北约70米处的陈应强老宅后阳沟的断坎上，一排3座（编号太平Y1～太平Y3），大部被毁。2012年6月21日根据村民提供的线索调查发现，并对居中的、保存稍好的一座（太平Y1）进行了简单清理，于其底部发现砖屑、瓦砾、瓦当和脊砖残块等遗物，确认为明万历时期的砖瓦窑。

一、遗 迹

3座窑址呈东西向一字排开，坐北朝南，彼此相距仅数米，相对独立，方向约225°。均为半地穴式马蹄窑，仅残存窑室的后半部分。当地村民回忆，土地下放前即常于附近掘出火砖、吊檐（瓦当）。当时3座窑址的窑门（焚口）尚存，后慢慢坍塌，陈家建房时又掘去部分，遂成现状[①]（图版303-1、2）。

因条件限制（当地人认为后阳沟动土不吉），仅就着断坎对太平Y1进行了局部清理，从断面大致了解其结构。太平Y1前半部分已毁，仅残存局部窑床与窑室后端弧形窑壁的红烧土烧结面（仅部分出露），内青外红，厚约0.2米。窑壁残高1.6米，残存窑室直径约3米（图版303-3～5）。清理时未留意是否有环窑床的火槽，出露部分未见烟道，但推测应与囤上Y1相同，规模亦基本相当。其余2座窑址，仅于断坎上残见坍塌所形成的弧形缺口，弧形尺度与太平Y1相当，未进一步清理。

二、遗　　物

遗物均出自太平Y1窑腔近底处，有砖屑、瓦砾（板瓦、筒瓦）、勾头、滴水和脊砖等（表6-2）。其中砖可能为建窑用材，其余则为窑内产品。

1. 砖

12件。均为长方形砖残块，分属Aa、C两型。

Aa型　10件。成砖青灰色。完整者长27～33.5、宽14～16.5、厚6.7～8.4厘米（图版303-6）。

C型　2件。太平Y1：14，残。残长16.5、宽21、厚4.5厘米。

太平所出砖料均未见铭文。其中的C型长方形砖，囤上亦少有，仅见于Y1及新王宫内，除Y1所见部分该型砖料用于砌筑窑室烟道外，其余均散乱，用途不明。太平Y1所出者，或亦用于烟道砌筑。Aa型砖囤上Y1～Y3皆有发现，用于砌焚口、窑床前沿及局部窑壁；太平Y1所出者，用途或相同。

2. 勾头

6块5件。板瓦部位均残。当面呈如意头形，模印莲花纹，中心为一朵凸起的六瓣莲花，左右两侧向上逸出三角形莲叶各一片。根据当面大小和纹饰的细微差异，分属Ba、Bb两亚型。

Ba型　4件。当面偏大，花下须蔓向左卷曲。太平Y1：4，左侧边缘略残。高17.5、宽20.5、厚1.6厘米（图6-6-1、图6-7-1）。太平Y1：2，残存瓦当，顶部与板瓦拼接处残损。残高14.5、宽19.5、厚1.3厘米（图6-7-2）。

Bb型　1件。当面偏小，花下须蔓向右卷曲。太平Y1：6，较完整，纹饰清晰。高12、残宽17.5、厚1.2厘米（图6-6-2、图6-7-3）。

① 李飞：《瓦之来路：海龙囤砖瓦来源调查》，氏著：《复活的土司城堡：海龙囤考古手记》，贵阳：贵州教育出版社，2014年，第90页。

3. 滴水

5件。板瓦均残，当面较完整者2件，余均残。当面呈弯月形，上端下凹呈弧状，两侧为如意头花边。当面模印莲花，中心为一朵凸起的六瓣莲花，左右两侧上方饰莲叶。根据当面大小和纹饰的细微差异，分属Ba、Bb、Bc三亚型。

Ba型　2件。当面较大，莲叶两侧有卷曲须蔓。太平Y1：7，当尖略残。残高12、宽20.5、厚1.5厘米（图6-6-3、图6-7-4）。

Bb型　1件。当面瘦长，莲叶两侧无须蔓。太平Y1：9，当面左半部分残。残高10、残宽15、厚1.4厘米（图6-6-4、图6-7-5）。

Bc型　2件。莲叶呈菱形，状如双目。太平Y1：10，当面左下侧残。残高12、宽19、厚1.3厘米（图6-6-5、图6-7-6）。

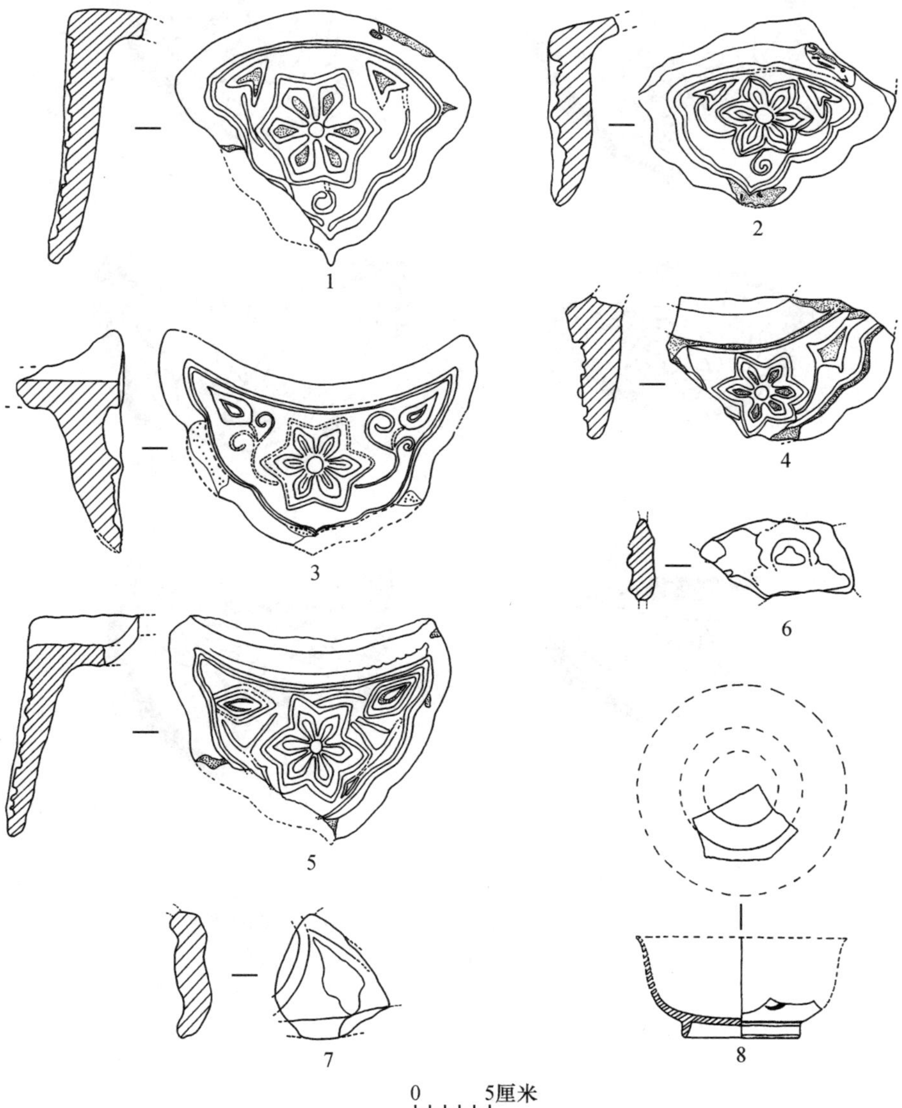

图6-6　窑址出土遗物

1. Ba型勾头（太平Y1：4）　2. Bb型勾头（太平Y1：6）　3. Ba型滴水（太平Y1：7）　4. Bb型滴水（太平Y1：9）　5. Bc型滴水（太平Y1：10）　6、7. C型脊砖（太平Y1：12、太平Y1：13）　8. 青花粗瓷碗（Y3④：8）

4. 脊砖

2件。残甚。根据残存花纹判断应属C型脊砖，即缠枝牡丹纹大脊砖。太平Y1：12、太平Y1：13，均为脊砖侧面残块。灰褐色。残存局部藤蔓、个字形叶与侧视牡丹，其特征与海龙囤上保存完好的C型脊砖相同部位一致（图6-6-6、7）。

5. 瓦

瓦砾若干，多为B型板瓦残片。筒瓦仅见1例，属Ba型，即两翅未经二次加工的筒瓦。太平Y1：16，筒瓦残件。残长22、残宽12、厚1.8、矢残高2～3.5、熊头残长1.1厘米。

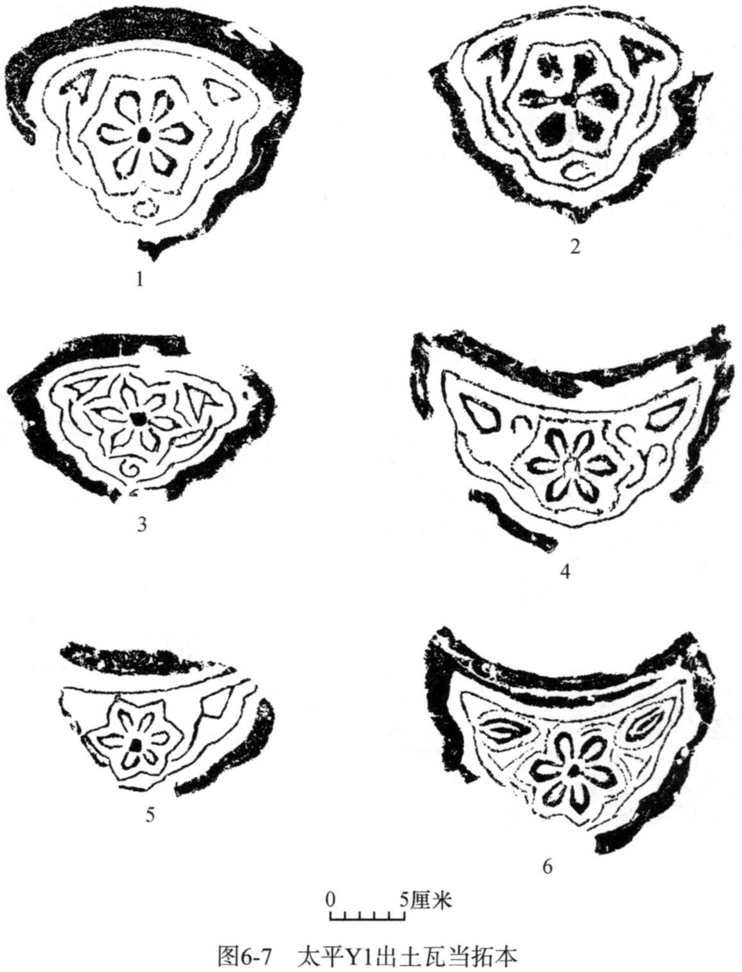

图6-7　太平Y1出土瓦当拓本

1、2. Ba型勾头（太平Y1：4、太平Y1：2）　3. Bb型勾头（太平Y1：6）　4. Ba型滴水（太平Y1：7）　5. Bb型滴水（太平Y1：9）　6. Bc型滴水（太平Y1：10）

第三节　相关问题探讨

结合调查与试掘情况，可对窑址结构、性质、年代与铭文含义等进行讨论。

一、性质与年代

（一）窑体的结构

均为半地穴式、半倒焰、砖（坯）土混筑的马蹄形窑。由操作坑和窑室两大部分组成，窑室又有焚口、火膛、窑床、火槽、吸火孔、烟道等设施，整体呈勺状。规模相当，窑室直径不逾4米，高度不明（表6-1）。系在水、土近便之地，就着坡坎下掘勺状深坑，勺柄形成操作坑，勺身作窑室，窑壁外设2～4条烟道，吸火孔设在窑壁底部。操作坑与火膛交接处的焚口，多用成砖砌筑。窑室的地下部分多以生土为壁，Y3于生土壁内再起砌砖坯形成窑壁。这种差异，兴许反映了年代的差别。窑室高出地面的部分，则应是用砖或砖坯砌筑而成的。已知的6座窑址，均为窑体低于地面的下半部分，但Y3保留了部分坍塌的券顶，表明不仅该窑的地面部分用砖坯砌筑，窑顶亦用砖坯券成。Y1窑腔内的大量砖屑，也暗示其地面部分的结构应与Y3相同，即用砖券成。目前仅Y1与Y3发现了烟道，系在生土坑的外围再下掘竖槽，用砖坯或成砖砌就。完整的烟道大致与时之地面齐平，烟道口用石板覆盖，以调剂火力。结合文献与窑器成色，窑室外顶应设“窑田”以盛水，使窑器“渗水转锈”，即由红褐色转为青灰色，因此窑顶的整体结构应作内弧外平状。

窑体部分在地下，部分在地面，故为半地穴式。部分生土作壁，部分则以砖或砖坯垒砌，故为砖（坯）土混筑。窑室平面呈椭圆形或扇形（Y3），两者的区别仅在于焚口两侧的窑壁为弧边或直边。从已全面清理的Y1看，火膛平面呈扇形，相应的窑床便作马蹄状，据此可将之统称为马蹄窑（因状如木甑，故当地民间又称“甑子窑”）。吸火孔、烟道与弧形顶的设置，使窑内火焰因升力从燃烧室上升至窑顶，又因吸火孔与烟道的抽力而顺弧顶回落至窑底，并经由烟道排出窑外，火焰在窑腔内的运行路线较为复杂，呈半倒焰式。烟道口或封或敞，使其所产生的抽力或大或小，从而有效调控火力。如此，窑内火焰便得到科学、充分的利用。从部分窑址底部残留的灰烬看，其燃料为就近取用的木材，即为柴窑，未见煤灰。其烧成温度在1000℃左右[①]。

---

① 熊海堂：《东亚窑业技术发展与交流史研究》，南京：南京大学出版社，1995年，第121页。

（二）窑址的性质

6座窑址均有砖或砖坯发现，但砖料主要应为建窑用材，无法据此判断窑址性质。除此之外，Y3窑腔内出土大量瓦砾，可确定为窑内产品，知其为瓦窑。太平Y1见有B型板瓦，Ba型筒瓦，C型脊砖，Ba、Bb型勾头，Ba、Bb、Bc型滴水，均应为窑内产品，因此该窑应以烧瓦为主（含勾头、滴水），兼烧脊砖。囤上Y1已全面清理，窑腔内外除砖料外未见其他遗物。砖坯在窑腔内堆积无序，无法判断为建窑用材或窑内产品。如前所述，Y3主要是用砖坯筑成的，但Y1残存窑壁未见砖坯而均为成砖，据此推测其为砖窑的可能性更大。其余诸窑因未深入清理，其具体产品尚不得而知，但亦应不出前述范畴，即以烧砖瓦为主。

事实上，田野调查表明，传统的砖窑与瓦窑并无区别，常常一窑多用，砖瓦兼烧，或混烧或轮烧，因此海龙囤及其周边已发现6座窑址的性质均应为砖瓦窑。太平Y1的产品除瓦外尚有脊砖，而脊兽、水管、花钵与砖瓦、脊砖等陶件的泥料、烧成温度均相同，亦应在砖瓦窑中烧成。据此明代诸窑当以烧砖瓦为主，兼烧脊砖、脊兽、水管和花钵等陶件。

（三）窑址的年代

根据建窑用材和窑内产品，可推定窑址的年代。建窑用材有成砖和砖坯两类，可大致反映窑址的建筑年代。其中的成砖包括了囤上常见的Aa、C型长方形砖以及Ba型抹角砖，该三型成砖均是明代遗物，而Aa、C型在万历二十四年（1596）建成的飞龙关均有发现，可确定为万历时期遗物。Aa型砖在已发掘和初步清理的各窑内均有出土，表明其年代上限当不早于明万历。但建窑用材并不能准确反映窑址的具体年代，当地居民过去取遗址内明砖打灶头的例子便比比皆是。Y1除成砖外，还发现了Aa型砖的砖坯，虽不能准确判定其为建窑用料还是窑内产品，但断无后人以明代砖坯建窑的可能，因此其为万历时期窑址无疑。6座窑址中，Y3与太平Y1出土了确定的窑内产品，可进一步确认窑址的使用年代。其中太平Y1所出B型板瓦、Ba型筒瓦、Ba型勾头、Ba型滴水亦见于飞龙关，为万历时期遗物，窑址的使用年代一致。Y3虽也使用了部分Aa型明砖，但主要使用了一类尺寸较Aa型砖大的砖坯砌筑窑室，这类砖料并不见于海龙囤明代遗址中。窑腔内出土的板瓦，也不见于明代遗址而与现代板瓦接近，其中混出清代青花粗瓷碗残片1件，窑址年代可确定为清代，应是重修海潮寺时烧瓦所用。

太平其余两窑虽未清理，但与太平Y1毗邻且规模相当，年代应相同。另囤上Y2形制与Y1相同，焚口两侧窑壁为弧边，窑壁地下部分不用砖料而以坑壁为壁，其年代应一致，即为万历时期窑址。可资比对的是，囤上Y1与1993年发掘的河北迁西县大岭寨明长城“左一”砖窑在窑炉形状、结构上相似。据简报，“左一窑”是戚继光镇守蓟门时为解决修筑长城用砖而建，年代在隆庆元年（1567）至万历十一年（1583）之间[①]。

① 晚学、翟良富：《迁西大岭寨明长城“左一窑”发掘简报》，《文物春秋》1998年第2期。

要之，6座窑址除囤上Y3为清代窑址外，其余均应为明万历时期遗迹。其中Y3应与新王宫内海潮寺相关，为乾隆三十八年（1773）重修时烧瓦所用的可能性最大。筑窑用料与窑内产品表明，明代诸窑建于万历、用于万历、毁于万历，与土司杨应龙万历年间重建海龙囤相关。

二、铭文释义

6座窑址共出带铭文与刻划符号的成砖10例，发现于囤上Y1与Y3内（太平诸窑暂未发现），均铭刻在Aa型长方形砖的端头或侧面，砖坯上未见。其中“初一号”2例、“十六”3例、“十六砖”2例、“砖”与“验”各1例、“×”形刻划符号1例。如前所述，上列成砖均系筑窑用料，并非本窑产品。包括窑址所出者在内，目前囤上共见模印铭文砖950例，其中“初一号”468例、“十六砖”313例、“十六”129例、“砖”18例、“甸砖”3例、“验”17例，见于Aa、Ab、Bb型长方形砖，A、Ba、C型抹角砖的端头或侧面，不同铭文拍印在不同砖上，互不重复，但有相同铭文同时出现在同一块砖上以及模印铭文与刻划文字共存的例子。这些铭文当作何解？

根据内容，上述铭文可分三组：铭“初一号”者为一组，凡468例；铭“十六砖”、“十六”、“砖”与“甸砖”者为一组，合为一组的依据是相同的铭文如“十六”与“砖”在不同的砖上可互见，凡463例，与第一组数量基本相当；铭“验”字者为一组，凡17例。不同组别的铭文反映了不同的烧造批次与管理层级。砖坯制好后，窑工作头在坯上拍印“初一号”或“十六砖”等铭文，作为烧造批次的印记，以资稽查。董其事者查验后打下“验”字铭文，准许入窑烧造。传统砖瓦烧造的田野调查显示，一窑砖瓦的烧成，从入窑到出窑约需半月时间，其中加薪烧造一周，熄火后从窑田“渗水转锈”一周[①]。这恰是“初一”与“十六”之间的时间间隔。因此第一、二组铭文应代表了不同的烧造批次，并可能由不同的作头负责。第三组“验”字铭文砖数量最少，字义明确，应代表了海龙囤砖瓦烧造管理的最高层级。

据《骠骑将军示谕龙岩囤严禁碑》，囤上设“住囤医生、匠作、住持人等，各有役次，时刻不可擅离”；“来往工匠人夫”，“给帖照身，各关验放，到囤赴总管厅缴帖，上名应役。役满工完，仍赴总管厅告乞水帖出关”。其中的“匠作”“工匠”当包括窑工在内，从碑文看，是以“应役”的方式按“役次”进行管理。这些匠人都相对专业，并可能世代传承，文献记载土司治下播州各手工领域设有专门匠户，如成化年间“本州原有铁户八十六户，递年自行炼铁营生”[②]。作为建造工程一部分的砖瓦烧造也是一门相对专业的技艺，亦当有专门匠户，分批上囤服役烧造砖瓦。

---

① 据2019年7月9日的访谈记录。受访人高坪吴家坝窑工吴永国（1948年生人），以传统工艺烧造砖瓦约二十年。

② （明）何乔新：《勘处播州事情疏》，《丛书集成初编·张司马定浙二乱志（及其他二种）》，北京：中华书局，1985年，第90页。

在砖瓦之上铭刻题记，所表现的是一种产品质量负责制。南京、凤阳、当涂等地的城砖、琉璃瓦上亦有此类铭文。当涂窑烧造的琉璃瓦上即有“万字×号”或“寿字×号”（“×”为具体数字）铭文，其中一件“万字七号”琉璃瓦上同时铭有提调官、作头、上色匠人和风火匠人的姓名，提调官董其事，作头督造，上色匠和风火匠分别负责釉色调配与器件烧造[①]。类似情况在明一代并不鲜见，当时所造的军器上便有“仍镌匠人名，以凭稽查”的做法[②]。

由上可见，海龙囤的砖瓦烧造有着较为严格的质量监控，分批烧造，层级管理，至少存在窑工、作头和董其事者三个层级，铭文正是“以凭稽查”的负责制的直接反映。

三、海龙囤砖瓦来源

囤上砖瓦类建筑材料旧传产自10千米外的今海龙坝一带，沿由此入海龙囤的石板官道以上万兵力人递人传至海龙囤巅。海龙坝的瓦窑台在“大跃进”平丘造田时曾掘出砖瓦数吨之巨，尺寸较现代砖瓦大，被认为是“杨应龙修海龙囤时烧制砖瓦遗址”[③]。囤巅及离囤更近的太平砖瓦窑的发现，提供了更为合理的砖瓦来源线索。

各窑址出土的遗物有Aa、C型长方形砖，Ba型抹角砖，Aa型长方形砖砖坯，B型板瓦，Ba型筒瓦，Ba、Bb型板瓦勾头，Ba、Bb、Bc型滴水，C型脊砖等，均可在囤上的明代建筑中找到完全对应者。虽然其中包括了筑窑用材与窑内产品两类，但均不出此限。囤上明代砖瓦窑的发现及其产品的相关性表明，虽不排除部分陶质建筑材料产自囤外的可能性，但其主体应于囤上就近生产，这既节约运输的成本，也符合砖瓦窑分布的一般规律[④]。

前述早年发现于海龙坝的砖瓦窑若确系明窑，则其产品就近供应的可能性更大，毕竟运至10千米外的海龙囤巅仍需耗费大量人力物力。海龙坝旧为土司田庄，建有庄所，其址约在今“水鸭门”一带。“水鸭门”者，当为“水衙门”之讹，意指水边的衙门[⑤]。庄所建筑所使用

① 潘谷西主编：《中国古代建筑史》第4卷《元、明建筑》，北京：中国建筑工业出版社，2001年，第493页。

② （明）李化龙：《平播全书》卷8《责成制造军器》，北京：大众文艺出版社，2008年，第279页。

③ 李连昌：《播州文物古迹》，中国人民政治协商会议贵州省遵义市委员会宣教文卫委员会编：《海龙囤烟云录》，内部印行，2000年，第337～339页。

④ 古代砖瓦烧造有一套专门技术，主要表现在：a. 大量生产，技术相对粗放；b. 就地取材，受自然条件的限制比陶瓷的烧造少；c. 生产随工事建设的起落而起落，政府的建造工程中，砖瓦制作属于工程的一部分；d. 产品不作长途流通（明代城墙用砖为特殊）。参见熊海堂：《东亚窑业技术发展与交流史研究》，南京：南京大学出版社，1995年，第121页。

⑤ 成化时期，播州土司共有田庄145处，包括大水田、永安、桃溪、海龙坝等庄。见（明）何乔新：《勘处播州事情疏》，《丛书集成初编·张司马定浙二乱志（及其他二种）》，北京：中华书局，1985年，第21、35、36页。庄所亦称“衙”，其建筑规模可观。见（明）李化龙：《平播全书》卷4《攻克娄山、崖门等关四报捷音疏》：“大水田、永安庄、桃溪衙，皆贼所为世修庄院，僭拟侯王者”，北京：大众文艺出版社，2008年，第103页。

的应即附近砖瓦窑的产品。相应地，太平诸窑的产品运至囤巅的可能性也不大，而主要供囤下铁柱关以下白沙水河谷诸关使用。结合文献与遗迹，囤东铁柱关以东的白沙水河谷中尚有海崖、海道、龙凤和海门四关，而海崖关即在太平（图版297）。可资佐证的是，太平Y1出土的Bc型滴水主要发现于近白沙水的铁柱关（CM2）内，凡37件。另据当地村民反映，早年修横亘窑址与太平小学之间的公路时，曾掘出脊兽，可能为窑内产品，亦可能为周边建筑上装饰，惜不曾得见①。太平诸窑及相关遗物的发现，也反证了白沙水河谷中曾设关隘的可能。

如果囤巅砖瓦类用材主要产自囤上，那么目前发现的窑址显然无法满足建囤的需要。以Y1为例，椭圆形窑室最大径为3.6米，高度以3米计，则窑腔体积约10立方米；其烧造的若主要为其中发现的长方形砖坯（Aa型），则体积为32厘米×16厘米×8厘米，约可容2400块，一次烧成的产品尚不足供单座房址使用。换言之，囤上应有更多的窑址等待发现。

综上，由于工艺相对粗放，受环境的制约较小，海龙囤砖瓦类建筑材料均应就近烧造，就近供给，选择泥料丰富、取水近便处建窑，产品供附近建筑使用，最大限度节约运输成本。囤上用材主要应产自囤巅，太平诸窑的产品则主要供囤下诸关使用。

四、小　结

通过前文的讨论，可以形成以下几点认识。

第一，海龙囤及其周边目前发现的6座窑址系砖瓦窑，除Y3为清代窑址外，其余均为明万历时期遗存。窑址以烧砖瓦为主，明代诸窑可能还生产脊砖、脊兽、水管、花钵等陶件。窑体用砖表明其年代上限为万历，窑内产品年代亦在万历时期，与土司杨应龙重建海龙囤的时间相始终。

第二，窑址均为半地穴、半倒焰、砖（坯）土混筑的马蹄窑，对火焰的利用科学合理，反映了较高的砖瓦烧造水准。窑顶均已坍塌，但年代稍晚而形制相同的Y3残存的局部券顶为其余诸窑顶部结构提供了重要参照，窑体的地面部分及顶部应是用砖或砖坯券成的，外顶有“窑田”。

第三，部分砖上“初一号”、“十六砖”及“验”等铭文表明，海龙囤的砖瓦烧造有一套较严格的生产管理体系。砖瓦分批次烧造，并至少存在窑工、作头和董其事者三个层级，砖上铭文即是不同烧造批次、不同管理层级的反映，借此“以凭稽查”，保障产品质量。

第四，窑址择土水柴等原料近便处建造，产品就近供给，节约运输成本。囤巅明代诸窑的产品供囤上使用，太平诸窑的产品则供白沙水诸关使用。总之，海龙囤砖瓦等建筑材料均应就近生产，不太可能来自遥远的囤外。海龙坝发现的砖瓦窑若确为明代遗存，当系海龙坝庄所建

① 李飞：《瓦之来路：海龙囤砖瓦来源调查》，氏著：《复活的土司城堡：海龙囤考古手记》，贵阳：贵州教育出版社，2014年，第90页。

筑材料的来源地。

目前发现的明代窑址，其产品无法满足建囤之需，应仍有相当数量的窑址未被发现。此外，囤巅迄未见宋代砖料，但有一定数量的龙岩新城时期的板瓦与筒瓦出土（均为A型），从明代窑址的分布情况看，有理由认为宋代瓦件亦当在囤巅就近生产。

第七章　采　石　场

石料是海龙囤运用最广的建筑材料，约6千米城垣、现存13座关隘与门址、所有房址基础、柱础以及台阶、部分路面等均用石材砌筑，所耗颇巨且重量不菲，大者重逾2吨。这些石材源自何处？民间传说土司杨应龙有一条赶山鞭，在鸡犬静默的夜里，长鞭一挥，石如猪奔，城堡筑就。这反映了民间对如此海量的石料的开采与运输的不解与想象①。实情定非如此。2014年冬，我们对老王宫西南侧地势较高处的一座石山进行了清理，发现大量楔眼。2016年夏、2019年秋又进行两次细致调查，共发现各类楔眼243个。经岩性与楔眼类型的对比，确认此系一处明代采石场，表明建囤所需石料均就近采用，避免了长距离运输的消耗。

第一节　环境与位置

海龙囤所在的龙岩山，为灰岩、砂岩与白云岩相间的海相沉积。建囤所用石材不外以上三种。宋代城垣与门址俱用砂岩砌筑，明代关隘、城垣、房基、柱础、台阶等则主要用灰岩，路面、庭院地面则用砂岩铺砌。灰岩质地坚硬，耐风化，但易水溶。砂岩质地松软，层理清晰，石材呈片状，易风化，但不易溶蚀。

一、地质构造

民国时期浙江大学西迁遵义时，刘之远先生曾对遵义地质构造进行过较为全面的考察。根据他的研究："其迹可考者，最古有新土沟灰岩，属于震旦纪，灰岩海水沉积，以此而言，当时本境久被海水侵淹，迨寒武纪初期，环境改变，似有间歇，始序沉积牛蹄塘页岩，及明心寺页岩，以至金鼎山层，统产莱得利基虫（*Redlichia* sp.），与云南下寒武纪地层所产相

---

① 李飞：《石之来路》，氏著：《复活的土司城堡：海龙囤考古手记》，贵阳：贵州教育出版社，2014年，第181、182页。赶山鞭传说在《太平御览》《太平寰宇记》《类说》等宋代文献中多有记载。

同。就此推论，当时海水似由西南向东北侵进，自印度经滇境，越川黔，至鄂西，当时海水沟通，显非今日山河阻隔之势。”“志留纪之后，地盘经造陆运动而上升，此即喀利道尼运动（Caledonian movement），地面经过长期侵蚀，遂成零落状态，嗣二叠纪海广泛侵进，地面淹没，沉积燧石灰岩，即栖霞茅口灰岩。”“栖霞茅口灰岩之上，盖以乐平煤系，由海相突变为陆相”，“是时县境升为大陆，发育陆相堆积”。“三叠纪初，海相演变，似有间歇，不相连续”，“中三叠纪之后，海面掀起，上升成陆地”，“此后地盘甚为稳固，自侏罗纪堆积洗马滩砂岩始，迄白垩纪沉积遵义层止，仅微有升沉，显示各期岩相变迁而已；直至中生代之末，以至新生代之初，造山运动发生，今日地质构造之肇始于此，即燕山运动也。”“本境山河大势，经此运动已经定局”①。

简言之，震旦纪至寒武纪遵义为海，沉积灰岩与页岩（部分应为砂岩）；志留纪地盘因造陆运动而上升；二叠纪海水复侵进，部分地面淹没，沉积燧石灰岩；中三叠纪之后海面上升成陆地，地盘较稳固；至中生代末新生代初，造山运动发生，本境山河大势遂定。因此境内岩层较为复杂，灰岩、页岩、砂岩等交叠错呈。海龙囤亦如此，灰岩、砂岩（砂质页岩）与白云岩交叠。龙岩山隆起之后，经白沙水及其支流的深切，三面陡绝，天险遂成。

二、岩性分析

特殊的地质构造，使海龙囤形成了以灰岩与砂岩为主体基岩的石山，其上覆盖厚薄不一的土层，多处基岩裸露于地表，这些地点就成为石料开采的理想之地。为确认岩性的一致性，发掘过程中我们委托湖南省文物考古研究所与中化地质长沙实验中心对海龙囤基岩与建筑石材进行岩石光性的分析鉴定。共采样12个，其中不同地点的基岩样本4个，新王宫、老王宫与城垣石材样本8个。分析显示，基岩包括含粒屑微晶灰岩、白云石化含粒屑微晶灰岩、弱白云石化团粒灰岩与绢云粉砂岩；建筑石材则有含粒屑微晶灰岩、亮晶球粒灰岩、鲕状微晶灰岩、微晶灰度白云岩与绢云粉砂岩（详见第十章）。

笼统而言，有灰岩、砂岩与白云岩三类。灰岩分不同细类，主要由方解石与不透明矿物等构成，部分矿物质的多寡或有无则构成了不同的细类。砂岩则均系绢云粉砂岩，带有明显薄层理结构，故又可称为页岩（砂质页岩）。白云石化含粒屑微晶灰岩、弱白云石化团粒灰岩与微晶灰度白云岩，均由方解石、白云石与不透明矿物等构成，仅比例不同而已。细微的差别，可能与不同的取样部位相关。整体上，基岩与建筑石材之间为对应关系。

① 刘之远：《地质》，（民国）张其昀主编：《遵义新志》，成都：巴蜀书社，2012年，第20～33页。

三、采　石　场

由于规模庞大加之用材颇巨，海龙囤的采石场当不止一处，以便就近供给。前已叙及，龙虎大道本身就是一处采石场，既开凿了道路，开路产生的石材也可就近供龙虎大道城垣与飞虎关使用。可资佐证的是，龙虎大道的岩壁上至今仍残存少量长条形楔眼。另飞虎关南约100米处的石崖相传也是一处采石场，但已被后期采石破坏，未见相关遗迹。该处石料以弱白云石化团粒灰岩为主，可以向下供铜柱、铁柱诸关与城垣使用。囤西诸关的石材，相信亦就近开采，以节约人力。宋代关隘与城垣所用片状砂岩漫山皆是，且因质地松软而易于开采，但未发现相关采石遗迹。

老王宫西南有石山一座，民间向称其为“采石场”。该地点东北接老王宫，南邻教场坝，西北距新王宫约120米，为海龙囤制高点之一，最高海拔1353米。顶部平阔，东、西、南三面为坡坎，高差约10米，露头的基岩约1000平方米。其四周为密集的杜仲树、灌木丛及杂草（见图1-1；图版304）。经检测，基岩主体为含粒屑微晶灰岩，可与老王宫踏步石材完全对应。根据肉眼观察，新王宫内绝大多数石材亦属同类。

为确认民间传说的可靠性，我们对覆盖于岩石上的苔藓、杂草、灌木丛与浮土进行了局部清理。基岩之上仅覆盖一层黄褐色表土，含少量碎石块，未见任何文化包含物，厚约0.3米。清理发现，基岩的顶部、南部、西部、东部与北部均分布有开采石料的楔眼，共243个，证明其确系一处采石场。从滤去植被后的高程模型图上观察，石山的西南有一个巨大的半圆形凹坑，面积约1500平方米。深坑切断了山的南脉且形态极不自然，当系人工所为，亦即为采石后所形成的遗迹。经钻探，深坑偏南地面以下2米处仍见炭屑，2.3米深处为生土；北端1米深处发现较多碎石（图7-1；图版304-2）。

第二节　采石工艺

认识采石场的前提，是对传统采石工艺有深入了解，并将之与采石遗迹相结合考察海龙囤采石工艺。

一、传统采石工艺

该处采石场为原生岩脉，对其进行的开采属于露天开采。迫裂石料时使用的工艺为人工打楔裂岩，即手工打楔法。手工打楔法指的是借助简单的钻凿和捶打工具，利用石材本身良好

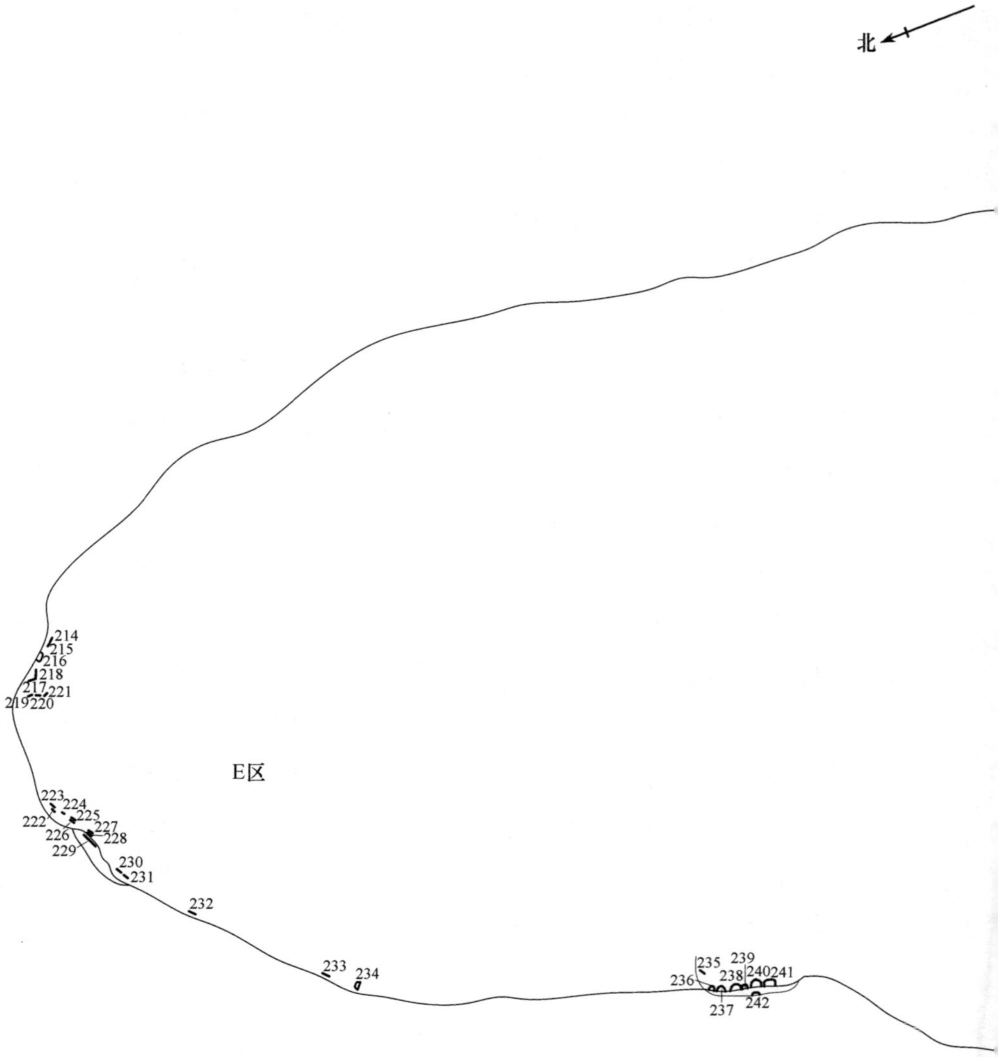
北
E区
214
215
216
218
217
221
219
220
223
224
225
222
227
226
228
229
230
231
232
233
234
235
239
238
240
241
236
237
242

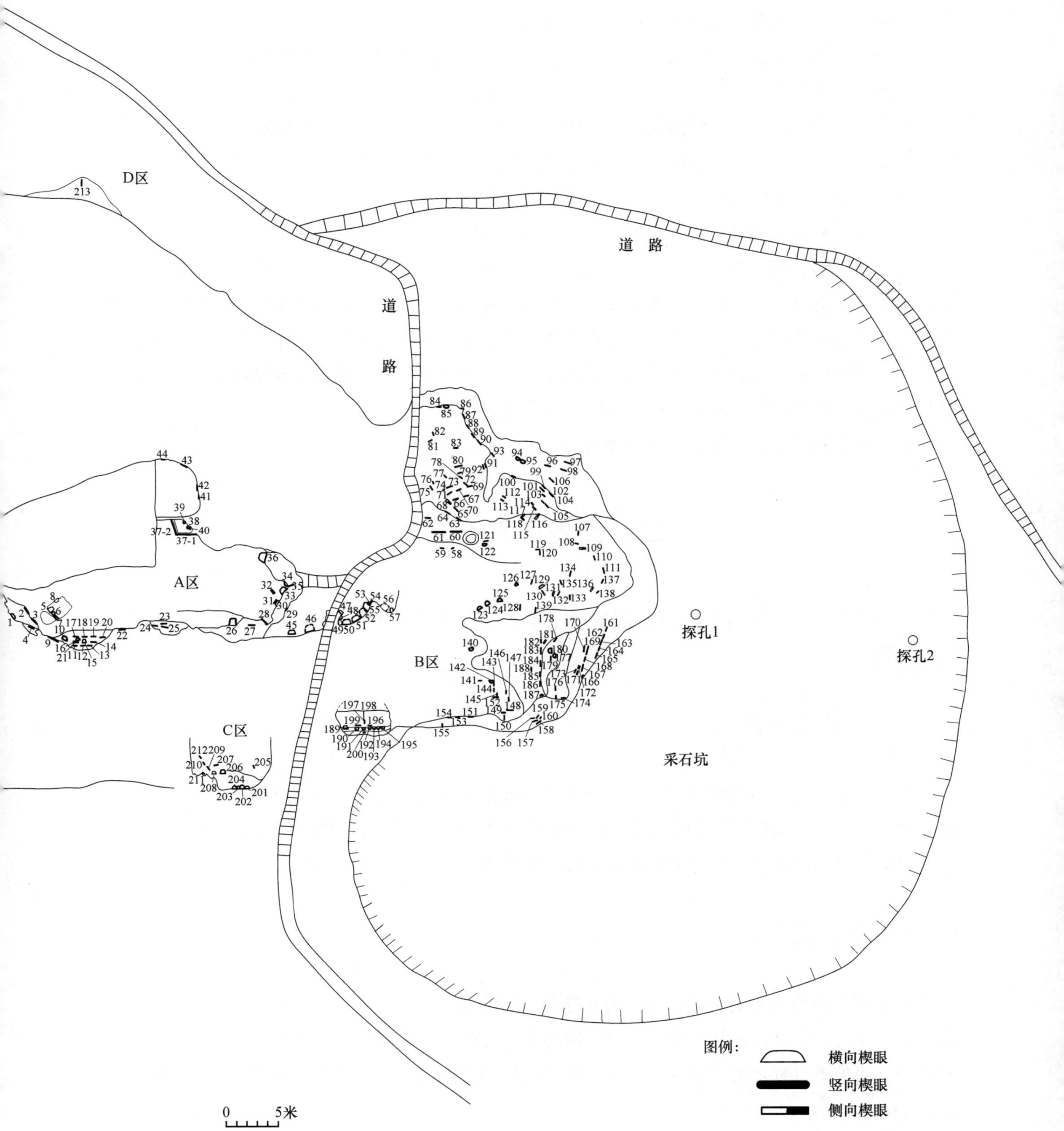

图7-1 采石场总平面图

的劈裂性能分离岩石的采石技术[①]。为更好理解传统采石工艺，2012年11月我们对习水县同民镇还在沿用的采石工艺进行了调查。当地石料以红色砂岩为主，露天开采。石工所用工具有竹尺、手锤、铁錾、铁楔、大锤和钢钎等（图版305-1）。

竹尺：竹制1米长简易尺子，上有刻度，用以测量所需石料大小及楔眼间距。

手锤：单手所持小铁锤，用以击打铁錾凿出楔眼，并将铁楔打入楔眼内。

铁錾：前端尖锐后端平整的长条形铁棒，与手锤配合，在岩石上凿出楔眼。

铁楔：前端扁平的短粗铁柱，置于楔眼内，与大锤配合迫裂岩石。

大锤：重约8斤的大铁锤，配以长柄，双手持握击打铁楔。

铁钎：长逾1米的长铁条，前端尖锐，用以短距离撬移剥离后的石料。

工具备好后，第一步，先用竹尺测量所需石料大小，在临空面上画线，规划楔眼，保障其在一条直线上并保持相等距离。第二步，一手持铁锤一手持铁錾，在线上凿出等距楔眼。楔眼分布在垂直和水平两个面上。第三步，楔眼凿好后，用手锤将铁楔钉入其中，然后抡大锤逐一击打，石料便沿着受力方向从垂直和水平两个方向撕裂开来，一方毛料就开采出来了。最后用铁钎以杠杆原理将之挪离原位，移至便于运输的地方（图版305）。

海龙囤采石场上的楔眼，正是体现这一开采过程的遗迹。

二、海龙囤采石工艺

基于传统采石工艺调查，结合现存楔眼，我们可以观察到海龙囤石料开采的流程大致可分三个阶段。

（一）盖层剥离

开采石料之前，将盖在基岩之上的非岩矿层及浮土揭去，这自然是针对覆盖于草木与泥土之下的基岩而言。同时，对凹凸不平的临空面略加修整，以便布置楔眼并开采出规整的石材。结合楔眼密度与海龙囤明代遗址的建筑规模，该采石场在一定时期内应曾大规模频繁开采。

（二）以錾凿眼

从采石场遗留的凿痕来看，楔眼的开凿有一定的规律性。首先，楔眼开凿的位置有一定规律。石料本身有天然结晶体纹理，并且伴随经年累月的风蚀水浸会从石料表面开始向内产生自然裂缝，当地方言称之为“水缝”，顺着天然裂纹的走向进行开采既符合石料的天然属性，也

---

① 杨杰、严荣荫、陈厚伦等：《中国石材》，北京：中国建材工业出版社，1994年，第111页。

符合当时的生产力水平。其次，楔眼的分布排列有一定规律。通常，凿于原岩天然裂缝上的楔眼间距较远，而位于非裂缝带上的楔眼间距较近。

楔眼一般两三个成一组，分布在一条直线或一个水平面上，以从不同方向迫裂石材。楔眼有不同形状，可能是石料开采技术臻于成熟的反映，熟练工匠在开凿过程中的凿石手法具有一定的随意性，对工具的使用也不再局限，而会根据需求和施工现场的条件限制灵活应对。比如尖底楔眼或许是由扁錾凿出。楔眼的开口长度和深度与迫裂石料的难易程度成正比。一般来说，楔眼的口径越长、深度越深，越容易迫裂石料。

（三）击楔裂石

楔眼凿好之后把楔子安插进去。近世采石多使用铁楔。铁楔一般长15～25、宽8～10、厚1.5～5厘米。铁楔与楔眼接触时应做到：下空，前后空，左右紧，这样才能把石料挤开[①]。大多数情况下，一个楔子插入一个相应尺寸的楔眼，但较大尺寸的楔眼里可能会安插两个以上楔子，便于迫裂石料时能够使楔眼均匀受力。之后再用大锤逐个敲击楔子，直至将预设好尺寸的石料从原岩上迫裂下来。

第三节　遗迹与遗物

楔眼的发现，是确认采石场的关键。换言之，采石场的主要遗迹即为所发现的243个楔眼，它们均分布在基岩上，完残不一，长短、宽窄、深浅与形状有别（表7-1）。经比对，其与部分建筑石材上所遗楔眼类型基本一致，这是确认采石场年代的重要信息。少量铁楔的出土，则强化了彼此的关联。

一、采石场楔眼

（一）楔眼分布

243个楔眼分布于石山的顶部以及东西南北四周，以顶部和南部最为密集。为描述方便，将之分为5区（图7-2）。

A区位于采石场顶部中央，较平整，共发现楔眼58个（编号1～57；其中37为一号两眼，编号为37-1、37-2），主要分布于顶部基岩的边缘地带。B区位于采石场南部，呈陡坡状，共

① 刘大可编著：《中国古建筑瓦石营法》，北京：中国建筑工业出版社，1993年，第267页。

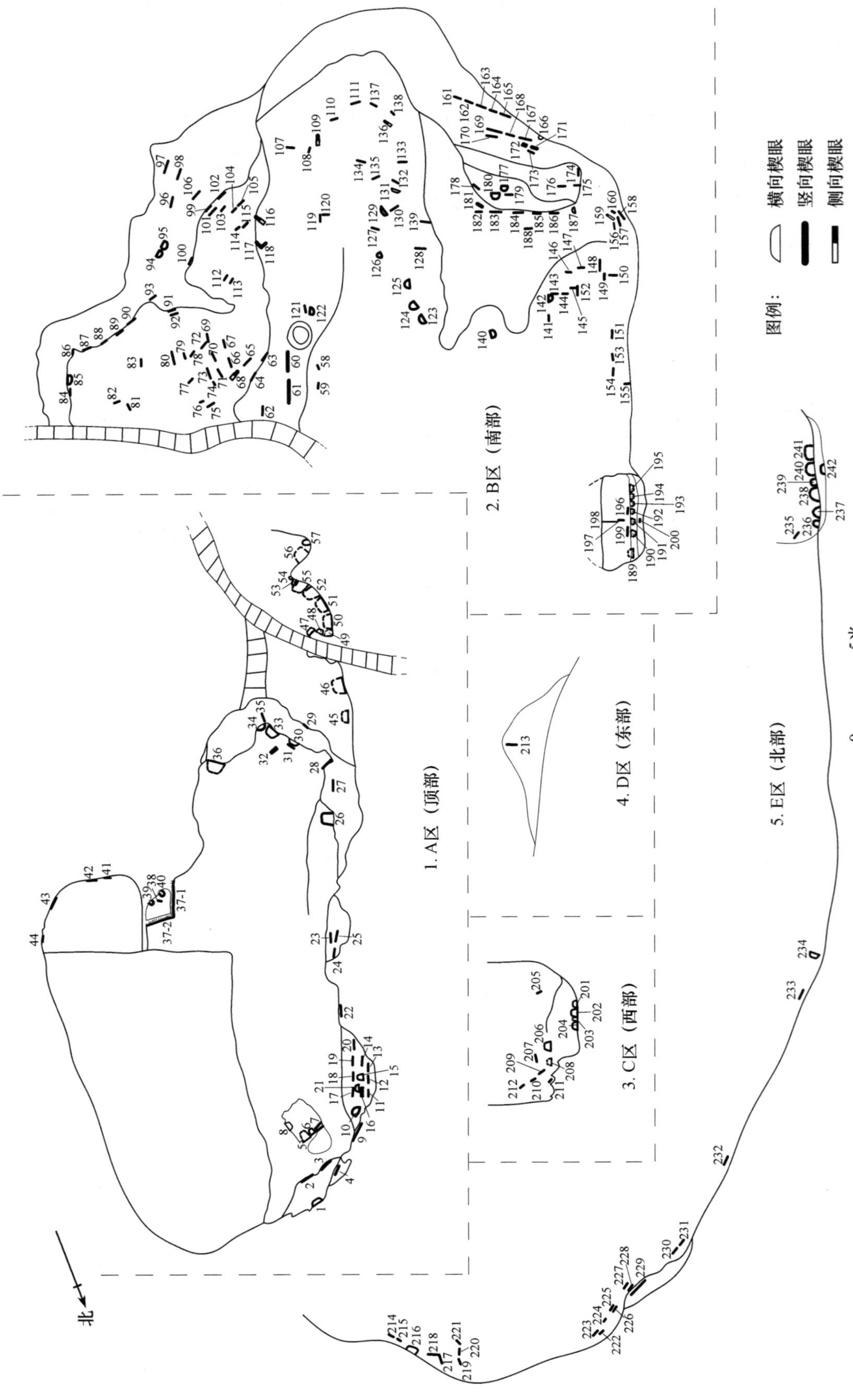

图7-2　采石场楔眼分区图

表7-1 采石场楔眼统计表

（单位：厘米）

编号	方向	纵剖	平面形状	长×宽 口部	长×宽 底部	深	錾痕	完残	组别	分区
1	横向	V字形	长条形	9×2	5×1	2.5		较完整		A区
2	竖向	V字形	长条形	46×残5	43×1.2	13	明显	存一半	2、3为一组	
3	竖向	V字形	长条形	45×残5	40×1	16		存一半		
4	竖向	U字形	长条形	53×残3	52×2	3		残		
5	横向	V字形	长条形	11×5	7×1	6		较完整	5、6、7、8为一组（洗平基岩表层）	
6	横向	V字形	长条形	8×5	残5×1	5		残		
7	竖向	U字形	长条形	30×5	28×2	9		残		
8	横向	V字形	长条形	7×4.5	3×1	4		较完整		
9	竖向	V字形	长条形	92×?	84×1	9	明显	残		
10	横向	V字形	长条形	38×残5.5	16×1	13		残		
11	竖向	V字形	长条形	21×4	3×1	9		较完整	11、12、13为一组	
12	竖向	V字形	长条形	15×5	10×1	9		完整		
13	竖向	V字形	长条形	34×6	24×1	10		完整		
14	竖向	U字形	长条形	43×残3	31×2	10		存一半	14、16为一组	
15	横向	V字形	长条形	9×3	6×0.8	6.5		较完整		
16	竖向	V字形	长条形	32×残2.5	22×1	10	明显	存一半	14、16为一组	
17	竖向	U字形	长条形	28×6	12×2	11		完整	17、18、19、20为一组	
18	竖向	V字形	长条形	24×6	13×1	9	明显	完整		
19	竖向	V字形	长条形	23×9	7×1	13.5	明显	完整		
20	竖向	U字形	长条形	23×5	14×2	10		存一半		
21	横向	V字形	长条形	30×?	25×?	7		残		
22	竖向	V字形	长条形	65×残3	52×1	13		残		
23	竖向	U字形	长条形	40×残4	38×2	15		残		

续表

编号	方向	纵剖	平面形状	长×宽		深	錾痕	完残	组别	分区
				口部	底部					
24	竖向	U字形	长条形	43×5	40×2	12		较完整	24、25为一组	A区
25	竖向	U字形	长条形	37×6	25×2	11		完整		
26	横向	V字形	长条形	31×4	28×1	11	明显	存一半		
27	竖向	V字形	长条形	40×残3	39×残1	13		残		
28	竖向	V字形	长条形	15×残3	8×0.5	10		残		
29	竖向	V字形	长条形	残45×残3	残33×?	10		残		
30	横向	V字形	长条形	32×7	23×1	11	明显	完整		
31	竖向	V字形	长条形	残60×残3	残55×1	15	明显	残		
32	竖向	U字形	长条形	32×6	22×2	13		较完整	32、33、34为一组（切去带裂痕基岩的一角）	
33	横向	V字形	长条形	21×7	6×1	8		较完整		
34	横向	V字形	长条形	30×7	20×1	9		完整		
35	竖向	V字形	长条形	42×残2	38×1	8		残		
36	横向	V字形	长条形	28×6	20×1	9		较完整		
37-1	竖向	V字形	长条形	130×11	120×1	22	明显	完整	37、38、39、40为一组（取一块近方形扁平石料）	
37-2	竖向	U字形	长条形	95×15	92×2	25	明显	完整		
38	竖向	V字形	长条形	残20×残2	残12×1	4	明显	残		
39	横向	U字形	长条形	25×8	18×4	20	明显	完整		
40	横向	V字形	长条形	21×13	16×1	13	明显	完整		
41	竖向	V字形	长条形	28×3	25×?	4		残		
42	竖向	V字形	长条形	残30×残5	残15×1	6		残		
43	竖向	U字形	长条形	73×?	66×3	10	明显	存一半		
44	竖向	U字形	长条形	18×?	9×残5	14	明显	残		
45	横向	V字形	长条形	14×残2	8×1	7		残		
46	横向	V字形	长条形	28×残1	21×?	13		残		

续表

编号	方向	纵剖	平面形状	长×宽		深	錾痕	完残	组别	分区
				口部	底部					
47	横向	V字形	长条形	20×4	16×1	5		完整	47、48、49、50、51、52、53、54为一组（切去凹凸不平的基岩面）	A区
48	横向	V字形	长条形	11×5	7×1	6		完整		
49	横向	V字形	长条形	10×残2	6×1	3		残		
50	横向	V字形	长条形	16×残3	8×1	8		残存一半		
51	横向	V字形	长条形	16×残4	10×1	8		残存一半		
52	横向	V字形	长条形	9×残2	6×1	5		残		
53	横向	V字形	长条形	11×?	8×?	6		残		
54	横向	V字形	长条形	14×残2	7×?	6		残		
55	横向	V字形	长条形	36×8	30×1	11	明显	完整		
56	横向	V字形	长条形	40×6	33×1	13	明显	完整		
57	横向	V字形	长条形	8×残3	3×0.5	7		残		
58	竖向	V字形	长条形	15×4	6×1	5	明显	完整		B区
59	竖向	V字形	长条形	12×4	3×0.5	6	明显	完整		
60	竖向	V字形	长条形	全长83×7	25×1	18	明显	半成品，半长43	60、61为一组	
61	竖向	V字形	长条形	90×20	72×1	22	明显	残		
62	竖向	V字形	长条形	47×?	36×1	14	明显	存一半		
63	竖向	V字形	长条形	46×?	40×1	13		存一半	63、64为一组	
64	竖向	V字形	长条形	60×?	60×1	14		残		
65	竖向	V字形	长条形	70×残3	58×1	17		残		
66	竖向	V字形	长条形	21×5	18×1	13		较完整	66、67为一组	
67	竖向	V字形	长条形	14×4	10×1	12		完整		
68	侧向	V字形	长条形	20×4	20×1	16		残		

续表

编号	方向	纵剖	平面形状	长×宽		深	錾痕	完残	组别	分区
				口部	底部					
69	竖向	V字形	长条形	25×4	20×1	11		较完整	69、70、71为一组	B区
70	竖向	V字形	长条形	17×4	14×1	13		较完整		
71	竖向	V字形	长条形	34×6	25×1	13		完整		
72	竖向	V字形	长条形	33×残3	26×1	12		存一半		
73	竖向	V字形	长条形	50×6	40×1	15		较完整	73、74、75、76、77为一组（切除基岩面上一块不规则石料）	
74	竖向	V字形	长条形	10×残2.5	8×1	6		残		
75	竖向	U字形	长条形	27×4	20×1	12		较完整		
76	竖向	V字形	长条形	16×6	5×1	10		较完整		
77	竖向	V字形	长条形	16×6	10×1	6		完整		
78	竖向	V字形	长条形	26×残3	23×1	13		较完整		
79	竖向	V字形	长条形	18×4	9×2	10		较完整		
80	竖向	V字形	长条形	47×残4	40×1	13		存一半		
81	竖向	V字形	长条形	37×6	24×1	10		完整		
82	竖向	U字形	长条形	残45×残2	残40×2	18		残存一半		
83	竖向	U字形	长条形	残67×残3	残60×2	13		残		
84	竖向	V字形	长条形	11×？	8×1	10		残	84、85为一组	
85	横向	V字形	长条形	50×？	40×1	14		残		
86	竖向	V字形	长条形	44×？	28×1	28		残		
87	竖向	V字形	长条形	40×残4	30×1	15		残		
88	竖向	V字形	长条形	50×6	45×1	16		较完整	88、89为一组	
89	竖向	V字形	长条形	39×残3	32×1	15		较完整		
90	竖向	V字形	长条形	60×？	45×1	16		残		
91	竖向	U字形	长条形	30×4	25×2	11		较完整		
92	竖向	U字形	长条形	23×？	18×2	残2		残		

续表

编号	方向	纵剖	平面形状	长×宽		深	錾痕	完残	组别	分区
				口部	底部					
93	竖向	V字形	长条形	50×？	45×1	12	明显	残		B区
94	横向	V字形	长条形	20×残2	10×1	15		残存一半	94、95为一组	
95	横向	V字形	长条形	18×残2	10×0.5	13		残存一半		
96	竖向	U字形	长条形	35×6	30×2	11		完整	96、98为一组	
97	竖向	U字形	长条形	60×5	53×2	13	明显	存一半		
98	竖向	U字形	长条形	29×4	25×2	8		完整	96、98为一组	
99	竖向	V字形	长条形	32×4	24×1	11		存一半	99、102为一组	
100	竖向	U字形	长条形	20×残2	12×2	13		残		
101	竖向	V字形	长条形	36×4	13×1	12		存一半		
102	竖向	V字形	长条形	18×3	10×残1	10		残	99、102为一组	
103	竖向	V字形	长条形	43×2	36×1	10		存一半		
104	竖向	V字形	长条形	15×？	10×1	10		残	104、105为一组	
105	竖向	V字形	长条形	20×3	14×1	12		存一半		
106	竖向	V字形	长条形	53×残2	45×1	13	明显	残存一半		
107	竖向	V字形	长条形	54×6.5	50×1	10		较完整		
108	竖向	V字形	长条形	28×5	20×1	12		残存一半		
109	侧向	V字形	长条形	17×3	14×1	10		较完整		
110	竖向	V字形	长条形	60×5	53×1	10		存一半		
111	竖向	V字形	长条形	20×5	10×1	13		残		
112	竖向	V字形	长条形	40×5	30×1	14		较完整		
113	竖向	U字形	长条形	30×残2	24×残2	残12		残存一半		
114	竖向	U字形	长条形	6×5	4×2	14		半成品		
115	竖向	V字形	长条形	27×4	20×1	12		完整		
116	侧向	V字形	长条形	28×5	22×1	11		完整		

续表

编号	方向	纵剖	平面形状	长×宽		深	錾痕	完残	组别	分区
				口部	底部					
117	竖向	V字形	长条形	20×5	18×1	12	明显	较完整		B区
118	竖向	V字形	长条形	40×4	34×1	15	明显	较完整		
119	竖向	V字形	长条形	42×5	35×1	11		较完整		
120	竖向	U字形	长条形	45×残2.5	32×1	12		存一半		
121	竖向	V字形	长条形	36×3	26×1	11		存一半		
122	横向	V字形	长条形	30×?	21×1	17		存一半		
123	横向	V字形	长条形	21×残3	16×1	17		较完整	123、124为一组	
124	横向	V字形	长条形	残36×残2	20×1	13		残		
125	横向	V字形	长条形	60×6	48×1	15		较完整		
126	横向	V字形	长条形	20×残3	15×1	12		残		
127	竖向	U字形	长条形	?	34×4	残4		残存底部		
128	竖向	V字形	长条形	41×7	34×1	11		较完整		
129	横向	V字形	长条形	20×残4	40×1	11		存一半		
130	竖向	V字形	长条形	40×残3	34×1	12		残		
131	横向	U字形	长条形	20×残5	14×2	11		较完整		
132	竖向	V字形	长条形	13×残3	10×1	6		较完整		
133	竖向	V字形	长条形	33×4	27×1	11		较完整		
134	竖向	V字形	长条形	36×4	22×1	19		较完整		
135	竖向	V字形	长条形	36×4	20×1	22		存一半		
136	侧向	V字形	长条形	30×3	25×1	16		残		
137	竖向	V字形	长条形	18×3	15×1	11		较完整		
138	竖向	U字形	长条形	27×5	24×2	?		存一半		
139	竖向	V字形	长条形	30×残1	32×1	12		残		
140	横向	V字形	长条形	36×5	27×1	14		较完整		

续表

编号	方向	纵剖	平面形状	长×宽		深	錾痕	完残	组别	分区
				口部	底部					
141	竖向	V字形	长条形	残15×残3	残10×残1	残5		残		B区
142	横向	V字形	长条形	25×?	20×1	12		存一半	142、143为一组	
143	竖向	V字形	长条形	50×4	40×1	11		存一半		
144	竖向	V字形	长条形	35×8	25×1	13	明显	完整		
145	竖向	V字形	长条形	?	26×1	7		存一半		
146	竖向	V字形	长条形	55×6	47×1	17		较完整		
147	竖向	V字形	长条形	残63×残9	残53×?	31		残		
148	竖向	V字形	长条形	20×残5	12×1	13		较完整		
149	竖向	U字形	长条形	残18×5	残12×4	9		残		
150	竖向	U字形	长条形	42×7	30×2	35		较完整		
151	竖向	V字形	长条形	残38×5	34×1	14		残		
152	竖向	V字形	长条形	50×残3	46×1	13		残		
153	竖向	V字形	长条形	26×?	18×1	15		残	153、154为一组	
154	竖向	V字形	长条形	28×?	20×1	15		残		
155	竖向	U字形	长条形	25×10	20×4	25		较完整		
156	竖向	V字形	长条形	20×残1	11×1	12		存一半		
157	竖向	U字形	长条形	28×残4	10×2	13		存一半		
158	竖向	V字形	长条形	46×5	4×1	11		较完整		
159	侧向	V字形	长条形	30×残5	20×1	15		存一半		
160	竖向	V字形	长条形	27×6	17×1.5	13		存一半		
161	竖向	V字形	长条形	48×6	40×1	12		较完整	161、162为一组	
162	竖向	V字形	长条形	13×5	6×1	9		完整		

续表

编号	方向	纵剖	平面形状	长×宽		深	錾痕	完残	组别	分区
				口部	底部					
163	竖向	V字形	长条形	18×5	13×1	11		较完整	163、164、165为一组	B区
164	竖向	V字形	长条形	26×残2	22×1	13		存一半		
165	竖向	V字形	长条形	38×残3	33×1	11		存大半		
166	横向	V字形	长条形	残15×?	10×1	5		存一半		
167	竖向	V字形	长条形	82×?	76×?	14		残	167、168、169为一组	
168	竖向	V字形	长条形	57×残3	46×1	12		存一半		
169	竖向	V字形	长条形	70×5	63×1	14		较完整		
170	竖向	V字形	长条形	85×?	74×1	15		存一半		
171	竖向	U字形	长条形	16×6	10×4	11		半成品		
172	竖向	V字形	长条形	20×6	12×1	11		较完整	172、173为一组	
173	竖向	U字形	长条形	46×6	33×3	11		存一半		
174	竖向	V字形	长条形	27×4	24×残1	15		存一半		
175	竖向	V字形	长条形	60×3	58×残1	11		存一半		
176	竖向	V字形	长条形	?	26×1	?		存一半		
177	横向	V字形	长条形	25×5	16×1	12		较完整		
178	竖向	V字形	长条形	22×4	12×1	10		完整		
179	竖向	U字形	长条形	25×7	20×2	?		较完整		
180	横向	V字形	长条形	25×6	20×残1	12		残		
181	竖向	V字形	长条形	残20×7	残17×1	22		残		
182	竖向	U字形	长条形	残12×3	9×2	8		残	182、183、184、185、186为一组	
183	竖向	V字形	长条形	74×6	70×1	13		较完整		
184	竖向	V字形	长条形	56×6	35×1	10		较完整		
185	竖向	V字形	长条形	52×残3	50×1	13		存一半		
186	竖向	V字形	长条形	35×4	30×1	12		较完整		

续表

编号	方向	纵剖	平面形状	长×宽		深	錾痕	完残	组别	分区
				口部	底部					
187	横向	V字形	长条形	14×3	10×1	2.5		完整		B区
188	竖向	V字形	长条形	38×4	25×1	25		较完整		
189	横向	U字形	近方形	23×11	14×1	14	明显	完整		
190	横向	V字形	长条形	15 ×5	9×1	7		完整，半成品		
191	横向	V字形	长条形	20×9	16×1	12	明显	完整		
192	横向	U字形	近方形	23×15	18×1	16	明显	完整	192、193、194、195与197、198为一组	
193	横向	V字形	长条形	20×7	12×1	15	明显	完整		
194	横向	V字形	长条形	9×4	6×1	5	明显	完整		
195	横向	V字形	长条形	36×9	20×1	17	明显	完整		
196	竖向	V字形	长条形	24×4	20×1	12	明显	存一半	196、199为一组	
197	竖向	V字形	长条形	17×4	14×1	5		较完整	192、193、194、195与197、198为一组	
198	竖向	V字形	长条形	31×6	21×1	11	明显	完整		
199	竖向	V字形	长条形	40×6	34×1	12	明显	存一半	196、199为一组	
200	竖向	V字形	长条形	残长15	?	14		残		
201	横向	V字形	长条形	23×?	10×?	16	明显	残	201、202、203、204为一组	C区
202	横向	U字形	长条形	25×?	13×残3	16	较明显	残		
203	横向	V字形	长条形	9×?	7×?	7	较明显	残		
204	横向	V字形	长条形	25×?	14×?	15		残		
205	竖向	V字形	长条形	48×?	43×1	13	明显	残		
206	横向	V字形	长条形	24×?	13×1	20	明显	残		
207	竖向	U字形	长条形	32×?	16×残2	11	明显	残		
208	横向	U字形	近方形	17×残10	11×4	16	明显	残		
209	竖向	V字形	长条形	25×5	11×1	13	明显	完整		
210	竖向	V字形	长条形	?	20×?	残1	明显	仅存底部		

续表

编号	方向	纵剖	平面形状	长×宽		深	錾痕	完残	组别	分区
				口部	底部					
211	竖向	U字形	长条形	残18×残5	11×3	14	明显	残		C区
212	竖向	V字形	长条形	50×？	40×？	9	明显	残		
213	竖向	V字形	长条形	42×4	30×1	18	明显	存一半		D区
214	竖向	U字形	长条形	20×8	8×4	12	明显	完整	214、215为一组	E区
215	竖向	U字形	长条形	8×5	5×4	4	明显	半成品		
216	横向	V字形	长条形	76×残6	73×1	30	明显	存一半		
217	竖向	U字形	长条形	38×5	34×4	5	明显	半成品		
218	竖向	U字形	长条形	17×5	14×4	3	明显	半成品		
219	竖向	U字形	长条形	？	残12×残2	18	明显	残		
220	竖向	V字形	长条形	残21×残4	15×1	20	明显	存一半		
221	竖向	U字形	长条形	20×残4	14×2	13	明显	存一半		
222	竖向	V字形	长条形	残44×残4	残40×1	11		存一半		
223	竖向	V字形	长条形	残40×残3	残35×1	9		存一半		
224	竖向	V字形	长条形	100×？	85×？	30	明显	残		
225	竖向	V字形	长条形	残30×残3	12×1	13		残		
226	竖向	V字形	长条形	35×6	12×1	12	明显	存一半		
227	竖向	V字形	长条形	70×？	50×1	18	明显	残		
228	竖向	V字形	长条形	50×？	44×1	11	明显	残		
229	竖向	V字形	长条形	140×？	130×1	27	明显	残		
230	竖向	V字形	长条形	29×残5	17×？	15	明显	存一半		
231	竖向	V字形	长条形	20×残3	15×1	11	明显	存一半		
232	竖向	V字形	长条形	30×残3	25×0.5	13	明显	残		
233	竖向	U字形	长条形	残17×残3	14×2	12	明显	残		
234	横向	V字形	长条形	25×残2.5	16×1	10	明显	残		

续表

编号	方向	纵剖	平面形状	长×宽		深	錾痕	完残	组别	分区
				口部	底部					
235	竖向	V字形	长条形	残26×残4	17×1.5	8	明显	残		E区
236	横向	V字形	长条形	16×6	10×1	5	明显	完整		
237	横向	V字形	长条形	48×6	40×1	10	明显	较完整		
238	横向	U字形	近方形	34×18	14×5	16	明显	完整		
239	横向	V字形	长条形	15×6	13×0.5	8	明显	完整		
240	横向	V字形	长条形	26×6	18×1	18	明显	完整		
241	横向	V字形	近方形	20×20	13×1	23	明显	残		
242	横向	V字形	长条形	22×？	15×？	8	明显	残		

发现楔眼143个（编号58～200），最为密集，间接证明了南部深坑为采石形成的可能性。C区位于采石场西部，地势较平，共发现楔眼12个（编号201～212）。其与A区之间尚有宽约10米的荆棘带，从A区楔眼的分布情况看（今地面处仍有竖向楔眼发现，意味着再深处应有横向楔眼），未清理的荆棘带内亦应有楔眼分布。D区位于采石场东部，为天然断坎，仅发现楔眼1个（编号213）。E区位于采石场北部，为缓坡，共发现楔眼29个（编号214～242），略显分散。

大量楔眼表明该采石场曾大规模频繁开采，且应仍有尚未发现者。采石时遵循由上而下、由四周向中央的基本原则，这一点在A区尤为明显。在清理过程中，能明显观察到部分楔眼直接凿于石料天然形成的裂缝带上，或处于裂缝的附近。经统计，可确定的处于裂缝带上的楔眼有74个，其中沿缝开凿的楔眼54个。

（二）楔眼类型

根据方向、形状、大小与完残程度的差异，可对楔眼进行不同的类型划分，其指向性不尽相同（图7-3）。

从楔眼的方向看，有竖向、横向和侧向之别。沿基岩水平表面垂直向下开凿者为竖向楔眼，共173个。沿基岩垂直壁面水平向内开凿者为横向楔眼，共65个。沿基岩垂直壁面向一侧竖向开凿者为侧向楔眼，仅5个。竖向楔眼从垂直方向迫裂基岩，横向楔眼从水平方向迫裂石材，两相结合便可开采规整石料。侧向楔眼则从垂直的临空面上将不规则犄角剔除，以便布置规整的竖向与横向楔眼。

从楔眼的形状看，剖面与平面有所不同。从剖面观察，楔眼一般口宽底窄，大部分楔眼横剖面规则地呈等腰梯形，部分呈圆弧形，极少量呈尖底形。纵剖面依据底部宽窄可分为V字形和U字形，底部宽0.5～1厘米的楔眼纵剖面多呈V字形，底部宽2厘米及其以上的楔眼纵剖面多呈U字形。据此标准，现场可见绝大部分楔眼纵剖面为V字形，共193个；少量为U字形，共50个。这种差异可能是工具不同使然，即使用了不同类型的铁錾。铁錾是打荒料和打糙的主要工具，普通铁錾直径可为0.8～1厘米，粗錾直径可为1～2.5厘米，尖錾的直径可为0.6～0.8厘米①。凿打岩石时会因凿头的尺寸在接触面上产生一个浅窝，楔眼底部的凿窝直径构成楔眼底部的宽度，底宽决定了楔眼纵剖面的形状。V字形底部清晰可见只有一排錾痕，深浅不一，錾痕直径0.5～1厘米，推测使用的是头部直径0.5～1厘米的圆头錾。部分尖底无法测量尺寸，錾痕呈连贯的线状，推测使用扁錾在楔眼内部进行修整。U字形底部可见并列两排及以上的錾痕。而从楔眼的口部形状观察，大致可以分为长条形与近方形两类。长条形楔眼长而窄，数量最多，达238例，竖向、横向与侧向楔眼皆有；长6～140、宽2～20、深2.5～35厘米。近方形楔眼数量较少，仅5例，且均横向；其长宽比例几接近，长17～34、宽10～20、深14～23厘米。由于宽度较大，楔子不易与凿孔咬合，这类楔眼的具体用途还有待考察，或用于搭建木轨

① 刘大可编著：《中国古建筑瓦石营法》，北京：中国建筑工业出版社，1993年，第266页。

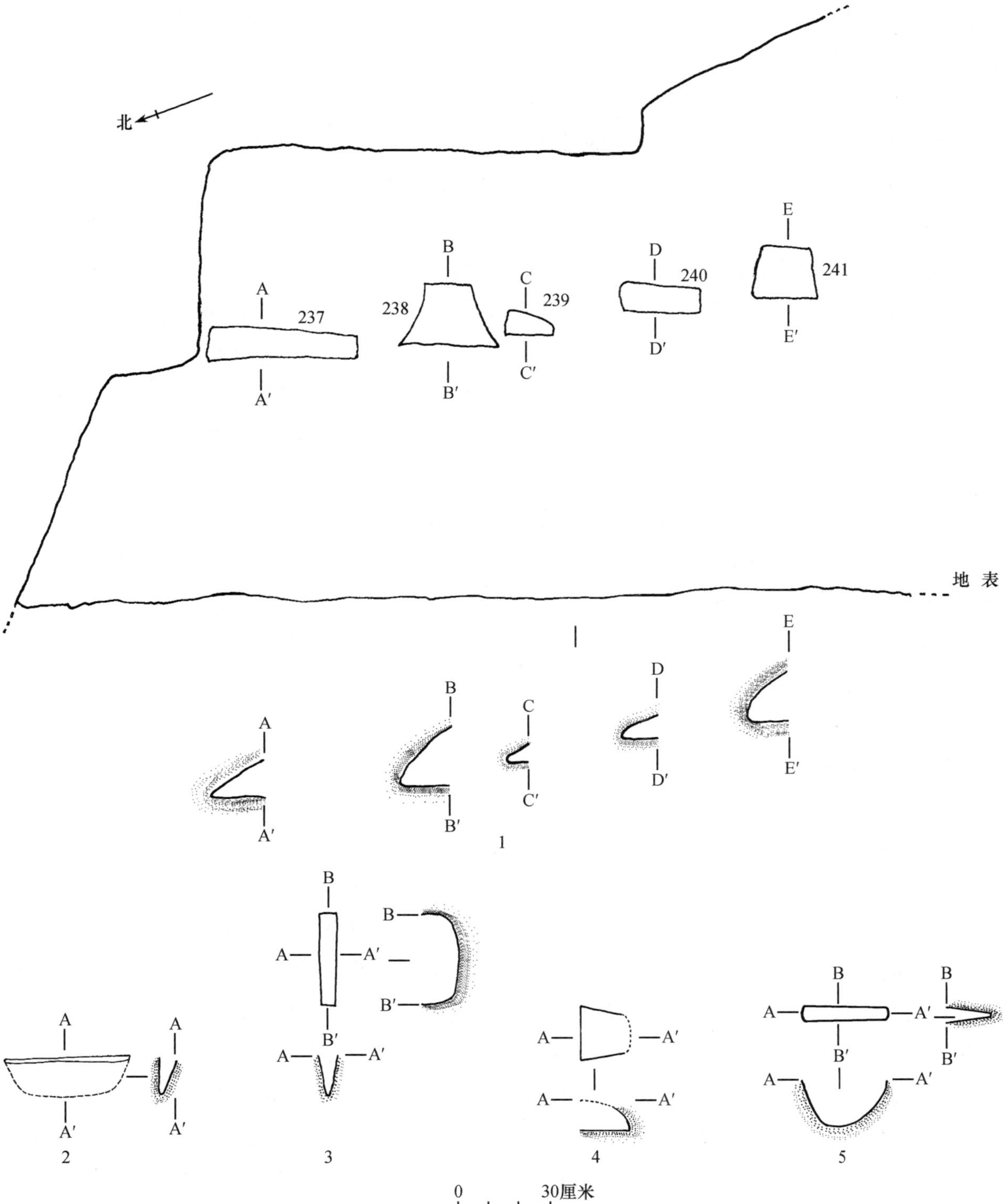

图7-3 楔眼类型

1. 横向楔眼（其中238、241为近方形楔眼，余为长条形楔眼） 2. 横向楔眼（56） 3.侧向楔眼（116） 4. 横向楔眼（208） 5. 竖向楔眼（209）

以使条形石材从较高处滑落而不至摔碎。整体而言，楔眼形状的差异应与不同的工具、不同的采石习惯与不同石料的要求相关，并一定程度反映了石匠来源的广泛性。

以大小而论，竖向楔眼普遍较横向楔眼长，近方形楔眼尺寸相对一致，长条形楔眼则变化较大，尤其表现在长度上。较完整的长条形楔眼宽2～20厘米，长度则在6～140厘米，跨幅较大，可据之将长条形楔眼分为大、中、小三类。长度在20厘米以下者为小型楔眼，长度在20～60厘米者为中型楔眼，长度超过60厘米者为大型楔眼。其中，小型楔眼54个（将部分口部残存尺寸20厘米以下者也一并纳入，以下各组同此）。口长6～18、口宽2～6、深2.5～18厘米，其大小仅能容一个铁楔。中型楔眼数量最多，共170个。口长20～60、口宽4～13、深3～35厘米，一个楔眼内可能放置1～2个铁楔。大型楔眼数量最少，仅19个。口长65～140、口宽6～20、深9～31厘米。大型楔眼的长度已远超单个铁楔的尺寸，可能安插两个以上铁楔，以使受力均匀。一般而言，楔眼的宽度与深度随长度的增加亦略有增加，楔眼的长度与深度往往与所取石材的长度和厚度成正比。

从楔眼的完残程度看，可分完整、不完整与半成品三类。完整者43例，半成品7例，余均不完整，共193例。不完整楔眼有的残存半边，有的残存底部，多应为采石完成后的遗迹。半成品为楔眼开凿部分后因故废弃者。完整者则意味着凿好的楔眼并未付诸使用，具体原因不明，可能是有了更好的选择，或者可以大胆推测播州之役全面爆发时采石活动仍未结束，即建囤工程仍在进行，因战事而被迫中止。

（三）楔眼组合

成组的楔眼通常位于同一个面上的同一条直线上，是相邻的两个或两个以上的楔眼，或者处在水平与垂直面上从不同方向迫裂石材的两列或以上的楔眼。判断的依据一为是否处在同一个面上（横向楔眼的下底处在同一水平面上），二为是否处在同一条直线或水平线上，三为相互组合能否有效开采石料。按此标准，通过现场的仔细观察，共识别出相互组合的楔眼32组（表7-1）。可以分为处在同一基岩面的同一条直线或虽非一条直线但在同一水平面上的一列楔眼，以及处在两个相互垂直的基岩面上的两列或多列楔眼两大类（图版306）。

单列楔眼。由一列竖向或横向楔眼组成，共26组，其中竖向22组，横向4组。竖向楔眼组合的判断相对容易，它们均处在同一直线上，且楔眼大小与间距基本相当。通常由2～5个楔眼组成，其中2个一组者15组，3个者4组，4个者1组，5个者2组。这类组合一般用以开采长条形大石，楔眼的长短与多寡与石料的长短成正比，11～13、17～20、24与25、182～186、60与61等号楔眼的组合关系便是例子，前4组以楔眼量多取胜，后者则以楔眼大取胜（图7-4）。横向楔眼2个一组者2组，4个与8个者各1组。其组合关系一看是否在同一直线上，2个或4个一组者均如是；二看虽非在一条直线上，但处在同一水平面上。47～54号8个楔眼处在同一水平面的一条曲线上，用以揭去一层凹凸不平的基岩面（图7-4-3）。一般而言，横、竖向楔眼需相互组合方能开采完整石料，因此上述部分楔眼中与之相配合的另外一组是缺失的，并不完整，原因

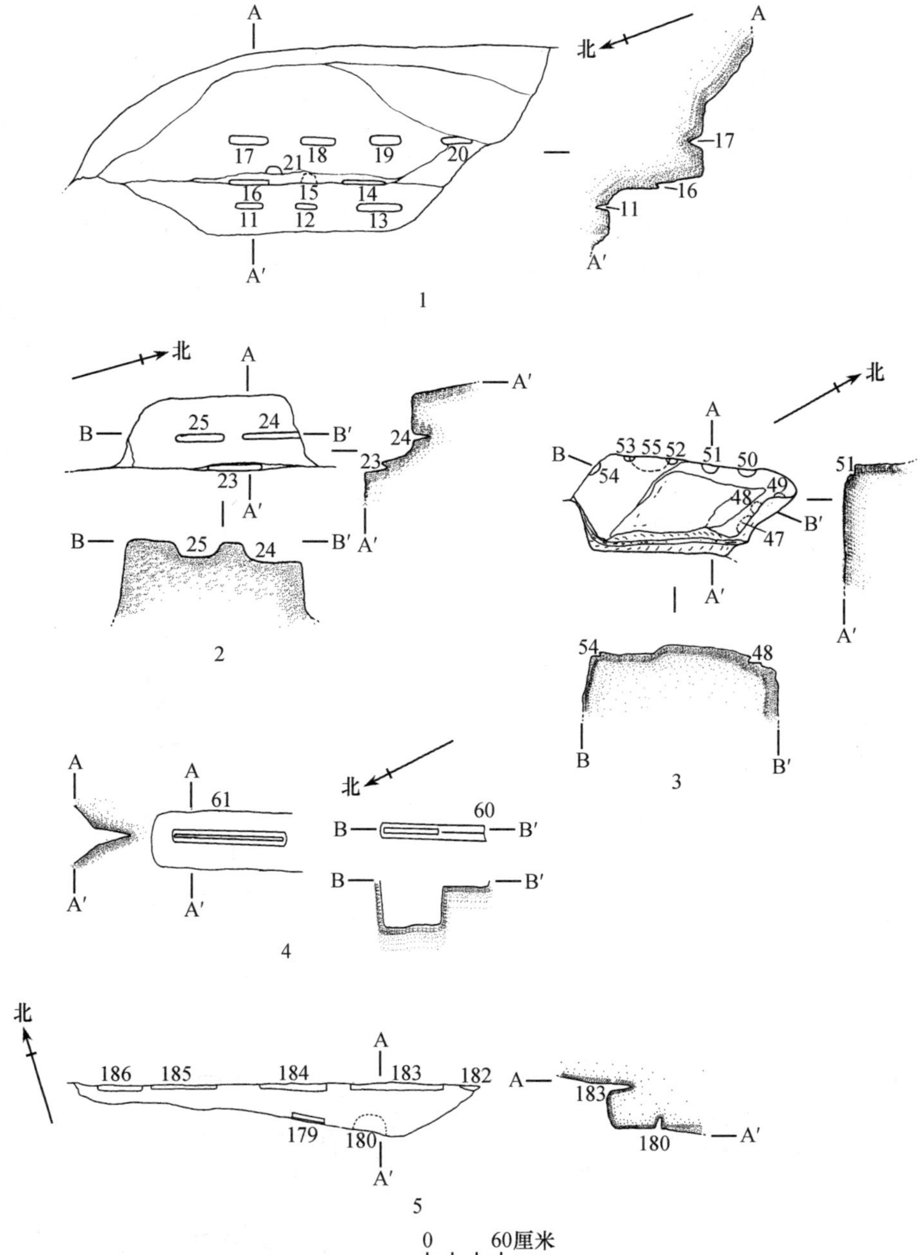

图7-4 单列楔眼组合

1. 11～13、14与16、17～20三组组合 2. 24、25组合 3. 47～54组合 4. 60、61组合（大型长条形楔眼，60为半成品） 5. 182～186组合

应是多种的，如楔眼尚未使用、另一组恰巧未留下痕迹等。但也有特殊情况，如只用单列楔眼洗平不规则基岩临空面以开采更好的石材，前述47～54号楔眼的组合便是例子。

多列楔眼。由2列或2列以上横向与竖向楔眼相互组合而成，共6组，楔眼数量在2～6个之间。通常是横、竖相组合，从相互垂直的方向迫裂石材，这是传统石料开采的一般方法，但这类遗迹发现较少，仅2例。192～195与197、198号楔眼的组合，前4个横向楔眼在同一水平面上，后2个竖向楔眼则将长条形基岩纵向切开，呈纵横两列，但楔眼凿好后并未进行开采（图

7-5-4）。其余5组则为不规则组合，用于洗平基岩表层、切去一角或开采近方形石料（图7-5-1、3）。37～40号是由5个3列组合而成的一组楔眼，其中37-1、37-2是两个近直角相交的大型长条形楔眼，试图就着天然裂缝将一块近方形石料从基岩上切下；39、40号楔眼为横向楔眼，拟从水平面上揭取石料；38号为使用过的竖向楔眼，试图截去石料的一角（图7-5-2）。

楔眼组合直接反映了海龙囤石料开采的一般工艺，即在规整石料开采之前，往往有一道洗平不规则临空面的工序，在此基础上就可有序规划拟开采石料。道理上，一块规整石料的开采应有4组楔眼，一组竖向楔眼纵向下切，一组横向楔眼水平揭起，两组竖向楔眼则将石料与左右基岩相切割。

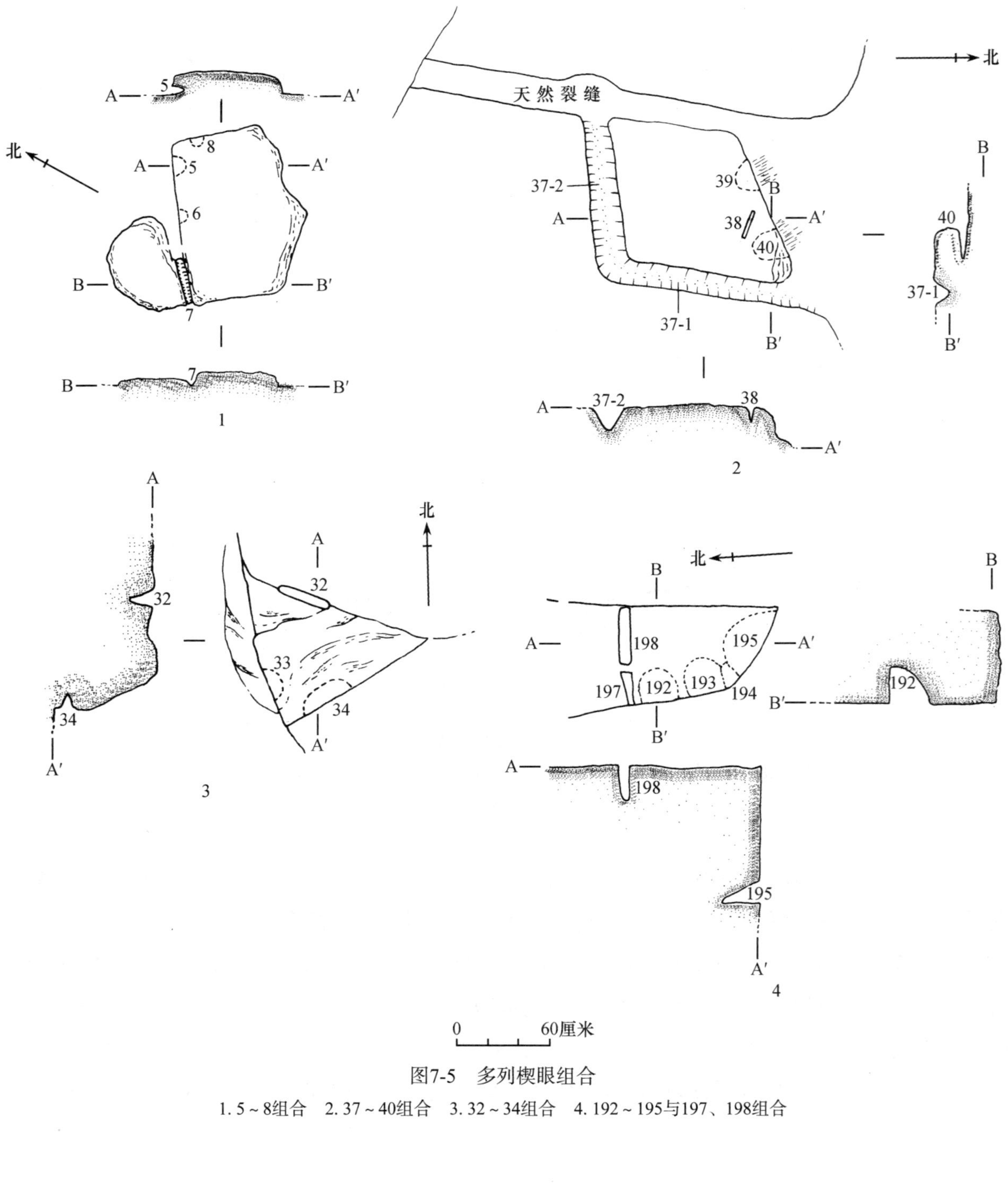

图7-5　多列楔眼组合

1. 5～8组合　2. 37～40组合　3. 32～34组合　4. 192～195与197、198组合

二、楔眼比对

使用后的楔眼被一分为二，一半留存在基岩上，一半则留存于采下的石料上，若石料未进行深度二次加工，这些楔眼均应可观察。经初步调查，海龙囤上飞龙关、朝天关、新王宫、金银库（F32）、转山（F33）等建筑基址的部分石料上仍遗有部分楔眼，龙虎大道的基岩壁上也有少量楔眼。在清晰认识采石场楔眼的基础上，便可开展相互比对工作，以确认其相关性。

（一）关隘用材

关隘用材指的是砌筑关隘基座所用石材，除门石、窗花、匾额等少量石料形状各异且经后期精细加工外，其余多是豆腐块状的长方形或近方形石料，楔眼一般就发现于这些石料上。

1. 飞龙关

飞龙关石材上共发现楔眼4个，其中关隘西侧墙壁1个、关内落石上3个（表7-2）。由于石料已脱离基岩，多数无法判断其方向（横向或竖向），所有建筑基址上用材均如此。

表7-2 飞龙关楔眼统计表 （单位：厘米）

编号	位置	形状	口部（长×宽）	底部（长×宽）	深	备注
1	关外西侧由下往上第5层		16×残3	?	9	存半边
2	关内坍塌落石	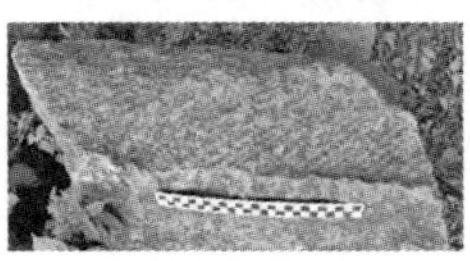	残49×?	残49×?	14	存半边
3	关内坍塌落石	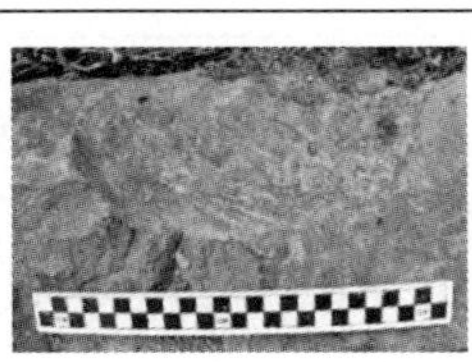	23×残2	17×0.5	10	存半边
4	关内坍塌落石		残39×残5.5	残23×?	16	存半边

飞龙关所见均系残存一半的长条形楔眼，横剖面都呈梯形，纵剖面呈V字形。口部长16～49、宽约5.5、深9～16厘米，其尺度在采石场楔眼的范围内，属中小型楔眼。

飞龙关坐落于一方向前凸出的基岩之上，其岩性经检测为绢云粉砂岩，而关座及相连城垣所用石材以肉眼观察主要为灰岩，因此应非就地取材，从岩性与楔眼类型的契合度看，不排除飞龙关石料即来自前述采石场的可能性。

2. 朝天关

朝天关共发现楔眼9个，其中2个完整，余均残存半边（表7-3）。2例完整楔眼形状略显特殊，其横剖面呈尖底状，开口尺寸较小，长11～14、宽4、深6～7厘米，属小型长条形楔眼，且开在石料的中央位置，当系开采时废弃或取下的石料二次切割时所遗楔眼，但未投入使用。

其余7例均为残存半边的长条形楔眼，口部长13～36.5、宽逾2、深8～20厘米，属中小型楔眼。从形状到尺寸，均可在采石场找到对应者，岩性亦一致。

表7-3　朝天关楔眼统计表　　（单位：厘米）

编号	位置	形状	口部（长×宽）	底部（长×宽）	深	备注
1	关内北壁	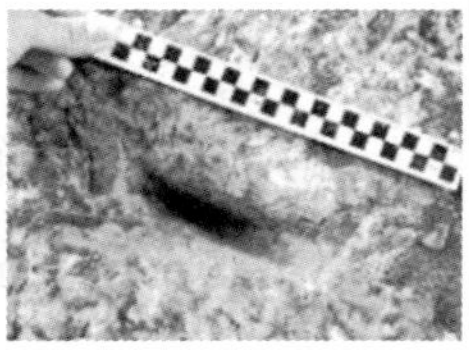	14×4	尖底×0.5	6	完整
2	关内北壁		15×残2	12×?	12	存半边
3	关内北壁		11×4	尖底×2.5	7	完整
4	关内南壁		28×残2	20×0.8	12	存半边
5	关内南壁		27×残2.5	22×?	10	存半边

续表

编号	位置	形状	口部（长×宽）	底部（长×宽）	深	备注
6	关内南壁		29×残2.5	11×？	20	存半边
7	关外北侧		13×？	6×？	8	存半边
8	关外北侧	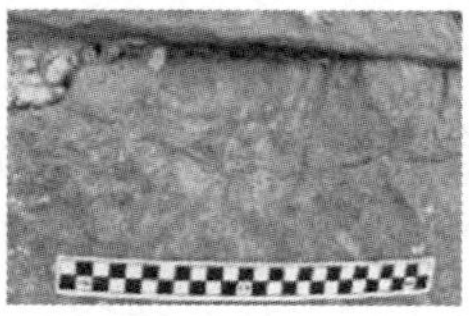	16×？	9×？	9	存半边
9	关外北侧		36.5×？	26×0.8	11	存半边

（二）新王宫用材

新王宫重要石材外露的一面多经过精细加工，仅发现楔眼26个，分布于踏步、房址墙基、铺地石板与池壁用材上（表7-4）。

从开口形状看，25例为长条形楔眼，1例为近方形楔眼（编号13）。从纵剖面看，22例为V字形楔眼，4例为U字形楔眼；从横剖面看，22例呈梯形，4例为尖底。长条形楔眼口部长7～30、宽2～5、深2.5～12厘米，属中小型楔眼。遗留在石料中央的完整楔眼，是开采时废弃或取下石料后二次切割时所遗的未经使用者。其中F7东侧墙基大石上所遗的2个完整楔眼（编号11、12），系成组的竖向楔眼，未经使用。G2西壁大石上的近方形楔眼（编号13），是一个横向楔眼，口长15、宽10、深8厘米。横剖面呈梯形，纵剖面呈V字形。该孔眼未必为楔眼，更可能是搭建木桥的孔眼（与G2东壁F7台基表面的2个方形孔眼对称分布），但其开凿方式与采石场近方形楔眼一致。

新王宫内主要石材岩性与采石场一致，为灰岩，可观察的楔眼形状与尺寸亦均在采石场楔眼范围内。但因体量较大的长条形阶石、地栿石等均经精细加工，所以其上未见采石场上开采大型长条形石材所用的长条形大型楔眼。此外，新王宫部分铺地石板下可见大量碎石屑，表明石料是运抵后现场加工的，多数楔眼因之不存。

表7-4　新王宫楔眼统计表　（单位：厘米）

编号	位置	开口形状	纵剖面	口部（长×宽）	底部（长×宽）	深	备注
1	F28前铺地石板	长条形	V字形	21×5	9×1	6	完整
2	F10东侧墙基	长条形	V字形	17×2	6×1	9	完整
3	F10东侧墙基	长条形	V字形	残17×2.5	11×？	10	较完整
4	F10东侧墙基	长条形	V字形	13×？	5×？	9	残
5	F11东侧墙基	长条形	V字形	16×残4.5	10×0.8	7	残
6	F11东侧墙基	长条形	V字形	8.5×残3	1×1	2.5	残
7	F11东侧墙基	长条形	V字形	16×残4	3×1	10	残
8	F11东侧墙基	长条形	U字形	20×4	13×2	8	完整
9	F11东侧墙基	长条形	U字形	15×残3.5	6×2	9	残
10	C6	长条形	V字形	16×5	尖底×0.5	6	残
11	F7	长条形	U字形	19×5	尖底×2.5	7	完整为一组
12	F7	长条形	V字形	15×4	尖底×1.5	6	
13	G2西壁	近方形	V字形	15×10	11×0.5	8	完整
14	F8东侧墙基	长条形	V字形	11.5×2.5	2×1.5	7	完整
15	F20	长条形	V字形	20×残2	4×1	10	残
16	F20	长条形	V字形	24×残4	11×1	5	残
17	F20	长条形	U字形	19×残4	4×2	10	残
18	F20	长条形	V字形	7×残2.5	2.5×1.5	7	残
19	F20	长条形	V字形	7×？	2×？	6	残
20	F17东侧墙基	长条形	V字形	15×残4	3×1	7	残
21	F17西侧踏步	长条形	V字形	14×残1	8×1	4.5	残
22	F17西侧踏步	长条形	V字形	12×残2	5×？	6	残
23	F17西侧踏步	长条形	V字形	13×2.5	尖底×1	8	完整
24	C3	长条形	V字形	30×4	3×1.5	10	完整
25	C3	长条形	V字形	残21×5	残16×2	12	残
26	C3	长条形	V字形	19×残1	尖底×0.8	6	残

三、采石工具

采石场内未见采石工具，但在新王宫内发现铁錾2件，土城墙南门址（TG33）内发现2件，共4件。

圆头錾　1件。C6①：5，圆锥形，中空，前端尖锐，銎中插木柄使用。残存前半部分，锈蚀较甚。发现时钉在C6底部的砂岩中，应为开凿岩坑时残断在岩层中的工具。残长11、最大径3厘米（图7-6-1）。

扁錾　3件。F8③：13，实心，后端圆柱形，前端四棱形，锋尖扁平，略残。残长14.6、圆径1.7、中部横截面边长2.2、錾尖宽0.6厘米（图7-6-2）。TG33①：8，仅存刃部残段，断面呈扁圆形。残长7、宽1～1.4、刃宽1厘米（图7-6-3）。TG33①：12，方锥形，中空，带方銎，尖刃。通长14、銎径2厘米。

圆头錾与扁錾是就錾尖的形状而言，前锋圆尖者为圆头錾，扁平者为扁錾。圆头錾1件（C6①：5）发现于明万历时期开凿的岩坑底部基岩中，年代确凿。值得注意的是，部分定为“铁镦”的器物形制与C6①：5相同，不排除其亦为铁錾的可能。扁錾3件，其中F8③：13发现于新王宫内，錾尖宽度仅0.6厘米，较宋代城垣石材与A型礌石上所见凿痕宽度（约1厘米）略窄，亦应为明万历时期遗物；TG33①：8錾尖宽度则达1厘米，可能为南宋遗物。

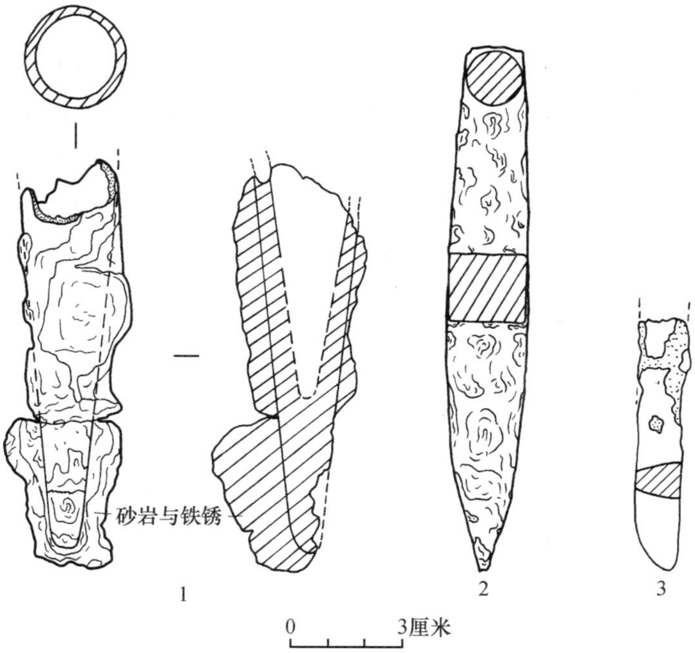

图7-6　铁錾

1. 圆头錾（C6①：5）　2、3. 扁錾（F8③：13、TG33①：8）

四、小　　结

通过前文的梳理，可以得出以下几点认识。

第一，灰岩、砂岩与白云岩相互交叠的海相沉积，为海龙囤石料的开采提供了天然的便利，采石场的发现确证了建囤所需石料均就近采用，岩性的比对也支持这一认识，楔眼的发现则使之成为铁证。

第二，采石场共发现楔眼243个，据口部形态可分为长条形（又分大、中、小三型）、近方形两类，底部则有宽窄变化，呈梯形、V字形或U字形。可识别组合关系的楔眼有32组，据此可大致复原海龙囤采石工艺，其与当地还在沿用的传统石料开采工艺相似，经由盖层剥离

（包括基岩面上不规则岩石）、以錾凿眼、击楔裂石等工序。在规整基岩上布横向与竖向的成列楔眼，从水平与垂直方向用铁楔迫裂石材。一般开采较规则的条形石材，运抵工地现场再行二次加工，进行精细雕琢或切割为适用石材。大量楔眼的发现，表明该采石场曾频繁广泛开采，其南部一规则深坑当系采石所形成。

第三，经仔细比对发现，除岩性一致外，采石场楔眼的类型、尺寸均与年代确凿的飞龙关（1596）、朝天关（1595）和新王宫部分石料上所见楔眼相同，表明这是一处明万历时期的采石场。少量同时代铁錾的发现，也可提供佐证。除此之外，由于采石场地势较高，便于石料向下运输，推测新王宫、老王宫、飞龙关、朝天关与飞凤关等处建筑基址所用石材均取自该采石场。而采石场上部分完整楔眼的存在，似表明在播州之役爆发的1600年采石建囤活动仍在进行。

第四，由于建囤所需石料颇巨，加之各功能区之间相去较远而运输不便，囤上采石场当不止此一处。此外，囤上尚未发现可确定的南宋采石遗迹，长逾3千米的南宋城垣石材上也未见明显楔眼，表明宋时的采石工艺可能与明代有所不同，应是顺着质地松脆的片状砂岩的自然层理直接撬取，再用扁錾将边缘修理规整（扁平侧面往往有錾痕），因而南宋采石场不易发现。

第八章　其他遗存：构树、转山、金银库、大土与教场坝

除成片的较大规模的遗址外，海龙囤上尚有部分规模偏小并相对独立的遗迹，构成了不同的功能区。以所在地命名，含构树（F39）、金银库（F32）、转山（F33）、大土（F31）与教场坝等地点（见图1-1）。主要为建筑遗迹，个别（教场坝）则为练兵之地。其年代有别，性质各异。

第一节　构　　树

构树，是民间对教场坝东南侧、夹于老王宫与绣花楼两条冲沟间的一道小山脊的俗称，因构树多而得名。山脊顶部较平，自东北向西南依次抬升，形成三级平台，总面积约1600平方米。位于顶部的第三级平台面积最大，约900平方米（图版307）。2019年春，我们在第三级平台边缘调查时采集到较多瓦砾，遂沿断坎布探沟一条进行试掘（TG57），发现石砌墙体一道，出土大量南宋时期瓦砾。为判明遗迹的性质，随即又分别在第三级平台的顶部（TG58）、临老王宫冲沟的东北侧（TG59）各布探沟一条，均发现了石砌遗迹（图8-1）。通过试掘与钻探，结合出土遗物，我们认为这是一组南宋时期的建筑遗迹（编号为F39），是囤内除关隘、城垣及沿城垣分布的哨台外仅见的南宋时期建筑遗迹，因此格外重要。

一、遗　　迹

（一）地层堆积

该处的堆积可分3层。第1层为表土层，灰褐色沙黏土，土质松软，含大量植物根须，出土遗物有少量南宋瓦砾、片状砂岩碎块和青花瓷片，厚0.06～0.2米。第2层为黄褐色黏土，土质

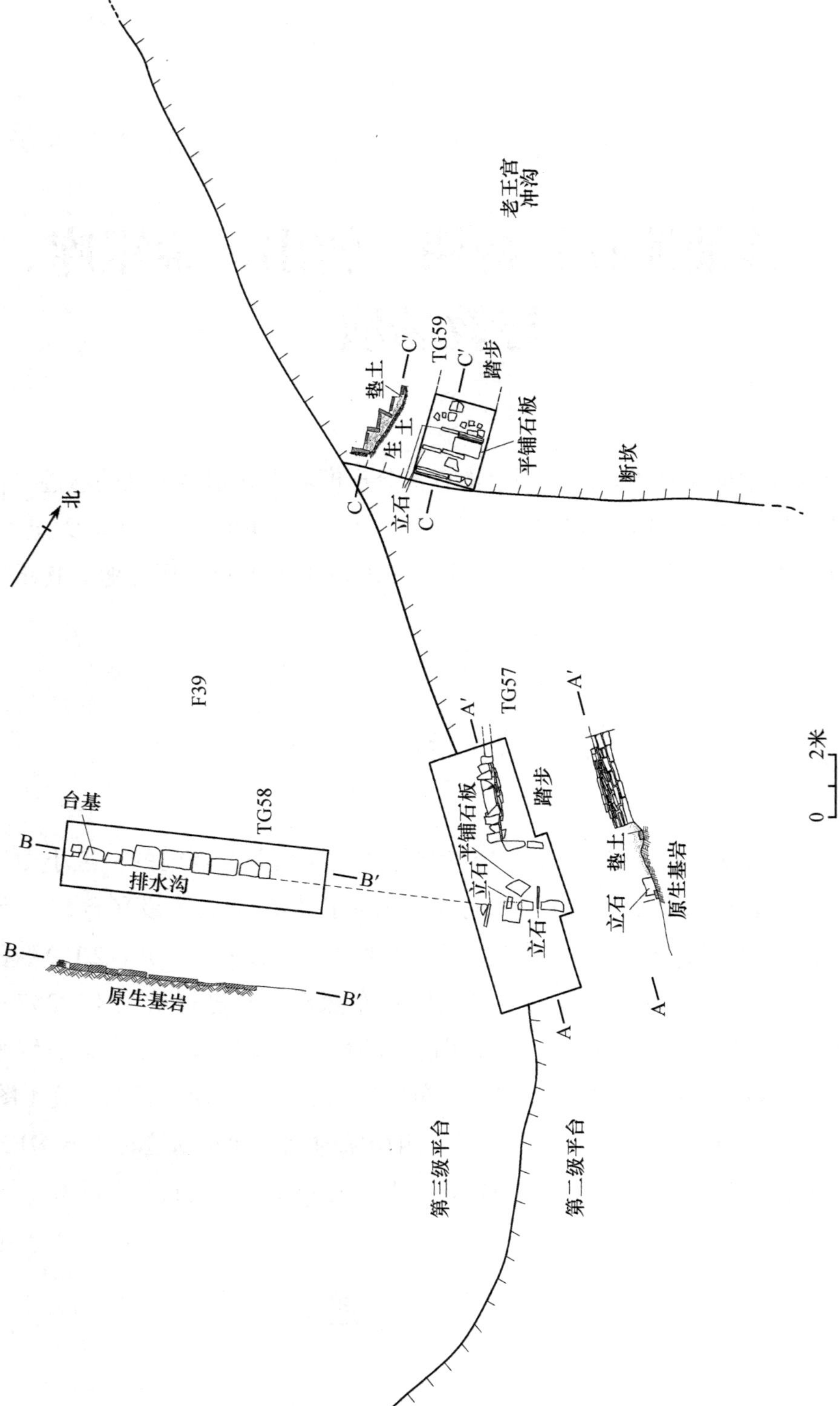

老王宫冲沟
垫土
C'
TG59
C'
踏步
生土
平铺石板
断坎
C
立石
C
北
F39
A'
TG57
A'
台基
TG58
平铺石板
踏步
B
B'
排水沟
立石
立石
垫土
原生基岩
立石
B
B'
原生基岩
A
A
第三级平台
第二级平台
断坎
0
2米

图8-1 F39平、剖面图

松软，出土遗物有大量南宋瓦砾、部分瓦当，以及较多青花、白瓷、青瓷和粗瓷残片，为明代堆积，厚0.28～0.4米。遗迹露头于该层下。第3层为浅黄褐色黏土，为局部堆积，主要见于第三级平台的中部偏南地带，包含较多片状砂岩石块，出土遗物主要为南宋瓦砾与瓦当，应为建筑坍塌后所形成的堆积，厚0.1～0.6米（图8-2；图版308-1）。

钻探显示，第三级平台普遍第1层下即为生土，遗物较少，亦未见其他遗迹。4000余块瓦砾碎片主要发现于平台边缘，即TG57内。这排除了该地为窑址的可能性。

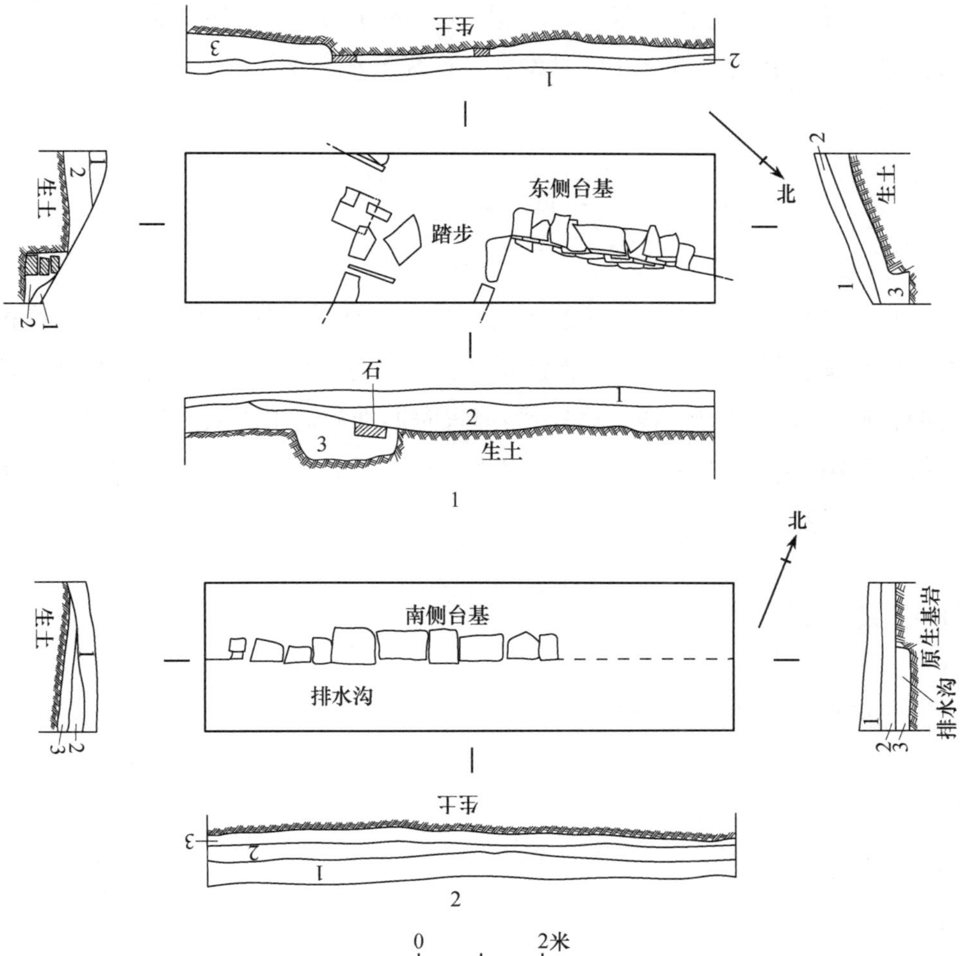

图8-2　TG57、TG58平、剖面图
1. TG57　2. TG58

（二）遗迹

石砌台基与踏步，共同构成一组可大略复原的建筑遗迹（F39）。均起砌于生土之上，露头于第2层下。用未经加工的片状砂岩叠砌、平铺或立砌而成，未见黏合剂。

F39坐西北向东南，方向158°，整体保存较差。东侧平台边缘断坎上砌挡土墙，并设踏步，构成F39台基东缘（TG57）。揭示的石墙残长3.2、残高0.72米。其南端设踏步，阶沿以石板立砌而成，阶面平铺石板，残存三级。踏步残长2、宽2米，每级宽约0.7米（图8-2-1；

图版308-1、2）。台基南缘以片状砂岩直接在原生基岩上平砌而成，尚存石板一层，残长6.5米（TG58）。其外（南）侧基岩面上掘有浅沟一条，沟内为第3层堆积（图8-2-2；图版308-4）。两墙略呈直角相交，但墙体已坍塌，乱石与瓦砾混为一体，所见瓦砾即绝大多数出土于此。复原起来的F39台基面阔14米以上，进深不少于7米，用不规则石板砌筑台基边缘，其上立木柱（图8-1）。

F39北侧临老王宫冲沟处亦发现石砌踏步一组，阶沿以石板立砌，阶面则平铺石板，尚存四级（TG59）。通长2.19、宽1.56米，每级宽0.66、高0.26米。与房基东侧踏步工艺相同，尺寸相仿（图版308-3）。由此通向老王宫冲沟底，或为汲水之路。

二、遗　　物

遗物较为集中地出土于各探沟的第2层与第3层内。如前所述，第2层为明代堆积，出土物除大量南宋时期瓦砾、部分瓦当及个别青瓷器外，主要为明代瓷器、铁器等生活用器与兵器类遗物，未见明代砖、瓦等建筑材料。第3层为南宋时期堆积，出土遗物较为单一，均为瓦、瓦当等建筑材料。仅第1层内出土的1件青花灵芝茶花纹杯残片可确定为清代遗物。以下重点介绍宋、明两个时期的遗物（表8-1）。

（一）南宋遗物

主要为瓦与瓦当等建筑材料，另有生活用器1件。

1. 建筑材料

有瓦与瓦当两类。

（1）瓦

出土瓦砾数量颇巨，共4838块，其中板瓦4480块，筒瓦358块。均较细碎，仅少量稍完整。

板瓦　均为A型，即翘头小板瓦。瓦胎轻薄，瓦色灰中泛白，质地松软，火候偏低。最为突出的特点是小头一端内侧向外削刮而变薄，形成翘头。两肋切开后自然裂开，因此较为粗糙。相对完整者3件。TG58②：7，残。残长18、宽18.3、厚0.6～1.3、小头矢高5.2厘米（图8-3-1；图版309-1）。

筒瓦　均为A型。瓦胎轻薄，瓦色灰中泛白，质地松软，火候偏低。熊头短小，其内侧无明显倾斜，两肋断口粗糙，其大头一端内侧亦刮削后微向外翘。TG57③：6，残。残长14、瓦身宽13.7、厚2、大头矢高7、小头矢高5.2、熊头长3厘米（图8-3-2；图版309-2）。TG57②：5，残。与熊头相对的一端（大头）内侧亦刮削后微外翘。通长28.5、瓦身残宽8.2、厚0.7～1.7、熊头长3厘米（图8-3-7；图版309-3）。

表8-1 构树（TG57～TG59）出土遗物统计表

序号	出土单位/编号	名称	保存状况	类型	残片数量	可计件数	年代	备注
1	TG57①	青花灵芝茶花纹杯（口沿）	残片		1	1	清	
2	TG57②：1	滴水	残	A型	1	1	南宋	板瓦
3	TG57②：2	滴水	较完整	A型	1	1	南宋	板瓦
4	TG57②：3	滴水	残	A型	1	1	南宋	板瓦
5	TG57②：4	青花缠枝花托梵文碗	已修复	Ab型	3	1	明晚	内刺“万”字
6	TG57②：5	筒瓦	残	A型	1	1	南宋	
7	TG57②：6	滴水	残	A型	1	1	南宋	板瓦
8	TG57②：7	勾头	残	Ab型	2	1	南宋	筒瓦，三瓣月华纹
9	TG57②：8	勾头	残	A型	1	1	南宋	板瓦
10	TG57②：9	青釉粗瓷碗	已修复		12	1	明晚	釉色泛褐
11	TG57②：10	青釉粗瓷碗	已修复		4	1	明晚	釉色泛黄
12	TG57②：11	铁刀	残	A型	1	1	明晚	直柄铁刀，仅存柄部
13	TG57②：12	影青菊瓣碗（口沿）	残		1	1	南宋	
14	TG57②：13	石臼	残		1	1	明晚	
15	TG57②	哥釉青花碗	残片		3	1	明晚	釉带冰裂纹，青花泛灰
16	TG57②	釉上彩瓷碗	残片		1	1	明晚	彩已脱落，仅留印痕
17	TG57②	白瓷盘（口沿）	残片		2	1	明中	
18	TG57②	青花螭龙纹碗	残片		4	1	明晚	
19	TG57②	青花花卉纹杯（底）	残片		1	1	明晚	
20	TG57②	青花锦纹盘（口沿）	残片		1	1	明晚	
21	TG57②	青花“福”字碗	残片		4	1	明晚	以同类器推知外腹有“福”字
22	TG57②	青花花卉纹碗	残片		14	6	明晚	计件据口沿
23	TG57②	青釉粗瓷罐	残片		3	1	明	内壁釉色泛绿
24	TG57②	青釉粗瓷碗（底）	残片		3	3	明清	釉色泛白，内底有叠烧涩圈
25	TG57②	酱釉粗瓷罐	残片		3	2	明	

续表

序号	出土单位/编号	名称	保存状况	类型	残片数量	可计件数	年代	备注
26	TG57②	青花银杏叶纹碗（口沿）	残片		1	1	明晚	
27	TG57②	青釉粗瓷罐	残片		23	4	明	
28	TG57②	板瓦	残片	A型	2106		南宋	统计后现场掩埋
29	TG57②	筒瓦	残片	A型	167		南宋	
30	TG57③：1	滴水	残	A型	2	1	南宋	板瓦
31	TG57③：2	勾头	残	Ab型	1	1	南宋	筒瓦，三瓣月华纹
32	TG57③：3	勾头	残	A型	1	1	南宋	板瓦
33	TG57③：4	勾头	残	Ab型	1	1	南宋	筒瓦，三瓣月华纹
34	TG57③：5	勾头	残	A型	1	1	南宋	板瓦
35	TG57③：6	筒瓦	残	A型	1	1	南宋	
36	TG57③	板瓦	残片	A型	2326		南宋	统计后现场掩埋
37	TG57③	筒瓦	残片	A型	189		南宋	
38	TG58②：1	铁矛	较完整	C型	1	1	明	
39	TG58②：2	磨石	残		1	1	明晚	
40	TG58②：3	磨石	残		1	1	明晚	
41	TG58②：4	铁锅（口沿）	残		1	1	明晚	
42	TG58②：5	板瓦	残	A型	1	1	南宋	
43	TG58②：6	板瓦	残	A型	1	1	南宋	
44	TG58②：7	板瓦	残	A型	1	1	南宋	
45	TG58②：8	青釉粗瓷罐	残片		1	1	明	肩饰乳钉纹
46	TG58②	铁器残件	残		3	1	明	条形，残甚
47	TG58②	铁器残件	残		1	1	明	圆锥形，或为镞铤
48	TG58②	青釉粗瓷碗（口沿）	残片		1	1	明清	
49	TG58②	青花盘（口沿）	残片		1	1	明晚	
50	TG58②	青花折枝花卉纹杯（底）	残片		1	1	明晚	外底青料书一“福”字

续表

序号	出土单位/编号	名称	保存状况	类型	残片数量	可计件数	年代	备注
51	TG58②	青花伞纹碗（口沿）	残片		1	1	明晚	
52	TG58②	青花螭龙纹碗（底）	残片		2	2	明晚	
53	TG58②	青花奔马纹碗（口沿）	残片		1	1	明晚	青花泛灰，马较写意
54	TG58②	白瓷盘（口沿）	残片		2	1	明中	
55	TG58②	青釉粗瓷壶（口沿）	残片		1	1	明	盘口
56	TG58②	青花粗瓷碗	残片		1	1	清	釉色混浊，青花晦暗
57	TG58②	红绿彩瓷碗	残片		1	1	明晚	釉上施红绿彩
58	TG58②	青花花卉纹碗	残片		36	7	明晚	计件据口沿
59	TG58②	青花弦纹碗（底）	残片		1	1	明晚	内壁无釉
60	TG58②	青釉粗瓷罐	残片		23	4	明	
61	TG58②	板瓦	残	A型	25		南宋	
62	TG58③	板瓦	残	A型	13		南宋	
63	TG59②：1	青花缠枝花卉纹大盘	残		1	1	明晚	
64	TG59②	青釉粗瓷罐	残片		2	1	明	
65	TG59②	青花花卉纹碗	残片		1	1	明晚	
66	TG59②	青花缠枝花卉纹碗	残片		5	2	明晚	
67	TG59②	板瓦	残	A型	7		南宋	

（2）瓦当

共11件。有勾头、滴水两类，勾头有板瓦勾头与筒瓦勾头之别，滴水则均系板瓦（图版310）。

筒瓦勾头　3件。均属Ab型，即三瓣月华纹勾头。与Aa型筒瓦勾头一样，均为正视月华纹，但Aa型为八瓣，Ab型为三瓣，花瓣略呈银锭状。TG57③：2，残。灰白色。下缘微外撇。居上两瓣花瓣略呈银锭形，居下一瓣则呈心形。高10.2、残宽11、厚1.2～2.2厘米（图8-3-3、图8-4-1）。

板瓦勾头　3件。均残，属A型，即侧视牡丹纹勾头。中央为饰方格纹的花蕊，左右各三片花瓣，花瓣较直；花蒂两侧各有一叶片向上逸出。TG57③：3，灰褐色。残存右侧花瓣与叶

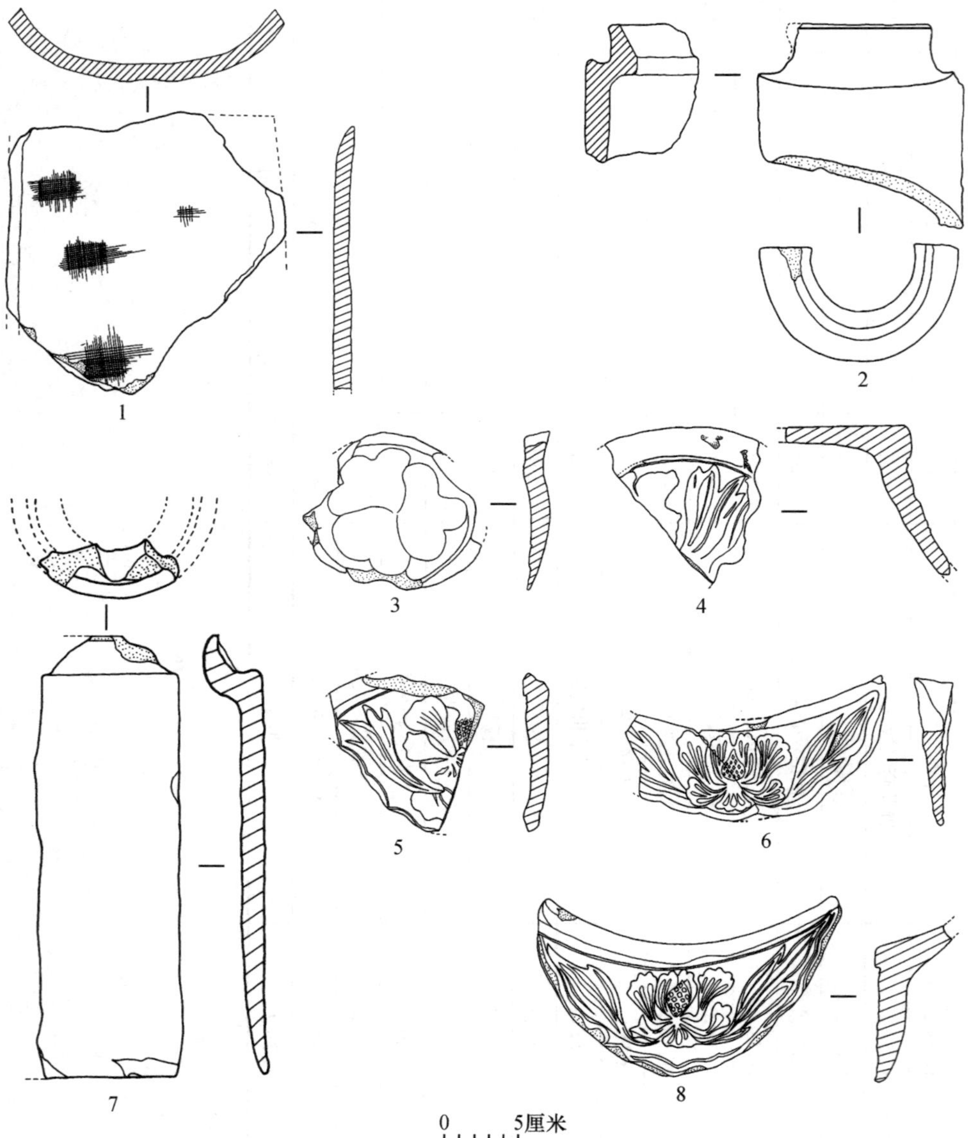

图8-3　构树出土南宋建筑材料

1. A型板瓦（TG58②：7）　2、7. A型筒瓦（TG57③：6、TG57②：5）　3. Ab型筒瓦勾头（TG57③：2）　4、5. A型板瓦勾头（TG57③：3、TG57③：5）　6、8. A型滴水（TG57③：1、TG57②：2）

片，带部分瓦身。下缘微向外撇。残高10.3、残宽10、厚1.2～1.6厘米（图8-3-4、图8-4-3；图版310-4）。TG57③：5，灰白色。残存左侧花瓣与叶片。下缘微向外撇。残高9.6、残宽10.2、厚1.2～2厘米（图8-3-5、图8-4-2；图版310-3）。

滴水　5件。均属A型，即侧视牡丹纹滴水。花纹与前述A型板瓦勾头大同小异。中央为侧视六瓣牡丹花，以方格纹表示花蕊，外侧四瓣折而向上，花蒂两侧各有一修长叶片向上逸出。TG57②：2，灰白色。较完整，尚存部分瓦身。高10、宽19.5、厚1～1.6厘米（图8-3-8、图8-4-5；图版310-10）。TG57③：1，灰白色。残。残高7、残宽17.6、厚0.8～1.2厘米（图8-3-6、图8-4-4；图版310-8）。

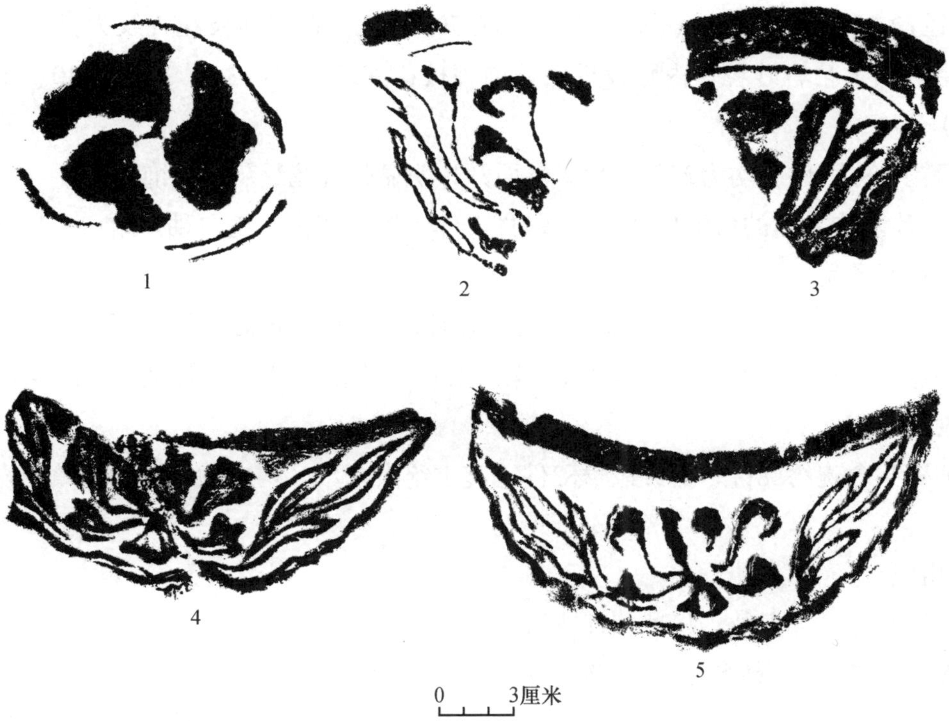

图8-4　构树出土瓦当拓本

1. Ab型筒瓦勾头（TG57③：2）　2、3. A型板瓦勾头（TG57③：5、TG57③：3）　4、5. A型滴水（TG57③：1、TG57②：2）

2. 生活用器

能确定的南宋遗物，仅影青菊瓣碗1件。TG57②：12，仅存口腹残片。芒口，微外撇，腹较直。灰白胎，青白釉，带冰裂纹。外腹剔刻菊瓣纹。残高4、口径约15厘米（图8-5-1）。疑系湖田窑产品。

（二）明代遗物

按质地，有瓷、铁、石三类。按用途，则有生活用器和兵器两类。

1. 瓷器

分细瓷和粗瓷两大类。

（1）细瓷

共有残片88片。分青花、白瓷和釉上彩瓷。

青花　79片。可辨器形有碗（约25件）、盘（3件）、杯（3件）。均残甚，可复原者仅1件。TG57②：4，青花缠枝花托梵文碗。修复完整。属Ab型。直口微内敛，弧腹微鼓，高圈足。足沿露胎。内底双圈弦纹内饰梵文，一侧刺刻一“万”字；外壁一周饰缠枝花托梵文。高6.3、口径12.2、足径5厘米（图8-5-2）。TG59②：1，青花缠枝花卉纹大盘。口部残佚，浅腹，圈足。圈足粘有砂粒。内腹及近底处饰缠枝花卉纹。残高3.1、口径约20、足径14厘米（图8-5-3）。

哥釉青花　3片1件。均为碗腹残片。釉面开片明显，青花泛灰，纹饰残甚。

白瓷　4片。均为盘的口沿残片，分属2件个体。胎色灰白，施白釉。敞口，口沿向外撇。为景德镇明晚期产品。

釉上彩瓷　2片。分属2件碗的口沿和腹部残片。出自TG58第2层的1块口沿残片，外腹釉上施红、绿彩，纹样残甚莫辨。出自TG57第2层的1片腹部残片，外腹釉上细线绘花草纹，彩已脱落，仅留印痕。

以上细瓷共含碗约28件、盘5件、杯3件，碗占绝大多数。均应为江西景德镇明嘉靖、万历时期产品。

（2）粗瓷

共有残片77片。分青釉、酱釉和青花粗瓷三类。

青釉粗瓷　73片。釉色泛青，并有所变化。可辨器形有碗（6件）、罐（11件）、壶（1件）。其中2件碗可复原。

青釉粗瓷碗　TG57②：9，修复完整。口略变形，腹较直。灰褐胎，釉色泛褐，平底露胎，较粗糙。腹部带弦纹，当系制作痕迹，非有意装饰。高5.5、口径12.3～12.8、底径6.3厘米（图8-5-5）。TG57②：10，修复完整。口沿微外卷，弧腹，平底微上凸。红褐胎，局部含粗砂，釉色泛黄，多处已脱落，底露胎。高4.6、口径11.5、底径6.5厘米（图8-5-6）。

青釉粗瓷罐　TG58②：8，仅存肩、领及口沿残片。口向外卷，高领，广肩。灰白胎，青釉略泛褐。肩上饰乳钉纹。残高7、口径约19厘米（图8-5-4）。

酱釉粗瓷　3片。釉色呈酱紫色。应为2件罐的底部和腹部残片，残甚。

青花粗瓷　1片。碗的腹部残片。出自TG58第2层内。釉色泛黄，青花晦暗。外腹以青料绘制网格状纹饰。

以上粗瓷共含罐13件、碗7件、壶1件，结合其他地点的发现来看，亦应为明晚期遗物，与青花等瓷器配合使用。

图8-5　构树出土生活用品与兵器

1. 影青菊瓣碗（TG57②：12）　2. 青花缠枝花托梵文碗（TG57②：4）　3. 青花缠枝花卉纹大盘（TG59②：1）　4. 青釉粗瓷罐（TG58②：8）　5、6. 青釉粗瓷碗（TG57②：9、TG57②：10）　7. C型铁矛（TG58②：1）　8. A型铁刀（TG57②：11）　9. 石臼（TG57②：13）　10. 磨石（TG58②：2）

2. 铁器

3件。有锅和铁器残件等。

铁锅　1件。TG58②：4，仅存口沿残片。残高4、残宽5、厚0.6厘米。

另有铁器残件2件，呈条状或圆锥形，残甚，器形莫辨。

结合其他地点所出同类遗器，该组铁制品也均应为明代晚期遗物。

3. 石器

3件。有石臼与磨石。

石臼　1件。TG57②：13，残存一半，不可复原。直口，直腹微曲，平底。以砂岩加工而成，内外錾痕明显。高5.8、口径12、底径9.5厘米（图8-5-9）。

磨石　2件。均就近采砂岩做成，并有明显的使用痕迹。TG58②：2，略呈长条形，居上一面微微下凹，研磨光滑。长19、宽11.5～13.5、厚4～6厘米（图8-5-10）。TG58②：3，残甚。居上一面光滑平整，侧面有清晰錾痕。残长6、残宽5.5、厚6厘米。

石制品的年代不易判定，从其出自TG58第2层且伴出的生活用器主要为明代遗物看，定为明代晚期遗物大致不会错。

以上均属生活用器。

4. 兵器

2件。铁矛和铁刀各1件。

铁矛　1件。TG58②：1，较完整，通体锈蚀。属C型。前锋尖锐，中脊微凸，断面呈菱形。通长21、骹长6.5、骹径2、矛身最宽3厘米（图8-5-7）。

铁刀　1件。TG57②：11，仅存柄部及少量刃部。属A型。直柄，实心圆柄，柄尖较钝。扁平刃。残长15.7、柄径1～1.5、刃宽2.2厘米（图8-5-8）。该器亦不排除为铁錾或铁凿的可能。

三、年代与性质

（一）年代

结合所出遗迹、遗物与地层堆积情况，以上遗存可分为三组：第一组为石砌建筑基址，第二组为瓦与瓦当等建筑材料，第三组为生活用器与兵器。第一、二组遗迹与遗物共同构成F39的房基与屋面建筑材料，第三组则为先后在此活动的人群所留遗物。

F39所用板瓦（A型）囤上分布较广，土城墙与绣花楼门址（CM10～CM13）、飞龙关、朝天关、万安关，以及大城南北城垣沿线18处哨台遗址均有发现，诸门址中有保存完好者。筒瓦亦见于绣花楼门址。A型勾头与滴水则较集中地发现于构树，新王宫内有零星出土（Aa型筒瓦勾头）。而同样类型的板瓦、筒瓦与勾头、滴水亦见于养马城①、新蒲杨价墓②。后者的年代较为明确，杨氏第14世杨价卒于1243年，该墓应在杨价去世不久后由其子杨文所建③。因此，A型板瓦与筒瓦、A型勾头与滴水均为南宋遗物。出土以上遗物的遗址，均应为杨文于南宋宝祐年间所建的龙岩新城的相关遗存，F39亦然。

（二）性质

A型勾头与滴水，主要出土于养马城遗址南宋衙署区以及杨价墓墓园门址，反映了一定的级别。由此观之，F39似非一座简单的房址。但构树地势狭陋，显非海龙囤南宋衙署之所在（养马城衙署区面积约1万平方米）。联系构树居于教场坝一侧并与之连为一体，两者可能存有关联。据研究，教场“大空场之旁侧，场边要建造主持练兵的教官休息、办公之所，因而都建设几组合院式建筑，在合院之前端或侧面再进行场地建设”④。据此，F39为“主持练兵的教官休息、办公之所”的可能性较大。换言之，教场坝可能南宋时即有。

一批明代瓷罐、壶、碗、盘、杯与铁锅、石臼、磨石等生活用器，以及铁矛、铁刀等兵器的出土，显示该地明时仍有人使用。有趣的是，并未发现同一时期的砖、瓦等建筑材料，反映明代可能沿用宋代的建筑基址，但以草苫顶而搭建成窝棚式建筑。南宋瓦砾主要弃置于平台边缘的堆积特点（兵器、铁锅、磨石以及近60%瓷片等明代遗物却出土于平台顶部的TG58内），说明基址在再利用时有意清除了顶部的建筑废墟。明代建筑的性质仍可能与教场坝相关，也不排除为播州之役爆发时大量人马上囤，于南宋基础上建临时军营的可能。

第二节　转山与金银库

转山与金银库，是分别坐落于大城东西两端的二组相对独立的建筑遗迹，可能分别兼有庙观与军事设施的功能，故一并讨论。

---

① 贵州省文物考古研究所等：《贵州遵义市养马城遗址调查与试掘简报》，《考古》2015年第11期。又见第十二章。

② 周必素、彭万：《遵义新蒲村杨氏“土司”墓地》，《南方文物》2015年第1期。资料现存贵州省文物考古研究所。

③ 李飞：《夷夏之间：播州杨氏羁縻·土司墓葬研究》，四川大学博士学位论文，2017年，第125页。

④ 张驭寰：《中国城池史》，北京：中国友谊出版公司，2009年，第332页。

一、转山（F33）

转山是囤东朝天关与飞龙关之间的一座圆阜形小山，也是两关之间的最高点（海拔1237米）。山顶平整，面积约350平方米。山之东、西、北三面被南宋城垣环绕（东南与朝天关接），实际构成“大城”东缘，其外围连接飞龙关与朝天关的城垣与西侧“杀人沟”天险构成“朝天关瓮城”。

因位置较特殊，南宋时曾在转山北沿近飞龙关一侧设哨台（S19），调查中于此采集零星宋代瓦砾（A型板瓦）。明时则在山顶偏南处另建一栋大型阁楼式建筑（F33），民间称“玉皇阁”（见图1-1；图版311）。

（一）遗迹

F33坐落于转山顶偏南处，北端有百余平方米平台，地势略低，当为出入口。所有柱础均裸露在地表，掩于草木下，因此清理主要是剪除草木，未动土。

F33坐南朝北，方向为360°。平面呈方形，四角各有4个硕大的石质柱础，共16个，整体呈回字形。内圈边长（以柱础中心点为测量点，下同）4.35、外圈边长7.35米，每角四础间距1.5米，个别有位移（图8-6；图版311-3）。

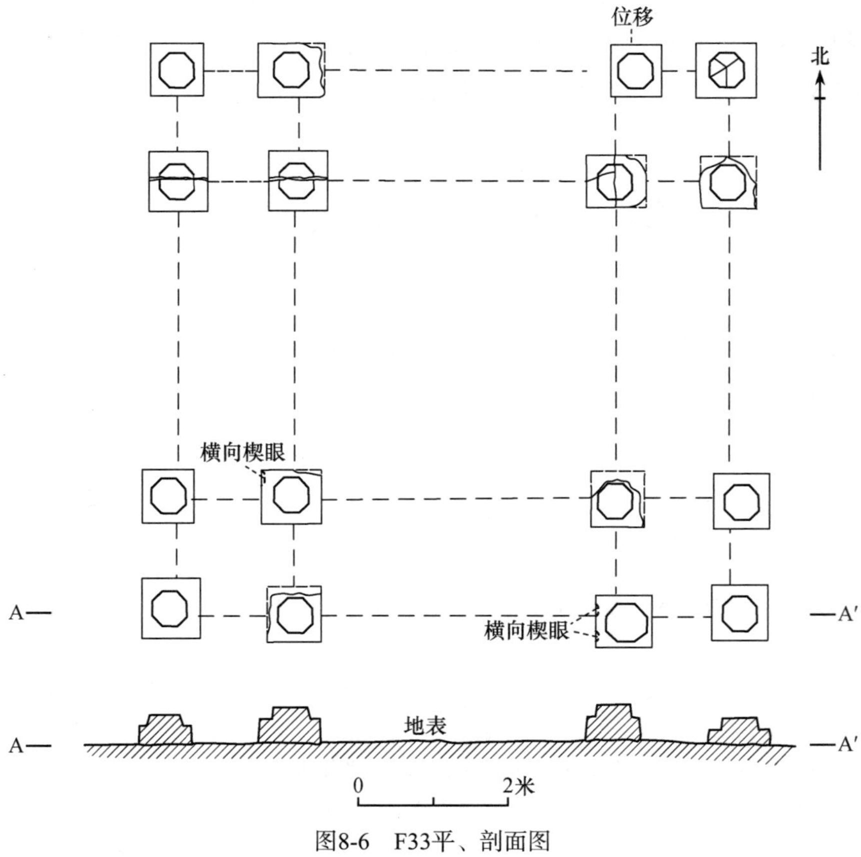

图8-6　F33平、剖面图

石质柱础颇硕大，剖面呈凸字形，方座，八棱形鼓镜。方座边长70～81、厚约30厘米，大小略有别，掩于地面以下部分多不做细致加工。但八棱形鼓镜大小则较一致，多数直径45、高14厘米，个别直径达47或48厘米。整体而言，16础大小相对一致，亦在同一水平面上，部分边缘柱础现所处位置略低，当系后期沉降所致。部分柱础方座上可见横向楔眼，开口长20厘米左右，为中型长条形楔眼。

（二）遗物

F33附近的地表可见大量B型板瓦瓦砾（小型板瓦），颇细碎。未见勾头、滴水、脊砖和脊兽等遗物。这些遗物在该建筑中应该存在，只因未动土发掘而暂未发现。值得注意的是，该地点未见砖屑，似表明F33并未用砖，即底层四周无砖墙，而用木质板壁，甚或悬空。

据此复原的F33为三重檐攒尖顶的可能性较大，或带回廊。

（三）性质

八棱形础是朝天关、新王宫等明万历时期建筑上常见的柱础类型，柱础上残留的楔眼也是明代的形态；更为重要的是，遗落四周的均为明代小型板瓦瓦砾（B型），因此F33是明万历时期的建筑是可以肯定的。

关于性质，F33与南宋时设立于附近的哨台（如S19）应有所不同，原因在于：一是F33与绣花楼明代哨台（S7）有所区别，S7有砖无础，且体量较小（可资建楼的空间边长仅3米左右）。二是F33的坐向十分考究，为正南北方向，应非随意而为。三是F33正前（北）设有平台，应为出入口，也是活动的主要空间。这些特点表明F33可能不是一座简单的军事防御设施，民间称其为“玉皇阁”，是一个值得重视的信息。

位于遵义老城内的宣慰司司治附近即设有玉皇观（祠）。明何乔新《勘处播州事情疏》记载：司治“西边又有玉皇祠，中塑圣像，左右二柱各有木刻金装龙一条，系元朝元统元年杨爱六世祖杨嘉贞起盖”[①]。道光《遵义府志》录有《玉皇观碑》，碑文称第14世杨价于宝庆三年（1227）在“城西碧云峰下公府西北隅”“即地创宇，署曰‘大报天正一宫’，西据东向。北安大殿，榜曰‘玉京金阙’，中严帝像，壁涌释迦，玄元主徒”。元统元年（1333）嘉贞重建[②]。其中所供奉的有玉帝上帝、释迦和老子（玄元），用以祭天（《玉皇观碑》：“祭之大者，莫大乎祭天，天之尊者，莫尊乎上帝”）。值得注意的是，榜书“玉京金阙”的大殿即为南北向。其次，F33的平面形状与他处现存明清玉皇阁相似。如北京永宁古城内明代玉皇阁，三层四面，底有方形砖砌门座，阁之平面亦呈正方形，每面可见四柱，“玉皇阁是永宁城一道

① （明）何乔新：《勘处播州事情疏》，《丛书集成初编·张司马定浙二乱志（及其他二种）》，北京：中华书局，1985年，第95页。

② （清）郑珍、莫友芝编纂：《遵义府志》卷11《金石》，成都：巴蜀书社，2013年，第184页。

壮丽的景观，更是重要的军事观察所”[①]。凤冈土溪有清代玉皇阁一座，四重檐木结构，底层正方形，第二至四层为六角攒尖顶。底层供关帝，三层供观音，四层供玉帝[②]。两个例子说明平面呈方形的单座玉皇阁确曾存在，并为F33的复原提供了例证。

民间“玉皇阁”的称谓当非空穴来风，我们认为F33系“玉皇阁”的可能性极大。一方面，历史上确曾有类似形制的玉皇阁。另一方面，老城公府西北隅自南宋起即建有玉皇观，万历重建海龙囤时于此移置玉皇阁的可能性便大大提高。严禁碑中提到的“住持人”，为佛道用语，意指掌管一个佛寺的主僧或道观的道士，此是囤上曾建有道观或佛寺的证据。另道光《遵义府志》引《綦江县志》载：“鲁一冲住仙源洞修真，播逆杨应龙修醮于海龙囤，以利剑锷逼令道士手紧握而不伤者，为有道行，乃不杀。冲闻而往，握之，锋尽卷，遂延为法师。”[③]该记载显示囤上可能建有道观。“玉皇阁”当即时之道观之一，且与永宁玉皇阁一样，除为道观外，还是“重要的军事观察所”。

二、金银库（F32）

“金银库”是新王宫西南侧一组三合院式建筑（编号F32），居于后三关与新王宫之间，紧邻新王宫（见图1-1）。正房已被夷平，东西两厢地表则有隆起的砖瓦砾堆积，高出地表逾2米。民间称东厢为“金库”，西厢为“银库”，合之为“金银库”。未进行正式清理，仅迁移了一座葬在正房基础上的现代坟，清除了两厢废墟上的草木，佐以小规模试掘，大致厘清了房屋的平面格局。地表遗有大量砖瓦砾，采集了少量砖、脊砖、瓦当和脊兽为标本，为典型明万历时期遗物。

（一）遗迹

F32坐南朝北，方向15°，由南端的正房和北侧的左（西）右（东）两厢组成，整体呈倒品字形。正房（F32-1）居于高台上，所处地面较两厢的基础地面高出约4米，其北缘距两厢南缘约5米；西厢（F32-2）东壁与东厢（F32-3）西壁相距14米；正房与东西两厢之间形成南北长约19、东西宽14米的庭院（图8-7；图版312）。

正房（F32-1）先后被道路和现代墓葬破坏，保存较差。现存较规整的柱础5列12个，部分柱础间有长条形地栿石。另有4件石础散落近旁。柱础方座，八棱形鼓镜，方座边长约38、厚30厘米，鼓镜直径38、高12厘米。据此复原的正房五开三进，通面阔16、进深4.6米（据柱础

① 张夙起编著：《北京地方志·古镇图志丛书·永宁》，北京：北京出版社，2010年，第6页。

② 遵义市政协文史与学习委员会编：《遵义宗教文化图鉴》，北京：中国文化出版社，2016年，第322、323页。

③ （清）郑珍、莫友芝编纂：《遵义府志》卷31《土官》，成都：巴蜀书社，2013年，第597页。

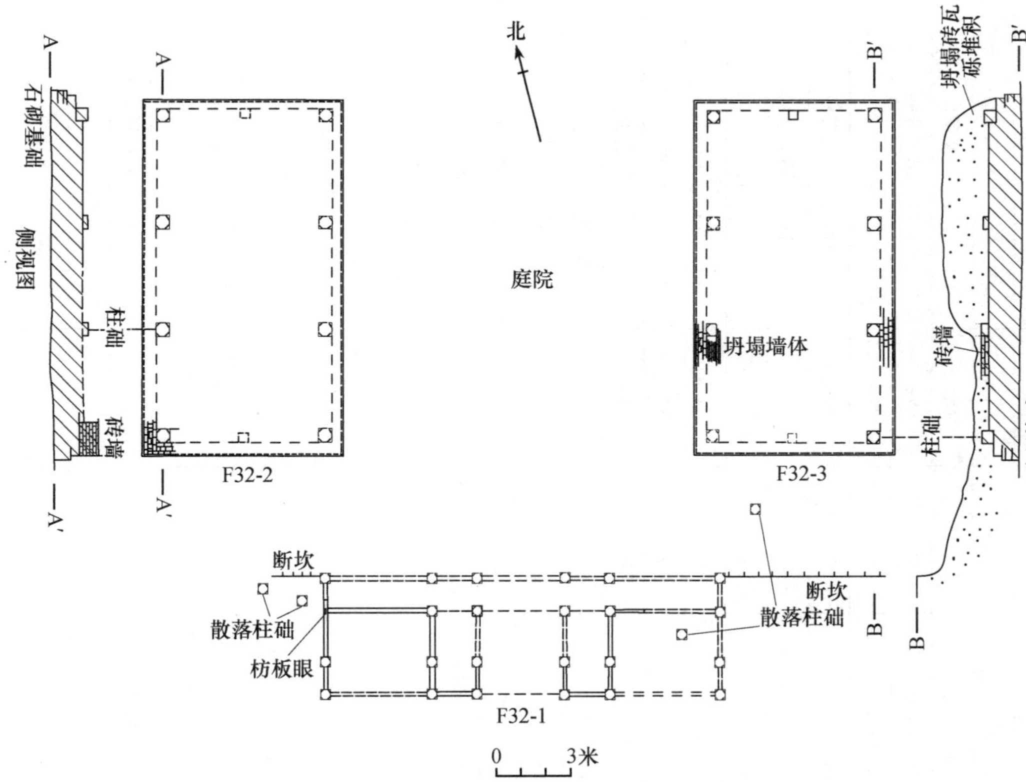

图8-7　F32平、剖面图

中心点测量，下同）。其中明间面阔3.8、次间面阔1.8、梢间面阔4.3米，第一进进深1.3、第二进进深2、第三进进深1.3米。值得注意的是，明间宽度逊于梢间，次间较窄。

东西两厢完全对称，均用加工规整的条石砌筑墙基，基础长14.2、宽8、高1.2米。于其上砌筑砖墙，墙厚约0.5米，局部残高0.8米。墙之内侧立柱础，础的形制与正房同，但尺寸偏大，鼓镜直径45～48、高17厘米。东厢北墙中央柱础呈方形，直径36厘米，据此推测南墙同一位置也为方形柱础，西厢与之同。据此复原的两厢均为三开两进，通面阔12.9、进深6.6米。明间与次间尺寸一致，均面阔4.3米。两进进深亦相同，均为3.3米。

（二）遗物

因未正式清理，遗物均系采集，主要分两类：一是地表采集的建筑材料（均划为F32第1层），二是局部室内土样中所包含的植物遗存（表8-2）。

1. 建筑材料

采集砖、脊砖、勾头、滴水和脊兽共22件。

砖　17件。有长方形砖和抹角砖两类，均用于砌筑墙体，多数未采集。

长方形砖　16件。分属Aa型与C型。

表8-2　F32采集遗物统计表

序号	出土单位/编号	名称	类型	保存状况	件数	尺寸 长×宽×厚/厘米	铭文		备注
							内容	位置	
1	F32①：1	长方形砖	Aa型	残	1	残20×15.5×7	“十六砖”	端头	标砖，铭文带框
2	F32①：2	长方形砖	Aa型	残	1	残18×15.5×8	“初一号”	端头	标砖，铭文带框
3	F32①：3	长方形砖	Aa型	残	1	残8.5×15.5×7.5	“初一号”	肋部	标砖，铭文带框
4	F32①：4	长方形砖	Aa型	残	1	残17×15.5×7	“十六”	肋部	标砖
5	F32①：5	长方形砖	Aa型	残	1	残19×15×7	“初一号”	肋部	标砖，铭文带框
6	F32①：6	长方形砖	Aa型	残	1	残9.5×16.2×7.4	“初一号”	端头	标砖，铭文带框
7	F32①：7	长方形砖	Aa型	残	1	残12×15×7.5	“十六砖”	端头	标砖
8	F32①：8	长方形砖	Aa型	残	1	残18×15.6×7.5	“初一号”	肋部	标砖，铭文框不明显
9	F32①：9	长方形砖	Aa型	完整	1	31×15.5×7.5	“十六砖”	肋部	标砖
10	F32①：10	长方形砖	Aa型	残	1	残8×16.2×7.5	“初一号”	端头	标砖，铭文带框
11	F32①：11	滴水	Ba型	残	1	残高12×11.5×2			当面较大，叶侧有须蔓
12	F32①：12	滴水	Ba型	较完整	1	高12.5×19.5×2			当面较大，叶侧有须蔓
13	F32①：13	长方形砖	Aa型	残	1	残15.5×15.4×7.3	“初一号”	肋部	标砖，铭文带框
14	F32①：14	缠枝牡丹纹大脊砖	C型	残	1	残12.5×残8×残高19			红褐色
15	F32①：15	长方形砖	Aa型	残	1	残18.5×14.8×7.5	“十六”	肋部	标砖
16	F32①：16	长方形砖	Aa型	残	1	残15×15.5×7.5	“十六砖”	端头	标砖
17	F32①：17	勾头	Ba型	残	1	残高6×残15×2			当面较大
18	F32①：18	长方形砖	Aa型	残	1	残6.5×残14×7	“十六砖”	端头	标砖
19	F32①：19	长方形砖	Aa型	完整	1	30.5×15.8×8	“验”	肋部	标砖，铭文带圆框
20	F32①：20	抹角砖	C型	残	1	残23×12.5×6.2	“初一号”	肋部	内凹圆弧形
21	F32①：21	缠枝牡丹纹小脊砖	Fa型	残	1	残8.5×15.5×高13			
22	F32①：22	垂戗兽	Bc型	残	1	残12×残高14×2.8			凸棱型，残存耳颈部
23	F32①：23	缠枝牡丹纹小脊砖	Fa型	残		残12.5×残7×高12			不可计件
24	F32①：24	滴水	Ba型	较完整	1	高13.5×20×2			当面较大，叶侧有须蔓
25	F32①：25	缠枝牡丹纹小脊砖	Fa型	残	1	残8.5×残10×高12			
26	F32①：26	薄长方形砖	C型	残	1	残26×20.5×5			较薄较宽
27	F32②	炭化水稻、龙爪稷、大豆等			约2500粒				西厢西南角室内

Aa型　15件。标准长方形小砖，较完整者（F32①：19）长30.5、宽15.8、厚8厘米（图8-8-7、图8-9-8）。其中7件于端头或肋部铭“初一号”，5件铭“十六砖”，2件铭“十六”，1件铭“验”（图8-9-5～8；图版313）。

C型　1件。薄长方形砖，既宽且薄。F32①：26，残。残长26、宽20.5、厚5厘米。

抹角砖　1件。属C型，即端头一角呈内凹圆弧状。F32①：20，残。残长23、宽12.5、厚6.2厘米。内凹一侧肋部有“初一号”铭文（图8-8-6、图版313-9）。

脊砖　2件。分属C型与Fa型，纹饰相似，唯大小有别。

C型　1件。缠枝牡丹纹大脊砖。F32①：14，残。高19、残长12.5、残宽8厘米。两侧模印缠枝牡丹纹（图8-8-5、图8-9-4）。

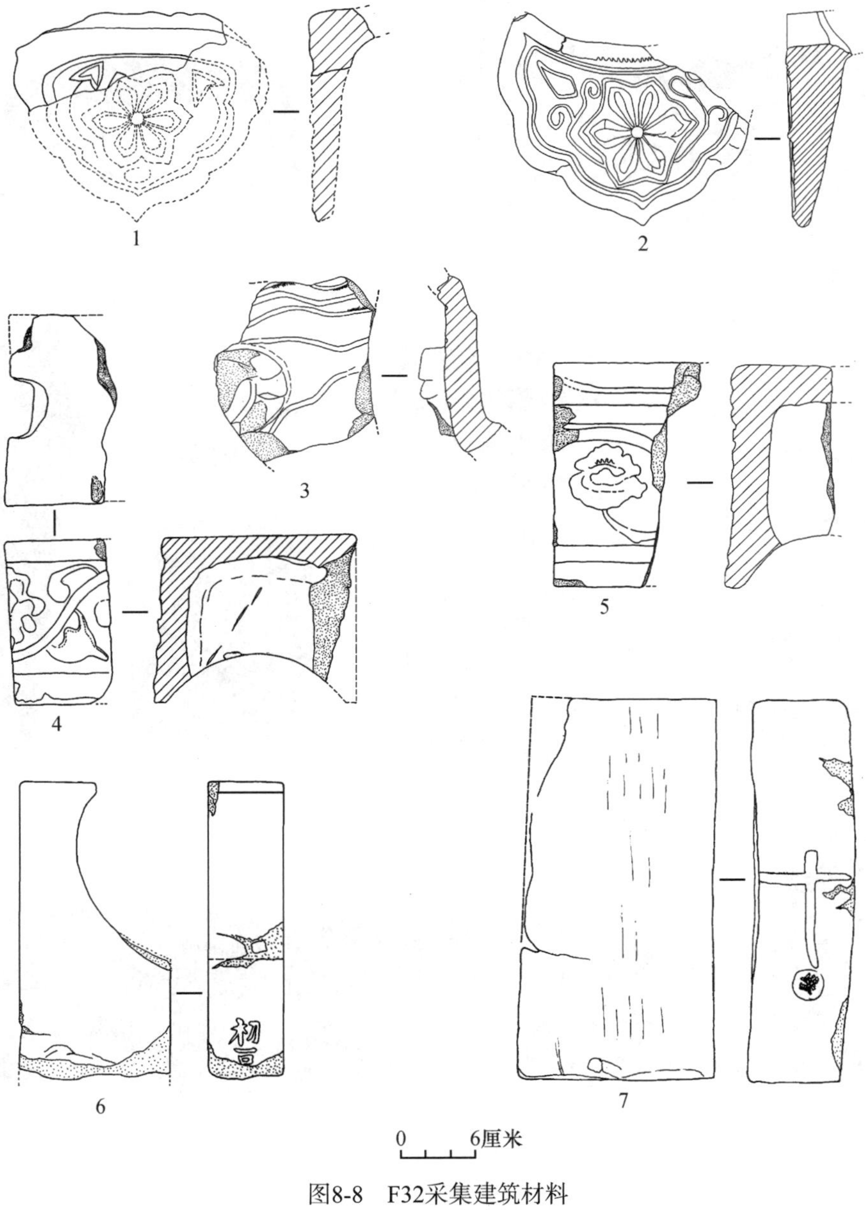

图8-8　F32采集建筑材料

1. Ba型板瓦勾头（F32①：17）　2. Ba型滴水（F32①：24）　3. Bc型垂兽（F32①：22）　4.Fa型脊砖（F32①：21）　5. C型脊砖（F32①：14）　6. C型抹角砖（F32①：20）　7. Aa型长方形砖（F32①：19）

Fa型　3块1件。缠枝牡丹纹小脊砖。F32①：21，残。一侧弧形挡板尚存，顶部遗一孔。高13、残长8.5、宽15.5厘米（图8-8-4、图8-9-3）。

垂戗兽　1件。F32①：22，残存耳部与颈部。属Bc型，即凸棱型脊兽。颈后毛发除画线表示外，还残存一条凸棱，以增强效果。残高14、残长12、厚2.8厘米（图8-8-3）。

瓦当　4件。均为板瓦瓦当，有勾头、滴水两类。

勾头　1件。F32①：17，Ba型。当面较大，残（图8-8-1、图8-9-2）。

滴水　3件。均为Ba型。当面较大，叶侧有须蔓（图8-8-2、图8-9-1）。

以上遗物，带铭文的残砖主要采集于正房（F32-1），脊兽采集于西厢（F32-2），其余散见各地，其年代均在明万历时期。

1、2、5～8. 0 3厘米　3、4. 0 6厘米

图8-9　F32采集瓦当、脊砖、铭文砖拓本

1. Ba型滴水（F32①：12）　2. Ba型板瓦勾头（F32①：17）　3. Fa型脊砖（F32①：21）　4. C型脊砖（F32①：14）
5～8. Aa型长方形砖（F32①：16、F32①：15、F32①：13、F32①：19）

2. 植物遗存

清理西厢（F32-2）西南角时，于室内地面采集少量土样，经初步浮选，从中识别出炭化水稻、龙爪稷、大豆等，密度较大，10升土中共发现约2500粒。

（三）性质

F32房屋格局、柱础样式以及墙砖、房顶脊砖、脊兽与瓦当等，都与年代确凿的诸关隘及新王宫等一致，因此可确定为明万历时期建筑。

西厢内高密度炭化作物遗存的发现，似表明该地点曾被用于粮食储存，这也许就是金银库一名的由来。但民间传说振振有词称此系土司储藏金银之地，故有“金库”与“银库”之说。这种可能性似可排除，因为F32处在后三关与新王宫之间（新王宫垣墙之外），是攻破后三关向核心功能区新王宫突进过程中的首冲之地，土司将主要财富措置在此的可能性并不大。关于其性质，我们认为有两种可能性，即“军营”或“城隍庙”。

1. 军营

从地理位置看，F32无疑是控扼后三关与新王宫的咽喉，且与新王宫垣墙内的F5与F6互为犄角，形成新王宫西侧最后一道屏障（见图1-1）。因此，于此布重兵驻守完全合理。换言之，这里可能是一座“军营”。而“金银”一词与“军营”音近，疑系口碑相传中将“军营”讹为“金银”，并延伸出“金库”“银库”的说法。

2. 城隍庙

推测其为军营的不合理之处在于，五开间的正房代表了一定的级别，土司衙署新王宫内也仅中轴线等少数建筑为五开间。从整体布局看，F32为三合院式建筑，正房居稍高的平台上，五开三进，两厢地势略低，三开两进。这一格局同于新王宫中轴线上大堂（F22）及其前两厢（F23、F24）的组合，且大堂居高台上，五开间，两厢略低，三开间，中央为庭院。这样的规制和格局，恰与城隍庙相类似。

城隍是城市的保护神，出现较早。明初朱元璋大封城隍神，并令各地行政长官主祭，城隍庙遂成城市的标配。郭子章《黔记》所附明代城池图中，几乎每城皆有城隍庙①。土司治下的

① （明）郭子章：《黔记》卷4《舆图志一》、卷5《舆图志二》，贵州省文史研究馆编：《续黔南丛书》（第一辑），贵阳：贵州人民出版社，2012年，中册，第1035～1142页。

播州宣慰司治东侧亦建有城隍庙，“旧在丁字口，明万历间改建于治北，知府孙敏政重修。”[①]永顺老司城内亦有城隍庙[②]。各府、州、县城隍庙规格形制俱与当地官署正衙相同，甚至连“几案”皆同。其正殿一般正中为城隍，两旁分列判官、牛头、马面、黑白无常等鬼卒[③]。

就目前清理的情况看，F32是新王宫外布局最严整、级别也较高（使用脊兽且正房五开）的一组建筑，其规格形制正与土司衙署新王宫的正衙一致，这是我们推测其可能为城隍庙的主要依据。但如同转山F33既是道观“玉皇阁”，也是“军事观察所”一样，作为“城隍庙”的F32也可能兼为驻军的“军营”，甚或储存粮草的仓库。换言之，在战事爆发的非常时期，建筑的实际用途可能偏离最初的规划，两者间并不矛盾。亦即F32是按城隍庙规划的，但在战时，可能临时兼作军营和粮仓之用。

第三节 教场坝与大土

教场坝与大土F31都带有明显的军事性质，为练兵与驻军的相关遗迹。

一、教 场 坝

“教场坝”是民间对囤顶南缘，采石场与绣花楼之间一条平坦而狭长地带的称呼，西北—东南最长约120米，西南—东北最宽约45米，总面积近4000平方米。此间昔为耕地，今遍植杜仲，间杂灌木、野草，未留有任何可证明其为“教场”的遗迹，但这是囤顶面积最大的平阔之地，也是练卒点兵的不二之选（见图1-1）。

道光《遵义府志》录有《后较场》诗一首：“孰使拥玄虬，抽旋及晨蓐。何哉决拾时，置此臣之鹄。”诗置于《后三关》与《南崖》间，前依次有《铁柱关》《飞虎关》《朝天关》《太平关》诸诗。诗后按语称：“诸诗旧刻一碑，今断两截，在囤上海潮寺阶下。”[④]这是一组按一定顺序摹写囤上景致以抒怀的古诗，书写年代不晚于清道光。其中的“南崖”当即囤南绣花楼一带，而绣花楼与后三关间的“后较场”，当即今之“教场坝”。可见，“教场”一名

---

① （清）郑珍、莫友芝编纂：《遵义府志》卷8《坛庙》，重修的城隍庙，“庙有堂庑、正殿、左右廊，廊列各属城隍，本庙土地。门甬壮丽。遵依洪武二十六年（1393）著令合祭。神号曰‘府城隍之神’。岁以春、秋二仲，附祭于山川坛。风云雷雨山川居左，城隍居右，每厉祭则主之。宣德八年（1433）定制：新官到任，以羊、豕各一，祀于城隍庙。又凡旱潦祈报，必虔告之。”成都：巴蜀书社，2013年，第118页。

② 湖南省文物考古研究所等：《永顺老司城》，北京：科学出版社，2014年，第593页。

③ 潘谷西主编：《中国古代建筑史》第4卷《元、明建筑》，北京：中国建筑工业出版社，2001年，第147页。

④ （清）郑珍、莫友芝编纂：《遵义府志》卷46《艺文》，成都：巴蜀书社，2013年，第932页。

由来已久，是“教场坝”为昔日教场的一条重要证据。

城池附近设教场或演武场，亦是古城之标配。前揭郭子章《黔记》所附城池图中有“教场”或“演武场”者达35例（正因此故，本书采用“教场”之称，而不用“校场”一名）。海龙囤东2.5千米处的养马城东侧亦有地名曰“教场坝”，为昔之练兵处。万历平播后设遵义府，时之“演武场”在府治东北的湘江东岸，约当今之凤凰山文化广场一带[①]。平播前的“演武场”亦大抵在此。张驭寰认为“大教场、演武场两项设施，都是军队演习武艺、操练军事战斗的场所。每一座城池的建立，城内或城外，都要有驻军，军队进行操练，就要设置大教场以及演武场”。两者都建在空旷之地，但教场和演武场有所不同，前者在空场旁侧建有教官休息、办公之所，因此都有几组合院建筑，附近设立旗杆，旗杆有台；而演武场是“专门表演武艺之用”[②]。但《黔记》在介绍偏桥卫的不同两图中将同一地点分别标注为“教场”与“演武”，表明二者并无本质不同[③]。教场坝中央偏北近采石坑处有大石一方，近方形，颇平整，边长110、厚40厘米，可见口长20～60厘米的长条形楔眼4个，民间传为“点将台”。不明其是无意遗弃于此的石料，还是有意放置于此的“旗杆台”。未来更为细致的工作，或有望发现更多的线索。

要之，虽无可明确的遗迹，但结合时之成例、囤顶环境与相关记述，民间传说的“教场坝”为明代土司的练卒点兵之地似可确定。如若我们对居于其东南侧的F39为教官办公、休息之所的推测不谬，则教场坝在南宋建龙岩新城时即有，明代继续沿用。

二、大土（F31）

大土是民间对万安关南侧平台的俗称，处在万安关、关之南墙、关东小山与土城墙南段的裹挟之中，地势平整、高敞，面积约1300平方米（见图1-1）。因地表可见大量砖瓦砾，为厘清其与万安关的关系，2013年冬我们于此随地势布探沟3条（TG15～TG17）进行试掘，揭示出大片遗迹，随即将其扩充为探方（涉及ⅢT2514、ⅢT2515、ⅢT2613、ⅢT2614等方）进行发掘（但未全面清理），清理出房基1座（编号F31）。其与万安关及其南侧城垣、墩台（DT7）一起，构成了大城西南角的防御线（图8-10；图版314）。

---

① （清）郑珍、莫友芝编纂：《遵义府志》卷1《图说星野》所附万历“孙志府城图”，成都：巴蜀书社，2013年，第10页。

② 张驭寰：《中国城池史》，北京：中国友谊出版公司，2009年，第332、333页。

③ （明）郭子章：《黔记》卷5《舆图志二》，贵州省文史研究馆编：《续黔南丛书》（第一辑），贵阳：贵州人民出版社，2012年，中册，第1107、1108页。

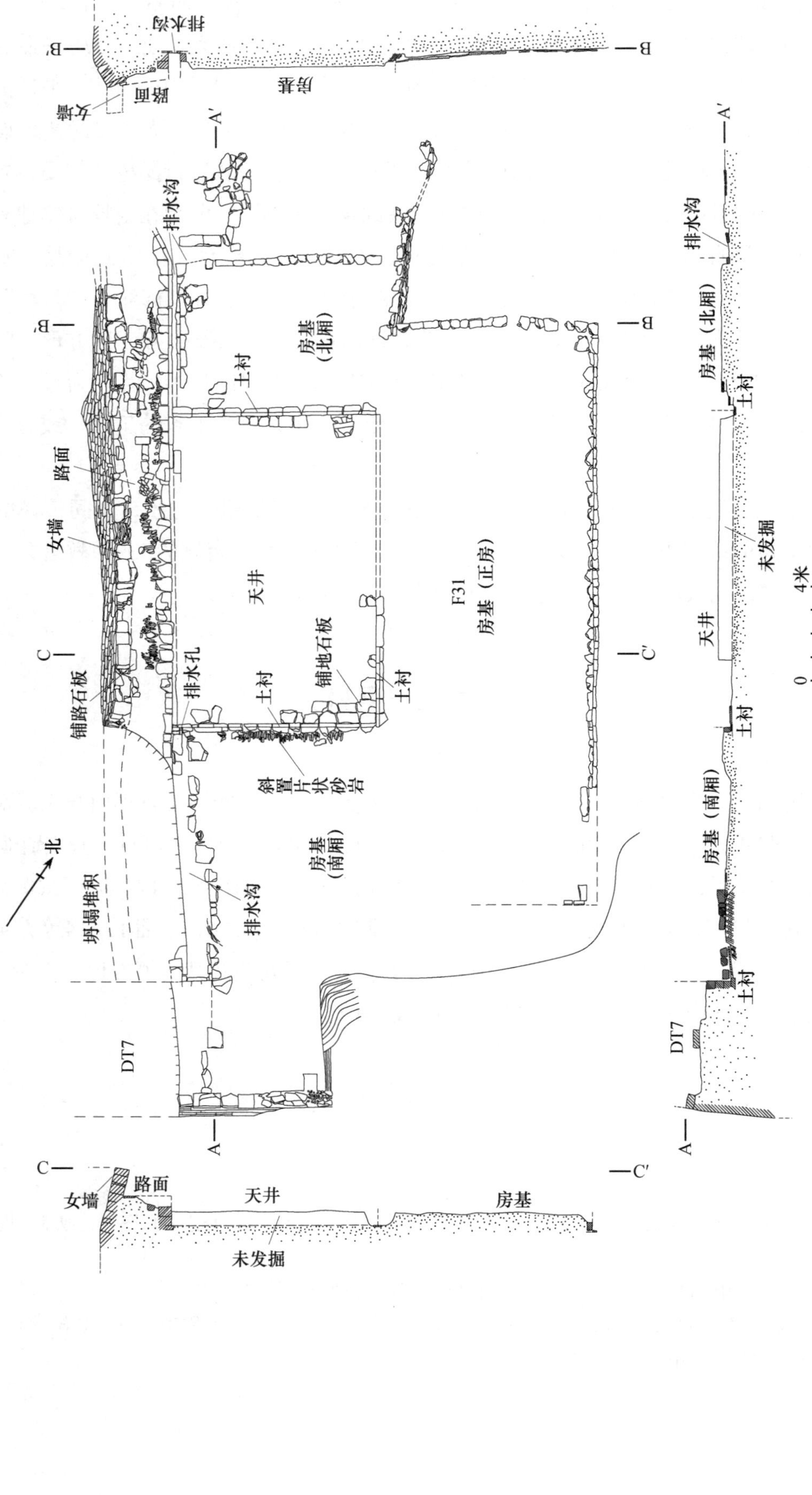

图8-10　F31平、剖面图

（一）遗迹

1. 地层堆积

该处堆积可分3层。第1层为黄褐色表土，土质疏松，包含少量石块、砖屑与瓦砾，厚0.12～0.45米。第2层，灰黑色黏土，较疏松，出土物有砖屑、瓦砾及青花瓷片，并有少量脊砖残件、铁器与青铜器，厚0.05～0.15米。第3层，黑色黏土，含大量灰烬，仅局部分布，包含物有瓦砾、铁钉、铁刀等，以及青花、白瓷与粗瓷残片，厚0.05～0.1米。F31即开口于该层下。

2. F31结构

房址破坏较甚，仅存天井与房基，不见柱础。未全面清理，仅沿台基边缘初步揭示其走向与结构。

F31坐落于万安关南墙内侧，大略坐东向西，方向240°。清现的房基，中央天井紧贴万安关南墙而建，以片状砂岩墁地，多数石板已佚。天井东、南、北三面底置土衬石（西侧为城墙），其上以不规整砂岩石片或石块为侧塘石筑成台基（图版315）。天井外围的东、北两侧亦作类似处理。由此形成一组大略呈凸字形的房基，一周用石料砌筑台基边缘，中央则填竖直砌石块与泥土，中央设天井，其西南角有排水孔将积水向外引出。以此还原的F31应为一组中央为天井的三合院式建筑，由正房、南厢、北厢与天井组成。正房台基南北长约25、东西宽9米。北厢台基东西长9、南北宽6.5米；南厢情况不甚明朗，推测与北厢基本对称。天井南北长13.5、东西宽8.9米（图8-10）。

（二）遗物

出土遗物以建筑材料为主，另有少量瓷器、铁器、铜器等生活用器与兵器（表8-3）。

1. 建筑材料

有砖、瓦、脊砖和铁钉等，未见瓦当与脊兽。

砖、瓦砾较多，但较残碎，多未采集。

砖多为长方形标准小砖（Aa型），发现个别抹角砖。TG16②：1，残，圆头抹角砖（A型）。端头呈半圆弧形，模制而成。残长11.5、宽11.8、厚6.3厘米（图8-11-16）。

瓦则均系明代小型板瓦（B型）。ⅢT2515③：4，完整，两翅未经二次加工的小型板瓦（Ba型）。长25.5、宽20～21、厚1.7厘米。

脊砖　4件。出自TG16、TG17内，均残。有大、小两种，大者1件，为缠枝牡丹纹大脊砖（C型）；小者4块3件，为缠枝葡萄纹小脊砖（Fb型）。TG17②：1，残。缠枝牡丹纹大脊

表8-3 大土（F31）出土遗物统计表

序号	出土单位/编号	名称	类型	保存状况	残片数量	可计件数	尺寸/厘米	年代	备注
1	TG16②：1	抹角砖	A型	残	1	1	残长11.5×宽11.8×厚6.3	明万历	圆头
2	TG16②：2	缠枝葡萄纹小脊砖	Fb型	残	1	1	残高8.5×残长15×残宽15	明万历	
3	TG16②：3	缠枝葡萄纹小脊砖	Fb型	残	1	1	高13×残长18×残宽8.5	明万历	
4	TG16②：4	铁锅		残片	2	1		明晚	
5	TG16②：5	铁刀	F型	较完整		1	残长23、残宽3.3	明晚	筒形柄
6	TG16②：6	如意形铜饰件		残	1	1	残长10×宽2.7×厚0.15	明晚	
7	TG16②：7	铁三脚		残	1	1	残长6.5×宽1.5×厚1	明晚	
8	TG16②：8	铁镦		较完整		1	长12.1、銎径1.9～2.1	明晚	
9	TG17②：1	缠枝牡丹纹大脊砖	C型	残	2	1	残高12.5、残长33、残宽10.5		
10	TG17②：2	缠枝葡萄纹小脊砖	Fb型	残	1		高12.8、残长13.5、残宽5		
11	TG17②：3	缠枝葡萄纹小脊砖	Fb型	残	1	1	高12.8、残长12.5、残宽9.5		
12	TG17②	青花花卉纹杯		残	1	1		明晚	
13	TG17②	青花螭龙纹杯		残	2	2		明晚	
14	TG17②	青花莲池水禽纹杯		残	2	1		明晚	较细腻
15	TG17②	青花花卉纹杯		残	2	1		明晚	
16	TG17②	青花螭龙纹碗		残	6	4		明晚	
17	TG17②	青花寿字碗		残	1	1		明晚	
18	TG17②	青花葡萄纹碗		残	4	1		明晚	
19	TG17②	青花花卉纹碗		残	21	约4		明晚	
20	TG17②	青花佳字盘		残	1	1		明晚	内底刺刻一“佳”字
21	TG17②	青花龙纹盘		残	1	1		明晚	
22	TG17②	白瓷碗		残	1	1		明晚	
23	ⅢT2514②	青釉粗瓷罐		残片	1	1		明晚	
24	ⅢT2514②	青花粗瓷碗		残片	1	1		明晚	
25	ⅢT2514②	青花灵芝茶花纹碗		残片	1	1		清	

续表

序号	出土单位/编号	名称	类型	保存状况	残片数量	可计件数	尺寸/厘米	年代	备注
26	ⅢT2514③：1	铁钉		完残不一	8	8	完整者长7	明晚	
27	ⅢT2514③	白瓷碗		残片	3	1		明晚	
28	ⅢT2514③	青花花卉纹杯		残片	3	2		明晚	
29	ⅢT2514③	青花螭龙纹杯		残片	6	约3		明晚	
30	ⅢT2514③	青花螭龙纹盘		残片	3	3		明晚	
31	ⅢT2514③	青花花卉纹大盘		残片	1	1		明晚	
32	ⅢT2514③	青花寿字盘		残片	1	1		明晚	
33	ⅢT2514③	青花花卉纹盘		残片	6	4		明晚	
34	ⅢT2514③	青花银杏叶纹碗		残片	1	1		明晚	
35	ⅢT2514③	青花团螭纹碗		残片	1	1		明晚	
36	ⅢT2514③	青花花鸟纹碗		残片	1	1		明晚	
37	ⅢT2514③	青花折枝花卉纹碗		残片	1	1		明晚	
38	ⅢT2514③	青花菊纹碗		残片	1	1		明晚	
39	ⅢT2514③	青花螭龙纹碗		残片	7	约4		明晚	
40	ⅢT2514③	青花花卉纹碗		残片	14	约7		明晚	青花略偏暗
41	ⅢT2514③	青花花卉纹碗		残片	13	约6		明晚	青花略偏蓝
42	ⅢT2514③	青花弦纹碗		残片	36	约12		明晚	鲜有纹饰，唯见弦纹
43	ⅢT2514③	青花粗瓷碗		残片	1	1		明晚	
44	ⅢT2515②	青釉粗瓷罐		残片	20	约6		明晚	
45	ⅢT2515②	酱釉粗瓷罐		残片	4	4		明晚	
46	ⅢT2515③	青釉粗瓷碗		残片	1	1		明晚	
47	ⅢT2515③	青花折枝花卉纹碗		残片	1	1		明晚	
48	ⅢT2515③	青花蓝地白花莲纹碗		残片	2	1		明晚	
49	ⅢT2515③	青花海水纹碗		残片	1	1		明晚	
50	ⅢT2515③	青花花卉纹碗		残片	7	约3		明晚	

续表

序号	出土单位/编号	名称	类型	保存状况	残片数量	可计件数	尺寸/厘米	年代	备注
51	ⅢT2515③	青花螭龙纹盘		残片	2	1		明晚	
52	ⅢT2515③	青花婴戏纹碗		残片	1	1		明晚	
53	ⅢT2515③	青花银杏叶纹碗		残片	1	1		明晚	大碗
54	ⅢT2515③	青花莲池水禽纹碗		残片	2	2		明晚	
55	ⅢT2515③	青花马纹碗		残片	1	1		明晚	外底青料书“福”
56	ⅢT2515③	青花高官厚禄纹杯	A型	残	1	1		明晚	缺口沿
57	ⅢT2515③：1	青花蟾蜍纹杯	A型	可复原	1	1	高4.5、口径约9、足径3.4	明晚	直口
58	ⅢT2515③：2	白瓷碗		残底	1	1	足经约6	明晚	
59	ⅢT2515③：3	板瓦	Ba型	残	1	1	长26.2×残宽16×厚1.7	明万历	两翅未经二次加工
60	ⅢT2515③：4	板瓦	Ba型	完整		1	长25.5×宽（20～21）×厚1.7	明万历	两翅未经二次加工
61	ⅢT2515③：5	青釉粗瓷壶		残	1	1		明晚	
62	ⅢT2515③：6	青花寿字盘		残底	1	1		明晚	内底青料书“寿”字
63	ⅢT2515③：7	青花高官厚禄纹杯	A型	可复原	1	1	高4.5、口径9、足径3.4	明晚	直口
64	ⅢT2613③：1	铁杵头		较完整	2	1	高11、口径6.8、壁厚0.5	明晚	杯状
65	ⅢT2613③：2	青花松鹤纹盘	D型	修复完整	14	1	高3.8、口径20.4、足径11.6	明中期	折沿
66	ⅢT2613③：3	铁刀箍		较完整	1	1	口径3.4、宽1.25、壁厚0.15	明晚	
67	ⅢT2613③：4	青花寿字盘	C型	修复完整	18	1	高2.3、口径11.7、足径6.8	明晚	撇口
68	ⅢT2614②	青花卍字碗		残片	1	1		明晚	
69	ⅢT2614②	青花花卉纹碗		残片	2	2		明晚	
70	ⅢT2614②	青釉粗瓷碗		残片	1	1		明晚	
71	ⅢT2614②	酱釉粗瓷罐		残片	1	1		明晚	
72	ⅢT2614②	青釉粗瓷罐		残片	2	2		明晚	
73	ⅢT2614③	酱釉粗瓷罐		残片	7	5		明晚	
74	ⅢT2614③	青釉粗瓷罐		残片	7	5		明晚	
75	ⅢT2614③	青花粗瓷碗		残片	1	1		明晚	青花晦暗，内底涩圈

续表

序号	出土单位/编号	名称	类型	保存状况	残片数量	可计件数	尺寸/厘米	年代	备注
76	ⅢT2614③	青花花卉纹碗		残片	9	约5		明晚	
77	ⅢT2614③	铁锅		残片	1	1		明晚	
78	ⅢT2614③：1	铁铲		较完整		1	通长16.7、宽5.4	明晚	扁圆銎，长条身
79	ⅢT2614③：2	铁刀	A型	残		1	残长28.6、残宽3	明晚	直柄长刀
80	ⅢT2614③：3	青釉粗瓷盆		残片	2	1	残高9.5、口径23	明晚	敞口微敛，带弦纹
81	ⅢT2614①	铁三脚		残		1			

砖。残高12.5、残长33、残宽10.5厘米（图8-11-18）。TG16②：3，残。缠枝葡萄纹小脊砖。高13、残长18、残宽8.5厘米（图8-11-17）。大者（C型）应施于正脊，小者（Fb型）施于垂脊。

铁钉　8枚。完残不一。扁头，钉身四棱形，较完整者长7厘米。整体偏小，应非瓦钉。

2. 生活用器

有瓷器、铁器和铜器。

（1）瓷器

瓷器有细瓷与粗瓷两大类。细瓷含青花与白瓷两类，以青花居多，器类有杯、盘和碗。粗瓷则有酱釉、青釉和青花粗瓷三类，器类有罐、盆、壶和碗。多为碎片，仅少数可修复。

青花寿字盘　ⅢT2613③：4，修复完整。C型，即撇口盘。撇口微折，弧腹，圈足。口沿饰锦纹；内底双圈弦纹内书一“寿”字；外底绘方款，不可识。高2.3、口径11.7、足径6.8厘米（图8-11-9）。

青花松鹤纹盘　ⅢT2613③：2，修复完整。D型，即折沿盘。宽折沿，浅腹，圈足。足沿涩胎。折沿处饰海水纹；内底双圈弦纹内饰松鹤纹，残存鹤爪；外壁双圈弦纹将纹饰分为沿、腹、足三栏，内饰细碎枝叶纹。高3.8、口径20.4、足径11.6厘米（图8-11-13；图版90-4～6）。

青花蟾蜍纹杯　ⅢT2515③：1，可复原。A型，直口杯。弧腹较直，圈足。内底单圈弦纹内绘蟾蜍纹。高4.5、口径约9、足径3.4厘米（图8-11-14）。

青花高官厚禄纹杯　ⅢT2515③：7，可复原。A型，直口杯。形制同ⅢT2515③：1。内底绘一着官帽人物，残存头部。高4.5、口径9、足径3.4厘米（图8-11-15）。

白瓷碗　ⅢT2515③：2，仅存底腹残片。矮圈足，底微内凹。白釉，足沿与下底露胎。无纹饰。足径约6厘米（图8-11-10）。

青釉粗瓷壶　ⅢT2515③：5，残存颈部。盘口，高领。颈部饰凸弦纹。残高7厘米（图8-11-11）。

青釉粗瓷盆　ⅢT2614③：3，残。敞口微敛，浅腹，平底（已残）。腹部饰凸弦纹。残高9.5、口径23厘米（图8-11-12）。

（2）铁器

铁器有铁锅、铁三脚、铁铲、铁杵头等。铁锅与铁三脚（图8-11-6）均残甚。

铁铲　1件。ⅢT2614③：1，较完整。扁圆銎，长条身，前开刃。通长16.7、宽5.4厘米，銎径2.5～4.2厘米（图8-11-5）。

铁杵头　1件。ⅢT2613③：1，较完整。直筒杯状，一次铸成。高11、口径6.8、壁厚0.5厘米。应系套于木杵前端的杵头（图8-11-4）。

（3）铜器

仅1件。TG16②：6，如意形铜饰件。一端作如意头状，一端残。残长10、宽2.7、厚0.15厘米（图8-11-1）。

图8-11　F31出土遗物

1. 如意形铜饰件（TG16②：6）　2. 铁刀箍（ⅢT2613③：3）　3. 铁镦（TG16②：8）　4. 铁杵头（ⅢT2613③：1）　5. 铁铲（ⅢT2614③：1）　6. 铁三脚（ⅢT2614①）　7、8. 铁刀（ⅢT2614③：2、TG16②：5）　9. 青花寿字盘（ⅢT2613③：4）　10. 白瓷碗（ⅢT2515③：2）　11. 青釉粗瓷壶（ⅢT2515③：5）　12. 青釉粗瓷盆（ⅢT2614③：3）　13. 青花松鹤纹盘（ⅢT2613③：2）　14. 青花蟾蜍纹杯（ⅢT2515③：1）　15. 青花高官厚禄纹杯（ⅢT2515③：7）　16. 抹角砖（TG16②：1）　17. Fb型脊砖（TG16②：3）　18. C型脊砖（TG17②：1）

3. 兵器

有铁刀、刀箍和铁镦。

铁刀　2件。TG16②：5，较完整。筒柄铁刀（F型）。筒形柄，中空。刀背微弓，较厚。尖头，直刃。通长23、残宽3.3厘米，銎径2.7厘米（图8-11-8）。ⅢT2614③：2，仅存刀身。直柄长刀（A型）。刀身狭长。残长28.6、残宽3厘米（图8-11-7；图版145-12）。

铁刀箍　1件。ⅢT2613③：3，较完整。圆筒状。口径3.4、宽1.25、壁厚0.15厘米（图8-11-2）。

铁镦　1件。TG16②：8，较完整。圆锥形，前端扁尖。长12.1、銎径1.9～2.1厘米。这类遗物，也不排除为铁錾的可能（图8-11-3）。

（三）性质

大土所出建筑材料与多数青花瓷器，具有鲜明的时代特征。所见砖、瓦与脊砖均为万历时期遗物。青花瓷器中除个别为明弘治前后遗物（青花松鹤纹盘，ⅢT2613③：2），个别为清代遗物（青花灵芝茶花纹碗，ⅢT2514②）外，余均为明晚期遗物。加之F31与万安关及其南墙连为一体，其时代清晰，为明万历时期遗存。零星的清代遗物表明后期除耕种活动外，人群于此的活动并不频繁。

F31房基尺度较大，仅正房台基面积即约220平方米，但与新王宫内建筑及金银库（F32）用加工规整的灰岩砌筑基脚并置柱础和地栿石等构件比较起来，略显粗疏，且未发现脊兽、瓦当等遗物，似反映使用者地位不高。万安关一线，是南宋龙岩新城的西界，也是明代海龙囤大城的西大门，尤为重要。因此播州之役中，有“把守后囤万安关提调舒自清”负责守卫。据《骠骑将军示谕龙岩囤严禁碑》，囤上设“守囤名役：总管、总领、把总、提调、书吏，各理事务”，这是一个渐次而下的职位序列，均为播州土兵的建制。囤东龙凤关设“把总”，职位稍高。可资比对的是，囤东铁柱关附近除城楼外，也别有建筑。据《平播全书》记载，万历二十八年（1600）五月初十日明军攻破铁柱关，“烧毁三层城楼二座，房屋数处”①。“房屋数处”，当供驻军之用。

综上所述，F31当系一座军营，其与万安关及其两侧城垣、墩台一体构成大城西侧防线。其内出土的铁三脚、铁锅等遗物，是各关隘的常见之物，亦是军队在此居住、饮食的物证。

三、小　　结

本章介绍了构树（F39）、转山（F33）、金银库（F32）、大土（F31）与教场坝等零散

① （明）李化龙：《平播全书》卷4《六报捷音疏》，北京：大众文艺出版社，2008年，第113页。

分布且未经全面发掘的5个地点的试掘与调查材料，并对其年代与性质展开讨论，形成了一些新的认识。

第一，位于囤东转山顶部的F33，坐南朝北，平面呈方形，四角各有4个硕大柱础，应是一栋明万历时期重檐阁楼式建筑，民间称其为“玉皇阁”。现存的明清时期玉皇阁，确有形制与之相近者。据此，其确系玉皇阁的可能性极大，战时则有军事观察所的功能。

第二，位于土司衙署新王宫与后三关之间的F32，民间称“金银库”，是一组明万历时期的三合院式建筑遗迹，由五开间正房和三开间左右两厢组成，布局严整，用材精细，显示了一定的级别。其格局与新王宫中轴线上大堂（F22）及其左右两厢（F23、F24）的组合相同，也与明代各地所建城隍庙须与当地官署正衙规制相同的要求契合。据此，F32较可能为明代海龙囤的城隍庙遗址，战时则挪作军营和粮仓之用，因此厢房内发现炭化稻米、龙爪稷和豆类遗存，这或许也是“金银库”一名的由来。

第三，位于万安关南侧平台大土上的F31，也是一组明万历时期的三合院式建筑遗迹，但基础粗陋，且未见脊兽等装饰，应为一处军营类遗存，与万安关及其两侧城垣、墩台一体，构成大城西侧重要防线。类似遗存也见于囤东铁柱关与铜柱关一线。

第四，囤顶南缘的大片平阔之地，民间向称其为“教场坝”，这一称谓出现的时间不晚于清道光时期。结合时之成例、囤顶环境与相关记述，其为明万历时期的练卒点兵之地应无太大问题。居其东南侧的F39，是目前囤上仅见的南宋时期房址，残存房基，并出土了一批同时期的瓦与瓦当等建筑材料。从空间关系看，其可能与教场坝一体，是教官休息、办公之所。同一地点出土的一批明万历时期的生活用器与兵器显示明时F39基址被再次利用，性质可能也大致相同，但建筑样式已趋简化，可能以草苫顶，因此未见明代砖、瓦等建筑材料。换言之，教场可能初设于南宋置龙岩新城时，并建有教官休息、办公之所，明代因循之。

若以上认识大致不误，则明代的海龙囤就是按照一座城的规制进行规划的，营建时参照了位于遵义老城的宣慰司司治的诸多要素，除另立衙门外，还移植了玉皇阁、城隍庙与教场坝等仪式性建筑和练兵场所，形成与司治大致相同的整体格局。这种多处设置衙门并彼此因循的特点，是时代使然，更是土司制度的直接反映。

第九章　碑刻铭文

与海龙囤相关的碑刻，部分出自囤上，部分则出自囤外他处。部分尚存，铭文照碑实录；部分已佚，铭文引自其他文献。

第一节　囤上碑刻

海龙囤上传世或出土的碑刻数量不菲，根据铭文内容，可粗分为关隘匾额与墙石铭文、严禁碑、纪功碑、海潮寺碑与诗碑等几类，反映了海龙囤的历史及其在明末清初的变迁。部分铭文见载于道光《遵义府志》，但录文与碑刻原文微有出入，少量则是新的发现，可补阙如。

一、关隘匾额与墙石铭文

（一）飞龙关匾额

长方形石匾嵌于飞龙关正面，长305、宽127、厚约30厘米。中央横书“飞龙关”三大字，前有题记，后有纪年（图9-1）。文曰：

> 唐太师守播三十代孙」钦赐飞鱼品服」敕封骠骑将军杨应龙书立」
> 飞龙关」
> 皇明万历丙申岁①夹钟月②□」未日③吉旦重建」

---

① 万历丙申岁，即万历二十四年（1596）。

② 夹钟月，二月。

③ “万历丙申岁夹钟月□未日”，据方诗铭、方小芬《中国史历日和中西历日对照表》（上海：上海辞书出版社，1987年，第638页），只可能为“丁未”或“己未”，即1596年农历二月初十或二十三。道光《遵义府志》卷11《金石》，记为“己未”，当可信。即为二月二十三日。

图9-1　飞龙关匾额拓本

匾额为杨应龙手书，但自称其系“唐太师守播三十代孙”，不确，当为27代30世，即第30任土官，而非30代（见图0-4）。“钦赐飞鱼品服”，事在万历十四年（1586），是年“应龙献大木七十，材美，赐飞鱼服”[①]。铭文显示飞龙关重建于万历二十四年（1596）二月二十三日。

（二）朝天关匾额

长方形石匾，长260、宽118、厚约30厘米（图9-2）。文曰：

唐太师守播三十代孙」钦赐飞鱼品服」敕封骠骑将军杨应龙书立」
朝天关」
皇明万历乙未岁[②]中吕月[③]乙」卯日[④]吉旦重建」

铭文显示朝天关重建于万历二十三年（1595）四月。

（三）万安关与飞虎关匾额

飞虎关匾额今已不存。万安关的尚在，石匾长210、宽90、厚33厘米。但文字风化严重，

① （清）张廷玉等：《明史》卷312《列传第二百·四川土司二》，北京：中华书局，1974年，第8045页。这一时间，应以《明实录》所记万历十三年（1585）为是，参见《〈明实录〉贵州资料辑录》，贵阳：贵州人民出版社，1983年，第914页。

② 万历乙未岁，万历二十三年（1595）。

③ 中吕月，四月。

④ 万历乙未岁中吕月乙卯日，为1595年农历四月十三（阳历5月21日）。

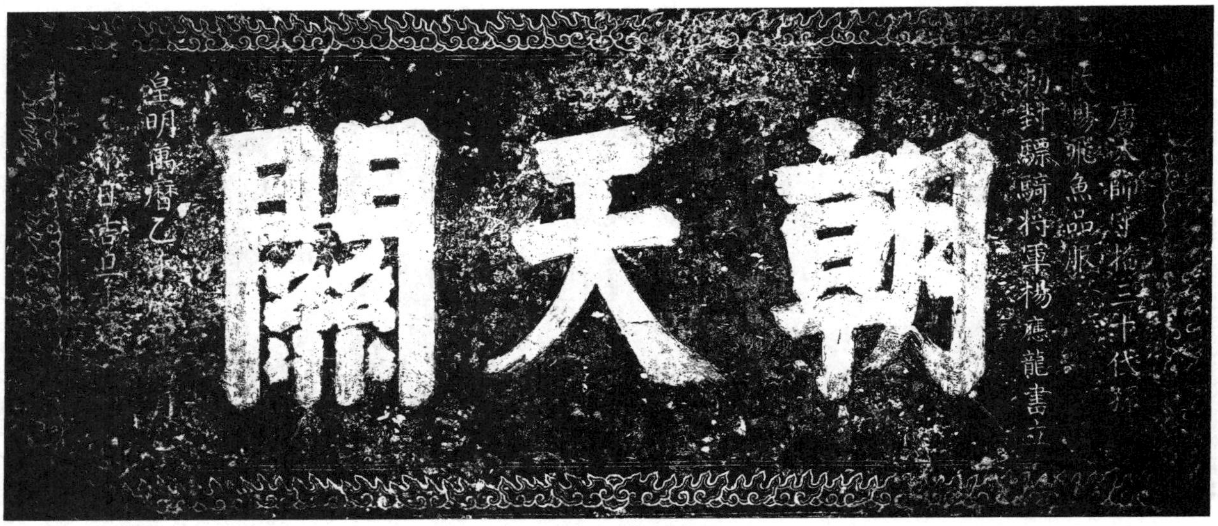

图9-2　朝天关匾额拓本

仅“安”“关”二字局部隐然可辨。据《遵义府志》记载，该两关匾额道光时尚存，且可读，其内容应与前述两关相若。

（四）四渡水

在囤西土城墙北侧砌筑城墙所用的石材（长49、厚20 ~ 26厘米，宽度不详）之一侧阴刻“四渡水”三字（图9-3）。

四渡水是今永安庄一带的旧称，在海龙囤东北约15千米的遵义市汇川区泗渡镇。在传世文献中，明成化十二年（1476）巡抚四川右副都御使张瓒奉命入播征苗，在其记录行程的《东

图9-3　“四渡水”拓本

征纪行录》中首次提到了四渡水，文曰：十月“十五日，宿永安驿，俗名四渡水。”[①]明万历李化龙《平播全书》中也有提及[②]。该铭文或表明筑城的工人来自此地。该段城墙的年代为南宋，则四渡水之名南宋已有。

（五）云台摩崖

在飞龙关前端临渊的原生基岩上，刻有“云台”二字，字大如拳，双线勾边，上端因岩石风化而略有残损（图9-4）。不知铭于何时。飞龙关前确可看云舒云展，禅意无边，推测铭文可能是囤破后海潮寺僧人或凭吊者所刻。

图9-4　“云台”拓本

二、严　禁　碑

即“骠骑将军示谕龙岩囤严禁碑”，是囤上现存的内容最为丰富也最为重要的碑刻，原碑立于飞凤关内，现移置于海潮寺内。碑长174、宽84、厚15.5厘米（图9-5）。文曰：

骠骑将军 示谕龙岩囤严禁碑」
夫龙岩囤者，乃播南形胜之地也。吾」先侯思处夷陬，不可无备，因而修之，

① （明）张瓒：《东征纪行录》，《丛书集成初编》，北京：中华书局，1985年，第6页。

② （明）李化龙：《平播全书》卷4《克破龙爪等囤五报捷音疏》、卷5《叙功疏》，北京：大众文艺出版社，2008年，第106、140页。

以为保」障。《易》云“王公设险，以守其国”，吾」先侯得之矣。今重缉之，以为子孙万代之基」，保固之根本耳。然其地险要，非得其人，则」不可使守也。予今设用守囤名役：总管、总」领、把总、提调、书吏，各理事务；守衔小童、守」仓户、打扫户、总旗、小旗、军士、苗军并住囤」医生、匠作、住持①人等，各有役次，时刻不可」擅离。各给年貌号牌稽考，内无“出关”字样」。倘若解取物件，或告假下囤，赴总管厅乞」帖照验，方许放行。其运送口粮帮户，给有」年貌号票，各带在身，执照进出，毋得阻滞」。若官差取发物件人役，各关视验朱批帖」文，毋得延缓。但恐亲临本囤，跟随一应人」役，书房听点题单，预发龙凤关，查点进出」。回日，具手本封缴原单。及来往工匠人夫」，但遇进关者，龙凤关把总查审的实何项」人役，给帖照身，各关验放，到囤赴总管厅」缴帖，上名应役。役满工完，仍赴总管厅告」乞水帖出关，验实放行，又到龙凤关将帖」回缴。此乃禁地，庶有稽查，以防奸细僭妄」诈伪之徒，再无混冒。违者，自干后开条款」罪究，决不轻恕」。

“严禁碑”内容丰富，涉及建囤缘由、守囤名役、出入规定等。内中提到的“龙凤关”，今无此名，有认为即飞凤关的，也有认为是飞龙、飞凤二关合称的，均误。据文义，进囤者龙凤关查实后“给帖照身，各关验放”；出囤时各关验放，再“到龙凤关将帖回缴”；可知龙凤关是入囤前哨，而飞凤关已是东面登囤的最后一关，不存在“各关验放”了。《平播全书》记载明军在合围海龙囤前，“攻至养马城，乘胜追进海门关、龙凤关、水关”，“自是，酋以铁

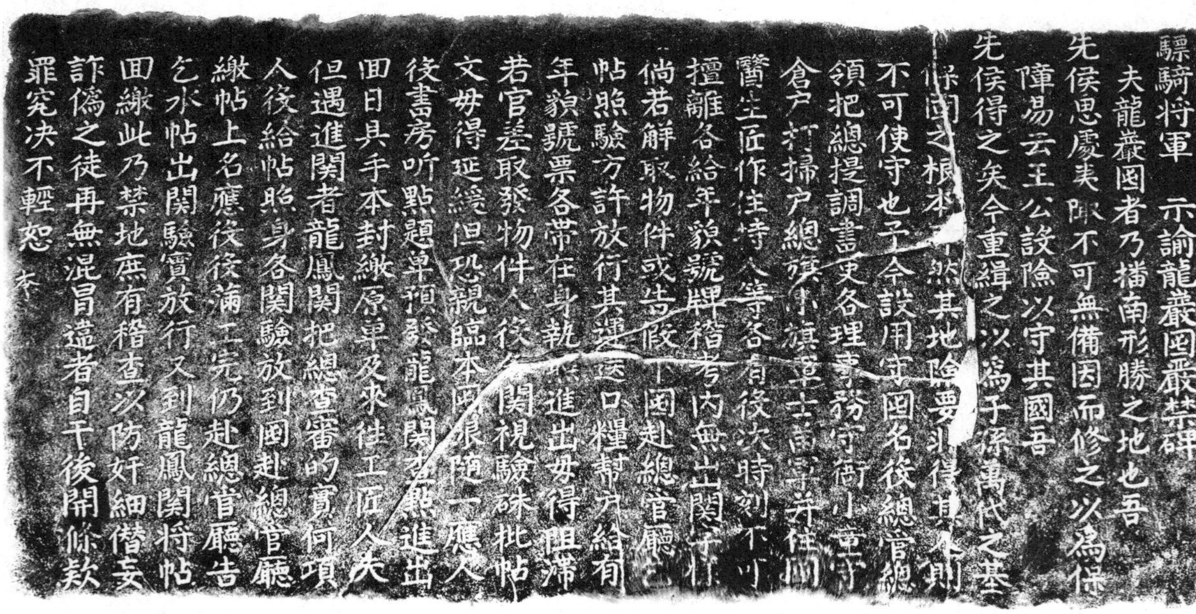

图9-5　《骠骑将军示谕龙岩囤严禁碑》拓本

① 住持，佛道用语，掌管一个佛寺的主僧或道观的道士。如宋李焘《续资治通鉴长编》卷498：绍圣四年（1097）六月丙申，“遣茅山道士刘混康上京住持上清储祥宫。”

柱关为守，不复得出关矣”[①]。龙凤关在铁柱关以下，不在囤上至明，自然就不可能是飞凤或飞龙关了，当在囤下白沙水河谷里，惜今已不存（参见第二章）。

三、纪　功　碑

（一）王羽卿诗碑

碑在飞凤关内，断作上下两截，尚缺右上角。拼合后高175、宽86、厚17厘米。该碑道光《遵义府志·金石》有载，彼时即“已残断不可读”。诗文行草，加之残缺、磨泐，不易识（图9-6）。试读如下：

> □□□□□□基，车轮螳臂只堪」□。
> □□□□天关折，潮涌人呼地」轴□。
> 万壑海涛皆贼血，千山草木」总□□。
> 等闲一人功全悟，唯有空山叫子规」。
> 万历庚子夏季六月平播先登海龙」
> 即事淮阴王鸣鹤书」。

图9-6　王羽卿诗碑拓本

诗的前两句写杨氏的不自量力，中间几句写海龙囤之战的盛况，末两句则是自我的慨叹。虽是诗碑，但因王鸣鹤的特殊身份而具有纪功之意。淮阴（今江苏淮安）王鸣鹤，字羽卿，平播之役中任偏桥路参将，攻囤时首登绝垒。李化龙在《平播全书·叙功疏》中说：“参将王鸣鹤，业擅戎韬，学综兵要。率淮啧之劲卒，飞渡长江；会楚塞之精骑，首登绝垒。”[②]王鸣鹤在诗后的题记中也自铭“平播先登海龙”。登囤的细节，在友人林桐的《题王羽卿诗后》碑中有所交代，但其功终不显。

① （明）李化龙：《平播全书》卷5《叙功疏》，北京：大众文艺出版社，2008年，第140、144页。

② （明）李化龙：《平播全书》卷5《叙功疏》，北京：大众文艺出版社，2008年，第179页。

（二）《题王羽卿诗后》碑

此碑原立于海潮寺前，1976年前后被当地村民击碎，用作砌筑猪圈粪池的石材。2012年5月重新于海潮寺前发掘出土，原碑应裂作7块，目前仅获其中5块。碑高173、宽98、厚14厘米。两面均有铭文，正面即万历三十二年（1604）《题王羽卿诗后》，有残损，所幸《遵义府志》卷29《宦绩》录有碑文，可以互校（图9-7）。背面即下文将要叙及的弘光元年（1645）《海龙山为天开胜地》碑。所缺文字，据《遵义府志》录文补全，文曰：

题王羽卿诗后」

淮阴王羽卿，帅狼山师讨□□[①]，平之，寻进都督京营。汾阳林桐与之同寅□于戎政，□」六师堂一自倾盖。誓心以进则尽忠，毋负武夫事业；退则角巾方袍，为五岳游。且告」予：当时与数大将军进讨，围囤时，鸣鹤独当山右一路，为围师所急之处，攻之亟，贼」备之益力。周旋山溪，日自筹之。□至六月五日午夜，起将士万余上囤方略，誓师」以破贼而后朝食。遂自横槊先登，漏下五鼓，直透山颠，挺身大呼，将校勇奋齐至，喊」杀之声震撼山谷，贼众披靡，一时俱尽。乃羽卿遂屏树以俟诸大将军搜元凶尸、擒」逆子女妻妾以献。予壮其功而与之评曰：“大兵日仰面进攻，贼冯险俯为之备。攻难」，守者易也。故弗夆。羽卿密乘人之不及，夜登，出人之不意，挺身大呼，声若疾雷之不」及掩耳。羽卿其得于法而不囿于法者乎？”羽卿曰：“友凤知言哉。”遂抵掌大笑。居无何」，主上嘉羽卿功，命佩征蛮将军印，出镇粤西。人臣受知登坛，古今奇构。予尝谂尽忠之」说，以别羽卿。予寻亦拜命出镇西川，所驻节政播中。秋初，吊海龙山战场，观形势」，问父老，咸能指往迹而名之。若山左右，则曰：王将军首登路也。适当贼进退生死之」地尔。石壁间有羽卿诗，朗吟，东向呼：羽卿！羽卿！往闻开拓勋宏，今幸居守善，后慨碧」水苍山之岿然，喜燕山海龙之炳映。《易》曰“师贞丈人”，其羽卿哉？议彤卢者，不知其孰」谁。因服羽卿不伐名高，重各天离析之感。乃寄羽卿曰：吾兄弟躬承」圣天子临轩授钺，而屏翰粤蜀，勉旃两地在今日。五岳之盟，幸毋忘于异日。友人林桐附题于诗后。时」大明万历甲辰秋七月之既望。

□□」（按：印一，文字莫辨）。

授钺登坛」（按：印二）。

此系平播四年后的万历三十二年（1604）秋，驻节播中的山西汾阳人林桐登囤凭吊，见友人王鸣鹤诗碑，有感而发，作文附于诗后。文中回忆二人的交往和王鸣鹤登囤的细节，抒发

① 讨倭寇。鹤于万历二十五年（1596）驻通州狼山备倭，渐平之。

图9-7 《题王羽卿诗后》碑拓本

了惺惺相惜之意。王鸣鹤诗碑在飞凤关内，此碑却立在海潮寺前，存在两种可能：一是海潮寺在万历三十二年（1604）已落成，并成凭吊之地，碑本立于此（海潮寺简史，参见第三章）。二是该碑原与王鸣鹤诗碑并立在飞凤关内，弘光元年（1645）海潮寺僧人刻《海龙山为天开胜地》碑时，将之移至寺前，旧碑新用。

（三）平播纪功碑

出在飞凤关南侧道旁，断作数截，有碑座。拼合后碑高302、宽136、厚11.5厘米，座高17.5、长151、宽116厘米。碑文大部被之后铭于其上的“道府厅县”诸字覆盖和破坏，仅前两列及末列数字可辨（图9-8-1）。文曰：

> 钦差巡抚偏沅等处地方[①]□□（提督）军□（务）兼理□□（粮饷）都□（察）院右佥都御史江[②]」钦差镇守□□□□□□□□□□□□□□□□（偏桥等处地方署指挥佥事湖广总兵）都督同知陈[③]」
>
> ……
>
> □（万）历二十八年……

碑文大部磨泐，但从仅存的文字结合文献仍可大略推知，此系万历二十八年（1600）征播八路明军中偏桥一路的纪功碑。偏沅巡抚江铎负责“提督军务兼理粮饷”，陈璘为总兵，王鸣鹤则为参将。万历二十八年（1600）五月十九日起，攻囤明军“各抽精兵轮日前后攻打”，六月初六日，轮至吴广、陈璘，一举破囤，并有王鸣鹤“横槊先登”的壮举，偏桥路因之功勋卓著[④]。以至不久流行的章回小说《征播奏捷传》亦以为陈璘之功为最，这或许便与偏桥路利用纪功碑主动宣传的策略有关。

① （清）张廷玉等：《明史》卷73《职官二》：“巡抚偏沅地方赞理军务，一员。万历二十七年（1599）以征播暂设，寻罢。天启二年（1622）后或置或罢，崇祯二年（1629）定设。”北京：中华书局，1974年，第1779页。

② 该列文字记江铎。（清）张廷玉等撰：《明史》卷228：“帝以楚地辽阔，又擢江铎为佥都御史，巡抚偏沅湖广。设偏沅巡抚自铎始也。”北京：中华书局，1974年，第5985页。《明神宗实录》卷344：万历二十八年二月，“以川黔用兵，偏沅添设巡抚，上用江铎为都察院右佥都御使巡抚偏沅等处地方提督军务兼理粮饷。”《明实录·明神宗实录》，“中央研究院”历史语言研究所校印，1966年，第6381、6382页。据之可补全所缺之字。

③ 该列文字记陈璘。（清）谷应泰编：《明史纪事本末》卷64《平杨应龙》：“命佥都御史江铎巡抚偏沅，监总兵陈璘之师。”又《明史》卷247《陈璘传》：“进璘都督同知，世荫指挥佥事。师甫旋，会有征播之役。命璘为湖广总兵，由偏桥进。”北京：中华书局，1974年，第6406页。（明）名衢逸狂演义：《征播奏捷传》记陈璘职衔为“总兵都督同知，镇守湖广偏桥地方”，内部印行，2004年，第95页。据此，所缺文字大约为：镇守“偏桥等处地方署指挥佥事湖广总兵”。

④ （明）李化龙：《平播全书》卷4《大报捷音疏》，北京：大众文艺出版社，2008年，第116页。

1

2

图9-8　平播纪功（陈璘）碑与道府厅县碑拓本

1. 平播纪功（陈璘）碑　2. 道府厅县碑

（四）海龙囤铜标铭（已佚）

海龙囤铜标，播平后，立于囤顶。据《平播全书》记：平播之役刚结束，李化龙即令“重庆府动支官银，收买铜斤，责令匠作，如法铸造高一丈三尺者铜柱一根，将后开铭文镌入于上，竖于海龙囤之颠。入石三尺，上露一丈。用镇疆土，以垂永久”[①]。铜标在清道光时即已佚[②]。但《平播全书》与《遵义府志》两书均载有铭文，曰：

皇帝二十有八年，播人告讧。天王赫怒，爰整六师，以诛不供。百十有四日，尽俘群丑，遂潴其宫。设吏治之，方三千里，始入皇封。载勒铜标，永镇西南。臣李化龙。

历史上著名的铜柱，有东汉马援铜柱、五代溪州（今湖南永顺）铜柱等，具有彰功绩、定疆界、广教化，以及象征国家一统等意义[③]。海龙囤铜柱亦然，因此李化龙称“用镇疆土，以垂永久”。

四、海潮寺碑

（一）《海龙山为天开胜地》碑

原立于海潮寺前，与前述《题王羽卿诗后》为同一碑刻的两面，碑文不见载于其他文献（图9-9）。文曰：

海龙山为天开胜地」

神宗朝，狐鼠盗弄干戈，此间遂为腥血之野。削平后，僧人建茅椽于其上，终草□弗堪也。主宾相待，炤月始来，遂举故迹，昌大□颜。其寺」曰龙崖，盖亦亲本之意也。檀越主[④]刘继文、雷有升、张应□（贵）、王应奎等以为□献无资，尚是缺典，遂发愿上助城工银三十八两六钱」八分，得买正法叛逆喻志贤没官田三十六亩五分，以□五亩舍给本寺，乃立僧户耕种输差。山河大地，虽属幻景，然在舍者之

① （明）李化龙：《平播全书》卷11《牌票》，北京：大众文艺出版社，2008年，第379页。

② （清）郑珍、莫友芝编纂：《遵义府志》卷11《金石》，成都：巴蜀书社，2013年，第190、191页。

③ 王元林、吴力勇：《马援铜柱与国家象征意义探索》，《中南民族大学学报》（人文社会科学版）2011年第2期。

④ 檀越主，即施主。

意」。直欲置此一抔土，与幽谷一灯，盘若甘露，共成不朽□，□此语寿诸石，并次告后炤月而来者」。

弘光元年七月中元日奉政大夫同知遵义府事豫章罗应□题」。

遵义府理刑厅黄　为领状事：蒙」钦差整饬遵义兵巡道四川布政司参议李　批，据本厅呈□□僧人炤月诉领前事。蒙批：仰刑厅察明回报，遵此。该本厅察得喻志」贤叛田，先该本府常　准给焦添禄领种上价，突出志□□□□玄召争领，本府常　两叱，而给寺僧上价为常住[1]，诚为定议矣。今」海龙山寺僧炤月遵谕赴县库上价，而喻宅亦出族僧，复□□□□□宗把持，不思叛逆原有累族之条，且□炽则避事息辙，争将令」府县为赘疣乎？今奉批，察相应呈请，伏乞」宪台批定准给何人，以便行县炤册追价，出给遵炤以断后，□□□□□□察事理，本厅未敢擅便等因□详本道。蒙批：该府既准炤」月，炤月又已上价，自应本僧领之矣。此缴蒙此合行给□□□□□□□炤批详繇，语及该县出人上价库收，遵炤改册立户，炤」喻志贤田地，炤原界管业输差，倘奸豪人等再行生端，□□□□□□□告理施行，须至帖者」。

崇祯十六年八月初三日给　　　右帖给僧人炤月，准此」。

钦差整饬遵义兵巡道李为珩银五两

遵义军民府知府常三锡银三两

遵戎府　同知杨洪功银三两

马湖府　同知黄九鼎银三两

遵戎府　同知杨魁万银三两

真安州　知州任乔年银五两

遵义县　知县李　银二两

钦依都司军政威远卫袁蕙芳银二两

遵义府僧纲司　惟德银二两

本府乡绅陈门夫人王氏银二两

威远卫百户　□祚昌助银四分

遵义府庠生　罗为衮、杨文举、罗为黼助银三分

施助田、价银、姓名：

刘继文、雷有升、张应贵、王应奎、李寂园、陈性智、王应贵、罗南星、赵玉舟、陆闰芳、焦添禄、孔问学、喻诏昇、刘觉生……

这是一通关于海潮寺田土的诉讼碑。崇祯十六年（1643），遵义府理刑厅将罚没的喻志贤田土判给海潮寺僧常住，僧人炤月将官批文书勒于石上以示昭告。弘光元年（1645），再借遵

① 僧、道称寺观、田土、什物等为常住。

图9-9　《海龙山为天开胜地》碑拓本

义府同知罗某之口重申海潮寺对前述土地的所有权。前文提及海潮寺的早期历史：播平后首创之时，寺为茅屋。崇祯末，炤月任住持时，作了修缮与扩建，又拥有了不菲的田土，并“立僧户耕种输差”（详见第三章）。此时寺名为“龙崖”。勒碑的时间应在弘光元年（1645）。

（二）道府厅县碑

碑出飞凤关旁，是抹平前述“平播纪功碑”而铭刻的新文字（图9-8-2），文曰：

奉」
道府厅县明文：将海龙地」土开垦永充龙岩常住」
壬午岁季冬　吉日立」

这是一通海潮寺宣示海龙囤田土为其所有的告示碑。中有“道府厅县”字样，表明事在平播后。据弘光元年（1645）《海龙山为天开胜地》碑，崇祯十六年（1643）遵义府理刑厅曾将有争议的喻志贤叛田判给龙崖寺领种。只是勒碑之时或尚未获官方批文，因此笼统称“道府厅县明文”，据此，碑中的“壬午”纪年，当为崇祯十五年（1642）。“道”即前碑中的“遵义兵巡道”，“府”即遵义府，“厅”即理刑厅，“县”即遵义县。不过，该碑指涉的土地似乎更宽广，寺僧可以开垦囤上地土供寺庙使用。囤上今日有田土，但无法据此推知杨氏盘踞的海龙囤是否辟有田土。另关于海潮寺的名称，《海龙山为天开胜地》碑记“其寺曰龙崖”，这里却称“龙岩”，只因在贵州方言中，崖与岩同音，均读作“ái”，因此“龙崖”即“龙岩”。

（三）《惟忆千秋》碑

碑今仍立于海潮寺前，高139、宽54、厚25厘米。碑文计约16列，磨泐不清，可识者有（图9-10）：

惟忆千秋
□□□□□□□□□□记」
……方成之……人□之雄地，……龙。前代□□□不□庙□□□乎十□」□□之□□□殿，飞□飞虎□□，称雄于□□，养鸡养马杨氏□视□□□□□□□□□。庙兴历百年，所□□而□□□□为□迁」谷□人□□高，而作贼郡城。□□时初谒以游，观则有为之前□美□若而莫为之后其美□□。况庙□□□□□□□□□□」……目而惊心。后院之北□□初无事，改作前堂之壁，□将圮，宜各更新。□合□方□□□□□有补□□□□□」……堂，足增前人之未修。一木一石□以移后世之观□□同时者共为奋志后成者□田□□□□□□□之」……凡我同□幸勿□」。

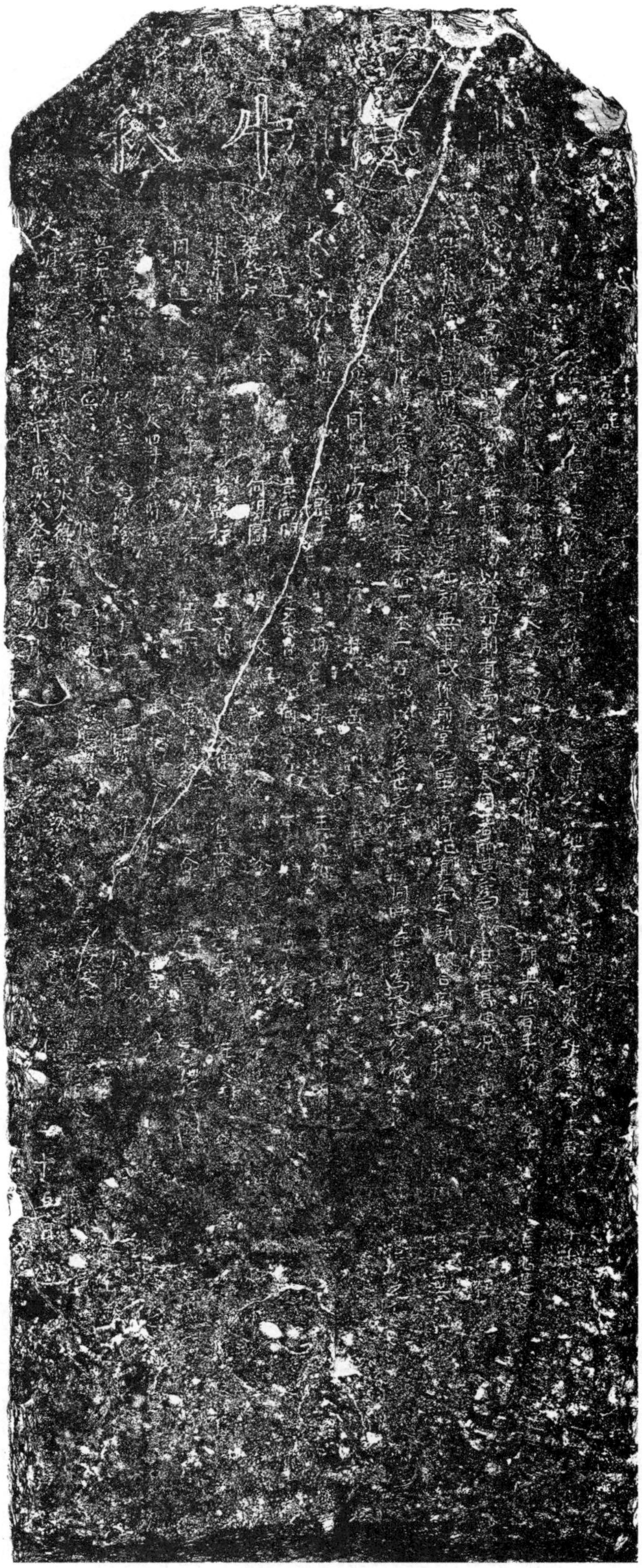

图9-10　《惟忆千秋》碑拓本

众姓」：

……（按：有张、周、吴、梁诸姓，从略）

大清乾隆三十八年岁次癸巳姑洗月二十五日立」。

碑立于乾隆三十八年（1773）三月二十五日，前半段为修庙缘由，后半段则为捐助人姓名。碑文磨泐，难以通读。内中提到了杨氏及海龙囤的历史（“作贼郡城”），也提到了海潮寺的历史（“庙兴历百年”），重点则是对海潮寺的维修与改建，将后院的部分设施改作前堂用，“后院之北□□初无事，改作前堂之壁，□将圮，宜各更新”。简言之，继崇祯年间之后，乾隆三十八年（1773）僧众又对海潮寺进行了一次维修。

以上几通碑刻，均涉及海潮寺的修建，这里结合文献对该寺的历史略作梳理。海潮寺，又名海朝寺、龙岩或龙崖寺，始建于明代万历时期，历经多次重修，今上殿尚存，香火不绝。乾隆《贵州通志》记：“海潮寺，在府城北三十里海龙囤，明万历间平播后兵备道傅光宅建。”[①]道光《遵义府志》：傅光宅“（万历）三十年以兵备副使任，三十一年四月升本省提学道。”[②]据此，海潮寺创于万历二十八年至万历三十一年（1600～1603）。此后至少进行了三次维修。初创时为茅屋，崇祯时，僧人炤月等曾主持维修，并拥有了寺产（《海龙山为天开胜地》碑）。乾隆三十八年（1773），再次维修（《惟忆千秋》碑）。现存者为民国时期建筑。寺有民国三十一年（1942）和民国三十四年（1945）壁题，梁上所题重修寺庙的主事者葛成邦、葛成德等，据当地村民回忆在新中国成立前后即已辞世。此次重修的具体时间，据认为在民国十八年（1929），应是比较可信的[③]。

五、诗　　碑

海潮寺阶下旧有海龙囤诗碑一通，铭诗15首，作者不详。碑今已佚，诗文见载于道光《遵义府志·艺文》，实录如下[④]：

---

① （清）鄂尔泰等修：《贵州通志》卷10《寺观》，《中国地方志集成·贵州府县志辑》，成都：巴蜀书社，2006年，第4册，第173页。

② （清）郑珍、莫友芝编纂：《遵义府志》卷27《职官》，成都：巴蜀书社，2013年，第478页。

③ 吴必伦：《海龙囤庙宇的变迁》，中国人民政治协商会议贵州省遵义市委员会宣教文卫委员会编：《海龙囤烟云录》，内部印行，2000年，第345页。详细讨论见第三章。

④ （清）郑珍、莫友芝编纂：《遵义府志》卷46《艺文》，成都：巴蜀书社，2013年，第932页。

（一）龙崖寺夜坐

拟作住山人，高寒生促迫。
单袷起萧骚，咄嗟酹云液。
尸居气不灵，战骨朽盈尺。
壮士羽商时，丽人风雨夕。
一束舞吴绫，千铢买兹白。
狐虺独纵横，淫毒只自螫。
飞燎落雄虬，焦土般于碣。
鬼妾依佛火，玉床生被裓。
对此一凄惋，豪华感遥昔。
已矣勿复陈，败德宁昌历。

（二）囤望

殷忧不良寐，约带坐朝暾。
浩露结玄壑，从风散雨痕。
天心与人事，依倚知何门。
但洗荒淫憾，诸山无怨恩。

（三）海龙坝

不惜骑蹁蹁，平畴没海龙。
石农依两碛，幽涧指前锋。
蜂拥荒衙乱，蛛交村网重。
望中双白鸟，间度一溪舂。

（四）入箐

峭壁幽林势若筱，□溪消息问胡麻。
古樵歌断云岚下，石户烟迷三两家。
卓午尺光分日气，枯藤斜影上寒花。
飕飕只恐惊余虺，珍重行人白鼻蜗。

（五）出箐

经过战垒气怦怦，鼎食钟残促鼎烹。
仄磴雨荒双失足，别峰雷隐直孤瞠。
麋田灌药宜晨露，熊馆传餐不暮耕。
我亦沿流混轩冕，登崖回首又岚生。

（六）石军营

想当星月白，幽氛坐以号。
何如鱼复浦，精气激寒涛。

（七）养马城

未学古豢龙，荒城只[①]牧马。
不识破群时，几泣青刍下。

（八）铁柱关

群鳄徙长林，开凿只如昨。
安有六州铁，铸此千年错。

（九）飞虎关

忆昔探虎穴，从兹缚虎子。
饮石羽犹存，飞飞亦徒尔。

（十）飞龙关

封豕岂不搏，终古非飞龙。
豕若能北首，龙不发双豵。

---

① 原文作“秖”，当为“衹”之误，即“只”。《铁柱关》《太平关》两诗中该字同此。

（十一）朝天关

蚁穴虽有王，不识朝天字。
若解梦长安，日近要荒吏。

（十二）太平关

高居鬼瞰之，宁嬉太平日。
只有八关诗，天风犹瑟瑟。

（十三）后三关

狡兔余残堞，初关榜万安。
荒沟人径绝，蒸夏草犹寒。

（十四）后较场

孰使拥玄虬，抽旋及晨暮。
何哉决拾时，置此臣之鹄。

（十五）南崖

幽壑涌层台，云是乘云处。
华表尚归来，慎作沧桑语。

诗中的“龙崖寺”，即海潮寺。前述《海龙山为天开胜地》碑称“其寺曰龙崖”，“道府厅县碑”中记为“龙岩”，实则一也。内中提到的“太平关”，即今之“飞凤关”，道光《遵义府志》中亦只记“太平关”而无“飞凤关”，可见后者是一个晚出的称谓。据此也可大致推定以上诗句约写于清代早中期，作者可能为同一人。其中的“后较场”，或即今之“教场坝”。“南崖”，当在“绣花楼”一带。“石军营”不知在何处，按诗歌的顺序，或在囤外。

第二节 囤外碑刻

囤外碑刻，主要与两场战事相关：一是南宋晚期的宋蒙战事，海龙囤因之而创设；一是明万历二十八年（1600）的播州之役，海龙囤因之而毁灭。与宋蒙战事相关，又关乎海龙囤者，目前仅见杨文神道碑。与播州之役相关的，则数量不菲，主要是平播各路明军的纪念碑性铭文。另有少量晚出的碑刻，均系墓碑，但可能与海龙囤关隘的设置有关，弥足珍贵。

一、杨文神道碑

碑原立于杨文墓前。杨文墓在高坪杨氏墓地，三室并列，中室葬杨文（卒于1265年，1267年下葬），右室（以墓主仰身直肢、头里脚外躺墓中之左右为左右）葬其妻田氏（卒于1290年，次年下葬），左室规模略小，墓主可能为杨文侧室。原碑早年即碎为上、中、下三段，并埋于泥中，文献无载。1972年发掘杨文墓时发现，但当时仅见碑之中、下两段，中段出土于杨文墓室外的填土中，下段则用作田氏墓门扉外的封门石。1978年12月，谭用中先生复查时发现上段，亦用作封门石（调查资料未说明出于何处，推测亦是田氏墓封门石）。发掘简报推测，神道碑应是入元之后杨氏后人主动毁弃的，原因是铭文中记载了杨文生前参与宋王朝抗蒙的历史①。复原的神道碑高约180、残宽129～132、厚7厘米。文曰：

予尝考《禹贡》，播州乃荆州之域。在春秋则隶巴子国，为翼轸分野。唐□□□□□□□□□□□□□□，其奉朝贡为刺史，则先在武德也。其奉特命袭爵，则开元也。宣宗末年，大理举兵」，播州鼻祖端奉命平定，其功始著。五季乱，天日离隔，杨氏世守其土」。宋庆历间，十一世祖实平邕广之侬智高。十世祖昭，被旨讨泸，□□□□□□□□□□□□□□归职方」。圣天子嘉之，授礼宾使，许以世守。自祖入播，以迄于君，凡十有五世。□□□□□□□□□□□□□□，以恩结诸蛮，积累已久。绍定间（按：1228～1233），赵公制垣彦呐建梱，蜀事正棘。忠显奏闻于朝，欲以」其子文承袭守土，身帅将士，移阃效驰驱。得旨旌其忠，而许之特□□□□□□□□□□□□□，转中亮大夫、御使、抚使、开国上将军。解青原之围，

① 贵州省博物馆：《遵义高坪“播州土司”杨文等四座墓葬发掘记》，《文物》1974年第1期；贵州省博物馆：《贵州省墓志选集》，内部印行，1986年，第10、11页。另参见李飞：《家事与国事：关于贵州遵义出土〈杨文神道碑〉的几个问题》，《四川文物》2021年第3期。

剿白水之溃，多赖忠显之力[①]。方叔屏□」山樊□□。士大夫自巴蜀相过者，皆言杨君文数十年救蜀之功，宅家□□□□□□□□□□。正音问阻隔，忽播州吏卒踵门，则云：郡统、御使、抚使、上将军已为古人，今其子见知播州」。状其行实，求予言，以铭其墓。予以其累世忠孝，护我巴蜀边陲。杨君文□□□□□□□□□。巴蜀，吾乡国也，杨君勋在吾乡，义不得辞，乃掇其行实以书之：

君讳文，字全斌。本系出唐虞」之后，伯侨食采于杨，子孙因氏焉。汉以来聚族会稽，至鼻祖端，始入□□□□□□□□于巴蜀之南鄙，近接珍、涪、南平、施、黔，远通湖北之沅、靖，及广右之邕、宜等处。播乃我」国家藩屏也，予家青衣以下，号天下大峨山。尚羁贯（按：指童年）时，杨播州间岁必□□□□□□□□荐芗福，皆意其惠。当忠烈御郡时，士类羽流，皆称其乐善而种德，喜儒而好礼。最是寓兵于」农，且耕且战，得富国强兵之策，有古规模。自忠烈至忠显，世守疆场，久□□□□□□□高，人物瑰伟。其生也，和政郡夫人得异梦，殆与释氏抱送之祥相符。其祖忠烈钟爱，常抱置膝」上。自入小学，性资敏慧，记诵即了其义。其师为诵《诸侯章》及《保社稷》，和□□□曰：“诸侯之孝，自有大体。初不存乎三牲之养。”上侍忠烈暨忠显，以至两世慈亲，惟以色难、养志为孝。奉旨」甘，问安寝，皆得其欢心。忠烈及忠显尝面命之曰：“吾家自唐守播，至□□□以迄于今日，杨氏累世恪守忠节。吾老矣，勉继吾志，勿堕家声。世世子孙，不离忠孝二字。”君领郡，式遵家法」，□于农隙之时作新政，教以坐作进退。无事则耕，有事则战，兵民两利，乐为之用。嘉熙间（按：1237～1240），虏酋达罕举兵饮江，制使彭君大雅调播军戍江面。君即禀命忠显，委总管赵暹领步骑三千」，拒虏于石洞峡[②]。□□帅宣叶力剿遏。寻迁武德郎，阁门袛侯。岁癸卯（按：淳祐三年，1243），忠显即世。君哀慕摧毁，有诏夺情，强起授职。淳祐六年（按：1245），以累次功赏转武功大夫，阁门宣赞舍人。纶词褒拂，甚」□□宠。制使余君玠奉命建阃，时蜀事转亟，君条陈保蜀三策，献之制使曰：“连年虏寇如蹈无人之境，由不能御敌于门户故也。莫若进司利、阆之间，节次经理三关，为久驻计，此为上」策。今纵未能大举，莫若于诸路险要去处，众□城筑，以为根柢，此为中策。至于保一江以自守，敌去敌来，纵其所之，此为下策。若夫意外之忧，近年西蕃部落为贼所诱，势必绕雪」外以图云南，由云南以并吞蛮部，阚邕广，窥我沅靖，则后户斡腹为患。”不意君数十语，实

① 事在端平二年（1235），不在绍定间（1228～1233），此时杨文年满十五，方有可能“承袭守土”。赵彦呐接四川制置使，在端平元年（1234）。青原，即青野原（在陕西略阳北），其围之解，以及蒙军从白水关（似即略阳县北白水江）进攻六股株，均在端平二年。详见李天鸣：《宋元战史（一）》，台北：食货出版社，1988年，第189、266、267页。

② 事在嘉熙二年（1238）。是年，蒙军都元帅塔海（即达罕）率骑兵侵入四川。参见李天鸣：《宋元战史（一）》，台北：食货出版社，1988年，第370页。另石洞峡在重庆下游，即今之铜锣峡，是溯长江入重庆城区的门户，《遵义高坪“播州土司”杨文等四座墓葬发掘记》称播军“戍守岷江江面”，误。

切于今日料敌之奇策。蜀相前后连筑诸城，若兵若民，始有驻足之地。君发明之力居多」。淳祐戊申（按：淳祐八年，1248），制使发雄威步骑三千，由硐门出雪外。遇虏于岩州之马鞍山，三战三捷，擒贼酋秃懑于大渡河[1]。捷闻，升职环卫。淳祐辛亥（按：淳祐十一年，1251），制使余君欲捣汉中，君承阃令，选锐卒五千，命」总管赵寅领之。首战于罗村，再战于梢子头，三战于西县，皆我军贾勇先登，俘获颇众[2]。余帅当时亲书"忠勇赵寅"之旗以旌之」。天朝擢寅，君不□□功，以回授祖刘封通安郡夫人。训词略曰："文之有功□也，其诸孝也。"君谓吾家有敌忾之勋，皆忠显基之，遂请于」朝，觐□□恩霈□□光前，恩诏奖谕」，赐庙忠显，领两□节度使，开府仪同三司，加封威灵侯，又照四戎司例，升雄威为御前军，给五军统帅印。边屯之得升为御前军者，始此。淳祐壬子（按：十二年，1252），虏前铁骑火鲁赤寇蜀之嘉定，为」四川巨镇，顺势□重。余帅急调其赴援。君选马步五千，委总管田万部□，从间道攻凌云，播军周夜袭贼过江。嘉定一城，唯万山、必胜两堡最要。专以播军任责，我军以强弩射中粉」青，一大酋应弦而倒。诸军相继，贾勇获胜，重围遂解。特授右武大夫。盖自累年以来，谍者屡报：鞑虏有斡腹之谋，由攻大理、善阐、特磨，以寇邕、笕。十余年间，□□□朝□议，欲设备广西」者不一，□东关右□，道取沅靖之说。岁甲寅（按：宝祐二年，1254），谍者又报：鞑虏已破大理，将□道首攻南播，以捣我沅靖。予正居军席，谓此路无瘴，心甚忧之。犹幸有杨君父子，忠孝夙著，必能护此一方」。遂亲作御鞑四策：一曰待敌，不可轻战；二曰保山险，不可散居平地；三曰用夜劫，不可昼战；四曰收聚粮食，毋以资敌。其□则以诸国唇齿相依，利害相关，平日不可各分彼此，缓急」必须相为之救援。宣□阃镂此榜文，首以达之思、播二郡。又遍及诸蛮部□。杨君智识过人，深以此说为是。见之施行，且用心结纳诸蛮部，使不为鞑用。宝祐乙卯（按：宝祐三年，1255），大使李公曾伯宣威」蜀道，贼酋买住解□□分道入寇，自乌蒙渡马湖，入宣化。宣阃札调我军助战。君委其弟大声，提步骑五千赴调，出奇九战九捷，立获阿狸等人。捷闻于」朝，特转左武大夫。是时，鞑入大理，迫近乌琐、罗鬼，拒播不远。制阃移书勉其□，君复书曰："此虏势必遣一溜向特磨，以窥我邕广；遣一溜出罗鬼，以窥我南鄙。虏势得合，非特蜀事岌」岌，而湖广凛凛矣。"君之此言，可谓精于料敌，其中事机。制使蒲君以其事闻，被」□□遣中使宣谕，押赐凤樽、金钟、金盏、绫锦等物，令漕宪赵定应、幕参冉从周，深入诸蛮宣布」上意，兼授以杀贼方略，始得贼虏盘泊大理等情状。自是置定北诸仓，以储军粮；创安南诸寨，以扼贼冲。申儆军实，遴选人才，除械器，明间谍，护斥候，常如虏至」。宝祐丁巳（按：宝祐五年，

① 所缺之字据李天鸣《宋元战史（一）》补全。岩州，在今四川泸定县北；硐门，在今四川荥经县西北。台北：食货出版社，1988年，第474页。

② 所缺之字据李天鸣《宋元战史（一）》补全。西县，在今陕西勉县西。台北：食货出版社，1988年，第497页。

1257），虏酋悟浪葛解[①]出大理，由卜卤、乌琐以攻罗鬼。杨君具以实闻」，上忧之，乃□命今节使两府吕公文德驻黄坪。既而播军于阆中生致贼之头目胡撒桂者」。御笔："杨文，国之藩篱，斡腹之防，正赖其力□援。转两官，可特与转符节使。"吕公与杨君相会，面言当为申」朝廷，行下□□□制阃，置一城以为播州根本。我且驻黄坪，以蔽沅靖。于是筑龙岩新城。既而两府御使吕公，偕杨君深□□□，□酋勃先率诸酋跪马□□□□□来，南蛮部复□矣」。两府节使吕公谕以朝廷恩意，勃先□□，赐以金帛、袍□、笏有差。贳其从前□□□□□。未几，蒙酋□□入寇蜀□□□□□□□投□而起。□」……

杨文神道碑内容丰富，是一篇宋蒙战史的重要文献，其中提到了自端平二年（1235）至宝祐五年（1257）的20余年间，杨氏积极参与宋军抗蒙的一系列史事，其中直接派步骑参战的便达6次之多，有的可补史载之阙。于海龙囤而言，最为重要的莫过于碑文中提到了宝祐五年（1257）吕文德入播布置防务，以阻止蒙军自罗鬼取道播州以攻沅、靖，他与杨文商议"置一城以为播州根本。我且驻黄坪，以蔽沅靖。于是筑龙岩新城"。海龙囤因之创设。碑文作者可能为"号为儒者知兵"的南宋抗蒙重臣、蜀人朱禩孙，故铭文中提及"巴蜀，吾乡国也"，"予家青衣以下，号天下大峨山"[②]。

二、平播铭文

有铭于钟鼎者，有勒于碑或崖者，俱与平播之役相关，或彰其功，或慰亡灵，统称之为"平播铭文"，实录如次。

（一）平播鼎与平播钟

铜鼎与铜钟各一，原置贵阳神武祠（即关帝庙）内，为明万历二十八年（1600）十一月，时任贵州巡抚郭子章为纪念平播之役所铸，以谢关王之助。民国时移置时之省立艺术馆内，现藏贵州省博物馆。两器民国《贵州通志》有载，但释文略有舛误[③]。

---

① 关于酋名，《简报》仅得一"解"字；遵义地区文物志作"惕滚葛解"；《贵州省墓志选集》作"根浪解"。合而观之，应为"悟浪葛解"，即元将"兀良哈台"之转音。

② 李飞：《家事与国事：关于贵州遵义出土〈杨文神道碑〉的几个问题》，《四川文物》2021年第3期。

③ （民国）任可澄、杨恩元纂：《贵州通志·金石志三》，《中国地方志集成·贵州府县志辑》，成都：巴蜀书社，2006年，第11册，第131页。本书释文，蒙李树浪博士指正。

1. 平播鼎

青铜鼎，三足两耳，重约500斤，阳文篆书（图9-11）。

平播安黔之鼎」

神武祠鼎铭」：

考之《志》曰：“钟」，西方之声，以」象厥成，隹（惟）功」大者其钟大」。垂则为钟，仰」则为鼎，弍也」。”万历弍十七」年弍月，予被」黔」命讨播，离西昌」，夕梦」关王冠带临」予宅，宾主坐」，告予曰：“十有」弍月播灭，公」且重默。”六月」入黔，予内子」梦王带甲来」助己。又[1]梦王」临江干，有“弌」棒破老君关」”之句。明年六」月，播平。计予」入黔期，实十」弍月也。七月」，双芝产王庙」树。隹（惟）此播功」，实王默右（佑）。乃」命工范铜，铸」钟弌县（悬）庙左」，铸鼎弌置庙」右，用昭神武」。而为之铭」。铭曰：

繄余黔」境，环播是邻」，彼播氛恶兮」，痡毒我黔民」，维公曰天人」，乃武乃神，金」铉玉铉，神功」攸甄。俎于斯」，豆于斯，春秋」蹲蹲」。”

大明万历庚子」季冬朔日」。

赐进士出身、通」议大夫、都察」院右副都御」史、奉」敕巡抚贵州、提」督军务兼制」湖北川东等」处地方，泰和」郭子章撰」。

图9-11　平播鼎铭文拓本

① 民国《贵州通志》释作“己丑”，但万历己亥年六月无己丑日，故此二字应为“己”“又”，且各分属于上下句。

2. 平播钟

青铜钟，高2尺6寸，重约800斤。阳文篆书。

平播报德之钟」

神武祠钟铭」：

考之《志》曰："钟，西」方之声，以象厥」成，隹（惟）功大者其」钟大。垂则为钟」，仰则为鼎，弍也」。"万历己亥，予奉」命讨播离家，夕梦」关王冠带临予」宅，宾主坐，告予」曰："十有弍月播」灭，公且重默。"六」月入黔，予内子」梦王带甲来助」己。又梦王临江」干，有"弌棒破老」君关"之句。明年」六月，播平。计予」入黔期，实十弍」月也。七月，双芝」产王庙树。隹（惟）此」播功，实王默右（佑）」。乃命工范铜，铸」钟弌县（悬）庙左，铸」鼎弌置庙右，用」昭神武。为之铭」。铭曰：

弌梦而期」播灭，再梦而助之」甲，弎梦而犁巢」穴，隹（惟）播之抚（摡），王之伐」。雍雍景钟，悬于庙阙」，亿千万年，永亡（无）堲（垠）」。

大明万历庚子季」冬朔日」。

赐进士出身、通议」大夫、都察院右」副都御史、奉」敕巡抚贵州、提」督军务兼制湖」北川东等处地」方，泰和郭子章」撰」。

□□□贵易（阳）府知府刘冠南」

同知徐庭绶」

通判夏勋」

掌印署都指挥佥事□□」

新贵县典史□简」

小程司吏目张□□」

□□武骧卫经历□□」

曹孟□笈」

□□□□」

两器铭文之前半段大同小异，皆记铸钟鼎的缘由，"铭"则不同。落款处铜钟多出九行，乃知府、同知、通判、新贵县等衔名，惜漫漶不可全识。关王，即关羽，是民间家喻户晓的人物，早在隋代即有其显圣的传说。郭子章征播时关王显圣的故事，也见于明末《关帝历代显圣志传》的记载，但该书所记可能是在前述铭文的基础上演绎而成[①]。关王托梦未必为真，钟鼎

① （明）穆氏编辑：《关帝历代显圣志传》卷4《西昌告郭中丞平播》，上海：上海古籍出版社，1990年，第199～212页。书约成于明崇祯时。

铭文的实质是纪郭氏的平播之功，并托关王之名，以示教化。播平之后，明军将领李化龙也曾令铸铜鼎，并创制铭文发各土司，使其“永为鉴戒，自保爵土，奠安西南”，意在震慑[1]。这些带铭文的钟鼎，可以传之永久，具有“纪念碑性”。

（二）开阳明征播战亡士卒合冢墓碑

墓在贵阳市开阳县楠木渡镇与遵义市播州区尚稽镇交界处的乌江中游河口渡南岸。河口渡，明代文献中称“河渡”，是乌江最古老的渡口之一。万历二十八年（1600）的平播之役中，明军与播军曾在此激烈交战，明军失利，死伤达数千人[2]。次年六月，时任贵州巡抚郭子章遣人于乌江南岸树立墓碑，以悼阵亡士卒。碑今移置开阳县水东文化陈列馆内（图9-12）。文曰：

> 督抚军门郭明文」
> 坐营都司刘岳」小中军叶定远」
> 明征播战亡士卒合冢坟」
> 万历二十九年六月吉旦建立」
> 督工：千总陆衣」
> 赈济僧：从合、如祥；石匠：□昌；土工：叶明」

图9-12　明征播战亡士卒合冢墓碑拓本

碑立于万历二十九年（1601）。既称之为坟，又有坐营都司等董其事，石匠、土工参与，且有僧人举行法事，应是尽可能收集、瘞埋了战亡士卒的遗物与遗骨，合作一冢。但墓未经清理，详情不明。“督抚军门郭”即提督军务、巡抚贵州郭子章，“明文”与前述“道府厅县碑”中“道府厅县明文”中的用法一致，是指郭子章发布文书要求吊忠魂、瘞遗骨。刘岳曾参与河渡之役，担任平播八路明军中乌江路的中军

① 铜鼎铭文为：“惟星拱北，惟水朝东。惟天王御极，八方会同。惟西南夷，各世其封。惟敬天念祖，庶以不坠厥宗。顺天者吉，逆天者凶。以为不信，视杨应龙。万历二十八年六月吉日。钦差总督川湖贵军门右都御史李造。”（明）李化龙：《平播全书》卷11《牌票》，北京：大众文艺出版社，2008年，第379页。

② （明）李化龙：《平播全书》卷3《查参黔路得关复失将官疏》：“乌江之败……丧失淹没几至数千。”北京：大众文艺出版社，2008年，第87～89页。

一职[①]。叶定远也见于郭子章《黔记》的记载，万历三十年（1602）任守备，参与湄潭县城修筑事[②]。碑文略显粗劣，应非出自郭手。合塚坟清晰指示出乌江河渡之役的确切地点，以及明军的进攻路线，是一项重要的发现。播州之役结束后，傅光宅亦曾行“吊忠义、瘗遗骨”之举（《大清一统志》卷296），但除海潮寺外，余迹无考。

（三）福泉高石头摩崖

高石头，亦名“石秀才”，位于福泉市区北6千米的茅沟堡，高20余米。摩崖刻于明万历二十八年（1600）六月十五日（图9-13）。文曰：

图9-13　福泉高石头平播摩崖拓本

> 余奉」命提兵四万，出平越，征讨叛播杨应龙。渡疆界河，破」黄滩关，直捣贼囤。擒斩五千级，招降二万余，不三」月而袪凶奏凯。道经此石，因纪其事而识之」。王师赫赫，征播凯旋。狂寇殄灭，边徼重迁。辑宁三省」，廓清八埏。勒石纪绩，千万斯年」。
>
> 明万历庚子岁六月望日，奉」敕镇守贵州兼提督湖川等处地方总兵官、中军都」督府都督同知，楚人李应祥谨识」。

这是万历二十八年（1600）平播八路明军之兴隆（今黄平）路总兵李应祥返程中彰显军功的文字（“勒石纪绩”）。据《平播全书》记载，李应祥路三月二十一日渡疆界河，四月十二日攻黄滩关[③]，六月初五日与刘綎合兵，攻破囤后土城、月城。六月初六日明军破囤后，“尽扎囤上”，而后明军方陆续撤去。福泉为时之“平越卫”。据摩崖铭文，李应祥六月中旬即返至今福泉一带，据此可大略推知各路明军撤离的时间。

① （明）李化龙：《平播全书》卷3《报进兵日期疏》，北京：大众文艺出版社，2008年，第70页。

② （明）郭子章：《黔记》卷5《舆图志二》，贵州省文史研究馆编：《续黔南丛书》（第一辑），贵阳：贵州人民出版社，2012年，第1093页。

③ （明）李化龙：《平播全书》卷4《攻克娄山、崖门等关四报捷音疏》《六报捷音疏》，北京：大众文艺出版社，2008年，第101、114页。

（四）余庆龙溪摩崖

位于余庆县龙溪镇田坝村西南约800米处的悬崖。崖高10、宽20米。摩崖楷书竖向阴刻，每字8厘米见方（图9-14）。文曰：

仗剑空狐穴，停轺憩洞天」。

有崖堪镌勒，何处不燕然」。

万历庚子春三月岭南龙崖陈璘」奉」命征播提督大兵过此题」。

陈璘为平播八路明军中偏桥路总兵，节制白泥、龙泉两翼。龙溪在乌江南岸。据《平播全书》：陈璘万历二十八年（1600）二月二十七日率兵取得龙溪山捷，之后在袁家渡、干溪坪等地与播军战，三月十九日率众渡乌江[①]，出龙溪。碑文“万历庚子（1600）春三月”与之吻合。

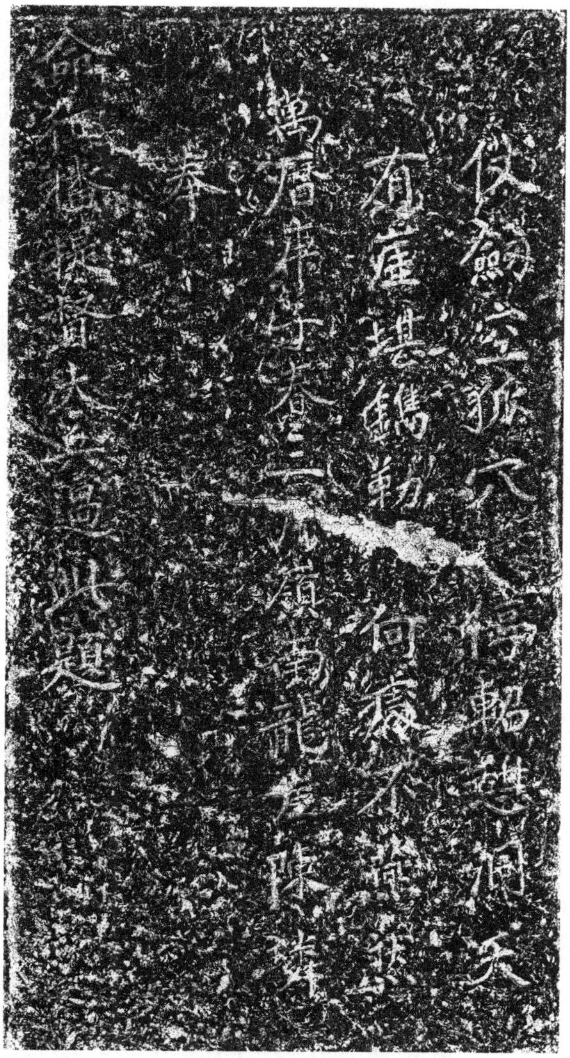

图9-14　余庆龙溪平播摩崖拓本

（五）镇远凌元洞摩崖

镇远凌元洞，又称吴王洞。洞内摩崖题刻甚多，但因自然剥蚀，多已磨泐难辨。洞侧残存楷书“命明征源万”等字，分上下两行，每字14厘米见方。洞顶中央残存“大将军龙崖陈老先生平播勒石序”“赐进士第大中大夫布政使司”“赐进士第中宪大夫按察司古阳羡路□撰文”“荣禄大夫镇守镇远总兵官前军都督同知粤东城□撰额”等字。均为竖向楷书阴刻。正文剥蚀严重，能识辨者有“平倭、平播、平苗，功名满天壤，勋业照□旗”等[②]。年款仅存“明万历”。知是万历二十八年（1600）平播八路明军中偏桥路总兵陈璘所留的纪功文字。从“平播”与“功名满天壤”等残句看，当是返程过此所书。

目前所见相关平播碑刻摩崖中，陈璘路所遗者达4处（不含《题王羽卿诗后》碑），数量

---

① （明）李化龙：《平播全书》卷4《攻克娄山、崖门等关四报捷音疏》，北京：大众文艺出版社，2008年，第100、101页。

② 据《贵州文物地图集》（未刊稿）。

最多。陈璘所为，与李化龙“今陈璘必欲尽三镇之功为一己之功”的评论一致[①]，反映了各路明军主将对军功与话语权的争夺。金石文类对军功的彰显，可能部分影响了后来出现的影响更为深远的平话小说《征播奏捷传》与正史文类《明史》的叙事。

三、“水关”墓碑

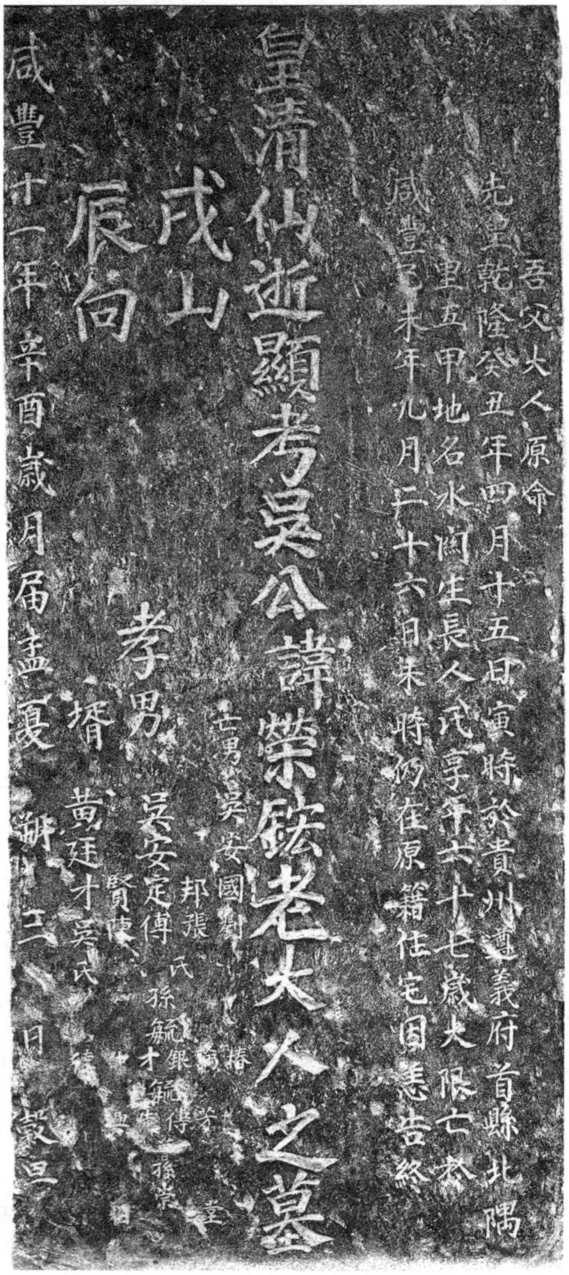

图9-15　水关墓（吴荣鋐墓）碑拓本

发现于囤东2千米处的白沙水北岸的吴氏祖茔中，小地名“庙林嘴”。均为墓碑，共4通：一通为咸丰十一年（1861）吴荣鋐墓碑，两通为光绪二十二年（1896）吴荣斌墓碑与吴母余氏墓碑，另一通为1975年吴崇发墓碑。录咸丰十一年（1861）吴荣鋐墓碑铭文如下（图9-15）：

> 吾父大人原命」先皇乾隆癸丑年（按：1793）四月十五日寅时，于贵州遵义府首县北隅」里五甲，地名水关生长人氏。享年六十七岁，大限亡于」咸丰己未年（按：1859）九月二十六日未时，仍在原籍住宅因恙告终」。
>
> 皇清仙逝显考吴公讳荣鋐老大人之墓」。
>
> （孝男孝孙名略）
>
> 咸丰十一年辛酉岁月届孟夏朔三日谷旦」。

上述4通墓碑铭文中均提到了“水关”或“庙林嘴水关”，暗示白沙水该段河道上昔日曾有关隘，或因设于水上，故有“水关”之名，推测即《平播全书》所记的“海道关”[②]（图9-16）。

---

① （明）李化龙：《平播全书》卷14《胡监军》，北京：大众文艺出版社，2008年，第505页。

② 详见第二章。

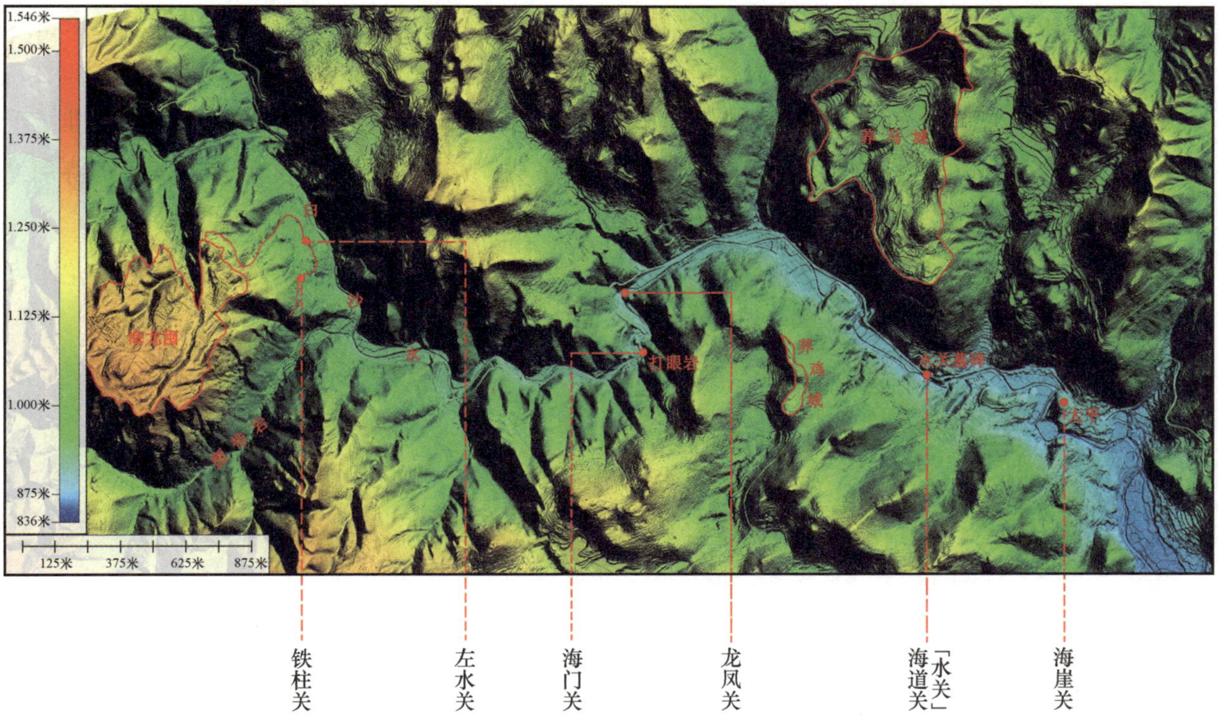

图9-16　白沙水诸关示意图

四、小　　结

本章所列碑刻铭文，时代涵盖南宋、明、清三朝，空间包括囤内、囤外，内容则不外建囤、平播、海潮寺及怀古等四个方面，均与海龙囤息息相关。

首先，建囤。包括始建和重建两个方面。囤之始建，“杨文神道碑”称“宝祐丁巳”（1257），“吕公与杨君相会”，议“置一城以为播州根本”“于是筑龙岩新城”。但据《宋史·理宗四》记载，吕文德入播在宋宝祐六年（1258）七月乙亥（二十八日）[①]。而《宋史全文》中有宝祐五年（1257）十月“吕文德既入播州”的记载[②]，可知吕文德入播不止一次，因此神道碑所记当可据信，即“龙岩新城”置于宝祐五年（1257）。南宋墙石上的“四渡水”铭文，即为“龙岩新城”的遗迹。明万历时的重建，则以各关匾额铭文及“严禁碑”为代表，在万历二十三年（1595）前后，“严禁碑”反映了海龙囤的管理制度。“水关”墓碑虽是晚出的碑刻，但反映了白沙水上关隘的线索，亦弥足珍贵。

其次，平播。与万历二十八年（1600）播州之役相关的碑刻铭文，计有王羽卿诗碑、《题王羽卿诗后》碑、平播纪功碑（陈璘路）、余庆龙溪摩崖（陈璘）、福泉高石头摩崖（李应祥）、镇远凌元洞摩崖（陈璘）、平播钟鼎、海龙囤铜标、开阳征播战亡士卒墓碑等，年代在

① （元）脱脱等：《宋史》卷44《理宗四》，北京：中华书局，1977年，第863页。

② （元）佚名撰，汪圣铎点校：《宋史全文》卷35《宋理宗五》，宝祐五年十月条，北京：中华书局，2016年，第2863页。

万历二十八年至三十二年间，铭于铜、石之上，与征播各路明军相关。这些材料，是平播之役的“纪念碑性”遗存，也昭示了播州世袭土官统治的终结。

第三，海潮寺。与海潮寺相关的碑刻有道府厅县碑、《海龙山为天开胜地》碑、《惟忆千秋》碑等，其年代在明末与清代，反映了海潮寺重修与扩充庙产的历史过程，是海龙囤特别是新王宫遗址化过程的生动注脚。

第四，怀古。指海潮寺阶下旧存诗碑，其上铭诗15首，年代不晚于清道光。其中《龙崖寺夜坐》《太平关》《后较场》等诗名，透露出一定的历史信息。如海潮寺曾名“龙崖寺”，囤上确有关名“太平关”（即今之飞凤关），“后较场”则暗示“教场坝”之名由来已久，应非今人杜撰等。这些信息，均有助于对海龙囤历史的认识。

第十章　岩性与黏合剂分析

发掘过程中我们与多家单位合作，对石材岩性、建材间的黏合剂进行检测分析，结果表明石材均就近采用，黏合剂为纯石灰浆，非糯米灰浆。

第一节　岩性鉴定

岩性鉴定的目的，一是了解海龙囤的地质构造，二是确定建筑石材的来源。基于此，我们与湖南省文物考古研究所、中化地质长沙实验中心合作，在海龙囤不同地点采集岩石样品共12个，经显微镜光性分析，确定有灰岩、砂岩和白云岩三种不同岩石，均为沉积岩，反映了海龙囤沧海桑田的地质变迁。而原生基岩与建筑石材在岩性上的契合，以及原生基岩与建筑石材上开采石料所遗楔眼的一致性，确认营建海龙囤所用石材均就近开采。

一、鉴定说明

（一）岩石采样

由考古人员与检测人员共同于新王宫、老王宫、城墙、采石场等地点采集样品12个，包括建筑材料与原生基岩，建筑材料则包括了南宋和明两个不同时期。

（二）鉴定方法

岩石矿物成分鉴定方法，将岩石磨制成薄片，在偏光显微镜下进行光性分析，以鉴定岩石的矿物组成、结构和构造。

（三）岩石定名

岩石按GB/T17412.2—1998《沉积岩岩石分类和命名方案》国家标准确定名称。

二、岩性分析

以下按采样顺序，将12个样品的主要特征及其鉴定结果，以表格形式屡述于次（表10-1）。

表10-1　岩矿鉴定一览表

中化地质长沙实验中心

岩矿薄片鉴定报告

送样号	HLT-XMT-41	报告编号	YK2016-01-4
送样单位	湖南省文物考古研究所	检验号	Z16-01-4
采样日期	2016.01	采样地点	歇马台下一字城墙
产状		野外定名	
鉴定要求	矿物成分及含量百分比，结构、构造及岩石定名		
肉眼观察	棕黄色，粉砂质结构，块状构造，由石英等矿物组成		

显微镜观察：

岩石由石英（含量65%）、绢云母（含量16%）、白云母（含量8%）、泥质物（含量6%）、黑云母（含量3%）及铁质物（含量2%）组成。

岩石具有粉砂质结构、块状构造。碎屑含量约占55%，为石英、白云母、黑云母及铁质物；填隙物含量约占45%，为绢云母、泥质物、石英及铁质物。杂基支撑。

石英：分为两种，第一种为碎屑，含量较多，棱角状-次磨圆状，粒径0.03～0.06毫米，部分颗粒发育波状消光，少量颗粒被填隙物溶蚀成港湾状或浑圆状；第二种为填隙物，含量较少，粒状、不规则状，粒径0.005～0.025毫米，与绢云母交杂分布。

绢云母：为填隙物，鳞片状，粒径0.005～0.02毫米，与填隙物石英交杂分布。

白云母：为碎屑，片状，大小0.02毫米×0.05毫米～0.03毫米×0.07毫米，与碎屑石英交杂分布，大多定向分布。

泥质物：为填隙物，颗粒极小，无法区分，与填隙物石英、绢云母等交杂分布。

黑云母：为碎屑，片状，大小0.02毫米×0.05毫米～0.03毫米×0.1毫米，与碎屑石英交杂分布，多定向分布。

铁质物：粒状，不规则状，大致均匀分布，分为两种，一种为碎屑，粒径0.03～0.04毫米；另一种为填隙物，粒径0.005～0.2毫米。

照相光线条件	左为单偏光，右为正交偏光						
显微镜鉴定岩石定名			绢云粉砂岩				
鉴定人	黄乾峰	审核人	吴堑虹	鉴定日期	2016年	1月	20日

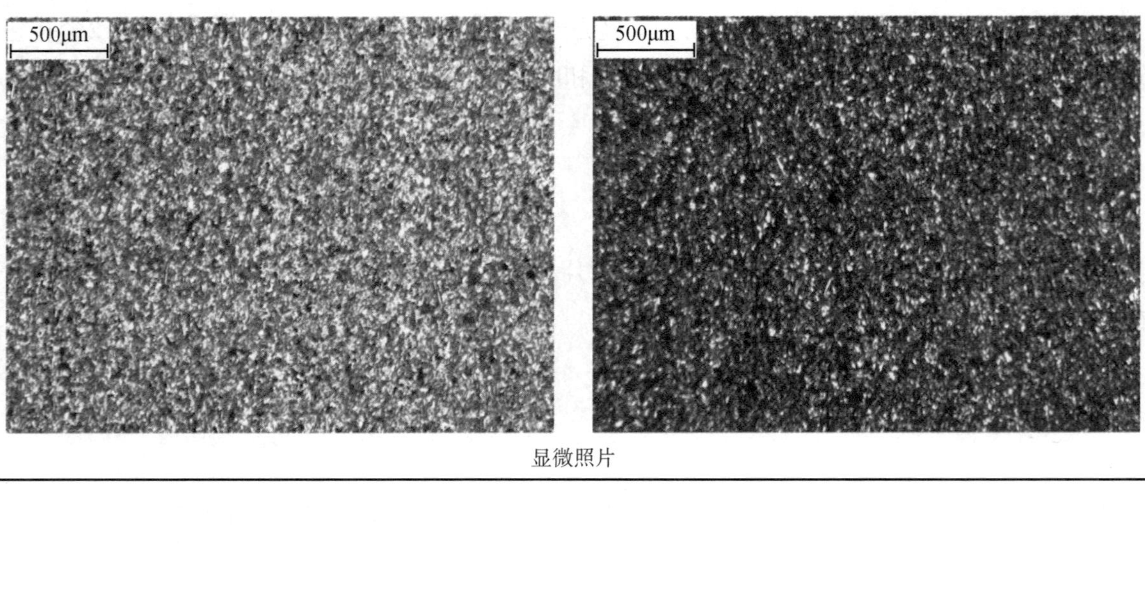

显微照片

续表

中化地质长沙实验中心

岩矿薄片鉴定报告

送样号	HLT-TG41-25	报告编号	YK2016-01-5
送样单位	湖南省文物考古研究所	检验号	Z16-01-5
采样日期		采样地点	后关关座
产状		野外定名	
鉴定要求	矿物成分及含量百分比，结构、构造及岩石定名		
肉眼观察	浅灰色，球粒结构，粒屑结构，块状构造		

显微镜观察：

岩石由方解石（含量84%）、白云石（含量15%）及不透明矿物（含量1%）组成。

岩石具有粒屑结构、块状构造。粒屑含量约为60%，为球粒及少量鲕粒，多呈球形，少量不规则状，粒径0.16～0.64毫米，方解石球粒含量较多，白云石球粒含量较少，鲕粒均由方解石组成；胶结物约占40%，主要为亮晶方解石，局部为泥晶方解石。基底式胶结。

方解石：分为三种，第一种为泥晶，含量较少，颗粒无法区分，部分集中分布组成胶结物，部分组成鲕粒的圈层；第一种为粉-微晶，它形-半自形，粒径0.005～0.06毫米，分布于方解石球粒及鲕粒中；第三种为细晶，呈亮晶状，为胶结物，它形-半自形，粒径0.06～0.2毫米，部分颗粒垂直粒屑壁呈放射状生长，其余颗粒不规则生长。

白云石：半自形-它形晶，粒径0.005～0.06毫米，构成白云石球粒。

不透明矿物：不规则粒状，粒径0.02～0.08毫米，不均匀分布。

岩石经茜素红及铁氰化钾染色实验。

照相光线条件	左为单偏光，右为正交偏光
显微镜鉴定岩石定名	亮晶球粒灰岩

鉴定人	黄乾峰	审核人	吴堑虹	鉴定日期	2016年	1月	20日

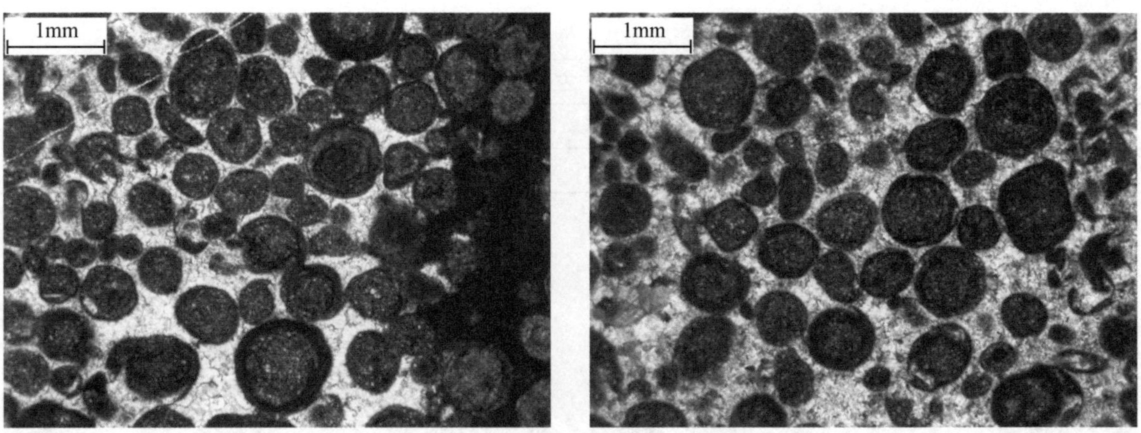

显微照片

续表

中化地质长沙实验中心 岩矿薄片鉴定报告			
送样号	HLT-XWG-F7-11	报告编号	YK2016-01-13
送样单位	湖南省文物考古研究所	检验号	Z16-01-13
采样日期		采样地点	F7须弥座
产状		野外定名	
鉴定要求	矿物成分及含量百分比，结构、构造及岩石定名		
肉眼观察	灰黑色，成分为方解石等，鲕状结构，块状构造		

显微镜观察：

岩石由方解石（含量80%）、白云石（含量15%）及不透明矿物（含量5%）组成。

岩石具有粒屑结构、鲕状结构、微晶结构、泥晶结构、块状构造。粒屑（含量70%）为鲕粒，呈圆形、椭圆形、月牙状，大小为0.6～2.4毫米，可分三种，第一种颜色最深，串珠状分布，呈月牙状、椭圆状，由铁质物及白云石、方解石交织构成；第二种颜色最浅，由方解石及白云石交织构成；第三种颜色介于前二者之间，为纯方解石构成。第一种较集中分布，第二、三种为不均匀分布。胶结物（含量30%）为方解石、白云石及不透明矿物。胶结类型为基底胶结。岩石中发育宽0.24毫米的方解石脉，脉壁平直。

方解石：第一种分布于鲕粒中，泥晶方解石（它形晶，不规则状，粒径＜0.004毫米）构成外壳，颗粒接触，微-中晶方解石构成内核，为自形-它形晶，粒状，不规则状，个别鲕粒中呈由鲕心向外的放射状，粒径0.005～0.16毫米，少量可达0.4～0.8毫米。第二种为胶结物，大部分为微晶，半自形晶为主，少量自形及它形晶，粒状，粒径0.005～0.03毫米；部分为中-细晶，粒径可达0.4毫米；见少量的泥晶，它形晶，不规则状，粒径＜0.004毫米，不均匀分布。第三种构成方解石脉，自形-半自形晶，粒径0.04毫米×0.05毫米～0.16毫米×0.4毫米，颗粒接触。

白云石：分为两种，一种分布于鲕粒中，自形晶，粒状，粒径0.01～0.2毫米；一种为胶结物，自形晶，粒状，粒径0.01～0.1毫米，零星分布。

不透明矿物：铁质物，为不规则状集合体，颗粒不可辨别，部分分布于鲕粒中与方解石、白云石交织，部分为胶结物，多集中分布于第一种鲕粒间隙。

岩石经过茜素红及铁氰化钾染色实验。

照相光线条件		左为单偏光，右为正交偏光				
显微镜鉴定岩石定名			鲕状微晶灰岩			
鉴定人	夏艳菊	审核人	吴堑虹	鉴定日期	2016年	1月	20日

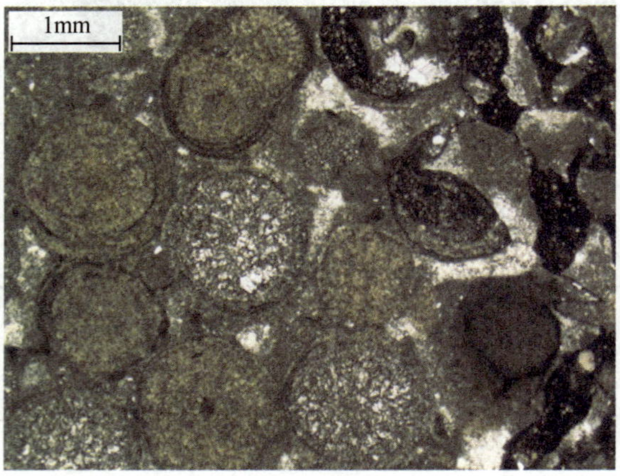

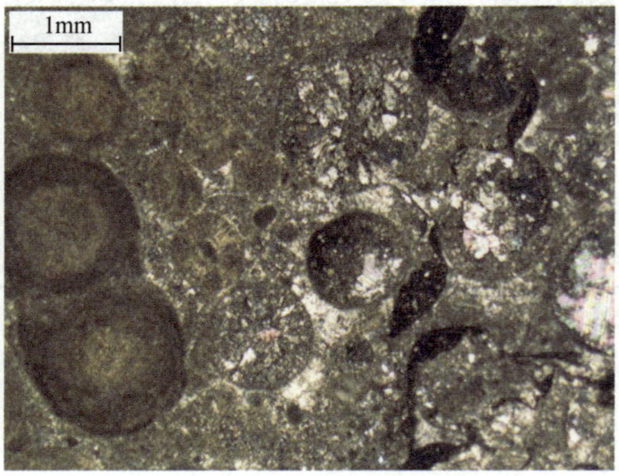

显微照片

续表

中化地质长沙实验中心

岩矿薄片鉴定报告

送样号	HLT-CSHCH-16	报告编号	YK2016-01-14
送样单位	湖南省文物考古研究所	检验号	Z16-01-14
采样日期		采样地点	老王宫南采石场
产状		野外定名	采石场
鉴定要求	矿物成分及含量百分比，结构、构造及岩石定名		
肉眼观察	灰黑色，成分为方解石等，微晶结构，块状构造		

显微镜观察：

岩石由方解石（含量89%）、白云石（含量10%）及不透明矿物（含量1%）组成。

岩石具有粒屑结构、微晶结构、泥晶结构、块状构造。粒屑（含量18%）为团粒，不均匀分布，呈椭圆状、圆状、不规则状，大小0.1～0.3毫米，由泥晶构成；胶结物（含量82%）为方解石、白云石及铁质物等。胶结类型为基底胶结。岩石中发育宽0.005～2.88毫米的方解石脉，部分脉发生弯曲，见分支复合。岩石局部碎裂，裂隙中充填不规则团状方解石、白云石及铁质物集合体。

方解石：分为三种，第一种构成团粒，为泥晶方解石，颗粒细小，粒径＜0.004毫米，颗粒接触。第二种为胶结物，大部分为微晶，半自形晶为主，少量它形晶，粒状，不规则状，粒径0.008～0.03毫米；少部分为泥晶，它形晶，不规则粒状，颗粒细小，粒径＜0.004毫米，与微晶方解石及白云石交织。第三种为后期的方解石，分布于裂隙和脉中，自形-它形晶，粒状，不规则状，粒径0.005～2毫米，裂隙中的方解石粒径较大，并与铁质物及白云石交织呈不规则状集合体。

白云石：第一种为胶结物，自形晶，粒状，粒径0.01～0.06毫米，不均匀分布，与方解石交织；第二种分布于裂隙中，自形晶，粒状，粒径0.01～0.06毫米，与方解石及铁质物交织。

不透明矿物：铁质物，一种为不规则状集合体，分布于裂隙中，与方解石及白云石交织；一种为粒状，粒径0.005～0.1毫米，零星分布。

岩石经茜素红及铁氰化钾染色实验。

照相光线条件	左为单偏光，右为正交偏光						
显微镜鉴定岩石定名			含粒屑微晶灰岩				
鉴定人	夏艳菊	审核人	吴堑虹	鉴定日期	2016年	1月	20日

显微照片

续表

中化地质长沙实验中心

岩矿薄片鉴定报告

送样号	HLT-XWG-C10-9	报告编号	YK2016-01-15
送样单位	湖南省文物考古研究所	检验号	Z16-01-15
采样日期		采样地点	C10铺地石板
产状		野外定名	
鉴定要求	矿物成分及含量百分比，结构、构造及岩石定名		
肉眼观察	棕灰色，粉砂质结构，块状构造，由石英等矿物组成		

显微镜观察：

岩石由石英（含量50%）、绢云母（含量23%）、黑云母（含量15%）、泥质物（含量7%）、白云母（含量3%）及铁质物（含量2%）组成。

岩石具有粉砂质结构、块状构造。碎屑含量约占20%，为石英、黑云母、白云母；填隙物含量约为80%，为绢云母、泥质物、石英及铁质物。杂基支撑。

石英：分为两种，第一种为碎屑，含量较少，次棱角状-次磨圆状，粒径0.03～0.05毫米，部分颗粒发育波状消光，少量颗粒被填隙物溶蚀成港湾状或浑圆状；第二种为填隙物，含量较多，粒状、不规则状，粒径0.005～0.025毫米，与绢云母交杂分布。

绢云母：为填隙物，鳞片状，粒径0.005～0.015毫米，与填隙物石英交杂分布。

黑云母：为碎屑，片状，大小0.02毫米×0.05毫米～0.03毫米×0.1毫米，与碎屑石英交杂分布，多定向分布。

泥质物：为填隙物，颗粒无法区分，与填隙物石英、绢云母等交杂分布。

白云母：为碎屑，片状，大小0.01毫米×0.05毫米～0.02毫米×0.08毫米，与碎屑石英交杂分布，具定向分布趋势。

铁质物：粒状，不规则状，粒径0.005～0.2毫米，大致均匀分布。

照相光线条件	左为单偏光，右为正交偏光
显微镜鉴定岩石定名	绢云粉砂岩

鉴定人	黄乾峰	审核人	吴堑虹	鉴定日期	2016年	1月	20日

显微照片

续表

中化地质长沙实验中心

岩矿薄片鉴定报告

送样号	HLT-CSC-18	报告编号	YK2016-01-16
送样单位	湖南省文物考古研究所	检验号	Z16-01-16
采样日期		采样地点	东南侧采石场（飞虎关南）
产状		野外定名	
鉴定要求	矿物成分及含量百分比，结构、构造及岩石定名		
肉眼观察	浅灰黑色，微晶结构，粒屑结构，块状构造		

显微镜观察：

岩石由方解石（含量84%）、白云石（含量15%）及不透明矿物（含量1%）组成。

岩石具有细晶结构、粒屑结构、块状构造、脉状构造。岩石按矿物种类、粒屑含量及粒径大小的差异可分为团粒细晶灰岩域和细晶白云岩域，前者为多数，域间为过渡状，界线不规则。岩石中见不规则方解石脉，其宽为0.1～0.2毫米。

方解石：可分为两种，主要的为微晶，粒状，粒径0.005～0.03毫米，多分布于团粒细晶灰岩域，部分构成大小0.1～0.25毫米的近圆形团粒，部分为胶结物；少量分布于细晶白云岩域中的白云石颗粒间隙。第二种为细晶，半自形-它形，粒径0.06～0.2毫米，大多位于团粒细晶灰岩域组成胶结物，少量分布于细晶白云岩域，还有部分构成方解石脉。两种方解石在两域过渡区均有分布。

白云石：自形-半自形晶，粒径0.05～0.1毫米，主要分布于细晶白云岩域，极少量分布于两域过渡区。

不透明矿物：粒状，不规则状，粒径0.01～0.04毫米，不均匀分布。

岩石经茜素红及铁氰化钾染色实验。

照相光线条件	左为单偏光，右为正交偏光						
显微镜鉴定岩石定名			弱白云石化团粒灰岩				
鉴定人	黄乾峰	审核人	吴堑虹	鉴定日期	2016年	1月	20日

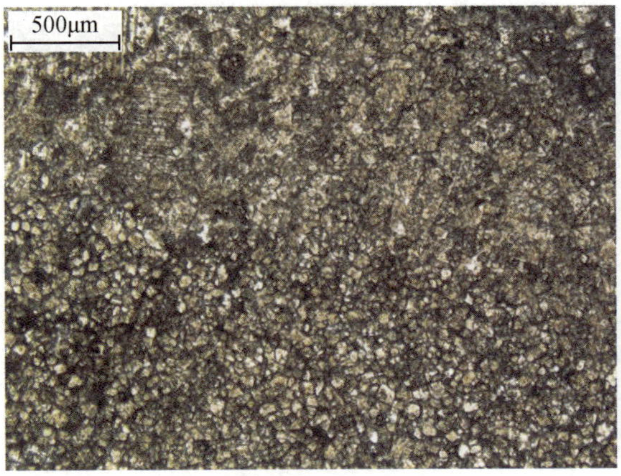

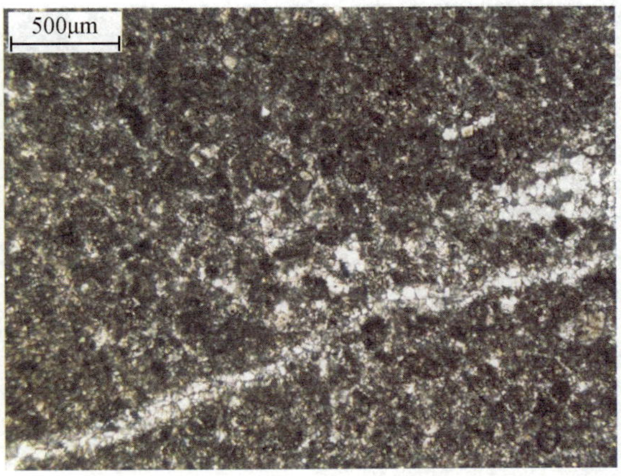

显微照片

续表

中化地质长沙实验中心

岩矿薄片鉴定报告

送样号	HLT-XWG-F10-4	报告编号	YK2016-01-17
送样单位	湖南省文物考古研究所	检验号	Z16-01-17
采样日期		采样地点	F10庭院台面
产状		野外定名	
鉴定要求	矿物成分及含量百分比，结构、构造及岩石定名		
肉眼观察	灰黑色，微-细晶结构，块状构造		

显微镜观察：

岩石由白云石（含量80%）、方解石（含量19%）、石英（微量）及不透明矿物（含量1%）组成。

岩石具有细晶结构、粒屑结构、块状构造。岩石按矿物种类、粒屑含量的差异可分为微晶灰岩域和细晶白云岩域，域间界线不规则，主要为细晶白云岩域。

白云石：自形-半自形晶，粒径0.04～0.1毫米，主要分布于细晶白云岩域，极少量分布于微晶灰岩域，不均匀分布。

方解石：分布于微晶灰岩域，可分为三种，第一种为粉-微晶，含量较多，粒状，粒径0.005～0.05毫米；第二种为细晶，含量较少，与粉-微晶方解石交杂分布，它形晶，粒径0.06～0.1毫米；第三种为内碎屑，含量极少，不规则状，粒径0.04～0.25毫米，被微晶方解石溶蚀。

石英：为碎屑，数颗，次棱角状，粒径0.02～0.04毫米，不均匀分布于细晶白云岩域，被白云石溶蚀成港湾状。

不透明矿物：粒状，不规则状，粒径0.01～0.04毫米，不均匀分布，在微晶灰岩域中含量较多。

岩石经茜素红及铁氰化钾染色实验。

照相光线条件	左为单偏光，右为正交偏光						
显微镜鉴定岩石定名			微晶灰质白云岩				
鉴定人	黄乾峰	审核人	吴堑虹	鉴定日期	2016年	1月	20日

显微照片

续表

中化地质长沙实验中心

岩矿薄片鉴定报告

送样号	HLT-TG55-37	报告编号	YK2016-01-18
送样单位	湖南省文物考古研究所	检验号	Z16-01-18
采样日期		采样地点	飞龙关山体原生页岩
产状		野外定名	原生页岩
鉴定要求	矿物成分及含量百分比，结构、构造及岩石定名		
肉眼观察	棕黄色，粉砂质结构，块状构造，由石英等矿物组成		

显微镜观察：

岩石由石英（含量60%）、绢云母（含量20%）、白云母（含量7%）、泥质物（含量7%）、黑云母（含量5%）、斜长石（微量）及铁质物（含量1%）组成。

岩石具有粉砂质结构、块状构造。碎屑含量约占55%，为石英、白云母、黑云母、斜长石；填隙物含量约为45%，为绢云母、泥质物、石英及铁质物。杂基支撑。

石英：分为两种，第一种为碎屑，占绝大多数，次棱角状-次磨圆状，粒径0.03～0.06毫米，少量颗粒被填隙物溶蚀成港湾状或浑圆状，部分颗粒发育波状消光；第二种为填隙物，含量较少，粒状、不规则状，粒径0.005～0.02毫米，与绢云母交杂分布。

绢云母：为填隙物，鳞片状，粒径0.005～0.015毫米，与填隙物石英交杂分布。

白云母：为碎屑，片状，大小0.01毫米×0.04毫米～0.02毫米×0.08毫米，与碎屑石英交杂分布，具定向分布趋势。

泥质物：为填隙物，与填隙物石英、绢云母等交杂分布。

黑云母：为碎屑，片状，大小0.01毫米×0.04毫米～0.025毫米×0.1毫米，与碎屑石英和白云母交杂分布，具定向分布趋势。

斜长石：为碎屑，板状，棱角状，大小0.02毫米×0.04毫米～0.04毫米×0.06毫米，不均分布。

铁质物：粒状，不规则状，粒径0.01～0.2毫米，均匀分布。

照相光线条件	左为单偏光，右为正交偏光
显微镜鉴定岩石定名	绢云粉砂岩

鉴定人	黄乾峰	审核人	吴堑虹	鉴定日期	2016年	1月	20日

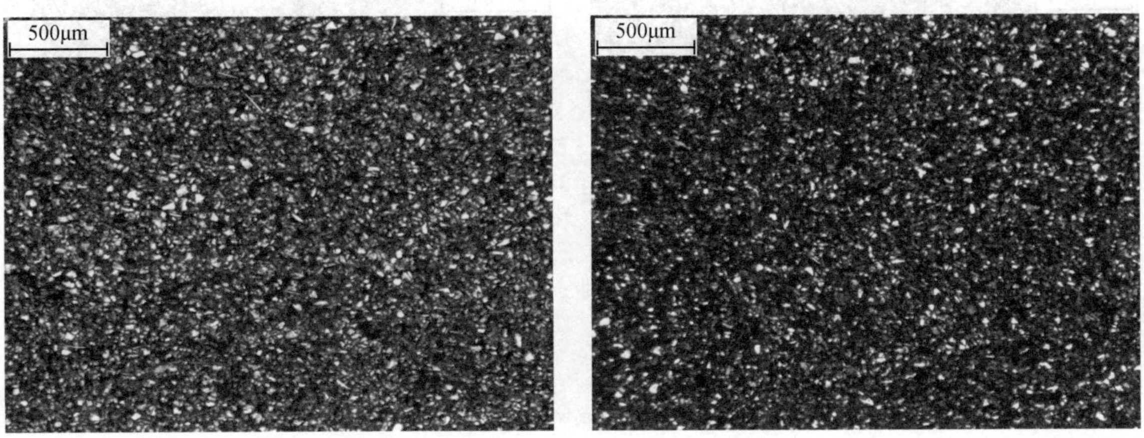

显微照片

续表

中化地质长沙实验中心

岩矿薄片鉴定报告

送样号	HLT-TG33-30	报告编号	YK2016-01-19
送样单位	湖南省文物考古研究所	检验号	Z16-01-19
采样日期		采样地点	土城墙南门址
产状		野外定名	
鉴定要求	矿物成分及含量百分比，结构、构造及岩石定名		
肉眼观察	棕黄色，粉砂质结构，块状构造，由石英等矿物组成		

显微镜观察：

岩石由石英（含量58%）、绢云母（含量25%）、白云母（含量7%）、黑云母（含量5%）、泥质物（含量4%）及铁质物（含量1%）组成。

岩石具有粉砂质结构、块状构造。碎屑含量约占40%，为石英、白云母、黑云母及不透明矿物；填隙物含量约为60%，为绢云母、泥质物、石英及铁质物。杂基支撑。

石英：分为两种，第一种为碎屑，棱角状-次磨圆状，粒径0.03～0.06毫米，少量颗粒被填隙物溶蚀成港湾状或浑圆状，部分颗粒发育波状消光；第二种为填隙物，粒状、不规则状，粒径0.005～0.025毫米，与绢云母交杂分布。

绢云母：为填隙物，鳞片状，粒径0.005～0.02毫米，与填隙物石英交杂分布。

白云母：为碎屑，长片状，大小0.01毫米×0.06毫米～0.03毫米×0.14毫米，与碎屑石英交杂分布，多定向分布。

黑云母：为碎屑，片状，大小0.01毫米×0.03毫米～0.03毫米×0.1毫米，与碎屑石英和白云母交杂分布，具定向分布趋势，部分颗粒被基质溶蚀成浑圆状。

泥质物：为填隙物，与填隙物石英、绢云母等交杂分布。

铁质物：粒状，不规则状，均匀分布，有两种，一种为碎屑，粒径0.03～0.05毫米；另一种为填隙物，粒径0.01～0.02毫米。

照相光线条件	左为单偏光，右为正交偏光						
显微镜鉴定岩石定名			绢云粉砂岩				
鉴定人	黄乾峰	审核人	吴堑虹	鉴定日期	2016年	1月	20日

显微照片

续表

中化地质长沙实验中心
岩矿薄片鉴定报告

送样号	HLT-LWG-19-2	报告编号	YK2016-01-20
送样单位	湖南省文物考古研究所	检验号	Z16-01-20
采样日期		采样地点	老王宫踏道
产状		野外定名	
鉴定要求	矿物成分及含量百分比，结构、构造及岩石定名		
肉眼观察	灰黑色，粒屑结构，微层理构造，主要由方解石组成		

显微镜观察：

岩石由方解石（含量88%）、白云石（含量10%）、石英（含量1%）、白云母（微量）及不透明矿物（含量1%）组成。

岩石具有微晶结构、粒屑结构、微层理构造。粒屑含量约为10%，为团粒及微量内碎屑，由方解石组成，其中团粒为椭圆状、不规则状，粒径0.08～0.2毫米，内碎屑为不规则粒状，粒径0.1～0.25毫米；胶结物约占90%，为微晶及细晶方解石。岩石微层由矿物粒径大小及粒屑含量的差异显示，可分为粒屑灰岩层及微晶灰岩层。微晶灰岩层中发育不规则白云石纹层。

方解石：分为三种，第一种为粉-微晶，粒径0.01～0.05毫米，多位于微晶灰岩层，少量位于粒屑灰岩层中构成团粒或胶结物；第二种为细晶，不规则粒状，粒径0.06～0.15毫米，为粒屑灰岩的胶结物；第三种内碎屑方解石分布于微晶灰岩层，不规则状，粒径0.1～0.25毫米，部分颗粒被胶结物方解石溶蚀成港湾状。

白云石：自形-半自形晶，粒径0.02～0.04毫米，构成纹层。

石英：棱角状-次棱角状，为粒屑，粒径0.03～0.06毫米，不均匀分布，部分颗粒发育波状消光。

白云母：片状，数颗，大小约0.01毫米×0.03毫米，不均匀分布于微晶灰岩层中。

不透明矿物：不规则粒状，粒径0.02～0.06毫米，不均匀分布。

岩石经茜素红及铁氰化钾染色实验。

照相光线条件	左为单偏光，右为正交偏光						
显微镜鉴定岩石定名			含粒屑微晶灰岩				
鉴定人	黄乾峰	审核人	吴堑虹	鉴定日期	2016年	1月	20日

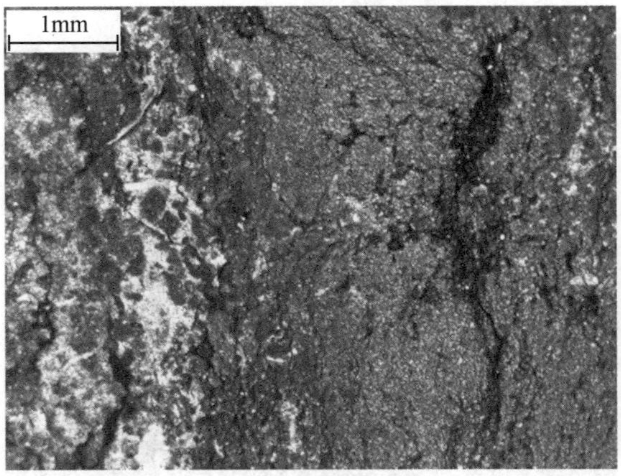

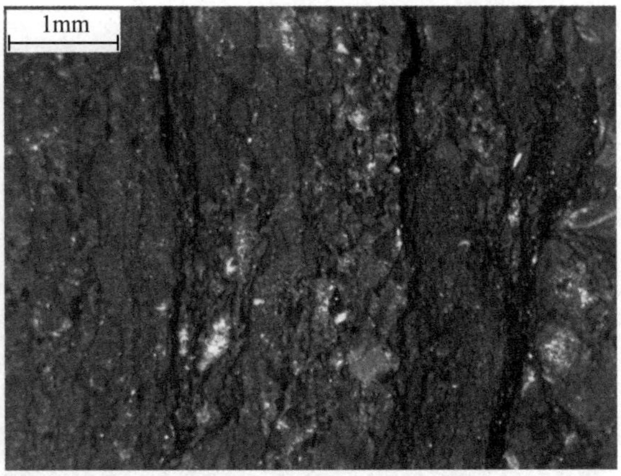

显微照片

续表

中化地质长沙实验中心

岩矿薄片鉴定报告

送样号	HLT-YSJY-24	报告编号	YK2016-01-21
送样单位	湖南省文物考古研究所	检验号	Z16-01-21
采样日期		采样地点	西关南侧原生基岩
产状		野外定名	
鉴定要求	矿物成分及含量百分比，结构、构造及岩石定名		
肉眼观察	灰黑色，粒屑结构，块状构造，纹层构造		

显微镜观察：

岩石由方解石（含量61%）、白云石（含量35%）、石英（含量3%）及不透明矿物（含量1%）组成。

岩石具有微晶结构、粒屑结构、块状构造、纹层构造。粒屑含量约为15%，为团粒、生物屑、内碎屑方解石及石英碎屑，其中团粒为椭圆状、不规则状，粒径0.1～0.3毫米；生物屑为贝壳状；内碎屑方解石及石英碎屑为次棱角状-次磨圆状，粒径0.04～0.3毫米。胶结物约占85%，为微晶方解石及白云石。岩石中见生物遗迹化石，为不规则状；纹层大致平行，形态不规则，由泥晶及微晶白云石构成。

方解石：分为三种，第一种为微晶，含量最多，粒径0.005～0.03毫米，大多为胶结物，少量构成团粒或分布于生物屑内腔；第二种为细晶，它形-半自形，粒径0.06～0.12毫米，构成生物碎屑框架及生物遗迹化石；第三种为内碎屑，含量最少，次棱角-次磨圆状，粒径0.16～0.3毫米，部分颗粒被微晶方解石溶蚀成港湾状。

白云石：可分为两种，一种为泥晶，含量较少，颗粒无法区分，构成不规则纹层；另一种为微晶，含量较多，半自形-它形晶，粒径0.01～0.5毫米，分布于纹层中或与微晶方解石交杂构成胶结物。

石英：为粒屑，次棱角状，粒径0.04～0.06毫米，星点状不均匀分布。

不透明矿物：不规则粒状，粒径0.01～0.02毫米，不均匀分布。

岩石经茜素红及铁氰化钾染色实验。

照相光线条件	左为单偏光，右为正交偏光						
显微镜鉴定岩石定名			白云石化含粒屑微晶灰岩				
鉴定人	黄乾峰	审核人	吴堑虹	鉴定日期	2016年	1月	20日

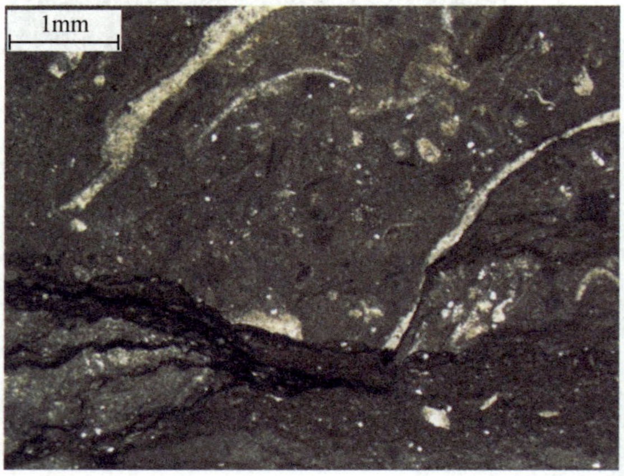

显微照片

续表

中化地质长沙实验中心

岩矿薄片鉴定报告

送样号	HLT-LWG-19-4	报告编号	YK2016-01-22
送样单位	湖南省文物考古研究所	检验号	Z16-01-22
采样日期		采样地点	老王宫踏步（第二级）
产状		野外定名	
鉴定要求	矿物成分及含量百分比，结构、构造及岩石定名		
肉眼观察	灰黑色，粒屑结构，微层理构造，纹层构造，主要由方解石组成		

显微镜观察：

岩石由方解石（含量99%）及不透明矿物（含量1%）组成。

岩石具有微晶结构、粒屑结构、微层理构造。粒屑含量约为40%，为生物屑、团粒，其中生物屑为贝壳状，团粒为椭圆状、不规则状，粒径0.1～0.3毫米；胶结物约占60%，为微晶方解石。微层由粒屑含量的差异显示，可分为粒屑微晶灰岩层及微晶灰岩层。岩石中见生物遗迹化石，为不规则状。

方解石：分为三种，第一种为粉-微晶，粒径0.005～0.04毫米，多位于微晶灰岩层，少量位于粒屑微晶灰岩层中构成团粒或组成胶结物；第二种为细晶，它形-半自形，粒径0.06～0.12毫米，构成生物碎屑及生物遗迹化石，绝大多数位于粒屑微晶灰岩层，极少部分位于微晶灰岩层；第三种为内碎屑，含量较少，不规则状，粒径0.08～0.15毫米，部分颗粒被微晶方解石溶蚀成港湾状，在各微层均有分布。

不透明矿物：不规则粒状，粒径0.02～0.08毫米，不均匀分布。

岩石经茜素红及铁氰化钾染色实验。

照相光线条件	左为单偏光，右为正交偏光						
显微镜鉴定岩石定名			粒屑微晶灰岩				
鉴定人	黄乾峰	审核人	吴堑虹	鉴定日期	2016年	1月	20日

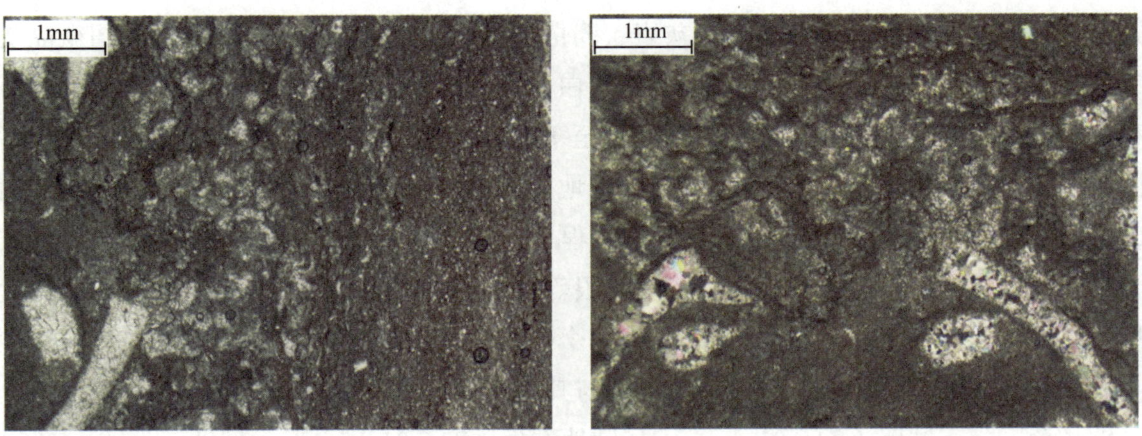

显微照片

三、讨　论

以上分析，可汇成下表（表10-2），并结合相关遗迹形成以下认识。

表10-2　岩性分析简表

序号	检验号	采样地点	岩性	遗存年代	备注
1	Z16-01-4	歇马台下一字城墙	绢云粉砂岩	明万历	城垣石材
2	Z16-01-5	后关关座	亮晶球粒灰岩	明万历	关隘用材
3	Z16-01-13	F7须弥座	鲕状微晶灰岩	明清之际	新王宫石材
4	Z16-01-14	老王宫南采石场	含粒屑微晶灰岩	明万历	原生基岩
5	Z16-01-15	C10铺地石板	绢云粉砂岩	明万历	新王宫石材
6	Z16-01-16	飞虎关南采石场	弱白云石化团粒灰岩	不明	原生基岩
7	Z16-01-17	F10庭院台面	微晶灰质白云岩	明万历	新王宫石材
8	Z16-01-18	飞龙关旁原生页岩	绢云粉砂岩		原生基岩
9	Z16-01-19	土城墙南门址	绢云粉砂岩	南宋	宋城用材
10	Z16-01-20	老王宫踏道	含粒屑微晶灰岩	明万历	老王宫石材
11	Z16-01-21	西关南侧原生基岩	白云石化含粒屑微晶灰岩		原生基岩
12	Z16-01-22	老王宫踏步（第二级）	粒屑微晶灰岩	明万历	老王宫石材

第一，岩性反映的地质构造揭示了海龙囤海陆消长的历史。通过鉴定，囤上岩石可分三类：灰岩、砂岩与白云岩。灰岩根据矿物成分与含量的多寡又可细分为亮晶球粒灰岩、鲕状微晶灰岩、粒屑微晶灰岩、含粒屑微晶灰岩、弱白云石化团粒灰岩、白云石化含粒屑微晶灰岩等；砂岩均为绢云粉砂岩；白云岩仅微晶灰质白云岩一例。该三类岩石均属沉积岩，并与海相沉积相关①。与刘之远先生关于遵义在震旦纪至寒武纪时为海的判断吻合②。相关沉积反映了海龙囤灰岩、砂岩交叠错呈，间杂少量白云岩的地质构造，并揭示了其曾为海洋，后经历造山运动，再由河流切割而成三面陡绝之势的历史过程。

第二，原生基岩与建筑石材在岩性及楔眼等采石遗迹上的一致性表明海龙囤石材均就近采用。首先看岩性。采样兼顾了原生基岩（4个样品）与建筑石材（8个样品），二者岩性一致（表10-2）。如老王宫踏道（Z16-01-20）与其南部采石场（Z16-01-14）均为含粒屑微晶灰岩；歇马台下一字城墙（Z16-01-4）、C10铺地石板（Z16-01-15）、土城墙南门址（Z16-01-19）与飞龙关旁原生页岩（Z16-01-18）均系绢云粉砂岩；其余未能完全对应者，当与采样位置及数量相关，不同沉积部位岩石结构也存有不同。整体而言，囤上建筑石材与原生基岩的岩性一致。其次看采石遗迹。囤上发现采石场一处，除了岩性一致外，遗留在采石场原生基岩上

① 〔美〕F. J. 佩蒂庄著，李汉瑜等译：《沉积岩》，北京：石油工业出版社，1981年，第210、373、382页。

② 刘之远：《地质》，（民国）张其昀主编：《遵义新志》，成都：巴蜀书社，2012年，第2～33页。

的243个明代楔眼的大小、类型与飞龙关、朝天关、新王宫等部分建筑石材上可见的楔眼相同（详见第七章），这进一步证明了建筑所用石材均就近采用。

第三，建筑用材因时代与使用区域的不同而存有差异。已确认的南宋遗存以大城垣墙为代表，主要用片状砂岩叠砌而成，开采痕迹不甚明显。飞龙、朝天等九关以及新王宫、老王宫等明代遗存则多用加工规整的方正灰岩砌筑，有的带有清晰楔眼。砂岩与灰岩是囤上最常见的两类原生岩石，俯首可见。囤上砂岩具有清晰的薄页状层理构造，为页岩中的砂质页岩。这类砂质页岩既脆且薄，易于顺页理开采出片状石材，又因其不透水与不易水溶的特点，除用以垒砌南宋城垣外，明时主要用于室外地面铺装，包括天井、庭院、水池、道路等建筑。灰岩则较砂岩坚硬，呈块状构造，易水溶，明代建筑中被广泛运用，城垣、关座、台基、踏道、柱础、影壁等建筑用材多用之雕琢而成。囤上目前确认的唯一一处明代采石场，即以灰岩为主（Z16-01-14）。南宋建筑普遍以砂质页岩为主要建筑石材，可能与“龙岩新城”在宋蒙对抗背景下仓促建设及砂岩开采的容易度有关。万历时期的重建则相对从容，据载杨应龙“彼其数年精力，用之一囤，前后重关，左右深谷”①。《骠骑将军示谕龙岩囤严禁碑》显示，彼时建囤人力充足。“来往工匠人夫”“到囤赴总管厅缴帖，上名应役。役满工完，仍赴总管厅告乞水帖出关”。在时间与人力均有保障的情况下，建筑便显得雄伟精细，石作亦然。对石料的选择性利用，也反映了时人对岩性的充分认识。

第二节　黏合剂分析

海龙囤南宋及明代建筑的石料、砖料（仅明代遗存用砖）之间普遍使用了黏合剂，新王宫F8、F10等房址残存砖墙内壁还有抹灰现象，肉眼观察均系石灰。为确定黏合剂的性质与加固技术，我们与贵州省文物保护研究中心、同济大学建筑与城市规划学院历史建筑保护实验中心合作，在不同地点采集18个样品进行分析，结果显示确为石灰，且系纯石灰，不含淀粉，即非一般认为的糯米灰浆。

一、黏合剂实验分析

（一）样品描述

本次实验共分析样品18个，其中勾缝剂6个、砌筑砂浆12个。

---

① （明）李化龙：《平播全书》卷5《叙功疏》，北京：大众文艺出版社，2008年，第157页。

1. 勾缝样品

6个样品中，铁柱关（G-01）、飞龙关正面关底（G-03）、飞凤关背立面右侧关内（G-04）、朝天关（G-05）4个勾缝剂均为石灰砂浆。飞龙关左侧（G-02）勾缝剂较疏松，含少量纤维。新王宫墙砖（G-06）勾缝剂亦为石灰砂浆，但硬度较高，淡黄色，质地细腻，可能含少量黏土（表10-3）。

表10-3　勾缝样品特征一览表

序号	样品编号	取样位置	样品类型	样品描述	样品照片
1	G-01	铁柱关	勾缝砂浆	石灰砂浆	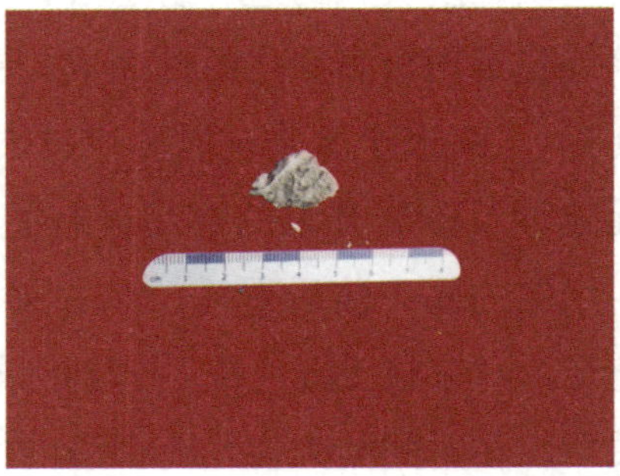
2	G-02	飞龙关左侧	勾缝灰浆	疏松，含少量纤维	
3	G-03	飞龙关正面关底	勾缝砂浆	石灰砂浆	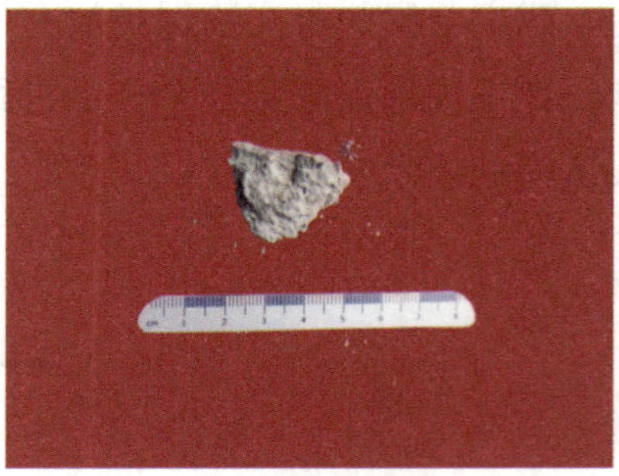

续表

序号	样品编号	取样位置	样品类型	样品描述	样品照片
4	G-04	飞凤关背立面右侧关内	勾缝砂浆	石灰砂浆	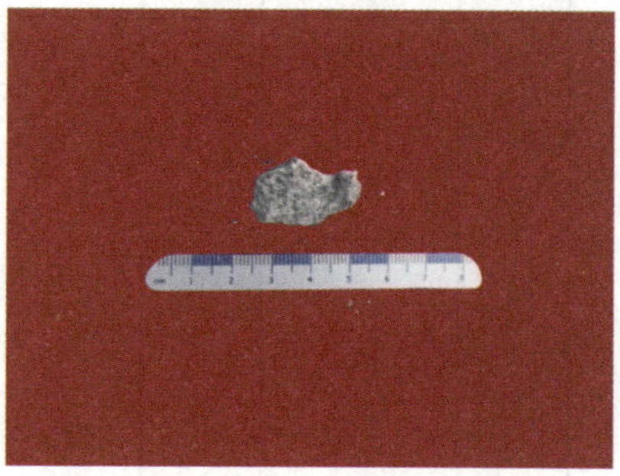
5	G-05	朝天关	勾缝砂浆	石灰砂浆	
6	G-06	新王宫砖墙	勾缝砂浆	石灰砂浆，硬度较高，淡黄色，质地细腻，推测含少量黏土	

2. 砌筑砂浆

12个样品中，西关关座（Q-01）砂浆疏松多孔，含青色碎石片，表面有多处稻壳、纤维剥离痕迹。飞凤关关座（Q-02）样品疏松多孔，空隙4～10毫米不等。铜柱关（Q-03）、铁柱关（Q-04）为石灰砂浆，疏松多孔。飞龙关城墙（Q-05）、朝天关关座（Q-06）为纯石灰。其余飞龙关、飞凤关、朝天关5例样品（Q-07～Q-11）均为石灰砂浆，其中1例（Q-10）含河沙。新王宫砖墙（Q-12）间的砌筑砂浆为石灰砂浆，淡黄色，质地细腻，可能含少量黏土，与前述勾缝样品（G-06）一致（表10-4）。

表10-4　砌筑砂浆样品特征一览表

序号	样品编号	取样位置	样品类型	样品描述	样品照片
1	Q-01	西关关座	粘接	疏松多孔，含青色碎石片，石片大小不等，表面有多处稻壳、纤维剥离的痕迹，空洞的形成类似于钟乳石的形成，推测为未完全固化时遭到雨水浇淋	 
2	Q-02	飞凤关关座	粘接	疏松多孔，空隙4～10毫米不等	
3	Q-03	铜柱关	粘接	石灰砂浆，疏松多孔	

续表

序号	样品编号	取样位置	样品类型	样品描述	样品照片
4	Q-04	铁柱关	粘接	石灰砂浆，疏松多孔	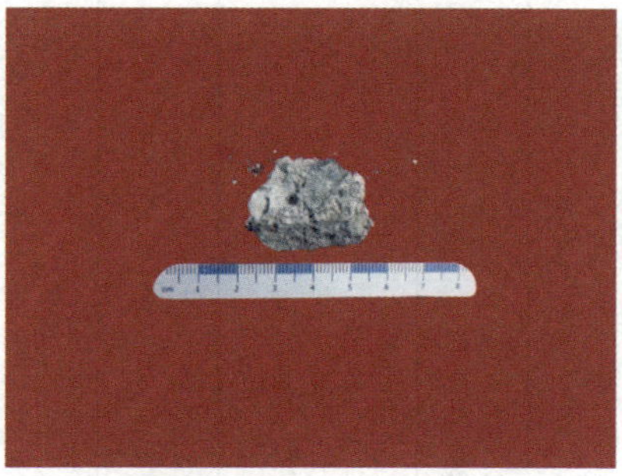
5	Q-05	飞龙关城墙	粘接	纯石灰，对比Q-11质地较轻	
6	Q-06	朝天关关座	粘接	纯石灰	
7	Q-07	飞龙关关座内部	填充灰浆	石灰砂浆，颜色淡黄，推测河沙含量比其他样品高	

续表

序号	样品编号	取样位置	样品类型	样品描述	样品照片
8	Q-08	飞龙关正立面左侧城墙内部	填充砂浆	石灰砂浆，结构疏松，表面有青苔	 
9	Q-09	飞凤关背立面右侧关内	填充砂浆	石灰砂浆，含少量碎石片（与Q-01相同材质）	
10	Q-10	朝天关正立面右侧内部	填充砂浆	石灰砂浆，含河沙	

续表

序号	样品编号	取样位置	样品类型	样品描述	样品照片
11	Q-11	朝天关关座内部	填充砂浆	石灰砂浆，结构致密	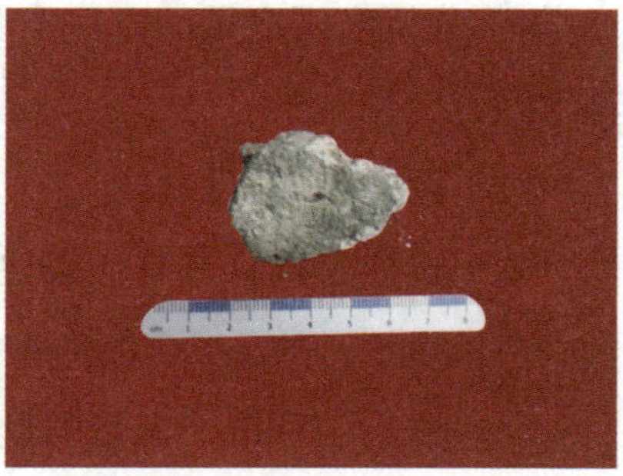
12	Q-12	新王宫砖墙	砌筑砂浆	石灰砂浆，颜色为淡黄色，质地细腻，推测含少量黏土	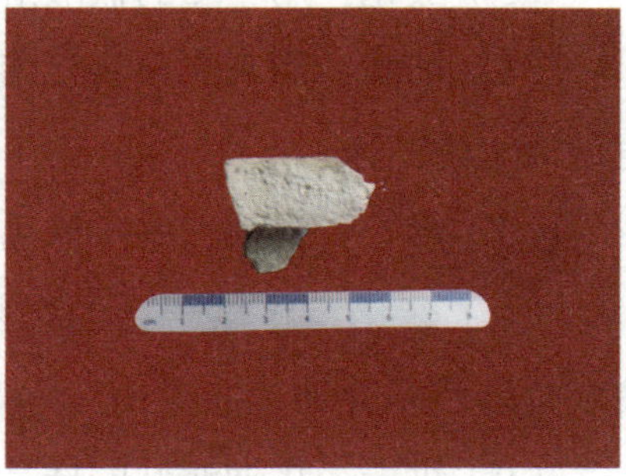

（二）灰浆样品分类

根据宏观观察将现有灰浆样品进行分类，详细组分分析结果通过湿化学分析得出（表10-5）。

表10-5　灰浆样品分类表

灰浆样品分类	灰浆组分待分析样品
Q-05、Q-11、Q-06	Q-05、Q-11
Q-08	Q-08
Q-09	Q-09
Q-07	Q-07
Q-12、G-06	Q-12
Q-02、Q-03、Q-04、Q-13	Q-03、Q-13
G-01、G-03、G-04、G-05	G-03、G-05
G-02	G-02
Q-10	Q-10
Q-14	Q-14
Q-15	Q-15

注：所有灰浆样品均进行淀粉定性实验

（三）灰浆组分分析步骤

灰浆分析应用定量的方法推测石灰砂浆中水硬性组分、石灰组分及骨料的比例。具体分析步骤如下：

（1）取样：田野取样；

（2）选样：选取具有代表性的样品；

（3）烘干：放入105℃烘箱中烘干；

（4）称重：称取一定量的烘干待测样品；

（5）酸化：用1∶3的盐酸溶解称量的待测样品；

（6）抽滤：用真空泵将已溶解好的样品抽滤，抽完后，先用1∶20的稀盐酸洗三遍，然后再用清水洗三遍；

（7）烘干：将抽滤好的样品，放到105℃烘箱中烘干；

（8）碱化：将烘干后的样品，在烘箱中冷却至室温，然后加入一定量的饱和$NaCO_3$溶液，煮沸约一分钟，抽滤；

（9）烘干：将抽滤好的样品放到105℃烘箱中烘干；

（10）筛分：将烘干的样品冷却至室温，再用不同规格的筛子筛分骨料的粒径，然后称重。

（四）灰浆组分分析结果

为判断灰浆样品的配比及类型、特点，对其进行砂浆分析实验，实验结果中的各项数值表示如下：

G：现有黏结剂含量，wt%；

U：原始黏结剂含量，wt%；

B1：测定的灰砂比，1（灰）：B1（骨料）；

B0：原始灰砂比，1（灰）：B0（骨料）；

S1：黏结剂中现有水硬性组分，wt%；

S0：黏结剂中原始水硬性组分，wt%。

结合灰浆分类（图10-1）与分析结果（表10-6），Q-10的原始黏结剂含量为94.65%，原始灰砂比为17∶1，骨料粒径主要分布在＜0.063毫米和＞4毫米。据此，Q-10为含泥土高的石灰砂浆。Q-12的原始黏结剂含量为98.14%，原始灰砂比为50∶1，骨料粒径主要分布在＜0.063毫米，为含泥土较高的石灰砂浆。Q-14的原始黏结剂含量为97.54%，原始灰砂比为33∶1，骨料粒径主要分布在＜0.063毫米和＞4毫米，为含泥土高的石灰砂浆。Q-15的原始黏结剂含量为97.79%，原始灰砂比为50：1，骨料粒径主要分布在＜0.063毫米、0.5～1毫米和1～2毫米。虽然原始水硬性组分有8.56%，但因＜0.063毫米粒径的骨料含量较高，因此仍为含泥土高的石灰砂浆。Q-07的原始黏结剂含量为97.88%，原始灰砂比为50：1，骨料粒径主要分布在＜0.063毫米，为含泥土高的石灰砂浆。Q-09的原始黏结剂含量为93.48%，原始灰砂比为14：1，骨料粒径主要分布在＜0.063毫米和＞4毫米，为石灰砂浆，且含泥土多。G-03的原始黏结剂含量为95.7%，原始灰砂比为25：1，骨料粒径主要分布在＜0.063毫米。G-05的原始黏结剂含量为94.36%，原始灰砂比为17：1，骨料粒径主要分布在0.25～0.5毫米和0.5～1毫米。G-03为明显的含泥土高的石灰砂浆，而G-05的原始水硬性组分高，＜0.063毫米粒径的骨料含量不高，为水硬性砂浆。Q-03的原始黏结剂含量为97.24%，原始灰砂比为33：1，骨料粒径主要分布在＜0.063毫米。Q-13的原始黏结剂含量为90.7%，原始灰砂比为10：1，骨料粒径主要分布在＜0.063毫米和＞4毫米。Q-03和Q-13都是含泥土高的石灰砂浆。Q-05的原始黏结剂含量为93.65%，原始灰砂比为14：1，骨料粒径主要分布在＜0.063毫米和2～4毫米。Q-11的原始黏结剂含量为94.79%，原始灰砂比为20：1，骨料粒径主要分布在＜0.063毫米。因Q-05和Q-11的骨料粒径主要分布在＜0.063毫米，且原始水硬性组分不高，所以Q-05和Q-11都是含泥土高的水硬性组分。

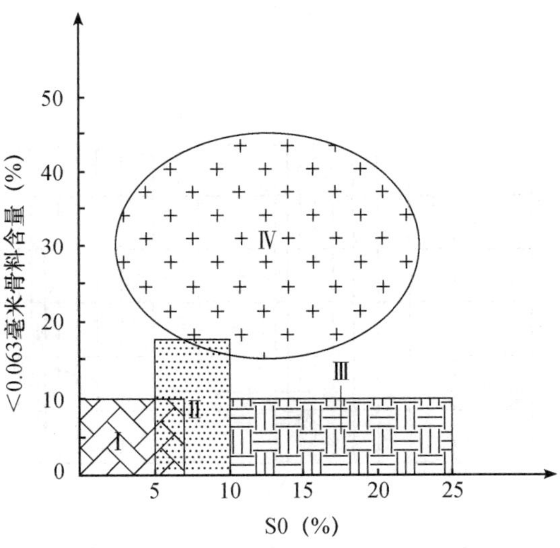

图10-1　灰浆分类图

Ⅰ.标准的石灰砂浆　Ⅱ.混合砂浆（含水泥石灰砂浆）　Ⅲ.水泥砂浆　Ⅳ.含泥土高的石灰砂浆

表10-6　灰浆样品分析结果

样品编号	M0	M1	M2	G	U	B1	B0	S1	S0
Q-10	15.8714	0.9092	0.6376	95.98	94.65	0.04	0.06	1.71	1.78

Q-10各粒径骨料含量分布图

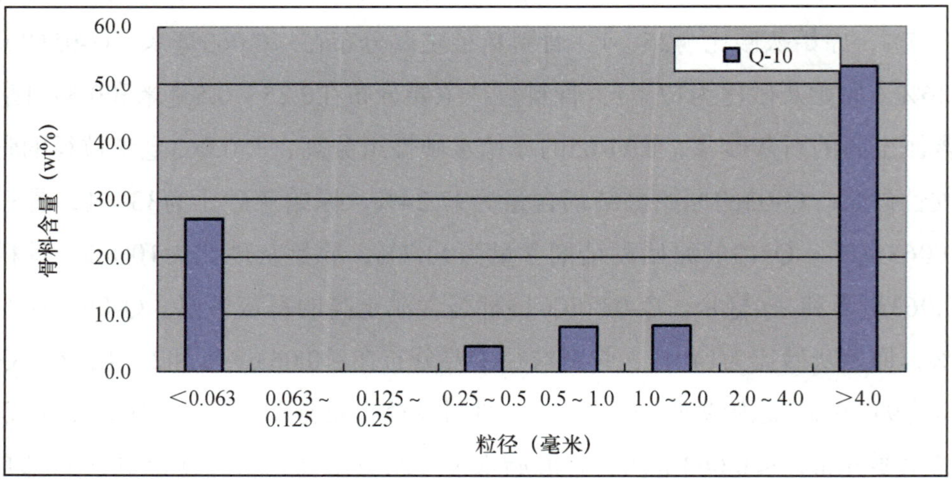

Q-10各粒径骨料分布累积图

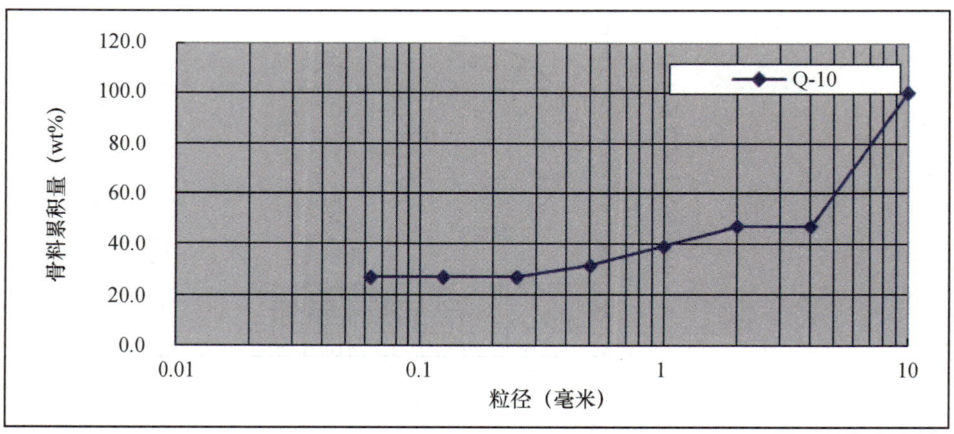

续表

样品编号	M0	M1	M2	G	U	B1	B0	S1	S0
Q-12	13.1362	0.2578	0.1813	98.62	98.14	0.01	0.02	0.58	0.59
	Q-12各粒径骨料含量分布图								
	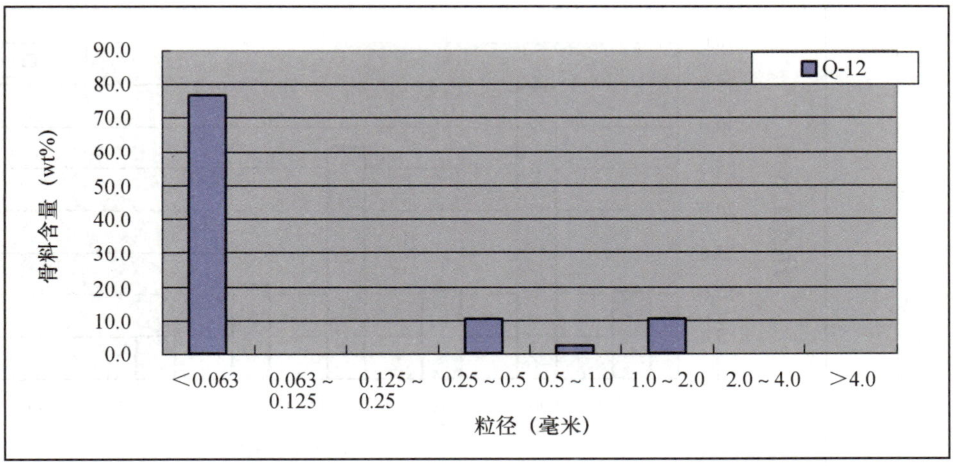								
	Q-12各粒径骨料分布累积图								
	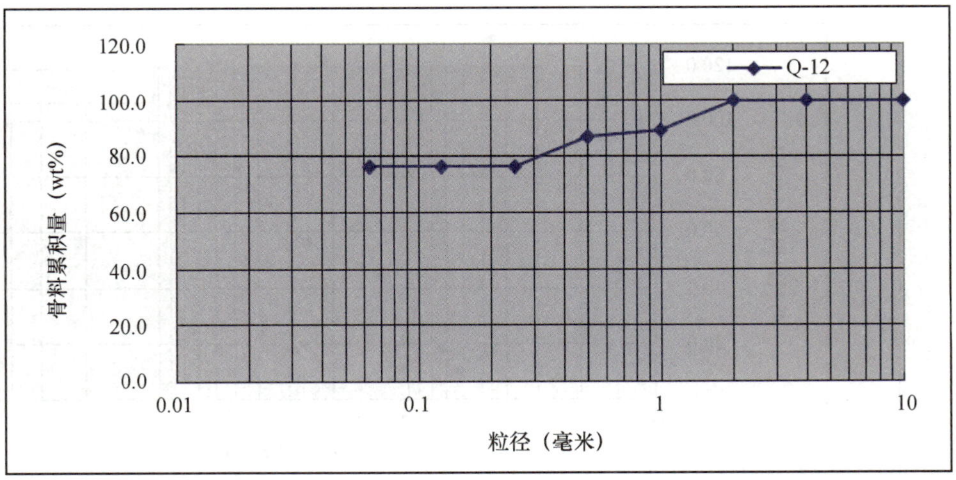								

续表

样品编号	M0	M1	M2	G	U	B1	B0	S1	S0
Q14	23.3358	1.1924	0.4279	98.17	97.54	0.02	0.03	3.28	3.34

Q-14各粒径骨料含量分布图

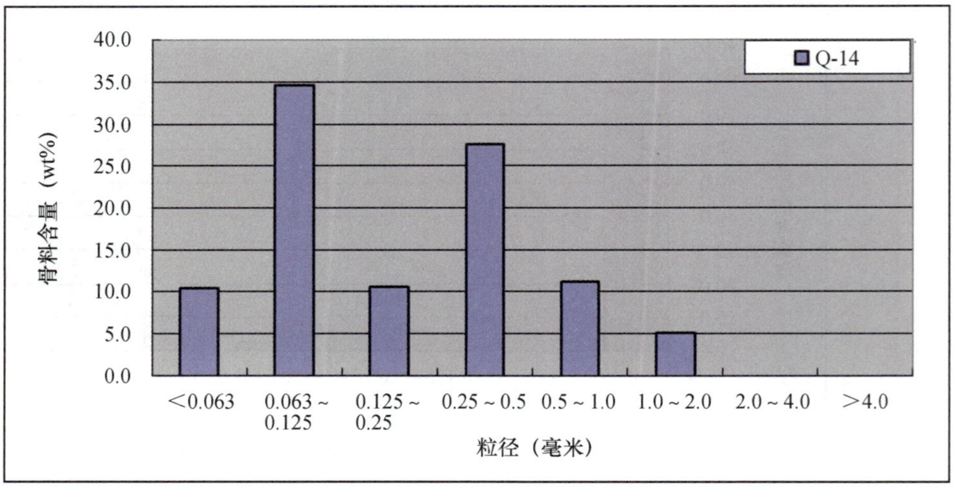

Q-14各粒径骨料分布累积图

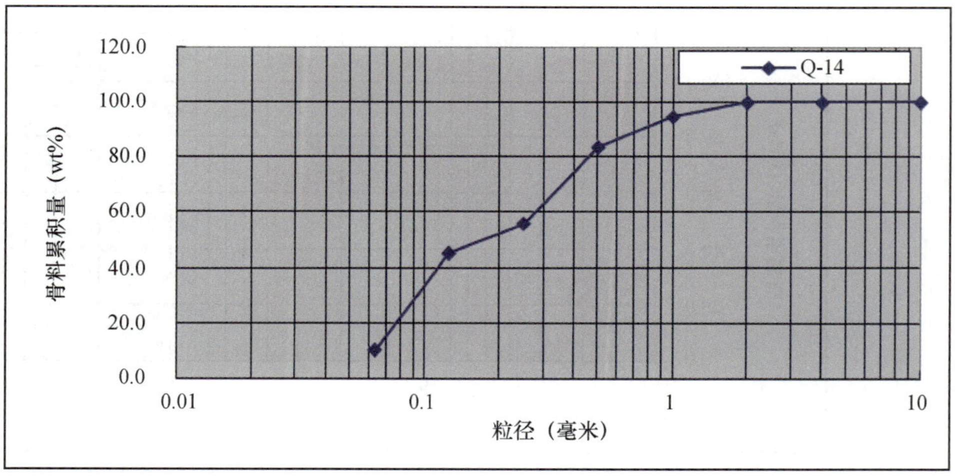

续表

样品编号	M0	M1	M2	G	U	B1	B0	S1	S0
Q15	3.1493	0.3167	0.0517	98.36	97.79	0.02	0.02	8.41	8.56

Q-15各粒径骨料含量分布图

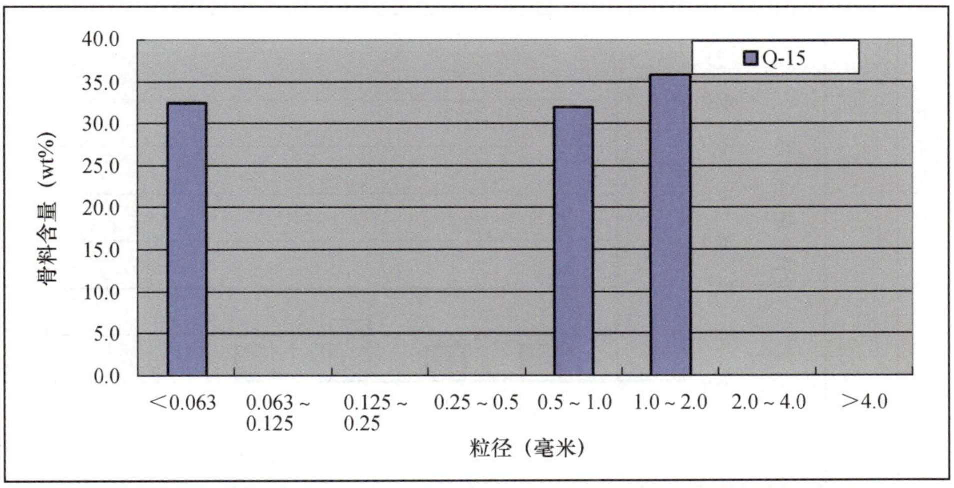

Q-15各粒径骨料分布累积图

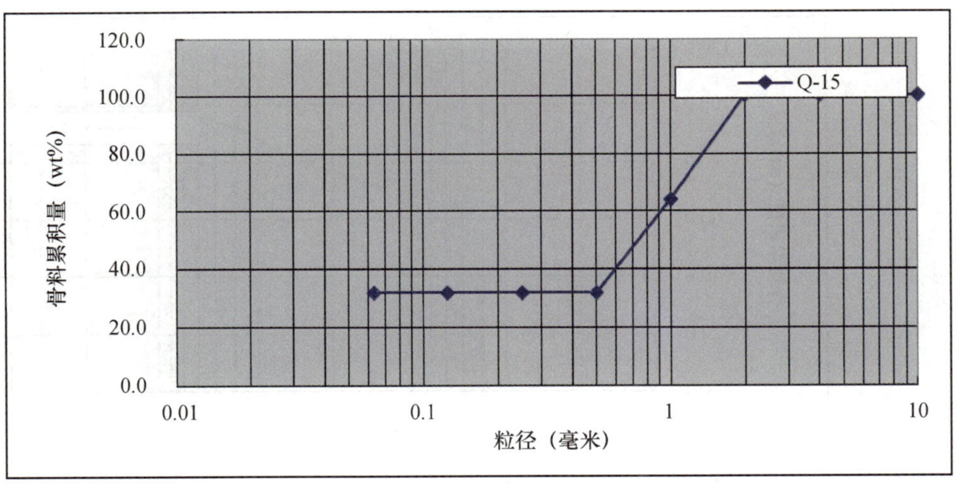

续表

样品编号	M0	M1	M2	G	U	B1	B0	S1	S0
Q-07	14.9485	0.6478	0.2362	98.42	97.88	0.02	0.02	2.75	2.80
	Q-07各粒径骨料含量分布图								
	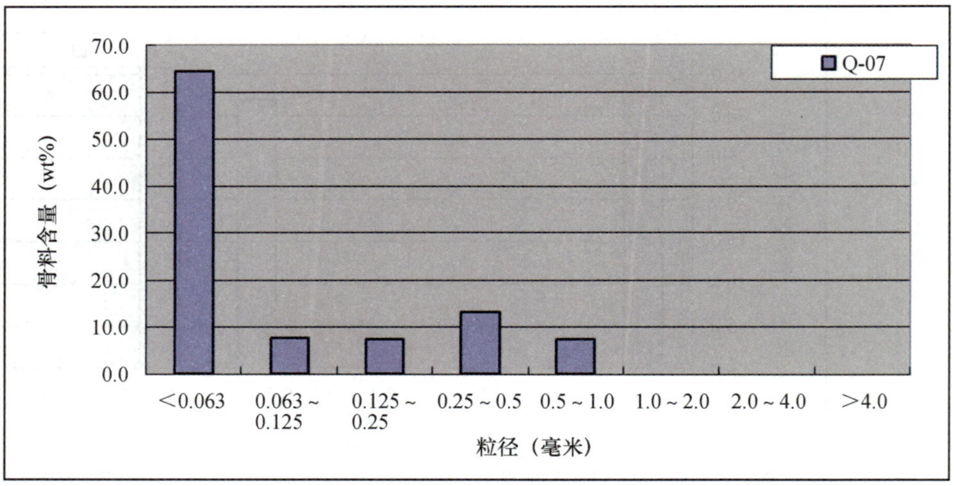								
	Q-07各粒径骨料分布累积图								
	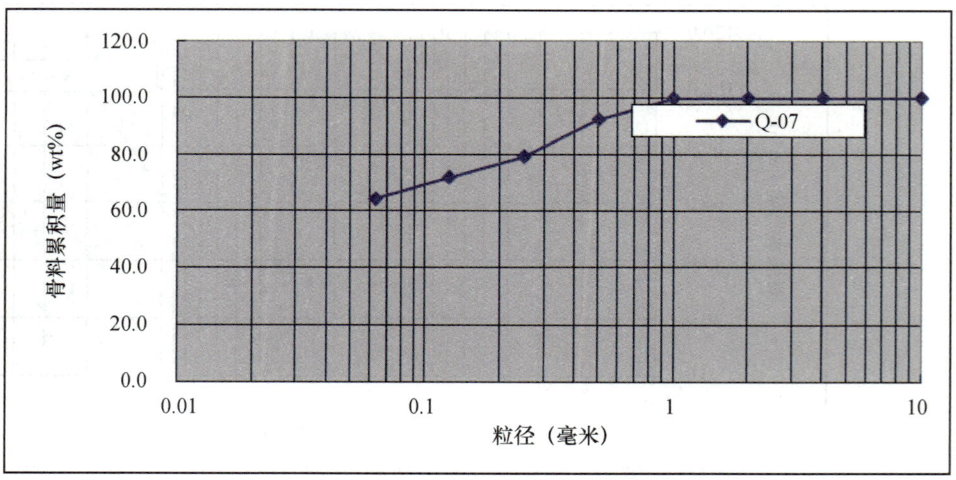								

续表

<table>
<tr><th>样品编号</th><th>M0</th><th>M1</th><th>M2</th><th>G</th><th>U</th><th>B1</th><th>B0</th><th>S1</th><th>S0</th></tr>
<tr><td rowspan="5">Q-09</td><td>25.0677</td><td>1.7342</td><td>1.2301</td><td>95.09</td><td>93.48</td><td>0.05</td><td>0.07</td><td>2.01</td><td>2.11</td></tr>
<tr><td colspan="9">Q-09各粒径骨料含量分布图</td></tr>
<tr><td colspan="9">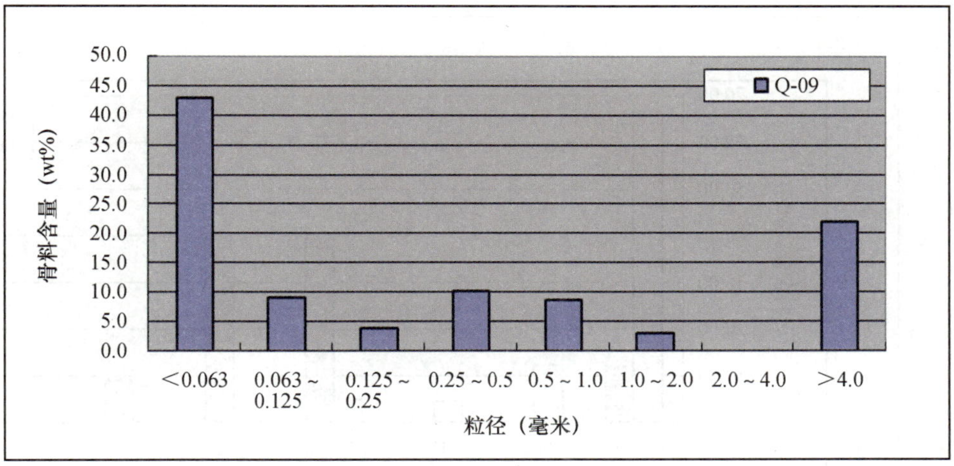
</td></tr>
<tr><td colspan="9">Q-09各粒径骨料分布累积图</td></tr>
<tr><td colspan="9">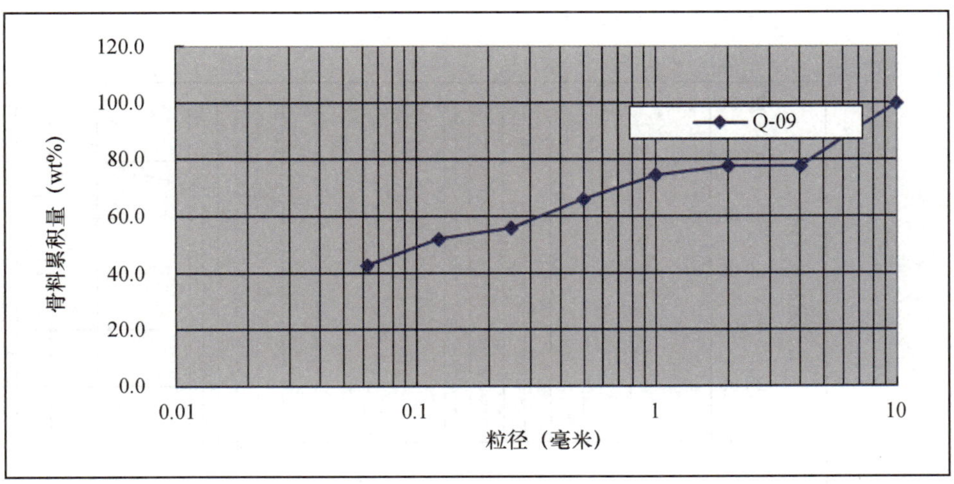
</td></tr>
</table>

续表

样品编号	M0	M1	M2	G	U	B1	B0	S1	S0
G-03	13.8894	0.6818	0.4467	96.78	95.70	0.03	0.04	1.69	1.75
G-05	10.3551	1.3986	0.4388	95.76	94.36	0.04	0.06	9.27	9.68

G-03、G-05

G-03、G-05各粒径骨料含量对比图

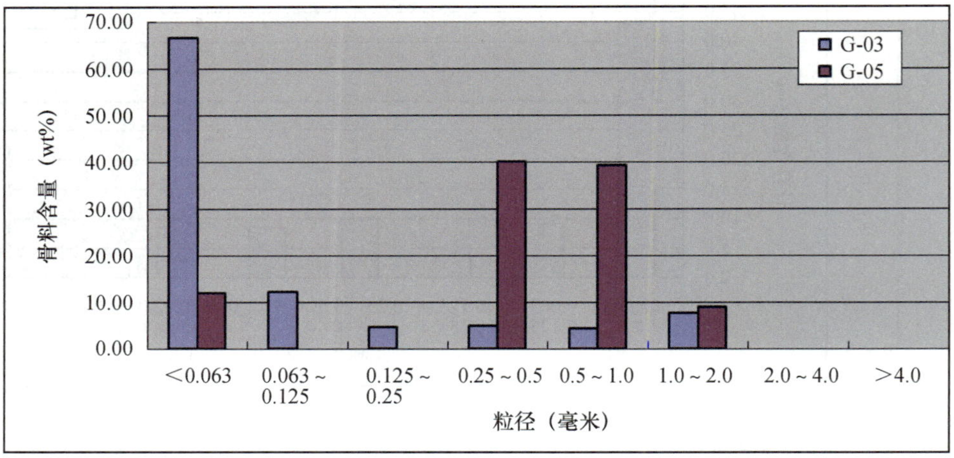

G-03、G-05各粒径骨料分布累积对比图

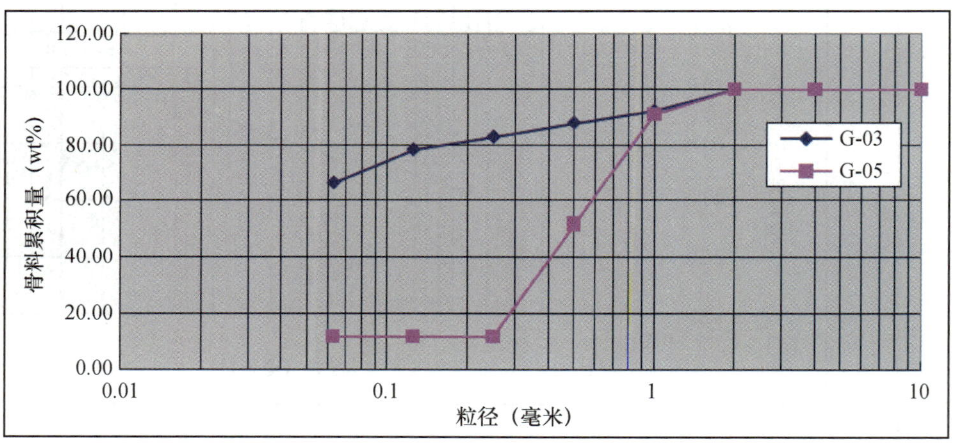

续表

样品编号	M0	M1	M2	G	U	B1	B0	S1	S0
Q-03	8.5319	0.3303	0.1753	97.95	97.24	0.02	0.03	1.82	1.85
Q-13	15.1108	1.4731	1.0653	92.95	90.70	0.08	0.10	2.70	2.90

Q-03、Q-13

Q-03、Q-13各粒径骨料含量对比图

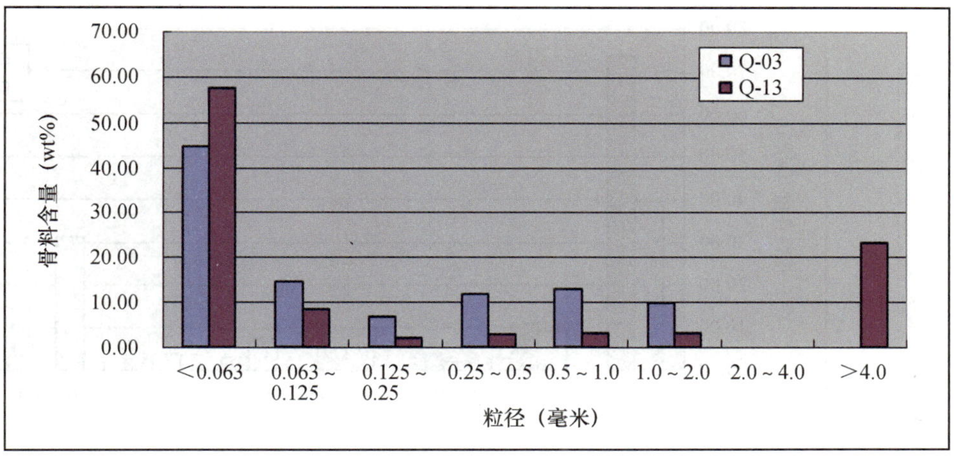

Q-03、Q-13各粒径骨料分布累积对比图

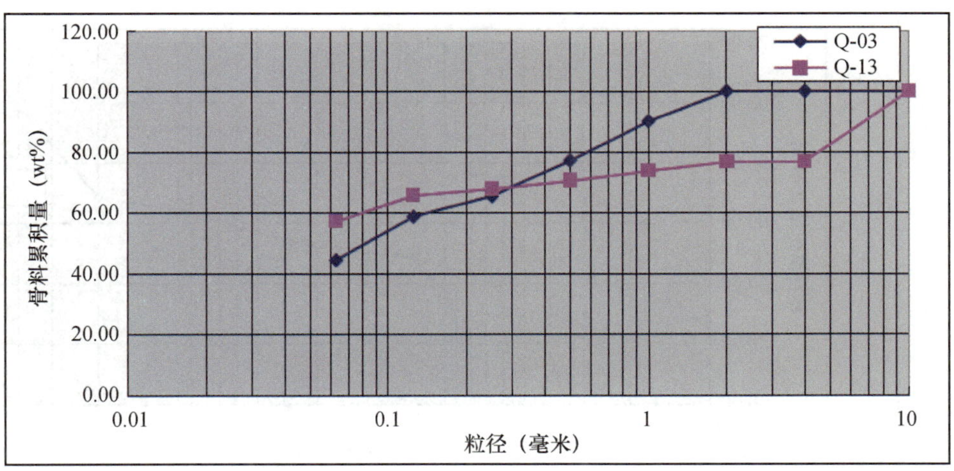

续表

样品编号	M0	M1	M2	G	U	B1	B0	S1	S0
Q-05	6.9659	0.7418	0.3329	95.22	93.65	0.05	0.07	5.87	6.16
Q-11	15.2427	0.7745	0.5955	96.09	94.79	0.04	0.05	1.17	1.22

Q-05、Q-11

Q-05、Q-11各粒径骨料含量对比图

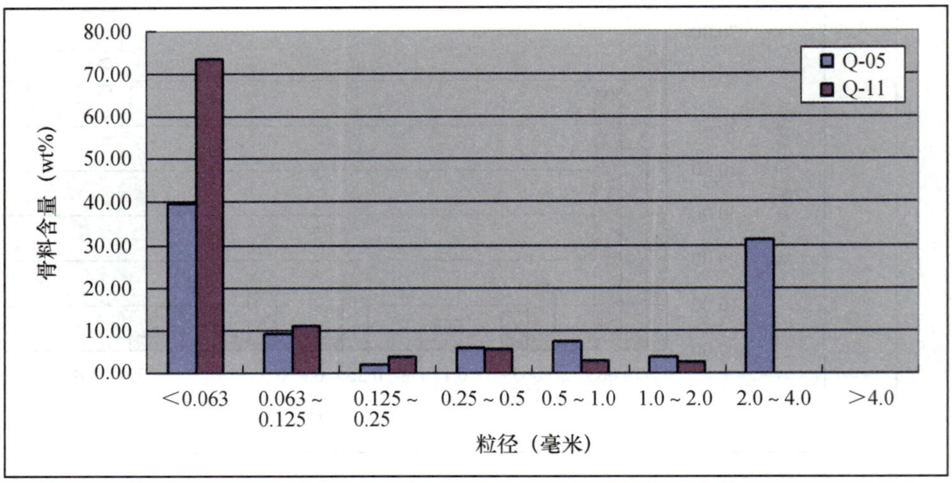

Q-05、Q-11各粒径骨料分布累积对比图

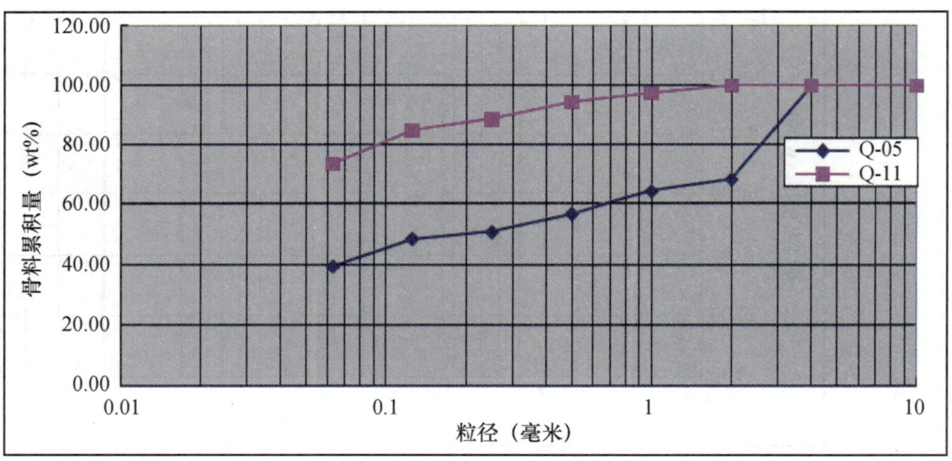

（五）灰浆淀粉定性实验

1. 淀粉定性实验方法

取2克碘化钾，将其溶解于5毫升蒸馏水中，接着再加入1克碘，待完全溶解后用蒸馏水稀释到300毫升，贮存于棕色瓶内。实验时取2克粉末样品，将其溶解于30毫升蒸馏水中，然后往样品溶液中滴加数滴碘液，观察碘-淀粉反应。

2. 淀粉定性实验结果

为准确判断灰浆样品中是否含有淀粉，我们利用淘米水进行了对比试验。发现加了碘-碘化钾溶液后的淘米水明显变成了蓝色，但是实验的所有灰浆样品均无明显显色反应。故判断，本次实验的所有灰浆样品中不含有淀粉或淀粉已降解完全。

（六）灰浆试块的矿物分析

将Q-01、G-06两样品送检，以进一步分析具体矿物成分。

Q-01（西关关座）送检样品为灰浆内包裹的石片（图10-2）。检测结果显示，石片含方解石居多（60%），白云石次之（20%），同时还存在石英、云母等，其比例与岩性鉴定中的西关南侧原生基岩（Z16-01-21）大体一致，为白云石化灰岩。进一步表明砌筑西关的石料当就近开采。

G-06（新王宫墙砖勾缝砂浆）的检测结果显示，矿物成分基本为方解石，化学全分析结果中CaO占53.24%，转换成$CaCO_3$为95.07%，MgO占0.63%，充分证明G-06为钙质石灰灰浆。

图10-2　灰浆包裹的石片（Q-01）

二、结　　论

分析结果表明，海龙囤灰浆样品原始水硬性组分含量不高，在0.5%～9.6%，原始黏结剂含量在90%～98%，原始灰砂比在1∶0.02～1∶0.1，均为纯的石灰浆。其水硬性组分含量均比较低，除G-05（朝天关）外，均为钙质石灰。所有的灰浆样品配成的溶液中加碘-碘化钾均不显色，说明灰浆样品中不含有淀粉，不能证明为糯米灰浆。即海龙囤建筑材料间的黏合剂为纯石灰，非糯米灰浆。

三、余　　论

（一）天然水硬性石灰的线索

石灰分多种，但均通过石灰岩高温煅烧而成。石灰炉直接烧成的是生石灰，生石灰经过适量加水消化后，即成熟石灰，又叫消石灰。熟石灰又分气硬性石灰与水硬性石灰。气硬性石灰以高碳酸钙含量的钙质石灰较为常见。水硬性石灰是通过烧制和消化黏土含量不等的黏土质石灰岩或二氧化硅含量（一般在13%左右）不等的硅质石灰岩获取的消石灰。其特点是和水接触后硬化，然后逐渐在空气中碳酸化达到最后硬度。又可细分为天然水硬性石灰与人造水硬性石灰，前者指生产过程中不添加任何外来成分，而只靠石灰岩中含有的天然水硬性元素烧制而成[①]。

西关关座内部采集的灰浆（Q-01）所包裹石片现状为片状，长6～45、厚1～11毫米，长、厚比为3∶1～7∶1，无明显的排列（图10-2、图10-3），可能为未烧透的原始石灰岩。经检测，其主要由方解石（60%）和白云石（20%）构成，隐晶质石英及高岭土等占20%。对比德国天然水硬性石灰HesslerNHL2化学成分可以看出（表10-7）， 二者有非常高的相似性。据此推测，当时烧制的石灰，其原材料至少一部分为硅质白云石化石灰岩，而由硅质灰岩烧制出的生石灰即为天然水硬性石灰。G-05（朝天关关口勾缝砂浆）发现大约有10%的水硬性组分，似亦可佐证上述判断。

表10-7　HesslerNHL2和Q-01中石片的成分对比

成分（%）	德国HesslerNHL2	西关“未烧透”石灰岩（Q-01）
氧化钙（CaO）	59.5	39.6
氧化镁（MgO）	2.2	4.27

① 彭反三：《天然水硬性石灰》，《石灰》2009年第3期。

续表

成分（%）	德国HesslerNHL2	西关“未烧透”石灰岩（Q-01）
三氧化硫（SO_3）	0.89	—
烧失量（1000±25℃）	13.9	—
二氧化硅（SiO_2）	14.3	13.67
三氧化二铁（Fe_2O_3）	1.84	1.19
三氧化二铝（Al_2O_3）	4.91	3.32
合计	97.54	

要之，海龙囤很可能使用了最早的天然水硬性石灰。但这一推论的前提是样品Q-01内所含石片确为未烧透的原始石灰岩，而非后期羼和物①。

图10-3 “未烧透”的石灰岩石片（Q-01）

（二）海龙囤石灰产地

晋张华《博物志》是较早记载石灰生产的文献。其文曰：“烧白石作白灰，既讫，积著地，经日都冷，遇雨及水浇即更燃，烟焰起。”②可见至迟在3世纪前后，我国石灰的烧造技

① 检测者在提交的报告及发表的论文中均指出此“显然为未烧透的原始石灰石”。参见彭银、陈顺祥、戴仕炳：《海龙屯城墙与关口粘接材料分析研究》，《古建园林技术》2017年第4期。但我们仍对此持审慎态度，认为其为后期羼和物的可能性不能排除，原因在于若经火烧，石片当泛白而非青色。

② （晋）张华撰，范宁校证：《博物志校证》卷4《戏术》，北京：中华书局，1980年，第50页。

术已较成熟。明宋应星《天工开物》对石灰烧造与使用记载尤详，文曰："凡石灰，经火焚炼为用。成质之后，入水永劫不坏。亿万舟楫，亿万垣墙，窒隙防淫，是必由之。百里内外，土中必生可燔石，石以青色为上，黄白次之。石必掩土内二三尺，掘取受燔，土面见风者不用。燔灰火料，煤炭居十九，薪炭居十一。先取煤炭，泥和做成饼，每煤饼一层，垒石一层，铺薪其底，灼火燔之。最佳者曰矿灰，最恶者曰窑滓灰。火力到后，烧酥石性，置于风中，久自吹化成粉。急用者以水沃之，亦自解散""用以砌墙石，则筛去石块，水调粘合；甃墁则仍用油灰；用以垩墙壁，则澄过，入纸筋涂墁；用以襄墓及贮水池，则灰一分，入河沙、黄土二分，用糯米粳、羊桃藤汁和匀，轻筑坚固，永不坠坏，名曰三和土"[①]。

贵州石灰的生产也应较早，但因文献记载不多，目前尚不知始于何时。道光《贵阳府志》记："石灰，煅石而成，用以垩壁，烧石成块曰矿灰，见水则沸腾如煮，皆散成灰。"[②]明万历时期筑龙里卫城，曾"傅白土二十二万一千四百斤""易砖以石，易土以灰"[③]。此中的"白土"与"灰"或即石灰。

石灰由石灰岩（灰岩）高温煅烧而成，而灰岩是海龙囤重要的原生基岩，原料近便易取。由于海龙囤石材、砖瓦等建筑材料的开采、烧造均秉持就近原则，因此有理由认为石灰亦就近生产，于囤顶或周边辟窑烧造。如果前述样品Q-01所包裹石片确为未烧透的原始石灰岩，鉴于其相关成分的比例与西关南侧原生基岩（Z16-01-21）的一致性，似可确定其系在囤顶开采石料，现场烧制。

（三）存在问题

对海龙囤黏合剂的研究，目前还存在以下几个问题。

一是南宋材料的阙如。海龙囤存在宋、明两期城垣，南宋城垣的石材间亦发现了黏合剂，肉眼观察为石灰。但由于采样之时我们对遗存年代的认识尚存不足，因此未顾及南宋材料，上文所述均为明代黏合剂。后虽采取补救措施，采集了一批样品送检，但分析结果至报告出版前仍未出，失去了深入了解南宋黏合剂的机会。现唯有根据明代材料推测南宋亦大致相同。

二是忽视了不同部位黏合剂的差异。前揭宋应星《天工开物》记载石灰在不同建筑或建筑的不同部位中使用方式是不同的，"用以砌墙石，则筛去石块，水调粘合；甃墁则仍用油灰；用以垩墙壁，则澄过，入纸筋涂墁；用以襄墓及贮水池，则灰一分，入河沙、黄土二分，用糯米粳、羊桃藤汁和匀"。砌墙、墁地、涂墙及贮水池诸种情况，均见于海龙囤，但取样时仅关

---

① （明）宋应星著，曹小鸥注释：《天工开物图说》卷中《燔石第十一·石灰》，济南：山东画报出版社，2009年，第390页。

② （清）周作楫修，萧琯等纂：《贵阳府志》卷47《土物》，《中国地方志集成·贵州府县志辑》，成都：巴蜀书社，2006年，第13册，第64页。

③ （明）郭子章：《黔记》卷5《舆图志》，贵州省文史研究馆编：《续黔南丛书》（第一辑），贵阳：贵州人民出版社，2012年，第1078、1079页。

注了勾缝与粘接材料，发现墙砖间的灰浆可能含少量黏土，忽视了其他用途的石灰在具体配比上可能存在的不同。

三是暂无石灰窑发现。海龙囤上已有明代砖瓦窑发现，证实筑囤所用砖瓦均就近烧造，但囤上尚无石灰窑发现，使得石灰亦就近烧造的推断还缺乏坚实的证据。

以上几个问题，是未来的田野工作应予以关注的。

第十一章　动植物遗存分析

海龙囤出土了一定数量的动植物标本，动物骨骼主要见于新王宫与铁柱、铜柱、西关等明代关隘，植物遗存则主要出土于新王宫、老王宫与金银库内，多应为土司时期所遗，因此是探讨播州生业状况的重要实物资料。

第一节　动 物 遗 存

海龙囤遗址出土了一定数量的动物骨骼，可鉴定标本以牛、马为主，并有少量的猪及其他动物遗存（麂、鹿、鸟等）。骨骼材料较集中发现于三地：①新王宫内，包括G1（F8西侧排水沟）、C4（F9东侧水池）、F1、F10、F9，以及ⅣT0405、ⅣT0504、ⅣT0506、ⅣT0306等探方（均在F19附近），其中以G1出土数量最多；②囤东铁柱关（TG44）与铜柱关（TG48），以铁柱关出土材料最为丰富；③囤后西关（TG36、TG37），出土动物骨骼较少。这些材料对于探索明代晚期当地对牛、马的利用方式具有重要的意义。现对出土骨骼材料进行初步的鉴定与分析，并就相关问题展开讨论。

一、黄　　牛

（一）出土材料

1. 齿列及游离齿

出土齿列8组，游离齿6枚，臼齿残片1片。可鉴定标本数合计为15，最小个体数为2。

（1）左上齿列DP3—DP4（G1：B4；图11-1-2）

齿列长41.1毫米。其中DP3的齿冠长20.3、宽17.2毫米；DP4的齿冠长21.4、宽19.8毫米。均为深度磨耗，齿冠低矮，齿根表面带断线状纹理；DP3比DP4的磨耗更深，DP4的齿沟接近闭合，而DP3的齿根已消失，处于即将自然脱落的状态。从磨耗程度看，该个体的年龄约24个月。

（2）左上齿列DP4—M1—M2—M3（G1：B3；图11-1-1）

齿列长113.6毫米。DP4深度磨耗，齿冠低，齿沟狭窄，齿冠长21、宽20.3毫米。M1中度磨耗，齿冠长29.2、宽18.5毫米；M2轻度磨耗，齿冠长31.1、宽18.9毫米；M3已经萌出但未磨耗，齿冠长30.7、宽24.9毫米。从萌发与磨耗程度看，该个体的年龄为26～30个月。

（3）左上齿列P2—P3（TG44③：B20）

齿列长29.4毫米。P2齿冠长17.9、宽13.4毫米；P4齿冠长22.1、宽15.4毫米。该个体的年龄

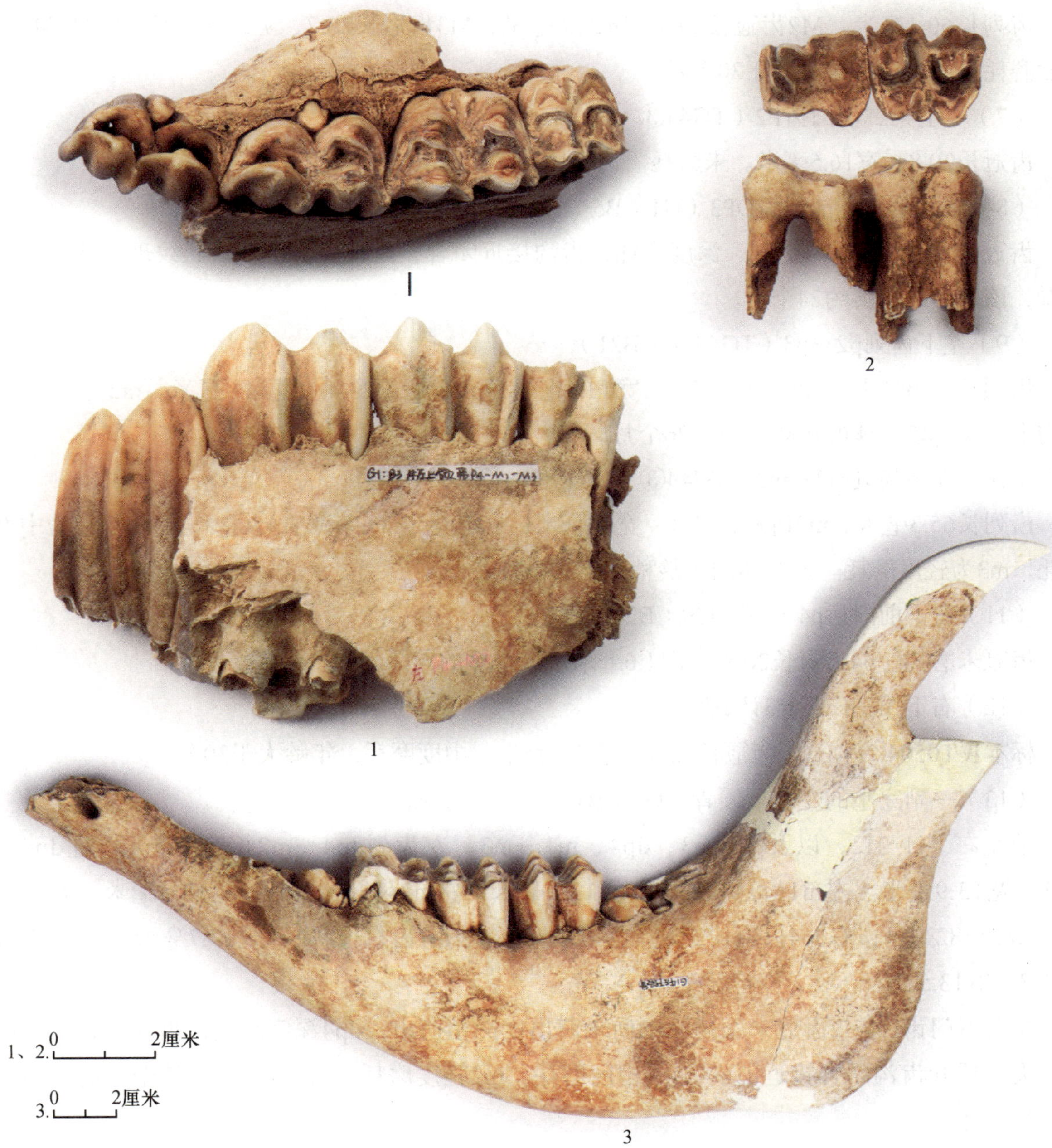

图11-1　黄牛牙

1. 左上齿列DP4—M3（G1：B3）　2. 左上齿列DP3—DP4（G1：B4）　3. 左下颌骨（G1：B1）

为24～26个月。

（4）左上臼齿M1（TG44③：B24）

齿冠长31.7、宽24.9毫米。中度磨耗。参照标本G1：B3的磨耗程度看，该个体的年龄稍大于24个月。

（5）右上齿列M1—M3（G1：B2）

附带少量右上颌骨。M1—M3齿列长84.3毫米。其中M1齿冠长29.4、宽19.5毫米；M2长31.3、宽18.5毫米。M1中度磨耗，M2轻度磨耗，M3即将萌出。该个体的年龄稍小于26个月。

（6）右上齿列M2—M3（F9①：B1）

齿列长60.1毫米。M2齿冠长29.9、宽24.6毫米；M3齿冠长28.7、宽21.3毫米。M2与M3均中度磨耗。该个体的年龄大于30个月。

（7）右上第二前臼齿P2（TG44③：B23）

齿冠长20.8、宽16.5毫米。未磨耗。该个体的年龄约26个月。

（8）右上第三乳前臼齿DP3（G1：B5）

齿冠长20.6、宽17.3毫米。深度磨耗，齿沟接近闭合，齿根表面带断线状纹理。从磨耗程度看，该个体的年龄约24个月。

（9）左下齿列p2—p3（TG44③：B21）

齿列长39.6毫米。p2齿冠长17.3、宽13.1毫米；p3齿冠长23.4、宽14.9毫米。m2与m3的齿冠均未磨耗。该个体的年龄为24～26个月。

（10）左下齿列m2—m3（TG44③：B19）

齿列长65.3毫米。m2齿冠长27.1、宽16毫米；m3齿冠长37.9、宽14.9毫米。m2与m3为中度磨耗，m3为轻度磨耗。该个体的年龄稍大于30个月。

（11）右下前臼齿p4（TG44③：B22）

齿冠未磨耗。p4齿冠长20.8、宽11.6毫米。该个体的年龄约32个月。

（12）右下第三臼齿m3计2枚

标本ⅣT0504②：B1，齿冠长32.3、宽12.8毫米。中度磨耗，年龄大于30个月。

（13）一副完整的左右下颌骨（G1：B1；左下颌骨见图11-1-3）

带左右下i1与i2，以及p2、p3、dp4、m1—m3。左齿列dp4—m2长81.6毫米。左dp4长25.3、宽13.9毫米。左m1齿冠长27.3、宽13.9毫米；左m2齿冠长30.5、宽13.5毫米。右齿列dp4—m2长82毫米；右dp4齿冠长25.8、宽13.8毫米；右m1齿冠长27.5、宽13.7毫米；右m2齿冠长30.3、宽13.5毫米。

左右下门齿i1与i2齿冠未磨耗。p2尚未萌出，p3稍萌出。dp4深度磨耗，齿冠低，前叶齿沟消失，后叶齿沟闭合接近消失。m1中度磨耗。m2轻度磨耗。m3稍萌出。该个体的年龄为24～26个月。

左下颌骨，下颌骨从角长301.2毫米，齿槽间隙长58.8毫米，p2前下颌骨高33.5毫米，下颌骨垂直部中部高130.2毫米，下颌骨垂直部远口侧高123.4毫米。

右下颌骨，下颌骨从角长301.8毫米，齿槽间隙长59.2毫米，p2前下颌骨高33.2毫米，下颌骨垂直部中部高129.5毫米，下颌骨垂直部远口侧高123.1毫米。

2. 骨骼

骨骼可鉴定标本数合计83件，最小个体数为5。另有少量碎骨。骨骼大多经过人为改造破坏，少见保存完整者。依解剖部位统计并拣选典型标本描述如下。

（1）头骨碎片

1组。推测为1件头骨的少量碎片，不能拼合。

（2）残角芯

1件（G1：B68；图11-2-4）。为角芯基部残段。横断面呈圆形，向梢端变细，基部最大径约43.5毫米，表面带纵向孔状纹理。

（3）残椎骨

8件。残寰椎1件，残枢椎1件，残颈椎3件，残胸椎1件，残腰椎1件，残尾椎1件。

（4）残髋骨臼

2件。左右各1件。

（5）残肩胛骨

3件（左2、右1）。左肩胛骨（G1：B46；图11-2-1），远端残失，肩胛冈及肩胛臼稍残。肩胛颈最小长40.9毫米，肩胛结最大长66.1毫米，肩臼长55.4毫米。内侧可见植物根系侵蚀痕迹。

（6）残肱骨

7件（左4、右3）。尺寸较小，均为青年个体。

右肱骨（C4：B1；图11-2-2）仅残留远端及部分骨干。远端最大宽69.5毫米，滑车最大宽63.4毫米。

（7）残桡尺骨

5件（左3、右2）。左尺骨1件，远端愈合，尺寸较大，成年个体；左、右桡骨各2件，均为青年个体。

左尺骨（ⅣT0306②：B1；图11-2-6），远端残断，近端有切割痕迹。鹰嘴长98.9毫米，跨过钩突厚69.1毫米，鹰嘴厚51.8毫米，跨过冠状突宽33.9毫米。

左桡骨（G1：B33）与右桡骨（G1：B31）的远端均残，左右对称，出自同一个体。左桡骨近端宽72.6毫米，近端关节面宽66.5毫米，骨干最小宽34.7毫米；右桡骨近端宽73.4毫米，近端关节面宽66.1毫米，骨干最小宽34.7毫米。

（8）尺腕骨

1件（右）。

（9）残掌骨

4件（左2、右2）。2件左侧及1件右侧掌骨为青年个体，另1件右侧掌骨尺寸很小，幼年个体。

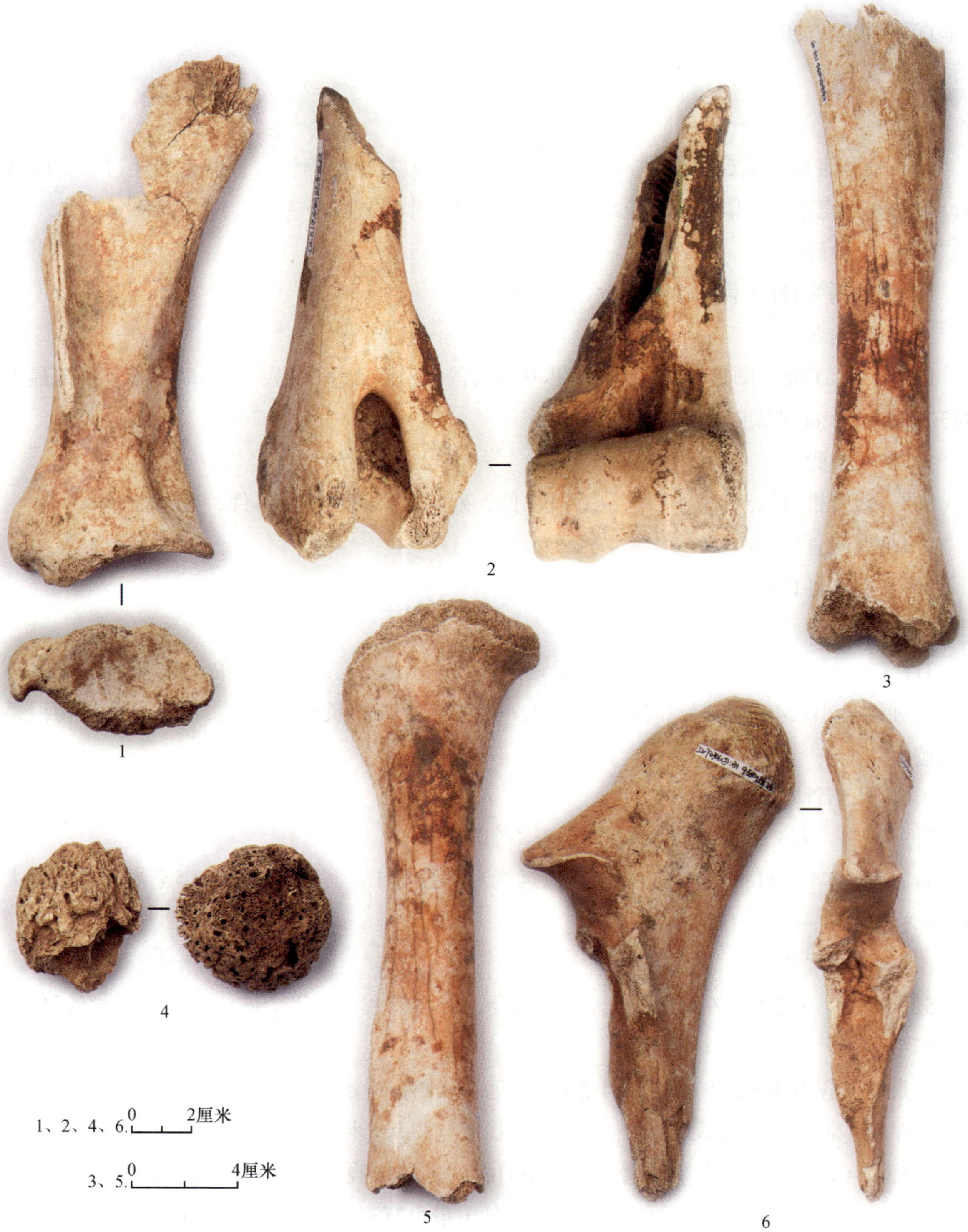

图11-2　黄牛骨骼

1. 左肩胛骨（G1：B46）　2. 右肱骨（C4：B1）　3. 右胫骨（G1：B51）　4. 残角芯（G1：B68）　5. 右股骨（G1：B49）　6. 左尺骨（ⅣT0306②：B1）

左掌骨（G1：B25）与右掌骨（G1：B26）左右对称，远端残，未愈合。左掌骨骨干有啮齿类啃咬痕迹，近端宽55.3毫米，近端厚32.9毫米，骨干最小宽25.8毫米，最小厚21.4毫米。右掌骨近端宽54.2毫米，近端厚34.1毫米，骨干最小宽25.4毫米，最小厚20.8毫米。

（10）残股骨

6件（左3、右3）。3件左股骨近端，2件右股骨近端，1件残右股骨，均为青年个体。

右股骨（G1：B49；图11-2-5），近端未愈合，股骨头与大转子均残失，远端残断，骨干表面有明显的植物根系侵蚀痕迹。残长217.9毫米，骨干最小宽32.4毫米。

（11）残髌骨

1件（左）。

（12）残胫骨

7件（左2、右5）。2件残左胫骨为青年个体；4件残右胫骨为青年个体，1件右胫骨为幼年个体。

右胫骨（G1：B51；图11-2-3），近端与远端残，远端未愈合。骨干最小宽32.1毫米，残长238.2毫米。

（13）跟骨

5件（左3、右2）。左跟骨（TG44③：B98），保存完好。最大长140.8、最大宽59.7毫米。

（14）距骨

5件（左2、右3）。右距骨（TG44③：B95），微残。外半部最大长74.8、最大厚42.3毫米；内半部最大长70.2、最大厚39.8毫米；远端最大宽50.7毫米。

（15）第二与第三跗骨

2件。左右各1件。

（16）残中央跗骨/第四跗骨

3件（左1、右2）。

（17）残跖骨

5件（左2、右2、骨干碎片1）。2件左残跖骨分别为青年和成年个体，2件右残跖骨也分别为青年和成年个体。

右跖骨（TG44③：B92），保存完整，骨干近端腹侧可见明显的植物根系侵蚀痕迹。骨表面完好，未见病变痕迹。远端已愈合。最大长215.9、近端宽54.3、近端厚48.3毫米；骨干最小宽32.7、骨干最小厚26.9毫米；远端宽67.1、远端厚37.5毫米。

右跖骨（G1：B28），近端稍残，远端未愈合，骨干较细长，远端稍膨大。最大长209.1、近端厚41.6毫米；骨干最小宽22.2、最小厚21.9毫米；远端宽50.6、远端厚29.4毫米。

（18）掌跖骨远端滑车

1件。

（19）第一指节骨

10枚。标本（G1：B19），微残。最大长56.8、近端最大宽25.1、骨干最小宽21.8、远端最大宽23.9毫米。

（20）第二指节骨

6枚。标本（G1：B14），远端残破。最大长50.1、骨干最小宽25.4毫米。

（21）第三指节骨

1枚（G1：B12）。保存完整，蹄底最大对角线长82.6、背侧面长63.8、蹄底中部宽29.6毫米。

（二）材料分析

1. 黄牛的确定

贵州地区饲养的家牛主要以水牛、黄牛为主。海龙囤此次出土的牛材料主要为青年个体，但从角芯断面形态，以及部分长骨，特别是桡尺骨的关节形态观察，均符合黄牛骨骼的基本形态特征，海龙囤所出牛骨材料属黄牛无疑。

2. 年龄结构

（1）黄牛牙齿的年龄分析

黄牛齿列或游离齿的可鉴定标本数为14，最小个体数为2。可鉴定标本的年龄主要分布在24～32个月之间。从牙齿标本观测，海龙囤黄牛主要为2～2.5岁左右的青年个体。

（2）黄牛长骨的年龄分析

黄牛四肢长骨标本合计34，最小个体数为5，均能判断年龄（表11-1）。

残肱骨共7件，4件左残肱骨及3件右残肱骨均为青年个体。残桡尺骨共5件，1件左尺骨，尺寸较大，成年个体；左、右桡骨各2件，均为青年个体。残掌骨共4件，2件左侧及1件右侧掌骨为青年个体，1件右侧掌骨尺寸很小，幼年个体。残股骨共6件，3件左股骨近端，2件右股骨近端，1件残右股骨，均为青年个体。残胫骨共7件，2件残左胫骨为青年个体；4件残右胫骨为青年个体，1件右胫骨个体为幼年个体。残跖骨共5件，2件左残跖骨分别为青年和成年个体；2件右残跖骨也分别为青年和成年个体；1件跖骨骨干碎片为成年个体。

表11-1　黄牛可鉴定长骨的年龄分布表

序号	可鉴定长骨	幼年/件	青年/件	成年/件	小计/件
1	残肱骨（左4、右3）		7		7
2	残桡尺骨（左3、右2）		4	1	5
3	残掌骨（左2、右2）	1	3		4
4	残股骨（左3、右3）		6		6
5	残胫骨（左2、右5）	1	6		7
6	残跖骨（左2、右2、骨干1）		2	3	5
合计	最小个体数5	2	28	4	34

在全部34件四肢长骨之中，幼年标本2件，占5.8%；青年标本28件，占82.4%；成年标本4件，占11.8%。长骨分析表明黄牛以青年个体为主，而成年个体和幼年个体很少。

（3）综合分析

从黄牛牙齿和长骨分析可知，海龙囤出土的黄牛以青年个体为主，年龄在2～2.5岁左右，四肢长骨尚未完全愈合，并不适合役用。

3. 骨骼可鉴定标本的解剖位置分布

黄牛骨骼可鉴定标本合计83件，最小个体数为5；分布频率百分比=可鉴定标本数/对应解剖位置骨骼数×5×100%；为评估方便，将分布频率以百分比差异分为三个等级：高分布频率（≥30%）、中分布频率（≥10%，<30%）、低分布频率（<10%）。

黄牛可鉴定标本的解剖位置分布如图11-3所示：

四肢的主要长骨（肱骨、桡尺骨、掌骨、股骨、胫骨、跖骨），前肢的肩胛骨，后肢跗关节的主要不规则骨（跟骨、距骨、中央/第四跗骨）均具有高分布频率（≥30%）。上述骨骼部位具备质优量大的肉食。

中轴部位的部分骨骼（头骨、角芯、髋骨）具有中分布频率（≥10%，<30%），部分骨骼（椎骨）具有低分布频率（<10%）。四肢的部分末梢骨（第一指节骨、第二指节骨），以及后肢膝关节的髌骨均具有中分布频率（≥10%，<30%）；四肢的部分末梢骨（第三指节骨），以及四肢掌跖骨的远端残片均具有低分布频率（<10%）。上述骨骼部位可获取的肉食很少。

从黄牛骨骼可鉴定标本的解剖位置分布来看，海龙囤黄牛具有较明显的肉食利用倾向。

4. 役用病变观察

役牛骨骼的形变主要集中在掌跖骨与指节骨之上，为评估方便，参照相关研究[①]，将形变等级分为：无形变、轻度、中度、重度四个等级。

海龙囤出土黄牛四肢长骨以青年个体为主，这些骨骼表面保存完好，并无任何形变或病变痕迹。出土第一指节骨10枚，第二指节骨6枚，第三指节骨1枚，共计17枚指节骨；仅其中2枚第一指节骨有轻度病变痕迹，描述如下。

标本TG44③：B89，保存完好。最大长67.6、近端最大宽34.9、骨干最小宽28.6、远端最大宽32.1毫米，推测为成年个体前足第一指节骨。近端内侧与腹侧交界处有鼓突状的外生骨疣，表面带点状纹理，为轻度病变。

标本TG44③：B63，近端稍残。最大长62.1、骨干最小宽25.6、远端最大宽29.1毫米，推测为成年个体后足第一指节骨。近端内侧与腹侧交界处有鼓突状的外生骨疣，表面有点状纹

① Laszlo Bartoziewicz, Draught Cattle, Their Osteological Identification and History, *Annales Sciences Zoologiques*, Vol. 281, 1997, pp.7-146.

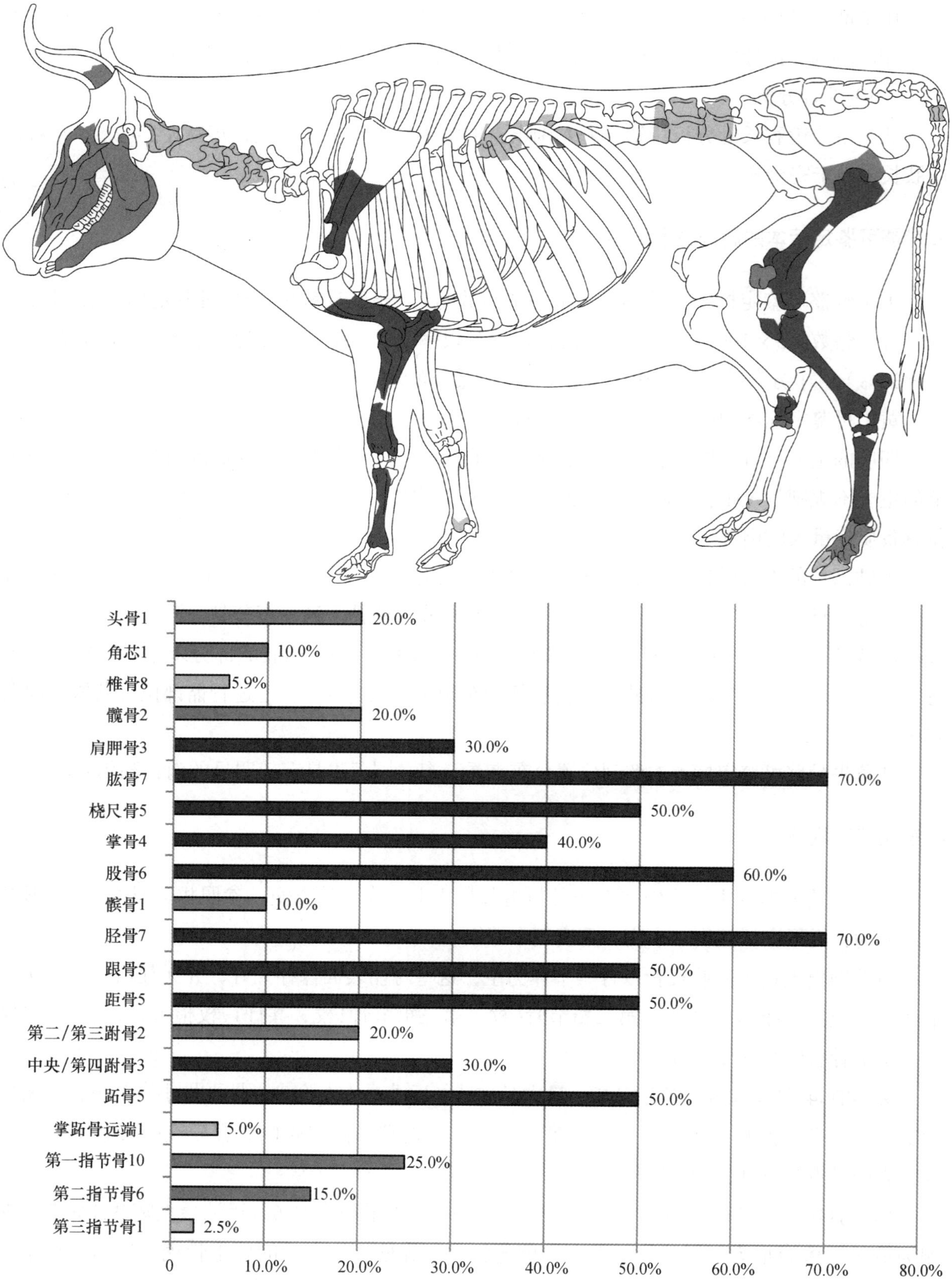

图11-3　黄牛骨骼解剖位置分布图

（黄牛骨骼可鉴定标本数为83，最小个体数为5）

理，为轻度病变。

其他指节骨的表面光滑自然，或稍有增生的骨质，但均属正常形变范围之内。需要指出的是，这些未见任何病变的指节骨，其测量尺寸明显更小一些，应属于青年个体。

海龙囤黄牛的役用病变很少见，且程度不高，未反映明显的役用倾向。

（三）认识

海龙囤出土的这批牛类材料属于家养的黄牛，以青年个体的骨骼为主，成年个体的很少。青年个体骨骼未见役用病变痕迹，成年个体可见轻微的役用病变痕迹，其役用强度不大。结合可鉴定长骨的解剖位置分布推测，海龙囤出土黄牛以青年个体为主，主要用于肉食。

二、马

（一）出土材料

1. 齿列及游离齿

出土齿列12组，游离齿10枚，最小个体数为2。其中门齿列4组，游离门齿2枚。犬齿3枚。颊齿齿列8组，游离颊齿5枚。

（1）左上门齿列I1与I2（TG44③：B18）

I1的咀嚼面长10.4、宽16.1毫米；I2的咀嚼面长10.8、宽15.2毫米。I1与I2的咀嚼面呈圆三角形，齿坎呈小的三角形，齿星呈线状。年龄约9岁。

（2）右上门齿列I1—I3（TG44③：B85）

I1与I2的咀嚼面呈圆三角形，I1的更长一些，两者的齿坎均呈小圆形，齿星呈线状。I3的咀嚼面呈狭长的三角形，齿坎呈扁三角形，齿星也呈线状。年龄约10岁。

（3）左下门齿列i1与i2（TG44③：B15）

咀嚼面稍残，呈圆三角形，齿坎呈小的扁椭圆形，齿星呈线状。i1长8.1、宽13.2毫米；i2宽14.5毫米。年龄约10岁。

（4）右下门齿列i1与i2（TG44③：B86）

咀嚼面稍残，呈圆三角形，齿坎呈小的扁椭圆形，齿星呈线状。i1宽13.5毫米；i2宽14.7毫米。年龄约10岁。

（5）左下门齿i3（TG44③：B16）

咀嚼面呈扁三角形，齿坎呈小圆形，齿星呈短粗线状。长9.8、宽16.3毫米。年龄约12岁。

（6）右下门齿i3（TG44③：B5）

咀嚼面同标本TG44③：B16。长9.9、宽16.2毫米。年龄约12岁。

（7）左上犬齿（TG44③：B13）

齿尖部分磨平，齿冠基部长10.6、宽8.9毫米。

（8）左上犬齿（TG44③：B14）

较粗壮，齿冠残破，基部长11.8、宽10.5毫米。

（9）右上犬齿（TG44③：B12）

形态同标本TG44③：B13。齿冠基部长10.5、宽9.1毫米。

（10）左下齿列p3—p4（TG44③：B5）

齿列长46.9毫米。p3长24.1、宽17.2毫米；p4长23.3、宽14.4毫米。

（11）左下m3（TG44③：B1）

齿冠第一叶残破，下次附尖膨大形成跟座。齿冠长30.2、宽11.8毫米。

（12）左下p3（TG44③：B6）

齿冠稍残，下次附尖狭窄。咀嚼面长23、宽18.1毫米。

（13）右下齿列p3—m1（TG44③：B2；图11-4-1）

保存好，咀嚼面光洁，p3齿冠第一叶残破。下次尖和下原尖最发达。下中附尖较远离颊侧。下次附尖较明显。p3长27.2、宽17.1毫米；m1长22.4、宽16.1毫米。

（14）右下齿列p3—m1（TG44③：B7；图11-4-2）

齿列长73.4毫米。m1的第二叶稍残。三枚下颊齿的形态相似，下次尖和下原尖最发达，下前尖最高。p3缺失下中附尖。p4与m1的中附尖较远离颊侧。p3长23.9、宽17.2毫米；p4长25.8、宽15.3毫米；m1长24.1、宽11.8毫米。

（15）右下m2（TG44③：B4；图11-4-3）

咀嚼面狭长，第一叶明显高出第二叶。下前附尖和下次附尖均较发育，下次附尖呈圆形。长24.1、宽11.9毫米。

（16）右下m3（TG37②：B1）

1件。残破。

（17）左上齿列P3—M2（TG44③：B10；图11-4-5）

齿列长105.2毫米。P3与P4的齿冠相对低矮，圆滑；M1与M2的齿冠更高，更方正。P3与P4的原脊和后脊发达，次尖沟狭小；M1的次尖沟稍大，M2的更大。P3长26.6、宽27.1毫米；P4长23.6、宽24.1毫米；M1长26.5、宽24.6毫米；M2长29.4、宽23.1毫米。

（18）左上齿列P2—P4（TG44③：B17；图11-4-4）

齿列长80毫米。P2的咀嚼面呈三角形，后尖最高，次尖沟较小。P3与P4的齿冠较低，前脊与后脊发达，次尖沟更小。P2长33.4、宽21.7毫米；P3长24.8、宽25.4毫米；P4长22.1、宽25.8毫米。

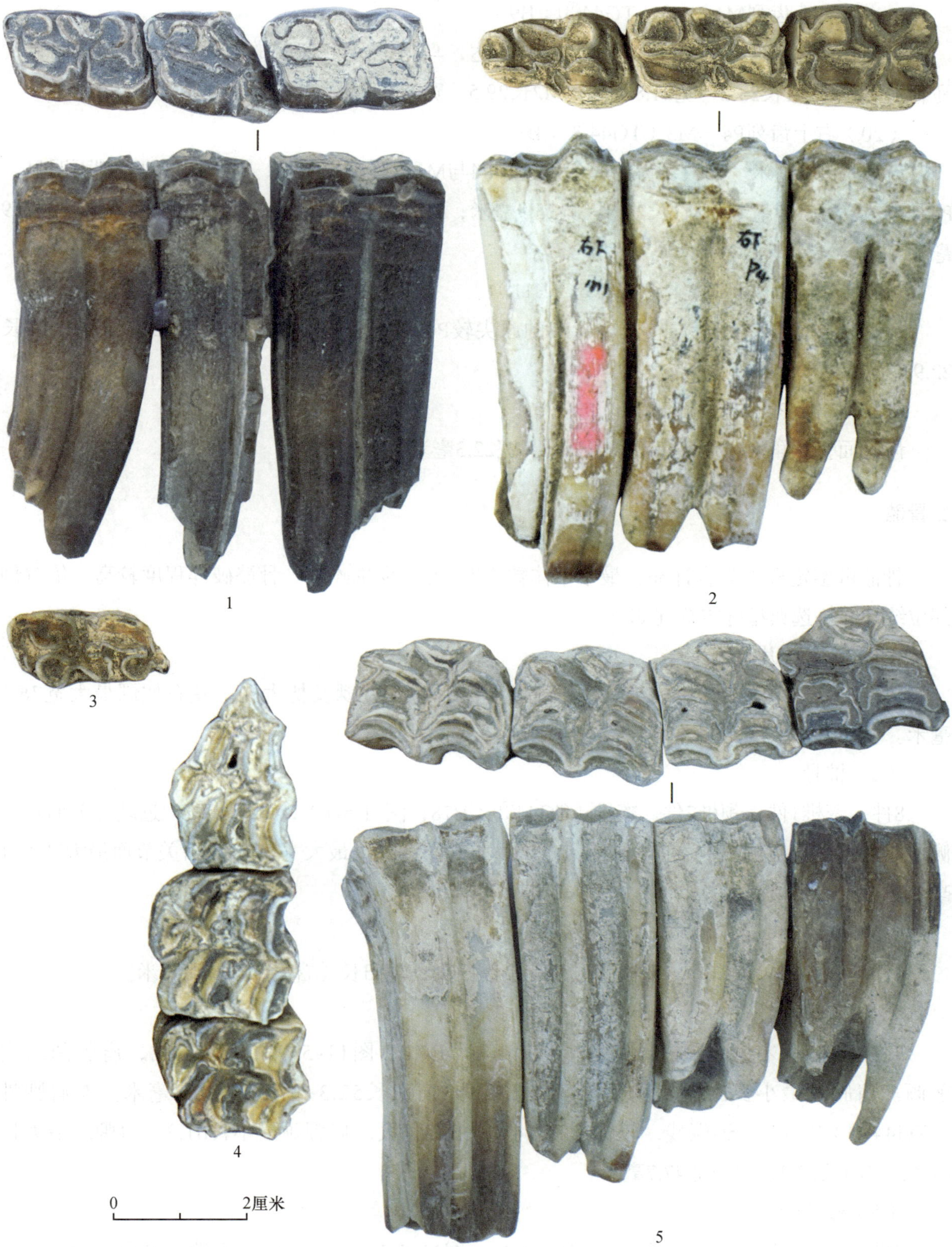

图11-4　马牙

1. 右下齿列p3—m1（TG44③：B2）　2. 右下齿列p3—m1（TG44③：B7）　3. 右下m2（TG44③：B4）　4. 左上齿列P2—P4（TG44③：B17）　5. 左上齿列P3—M2（TG44③：B10）

（19）右上齿列M1—M2（TG44③：B9）

齿列长52.1毫米。M1的原尖较M2的更发达，马刺小而锐；M2的前附尖较M1的更明显，马刺不明显。M1长23.2、宽21.8毫米；M2长29.5、宽22.8毫米。

（20）右上齿列P4—M3（TG44③：B8）

齿列长98.2毫米。四枚颊齿的原尖发达。P4与M1的马刺较明显，M2与M3的马刺不明显。P4长27.6、宽25.5毫米；M1长26.8、宽25.9毫米；M2长24.6、宽24.2毫米；M3长25.1、宽20.9毫米。

（21）右上齿列P3—P4（TG44③：B11）

齿列长46毫米。齿冠均较低矮。P3的原尖较P4的更发达。P3长23.1、宽25.9毫米；P4长22.9、宽23毫米。

（22）右上P2（TG44③：B87）

齿冠面呈三角形，后尖最高。长33.6、宽22.3毫米。

2. 骨骼

骨骼可鉴定标本数合计66，最小个体数为7，另有少量碎骨。骨骼破碎程度较高。依解剖部位统计并拣选典型标本描述如下。

（1）头骨碎片

1件（TG44③：B79）。为马颅部基枕骨残片，带枕髁及枕大孔。左右枕髁最大宽76.1毫米。

（2）椎骨

8件，寰椎1件，颈椎7件。寰椎（TG44③：B78；图11-5-1），两翼残破，近端关节面在腹侧形成深弧形，腹侧结节不向远端突出。最大长94.5、椎翼最大宽129.7、后关节面最大宽80.1毫米。

（3）残髋骨

1件（TG44③：B77）。左髋骨残片，带髋臼窝，髋臼长（含唇缘）61.8毫米。

（4）残肩胛骨

4件（左2、右2）。左肩胛骨（TG44③：B72；图11-5-9），远端残，肩胛冈结实前倾。肩胛颈最小长57.7、肩胛结最大长79.9、肩臼长52.3、肩臼宽40.3毫米。左肩胛骨（TG44③：B73），远端残，较标本TG44③：B72稍大。肩胛颈最小长61.3、肩胛结最大长81.4、肩臼长52.2、肩臼宽47.7毫米。

（5）残肱骨

4件（左1、右3）。残右肱骨（G1：B36；图11-5-5），近端残，远端未愈合，为青年个体。冠突窝大致水平，中间无隔断；鹰嘴窝也更接近水平。骨干最小宽27.9毫米，远端最大宽70.9毫米，滑车最大宽63.1毫米。

（6）残桡尺骨

10件（左2、右7、骨干碎片1）。左尺骨近端2件；右尺骨近端1件，右桡尺骨6件；桡骨骨干碎片1件。

右尺骨（G1：B7；图11-5-4），尺骨头残，未愈合；远端与桡骨愈合处残。跨过钩突厚52.4、鹰嘴厚43.9、跨过冠状突宽33.3毫米。

右桡骨远端（TG44③：B48），与桡骨骨干连接处未愈合。远端宽67.5、远端关节面宽60.1毫米。

（7）残掌骨

7件（左2、右5）。左残掌骨2件，右残掌骨4件，右掌骨远端1件。

右掌骨（TG44③：B35；图11-5-3），保存完整，未与第二、四掌骨愈合。骨表未见病变痕迹。最大长211.1、近端宽48.7、近端厚30.7、骨干最小宽33.1、骨干最小厚23.7、远端宽47.4、远端厚31.7毫米。

右掌骨（TG44③：B36），近端稍残，未与第二、四掌骨愈合。骨表可见植物根系侵蚀痕迹。最大长205.1、骨干最小宽31.3、骨干最小厚22.9、远端宽46.7、远端厚32.7毫米。

（8）股骨远端

1件（左）。与骨干未愈合，青年个体。

（9）残髌骨

1件（左）。

（10）残胫骨

8件（左5、右3）。标本TG44③：B65，左胫骨骨干，保留了部分远端关节，骨干最小宽35.1毫米。标本TG44③：B63，右侧胫骨，保存完好，骨骼表面光洁，无病变，有少量植物根系侵蚀痕迹。最大长326.5、近端最大宽85.9、骨干最小宽34.8、远端最大宽65.3、远端最大厚40.6毫米。

（11）跟骨

4件（左3、右1）。左跟骨（TG44③：B52；图11-5-2），近端稍残。最大长105.9、最大宽49.6毫米。

（12）距骨

2件（右）。右距骨（TG44③：B57；图11-5-6），稍残。最大高59.1、最大宽59.6、远端关节面宽49.1、距骨内侧部长57.4毫米。

（13）残跖骨

6件（左1、右2、骨干3）。右第三跖骨（TG44③：B42）远端残。近端宽43.1、近端厚34.7、骨干最小宽30.2、骨干最小厚23.3毫米。

（14）第一指节骨

5件。标本TG44③：B30（图11-5-7），完好。最大长78.3、近端最大宽45.7、近端关节面宽42.2、近端厚23.6、骨干最小宽33.9、远端最大宽52.4、远端关节面宽48.4毫米。

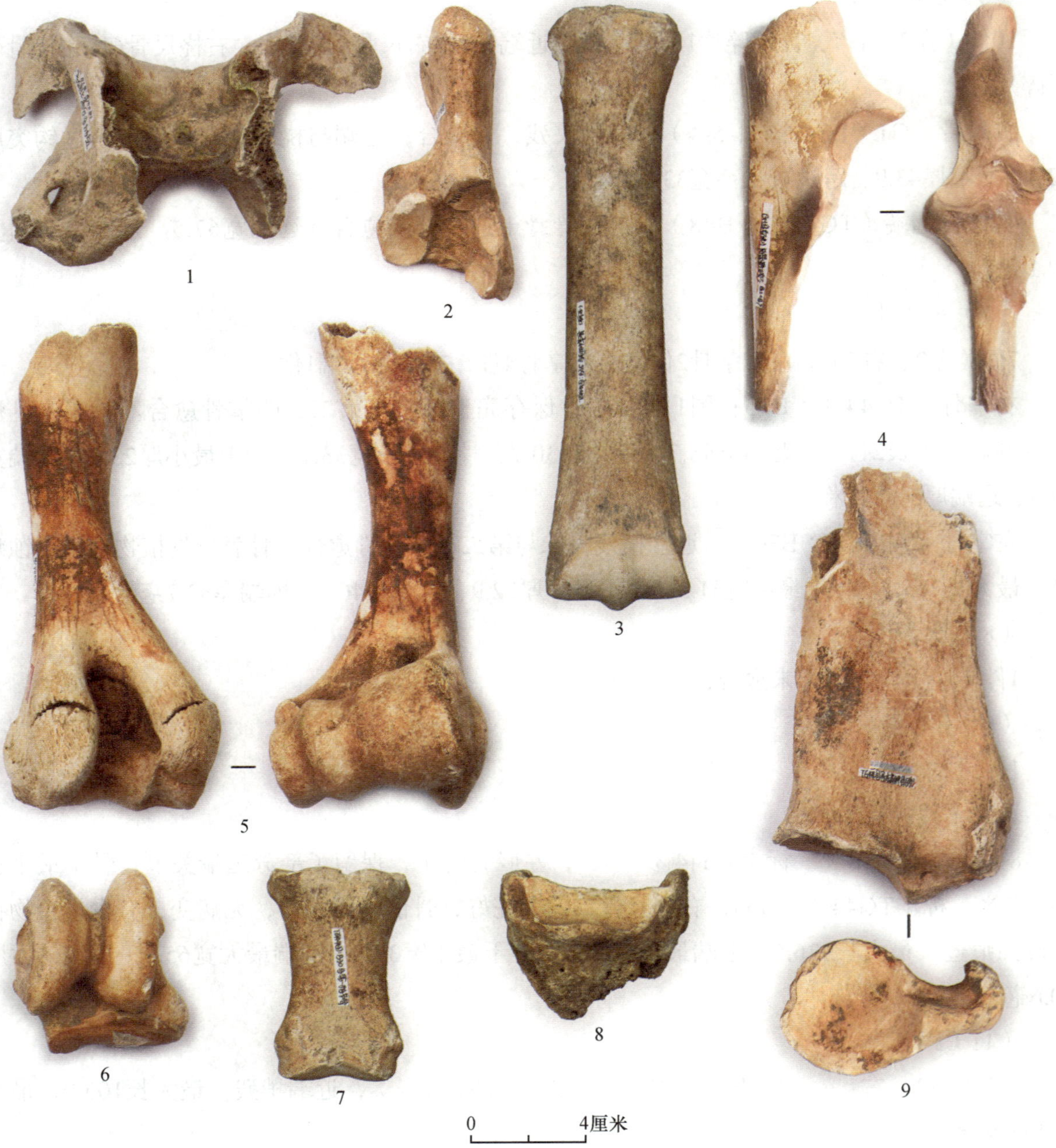

图11-5　马骨骼

1. 寰椎（TG44③：B78）　2. 左跟骨（TG44③：B52）　3. 右掌骨（TG44③：B35）　4. 右尺骨（G1：B7）　5. 残右肱骨（G1：B36）　6. 右距骨（TG44③：B57）　7. 第一指节骨（TG44③：B30）　8. 第三指节骨（TG44③：B25）　9. 左肩胛骨（TG44③：B72）

（15）第三指节骨

4件。标本TG44③：B25（图11-5-8），基本完好。最大长55、最大宽64.9、关节面长23.1、关节面宽47.5、背侧面长46.6、伸突区域高36.6毫米。

（二）材料分析

1. 马的确定

现代贵州地区饲养的马科动物包括马、驴、骡等，明代贵州的饲养情况有待进一步研究。海龙囤此次出土的马科动物材料在牙齿形态上具有如下特征：上臼齿的原尖发达且不对称；下臼齿齿冠的舌侧弯曲呈明显的U形。总之，其臼齿结构与驴或骡的臼齿具有明显的区别。因此，海龙囤的这批马科材料无疑均为马。

西南地区的马匹一般个头不高，躯干长与肩高相比较显得偏短，能够很好地适应崎岖的山区地貌。为进一步观察海龙囤马的骨骼特征，现将海龙囤材料与重庆、四川、云南等地的现代家马进行初步的比较研究（表11-2）。

通过比较可知，海龙囤马的体型相对高大，其尺寸数据明显大于重庆、四川、云南等地的普通马，以及云南的矮马。这表明海龙囤马很可能代表了播州地区所饲养的良马（说详见后文）。

表11-2　海龙囤马与川、渝、滇现代家马的测量比较　（单位：毫米）

项目	海龙囤马	重庆普通马	四川普通马	云南普通马	云南矮马
肱骨长	—	243	245	241	217
桡尺骨长	—	321	323	320	292
第三掌骨长	211（标本TG44③：B35） 205（标本TG44③：B36）	186	189	185	176
股骨长	—	322	324	321	283
胫骨长	327（标本TG44③：B63）	295	297	291	274
跖骨长	242（标本TG44③：B39）	215	216	212	247
跟骨长	106（标本TG44③：B52）	72	73	72	70

注：重庆普通马材料采自重庆永川，四川普通马材料采自四川宜宾，均由本文作者完成；云南马材料参照解德文、罗启龙、陈官平等的文章①

2. 年龄结构

（1）马齿的年龄分析

马的门齿齿列及游离齿的可鉴定标本数为6，最小个体数为1。从门齿的磨耗程度观察，马的年龄在9～12岁左右。

（2）马长骨的年龄分析

马的可鉴定长骨标本共计35件，最小个体数为7，其中18件可判断年龄（表11-3）。

残肱骨共4件（左1、右3），远端未愈合，骨干尺寸小，均为青年个体。残桡尺骨共10件

① 解德文、罗启龙、陈官平等：《云南矮马骨骼及内脏器官初步研究》，《云南畜牧兽医》1995年增刊。

（左2、右7、骨干1），仅2件可以观察到远端，1件远端未愈合，为青年个体；另外一件已经愈合，为成年个体。残掌骨共7件（左2、右5），远端已愈合，或近端已经与第二、四掌骨愈合，均为成年个体。残胫骨共8件（左5、右3），其中3件可以观察到远端，均已经愈合，为成年个体。残跖骨共6件（左1、右2、骨干3），其中2件可以观察到远端，均已愈合，为成年个体。

表11-3　海龙囤马可鉴定长骨的年龄分布表

序号	可鉴定长骨	幼年/件	青年/件	成年/件	不明/件	小计/件
1	残肱骨（左1、右3）		4			4
2	残桡尺骨（左2、右7、骨干1）		1	1	8	10
3	残掌骨（左2、右5）			7		7
4	残胫骨（左5、右3）			3	5	8
5	残跖骨（左1、右2、骨干3）			2	4	6
合计	最小个体数7		5	13	17	35

在可判断年龄的18件长骨之中，5件为青年个体，占27.7%；13件为成年个体，占72.3%。长骨分析表明马的年龄结构以成年个体为主，青年个体较少。

（3）综合分析

综合马门齿和长骨分析可知，海龙囤出土的马以成年体（＞4岁）为主，部分马的年龄在9～12岁左右（现代畜牧学资料认为3～15岁的马最健壮，最适于役用），恰好属于最健壮的年龄阶段。

3. 骨骼可鉴定标本的解剖位置分布

马骨骼可鉴定标本合计66，最小个体数为7；分布频率百分比=可鉴定标本数/对应解剖位置骨骼数×7×100%。

马可鉴定标本的解剖位置分布如图11-6所示：四肢的部分长骨（桡尺骨、掌骨、胫骨、跖骨）具有高分布频率（≥30%）。前肢的肩胛骨与肱骨，后肢跗关节的部分不规则骨（跟骨、距骨），以及四肢的部分末梢骨（第一指节骨、第三指节骨）等具有中分布频率（≥10%，＜30%）。中轴部位的髋部，后肢的股骨、髌骨等具有低分布频率（＜10%）。

与前述牛的数据相比较，马具有高分布频率的长骨种类明显更少。另外，马长骨的完好程度明显优于牛长骨。由此可见，海龙囤遗址在对牛和马的肉食利用程度上具有明显的区别，牛曾明显被用作肉食，而马则较少被用作肉食。

4. 役用痕迹观察

参照役牛骨骼的形变划分等级，对马的掌跖骨、指节骨以及桡尺骨进行观察。

第一指节骨共5件，其中2件呈现轻度病变痕迹；第三指节骨共4件，未见病变痕迹。标本TG44③：B32腹面内侧与外侧均可见珠状堆积的外生骨疣，其余骨表面较光滑，病变程度属于

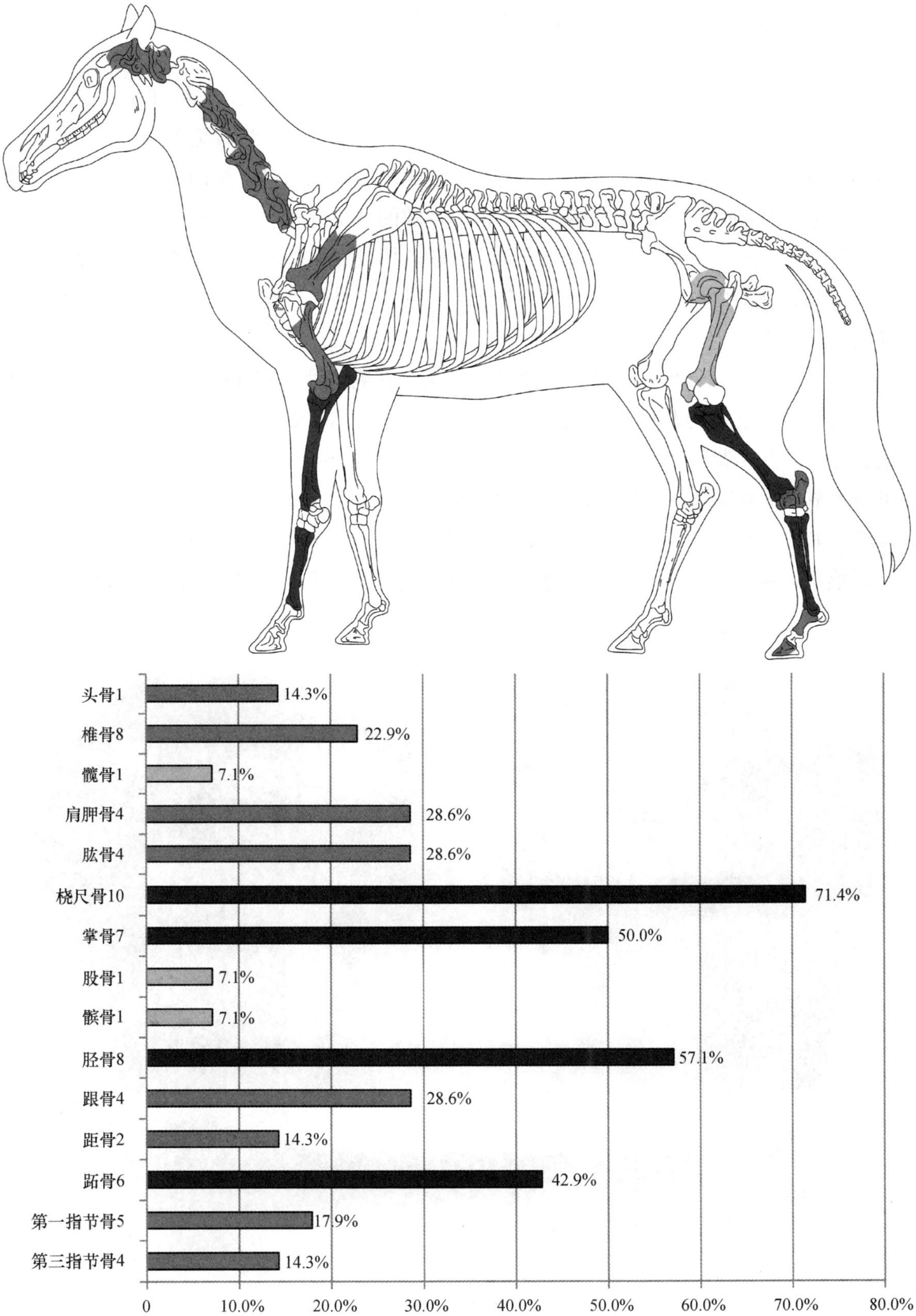

图11-6　马骨骼解剖位置分布图

（马骨骼可鉴定标本数为66，最小个体数为7）

轻度。标本TG44③：B30腹面也有少量珠状堆积的外生骨疣，其余骨表面较光滑，病变程度属于轻度。

残跖骨共6件（左1、右2、骨干3），其中1件右侧第三跖骨（TG44③：B39）具有重度病变痕迹（图11-7），该标本保存完好，骨干有破损。远端已愈合。骨表呈黄褐色。近端已经与第二、四跖骨，以及第一跗骨（第一跗骨的后面残断）、第三跗骨、第四跗骨、中央跗骨等完全愈合在一起。从跖骨近端前面观察，可见带小孔隙的外生骨疣包覆第三跗骨、中央跗骨及第四跗骨。从端面观察，可见中央跗骨与第四跗骨联合构成的关节面出现了明显的形变：整个关节面前低后高，往前倾斜。中央跗骨的关节面还可见内、外侧方向的压痕。推测该个体曾经历重负荷的役用过程。

桡骨共7件，其中2件可见轻度到中度形变痕迹。右侧桡骨（TG44③：B46；图11-8）近端内侧可见明显的压痕，其表面平整，富有光泽；压痕上缘呈圆底V字形，下缘也呈V字形，表明有绳索经过此处并往背部延伸（图11-8-2）。压痕上下长约36毫米，左右最大宽约28毫米，上缘距离近端关节面约31毫米。从前侧观察（图11-8-3），压痕呈平底U形，最深约3毫米。右侧桡骨（TG44③：B47）的近端内侧具有相似的压痕，表面平整，但不及标本（TG44③：B46）明显。

从压痕形态推测，马匹在驮运货物时，使用了绳索环绕前肢内侧，再固定马背负载的绑缚

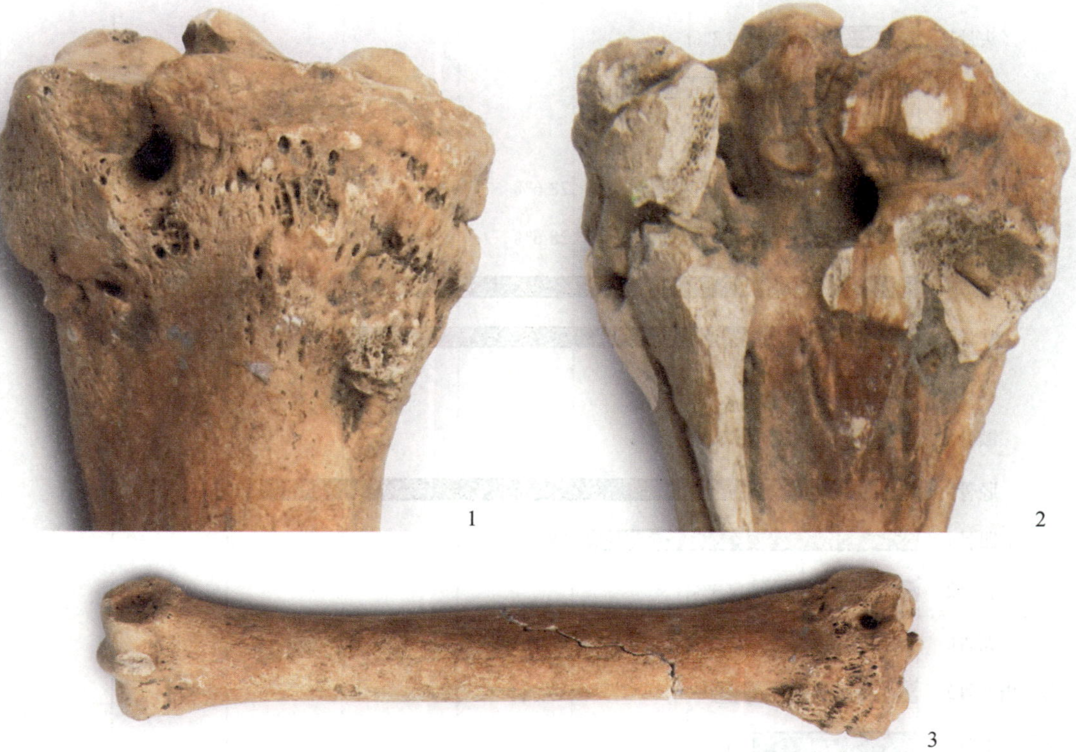

1　2

3

图11-7　马骨的役用病变（一）

1、2. 第三跖骨近端前、后面视：可见近端已经与第二、四跖骨，以及第一跗骨、第三跗骨、第四跗骨、中央跗骨等完全愈合在一起

3. 完整的第三跖骨（TG44③：B39）

方式（图11-8-1）。这种绑缚方式能够防止货物在马匹爬坡时从马背往后滚落。压痕的形成表明该绑缚方式曾较频繁地应用，以至马匹的桡骨内侧发生了相应的形变。

总之，海龙囤马的役用痕迹较黄牛的更为常见一些，且具备重度病变的案例，具有较明显的役用倾向。

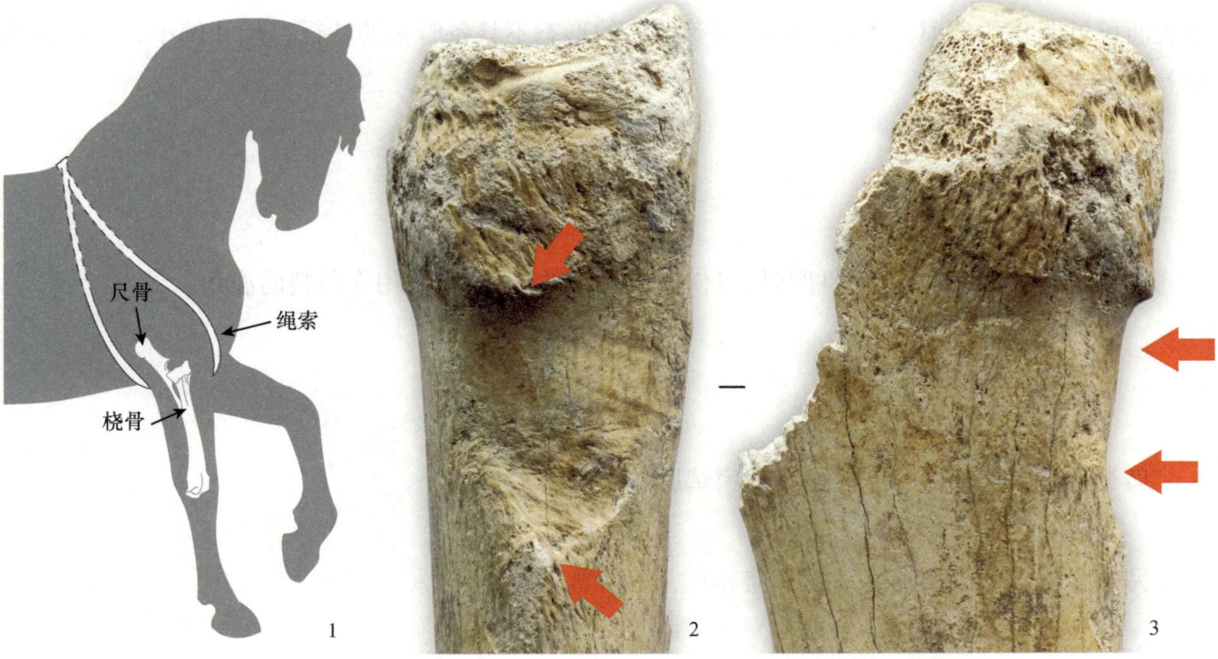

图11-8　马骨的役用病变（二）

1. 绳索绑缚示意图（绳索环绕马的前肢内侧，对桡骨近端内侧形成压迫）　2. 右侧桡骨（TG44③：B46；近端内侧视图：可见明显压痕，其上下端均呈V字形，表明绳索往背部延伸）　3. 右侧桡骨（TG44③：B46；近端前侧视图，可见压痕呈平底U字形）

（三）认识

海龙囤出土的马科材料属于家养的马，以成年个体（＞4岁）为主，部分马的年龄在9～12岁左右，恰好位于最健壮的年龄阶段。役用病变痕迹较少，以中度为主，还观察到有特色的从前肢内侧绕系绳索进行绑缚的方式。结合可鉴定长骨的解剖位置分布推测，海龙囤马以健壮的成年个体为主，主要用于役用。

三、猪及其他动物骨骼

海龙囤出土动物骨骼以黄牛、马两种动物为主，其他动物骨骼较少。简述如下。

（一）家猪

家猪骨骼残片共计17件，包括犬齿、门齿、前臼齿以及寰椎、髋骨、肱骨、股骨、掌跖骨、指节骨等部位的骨骼，兼有雄性与雌性、青年个体与成年个体，骨骼破碎程度高，部分骨骼表面可见明显的刀痕。犬齿、前臼齿等牙齿的形态不具备野猪的特征，尺寸偏小，应是就地饲养的家猪。

（二）麂与鹿

数量很少。仅发现麂的1件跟骨，1件制成角锥的鹿角，1段用作角料的鹿角。

（三）鸟类

鸟类骨骼碎片4件，其中1件疑似家鸡肱骨破片。

另有少量其他小型哺乳动物骨骼碎片，不可鉴定。

四、骨角制品

遗址内还出土少量骨角制品及原材料。

骨管　1件。TG44③：37，截取管状骨制作而成，表面饰圈点纹。长2.13、最大径2.5厘米。

穿孔角锥　1件。G2②：31，采用鹿角简单削制而成，末端钻有穿系孔。表面经握持使用后显得较光滑。全长约11.24、末端最大径1.77、穿孔直径0.72厘米。

戥子残段　1件。F10①：12，采用哺乳动物长骨厚壁磨制，细长杆形，表面用烧灼法制作精细凹点，以标示十进制衡量单位。残长4.3、最大径0.4厘米。

另外发现带加工痕迹的鹿角残段1件以及2件用作骨料的肢骨料。

五、小　　结

综合前文所论，可以形成以下认识。

第一，海龙囤出土动物骨骼绝大多数应为播州土司的遗存。囤上出土的数量不菲的动物骨骼主要见于新王宫与铁柱、铜柱、西关三关，以马和黄牛为主，次为猪骨，诸地皆然。从地层堆积看，出土遗骨的各单位往往明、清遗物混出，无法将之俱定为明代遗物，但F9东梢间内堆积可确定为明代遗迹，其内即有牛、猪及部分不辨种属的碎骨出土，且牛骨、猪骨与他处所出者无异。整体而言，新王宫所出遗骨与各关所出者并无形态与尺寸上的差异。另据调查，周边村民有规模养马的历史始于20世纪80年代海龙囤旅游开发之后，此前只有零星饲养，且当地有动物遗骸只能弃之岩下而不加掩埋的民俗。此外，海龙囤部分马骨从前肢内侧绕系绳索的鞍鞯绑缚方式今已不用，应是更早的年代特征。凡此种种皆表明上述遗骨应非近人所遗。与当下海龙囤形成鲜明对比的是，播州杨氏至迟从北宋晚期便有贡马的记录，有明一代更先后贡马117次，最多一次达300匹①。播州之役中，杨应龙败退海龙囤时，曾“用土石填门。门外遗弃牛马并掳掠綦江老幼男妇，俱不暇顾”，此与囤前铁柱关大量牛马遗骨的发现可相互验证；明军此战共夺获牛马1055头，牛有黄牛、水牛（暂无水牛骨发现），马则多处言明系战马②。这些都足见播州彼时牛马养殖之盛。根据文献记载，播军在诸关陷落后遂束手就擒，新王宫内并未发生激战，这里出土的兽骨因此应与明军无关。综合遗骨出土情况及其数量、当地民俗与文献记载，海龙囤所出动物遗骨多应为明代播州土司的遗存。

第二，海龙囤马很可能代表了播州地区饲养的良种“大马”。以往的认识，西南地区的马匹有普通马与矮马两大类。普通马即所谓的西南马，体型通常小于北方马，云贵川地区都有出产，三省之间也应有一定的差异。矮马为西南地区所特有，其肩高一般比当地的普通马要矮10厘米左右，适于山地使用。《平播全书·叙功疏》记播州之役中杨应龙曾“骑海青四明玉顶大马，手提偃月刀”③。“海青”“四明”“玉顶”均指毛色；“大马”则就体型而言。据明人沈榜《宛署杂记·马政》记载：明代重马政，兵部曾以三等二十五色验战马，“三尺七寸以下不准”，即不予采用④。据此，播州土司历次所贡马匹均应为体格健硕的战马，故当有蓄养“大马”的传统，以进贡与自用。测量数据显示，海龙囤马骨尺寸明显大于重庆、四川、云南的现生普通马，表明其非矮马而确为“大马”，即当地土司优选的战马。由于目前缺少现生贵州马及出土马骨数据以资比对，海龙囤马与其他马品种的确切关系尚待界定，播州“大马”体质特征的深入探索也还需更多的当地出土材料予以支撑。无论如何，海龙囤此次出土的马骨对播州马的研究无疑具有重要意义，至少反映了西南地区历史上除已知马品种外，尚有一类“大马”被播州土司广泛蓄养。

第三，海龙囤出土动物骨骼反映了某种应急性、临时性的用途。海龙囤出土动物骨骼以黄

---

① 李飞：《夷夏之间：播州杨氏羁縻·土司墓葬研究》，四川大学博士学位论文，2017年，第319～330页。

② （明）李化龙：《平播全书》卷5《叙功疏》，北京：大众文艺出版社，2008年，第145～172页。

③ （明）李化龙：《平播全书》卷5《叙功疏》，北京：大众文艺出版社，2008年，第147页。

④ （明）沈榜：《宛署杂记》卷9《马政》：“较马以尺，凡三等，四尺以上者为上等，三尺九寸者为中等，三尺八寸者为下等，三尺七寸以下不准”；“别马以色，曰银騧、青沙、红沙、栗色、糖银騧、海骝、枣骝、玉顶、鼻尖、五明、豹肚、四明、玉脸鼻、白沙、桃沙、虎喇、土黄、箄草黄、雪架葡萄、艾叶青、兔騧、麝香青、烂毛青、赤兔胭脂马、的卢马，计二十五种”，北京：北京古籍出版社，1983年，第76页。

牛与马为主；就地饲养的、用于肉食用途的家猪材料并不多；狩猎获得的、用于肉食补充的野生动物材料也很少，仅于厨房（F9）内发现鹿骨1件，另有穿孔鹿角1件（G2②：31）。然而当地实际上具备丰富的野生动物资源，杨氏也有捕食野生动物的习惯[①]。这些线索都表明海龙囤的动物材料很可能是某种应急性的、临时性的用途，而非长期性的用途。这一现象，与我们对动物遗骨时代与产地的判断一致。

第四，海龙囤主要以马为役畜，黄牛主要作肉用。从出土材料来看，马以成年个体为主，部分个体的年龄在9～12岁左右，恰好位于最健壮的年龄阶段。役用病变痕迹已经形成，有重度病变，还可见从前肢内侧绕系绳索的绑缚方式。长骨的出现频率相对较低，但完好程度高，很少经过人工的取食破坏。这些都表明海龙囤马主要用作役畜，而较少肉用，且结合前述文献推知应多为战马。海龙囤的黄牛以青年个体为主，尚不适合役用，未见役用病变痕迹；成年个体很少，仅见少量的轻度役用病变痕迹。长骨的出现频率相对较高，完好程度差，显然经过人工的取食破坏。这批黄牛材料的役用特征不明显，应以肉用为主。综合来看，海龙囤主要使用马匹作为役畜。黄牛拖拽力更大，但不适用于狭窄险要的环境；马匹力量相对较弱，但能更好地适应山高路陡的崎岖地貌，因而成为播州生产与军事的最佳选择。同时，牛、马等动物也可作仪式用牲，如《平播全书》中便有播州土司"杀牛祭旗赏军""砍牛纠苗""剁牛会话""宰杀牛马，歃血为盟""宰杀牛马猪羊，将綦江拿来五司七姓本头枭示，歃血同盟"等记录[②]。

第二节　植物遗存

发掘与调查过程中，我们在新王宫、老王宫与金银库三地有意识地进行土样采集工作，以期有植物遗存发现。开展此项工作的目的有三：①了解明代播州生业状况；②了解美洲作物在播州的传播情况；③借以分析出土单位的性质与功能。经浮选与鉴定，上述三地均有一定数量的植物遗存发现，而以新王宫最丰。出土植物遗存以炭化农作物种子为主，种类丰富，包括水稻、大麦、小麦、燕麦、荞麦、大豆、红豆、粟、黍、龙爪稷、甜荞与苦荞等，水稻占统治地位，暂无美洲作物发现（表11-4）。结合出土植物遗存的种类及其数量、空间分布与文献记载，进一步深化了对播州生业与海龙囤建筑功能的认识。

① （明）何乔新：《勘处播州事情疏》：明成化时，土司杨爱"遇秋至冬差黄保等总督官目子弟打捕猪、鹿、马、熊一万余只，小兽獐鹿不记其数，运回总府"，北京：中华书局，1985年，第81页。

② （明）李化龙：《平播全书》卷4《攻克娄山、崖门等关四报捷音疏》、卷7《塘报播事》《咨贵州集兵》，北京：大众文艺出版社，2008年，第100、234～236页。

一、采样与浮选

土样采集与浮选是发现植物遗存的前提，在此基础上开展实验室鉴定，识别出具体的植物种属。采样与浮选是在田野现场完成的。

（一）采样

2012年9月，在发掘新王宫内F9东梢间时，肉眼观察到其室内底部堆积中含炭化水稻颗粒，从而对该房间内土样进行了全面采集。与此同时，对F8、F10、C4等堆积保存较好（均含较厚黑褐土层）的遗迹单位也开展了土样采集工作。2019年9月，复查老王宫与金银库（均未进行正式发掘）时，也对该两处遗址进行了局部采样。换言之，我们采取的是一种类似于抽样的取样方式，并不能全面反映海龙囤上植物遗存分布的情况。植物遗存的分布情况，取决于土样采集点的选择，采集点的选择取决于地层堆积情况，一些后期破坏较甚的地点未进行土样采集。

因此之故，植物遗存集中发现于新王宫、老王宫与金银库三地，以新王宫内最为丰富。老王宫内，位于磉墩坪的TG47底部堆积（第4层）直接覆盖于F35室内铺地砖上，内含大量瓦砾、瓷片、灰土及炭渣，为明万历时期堆积；新庙南端地坎上有一层较厚的黑土堆积；故对该两个地点进行了土样采集（共34升）。调查发现，金银库西厢（F32-2）西南角铺地砖面上亦有一层含较多炭屑的黑褐色堆积，也进行了少量土样采集（10升）。上述两个地点，均是在调查与试掘过程中，结合堆积情况开展的土样采集，标本量不大，但均有植物遗存发现。新王宫进行了较为全面的揭露，土样采集地点主要分布于F8（含C2、K3、Z1、ⅣT0503；503.8升），F9②（东梢间；235升），C3、C4及临近的ⅣT0809（689.5升），F10（含K7、IT0103；48升）四个区域；土样采集量较大，并均有植物遗存发现，其中F8、F9与C4是核心采样区，对其底部的黑褐色堆积几乎尽数采集。要之，所采取的是针对性采样法。

（二）浮选

采集的土样阴干后用水波浮选仪进行浮选。土样共计1520.3升，量大的单位，按体积均分若干份，每份在21.17～33升之间，均值为24.52升/份；量少的，则视情况分为1～2份后进行浮选；故共有土壤样品63份。

浮选分两次在海龙囤工作站内进行。2016年冬完成了新王宫样品浮选工作（共计60份），2019年9月又浮选了金银库和老王宫内的3份样品。所获植物遗存标本盛于纱布内阴干后，分两次寄往四川大学考古学系进行实验室鉴定，分别由四川大学考古学系研究生赵丹、朱梅完成。

二、样品分析

浮选所获标本，在实验室内以肉眼、放大镜结合低倍显微镜进行观察，通过植物种子图鉴、已发表的考古文献并对比现代植物种子标本确定种属。浮选获取较多炭化植物遗存和少量动物骨骼。炭化植物遗存包括种子、硬果和不明炭化物等，共计79899粒，排除碎种及＜1/2的种子后为26987粒，出土密度为17.75粒/升，比率较高。种子又分农作物与非农作物两大类，以农作物为大宗。农作物包括水稻、大麦、小麦、燕麦、龙爪稷、粟、黍、大豆、红豆、绿豆、甜荞、苦荞和荞麦等，水稻占统治地位。非农作物则以农田杂草为主，有少量藤本、木本植物（表11-4）。

（一）农作物

共计25236粒，占出土植物遗存总数（不含碎种及＜1/2的种子，下同）的93.51%强。可分稻、麦、豆、小米和荞麦等几类。

1. 水稻

水稻是出土绝对数量最多的农作物种子，总计达19782粒（含小穗轴），占出土植物遗存总数的73.3%。其中又以去壳水稻为主，共18529粒，占出土水稻总数的93.67%，其中1粒有明显的水煮痕迹；带壳水稻仅1144粒，占水稻总数的5.78%。浮选还发现了109粒水稻小穗轴基盘（图11-9-1～6）。

水稻在所有取样地点均有发现，其中去壳水稻的出土概率高达88.89%（出土概率指含此类标本的样品在63份总样品中的占比），分布范围较广，但绝对数量上以新王宫F8（含C2、K3、Z1、ⅣT0503）与F9②（东梢间）内出土最多。F8内共计发现14598粒（不含＜1/2者），占出土水稻总数的73.79%；F9内发现4329粒，占21.88%；两地所出水稻占水稻总量的95.68%。绝对数量与出土概率均表明，水稻为时之主粮。

2. 龙爪稷

共计3908粒，是绝对数量第二多的植物遗存，仅次于水稻，占出土植物遗存总数的14.48%，出土概率为66.67%。在新王宫内F8（3754粒）、F9（70粒）、C4及其附近（65粒）与老王宫（9粒）、金银库（10粒）均有发现。新王宫内又集中出土于K3第1层，共3452粒，占出土龙爪稷总量的88.33%（图11-10-7、8）。

龙爪稷，又名穇子、龙爪粟、鸡爪粟、鸭脚粟、鸭爪稗等，爪、脚均就穗形而言。一般认为起源于非洲，现广布于非洲及南亚等地。其种子近圆球形，上下稍扁，表面覆盖颗粒

图11-9　水稻、麦类

1. 煮过的水稻（FX33）　2. 水稻穗轴（FX5）　3、4. 带壳水稻（FX8、FX5）　5、6. 去壳水稻（FX23、FX62）　7. 燕麦（FX9）　8. 小麦腹面（FX8）　9、10. 小麦背面（FX8、FX26）　11. 小麦正面（FX26）　12. 大麦腹面（FX5）　13. 大麦正面（FX5）

状小突起；胚区位于种子底面，近圆形，约为底面宽的1/2；种脐位于底部中央，紧接胚区顶端，圆形，内凹，约占底面宽的1/4。籽粒小却耐贮存，主要用作食粮与啤酒酿造；茎秆则可用于草编、造纸与饲料①。明人李时珍《本草纲目·谷部》中已有"䅟子"（龙爪稷）的记载②。今遵义地区至迟在19世纪中叶已有栽种，道光二十一年（1841）刊行的《遵义府志·农桑》所载"鸡爪稗"，当即龙爪稷③。海龙囤出土的龙爪稷，将其在该地区种植的历史推前至16世纪末。埋藏环境显示其与水稻等谷物一起储存，亦当为粮。其食用方式，《本草纲目》谓之"捣米，煮粥、炊饭、磨面皆宜"。这是该类作物在考古遗址中首次被发现，值得关注。

① 刘长江、靳桂云、孔昭宸：《植物考古：种子和果实研究》，北京：科学出版社，2008年，第89页。

② （明）李时珍：《本草纲目》卷23《谷部·䅟子》，北京：人民卫生出版社，1982年，第1485页。

③ （清）郑珍、莫友芝编纂：《遵义府志》卷16《农桑》，成都：巴蜀书社，2013年，第256页。

3. 麦类

包括大麦、小麦与燕麦三类，种类多但数量少（图11-9-7～13）。

大麦，18粒（不含<1/2者）。均见于新王宫F8（17粒）与C4（1粒）内。仅占出土植物遗存总数的0.07%，出土概率为9.52%。

小麦，42粒。亦仅见于新王宫F8（38粒）、C4第3层（3粒）与F10前院（1粒）。占出土植物遗存总数的0.16%，出土概率为14.29%。

燕麦，164粒（不含<1/2者）。出自新王宫F8（161粒）、C4第3层（1粒）与老王宫（2粒）。占出土植物遗存总数的0.61%，出土概率为15.87%。

三类共计224粒，仅占出土植物遗存总数的0.83%强，出土概率也不高。

以上三种作物明代已较为普遍，其出土数量偏少的原因推测有二：其一，种植规模不大。水稻作为遗址内数量最大的农作物种类，反映该地区以稻作农业为主；与之相对应的，麦类等旱地作物的种植规模不大。其二，食用方式使然。麦类的食用方式与水稻不同，水稻主要是粒食，而麦类主要通过磨制成粉后再制成面条、面饼等食用，不排除其储存状态多为面粉的可能性，故难以留存。

4. 小米类

包括粟与黍（图11-10-1～6）。籽粒较小，故名。

黍，23粒。出自新王宫F8（8粒）、F9第2层（14粒）与C4第3层（1粒）内，占植物遗存总数的0.09%，出土概率为9.52%。

粟，173粒，多去壳（121粒），含少量未成熟者（7粒）。仅见于新王宫的F8（90粒）、F9第2层（78粒）、F10（3例）与C4及其附近（2粒）。占出土植物遗存总数的0.64%，去壳粟的出土概率最高，达0.45%。

两类共计196粒，绝对数量占比仅0.73%。

粟、黍为中国传统作物。《本草纲目·谷部》：“古者以粟为黍、稷、粱、秫之总称，而今之粟，在古但呼为粱，后人乃专以粱之细者名粟”。又粟“南方多畬田，种之极易，舂粒细香美”；黍“北人作黍饭，方药酿黍米酒”“江东时有，而非土所宜，多入神药用。又有黑黍名秬，酿酒，供祭祀用”[①]。可食用、酿酒、入药甚至祭祀用。杨辉墓志铭称其曾于景泰初“出粟数千石”以助朝廷[②]，这里的“粟”当即谷物之总称，并不能反映其在播州的种植规模。

---

① （明）李时珍：《本草纲目》卷23《谷部·䅯子》，北京：人民卫生出版社，1982年，第1474、1481页。

② 贵州省文物考古研究所等：《贵州遵义市团溪明代播州土司杨辉墓》，《考古》2015年第11期。

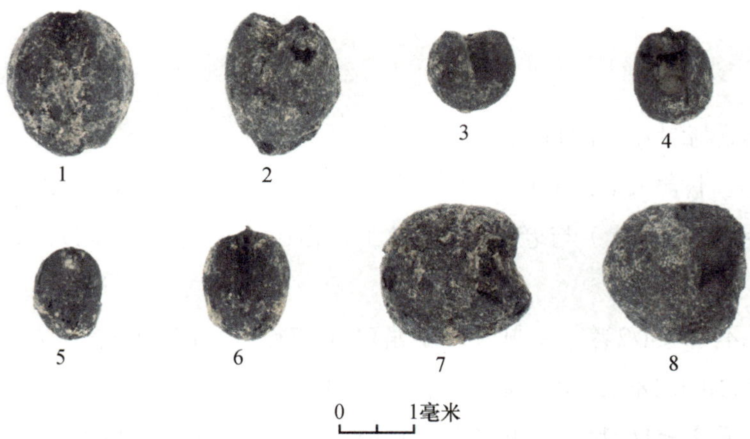

图11-10　黍、粟与龙爪稷

1、2. 黍（FX8）　3. 粟（FX9）　4. 未成熟粟（FX9）　5. 有壳粟（FX26）　6. 无壳粟（FX26）　7、8. 龙爪稷（FX9）

5. 荞麦类

有甜荞、苦荞和荞麦三种（图11-11）。

甜荞，160粒（不含<1/2者），带壳与去壳者约各占一半。出自新王宫F8（158粒）、C4（1粒）以及老王宫（1粒）。占出土植物遗存总数的0.6%，去壳者出土概率为7.94%。

苦荞，27粒。出自新王宫F8（21粒）、F9（1粒）、C4附近（1粒）以及老王宫（4例）。绝对数量占比较低，去壳者出土概率则高达11.11%。

荞麦，271粒，包括荞麦皮（264粒）、荞麦碎块（5粒）与荞麦穗轴（2粒）。主要出自新王宫F8内（270粒），另在C4第3层有零星发现（1粒）。占出土植物遗存总数的1%强，荞麦皮出土概率达6.35%。三类共计458粒，绝对数量占比为1.7%。

甜荞、苦荞与荞麦皆可药食两用，食用时可蒸煮，亦可磨面如麦。

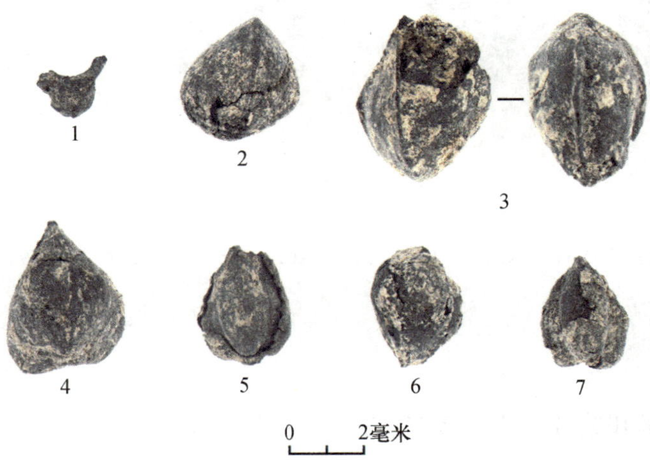

图11-11　荞麦类

1. 荞麦穗轴（FX5）　2. 去壳甜荞（FX5）　3、4. 带壳甜荞（FX5、FX9）　5、7. 带壳苦荞（FX45、FX55）　6. 去壳苦荞（FX5）

6. 豆类

包括大豆、红豆与绿豆（图11-12）。

大豆，526粒（不含<1/2者）。出自新王宫F8（478粒）、F9（21粒）、C4及其附近（12粒），以及金银库（9粒）与老王宫（6粒），占出土植物遗存总数的1.95%，出土概率为46.03%。

红豆，48粒（不含<1/2者）。见于新王宫F8（37粒）、F10（2粒）及老王宫（9粒），仅占出土植物遗存总数的0.18%，出土概率却高达33.33%。

绿豆，35粒（不含<1/2者）。出自新王宫F8（23粒）、F9（1粒）、F10（1粒）、C4及其附近（3粒）与老王宫（7粒），占出土植物遗存总数的0.13%，出土概率为15.87%。豆类总数绝对占比为2.26%，分布较广，在新王宫、老王宫与金银库均有发现，出土概率亦较高。

豆类是淀粉、蛋白质、油和蔬菜的重要来源，今遵义当地多以大豆做豆腐，红豆煮食，绿豆熬粥。土司时代亦当如是，即主要作菜蔬食用。

图11-12　豆类

1～3. 绿豆（FX54、FX62）　4～6. 红豆（FX62、FX5）　7、8. 大豆（FX9、FX23）

7. 其他

包括栽培稗、高粱和紫苏三类（图11-13）。出土数量较少。

栽培稗，5粒，均出自新王宫F8内。

疑似高粱，5粒，出自新王宫F8（3粒）、C4第2层（1粒）与老王宫（1粒）。

紫苏，6粒，出自新王宫F8（5粒）与F9第2层（1例）。紫苏带有特异芳香，当地常以其叶为调味品。

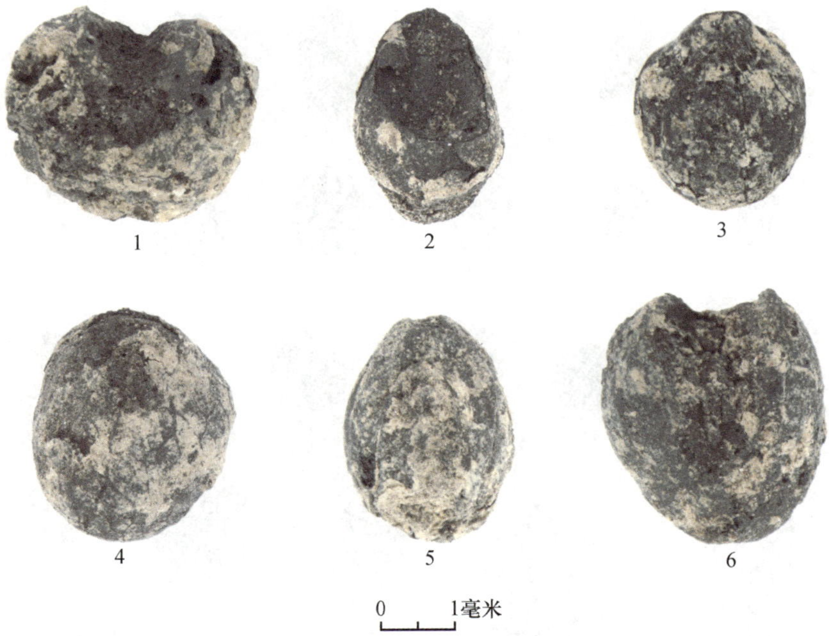

图11-13　高粱、紫苏与栽培稗
1、2. 高粱（FX40、FX9）　3、4. 紫苏（FX9、FX5）　5、6. 栽培稗（FX5、FX26）

（二）非农作物

共计1751粒，占出土植物遗存总数的6.49%。以草本为主，另有少量藤本、木本及不明植物，多为农田杂草。

1. 草本植物

均为种子，共1081粒，占非农作物遗存总数的61.7%强，出土密度为0.77粒/升，藜属的出土概率最高，达58.73%。计有禾本科、藜科、豆科、蓼科、茜草科、莎草科、唇形科、石竹科、酢浆草科、菊科、罂粟科、大戟科与马齿苋科等13科，可鉴定至具体属种者15种。其中，禾本科数量最多，凡486粒，占非农作物遗存总数的27.76%，计有狗尾草、稗、马唐、牛筋草、野稷、野燕麦等属种；藜科居次，350粒，占19.99%；其余诸科1～87粒不等，占比较低（图11-14）。

以上科属的草本植物，均系常见的农田杂草，其中莎草科多见于水田，其余则旱地、水田均有①。狗尾草、稗、马唐、藜、辣蓼、蔗草、豨莶、酢浆等属种，至今仍广见于遵义当地的田间地头。从出土情况看，新王宫、老王宫与金银库三个采样点均有发现，与农作物伴出。新王宫内又集中出土于农作物数量较多的F8与F9内，通常情况下与农作物的多寡成正比（表11-5）。这充分证明了其确系农田杂草，是作物收获时掺杂其间的无用之物。前文视为农作物的紫苏，除人工栽培外，当地也常见野生者，二者并无不同。

① 肖文一、陈铁保编著：《农田杂草及防除》，北京：农业出版社，1982年，第5～342页。

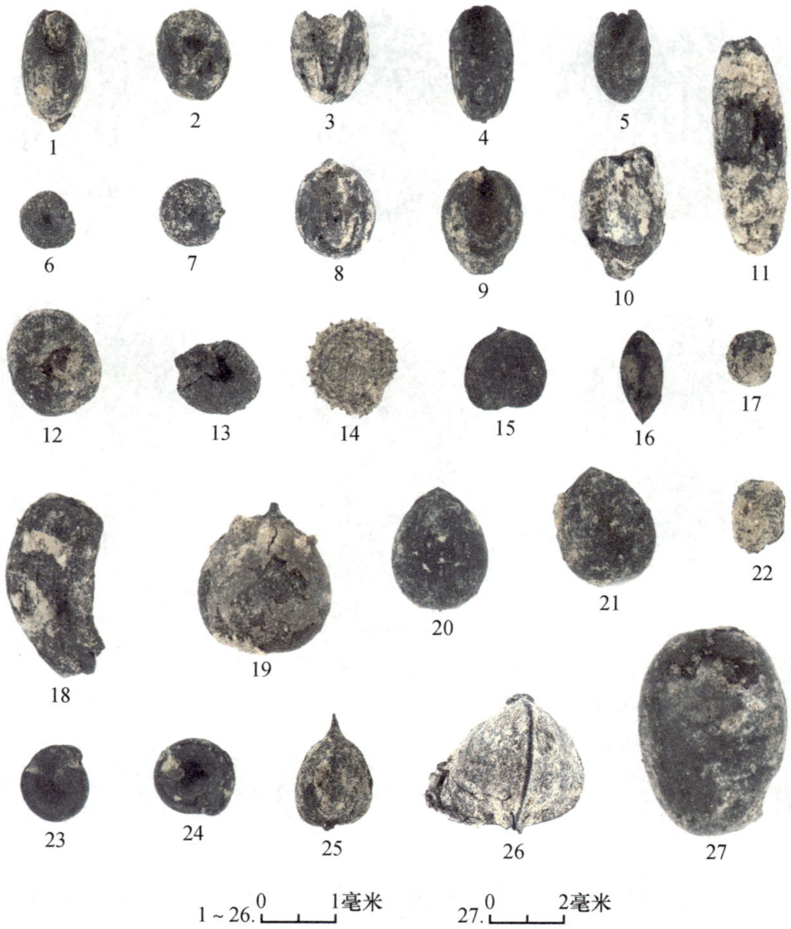

图11-14　农田杂草

1. 禾本科（FX54）　2、3. 狗尾草属（FX26、FX5）　4、5. 马唐（FX54、FX5）　6、7. 石竹科（FX25、FX5）　8、9. 稗属（FX5、FX54）　10. 野稷（FX9）　11. 野燕麦（FX26）　12、13. 拉拉藤属（FX54、SX5）　14. 马齿苋（FX25）　15. 莎草科（FX9）　16. 荆芥（FX58）　17. 罂粟科（FX46）　18. 豨莶属（FX9）　19. 藨草属（FX13）　20、21. 大戟科（FX37、FX25）　22. 牛筋草（FX40）　23. 藜属（FX9）　24. 藜（FX37）　25、26. 蓼科（FX54、FX5）　27. 豆科（FX16）

表11-5　农作物与农田杂草出土数量对比表　（单位：粒）

出土单位	农作物	农田杂草	种子总数	杂草占比
F8	19700	883	20583	4.29%
F9	4515	128	4643	2.76%
F10	23	15	38	39.47%
C4及其附近	240	49	289	16.96%
老王宫	280	4	284	1.41%
金银库（F32）	478	2	480	0.42%
总计	25236	1081	26317	

注：①农作物和农田杂草数量不含碎种及＜1/2的种子；②杂草占比，指农田杂草在该出土单位的种子总数中的占比

2. 木本与藤本植物

种类不多，但数量不菲。

藤本有猕猴桃，木本有槭树科盐肤木、蔷薇科悬钩子属、桃核以及果核/果壳等所对应的植物（图11-15-1、2、4～8）。均出自新王宫内，共计237粒，占非农作物遗存的13.54%。其中，猕猴桃，3粒。出自F8（2粒）与C4（1粒）。盐肤木，222粒，均出在F9第2层内，占出土藤本与木本植物遗存总数的93.67%强。悬钩子属，6粒。出自F8（3粒）、F9（1粒）与C4（2粒）。桃核，1粒，出自F8。果核与果壳，5粒。出自F9（1粒）与C4（4粒）。

以上植物中，桃核以及果核、果壳所属树种可能为人工栽培，数量较少。猕猴桃、盐肤木与悬钩子当为野生植物，囿上至今广见。猕猴桃与悬钩子数量较少，盐肤木则数量不菲。猕猴桃、悬钩子、桃核以及果核、果壳的果肉均可食用。盐肤木属槭树科，为五倍子蚜虫寄主植物，故又称五倍子树，虫瘿可入药，籽可榨油。其在F9内的集中出土，大约有榨油或燃料两种功用。

3. 不明植物

包括未知种属的炭化种子与不明炭化物两类，以前者为主（图11-15-3、9～12）。

未知种属的炭化种子，共计429粒，占非农作物遗存总数的24.5%强，占植物遗存总数的

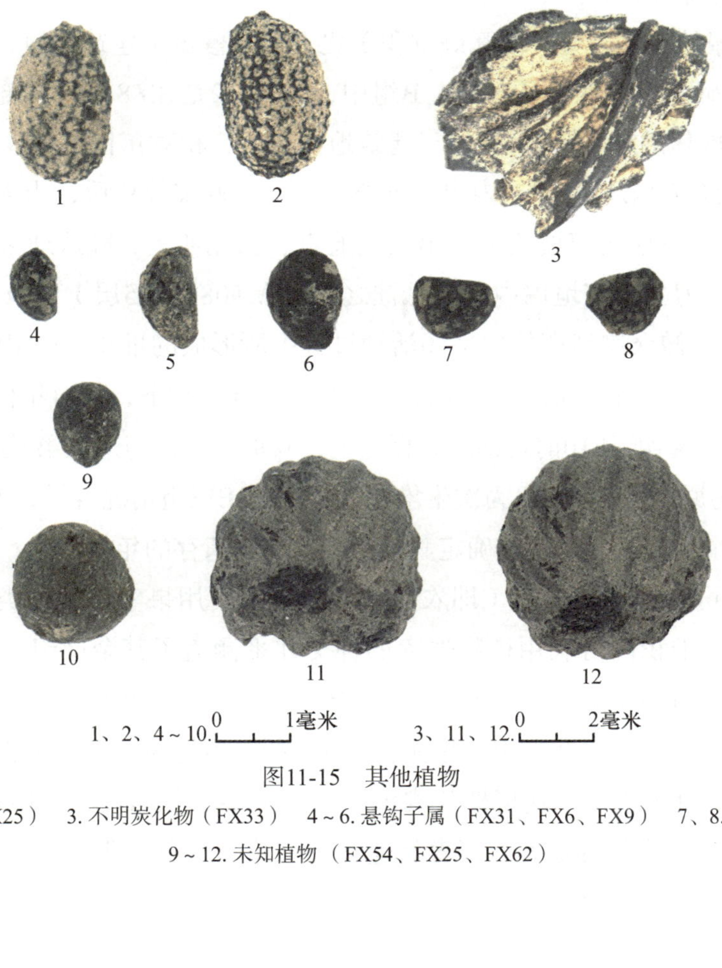

图11-15　其他植物

1、2. 猕猴桃（FX25）　3. 不明炭化物（FX33）　4～6. 悬钩子属（FX31、FX6、FX9）　7、8. 蔷薇科（FX22）　9～12. 未知植物（FX54、FX25、FX62）

1.59%，各单位均有发现。另有不明炭化物4例，出自新王宫F8（3粒）、F10（1粒）。这些植物遗存仍可进一步鉴定，但因数量不多而不影响我们对海龙囤植物遗存的整体认识。

三、相关讨论

以下结合出土环境、数量、形态与文献记载，对农作物的年代、组合、生产方式以及所在建筑的功能等问题进行讨论。

（一）农作物的年代

基于地层堆积与出土形态（炭化），可确定植物遗存的年代。

出土植物遗存的各遗迹单位，其地层堆积可分为五组：

A组：新王宫F9第2层、F8第2层、F8第3层；老王宫TG47第4层；金银库F32底层堆积。

B组：新王宫F8内Z1、C2、K3第1层，以及覆盖于F8上的ⅣT0503第4层。

C组：新王宫C3第1层、C4第1～3层，及其附近的ⅣT0809第5层（垣墙边）。

D组：新王宫F10下K7第7层，以及覆盖于F10前院的ⅠT0103第4层。

E组：老王宫的新庙断坎。

A组叠压于坍塌的建筑废墟（砖瓦砾堆积）之下，而覆盖于建筑地面之上，为建筑焚毁时的原生堆积，年代确凿，在明万历时期。B组中，Z2、C2是在F8主体建筑之上建成的附属性建筑，开口于探方堆积的第4层下，叠压于建筑地面之上，相对年代略晚；K3位于F8天井内，开口于第4层下，打破F8第1～3层，内出崇祯通宝、隆武通宝等钱币，当为明清之际的遗存；ⅣT0503第4层覆盖于F8建筑废墟之上，出崇祯通宝、弘光通宝、隆武通宝等钱币，当形成于明清之际。C组所在为新王宫垣墙内侧的低洼之处（ⅣT0809第5层），及其附近坑池（C3、C4），应是在海潮寺僧众挖高填低的平场活动过程中所形成的堆积，C4内出土了大量南明时期钱币，表明当填埋于此时。D组在F10内，其中K7叠压于F10下，相对年代偏早，不晚于明万历；ⅠT0103第4层则覆盖于F10前院铺地石板之上，其形成年代与遗址第4层堆积一致，在明清之际。要之，A组为原生堆积，C组为次生堆积，B、D、E三组情况各异，通过A组堆积所含植物遗存的种类与数量的分析，可基本确定其余诸组内植物遗存的年代。

各组堆积出土可利用植物遗存（即农作物与部分可食用果实）的种类与数量如表11-6所示。从中可见，A组堆积内可利用植物遗存的种类几乎涵盖了其余诸组，仅栽培稗和桃核例外；其绝对数量亦遥遥领先，占72.05%强。完全可以肯定，A组堆积所出的均为播州至迟在明万历时期已种植的农作物以及食用的果实。A组堆积内植物遗存完全覆盖了C、D、E三组，与B组比较，除少量植物遗存（栽培稗与桃核）不见于A组外，B组中的部分植物遗存的绝对数量亦较A组多，如龙爪稷与麦类、荞麦类遗存，似略显反常。但值得注意的是，出土可利用植物遗存数量较多的B组（6771粒）堆积与A组中的F8第2、3层（12959粒）处于同一空间内（F8）；C组（245粒）亦位于F9（4513粒）近旁。这并非巧合，而表明其本是F8与F9内遗物，经后期扰动后而埋藏于稍晚的堆积中，如同遗址上层堆积中出土的大量万历时期的建筑构件（砖、瓦、瓦当等）一样。

表11-6　可利用植物遗存一览表　（单位：粒）

植物种属	A组	B组	C组	D组（F10）		E组	小计
	屋内	F8附近	次生	K7⑦	IT0103④	新庙断坎	
水稻	17317	2289	148	1	15	12	19782
大麦	2	15	1				18
小麦	1	37	3		1		42
燕麦	16	146	1			1	164
龙爪稷	296	3547	65				3908
大豆	361	153	12				526
红、绿豆	46	73	3		3	1	126
粟	112	56	2	1	2		173
黍	15	7	1				23
甜荞	5	154	1				160
苦荞	9	16	1			1	27
荞麦	1	269	1				271
高粱	1	3	1				5
栽培稗		5					5
桃核		1					1
猕猴桃	2		1				3
果核/果壳	1		4				5
小计	18185	6771	245	2	21	15	25239

从埋藏学的角度，除少数特殊埋藏环境（如极干燥或被水浸泡的地点）外，植物遗存之所以能够在文化堆积中长期保存，主要是因其在埋藏前经过了火的烧烤而变成了炭化的物质[①]。文献记载显示，万历二十八年（1600）的播州之役中明军奉行酋之衙屋“严谕举火烧毁”的策略，破囤之后即“拥入内城四面纵火”，而杨应龙在新王宫内自缢前亦曾“举火烧房”，“须臾，火烧楼房一空”[②]。因此之故，新王宫、老王宫及金银库诸房址内数量不菲的炭化植物遗存得以保存至今。

综上所述，除桃核与栽培稗不见诸A组堆积（出自B组堆积），不排除为后期遗存的可能性外，其余绝大多数炭化植物遗存应是明万历时期的遗物。因海龙囤毁于万历二十八年

①　赵志军：《植物考古学：理论、方法和实践》，北京：科学出版社，2010年，第54页。

②　（明）李化龙：《平播全书》卷4《攻克娄山、崖门等关四报捷音疏》、卷7《破囤塘报》，北京：大众文艺出版社，2008年，第103、255～257页。

（1600）农历六月间，而此时多数作物尚未成熟，囤上出土的应为上一年度或更早之前的存粮。换言之，海龙囤所见的各类作物至迟在16世纪后叶的播州已有一定规模的种植。

（二）农作物的组合

海龙囤出土的植物遗存，可鉴定至具体属种者共计者30余种，大致可分为农作物、农田杂草和山林杂木三类。农田杂草10余种，是农作物的伴生性草本植物，收获庄稼时混入。山林杂木有盐肤木（五倍子树）、悬钩子（当地称“泡儿”）、猕猴桃和桃核等，后者可能为人工栽培。

农作物的种类与数量均最为丰富，计有水稻、大麦、小麦、燕麦、龙爪稷、大豆、红豆、绿豆、粟、黍、高粱、甜荞、苦荞、荞麦、栽培稗等15种。这些作物中的部分，在15世纪中叶的播州已有栽种。据《勘处播州事情疏》记载：明成化时杨氏的庄田中主要“布种田禾、麻、麦、豆、红花之类”[①]。其中“田禾”指谷物，谷物又包括大米、小麦、小米和大豆等，但下文将其与“麦”“豆”并列，表明这里的“田禾”当仅就大米而言。麻的种类较多，《本草纲目・谷部》载有胡麻、亚麻和大麻三种。胡麻即芝麻，油料作物；亚麻和大麻，茎皮可绩，籽可榨油。成化时，杨氏已有布匹织造，这里的“麻”可能包括了芝麻和大麻[②]。“红花”是一种菊科经济作物，可入药与染色。麻与红花，囤上未见。至19世纪中叶，各种作物在遵义已较为普遍。道光《遵义府志・农桑》载有“籼稻之种数十”“糯稻之种数十”“麦之类五”“豆之类十”“麻之类三”“荞之类四”“苞谷之种七”“稗之类三”。麦有大麦、小麦、老麦、香麦（燕麦）和青稞麦；麻有芝麻（胡麻）、大麻和苏麻；荞有甜荞、苦荞和药荞；稗有鸡爪稗（龙爪稷）、水稗和烂草米。又“稷曰高粱，禾曰小谷，黍曰水米子”[③]。可见，15世纪已有的稻、麦、豆等作物，16世纪继续栽种，19世纪则在沿用传统作物的同时，广泛种植“苞谷”等美洲新作物。

海龙囤出土的农作物，可笼统分为主粮、杂粮和菜蔬三类。主粮为水稻，共计出土炭化水稻19782粒，占植物遗存总数的73.3%，占农作物遗存总数的78.39%，充分显示了水稻在播州农作物中的统治性地位。杂粮包括大麦、小麦、燕麦、龙爪稷、粟、黍、高粱、甜荞、苦荞、栽培稗等，共计4796粒，占农作物总数的19%强，是对主粮的有益补充，即《利民条约》所谓“杂谷可以备荒者，无不可以相地种之”[④]。值得关注的是其中的麦类与龙爪稷。麦类（大

① （明）何乔新：《勘处播州事情疏》，《丛书集成初编・张司马定浙二乱志（及其他二种）》，北京：中华书局，1985年，第36页。

② 胡麻、亚麻和大麻的记载，见（明）李时珍：《本草纲目》卷23《谷部・穇子》，北京：人民卫生出版社，1982年，第1435～1444页。播人“赵其、江文仁止会织造布匹”，见（明）何乔新：《勘处播州事情疏》，《丛书集成初编・张司马定浙二乱志（及其他二种）》，北京：中华书局，1985年，第91页。

③ （清）郑珍、莫友芝编纂：《遵义府志》卷16《农桑》，成都：巴蜀书社，2013年，第255、256页。

④ （清）郑珍、莫友芝编纂：《遵义府志》卷16《农桑》，成都：巴蜀书社，2013年，第261页。

麦、小麦和燕麦）数量较少，仅224粒，占出土农作物遗存总数的0.89%。如果剔除大麦和燕麦，小麦的占比更低，仅42粒，与其在今日遵义的风行形成鲜明对比。针对这一现象，前文提出两种推测，即麦类种植规模小或作面粉状储存。上引文献显示，麦类在15世纪与19世纪的今遵义地区均有种植，但明人毋祖扬《利民条约》的记载则反映大麦、小麦至少在明代末期的绥阳并不普遍（说详后）。如果这是播州的一般情况，则上述两种原因均可能存在，即种植规模本不大，加之可能多以面粉状态储存，故少有发现。若果如是，则麦类不能构成播州的主粮。龙爪稷，本土明代文献无载，引种的具体时间尚不得而知，但其出土数量（3908粒，是仅次于水稻的作物）表明，16世纪末在播州已有一定规模的种植。从遵义本土的饮食习惯看，大豆、红豆与绿豆一般用以代菜，因此将之划归菜蔬类。豆类共计652粒，占出土农作物总数的2.58%强，较麦类为多，栽种的历史也较悠久。此外，根据文献，播州还种植红花等药用的经济作物。

根据栽培环境的不同，出土作物可分为水田作物与旱地（水平旱地与坡地旱地）作物两大类，分别栽种于田与地中。除水稻外，余均旱地作物。这反映了播州土地的利用情况。据道光《遵义府志·农桑》记载："水田皆宜稻，干田宜胡豆，山地肥者宜诸豆，高山宜包谷，山地之新垦宜小谷（即粟），冷湿地宜稗子，干松宜诸荞。米麦（即大麦）、水子米（即黍）唯宜肥地。包谷、高粱、香麦（即燕麦）、老麦、青稞、爬山豆，种瘠地亦获微收。"[①]将之划分为水田、干田（水平旱地）、山地（坡地旱地）与高山等几类，实现了对土地资源的立体利用。土司时代的播州，亦当大略如此，唯"高山"利用尚未充分，因苞谷可能仍未引入。

对海龙囤开展植物浮选工作的一个重要原因，是拟探明16世纪末玉米、土豆、辣椒等美洲作物是否已传入播州，又对当地社会产生了怎样的影响。浮选的结果并未发现该类作物，但仍具意义。玉米传入今日贵州的时间，一般认为在清康熙时期，乾隆年间迅速扩张，清末几乎覆盖全省[②]。而一条更早的文献则向有争议。《遵义府志·农桑》录明绥阳知县毋祖扬《利民条约》称时之"县中平地居民，只知种稻，山间民只种秋禾、玉米、粱稗、菽豆、大麦等物，俱不知种黍、稷与小麦。本县初到任时，见少此三谷，以为地之不产也，试以近郭官土种之，子种少而大有所获。"[③]绥阳县，万历二十九年（1601）析真州长官司地置。毋祖扬为第七任知

---

① （清）郑珍、莫友芝编纂：《遵义府志》卷16《农桑》，成都：巴蜀书社，2013年，第256页。

② 韩昭庆：《清中叶至民国玉米种植与贵州石漠化变迁的关系》，《复旦学报》（社会科学版）2015年第4期。

③ （清）郑珍、莫友芝编纂：《遵义府志》卷16《农桑》，成都：巴蜀书社，2013年，第261页。《利民条约》其实最早见诸乾隆《绥阳志·艺文志》的记载，《中国地方志集成·贵州府县志辑》，成都：巴蜀书社，2006年，第36册，第214、215页。

县，以每任5年计，其任职时间约在17世纪30年代①。据此，则遵义在17世纪初已有玉米种植。争议的焦点在于不同的句读，因其亦可读为："县中平地居民只知种稻，山间民只种秋禾，玉米、粱稗、菽豆、大麦等物俱不知种。黍、稷与小麦，本县初到任时，见少此三谷"云云。文义完全相反，孰是？结合海龙囤出土的农作物遗存，可以得到以下几点认识：第一，16～17世纪之交的今遵义地区，农作物的种类已较为丰富，绝非仅有水稻与秋禾两种。且若不知种玉米、粱稗、菽豆、大麦等物，则时之绥阳已非"见少此三谷"，加黍、稷与小麦，乃少此"七谷"。第二，大麦仅"山间民"栽种，而小麦尚"不知种"，反映虽有麦类，但栽种不广，此与海龙囤出土麦类遗存较少的现象相吻合。第三，海龙囤未见美洲作物，似可证16世纪末玉米等美洲作物仍未引入播州，而17世纪初绥阳等地的"山间民"已有零星栽种则完全可能，因为河南、江苏、甘肃、云南、浙江、福建、山东等地16世纪中叶至17世纪初的方志中已有玉米的相关记载②。因此，《利民条约》如果摘抄无误，当取第一种句读方式，即至迟在17世纪30年代前后，今遵义地区已有玉米种植。那么16世纪末的杨氏土司到底有无玉米种植？有一种现象值得关注，即各地不同阶层的人群对玉米、土豆等美洲作物的接受程度。据《遵义府志·物产》记载，直至清道光时期玉米仍富嫌贫爱，"富人所唾弃，农家之性命也"③。土豆初传入欧洲时也经历了类似遭遇，被认为只配给下等人充饥④。反映并非所有的社会或阶层，皆对美洲作物持开放态度，除风土适应与技术改造外，还存在文化接纳的过程。因此即便16世纪末玉米已被播州"山间民"引种，但仍可能不被当地上层所接受，土司遗址中未见出土也便在情理之中。

要之，16世纪末，播州以水稻为主粮，以大麦、小麦、燕麦、龙爪稷、粟、黍、高粱、甜荞、苦荞、栽培稗为辅助性杂粮，大豆、红豆、绿豆等则用以代菜，充分展示了播州农作物的多样性，亦反映出当地以水稻为主、各种杂粮为辅的食谱结构。对土地资源的利用也已较为充分，兼有水田与山地。海龙囤上未见玉米等美洲作物，表明彼时的播州可能尚未引种，或已有底层民众栽种，但因这类作物的"阶级性"而受到土司的排斥，因此未在遗址中出现。

---

① 绥阳建置与知县任职情况，参见（清）郑珍、莫友芝编纂：《遵义府志》卷2《建置》、卷27《职官一》，成都：巴蜀书社，2013年，第37、484页。绥阳首任知县为詹淑，据冯士奇《詹公生祠碑记》詹氏"历任五载"。第三任为冯士奇，据其所撰《新建武安王庙碑记》："辛亥冬，余奉命来令此土"，即万历三十九年（1611）到任；又据其《城隍庙重修碑记》：庙之重修"始于癸丑冬，迄工于甲寅夏"，知冯氏万历四十二年（甲寅，1614）仍在任。参见乾隆《绥阳志·艺文志》，《中国地方志集成·贵州府县志辑》，成都：巴蜀书社，2006年，第36册，第219、220页。母祖扬为第七任知县，从詹、冯二氏的任职时间及其间隔（中间为第二任知县铁成篆）看，明末绥阳知县的任职期限约为5年，据此推算，第七任母祖在职时间约为17世纪30年代。

② 韩昭庆：《清中叶至民国玉米种植与贵州石漠化变迁的关系》，《复旦学报》（社会科学版）2015年第4期。

③ （清）郑珍、莫友芝编纂：《遵义府志》卷17《物产》，成都：巴蜀书社，2013年，第280页。

④ 佟屏亚、赵国磐编著：《马铃薯史略》，北京：中国农业科技出版社，1991年，第17、18页。

（三）播州土司的庄园经济

海龙囤出土的农作物产自何处？据土司杨应龙手书的《骠骑将军示谕龙岩囤严禁碑》记载："其运送口粮帮户，给有年貌号票，各带在身，执照进出，毋得阻滞。"表明囤上并不产粮，而有专人（运送口粮帮户）自他处运抵。自何处运来？大抵有两种情况：其一，劫掠民谷；其二，自家庄田所产。

土司劫掠民粮以备战之事，《平播全书》多有记载。如万历二十七年（1599）六至八月间，杨氏"犯南川，劫掠居民牛、猪、仓谷皆为所有"；又犯綦江，"令苗兵搬抢村民米、谷、布匹、牛、猪等物，十室十空"；于"三溪创建仓廒，割綦南之谷尽数入仓"；南川"东乡一带地方熟谷，俱被掠收，于播州地名官坝竖立仓囤，共一十七眼，有家小苗数百看守"等[①]。稍早的万历二十三至二十四年（1595～1596）间，则"厚抚诸苗，名其健者为硬手；州人稍殷厚者，没入其赀以养苗。苗人咸愿为出死力"。又先后劫掠州内余庆、草塘、黄平、重安诸司，以及邻近的兴隆、都匀各卫[②]。虽未言明所掠何物，但如同犯南川、綦江一样，粮食应在其中。这些粮食中的部分，就可能流入海龙囤中。但囤上作物的主体应产自土司的庄园中。

庄园，又有庄、田庄、庄田等不同称呼，名虽各异，实则一也，是以土地为基础，以占有一定数量的人身依附劳动力为前提的一种封建土地所有制形式与生产方式，一庄即是一个基本的经济生产单位。形成于汉代，历经各朝而盛于明清。

杨氏治下的播州，明时于基层推行里甲制度，有轮值里长与甲首，并设里老、寨老协助管理，这是明代基层社会的一般组织形式，核心是保障赋役。换言之，田庄与里甲并存。万历时播州有儒溪、沙溪、水烟、天旺、赤水、仁怀等五十四里，有黄册可考，作为赋役征收的依据[③]。与一般的里甲制度不同之处在，土司往往于其上再设"亲管里"，另征赋税。如成化时杨爱即"亲管二十二里"，又因"仁怀、儒溪二里出产石青、石绿，擅取作亲管里，分递年仰傅禧追收银两、黄蜡、棉布入己"。纳入亲管的，可能多是民多、土沃，或别有特产者。里甲以民（粮长）治民（纳粮户），设里长、甲首、里老、寨老等，在赋税征收、土司结状、社会治安等方面发挥作用。里长、甲首之设，如"成化二十年（1484）正月内，长官袁机男袁莹应当本年分里长，不合将甲首吕定走递马匹骑损倒死"。里老、寨老之设，如"景泰三年（1452）正月内，有寨老袁昱等思得本州税粮递年运赴贵州兴隆等仓上纳，搬运本色艰难，告愿折纳轻赍银两，杨辉准令，各里每米一石折收苗银一两，类解该仓买米上纳。"成化十九年（1483）"二月内，有本州里老张洪等连名告称，凡遇进贡等项公差人员递年俱于各里点差人夫，津贴、盘缠节被差去之人分外，勒取数多，情愿预先认纳银两，免致临期逼迫"。又"成

---

① （明）李化龙：《平播全书》卷1《报播酋屯兵疏》《再报播酋情形疏》《请内帑、增将兵疏》，北京：大众文艺出版社，2008年，第10、12、23、26页。

② （清）张廷玉等：《明史》卷312《四川土司二·播州宣慰司》，北京：中华书局，1974年，第8047页。

③ （明）李化龙：《平播全书》卷6《播州善后事宜疏》，北京：大众文艺出版社，2008年，第197页。

化三年（1467）八月内，本司长官何庸病故户绝，有伊族侄何熙庆不合捏称系何庸嫡长男，告袭前职。杨辉不合准信，拘集亲族里老审取结状，备申四川都布按三司覆勘，具奏准令，冒袭前职。”各里之民，称“土民”，有一定家产，包括私田。如成化二十一年（1485）“有头目柳靖男柳春，因与土民杜齐贤争夺水槽，被杜齐贤将情并柳春调戏父妾袁氏等情具告本司，行提到官问拟发落讫。”[①]土民袁氏既有妻妾，当有一定家产，不同于田庄中备受剥削的佃户。里甲可能与田庄相互交错，空间分布上并非泾渭分明。

播州杨氏的田庄，亦称“官庄”，数量颇巨，由土地、庄宅以及依附于土地之上的佃户、苗夷等构成，即有地、宅、人三要素。土地是基础；庄宅是管理与储存的场所，有时也是土司办公、居住、宴饮之地；佃户与苗夷，是土司田庄中的直接生产者，依附于土地而生存，由土司及其代理人进行管理。田庄以粮食生产为主，同时经营多种副业。

土地是田庄的基础，通过继承、买卖、强夺等方式获得，其数量因此多有变化。明成化时，杨氏共有田庄145处。据《勘处播州事情疏》记载：成化十四年（1478），“杨辉将庄田一百四十五处、茶园二十六处、蜡崖二十八处、猎场一十一处、鱼潭一十三处，作四分均分与杨友、杨爱、杨孜、杨敏”[②]。茶园、蜡崖、猎场与鱼潭并不计入田庄中，分家之后，播州宣慰使直接控制的田庄规模缩小。各土司因此又通过强夺等方式创立田庄，如“成化十五年（1479）正月内，杨友因往安宁经过余庆、白泥等处，又不合将余庆长官司管下站户毛显常等地名斑溪、巴村、大寨、铁针崖、罗家寨五处水田八百秽、陆地二十处强占，创立田庄。将湘川等驿马夫孙羊、何祥、黄元受、邵楚、邹石、玄蛮、程胡、李胜祖等二百五十五户占作佃户。又令何清、刘大荣各又不合将白泥长官司管下站户杨昌福、田斌水田九十亩，巴必聪等陆地一百亩强占为庄，招引九姓土獠在彼住种”[③]。从站户手中占夺的土地有水田、陆地，创立的田庄面积百余亩至八百秽不等，从中可窥田庄的土地构成（水田与旱地）与规模（大小不一）[④]。杨氏的田庄，成化《勘处播州事情疏》载其名者有：大水田、柳川、冉川、屯平、大足、黄鱼、永安、先峰、洪江、米田、通平、毛陂、石梁、雷水、崔家、桃溪、半山、泥川、水车坝、孝义、海龙坝、干溪、会川、朗山、养老等庄[⑤]。万历十年（1582）“张氏祭田记”碑则另载有“高平竹垭庄”[⑥]。据大水田乾隆三十九年（1774）《万事永赖碑》，杨氏创修庄

① （明）何乔新：《勘处播州事情疏》，《丛书集成初编·张司马定浙二乱志（及其他二种）》，北京：中华书局，1985年，第7、9、38、43、44、52、82、84、85页。

② （明）何乔新：《勘处播州事情疏》，《丛书集成初编·张司马定浙二乱志（及其他二种）》，北京：中华书局，1985年，第21页。

③ （明）何乔新：《勘处播州事情疏》，《丛书集成初编·张司马定浙二乱志（及其他二种）》，北京：中华书局，1985年，第22、23页。

④ “秽”，应为田亩单位，面积不明。弘治九年（1496）《增修普济桥庵记》作“秽”，乾隆四十九年（1784）《桃溪寺田产判词碑》径作“劳”，知应读为“劳”，或系方言。

⑤ （明）何乔新：《勘处播州事情疏》，《丛书集成初编·张司马定浙二乱志（及其他二种）》，北京：中华书局，1985年，第19、35、36、41、59、66、75页。

⑥ 刘永书等：《“张氏祭田记”碑刻》，《遵义县文物志（2）》，内部印行，2003年，第54、55页。

田始自唐杨端时，“命修四十八庄，此系太平一庄，创造大堰一口，周围九里七分”。因是晚出的文献，其对唐代四十八庄的追述未必可信，但大堰的修筑却是确凿的，虽未必筑于唐代。堰塘、水渠等，是水田耕种必不可少的基础设施。

庄田中有宅，称庄宅、庄院、庄所或衙，乃庄田管理与粮食储存之所，有时也是土司办公、居住与宴饮之地。其旧址，民间又常称“衙院”“衙园”，或讹为“鸭园”。《平播全书》：“大水田、永安庄、桃溪衙，皆贼所为世修庄院，僭拟侯王者”“复视其大水田庄宅制度，台沼亭榭，僭越非常，不惟雕刻彩饰龙凤等物，即卧房一样黄色牙床三十六张，欺僭可知。”[①]所谓“庄宅制度”，显就庄田中的建筑及其装饰而言。播州宣慰使同知罗其宾生十子，“分其庄宅为十，曰‘十衙’，今其地犹此称”[②]。当以“衙”“庄宅”代称庄田，即除了宅之外，所分的当还包括田土。成化间，桃溪庄一度是杨辉遗孀贯氏的居所，万历时为杨应龙长女贞惠成婚之地[③]。茅衙，传系“杨应龙为小妻田惜玉筑城造宅居之”。永安庄，“杨氏别庄也。今其宅基尚存，石工甚精致”[④]。成化二十二年（1486）三月二十五日，杨爱曾计划“去会川庄所请客饮酒”。次年七月十一日，张深等“诈说要往朗山庄上取米”。万历时，明军攻至永安庄时，有意在此补充军需，“若永安庄有米，可以给之”[⑤]。从上所引可见，庄田中的建筑有庄宅、庄院、庄所、衙等不同称谓，甚至以之代称所在田庄。既称之为“衙”，则有行政功能，有的则明确储有粮米（如朗山庄、永安庄），有的（如桃溪衙、茅衙）则是土司及其妻妾或儿女的居所。总之，庄宅是田庄中必不可少的要素。

佃户与苗夷，亦称庄丁，是田庄中的主要劳动力。前引《勘处播州事情疏》记成化时杨友创立田庄后，将湘川等驿马夫孙羊等二百五十五户占作“佃户”，又“招引九姓土獠在彼住种”。万历时，杨应龙亦曾招引“十三姓苗夷”（仲家、黑苗、仡佬、木老子姜苗、花苗、菜家苗、九股苗等）在抢占的土地上耕种，“假以人家地土，与你们种着；人家妻子，与你们守着”[⑥]。佃户与苗夷，对土司存有人身依附关系，遭受严重剥削。据《勘处播州事情疏》记载：杨爱袭职后，“颜珪因见杨辉存日将所属各驿马户分与渊及何清，并伊宗族弟侄作佃

---

① （明）李化龙：《平播全书》卷4《攻克娄山、崖门等关四报捷音疏》，北京：大众文艺出版社，2008年，第103页。

② （清）郑珍、莫友芝编纂：《遵义府志》卷31《土官》，成都：巴蜀书社，2013年，第605页。

③ 成化二十一年（1485），“有杨辉妾贯氏在桃溪庄住坐”，参见（明）何乔新：《勘处播州事情疏》，《丛书集成初编·张司马定浙二乱志（及其他二种）》，北京：中华书局，1985年，第52页。万历时，“贼方于桃溪架屋栽花以迎新婚，其女且打秋千，而承恩以初三誓师”，参见（明）李化龙：《平播全书》卷13《杨监军》，北京：大众文艺出版社，2008年，第438页。

④ （清）郑珍、莫友芝编纂：《遵义府志》卷10《古迹》，成都：巴蜀书社，2013年，第168、171页。

⑤ （明）何乔新：《勘处播州事情疏》，《丛书集成初编·张司马定浙二乱志（及其他二种）》，北京：中华书局，1985年，第59、66、67页；（明）李化龙：《平播全书》卷14《史同知》，北京：大众文艺出版社，2008年，第473页。

⑥ （明）李化龙：《平播全书》卷8《宣谕》，北京：大众文艺出版社，2008年，第284页。

户使唤，苦被各家剥削，多致逃窜，劝杨爱更改旧弊”[①]。“佃户”与“土民”社会、经济地位的悬殊由此可见一斑。庄园内庄丁，除缴纳地租外，还需服兵役、劳役。如万历二十八年（1600）的播州之役中，十三姓苗夷、桃溪庄丁就是播军的重要力量[②]。弘治年间，杨爱墓的修筑，即由大水田等庄局领衔完成。修墓题记记载：“弘治十一年十一月初二日起工，统领大水田等庄局，并围子手、马军、大总□、□□，砌立石坟、石门、八字墙、周围城，至弘治十二年七月初一日，工程完修，谨记。提调：石永安、王寿龄、童辅、赵基、阎昂、阎晟、李文富、杨鹿。提领：住明、梁初、李成、梁旗、吕志和”[③]。其中阎昂、阎晟二人，亦见于《勘处播州事情疏》，身份是负责庄田管理的“头目”。在其统领下，应有田庄中的庄丁参与到墓葬修筑的劳役中来。

田庄的经营与管理，据《勘处播州事情疏》载：各田庄“并猎场、鱼潭、茶园、蜡崖，递年各领头目”阎晟、阎昂等“提督家人看养孳牲，布种田禾、麻、麦、黍、豆、红花之类，并采取鱼鲜、打捕野兽以供家用。每遇收成之时，又令火者福僧、观音、王寿”等“往来各庄照管”[④]。庄田的管理，由土司及其代理人（头目、家人）来完成。所谓“家人”，即家吏（奴），包括火者（伪太监）在内。换言之，至少存在土司、头目、家吏、佃农四个层级。庄田中种植的有田禾（水稻）、麻、麦、黍、豆、红花等，以粮食作物的种植为主，同时经营红花等经济作物。杨友即曾诬告杨爱独占“养老庄田子粒六万余石、马五百余匹、牛二千余头、猎场、茶园、漆林、杉山、猪羊等项，不计其数”。又“杨爱夺占山林，每年起集人夫遇春采茶万余担；遇夏米价高贵，起夫分运子粒往重庆等处变卖；遇秋至冬差黄保等总督官目子弟打捕猪、鹿、马、熊一万余只，小兽獐鹿不记其数，运回总府”。“杨爱本家养有牲畜、马匹，俱系家人李孝敬等看管”等[⑤]。若将猎场、鱼潭、茶园、蜡崖、漆林、杉山等均视为广义的田庄，则其经营的范围更为宽泛，除农作物种植外，还有牛、马、猪、羊、鱼、蜂等养殖，茶、漆、木材等经营，甚至有专门猎场进行野味的补给。可见，许多田、地、池塘和山林归土司所有，进行多种经营。

针对田庄遗址的调查，发现大片良田与一定规模的庄宅基址成为田庄的标配，有的水利设施至今仍在发挥作用，可举永安庄、雷水庄二例予以说明。永安庄，在今遵义市汇川区泗渡镇。一壑南北，中为仁江，两岸皆良田（或皆系昔之庄田）。庄宅旧址在仁江东岸的官坝村东风村民组，俗称庄子上。庄宅迎坡而建，前临仁江，背靠凤凰山（又名二定岩）。部分石砌

---

① （明）何乔新：《勘处播州事情疏》，《丛书集成初编·张司马定浙二乱志（及其他二种）》，北京：中华书局，1985年，第37页。

② （明）李化龙：《平播全书》卷2《悬购规则疏》，北京：大众文艺出版社，2008年，第38页。

③ 贵州省博物馆：《遵义高坪“播州土司”杨文等四座墓葬发掘记》，《文物》1974年第1期。

④ （明）何乔新：《勘处播州事情疏》，《丛书集成初编·张司马定浙二乱志（及其他二种）》，北京：中华书局，1985年，第36、37页。

⑤ （明）何乔新：《勘处播州事情疏》，《丛书集成初编·张司马定浙二乱志（及其他二种）》，北京：中华书局，1985年，第75、81、90页。

垣墙尚存，其中西墙残长98、南墙残长147米，面积约1.5万平方米。垣墙以内地势渐次抬升，遗有上马磴、下马磴、石门、九重堂等地名。村民掘地时，常获脊砖、瓦当等物。所见脊砖颇硕大，纹饰较海龙囤所出者略有不同，当为明万历之前的遗物[①]。由此可见永安庄确乃“世修庄院，僭拟王侯者”。成化十二年（1476）十月张瓒入播，十五日夜“宿永安驿”，“抵晚，杨宣慰（辉）又率属来迎”，“山势自永安驿至播已渐低，路可通车，居民富庶，有江南气象”[②]。永安驿具体地址不详，应在永安庄附近，晚间抵达的杨辉当夜可能即下榻庄宅之内。雷水庄，在今遵义市播州区团溪镇白果。有雷水堰，现存水域面积约8万平方米，旁有杨辉墓。《遵义府志·山川》：“雷水堰，在城南七十里，周三四里，中有九井，灌田数千亩，余水入芦江”，“旁有雷音寺及杨辉墓。堰即前明杨氏所筑”[③]。杨辉墓志铭称辉葬在“治南四十里雷水坪之原”，而同出的田氏墓志铭却称田氏“葬于寿安之原”，可见雷水坪之原即寿安之原。杨辉墓南约1千米处的芦江北岸茅台，有地名曰“寿安庄”，部分建筑基础尚存，疑即雷水（寿安）庄的庄宅所在[④]。随着时代的变迁，各庄田的具体面积已难详知，但通过今日田土、庄宅基址与水利设施等仍可大略窥见其环境与规模，境内良田，多被土司占夺。

土司制度下，土司世领其土、世袭其官、世长其民、世有其兵。土司虽有职衔，但无薪俸，而自食其土。土司辖下的里甲、亲管里，均有赋役黄册，是向官府纳税、服役的凭据。如成化十七年（1481），播州“攒造黄册，令里长白谊、吴永信，追收各里人户造册盘缠等项银一百两”，造册的费用由各里土民承担。又“成化十八年（1482）正月内，本司委渊管造黄册，有杨辉要将东青等里土民骆恕隆等拨与杨友管辖，又恐变乱黄册，令渊将骆恕隆等开作死绝，各户田粮飞报大溪内外二寨”。因黄册不能随意变乱，土司只有违规操作。黄册最终送缴南京保存，成化十八年（1482）“失记月日，本司差头目文锦前往南京进缴黄册”[⑤]。因有黄册的约束，里甲的管理相对严格，而土司的田庄则似不在此限。土司除需向朝廷缴纳一定额度的贡赋之外[⑥]，与明代贵族、官吏的田庄一样，土司田庄不需缴纳任何赋税，因此其所直接控制（世领其土）的实际上是这部分土地。而在土司制度推行以前的唐宋时期，播州可能亦已置庄生产，因羁縻而治，土官拥有更高的自主权。根据杨文神道碑记载，南宋时播州实行“寓

---

① 据李飞2014年10月25日调查日记。脊砖藏于庄内雷姓人家，瓦当未曾得见。

② （明）张瓒：《东征纪行录》，《丛书集成初编》，北京：中华书局，1985年，第7页。

③ （清）郑珍、莫友芝编纂：《遵义府志》卷4《山川》，成都：巴蜀书社，2013年，第57页。

④ 李飞：《夷夏之间：播州杨氏羁縻·土司墓葬研究》，四川大学博士学位论文，2017年，第151页。

⑤ （明）何乔新：《勘处播州事情疏》，《丛书集成初编·张司马定浙二乱志（及其他二种）》，北京：中华书局，1985年，第30、31、34页。

⑥ 播州在元大德七年（1303）始有纳田赋的记录，但其数未详。此前多进方物，多寡随意。明洪武七年（1374），中书省奏：播州土地既入版图，当收其贡赋，岁纳粮二千五百石为军储。帝以其率先来归，田税从所入，不必以额。参见（清）郑珍、莫友芝编纂：《遵义府志》卷13《赋税一》，成都：巴蜀书社，2013年，第206、207页。万历时，“考其旧时额粮，止岁以五千八百石输贵州，盖夷方赋税，原自轻减。”参见（明）李化龙：《平播全书》卷6《播州善后事宜疏》，北京：大众文艺出版社，2008年，第194页。据前引《勘处播州事情疏》，所纳之粮主要为“米”。

兵于农”的策略，“无事则耕，有事则战，兵民两利”[①]。意味着土官对土地的绝对占有，对佃户实施军民一体的管理。因此在这个意义上，庄园经济是土司制度的基础。万历二十八年（1600）爆发的播州之役，导火索是杨应龙斩杀正妻张氏并其母，尽屠其家，以致张氏叔张时照等向贵州抚按奏报，“五司七姓素受酋虐者，因起而附和之”，悉数叛离。朝廷知情后，却“连年讦构，抚剿无常”，政策飘忽；土司方面则“内自惊疑，多方设备”，乱由是起[②]。五司七姓的叛离，与杨应龙的任意杀戮，占地劫财有关[③]。如明隆庆三年（1569），杨应龙便曾占夺播州千户长官“宋氏田庄，害宋恩等十七命”，“万历间，五司七姓讦奏应龙，宋亦与焉”[④]。失去了土地，土司也就失去了统治的基础。

综上所述，囤上出土的炭化农作物种子主要应来自土司的庄园。庄园经济是土司制度的基础，曾与里甲制度并存，但差异明显，其系土司世有的私产。庄园有地、宅和人三要素，土地是庄田的基础，庄田中往往有奢华的建筑，佃户和苗夷是主要劳动力，庄田由土司及其代理人进行管理。庄田内以农作物种植为主，同时经营多种副业。

（四）建筑功能的规划与调整

囤上出土所有植物遗存共计12397.387克，以农作物为主，数量可观，但它们仅是土司储粮的一小部分。播州之役爆发前，杨应龙在囤上储存了多少粮食？《平播全书·露布疏》称杨应龙“自谓天险可乘，兼有积储足恃”[⑤]。杨寅秋在《临皋文集》中说得更为具体，“囤之粮可支岁余”[⑥]。彼时囤上有多少播州军民？关于播州的兵力，《平播全书》有多种记载，有的是夸大明军而贬损播军兵力以增士气的不实之词，需细审。《申严东南四道堤备》记：“又报：酋差三十六所巡警家丁上州，又招九股生苗，共兵十万”。《赠录战将王芬等疏》：四月初，“‘老虎兵’并各种苗夷，分为三路，应龙与二子各统三万”，计约9万。而据《叙功疏》八路明军各自呈报的数字，自出师至破囤，共计斩杀、俘虏播州军民175162人。除去土司与头目的家属、百姓，播州共有兵力约10万人。四月十六日，应龙率众上囤防御；四月十八日，明军形成合围。此时囤上军民，《再催攻囤》称“照得播贼上囤，兵不满万，人人知之”，《攻囤条件》亦称“囤上仅数千残苗”，显是有意压减。登囤之前的四月初五前后，“贼分三路，每路约二万有奇，连来挑战”，尚有6万人左右。明军破囤之后，“生擒贼妻田

① 贵州省博物馆：《遵义高坪“播州土司”杨文等四座墓葬发掘记》，《文物》1974年第1期。

② （明）李化龙：《平播全书》卷1《请内帑、增将兵疏》、卷4《献俘疏》，北京：大众文艺出版社，2008年，第28、124、125页。

③ 杨应龙对五司七姓等播民，“一语之错便至斩首，一事之忤便至倾家”，“地土赏了苗子，妻女配与别人”。参见（明）李化龙：《平播全书》卷8《宣谕》，北京：大众文艺出版社，2008年，第284页。

④ （清）郑珍、莫友芝编纂：《遵义府志》卷31《土官》，成都：巴蜀书社，2013年，第606页。

⑤ （明）李化龙：《平播全书》卷4《露布疏》，北京：大众文艺出版社，2008年，第131页。

⑥ （明）杨寅秋：《临皋文集》卷3《上内阁沈蛟门》，《景印文渊阁四库全书》，台北：台湾商务印书馆，1986年，第1291册，第693页。

氏，贼子杨朝栋等妻妾子女绣女及内监军师头目，并斩级万余”。足见囤上军民不止数千。《行道、镇破酋狡计》记载：明军缉获的“老虎兵”刘奇才等供述：“应龙与心腹、庄局、家丁、内亲管，估刻一万七千人，同上海龙囤拒守，本囤实在仓米大小三四千间”[①]。这应该是一个相对靠谱的数字，即囤上军民至少有1.7万人。自四月十六上囤，至六月初六囤陷，以每人每天需食200克粮计，共约耗粮17万千克。若以“囤之粮可支岁余”计，则数量更为惊人。

巨量的储粮，一方面解释了为何囤上有如此数量的农作物出土，一方面意味着需有大量的空间进行储存，因此才有“本囤实在仓米大小三四千间”的记载。但囤上迄未发现专用以囤粮的粮仓类建筑[②]，却在取样的F8、F9、F10、F32（金银库）、F35（TG47，老王宫）等建筑内发现数量不菲的农作物遗存，表明随战争时期储粮量的增加，许多建筑部分改变了预先规划的功能，兼用以存粮。以F9为例，由于其东梢间内灶台、水池、铁锅以及大量瓷器（可计件者540余件）的发现，我们推测其为厨房。大量农作物（4515粒）及少量兽骨（猪、牛、麂及小型碎骨）的出土，进一步确定了F9东梢间的厨房性质。F8，基于所在位置（与二堂F7之间有木桥相通）、结构（合院式，正房三开间）和出土遗物（砚台、象棋子），我们推测其为土司卧房。但F8是囤上出土农作物最多的遗迹单位，共计19700粒（包括其上部堆积，即B组堆积所出者），占农作物总数的78.06%强，反映其系一处重要的粮食储存地，似与卧房的推测不符。值得注意的是，杨氏有土司夫人掌管粮米的先例。明成化间，杨辉正妻俞氏先卒，其宠幸的二房田氏“专掌家事，庄田子粒并家财、金银、罗缎等物，俱系田氏收掌”[③]。应龙早年斩杀正妻张氏，专嬖二房田氏，颇类其祖。明军破囤后，发现“宣慰司印田氏携带在身”[④]，足见其威，亦可能重演收掌籽粒与家财故事。据《平播全书》记载，囤上钱粮由内侍叶进喜掌管，“掌海龙囤，更收支钱粮”[⑤]。24万明军围囤的非常时期，粮食作为重要的物资，叶进喜掌管的可能为军粮，土司家人的口粮则由田氏分配。如此，土司卧房内出土大量粮食作物实属合理，只是卧房（较可能为其两厢）同时便兼有了粮仓的功能。F10，结合结构（两院两进，三开间）与出土遗物（有切割痕的鹿角、骨质戳子等），我们推测其为存储重要财物的府库类建筑。这是所有取样地点中出谷农作物遗存最少的单位，共计23粒，其中F10垫土（K7）中2粒（水稻与粟各1粒）、前院20粒，分别反映了新王宫营建和使用时期的作物情况。该现象与

① （明）李化龙：《平播全书》卷3《赠录战将王芬等疏》、卷4《克破龙爪等囤五报捷音疏》《六报捷音疏》、卷5《叙功疏》、卷7《撤各省官兵回咨》、卷8《申严东南四道堤备》、卷9《行道、镇破酋狡计》、卷11《再催攻囤》《攻囤条件》，北京：大众文艺出版社，2008年，第91、105、115、150、155、158、159、165～167、258、280、317、362、367页。

② 为防鼠与防潮，这类建筑多应为下层悬空的干栏式建筑，如蛮夷长官司署图中的粮仓（表3-4-8）。参见（明·嘉靖）《思南府志》“蛮夷长官司署图”，《中国地方志集成·贵州府县志辑》，成都：巴蜀书社，2006年，第43册，第483页。

③ （明）何乔新：《勘处播州事情疏》，《丛书集成初编·张司马定浙二乱志（及其他二种）》，北京：中华书局，1985年，第11页。

④ （明）李化龙：《平播全书》卷7《破囤塘报》，北京：大众文艺出版社，2008年，第255页。

⑤ （明）李化龙：《平播全书》卷4《献俘疏》，北京：大众文艺出版社，2008年，第128页。

我们对F10的定性并不相悖。老王宫内F35，因仅进行了小规模试掘，性质不明。265粒炭化作物的出土，反映F35内亦当有一定数量的粮食储存。F32（金银库），是一组品字形三合院式建筑，较可能为海龙囤上的城隍庙。出土的478粒炭化农作物遗存，表明F32亦兼作粮仓。

各房址出土炭化农作物数量多寡不一，除与本身储存量相关外，与土样的多少也存在一定关系，针对这一情况，可以从出土密度再作一番考察。5座房址每升土样出土农作物种子数量分别为47.8粒（F32）、39.1粒（F8）、19.21粒（F9）、9.46粒（F35）与0.48粒（F10）。F32与F8出土密度最大，是粮食储存丰富的反映。换言之，未正式清理的金银库（F32）应是囤上粮食储存的重要地点。作为厨房的F9，出土密度与老王宫内F35接近，或反映F35内也设有厨房。F10仅0.48粒/升的出土密度，表明从营建到使用时期，这里纵有粮食储存，数量亦不多。

另一个观察的维度是去壳作物的占比。囤上出土的农作物中，水稻、粟、甜荞、苦荞等，有带壳和去壳两种保存状态。以占据大宗的水稻为例，遗址共计出土炭化稻谷19673粒（不包括小穗轴及＜1/2者），去壳者18529粒，占水稻总数的94.18%。若分开来看，其在各房址中的占比有所不同。F10因数量较少不计外，其余4座房址的占比分别为96.97%（F9）、96.36%（F35）、93.71%（F8）与84.72%（F32）。F9与F35的占比高于平均数，F8与F32的占比低于平均数。其中，F9作为厨房的性质是可以确定的，而储存在厨房中的多应是供直接炊煮的去壳后的稻谷，高比例的去壳水稻在该房址中的发现，与其厨房的定性相符。以之为参照，老王宫F35内亦可能设有厨房。F8与F32则以存储为主，水稻小穗轴仅发现于该两座建筑中，亦可资佐证（共109粒，其中F8出土108粒）。这一认识，与基于出土密度的分析结果吻合。但F8的去壳水稻占比虽然低于平均值，却明显高于F32，这应与F8内也设有灶台、水池等餐厨设施有关，不过后期填设的灶台（Z1）可能并非经常性使用的设施，或者相较于存储的功能，厨房的功能相对弱化。

再从作物加工的废弃物看。作物加工废弃物，是指收割后的农作物经脱粒、扬场等程序去除的不可用物质，包括农田杂草和谷物的颖壳、穗轴与未成熟者等。农田杂草与农作物伴生，并随之一同进入遗址，在农作物加工的过程中作为附属品，一般存在于加工的前段，加工后段中已经剔除或仅有少量遗留。对于谷物的颖壳、穗轴与未成熟者亦同理，在脱壳时就已经除去，一般不会出现在加工流程最终产品中[①]。由于F10出土农作物数量较少，F32、F35并未全面揭示，以下重点对F8、F9两组建筑内的上述遗存进行比较。F8出土农田杂草数量最多，达883粒，占该单位出土种子总数（农作物种子+农田杂草种子）的4.29%；F9内出土128粒，占2.76%；前者是后者的近2倍（表11-5）。此外，F8内出土水稻小穗轴108粒，F9内未见。F8内出土荞麦皮263粒、荞麦穗轴2粒，F9内未见。F8内出土未成熟粟6粒，F9内见1粒。整体上，作物加工废弃物F8多而F9少，这一显著的差别表明两者确实在功能上存有区分：F9内作物更趋向最终产品状态，与厨房的性质吻合；F8内高比例的农田杂草、水稻小穗轴、荞麦皮与未成熟粟等废弃物，则显示其以作物储存与加工为主。而F8天井一角以几块加工规整的大石围合而成的

① 宋吉香、赵志军、傅稻镰：《不成熟粟、黍的植物考古学意义——粟的作物加工实验》，《南方文物》2014年第3期。

C2，或即是作物加工的遗迹。有意思的是，87粒水稻小穗轴（占小穗轴总数的79.82%）、257粒荞麦皮（占97.35%）与全部2粒荞麦穗轴皆出自C2内。

综上所论，万历二十八年（1600）播州之役爆发后大量人员（在1.7万人以上）涌上海龙囤，要求囤上必有相当数量的粮食储备，囤上数量不菲的炭化农作物遗存的出土，正是这一历史过程的反映，同时也反映随粮食储备的增加，部分房址改变了预先规划的功能这一事实。基于各房址出土农作物的绝对数量、出土密度、去壳作物的占比以及加工废弃物的比例等分析，我们先前所推定的各房址的功能，有的得以验证或强化，有的则更为丰富：如F9东梢间系一处厨房；老王宫F35内可能亦有类似设施。F8为土司卧房，但在战争状态下亦成为一处重要的粮食储存与加工场所；土司夫人田氏可能是该物资的掌管者，其中所存粮食供土司及其家人食用。F32建筑格局与城隍庙类似，而其内农作物的高出土密度（47.8粒/升，系最高密度）暗示了储存量的丰富；该房址农作物的诸多埋藏特点如出土密度、去壳水稻的占比与水稻小穗轴（仅在F8与F32内发现）等与F8较为相近，表明其与F8一样，是一处重要的粮食储存场所，但这处位于土司衙署之外的建筑所存储的可能为军需物资，与F8储存的是土司家用物资有所不同。F10可能是一座储存重要物资（如金银）的府库类建筑，其内出土农作物数量较少（共23粒）；有的出土于其下垫土中（带壳水稻与去壳粟各1粒），反映出新王宫营建时农作物的种类与使用时并无不同，但尚未大量运抵；使用过程中的农作物遗存亦较少（21粒），表明这里并非主要的粮食储存地，从而可反证其为府库的可能。总之，战争时期巨量的粮食储存，改变或丰富了囤上部分建筑的功能，许多都被临时挪作仓储之用。

四、小　结

通过取样、浮选与鉴定，我们从海龙囤上发现了一批重要的植物遗存，其中绝大多数可确定为土司时期的遗物，且以农作物为主，因此可以反映土司治下播州农业经济的一般情况。在此基础上，我们对作物组合与土地利用、生产方式即土司庄园经济及其对建筑功能的佐证等展开讨论。概括起来，有以下几点主要认识。

第一，植物遗存的数量与种类。共计出土植物遗存79899粒，排除碎种及＜1/2的种子外，共计26987粒（主要基于后者展开讨论）。可分为农作物、非农作物两大类，农作物为大宗，占出土植物遗存总数的93.51%强。非农作物又可分为农田杂草、藤木本植物与不明植物，以农田杂草为主，占非农作物遗存总数的61.7%强。农田杂草是农作物的伴生植物，其种子随谷物一同进入遗址，又在加工过程中被遗弃，因此可作建筑功能推断的参照。

第二，农作物的组合与土地利用。识别的农作物有水稻、大麦、小麦、燕麦、龙爪稷、粟、黍、高粱、栽培稗、甜荞、苦荞、荞麦、大豆、红豆、绿豆等15种（紫苏亦可能为野生），可以分为主粮、杂粮与菜蔬三类。水稻为主粮，共计19782粒（含小穗轴），占出土植物遗存总数的73.3%，占农作物总数的78.39%，占统治性地位。杂粮有大麦、小麦、燕麦、龙爪稷、粟、黍、高粱、栽培稗、甜荞、苦荞、荞麦等，共计4796粒，占农作物总数的19%强，是对主粮的有益补充；其中麦类（大麦、小麦与燕麦）出土数量较少，反映种植规模可能不大；龙爪稷的数量则仅次于水稻，共计3908粒，占农作物总数的15.49%，反映出一定的种植规模。菜蔬则包括大豆、红豆和绿豆等豆类植物，共计652粒，占出土农作物总数的2.58%强。农作物种类呈现多样化，搭配也较为合理。与之相应的种植环境有水田、旱地与山地，反映了土地资源的立体利用。结合文献的记载，以上作物中的大多数至迟在15世纪的播州已经出现，因此可能反映了美洲作物传入前播州长期的传统农业种植情况。

第三，关于美洲作物的传入时间。浮选并未发现玉米、土豆、辣椒等美洲作物，但文献记载显示播州至迟在17世纪30年代已有玉米种植，结合周邻云南的相关记载（1563年），不排除16世纪末的播州已有玉米种植的可能，而之所以未在土司遗址中留下记录，或与当地上层对玉米的文化接纳度相关。根据道光《遵义府志》的记载，直至19世纪40年代，玉米在当地尚“富人所唾弃，农家之性命也”。因此，不能将海龙囤有无出土作为讨论美洲作物是否已经传入播州的依据。

第四，农作物的生产方式：播州土司的庄园经济。播州之役中，播兵约有10万之数，上囤者不少于1.7万人，需要相当的粮食储备。而根据明军的记载，“囤之粮可支岁余”。如此巨量的粮食来自何处？一是在播境及周边掠夺所得，二是产于自家庄田，再由“运送口粮帮户”运至囤顶，囤上并不产粮。有明一代，播州的基层社会推行里甲制度与田庄经营，是赋役的主要来源。里甲设轮值里长与甲首，并有里老、寨老协助工作。万历时，播州有五十四里。土司往往又在其中设“亲管里”，另取赋税。成化时土司杨爱有二十二亲管里。田庄是土司的私产，由田、宅、人三要素构成。土地是基础，通过继承、强占等方式获得；庄田中往往有奢华的建筑，是管理和粮食储存之地，有时也是土司活动的重要场所；佃户和苗夷是庄田中的主要劳动力，田庄的日常管理由土司带领头目和家吏来完成。田庄以粮食种植为主，同时经营养殖与茶、漆、杉等经济作物的种植等多种副业。第十三世杨粲时开始实行的“寓兵于农”策略，表明播州南宋时应已有田庄的经营。庄园经济是土司制度的基础。

第五，建筑功能的调整与丰富。囤上巨量的粮食储备，意味着需要大量空间储存。F8、F9、F10、F32、F35等建筑中均有农作物发现，表明囤上多数建筑可能在战争状态下俱兼作粮仓之用，方能至“本囤实在仓米大小三四千间”之数。出土的大量农作物及其埋藏状态（高去壳率），证明F9东梢间确系一处厨房遗迹。从所处位置与结构推断，F8当为土司及其夫人的卧房，但在非常时期亦兼作储粮之用，种种迹象显示还在其天井中进行粮食加工活动，这里储存的可能是供土司及其家人食用的口粮，并由土司夫人田氏掌管。处在衙署区之外的金银库（F32），未正式发掘，仅通过勘探探明其系一组品字形建筑，由五开间正房和三开间两厢组成，规制接近于一般的城隍庙。但试掘发现，两厢铺地砖上亦发现粮食遗存，且其出土密度（47.8粒/升）为全囤之冠，意味着当有大量的粮食储存，应为战时军粮存储的要地。在播州之役爆发的非常时期，随大量人员与物资涌上海龙囤，囤上部分建筑可能改变或丰富了其最初规划的功能。

考古贵州之报告系列

海龍囤

·叁·

贵州省文物考古研究所
贵州省博物馆
遵义海龙屯文化遗产管理局
编著

科学出版社
北京

内 容 简 介

海龙囤，又名龙岩新城、龙岩囤或海龙屯，始建于南宋宝祐五年（1257），而毁于明万历二十八年（1600）的播州之役，是杨氏治下的播州最负盛名的羁縻·土司城堡。2015年7月与湖南永顺老司城、湖北唐崖土司城一起列入世界文化遗产名录。本书是海龙囤2012～2014年度考古发掘研究报告，对海龙囤相关遗存进行了全面介绍与深入研究。

本书适合从事考古、历史、文物研究的专家学者、教师及学生参考、阅读。

图书在版编目（CIP）数据

海龙囤 / 贵州省文物考古研究所，贵州省博物馆，遵义海龙屯文化遗产管理局编著. —北京：科学出版社，2022.7
（考古贵州之报告系列）
ISBN 978-7-03-072754-1

Ⅰ. ①海…　Ⅱ. ①贵…　②贵…　③遵…　Ⅲ. ①古城遗址（考古）-考古发掘-发掘报告-遵义　Ⅳ. ①K878.35

中国版本图书馆CIP数据核字（2022）第128052号

责任编辑：柴丽丽 / 责任校对：邹慧卿
责任印制：肖　兴 / 封面设计：美光设计
封面题字：戴明贤 / 封面绘图：顾　静

科学出版社 出版
北京东黄城根北街16号
邮政编码：100717
http://www.sciencep.com
中国科学院印刷厂 印刷
科学出版社发行　各地新华书店经销
*
2022年7月第　一　版　开本：889×1194　1/16
2022年7月第一次印刷　印张：78 1/4　插页：191
字数：2 250 000

定价：1600.00元（全四册）
（如有印装质量问题，我社负责调换）

第十二章　播州山城防御体系

除海龙囤外，播州境内尚有数量不菲的山城，年代亦集中在宋明时期。南宋山城数量较少，均为宋蒙战争时期的遗存。明代山城数量较多，并以杨氏遗存为主，构成了严密的山城防御体系。部分山城则兼有两个时期的遗存。同时，也遗有大量清代山城，不赘[①]。与建在平原地带的城池不同，这些带有明显军事性质的防御工事均筑于高低不同的山地上，彼此之间及其与平原城之间互为屏障，良性互动。这种关系在明万历时期尤为凸显，如“海龙囤周围，尚有龙爪、望军、海云等囤，养马、养鸡等城，皆海龙羽翼，必先埽除方可成功”[②]，又“查得播酋以海龙囤为老囤，以四围边界扎子囤，酋居中调度”[③]。虽有承袭，但播州宋明两个时期的山城，其修筑目的与防御重心不同。在此视角下，可以更好地理解海龙囤的历史定位。

第一节　南宋山城

思、播境内南宋城池，目前所知的有海龙囤、养马城、鼎山城与黄平城、镇远城等5座，分布于播州城（今遵义老城）之北侧与东面。黄平与镇远城仅见诸文献，今迹无考，余则均有迹可循，俱为山城。养马城、鼎山城宋元文献无载，但年代确凿。该五城均系宋蒙战争背景下营建的防御性工事，是山城防御计划的一部分，其防御的重心是贯彻“斡腹之防”，即抵御从云南大理东进的蒙军。

---

① 参见贵州省博物馆、贵州省文物考古研究所、凤冈县文体广电新闻出版局：《玛瑙山：考古、文献与口碑》，北京：科学出版社，2018年，第137～157页。

② （明）李化龙：《平播全书》卷5《叙功疏》，北京：大众文艺出版社，2008年，第140页。

③ （明）杨寅秋：《临皋文集》卷4《平播覆议机宜》，《景印文渊阁四库全书》，台北：台湾商务印书馆，1986年，第1291册，第751页。

一、“斡腹之防”：思播山城防御

（一）宋蒙战事与山城防御

1235～1279年，蒙古与南宋之间爆发了全面且旷日持久的战事，史称宋蒙战争。战争分三个阶段：第一阶段（1235～1241），窝阔台攻宋之战。蒙军兵分三路，从四川、京湖、两淮攻宋。第二阶段（1251～1259），蒙哥攻宋之战。蒙军多路并发，其中蒙哥帅中路亲征四川；忽必烈、兀良哈台帅西路经由吐蕃、大理，从侧翼进攻南宋内部，贯彻大迂回的“斡腹之谋”，西南遂成兵燹之地，后因蒙哥战死钓鱼城而北还。第三阶段（1267～1279），忽必烈南征。蒙古灭南宋而一统天下。

自淳祐三年（1243）至宝祐元年（1253），余玠（1197～1253）主持四川防务。余玠在广泛听取阳枋、播州冉氏兄弟和杨文等人的建议后，在前任孟珙的基础上，发展了山城防御计划，广筑山城，并将位于平旷之地的府州治所迁往附近的险要山巅。这些山城星罗棋布，其上屯驻军队，聚积粮食，作为长期防守的基地。在他的任期内，前后修筑山城不下18座，计有：钓鱼城、大获城、神臂城、运山城、赤牛城、大良城、天生城、白帝城、苦竹城、云顶城、小宁城、青居城、得汉城、平梁城、长宁城、紫云城、杨洪城、多功城等。

筑城之山均经慎重选择，其特点：一是大多坐落于天然的险崖峭壁上；二是山顶宽平，有泉眼、林木、田土；三是各山大多依凭江河，既能借助水势增加山险，又能依赖水运沟通外界往来。以钓鱼城为例，城在今重庆市合川区东6千米的钓鱼山，淳祐四年（1244）左右筑成。山高千仞，峰峦岌岌，峭壁悬崖，其上宽平，有天池周回百余步，大旱不涸。周围城墙长6千米。北、西、南三面临嘉陵江。迁合州治所于其中。内有官廨、居民住宅、寺庙、亭榭、园池、仓库等设施。这些山城绝大多数（14座）成为新的府州治所，不过仍有许多府州的治所保留于旧有的平地上，如重庆府城、嘉定城、叙州城等。

余玠任制置使的十年间，四川掀起了修筑山城的高潮。余玠病逝后，俞畤、蒲择之先后接掌四川，宋廷又任命京湖安抚制置使李曾伯节制四川，负责兵力与粮草接应。其间也曾有零星的筑城活动，但已远逊余玠时。如宝祐四年（1256），为了防备大理蒙军的斡腹入侵，四川制置司命南平守臣史切举在马脑山（今重庆南川东南九十里）筑城。四月初六日开工，六月十九日竣工。此即南川龙岩城。宝祐六年（1258）南平军知军茆世雄又行增修。同年，吕文德在黄平筑城，定名镇远州。与此同时，长宁军自筹钱粮，筑凌霄山城（今四川兴文县东百二十里）。开庆元年（1259）正二月间，蒙军钮璘部攻南川龙岩城，不克。同年夏，又率军南掠播州，无功北返[①]。

据不完全统计，巴蜀地区宋蒙城寨的数量在110处左右，有南宋官方所筑者，有百姓所筑者，甚至有少量蒙军所筑者。宋廷所筑山城有制司、路与安抚司、抚州军监以及县等四个层级，主要分布在长江沿线及其以北的今川、渝境内，体系完备，并在宋蒙战争中发挥了重要作用。筑城活动可分不同阶段，但宝祐六年（1258）后整体趋于萎缩[②]。

（二）思播筑城活动

地处长江以南的播州与思州等羁縻之地，在宝祐三年（1255）以降也出于防务需要开始兴建山城，其防御的重心是自云南“斡腹”东进的蒙军，乃“斡腹之防”的遗存。出土或传世文献中，涉及该区域筑城活动的有以下几条。

1. 杨文神道碑

1972年出土于杨文（1220～1265）墓前，而后渐有补充。因铭文涉及宋蒙战事及海龙囤之创建，尤为重要。为讨论方便，节录于下（详见第九章）：

> 制使余君玠[奉]命建阃，时蜀事转亟，君条陈保蜀三策，献之制使曰：“连年虏寇如蹈无人之境，由不能御敌于门户故也。莫若进司利、阆之间，节次经理三关，为久驻计，此为上策。今纵未能大举，莫若于诸路险要去处，众□城筑，以为根柢，此为中策。至于保一江以自守，敌去敌来，纵其所之，此为下策。若夫意外之忧，近年西蕃部落为贼所诱，势必绕雪外以图云南，由云南以并吞蛮部，阚邕广，窥我沅靖，则后户斡腹为患。”不意君数十语，实切于今日料敌之奇策。蜀相前后连筑诸城，若兵若民，始有驻足之地。君发明之力居多。
>
> 淳祐戊申（1248），制[使][发][雄]威步骑三千，由硐门出雪外。遇虏于[岩]州之马鞍山，三战三捷，擒贼酋秃懑于大渡河。捷闻，升职环卫。淳祐辛亥（1251），制使余君欲捣汉中，君承阃令，选锐卒五千，命总管赵寅领之。首战于罗村，再战于梢子头，三战于[西]县，皆我军贾勇先登，俘获颇众。余帅当时亲书“忠勇赵寅”之旗以

① 以上史事，参见李天鸣：《宋元战史（一）》，台北：食货出版社，1988年，第413～723页。又吴澂《故宋勇胜军统制官詹侯墓表》：詹钧“开庆己未（1259）之夏，战死于蜀”。先是战败被钮璘俘虏，而后“络置马上，载以行。八日不食，至播州土门，逼令招城中，不行，遇害”。知蒙军钮璘部曾于开庆元年（1259）攻至播州土门，土门未详何地（按：今务川、道真间有小地名土门者，自南川下，似正当其地）。参见（元）苏天爵编：《元文类》卷56《墓表》，上海：商务印书馆，1936年，第812～814页。

② 参见蒋晓春：《巴蜀地区宋蒙城寨考古工作述要》，《黄河·黄土·黄种人》2017年第11期；周思言：《南宋四川抗蒙山城体系初探》，《遗产与保护研究》2017年第5期。

旌之。天朝擢寅，君不□□功，以回授祖刘封通安郡夫人。训词略曰：“文之有功□也，其诸孝也。”君谓吾家有敌忾之勋，皆忠显基之，遂请于朝，觐□□恩霈□□光前，恩诏奖谕，赐庙忠显，领两□节度使，开府仪同三司，加封威灵侯，又照四戎司例，升雄威为御前军，给五军统帅印。边屯之得升为御前军者，始此。

淳祐壬子（1252），虏前铁骑火鲁赤寇蜀之嘉定，为四川巨镇，顺势□重。余帅急调其赴援。君选马步五千，委总管田万部□，从间道攻凌云，播军周夜袭贼过江。嘉定一城，唯万山、必胜两堡最要。专以播军任责，我军以强弩射中粉青，一大酋应弦而倒。诸军相继，贾勇获胜，重围遂解。特授右武大夫。盖自累年以来，谍者屡报：鞑虏有斡腹之谋，由攻大理、善阐、特磨，以寇邕、筦。十余年间，□□□朝□议，欲设备广西者不一，□东关右□，道取沅靖之说。

岁甲寅（1254），谍者又报：鞑虏已破大理，将□道首攻南播，以捣我沅靖。予正居军席，谓此路无瘴，心甚忧之。犹幸有杨君父子，忠孝夙著，必能护此一方。遂亲作御鞑四策：一曰待敌，不可轻战；二曰保山险，不可散居平地；三曰用夜劫，不可昼战；四曰收聚粮食，毋以资敌。其□则以诸国唇齿相依，利害相关，平日不可各分彼此，缓急必须相为之救援。宣□阃锓此榜文，首以达之思、播二郡。又遍及诸蛮部□。杨君智识过人，深以此说为是，见之施行，且用心结纳诸蛮部，使不为鞑用。

宝祐乙卯（1255），大使李公曾伯宣威蜀道，贼酋买住解□□分道入寇，自乌蒙渡马湖，入宣化。宣阃札调我军助战。君委其弟大声，提步骑五千赴调，出奇九战九捷，立获阿狸等人。捷闻于朝，特转左武大夫。是时，鞑入大理，迫近乌琐、罗鬼，拒播不远。制阃移书勉其□，君复书曰：“此虏势必遣一溜向特磨，以窥我邕广；遣一溜出罗鬼，以窥我南鄙。虏势得合，非特蜀事岌岌，而湖广凛凛矣。”君之此言，可谓精于料敌，其中事机。制使蒲君以其事闻，被□□遣中使宣谕，押赐凤樽、金钟、金盏、绫锦等物，令漕宪赵定应、幕参冉从周，深入诸蛮宣布上意，兼授以杀贼方略，始得贼虏盘泊大理等情状。自是置定北诸仓，以储军粮；创安南诸寨，以扼贼冲。申儆军实，遴选人才，除械器，明间谍，护斥候，常如虏至。

宝祐丁巳（1257），虏酋悟浪葛解（按即兀良哈台）出大理，由卜卤、乌琐以攻罗鬼。杨君具以实闻，上忧之，乃□命今节使两府吕公文德驻黄坪。既而播军于阆中生致贼之头目胡撒桂者。御笔：“杨文，国之藩篱，斡腹之防，正赖其力□援。转两官，可特与转符节使。”吕公与杨君相会，面言当为申朝廷，行下□□□制阃，置一城以为播州根本。我且驻黄坪，以蔽沅靖。于是筑龙岩新城。

上引铭文主要涉及三事：一是杨文向余玠献“保蜀三策”，玠取中策，即“择诸路要险，建城濠以为根柢”[①]。二是杨氏随宋军的五次北上抗蒙。三是宝祐五年（1257）兀良哈台出大理东

① 参见（明）宋濂：《杨氏家传》，罗月霞主编：《宋濂全集·翰苑别集》，杭州：浙江古籍出版社，1999年，第964页。

来，迫近播州，吕文德与杨文晤，议“置一城以为播州根本”，“于是筑龙岩新城”（即海龙囤），吕文德驻黄坪（即今黄平）。这是文献中首次提及海龙囤的始建年代，在宝祐五年（1257）。

2.《宋史·理宗四》[①]

（1）宝祐五年（1257）二月壬戌，“筑思州三隘”。

（2）同年十一月乙亥，“诏京湖帅臣，黄平、清浪、平溪分置屯戍”。

（3）宝祐六年（1258）正月甲戌，“诏枢密院编修官吕逢年诣蜀阃，趣办关隘、屯栅、粮饷，相度黄平、思、播诸处险要缓急事宜，具工役以闻”。

（4）同年四月丁酉，“诏田应己思州驻扎御前忠胜军副都统制，往播州共筑关隘防御”。

（5）同年七月乙亥，“吕文德入播州，诏京湖给银万两”。

（6）同年十一月甲寅，“筑黄平，赐名镇远州。吕逢年进一秩，诏抚谕沿边将士”。

（7）开庆元年（1259）正月癸丑，“诏：吕文德城黄平，深入蛮地，抚辑有方，与官三转”。

3.《宋季三朝政要》[②]

（1）卷2：宝祐三年（1255），“云南有北兵，思播当严为备”。

（2）卷2：宝祐六年（1258）正月，“鞑靼兵犯安南，田应寅乞屯泸、溆，援思、播。乃修筑思、播关隘，调兵防播州支径，差官相度置黄平屯，趣徐敏子防邕、宜”。

（3）卷3：开庆元年（1259），“新筑黄平隘，赐名镇远州，戍兵守备，以防云南”。

4.《宋史全文》[③]

（1）宝祐五年（1257）九月“戊辰，上曰：‘蒲择之奏，鞑侵罗氏鬼国，不可不为之备。’（程）元凤奏：‘择之报，已多调兵往潼川，如鞑侵罗鬼，则邀其后。又扎播州严备。令更下康湖诸处严作措置。’上曰：‘可。’甲戌，上曰：‘播州乞兵，想事势颇急。’元凤奏：‘此亦机会，不可不亟与调遣。’上曰：‘当令夹击。’”

（2）十月“甲辰，上曰：‘赵葵奏，沅州有粮，可以运发。’元凤奏：‘蒲择之亦谓播州有粮，吕文德正虑粮乏，今既有此，可以进师。’戊申，上曰：‘付出札子言斡腹事，及守臣有当易者。’元凤奏：‘已行下宣抚司。吕文德既入播州，而沅、靖支径尚多，责令措置，其守臣容拟进。’”

（3）十一月“乙亥，上曰：‘昨日付出黄平图本，其间险要处皆当置屯。’元凤奏：

---

① （元）脱脱等：《宋史》卷44《理宗四》，北京：中华书局，1977年，第859～864页。

② （元）佚名撰，王瑞来笺证：《宋季三朝政要笺证》，北京：中华书局，2010年，第210、236、245页。

③ （元）佚名撰，汪圣铎点校：《宋史全文》卷35《宋理宗五》，宝祐五年九月、十月、十一月条，北京：中华书局，2016年，第2862～2864页。

‘黄平、清浪、平溪三处当审度缓急，分置大小屯，已令宣司作急区处。’”

上引文献所记均为宝祐三年（1255）蒙军西路攻陷大理后，宋廷下旨在长江以南的播州、思州筑关隘以御蒙军事。彼此结合，有几点值得注意：第一，修筑时间与防御重心。思、播筑城的时间集中在宝祐三年（1255）至开庆元年（1259）间。按杨文神道碑的记载，彼时蒙军出大理，自“乌蒙渡马湖，入宣化。……迫近乌琐、罗鬼，拒播不远。……此虏势必遣一溜向特磨，以窥我邕广；遣一溜出罗鬼，以窥我南鄙。虏势得合，非特蜀事岌岌，而湖广凛凛矣。”对彼时形势，李曾伯在宝祐三年（1255）十月的奏疏中判断蒙军可能取“蛮路”或“汉路”东进。“敌人今在叙宁相对，若其取蛮路，则吕告之下，过阿永蛮即罗氏，即播州界，由此而通思，通沅、靖。若其出汉地，则长宁之东即是南平，由此而之涪、夔，之黔、施，接澧、峡。”故此，应对之策为“若果出蛮地，则俟思、播有急，便道出思、播境，与杨、田辈叶力扼之险要。倘或出汉地，则夔、涪、施、黔尽可据险防御”[①]。因此，思、播州山城防御的重心是蒙军大理路，以作“斡腹之防”。杨文神道碑称“谍者屡报：鞑虏有斡腹之谋，由攻大理、善阐、特磨，以寇邕、筦。”蒙军两路相合，则“非特蜀事岌岌，而湖广凛凛矣”。于是需在思、播间筑关隘，“以蔽沅靖”。

第二，防御之策，涉及“修筑思、播关隘，调兵防播州支径”与“抚辑蛮地”等三方面。其间所筑关隘，具其名者有黄平、清浪、平溪与龙岩新城，但彼时所筑关隘当不止此，下文将要论及的养马城、鼎山城亦在其中。因有筑城、调兵和抚蛮三策，宋蒙战火并未延及思播，或虽有兵燹但不激烈。前述开庆元年（1259）夏，蒙军都元帅钮璘即曾率军南下攻播，抵“土门”，无功北回。史籍对此着墨不多，反映战事不酣。

第三，参与其事的人员，除思、播土官外，还有宋廷官员。思州土官介入播州修城事，见《宋史·理宗四》宝祐六年（1258）副都统制思州田应己“往播州共筑关隘防御”的记载。宋廷直接参与的官员，则有吕文德与吕逢年。吕文德（？～1269），宝祐二年（1254）七月京湖制置大使李曾伯宣抚四川，吕文德接掌京湖军事，而后兼知靖州，节制湘西。开庆元年（1259）任四川制置使副使。其间，文德于宝祐时入播，与土官杨文议置龙岩新城，自己则城黄平，构筑第二道防线，以防大理蒙军。前述安播三策，即是由吕文德、李曾伯与杨文等人践行的。有意见认为，兀良哈台最终放弃今贵州而取道广西东进，即与吕文德的经略有关。据前揭《宋史·理宗四》，宝祐六年（1258）七月，“吕文德入播州，诏京湖给银万两”。京胡援播的“银万两”，当用于播州防务，包括山城建设。而另一名官员枢密院编修官吕逢年在宝祐六年（1258）正月甲戌接诏，入蜀“趣办关隘、屯栅、粮饷，相度黄平、思、播诸处险要缓急事宜，具工役以闻”。吕逢年此番前来只是“相度”，即参与分析、评估。开庆元年（1259）夏，蒙军钮璘部即南下，留给播州筑城的时间并不多。这或许可以解释为何海龙囤、养马城均就近取用易于开采的砂岩砌筑关隘、城垣，而鲜用质地更坚的灰岩，战事迫近故也。

① （宋）李曾伯：《可斋续稿》后卷3《边报事宜乞加备奏》，《四库全书珍本初集·集部·别集类》，上海：商务印书馆，1935年，第19册，第38、39页。

第四，关于海龙囤的始建年代。杨文神道碑记载，宝祐五年（1257），兀良哈台出大理，播州告急，吕文德入播，与杨文议“置一城以为播州根本”，“于是筑龙岩新城”。按文义，海龙囤始建于宋宝祐五年（1257）。但《宋史》记载吕文德入播的时间是宝祐六年（1258）七月，则龙岩新城之建似始于该年。而据《宋史》与《宋季三朝政要》，早在宝祐三年（1255），南宋当局即意识到“云南有北兵，思播当严为备”，并于宝祐五年（1257）二月壬戌已着手“筑思州三隘”。次年（1258）正月吕逢年入蜀，“趣办关隘、屯栅、粮饷，相度黄平、思、播诸处险要缓急事宜，具工役以闻”；四月，田应已接诏“往播州共筑关隘防御”。可见思、播的筑城活动至迟在宝祐五年（1257）已展开，似不必等至吕文德莅播的宝祐六年（1258）七月。对此，《宋史全文》所载宝祐五年（1257）十月宋理宗与参知政事程元凤的对话中称“吕文德既入播州”，表明文德入播当不止一次。因此杨文神道碑中宝祐五年（1257）置龙岩新城的记载当可据信。

第五，关于“龙岩新城”，“新”字暗示筑此城前应有一“老”龙岩城。存有三种可能：其一，均相对于海龙囤而言。亦即在杨文与吕文德商议“置一城以为播州根本”前，海龙囤的建设已经展开，之后因得到宋廷的支持而昌大其颜，故名“新城”。据杨文神道碑，早在宝祐二年（1254）即有“鞑虏已破大理，将□道首攻南播，以捣我沅靖”的谍报。宋廷则于次年（1255）发出警告：“云南有北兵，思播当严为备”。可能被“首攻”的播州，不可能没有准备。其二，相对于南川龙岩城而言。始建于宝祐四年（1256）的南川龙岩城是南平军的驻扎之地，修筑时间较海龙囤为早，或因此故而名后建者曰“龙岩新城”。据南川龙岩城摩崖，该城因“上有旨筑南郡四城”而建，再次增修后“遂为南方第一屏障”[①]。鉴于此，将后建的海龙囤称为“龙岩新城”似在情理之中。值得注意的是，南川龙岩城所在之山名“马脑山”（《元史》称“马老山”），“龙岩城”似非因山得名。据南川龙岩城现存开庆元年（1259）摩崖，茆世雄宝祐六年（1258）十二月才受命领南平，次年（1259）正二月间，蒙军即攻龙岩城（与前引《故宋勇胜军统制官詹侯墓表》的记载可相印证）。而在宝祐六年（1258）十二月前茆世雄在播州、罗鬼开展防务，铭文称“宋宝祐乙卯（1255），上有旨城南平。越三年，守臣淮东都梁茆世雄戍罗播、城龙岩毕事。”据文义，这里提到的“城龙岩”，似在罗播境，并非指南川龙岩城。“马脑山”何时称“龙岩城”是一个值得深究的问题。若彼时的“马脑山”并不称“龙岩城”，则“老”龙岩城指南川龙岩城说就不能成立。其三，另有所指。即既非海龙囤，亦非南川龙岩城。与海龙囤相距仅2.5千米的养马城即始建于南宋，其城垣、城门与衙署等均与“龙岩新城”同时，亦是一座“抗蒙山城”，因此不排除其即稍早营建的“老”龙岩城之可能。杨文神道碑的作者称：早在宝祐二年（1254），得蒙军已破大理将攻播州的谍报时，他“亲作御鞑四策”，其一即“曰保山险”，四川制置司“镂此榜文，首以达之思、播二郡”，

① 唐冶泽：《重庆南川龙岩城摩崖碑抗蒙史事考》，《四川文物》2010年第3期。今尚存于城门外的开庆元年（1259）摩崖记：“宋宝祐乙卯（1255），上有旨城南平。越三年，守臣淮东都梁茆世雄戍罗播、城龙岩毕事。嘉平（十二月），奉捆命领郡寄。始至，鞑已及境。正月，贼酋重兵攻城。二月再寇，斩虏使，焚伪书，诸将争击，贼败而退”。

“杨君智识过人，深以此说为是”。杨文既认同其策，当已践行。三种情况均不能排除。

第六，关于黄平城的地望。差不多在建海龙囤的同时，吕文德开始在黄平筑城并拨兵驻守。对此，前揭文献称“筑黄平”“吕文德城黄平”“新筑黄平隘，赐名镇远州”，或“我且驻黄坪，以蔽沅靖”。“城黄平”有筑城和驻扎两层含义，“筑黄平”和“我且驻黄坪”表明应兼而有之。这是“黄平”与“镇远”名首次在文献中出现，并一直沿用至今。两地皆在播东南。黄平元为府，明为安抚司，属播州，平播后改黄平州，沿革有序，其地在今黄平县一带。元大德十年（1306）罗友忠墓志铭即记：元故武略将军、黄平知府罗侯讳友忠，世居播州玉塘里，为播巨室。初任金牌忠显校尉、平谿上塘罗骆家等处蛮夷军民长官，改昭信校尉、旧州草塘等处蛮夷军民长官，考满升黄平知府云云[①]。“城黄平”的目的是构筑播州东面的第二道防线，“以蔽沅靖”，而贯穿黄平与镇远一线的沅水支流㵲阳河恰是下抵沅靖的天然通道，因此黄平城应筑于㵲阳河畔。结合抗蒙山城多筑于两水交汇处险峻山巅的特点，今黄平县境内冷水河与㵲阳河相夹的明黄平州城所在地（今旧州），较可能即南宋黄平城（黄平隘）的所在地。虽有两水相夹，地却不甚险，但可控扼沅水。若果如此，则黄平城非典型的山城（图12-1-1）。

第七，关于“思州三隘”。《宋史·理宗四》记宝祐五年（1257）二月壬戌，“筑思州三隘”，同年十一月乙亥，又“诏京湖帅臣，黄平、清浪、平溪分置屯戍”。《宋史全文》亦曰于三处“分置大小屯”，理宗在宝祐六年（1258）正月间尚问及“黄平之屯如何？”清浪，据明刘氏墓志铭，当在今镇远县城东北的清溪镇境[②]。平溪，据天启二年（1622）曾仲学墓志铭，在今贵州玉屏县境[③]。均在思州境。另据《元史·世祖本纪》：至元十五年（1278）十二月“庚辰，思州安抚使田景贤、播州安抚使杨邦宪请归宋旧借镇远、黄平二城，仍彻戍卒，不允”[④]。知宋廷在黄平、镇远均筑有城池，并派兵驻守，思州安抚使田景贤请归的应为镇远城。今之镇远县境旧隶思州，弘治《贵州图经新志》记时之镇远府“宋大观元年（1107）蕃部长田祐恭内附，建思州，领婺川、邛水、安夷三县，寻废，以其地隶黄平”[⑤]。审以地势，结合南宋抗蒙山城据险夹水的特点，镇远城在今镇远县城北石屏山一带的可能性较大。该处地势险峻，南临沅水，东西各有铁溪与小田溪来汇，可谓得天独厚（图12-1-2）。石屏山巅，今仍遗有部分明镇远府城墙。因黄平在播境，镇远、清浪、平溪或即“思州三隘”，屯有大小之分，黄平应为“大屯”。四地均在㵲阳河畔，可上下呼应，控扼沅水，“以蔽沅靖”。

综上所述，在宋蒙战争的第二阶段，西南战局发生了重大变化，忽必烈、兀良哈台率领的

---

① 李飞：《夷夏之间：播州杨氏羁縻·土司墓葬研究》，四川大学博士学位论文，2017年，第192～202页。

② 墓志发现于今镇远县清溪镇，参见吴再顺：《清溪发现“清浪卫”记载墓志碑》（未刊稿）。志文曰：“先妣孺人刘氏，湖广清浪卫人，以正德十年（1515）岁在乙亥六月十二丁卯日辰时生”云云。

③ 志文曰：“公之先世，籍楚黄蕲州，高帝定天下，以良家子实戎行，于是占籍平溪，遂为平溪人。”参见贵州省博物馆编：《贵州省墓志选集》，内部印行，1986年，第73页。

④ （明）宋濂等：《元史》卷10《世祖七》，北京：中华书局，1976年，第207页。

⑤ （明）沈庠删正，赵瓒编集，张祥光点校：《贵州图经新志点校本》卷5《镇远府》，贵阳：贵州人民出版社，2015年，第85页。

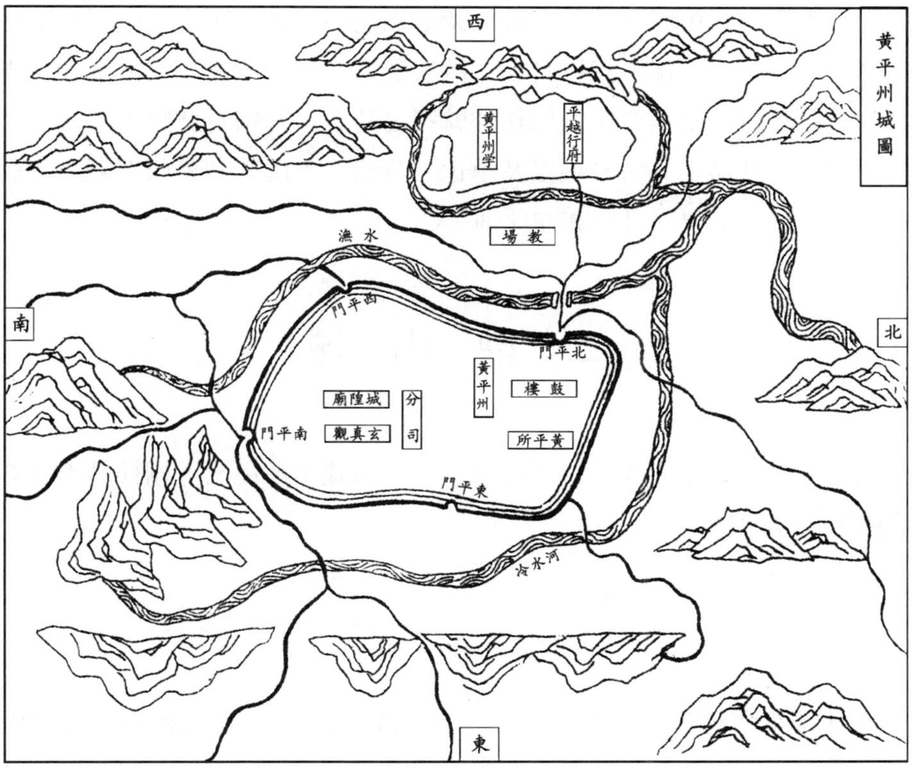

1

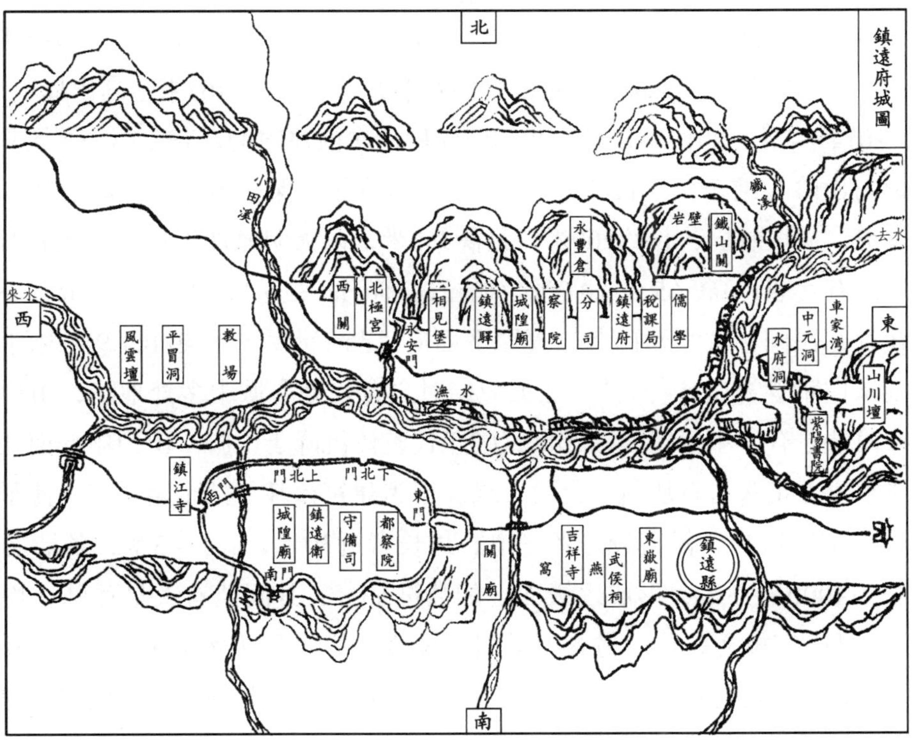

2

图12-1　明黄平与镇远城图

1. 黄平州城图　2. 镇远府城图

蒙军实施“斡腹之谋”，经由吐蕃攻陷大理（忽必烈北归后，蒙军主要由兀良哈台率领），突破长江而迂回东进，使杨文“保一江以自守，敌去敌来，纵其所之”的下策亦宣告落空。宋廷偕思、播土官开始在长江以南构筑山城以作“斡腹之防”，理宗对此颇为关注。文献所记的南川龙岩城、播州“龙岩新城”、黄平城以及镇远、清浪、平溪等“思州三隘”均属该类遗存，文献未载的桐梓鼎山城、播州养马城亦在此列。

二、鼎　山　城

桐梓鼎山城，较早见载于道光《遵义府志》，而后咸丰及民国《桐梓县志》亦有记。今迹尚存，亦应为南宋抗蒙山城之一。

（一）遗迹

城在今桐梓县城东南约6.3千米处，行政区划隶属桐梓县娄山关镇峰岩村鼎山组，南距海龙囤约33千米。孤山兀起，东西长圆形，若扁舟泊于海，四面陡绝，东崖如削，北坡稍缓并有小径蜿蜒可攀。东北侧山脚有鼎山寺，旁有清僧人墓数座，表明其年代不晚于清。该寺道光《遵义府志·寺观》有载：“鼎山寺，在城南十五里，即鼎山县旧址，宋宝祐中建。后改建山下，补修不一。”①长条形山顶宽平，面积约10万平方米，海拔1467米，高出周边平地约200米（图12-2）。2014年4月、2019年12月，我们曾先后两次前往踏勘，获取第一手资料。

石砌城垣与山险相结合，周长约2千米，但整体情况因保存不佳而不甚明朗。目前仅北侧半山存石墙一道，横坡蜿蜒，长约200米，最高约5米，以无明显加工痕迹的灰岩石块筑就，未见黏合剂，局部有女墙，高0.65、宽0.9米。循径遗有门址一座，一半凿崖而成，一半应以块石垒砌，坍塌无存，民间称“大营门”。复原平面应呈凸字形，外门道长1.9、内门道长2.2米。营门内采集南宋白釉莲瓣碗残件1件。北坡应即时之登临处。城中多处地陷，山顶南缘石墙皆已无存，南缘西端原有“小营门”，20世纪60年代整体沉降于山脚。山顶中部南北横亘有石墙五六道，以薄平或方正灰岩石块筑于台阶边缘，当为建筑台基（挡土墙），以薄平灰岩砌筑的风格与海龙囤南宋城垣同。保存较好者三道，最长者近30米，高1～3米，各墙之间间距约10米，整体面积约4000平方米，形成逐级向上的数进平台，其间遗有大量瓦砾，均为板瓦，翘头，与海龙囤A型南宋板瓦一致。另有少量加工规整的基础石以及少量清代青花瓷片。该地民间称“三官堂”，应即时之衙署所在（图版316、图版317）。此外，当地民间尚遗有碉楼岗、教场坝等称谓，但不能确指具体地点。

① （清）郑珍、莫友芝编纂：《遵义府志》卷8《寺观》，成都：巴蜀书社，2013年，第141页。

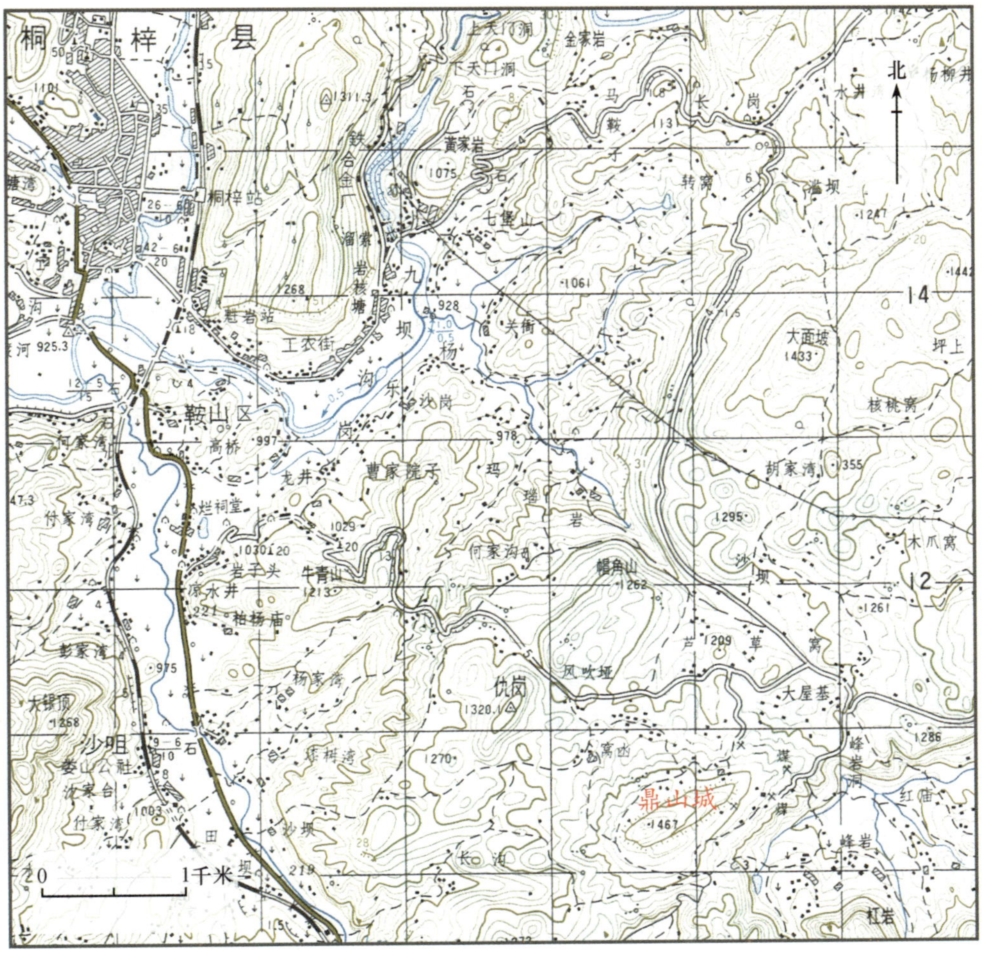

1

2

图12-2　鼎山城地理位置图

1. 地理位置（据1982年地形图）　2. 航拍图（南—北）

（二）年代

环山垣墙与海龙囤南宋垣墙有所区别，海龙囤该期垣墙多用薄平砂岩筑就，鼎山城则用灰岩块石，或就近取材使然。城内横亘南北的垣墙虽材质有别，但风格与海龙囤南宋垣墙一致，均用薄平石材叠砌而成。城中所见瓦砾则与海龙囤A型南宋板瓦如出一辙，大营门门道内所出白釉莲瓣碗残片为南宋遗物，凡此种种表明鼎山城的始建年代应与海龙囤相近，且城中有居址。

清道光时，其中一座城门的石榜尚存，上镌"宝祐戊午"四字，今无存，所指疑即北坡门址（大营门）。道光《遵义府志·金石》载："宝祐戊午。按：桐梓《贾志》：废鼎山县，宋置，后废。城门尚存石榜，镌有'宝祐戊午'四字。戊午，宝祐六年也。"[①]这一年代，与思、播地带宝祐三年（1255）至开庆元年（1259）间筑山城的文献记载吻合，参之前述遗迹、遗物，可确定鼎山城始建于宋宝祐六年（1258）。参之规模，并从战事迫近时南川龙岩城七十二日即竣工的实例看，该年亦应是鼎山城建成的时间。

城内少量青花等明清遗物表明该城明清时仍继续沿用，但具体用途已无考，或为鼎山寺僧众所用，或咸同号军起义期间辟为寨堡时[②]，又对城垣有所增损，留待未来更为深入的田野工作给出答案。

（三）性质

关于鼎山城的性质，前揭道光《遵义府志》称系"废鼎山县"或"鼎山县旧址"。同书《建置》与《古迹》亦有类似记载[③]。

《遵义府志·古迹》引郡人邱仲咀雍正九年（1731）所撰《桐梓县志》称"县峙群山之颠，周围峭壁，缺处砖砌若鼎，故名鼎山。一径盘折，城门双拱。池水、营堑尚存"。按文义，城多用山险，垣墙似并未围合，唯缺处补以砖（应为石）成鼎状，故得名。"城门双拱"所指不明，是门以石券成或有城门2座，参以海龙囤、养马城南宋门址多作叠涩平顶，所指或为前述大、小二营门。"一径盘折"，表明清初亦仅有一径上下，与今同，前推南宋时亦当如是。"池水、营堑尚存"指清初城中尚可见水池、军营及环营壕沟，"营堑"或即民间所谓"三

① （清）郑珍、莫友芝编纂：《遵义府志》卷11《金石》，成都：巴蜀书社，2013年，第183页。

② 同治年间，鼎山城曾被匪占。"同治初元（1862），发逆漫入，远迩人民相约居此上下者千万，贼不敢正觑。贼去后，尤有百余家居其上。惟西面有哆口石，缘石缝可以猱升，令狐芳兰结内应袭人"，"盘踞八月，时出劫略，四乡变作劫灰，孤城危如累卵"，姚华盛、全福凯先后攻伐，贼军自湄潭来援，"会沈镇奉旨严饬，亲身督攻，亦借内应之力，贼自焚毁遁。寨墙遂残缺，非复昔日之完好也。"参见（民国）周恭寿修，赵恺、杨恩元纂：《续遵义府志》卷2《寨堡（附）》，成都：巴蜀书社，2014年，第32页。

③ （清）郑珍、莫友芝编纂：《遵义府志》卷2《建置》、卷10《金石》，成都：巴蜀书社，2013年，第35、165页。

官堂”。前揭《寺观》又记城内还有鼎山寺，则城内有官廨、水池、庙宇等设施，值得关注。

鼎山县设于何时？《遵义府志·建置》据城门榜额认为置于宝祐六年（1258）。文曰：“宝祐六年，复以宣和中所置播川县为鼎山县，隶南平军（据《桐梓志》）。按：桐梓县《贾志》：‘鼎山县在城南十里，元置，后废。城门尚存，其石榜镌宝祐戊午四字。考宝祐，宋理宗年号，戊午为宝祐六年，则鼎山是年置也。’‘元置’盖宋置之误。此鼎山一县，向来无得其源者。《元史·世祖纪》：十五年（1278）十二月，从杨邦宪请，以鼎山仍隶播州。以前并无改名鼎山之文。《孙志》独云：‘世祖十五年（1278）春，改为鼎山县。冬，从杨邦宪请，以鼎山仍隶播州。’凭空撰出‘改为鼎山’一语，鹘突无端，所改者果是何旧县乎？今据《贾志》补此一条，后邦宪之请隶播州，因明白矣。”讨论了此前几种县志对鼎山设县的认识，坚持宝祐六年（1258）的判断。

鼎山县，正史中仅见于《元史》的记载。至元十五年（1278）十二月“丙申，从播州安抚杨邦宪请，以鼎山仍隶播州”。次年（1279）正月壬戌即“改播州鼎山县为播川县”[①]。前称“鼎山”后称“鼎山县”，知至元十五年（1278）前确已设有鼎山县，但曾脱离播境而为南平军所辖。南平军，在今南川、綦江、桐梓一带，设于熙宁八年（1075），领南川、隆化二县。隆化县下辖有溱溪砦。溱溪砦，本羁縻溱州，大观二年（1108）别置溱州及溱溪、夜郎两县。宣和二年（1120），废州及县，以溱溪砦为名，隶南平军[②]。今桐梓县境，夜郎与县城周边两地密集分布有南宋中晚期墓葬，应与时之溱溪、夜郎两县的设置有关。今夜郎镇应即宋夜郎县地，而桐梓县城及其周边地区当即溱溪，从宋墓的分布情况看，溱溪县或溱溪砦治应在今县城一带[③]。从宣和二年（1120）到至元十五年（1278）的百余年间，文献中未有废溱溪砦而设鼎山县的记载，鼎山县置于何年因此不得而知，《遵义府志》将其设置时间放在宋宝祐六年（1258），未必确切，或更早。考虑到至元十五年（1278）杨邦宪请“以鼎山仍隶播州”之时距鼎山城建成仅相去20年，鼎山县至迟在宝祐六年（1258）应已设置。改名后的播川县废于何时，史乘亦无明文，但明时设有播川驿。明成化十二年（1476）十月，张瓒自重庆入播，经松坎、桐梓、播川、永安、湘川等驿[④]。时之驿站，各相去约60里，当一日之途[⑤]。其中松坎驿在今松坎，桐梓驿在今新站，永安驿在今泗渡。据张瓒记载，“十四日，宿播川驿，俗谓鬼崖，又谓鼎山。”次日启程往永安，“过楼山，多碨砢，圆尖独立如楼，连珠数十不止，故名。”娄山横亘桐梓城与泗渡间，两地相去约五十里，播川即在今桐梓县城附近至明，此间又有“鼎山”之谓。要之，鼎山县应即大观二年（1108）所置的溱溪县（宣和二年废为溱溪砦），后复置鼎山县，仍隶南平军，至元十五年（1278）改隶播州，次年改为播川县。其地在今桐梓县城及其周边一带。

---

① （明）宋濂等：《元史》卷10《世祖七》，北京：中华书局，1976年，第207、208页。

② （元）脱脱等：《宋史》卷89《地理五》，北京：中华书局，1977年，第2228、2229页。

③ 李飞：《夷夏之间：播州杨氏羁縻·土司墓葬研究》，四川大学博士学位论文，2017年，第217页。

④ （明）张瓒：《东征纪行录》，《丛书集成初编》，北京：中华书局，1985年，第4～7页。

⑤ （清）郑珍、莫友芝编纂：《遵义府志》卷10《古迹》，成都：巴蜀书社，2013年，第171、172页。

据前揭杨文神道碑，宋宝祐二年（1254），蒙军兀良哈台路攻陷大理，将引兵东进，“以捣我沅靖”。李曾伯判断蒙军东进可能取蛮汉两路，“蛮路”即经罗氏，抵思、播，通沅、靖。“汉路”则过长宁，入南平，通涪、夔，至黔、施，通澧、峡。因此“若果出蛮地，则俟思、播有急，便道出思、播境，与杨、田辈叶力扼之险要。倘或出汉地，则夔、涪、施、黔尽可据险防御”。即在长江以南的蛮、汉诸地筑城防御。南川龙岩城摩崖中“宋宝祐乙卯（1255），上有旨城南平”，及“宋宝祐四年（1256），上有旨筑南郡四城”的记载，与之吻合。所谓“筑南郡四城”，即在时之施、黔、涪、南平等地筑城四座，以御蒙军。南平军辖境的鼎山城，或即此“四城”之一。筑成之后，遂将鼎山县治迁往其中。筑山城以迁县治之例在四川抗蒙山城中并不鲜见，其余则以迁制司、路或府州军治所，如南川龙岩城即为南平军治所[①]。据此，应先有鼎山县，再筑城以迁县治，而非城成方设县，亦即城因县而名，而非《邱志》所言山若鼎状故名（不排除县以山得名的可能）。换言之，鼎山县的设置应早于鼎山城筑成的宝祐六年（1258）。元取天下后，山城的功用丧失，县治可能重迁回今桐梓县城一带，故而《遵义府志》称鼎山城乃“废鼎山县”得其真，但认为鼎山设县在鼎山城筑成的宝祐六年（1258）则依据不足。

综上，桐梓鼎山城筑于宋宝祐六年（1258），是南宋抗蒙山城之一。蒙军兀良哈台路攻陷大理后，宋宝祐二年（1254），意欲斡腹东进，长江南境告急。宝祐三、四年间，宋廷下诏“城南平”“筑南郡四城”，遂于时之涪、施、黔、南平等地“据险防御”，筑山城以御蒙军，南川龙岩城即其一，桐梓鼎山城亦在其中，或即“南郡四城”之一。城成，迁鼎山县治于城中，战后重迁回平畴。因此，鼎山城确为“鼎山县旧址”，但将鼎山设县的时间置于鼎山城建成的宋宝祐六年（1258）则有失偏颇，当更早，如此方能有筑城以迁县治之举，不太可能在战争中匆忙设县。时之鼎山县为南平军辖境，筑城活动应由南宋官方主导，非播州土官所为。

三、养 马 城

城在海龙囤东2.5千米处，白沙水北岸，行政区划隶属遵义市汇川区高坪街道办事处（原高坪镇）大桥村养马组（见图0-1）。与海龙囤、鼎山城等建于险峻孤山不同，养马城虽亦地处高峻山地，但不甚险，系一山间小盆地，山峦环抱。南临白沙水，东西为深谷，北靠高山，西北今通公路，车达城内。石砌城垣临渊或顺周围山脊蜿蜒，借地形而环盆地于其中。城垣上设城门、瓮城。城内有衙门、采石场、水塘等遗迹（图12-3）。

养马城最早见于明人李化龙《平播全书》的记载。该书称“海龙囤周围，尚有龙爪、望军、海云等囤，养马、养鸡等城，皆海龙羽翼，必先埽除方可成功”。又杨应龙曾将下属“妻

---

① 周思言：《南宋四川抗蒙山城体系初探》，《遗产与保护研究》2017年第5期。

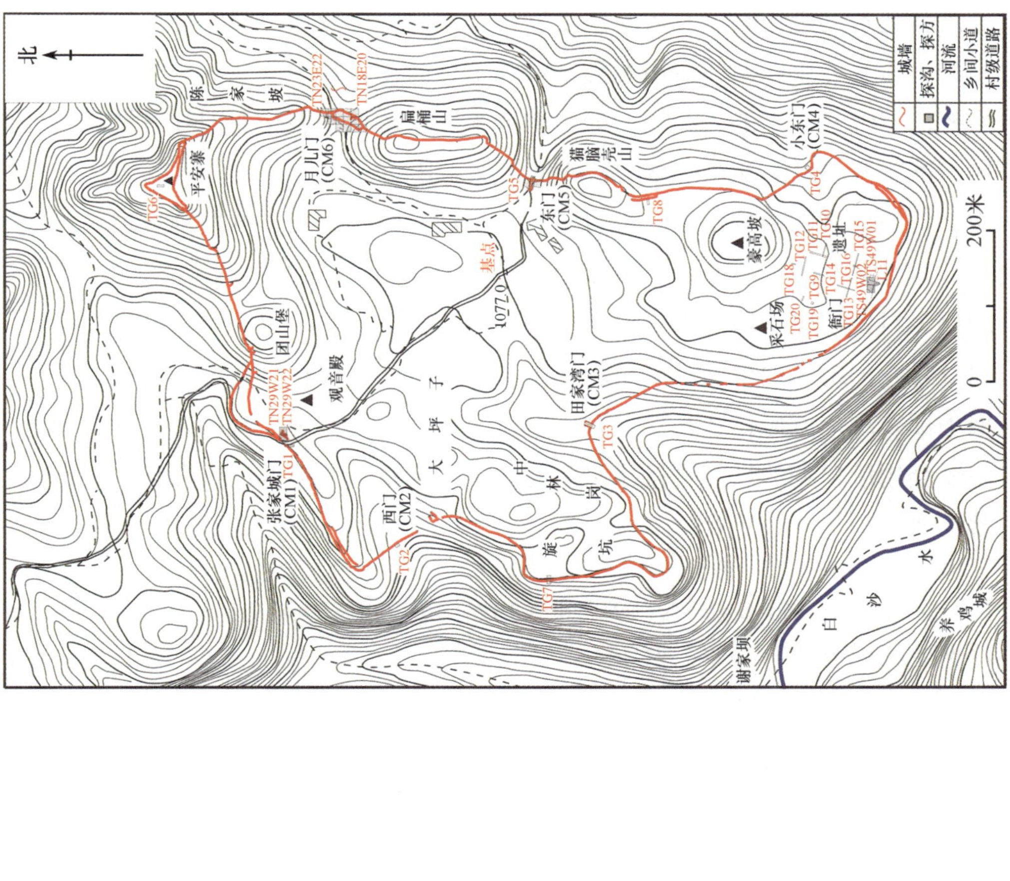

1

图12-3 养马城总平面图

1. 地形图 2. 高程模型图

子监养在养马城、养鸡城”。万历二十八年（1600）四月十八日，明军四川诸路合攻养马城，“战不移时”，即破之[①]。所记为明万历时期的养马城，此时“养马城为囤藩篱”，但因地不甚险而被迅速攻破。清人则走得更远，将养马城的始建年代推至唐代。乾隆《贵州通志·古迹》：“养马城，在遵义县北三十里。唐末，杨氏建为牧马地，可容马数万匹”[②]。清初顾祖禹《读史方舆纪要》：“养马城，府北五十里，杨氏据播时所筑城也”[③]。认为是杨氏遗迹。调查与试掘结果表明，养马城始建于南宋，明代沿用，清代短暂使用。

（一）概况

为厘清其格局、年代和性质，2014年5～10月，贵州省文物考古研究所联合重庆市文化遗产研究院对养马城开展调查与试掘。首先对遗址布局、城圈闭合情况展开调查测绘；其次，对调查发现的4处城垣断面及6座城门予以清理揭露；最后，选择遗迹分布较为密集的区域（衙门遗址）开展试掘。共布置探方16个、探沟20条，实际清理面积2737.35平方米。

石砌城垣全长约3500米，上开城门6座，多设于山间垭口处。按逆时针方向分别为张家城门、西门、田家湾门、小东门、东门及月儿门，依次编号CM1～CM6。城址平面呈不规则椭圆状，面积约35万平方米。衙门东南、中林岗西端、西门北部、墙沟大土与平安寨等城墙曲折转弯处调查发现有板瓦及建筑夯土堆积，推测其上可能有哨台类建筑。平安寨上另筑内墙一道，与外墙形成一个近三角形封闭区域，东西两角与主城墙相接处各开寨门一座（图12-3）。

城内调查发现3处遗迹分布较为密集区域，分别为豪高坡南部的衙门片区、张家城门内的观音殿片区及东门内民宅占压区，地表散见地栿石、柱础、板瓦、瓷片等。衙门片区西侧及西门东侧另发现有高台建筑的包边石墙及较厚垫土堆积。据以上调查情况结合地形分析，养马城重心应在城址南部，主要分布在衙门至田家湾一线及中林岗至大坪子一线。另在衙门片区西北陂坡一带发现面积约1500平方米的采石场一处。调查未发现窑址，但在衙门片区散见冶炼过程中形成的残铁块，推测城内可能存在小型冶铁或铁器加工作坊。

工作过程中，对城址路网及排水情况进行了初步调查。路网方面，城垣顶部道路为环城主道；城内衙门至田家湾段为南部主道，当地俗称“长义大道”，宽约7.5米。东门至张家城门为中部主道，现仍为村民使用。城外出张家城门经桐梓湾可至高坪，出田家湾门经谢家坝可通海龙囤，出东门及月儿门绕扁桶山交汇后至教场坝。排水方面，仅在月儿门内发现一条暗沟，小东门南侧城墙中部发现一方形排水孔。结合田家湾门、小东门清理发现的多条冲沟及淤积层分析，城址应主要利用垭口处的城门直接排水。此外，平安寨下地势低洼带即现农户水塘处，可能为原城内蓄水池。

---

① （明）李化龙：《平播全书》卷4《克破龙爪等囤五报捷音疏》、卷5《叙功疏》、卷8《宣谕》，北京：大众文艺出版社，2008年，第104～106、140、285页。

② （清）鄂尔泰等修：《贵州通志》卷7《古迹》，《中国地方志集成·贵州府县志辑》，成都：巴蜀书社，2006年，第4册，第131页。

③ （清）顾祖禹：《读史方舆纪要》卷70《四川五·遵义府》，北京：中华书局，2005年，第3304页。

（二）遗迹

有城垣、城门、瓮城、衙署、房址、道路、排水沟、水池与采石场等。房址（F1～F17）均分布在城门（F1～F3、F6～F8）与衙署区内（F4、F5、F9～F17），道路（L1～L15）、排水沟（G1～G4）与水池（H1、H2）亦与之相关，均置于相关遗迹中介绍，不再单列。

1. 城垣

尚有保存较好的石砌城垣约3500米，均夯土包石结构，由包边石墙、女墙、顶部石板道路及夯土等组成。石材多薄平砂岩，风格与海龙囤南宋城垣相同，石材均应就近取用。在调查基础上，选择张家城门西侧、旋坑西侧、西门南侧及小东门北侧4处城垣断面清理揭露（编号CQ1-TG1、CQ1-TG7、CQ1-CM2及CQ1-CM4）。以下以张家城门西侧（CQ1-TG1）为例说明。

CQ1-TG1，东距张家城门（CM1）约10米。该段城墙筑于团山堡西南缓坡基岩上，暴露于表土层下，被乡村公路打断。揭露长度3米，城墙基厚9.2、顶部残宽7.2、残高4.55米。外墙墙基以薄平大条石顺砌，因地势筑三至六层不等，高约0.8米。墙体在基础上内收0.08～0.28米，高3.75米，砂岩薄平条石错缝顺砌为主，偶见丁头，不平处以细小石块垫衬，条石间多以细腻黄黏土填缝。壁面斜直，多遗斜向錾痕，倾斜度约70°。内墙残高0.45米，砌筑方式与外墙相似，石材较小。内包边墙外侧约1米另有一道包边石墙，从断面夯层延伸情况看，应与城墙一起砌筑，推测为加固作用的护坡墙。女墙利用外包边墙上部另筑竖直内墙而成，横剖面呈直角梯形，底厚1.52、顶残宽1.2、残高0.68米。未见垛口。石板道路贴女墙铺就，残宽1.1米。

内外包边墙之间以黏土夹石块夯筑，土质致密、坚硬，夯窝不明显。未见文化遗物。共35层，厚0.1～0.55米，多倾斜堆积。从夯层分布情况看，该段城墙营造过程应是将山岩表面大体整平后，先于中部夯筑雏形土墙，后砌内外包边石墙，其间再次填土石夯筑，最后砌筑女墙、铺设顶部道路（图12-4；图版318）。

2. 城门

共6座（CM1～CM6），开于城之东、西、南面。均仅存石砌门道与基座，门楼建筑无存，但在CM1、CM5顶发现较厚的垫土堆积（与城墙夯土混筑），在CM1、CM4、CM5、CM6发现板瓦瓦砾。结合城门顶部废弃堆积及出土板瓦推测，其形制可能为跨度较小的木构瓦顶单间门楼，各门均应设有（CM6-2除外）。各门上方原均置长方形石板门匾，多已拆毁，仅月儿门尚存，惜字迹磨泐莫辨。

根据城门现状，布探方与探沟进行清理。CM1、CM6布探方（基点设在遗址中部，以象限法布10米×10米探方，探方在传统象限法编号的基础上，加N、S、E、W表示方位）。CM1

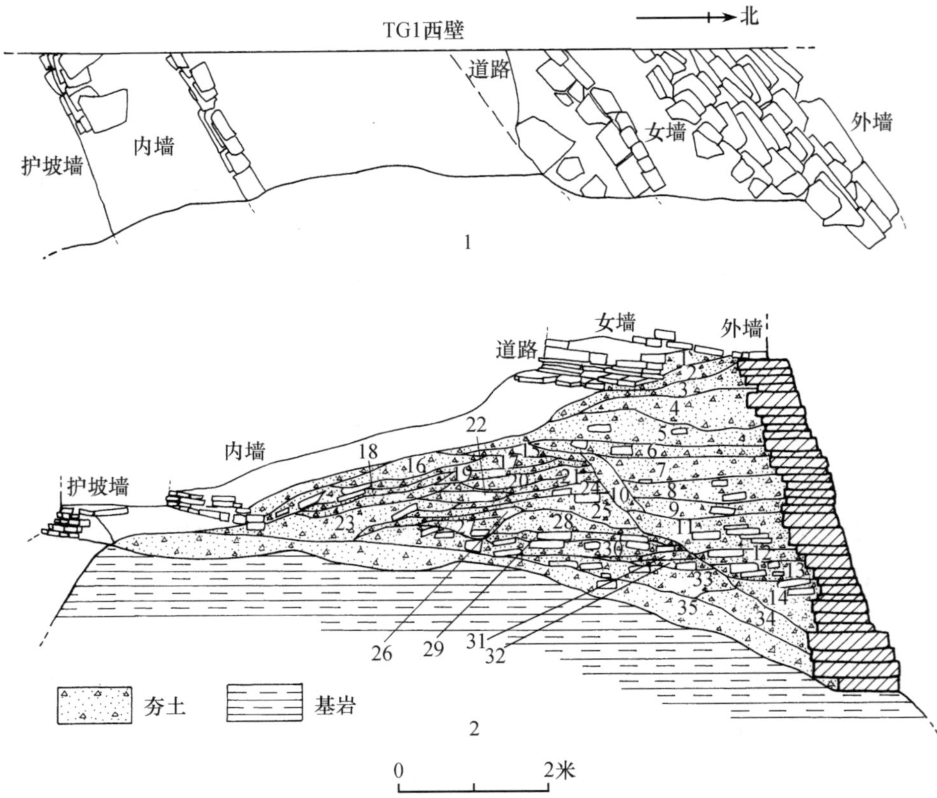

图12-4　养马城CQ1-TG1平、剖面图

1. 平面图　2. 剖面图

（第1层：浅黄色黏土，第2层：黄褐色黏土，第3层：灰褐色黏土，第4层：黄灰色黏土，第5层：黄褐色黏土，第6层：黄灰色黏土，第7层：浅灰褐色黏土，第8层：黄褐色黏土，第9层：灰褐色黏土，第10层：黄褐色黏土，第11层：浅灰黄色黏土，第12层：黄褐色黏土，第13层：浅黄色黏土，第14层：黄褐色黏土，第15层：黄灰色黏土，第16层：黄褐色黏土，第17层：浅灰褐色黏土，第18层：灰黄色黏土，第19层：浅灰黄色黏土，第20层：黄褐色黏土，第21层：黄灰色黏土，第22层：黄褐色黏土，第23层：黄色黏土，第24层：黄色黏土，第25层：红棕色黏土，第26层：黄褐色黏土，第27层：黄灰色黏土，第28层：红棕色黏土，第29层：浅红棕色黏土，第30层：灰黄色黏土，第31层：浅红棕色黏土，第32层：灰褐色黏土，第33层：灰黄色黏土，第34层：黄色黏土，第35层：灰黑色黏土）

布10米×10米探方2个（TN29W21、TN29W22），CM6布10米×10米探方12个（TN18E20、TN19E20、TN20E20、TN21E20、TN19E21、TN20E21、TN21E21、TN22E21、TN20E22、TN21E22、TN22E22、TN23E22）。CM2～CM5布探沟清理（TG2～TG5），探沟方向、面积依各门情况不一。堆积主要见于门道内外及八字墙之间，除表土外，多为一至三层废弃、坍塌堆积及排水形成的淤积层。其中，TN29W21③及TN29W22③、TG3⑥、TG4⑥、TG5⑥、TN19E20③～TN21E21③可相互对应，是直接叠压城门的废弃堆积层，均为灰黑色黏土，质地较疏松，包含物以板瓦为主。

城门依结构不同，可分叠涩顶、券拱顶两类，除CM6-1为券拱顶外，余均为叠涩顶（表12-1）。CM1～CM5形制相似，均为单门洞，叠涩顶石构城门，由门道、内八字墙及门上建筑等几部分组成。门道平面呈亞字形，可分为内、中、外门道三部分，壁斜直，内、外门道壁上部左右石板伸出一至两层出挑，露棱多圆角，錾凿规整，顶部横铺大石板封盖，形成叠涩顶。

表12-1　养马城城门（叠涩顶）一览表

编号	方向	门道			槽孔		门外道路		内八字墙（清理部分）	备注
		外门道	中门道	内门道	门槛	门楣	编号	尺寸	尺寸	
CM1	314°	进深1.8、内宽1.32、高2.5米	进深0.94、宽2.14、高2.7米	进深3.6、宽1.25、高2.9米	低于门道底部0.1、宽0.36、高0.26、深0.24米	距底1.95、宽0.25、高0.25、深0.23米		未发现	北墙残长3.46、高1.45米，南墙残长2.34、高1.7米	
CM2	240°	进深1.1、宽1.1、高2.05米	不明	不明	不明	不明		未发现	未清理	中门道封堵
CM3	207°	进深1.76、宽1.64、高2.32米	进深1.4、宽2.5、高2.9米	进深4.4、宽1.64、东壁高2.32～2.66、西壁残高0.35～1.6米	几与门道底部齐平，宽0.3、高0.33、深0.2米	距底2.24、宽0.3、高0.42、深0.36米	L2	残长4.2、残宽1.16	东墙残高2、暴露长1米，西墙残高1.7、暴露长1米	残损严重
CM4	50°	进深1.72、宽1.32、高2.54米	进深1.22、宽2.28、高3.18米	不明	与门道底平，宽0.24、高0.3、深0.3米	距底2.13、宽0.44、高0.4、深0.37米	L1	残长3.83、宽2.65米	未清理	内门道封堵
CM5	103°	进深2.12、宽1.6、高2.52米	进深1.42、宽2.52、高3.32米	进深3.64、宽1.54～1.64、高2.9米	距门道底0.18、宽0.22、高0.22、深0.06米	距底2.02、宽0.38、高0.66、北深0.54、南深0.42米	L8	残长4.38、宽3.16米	残损严重	门内道路L3

中门道一般较内、外门道宽、高，顶部多有一层石板出挑后大石板封盖，类藻井结构。中门道壁近外门道处开设左右对称的方形门槛、门楣槽孔。门内道路由较大石板铺就，部分直接叠压于两侧门道壁之下，显与城门基础一起砌筑。因地势外低内高，多为阶梯或斜坡道路。CM3、CM4及CM5外清理发现较大规模的石板阶梯踏道。八字墙仅张家城门清理完整，与城墙内包边墙相接。CM6有内外两重门，形成瓮城，主门CM6-1为券拱顶，瓮城门CM6-2因坍塌形制不明。

（1）CM1

俗称张家城门，位于城址西北团山堡西侧，前临桐梓湾。坐东南朝西北，方向314°。保存情况较好，门道外侧及门道壁部分为近现代拆毁后补筑。砌于山岩之上，叠压于第3层城门废弃堆积下（图12-5；图版319-1）。

门道　面阔1.25～2.14、进深6.34、高2.5～2.9米。外门道进深1.8、内宽1.32、高2.5米。侧壁以大条石错缝平砌，壁面斜直，距底部2.16米起各以两层厚石板出挑，各挑出0.15米。露棱均圆角，錾凿规整。顶部横铺两块大石板封盖，各叠砌三层。因基础沉降，外门道整体下陷位移，与中门道形成宽0.1～0.35米裂隙。中门道进深0.94、宽2.14、高2.7米。侧壁以较小条石错缝平砌，壁面斜直，北壁五层以上至顶部已坍塌，现状为后期小石块补砌。南壁距底部2.36米起以三层厚石板出挑，下层出挑0.31、中层外挑0.07、上层再挑0.12米，下层条石与内门道壁齐平，方角，上两层露棱圆角。顶部横铺三块石板封盖，伸入内门道中部1.56米，各叠砌三层。中门道壁近外门道处发现方形槽孔4个。南壁3个，门楣槽孔距底1.95、宽0.25、高0.25、深0.23米。门闩槽孔距底0.97、宽0.12、高0.16、深0.12米。门槛槽孔低于底部0.1、宽0.36、高0.26、深0.24米。北壁仅存门槛槽孔，位置、大小与南壁对称。底部两槽孔间由打破门道路面的门槛槽连接，平面长条形，宽0.36、深0.1米。内门道进深3.6、宽1.25、高2.9米。南壁保存较好，局部可见石灰抹缝痕迹，北壁大部扰毁重砌。结构与外门道相似，唯顶部分前后两段，前段1.56米与中门道同顶，后段距底2.46米处作两层叠涩，南壁各外挑0.1米，北壁下层外挑0.18、上层再挑0.12米。顶部横铺两块条石封盖。内门道近中门道的阳角被挖凿内凹为长0.2、宽0.16的曲尺形，左右对称。该现象应为城门设计或施工问题，建成方发现中门道进深不足，导致城门无法完全打开，故挖凿内门道阳角予以补作。

道路　门内道路以门槛及内门道中部高0.26、宽0.16米的横置阶条石为界可分为三段，门槛至阶条石段路面平整，门槛外及阶条石内路面呈内高外低缓坡。路面石板铺就，其下垫土厚0.03～0.15米，灰褐色黏土，致密、坚硬，夯打痕迹不明显，夹较多小石子、炭屑等，未见文化遗物。门道外原接阶梯踏道，被现代公路打破无存，门道内延伸道路亦被村民取水沟破坏。门内石板路面被晚期L4叠压，长4.85、宽1.3米。以大小不一的石板铺面，下垫以灰褐色黏土，厚0.05～0.17米，硬密，夹杂碎石子、炭屑，包含较多瓦砾、青花瓷片、缸陶片及石灰颗粒等，可辨器形有板瓦、青花瓷碗盘、缸陶钵等。L4形制简陋，为城门废弃之后形成。

内八字墙　连接门道及城墙内包边墙，北墙残长3.46、高1.45米，南墙残长2.34、高1.7米，形制结构同城墙包边墙。八字墙间原有大石板铺面，现多扰毁不存，仅西南部尚存两块。

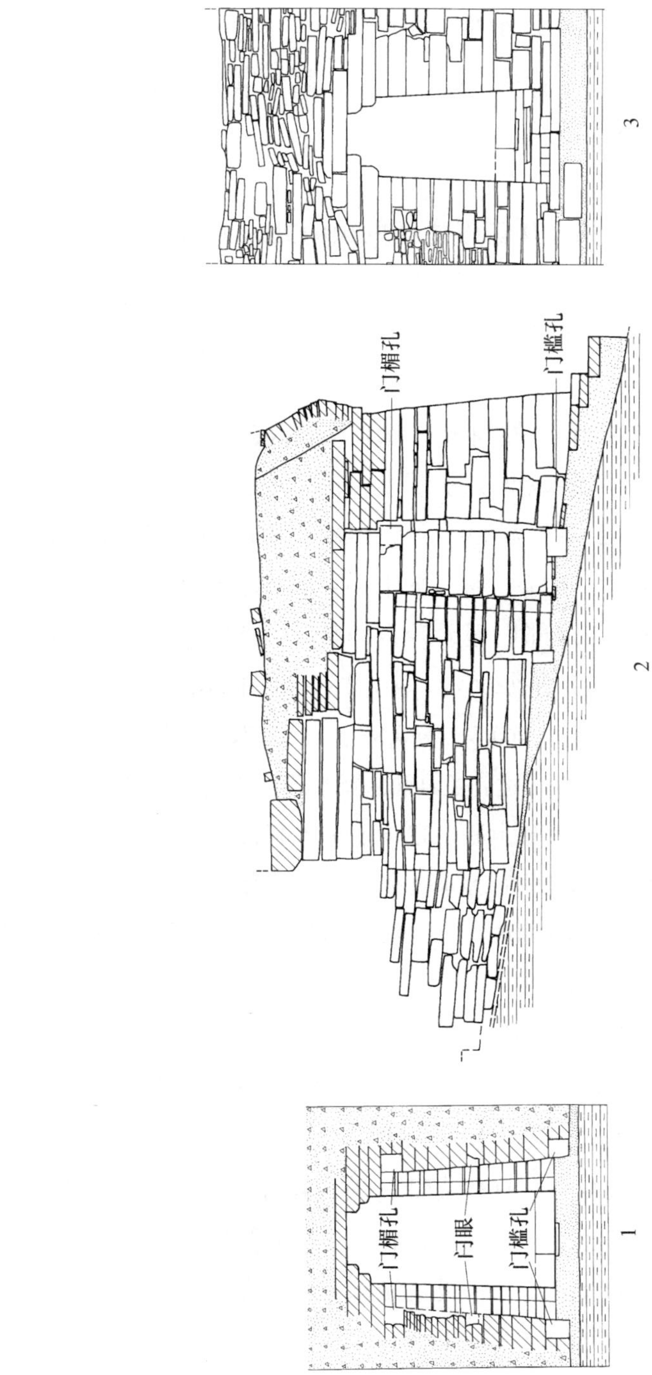

图12-5　养马城CM1（张家城门）结构图
1. 剖视图　2. 剖面图　3. 正视图

城门楼（F1）建筑已无存，仅在城门顶部发现厚约0.4米的垫土堆积，与两侧城墙同时夯筑，周边原有围石包边，多扰毁不存，仅在东北角发现一段，残长约0.6米。

（2）CM2

俗称西门，位于城址西部山坳中，下临海河沟。坐东朝西，方向240°。门道被垒石封堵，上部垦为农田，门前表土层下即为生土，未见遗迹。门道宽1.1、高2.05米，暴露的外门道进深1.1米。左右侧壁距底1.9米起以一层厚石板出挑0.15、0.27米，露棱圆角，錾凿规整。顶部横铺大石板封盖，宽0.58米（图12-6；图版319-2）。

（3）CM3

俗称田家湾门，位于城址西南中林岗与周家堡之间的山湾处，前对养鸡城。坐东北朝西南，207°。叠压于第6层下。损毁较严重，现八字墙内被封堵，门道西壁垮塌至基础，顶部唯外门道处残存一段。门匾石板扰毁不存，匾框变形呈菱形，宽0.8、高0.5米，两侧立石上可见槽口（图12-7；图版319-3）。

门道　面阔1.64、进深7.56、高2.32米。外门道进深1.76、高2.32米。侧壁以大条石错缝平砌，壁面斜直略内收，距底部2.02米起各以两层厚石板出挑，各挑出0.18米。露棱圆角，錾凿规整。顶部横铺整块大石板封盖，长2.94、宽0.9、厚0.14米。中门道进深1.4、宽2.5、高2.9米。西壁已坍塌，东壁以錾凿规整的条石错缝平砌，黏土为黏合剂，壁面斜直。距底部2.34米起以两层厚石板出挑，每层挑出0.16米。顶部坍塌，残存东侧一块封顶石，长1.94、宽0.92、厚0.15米。中门道壁近外门道处发现方形槽孔3个。东壁2个，门楣孔距底2.24、宽0.3、高0.42、深0.36米，门槛孔几与门道底部齐平，宽0.3、高0.33、深0.2米。西壁仅存门槛孔，底与门道底齐平，宽0.26、高0.4、深0.26米。内门道进深4.4、宽1.64、东壁高2.32～2.66、西壁残高0.35～1.6米。结构与外门道相似，东壁南部距底2.32～2.76米起以二层厚石板出挑，每层挑出0.08米，顶部坍塌，规格不详。CM3西壁坍塌处可观察城门夯土堆积情况，从顶部至西壁残存基础剖面高约1.8米，夯层密集达32层，厚0.08～0.18米，多为黄褐、灰褐色黏土，致密、坚硬，夹杂片石、石渣及炭粒，未见文化遗物。

道路　形制为石阶踏道，TG3内揭露部分长8.42、宽1.64～2.7米。门道底部残存踏面石板及伸入门道壁的阶条石，据阶条石复原踏道为6级，踏面宽1.2～1.96米，阶高0.15米左右。路面及垫土被冲沟打破，其下为生土。因八字墙内垒石封堵，道路向内延伸情况不详。门外道路揭露一段，编号L2，长4.2米，西半部被第5层下G2及L7打破，残宽1.16米。形制为石阶踏道，由路沿石板、阶面踏板、挡阶促板及垫土组成，路沿石板、挡阶促板宽约0.06米，均竖嵌，5级，踏面宽0.55米左右，阶高0.1～0.18米，最上一级与城墙基础齐平。

八字墙　东墙残高2、长1米，西墙残高1.7、长1米。因内侧封堵，与城墙内墙合围状况不明。以厚薄不一的规整石板错缝顺砌，壁面较直，缝内可见细腻黄黏土黏合剂。

清理结果显示，CM3废弃过程较为明确，前门道及八字墙内发现有片石垒砌的矮墙Q1、Q2，Q2被岩石堆砌的近代q1叠压，门道内发现有G2及g4～g6等四条冲沟，门外L7打破L2，铺于G2底部。据此结合调查材料分析，CM3废弃不久即经历一次与G2有关的洪水，因L2冲毁，

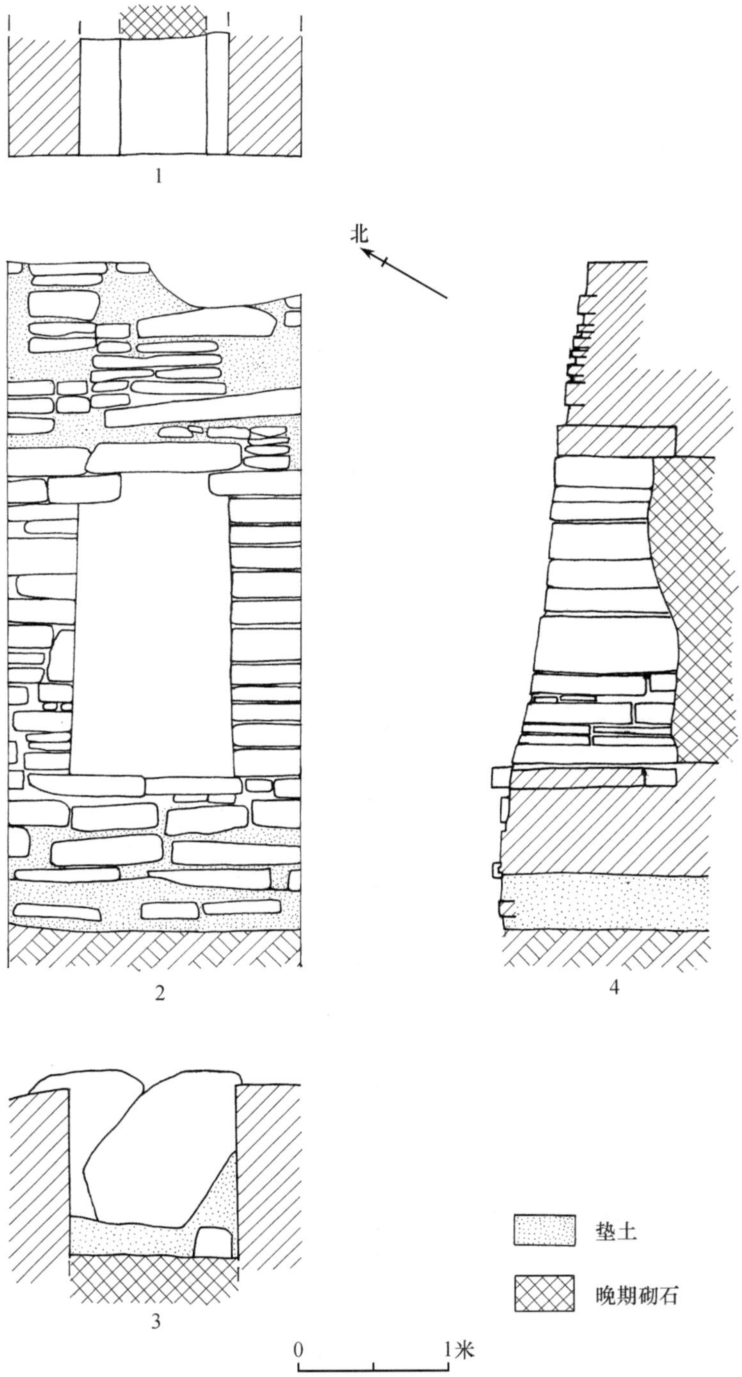

图12-6　养马城CM2（西门）结构图
1. 仰视图　2. 正视图　3. 底部平面图　4. 剖视图

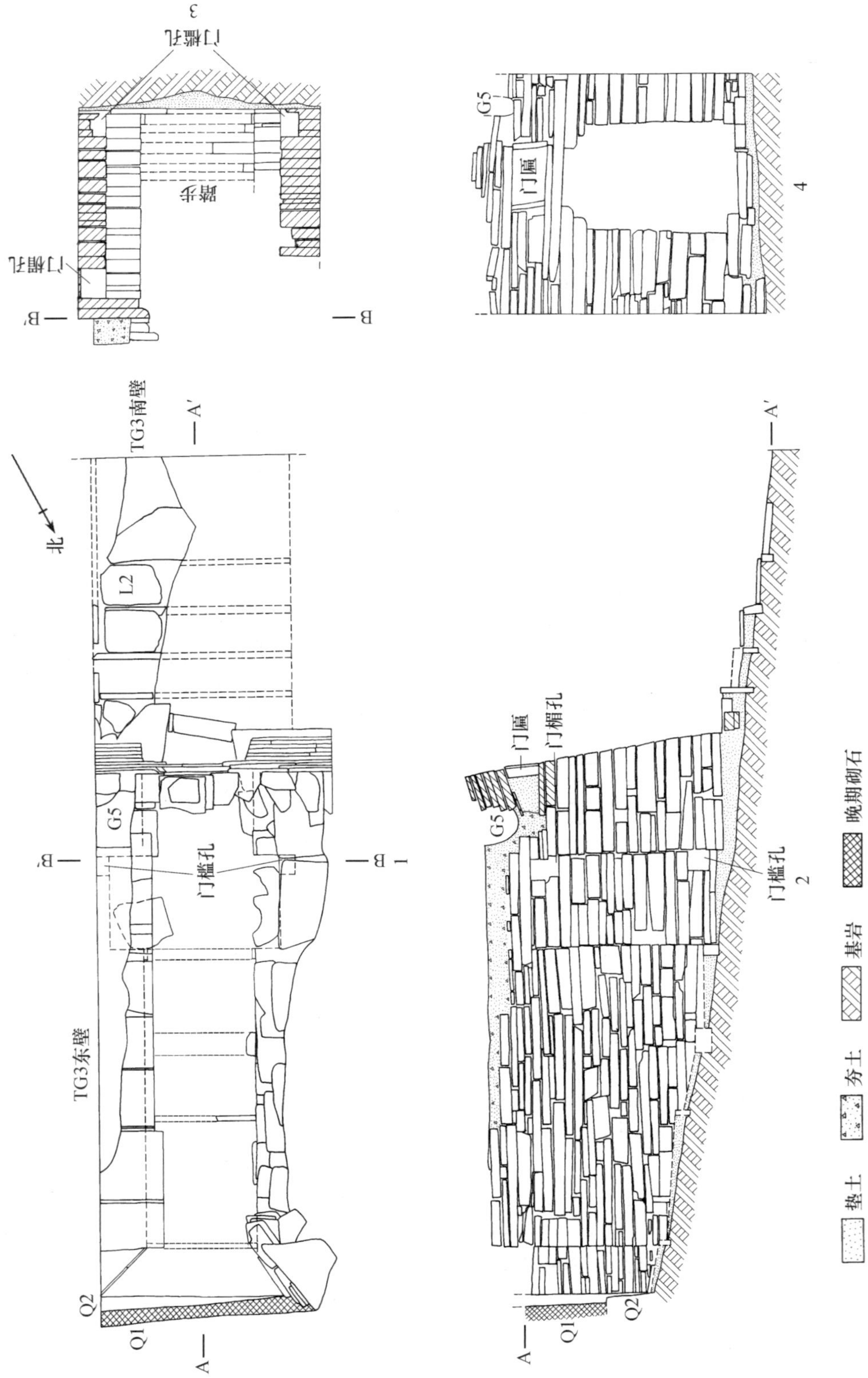

图12-7 养马城CM3（田家湾门）结构图
1. 平面图 2. 剖面图 3. 剖视图 4. 正视图

在冲沟底部重新砌筑简易道路L7，其后有Q1、Q2两次封堵过程，后因与g4～g6有关的洪水冲刷又分三次垮塌，形成TG3第3、4层城门顶部及侧壁堆积，最后由于门道上部开垦农田，于八字墙内垒砌q1进行最后一次封堵。

（4）CM4

俗称小东门，位于城址东南部山坳中，下临冲沟。坐西南朝东北，方向50°。上部垦为农田，内门道因垒石封堵，未清理。以下介绍外、中门道及门前道路情况（图12-8；图版320-1）。

门道　面阔1.32、高2.54米，进深不详。外门道进深1.72、宽1.32、高2.54米。侧壁以大条石错缝平砌，壁面斜直，距底部2.3米起各以两层厚石板出挑，每层挑出0.14米左右。露棱圆角，錾凿规整。顶部横铺两块大石板封盖。中门道进深1.22、宽2.28、高3.18米。侧壁以片石平铺垒砌，较简陋。顶部分别高出内、外门道顶0.4、1.18米，长方形，单层叠涩，距底部3米起以单层石板出挑约0.14米，横铺两块石板封盖。中门道壁近外门道处发现方形槽孔4个，左右基本对称，门楣孔距底2.13、宽0.44、高0.4、深0.37米。门槛孔与门道底平，宽0.24、高0.3、深0.3米。

道路　门内道路分外门道与中门道两段。外门道为较规整的石阶踏道，共3级，踏面宽0.3～0.92、阶高0.16～0.2米。中门道石板铺面，较平整，其下为夹小石片的黄色黏土铺垫，厚约0.07米，土质硬密，未见文化遗物。门外为较规整的石阶道路L1，残长3.83、宽2.65米，形制类L2，由路沿石板、阶面踏板、挡阶促板及垫土组成，南侧路沿石板残存三块，北侧路沿石板残存四块，挡阶促板残存三排。残存5级踏步，踏面宽0.66～0.8米，阶高0.16～0.2米。

城门楼（F2）。建筑已无存，但于外门道（TG4）内发现较多瓦砾，知原有城门楼，结构不明。

（5）CM5

俗称东门，位于城址东部扁桶山与猫脑壳山之间的垭口中。坐西朝东，方向103°。门洞保存较好，现仍为城内居民进出主要通道。砌筑于山岩之上，出露于地表，八字墙叠压于第6层下（图12-9；图版320-2）。

门道　面阔1.54～2.52、进深7.18、高2.52～3.32米。外门道进深2.12、宽1.6、高2.52米。侧壁以大条石错缝平砌，壁面斜直，距底部2.08米起各以两层厚石板出挑，各挑出0.15米左右。露棱圆角，錾凿规整。顶部横铺两块大石板封盖，厚0.2米。外门道南壁中部发现阴刻“尹天门”三字，楷书，“尹”“天”并列，“门”位于“天”下。錾刻时代不明，或与东门原名有关（图12-10）。中门道进深1.42、宽2.52、高3.32米。侧壁以较小条石及石片错缝平砌，壁面斜直。单层叠涩顶，顶部东西两侧距底3.16米起以一层厚石板出挑0.18米，横铺三块石板封盖。中门道壁近外门道处发现方形槽孔4个，左右基本对称，门楣孔距底2.02、宽0.38、高0.66、北深0.54、南深0.42米。门槛孔开凿于壁面石条上，距底0.18、宽0.22、高0.22、深0.06米。内门道进深3.64、宽1.54～1.64、高2.9米。结构与外门道相似，距底部2.54米起各以两层厚石板出挑，各挑出0.16米左右。顶部横铺三块大石板封盖，厚0.2米。

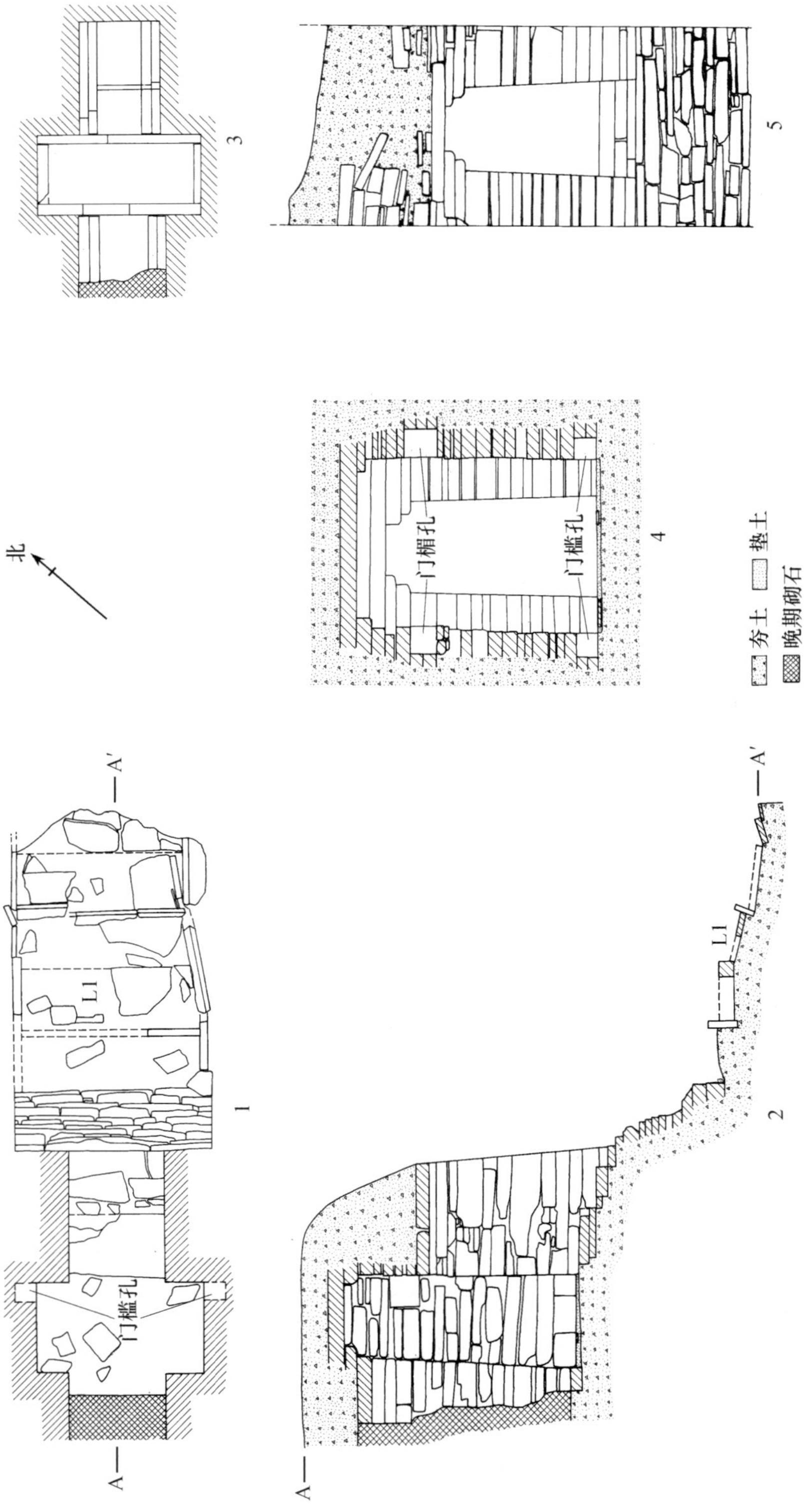

图12-8　养马城CM4（小东门）结构图

1. 平面图　2. 剖面图　3. 仰视图　4. 剖视图　5. 正视图

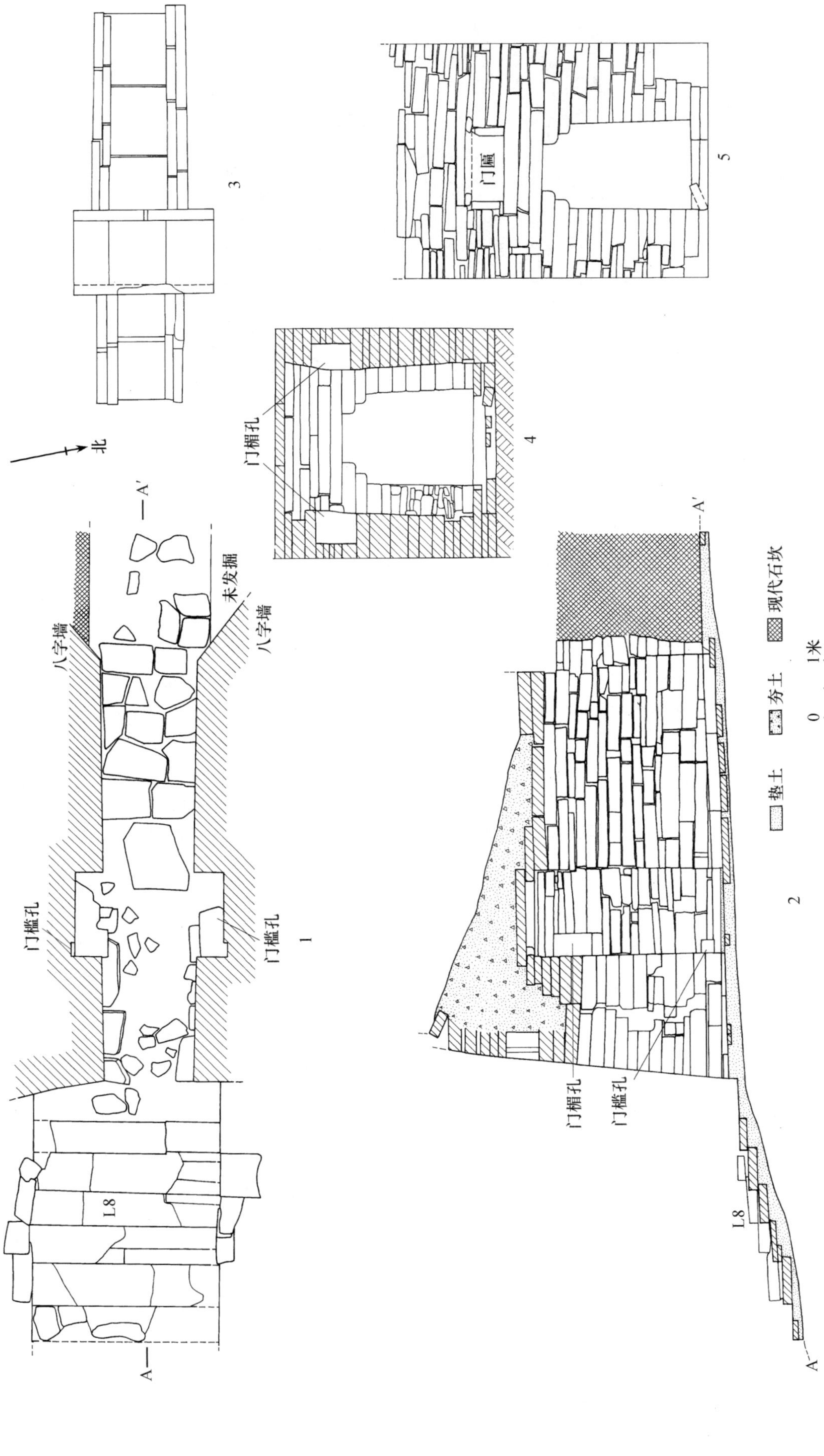

图12-9　养马城CM5（东门）结构图

1. 平面图　2. 剖面图　3. 仰视图　4. 剖视图　5. 正视图

图12-10　养马城CM5（东门）外门道南壁“尹天门”拓本

道路　门内道路（L3）分两层，下层路面与城门基础齐平，内高外低略呈缓坡状，坡度约3°，路面平整，由厚度一致、大小略异的石板墁铺，部分石板叠压于门道壁下，下垫灰褐色黏土，未见包含物。上层路面与门槛槽孔底部齐平，编号L3①，高于下层0.18米，铺设方法同下层，石板形制略粗糙，两层间垫土为黄褐色黏土，包含物有瓦片、硬陶片等。据门道基础情况及门槛孔位置分析，下层道路与门洞主体同时修筑，待开凿门槛孔时，外门道南侧及中门道北侧地基发生沉降，外门道基础条石被压断上翘致使原路面不能使用，后重新铺设上层路面并开凿与之齐平的门槛槽孔，即L3②为城门修筑过程中因地基沉降导致原路面废弃后的补做道路。L3②呈斜坡状，坡度约7°，铺面石板散乱，部分可辨为城墙坍塌石块，下垫灰褐色沙土，较疏松，包含物有瓦片、青花瓷片、硬陶片。西端出内门道为3级台阶，踏面宽0.32～0.62、阶高0.06～0.12米。CM5仍为城内村民主要通道，L3①上为碎石块散铺的近现代道路。门外清理出规整石阶踏道L8，残长4.38、宽3.16米。由路沿石板及阶面石板组成，均平铺。残存6级踏步，踏面以大石板平砌，宽0.56～0.74、阶高0.14～0.16米，路沿宽0.34～0.7米。石板下垫土为灰褐色黏土，厚约0.2米，较硬密、纯净，未见文化遗物。

城门楼（F3）建筑无存，于城门顶发现部分瓦砾，知原设门楼，结构不明。

（6）CM6

俗称月儿门。形制与其余五门有较大不同，主城之外有一重瓮城。主城平面内凹，城门洞CM6-1位于平安寨与扁桶山之间的山坳中，南、北墩台F7、F8分列两侧山脊之上，顶部以石阶道路连接，主城门内侧中部另附平台，左右设阶梯踏道L5、L6以便上下。瓮城平面略呈新月状，由一道连接两座墩台的弧形城墙Q3围合而成，门道CM6-2辟于东南侧。瓮城内北侧设一道拦土墙，与Q3同时砌筑，中部另设石构排水暗沟G3，出水孔直通瓮城城墙外。 南北通宽约69米，东西总进深约33米。墩台至瓮城墙基高差达19米，规模宏大，形势险峻（图12-11；图版321）。

主城与瓮城存在较大差异，主要表现在瓮城城墙Q3砌筑方式及形制与主城墙不同，主城门CM6-1两侧为錾凿规整的长条石错缝平砌，壁面倾斜内收，坡度72°，錾纹规整，多斜向。Q3为大小不一的石块垒砌，层间石缝高低不平，壁面近直。条石多为毛石自然断面，錾纹较少，另夹杂较多方形石块，均为主城墙所不见。此外，Q3南北两端与墩台F7、F8墙体连接处为叠压关系，墙体条石未咬合，非一次筑就。为了解CM6堆积情况并确认主城与瓮城关系，在瓮城中部、主城门南侧TN20E21内开小解剖沟一条，堆积可分11层。第2、3层为城门废弃堆积，分布范围较广。第4、5层为瓮城垫土堆积，第4层表面即瓮城活动面。第6层夹杂大量小石子，高度与主城门外门道基本一致，表面发现有平铺规整大石板。该层与八字墙内石板下发现的石子层一致，应为主城门原活动面。第7层及其以下为砌筑主城门前的垫土堆积。据此综合城墙形制及出土遗物情况可知瓮城晚于主城，推测为明代后期补筑。

主城门（CM6-1） 坐西朝东，方向113°。顶部有现代乡村道路穿过，除门道顶部分坍塌外，整体保存较好，左右八字墙尚存。门道平面呈亞字形，面阔2.05、进深10.55、高3.35米。形制较特殊，为券顶闸版门。外门道为筒拱券顶，进深5.7、宽2.05~2.15、高2.5~3.35米。侧壁近直，以錾凿规整的长条石错缝平砌，局部石缝间可见细腻黄黏土黏合剂。券顶呈半圆形，单层无缴背，距底2.4米处发券，由10块楔形条石组成。门匾位于券顶上部0.85米处，匾框宽1.72、高0.83米，框面随城墙面倾斜。门匾为整块石板，宽1.35、高0.57米，竖直安放。从拓片看，原门匾应为三个字，惜风化严重，字迹不辨。现表面密布斜向錾痕，显经人为凿平破坏。外门道中部侧壁上发现有条形闸版槽口，距门口2.95米，宽0.3、深0.18米。底部与门道底齐平，向上穿过券顶直通城墙顶部。下部多直接开凿于侧壁条石上，券顶之上另用较小条石砌筑，现略变形倾斜，通高5.25米。中门道及内门道内顶部坍塌，形制不明，其内为夹杂石块的夯土坍塌堆积。考虑到外门道券顶保护需要，未清理至底。中门道暴露进深1.7、顶宽2.9米，高度不详。内门道进深3.15、顶宽1.6~1.85、残高2.75米。门内道路清理出外门道闸版槽口东侧一段，石阶踏道，由规整大石板铺就，内高外低，3级，踏面宽0.73、0.7、0.9米，阶高0.15米。石板下为黄褐色垫土，质硬、致密，未见遗物。第三级踏步西端距槽口约0.1米处，发现竖立门槛石一块，残长1.05、宽0.15、高0.25米。八字墙以较小条石平铺错缝平砌，缝间以细腻黄黏土做黏合剂。北墙残长8.5、残高0.77米，南墙残长6.55、残高2.95米。据八字墙内夯土分布并结合地形推测，两端应延伸至南北两侧山岩处。八字墙间原以石板铺面，多扰毁不存，仅在北墙旁残存一块（图12-12；图版321-1、2）。

宋曾公亮《武经总要》：闸版或牌版，“与城门为重门，其制用榆槐木，广狭准城门，漫以生牛皮，裹以铁叶，两傍施铁环，贯铁索。凡大城门，去门阖五尺，立两颊木，木开池槽，亦用铁叶裹之。若寇至，即以绞车自城楼上抽所贯铁索，下闸版于槽中”[①]。对比分析，CM6-1略有不同，池槽直接开凿于石壁中，而未另立“颊木”。中门道处或为“重门”正门，但揭露中门道壁顶部以下约0.5米未见槽孔，形制可能亦与其余五门不同。

① （宋）曾公亮等著，陈建中等点校：《武经总要》前集卷12《守城》，北京：商务印书馆，2017年，第179页。

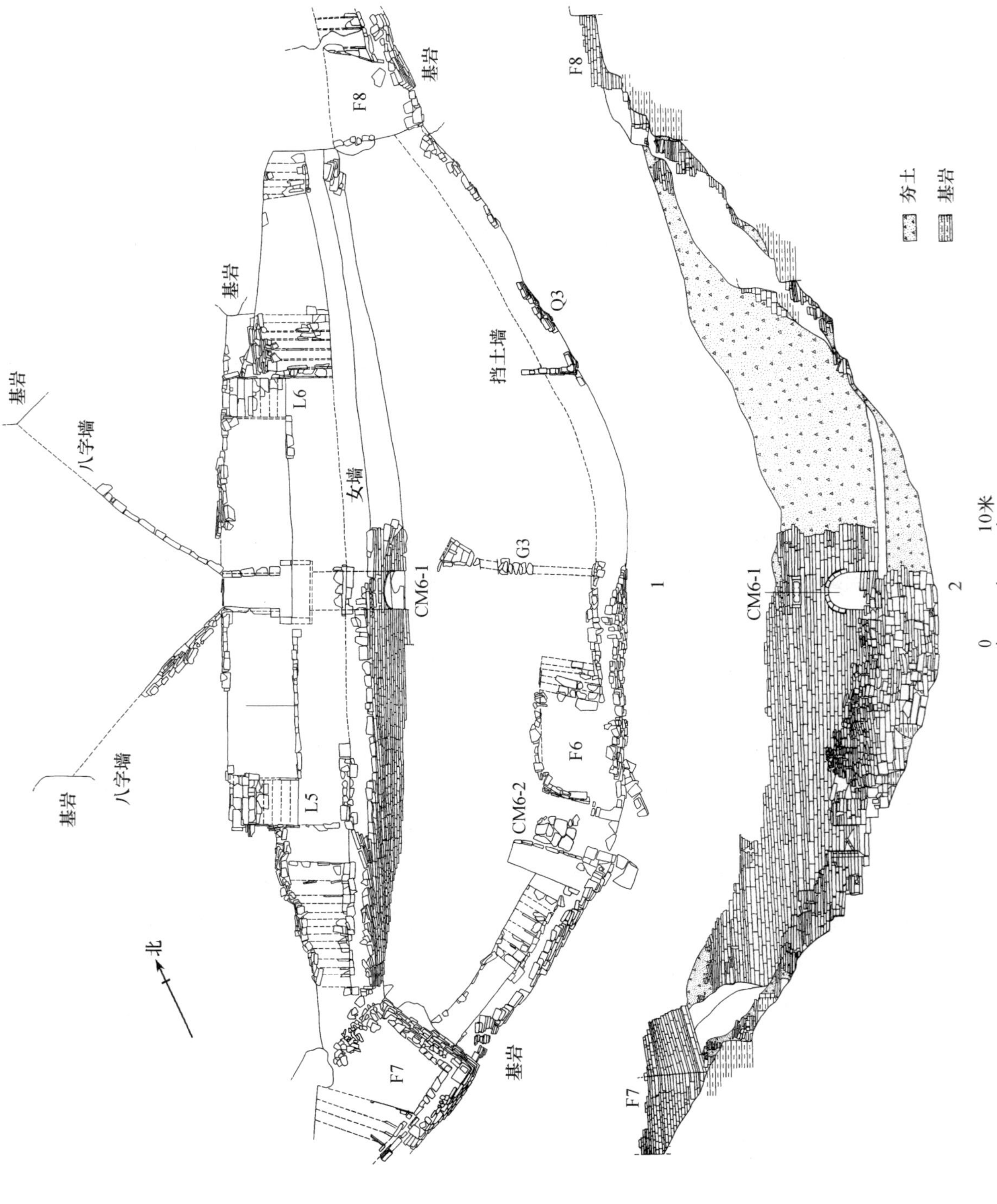

图12-11　养马城CM6（月儿门）结构图

1. 平面图　2. 正视图

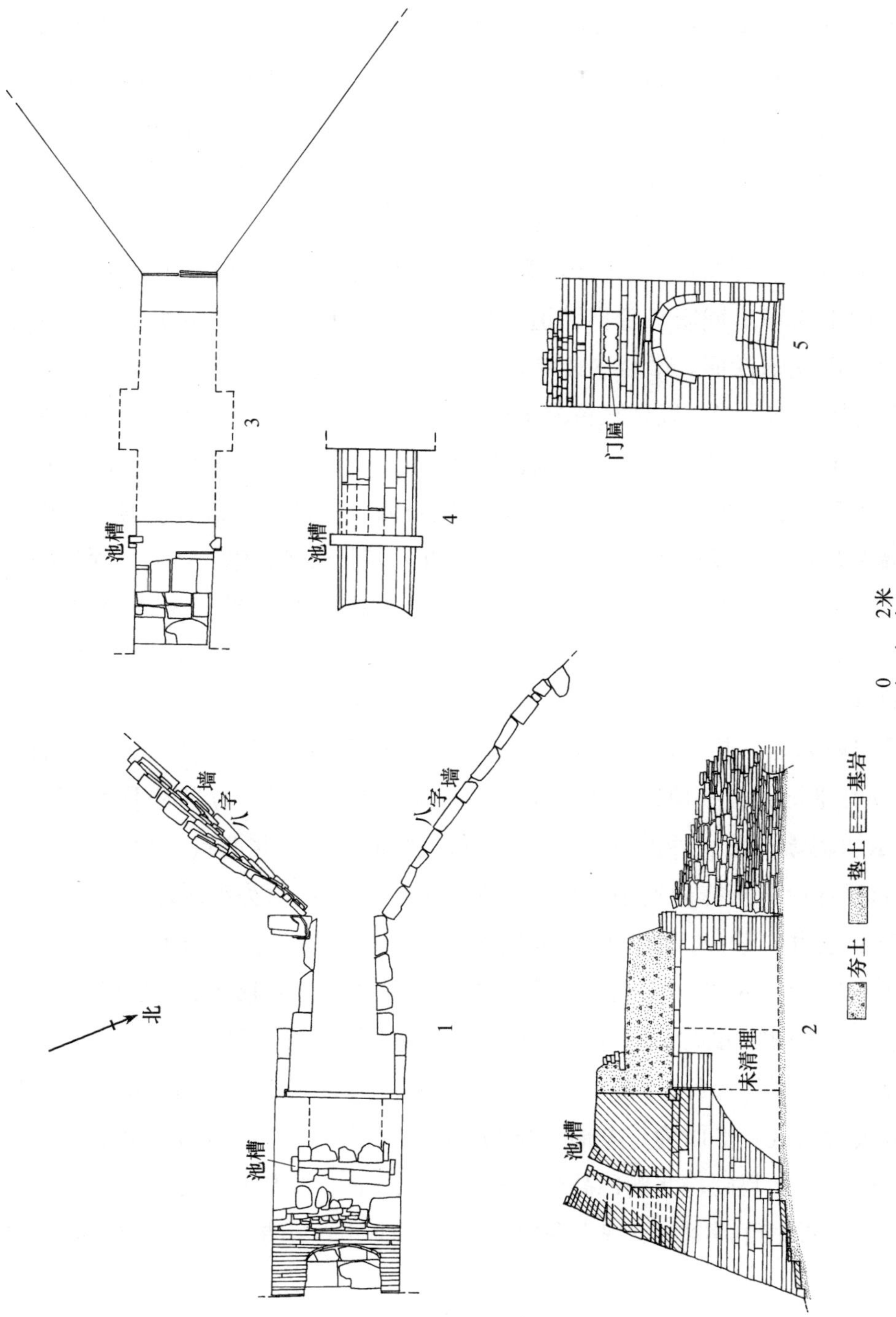

图12-12　养马城CM6-1（月儿门正门）结构图

1. 顶部平面图　2. 剖面图　3. 门道平面图　4. 仰视图　5. 正视图

瓮城门（CM6-2）　位于瓮城东南部，方向130°。平面呈凸字形，面阔1.9、进深5.55米，可分为外门道、内门道两部分。外门道进深1.78、宽1.9、北壁残高2.16、南壁残高1.9米。内门道进深3.77、宽2.96、北壁残高1.96、南壁残高0.59米。两壁近直，錾凿规整长条石错缝平砌，不平处以片石衬垫，缝间见黏合剂。北壁因挤压略弧，内门道南壁坍塌严重，残余数层基础。内门道侧壁近外门道处发现方形门槛槽孔2个，左右对称，底与门道底齐平。北孔宽0.26、高0.28、深0.2米；南孔宽0.18、高0.34、深0.18米。顶部坍塌，形制不明，门道清理过程中未见楔形发券石条。门内道路L9分前后两段，外门道为内高外低斜坡道路，铺底石仅存门口阶条石两块，内门道为石板平铺道路，残长2.26米。石板大小不一墁铺，下为厚约0.24米的黄褐色垫土，质硬、致密，未见包含物，部分石板直接铺设于基岩上。

墩台　4座。分别位于主城门及瓮城门两侧。主门墩台F7、F8均依山就势，居高临下，向下与主门洞、向上与环山城墙有阶梯踏道连接。墩台系外侧利用环山城墙，内侧另砌石墙围合而成，平面呈不规则梯形。墩台内以夹碎小石块的黄褐色垫土填实，垫土分层情况不明显。墙体以条石错缝平砌，缝间以细腻黄黏土做黏合剂，局部发现有石灰。南侧F7顶部南北长4.7、东西宽3.1～5.15米。南侧利用环山城墙，墙基长4.5、顶长3.8、厚约1.25米，外残高3.5、内残高0.72米。南墙顶部内侧贴靠原墙体另发现一段石墙，一排条石错缝平砌，石灰涂面，为后期补筑。东墙保存较好，规整条石砌筑，壁面斜直，基长6.45、厚1.55米，顶长6.3、厚约1米，外残高3.45、内残高0.62米。北墙顶部表土层内出土礌石1件，编号为TN18E20①：1。西墙筑于台面之上，北段扰毁不存，南段残长2.55、残高0.62米。北墙台面以上无存，其下残存较小石块垒砌的基础，长4.15、高1.15米。北侧F8顶部东西宽3.75、南北长4.1～5.75米。扰毁严重，底部多为出露基岩，垫土从北往南倾斜。东侧利用环山城墙，墙长2.9、宽约1.1、残高1米。东墙内发现有平铺石板一块，与未坍塌垫土高度一致，推测应为当时平铺的石板台面。南墙长5.1米，东段坍塌严重，西端残存六层条石，残高1.1米。北墙筑于台面之上，长5.1、残高0.3米，墙面残存白石灰抹面痕迹，与F7较为一致。墩台西部为出露基岩，未见墙体。瓮城门洞两侧为夯土包边式墩台，南侧墩台因地势陡峭，多坍塌不存（未编号），据夯土分布情况可知平面为长方形，长度与内门道一致，宽约1.85米。北侧墩台F6保存较好，长5、宽2.95米左右，包边石墙构筑方式与门道侧壁相同，因后期扰动略倾斜。

平台　位于连接主城门墩台（F7、F8）的城墙内侧中部，系东侧利用主城内墙，西侧于八字墙顶部另砌包边墙而成。平面为长方形，长20.15、宽4米。包边墙与内门道口齐平，条石错缝平砌，南侧多扰毁仅余基础，北侧残高1.95米。平台内垫土为夹小石块的黄褐色黏土，通过对平台北部TN21E21西北角解剖，发现平台内垫土层延伸至主城墙内，故可确定平台与主城门为一次建成。

道路　主城内侧门道路面、八字墙顶部活动面、平台、主城墙顶部及墩台错落分布，高低落差较大。清理范围内未见门道路面至八字墙顶道路，八字墙顶部至平台、主城墙顶部，主城墙顶部至墩台均发现有阶梯踏道。八字墙顶部至主城墙顶部为L5、L6，分列平台两侧，左右对称，方向均为113°。形制结构相同，均为路沿石板、阶面踏板、挡阶促板及垫土组成的石阶踏道，路沿石板形制为竖嵌一至三块，其上再平铺一块，阶面踏板依阶高平铺一至五层不等。垫土为黄褐色夹石块黏土，土质土色与城墙内夯土类似。踏步均八级，北侧L6长3.6、宽2.35米，踏面宽0.4～0.5、阶高0.32～0.42米；南侧L5长3.7、宽2.9米，踏面宽0.4～0.5、阶高0.33～0.39米。主城墙顶部墩台亦为阶梯踏步，形制略同L5、L6，东侧靠女墙铺设，西侧路沿石板因城墙内包边墙坍塌而情况不明，挡阶促板因地势有竖直及倾斜两种，阶面踏板随之水平或略倾斜。门洞南段阶面踏板位置、宽度与女墙基础石板基本对应，高度低约0.05米，挡阶促板保存较好，残存12级，长7、宽1.95～3.9米，踏面宽0.35～0.75、阶高0.19～0.32米；北段扰毁严重，残存9级，长5.3、宽2.2～4米，踏面宽0.35～0.95、阶高0.2～0.32米。据北段第一级踏步情况分析，城墙顶部路面应低于内侧包边石墙高度。瓮城挡土墙以北及门道以南均为基岩出露的陡峭山坡，两者之间较平坦，道路主要为瓮城中部活动面至两侧城墙顶部的阶梯踏道。北部城墙坍塌严重，多基岩出露，道路形制走向不明。中南部道路较明确，为经墩台F6及门道CM6-2顶部与南段城墙顶部连接的阶梯踏道。F6北侧发现阶梯踏道，下接瓮城活动面，上通墩台顶部。扰毁严重，残存数块阶面石板。踏道6级，长2.65、阶面宽0.3～0.5、阶高0.16～0.22米。F6及CM6-2顶部道路扰毁无存，南段瓮城城墙顶部道路位于女墙内侧，残存9级，长4.4、宽约1.85米，踏面宽0.4～0.65、阶高约0.22米。形制结构与主城城墙顶部道路类似，不同之处在于挡阶促板多由三块石板组成，踏面高度与女墙基础条石齐平。

排水沟（G3）　位于瓮城中部偏北，方向约120°。长10.9、宽0.5、高0.36米，坡度约6°。为石板砌筑的暗沟，沟底、沟壁均由规整条石砌筑，顶部由数层大石板封盖，宽0.65米左右。进水口开于瓮城活动面，形状呈等腰梯形，宽1.3米，两块大石板铺底，中部残存竖立分水石一块，长0.5、宽0.15、高0.31米。排水口设于瓮城城墙下部，伸出墙体约0.2米（图12-13）。

3. 瓮城

2座。分布在大城的东西两端，当地有“月儿门”或“月城”之称。

其一即在月儿门（CM6）外，形制已如前所述。瓮城门及城墙与月儿门存有较大差异，除门洞形制外，主要表现在主城墙与瓮城城墙Q3形制有较大不同。CM6-1两侧为錾凿规整的长条石错缝平砌，壁面倾斜，坡度约72°，多斜向规整錾痕。Q3则由大小不一的石块垒砌，层间石缝高低不平，壁面近直。条石多毛石，錾纹较少，另夹杂较多方形石块，均为主城墙所不见。Q3南北两端靠压墩台F7、F8墙体，墙体条石未咬合。为确认主城与瓮城关系，在瓮城中部、主城门南侧TN20E21内开小解剖沟一条，发现主城与瓮城垫土分两期填筑，两期垫土间为TN20E21第6层，夹杂大量小石子，与主城门八字墙内路面石板下发现的石子层结构及水平高度一致，表面亦发现有平铺规整大石板，应为主城门原活动面。据此，综合城墙形制及出土遗物情况分析，瓮城晚于主城，为明代后期补筑。

另在张家城门北侧主城墙外另附石墙一道，长120米，与主城墙围合成月牙形空间，面积约1500平方米，民间称“月城”，但两墙上均未设门出入，当属一类特殊的瓮城遗迹，有

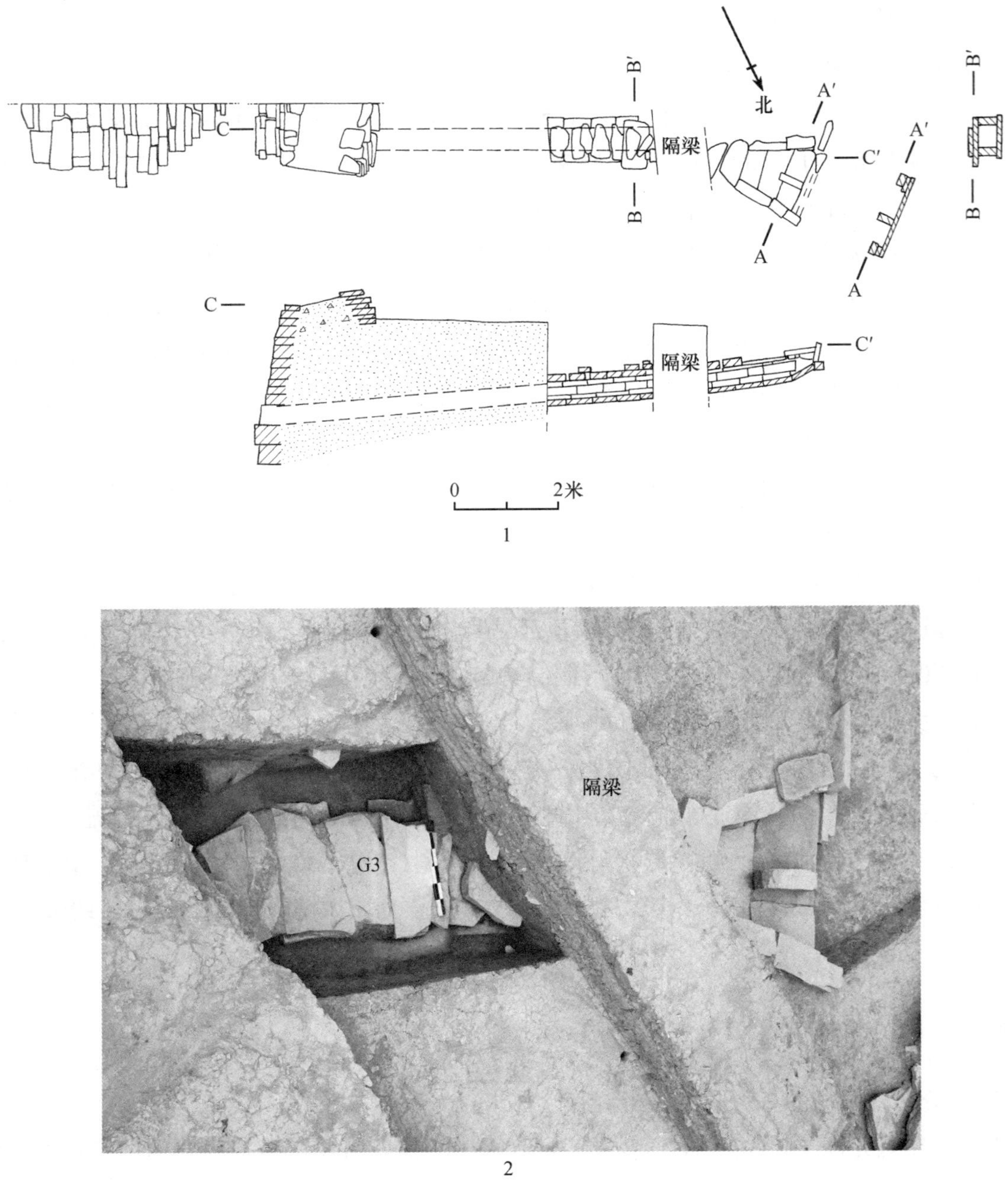

图12-13 养马城G3结构图

1. 平、剖面图 2. 照片

护卫城门的功能。瓮城墙用材与主城墙差异不大，接合处恰被毁，因未做深入的工作，其年代不甚清楚。

4. 衙门遗址

“衙门”为当地俗称的小地名，位于城址东南部，坐北朝南，背靠豪高坡，下临白沙水，遥对海龙囤。地形呈北高南低的三级台地，现地表为梨树林及农田。清理结果显示，衙门遗址平面略呈长方形，南北长约110、东西宽约80米，面积近1万平方米。四周由石砌围墙围合成院落，大门开于南部偏东，门道中轴线正对豪高坡主峰，隔白沙水遥对向山（图12-14；图版322）。

调查发现南部有墩台暴露于地表，北部现存大型台基建筑。为掌握遗址布局结构，在周围开探沟TG10、TG18～TG20寻找围墙，于南部墩台处布置探方TS49W01、TS49W02清理揭露，在北部台基南、北及东部清理断坎剖面P1、P2及P3观察堆积情况，后于东部开探沟TG11、TG12了解其结构。最后在墩台至台基中间开探沟TG13～TG16以了解遗址中部情况。

（1）地层堆积

根据钻探结果结合出露的基岩看，遗址整体北高南低。由于后期扰动，北部、西部表土层下多见基岩或生土，文化堆积主要分布在遗址东、南部等地势稍低处。以TG10北壁为例说明如下（图12-15）。

第1层：灰褐色黏土，土质疏松，夹杂大量树根，碎石块，厚0.1～0.28米。

第2A层：深灰褐色黏土，土质较疏松，未见包含物，深0.1～0.28、厚0～0.25米。水平分布于探方西部。

第2B层：浅褐色黏土，土质较硬密，夹杂小石块，包含物为少量青花瓷片、瓦片，深0.15～0.2、厚0～0.3米。坡状分布于探方东部。

第3层：浅黄褐色黏土，土质密、较硬，夹杂碎石渣，包含物有少量瓦片、硬陶片，深0.15～0.2、厚0～0.15米。水平分布于探沟东部。

第4层：浅灰褐色黏土，土质密、较硬，夹杂石渣及炭粒，包含物有瓦片、硬陶片，深0.4～0.5、厚0～0.35米。水平分布于探沟东部。

第5层：黑灰色黏土，土质硬密，夹杂黄褐色石渣及炭粒，包含物有瓦片，深0.5～0.75、厚0～0.37米。水平分布于探沟东部。

第6层：深灰色黏土，土质较硬密，夹杂黄褐色石渣及少量炭粒，包含物有瓦片，深0.5～0.9、厚0～0.15米。坡状分布于探沟东部。

第7层：黄褐色黏土，土质较疏松，夹杂少量石渣及大块炭屑，包含物有瓦片，深0.4～0.8、厚0～0.2米。坡状分布于探沟西部。

第8层：黄褐色黏土，土质较硬密，夹杂少量小石片，未见文化遗物，深0.9～1.05、厚0～0.1米。坡状分布于探沟东部。

第9层：黄灰色黏土，土质较硬密，夹杂石片及炭粒，未见文化遗物，深0.95～1.1、厚0.05～0.12米。水平分布于探沟东西两端F9及Q4下。

第10层：青黑色黏土，土质较硬密，夹杂青白色土块，未见文化遗物，深0.5～1.2、厚0.05～0.2米。坡状分布于全探沟。

第10层下为红色生土。

上述堆积中，第9、10层为修筑F9、Q4前垫土堆积，第8层为Q4护坡堆积。第7层为F9废弃堆积，第7层上修筑Q8一期（即Q8第4～6层规整石板包边墙）及L15。后于F9上修筑F10，L15上修筑L14，同时在探沟东部填第3～6层垫土堆积。F10垫土内出土圆圈纹硬陶片与第3、4层内

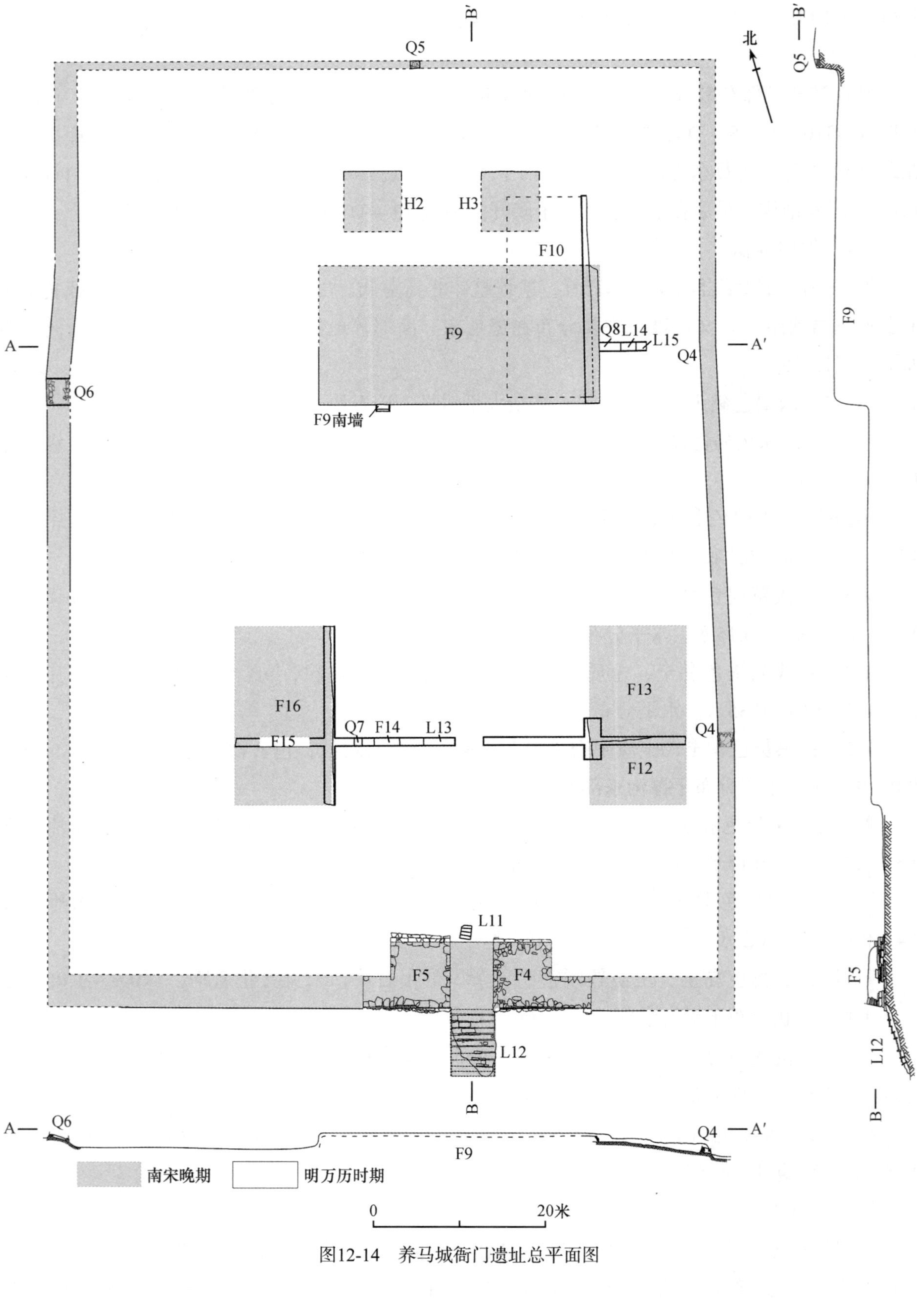

图12-14　养马城衙门遗址总平面图

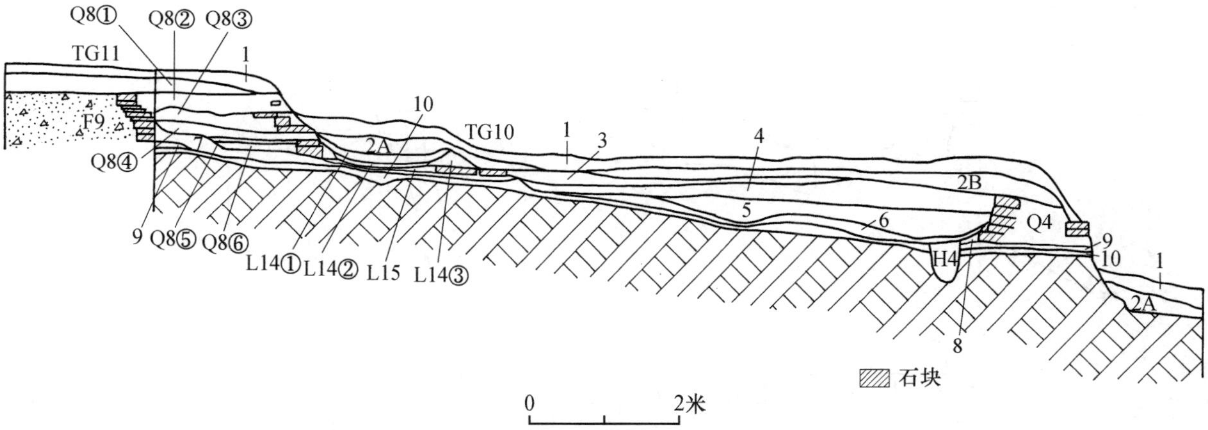

图12-15　TG10北壁剖面图

出土者特征一致。F10废弃后构筑Q8二期（即Q8第1～3层碎石包边墙）。第2B层叠压Q4，为衙门遗址彻底废弃后形成，第2A层及表土层为近现代耕种形成。

其中，第3～6层垫土堆积分布较广，衙门遗址东围墙Q4内普遍存在，向南延伸至TG15东部。在整个城址南部亦多有发现，衙门遗址南部顺城墙方向至采石场南部区域、旋坑至西门南侧CQ1-CM2处均有分布，厚度及层数因地形略有不同。据TG15、CQ1-CM2剖面及衙门南部断坎发现的青花瓷片分析，这次大规模的填垫过程应在明代后期。

（2）围墙

东、西及南墙均利用自然坡坎砌筑，形制结构与城墙类似。东墙Q4保存较好，于TG10及TG15内清理两段，墙基厚1.8、顶宽1.28、残高1.05米。南墙顺衙门大门墩台F4、F5南包边墙延伸约50米，其余扰毁不存。西墙Q6在TG19、TG20内揭露两段，东包边墙残存两层基础，西包边墙直接砌于基岩上，厚2.28、残高0.4米。北部TG18内揭露一段Q5，可能为衙门北墙，由大小不等的条石垒砌，残余二层基础，厚0.6、残高0.3米。Q5形制较为简陋，结构与其余三墙不同，可能与其为院落后墙，背靠豪高坡有关（图12-16）。

（3）南部遗迹

南部清理出门址，开于南墙中部偏东，坐北朝南，方向195°。由东、西两座墩台F4、F5及之间的门道组成，面阔27.5、进深7.75米。墩台近方形，F4长8、宽7、残高0.85～2.12米，F5长8.3、宽7.15、残高0.82～2.64米。夯土包石结构，包边条石体量较大，錾凿规整。夯土为黄褐色黏土，夹少量石块，未见文化遗物。F4东侧及F5西侧各附登台道路，东侧长4.85、西侧残长3.35米，宽均为3.6米。门道进深7.75、宽5.25米，路面垫土以黄灰色黏土杂小石子铺就，厚0.13～0.2米，局部基岩出露。门道中部两侧墩台壁上各发现0.3米见方的门槛槽孔一个，深约0.3米，底与路面齐平。

门前石阶踏道L12，规模较大，残长7.65、宽5.4米，北高南低，坡度约17°。共11级，踏面宽0.7～0.8、阶高0.15～0.25米。路下垫土为黄灰色黏土，较纯净，未见文化遗物（图12-17）。

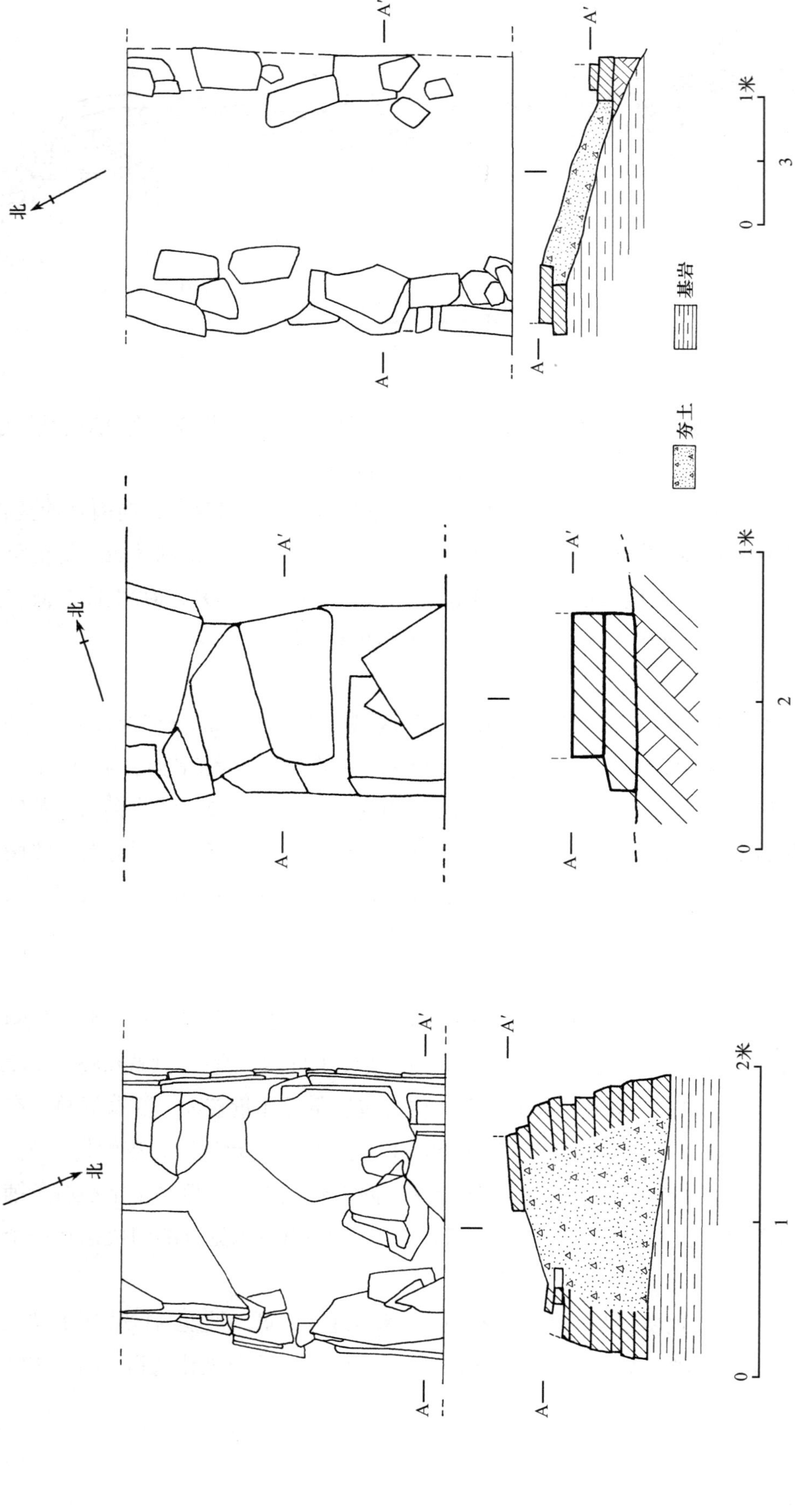

图12-16 养马城衙门遗址Q4～Q6平、剖面图
1. Q4 2. Q5 3. Q6

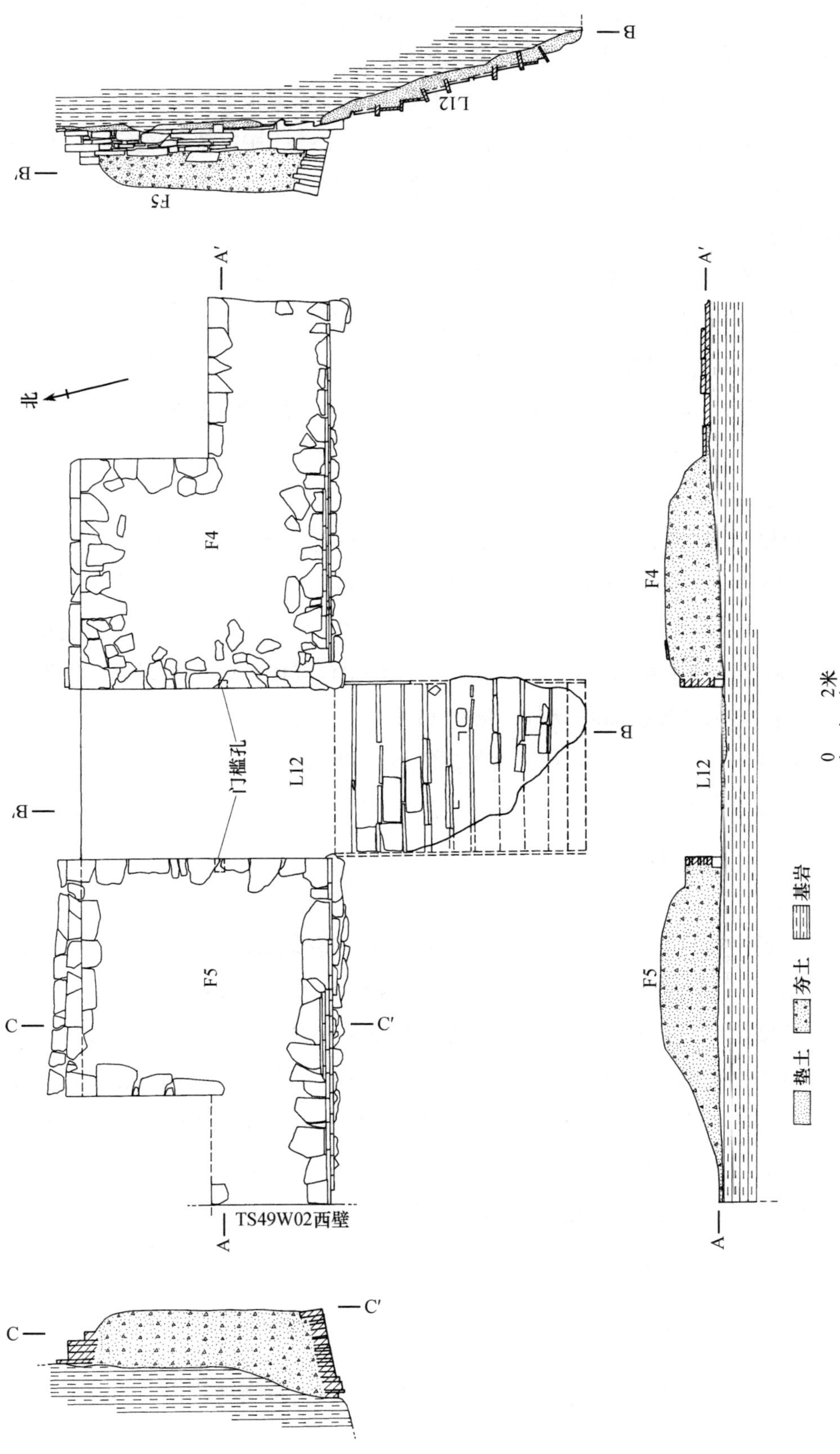

图12-17　养马城衙门遗址F4、F5与L12平、剖面图

（4）中部遗迹

院落中部于门道中轴线上发现有石板道路L13，位于探沟东端，揭露长1、宽3.5米，路面毁坏无存，残存部分路沿石及垫土。L13两侧为房址，揭露墙基多为南北向，东侧发现3座即F11～F13，西侧发现4座即F14～F17，多仅存一两层粗糙毛石基础，墙基宽约0.25米，走向弯曲不直，形制简陋。房址间存在叠压、扩建现象，F14、F15叠压F16垫土堆积，F11、F12系利用F13墙基向西、南方向扩建。受探沟面积限制，整体布局不明。

（5）北部遗迹

院落北部为大型台基F9，坐北朝南，东西宽44.5米，利用豪高坡北部坡坎砌筑包边石墙围合而成。南包边墙保存较好，长44.5、残高2.5米，以錾凿规整的条石错缝平砌。东墙南北残长16、残高1.1米，毛石砌筑，略有收分。台基西、北部基岩出露，未见包边墙，经钻探夯土范围西侧长4.6米，北部最大进深18.5米。东部TG10及TG11内发现有台基废弃堆积层，含较多炭屑及红烧土颗粒，推测其上建筑应因火焚毁。

TG11内发现房址F10，筑于F9废弃堆积之上。F10东墙基于TG11内揭露一段，规整条石平铺，残存一层，顺砌为主，间有丁头，长23.25、宽0.6米左右。台基东侧TG10内发现两条石板道路L14、L15，L14叠压L15。宽1.46～1.7米，形制较简陋，以大小不一的石板平铺。

台基北部于院落中轴线两侧各发现灰坑1座，相距9.25米，对称分布。形制规整，均呈方形，经钻探边长6.8、深0.9米左右。结构略有差别，西侧H2直接开凿于基岩之上，四壁斜直，壁面凿痕规整，斜向与水平錾纹间隔分布。东侧H3开挖于生土之上，向下至基岩，北边以条石垒砌规整坑壁，残存三层。两坑内均为灰黑色建筑废弃堆积，分4层，可互相对应，包含物以板瓦、筒瓦为主。可能为蓄水池。

5. 采石场

调查确认采石场一处，位于衙门西北陂坡一带，系一座砂岩山坡，大部分为表土覆盖，局部出露基岩。平面分布近长条状，南北长约50、东西宽约30米（图版323）。

局部清理结果显示，遗址开采频繁，采石留下的作业面高低错落，其上残存楔眼、錾痕等痕迹50余处。楔眼依平面形状可分为长条形、三角形、梭形三种，剖面形状相似，均横剖面呈V字形，纵剖面近等腰梯形。錾痕主要为尖凿刻痕，斜錾为主。采石场楔眼、錾纹与城墙、城门发现的一致，其中三角形楔眼于CM1门道封盖条石上亦发现一处，形制、大小相同。此外，城墙外面尤其是门道附近另见少量扁凿宽式錾纹，应为营造过程中随工修作。

（三）遗物

遗物大部分出土于废弃堆积中，主要为建筑材料，另有少量生活用器、兵器以及铜钱、装饰品等（表12-2）。

表12-2　养马城出土遗物统计表

序号	编号	器名	质地	类型	数量	完残	年代	备注	出土地点
1	F10：1	酱釉粗瓷印花高领罐	瓷		1	残	明		衙署
2	F16：1	板瓦	陶	A型	1	残	南宋晚		
3	F16：2	青花碗底	瓷		1	残	明晚		
4	F16：3	白釉碗口沿残片	瓷		1	残	明晚		
5	H2②：1	月华纹筒瓦勾头	陶	Ab型	1	残	南宋晚	按囤类型	
6	H2③：1	筒瓦	陶	A型	1	复原	南宋晚		
7	H2③：2	筒瓦	陶	A型	1	复原	南宋晚		
8	H2③：3	筒瓦	陶	A型	1	复原	南宋晚		
9	H2③：4	筒瓦	陶	A型	1	复原	南宋晚		
10	H2③：5	筒瓦	陶	A型	1	残	南宋晚		
11	H2③：6	筒瓦	陶	A型	1	残	南宋晚		
12	H2③：7	筒瓦	陶	A型	1	残	南宋晚		
13	H2③：8	筒瓦	陶	A型	1	残	南宋晚		
14	H2③：9	板瓦	陶	A型	1	残	南宋晚		
15	H2③：10	板瓦	陶	A型	1	残	南宋晚		
16	H2③：11	板瓦	陶	A型	1	残	南宋晚		
17	H2④：1	筒瓦	陶	A型	1	复原	南宋晚		
18	H2④：2	石望柱	石		1	完整	南宋晚		
19	H2④：3	筒瓦	陶	A型	1	复原	南宋晚		
20	H2④：4	筒瓦	陶	A型	1	复原	南宋晚		
21	H2④：5	板瓦	陶	A型	1	复原	南宋晚		
22	H2④：6	板瓦	陶	A型	1	复原	南宋晚		
23	H2④：7	板瓦	陶	A型	1	复原	南宋晚		
24	H2④：8	筒瓦	陶	A型	1	残	南宋晚		
25	H2④：9	板瓦	陶	A型	1	复原	南宋晚		
26	H2④：10	板瓦	陶	A型	1	残	南宋晚		
27	H2④：11	板瓦	陶	A型	1	残	南宋晚		
28	H2④：12	板瓦	陶	A型	1	残	南宋晚		
29	H2④：13	筒瓦	陶	A型	1	复原	南宋晚		
30	H2④：14	筒瓦	陶	A型	1	残	南宋晚		
31	H2④：15	筒瓦	陶	A型	1	残	南宋晚		
32	H2④：16	筒瓦	陶	A型	1	残	南宋晚		
33	H2④：17	筒瓦	陶	A型	1	残	南宋晚		
34	H3②：1	筒瓦	陶	A型	1	残	南宋晚		
35	H3④：1	筒瓦	陶	A型	1	复原	南宋晚		
36	H3④：2	筒瓦	陶	A型	1	复原	南宋晚		

续表

序号	编号	器名	质地	类型	数量	完残	年代	备注	出土地点
37	L3①：1	白釉碗底	瓷		1	残	近现代		东门（CM5）
38	TG4②：1	板瓦	陶	A型	1	残	南宋晚		小东门（CM4）
39	TG4④：1	板瓦	陶	A型	1	残	南宋晚		
40	TG4④：2	板瓦	陶	A型	1	残	南宋晚		
41	TG4⑥：1	板瓦	陶	A型	1	复原	南宋晚		
42	TG4⑥：2	板瓦	陶	A型	1	残	南宋晚	背部划痕	
43	TG4⑥：3	板瓦	陶	A型	1	复原	南宋晚		
44	TG4⑥：4	板瓦	陶	A型	1	残	南宋晚		
45	TG4⑥：5	板瓦	陶	A型	1	复原	南宋晚		
46	TG4⑥：6	板瓦	陶	A型	1	复原	南宋晚		
47	TG4⑥：7	板瓦	陶	A型	1	微残	南宋晚		
48	TG4⑥：8	板瓦	陶	A型	1	微残	南宋晚		
49	TG4⑥：9	板瓦	陶	A型	1	残	南宋晚		
50	TG4⑥：10	板瓦	陶	A型	1	残	南宋晚		
51	TG4⑥：11	板瓦	陶	A型	1	残	南宋晚		
52	TG4⑥：12	板瓦	陶	A型	1	残	南宋晚		
53	TG4⑦：1	酱釉粗瓷敛口罐	瓷		1	残	南宋晚	据层位	
54	TG5-1①：1	铁马掌	铁		1	完整	明		东门（CM5）
55	TG5-1①：2	白釉粗瓷炉	瓷		1	残	近现代？	瓦状	
56	TG5-1①：3	青花花卉纹碗	瓷		1	完整	近现代		
57	TG5-1②：1	粗瓷碗	瓷		1	复原	明清	无釉	
58	TG5-1②：2	青釉粗瓷碗底	瓷		1	残	清		
59	TG5-1③：1	板瓦	陶	C型	1	残	清		
60	TG5-2②：1	板瓦	陶	A型	1	残	南宋晚		
61	TG5-2⑥：1	青花螺旋纹碗底	瓷		1	残	明中晚		
62	TG5-2⑦：1	酱釉粗瓷罐腹片	瓷		1	残	明中晚	据层位	
63	TG6①：1	青花粗瓷碗	瓷		1	复原	清		平安寨
64	TG6①：2	青花粗瓷碗底	瓷		1	残	清		
65	TG11③：1	青釉碗底残片	瓷		1	残	明		衙署
66	TG11④：1	酱釉粗瓷罐腹部残片	瓷		1	残	明		
67	TG15③：1	板瓦	陶	Bb型	1	残	明晚	两翅平整	
68	TN18E20①：1	礌石	石	A型	1	完整	南宋晚	按囤类型	月儿门（CM6）
69	TN19E20①：1	板瓦	陶	A型	1	复原	南宋晚		
70	TN19E20①：2	板瓦	陶	A型	1	残	南宋晚		
71	TN19E20①：3	板瓦	陶	A型	1	残	南宋晚		
72	TN20E20①：1	板瓦	陶	A型	1	残	南宋晚		
73	TN20E20①：2	板瓦	陶	A型	1	残	南宋晚		

续表

序号	编号	器名	质地	类型	数量	完残	年代	备注	出土地点
74	TN20E20①：3	板瓦	陶	A型	1	残	南宋晚		月儿门（CM6）
75	TN20E20①：4	板瓦	陶	A型	1	残	南宋晚		
76	TN20E20①：5	乾隆通宝	铜		1	完	清	背部满文	
77	TN20E20①：6	板瓦	陶	A型	1	残	南宋晚		
78	TN20E21③：1	板瓦	陶	A型	1	残	南宋晚		
79	TN21E20③：1	礌石	石	A型	1	完整	南宋晚	按囤类型	
80	TN21E20③：2	板瓦	陶	A型	1	残	南宋晚		
81	TN21E20③：3	板瓦	陶	A型	1	残	南宋晚		
82	TN21E20③：4	板瓦	陶	A型	1	残	南宋晚		
83	TN21E21③：1	板瓦	陶	A型	1	残	南宋晚		
84	TN21E21③：2	板瓦	陶	A型	1	残	南宋晚		
85	TN21E21③：3	板瓦	陶	A型	1	残	南宋晚		
86	TN21E21③：4	板瓦	陶	A型	1	残	南宋晚		
87	TN22E21①：1	板瓦	陶	A型	1	复原	南宋晚		
88	TN22E21①：2	板瓦	陶	A型	1	复原	南宋晚		
89	TN22E21①：3	板瓦	陶	A型	1	复原	南宋晚		
90	TN22E21①：4	板瓦	陶	A型	1	复原	南宋晚		
91	TN22E21①：5	板瓦	陶	A型	1	复原	南宋晚		
92	TN22E21①：6	板瓦	陶	A型	1	复原	南宋晚		
93	TN22E21①：7	板瓦	陶	A型	1	复原	南宋晚		
94	TN22E21①：8	板瓦	陶	A型	1	复原	南宋晚		
95	TN22E21①：9	板瓦	陶	A型	1	复原	南宋晚		
96	TN22E21①：10	板瓦	陶	A型	1	复原	南宋晚		
97	TN22E21①：11	板瓦	陶	A型	1	完整	南宋晚		
98	TN22E21①：12	板瓦	陶	A型	1	复原	南宋晚		
99	TN22E21①：13	板瓦	陶	A型	1	复原	南宋晚		
100	TN22E21①：14	板瓦	陶	A型	1	残	南宋晚		
101	TN22E21①：15	板瓦	陶	A型	1	残	南宋晚		
102	TN22E21①：16	板瓦	陶	A型	1	残	南宋晚		
103	TN22E21①：17	板瓦	陶	A型	1	残	南宋晚		
104	TN22E21①：18	板瓦	陶	A型	1	残	南宋晚		
105	TN22E21①：19	板瓦	陶	A型	1	残	南宋晚		
106	TN22E21①：20	板瓦	陶	A型	1	残	南宋晚		
107	TN22E21①：21	板瓦	陶	A型	1	残	南宋晚		
108	TN22E21①：22	板瓦	陶	A型	1	残	南宋晚		
109	TN22E21①：23	板瓦	陶	A型	1	残	南宋晚		
110	TN22E21①：24	板瓦	陶	A型	1	残	南宋晚		

续表

序号	编号	器名	质地	类型	数量	完残	年代	备注	出土地点
111	TN23E22①：1	板瓦	陶	A型	1	残	南宋晚		月儿门（CM6）
112	TN23E22①：2	板瓦	陶	A型	1	残	南宋晚		月儿门（CM6）
113	TN23E22①：3	板瓦	陶	A型	1	残	南宋晚		月儿门（CM6）
114	TN23E22①：4	板瓦	陶	A型	1	残	南宋晚		月儿门（CM6）
115	TN23E22①：5	板瓦	陶	A型	1	复原	南宋晚		月儿门（CM6）
116	TN23E22①：6	板瓦	陶	A型	1	残	南宋晚		月儿门（CM6）
117	TN23E22①：7	板瓦	陶	A型	1	残	南宋晚		月儿门（CM6）
118	TN29W21①：1	板瓦	陶	A型	1	残	南宋晚		张家城门（CM1）
119	TN29W21①：2	铁三脚	铁		1	残	明？		张家城门（CM1）
120	TN29W21②：1	乾隆通宝	铜		1	完整	清	锈蚀严重	张家城门（CM1）
121	TN29W21②：2	板瓦	陶	A型	1	完整	南宋晚		张家城门（CM1）
122	TN29W21②：3	板瓦	陶	A型	1	残	南宋晚		张家城门（CM1）
123	TN29W21②：4	板瓦	陶	A型	1	残	南宋晚		张家城门（CM1）
124	TN29W21③：1	铁锸	铁		1	完整	南宋晚？	据层位	张家城门（CM1）
125	TS49W01③：1	铜钗	铜		1	残	明？		衙署
126	TS49W01③：2	月华纹筒瓦勾头	陶	Ab型	1	残	南宋晚	按囤类型	衙署
127	TS49W01③：3	青花螭龙纹碗底	瓷		1	残	明万历		衙署
128	TS49W01③：4	板瓦	陶	A型	1	残	南宋晚		衙署
129	TS49W01③：5	筒瓦	陶	A型	1	残	南宋晚		衙署
130	TS49W01③：6	青花花卉纹碗口沿	瓷		1	残	明万历		衙署
131	TS49W01③：7	青花花卉纹杯底	瓷		1	残	明万历		衙署
132	TS49W01③：8	青花凤穿花纹碗口沿	瓷		1	残	明嘉靖		衙署
133	TS49W01④：1	板瓦	陶	Bb型	1	残	明晚	两翅平整	衙署
134	TS49W01④：2	板瓦	陶	A型	1	残	南宋晚		衙署
135	TS49W01④：3	青花碗底残片	瓷		1	残	万历		衙署
136	TS49W01④：4	青花螭龙纹碗底	瓷		1	残	万历		衙署
137	TS49W02④：1	筒瓦	陶	A型	1	残	南宋晚		衙署
138	TS49W02④：2	板瓦	陶	Ba型	1	残	明晚	两翅粗糙	衙署
139	TS49W02④：3	青花卍字云纹碗底	瓷		1	残	明嘉万		衙署
140	P2④：1	白釉瓷碗底	瓷		1	残	明		衙署
141	CQ1-CM2⑩：1	青花卍字云纹碗底	瓷		1	残	明嘉万		西门城墙
142	采：1	青釉粗瓷碗	瓷		1	完整	不明		东门（CM5）
143	采：2	石望柱	石		1	残	南宋晚	带榫口	衙署
144	采：3	青釉莲瓣纹碗	瓷		1	残	南宋晚	龙泉窑	衙署
145	采：4	石础	石		1	残	南宋晚		衙署

1. 建筑材料

（1）瓦

分板瓦和筒瓦两类。

板瓦　较多。根据形制特点，分为三型。

A型　可复原24件。出土于CM1、CM4、CM5、CM6和衙署区内。其平面形状略呈梯形，长端平直，窄端较薄微外撇，且有浅按窝纹，凹面饰有布纹。两翅切割后自然断裂，较粗糙。火候整体偏低，呈灰白色。据尺寸可分大、中、小三种。较大者如H2④：5，泥质灰白陶，夹少量细砂，有过火痕迹。窄端及长端一角有残缺。通长29.4、宽17.1～20.5、厚0.6～1.6厘米（图12-18-1）。中等者如TG4⑥：1，长端一角有残缺。夹少量细砂，灰白色胎。通长28.2、宽18.8～21、厚0.8～1.8厘米（图12-18-2；图版324-4）。较小者如H2④：6，泥质灰陶，夹少量细砂，胎面呈浅灰色，胎芯局部呈深灰色。仅缺长端一角。通长29.5、宽18.2～20.6、厚0.8～1.7厘米（图12-18-3）。与海龙囤所出A型板瓦一致，为南宋晚期板瓦。类似板瓦，亦见于鼎山城。

B型　3件。残。均出土于衙署区内。长端、窄端厚度一致，火候偏高。其中1件（TS49W02④：2）两翅自然断裂，未进行二次加工，较粗糙，属Ba型。2件（TS49W01④：1、TG15③：1）两翅经二次加工，较规整，属Bb型。TS49W01④：1，泥质深灰陶，瓦背局部呈灰白色。两翅经二次加工。通长29.3、残宽11.4～16.4、厚1.6～1.9厘米（图12-18-4；图版324-7）。与海龙囤所出B型板瓦一致，为明万历时期板瓦。

C型　1件。出自东门（CM5）。TG5-1③：1，青灰色，火候较高，内侧布纹细腻。残甚（图版324-5）。既与A、B型板瓦不同，又较今日常见的板瓦略厚，疑系清瓦。

筒瓦　可复原10件。多出土于H2中，其形制较为单一，均为A型筒瓦。其横截面为半圆形，两翅自然断裂，较粗糙。熊头外卷，肩部略内收、微凹。与之对应一端内侧微向外倾，与A型板瓦类似。瓦内饰有布纹。根据尺寸大小，可分为大、小两种。大者如H2④：1，泥质灰陶，略微夹少量细砂，胎体呈灰白色。高7.4、通长32.6、宽14厘米（图12-18-5）。小者如H3④：1，泥质灰陶，胎质坚硬。瓦棱处略有残缺。高6.6～7.3、通长30.6、宽12.6厘米（图版324-3）。其形制与大小与海龙囤所出A型筒瓦一致，为南宋晚期遗物。

（2）瓦当

2件。均为月华纹筒瓦勾头残件，出自衙署区内。TS49W01③：2，泥质灰陶泛白。当部残，后接筒瓦残缺。宽平缘，当心饰月华纹。缘宽1.8、当面厚1.2厘米（图12-18-6；图版324-1）。H2②：1，泥质灰陶泛白。当部残，后接筒瓦残缺。缘略窄，当心饰月华纹。缘宽1.1、当面厚0.8厘米（图12-18-7）。2件瓦当均属海龙囤Ab型筒瓦勾头（三瓣月华纹），为南宋晚期遗物。

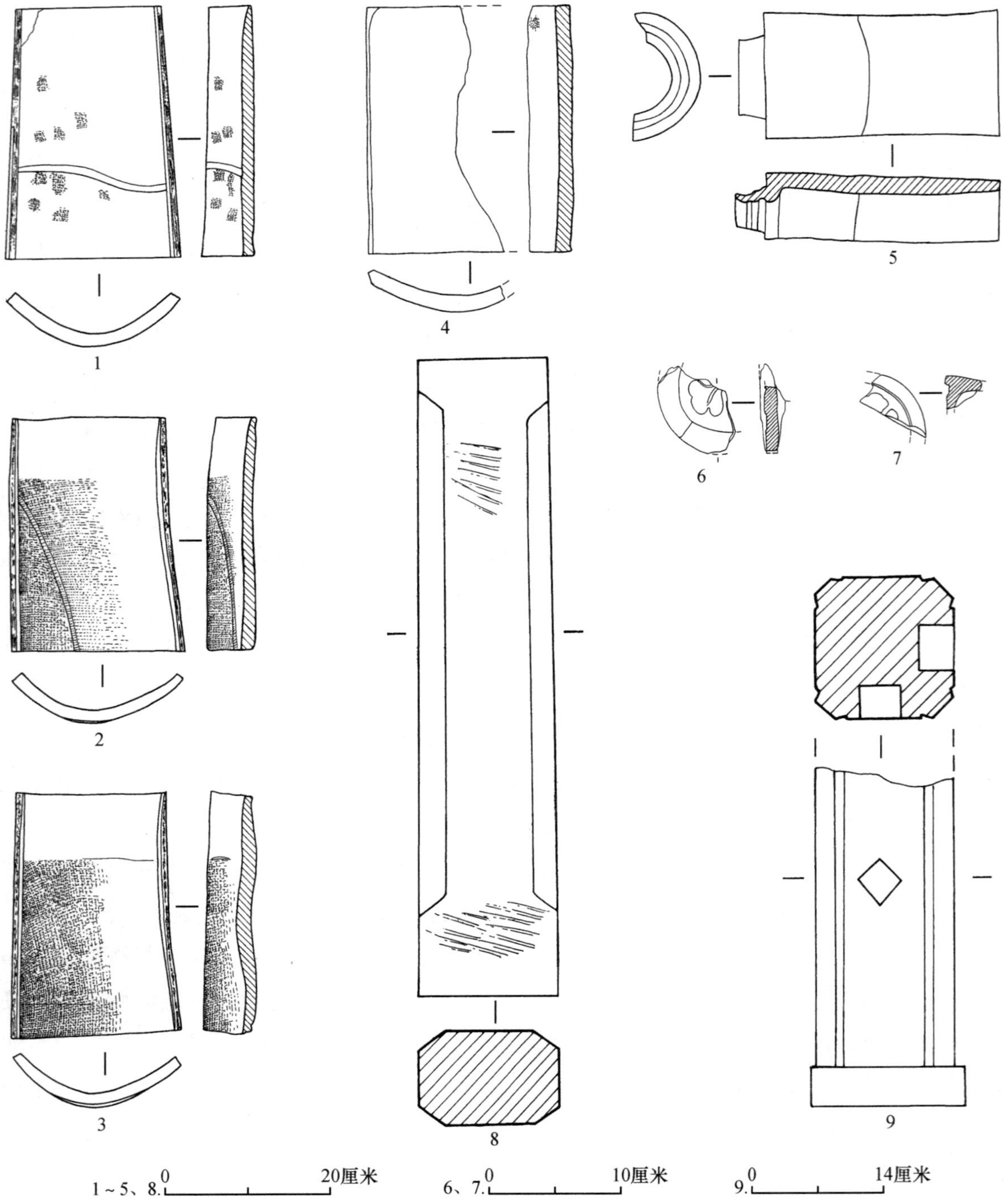

图12-18 养马城出土建筑构件

1～3. A型板瓦（H2④：5、TG4⑥：1、H2④：6） 4. Bb型板瓦（TS49W01④：1） 5. A型筒瓦（H2④：1） 6、7. Ab型筒瓦勾头（TS49W01③：2、H2②：1） 8、9. 石望柱（H2④：2、采：2）

（3）石构件

有望柱与柱础两类。

石望柱　2件。形制有别，均出自衙署区内。H2④：2，壁面略残。呈长方形，中部四棱抹角。高74、长16.4、宽10.8厘米（图12-18-8；图版325-2）。采：2，柱壁残断。柱壁四棱抹角，棱角两侧各一道凹弦纹，相邻壁面有两个菱形榫眼。柱壁残高34、边长14厘米，柱座高4、边长15.4厘米（图12-18-9；图版325-3）。从伴出关系看，H2第4层所出均系南宋时期板瓦与筒瓦，H2内所出望柱年代应与之同。采集者无层位关系，但以前者推之，年代亦应相当，为南宋晚期遗物。

石础　1件。采：4，砂岩凿就。薄平，器偏小。方座，圆形鼓镜（图版325-1）。其用材、形制与海龙囤上常见的明万历时期以灰岩凿就的八棱形石础存有较大区别，联系衙署区内有大量南宋瓦砾和少量望柱出土的实情，该础亦应为南宋晚期遗物。

2. 生活用器

均为瓷器，可分细瓷和粗瓷两类（图12-19；图版326）。

（1）细瓷

16件。有青瓷、白瓷和青花瓷三类。器类有碗、杯，以碗为主，杯仅1件。

青瓷　2件。均为碗，出自衙署区内。采：3，青釉莲瓣纹碗口沿残片。灰白胎，胎质细腻，卷沿泛紫。腹部凸饰莲瓣纹。残高2.7、残长2.1厘米（图12-19-1；图版326-1）。此类遗物海龙囤亦有出土，为龙泉窑南宋晚期产品。TG11③：1，青釉碗底。灰胎，釉面光洁，通体有小开片，碗底有涩圈，呈火石红。残高2.4、足径8.3厘米（图版326-2）。为明代遗物。

白瓷　3件。均为碗，出自衙署区内。F16：3，白瓷碗口部残片。芒口，折沿。白胎。残高3.6厘米（图12-19-2；图版326-3）。P2④：1，白瓷碗底。足墙直。白胎，胎质洁白细腻。内底周缘与腹壁相交处有一周凹弦纹。残高1.8、足径6.4厘米（图12-19-3；图版326-4）。均为明代嘉靖、万历时期景德镇产品。另L3第1层出白瓷碗底1件（L3①：1），釉面光洁，内底有涩圈，当为近现代遗物。

青花瓷　11件。多为残片。其中碗10件、杯1件。白胎或灰白胎，白胎者胎质较细腻，灰白胎有颗粒感略粗糙。釉色白中泛青，青花色泽淡蓝泛灰。纹饰主要有花卉纹、螭龙纹、螺旋纹、凤穿花纹、卍字云纹等。TG5-2⑥：1，青花螺旋纹碗底部。曲腹，足跟斜削。灰白胎，内底心及外腹壁接近足墙处缩釉。内底心绘螺旋纹。残高3.6、足径5.4厘米（图12-19-4；图版326-5）。TS49W01③：3，青花螭龙纹碗底部。曲弧腹，内平底，圈足。灰白胎。内底心绘螭龙纹，周围一周弦纹。残高1.8、足径4.6厘米（图12-19-5；图版326-6）。TS49W01③：6，青花花卉纹碗。侈口，略曲腹。白胎。外壁饰花卉纹。残高3.6、残长6.6厘米（图版326-7）。TS49W01③：8，青花凤穿花纹碗口沿。敞口，弧腹。白胎。内壁近口沿处饰重十字菱形锦地纹，外壁饰凤穿花纹。残高3.4、口径13.6厘米（图12-19-6；图版326-8）。另有修复完整的青花花卉纹碗1件（TG5-1①：3），釉色匀净，青花晦暗，当为近现代遗物（图版326-12）。

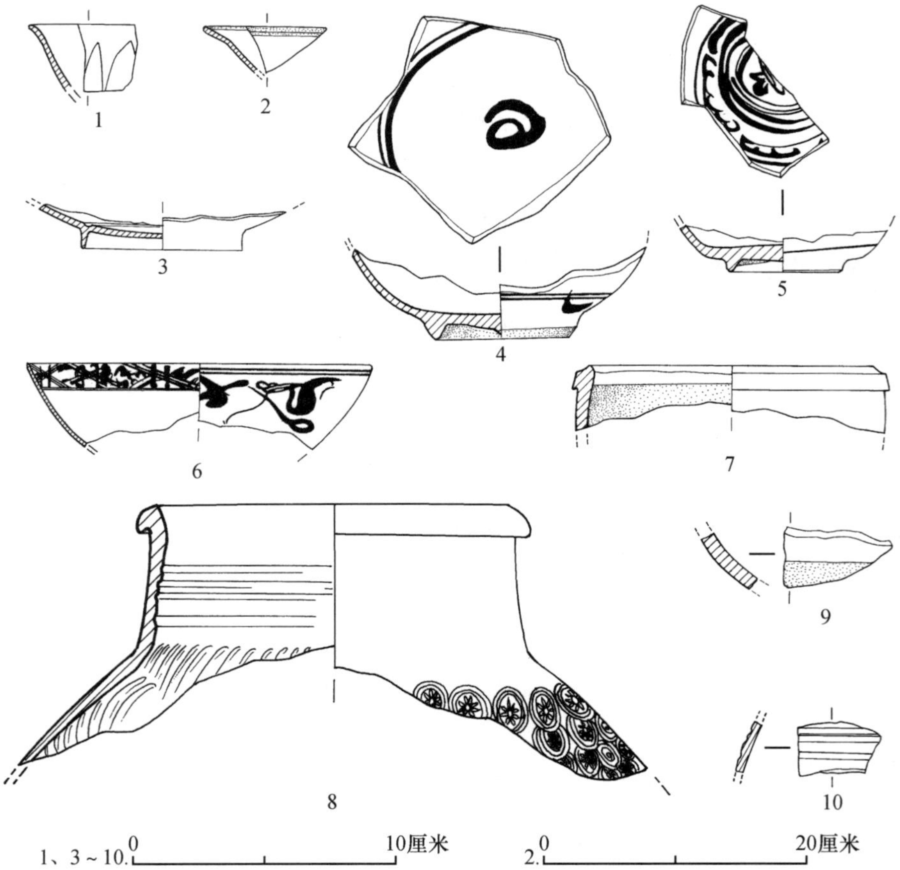

图12-19　养马城出土瓷器

1. 青釉莲瓣纹碗（采：3）　2、3. 白釉瓷碗（F16：3、P2④：1）　4. 青花螺旋纹碗（TG5-2⑥：1）　5. 青花螭龙纹碗（TS49W01③：3）　6. 青花凤穿花纹碗（TS49W01③：8）　7. 酱釉粗瓷罐（TG4⑦：1）　8. 酱釉粗瓷印花高领罐（F10：1）　9、10. 酱釉粗瓷罐（TG5-2⑦：1、TG11④：1）

（2）粗瓷

10件。有酱釉、青釉、青花、白釉与无釉五类。器类有罐（4件）、碗（5件）、炉（1件）等。

酱釉粗瓷罐　4件。TG4⑦：1，酱釉粗瓷敛口罐。仅口部，唇部有凸棱。素面。残高2.6、口径11.3厘米（图12-19-7；图版327-2）。TG4第6层所出俱为南宋晚期板瓦，根据层位关系，该罐年代当不晚于此。F10：1，酱釉粗瓷印花高领罐。残，仅存口颈部。圆唇，高领。黄胎微红，施酱釉。肩部拍印圆圈纹，内有菊花图案，领部内侧饰四周凹弦纹。残高10.5、口径15.6厘米（图12-19-8；图版327-1）。TG5-2⑦：1，酱釉粗瓷罐腹部残片。黄白胎，酱黑釉。残高2.3、残长4.4厘米（图12-19-9；图版327-3）。TG11④：1，酱釉粗瓷罐腹部残片。灰黄胎，酱黄釉。腹部饰两周凹弦纹。残高2.3、残长3.2厘米（图12-19-10；图版327-4）。

另有青釉粗瓷碗2件（TG5-1②：2、采：1）、青花粗瓷碗2件（TG6①：1、TG6①：2）、无釉粗瓷碗1件（TG5-1②：1），多可修复完整（图版327-6～10）。白釉粗瓷器1件（TG5-1①：2），板瓦状。胎色灰白，外施白釉，较糙。疑为火炉（图版327-5）。

粗瓷多应是本地产品，因风格早晚变化不大，加之缺乏参照物，年代不易推定。仅个别（TG4⑦：1）根据层位关系可推定为南宋晚期遗物，余应为明清乃至近现代遗物。

3. 兵器

仅礌石2件，均出自CM6附近。圆球形，砂岩凿成，錾痕清晰。TN21E20③：1，平面近圆形，凿痕纹路清晰。长径35.6、短径32.4厘米（图12-20-1；图版328-1）。TN18E20①：1，平面呈椭圆形，局部经錾凿。长径31.2、短径26.4厘米（图12-20-2；图版328-2）。两件礌石均与海龙囤出土A型礌石如出一辙，为南宋晚期遗物。

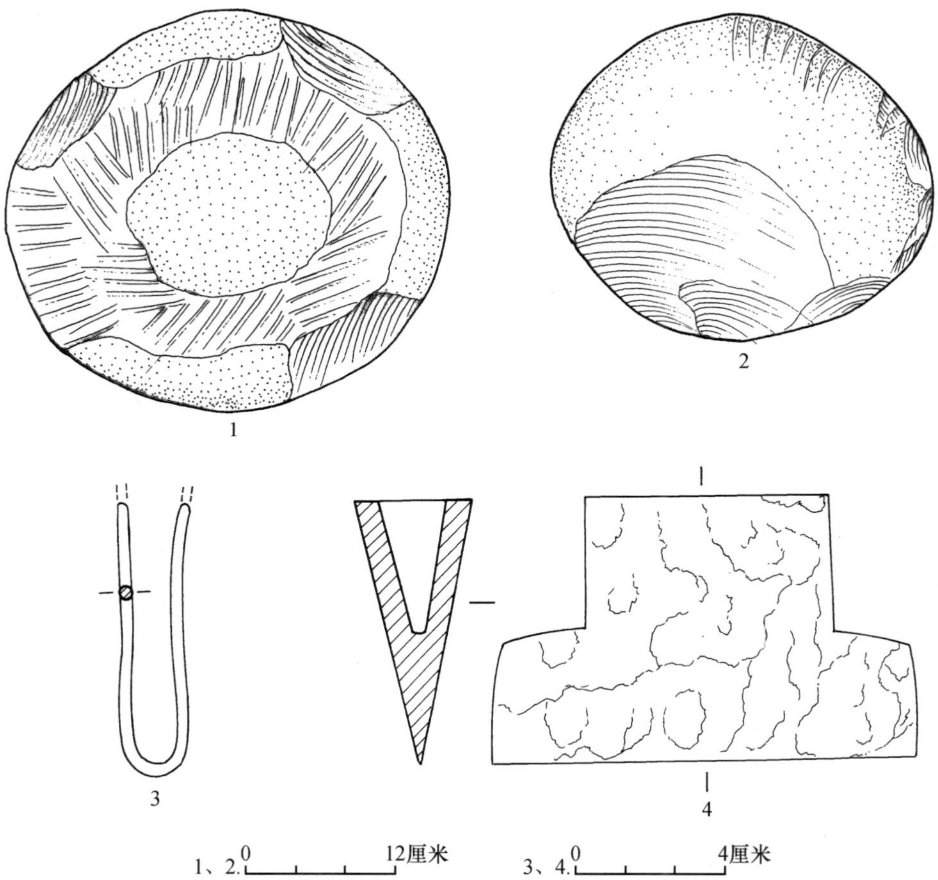

图12-20　养马城出土遗物

1、2. 礌石（TN21E20③：1、TN18E20①：1）　3. 铜钗（TS49W01③：1）　4. 铁锸（TN29W21③：1）

4. 其他

有钱币、铜钗、铁三脚、铁马掌与铁锸等。

钱币　2枚。均为乾隆通宝，背有满文。TN20E20①：5，完整。对读。直径2.2、穿宽0.6厘米。TN29W21②：1，残损。直径2.4、穿宽0.6厘米（图版328-4、5）。

铜钗　1件。TS49W01③：1，残，表面锈蚀。平面呈U字形。残长7.3、宽2厘米（图12-20-3；图版328-3）。

铁锸　1件。TN29W21③：1，锈蚀。有肩，长方形銎口，截面呈V字形，刃部较平。器身通长7、刃宽11.4、肩宽2.1厘米，銎口长径5、短径1.8、深3.5厘米（图12-20-4；图版328-7）。

另有铁马掌、铁三脚各1件（图版328-6、8）。

以上遗物，钱币年代清晰，为清钱。铁锸，具有该类器物早期年代特征，疑为南宋遗物。铁三脚与铁马掌在海龙囤明代诸关中较为常见，应为明代晚期遗物。铜钗出于TS49W01第3层，该层堆积中南宋瓦件与明嘉靖、万历时期青花瓷器混出，结合前揭播州之役中土司杨应龙曾将下属“妻子监养在养马城”的文献记载，应为明万历时期遗物。

（四）认识

1. 分期与年代

结合遗迹与遗物，可将养马城遗址分为早、中、晚三期，分别对应南宋晚期、明万历时期与清代晚期。

（1）早期：南宋晚期

主体城垣、6座城门（CM6-2除外）与衙署等均应始建于南宋晚期。

首先，从相关遗迹的用材与风格看。养马城主体城垣、城门及衙署门址（F4、F5）台基均用薄平砂岩条石错缝平砌而成，石材向外一侧多留有斜向錾痕（宽近1厘米）。城门结构主要为叠涩平顶，内侧筑八字墙。其用材与风格均同于海龙囤南宋晚期相关遗存。这一用材取向，当与战事迫近而砂岩易于开采有关。相应地，采石场亦应为南宋晚期遗迹，而其上所遗楔眼、錾痕等与城垣、城门及衙署门址台基上相关开采、加工痕迹的一致性也证明了这一点。石材均应就近采用。

其次，从出土遗物看。张家城门（CM1）、小东门（CM4）、东门（CM5）、月儿门（CM6-1）与衙署区内均出土了一定数量的A型板瓦；衙署区内还发现了A型筒瓦与A型筒瓦勾头。三类遗物在海龙囤南宋晚期遗存中均有发现，亦见于杨氏第14世土官杨价（？～1243）墓中，价之卒年清晰，遗物年代确凿，在南宋晚期①。月儿门（CM6）出土的2件礌石与海龙囤南宋晚期A型礌石从石材、器形到加工痕迹如出一辙。衙署区内采集的青釉莲瓣纹碗残片（采：3），海龙囤亦有发现，为龙泉窑南宋晚期产品。衙署区内出土或采集的石望柱（H2④：2、采：2）与石础（采：4）均应为南宋晚期遗物。

最后，从地层叠压关系看。包含A型板瓦瓦砾的F9废弃堆积（TG10第7层）与晚期地层间有清晰的叠压关系。目前未见较南宋晚期更早的遗迹与遗物，表明养马城应始建于南宋晚期，乾隆《贵州通志》养马城“唐末，杨氏建为牧马地”之说尚无考古证据支撑。养马城应与海龙囤同一时期营建，是一座抵御斡腹蒙军的“斡腹山城”。

① 贵州省文物考古研究所、中国社会科学院考古研究所、遵义市文物局：《贵州遵义市新蒲播州杨氏土司墓地》，《考古》2015年第7期。部分资料尚未公布。

（2）中期：明万历时期

明万历时期，杨氏土司对养马城进行改造后投入使用，构成海龙囤屏障。

首先，从出土遗物看，养马城遗址内发现了一批明万历时期的瓷器与瓦砾。出土的青花瓷器带有鲜明的时代特征，多数落在明嘉靖、万历时期。少量白瓷器亦为该时期遗物。出土的3件B型板瓦（Ba型1件、Bb型2件），可与海龙囤所出Ba、Bb型板瓦完全对应，为明万历时期遗物。

其次，从地层堆积和叠压关系看，养马城有大面积明万历时期堆积，反映有大范围的人群活动。如衙门遗址东部围墙Q4内、CQ1-CM2上部及衙署区至采石场南部的灰黑色垫土堆积分布范围较广，土质土色较为一致，其中包含明嘉万时期青花瓷片及B型板瓦瓦砾，应形成于明万历时期。此外，月儿门（CM6）主城与瓮城之间用材差异较大，并存在明显靠压关系，试掘显示两者存在不同活动面并有叠压关系，表明瓮城晚于主城，应系明万历时期补筑。张家城门（CM1）北侧月城亦不排除为万历时期遗存的可能性。

最后，与文献的互证。明代文献中"养马城为囤藩篱"、"妻子监养在养马城"及万历二十八年四月十八日两军于此鏖战的记载，反映了养马城系明万历时期以海龙囤为中心的播州杨氏山城防御体系中重要一环的事实，对其进行加固处理再行利用则势在必行。但从目前所见的万历时期遗物以生活用器为主、建筑材料较少的特点看，其改造的幅度似不大，偏重东西两端防御，加筑瓮城，同时改造衙署辟为他用，业已废弃的城门楼并未重建。城垣的补修，则不易发现证据。值得注意的是，养马城内目前未见元代与明代早中期遗迹、遗物，表明其与海龙囤一样，在南宋创建至万历重建的这三百余年间可能处于废弃的状态。局部明代堆积直接叠压在南宋堆积之上的堆积特点可资佐证。

（3）晚期：清代晚期

清咸同年间，养马城之局部可能作为防御性寨堡继续使用。

养马城中也发现了部分清代遗迹、遗物。遗迹方面，CM1门道内L4、CM5门道内L3、CM3门外冲沟内L7均叠压或打破原门道路面，衙门遗址Q8二期、平安寨内墙东部碎石补筑段均叠压明晚期废弃堆积，表明均是平播之后才形成的。至于CM2、CM3、CM4内现存封堵石墙，则不排除是播州之役中所为的可能。据《平播全书》记载，万历二十八年四月初八日，杨应龙自揣势不能敌，又恐明军截断退路，遂急奔上囤，"用土石填门"①。小东门（CM4）发现大量南宋瓦砾而几乎未见明代遗物，表明万历时已经弃用，较可能填封后作普通城垣使用，不复设门。遗物方面，除乾隆通宝外（分别发现于CM1与CM6），部分青花与粗瓷碗（如CM5所出者）特别是平安寨出土的2件青花粗瓷碗可确定为清代遗物。

清咸丰、同治年间黔北号军为乱，清廷鼓励各地营建寨堡、操办团练以自卫，行坚壁清野

① （明）李化龙：《平播全书》卷5《叙功疏》，北京：大众文艺出版社，2008年，第147页。

之法。这类寨堡仅民国《续遵义府志》即载有432处，且多以“寨”名之[①]。城北最高峰“平安寨”应即该时期遗存。平安寨系于大城城垣内侧另筑附墙一道，与外墙形成近三角形封闭区，东西最长处约90、南北最宽处约38米。东西两角与主城墙相接处各开寨门一座，东寨门及内墙东段约30米砌于废弃堆积之上，均用细小毛石片垒砌，层间未见黏合剂，当为后期补筑。结合前述该地所出2件清代遗物，可确定平安寨为清代遗存，当为咸同年间的寨堡遗迹，如同鼎山城该时期的再利用一样。

2. 衙署的格局

衙署区因未全面揭示，其整体格局不甚明朗。试掘显示，遗迹间存在复杂的叠压、打破关系，出土较多南宋建筑构件与明代生活用器，可据此将之分为南宋与明万历二期。属于南宋的遗迹至少有垣墙（Q4～Q6）、谯楼（F4、F5）、两厢（F12/F13、F16）、大堂（F9）、道路（L12）、水池（H2、H3）等；余均明万历时期遗存。南宋建筑布局严整，前有高台式谯楼（F4、F5），东西并峙，中通道路（L12）；前为两厢，东厢由F12、F13共同构成，西厢即F16，残存石砌台基面阔20.4、进深10.8米。后端为高台上的大堂（F9），台基面阔44.5、进深18.5、残高2.5米。大堂之后，并列水池2个（H2、H3），其内出土较多南宋建筑构件。这一格局，与南宋平江府府衙、合川钓鱼城范家堰南宋衙署遗址接近[②]（图12-21）。遗址内出土了筒瓦、瓦当、石望柱、石础等遗物，亦显示出其不一般的地位。遗址前朝后靠的山水格局（后有豪高坡为靠山，前有无名山为朝山），同于海龙囤明代衙署遗址。凡此种种，可以确定民间俗称的“衙门”遗址，应即南宋养马城的核心，即衙署所在。

衙署区内地层堆积有两个特点：第一，南宋时期堆积与明万历时期堆积有所不同，前者多建筑材料而少生活用器，后者多生活用器而少建筑材料。似反映因宋蒙战事未延及该地，建山城以迁司治似未成为事实。此外，明代的再利用，并未对养马城进行大规模扩建，其中建筑可能相对粗陋，因此少见建筑材料。第二，城址未见明确的元代遗存，多处明代堆积直接叠压于南宋堆积之上，反映元至明代早、中期养马城可能处于废弃状态，并未使用。结合杨文神道碑被毁充作墓葬封门石之现象，推测CM6门匾上的人为錾凿损毁痕迹可能为元代杨氏土司为涂抹抗蒙历史自为。

① （民国）周恭寿修，赵恺、杨恩元纂：《续遵义府志》卷2《寨堡（附）》，成都：巴蜀书社，2014年，第13～45页。

② 平江府参见郭黛姮主编：《中国古代建筑史》第3卷《宋、辽、金、西夏建筑》，北京：中国建筑工业出版社，2003年，第77～79页。范家堰衙署参见重庆市文化遗产研究院：《宋蒙战争的珍贵实物资料——重庆合川钓鱼城范家堰南宋衙署遗址》，https：//new.qq.com/omn/20190131/20190131B0GFNX.html。

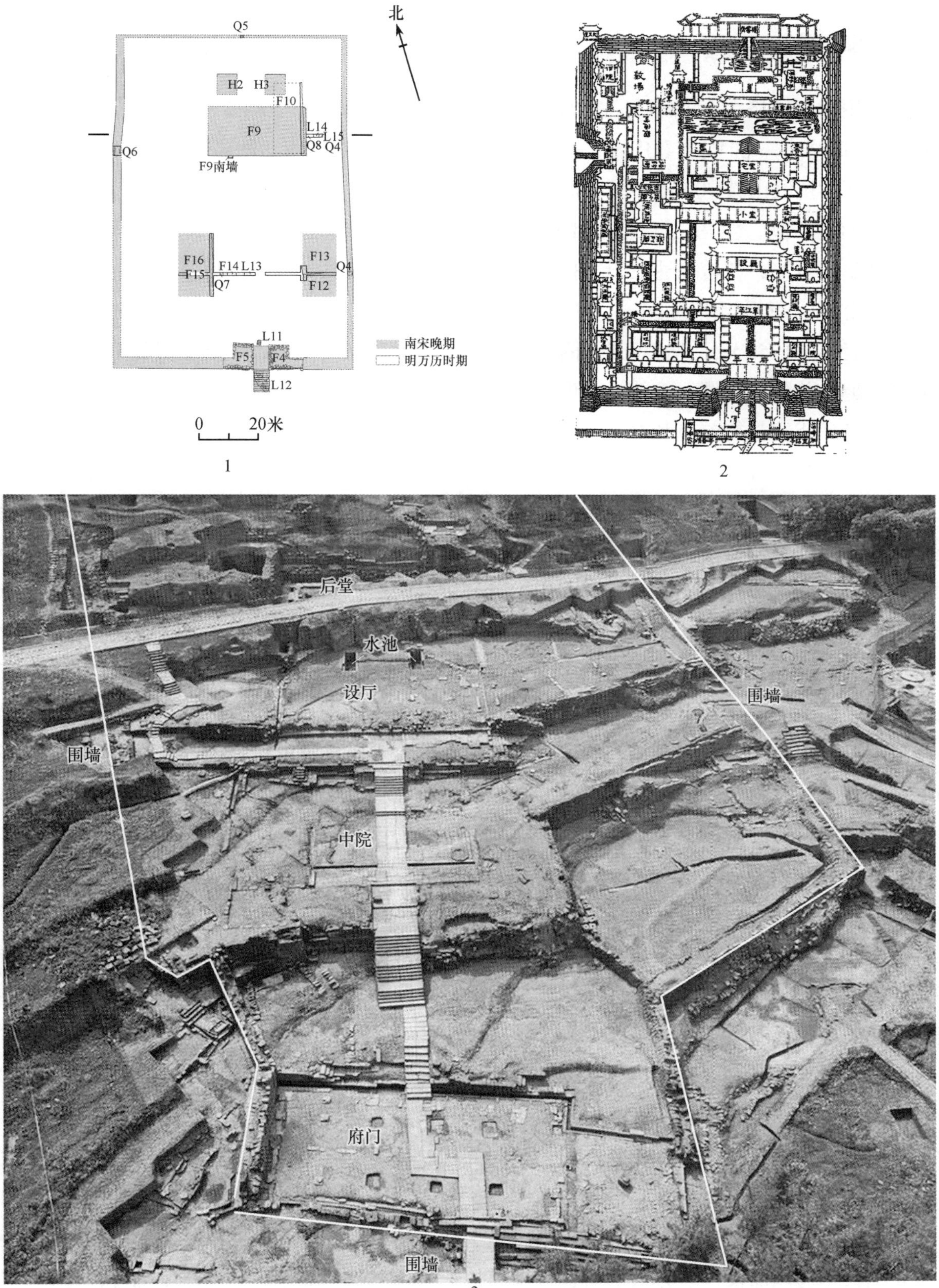

图12-21　衙署遗址对比图

1. 养马城衙署遗址平面图　2. 宋平江府府署图　3. 钓鱼城范家堰南宋衙署遗址（西南—东北）

3. 与海龙囤的关系

城垣用材与风格、A型板瓦、A型礌石、A型筒瓦与A型筒瓦勾头的一致性，表明养马城应与海龙囤同时修建，乃时之抗蒙山城之一。但两座规模相当的山城如此近距离并峙（相去2.5千米），在同一时期的抗蒙山城中亦不多见，似反映出筑城背景有所不同。

综合前揭文献，宝祐二年（1254）蒙军取大理，意欲东进，彼时杨文神道碑的作者朱禩孙作“御鞑四策”，“首以达之思、播二郡”，杨文深以为然。宝祐三年（1255），宋廷有诏“云南有北兵，思播当严为备”。宝祐四年（1256），“上有旨城南平”，于是筑南川龙岩城。宝祐五年（1257），“筑思州三隘”。宝祐六年（1258）正月，“诏枢密院编修官吕逢年诣蜀阃，趣办关隘、屯栅、粮饷，相度黄平、思、播诸处险要缓急事宜，具工役以闻”；四月“诏田应己思州驻扎御前忠胜军副都统制，往播州共筑关隘防御”；七月“吕文德入播州，诏京湖给银万两”；十一月，“筑黄平，赐名镇远州”；同年筑鼎山城。可见播州防务在宝祐二、三年间即已开展，而杨文早在余玠主持四川防务期间便建议“择诸路要险，建城濠以为根柢”，在蒙军逼近的紧要关头，他可能已着手播州山城的建设，所建者或即养马城。宝祐五年（1257）吕文德入播，次年再入，并“诏京湖给银万两”，于是选择地势更为险峻之地（投入亦当更大）建“龙岩新城”。因此，不排除养马城即“老”龙岩城的可能。这也解释了为何养马城中有规整的衙署遗址，而海龙囤中迄未发现相关遗存（发现大量南宋建筑材料的构树一带地势狭逼，似不能成为衙署）。换言之，养马城可能为杨氏土官自行营建的防御山城，始建年代略早于海龙囤，因为时间充裕，所以择地势最佳处营建了规整的衙署，以备迁治。而海龙囤则是在得到宋廷支持下才做出的选择，兼得山水之利。随着“龙岩新城”的出现，养马城的地位下降，成为附属的“拱卫小城”。

要之，养马城与海龙囤均系宝祐年间营建的防御性山城，但其营建年代可能略有早晚，养马城早而海龙囤晚，双城并峙的格局、文献所勾勒的历史背景及养马城中完善的衙署遗址可资佐证，海龙囤建成后，养马城成其拱卫小城。但也不排除营建之初即有双城拱卫、互为依凭的整体防御思想而同时并建的可能性。主次关系的变化，涉及对防御思想的理解，养马城与海龙囤的早晚关系，还需更多证据予以支持。

总体来看，养马城大致经历了南宋晚期建城、元初废弃、明万历短暂重兴、晚清续用的历史过程。城垣、衙署等遗迹的存在，反映了南宋晚期建筑格局的完整性。彼时，其与海龙囤并为抗蒙山城，始建年代应大致相当，但彼此间的相对早晚关系尚待深究。我们认为养马城可能略早，为土官所建，海龙囤则是在得到南宋官方的支持后新建的，时间应在宝祐五年（1257）以降。海龙囤建成后，养马城成为其拱卫小城。明万历时期，养马城亦扮演着类似的角色，护卫海龙囤，“为囤藩篱”。万历的重建，规模似不太大，除加固城防，增添了部分瓮城外，在衙署区内增建了部分建筑以供居住，所居者除兵士外，还有头目之“妻子”。晚清的续用，应与咸丰、同治年间当地的农民起义相关，主要利用了北侧高峰“平安寨”。

四、小　　结

综上所论，可得出以下几点认识。

第一，结合文献记载与历史遗迹，今之贵州境内至少有海龙囤、养马城、鼎山城、黄平城与“思州三隘”（镇远、清浪、平溪）等南宋晚期抗蒙山城。前三城遗迹尚存，均建于山地，其始建年代在宋宝祐五年（1257）至宝祐六年（1258）年间，或稍早。后四城则仅载于文献，结合地形及后世仍于此建城的特点，推测黄平城在今黄平旧州，镇远城在今镇远石屏山，清浪隘应在今镇远清溪镇，平溪隘在今玉屏县城附近。黄平城筑成于宝祐六年（1258），“思州三隘”或略早，在宝祐五年（1257）。其中，海龙囤、养马城为播州杨氏土官所筑，并得到以吕文德为代表的南宋官方的支持。鼎山城为时之南平军辖下鼎山县所筑，黄平城为负责湘西防务的吕文德所筑。“思州三隘”当为京湖宣抚司与思州土官共筑，与黄平城一起，控扼入湘通道沅水，“以蔽沅靖”。

第二，这些山城均是在宋蒙战争的第二阶段（1251～1259），在蒙军攻破大理斡腹东进的背景下修建的。李曾伯判断蒙军可能取蛮汉两路：“蛮路”即经罗氏鬼国（今贵州毕节），抵思、播，通沅、靖；“汉路”则过长宁，入南平，通涪、夔，至黔、施，通澧、峡。最终的目标是偏居东南一隅的宋都临安。在此紧要关头，宝祐三年（1255），宋廷有诏“云南有北兵，思播当严为备”。次年（1256），“上有旨城南平”，于是筑南川龙岩城。这些分布在长江以南的山城，与余玠所筑山城以防御南下蒙军为主不同，其防御的重心是自大理发兵东进的蒙军兀良哈台路，其整体规模亦较余玠所筑山城稍逊。除蛮汉两路的划分外，若以宋都临安为中心，在长江以南的时之南平、思播境内至少存在以南平军龙岩城、鼎山城、播州“龙岩新城”、养马城为前沿，吕文德驻黄平居中，“思州三隘”为后防的三道防线。这些山城由宋廷官员与思播土官共同营建，代表了国家意志，是抗蒙山城的有机组成部分（可称之为斡腹山城），亦为南宋国家防御的重要一环。

第三，建山城以迁治所是南宋抗蒙山城的重要特点，以上诸城中，鼎山城既为“鼎山县旧址”，表明时之县治已迁往新落成的山城中，应即在城内“三官堂”一带，同时可证鼎山县的设置应早于城成的宋宝祐六年（1258）。黄平、镇远两城，在至元十五年（1278）十二月时，“思州安抚使田景贤、播州安抚使杨邦宪请归宋旧借镇远、黄平二城，仍彻戍卒”，表明虽在宝祐六年（1258）“筑黄平，赐名镇远州”，但两城均由宋廷直接派兵驻守。养马城内有明确的南宋衙署遗址，由谯门、两厢、大堂等组成，其山水格局前朝后靠。海龙囤内虽有南宋房址发现（构树F39），但其地狭陋，似不足为衙署。这一差异，可能反映两城年代略有早晚，养马城稍早，且不排除养马城即“老”龙岩城之可能。而从两城都有数量不菲的南宋建筑材料出土，却鲜有生活用器发现看，山城中虽有衙署的设置，但因蒙军未大举扰播，迁移治所似未提上议事日程。

第四，播州境内也发现了大量明代山城，多是明万历二十八年（1600）播州之役爆发的前夕由土司杨应龙营建的防御工事。由宋到明，播州山城的一个重要变化是，其防御重心从国家防御到地方防御的转移。南宋时期播州境内的山城是南宋山城防御计划中的一环，既是"播州根本"，更是以宋都临安为中心的层层防线中的一环。由于此时蒙军迂回东进的斡腹之谋，播州作为"国之藩篱"的军事战略地位得以彰显，播州土官亦在宋元之际走上舞台的中心，并在元代取得了极高的政治地位，17世杨汉英被赐名"赛因不花"，封播国公。明代山城则是叛服无常的土司用以自保的工具，是地方性防御的物质遗存。

第五，海龙囤与养马城内并未发现可确定的元代至明代早、中期遗迹，而常见的是万历时期遗存直接叠压在南宋晚期遗存上，反映这一时期两城可能处于荒废的状态，并未使用。以往海龙囤始建于宋宝祐间，历经数代土司经营，遂成万历之规模的认识是错误的。两城因抗蒙而生，元取天下后杨氏土司势必严肃对待。杨文神道碑因为涉及大量抗蒙事实，而被有意摧毁，作为文妻田氏墓门封门石之例可资佐证[①]。养马城月儿门（CM6-1）门匾上的人为损毁痕迹，亦可能为元代杨氏土司为涂抹抗蒙历史自为。元取天下后，统治者仍对抗蒙山城心有余悸。据《元史》记载：至元十五年（1278）八月，"安西王相府言：'川蜀悉平，城邑山寨洞穴凡八十三，其渠州礼仪城等处凡三十三所，宜以兵镇守，余悉撤毁。'从之。"[②]除以兵镇守的三十三所外，其余悉数"撤毁"，这一建议得到执行。因此，海龙囤、养马城两城入元之后不可能继续使用。明初，朱元璋以"重典治国"，土司制度进一步强化，两城应继续荒弃。直到万历年间，杨氏土司与境内"五司七姓"交恶，才"拒立险囤一十七个，修挖堑坑"[③]，大规模营建山城，业已废弃的养马城、海龙囤重新修葺后投入使用。这符合郭子章的"土司无城"的论断，他在《黔记》中称："土司无城，例也，惧尾大也。即播悍且叛，不敢城夜郎。今水西、永顺、保靖，犹无城也"[④]。特别强调播州虽悍，但"不敢城夜郎"。这涉及对"城"的不同理解，应龙叛时无视"成例"而重筑的海龙囤肯定是一座"城"。但"土司无城"说合理解释了为何养马城、海龙囤仅见南宋晚期与明万历时期遗存。

第二节　明代山城

明万历时期，播州境内涌现了大批山城，部分是对南宋山城的改造再利用，多数则为新建，数量庞大，并呈现出严密的体系化特征。但与宋城比较，其在修建背景、修建目的以及防御重心等方面都发生了重要变化，从国家防御向地方性防御转移。

① 贵州省博物馆：《遵义高坪"播州土司"杨文等四座墓葬发掘记》，《文物》1974年第1期；李飞：《家事与国事：关于贵州遵义出土〈杨文神道碑〉的几个问题》，《四川文物》2021年第3期。

② （明）宋濂等：《元史》卷10《世祖七》，北京：中华书局，1976年，第204页。

③ （明）李化龙：《平播全书》卷7《塘报播事》，北京：大众文艺出版社，2008年，第241页。

④ （明）郭子章：《黔记》卷5《舆图志二》，贵州省文史研究馆编：《续黔南丛书》（第一辑），贵阳：贵州人民出版社，2012年，第1120页。

一、杨应龙再建山城

万历年间，土司杨应龙在与周边交恶的背景下，为了据险自保，开始大规模修建山城，这些工事多成为万历二十八年（1600）爆发的震惊朝野的“万历三大征”之一的播州之役的战场。

（一）播州之役

明隆庆五年（1571），杨氏第29世土司杨烈死。次年（1572），其子应龙袭职。据《明实录》记载：万历十三年（1585）十二月，“应龙又以开采献巨材六十”。万历十五年（1587）四月，工部在一条批复中说：“宣慰杨应龙地方进献大木七十根，内多美材，先经赏赐飞鱼彩段，加升职级亦云厚矣。”不许请赐蟒衣事。所指应为同一事。应是在两年前因献大木获赐飞鱼服后，应龙又在该年援引其祖杨斌故事，请赐蟒衣，未能如愿[①]。此事《明史》有载，但放在万历十四年（1586）[②]，当以《明实录》所记的万历十三年（1585）为是。“钦赐飞鱼品服”这一荣耀，在杨应龙重建海龙囤时被郑重其事地铭刻在飞龙、朝天等关的匾额上，是推断其何时重启山城防御计划的重要凭据，这一时间不会早于万历十五年（1587）。是年正月，杨应龙斩杀其妻张氏，“尽屠其家，以致张氏叔张时照等奏诉北阙下。五司七姓素受酋虐者，因起而附和之，乱由是起”[③]。

《万历实录》的记载显示，万历十八年（1590），贵州当局对杨应龙的恶行做出回应。该年十二月，贵州巡抚叶梦熊疏论“杨应龙凶恶诸事”，巡按御史陈效则“历数杨应龙十二大罪”。从此之后，播州之事即不绝于书，在或剿或抚的纷争中，事态逐渐恶化。万历二十七年（1599）六月，应龙屠綦江，两蜀危在旦夕，朝臣判断“杨应龙已叛”。八月，万历帝下定决心征伐，“朕心独断，更无矜疑”，“总督李化龙赐剑以重事权”[④]。对此，《平播全书》称“皇上赫然震怒，大发海内之兵，责臣（李化龙）以征讨之事”。万历二十八年（1600）正月十五，李化龙在重庆誓师，二月十二，明军八路并发，直指播州。四月十六日，杨应龙退守海龙囤。四月十八日，明军合围之。六月初六日，明军攻陷海龙囤，应龙自缢亡[⑤]。

---

① 贵州民族研究所编：《〈明实录〉贵州资料辑录》，贵阳：贵州人民出版社，1983年，第914、922页。

② （清）张廷玉等：《明史》卷312《四川土司二》，北京：中华书局，1974年，第8045页。

③ （明）李化龙：《平播全书》卷4《献俘疏》，北京：大众文艺出版社，2008年，第125页。

④ 贵州民族研究所编：《〈明实录〉贵州资料辑录》，贵阳：贵州人民出版社，1983年，第934～1004页。

⑤ （明）李化龙：《平播全书》卷2《议处贵竹懦将，借给饷金疏》、卷3《报进兵日期疏》、卷4《六报捷音疏》《大报捷音疏》，北京：大众文艺出版社，2008年，第54、70～73、115～117页。

这场万历二十八年（1600）征讨播州的战役，即史称“万历三大征”之一的播州之役[①]。是役也，明军八路并发，凡24万；播军亦约10万之数[②]。播军无火器，明军则使用了铳炮等火器，并有日本俘虏参战，上演了一场大规模的冷兵器与火器的对决。战争的直接结果是，宣告了杨氏对播州700余年世袭统治的终结。

（二）修囤时间与人员

在与辖境五司七姓及黔、川当局关系逐步恶化的过程中，杨应龙应已着手修建山城以自保。杨应龙的防御之策是“贼自先世以来，雄据播州，延袤千里。践山为关，扼西北之吭；因江为池，绝东南之冲。自以为天险不拔之基，谁得而睥睨之者。以故肆其雄心，日益狂逞。东南则破五司之墟，略黔楚之境。乌江内外，湖贵四十八屯，皆侵为播地，招引红脚、黑脚生苗居之，设为四牌、七牌统制诸所，名为‘硬手’，用以战胜攻取，所向无前。西北则侵凌綦、合，百里之外，皆以自封，立碑为界，以为永业。娄山、崖门诸关，皆极力凿削，陡绝天成，自谓可出而不可入也。”[③]

同时广泛修筑山城（囤），修囤活动至迟在万历二十三年（1595）启动，但不会早于万历十五年（1587），至万历二十八年（1600）仍未停止。明军战前的情报显示：万历二十七年（1599）十月，“探得播寇统兵三十七营，止将三营见扎找岩修囤”；又“探得杨酋自綦江回，拒立险囤一十七个，修挖堑坑”[④]。但海龙囤朝天关匾额上“皇明万历乙未岁中吕月乙卯日吉旦重建”的铭文显示，杨应龙再建山城的活动至迟在万历二十三年（1595）四月（中吕月）即已开展。而修囤活动至战争全面爆发时仍未停止。万历二十八年（1600）二月十六日，明军即“拿获播贼胡兴仁，审系巡警朱敬管下差运粮米进播州修囤，及哨探四路官兵消息”[⑤]。

少量的囤可能早年即有，比如山羊囤。《平播全书》称：“楠木、山羊、简台等峒，皆天造地设险囤”[⑥]。而山羊囤，在成化《勘处播州事情疏》中即有记载：“杨友因有猎场在山羊囤等处，每年打猎又将土民母文昌等田禾蹂践”[⑦]。所指应为同一地，早先为土司猎场，后辟为险囤。

---

① （明）茅瑞征：《万历三大征考》，北京大学图书馆藏旧抄本。《平播全书》卷3《请停搜括疏》中已有类似说法，文曰：“夫年来用兵宁夏、朝鲜，并此而三矣”，北京：大众文艺出版社，2008年，第90页。

② 播兵数量，参见《平播全书》卷3《赠录战将王芬等疏》：播军“分为三路，应龙与二子各统三万”，计约10万，北京：大众文艺出版社，2008年，第91页。

③ （明）李化龙：《平播全书》卷4《攻克娄山、崖门等关四报捷音疏》，北京：大众文艺出版社，2008年，第103页。

④ （明）李化龙：《平播全书》卷7《塘报播事》，北京：大众文艺出版社，2008年，第241页。

⑤ （明）李化龙：《平播全书》卷5《叙功疏》，北京：大众文艺出版社，2008年，第165页。

⑥ （明）李化龙：《平播全书》卷3《二报捷音疏》，北京：大众文艺出版社，2008年，第74页。

⑦ （明）何乔新：《勘处播州事情疏》，《丛书集成初编·张司马定浙二乱志（及其他二种）》，北京：中华书局，1985年，第23页。

参与修囤者来源广泛。有来自今铜仁一带的“囤夫”：万历二十七年（1599）九月，“据思石守备杨惟中报称，有囤夫敖迎銮，在播州修囤回说”云云①。也有来自偏桥卫的“家丁”：万历二十八年（1600）三月间，明军生擒奸细二名，“内一名梁守富供系偏桥卫客人杨君五家丁，二十六年被播目何义虏去，跟随杨应龙族人杨统，名为老虎军，在内与酋修囤”②。

二、播州明代山城的类型

明代播州据险而立的防御工事，大致有囤（城）、关、隘、寨、峒等几类，或亦可笼统称之为“山城”。《平播全书》记：“逆贼杨应龙所恃者，诸关也，当我兵未至，则布兵以待；我兵既至，则设防以守”③。除海龙囤、养马城是在宋城基础上“重缉”外，余多新建。这些山城，在清咸丰、同治年间又多被再利用，同时也新建了一批清代寨堡。目前针对明清山城的田野调查尚未深入，因此很难清晰辨别明代山城与清代寨堡，也难以将现存遗存与文献记载一一对应。

（一）明代山城的类型

明军主帅李化龙所著《平播全书》对播州之役进行了较为全面的记录，其中便包括分布于播州各地的防御工事。据载，仅南川路一路即攻克“关囤寨三十七处”。据不完全统计，《平播全书》录有其名的囤、城、关、隘、峒、寨计约100处，足见其规模④。

1. 囤（城）

48处。官坝险囤、穿（川）崖囤、天都囤、牛鼻囤、青龙囤、鬼囤、黄沙囤、盘脚囤、葛漏囤、宴（眼）山囤、闵山囤、四牌高囤、龙水囤、青冈囤、板山囤、母氏囤、海龙囤、海云囤（从喇叭水起水西营前攻海云囤）、龙爪囤（去海龙囤不十里）、望军囤（徐珊攻望军、海云等囤）、石子囤、青蛇囤、长坎囤、玛瑙囤、保子囤（保子、长坎、玛瑙、青蛇素称险囤，青蛇为最。峭壁插天，巢垒棋布，各囤左通三渡，右连板角，囤囤相连，互相雄峙，若攻向一囤，则三囤来援）、高垭囤、老鹰囤、金刀坑囤、石笋囤、后水囤、厂崖囤、风坎囤、官崖囤、金子囤、沙刀囤、葫芦囤、五岔囤、木艾囤、羊跳巷囤、泥坝囤、天邦囤、漩水囤、真武囤、青山囤、鸡婆囤、保儿囤、李卜垭大囤、香炉囤等。

---

① （明）李化龙：《平播全书》卷7《塘报夷情》，北京：大众文艺出版社，2008年，第238页。

② （明）李化龙：《平播全书》卷3《二报捷音疏》，北京：大众文艺出版社，2008年，第76页。

③ （明）李化龙：《平播全书》卷3《克桑木关、乌江关三报捷音疏》，北京：大众文艺出版社，2008年，第80页。

④ （明）李化龙：《平播全书》卷2～卷5《奏议》，北京：大众文艺出版社，2008年，第38～166页。

2. 城

2处。养马城、养鸡城。

3. 关

17处。娄山关、崖门关、大滩关、苦竹关、板角关、三渡关、黄滩关、乌江关、顶山关、桑木关、龙凤关、九杵关、河渡关、石虎关、胡石口关、黑水关、落蒙关。

4. 隘

5处。长礁隘、望草隘、风坎隘、封宁隘、大滩隘。

5. 峒

8处。楠木峒、山羊峒、简台峒（三峒皆天造地设险囤，攻简台峒，以绝楠木峒之援）、黑峒、陈家峒、千丘田峒、黄羊峒、河村峒。

6. 寨

21处。淘洪寨、安寨、罗寨（三寨鼎足而居）、刘九寨、陈九寨、中山寨、罗杆寨、滴泪三坡寨、瓦窑坪寨、石火炉寨、顶山寨、三坝寨、二羊寨、草果寨、五龙寨、鬼崖寨、风竹寨、早木寨、瀼水寨、铜鼓寨、羊崖寨。

以上不同称呼中，“囤”“城”“峒”所指大体一致，即山城。养马城规模与海龙囤相当，养鸡城则颇小，亦称“城”。至于“峒”，“楠木、山羊、简台等峒，皆天造地设险囤”的记载，表明峒意与囤同。“关”与“隘”应是于险要处设置的哨卡之类的防御设施。“寨”的概念不甚明确，可能既有自然村落，亦包括部分囤在内，如同清代的“寨堡”。如其中提到的“顶山寨”（或“顶山关”），从位置看，在桐梓夜郎以南，娄山以北，疑即“鼎山”，即南宋“鼎山城”。

（二）明代山城考辨

由于数量众多，而田野工作尚不充分，因此以上关囤寨很难与现存遗迹一一对应。不过基于文献的记载，结合八路明军的攻播路线，对照早年绘制的大比例地形图，还是能找到一些线索（表12-3）。

表12-3 播州明代关、囤、峒、寨（附庄、衙）

区域		囤	关	寨	峒	庄	衙
习水	寨坝镇	严村（囤）					
	仙源镇				楠木峒（洞）		
	良村镇				山羊峒（洞），黑峒（洞）		
仁怀	沙滩镇			淘洪寨			
	合马镇			罗村（寨）			
	二合镇			安龙村（寨）			
桐梓	水坝塘镇			中山寨			
	新站镇						
	大河镇	石虎囤	石虎（壶）关	滴泪三坡，瓦窑坪			
	容光镇			石火炉（梁子）			
	娄山关镇		娄山关，顶山关	顶山寨，鬼崖寨			
	板桥镇	香炉囤（岩）				永安庄	三衙
	花秋镇		石炭关（湾）				
	不明	石笋囤					
道真	三桥镇	牛鼻纤（囤）					
	不明			刘九寨，陈九寨			
正安	碧峰镇			娄家寨			
	中观镇	赤崖囤（天楼山）					
	风仪镇		大滩关				
	不明	官崖囤	封宁关，龙凤关				
绥阳	温泉镇			铜鼓村（寨）			
	洋川镇	沙刀囤	桑木关，风（峰）坎关				
	风华镇	金子囤					
	蒲场镇	后水囤					
	不明		九杵关，黑水关，苦竹关，朗山关	羊崖寨			

续表

区域		囤	关	寨	峒	庄	衙
汇川	高坪镇	海龙囤，养马城，养鸡城，泥坝囤				鸣庄	
	沙湾镇					麻石庄，养马城	
	海龙镇	龙爪囤，海云囤				海龙坝，仙岩庄	
	团泽镇					五凤庄	
	不明	葫芦囤					
红花岗	忠庄镇	母氏囤				桃溪庄，银安庄	桃溪衙
	巷口镇						四衙村
	高桥镇						新川，后川
	金鼎山镇					九龙山	
	新蒲镇	青蛇囤					
遵义县/播州区	乌江镇		乌江关，老君关	鸡家寨			
	石板镇	天旺囤	平岭（顶）关				
	龙坑镇	高崖囤				太平庄	
	松林镇	板山囤					
	鸭溪镇	金刀坑囤				望军山，南平畴	
	乐山镇		落蒙关				
	泮水镇		大洪（红）关				
	三渡镇		大三渡关，小三渡关				
	铁厂镇		黄滩关				
	不明	鬼囤，玛瑙囤，保子囤	黑水关，河渡关，苦竹关				
凤冈县进化镇		宝子顶（囤）					
余庆	松烟镇					六郎屯	
	白泥镇			新寨			
	不明			甘溪寨			

续表

区域		囤	关	寨	峒	庄	衙
湄潭	黄家坝镇	长（坡）坎囤					
	湄江镇		苦竹林（关）	柒（七）牌			
	永兴镇	真武山（囤）					
	抄乐镇	青（箐）冈囤					
	不明	青山囤，漩水囤，四牌高囤					
瓮安	鱼河乡	天邦囤					
	龙塘镇	龙水囤					
不明		厂崖囤，穿崖囤，黄沙囤，关崖囤，羊跳巷囤，连珠囤，闵山囤，山口囤，眼山囤，葛漏囤，盘脚囤，望乡囤，野苗囤，鸡婆囤，宴山囤，赵生囤，保儿囤，老鹰囤，李卜垭大囤，天都囤，长冈囤	新关，黑水关	金竹土、葛泥、青冈嘴、榜山、虎跳关等寨，分水寨，羊崖寨，羊桶寨，黄溪寨，勾刀堰寨，官庄寨，磨落寨，苗桐寨	简台峒，千丘田峒，黄羊峒，河村峒	柳川，冉川，屯平，大足，先峰，洪江，米田，通平，毛陂，石梁，雷水，崔家，棰溪，半山，泥川，会川，朗山，干溪	

注：本表根据《平播全书》与《勘处播州事情疏》（主要为田庄部分）记载，结合1982年1：50000地形图，按地名相同或相近原则制成

1. 养鸡城

诸城之中，除海龙囤与养马城外，养鸡城的位置最为明确。在海龙囤东，白沙水南岸，与养马城隔河相望（见图12-3）。城址略呈长椭圆形，山顶一圈石墙，围合面积约1万平方米，规模较小。其中西、南、北三面保存较好，用加工粗糙的灰岩石块砌筑而成，高2.5～4米（图版329）。城门已坍塌。养鸡城地势险要，与养马城南北对峙，可控扼太平一线。

万历二十八年（1600）四月十八日，明军一战而克之，并以之为汉土官兵的营地，围攻海龙囤。

2. 海云囤、龙爪囤与望军囤

《平播全书·叙功疏》：“海龙囤周围，尚有龙爪、望军、海云等囤，养马、养鸡等城，皆海龙羽翼，必先埽除方可成功”。养马、养鸡两城已可确定，但龙爪、望军、海云三囤则难确指。

近年的田野调查，确于海龙囤周边发现数量不菲的明清山城遗存，如囤南白沙水西岸一线即有养鹅池、罗家寨遗址；囤西金鼎山有金瓯寨；囤北今沙湾镇一带有反背寨、大岗寨等遗

址，其中大岗寨被认为即“海云囤”，反背寨等5座寨堡的组合为“龙爪囤”[①]。

欲定龙爪、望军、海云三囤，首先需明了与之相关的各路明军的进攻路线，其次需辨明上述诸寨的年代。关于明军进攻路线，据《平播全书》，与上述三囤相关的主要是綦江（主将刘綎）、南川（主将马孔英）、永宁（主将曹希彬）、合江（主将吴广）四路及贵州安疆臣路。綦江路：四月初十、十二等日，自四渡水（永安庄）进捣海龙囤。十五、十六等日，攻克后水等囤，扎营关子山。十七日，刘綎分兵三路，周以德、徐珊为前锋，周以德直抵龙爪囤下，随夺龙爪险囤。十八日，徐珊等兵攻望军、海云等囤。后攻至养马城。南川路：四月十六日，高折枝会同马孔英发酉阳兵，从土地垭攻养马城；石柱、宁夏、固原兵从喇叭水超水西营，前攻海云囤。天明（十七日），酉兵攻入养马城。永合二路：四月初四日，攻破李卜垭大囤。初六日，战于水牛塘；攻破缉麻山长冈囤。初八日，扎营龙爪囤下，去海龙囤不十里矣。安疆臣路：四月十五日，头目阿卜者遮勒进克海云囤[②]。

从以上零星的记录中，可大致确定海云囤应在白沙水沿线。“从喇叭水超水西营，前攻海云囤”，“喇叭水”即白沙水。另安疆臣路的进攻路线是从海龙坝逆白沙水而抵囤后的，而其“头目阿卜者遮勒进克海云囤”，则海云囤当在前述养鹅池、罗家寨两地。罗家寨地近海龙坝，遗址保存较好，城垣高峻，局部还有外凸的马面形成炮台，这在明代山城中是没有的，因此现存者当为清代遗存。山下道旁有清罗钜墓，铭文称罗氏同治三年（1864）甲子岁，“避贼于扣子门砦”。“扣子门砦”应即罗家寨，因罗氏建以避乱故名“罗家寨”（图版330）。排除了罗家寨，养鹅池较可能即文献所记的海云囤。养鹅池位于高坪街道办事处海龙囤村桂花组，白沙水西岸山巅，西北距海龙囤约4千米。遗址总面积约1.2万平方米。现仅存石墙50余米，高3～4米。原有城门两道，东门已毁，仅存两侧基石。南城门保存较好，城门面阔2.2、进深1.5、高2.25米（图版331）。

龙爪、望军二囤确应在海龙囤北，且龙爪囤“去海龙囤不十里”，而綦江、永宁、合江三路整体进攻路线正是自北而南的。但被认为是“龙爪囤”之一的反背寨有射击孔等设施，显系清代遗存，与龙爪囤无涉（图版332）。倒是位于沙湾镇沙湾村宽场组的大岗寨，位于高岗之上，地势险峻，可北望连阡明代养牛庄遗址，契合文献所记的“龙爪险囤”的“险”。环山有毛石砌筑的垣墙，宽1.8、高1.5～2.8米。山顶早年出土“吴兴”铜印一枚（图版333）。

囿于田野工作，目前尚难将文献记载的关囤寨与现存遗迹一一对应。但海龙囤的工作揭示，但凡出现枪眼、炮台等与火器相关设施的诸城早不过明代万历时期，应为清代遗存，这对认识相关遗迹的年代有重要参照。

---

① 据何烨等引述葛镇亚等先生意见，参见何烨等编著：《播州土司文化遗存图释》，北京：中央民族大学出版社，2015年，第116～119页。

② （明）李化龙：《平播全书》卷5《叙功疏》，北京：大众文艺出版社，2008年，第140、144、147、153页。

三、“蜘蛛网状”：播州明代山城防御体系

数量众多的播州明代山城构成了严密的防御体系，并呈现两个鲜明的特点：以海龙囤为中心；圈层结构与辐辏布局相结合，整体呈“蜘蛛网”状分布。

（一）以海龙囤为中心

所有山城中，杨应龙于海龙囤花费心血最多，这在现存遗迹中反映得尤为充分。《平播全书》亦谓应龙“彼其数年精力，用之一囤”。《骠骑将军示谕龙岩囤严禁碑》则开宗明义：“今重缉之，以为子孙万代之基，保固之根本耳”。因此之故，战争伊始，明军将领即预判杨应龙最终将“拒囤自保”，果不其然。这是由播州明代山城防御体系以海龙囤为中心展开的特点所决定的。

播州明代山城防御体系以海龙囤为中心，在明代文献中也多有表述，如杨寅秋《临皋文集》：“查得播酋以海龙囤为老囤，以四围边界扎子囤，酋居中调度”。李化龙《平播全书》：“海龙囤周围，尚有龙爪、望军、海云等囤，养马、养鸡等城，皆海龙羽翼，必先埽除方可成功”；“养马城为囤藩篱”；“其下面小囤，如龙爪、苦竹、养马之类”云云。

以海龙囤为中心的结构，反映山城具有层级性，海龙囤处在金字塔的顶端，因此于其中营建了规模宏大的衙署建筑。

（二）圈层与辐辏相结合

如果海龙囤及其周边诸囤的分布情况只反映了核心区的山城防御体系，那么这些防御设施在播州境内整体作何分布？虽然各关囤寨的具体位置很难考订，但结合明军进攻路线，其大致方位不难推知，据此也不难勾勒出明代播州山城的整体分布情况（图12-21）。

播州之役中，明军八路并发，四川四路，分别从綦江、南川、永宁和合江进；湖贵四路，分别从乌江、沙溪、兴隆和偏桥进。其中，綦江、乌江、沙溪、偏桥诸路，大致是沿着时之驿路挺进的，所攻之关囤寨亦大致沿着驿路分布（图12-22）。其余诸路则不当驿路，均据险而守。这一布局，构成了以海龙囤为中心向外发散的辐辏结构，关囤寨之间前后呼应。

在前后呼应的同时，部分关囤寨之间也左右关照，构成圈层结构。如楠木、山羊、简台等峒，皆天造地设险囤，可彼此应援[①]。又青蛇、长坎、玛瑙、保子四囤皆险绝，而青蛇尤险。四囤左通三渡，右连板角，相距甚迩，彼此可应援，若止攻一囤，则三囤相助[②]。

---

① （明）李化龙：《平播全书》卷3《二报捷音疏》，北京：大众文艺出版社，2008年，第74页。

② （明）李化龙：《平播全书》卷5《二报捷音疏》，北京：大众文艺出版社，2008年，第162页。

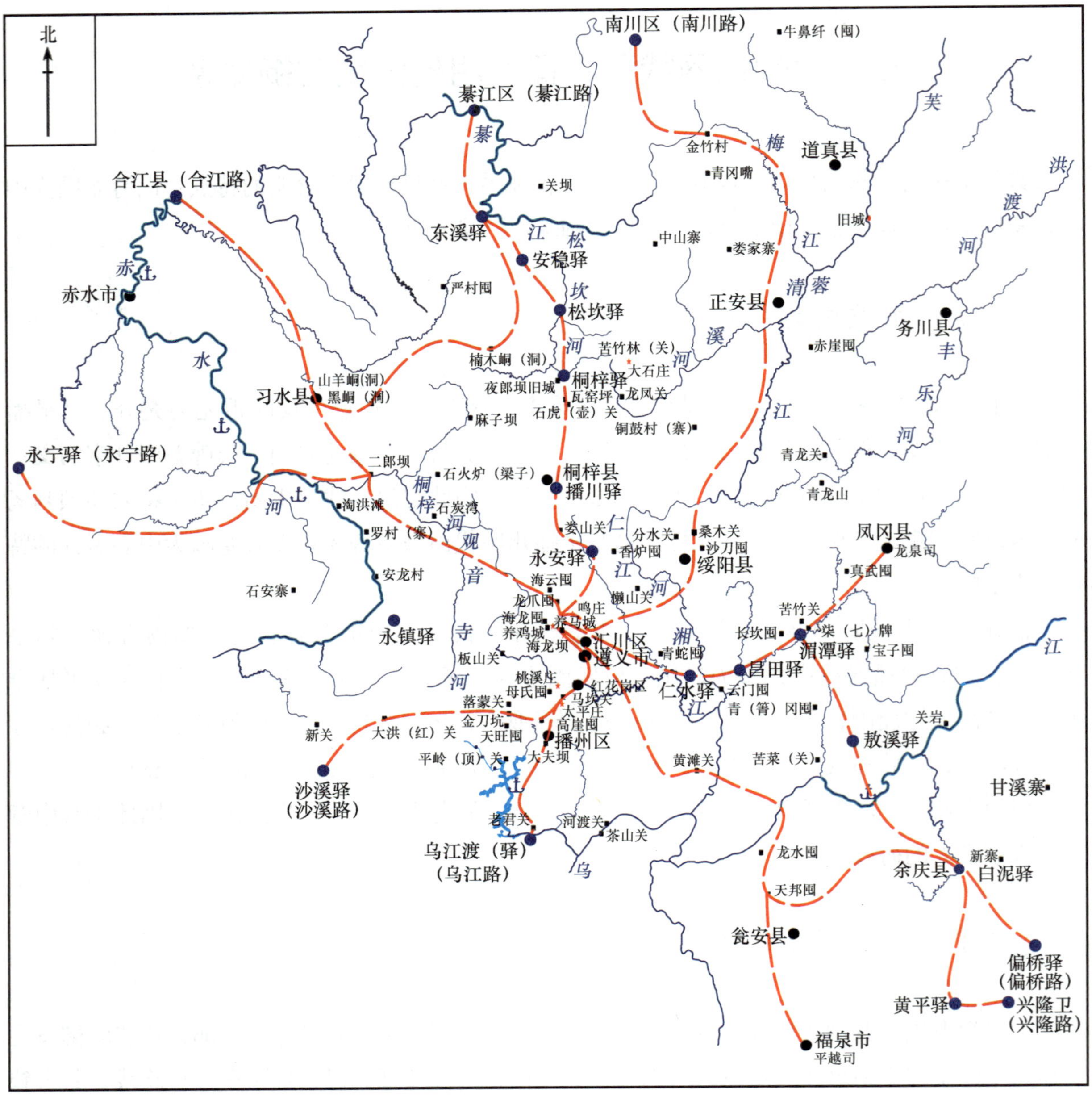

图12-22　播州明代山城防御体系示意图

綦江路：丁山坝，铜鼓台（寺），东溪驿，李汉（公）坝，楠木峒（洞），山羊峒（洞），黑峒（洞），铁竹箐，张耳村，九盘子，松坎驿，夜郎坝旧城，瓦窑坪，石火炉（梁子），石壶（虎）关，闷头箐，南溪口，鬼崖寨，九坝镇，官渡河，娄山关，板桥，白石口，永安庄，青龙坎，泗渡，后水河，冠子山，海龙囤

南川路：邓坎村，金竹村，青冈嘴，关坝，牛鼻纤（囤），明月村，中山寨，娄家寨，羊磴镇，新州镇，庙塘镇，扶檽镇，杨兴镇，三江镇，和溪镇，清溪河，前村，土坪镇，石板溪，矿子山，罗草塘（台），茅坡，大滩，桑木坝，铜鼓村（寨），桶坝，南坪黎村，芙蓉，分水关，白土冈，黄鱼江，官庄，长滩河，偏岩（崖），金子坝，白土台，大石庄，飞水，滴水岩，竹流水，长滩，清溪，蒙梓桥，高坪，海龙坝，养马城，海龙囤

合江、永宁路：二郎坝，盘龙水，石宝镇（寨），淘洪滩，安龙村（寨），罗村（寨），儒溪，楼底，陈家箐，麻子坝，青菜沟，白鹿冈，木艾村（坝），五岔，桑木镇（垭），山丹窝，蛇皮峰，母猪塘，水牛塘，海云囤，龙爪囤，海龙囤

乌江、沙溪路：乌江关，老君关，平岭（顶）关，刀靶镇，雷打坡（铺），新站，大夫坝，高坡，新关，大洪（红）关，水坎，五里台，金刀坑，浪头坝，板山，落蒙关，八里，大水田，母氏囤，高崖囤，太平庄，桃溪庄，狮子桥，海龙坝，海龙囤

兴隆路：黄平驿，草塘镇，松坪镇，牛场镇，飞练坝，天邦囤，龙水囤，罗家坪，青（箐）冈囤，构皮滩河，袁家渡，疆界河，吴歪，孙家渡，黄滩关，地里坝，坟林，张王坝，海龙囤

偏桥路：偏桥驿，白塘，白泥驿，勾刀堰，甘溪寨，新寨，龙溪山，柒（七）牌，野竹（猪）山，苦菜（关），玛瑙囤，龙泉，茶子园，拦牛坎，哥（鸽）子岔，水尾，五凤庄，海龙囤

以驿道为主干的辐辏，以及左右呼应的圈层相结合，使播州明代山城在整体分布上呈现“蜘蛛网状”的特点，即以海龙囤为中心，各据点前后呼应，又左右关照，形成多层级节节阻击的纵深防御体系。但据险以守的应对之策，本质上是“坚壁清野”防御策略的体现，战略上并不主动，终敌不过掌握先进武器的强大明军的碾压。最后播军节节败退，退守海龙囤，而被一举歼灭。严密的山城防御体系，是土司赖以负隅抵抗的屏障，亦终成其“坟墓”。“囤为险地，亦为绝地”[①]，一语成谶。

四、土城四囤：其他明代土司山城

有明一代，播州境内除杨氏土司营建的诸城外，尚有其他山城。如习水土城即有金子、九龙、天赐、七宝四囤，均矗立在赤水河畔险峻高山之上，向被认为是13～18世纪活动在赤水河下游地区的袁氏土司所建。

其中金子囤遗有万历十八年（1590）修囤碑记，确系儒溪里长官袁初所建。建囤之目的，乃“为思患预防之图”。现存碑文已漫漶，但道光《仁怀直隶厅志·艺文》录有碑文，其他文献亦多有记载[②]。相互校勘，实录于下：

建金子囤碑记

时天下承平，烽燧不举。余因静坐书室，阅全蜀形胜之图：下有瞿塘，上有剑阁，洵我蜀之门户也。方思安不忘危、治不忘乱之才而守之。适儒溪长官宝台袁公驰谓余曰：“吾家之业，自宋端平始祖袁公讳福、字世明，以总制之职而来征是土，建千户之所而世守磁城。沿于前元，及于伪夏肆。我太祖高皇帝龙飞淮泗、混一区宇，遂命我先祖袁公讳崇简，改古磁城千户之所，设唐朝坝长官之司。无何数传之后，运值中圮，灾变屡生。或逞其横暴而歼我善良，或恃其强大而侵我疆围。皆因先人险之不据，囤之不修也。吾承先绪，既安且吉，又虑变出不虞，乃率众走马，登铜鼓之高岗，循金竹之水浒。忽见山谷盘旋、峭壁万仞中，有玲珑之窟，与剑阁、瞿塘之险不相上下。形胜之强，诚甲吾南荒者。吾乘天造地设之意，为思患预防之图，鸠工须材，陈师鞠旅。树云梯以为登高之具，建楼阁以为居守之资，立关隘以为御侮之所，贮仓箱以为民命之需。”囤“金子”，请吾予以记之。余曰：“自古统率华夏者，必设城池以为捍御之；具总领遐荒者，必据险阻以为保障之方。恃此地利，而复协天时以相之，集人和以守之，然后强不得以暴寡，子孙可保以无虞，民庶可恃以无恐也。

① （明）李化龙：《平播全书》卷4《克破龙爪等囤五报捷音疏》，北京：大众文艺出版社，2008年，第110页。

② （清）陈熙晋纂修：《仁怀直隶厅志》卷19《艺文》，《中国地方志集成·贵州府县志辑》，成都：巴蜀书社，2006年，第39册，第314、315页。

公之此举，是不为一身之谋，而为百姓之谋；不为一时之计，而为万世之计。安不忘危，治不忘乱，诚保障之洪谟，万世之良策也。用是而并包黎庶，燕翼子孙，岂不足以媲美夫先烈，而永膺夫帝眷者乎？”谨记。

永宁宣抚司儒溪里唐朝长官袁初，应袭长男起龙。

万历十八年岁在庚寅季冬月吉日立。綦庠士心斋子陈尚忠题。

此系袁氏长官为保境安民，在山谷盘旋、峭壁万仞中觅得形胜之地，“建楼阁以为居守之资，立关隘以为御侮之所，贮仓箱以为民命之需”。囤建于万历十八年（1590），与杨应龙大规模重建山城大约同时。可见据险自保，似是播境土司的普遍心理。但其真实的意图，或是防范杨氏的侵暴。“或逞其横暴而歼我善良，或恃其强大而侵我疆圉。皆因先人险之不据，囤之不修也。”据险修囤，可以防止强者欺凌。前揭《平播全书·献俘疏》：万历十五年（1587）正月，杨应龙斩杀其妻张氏，“以致张氏叔张时照等奏诉北阙下。五司七姓素受酋虐者，因起而附和之，乱由是起”。袁氏正是讦奏应龙的“七姓奏民”之一，明军入播后，长官袁初挺身投明，并立功勋（《叙功疏》）。金子囤修建的万历十八年（1590），杨氏诸山城或已先行启动，袁初效尤以自保耳，因此铭文称“立关隘以为御侮之所”，彼时播境能凌辱袁氏的，唯有杨氏。

其余三囤光绪《增修仁怀厅志·古迹》有记：“九龙囤，在土城里。山高千丈，由天鹅池、铜鼓溪而来。壁立陡峻，必扪萝附藤，始能上下。系前人避兵之所。但岩穴间，石工凿治雕镂，皆在半岩中，不知其从何置足而施手也。七宝囤，在土城对河，与九龙囤对峙，险峻陡绝。亦前代避兵处。……天赐囤，在唐朝坝之上，高数百丈，四面悬绝，后有小径可登。山之颠，四围皆高，中极平衍，可容六七百人。……亦系前代避兵处”[①]。认为皆是前（明）代避兵处，但未言明是否为袁氏所建。

2016年9月，我们曾对九龙囤进行调查。囤之险峻，确如前书所记，需“扪萝附藤，始能上下”。山巅海拔约1200米，高出河谷约900米。调查中，我们边开路边攀援，手脚并用，抵囤后之梳妆台而折返，历时近7小时。前山山腰平敞处有寺，旁有石砌垣墙。后山梳妆台尤险峻，亦有石砌遗存，并在石崖上有“万历二十六年（1598）三月二十六日”题记，知应有明代遗迹（图版334）。

土城四囤，除金子囤外其余三囤的始建年代与修筑原因目前尚不明朗，但金子囤确系当地土司袁氏在万历十八年（1590）所建，九龙囤也有建于万历时期的少量线索，反映此时播境其他小土司也存在修筑山城的活动，这些山城是独立于杨氏营建的体系严密的山城之外的另一种存在，有助于深化对播州明代山城的整体认知。

① （清）王椿纂：《增修仁怀厅志》卷2《古迹》，《中国地方志集成·贵州府县志辑》，成都：巴蜀书社，2006，第38册，第80页。

五、小　　结

明万历时期，播州境内涌现了一批山城，部分是对南宋山城的改造与再利用，如海龙囤与养马城，鼎山城也有再度使用的零星线索；多数则是新建的防御设施。其主体是境内最大的土司杨氏在与周边交恶的背景下为自保而营建的，并最终成为万历二十八年（1600）爆发的播州之役的大小战场。杨氏山城数量庞大，由关、囤、寨等组成，并形成以海龙囤为中心、遍布播州全境的"蜘蛛网状"结构，层级清晰，体系严密。与此同时，播境亦有少量其他土司修建的山城存在，如土城金子囤即是当地袁氏土司在万历十八年（1590）所建，修筑的目的是保境安民，与杨氏山城另成体系，亦不排除是袁氏对杨氏山城所作回应的可能，以防止杨氏的报复与欺凌。

与南宋抗蒙山城比较，播州明代山城数量庞大且体系严密，但其防御重心则发生了根本性变化，从国家防御向地方防御转移。

第三节　山城与平原城的互动

播州宋明山城所构建的，是一个立体的世界，书写了一种在特殊山地文明背景下的"上山的艺术"。因为无论是在宋蒙战事吃紧的13世纪后半叶，还是在播州之役全面爆发的17世纪初，交通便利、山河交错的平谷地带，才是土司及播州百姓活动的主要空间。而大约从11世纪后叶开始，湘江河畔的遵义老城，便是播州的政治、经济与文化的中心。在此一过程中，山城与平原城是如何互动的？山城的性质到底该如何界定？

一、作为中心的播州城

据《杨氏家传》，杨氏第12世杨轸时"尝病旧堡隘陋，乐堡北二十里穆家川山水之佳，徙治之，是为湘江"[①]，将堡治从白锦堡迁到了今遵义老城一带。徙治的时间，道光《遵义府志》据万历《遵义军民府志》定为南宋淳熙三年（1176），出处不明[②]。自此，背倚龙山、东临湘江的遵义老城便一直是黔北的政治、经济与文化中心。作为古今叠压的现代城市，遵义老城宋明时代的详细布局已不可确知，但可根据文献记载和零星发现略作勾勒。

① （明）宋濂：《杨氏家传》，罗月霞主编：《宋濂全集·翰苑别集》，杭州：浙江古籍出版社，1999年，第962页。

② （清）郑珍、莫友芝编纂：《遵义府志》卷2《建置》，成都：巴蜀书社，2013年，第34页。

（一）衙署

杨氏以“忠孝堂”为理政和生活的官衙，万历平播后，辟为遵义府府治。道光《遵义府志·公署》：府旧署据冈之西麓，《孙志》谓宣慰司忠孝堂址者，即今遵义协署，襟带山水，巨丽称雄。建自万历二十八年（1600）庚子，三十五年（1607）知府孙敏政重建。迄崇祯甲申（1644），历任知府并治此[①]。“遵义协署”即今遵义十一中所在地[②]。

据元至正六年（1346）《玉皇观碑》（明重刻）：宝庆三年（1227），第14世杨价在公府西北隅建玉皇观。“十有三传，至宋忠显庙威灵英烈侯价，天挺英豪，聪明勇智。公余之暇，常登高眺望，谓城西碧云峰下、公府西北隅，夷衍清胜，健然有神仙窟宅气象”[③]。玉皇观的位置，道光《遵义府志·寺观》称“在城内”。

明何乔新《勘处播州事情疏》记载了成化年间忠孝堂的大致格局，文曰：

> 又蒙委湖广三司委官，会同四川三司都指挥刘昇、右布政使李清、佥事冯宁亲至杨爱住宅内看得：并无五门牌扁及嵩呼门、金水桥，中庭扁作“忠孝堂”，亦不曾僭称宫庭。睡房俱无贴金描画及金龙绕柱，卧床亦无雕刻龙凤。其祖先堂承恩堂并小厅、左右角门，俱有飞檐转角，放印亭重檐圆顶。杨爱并伊伯母田氏住房及中厅前俱有月台，台下各有水池，池中各搭石为桥，周围俱有青石阑干，俱系杨昇存日起盖。西边又有玉皇祠，中塑圣像，左右二柱各有木刻金装龙一条，系元朝元统元年（1333）杨爱六世祖杨嘉贞起盖[④]。

这是朝廷官员回应杨友诬告杨爱“修立五门牌扁，正庭僭称宫庭，内立嵩呼门，僭设金水桥。睡房贴金描画，卧床雕刻龙凤”给出的调查报告。其正庭（中庭）即土司办事的忠孝堂，旁有祖先堂承恩堂与放印亭。土司卧房与正庭（中厅、中庭）前设月台，月台下有水池，池上搭桥，桥周有青石栏杆。复原起来的大致格局，自前而后依次应为：三开正门（五门僭越），重檐圆顶放印亭，水池（上搭带栏杆石桥），月台，中庭（忠孝堂），月台，土司住房。有证据表明其祖先堂承恩堂设于中庭之左。衙署之西为玉皇观（祠）。整体形成前堂后室、左祖（祖先堂）、西观（玉皇观）的格局。与南宋时比较，玉皇观的相对位置并无变化，表明明代的宣慰司司治即南宋公府所在地。

---

① （清）郑珍、莫友芝编纂：《遵义府志》卷7《公署》，成都：巴蜀书社，2013年，第104页。

② 翁仲康：《杨氏忠孝堂始末》，中国人民政治协商会议贵州省遵义市委员会宣教文卫委员会编：《海龙囤烟云录》，内部印行，2000年，第330页。

③ （清）郑珍、莫友芝编纂：《遵义府志》卷11《金石》，成都：巴蜀书社，2013年，第184、185页。

④ （明）何乔新：《勘处播州事情疏》，《丛书集成初编·张司马定浙二乱志（及其他二种）》，北京：中华书局，1985年，第94、95页。

今遵义十一中一带地势开阔，西依胜龙岗（府后山），南靠红花岗，东临湘江，风水绝佳，确系衙署不二之选（图12-23）。结合地形，衙署当背靠胜龙岗，整体坐西向东。玉皇观若坐落在胜龙岗（城西碧云峰下），则恰在“公府西北隅”。2017年6月，毗邻遵义十一中的郑莫祠（为纪念清人郑珍、莫友芝而建的祠堂，创于1930年）开展保护性工程时，于祠西荷花池周边掘出一批宋明时期遗物，有脊砖、脊兽、小跑、筒瓦和瓦当等，其中几件月华纹筒瓦勾头可确定为南宋晚期遗物（图版335）[①]。类似勾头亦见于海龙囤、养马城与杨价墓墓垣（表12-4）。这批具有一定规格的建筑材料的出土，为宋明时期播州衙署遗址的进一步探索提供了重要的线索。若播州宣慰司治确坐落其间，审以地势，当背靠胜龙岗，前临湘江，坐西向东。

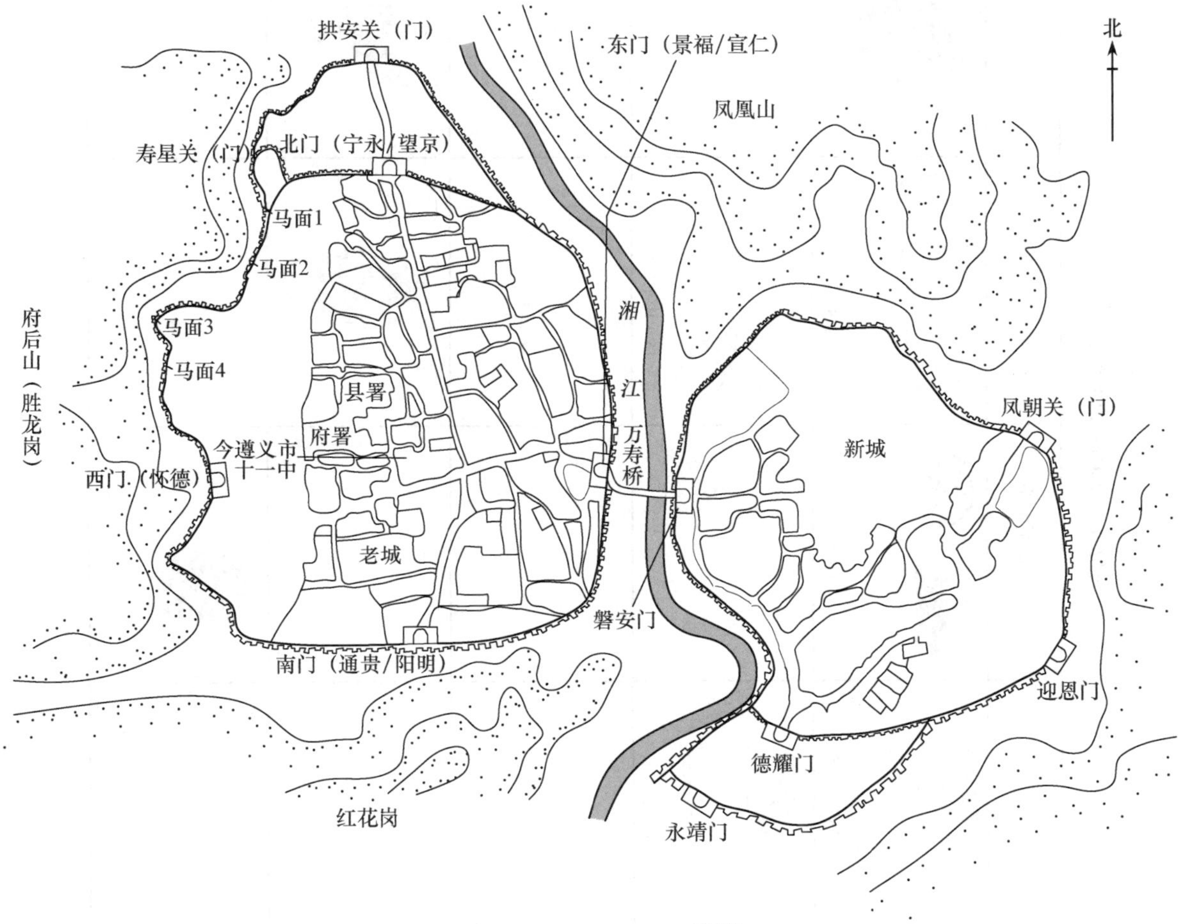

图12-23　遵义老城示意图

（二）街坊与坛庙

司治所在的遵义老城，宋明文献中亦称之为“播州城”，除衙署外，还有街坊、寺观等，但无城垣。

① 资料现存贵州省文物考古研究所。

表12-4　南宋遗物对照表

地点	A型板瓦	A型筒瓦	Aa型筒瓦勾头	Ab型筒瓦勾头	A型滴水	A型礌石
海龙囤	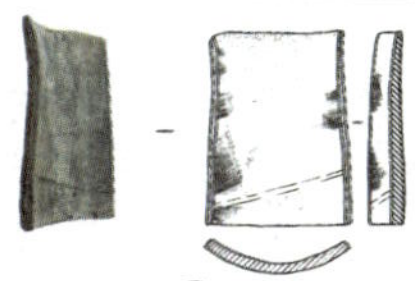 TG32②：1	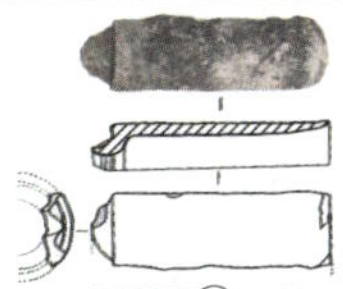 TG57②：5	 F8③：4	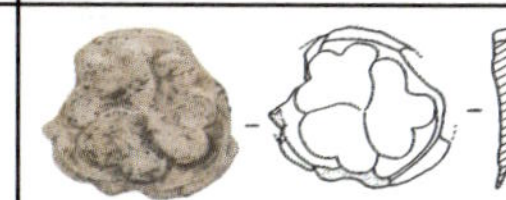 TG57③：2	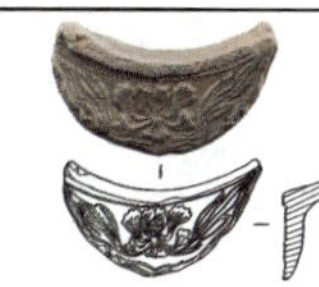 TG57②：2	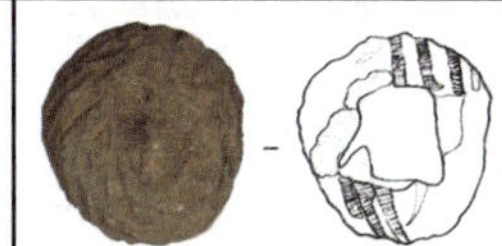 TG33②：9
养马城	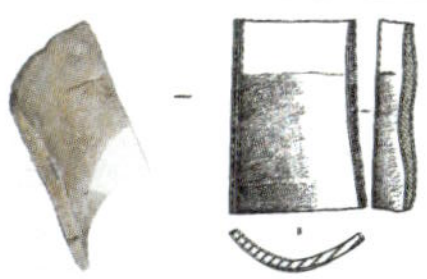 H2④：6	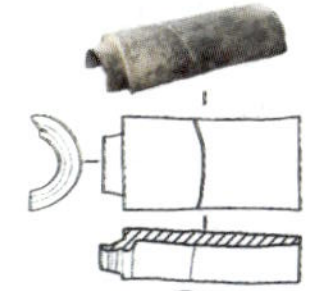 H2④：1		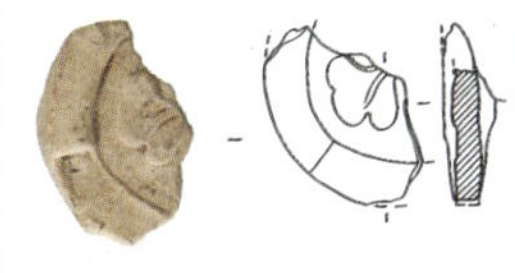 TS49W01③：2		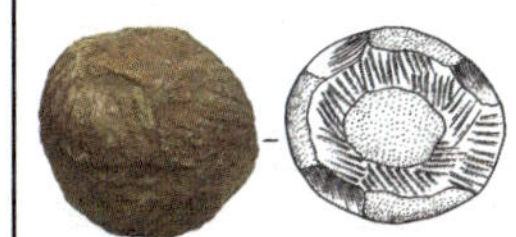 TN21E20③：1
鼎山城	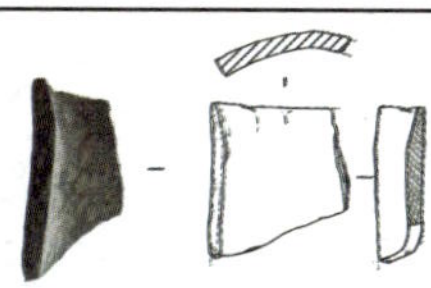 “三官堂”采					
杨价墓				 墓园	 墓园	
郑莫祠						

“播州城”一名，见于《平播全书·悬购规则疏》：“有能奋勇先登，打破播州城者，升五级，赏银三千两。有奋勇先登，打破海龙囤，……升七级，赏银五千两。”[①]此外，部分宋元明时期镇墓券铭文中也出现了类似称呼。如咸淳三年（1267）杨文妻田氏镇墓券“皇宋播州公宇居夫人田清慧”，延祐五年（1318）杨忠勇妻田氏镇墓券“大元播州在城居田琼清安人”，成化九年（1473）杨辉妻俞氏镇墓券“维大明国四川道播州在城公宇居”[②]。“公宇居”表明死者生前居于衙署之内，“播州在城”则指衙署在播州城内。

城之内外至少有三坊二街。坊有清湘坊、卧龙坊、仁坊；街有兴隆街、打铜街。三坊之清湘坊见载于成化二年（1466）金瑞山铜钟铭文，“明成化二年丙戌，播州在城清湘坊蔺希珍，因兄希淳从役，发口铸造，重一百斤”[③]。卧龙坊，见于府城北门外溪上万历十九年（1591）石刻，铭文为“在城卧龙坊高杰之妻司氏拾银十两五钱，用修石路数丈”云云[④]。仁坊见于现藏遵义市图书馆的景泰五年（1454）李庸镇墓券铭文，文曰“大明播州城西隅里仁坊居李庸行年八十四岁”。因“在城曰坊”，故上述三坊皆应在播州城内。二街之打铜街出现于杨寅秋“入播，自打铜街历狮子桥，抵白田坝”的奏疏中。兴隆街在洗马滩，昔有至正元年（1341）“兴隆街”刻石，已佚[⑤]。

城内的其他建筑，有寺观、家庙、文庙、城隍庙等。玉皇观，始建于宋宝庆三年（1227），在“西碧云峰下、公府西北隅”。玄妙观，在司治之东。《勘处播州事情疏》记成化间杨友诬称杨爱“于玄妙观设本命金龙牌一座，与万岁牌并立”。其位置与始建年代，道光《遵义府志·寺观》引《明一统志》称“在宣慰司治东，宋嘉定间建，明洪武中重修”，应可信，因为建文二年（1400）杨铿墓志铭即由“播州玄妙观晚戒杨维震书丹”[⑥]。集贞观，在司治西。《遵义府志·寺观》：“在宣慰司司治西。元至正间建，明洪武末重建。”[⑦]普济庵，在府北三里普济桥侧，内有弘治十四年（1501）普济庵铜钟[⑧]。文庙，据《勘处播州事情疏》记：成化二十二年（1486）四川官员“翟庭蕙诣文庙行香”，“不合在本学仪门下坐看”迎赛壁山土主的活动，知文庙与儒学合一，设有仪门。另有杨氏家庙，据元人程钜夫《忠烈庙碑》：宋嘉定六年（1213）杨粲“考典礼，建家庙，以祀五世。奉太师公为始祖，百世不迁，

---

① （明）李化龙：《平播全书》卷2《悬购规则疏》，北京：大众文艺出版社，2008年，第38页。

② 李飞：《夷夏之间：播州杨氏羁縻·土司墓葬研究》，四川大学博士学位论文，2017年，第410、412页。

③ （清）郑珍、莫友芝编纂：《遵义府志》卷11《金石》，成都：巴蜀书社，2013年，第185页。

④ （清）郑珍、莫友芝编纂：《遵义府志》卷47《杂记》，成都：巴蜀书社，2013年，第952页。

⑤ 翁仲康：《四百年前的播州城》，中国人民政治协商会议贵州省遵义市委员会宣教文卫委员会编：《海龙囤烟云录》，内部印行，2001年，第153页。

⑥ （明）何乔新：《勘处播州事情疏》，《丛书集成初编·张司马定浙二乱志（及其他二种）》，北京：中华书局，1985年，第77页；（清）郑珍、莫友芝编纂：《遵义府志》卷8《坛庙（寺观附）》，成都：巴蜀书社，2013年，第130页；贵州省文物考古研究所、遵义市文物局：《贵州遵义市新蒲明代土播州司杨铿墓》，《考古》2015年第11期。

⑦ （清）郑珍、莫友芝编纂：《遵义府志》卷8《坛庙（寺观附）》，成都：巴蜀书社，2013年，第131页。

⑧ （清）郑珍、莫友芝编纂：《遵义府志》卷11《金石》，成都：巴蜀书社，2013年，第187页。

余则有夹室以奉祧主”，“咸淳四年（1268），考惠敏公又请于朝，锡今庙号（按即忠烈），刻家训于石榜，崇孝于楼”[①]。又据《勘处播州事情疏》记：成化二十二年（1486）七月初九日“翟庭蕙与杨纲、谢士元同到杨爱家看祖训碑”[②]。“杨爱家”即宣慰司衙署，而祖训碑（家训碑）在家庙旁，据此知家庙在宣慰司衙署内，应在其左路（详见第三章）。另播州城内如同明代其他城市一样，设有城隍庙，在治东丁字口。《遵义府志·坛庙》：城隍庙，“旧在丁字口，万历间改建于治北，知府孙敏政重建”[③]。若以播州宣慰司司治坐西向东论，杨氏家庙在衙内左（北）路，其余寺观多集中于衙署之前后（东西）两端，普济庵在治北。

播州城在播州之役中十分不堪，兵力不强的明军安疆臣路不到一日即攻克之，反映其虽称为“城”，但并未设防御性城垣，是一座无墙之城。《平播全书·叙功疏》：“又据安疆臣、陇澄报称：四月十三日，督兵直抵播州治桃溪口、狮子桥，各贼奔溃，随将衙宇家庙，新川、后川等衙，违禁房宅，阖州贼党民房，悉行烧毁”[④]。这符合明将郭子章“土司无城，例也”的记载，即时之播州城并无城垣。针对遵义老城现存城垣的调查也证明了这一点。

综上，平播之前的播州城，是播州的政治、经济与文化中心，土司衙署坐落其中，衙内设祖先堂（杨氏家庙），城之内外有街坊、坛庙等，是时之播州官民居住、经贸往来、举行祭祀活动的中心性聚落，但其周边并未设防御性城垣（但不代表衙署四周无垣墙）。

（三）城垣

今之遵义老城周边是有城垣的，但始筑于明万历二十九年（1601），此后不断扩建与加固。清咸丰年间，为防御农民起义军，在老城之东、湘江东岸新筑外城，形成遵义双城并联的新格局。2015年3～5月，贵州省文物考古研究所对该城址的城垣进行了调查和试掘，发现城垣、城门、马面、越城等遗迹，基本厘清了其特点及其在各个时期的扩建与维修情况（图12-23；图版336）[⑤]。

1. 老城城垣

全长约3673米。西依山蜿蜒，东临湘江。西面山名府后山（又名胜龙岗，或大龙山），南为红花岗。城垣经红花岗下（现瑞金花园小区内），过红花岗广场（新华桥西桥头）、遵义公园、遵义宾馆至洗马路社区南部连接府后山。根据砌筑方式，可分A、B、C三类。

---

① （元）程钜夫：《雪楼集》卷16《忠烈庙碑》，《景印文渊阁四库全书》，台北：台湾商务印书馆，1986年，第1202册，第222页。

② （明）何乔新：《勘处播州事情疏》，《丛书集成初编·张司马定浙二乱志（及其他二种）》，北京：中华书局，1985年，第64页。

③ （清）郑珍、莫友芝编纂：《遵义府志》卷8《坛庙（寺观附）》，成都：巴蜀书社，2013年，第118页。

④ （明）李化龙：《平播全书》卷5《叙功疏》，北京：大众文艺出版社，2008年，第152页。

⑤ 贵州省文物考古研究所等：《遵义老城城垣的调查与试掘》（待刊稿）。

A类城垣　外壁用红、黄砂石干摆垒砌，石材未经修整，不见錾痕。墙体宽度不明，残高0～1米。

B类城垣　内外壁均用红、黄砂石垒砌，灰浆勾缝，内壁石材较规整，壁面整齐，并有明显錾痕。城垣宽约4、残高0～2.6米。

C类城垣　红、黄砂石灰浆勾缝分层砌筑，层厚0.3～0.4米。区域性分布，应为后期补修。城垣宽约4、残高0～2.8米。

A类城垣年代最早，B类城垣包裹于其外，C类城垣又包裹于A、B两类城垣之外，早晚关系清晰。

2. 新城城垣

总长约2985米。从新华桥东桥头沿湘江河岸至狮子桥，绕桃源山，经苟家井市场绕螺蛳山寺、庙后山、下临湘江河岸连接新华桥。大部分已被破坏。有灰浆勾缝，石材经修整，有錾痕。结构与大龙山上发现的灰浆勾缝内墙体（B类）一致。

3. 马面

4个（编号1～4）。均发现于老城西门与北门之间的城垣上。以红、黄砂石灰浆勾缝逐层筑成，修筑方法同于C类城垣。1号马面，东西长5.3、南北宽5.1、残高 2.9米。

4. 城门

老城城门均已破坏无存。根据文献记载并结合调查可知原有8门：东门（宣仁门）位于现新华桥西桥头（红花岗广场旁）；西门（怀德门）位于现西门沟附近；南门（阳明门）位于现红花岗北面山脚下（南门村附近）；北门（望京门）位于现遵义宾馆后门旁。寿星、拱安二关已毁，结合调查可以确定大致位置，而宾旸、倚树二关未发现相关遗迹。

新城城门亦无存，据《续遵义府志》记载，共有5座，分别为凤朝关、迎恩门、德耀门、磐安门及永靖门。

5. 越城

越城始建于清咸丰四年（1854），位于老城城垣的西北角上，呈椭圆形，周长约260米，面积约6平方千米。属B类城垣，宽0～4、残高0～2.8米。城垣断面可见瓦砾堆积层。

6. 遗物

有建筑材料、生活用器与钱币等。建筑材料有砖、瓦、瓦当、脊砖、脊兽及门饰等，与海龙囤所出者均存在一定差异，时代应略晚。生活用器均为瓷器，有细瓷与粗瓷两类。细瓷以青花为主，年代主要落在明嘉靖、万历时期，以及天启、崇祯时期（表12-5）。钱币仅万历通宝1枚。遗物的年代符合文献中老城城垣始建年代的记载，个别稍早的遗物当与瓷器的使用寿命有关。

表12-5　遵义老城城垣出土青花瓷器

序号	编号	器名	年代	照片
1	采：2	青花缠枝花托八宝纹碗	明中晚期 （弘治—嘉靖）	
2	2015ZLTG1⑦：13	青花螭龙纹碗	明晚期 （嘉靖—万历）	
3	2015ZLTG1⑦：12	青花寿字碗	明晚期 （万历）	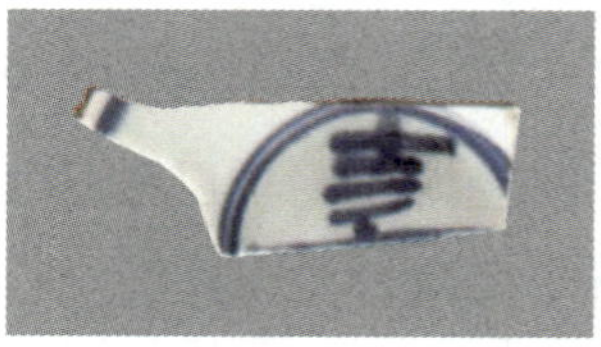
4	2015ZLTG1⑦：11	青花寿字碗	明晚期 （万历—天启）	
5	2015ZLTG5①：4	青花兰草纹碗	明末 （天启—崇祯）	

续表

序号	编号	器名	年代	照片
6	2015ZLTG1⑦：10	青花福字碗	明晚 （万历—天启）	
7	2015ZLTG1⑦：9	青花款识碗 （“大明成化年制”寄托款）	明末 （天启—崇祯）	
8	2015ZLTG1⑦：16	青花莲池水禽纹盘	明晚 （万历—天启）	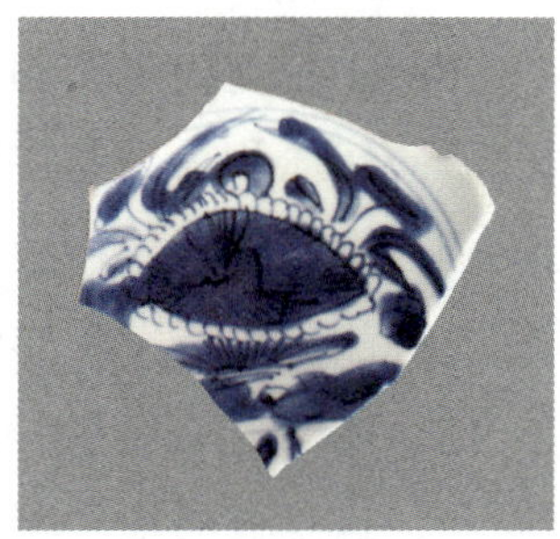
9	2015ZLTG1⑦：17	青花梅花纹盘	明晚 （万历—天启）	

7. 分期

结合城垣类型、叠压关系、出土遗物及文献记载，可将遵义老城城垣分为三期。早期：以A类城垣为代表，始建于明万历二十九年（1601）。平播后，李化龙即建议：“播州白田坝，沃壤数百里，即播州遵义县故地，当复府治，设县附焉”，“播州之一府一州四县与黄平之一府四县，并宜城，城并宜石，石少者以砖代”[①]。道光《遵义府志·城池》记载：自明万历庚子（1600）平杨应龙，辛丑（1601），议郡县其地。例，郡县皆城，以内地之守守之。治郡城：西南绕山颠，无壕；东北临湘江，为池。前后俱高三丈，广九百五十丈四尺，垛口一千七百八十二。设门四：东曰宣仁，南曰阳明，西曰怀德，北曰望京，各建楼于上[②]。

中期：以B类城垣为代表，为清康熙至咸丰年间遗存。据前揭《遵义府志·城池》：“康熙五十八年（1719），知府赵光荣、知县邱纪重修。乾隆二十五年（1760），知县唐秉琰领帑项二万一千五百九十七两零重修，周围一千三百七十一丈四尺，计七里六分，高一丈五尺，厚七尺。将台一，炮台十二，枪眼九百九十九。四门：东曰景福，西曰怀德，南曰通贵，北曰永宁，上各建楼。”部分城门改变了名称。又《续遵义府志·城池》：咸丰二年（1852），知县顾崑杨以城垣年久，坍圮繁多，上详自愿捐廉培修。陾登三载，补筑城垣、城楼、炮台、马路，乃经告成，共用银三千余金。四年（1854），有杨瀡喜之乱。知府李德莪、知县于伯英禀呈情形，创修越城。筑关曰寿星、拱安。八年（1858），于老城之东创建新城。为门三：东曰迎恩，南曰德耀，西曰磐安，皆建城楼[③]。新城城垣残迹与老城二期城垣修筑方法一致，反映与文献记载的一致性。

晚期：以C类城垣为代表，呈区域性分布，为清代晚期所补修者。前揭《续遵义府志·城池》：光绪元年（1875），知县王正玺捐廉并罚款，补修城垣、城楼，共用银三百余金。十三年（1887），北门越城倾圮十余丈，罚款培修，亦三百余金。宣统三年（1911），议会议以老城公所历年居积为培修之供，举廪生杨葆宸、外委周源章监督，增高补缺，及城脚壅秽，悉为粪除，三月而工竣，用银二百二十四两零四分，钱五百七十九千四百四十文。马面与晚期城垣的修筑方法一致，大约亦同一时期建成。

针对遵义老城城垣的调查与试掘，目前并未发现万历二十九年（1601）前即土司时代的相关遗迹，这是彼时播州城并无城垣的有力证据，即时之播州城是一座无墙之城，表明土司遵循了明朝廷“土司无城”的“成例”，确未在播州城周围营建防御性城垣，但在特殊时期，却将防御的重心转向险峻的山地，于此大规模营建山城，构筑起一道与平原城同也不同的防御线。

二、山城与平原城的关系

与海龙囤、养马城相较，湘江畔的播州城是建于平阔地带的平原城。晚于平原城出现的山城，在规划上不可避免地会受到播州城的影响，两者之间是何关系？在分别理清两类城池的格局后，可试对此进行阐释。

---

① （明）李化龙：《平播全书》卷6《播州善后事宜疏》，北京：大众文艺出版社，2008年，第192、196页。

② （清）郑珍、莫友芝编纂：《遵义府志》卷6《城池》，成都：巴蜀书社，2013年，2008年，第90页。

③ （民国）周恭寿修，赵恺、杨恩元纂：《续遵义府志》卷2《城池》，成都：巴蜀书社，2014年，第3、4页。

（一）山城：另立衙门

地势险峻的山地工事固然以防御为主，但山城中出现了政治性的礼仪建筑，即“另立衙门”[①]，表明军事性并非其唯一考量，行政职能并未缺席。

目前已知，南宋晚期的养马城、鼎山城以及明万历时期的海龙囤均有衙署性建筑，后者规模宏阔，体现了“子孙万代之基”的气魄。但海龙囤上迄未发现能构成“衙署”的南宋晚期遗迹，不排除尚未发现的可能。针对这一现象，前文推测养马城是以播州土官为主营建的防御性设施，营建时间略早，因此有相对充裕的时间于其中营建由谯门、两厢、大堂等组成的面积约1万平方米的衙署。而海龙囤（龙岩新城）是南宋朝廷介入后，予以应援而共同营建的，因为宋蒙战火并未烧至播州而使迁治最终没有成为事实。当然，这一认识的前提是海龙囤上确无南宋衙署存在。于险峻山巅建山城，将平原城中的治所迁往其中，是四川南宋抗蒙山城的普遍做法，这些因素自然会被播州山城营建者考虑。由南平军辖下鼎山县营建的鼎山城，被后世称为“废鼎山县”，表明县治已迁往其中。衙署在山城中的出现，折射山城兼具军事性与行政性的职能。

郑莫祠一带虽有南宋遗物发现，但目前对该时期播州城内衙署的格局缺乏认识，养马城内衙署可以提供参照。首先，选址有风水考量，前朝后靠。其次，衙署区有相对围合的空间，有规模可观的谯楼建筑。第三，建筑中轴对称，至少有两厢、大堂等组成。今遵义十一中一带的山形水势，提供了这一可能。因为播州城建设在先，其中诸多因素遂不可避免地反映在后建的山城中，故两者可对看。

（二）平原城：山城蓝本

在山城中复制平原城的诸要素，这在万历时期的海龙囤中反映得尤为明显。

首先，表现在衙署的格局上。《勘处播州事情疏》勾勒的成化时期播州城内宣慰司司治的整体格局为：前为三开正门，次为重檐圆顶放印亭，再为水池（上搭带栏杆石桥），正庭（忠孝堂，前带月台）居中，后为土司住房（前带月台）。祖先堂承恩堂设于中庭之左。整体上前堂后室，左为祖先堂。且如前所述，今遵义十一中一带地势能满足衙署前朝后靠的风水要求。海龙囤新王宫正是按前朝后靠选址的，其整体格局中轴线自前而后依次为大门（F28）、仪门（F25）、两厢与庭院、大堂（F22，带月台）、两厢、二堂（F7）、卧房（F8）。中轴线左侧的“三台星”（F17）、厨房（F9）与合院式建筑（F18），方向与中轴线不同，形成夹角，并在建筑关系上呈现先建的特点，结合朱子《家礼》“君子将营宫室，先立祠堂于正寝之东”

---

① “杨辉因溺爱杨友，意要分割本州地土，另立衙门，夤缘授以官职。”（明）何乔新：《勘处播州事情疏》，《丛书集成初编·张司马定浙二乱志（及其他二种）》，北京：中华书局，1985年，第10页。

的要求[①]，有理由认为其即祖先堂性质建筑。如此，两者格局基本一致，均前堂后室，左设祖先堂。

其次，家衙一体，家即衙。土司的官衙，是其处理政务与生活的地方，文献记载中往往“家”“衙”不分，或将之视为一体，这是土司衙署较之府、县等流官衙署最大的不同。祖先堂在土司衙署内的设置，彰显了这一特点。据《勘处播州事情疏》记载，杨辉之妾贯氏住在桃溪庄，因发生偷盗伤人事，“次日早贯氏到于杨爱家说知前情”；又“翟庭蕙与杨纲、谢士元同到杨爱家看祖训碑”；“又蒙委湖广三司委官，会同四川三司都指挥刘昇、右布政使李清、佥事冯宁亲至杨爱住宅内看得：并无五门牌扁及嵩呼门”云云，结合前后文，“杨爱住宅”即宣慰司司治[②]。总而言之，虽称呼有异，但“杨爱家”“杨爱住宅”与“忠孝堂”均指播州宣慰司司治。同样的情景，也存在于海龙囤土司衙署中。新王宫在《平播全书》中即有“贼衙”“卧房”“衙院”“衙宇”“酋房”“杨应龙住宅”“杨应龙宅内”等不同记载[③]。亦将土司衙署与土司“住宅”并称，反映明代官员的意识中土司“家”与“衙”一致，即家衙一体。前揭土司夫人镇墓券中“皇宋播州公宇居”，“维大明国四川道播州在城公宇居”等铭文，也反映了这一特点。土司夫人，理当居“家”中，铭文却称其“公宇居”，即住在衙署内，表明家即衙。

第三，城内其他寺观等设施的相似性。播州城有玉皇观、集贞观、玄妙观、普济庵、城隍庙等庙宇。如果推论不谬，类似设施也见于海龙囤上。转山之上的独立建筑F33，具有阁楼的特点，民间径称之为“玉皇阁”。金银库（F32）格局与城隍庙一致。城隍作为城市的保护神，明代大行其道。土司治下的播州城内有城隍庙，“旧在丁字口，万历间改建于治北，知府孙敏政重建”[④]。同时有迹象表明，囤上土司时代曾有庙宇，约在今老王宫新庙一带（说详见第四章）。

山城与平原城在这些特点上的一致性，有时代的因素、礼制的要求，但已有的播州城内衙署、庙宇等建筑为山城建设提供了现成的参照，可直接移植再现。换言之，有理由认为山城的部分要素是以播州城为蓝本规划的。这折射出土司在不同空间营建多套行政管理系统的努力。

（三）山城与平原城：有城与无城

纵有诸多相似性，但山城与平原城的不同亦是明显的。最大的区别在于：山城无街坊，而平原城无城垣。

① 朱熹：《家礼》卷1《祠堂》，朱杰人等主编：《朱子全书》，上海：上海古籍出版社、合肥：安徽教育出版社，2002年，第7册，第875页。

② （明）何乔新：《勘处播州事情疏》，《丛书集成初编·张司马定浙二乱志（及其他二种）》，北京：中华书局，1985年，第52、64、94页。

③ （明）李化龙：《平播全书》卷5《叙功疏》、卷7《破囤塘报》，北京：大众文艺出版社，2008年，第154、253～257页。

④ （清）郑珍、莫友芝编纂：《遵义府志》卷8《坛庙》，成都：巴蜀书社，2013年，第118页。

作为政治、经济与文化的中心，播州城内居民汇集，至少有三坊二街，以供商贸往来，而以海龙囤为代表的山城则“此乃禁地，庶有稽查”，人员的进出往来受到严格限制，在有行政职能的同时，强调了其军事性。山城中城垣、关隘等设施即彰显了其防御性。

如前所论，针对播州城的调查与试掘并未发现土司时代的城垣遗迹，郭子章“土司无城”的陈述强化了播州城并无城垣的事实。因为是无墙之城，播州城的防御能力较差，播州之役中播州向来的政治中心司治因此并非土司防御的重心，被明军轻松攻破而未受到过多抵抗。李化龙《平播全书·叙功疏》：“又据安疆臣、陇澄报称：四月十三日，督兵直抵播州治桃溪口、狮子桥，各贼奔溃，随将衙宇家庙，新川、后川等衙，违禁房宅，阖州贼党民房，悉行烧毁”。杨寅秋《临皋文集》的记载则显示明军安疆臣路在数小时内即攻破播州城，“次早经桃溪衙，巳刻入播城，所在俱为煨烬，独酋之亭榭池阁流觞行乐之处半在焉”。彼时，杨应龙并不在城，而在海龙囤周边的长冈囤、龙爪囤一带抵御明军，并“揣势不敌，恐官兵乘胜邀截入囤之路，父子抱头大哭，遂驱妻子及各帐房老虎兵急奔上囤，用土石填门”。与此同时，“杨酋差人带兵搬运家财皮箱上囤，身背黄包袱”，明军“当将包袱对众开验，内红袋一个，彩龙红筒，装有玉玺敕命一通”①。将家财从司治移向海龙囤，是将海龙囤视为最后堡垒而早就放弃了播州城的防御。

山城对于平原城而言，是一种什么样的存在？这在杨应龙上囤之前对苗兵的喊话中有清晰的表达：四月初十日，“贼集其众苗而誓之曰：尔辈不为我尽力，我今上囤，任官兵杀尔矣”②。囤上安全无虞，不为我卖力则将尔等尽弃山下。可见，平原城中安全并无完全保障。

由坚固城垣包裹的山城，才是土司心理与事实上的依赖，而地势平坦且无城垣的平原城则可随时放弃，此时政治中心随即转向众囤的中心海龙囤。不同空间的城池，在非常时期方显现出其不同的定位。

三、作为行署的海龙囤：《容美纪游》启示

从杨应龙重建海龙囤到播州之役爆发前，山城海龙囤与播州城内司治为并存关系，有着极为严格的管理，土司不时亲临，此时的海龙囤相对于司治而言，当系一“行署”，即其离开行政中心司治后的重要居住与办公地点。清人顾彩《容美纪游》中对容美宣慰司行署的相关记载，可提供参照。战争爆发之后，特别是万历二十八年（1600）四月中旬放弃司治上囤防守后，海龙囤成为播州唯一的行政中心，延续了战前的严格管理并加以强化，直至其毁灭。

---

① （明）李化龙：《平播全书》卷4《六报捷音疏》、卷5《叙功疏》，北京：大众文艺出版社，2008年，第113、147、152页。

② （明）李化龙：《平播全书》卷14《内阁赵沈二相公田东翁大司马》，北京：大众文艺出版社，2008年，第485页。

（一）海龙囤的管理

囤上传世的《骠骑将军示谕龙岩囤严禁碑》对战前海龙囤的管理做出了严格规定（详见第九章），概括起来有以下几点：第一，设有“守囤名役”负责海龙囤日常管理。“予今设用守囤名役：总管、总领、把总、提调、书吏，各理事务；守衙小童、守仓户、打扫户、总旗、小旗、军士、苗军并住囤医生、匠作、住持人等，各有役次，时刻不可擅离。”这是一个等而下之的阶位排序，土司不在期间，总管统领囤上事务，因此专设总管厅。据《平播全书》，万历时播州设督军总管、内司总管、外司总管、苗头总管、亲兵总管、办事总管、管事总管、衙门大总管若干名[①]。各关设把总、提调把守，如囤前龙凤关设“把总”。有识字者充任“书吏”，《勘处播州事情疏》记“杨辉又将识字土吏向崧、陈敏、冯钥拨去彼处书办”，性质相同。总旗、小旗是土兵中的下级头目，如《勘处播州事情疏》即记成化时郭钦、余丁等人为“总旗”。军士、苗兵则为普通士卒，土司辖下的“五十四里、八十八局”与“五司七姓”之民可能充当军士，苗军则是临时征召的“九股恶苗，及红脚、黑脚等苗”[②]。匠作是负责海龙囤营建的木、石、瓦等类匠人。值得注意的是，有“驻囤医生”负责守囤人员的医疗，“住持人”则暗示囤上有庙宇；衙门平日由“守衙小童”负责看管，如《平播全书·献俘疏》载36岁陈大恩“幼充酋心腹小童”；“守仓户”“打扫户”与“运送口粮帮户”似是一种世袭职业，如据《勘处播州事情疏》，成化时播州有“马户”“站户”“乐户”“打铁户”各司其职；“守仓户”的设置反映囤上除衙署外，还有一定数量的粮仓存在，《平播全书·行道、镇破酋狡计》即记“本囤实在仓米大小三四千间”。这些人员，维系着海龙囤的日常运行。

第二，出入海龙囤受到严格限制。《骠骑将军示谕龙岩囤严禁碑》强调海龙囤乃“禁地”，“防奸细僭妄诈伪之徒，再无混冒”。出入海龙囤者，有“守囤名役”，“各给年貌号牌稽考”，如若告假下囤，需“赴总管厅乞帖照验”；有“官差取发物件人役，各关视验朱批帖文”；有“运送口粮帮户，给有年貌号票，各带在身，执照进出”；有来往工匠人夫，“但遇进关者，龙凤关把总查审的实何项人役，给帖照身，各关验放，到囤赴总管厅缴帖，上名应役。役满工完，仍赴总管厅告乞水帖出关，验实放行，又到龙凤关将帖回缴”。分别发给“年貌号牌”、“年貌号票”、“朱批帖文”与“水帖”执照进出，总管厅与各关负责审查，管理十分严格。因此，海龙囤上不可能如平原里的播州城一般有街坊的设置与贸易的往来。而专设“运送口粮帮户”负责粮草的运输，反映海龙囤上并未开辟田土以保障粮食供给。

第三，土司不时亲临。《骠骑将军示谕龙岩囤严禁碑》铭文提到“但恐亲临本囤，跟随一应人役，书房听点题单，预发龙凤关，查点进出。回日，具手本封缴原单”，讲的是土司本人出入关时的具体操作，反映土司不时亲临海龙囤的事实。应龙既“彼其数年精力，用之一

① （明）李化龙：《平播全书》卷2《悬购规则疏》、卷4《献俘疏》，北京：大众文艺出版社，2008年，第38、127页。

② （明）李化龙：《平播全书》卷2《悬购规则疏》，北京：大众文艺出版社，2008年，第38页。

囤”，且欲将之建成“子孙万代之基，保固之根本”，必然对之格外重视，不时亲临加以督导。囤上由其手书的“骠骑将军示谕龙岩囤严禁碑”以及飞龙、飞虎、朝天、万安各关匾额，即是注脚。值得注意的是，土司亲临时有“一应人役”跟随，与《容美纪游》所载容美宣慰使田九峰“性喜迁移，每到一处，不数日又迁而他往，中府虽其治城，未尝作匝月留也。行则家眷及将吏宾客皆迁，百姓襁负以从”的阵势相似[①]。中府芙蓉城为容美宣慰司行政中心，周边又遍设“行署”，土司巡游办公。战前的海龙囤于司治播州城而言，正是类似的存在，即为“行署”。

播州之役爆发后，情况则有所改变。万历二十八年（1600）四月中旬，司治播州城被攻陷，杨氏土司将财物大规模转移海龙囤，并放弃司治而据囤死守，直至六月初六囤破身亡，其间海龙囤是播州唯一的行政与军事中心。此时，土司坐镇囤巅，“伪内侍”叶进喜、“内总管”杨珠负责囤内粮草与兵马的管理，亲兵总管戴贵于前后门阵前指挥。《平播全书》称叶进喜“掌海龙囤，更收支钱粮，最幸用事”；“内总管系杨珠，管理内囤兵马，为杨酋手足”；戴贵“充酋亲兵总管，主督战阵。无论平日，即酋楼囤两月，前后门日拒战，损伤官兵千余，皆贵阵前指挥”[②]。囤后万安关由提调舒自清把守，囤前飞龙、飞虎关则有“守贼”阿元等守护。《平播全书·叙功疏》：五月二十九日夜，“把守后囤万安关提调舒自清率妻子十一名口来降”；五月“二十二三五六等日，发扰囤兵，擒斩飞龙、飞虎关守贼阿元等十二名颗”，同时收监的还有“提调”董鳌、“书记”骆绍、“坐寨”郭宪通等[③]。人员的设置与防御均得以强化，海龙囤的地位亦与往昔不同。

除海龙囤外的其余关囤寨，亦设“囤首”“坐寨”“提调”“头目”等领兵把守。如《平播全书·克破龙爪等囤五报捷音疏》：三月，“疆界河边，老鹰囤囤首石胜俸、王志虎、王志龙等，率妻子万余人来降”。《献俘疏》：董鳌，“充酋四牌提调”；杨真，“充酋丁山里头目”；聂玺，“充酋松坎提调”；罗江元，“充酋坐寨，管娄山外三元坝苗千余”；袁五受，“充酋西平提调”；张守钦，“充酋龙沙提调”；周五巴，“充酋仁怀里提调，又充穆炤坐寨”；何茂春，“充酋小溪里头目”；夏文茂，“充酋沙溪里坐寨”等[④]。

（二）《容美纪游》的启示

战时的运行，并不能实现常规化，因为需要高昂的支出，杨氏土司靠的是不正当掠夺予以维系的。《平播全书》记：杨氏“招集九股恶苗，给以杀戮五司之土地，赏给抢掠各省

---

① （清）顾彩著，高润身主笔：《容美纪游注释》，天津：天津古籍出版社，1991年，第115页。

② （明）李化龙：《平播全书》卷2《悬购规则疏》、卷4《献俘疏》《六报捷音疏》，北京：大众文艺出版社，2008年，第112、127、128页。

③ （明）李化龙：《平播全书》卷5《叙功疏》，北京：大众文艺出版社，2008年，第144、149页。

④ （明）李化龙：《平播全书》卷4《克破龙爪等囤五报捷音疏》《献俘疏》，北京：大众文艺出版社，2008年，第109、127、128页。

之妇女”；又“州人有稍殷厚者，因事诛之，没其家以养苗，自是一州皆苗，精悍摧锋者无虑数万”。且有证据显示，杨应龙是在迫不得已的情境下才铤而走险违背“土司无城”的成例的，前书称“酋见近日贵州复疏及旨意，乃曰：‘朝廷已不容我老杨，我老杨只得拼死做了。’”[①]即大约在万历十八年（1590）贵州巡抚叶梦熊疏论“杨应龙凶恶诸事”后才决定破釜沉舟，大规模营建山城。这决定了营建在险峻之地的关、囤、寨不可能是经常性使用的设施。但海龙囤是作为“子孙万代之基，保固之根本”被重建的，在规划理念中它应被赋予播州另一行政中心即“行署”的性质，因此其中衙署被营建得壮丽辉煌。如何理解相对于行政中心而存在的“行署”，清人顾彩《容美纪游》提供了一个清代叙事。

康熙四十三年（1704），戏曲作家无锡人顾彩受容美宣慰使司宣慰使田舜年（号九峰）的邀请，深入今鄂西南一带的土司境，出入凡五月余，并将所见所闻逐日记录，形成传世的《容美纪游》，是理解土司制度及土司生活细节的重要文献。根据该书的记载，容美宣慰司彼时的行政中心为中府芙蓉城，而土司又在境内各地遍建衙署，为其“行署”，至少有宜沙别墅（宜沙行署）、南府、北府（白溢寨）、西府、平山爵府、细柳行署（沁雪园）、山涛阁等7处，土司巡游办公。“九峰性喜迁移，每到一处，不数日又迁而他往，中府虽其治城，未尝作匝月留也。行则家眷及将吏宾客皆迁，百姓襁负以从”；行署之民多“中府居民，随其主迁来，君去，亦皆挈家而去”。中府及各行署周边，往往有险峻洞穴以备不时之需。如芙蓉城附近有秃龙洞，洞上有寨，中有石门可守，“寇至急则奉宣慰君登此寨，贼不敢仰攻”。平山爵府周边有万全洞，有石门、城墙、炮台，事急，则退守洞中。细柳城东有万人洞，设门楼并有专人把守，为其“磐石重城”。南府北有燕喜洞，“土人避寇，常聚居其中”[②]。

中府芙蓉城，“为宣慰司治城”，是容美宣慰司的行政中心，“俗曰老司里，距南府百里”。宣慰司署在芙蓉山之南麓，“其前列八峰，左峰则右倚，右峰则左倚，轩然如凤凰晒翅形势，正朝拱司署。司堂石坡五级”。风水极佳，且亦非建于平畴，而依坡级级向上，凡五级。“司治五门，无城有基”。甃石为街，民家多以纺织为业，“当明盛时，百货俱集，绸肆典铺，无不有之”。“环署有安抚司衙门四：一水浕，二椒山，三五峰，四石梁，皆容美属邑也，向俱外姓，今君使其子婿遥领，虽有地方，不之本任，四司之人，日来候焉。”有文庙，“以铁铸夫子行教像”；有城隍庙，“在西门大街土山上”；有关帝庙，“在南门内龙脊上，甚壮丽”；有真武庙，“有沈道士住持”；有法华寺，“在行署西，琳宇宏丽，山僧智靖守之”。司治内亦设行署，在南门内八峰街，“君常移驻于此，其园曰来青，阁曰长松”。

平山府在中府东二十五里，经四代土司经营而成容美土司最为险固的营垒，“设守以御乱，故平山为司中之绝险”。环爵府建有司署大街、西街、后街、学馆、西楼、庙宇等。行署在平山街，其靠山曰上平山，插入霄汉。司署大街，巨石铺砌，可行十马，长六里，居民落

① （明）李化龙：《平播全书》卷1《请内帑增将兵疏》、卷4《献俘疏》、卷12《田东翁大司马》，北京：大众文艺出版社，2008年，第28、124、383页。

② （清）顾彩著，高润身主笔：《容美纪游注释》，天津：天津古籍出版社，1991年，第7、17、24～32、35～44、52～66、77～84、106、111、115页。以下不再注明。

落。后街长二里许，民居栉比，俱以作粉为业，有织纴者。但民居平日“多空宅，君在则诸将领居之，为牧马场”。万全洞内有魏博楼，“上有先世魏博节度使田弘正像”，形同家庙。府周有真武殿、文殊寺、戏房等。

从平山府的营建历经数代土司看，田氏土司“移驻”各行署办公，显非“九峰性喜迁移”所致，容美多任土司皆如是。对容美土司遍建行署之举，注释者以容美地理、经济、政治与气候四因予以解释。地理上，错综复杂，须不断游动视察，以行管辖权；经济上，为就近役使土民，须巡视督工；政治上，所属四司皆“遥领”，并不赴任，须巡视以防不测；气候上，随气候而迁，以避酷暑。这样的理解固然不错，但无法解释为何司治芙蓉城内亦另设行署。其实根本上应是土司制度世有其土、家衙一体的特点决定了土司可以在自认为安全之地修筑阁楼、别墅等建筑以供行止，其经常性“移驻”之地遂成行署。从这个意义上，海龙囤相较于司治播州城就是一座行署，金子囤于袁氏土司亦然，两地虽无行署之名，但有行署之实。一个有趣的现象是，容美诸行署的选址及其设施，或多或少都有司治芙蓉城的影子，如多处行署均考虑到其周边有岩洞以应对紧急情况。平山行署地势尤险，另有供奉先祖遗像的“魏博楼”，有庙宇与戏房等，与海龙囤颇多相似处。换言之，行署的规划不可避免地多以司治为蓝本进行，容美如是，播州亦然。

除海龙囤外，大水田、永安庄、桃溪衙等庄院，亦可视为播州土司行署。《平播全书·攻克娄山、崖门等关四报捷音疏》：“大水田、永安庄、桃溪衙，皆贼所为世修庄院，僭拟侯王者”，“复视其大水田庄宅制度，台沼亭榭，僭越非常，不惟雕刻彩饰龙凤等物，即卧房一样黄色牙床三十六张，欺僭可知”[①]。庄院为土司世代修建，有的有“台沼亭榭”，有的径呼为“衙”，装饰奢华。其中桃溪在成化间称“庄”，为土司杨辉之妾贯氏暂居之地[②]。万历间则成土司婚嫁之地，彼时杨应龙“方于桃溪架屋栽花以迎新婚”[③]。据《勘处播州事情疏》记载，成化年间杨氏约有类似庄院（所）145处，“思得自祖以来，置有大水田、柳川、冉川、屯平、大足、黄鱼、永安、先峰、洪江、米田、通平、毛陂、石梁、雷水、崔家、桃溪、半山、泥川等庄”。其规模大者称庄院或衙，如前述大水田、桃溪、永安等庄，土司及其夫人有时居其间或在此办公；规模小者则称“庄所”，如水车坝庄所、会川庄所、干溪庄所等，平日差人“往来各庄照管”，土司偶亦亲临进行社会活动，如杨爱即曾拟往“会川庄所请客饮酒”[④]。除此之外，尚有“新川、后川等衙”[⑤]。这些地点，后世民间多呼之为“衙院”，或讹为“鸭园”。若均视为行署，则其规模远超容美土司。

① （明）李化龙：《平播全书》卷4《攻克娄山、崖门等关四报捷音疏》，北京：大众文艺出版社，2008年，第103页。

② （明）何乔新：《勘处播州事情疏》，《丛书集成初编·张司马定浙二乱志（及其他二种）》，北京：中华书局，1985年，第52页。

③ （明）李化龙：《平播全书》卷13《书札·杨监军》，北京：大众文艺出版社，2008年，第438页。

④ （明）何乔新：《勘处播州事情疏》，《丛书集成初编·张司马定浙二乱志（及其他二种）》，北京：中华书局，1985年，第19、21、36、37、41、59页。

⑤ （明）李化龙：《平播全书》卷5《叙功疏》，北京：大众文艺出版社，2008年，第152页。

四、小　结

综合以上所论，可形成以下几点认识。

第一，以司治为蓝本的山城规划。12世纪后半叶迁治穆家川后，播州城遂成黔北政治、经济与文化的中心。其衙署在今遵义十一中一带，除文献记载、山形水势外，也有零星宋明遗物可资佐证。衙署前堂后室，并设有祖先堂，家衙一体。播州城内，有玉皇观、普济庵、城隍庙以及三坊二街等设施。这些特点尤其是街坊之外的设施也投射到后建的山城中，海龙囤上衙署亦前堂后室，亦有家庙，周边另有玉皇阁、城隍庙与寺观等建筑。有理由认为山城格局受到司治播州城的影响。

第二，土司无城。调查与试掘显示，播州城现存城垣均建于万历二十八年（1600）平播后，土司治下的播州城并无城垣，表明土司恪守了朝廷“土司无城”的成例。但其于山地营建的堡垒却违“例”而行，均建有高大且坚固的城垣，并在播州之役中成为杨氏最坚固的也是最后一道防线，打破了“土司无城”的成例。山城“有墙”，应是土司与周边交恶后在“朝廷已不容我老杨，我老杨只得拼死做了”的心理驱使下的破釜沉舟之举。

第三，播州土官营建的两座南宋山城中，养马城有明确的南宋衙署，海龙囤则迄未发现可确定的南宋衙署，因此目前尚无宋蒙战争时期播州迁治山城的考古学证据。但在万历重建后，海龙囤成为相对于司治播州城而言的一处“行署”，并在播州之役的后期放弃播州城后，成为播州唯一的行政与军事中心。鄂西南清代早期的容美土司遍建行署的文献记载，可为这一认识提供参照。

第四，海龙囤身份的转变。不同时期，不同历史背景下，海龙囤经历了抗蒙山城，荒弃，到再建为“行署”，以及战时播州唯一的行政与军事中心的历时变迁；也经历了宋蒙战争时期的国家防御工程，万历三大征之播州之役中土司对抗朝廷的大本营的身份更迭；以及防御重心从国家防御到地方防御的转移；其内涵十分丰富，不可静态观察而应动态审视。如此便更能理解羁縻·土司制度对维护国家一统与文化多样性的积极意义，及其在特殊时期飘摇不定甚或撕裂社会的毁灭性弊端。

第十三章 结　　语

播州，唐贞观十三年（639）置，乃流官贬谪的“非人所居”之地[①]。北宋时虽名为“内州”，却由“土人世袭”，行羁縻之实[②]。在13世纪上半叶带有明显华夏印记的仿木结构石室墓流行前，播州腹地（今播州、汇川、新蒲、红花岗等区）鲜见汉式遗存，但有崖墓、悬棺与岩洞葬等“非汉”墓葬分布，其年代涵盖汉晋至宋明，表明此时的播州应为苗、僚等族群的聚居地，杨氏的先祖亦当脱胎其中，而非徙边的华夏英雄[③]。北宋大观二年（1108），杨氏支系光荣、文贵叔侄各献其地，诏建播州与遵义军（后入珍州，再入播州）。杨粲领播的13世纪初，播州迎来了空前繁荣，《杨氏家传》称“杨氏居播十三传，至粲始大”[④]。粲子价，价子文当政之时，宋蒙战事全面爆发。南宋宝祐初年蒙军经由吐蕃攻陷大理，而后“斡腹”东进，谍报称或取思播“蛮路”，播州遂成“国之藩篱”。杨文神道碑记：“杨文，国之藩篱，斡腹之防，正赖其力”[⑤]。海龙囤的前身“龙岩新城”，正是一座由南宋官方与播州土官共建的作为“斡腹之防”的“斡腹山城”。

一、“土司无城”：从国家防御到地方性防御

（一）南宋创建

关于海龙囤的始建年代与背景，杨文神道碑有清晰陈述（详见第九章），文曰：

---

① （唐）韩愈著，严昌校点：《韩愈集》卷32《柳子厚墓志铭》，长沙：岳麓书社，2000年，第360页。

② （宋）曾公亮等：《武经总要》前集卷19《梓夔路》，北京：解放军出版社、沈阳：辽沈书社，1988年，第1020页。

③ 李飞：《夷夏之间：宋元明时期播州“土司”社会的整合》（未刊稿）。

④ （明）宋濂：《杨氏家传》，罗月霞主编：《宋濂全集·翰苑别集》，杭州：浙江古籍出版社，1999年，第963页。

⑤ 李飞：《家事与国事：关于贵州遵义出土〈杨文神道碑〉的几个问题》，《四川文物》2021年第3期。又见第九章。

> 宝祐丁巳（1257），虏酋悟浪葛解（按即兀良哈台）出大理，由卜卤、乌玚以攻罗鬼。杨君具以实闻，上忧之，乃□命今节使两府吕公文德驻黄坪。既而播军于阆中生致贼之头目胡撒桂者。御笔："杨文，国之藩篱，斡腹之防，正赖其力□援。转两官，可特与转符节使。"吕公与杨君相会，面言当为申朝廷，行下□□□制阃，置一城以为播州根本。我且驻黄坪，以蔽沅靖。于是筑龙岩新城。

据此可知，宋宝祐五年（1257），大理蒙军由兀良哈台率领，拟经罗鬼（今贵州毕节），取道播州、思州以攻沅靖（今湘西）的消息传来，杨氏上奏，宋廷令已移驻黄坪（今贵州黄平）的京湖帅臣吕文德继续向西深入，联结土官杨文共同布置播州防务，两人相议"置一城以为播州根本"，"于是筑龙岩新城"。筑城的目的，是防御"斡腹"东进的蒙军。吕文德入播的时间，《宋史·理宗四》记为：宝祐六年（1258）秋七月，"乙亥，吕文德入播州，诏京湖给银万两"[①]。与杨文神道碑所载的时间相差了一年。但据《宋史全文》，宝祐五年（1257）九月甲戌，理宗曰："播州乞兵，想事势颇急"。十月戊申，元凤奏："吕文德既入播州，而沅、靖支径尚多，责令措置"[②]。该记载与杨文神道碑所记完全吻合，即宝祐五年（1257）九月，播州告急，宋廷随即派文德入播，遂有议置龙岩新城之举，对此《宋史》失记。次年（1258）七月，文德乃二度入播，并在经费上予以支持。因此，杨文神道碑的记载是准确的，即龙岩新城当始建于宋宝祐五年（1257）十月前后，但如此规模的山城断不可能在当年即完成（仅余两个月），播州的筑城活动在宝祐六年（1258）应仍在进行中，才有该年七月吕文德再入播，并"诏京湖给银万两"之举。

海龙囤宋代遗存中的瓦、瓦当等建筑材料与杨文之父杨价（？～1243）墓墓园所出者的一致性[③]，也表明海龙囤的建筑年代应落在13世纪中叶。两相结合，可以确定龙岩新城（海龙囤）应始建于宝祐五年（1257）秋。

事实上，杨氏在蒙军逼近前筑了两城，而不仅仅"置一城以为播州根本"。囤东2.5千米处的养马城，其主体为南宋遗迹，所出瓦、瓦当建筑材料与海龙囤相同，表明其建筑年代相当。两城规模相仿，海龙囤为38万平方米，养马城为35万平方米。两城都筑于山地，不过海龙囤地势更为险峻，号"飞鸟腾猿不能逾者"；养马城则相对平缓，是众山环绕中的山顶小盆地，城垣沿山脊蜿蜒，因山为守。同一时期规模相当的两城并峙，杨文神道碑既将海龙囤的前身称为"龙岩新城"，则意味着养马城可能为"老"龙岩城，亦即虽是同一时期在相同的背景下为抗蒙而建，但养马城的始建年代可能较海龙囤稍早。海龙囤上的南宋遗迹除垣墙、门址和城内零星小规模建筑外（包括沿城垣修建的哨台和构树遗址），迄未见可确定的衙署遗址。

① （元）脱脱等：《宋史》卷44《理宗四》，北京：中华书局，1977年，第862页。

② （元）佚名撰，汪圣铎点校：《宋史全文》卷35《宋理宗五》，宝祐五年九、十月条，北京：中华书局，2016年，第2862、2863页。

③ 资料现存贵州省文物考古研究所，另参见贵州省文物考古研究所、中国社会科学院考古研究所、遵义市文物局：《贵州遵义市新蒲播州杨氏土司墓地》，《考古》2015年第7期。

养马城则除城垣、城门外，还有结构完整的南宋衙署。这一区别可能暗示了养马城有更为充裕的修筑时间，即在蒙军宝祐三年（1255）攻陷大理而其取道思播“斡腹”东进传闻不断的情况下，早有“于诸路险要去处，众□城筑”（杨文神道碑）意识的杨文，可能已着手筑城以御蒙军而率先修建了养马城，即“老”龙岩城。养马城中布局严整的南宋衙署的存在，反映了杨氏也做好了必要时迁移治所的准备，与川渝境内同一时期的抗蒙山城一样。在得到宋廷支持后，杨氏才选择更为险峻之地再建新城，是为“龙岩新城”。这样的推论，还有待更多证据的支持。但无论孰先孰后，海龙囤与养马城在南宋晚期形成了双城拱卫的防御格局。

这类在蒙军“斡腹”东进背景下兴建的山城具有三个鲜明的特点：①在分布空间上，均在长江以南。这是因为在蒙军采取“斡腹之谋”以前，宋军主要是在四川、京湖和两淮三地向北防御南下的蒙军，而长江是其据守的底线，因此杨文“保蜀三策”中的下策是“保一江以自守，敌去敌来，纵其所之”。而在蒙军攻陷大理之后，长江防线事实上已被突破，西向防御东进的蒙军成为宋军防御计划的一个重要方面。故而这些山城均建在长江以南地区。②其防御的重心是自大理“斡腹”东进的蒙军，与川渝等地山城以北向防御南下蒙军为主要取向的防御重心存有不同。③修筑时间整体偏晚，主要集中在宝祐三年（1255）至开庆元年（1259）间，川渝地区的抗蒙山城则在余玠治蜀时（1243～1253）即已形成防御体系，而开庆元年（1259）夏蒙哥战死合川钓鱼城之后，兀良哈台北归，“斡腹之谋”宣告终结，宋廷西面的压力得以缓解，长江以南的筑城活动逐渐消停。故而这类分布在长江以南，为抵御蒙军“斡腹之谋”而修建的山城可称之为“斡腹山城”。同类性质的山城，除海龙囤与养马城外，可识别的尚有重庆南川龙岩城（建于1256年）、四川兴文凌霄城（建于1257年）、贵州桐梓鼎山城（建于1258年）、贵州黄平城（建于1258年）、湖北恩施柳州城（建于1259年）和“思州三隘”等[①]。因此，“斡腹山城”是宋廷的国家防御工程。播州城隘的修筑，得到宋臣的智力和财力的支持，也得到接壤的思州土官的援助，《宋史·理宗四》即记宝祐六年（1258）四月丁酉，“诏田应己思州驻扎御前忠胜军副都统制，往播州共筑关隘防御”[②]。

由于“斡腹”蒙军最终取道广西而入湖南，所以包括海龙囤、养马城等在内的贵州境内的“斡腹山城”实际上并未真正投入使用。元取天下之后，对多数抗蒙山城予以“撤毁”。据《元史·世祖本纪》记载：至元十五年（1278）八月，“安西王相府言：‘川蜀悉平，城邑山寨洞穴凡八十三，其渠州礼仪城等处凡三十三所，宜以兵镇守，余悉撤毁。’从之。”[③]播州两城亦应在撤毁之列。因此，海龙囤与养马城在元代应处于荒废状态。

① 李飞：《宋蒙战争中的“斡腹之防”：以山城为中心的考察》，四川大学博物馆、四川大学考古学系、成都文物考古研究院编：《南方民族考古》（第二十三辑），北京：科学出版社，2021年，第277～307页。

② （元）脱脱等：《宋史》卷44《理宗四》，北京：中华书局，1977年，第862页。

③ （明）宋濂等：《元史》卷10《世祖七》，北京：中华书局，1976年，第204页。

（二）明代重建

入明之后，洪武“重典治国”，播州“斡腹山城”应继续荒废，直至万历年间杨应龙对其进行重新修缮并投入使用，“以为子孙万代之基，保固之根本耳”（《骠骑将军示谕龙岩囤严禁碑》）。明人郭子章《黔记》载：“土司无城，例也，惧尾大也。即播悍且叛，不敢城夜郎。今水西、永顺、保靖，犹无城也。”[①]“土司无城”的成例可能在元代即已执行，明代因循之。该“成例”的目的乃是防范土司尾大不掉，在此限制下，非有特殊情况土司辖境当不会有“城”的出现。海龙囤与养马城中，可确定的遗迹只有南宋晚期与明代晚期两期，另有零星的元或明代早中期瓷器，当为使用至明代晚期的传世品，并不能作为彼时两城尚在使用的证据。因此，“土司无城”有力地概括了海龙囤（及养马城）元代以降至明万历之前所处的状态，以往认为海龙囤由杨文创于南宋晚期，元明时期杨氏各代土司逐步扩建，明万历时杨应龙再度昌大其颜遂成今之规模的观点是错误的，作为“城”的海龙囤，只存在于一头一尾两端，其间并未再建。

明万历时期，土司杨应龙与辖下“五司七姓”交恶，贵州奏告于朝，廷议剿抚不定，播州形势急转直下，继而打破了“土司无城”的成例。所谓“五司”指播州宣慰司辖下的各小土司，实有黄平、草塘二安抚司，播州、真州、白泥、余庆、重安、容山六长官司，另有瓮水长官司，无印信，亦称长官，即为“八司”或“九司”。“七姓”，又称“七姓奏民”，指田、张、袁、卢、谭、罗、吴七姓氏，“一遇军兴，非七姓不能举大事，故七姓世为目把，余姓为小民”。杨氏“外统八司为藩卫，内倚七姓为根本”[②]。据《神宗万历实录》，万历十八年（1590）十二月，贵州巡抚叶梦熊向朝廷疏论杨应龙“凶恶诸事”，起因当是“五司七姓”受应龙凌辱而先向贵州告了状，之所向贵州告状，在于彼时的播州乃川贵两辖，其地“虽辖四川，其部内五长官司钱粮兵马则俱属贵州总之”[③]。此后，播州形势逐步恶化，并爆发了史称“万历三大征”之一的播州之役。对该过程，《明史·李化龙传》所记尤详：

> （万历）二十七年（1599）三月，化龙起故官，总督湖广、川、贵军务兼巡抚四川，讨播州叛臣杨应龙。应龙之先曰杨铿。明初内附，授宣慰使。应龙性猜狠嗜杀。数从征调，恃功骄蹇。知川兵脆弱，阴有据蜀志，间出剽州县。嬖小妻田雌凤，谗杀妻张氏，屠其家。用诛罚立威，所属五司七姓不堪其虐，走贵州告变。巡抚叶梦熊疏请大征。诏不听，逮系重庆狱。应龙诡将兵征倭自效，得脱归（引者按：据

① （明）郭子章：《黔记》卷5《舆图志二·龙泉县城》，贵州省文史研究馆编：《续黔南丛书》（第一辑），贵阳：贵州人民出版社，2012年，第1120页。

② （明）诸葛元声：《两朝平攘录》卷5《播上》，《续修四库全书》，上海：上海古籍出版社，1995年，第434册，第188页。

③ 贵州民族研究所编：《〈明实录〉贵州资料辑录》，贵阳：贵州人民出版社，1983年，第934、950页。

《明史·播州宣慰司传》事在万历二十年，下同）。复逮，不出。四川巡抚王继光发兵讨，覆于白石，应龙诿罪诸苗（事在万历二十一年）。朝廷命邢玠总督（事在万历二十二年）。值东西用兵，势未能穷治，因招抚之。应龙益结生苗，夺五司七姓地，并湖广四十八屯以畀之，岁出侵掠（事在万历二十四、二十五年）。是年（万历二十七年）二月，败官军于飞练堡，都司杨国柱、指挥李廷栋等皆死。已，复破杀綦江参将房嘉宠、游击张良贤，投尸蔽江下。伪军师孙时泰请直取重庆，捣成都，劫蜀王为质，而应龙迁延，声言争地界，冀曲赦如曩时。化龙至成都，征兵未至，亦谬为好语縻之。帝闻綦江破，大怒。追褫前四川、贵州巡抚谭希思、江东之职，而赐化龙剑，假便宜讨贼[①]。

“五司七姓”走贵州告变的时间当在叶梦熊奏告朝廷的万历十八年（1590）十二月前，此系播州事态恶化的重要原因，因此郭子章称“播叛，五司激”[②]。万历十九年（1591）二月，贵州抚臣“复提应龙罪犯必诛，其所辖五司七姓与土同知俱背之来归，愿属重庆，众叛亲离”[③]。应龙见“贵州复疏及旨意，乃曰：‘朝廷已不容我老杨，我老杨只得拼死做了。’遂领兵以出，妻子泣谏不从，此其意亦叵测矣。”[④]杨应龙重建播州山城即大约始于此时，而晚于万历十四年（1586），据《明史·播州宣慰司》，该年“应龙献大木七十，材美，赐飞鱼服”[⑤]。而这一殊荣，被杨应龙虔诚地铭刻在朝天、飞龙等关的匾额上，其中的朝天关重建于万历二十三年（1595）四月（详见第九章）。《平播全书·叙功疏》记：八路明军并进之后，应龙“惟有胁叛苗、携妻子退据海龙囤而已。彼其数年精力，用之一囤，前后重关，左右深谷，将自谓负隅之虎，莫可谁何？”[⑥]万历二十三年（1595）四月乃朝天关建成的时间，重建年代当早于此。赤水河流域的袁氏土司早在万历十八年（1590）冬，即“为思患预防之图”而于今习水土城建金子、九龙、天赐、七宝等囤，暗示杨氏修筑山城的活动可能亦始于此时。由于袁氏正是“七姓奏民”之一，所以其筑山城的意图十分明显，就是“预防”杨氏的报复；或者杨氏的筑城活动刺激袁氏亦做出相应的举措。杨氏修筑山城的活动，在播州之役全面爆发的前夕仍未停止（详见第十二章）。

除大规模重建海龙囤，适度重修养马城外，海龙囤周边还新建了养鸡、龙爪、望军等山城，《平播全书·叙功疏》记：“海龙囤周围，尚有龙爪、望军、海云等囤，养马、养鸡等

① （清）张廷玉等：《明史》卷228《李化龙传》，北京：中华书局，1974年，第5984、5985页。

② （明）郭子章：《黔记》卷5《舆图志二·龙泉县城》，贵州省文史研究馆编：《续黔南丛书》（第一辑），贵阳：贵州人民出版社，2012年，第1120页。

③ 贵州民族研究所编：《〈明实录〉贵州资料辑录》，贵阳：贵州人民出版社，1983年，第935页。

④ （明）李化龙：《平播全书》卷12《书札·田东翁大司马》，北京：大众文艺出版社，2008年，第383页。

⑤ （清）张廷玉等：《明史》卷312《四川土司二·播州宣慰司》，北京：中华书局，1974年，第8045页。

⑥ （明）李化龙：《平播全书》卷5《叙功疏》，北京：大众文艺出版社，2008年，第157页。

城，皆海龙羽翼”[①]。再于入播的诸路险要处据立青蛇、玛瑙、长坎、保子等险囤，以堵截明军。据明军的谍报：杨酋自綦江回（按：应龙犯綦江，事在万历二十七年六月），“拒立险囤一十七个，修挖堑坑”[②]。但其实际数量当不止于此。最终形成以海龙囤为中心，其周边数城拱卫，互为羽翼，远端诸路险要处再置险囤，层层防御，左右呼应，前后相接的“蜘蛛网状”播州山城防御体系（详见第十二章）。此时的播州山城，特别是海龙囤，不但有厚实的垣墙、高大的门楼，还建有土司衙署，乃名副其实的“城”，因此郭子章“即播悍且叛，不敢城夜郎”的描述并不尽准确，杨应龙在与明廷的关系恶化之后，在“我老杨只得拼死做了”的心境驱使下，事实上已经打破“土司无城”的成例，在兀起平畴的山巅营建起坚固的堡垒。不过，终被明军摧毁，李化龙“囤为险地，亦为绝地”的判断，可谓一语成谶[③]。

（三）宋明之变

从南宋晚期的“斡腹山城”，到明代晚期的“土司山城”，播境诸山城的变化是十分明显的：①防御重心的转移。宋宝祐五年（1257）秋始建的龙岩新城，是在大理蒙军可能取道思播以攻沅靖的背景下，由播州土官与代表宋廷的京湖帅臣共议共建，并可能得到思州土官支援的防御蒙军“斡腹之谋”的“斡腹山城”，因此为“国家防御工程”。约明万历十八年（1590）起重建的海龙囤，则成为土司用以对抗中央王朝的防御工事。自宋至明，其防御重心发生了从国家防御到地方性防御的转移。②防御理念的强化。现存的南宋晚期播州“斡腹山城”，由海龙囤和养马城组成，双城拱卫，互为屏障；结合文献记载，可能还有同时期的其他小型城隘存在，但已不可考。万历时期，则无论在单座城的规模（尤其反映在海龙囤上），还是在山城的数量上都极大加强和增多，形成以海龙囤为中心，数城拱卫，诸路险要处另筑山城的“蜘蛛网状”山城防御体系。③建筑用材的变化。海龙囤与养马城的城垣均以就地开采的片状砂岩叠砌而成，可能与战事迫近而筑城匆忙的背景相关。已知的播州明代“土司山城”，则在沿用宋墙的基础上，主要以在专门采石场开采的方正灰岩砌筑城垣与房基。与砂岩相比，灰岩因硬度更高而不易开采，意味着需更多的投入。用材的变化，反映了南宋创建时的被动与仓促，以及明代重建时的主动与从容（详见第二、七、十章）。④相关遗物的多寡。整体而言，南宋遗物少而明代遗物多。南宋遗物主要有瓦、瓦当等建筑材料，以及以礌石为代表的兵器，还有以瓷器为代表的生活用器等，后两者的数量均较少。明代遗物则涵盖了建筑材料、兵器、生活用器与粮食作物等，异常丰富。究其原因，当因“斡腹山城”建好后并未真正投入使用，而“土司山城”则成为播州之役的重要战场之故。正如明军所判断的，播军最后“惟有胁叛苗、携妻子退据海龙囤而已”，杨应龙确在退守海龙囤前即将财物有计划运至山巅，并在万历二十八年

---

① （明）李化龙：《平播全书》卷5《叙功疏》，北京：大众文艺出版社，2008年，第140页。

② （明）李化龙：《平播全书》卷7《塘报播事》，北京：大众文艺出版社，2008年，第241页。

③ （明）李化龙：《平播全书》卷4《克破龙爪等囤五报捷音疏》，北京：大众文艺出版社，2008年，第110页。

（1600）四月十六日退守海龙囤至六月初六日溃败为止，在囤驻守近50日，故而囤上遗有一批代表身份与地位的“官样瓷器”（详见第一章）。自宋至明，唯一不变的是，炮台、枪眼等火器相关设施并未出现在海龙囤上，表明播州直至明万历时期尚未拥有火器，明代文献中“播贼无火器”的记载亦可证实这一点[①]。播州之役，至少有30万人参战（明军24万，播军约10万之数）[②]，明军掌握了先进的火器（并有日本俘虏参战，或充当火枪手），而播军仅有滚木、礌石与刀、箭等冷兵器。在此意义上，播州之役可能是中国历史上最大规模的冷兵器与火器的交锋（详见第一章）。此外，俱用石灰填缝，明代黏合剂为纯石灰，不含淀粉，即非一般认为的糯米灰浆。南宋情况不明，推测亦然（详见第十章）。南宋养马城则用黄黏土作黏合剂，未见石灰（详见第十二章）。

从“土司无城”的视角，可以动态观察海龙囤在不同时期的历时性变迁，从而彰显其意义。即自南宋晚期至明代晚期，海龙囤存在一个从土官与中央王朝共建的“国家防御工程”（“斡腹山城”）到土司自保的工具（“土司山城”）的重大变化；而在此之间，由于“土司无城”的成例，它曾是一片荒芜的原野。

二、家衙一体：从平原城到山城

（一）山城格局

1. 城郭：大城与瓮城

由于是在宋城的基础上“重缉之”，因此在外部轮廓上（城郭），明代海龙囤借用了南宋龙岩新城的诸多要素，特别反映在大城的南北城垣上。明代的重修重点是对诸关（城门）以及与之相连的局部城垣的扩建，体量更为宏阔，西端有所延展，同时兴建了衙署及其他相关设施。整体上，明城由大城、内城以及东西各两重瓮城组成。大城居囤顶，南北为悬崖，防御压力不大，故沿用宋墙。东西瓮城，西侧瓮城自外而里分别为土城、月城，各设后关、西关为其城门，万安关则为大城西门；与西侧相比，东侧瓮城并不明显，由朝天关与飞龙关之间的囤顶封闭空间（朝天关瓮城），以及飞龙关、飞虎关、铁柱关、铜柱关及其相连城垣组成的东缘封闭空间（飞龙关瓮城）所组成。后者于外缘城垣上开门二道（铜柱关与铁柱关），中央经三十六步与飞虎关，再沿“龙虎大道”而抵于飞龙关前。此外，再于囤前白沙水河谷中自外而里分设海崖、海道、龙凤和海门四关，但均已不存。朝天关为大城东门，其内侧的飞凤关实为“太平关”，不具防御功能，应是一个举行相关活动的仪式性空间。道路串联于各关与大城内

---

① （明）李化龙：《平播全书》卷12《书札·陈总兵》，北京：大众文艺出版社，2008年，第422页。

② 明军之所以派出24万，是基于播军“不下十四五万，羽翼已成”的判断而做出的。参见（明）李化龙：《平播全书》卷1《请内帑、增将兵疏》，北京：大众文艺出版社，2008年，第28页。

各建筑群间（详见第一、二、五章）。

宋城外围除大城南北城垣与囤西土城墙外，多包裹于明代城垣内，格局因此不是特别清晰，但结合局部暴露的垣墙及零星南宋瓦砾，仍能做出基本判断。首先看西线。南宋囤顶大城的西界抵于土城墙一线，其上设南、北、中三门，并有门楼。万安关南侧城垣中局部暴露的宋墙，以及万安关零星发现的南宋板瓦瓦砾，表明囤西应有一重瓮城，设于万安关与土城墙之间，万安关应在南宋西瓮城之门的基础上重建。土城墙在万历时期业已废弃不用，因此明代大城的西界抵于万安关。再看东线。与万历时期一样，朝天关应为南宋大城的东门，该关之外的墩台是在南宋墩台的基础上扩建的；而在朝天关发现的少量南宋板瓦与南宋影青刻花碗、白瓷印花碗残片等遗物，表明明代朝天关确如其门匾铭文所说的那样，是在南宋门址基础上“重建”的。朝天关以北的转山一线，保留有较完整的南宋城垣，成为大城的东缘，与飞龙关隔离开来。朝天关南宋墩台外侧有局部宋墙延向飞龙关方向，飞龙关出土的零星南宋瓦砾，表明其情景与朝天关类似，亦是在南宋门址基础上“重建”。基于此，朝天关的前身为南宋大城的东门，朝天关至飞龙关之间构成宋城的第一重瓮城。飞龙关以下，东缘的铜柱与铁柱两关之间的明代城垣内包裹有数十米长的南宋城垣，表明宋城的东界已达于铜柱关与铁柱关一线，此当为宋城东端的第二重瓮城。但第二重瓮城以里的道路是否与明代相同，即经由“龙虎大道”而至飞龙关，则囿于材料的阙如已不得而知。除此之外，沿南宋大城城垣，彼时尚建有哨台18座，但除绣花楼外，其余在万历时均未予以重建（详见第二章）。

整体而言，明代海龙囤的格局在南宋龙岩新城时即已基本奠定，仅西线稍向外延展。宋城由大城、东部两重瓮城与西部一重瓮城组成。明代大城则向西推至万安关一线，其外新建二重瓮城；东部的格局与宋城基本一致。

2. 内城：明代土司衙署新王宫

大城内部，目前发现的遗迹主体在明万历时期，南宋遗迹除沿城垣分布的哨台外，仅见构树一处（F39），虽遗物丰富，但地势逼仄，应非衙署所在（详见第八章）。因此囤内尚无可确定的南宋衙署发现，至于是否叠压于新王宫之下，尚有待未来工作予以揭示。

新王宫是明万历时期的土司衙署，因有独立垣墙围合，故又称“内城”。《平播全书·叙功疏》记：六月初五日，刘綎、李应祥率明军“将月城拆倒，将土城、月城楼，同刘总兵即时放火烧毁。贼奔大城死敌，自午至申，应龙父子亲领苗贼披坚出城，冲突三次。每次我兵用佛郎机、百子铳等项直对城门齐打，贼被伤退回”。当晚，明军“就于月城扎守”。初六日黎明，吴广、陈璘率“各路兵一齐登城，拥入内城。贼酋杨应龙将卧房发火，同爱妾缢死，要得自焚。时五路总兵官齐围贼衙。”①土城与月城为囤西两重瓮城，已如前述。明军进入月城后，“贼奔大城死敌”，万安关为大城西门至为明了。六月初六日黎明，明军攻破万安关，“登城”（即大城）后“拥入内城”并“齐围贼衙”，表明“内城”即“贼衙”即新王宫。南

① （明）李化龙：《平播全书》卷5《叙功疏》，北京：大众文艺出版社，2008年，第154页。

宋平江府城有内外两重城垣，即分别称外城（或大城）、内城（又称子城或府城），其中内城为府衙所在[①]。海龙囤在整体格局上，由瓮城、大城和内城（衙署）组成。

新王宫在《平播全书》中被记为“衙”“衙宇”“衙舍”“衙院”“酋房”“杨应龙宅内”“杨应龙住宅”等，明确其为衙署[②]。《骠骑将军示谕龙岩囤严禁碑》中记及“守衙小童”，亦表明囤上有“衙”。从选址看，新王宫前朝后靠、左湾右抱，具有明显的砂的意象，与同时期衙署的风水取向相同。从格局看，新王宫不仅有围合的垣墙，且规模宏大、布局严整，具有中轴对称、大堂居中、厅堂五间七架、大门三间三架等特点，与明代三品至五品官员的房屋之制吻合，亦与同时期其他府县及土司衙署的格局一致。衙署整体呈三进三路的格局，中轴线上依次设大门、仪门、六房（两厢）、大堂、二堂和卧房（稍偏左）等；左路后端一组方向与中轴线稍有不同且率先起建的建筑（F9、F17与F18等），应为其“家庙”，合于朱熹《家礼》中“君子将营宫室，先立祠堂于正寝之东”的要求[③]（详见第三章）。

3. 辅助设施

囤上还有军营、粮仓、寺观、教场坝等辅助性设施，分布于大城与瓮城之内，不与衙署混同（详见第八章）。

军营。可确定的军营遗址有大土F31，紧邻万安关，居大城城垣内侧，当为屯军驻守之所。此外，据《平播全书·六报捷音疏》记载：五月初十日，明军“夺取铁柱关，掀挖城垣五处，每处约长五六丈。烧毁三层城楼二座（引者按：应即铜、铁柱关城门楼），房屋数处。”[④]“房屋数处”，应分布于铜、铁柱关以里的平台上，迹今无存，从所处位置判断，其性质应与大土F31同，即为军营。

粮仓。海龙囤有专门的“运送口粮帮户”与“守仓户”（《骠骑将军示谕龙岩囤严禁碑》），表明囤上置有粮仓以屯粮，这反映的是战前的情况。战争过程中，据《平播全书·行道、镇破酋狡计》记载，囤上粮仓达“三四千间”。文曰：“应龙与心腹、庄局、家丁、内亲管，估刻一万七千人，同上海龙囤拒守，本囤实在仓米大小三四千间”[⑤]。杨寅秋《临皋文集》则称“囤之粮可支岁余”[⑥]。以每人每天需食粮200克计，1.7万人岁余需粮千吨以上；以实际据守的约50天计，亦需百余吨；故需巨大空间予以储存。囤上目前未见可确定的粮仓遗迹，推测老王宫中的部分建筑应即规划中的粮仓。但随战事的展开，囤上包括衙署在内的许多

① 郭黛姮：《南宋建筑史》，上海：上海古籍出版社，2014年，第62、63页。

② （明）李化龙：《平播全书》卷7《破囤塘报》，北京：大众文艺出版社，2008年，第254～257页。

③ （宋）朱熹：《家礼》卷1《通礼》，朱杰人等主编：《朱子全书》，上海：上海古籍出版社、合肥：安徽教育出版社，2002年，第7册，第875页。

④ （明）李化龙：《平播全书》卷4《六报捷音疏》，北京：大众文艺出版社，2008年，第113页。

⑤ （明）李化龙：《平播全书》卷9《行道、镇破酋狡计》，北京：大众文艺出版社，2008年，第317页。

⑥ （明）杨寅秋：《临皋文集》卷3《上内阁沈蛟门》，《景印文渊阁四库全书》，台北：台湾商务印书馆，1986年，第1291册，第693页。

建筑都改变了最初的规划，挪作粮仓之用（详见第三、四、十一章）。

寺观。《严禁碑》中提到囤上有专门的“住持人”，“住持”乃佛道术语，表明囤上可能建有佛寺道观。另据道光《遵义府志》援引旧《綦江县志》云：

> 鲁一冲住仙源洞修真。播逆杨应龙修醮于海龙囤，以利剑锷逼令道士手紧握而不伤者，为有道行，乃不杀。冲闻而往，握之，锋尽卷，遂延为法师。寻遁去[①]。

可见杨应龙重建海龙囤时，确有设坛作法以禳灾除祟之举。这些都是囤上有佛寺道观的旁证。老王宫前端之新庙（F36），是一组万历时期的相对独立的台阶式建筑，结合所遗“新庙”之名，其系一组佛寺遗迹的可能性较大（详见第四章）。而朝天关北侧转山之上的F33，是一组方形的阁楼式建筑，四角各立硕大石础四个，民间称“玉皇阁”。此或即当年的“修醮”之所，即系一处道观遗迹，战时则可作“军事观察所”之用（详见第八章）。新王宫与万安关之间的F32，亦是一组相对独立的三合院式建筑，由五开间的正房与三开间的左右两厢组成，民间称其为“金银库”，意即土司储存金银之地，但从其所处位置看（当于囤后入新王宫的首冲之地），这一可能性可以排除。结合建筑规制，我们认为其为海龙囤之“城隍庙”的可能性最大，非常时期则可兼作军营与粮仓之用（内出丰富的粮食作物）。“金银库”一名，疑系“军营”之讹（详见第八章）。

“教场坝”是民间对囤顶南缘，采石场与绣花楼之间一条平坦而狭长地带的称呼，面积约4000平方米。未见相关遗迹，但此系囤顶面积最大的平阔之地，也是操练兵卒的不二之选。道光《遵义府志·艺文》录有“后较场”诗，知其名由来已久，并非新创，故可作为该场地确应为教场坝之一证。教场坝东南的构树，有一组南宋建筑（F39），遗有大量A型板瓦、筒瓦和勾头、滴水，是囤上目前南宋遗物最集中的区域，但地势逼仄，不大可能为衙署，而较可能与教场相关，是教官办公、休憩之所，即教场南宋便有，明代沿用）（详见第八章）。

（二）平原城：司治播州城

有迹象表明，万历年间重建海龙囤时，参考了司治播州城的诸多要素。或者说，海龙囤大城与衙署（内城）的布局，是以播州城及其内播州宣慰司司治为蓝本来规划的。

1. 寺观

自12世纪晚期以降，今湘江畔的遵义老城一直是播州的政治、经济和文化的中心，宋明文献中又称之为“播州城”。明代土司治下的“播州城”，其内有衙署（播州宣慰司司治）、街坊、寺观等，但无城垣，是一座无墙之城。

---

① （清）郑珍、莫友芝编纂：《遵义府志》卷31《土官》，成都：巴蜀书社，2013年，第597页。

城之内外至少有三坊二街。坊有清湘坊、卧龙坊、仁坊；街有兴隆街、打铜街。城内及其周边的寺观，则有玉皇观、玄妙观、集贞观、普济庵、文庙和城隍庙等。玉皇观，始建于宋宝庆三年（1227），在西碧云峰下、公府西北隅。玄妙观，在司治之东，宋嘉定间建，明洪武中重修。集贞观，在司治西，元至正间建，明洪武末重建。普济庵，在府北三里普济桥侧，弘治前即有。文庙，据《勘处播州事情疏》记：成化二十二年（1486）四川官员“翟庭蕙诣文庙行香”，“不合在本学仪门下坐看”迎赛壁山土主的活动，知文庙与儒学合一，设有仪门。播州城如同明代其他城市一样，也设有城隍庙，在治东丁字口，平播后改建于治北。若以播州宣慰司司治坐西向东论，寺观多集中于衙署之前后（东西）两端，普济庵在治北（详见第十二章）。

海龙囤因是“禁地”，故无街坊之设，但佛寺、道观与城隍庙等均未缺席，这既是明代城池建设的常态，亦可见杨应龙是以播州城为蓝本重建海龙囤的。

2. 司治

播州宣慰司司治又名“忠孝堂”，是杨氏大宗（即袭土司位者）处理政务与生活的地方。其址在今遵义老城内的十一中所在地，这里地势开阔，西依胜龙岗（府后山），南靠红花岗，东临湘江，风水绝佳。结合地形，衙署当背靠胜龙岗（靠山），前临湘江，整体坐西向东（详见第十二章）。

该区域内有零星遗迹、遗物发现，但未进行系统勘探与清理，不过结合文献可以勾勒司治的大致格局。据明人何乔新《勘处播州事情疏》记载：

> 亲至杨爱住宅内看得：并无五门牌扁及嵩呼门、金水桥，中庭扁作“忠孝堂”，亦不曾僭称宫庭。睡房俱无贴金描画及金龙绕柱，卧床亦无雕刻龙凤。其祖先堂承恩堂并小厅、左右角门，俱有飞檐转角，放印亭重檐圆顶。杨爱并伊伯母田氏住房及中厅前俱有月台，台下各有水池，池中各搭石为桥，周围俱有青石阑干，俱系杨昇存日起盖。西边又有玉皇祠，中塑圣像，左右二柱各有木刻金装龙一条，系元朝元统元年（1333）杨爱六世祖杨嘉贞起盖[①]。

其正庭（又作中庭或中厅）即土司办事的忠孝堂，悬有匾额，旁有祖先堂（承恩堂）与放印亭。土司卧房与正庭前设月台，月台下有水池，池上搭桥，桥周有青石栏杆。复原起来的大致格局，自前而后依次为：三开正门（五门僭越），重檐圆顶放印亭，水池（上搭带栏杆石桥），月台，中庭（忠孝堂），月台，土司住房。其祖先堂（承恩堂）应设于中庭之左，衙署之西为玉皇观（祠）。整体呈前堂后室、左祖（祖先堂）、西观（玉皇观）的格局。

① （明）何乔新：《勘处播州事情疏》，《丛书集成初编·张司马定浙二乱志（及其他二种）》，北京：中华书局，1985年，第94、95页。

祖先堂，即承恩堂，即家庙，始建于13世纪初杨粲领播时。据元人程钜夫所撰《忠烈庙碑》：宋嘉定六年（1213）杨粲“考典礼，建家庙，以祀五世。奉太师公为始祖，百世不迁，余则有夹室以奉祧主”，又“咸淳四年（1268），考惠敏公又请于朝，锡今庙号（按即忠烈庙），刻家训于石榜，崇孝于楼”[①]。知家训碑立于家庙内。另据《勘处播州事情疏》记：成化二十二年（1486）七月初九日“翟庭蕙与杨纲、谢士元同到杨爱家看祖训碑”[②]。知家庙在“杨爱家”，即宣慰司衙署内。而据朱熹《家礼》的要求，应立于左路。要之，杨氏家庙，位于司治之内，居其左路（详见第三、十二章）。

海龙囤上土司衙署（新王宫）选址的前朝后靠，整体格局的前堂后室、家庙居左等俱与司治保持一致。加以周边的寺观与城隍庙等，明代海龙囤的大城几乎就是彼时播州城的翻版。所不同处在，海龙囤因更突显其军事性（《骠骑将军示谕龙岩囤严禁碑》所谓“此乃禁地”）而附属设施稍少，海龙囤有城垣而播州城无，播州城有街坊而囤上无。

3. 再说“土司无城”

前揭郭子章《黔记》有载：“土司无城，例也，惧尾大也。即播悍且叛，不敢城夜郎。今水西、永顺、保靖，犹无城也。”结合上下文，这里的“城”，当就带有城门楼、女墙等设施的高大城垣而言。这一记载表明，土司治所周边是不得修建类似城垣的，播州城亦不例外。根据文献的记载，播州城在播州之役中十分不堪，兵力不强的明军安疆臣路不到一日即攻克之，反映其虽称为“城”，但并未设防御性城垣。这符合郭子章“土司无城”的论断。针对遵义老城现存城垣的调查也证实了这一点，目前所发现的环播州城的城垣，最早仅能追溯至明万历二十九年（1601），即在平播设遵义府后，而土司治下的播州城确实“无城”，即是一座无墙之城（详见第十二章）。

但按郭子章的界定，海龙囤无疑是一座“城”，具备了彼时府、县城垣该有的所有特点（详见第二章）。如前所述，这表明杨应龙在与明廷交恶之后，在“我老杨只得拼死做了”的心理驱使下，实际上已打破“土司无城”的成例。

（三）平原城与山城的互动

以播州城为蓝本修筑的山城，对司治而言是一种什么样的存在？用当下流行的话讲，山城乃平畴之上司治（平原城）的“备胎”，以备不时之需。所演绎的，是特殊情况下逃离日常所居的谷地，暂住山巅据险自守的“上山的艺术”。这样的故事，曾在山地中国反复上演，折射的是曾经动荡不安的社会环境。

---

① （元）程钜夫：《雪楼集》卷16《忠烈庙碑》，《景印文渊阁四库全书》，台北：台湾商务印书馆，1986年，第1202册，第222页。

② （明）何乔新：《勘处播州事情疏》，《丛书集成初编·张司马定浙二乱志（及其他二种）》，北京：中华书局，1985年，第64页。

1. 南宋山城：虚设的治所

南宋抗蒙山城的一个普遍特点，是择山险水丰之地构筑高海拔城池，并将治所迁移其中，以与蒙军作持久的对抗。重庆合川钓鱼城、贵州桐梓鼎山城等均为其例。播州山城亦不例外。

养马城内有明确的南宋衙署，其平面略呈长方形，四周环以石砌垣墙，南北长约110、东西宽约80米，面积近1万平方米。前设高峻的谯门，次为两厢，后为大堂，堂后两池。整体坐北朝南，背靠豪高坡（靠山），下临白沙水，隔水有向山。前后山峦、白沙水与衙署中轴线，形成其山水格局。这是贵州目前所见的唯一的南宋时期衙署遗址。结合明代以司治为蓝本新建海龙囤衙署的实情，亦当可从养马城衙署遗址大略推知12世纪晚期以来位于今遵义老城内的时之白锦堡堡治的格局。据元至正六年（1346）《玉皇观碑》（明重刻）记载：宝庆三年（1227），杨价在公府西北隅建玉皇观。文曰："十有三传，至宋忠显庙威灵英烈侯价，天挺英豪，聪明勇智。公余之暇，常登高眺望，谓城西碧云峰下、公府西北隅，夷衍清胜，健然有神仙窟宅气象"①。结合玉皇观的位置可知，明代播州宣慰司司治是在南宋白锦堡堡治（公府）的基础上扩建的，其山水格局在南宋时即已奠定。很显然，养马城的衙署当是为迁移播州城内治所而准备的（详见第十二章）。

遗憾的是，海龙囤上迄未发现可确定的南宋衙署遗址。新王宫F10下叠压的K7，是一个相对年代较F10早的遗迹单位，但因缺乏可资断代的遗物而难以确定具体建于何时。从养马城衙署大堂之后设对称水池的布局看（钓鱼城南宋衙署亦同此），不排除其正是大堂之后类似设施的可能。换言之，海龙囤上如若也建有南宋衙署，则其叠压于明代衙署之下的可能性最大。而当播境两座"斡腹山城"都建了衙署，彼此之间及其与播州城内治所之间是何关系？目前的材料尚难做出准确的回答。

两座山城建好之后均未真正投入使用，形同"虚设"，"斡腹"蒙军并未取道思播，两城内并不丰富的南宋生活用器与兵器等遗物，也反映除建城活动本身之外，其上人员的活动在南宋时并不频繁。

2. 明代山城：作为行署与中心的海龙囤

明万历时期重建后，情况则有所不同，它们最终都成为真正的战场。作为山城中心的海龙囤，被土司注入了最多的心血，所谓"彼其数年精力，用之一囤"，而形成"以海龙囤为老囤，以四围边界扎子囤，酋居中调度"的防御格局②，主次关系十分清晰。养马城虽继续被使用，但重修的幅度并不大，衙署亦然。播州之役中，养马城成为杨应龙辖下诸头目家眷的暂住地，《平播全书·宣谕》记："五司七姓"等各头人，杨应龙"如今将你妻子监在养马城、养

---

① （清）郑珍、莫友芝编纂：《遵义府志》卷11《金石》，成都：巴蜀书社，2013年，第184、185页。

② （明）杨寅秋：《临皋文集》卷4《平播覆议机宜》，《景印文渊阁四库全书》，台北：台湾商务印书馆，1986年，第1291册，第751页。

鸡城，这是什么道理？”[①]亦即此时的养马城衙署并未发挥衙署的功能。

海龙囤则不然。明军已预判杨应龙最终必退守海龙囤，果不其然。在播州之役的后半程（四月十六日之后），杨应龙退守海龙囤，衙署真正为其所用，此时的海龙囤乃播州的中心所在。而在战前以及战争的前一阶段，杨应龙即已在囤上做了大量准备，除修建城垣、衙署等设施，以及运送口粮外，还将财物陆续转移至囤上。四月十三日，明军即截获了一支正“搬运家财皮箱上囤”的播军[②]。囤上传世的《骠骑将军示谕龙岩囤严禁碑》，未铭年月，但从内容看，当大致书于朝天关与飞龙关建成的万历二十三至二十四年间（1595 ~ 1596）。彼时囤上已设总管、总领、把总、提调、书吏及住囤医生等职，并有“官差取发物件人役”穿梭于司治与海龙囤之间，土司本人还不时亲临（详见第九章）。可见战前的海龙囤所扮演的角色与战时不同，此时的海龙囤相对于播州城内司治而言，应是一处“行署”，即土司离开行政中心司治后的重要居住与办公场所。清康熙年间的容美土司田氏，其司治为中府芙蓉城，还另于境内各地遍建衙署为其“行署”，至少有宜沙别墅（宜沙行署）、南府、北府（白溢寨）、西府、平山爵府、细柳行署（沁雪园）、山涛阁等7处，土司巡游办公。与之类似，除海龙囤外，大水田、永安庄、桃溪衙等杨氏世修庄园，亦可视为播州土司的“行署”，但置有家庙的海龙囤衙署的地位显然在其他行署之上（详见第十二章）。

要之，与南宋晚期播州山城中的衙署实为“虚设”，并未真正投入使用不同，万历时期海龙囤的大规模重建约始于万历十八年（1590），建成之后曾作为“行署”与司治并存，成为其移驻时居住和办公的重要场所。播州之役爆发后，随播州城内司治的攻毁（四月十三日被明军安疆臣路烧毁），不久土司杨应龙即退守海龙囤（四月十六日），这里成为播州最后的中心。

3. 家衙一体

家衙一体，意为家即衙。土司的官衙，既是其处理政务的场所，又是其生活的地方，文献记载中往往“家”“衙”不分，或将之视为一体，这是土司衙署较之府、县等流官衙署最大的不同。

家庙（祖先堂）在土司衙署内的设置已充分彰显这一特点。家庙乃家族之根，流官断不可能将家庙建于其所司职的衙署内，土司则不然，家庙是强化宗法意识以及强调袭替合法性的需要。朱熹《家礼》称“凡祠堂所在之宅，宗子世守之，不得分析”，“非嫡长子，则不敢祭其父”[③]。杨氏有“立嗣以嫡”的家法，唯有嫡长子方能继承土司职位。如此便不难理解缘何播州城内司治、海龙囤上衙署中均设有家庙。

明代文献里，播州宣慰司司治与海龙囤衙署，均被称为“家”。如《勘处播州事情疏》

---

① （明）李化龙：《平播全书》卷8《宣谕》，北京：大众文艺出版社，2008年，第285页。

② （明）李化龙：《平播全书》卷4《六报捷音疏》，北京：大众文艺出版社，2008年，第113页。

③ （宋）朱熹：《家礼》卷1《通礼》，朱杰人等主编：《朱子全书》，上海：上海古籍出版社、合肥：安徽教育出版社，2002年，第7册，第875、876页。

记，杨辉之妾贯氏住在桃溪庄，因发生偷盗伤人事，“次日早贯氏到于杨爱家说知前情”；又“翟庭蕙与杨纲、谢士元同到杨爱家看祖训碑”；“又蒙委湖广三司委官，会同四川三司都指挥刘昇、右布政使李清、佥事冯宁亲至杨爱住宅内看得：并无五门牌扁及嵩呼门”云云，结合前后文，“杨爱住宅”即宣慰司司治①。总而言之，虽称呼有异，但“杨爱家”“杨爱住宅”与“忠孝堂”均指播州宣慰司司治。同样的情景，也存在于海龙囤土司衙署中。新王宫在《平播全书》中即有“贼衙”“卧房”“衙院”“衙宇”“酋房”“杨应龙住宅”“杨应龙宅内”等不同记载，亦将土司衙署与土司“住宅”并称，反映明代官员的意识中土司“家”与“衙”一致，即家衙一体。部分土司夫人镇墓券中“皇宋播州公宇居”，“维大明国四川道播州在城公宇居”等铭文，也反映了这一特点。土司夫人，理当居“家”中，铭文却称其“公宇居”，即住在衙署内，表明家即衙（详见第三、十二章）。

家衙一体，是由土司制度世有其土、世袭其职的特点决定的，羁縻治下情形相同。这对土司衙署的格局产生了较大影响，而家庙的存在彰显了司治与海龙囤两处衙署对杨氏的重要性，后者符合杨应龙在《骠骑将军示谕龙岩囤严禁碑》中将海龙囤视为“子孙万代之基，保固之根本耳”的定位。

三、播州经济：从农业到副业

如此规模的山城修筑，意味着巨大的人力、物力的投入。南宋时期播州的“斡腹之防”，曾先后两次得到宋廷的经费支持：一次在宝祐四年（1256）五月，“诏以银万两，使思播结约罗鬼为援”；一次在宝祐六年（1258）七月，“诏京湖给银万两”②。凡二万两，这其中的部分，应该就用于山城的修筑。与此同时，播州当也有相应的投入。明代的重建，靠的则是播州自己的产出，以及周边劫掠所得。总之，所需不菲，播州靠何支撑？其经济状况如何？

（一）两宋经济：基于文献的考察

宋代播州的经济状况，并无相应的考古发现来还原，但文献中的零星记载，仍可大致勾勒其一般情景。

1. 寓兵于农所反映的庄园经济

杨文神道碑称赞杨粲的“寓兵于农”政策时说：“当忠烈御郡时，士类羽流，皆称其乐善

① （明）何乔新：《勘处播州事情疏》，《丛书集成初编·张司马定浙二乱志（及其他二种）》，北京：中华书局，1985年，第52、64、94页。

② （元）脱脱等：《宋史》卷44《理宗四》，北京：中华书局，1977年，第857、862页。

而种德，喜儒而好礼。最是寓兵于农，且耕且战，得富国强兵之策，有古规模。”又杨文领播时亦“无事则耕，有事则战，兵民两利”。由于“寓兵于农，且耕且战”，播州因此富庶。这一政策同时也暗示，土地的耕种者并不自由，有随时参战的义务。联系明代的情况，成化与万历时期均有杨氏招引苗僚在其庄田中耕种之事，宋时或亦如是。《勘处播州事情疏》记载：成化十五年（1479），杨友曾将“白泥长官司管下站户杨昌福、田斌水田九十亩，巴必聪等陆地一百亩强占为庄，招引九姓土獠在彼住种”①。万历时期，杨应龙更曾招引“十三姓苗夷”达十万之众在播耕种，同时充当“苗兵”。《平播全书·宣谕》记：“杨应龙当初招你们来，只说叫你们替他当兵，与朝廷出力报效，或与各土司仇杀，原不曾与你们相约同反朝廷。不想他诓得你们来，假以人家地土，与你们种着”云云②。这实质上就是“寓兵于农”。以后推前，羁縻之治下的播州，土官有着更大的自主权，其所推行的或即类似的“寓兵于农”政策。换言之，两宋时期播州实施的可能是将土民更牢固地限制在土地上，并随时征调参战的庄园经济。

2. 养殖业

中原文献对播州杨氏的记载，始于北宋时期的杨贵迁，自此之后即不绝于书。宋熙宁六年（1073）五月，“播州杨贵迁在夷人中最强盛，以老，遣子光震、光荣献鞍马、牛黄、麝香”③。大观初，“诏播州夷界巡检杨［光］荣，许岁市马五十匹于南平军”④。乾道八年（1172）十一月，“播川城白锦知堡杨选进献战马五十匹，并纲帖马十匹”⑤。嘉定十二年（1219），杨粲“复输马三百于蜀帅”⑥。杨氏向宋廷进献的贡品以及向四川捐献的物品以马为主，亦用以出售，且数量不菲，表明两宋时期的播州应已有规模不小的马匹养殖。而杨贵迁又贡牛黄、麝香，亦当有牛的养殖，以及野生或养殖的麝，取其麝香为商品（及贡品）。总之，两宋时期的播州已有一定规模的牛、马等家畜的养殖。

3. 木材贸易

据宋人魏了翁所撰《许奕神道碑》：嘉定四年（1211）七月，许奕知泸州，经制蛮事，时“夷酋杨粲，世服王官，守白锦堡，乞升堡为锦州。事未行，粲已浮杉板万计入贾。公虑其荡

① （明）何乔新：《勘处播州事情疏》，《丛书集成初编·张司马定浙二乱志（及其他二种）》，北京：中华书局，1985年，第23页。

② （明）李化龙：《平播全书》卷8《宣谕》，北京：大众文艺出版社，2008年，第284页。

③ （宋）李焘：《续资治通鉴长编》卷245《神宗》，熙宁六年五月条，北京：中华书局，1995年，第5949页。

④ （元）脱脱等：《宋史》卷198《马政》，北京：中华书局，1977年，第4951页。

⑤ 郭声波点校：《宋会要辑稿·蕃夷道释·蕃夷五》，成都：四川大学出版社，2010年，第336页。

⑥ （明）宋濂：《杨氏家传》，罗月霞主编：《宋濂全集·翰苑别集》，杭州：浙江古籍出版社，1999年，第962页。

水陆之险，命吏驱出而没入之。”[①]杨粲“浮杉板万计入贾”应是沿赤水河入长江而抵于泸叙（今四川泸州、宜宾）境，因为担心巨量杉板对水陆交通造成威胁，许奕下令驱逐并没收了木材。这是关于杨氏进行木材交易的最早记录。播境因为盛产良材，木材在其政治与经济生活中一直扮演着重要的角色。如前所述，万历十四年（1586）杨应龙即因“献大木七十，材美”，而被赐予飞鱼品服。明人何乔新《勘处播州事情疏》有数条关于土司杨辉父子进行木材买卖的记载：

（1）景泰六年（1455）四月内，杨辉访知马湖府土民李鉴等在于本州地名花崖溪偷砍杉木数多，杨辉带领土军人等将李鉴等赶散，遗下杉枋二千余块，令冠带民人阎昂借倩赤水等里人民运至水次，差头目蔺希真、韩玺等装至南京等处卖，得罗段三梭，共值银一千三百余两，交与杨辉收讫。

（2）本年（引者按：成化十八年，1482）失记月日，本司差头目文锦前往南京进缴黄册，就令与松坎驿马夫犹敬顺带杉枋一十五片前去变卖，收买铺陈。文锦等将杉枋卖银三十八两，各不合侵欺分用，捏称前项杉枋被水漂流。

（3）本年（引者按：成化二十一年，1485）七月内，唐王要买寿器，闻知越熙雍曾在播州教书，本州出产紫杉材板，差校尉张琳将银五十两前来本州收买，及分付越熙雍写书一封，令伊男越美同张琳送与杨爱，托伊主张收买堪用材板，就将前银照依时价转买紫杉板二副，交与张琳带回讫。

（4）（杨友遣人诬杨爱）擅开银场，递年煎银万千余两，黑铅数万余担。起集人夫，每年砍花杉板一万余副，一半买嘱来往官员，一半发往苏州等处变卖[②]。

景泰六年（1455）杨辉令人将被盗伐的杉枋二千余块由赤水里（今贵州赤水）顺江而下，运至南京等地贩卖，得银一千三百余两。成化十八年（1482），又趁至南京公干的机会，顺带杉枋一十五片前去变卖，得银三十八两。从“捏称前项杉枋被水漂流”的记录看，这些木材是靠赤水河—长江的水道进行贩运的，与杨粲时的情景相类。成化二十一年（1485）七月，在播州买办紫杉（即红豆杉）的唐王（就藩河南南阳府）应为朱芝址（1477～1485）或其子朱弥鍗（1485年袭封），两副棺木即值五十两，足见不菲。由此可见，木材是播州经济的有机组成部分，自宋至明皆然，并在其政治生活中扮演着重要角色。

综上所述，两宋时期的播州，已经有农业、养殖业和木材贸易等多种经营。至杨粲领播时，在对内整合诸杨、对外镇服诸夷之后，在农业与副业齐头并进的经营中，播州的社会经济

① （宋）魏了翁：《鹤山集》卷69《许奕神道碑》，《景印文渊阁四库全书》，台北：台湾商务印书馆，1986年，第1173册，第98页。此事《宋史》卷406《许奕传》亦有载，但“杨粲”作“王粲”，误，北京：中华书局，1977年，第12269页。

② （明）何乔新：《勘处播州事情疏》，《丛书集成初编·张司马定浙二乱志（及其他二种）》，北京：中华书局，1985年，第8、34、35、52、53、79页。

迎来空前繁荣，即《杨氏家传》所谓“杨氏居播十三传，至粲始大”。仓廪实而知礼节，宋嘉定六年（1213），杨粲开始“考典礼，建家庙，以祀五世”，并奉“太原人”杨端为始祖（程钜夫《忠烈庙碑》），虚构杨氏的“华夏英雄徙边记”故事。考古发现的杨粲夫妇繁缛精致的“地宫”，验证了播州的繁荣。这为稍晚的宋蒙战争期间杨氏多次派兵北上救蜀并联合宋廷共筑城堡以御蒙军奠定了社会和经济的基础。

入元之后，至迟从大德七年（1303）起，播州正式向元廷缴纳田赋，此前汉英曾进贡雨毡等方物[①]。从贡方物到纳田赋，既反映了元代开始推行的土司制度对前朝羁縻之治的强化，也反映了播州经济的持续发展。

（二）明代经济：动植物考古的证据

文献记载显示，杨应龙“反叛”的钱粮支持一方面是土司自身的积累，一方面是劫掠所得（涉及播州内外）。自身积累主要来自庄园所产，包括牛马饲养等多种经营，囤上出土的动植物遗存丰富了既往的认知；出土的粗瓷、砖瓦与石灰等，则反映了播州窑业（泛指以窑烧造的手工业）的发展水平；结合文献记载的其他经济活动，可对明代播州经济状况有较完整的认知。这是万历时期大规模营建山城的物质基础与技术保障。

1. 庄园经济

庄园，又有庄、田庄、庄田等不同称呼，是以土地为基础，以占有一定数量的人身依附劳动力为前提的一种封建土地所有制形式与生产方式。形成于汉代，历经各朝而盛于明清。播州杨氏的田庄，亦称“官庄”，数量颇巨，由土地、庄宅以及依附于土地之上的佃户、苗夷与管理者等构成，即有地、宅、人三要素。土地是基础；庄宅是管理与储粮的场所，有时也是土司办公、居住、宴饮之地；佃户与苗夷，是土司田庄中的直接生产者，依附于土地而生存，田庄由土司及其代理人进行管理。田庄以粮食生产为主，同时经营多种副业。

地的要素。作为田庄基础的土地，通过继承、买卖、强夺等方式获得，其数量因此多有变化。明成化时，杨氏共有田庄145处。据《勘处播州事情疏》记载：成化十四年（1478），“杨辉将庄田一百四十五处、茶园二十六处、蜡崖二十八处、猎场一十一处、鱼潭一十三处，作四分均分与杨友、杨爱、杨孜、杨敏”。其名可考者有：大水田、柳川、冉川、屯平、大足、黄鱼、永安、先峰、洪江、米田、通平、毛陂、石梁、雷水、崔家、桃溪、半山、泥川、水车坝、孝义、海龙坝、干溪、会川、朗山、养老等庄[②]。茶园、蜡崖、猎场与鱼潭并不计入田庄中。

---

① （清）郑珍、莫友芝编纂：《遵义府志》卷13《赋税一》，成都：巴蜀书社，2013年，第206、207页。

② （明）何乔新：《勘处播州事情疏》，《丛书集成初编·张司马定浙二乱志（及其他二种）》，北京：中华书局，1985年，第19、21、35、36、41、59、66、75页。

宅的要素。庄田中有宅，称庄宅、庄院、庄所或衙，乃庄田管理与粮食储存之所，有时也是土司办公、居住与宴饮之地。其旧址，民间又常称“衙院”“衙园”，或讹为“鸭园”。《平播全书》：“大水田、永安庄、桃溪衙，皆贼所为世修庄院，僭拟侯王者”“复视其大水田庄宅制度，台沼亭榭，僭越非常，不惟雕刻彩饰龙凤等物，即卧房一样黄色牙床三十六张，欺僭可知。”[①]所谓“庄宅制度”，显就庄田中的建筑及其装饰而言。既有“衙”之名，则有行政功能，即在土司移驻时充作“行署”。

人的要素。佃户与苗夷，是田庄中的主要劳动力，亦称庄丁，他们对土司存有人身依附关系，既要缴纳地租，又需服各种劳役，遭受严重剥削。庄田的管理，由土司及其代理人（头目、家人）来完成。所谓“家人”，即家吏（奴），包括火者（伪太监）在内。亦即至少存在土司、头目、家吏、佃农四个层级。明时于基层推行里甲制度，有轮值里长与甲首，并设里老、寨老协助管理，这是明代基层社会的一般组织形式，核心是保障赋役。杨氏治下的播州，田庄与里甲并存，与一般的里甲制度不同之处在，土司往往于其中再设“亲管里”，另征赋税。里甲以民（粮长）治民（纳粮户），设里长、甲首、里老、寨老等，在赋税征收、土司结状、社会治安等方面发挥作用。各里之民，称“土民”，有一定家产，包括私田，不同于田庄中备受剥削的佃户。里甲可能与田庄相互交错，空间分布上并非泾渭分明。

田庄的产出。据文献记载，庄田中种植田禾（水稻）、麻、麦、黍、豆、红花等，以种植为主，并从事多种经营。杨友即曾诬告杨爱独占“养老庄田子粒六万余石、马五百余匹、牛二千余头、猎场、茶园、漆林、杉山、猪羊等项，不计其数”[②]。若将猎场、鱼潭、茶园、蜡崖、漆林、杉山等均视为广义的田庄，则其经营范围除农作物的种植外，还有牛、马、猪、羊、鱼、蜂等养殖，茶、漆、杉等栽种，并有专门猎场进行野味的补给。海龙囤出土的大量植物遗存表明，16世纪末，播州以水稻为主粮，以大麦、小麦、燕麦、龙爪稷、粟、黍、高粱、甜荞、苦荞、栽培稗为辅助性杂粮，大豆、红豆、绿豆等则用以代菜，充分展示了播州田庄作物种植的多样性，亦反映出当地以水稻为主、各种杂粮为辅的食谱结构。此时对土地资源的利用已较为充分，兼有水田与山地。海龙囤上未见玉米等美洲作物，表明彼时的播州可能尚未引种，或已有底层民众栽种，但因这类作物的“阶级性”而受到土司的排斥，因此未在遗址中出现（详见第十一章）。

2. 养殖业

如前所述，播州牛马（特别是马）的养殖至迟从北宋时期开始便有一定规模，至明尤甚，有牛、马、猪、羊等。海龙囤出土的牛、马、猪等动物骨骼，一方面验证了文献记载的可靠

① （明）李化龙：《平播全书》卷4《攻克娄山、崖门等关四报捷音疏》，北京：大众文艺出版社，2008年，第103页。

② （明）何乔新：《勘处播州事情疏》，《丛书集成初编·张司马定浙二乱志（及其他二种）》，北京：中华书局，1985年，第75、81、90页。

性，另一方面也填补了一些认识的空白。牛马在播州养殖业占有举足轻重的地位。有明一代，杨氏先后贡马117次，最多一次达300匹[①]；播州之役中，明军共夺获牛马千余头；足见明代播州牛马养殖之盛。

马。从出土骨骼看，海龙囤马以成年个体为主，役用病变痕迹已经形成，还可见从前肢内侧绕系绳索的绑缚方式（一种不见于今的绑缚方式）。长骨的出现频率相对较低，但完好程度高，很少经过人工的取食破坏。这些都表明海龙囤马主要用作役畜，而较少肉用，且结合文献推知应多为战马。根据以往的认识，西南地区的马匹有普通马与矮马两大类，其体型通常较北方马为小。但海龙囤马骨的测量数据显示，其尺寸明显大于重庆、四川、云南的现生普通马，表明其非矮马而系一类“大马”。明代重马政，兵部曾以三等二十五色验战马，“三尺七寸以下不准”，即不予采用[②]。这意味着杨氏进贡的应是高三尺七寸以上的马匹，即“大马”。《平播全书·叙功疏》记播州之役中杨应龙曾“骑海青四明玉顶大马，手提偃月刀”[③]。“海青”“四明”“玉顶”均指毛色；“大马”则就体型而言。明代播州作为贡品与战马使用的马匹均应是“大马”，这反映了西南地区历史上除已知马品种外，尚有一类“大马”被播州土司广泛蓄养。宋代的情况，则当区别对待，据《宋会要辑稿·兵》记载：乾道四年（1168）八月，兵部侍郎陈弥作言：“祖宗设互市之法，本以羁縻远人，初不藉马之为用。故驽骀下乘，一切许之入中。”[④]彼时的马仅为“羁縻远人”的工具，并不求所用，因而播州的马可能仍为矮马类。至于播州何时开始畜养“大马”，又从何引进等问题，尚需进一步探讨。

牛。文献所记的牛，有黄牛、水牛之分，但囤上暂未见水牛骨。海龙囤的黄牛以青年个体为主，尚不适合役用，也未见役用病变痕迹；成年个体很少，仅见少量的轻度役用病变痕迹。长骨的出现频率相对较高，完好程度差，显然经过人工的取食破坏。整体而言，这批黄牛材料的役用特征不明显，应以肉用为主（详见第十一章）。

马既是贡品也是商品，牛马既可役用又可肉用，还可作仪式用牲。《平播全书》中便有播州土司“杀牛祭旗赏军”“砍牛纠苗”“剁牛会话”“宰杀牛马，歃血为盟”“宰杀牛马猪羊，将綦江拿来五司七姓本头枭示，歃血同盟”等记录[⑤]，充分反映了其用途的广泛性。

① 李飞：《夷夏之间：播州杨氏羁縻·土司墓葬研究》，四川大学博士学位论文，2017年，第319～330页。

② （明）沈榜：《宛署杂记》卷9《马政》：“较马以尺，凡三等，四尺以上者为上等，三尺九寸者为中等，三尺八寸者为下等，三尺七寸以下不准”；“别马以色，曰银騔、青沙、红沙、栗色、糖银騔、海骝、枣骝、玉顶、鼻尖、五明、豹肚、四明、玉脸鼻、白沙、桃沙、虎喇、土黄、篁草黄、雪架葡萄、艾叶青、兔騔、麝香青、烂毛青、赤兔胭脂马、的卢马，计二十五种”，北京：北京古籍出版社，1983年，第76页。

③ （明）李化龙：《平播全书》卷5《叙功疏》，北京：大众文艺出版社，2008年，第147页。

④ 刘琳等点校：《宋会要辑稿·兵》二三《马政三·买马下》，上海：上海古籍出版社，2014年，第15册，第9090页。

⑤ （明）李化龙：《平播全书》卷4《攻克娄山、崖门等关四报捷音疏》、卷7《塘报播事》《咨贵州集兵》，北京：大众文艺出版社，2008年，第100、234～236页。

3. 窑业及其他

除农业与养殖业外，明代播州尚有窑业、采矿业、石作与木材贸易等经济活动。

海龙囤上可确定的南宋瓷器，几乎全为外来品，产自江西湖田窑、浙江龙泉窑与重庆清溪窑等地。明代则除输入品外（以景德镇产品为大宗），还出现了大量本土瓷器（因工艺略糙，故称其为“粗瓷”），器类有罐、缸、壶、碾钵、钵、碗等，反映此时的播州已有一定规模的瓷器烧造业（详见第一章）。而明代窑址的发现，确证砖、瓦、脊兽等建筑材料均就近烧造。目前虽未有南宋窑址发现，但其情况应相同。明砖上的不同铭文，反映其烧造过程有着较严格的质量监控（详见第六章）。从宋至明，均用石灰作为建筑材料间的黏合剂，亦应于囤顶或周边辟窑就近烧造（暂未发现窑址），且可能使用了最早的天然水硬性石灰（详见第十章）。由于工程巨大，意味着相关产品已规模化生产。砖瓦、石灰的烧造，连同成熟的石料开采、运输与加工技术（详见第七章），为海龙囤的营建提供了技术保障，掌握这些专门技术的人员即《骠骑将军示谕龙岩囤严禁碑》所记的“匠作”（应还包括木匠）。以杨粲墓为代表的黔北石室墓，反映了13世纪以降播州高超的石作技艺，石匠及其作品或为值得关注的现象。

明代木材的贸易情况已如前述，其影响所及包括今北京、南京、南阳等地，收入也颇为可观。明代土司的“杉山”，应该就是专门的林场。此外，前述杨爱“擅开银场，递年煎银万千余两，黑铅数万余担”的记载，虽是诬告，却反映采矿业在明代播州已经出现。可资佐证的是，成化五年（1469）二月，有人在播州辖下的真州长官司境偷挖铅矿，被杨辉悉数没收，之后将其中四百担装至苏州等处变卖，获银六百两①。

综上所述，作为播州经济主要支柱的农业，明代以庄田为重要的生产单位，已有较成熟的管理体系，而“寓兵于农”的政策暗示庄园经济可能在南宋时期的播州已经出现。牛马养殖与木材贸易宋明皆盛，窑业在宋代应已初具规模（瓷器烧造除外），采矿业则在明代兴起等，使得宋明时代的播州经济呈现以农业为基础、养殖业与其他副业为辅助的特点，并成为该时期山城营建的物质基础与技术保障。

四、山地中国：从“胡焕庸线”到“童恩正带”

（一）从羁縻之治到土司制度

宋元之际，播州由羁縻之治转为土司制度。《元史·地理志六》“沿边溪洞宣慰使司”下记：

---

① （明）何乔新：《勘处播州事情疏》，《丛书集成初编·张司马定浙二乱志（及其他二种）》，北京：中华书局，1985年，第9、10页。

> 至元二十八年（1291），播州杨赛因不花言："洞民近因籍户，怀疑窜匿，乞降诏招集。"又言："向所授安抚职任，隶顺元宣慰司，其所管地，于四川行省为近，乞改为军民宣抚司，直隶四川行省。"从之。以播州等处管军万户杨汉英为绍庆珍州南平等处沿边宣慰使，行播州军民宣抚使、播州等处管军万户，仍虎符。汉英即赛因不花也。仍颁所请诏旨，诏曰："爰自前宋归附，十五余年，阅实户数，乃有司当知之事，诸郡皆然，非独尔播。自今以往，咸奠厥居，流移失所者，招谕复业，有司常加存恤，毋致烦扰，重困吾民。"①

该记载有三点值得注意：①杨氏职衔的变化。据《元史·杨赛因不花传》，杨氏归附在至元十三年（1276），是年世祖诏谕之，邦宪奉版籍内附，授龙虎卫上将军、绍庆珍州南平等处沿边宣慰使、播州安抚使。又记：粲生价，价生文，文生邦宪，皆仕宋，为播州安抚使②。此说有误，杨粲生前未任播州安抚使职。据《宋史·地理志五》：宋端平三年（1236），"复以白绵［锦］堡为播州"，此举的前提是宣和三年（1121）播州已废为城，隶南平军③。此间未有播州，焉能有播州安抚使？而复播之时，杨粲已卒。据杨文神道碑，端平二年（1235）杨价已领郡，意味着杨粲已去世，价遣播兵北上御蒙，因"解青原之围"，而"转中亮大夫、御使、抚使、开国上将军"④。可见杨氏之任安抚使，自杨价始，文、邦宪继任。结合前揭《许奕神道碑》，杨粲生前仅应为白锦堡知堡。但正是杨粲所奠定的基础，方使杨价与杨文父子在宋蒙战争中协助宋廷有所作为，其政治地位亦得以提升。入元之后，邦宪袭旧职，至其子汉英时升宣抚使，地位进一步提升。②贡赋输役。至元十三年（1276）邦宪奉版籍内附，《家传》则称"以播州、珍州、南平军三州之地降"，这里的"版籍"当包括播州主要土地与户口。至元二十八年（1291），元廷进一步对土司辖境采取"阅实户数"的政策（即不依土司所报者为准），以作贡赋输役的依据，"诸郡皆然，非独尔播"，播境土著因此而"怀疑窜匿"，显然颇不适应，暗示早先所报必有隐瞒。羁縻治下，内附土官来则抚之，去而不追，所贡皆为方物，并不对"籍户"有具体要求，播州所贡仅见前述鞍马、牛黄、麝香等物。元廷在"阅实户数"前，于至元十八年（1281）曾命播州每岁亲贡方物，汉英进雨毡，尚未见赋税。至元三十年（1293），"斡罗斯请以八番见户合思、播之民兼管，徙宣慰司治，辰、沅、靖州常赋外，岁输钞三千锭，不允"。而至大德七年（1303）十二月，"以转输军饷劳，免播州赋粮一年"⑤。表明至迟从大德七年（1303）起，元廷已向播州征收田赋。③从"禽兽"到"吾民"。元世祖在诏书中称播境"怀疑窜匿"的"洞民"为"吾民"，已与唐宋时代称"蛮夷"

① （明）宋濂等：《元史》卷63《志第十五·地理六》，北京：中华书局，1976年，第1551页。

② （明）宋濂等：《元史》卷165《列传第五十二·杨赛因不花》，北京：中华书局，1976年，第3884、3885页。

③ （元）脱脱等：《宋史》卷89《地理五·夔州路》，北京：中华书局，1977年，第2230页。

④ 李飞：《家事与国事：关于贵州遵义出土〈杨文神道碑〉的几个问题》，《四川文物》2021年第3期。

⑤ （清）郑珍、莫友芝编纂：《遵义府志》卷13《赋税一》，成都：巴蜀书社，2013年，第206、207页。

为“禽兽”大异其趣。比边民如“禽兽”，在唐有韩愈《黄家贼事宜状》，称“大抵岭南人稀地广，贼之所处，又更荒僻”，“容贷羁縻，比之禽兽，来则捍御，去则不追”①；在宋则如称抚水州“诸蛮族类不一，大抵依阻山谷”，“去禽兽无几”，“宋兴，始通中国”，“朝廷禽兽畜之，务在羁縻，不深治也”②。

视昔之“禽兽”为“吾民”，这是历史上中央王朝对边地少数民族观念的一个重要转变。与之相应，土官便是“吾官”，于是出现了流官领土官，土官亦领属流官的“官分土流，土流参治”现象，亦即土司制度③。同时建立起一套完整的土官体系，有宣慰、宣抚、安抚、招讨、长官诸司，等而下之。也因此，修筑海龙囤、养马城协同宋廷积极抗蒙的播州杨氏，入元之后反而取得了前所未有的政治地位，由安抚上升为宣抚。而从贡方物到纳田赋的变化，是羁縻之治与土司制度的一个重要区别，由此完成了唐宋羁縻州的内地化，朝廷对边疆少数民族的控制得以加强。《元史·地理志》称“盖岭北、辽阳与甘肃、四川、云南、湖广之边，唐所谓羁縻之州，往往在是，今皆赋役之，比于内地”④。明承元制，又在《明会典》等典章中对土司的袭替、贡赋、奖惩等做出了严格规定。万历二十八年（1600），杨应龙终因违例（“反叛必诛”）而身死，次年播州改土为流，杨氏世袭统领播州的历史宣告终结。从羁縻之治到土司制度，两者的异与同，播州的案例给出了答案。

（二）土司与山地

《元史·地理志》所记的岭北（即漠北）、辽阳、甘肃、四川、云南、湖广之边等“唐所谓羁縻之州”，大抵便是元代推行土司制度的区域。李幹先生认为元代土司有陕西行省所属宣抚司二，安抚司一，招讨司五；四川行省所属宣抚司四，安抚司三，总管府一，长官司三十一；云南行省所属宣抚司四，军民总管府十二，宣抚司三，路九，军民府十六，土知府知州九，及其他蛮夷长官司；湖广行省所属宣慰司二，宣抚司一，安抚司十四，土府五十六，土县一，长官司三百六十四⑤。这应是基于《元史》“地理志”与“列传”所做的统计。《明史·土司传》里只列湖广、四川、云南、贵州和广西土司。龚荫先生则认为，由于《明史》和《清史稿》只记西南土司，故而过去人们皆以为仅西南边疆有土司，后来知道中南山岳地带也有土司，但对西北边陲要冲特别是东北边远地域的土司则持否定态度，鉴于后两地亦是封建王朝中央政府直接授予当地少数民族大小首领官职，且世袭其职、世长其民、世领其地，因此亦当为土司。元明清时期，全国共有土司3108家两万余人⑥。土司在西南边疆、中南山岳、西北

① （唐）韩愈著，严昌校点：《韩愈集》卷40《黄家贼事宜状》，长沙：岳麓书社，2000年，第422页。
② （元）脱脱：《宋史》卷495《蛮夷三·抚水州》，北京：中华书局，1977年，第14209页。
③ 白耀天：《土司制度确立于元代说》，《广西民族研究》1999年第4期。
④ （明）宋濂等：《元史》卷58《志第十·地理一》，北京：中华书局，1976年，第1346页。
⑤ 李幹：《略述元代土司制度中的几个问题》，《民族研究》1984年第4期。
⑥ 龚荫：《中国土司制度史·目录》，成都：四川人民出版社，2012年，第3页。

边陲和东北边缘的分布与《元史 · 地理志》的描述一致。

这一分布有其自然和人文的渊源。1935年，人口地理学家胡焕庸先生基于人口密度，结合地理背景，将全国从黑龙江瑷珲（今黑河）至云南腾冲画一条直线而分作东南与西北两部，该线两侧的人口分布、自然地理与人文环境有着巨大差异：①东南半壁36%的国土却有96%的人口，西北半壁64%的国土仅有4%的人口。②东南半壁多平原丘陵，地势坦荡，雨量充沛，水网稠密，土壤肥沃，以农耕为主；西北部山地高峻，高原广大，沙漠戈壁广布，气候干燥，以游牧为主。③东南半壁为纯粹汉人之世界，惟西南山地，有少数异族杂居其间；西北半壁则汉人殊少，多系满蒙回藏各族之领域[①]。此即著名的瑷珲（黑河）—腾冲线，后又被称为“胡焕庸线”。“胡焕庸线”是中国地理（地形、雨量）与人文（人口、族群、生业）的分界线，自古皆然。

与“胡焕庸线”殊途同归的是，1986年考古学家童恩正先生提出“从东北至西南的边地半月形文化传播带”，从生态环境的角度解释了“边地半月形文化传播带”内文化趋同的原因以及“夷夏”对立观念出现的历史根源。所谓“边地半月形文化传播带”，指从东北大兴安岭经北方长城地带的青海祁连山脉、宁夏贺兰山脉、内蒙古阴山山脉，沿青藏高原东部直达西南横断山区这一平均海拔在1000～3500米的山地或高原地带，环抱着长江、黄河中下游的平原与盆地，形成两个不同的地理空间：①半月形高地内从太阳辐射、气温、降水量、湿润程度、植物生长期到动植物资源等生态环境具有相当的一致性，是介于西北荒漠区与东南森林区之间的草原、高山灌丛与草甸区。②半月形高地内从细石器、石棺葬、大石墓—石棚、石头建筑遗迹到具体器物的工艺与形态等文化因素存在颇多一致性，与环抱中的平原、盆地上的传统中原文化则有所区别，而文化因素的相似性愈多则考古学文化之间的关系愈加密切。③半月形高地一直是畜牧或半农半牧的民族繁衍生息的场所，共同的需要与共同的物质环境可能驱使族群直接迁移、融合与交往，或间接的观念的传播；即便是各自独立的发明，此亦文化趋同的重要主、客观因素；环抱中的平原与盆地，则是传统的农耕区域；农耕民族与游牧民族从新石器时代后期开始在经济类型、生活习惯、宗教信仰等方面即存在差异，进入青铜时代后，以农耕为主的华夏核心对以游牧为主的边地民族渐渐形成一种文化优越感，并对后者有敌忾心理，中原王朝对边地民族的征伐从此时起便不绝于书，从而形成严格的“夷夏”对立观念，这限制了半月形高地的文化向华夏腹地的渗透，并使其沿半月形高地的远距离传播成为可能[②]。童先生的“边地半月形文化传播带”其本意是对半月形高地内的文化趋同现象进行解释，却极具洞见地从生态与文化的角度揭示了“夷夏”对立观念的形成原因与过程，有着更为深远的意义，当以“童恩正带”名之。

从“胡焕庸线”的一线两分，到“童恩正带”的一带凸显，各自从人口密度和考古学文化出发，又回归地理背景，在经济、民族和文化的层面揭示了传统“中国”与周边的同与不同，

① 胡焕庸：《中国人口之分布》，《地理学报》1935年第2期；胡焕庸：《中国人口地域分布》，《科学》1987年第2期。

② 童恩正：《试论我国从东北至西南的边地半月形文化传播带》，文物出版社编辑部编：《文物与考古论集》，北京：文物出版社，1986年，第17～43页。

其所勾勒的均是古代“华夏文明的边缘地带”。“童恩正带”表明西北与东南的不同，是经由半月形高地逐渐过渡而实现的，这一地带上存有不同文化间的交融与碰撞，但地形阻力与文化接纳使“童恩正带”实际成为“夷夏”的分野地带。

“胡焕庸线”是基于近代人口统计所做出的人口地理分界线，“童恩正带”则勾勒了从新石器时代晚期到青铜时代华夏与周边的文化差异，虽出发点不同，但反映了从史前到近现代彼此的分野一直存在。羁縻·土司填充了其间空白。一般认为，羁縻之治滥觞于秦汉，成型于唐宋，至元代发展为土司制度，并鼎盛于明，从明代特别是清初大规模开展的改土归流之后逐渐衰落，残存于民国，中华人民共和国建立后，不复存在[①]。回到前揭《元史·地理志》“盖岭北、辽阳与甘肃、四川、云南、湖广之边，唐所谓羁縻之州，往往在是，今皆赋役之，比于内地”的记载，可见羁縻·土司制度恰推行于“胡焕庸线”与“童恩正带”所勾勒的过渡地带上，并稍向中南扩展。何以如此？童、胡二氏的研究实际已给出了答案，即因彼此存有不同，故要求中央王朝以不同的策略对边地进行治理。

（三）上山的艺术

除以宏观的视野开启“华夏边缘”的研究外，“童恩正带”还开辟了一种新的研究方法，即将高海拔山地作为一个整体予以考察，此中人群的生业、文化可能与平原地带不同。约20年后，美国学者詹姆士·斯科特出版了其名著《逃避统治的艺术：东南亚高地的无政府主义历史》，将山地与平谷的二元视角发挥到了极致，指出同一空间内不同海拔之上人群的文化亦存在差异，如同不同高度上所生长的植物亦不同一样。他将越南中部到印度东北部，包括越南、柬埔寨、老挝、泰国、缅甸和中国的云南、贵州、广西及四川部分海拔在300米以上的山地称为“赞米亚”（Zomia），即东南亚大陆山地。为了逃避谷地王国的统治（奴役、征募、赋税、劳役和战争），山地居民精心设计其谋生手段、社会组织、意识形态，甚至颇有争议的口头传承文化，崎岖不平的山地因此成为他们的庇护所，通过流动性、耕作习惯、亲疏结构和适应性极强的民族认同等方式的“自我野蛮化”，他们有效避免被统入国家体制，也防止了其内部形成国家体制，是为“逃避统治的艺术”（the art of not being governed）[②]。

斯科特发展了“地形阻力”（friction of terrain）的概念，这是“赞米亚”山地能够成为其中居民庇护所的前提。同样地，“童恩正带”成为“华夏边缘”的前提亦有地形阻力的因素。除此之外，彼此之间（半月形高地人群与传统“中国”人以及更外围的“外夷”三者之间）的文化接纳度亦是该地带人群与周边不同的重要因素，童恩正先生已指出正是“夷夏”观念限制了北方族群的南下或西部族群的东进，却促进了其在半月形高地的“蛮夷”之间的交流与传

---

① 龚荫：《关于中国土司制度渊源发展研究的十个问题》，《青海民族研究》2013年第1期。

② （美）詹姆士·斯科特著，王晓毅译：《逃避统治的艺术：东南亚高地的无政府主义历史》“前言”，北京：生活·读书·新知三联书店，2016年，第1～3页。

播，此即为“文化接纳”。故而青铜时代之后“童恩正带”内羁縻・土司制度的流行，是地形阻力与文化接纳二重作用的结果。

与“赞米亚”山地居民与谷地王国的二元对立不同（统治与逃避统治），活动在播州谷地与山地之上的是同一群人，即以杨氏土司为代表的播州中上层。上山，是其在面临侵犯时所作出的主动选择，从南宋“斡腹山城”的构筑到明代“土司山城”的扩建均如此，甚至到清代咸同年间南方山地所构筑的数以百计的自卫“营盘”亦如是①。本就生活在山地上的土司，在特殊情况下再往更险峻的山地移动以求自保，“因山为守”成为山地居民在面临威胁时的本能的也是明智的选择，“地形阻力”被再一次强化。

从“童恩正带”所描述的史前与青铜时代，到汉唐至明清时期的羁縻・土司时代，再到“胡焕庸线”所勾勒的近现代，从中国东北至西南乃至中南的山岳地带，从环境、生业到文化，均呈现出与以平原、盆地为主的“华夏”腹心同也不同的特点，因此出现了“夷夏”的观念，“夷夏”观念下的半月形高地上演了延绵数千年的山地中国故事。由于地形阻力与文化接纳，这条界限曾十分凸显而渐成“华夏边缘”，又在长期的良性互动中渐变为“模糊的华夏边缘”，最后融合为“多元一体”之中华。从“童恩正带”与“胡焕庸线”的视野，令羁縻・土司制度的存在，变得既“合理”（地理），又“合情”（国情）。

本报告在梳理材料的基础上，综合讨论了海龙囤何人所建、何时所建、缘何而建、有何变化、以何而建以及何以土司等问题，尝试点、线、面相结合，从宋蒙战争、播州之役与羁縻・土司制度三个维度加以审视，所见亦不同。一些认识（如海龙囤南宋衙署、金银库与老王宫的性质等），尚有待进一步的田野工作予以检视；所提出的问题（如土司无城、家衙一体、山地中国等），希冀成为未来探索的基石。

① 贵州省博物馆、贵州省文物考古研究所、凤冈县文体广电新闻出版局：《玛瑙山：考古、文献与口碑》，北京：科学出版社，2018年，第136～157页。

附　　表

附表1　遗迹与发掘单位统计表

序号	遗迹/探沟	位置	负责人	发掘时间	类型
1	F1	新王宫龙位坪东	侯清伟	2012	房址
2	F2	新王宫姚家凼	韩继泽	2012	
3	F3	新王宫姚家凼	韩继泽	2012	
4	F4	新王宫姚家凼	韩继泽	2012	
5	F5	新王宫三台星南	贺君虎	2012	
6	F6	新王宫三台星南	贺君虎	2012	
7	F7	新王宫海潮寺后	贺君虎	2012	
8	F8	新王宫龙位坪西	侯清伟	2012	
9	F9	新王宫水牢坎	韩继泽	2012	
10	F10	新王宫上马磴	韩文华	2012	
11	F11	新王宫上马磴	韩文华	2012	
12	F12	新王宫龙位坪东	侯清伟	2012	
13	F13	新王宫F10北下	侯清伟	2012，试掘	
14	F14	新王宫F11北下	侯清伟	2012，试掘	
15	F15	新王宫F1南	侯清伟	2012，试掘	
16	F16	新王宫F1南	侯清伟	2012，试掘	
17	F17	新王宫三台星	侯清伟	2012，试掘	
18	F18	新王宫F9南	韩继泽	2013，试掘	
19	F19	新王宫海潮寺西	韩继泽	2013，试掘	
20	F20	新王宫海潮寺西	胡霖	2013	
21	F21	新王宫三台星北下	胡霖	2013	
22	F22	新王宫海潮寺基址	侯清伟	2013	
23	F23	新王宫海潮寺前西侧	侯清伟	2013	
24	F24	新王宫海潮寺前东侧	侯清伟	2013	
25	F25	新王宫九步台阶上	侯清伟	2013	

续表

序号	遗迹/探沟	位置	负责人	发掘时间	类型
26	F26	新王宫姚家凼东	侯清伟	2013	房址
27	F27	新王宫下马礅西	侯清伟	2013	
28	F28	新王宫九五台阶间	侯清伟	2013	
29	F29	新王宫下马礅下	韩继泽	2014	
30	F30	新王宫姚家凼	韩继泽	2014	
31	F31	万安关大土	侯清伟	2014	
32	F32	金银库		未清理	
33	F33	朝天关北转山		未清理	
34	F34	老王宫台阶东	贺君虎、彭万	2013，试掘	
35	F35	老王宫台阶前	贺君虎、彭万	2013，试掘	
36	F36	老王宫陈家后	贺君虎、彭万	2013，试掘	
37	F37	老王宫南	贺君虎、彭万	2013，试掘	
38	F38	老王宫台阶西	贺君虎、彭万	2013，试掘	
39	F39	构树	韩文华	2019，试掘	
40	G1	新王宫F8南、西两侧	侯清伟	2012	水沟
41	G2	新王宫F7和F8之间	贺君虎	2012	
42	G3	新王宫F10和F11之间	韩文华	2012	
43	G4	新王宫F12廊下	侯清伟	2012	
44	G5	新王宫F1和F12内	侯清伟	2012	
45	G6	新王宫F1与C1外	侯清伟	2012	
46	G7	新王宫F12内	侯清伟	2012	
47	G8	新王宫F19西与L3间	韩继泽	2013	
48	G9	新王宫F7与F19之间	韩继泽	2013	
49	G10	新王宫F7天井西	侯清伟	2013	
50	G11	新王宫F12东南角	侯清伟	2013	
51	G12	新王宫F20南	胡霖	2013	
52	G13	新王宫F19台基下	韩继泽	2013	
53	G14	新王宫海潮寺天井东北角	侯清伟	2013	
54	G15	新王宫海潮寺天井西北角	侯清伟	2013	
55	G16	新王宫C5西北角	侯清伟	2013	
56	G17	新王宫C6东接围墙外	侯清伟	2013	
57	G18	新王宫F11东南角	侯清伟	2013	
58	G19	新王宫F10西进天井	侯清伟	2013	
59	G20	新王宫F18内	韩继泽	2014	

续表

序号	遗迹/探沟	位置	负责人	发掘时间	类型
60	G21	新王宫F18东侧	韩继泽	2014	水沟
61	G22	新王宫F18天井接C10	韩继泽	2014	
62	G23	新王宫C10接C4间	韩继泽	2014	
63	G24	新王宫C4西接围墙外	韩继泽	2014	
64	G25	新王宫C8北接G13	韩继泽	2014	
65	G26	新王宫F19天井接台基	韩继泽	2014	
66	G27	新王宫C9西接G26	韩继泽	2014	
67	G28	新王宫F20台基下	韩继泽	2014	
68	C1	新王宫F1南部	侯清伟	2012	水池
69	C2	新王宫F8天井西北角	侯清伟	2012	
70	C3	新王宫F9西端	韩继泽	2012	
71	C4	新王宫F9西端与C3邻	韩继泽	2012	
72	C5	新王宫海潮寺前	侯清伟	2013	
73	C6	新王宫F12东北角	侯清伟	2013	
74	C7	新王宫F12东南角	侯清伟	2013	
75	C8	新王宫F19与F20之间	韩继泽	2013	
76	C9	新王宫F19与海潮寺间	韩继泽	2013	
77	C10	新王宫F9廊道南侧	韩继泽	2014	
78	C11	新王宫F11南部L4旁	韩文华	2014	
79	L1	飞龙关—新王宫	贺君虎	2012	道路
80	L2	新王宫“水牢”	韩继泽	2012	
81	L3	新王宫三台星东接F20	胡霖	2012	
82	L4	新王宫F11东南角	侯清伟	2013	
83	L5	新王宫海潮寺前C5内	侯清伟	2013	
84	L6	新王宫海潮寺西北角	侯清伟	2013	
85	L7	新王宫F22东北角接F24	侯清伟	2014	
86	L8	新王宫F3接F30，F26西	侯清伟	未清理	
87	L9	新王宫F26北端	侯清伟	未清理	
88	L10	万安关南墙西下	侯清伟	2014	
89	L11	与L2构成立体交通线	胡霖	2012	
90	Z1	新王宫F8内	侯清伟	2012	灶
91	Z2	新王宫F9东梢间内	韩继泽	2012	
92	Z3	新王宫F11内	韩文华	2012	
93	Z4	新王宫F19内	韩继泽	2012	

续表

序号	遗迹/探沟	位置	负责人	发掘时间	类型
94	Z5	新王宫F26内	侯清伟	2012	灶
95	Z6	新王宫F27内	侯清伟	2014	
96	Z7	新王宫F3内	韩继泽	2014	
97	K1	新王宫F10天井中部	韩文华	2012	坑
98	K2	新王宫F10东回廊	韩文华	2012	
99	K3	新王宫F8天井内	侯清伟	2012	
100	K4	新王宫F8明间内	侯清伟	2012	
101	K5	新王宫龙位坪F1东次间	侯清伟	2012	
102	K6	新王宫龙位坪F12廊下	侯清伟	2012	
103	K7	新王宫F10正房下	侯清伟	2012	
104	K8	新王宫F12东部	侯清伟	2012	
105	K9	新王宫F12东北角	侯清伟	2012	
106	现代坑1	新王宫海潮寺西C9北	侯清伟	2013	现代坑
107	现代坑2	新王宫海潮寺西C9南	侯清伟	2013	
108	现代坑3	新王宫海潮寺东南角	侯清伟	2013	
109	现代坑4	新王宫海潮寺东北角	侯清伟	2013	
110	现代坑5	新王宫海潮寺东北角	侯清伟	2013	
111	现代坑6	新王宫海潮寺东北角C5东	侯清伟	2013	
112	现代坑7	新王宫海潮寺西C9东	侯清伟	2013	
113	新王宫垣墙	环新王宫	贺君虎	2012	墙
114	Y1	王家房前大园子	贺君虎	2012	窑址
115	Y2	王家房前大园子	韩文华调查	未发掘	
116	Y3	陈家屋前	韩文华调查	未发掘	
117	Y4	新王宫	韩文华调查	未发掘	
118	采石场	老王宫西南荒家堡	韩文华	2012	采石场
119	TG1	老王宫磉墩坪	贺君虎	2012	探沟
120	TG2	老王宫磉墩坪	贺君虎	2012	
121	TG3	老王宫磉墩坪	彭万	2012	
122	TG4	老王宫毛草棚	彭万	2012	
123	TG5	老王宫毛草棚	贺君虎	2012	
124	TG6	新王宫围墙西北角	贺君虎	2012	
125	TG7	新王宫围墙东北角	贺君虎	2012	
126	TG8	新王宫围墙东北角	贺君虎	2012	
127	TG9	新王宫F10内	贺君虎	2012	

续表

序号	遗迹/探沟	位置	负责人	发掘时间	类型
128	TG10	万安关	侯清伟	2012～2013	探沟
129	TG11	后关南侧	陈卿	2013	
130	TG12	后关北侧	陈卿	2013	
131	TG13	西关南侧	陈卿	2013	
132	TG14	西关北侧	陈卿	2013	
133	TG15	万安关南侧	陈卿	2013	
134	TG16	万安关南侧	陈卿	2013	
135	TG17	万安关南侧	陈卿	2013	
136	TG18	土城墙北端	陈卿	2013	
137	TG19	朝天关北侧	陈卿	2013	
138	TG20	飞凤关东侧	陈卿	2013	
139	TG21	朝天关内侧	韩文华	2013	
140	TG22	飞凤关后侧	韩文华	2013	
141	TG23	飞凤关碑后	韩文华	2013	
142	TG24	对莴嘴	韩文华	2013	
143	TG25	对莴嘴	韩文华	2013	
144	TG26	秧地田	韩文华	2013	
145	TG27	万人坑至秧地田	韩文华	2013	
146	TG28	万人坑（骡子坟）	韩文华	2013	
147	TG29	陈家门前	韩文华	2013	
148	TG30	牛滚凼	韩文华	2013	
149	TG31	土城墙北部	韩文华	2013	
150	TG32	土城墙中部	韩文华	2013	
151	TG33	土城墙南部	韩文华	2013	
152	TG34	土城墙南部	韩文华	2013	
153	TG35	罗家湾磨单土	韩文华	2013	
154	TG36	西关西侧	胡霖	2014	
155	TG37	西关东侧	胡霖	2014	
156	TG38	万安关东侧	韩文华	2013	
157	TG39	绣花楼	陈卿	2014	
158	TG40	西关门洞内	胡霖	2014	
159	TG41	后关	谢长勇	2014	
160	TG42	老王宫踏步	韩文华	2014	
161	TG43	碓窝嘴	韩文华	2014	

续表

序号	遗迹/探沟	位置	负责人	发掘时间	类型
162	TG44	铁柱关	韩文华	2014	探沟
163	TG45	铜柱关	陈卿	2014	
164	TG46	铁柱关	韩文华	2014	
165	TG47	老王宫	韩文华	2014	
166	TG48	铜柱关顶部	陈卿	2014	
167	TG49	西关顶部	胡霖	2014	
168	TG50	新王宫围墙西南角	贺君虎	2012	
169	TG51	新王宫围墙西南角	贺君虎	2012	
170	TG52	新王宫围墙西南角	贺君虎	2012	
171	TG53	新王宫围墙东南角	贺君虎	2012	
172	TG54	新王宫围墙西北角	贺君虎	2012	
173	TG55	飞龙关南墙下	贺君虎	2012	
174	TG56	万安关南墙西下	侯清伟	2013	
175	TG57	构树	韩文华	2019	
176	TG58	构树	韩文华	2019	
177	TG59	构树	韩文华	2019	
178	CM1	铁柱关	陈卿	2014	关隘
179	CM2	铜柱关	韩文华	2014	
180	CM3	飞虎关	胡霖	2014	
181	CM4	飞龙关	贺君虎	2014	
182	CM5	朝天关	胡霖	2014	
183	CM6	飞凤关	韩文华	2014	
184	CM7	万安关	侯清伟	2014	
185	CM8	西关	胡霖	2014	
186	CM9	后关	谢长勇	2014	
187	CM10	土城墙北门址	韩文华	2014	
188	CM11	土城墙中门址	韩文华	2014	
189	CM12	土城墙南门址	韩文华	2014	
190	CM13	绣花楼门址	陈卿	2014	
191	S1 ~ S19	环大城城垣分布	李飞、韩文华	2019，调查	哨台
192	DT1	铜柱关东侧	陈卿	2014	墩台
193	DT2	歇马台	韩继泽	2014	
194	DT3	天梯前歇马台	胡霖	2014	
195	DT4	飞龙关前	贺君虎	2014	

续表

序号	遗迹/探沟	位置	负责人	发掘时间	类型
196	DT5	朝天关前	胡霖	2014	墩台
197	DT6	万安关北侧	侯清伟	2014	
198	DT7	万安关南侧	侯清伟	2014	
199	DT8	西关南侧	胡霖	2014	

附表2　砖料统计表

序号	出土单位/编号	器形	类型	名称	尺寸/厘米 长×宽×厚	计件	完残	铭文	备注	小计/件	
1	新王宫采：3	长方形砖	Aa	小长方形砖	残14.6×15×7	1	残	初一号		1022	1142
2	新王宫采：6	长方形砖	Aa	小长方形砖	残15.5×残11.5×7.5	1	残	初一号			
3	新王宫采：13	长方形砖	Aa	小长方形砖	残17.5×15.5×8	1	残				
4	新王宫采：14	长方形砖	Aa	小长方形砖	残10.5×残10.5×7.5	1	残	初一号			
5	新王宫采：15	长方形砖	Aa	小长方形砖	残15×15×7.8	1	残	初一号			
6	新王宫采：16	长方形砖	Aa	小长方形砖	残15×15.5×7.5	1	残				
7	新王宫采：18	长方形砖	Aa	小长方形砖	残27×16.2×7.3	1	残	初一号			
8	F1①：83	长方形砖	Aa	小长方形砖	32×残15.6×8	1	较完整				
9	F1①：84	长方形砖	Aa	小长方形砖	32×15×7.6	1	较完整				
10	F2①：4	长方形砖	Aa	小长方形砖	残7×残11.9×7	1	残	验			
11	F2①：5	长方形砖	Aa	小长方形砖	残7.5×14.9×7	1	残	初一号			
12	F2①：10	长方形砖	Aa	小长方形砖		1	残甚	初一号			
13	F2①：12	长方形砖	Aa	小长方形砖		1	残甚	十六砖			
14	F2①：13	长方形砖	Aa	小长方形砖		1	残甚	砖			
15	F2①：16	长方形砖	Aa	小长方形砖	残26×15×7	1	残	验			
16	F2①：17	长方形砖	Aa	小长方形砖		1	残甚				
17	F3①：30	长方形砖	Aa	小长方形砖	残10.1×16×7.5	1	残	验	方形边框		
18	F3①：67	长方形砖	Aa	小长方形砖	残21×残12×6.8	1	残	初一号	方形边框		
19	F3①：68	长方形砖	Aa	小长方形砖	残13.5×残9×7.2	1	残	初一号	方形边框		
20	F3①：127	长方形砖	Aa	小长方形砖		1	残甚	砖			

续表

序号	出土单位/编号	器形	类型	名称	尺寸/厘米 长×宽×厚	计件	完残	铭文	备注	小计/件	
21	F5①：24	长方形砖	Aa	小长方形砖	残11.3×15.5×7.3	1	残	十六砖	方形边框		
22	F5①：25	长方形砖	Aa	小长方形砖	残16.4×14.8×7	1	残	初一号	无边框		
23	F5①：26	长方形砖	Aa	小长方形砖	残17.5×15.2×7.5	1	残	十六砖	无边框		
24	F5①：27	长方形砖	Aa	小长方形砖	残15.3×15.2×残7.5	1	残	十[六]	无边框		
25	F5①：28	长方形砖	Aa	小长方形砖	残29.5×15×7.6	1	残	十六砖			
26	F5①：29	长方形砖	Aa	小长方形砖	残15.1×15×7.5	1	残	[十]六	无边框		
27	F5①：30	长方形砖	Aa	小长方形砖	残11.9×残9.9×7	1	残	初一号	方形边框		
28	F5①：31	长方形砖	Aa	小长方形砖	残24.5×15.5×7	1	残	十[六]	无边框		
29	F5①：32	长方形砖	Aa	小长方形砖	残6.6×残11×残5.4	1	残	十六砖	无边框		
30	F5①：33	长方形砖	Aa	小长方形砖	残14×15×7.2	1	残	初一号	方形边框	1022	1142
31	F5①：34	长方形砖	Aa	小长方形砖	残18×15.2×8	1	残	十六砖	无边框		
32	F5①：35	长方形砖	Aa	小长方形砖	残23.1×15×6.9	1	残	初一号	方形边框，字迹模糊		
33	F5①：38	长方形砖	Aa	小长方形砖	残9×残16×7.6	1	残	初一号	无边框		
34	F5①：39	长方形砖	Aa	小长方形砖	29×14.6×7	1	较完整	初一号	方形边框		
35	F5①：40	长方形砖	Aa	小长方形砖	残30×15.9×7.6	1	残	十六砖	无边框		
36	F5①：41	长方形砖	Aa	小长方形砖	残18×15.5×7.7	1	残	初一号	方形边框		
37	F5①：42	长方形砖	Aa	小长方形砖	残14×残14.6×7.2	1	残	初一号	方形边框		
38	F5①：43	长方形砖	Aa	小长方形砖	残16.6×残13.6×8	1	残	初一号	无边框		
39	F5①：44	长方形砖	Aa	小长方形砖	残18.4×15.9×8	1	残	十六	无边框		

续表

序号	出土单位/编号	器形	类型	名称	尺寸/厘米 长×宽×厚	计件	完残	铭文	备注	小计/件	
40	F5①：45	长方形砖	Aa	小长方形砖	残16×15.6×7.3	1	残	十六砖	无边框		
41	F5①：46	长方形砖	Aa	小长方形砖	残19.5×15.5×7.6	1	残	初一号	方形边框		
42	F5①：47	长方形砖	Aa	小长方形砖	残17×15.5×6.6	1	残	十六砖	方形边框		
43	F5①：48	长方形砖	Aa	小长方形砖	残13.2×14.5×7.2	1	残	初一号	方形边框		
44	F5①：49	长方形砖	Aa	小长方形砖	残13×15.1×7.5	1	残	初一号			
45	F5①：50	长方形砖	Aa	小长方形砖	残17.5×14.5×7	1	残	初一号	方形边框		
46	F5①：51	长方形砖	Aa	小长方形砖	残11.9×15×7	1	残	初一号			
47	F5①：52	长方形砖	Aa	小长方形砖	残21.1×残14×7.8	1	残	十六砖			
48	F5①：53	长方形砖	Aa	小长方形砖	残21×残8.9×7.4	1	残	初一号	方形边框		
49	F5①：54	长方形砖	Aa	小长方形砖	残15.8×15×7.3	1	残	初一号	无边框	1022	1142
50	F5①：55	长方形砖	Aa	小长方形砖	残15×残8.1×7.5	1	残	十六砖	方形边框		
51	F5①：56	长方形砖	Aa	小长方形砖	残20.5×15.1×7	1	残	初一号	方形边框		
52	F5①：57	长方形砖	Aa	小长方形砖	残17×17×7	1	残	初一号	无边框		
53	F5①：58	长方形砖	Aa	小长方形砖	残14×15×8.1	1	残	十六砖	无边框		
54	F5①：59	长方形砖	Aa	小长方形砖	残28.5×14.6×7	1	残	十六砖	无边框		
55	F5①：61	长方形砖	Aa	小长方形砖	残18.5×15.7×7.5	1	残	十六砖	无边框		
56	F5①：62	长方形砖	Aa	小长方形砖	残23.7×残12.3×6.2	1	残	初一号	无边框		
57	F5①：64	长方形砖	Aa	小长方形砖	残8.9×14.2×7.4	1	残	初一号	方形边框		
58	F5①：65	长方形砖	Aa	小长方形砖	残31×残12.6×8	1	残	十六	无边框		

续表

序号	出土单位/编号	器形	类型	名称	尺寸/厘米 长×宽×厚	计件	完残	铭文	备注	小计/件	
59	F5①：67	长方形砖	Aa	小长方形砖	残21×残13.9×7.4	1	残	初一号	方形边框		
60	F5①：68	长方形砖	Aa	小长方形砖	残8×残12.5×6	1	残	初一号	无边框		
61	F5①：69	长方形砖	Aa	小长方形砖	残19.5×16×7.4	1	残	初一号	无边框		
62	F5①：70	长方形砖	Aa	小长方形砖	残11×残6.3×7	1	残	初一号	方形边框		
63	F5①：71	长方形砖	Aa	小长方形砖	残16.8×15.5×7.1	1	残	初一号	无边框		
64	F5①：73	长方形砖	Aa	小长方形砖	残12.4×残12×7.6	1	残	十六砖	方形边框		
65	F5①：74	长方形砖	Aa	小长方形砖	残19.5×残9.5×6.6	1	残	初一号	方形边框		
66	F5①：75	长方形砖	Aa	小长方形砖	残13.2×残9.9×6.9	1	残	十六砖	方形边框		
67	F5①：76	长方形砖	Aa	小长方形砖	残12.9×残12.2×7.6	1	残	十六	无边框		
68	F5①：77	长方形砖	Aa	小长方形砖	残13×13.4×7.1	1	残	十六砖	方形边框	1022	1142
69	F5①：78	长方形砖	Aa	小长方形砖	29.6×15.4×7.1	1	完整	初一号	无边框		
70	F5①：79	长方形砖	Aa	小长方形砖	残16.9×14.6×7.8	1	残	十[六]	无边框		
71	F5①：80	长方形砖	Aa	小长方形砖	残17×16×7.3	1	残	十六砖	无边框		
72	F5①：81	长方形砖	Aa	小长方形砖	残13.7×12.3×7	1	残	初一号	无边框		
73	F5①：82	长方形砖	Aa	小长方形砖	残24.5×16.5×7.8	1	残	初一号	无边框		
74	F5①：83	长方形砖	Aa	小长方形砖	残16×15.9×7.6	1	残	十六砖	无边框		
75	F5①：84	长方形砖	Aa	小长方形砖	残16.3×15.6×7.9	1	残	初一号	方形边框		
76	F5①：85	长方形砖	Aa	小长方形砖	残20×15.3×7.5	1	残	十六	无边框		
77	F5①：86	长方形砖	Aa	小长方形砖	残16.6×15×6.6	1	残	初一号	方形边框		

续表

序号	出土单位/编号	器形	类型	名称	尺寸/厘米 长×宽×厚	计件	完残	铭文	备注	小计/件	
78	F5①：87	长方形砖	Aa	小长方形砖	29×14.1×7	1	较完整	初一号	无边框		
79	F5①：88	长方形砖	Aa	小长方形砖	残10×残13.1×6.1	1	残	十六砖	无边框		
80	F5①：89	长方形砖	Aa	小长方形砖	残18×残7×6.4	1	残	十六砖	方形边框		
81	F5①：90	长方形砖	Aa	小长方形砖	残17.8×15.5×7.8	1	残	十六砖	无边框		
82	F5①：91	长方形砖	Aa	小长方形砖	残18.4×残9×7.5	1	残	初一号	方形边框		
83	F5①：92	长方形砖	Aa	小长方形砖	残10×残8.5×7.2	1	残	初一号	无边框		
84	F5①：93	长方形砖	Aa	小长方形砖	残18.5×残8.5×7.6	1	残	十六砖	方形边框		
85	F5①：94	长方形砖	Aa	小长方形砖	残11×残16×7.6	1	残	初一号	方形边框		
86	F5①：95	长方形砖	Aa	小长方形砖	残18.5×15×7.3	1	残	初一号	方形边框		
87	F5①：97	长方形砖	Aa	小长方形砖	残20×15.5×7.2	1	残	初一号	方形边框	1022	1142
88	F5①：98	长方形砖	Aa	小长方形砖	残11×残15×7.2	1	残	[十]六	无边框		
89	F5①：99	长方形砖	Aa	小长方形砖	残18×15.5×7.4	1	残	十六	无边框		
90	F5①：100	长方形砖	Aa	小长方形砖	残14.5×16×7.2	1	残	[初]一号	无边框，字迹模糊		
91	F5①：101	长方形砖	Aa	小长方形砖	残21.2×16.2×7.9	1	残	十六砖	无边框		
92	F5①：102	长方形砖	Aa	小长方形砖	残8.4×15.5×7	1	残	初一号	无边框		
93	F5①：104	长方形砖	Aa	小长方形砖	残13.5×15×7.3	1	残	[十]六	无边框		
94	F5①：108	长方形砖	Aa	小长方形砖	残15.5×14.4×6.6	1	残	初一号	方形边框		
95	F5①：109	长方形砖	Aa	小长方形砖	残16.5×残10.5×7.8	1	残	初一号	方形边框		
96	F5①：110	长方形砖	Aa	小长方形砖	残15.9×残10.9×7.1	1	残	十[六][砖]	无边框		

续表

序号	出土单位/编号	器形	类型	名称	尺寸/厘米 长×宽×厚	计件	完残	铭文	备注	小计/件	
97	F5①：111	长方形砖	Aa	小长方形砖	残20.5×15×6.6	1	残	十六	无边框		
98	F5①：112	长方形砖	Aa	小长方形砖	残15×15.1×7.2	1	残	初一号	方形边框		
99	F5①：113	长方形砖	Aa	小长方形砖	残10.7×残4.9×7.5	1	残	初一号	无边框		
100	F5①：114	长方形砖	Aa	小长方形砖	残17.5×残15.5×残7.5	1	残	十六	无边框		
101	F5①：115	长方形砖	Aa	小长方形砖	残17.1×15.6×7.5	1	残	十六	无边框		
102	F5①：116	长方形砖	Aa	小长方形砖	残16.9×15×7.5	1	残	十六砖	无边框		
103	F5①：117	长方形砖	Aa	小长方形砖	残14.3×15×7.3	1	残	十六	无边框		
104	F5①：119	长方形砖	Aa	小长方形砖	残18.3×15.1×8.2	1	残	初一号	无边框		
105	F5①：121	长方形砖	Aa	小长方形砖	残9.4×残5.9×7.4	1	残	初一号	无边框		
106	F5①：122	长方形砖	Aa	小长方形砖	残11.6×残8.1×7.2	1	残	初[一][号]	方形边框	1022	1142
107	F5①：123	长方形砖	Aa	小长方形砖	残13.5×12.3×6.6	1	残	十六砖	方形边框		
108	F5①：124	长方形砖	Aa	小长方形砖	残17×16.5×7.8	1	残	十六砖	方形边框		
109	F5①：125	长方形砖	Aa	小长方形砖	残19.5×15.5×7.6	1	残	初一号	方形边框		
110	F5①：126	长方形砖	Aa	小长方形砖	残17×15.3×7.5	1	残	初一号	方形边框，字迹清晰		
111	F5①：127	长方形砖	Aa	小长方形砖	残18×15.5×7.5	1	残	十六	无边框		
112	F5①：128	长方形砖	Aa	小长方形砖	残23.5×15×7	1	残	初一号	无边框		
113	F5①：129	长方形砖	Aa	小长方形砖	残16.5×15.5×7.6	1	残	十六	无边框		
114	F5①：130	长方形砖	Aa	小长方形砖	残23.5×16×7.8	1	残	初一号	方形边框		
115	F5①：131	长方形砖	Aa	小长方形砖	残16.5×14.9×7.8	1	残	[十]六	无边框		

续表

序号	出土单位/编号	器形	类型	名称	尺寸/厘米 长×宽×厚	计件	完残	铭文	备注	小计/件	
116	F5①：132	长方形砖	Aa	小长方形砖	残14×15×7.5	1	残	[十]六	无边框		
117	F5①：133	长方形砖	Aa	小长方形砖	残9.8×残10×7.2	1	残	初一号	方形边框		
118	F5①：134	长方形砖	Aa	小长方形砖	残20.2×15.3×7.5	1	残	初一号	方形边框		
119	F5①：135	长方形砖	Aa	小长方形砖	残13.2×残11×7.3	1	残	初一号	无边框		
120	F5①：136	长方形砖	Aa	小长方形砖	残16.5×残7.8×7.3	1	残	初[一][号]			
121	F5①：137	长方形砖	Aa	小长方形砖	残15.2×15.3×7.3	1	残	初一号	方形边框		
122	F5①：138	长方形砖	Aa	小长方形砖	残11×残9.3×7.5	1	残	十六砖	无边框		
123	F5①：139	长方形砖	Aa	小长方形砖	残10×残12.5×6	1	残	初一号	方形边框		
124	F5①：140	长方形砖	Aa	小长方形砖	残15×残12×6	1	残				
125	F5①：141	长方形砖	Aa	小长方形砖	残13×15.8×7.6	1	残	十六砖	无边框	1022	1142
126	F5①：142	长方形砖	Aa	小长方形砖	残12.5×15×7.5	1	残	初一号	方形边框		
127	F5①：143	长方形砖	Aa	小长方形砖	残18.5×15.5×7.5	1	残	初一号	方形边框		
128	F5①：144	长方形砖	Aa	小长方形砖	残20.5×15.6×7.2	1	残	初一号	方形边框		
129	F5①：145	长方形砖	Aa	小长方形砖	残11.3×残9×7	1	残	[十]六	无边框，小残块		
130	F5①：146	长方形砖	Aa	小长方形砖	残15×残9×7.5	1	残	[十]六[砖]	无边框		
131	F5①：147	长方形砖	Aa	小长方形砖	残19×15×7	1	残	初一号	方形边框		
132	F5①：148	长方形砖	Aa	小长方形砖	35×15.2×7.5	1	较完整	初一号	方形边框		
133	F5①：149	长方形砖	Aa	小长方形砖	残16.5×15.5×7.5	1	残	十六砖	方形边框		
134	F5①：150	长方形砖	Aa	小长方形砖	残11×16×7.3	1	残	十六砖	无边框		

续表

序号	出土单位/编号	器形	类型	名称	尺寸/厘米 长×宽×厚	计件	完残	铭文	备注	小计/件	
135	F5①：151	长方形砖	Aa	小长方形砖	残18×14.8×7	1	残	初一号	方形边框		
136	F5①：152	长方形砖	Aa	小长方形砖	残7×残7×7.2	1	残	十六砖	方形边框		
137	F5①：153	长方形砖	Aa	小长方形砖	残18×14.6×7	1	残	初一号	方形边框		
138	F5①：155	长方形砖	Aa	小长方形砖	残17.4×16.2×7.5	1	残	十六	无边框		
139	F5①：156	长方形砖	Aa	小长方形砖	残28.5×14.2×6.6	1	较完整	十六砖	无边框		
140	F5①：157	长方形砖	Aa	小长方形砖	29.5×15×7.7	1	完整	初一号	方形边框		
141	F5①：158	长方形砖	Aa	小长方形砖	残27.8×14.6×7.7	1	残	十六砖	无边框		
142	F5①：159	长方形砖	Aa	小长方形砖	残17×15×8	1	残	十六	无边框		
143	F5①：160	长方形砖	Aa	小长方形砖	残25.3×16×7	1	残	十六	无边框		
144	F5①：161	长方形砖	Aa	小长方形砖	残12×16×7.5	1	残	初一号	方形边框	1022	1142
145	F5①：162	长方形砖	Aa	小长方形砖	残20×15.7×7.5	1	残	十六砖	无边框		
146	F5①：163	长方形砖	Aa	小长方形砖	残12.5×15.5×7.4	1	残	十[六]	无边框		
147	F5①：164	长方形砖	Aa	小长方形砖	残13.3×15.8×8	1	残	十六	无边框		
148	F5①：165	长方形砖	Aa	小长方形砖	残16×15.2×7.2	1	残	初一号	无边框		
149	F5①：166	长方形砖	Aa	小长方形砖	残15.5×15.7×6.7	1	残	初一号	无边框		
150	F5①：167	长方形砖	Aa	小长方形砖	残18.3×残10.5×6.7	1	残	十六砖	无边框		
151	F5①：168	长方形砖	Aa	小长方形砖	残18×15.6×7.8	1	残	十六砖	方形边框		
152	F5①：169	长方形砖	Aa	小长方形砖	残17.5×15×7.6	1	残	十[六]	无边框		
153	F5①：170	长方形砖	Aa	小长方形砖	残11.5×14.7×6.7	1	残	初一号	无边框		

续表

序号	出土单位/编号	器形	类型	名称	尺寸/厘米 长×宽×厚	计件	完残	铭文	备注	小计/件	
154	F5①：172	长方形砖	Aa	小长方形砖	残17×残9×7.4	1	残	十六砖	无边框		
155	F5①：173	长方形砖	Aa	小长方形砖	残14.5×残10.8×7	1	残	初一号	无边框		
156	F5①：174	长方形砖	Aa	小长方形砖	残18.7×15.6×7	1	残	十六砖	无边框		
157	F5①：175	长方形砖	Aa	小长方形砖	残13.3×15.1×7.2	1	残	初一号	方形边框		
158	F5①：176	长方形砖	Aa	小长方形砖	残15.5×残6.6×7.2	1	残	十六砖	方形边框		
159	F5①：177	长方形砖	Aa	小长方形砖	残17×15.2×7.4	1	残				
160	F5①：178	长方形砖	Aa	小长方形砖	残20.2×14.6×7.3	1	残	初一号	方形边框		
161	F5①：179	长方形砖	Aa	小长方形砖	残21.3×15.7×7.2	1	残	十六砖	方形边框		
162	F5①：180	长方形砖	Aa	小长方形砖	残22×残12×6.5	1	残		动物足印		
163	F5①：181	长方形砖	Aa	小长方形砖	30.5×15.4×7	1	较完整	十六砖	方形边框	1022	1142
164	F5①：182	长方形砖	Aa	小长方形砖	残12.3×残8×6.7	1	残	十六	无边框		
165	F5①：183	长方形砖	Aa	小长方形砖	残17.1×14.9×7.5	1	残	[初][一]号	方形边框		
166	F5①：184	长方形砖	Aa	小长方形砖	残15.7×残7×7.2	1	残	初一号	无边框		
167	F5①：185	长方形砖	Aa	小长方形砖	残13×残10×7	1	残	初一号	无边框		
168	F5①：186	长方形砖	Aa	小长方形砖	残10×15×6.8	1	残	初一号	方形边框		
169	F5①：187	长方形砖	Aa	小长方形砖	残21.6×16×7	1	残	十六砖	无边框，端头字迹模糊		
170	F5①：188	长方形砖	Aa	小长方形砖	残15.1×残12.1×6.7	1	残	初一号	方形边框		
171	F5①：189	长方形砖	Aa	小长方形砖	残14×16.5×7.5	1	残	十六砖	无边框		
172	F5①：190	长方形砖	Aa	小长方形砖	残17.2×16.1×7.5	1	残	初一号	无边框		

续表

序号	出土单位/编号	器形	类型	名称	尺寸/厘米 长×宽×厚	计件	完残	铭文	备注	小计/件	
173	F5①：192	长方形砖	Aa	小长方形砖	残24.5×15.9×7.5	1	残	初一号	无边框，字迹模糊		
174	F5①：194	长方形砖	Aa	小长方形砖	残18.6×16×7.5	1	残	十六	无边框		
175	F5①：195	长方形砖	Aa	小长方形砖	残10.5×残13×6.3	1	较完整	初一号			
176	F5①：196	长方形砖	Aa	小长方形砖	30.3×15×7.4	1	完整	初一号			
177	F5①：197	长方形砖	Aa	小长方形砖	28.1×14.1×7.5	1	完整	戳印圆圈纹			
178	F5①：198	长方形砖	Aa	小长方形砖	29.5×15.5×7	1	完整	初一号	无边框		
179	F5①：199	长方形砖	Aa	小长方形砖	31×15.4×8	1	完整	十六砖	无边框		
180	F5①：201	长方形砖	Aa	小长方形砖	31.5×15.5×7	1	完整	[十]六砖	无边框，字迹模糊		
181	F5①：202	长方形砖	Aa	小长方形砖	残18.6×15.6×7.5	1	残	十[六]	无边框		
182	F5①：203	长方形砖	Aa	小长方形砖	残27×15.3×7.4	1	残	初[一][号]	方形边框	1022	1142
183	F5①：204	长方形砖	Aa	小长方形砖	残24×16.2×7.8	1	残	十六砖	无边框		
184	F5①：205	长方形砖	Aa	小长方形砖	残16.3×14×6.6	1	残	十六砖	方形边框		
185	F5①：206	长方形砖	Aa	小长方形砖	残19×15.6×7.5	1	残	初一号	方形边框		
186	F5①：207	长方形砖	Aa	小长方形砖	残14.8×14.2×7.8	1	残	十六砖	方形边框		
187	F5①：208	长方形砖	Aa	小长方形砖	残18.8×15×7.4	1	残	初[一][号]	方形边框		
188	F5①：209	长方形砖	Aa	小长方形砖	残12×15.5×8	1	残	[十]六	无边框		
189	F5①：210	长方形砖	Aa	小长方形砖	残26.5×15.2×7.6	1	残	十六砖	无边框		
190	F5①：211	长方形砖	Aa	小长方形砖	残21.5×14.6×7.7	1	残	十六砖	方形边框		
191	F5①：256	长方形砖	Aa	小长方形砖	残11.5×残8×残5.6	1	残				

续表

序号	出土单位/编号	器形	类型	名称	尺寸/厘米 长×宽×厚	计件	完残	铭文	备注	小计/件	
192	F5①：260	长方形砖	Aa	小长方形砖	29×15×7.5	1	完整	十六	无边框	1022	1142
193	F5①：261	长方形砖	Aa	小长方形砖	31×15.5×6	1	完整	十六砖			
194	F5①：266	长方形砖	Aa	小长方形砖		1	残甚	十六	无边框		
195	F5①：267	长方形砖	Aa	小长方形砖		1	残甚	初一号	无边框		
196	F5①：268	长方形砖	Aa	小长方形砖		1	残甚	初一号	方形边框		
197	F5①：269	长方形砖	Aa	小长方形砖		1	残甚	初一号	方形边框		
198	F5①：271	长方形砖	Aa	小长方形砖		1	残甚	十六	无边框		
199	F5①：273	长方形砖	Aa	小长方形砖		1	残甚	初一号			
200	F5①：274	长方形砖	Aa	小长方形砖		1	残甚	十六	无边框		
201	F5①	长方形砖	Aa	小长方形砖		1	残甚				
202	F6①：11	长方形砖	Aa	小长方形砖	残15×15.5×7.5	1	残	十六砖	无边框		
203	F6①：24	长方形砖	Aa	小长方形砖	残22×16×8	1	较完整	初一号	方形边框		
204	F6①：25	长方形砖	Aa	小长方形砖	残13×残15×7.5	1	残	初一号	方形边框		
205	F6①：26	长方形砖	Aa	小长方形砖	残13×16.5×7.5	1	残	初一号	方形边框		
206	F6①：27	长方形砖	Aa	小长方形砖	残15×15.5×7.5	1	残	初一号	无边框		
207	F6①：28	长方形砖	Aa	小长方形砖	残26×15×8	1	残	十六	无边框		
208	F6①：29	长方形砖	Aa	小长方形砖	30.5×15×7	1	较完整	十六	无边框		
209	F6①：30	长方形砖	Aa	小长方形砖	残17×15×7.5	1	残	初一号	无边框		
210	F6①：32	长方形砖	Aa	小长方形砖	30×15×7.5	1	较完整	初一号	无边框		

续表

序号	出土单位/编号	器形	类型	名称	尺寸/厘米 长×宽×厚	计件	完残	铭文	备注	小计/件	
211	F6①：33	长方形砖	Aa	小长方形砖	残9×残10.2×7	1	残	初一号	方形边框		
212	F6①：34	长方形砖	Aa	小长方形砖	残16×15.7×7.5	1	残	初一号	方形边框		
213	F6①：35	长方形砖	Aa	小长方形砖	残13.5×15.3×7.2	1	残	初一号	方形边框		
214	F6①：36	长方形砖	Aa	小长方形砖	残14.5×15.5×7.5	1	残	初一号	无边框		
215	F6①：37	长方形砖	Aa	小长方形砖	残13×15×7.3	1	残	初一号	无边框		
216	F6①：38	长方形砖	Aa	小长方形砖	残17.5×残12.5×7.6	1	残	初一号	无边框		
217	F6①：39	长方形砖	Aa	小长方形砖	残13.4×15.5×7.2	1	残	十六砖	无边框		
218	F6①：40	长方形砖	Aa	小长方形砖	残15.5×14.6×6.8	1	残	初一号	方形边框		
219	F6①：41	长方形砖	Aa	小长方形砖	残14×残7.1×7.5	1	残	十六砖	无边框		
220	F6①：42	长方形砖	Aa	小长方形砖	残17.5×15.5×7.3	1	残	初一号	方形边框	1022	1142
221	F6①：43	长方形砖	Aa	小长方形砖	残14.6×15.3×7.4	1	残	十六	无边框		
222	F6①：44	长方形砖	Aa	小长方形砖	残17×15.5×7.6	1	残	初一号	方形边框		
223	F6①：45	长方形砖	Aa	小长方形砖	残14×15.6×7.3	1	残	初一号	方形边框		
224	F6①：46	长方形砖	Aa	小长方形砖	残17×14.8×7.4	1	残	初一号	无边框		
225	F6①：48	长方形砖	Aa	小长方形砖	残14×残12×6	1	残	初一号	方形边框		
226	F6①：49	长方形砖	Aa	小长方形砖	残20×15.5×7.5	1	残	十六	无边框		
227	F6①：50	长方形砖	Aa	小长方形砖	残25.5×15.5×7.5	1	残	十六	无边框		
228	F6①：51	长方形砖	Aa	小长方形砖	残17.5×残9.5×7.5	1	残	十六砖	无边框		
229	F6①：53	长方形砖	Aa	小长方形砖	残13×15.5×7.5	1	残	十六	无边框		

续表

序号	出土单位/编号	器形	类型	名称	尺寸/厘米 长×宽×厚	计件	完残	铭文	备注	小计/件	
230	F6①：54	长方形砖	Aa	小长方形砖	残20×15.6×7.6	1	较完整	初一号	无边框	1022	1142
231	F6①：55	长方形砖	Aa	小长方形砖	残13.1×残9.8×6.7	1	残	十六砖	无边框		
232	F6①：56	长方形砖	Aa	小长方形砖	残14.5×残7.3×7.3	1	残	初一号	无边框		
233	F6①：57	长方形砖	Aa	小长方形砖	残11.2×残13×7	1	残	初一号	无边框		
234	F6①：58	长方形砖	Aa	小长方形砖	残15×残15×7.2	1	残	初一号	方形边框		
235	F6①：60	长方形砖	Aa	小长方形砖	残14.8×15.3×7.5	1	残	初一号	方形边框		
236	F6①：61	长方形砖	Aa	小长方形砖	残10.5×残10×7.8	1	残	初一号	无边框		
237	F6①：62	长方形砖	Aa	小长方形砖	残17×16.3×7.6	1	残	十六砖	无边框		
238	F6①：63	长方形砖	Aa	小长方形砖	残16×残11×7.2	1	残	初一号	无边框		
239	F6①：64	长方形砖	Aa	小长方形砖	残23×15×7.5	1	残	初一号	方形边框		
240	F6①：65	长方形砖	Aa	小长方形砖	残16.2×15.6×7.2	1	残	十六砖	方形边框		
241	F6①：67	长方形砖	Aa	小长方形砖	残19×15.5×7.2	1	残	初一号	方形边框		
242	F6①：68	长方形砖	Aa	小长方形砖	残13.6×16×7.2	1	残	初一号	无边框		
243	F6①：69	长方形砖	Aa	小长方形砖	残13.6×15.2×7.8	1	残				
244	F6①：70	长方形砖	Aa	小长方形砖	残17.8×15.3×7.6	1	残	初一号	方形边框		
245	F6①：71	长方形砖	Aa	小长方形砖	残16.7×残12×6	1	残	初一号	无边框		
246	F6①：72	长方形砖	Aa	小长方形砖	残14×残10.5×6.7	1	残	初一号	无边框		
247	F6①：73	长方形砖	Aa	小长方形砖	残19.3×15×7.5	1	残	十六砖	无边框		
248	F6①：74	长方形砖	Aa	小长方形砖	残12×15.5×7	1	残	初一号	方形边框		

续表

序号	出土单位/编号	器形	类型	名称	尺寸/厘米 长×宽×厚	计件	完残	铭文	备注	小计/件	
249	F6①：75	长方形砖	Aa	小长方形砖	残18.2×残11×7.5	1	残	初一号	方形边框		
250	F6①：76	长方形砖	Aa	小长方形砖	残19×15×7.2	1	残	十[六]	无边框		
251	F6①：78	长方形砖	Aa	小长方形砖	残19×15.3×7.5	1	残	十六砖	方形边框		
252	F6①：79	长方形砖	Aa	小长方形砖	残20.2×15.2×7.2	1	残	十六砖	无边框		
253	F6①：80	长方形砖	Aa	小长方形砖	残23×14.5×7.6	1	残	初一号	方形边框		
254	F6①：81	长方形砖	Aa	小长方形砖	残13.2×15.5×7.5	1	残	十六砖	方形边框		
255	F6①：82	长方形砖	Aa	小长方形砖	残13.3×16.1×7.5	1	残	十[六]	无边框		
256	F6①：83	长方形砖	Aa	小长方形砖	残15×残9×7.3	1	残	十六	无边框		
257	F6①：84	长方形砖	Aa	小长方形砖	残18×15.7×7	1	残	十[六]	无边框		
258	F6①：87	长方形砖	Aa	小长方形砖		1	残甚	初一号		1022	1142
259	F6①：88	长方形砖	Aa	小长方形砖		1	残甚	十六砖			
260	F6①：91	长方形砖	Aa	小长方形砖	残12.4×11.7×7.3	1	残	初一号	方形边框		
261	F6①：92	长方形砖	Aa	小长方形砖	残14.5×12.1×6.1	1	残	初一号	无边框		
262	F6①：93	长方形砖	Aa	小长方形砖	残20×14.2×8.5	1	残	初一号	方形边框		
263	F6①：94	长方形砖	Aa	小长方形砖	残18.7×14.7×7.1	1	残	[初][一]号	无边框		
264	F6①：95	长方形砖	Aa	小长方形砖	残14.8×15.8×7.5	1	残	初一号	方形边框		
265	F6①：96	长方形砖	Aa	小长方形砖	残15×15×7.6	1	残	初一号	无边框		
266	F6①：97	长方形砖	Aa	小长方形砖	残14.6×15.4×7.5	1	残	初一号	方形边框		
267	F6①：98	长方形砖	Aa	小长方形砖	残14.4×15×7.4	1	残	十六	无边框		

续表

序号	出土单位/编号	器形	类型	名称	尺寸/厘米 长×宽×厚	计件	完残	铭文	备注	小计/件	
268	F6①：99	长方形砖	Aa	小长方形砖	残19.3×15.2×7.6	1	残	初一号	方形边框		
269	F6①：100	长方形砖	Aa	小长方形砖	残11×16×7	1	残	初一号	方形边框		
270	F6①：101	长方形砖	Aa	小长方形砖	残16×残15×7	1	残	初一号	方形边框		
271	F6①：102	长方形砖	Aa	小长方形砖	残27.3×残11×7.5	1	残	初一号	方形边框		
272	F6①：103	长方形砖	Aa	小长方形砖	残7.6×残8×残6	1	残	十六	无边框		
273	F6①：104	长方形砖	Aa	小长方形砖	残8.5×残8.5×7.6	1	残	初一号	无边框		
274	F6①：105	长方形砖	Aa	小长方形砖	残12.5×残12×7.3	1	残	初一号	无边框		
275	F6①：106	长方形砖	Aa	小长方形砖	残15×15×7.3	1	残	初一号	方形边框		
276	F6①：107	长方形砖	Aa	小长方形砖	残22.5×残10.4×7.5	1	残	十六砖	无边框		
277	F6①：108	长方形砖	Aa	小长方形砖	残15.5×14×7.1	1	残	初一号	方形边框	1022	1142
278	F6①：109	长方形砖	Aa	小长方形砖	残13.2×15×7.2	1	残	十六砖	无边框		
279	F6①：110	长方形砖	Aa	小长方形砖	残13×15.5×7.2	1	残	初一号	无边框		
280	F6①：111	长方形砖	Aa	小长方形砖	残18.2×14×7.6	1	残	初一号	方形边框		
281	F6①：112	长方形砖	Aa	小长方形砖	残10×残11.5×7.8	1	残	十六砖	无边框		
282	F6①：113	长方形砖	Aa	小长方形砖	残21×残8.1×7	1	残	十六	无边框		
283	F6①：116	长方形砖	Aa	小长方形砖	残12×15.6×7.8	1	残	十六砖	无边框		
284	F6①：117	长方形砖	Aa	小长方形砖	残10×15.6×7.6	1	残	十六砖	方形边框		
285	F6①：118	长方形砖	Aa	小长方形砖	残19.3×残9×7.2	1	残	十六	无边框		
286	F6①：119	长方形砖	Aa	小长方形砖	残15.4×16×7	1	残	十六砖	无边框		

续表

序号	出土单位/编号	器形	类型	名称	尺寸/厘米 长×宽×厚	计件	完残	铭文	备注	小计/件	
287	F6①：120	长方形砖	Aa	小长方形砖	残17.5×16×7.5	1	残	十六	无边框		
288	F6①：121	长方形砖	Aa	小长方形砖	残16×15.5×7.8	1	残	初一号	方形边框		
289	F6①：122	长方形砖	Aa	小长方形砖	残13.5×15.8×7.5	1	残	初一号	无边框		
290	F6①：123	长方形砖	Aa	小长方形砖	残14×15.2×7.1	1	残	初一号	无边框		
291	F6①：124	长方形砖	Aa	小长方形砖	残14.5×残9.6×7.6	1	残	初一号	无边框		
292	F6①：127	长方形砖	Aa	小长方形砖	残19×14.5×7	1	残	初一号	方形边框		
293	F6①：128	长方形砖	Aa	小长方形砖	残16×16×8.2	1	残	初一号	无边框		
294	F6①：129	长方形砖	Aa	小长方形砖	残19×15.5×7	1	残	十六	无边框		
295	F6①：131	长方形砖	Aa	小长方形砖	残7.5×残11×7.8	1	残	十六	无边框		
296	F6①：132	长方形砖	Aa	小长方形砖	残16.5×残13.5×7.4	1	残	初一号	方形边框	1022	1142
297	F6①：133	长方形砖	Aa	小长方形砖	残19.4×15×7.4	1	残	初一号	方形边框		
298	F6①：134	长方形砖	Aa	小长方形砖	残10.4×残10.1×7.4	1	残	十六	无边框		
299	F6①：136	长方形砖	Aa	小长方形砖	残15.5×残11×7.2	1	残	初一号	方形边框		
300	F6①：137	长方形砖	Aa	小长方形砖	残22×残12×6.3	1	残	初一号	方形边框		
301	F6①：138	长方形砖	Aa	小长方形砖	残17.5×残12.1×7	1	残	初一号	方形边框		
302	F6①：140	长方形砖	Aa	小长方形砖	残10.5×残11.5×7.1	1	残	初一号	无边框		
303	F6①：141	长方形砖	Aa	小长方形砖	残12×残9.5×7	1	残				
304	F6①：142	长方形砖	Aa	小长方形砖	残13×残11.2×7.6	1	残	十六	无边框		
305	F6①：144	长方形砖	Aa	小长方形砖	残21.3×15.4×7.6	1	残	初一号	无边框		

续表

序号	出土单位/编号	器形	类型	名称	尺寸/厘米 长×宽×厚	计件	完残	铭文	备注	小计/件	
306	F6①：145	长方形砖	Aa	小长方形砖	残24×15.6×7.1	1	残	十六砖	方形边框		
307	F6①：146	长方形砖	Aa	小长方形砖	残18×15×7	1	残	初一号	方形边框		
308	F6①：147	长方形砖	Aa	小长方形砖	残16×16×7.1	1	残	十六砖	无边框		
309	F6①：148	长方形砖	Aa	小长方形砖	残18.7×残10.3×7.4	1	残	十[六]	无边框		
310	F6①：150	长方形砖	Aa	小长方形砖	残15.1×16×7.3	1	残	初一号	无边框		
311	F6①：152	长方形砖	Aa	小长方形砖	残20×15.2×7	1	较完整	[十]六	无边框		
312	F6①：153	长方形砖	Aa	小长方形砖	残9.8×15.4×7.1	1	残	初一号	无边框		
313	F6①：154	长方形砖	Aa	小长方形砖	残17.5×残15.5×7.5	1	残	初一号	无边框		
314	F6①：155	长方形砖	Aa	小长方形砖	残18.4×14×7	1	较完整	初一号	无边框		
315	F6①：156	长方形砖	Aa	小长方形砖	残24×14.3×7	1	残	初一号	方形边框	1022	1142
316	F6①：158	长方形砖	Aa	小长方形砖	残15.5×16×7.5	1	残	初一号	方形边框		
317	F6①：159	长方形砖	Aa	小长方形砖	29×15.2×7.2	1	较完整	初一号	方形边框		
318	F6①：160	长方形砖	Aa	小长方形砖	残13.4×15.7×7.3	1	残	十六砖	无边框		
319	F6①：161	长方形砖	Aa	小长方形砖	残18.5×14×6.5	1	残	十六	无边框		
320	F6①：162	长方形砖	Aa	小长方形砖	残10.5×残9×6	1	残	初一号	无边框		
321	F6①：163	长方形砖	Aa	小长方形砖	残19.5×15.5×7.5	1	残	初一号	方形边框		
322	F6①：164	长方形砖	Aa	小长方形砖	30×15×7.8	1	完整	十六砖	无边框		
323	F6①：165	长方形砖	Aa	小长方形砖	残13.4×残7.5×7	1	残	十六	无边框		
324	F6①：166	长方形砖	Aa	小长方形砖	残20×残7.8×7	1	残	初一号	无边框		

续表

序号	出土单位/编号	器形	类型	名称	尺寸/厘米 长×宽×厚	计件	完残	铭文	备注	小计/件	
325	F6①：167	长方形砖	Aa	小长方形砖	残15×15.5×7.3	1	残	初一号	方形边框		
326	F6①：168	长方形砖	Aa	小长方形砖	残11×残12×7.1	1	残	十六砖	方形边框		
327	F6①：169	长方形砖	Aa	小长方形砖	残16×残8.8×7.5	1	残	十六	无边框		
328	F6①：170	长方形砖	Aa	小长方形砖	残15.7×残11.5×6.8	1	较完整	十六砖	方形边框		
329	F6①：171	长方形砖	Aa	小长方形砖	残16.9×14.6×6.7	1	残	十六	无边框		
330	F6①：173	长方形砖	Aa	小长方形砖	残14.9×15.5×7	1	残	初一号	无边框		
331	F6①：174	长方形砖	Aa	小长方形砖	残24×16.4×7.8	1	残	十[六]	无边框		
332	F6①：175	长方形砖	Aa	小长方形砖	29.8×14.5×7.5	1	较完整	[十]六	无边框		
333	F6①：176	长方形砖	Aa	小长方形砖	30×14.6×7.5	1	较完整	初一号	无边框		
334	F6①：177	长方形砖	Aa	小长方形砖	残26.4×15.5×7.9	1	残	初一号	方形边框	1022	1142
335	F6①：178	长方形砖	Aa	小长方形砖	31×15.3×7.5	1	较完整	十六	无边框		
336	F6①：179	长方形砖	Aa	小长方形砖	残21.3×15.5×7.3	1	残	十六	无边框		
337	F6①：180	长方形砖	Aa	小长方形砖	残14.5×15.5×7.4	1	残	[十]六	无边框		
338	F6①：181	长方形砖	Aa	小长方形砖	残20.3×14×6.5	1	残	初一号	方形边框		
339	F6①：183	长方形砖	Aa	小长方形砖	残17×16×8.3	1	残	十[六]	无边框		
340	F6①：184	长方形砖	Aa	小长方形砖	残17×15.4×7.3	1	残	初一号	无边框		
341	F6①：185	长方形砖	Aa	小长方形砖	残15×15×7.5	1	残	十六	无边框		
342	F6①：186	长方形砖	Aa	小长方形砖	残16×14.5×7.7	1	残	初一号	方形边框		
343	F6①：187	长方形砖	Aa	小长方形砖	29.5×15×7.5	1	较完整	初一号	方形边框		

续表

序号	出土单位/编号	器形	类型	名称	尺寸/厘米 长×宽×厚	计件	完残	铭文	备注	小计/件	
344	F6①：188	长方形砖	Aa	小长方形砖	残16.4×15.3×7.5	1	残	初一号	无边框		
345	F6①：190	长方形砖	Aa	小长方形砖	残12.5×15×7.3	1	残	初一号	无边框		
346	F6①：191	长方形砖	Aa	小长方形砖	残21×15.9×7.5	1	较完整	⊞六	无边框		
347	F6①：192	长方形砖	Aa	小长方形砖	残15.5×15.3×7.3	1	残	初一号	无边框		
348	F6①：194	长方形砖	Aa	小长方形砖	残20.5×残11.3×6.6	1	残	初一号	方形边框		
349	F6①：195	长方形砖	Aa	小长方形砖	残15.2×14.9×7.2	1	残	初一号	方形边框		
350	F6①：196	长方形砖	Aa	小长方形砖	残18.2×残8.5×5.9	1	残	初一号	无边框		
351	F6①：197	长方形砖	Aa	小长方形砖	残19.3×15×7.2	1	较完整	十六砖	方形边框		
352	F6①：198	长方形砖	Aa	小长方形砖	残17×残13.4×7.3	1	残	初一号	方形边框		
353	F6①：199	长方形砖	Aa	小长方形砖	残16×16×7.2	1	残	初一号	无边框	1022	1142
354	F6①：200	长方形砖	Aa	小长方形砖	残14.5×残13.5×7.3	1	残	初一号	无边框		
355	F6①：201	长方形砖	Aa	小长方形砖	残18×16×8	1	残	初一号	无边框		
356	F6①：202	长方形砖	Aa	小长方形砖	残18×16×7.7	1	残	初一号	方形边框		
357	F6①：203	长方形砖	Aa	小长方形砖	残16.5×15×7.5	1	残	初一号	无边框		
358	F6①：204	长方形砖	Aa	小长方形砖	残15×15×7.2	1	较完整	砖	无边框		
359	F6①：205	长方形砖	Aa	小长方形砖	残18.5×15×7.3	1	残	十六砖	无边框		
360	F6①：206	长方形砖	Aa	小长方形砖	残14×15.5×8	1	残	初一号	方形边框		
361	F6①：207	长方形砖	Aa	小长方形砖	残20×16×7.5	1	残	初一号	方形边框		
362	F6①：208	长方形砖	Aa	小长方形砖	残16×15.5×7.5	1	残	初一号	方形边框		

续表

序号	出土单位/编号	器形	类型	名称	尺寸/厘米 长×宽×厚	计件	完残	铭文	备注	小计/件	
363	F6①：209	长方形砖	Aa	小长方形砖	残17×15×7.5	1	残	十六	无边框	1022	1142
364	F6①：210	长方形砖	Aa	小长方形砖	残16×15.5×7.5	1	残	初一号	方形边框		
365	F6①：211	长方形砖	Aa	小长方形砖	残14×15.7×8	1	残	初一号	无边框		
366	F6①：213	长方形砖	Aa	小长方形砖	残11.5×残8×7.5	1	残	十六砖	无边框		
367	F6①：214	长方形砖	Aa	小长方形砖	残24.2×14.7×7.2	1	残	初一号	方形边框		
368	F6①：215	长方形砖	Aa	小长方形砖	残29×15×7.5	1	较完整	初一号	无边框		
369	F6①：216	长方形砖	Aa	小长方形砖		1	残甚	初一号			
370	F6①：217	长方形砖	Aa	小长方形砖		1	残甚	十六砖			
371	F6①：218	长方形砖	Aa	小长方形砖		1	残甚	初一号			
372	F6①：219	长方形砖	Aa	小长方形砖		1	残甚	十六砖			
373	F6①：220	长方形砖	Aa	小长方形砖		1	残甚	十六砖			
374	F6①：226	长方形砖	Aa	小长方形砖		1	残甚	初一号			
375	F6①	长方形砖	Aa	小长方形砖		1	残甚	刻划“九”			
376	F6①	长方形砖	Aa	小长方形砖		1	残甚	十[六][砖]			
377	F8①：153	长方形砖	Aa	小长方形砖	残10×15×7.1	1	残	初一号	方形边框		
378	F8①：154	长方形砖	Aa	小长方形砖	残22.1×16×8	1	残	十六砖	无边框		
379	F8①：155	长方形砖	Aa	小长方形砖	残10×15.2×7.5	1	残	十六	无边框		
380	F8①：156	长方形砖	Aa	小长方形砖	残12.3×14×7	1	残	十六砖	无边框		
381	F8①：157	长方形砖	Aa	小长方形砖	29.5×残13.6×7	1	较完整	十六砖	方形边框		

续表

序号	出土单位/编号	器形	类型	名称	尺寸/厘米 长×宽×厚	计件	完残	铭文	备注	小计/件	
382	F8①：158	长方形砖	Aa	小长方形砖	残21.9×15.2×7	1	残	初一号	方形边框		
383	F8①：159	长方形砖	Aa	小长方形砖	残14×15.5×7.5	1	残	十六砖	方形边框		
384	F8①：160	长方形砖	Aa	小长方形砖	残12×14.6×6.8	1	残				
385	F8①：161	长方形砖	Aa	小长方形砖	30.3×15×7.5	1	较完整	十六砖	无边框		
386	F8①：162	长方形砖	Aa	小长方形砖	残19×14.6×7.4	1	残	初一号	方形边框		
387	F8①：163	长方形砖	Aa	小长方形砖	残18.2×15.2×7.5	1	残	十六	无边框		
388	F8①：164	长方形砖	Aa	小长方形砖	残15.2×残13.8×6.7	1	残	初一号	方形边框		
389	F8①：165	长方形砖	Aa	小长方形砖	残23.5×14.5×7.8	1	残	初一号	方形边框		
390	F8①：166	长方形砖	Aa	小长方形砖	残16.7×15.5×7.5	1	残	十六砖	无边框		
391	F8①：167	长方形砖	Aa	小长方形砖	残14×残12×7.2	1	残	初一号	无边框	1022	1142
392	F8①：168	长方形砖	Aa	小长方形砖	30.8×15.6×6.7	1	较完整				
393	F8①：169	长方形砖	Aa	小长方形砖	残20.5×15.3×7	1	残	初一号	方形边框		
394	F8①：170	长方形砖	Aa	小长方形砖	残9.5×15.5×6.3	1	残				
395	F8①：171	长方形砖	Aa	小长方形砖	残14.5×15.2×7.3	1	残	初一号	方形边框		
396	F8①：172	长方形砖	Aa	小长方形砖	残12×15.8×7.4	1	残	初一号	无边框		
397	F8①：173	长方形砖	Aa	小长方形砖	残13×残13.5×7.7	1	残	初一号	方形边框		
398	F8①：174	长方形砖	Aa	小长方形砖	残14×残11×7.2	1	残	初一号	方形边框		
399	F8①：175	长方形砖	Aa	小长方形砖	残16.5×残8.5×7.3	1	残	十六砖	方形边框		
400	F8①：176	长方形砖	Aa	小长方形砖	残16.9×残13×6.8	1	残	十六砖	方形边框		

续表

序号	出土单位/编号	器形	类型	名称	尺寸/厘米 长×宽×厚	计件	完残	铭文	备注	小计/件	
401	F8①：177	长方形砖	Aa	小长方形砖	残16.4×14.3×7	1	残	初一号	无边框		
402	F8①：178	长方形砖	Aa	小长方形砖	31.1×15.3×7.5	1	较完整				
403	F8①：179	长方形砖	Aa	小长方形砖	残20.5×15×7.2	1	残	初一号	方形边框		
404	F8①：180	长方形砖	Aa	小长方形砖	残17×14.6×7.4	1	残	十六	无边框		
405	F8①：181	长方形砖	Aa	小长方形砖	残12.6×15.3×7.8	1	残	十六	无边框		
406	F8①：182	长方形砖	Aa	小长方形砖	残19.3×14.8×7.6	1	残	十六砖	无边框		
407	F8①：183	长方形砖	Aa	小长方形砖	残15×15.3×7.2	1	残	初一号	方形边框		
408	F8①：184	长方形砖	Aa	小长方形砖	残22.5×14.8×7	1	残	十[六]	无边框		
409	F8①：185	长方形砖	Aa	小长方形砖	残20×15.5×7.6	1	残	十六	无边框		
410	F8①：186	长方形砖	Aa	小长方形砖	残16.6×14.6×7.3	1	残	初一号	方形边框	1022	1142
411	F8①：187	长方形砖	Aa	小长方形砖	残19.5×15.5×7.5	1	残	十六	无边框		
412	F8①：188	长方形砖	Aa	小长方形砖	残15×14.3×7.2	1	残	十六砖	方形边框		
413	F8①：189	长方形砖	Aa	小长方形砖	残14.2×14.6×6.7	1	残	十六砖	方形边框		
414	F8①：190	长方形砖	Aa	小长方形砖	残17×15.5×7.6	1	残	十六	无边框		
415	F8①：191	长方形砖	Aa	小长方形砖	残15.1×15.6×7.4	1	残	十六砖	方形边框		
416	F8①：192	长方形砖	Aa	小长方形砖	残14.6×14×7.1	1	残	初一号	方形边框		
417	F8①：234	长方形砖	Aa	小长方形砖	残18×15.5×7.5	1	残	初一号	方形边框		
418	F8①：241	长方形砖	Aa	小长方形砖	残9.5×残15×7	1	残	十六砖	无边框		
419	F8①：243	长方形砖	Aa	小长方形砖	31×15.4×8.4	1	较完整				

续表

序号	出土单位/编号	器形	类型	名称	尺寸/厘米 长×宽×厚	计件	完残	铭文	备注	小计/件	
420	F8①：244	长方形砖	Aa	小长方形砖	30.7×15.5×7.5	1	较完整	初一号	方形边框	1022	1142
421	F8①：245	长方形砖	Aa	小长方形砖	残23×14.5×6.9	1	残	模印铭文“老”	方形边框		
422	F8①：246	长方形砖	Aa	小长方形砖	残24.5×15.5×7.6	1	残	初一号	方形边框		
423	F8①：247	长方形砖	Aa	小长方形砖	残20.5×15×7.6	1	残	十六砖，刻“天田□”	无边框		
424	F8①：250	长方形砖	Aa	小长方形砖	残26×15×7.5	1	残	十六砖	方形边框		
425	F8①：253	长方形砖	Aa	小长方形砖	31×15×7.5	1	完整	十六砖	两肋均铭，方形边框		
426	F8①：254	长方形砖	Aa	小长方形砖	30×15.5×8	1	较完整	初一号	方形边框		
427	F8①：255	长方形砖	Aa	小长方形砖	残12.9×残12×7.5	1	残	初一号	无边框		
428	F8①：262	长方形砖	Aa	小长方形砖	残11×16×7.5	1	残	戳印圆圈纹			
429	F8①	长方形砖	Aa	小长方形砖		1	残甚	十六砖			
430	F8①	长方形砖	Aa	小长方形砖		1	残甚	十六			
431	F8①	长方形砖	Aa	小长方形砖		1	残甚	十六			
432	F8①	长方形砖	Aa	小长方形砖		1	残甚	十六砖			
433	F8①	长方形砖	Aa	小长方形砖		1	残甚	十六砖			
434	F8①	长方形砖	Aa	小长方形砖		1	残甚	十六			
435	F8①	长方形砖	Aa	小长方形砖		1	残甚	十六砖			
436	F8①	长方形砖	Aa	小长方形砖		1	残甚	十六砖			
437	F8①	长方形砖	Aa	小长方形砖		1	残甚	十六砖			

续表

序号	出土单位/编号	器形	类型	名称	尺寸/厘米 长×宽×厚	计件	完残	铭文	备注	小计/件	
438	F8①	长方形砖	Aa	小长方形砖		1	残甚			1022	1142
439	F8①	长方形砖	Aa	小长方形砖		1	残甚	十六			
440	F8①	长方形砖	Aa	小长方形砖		1	残甚	十六砖			
441	F8①	长方形砖	Aa	小长方形砖		1	残甚	十六砖			
442	F8①	长方形砖	Aa	小长方形砖		1	残甚	戳印圆圈纹			
443	F8①	长方形砖	Aa	小长方形砖		1	残甚	十六			
444	F8①	长方形砖	Aa	小长方形砖		1	残甚	十六砖			
445	F8①	长方形砖	Aa	小长方形砖		1	残甚	初一号			
446	F8①	长方形砖	Aa	小长方形砖		1	残甚	初一号			
447	F8①	长方形砖	Aa	小长方形砖		1	残甚				
448	F8①	长方形砖	Aa	小长方形砖		1	残甚	十六砖			
449	F9②	长方形砖	Aa	小长方形砖		1	残甚				
450	F10①：96	长方形砖	Aa	小长方形砖		1	残甚	刻划“□□□□□”			
451	F10②：1	长方形砖	Aa	小长方形砖	残12.4×15.4×8	1	残甚	甸砖			
452	F10②：2	长方形砖	Aa	小长方形砖	31.5×15×6.8	1	完整				
453	K4②：8	长方形砖	Aa	小长方形砖	残18.5×残10×7	1	残	王子□			
454	G1②：90	长方形砖	Aa	小长方形砖	残24×16×7.5	1	残	十六砖	无边框		
455	C5②：3	长方形砖	Aa	小长方形砖	残23×14.5×7	1	残	乙百			

续表

序号	出土单位/编号	器形	类型	名称	尺寸/厘米 长×宽×厚	计件	完残	铭文	备注	小计/件	
456	C5②：4	长方形砖	Aa	小长方形砖	残18×14.5×6.5	1	残	王?		1022	1142
457	C5②：5	长方形砖	Aa	小长方形砖	残16×15×7.5	1	残	初一号			
458	C5②：6	长方形砖	Aa	小长方形砖	残12×14.5×7	1	残	初一号			
459	C5②：7	长方形砖	Aa	小长方形砖	残13×14×7	1	残	初一号			
460	C5②：8	长方形砖	Aa	小长方形砖	残17.5×14×7	1	残	初一号			
461	C5②：9	长方形砖	Aa	小长方形砖	残22×15.5×8	1	残	初一号			
462	C5②：10	长方形砖	Aa	小长方形砖	残22×15×7	1	残	初一号			
463	C5②：11	长方形砖	Aa	小长方形砖	残18×15.5×7.5	1	残	初一号			
464	C5②：12	长方形砖	Aa	小长方形砖	残11.5×15×7.5	1	残	初一号			
465	C5②：13	长方形砖	Aa	小长方形砖	残8×14.5×7	1	残	初一号			
466	C5②：14	长方形砖	Aa	小长方形砖	残21×14.5×7	1	残	初一号			
467	C5②：15	长方形砖	Aa	小长方形砖		1	残甚				
468	C5②：16	长方形砖	Aa	小长方形砖	残18×15.5×7.5	1	残	初一号			
469	C5②：17	长方形砖	Aa	小长方形砖	残15×14×7	1	残	初一号			
470	C5②：18	长方形砖	Aa	小长方形砖	残20.5×15×7.5	1	残	初一号			
471	C5②：19	长方形砖	Aa	小长方形砖	残10×15.5×7.5	1	残	初一号			
472	C5②：20	长方形砖	Aa	小长方形砖	残23×15×7.5	1	残	初一号			
473	C5②：21	长方形砖	Aa	小长方形砖	残10×残11×7.5	1	残	初一号			
474	C5②：22	长方形砖	Aa	小长方形砖	残26×15×7.5	1	残	十六砖			

续表

序号	出土单位/编号	器形	类型	名称	尺寸/厘米 长×宽×厚	计件	完残	铭文	备注	小计/件	
475	C5②：23	长方形砖	Aa	小长方形砖	残21.5×15×7.5	1	残	初一号		1022	1142
476	C5②：24	长方形砖	Aa	小长方形砖	残16×14×8	1	残	初一号			
477	C5②：25	长方形砖	Aa	小长方形砖	残14.5×15.5×7	1	残	初一号			
478	C5②：26	长方形砖	Aa	小长方形砖	残26×14.5×8	1	残	初一号			
479	C5②：27	长方形砖	Aa	小长方形砖	30×15×7.5	1	较完整	初一号			
480	C5②：28	长方形砖	Aa	小长方形砖	残18×15.5×7.5	1	残	初一号			
481	C5②：29	长方形砖	Aa	小长方形砖	残15.5×15×6.5	1	残	十六			
482	C5②：30	长方形砖	Aa	小长方形砖	32×16×7.8	1	完整				
483	C5②：31	长方形砖	Aa	小长方形砖	29.5×15×6.5	1	较完整	初一号			
484	C5②：32	长方形砖	Aa	小长方形砖	30.5×15×7.5	1	较完整				
485	C5②：33	长方形砖	Aa	小长方形砖	29.5×14.5×7.5	1	较完整	初一号			
486	C5②：34	长方形砖	Aa	小长方形砖	30.5×16×7.5	1	较完整	十六砖			
487	C5②：35	长方形砖	Aa	小长方形砖	残19.5×14.5×7.5	1	残	十六砖			
488	C5②：36	长方形砖	Aa	小长方形砖	残26×15.5×8	1	残	十六砖			
489	C5②：37	长方形砖	Aa	小长方形砖	残16.5×15.5×7	1	残	十六砖			
490	C5②：38	长方形砖	Aa	小长方形砖	残21.5×16×7	1	残	十六砖			
491	C5②：39	长方形砖	Aa	小长方形砖	残17×15.5×8	1	残	十六砖			
492	C5②：40	长方形砖	Aa	小长方形砖		1	残甚	十六砖			
493	C5②：41	长方形砖	Aa	小长方形砖	残19×15.5×6.5	1	残	十六			

续表

序号	出土单位/编号	器形	类型	名称	尺寸/厘米 长×宽×厚	计件	完残	铭文	备注	小计/件	
494	C5②：42	长方形砖	Aa	小长方形砖	残20.5×16×7	1	残	十六			
495	C5②：43	长方形砖	Aa	小长方形砖	残20×15.7×7.5	1	残	十六砖			
496	C5②：44	长方形砖	Aa	小长方形砖	残16.5×15.5×7.5	1	残	初一号			
497	C5②：45	长方形砖	Aa	小长方形砖	残15.5×残7.5×7.5	1	残	初一号			
498	C5②：46	长方形砖	Aa	小长方形砖	残23×15×7	1	残	初一号			
499	L2①：96	长方形砖	Aa	小长方形砖	残30.5×15.5×7.5	1	残	十六砖			
500	L2①：97	长方形砖	Aa	小长方形砖	残16×16×8	1	残	十六砖			
501	L2①：98	长方形砖	Aa	小长方形砖	残18×15.5×7.5	1	残	初一号			
502	L2①：99	长方形砖	Aa	小长方形砖	残16×16×7.5	1	残	初一号			
503	L2①：100	长方形砖	Aa	小长方形砖	残24×15×8	1	残	初一号		1022	1142
504	L2①：101	长方形砖	Aa	小长方形砖	残16×15.5×7	1	残	初一号			
505	L2①：102	长方形砖	Aa	小长方形砖	残9×残8.5×7.5	1	残	初一号			
506	L2①：103	长方形砖	Aa	小长方形砖	残12×残10×6	1	残	初一号			
507	L2①：104	长方形砖	Aa	小长方形砖	残27×15×7	1	残	初一号			
508	L2①：105	长方形砖	Aa	小长方形砖	残21×14.5×7	1	残	初一号			
509	L2①：106	长方形砖	Aa	小长方形砖	残22×15.5×7	1	残	初一号			
510	L2①：107	长方形砖	Aa	小长方形砖	残28.5×14.5×7.5	1	残	十六砖			
511	L2①：108	长方形砖	Aa	小长方形砖	28.7×14×6.8	1	较完整	十六砖			
512	L2①：109	长方形砖	Aa	小长方形砖	残13×14.5×6.5	1	残	十六砖			

续表

序号	出土单位/编号	器形	类型	名称	尺寸/厘米 长×宽×厚	计件	完残	铭文	备注	小计/件	
513	L2①：110	长方形砖	Aa	小长方形砖	残10×残5.5×7	1	残	十六[砖]		1022	1142
514	L2①：111	长方形砖	Aa	小长方形砖	残19×15×7.5	1	残	十六砖			
515	L2①：112	长方形砖	Aa	小长方形砖	残15.5×16.2×7	1	残	十六砖			
516	L2①：113	长方形砖	Aa	小长方形砖	残19×15×8	1	残	十六砖			
517	L2①：114	长方形砖	Aa	小长方形砖		1	残甚	十六砖			
518	L2②：2	长方形砖	Aa	小长方形砖	残18×15.5×8	1	残	十六砖			
519	L2②：3	长方形砖	Aa	小长方形砖	残22.5×14.5×7	1	残	验			
520	L2②：4	长方形砖	Aa	小长方形砖	残9×残8×8	1	残	十六砖			
521	L2②：5	长方形砖	Aa	小长方形砖	30×15×7.5	1	较完整	十六砖，刻划□□□□			
522	L2②：6	长方形砖	Aa	小长方形砖	残20×16×7.5	1	残	十六砖			
523	L2④：22	长方形砖	Aa	小长方形砖	29.5×14×6.7	1	较完整	初一号			
524	L2④：23	长方形砖	Aa	小长方形砖	残28×14.5×7.5	1	较完整	初一号			
525	L2④：37	长方形砖	Aa	小长方形砖	残16.5×残10.7×7.8	1	残	十六	无边框		
526	L2④：38	长方形砖	Aa	小长方形砖	残13×15.2×7.3	1	残	初一号	方形边框		
527	L2④：39	长方形砖	Aa	小长方形砖	残10×残10.3×7.5	1	残	初一号	方形边框		
528	L2④：40	长方形砖	Aa	小长方形砖	残11.5×15.5×7.2	1	残	初一号	无边框		
529	L2④：41	长方形砖	Aa	小长方形砖	残18.2×14.6×7.6	1	残	十六砖	方形边框		
530	L2④：42	长方形砖	Aa	小长方形砖	残22.3×15×7.5	1	残		无边框		

续表

序号	出土单位/编号	器形	类型	名称	尺寸/厘米 长×宽×厚	计件	完残	铭文	备注	小计/件	
531	L2④：43	长方形砖	Aa	小长方形砖	29×15.5×7.5	1	较完整	初一号	无边框		
532	L2④：44	长方形砖	Aa	小长方形砖	残14×16×7.2	1	残	初一号	无边框		
533	L2④：45	长方形砖	Aa	小长方形砖	残23×残8.5×7.3	1	残	十六砖	方形边框		
534	L2④：46	长方形砖	Aa	小长方形砖	残21.7×15.2×7.3	1	残	十六	无边框		
535	L2④：47	长方形砖	Aa	小长方形砖	残14×残8.8×6.6	1	残	初一号	方形边框		
536	L2④：48	长方形砖	Aa	小长方形砖	残15.5×残8×7	1	残	初一号	方形边框		
537	L2④：49	长方形砖	Aa	小长方形砖	残12.7×残13×7.5	1	残	初一号	方形边框		
538	L2④：50	长方形砖	Aa	小长方形砖	残16.3×14.5×7	1	残	十[六]	无边框		
539	L2④：51	长方形砖	Aa	小长方形砖	残15.5×14.6×7	1	残	初一号	方形边框		
540	L2④：52	长方形砖	Aa	小长方形砖	残18.5×残6.3×7.3	1	残	十六砖	方形边框	1022	1142
541	L2④：53	长方形砖	Aa	小长方形砖	残17.5×14.8×7	1	残	验	方形边框		
542	L2④：54	长方形砖	Aa	小长方形砖	残17.3×15.6×7	1	残	十六砖	无边框		
543	L2④：55	长方形砖	Aa	小长方形砖	残13.4×残7.3×7	1	残	十六砖	方形边框		
544	L2④：56	长方形砖	Aa	小长方形砖	残12.1×残8.5×6.9	1	残	十六砖	无边框		
545	L2④：57	长方形砖	Aa	小长方形砖	残15.5×14.6×7	1	残	十六砖	两组铭文		
546	L2④：58	长方形砖	Aa	小长方形砖	残11.3×残10×7.6	1	残	十六砖	无边框		
547	L2④：59	长方形砖	Aa	小长方形砖	残15.2×15.5×7	1	残	十六砖	无边框		
548	L2④：60	长方形砖	Aa	小长方形砖	残15×14.9×7.7	1	残	十六砖	方形边框		
549	L2④：61	长方形砖	Aa	小长方形砖	残13×15×6.9	1	残	十六砖	无边框		

续表

序号	出土单位/编号	器形	类型	名称	尺寸/厘米 长×宽×厚	计件	完残	铭文	备注	小计/件	
550	L2④：62	长方形砖	Aa	小长方形砖	残10.5×15.5×6.9	1	残	十六砖	无边框		
551	L2④：63	长方形砖	Aa	小长方形砖	残19×15.5×7.5	1	残	十六砖	方形边框		
552	L2④：64	长方形砖	Aa	小长方形砖	残13.4×残6.5×7.5	1	残	十六砖	方形边框		
553	L2④：65	长方形砖	Aa	小长方形砖	残19×15.5×7.5	1	残	十六砖	无边框		
554	L2④：66	长方形砖	Aa	小长方形砖	残18.5×15.6×7	1	残	初一号	方形边框		
555	L2④：67	长方形砖	Aa	小长方形砖	残7.6×残15.6×7.9	1	残	初一号	方形边框		
556	L2④：68	长方形砖	Aa	小长方形砖	残14.5×14×6.6	1	残	初一号	无边框		
557	L2④：69	长方形砖	Aa	小长方形砖	残25.3×15×7	1	残	初一[号]	无边框		
558	L2④：70	长方形砖	Aa	小长方形砖	残14×14.6×7	1	残	初一号	方形边框		
559	L2④：71	长方形砖	Aa	小长方形砖	残8.5×15.5×7	1	残	初一号	无边框	1022	1142
560	L2④：72	长方形砖	Aa	小长方形砖	30.5×15.5×7.1	1	较完整	初一号	方形边框		
561	L2④：73	长方形砖	Aa	小长方形砖	29.4×14.5×7.8	1	较完整	初一号	方形边框		
562	L2④：74	长方形砖	Aa	小长方形砖	残21×16×7.5	1	残	初一号	无边框		
563	L2④：75	长方形砖	Aa	小长方形砖	29.4×14.7×7	1	较完整	初一号	方形边框		
564	L2④：76	长方形砖	Aa	小长方形砖	残13.2×残11.5×7.6	1	残	初一号	方形边框		
565	L2④：77	长方形砖	Aa	小长方形砖	残16.2×残8.7×6.7	1	残	初一号	方形边框		
566	L2④：78	长方形砖	Aa	小长方形砖	残23.7×15×7.2	1	残	初一号	方形边框		
567	L2④：79	长方形砖	Aa	小长方形砖	残16.7×15.7×7.8	1	残	初一号	方形边框		
568	L2④：80	长方形砖	Aa	小长方形砖	残6.7×残8.5×7.2	1	残	初一号	方形边框		

续表

序号	出土单位/编号	器形	类型	名称	尺寸/厘米 长×宽×厚	计件	完残	铭文	备注	小计/件	
569	L2④：81	长方形砖	Aa	小长方形砖	残9.5×残12.2×7.6	1	残	初一号	无边框	1022	1142
570	L2④：82	长方形砖	Aa	小长方形砖	残15.5×15.5×7.2	1	残	初一号	方形边框		
571	L2④：83	长方形砖	Aa	小长方形砖	29.1×15.5×7.4	1	较完整	初一号	无边框		
572	L2④：84	长方形砖	Aa	小长方形砖	残20.6×14.6×7.5	1	残	初一号	方形边框		
573	L2④：85	长方形砖	Aa	小长方形砖	残13.5×15.9×7.5	1	残	初一号	方形边框		
574	L2④：86	长方形砖	Aa	小长方形砖	残17.5×残12×6.9	1	残	初一号	无边框		
575	L2④：87	长方形砖	Aa	小长方形砖	残8.5×15×8	1	残	初一号	无边框		
576	L2④：88	长方形砖	Aa	小长方形砖	残21.3×15×7.6	1	残	初一号	方形边框		
577	L2④：89	长方形砖	Aa	小长方形砖	残16.2×15.5×7.2	1	残	初一号	方形边框		
578	L2④：90	长方形砖	Aa	小长方形砖	残19×15.1×7.2	1	残	初一号	方形边框		
579	L2④：91	长方形砖	Aa	小长方形砖	残19×14.5×7.2	1	残	初一号	方形边框		
580	L2④：92	长方形砖	Aa	小长方形砖	残9.7×残15×8	1	残	初一号	方形边框		
581	L2④：93	长方形砖	Aa	小长方形砖	残12.5×15.1×7.1	1	残	初一号	方形边框		
582	L2④：94	长方形砖	Aa	小长方形砖	31×16×7.5	1	较完整	初一号	无边框		
583	L2④：95	长方形砖	Aa	小长方形砖	残16×15.1×7.6	1	残	初一号	方形边框		
584	L2④：96	长方形砖	Aa	小长方形砖	残14.5×15.2×7.2	1	残	初一号	方形边框		
585	L2④：97	长方形砖	Aa	小长方形砖	残13.2×15.8×7	1	残	初一号	方形边框		
586	L2④：98	长方形砖	Aa	小长方形砖	残12.1×15×7	1	残	初一号	方形边框		
587	L2④：99	长方形砖	Aa	小长方形砖	残21.6×15×7.5	1	残	初一号	无边框		

续表

序号	出土单位/编号	器形	类型	名称	尺寸/厘米 长×宽×厚	计件	完残	铭文	备注	小计/件	
588	L2④：100	长方形砖	Aa	小长方形砖	残21×15×7.7	1	残	初一号	无边框		
589	L2④：101	长方形砖	Aa	小长方形砖	残9.4×15.7×7.2	1	残	初一号	方形边框		
590	L2④：102	长方形砖	Aa	小长方形砖	残11.3×12.5×8	1	残	初一号	方形边框		
591	L2④：103	长方形砖	Aa	小长方形砖	残9×14.8×7	1	残	初一号	方形边框		
592	L2④：104	长方形砖	Aa	小长方形砖	残12.5×残9.5×8	1	残	初一号	方形边框		
593	L2④：105	长方形砖	Aa	小长方形砖	残23×14×6.7	1	残	初一号	方形边框		
594	L2④：106	长方形砖	Aa	小长方形砖	残15×16×7.2	1	残	初一号	方形边框		
595	L2④：107	长方形砖	Aa	小长方形砖	残21.2×14×7.5	1	残	初一号	方形边框		
596	L2④：108	长方形砖	Aa	小长方形砖	残14.5×15.5×7.4	1	残	初一号	方形边框		
597	L2④：109	长方形砖	Aa	小长方形砖	残16.4×15×7	1	残	初一号	方形边框	1022	1142
598	L2④：110	长方形砖	Aa	小长方形砖	30×14.7×7	1	较完整	初一号	方形边框		
599	L2④：111	长方形砖	Aa	小长方形砖	残15.6×15.2×7.3	1	残	十六砖	方形边框		
600	L2④：112	长方形砖	Aa	小长方形砖	残14.3×15.5×7	1	残	十六砖	无边框		
601	L2④：113	长方形砖	Aa	小长方形砖	残16×16×7.5	1	残	十六砖	无边框		
602	L2④：114	长方形砖	Aa	小长方形砖	残16.5×16×7	1	残	十六砖	无边框		
603	L2④：115	长方形砖	Aa	小长方形砖	残16.5×15×7.3	1	残	十六	无边框		
604	L2④：116	长方形砖	Aa	小长方形砖	残16×15×8	1	残	十六砖	无边框		
605	L2④：117	长方形砖	Aa	小长方形砖	残10.5×残10×7	1	残	十六砖	无边框		
606	L2④：118	长方形砖	Aa	小长方形砖	残15.3×残10×7.5	1	残	十六砖	方形边框		

续表

序号	出土单位/编号	器形	类型	名称	尺寸/厘米 长×宽×厚	计件	完残	铭文	备注	小计/件	
607	L2④：119	长方形砖	Aa	小长方形砖	残10×残8.6×7	1	残	十六砖	方形边框	1022	1142
608	L2④：120	长方形砖	Aa	小长方形砖	残19×14.9×6.9	1	残	十六砖	无边框		
609	L2④：121	长方形砖	Aa	小长方形砖	残23.5×16×7.1	1	残	十六砖	无边框		
610	L2④：122	长方形砖	Aa	小长方形砖	残14.5×15.5×6.6	1	残	十六砖	无边框		
611	L2④：123	长方形砖	Aa	小长方形砖	残17.5×15.5×7.5	1	残	十六砖	无边框		
612	L2④：124	长方形砖	Aa	小长方形砖	30×15.3×7	1	较完整	十六砖	无边框		
613	L2④：125	长方形砖	Aa	小长方形砖	31×15.1×7.2	1	较完整	十六砖	无边框		
614	L2④：126	长方形砖	Aa	小长方形砖	残21×16×7.2	1	残	十六砖	无边框		
615	L2④：127	长方形砖	Aa	小长方形砖	残19×16×7.6	1	残	十六砖	方形边框		
616	L2④：128	长方形砖	Aa	小长方形砖	残11.5×残9×6.7	1	残	十六砖	方形边框		
617	L2④：129	长方形砖	Aa	小长方形砖	残9.1×15.6×7.5	1	残	十六砖	无边框		
618	L2④：130	长方形砖	Aa	小长方形砖	29×15×7.4	1	较完整	十六砖	无边框		
619	L2④：131	长方形砖	Aa	小长方形砖	31×15×7.5	1	较完整	十六砖	方形边框		
620	L2④：132	长方形砖	Aa	小长方形砖	30.5×15×7	1	较完整		无边框		
621	L2④：133	长方形砖	Aa	小长方形砖	残19×14.5×7	1	残	十六砖	无边框		
622	L2④：134	长方形砖	Aa	小长方形砖	残15.5×残8×7.5	1	残	十六砖	无边框		
623	L2④：135	长方形砖	Aa	小长方形砖	残20.5×15×7	1	残	十六砖	方形边框		
624	L2④：136	长方形砖	Aa	小长方形砖	残17×15.6×7.5	1	残	十六砖	方形边框		
625	L2④：137	长方形砖	Aa	小长方形砖	残24×15×7.2	1	残	十六砖	方形边框		

续表

序号	出土单位/编号	器形	类型	名称	尺寸/厘米 长×宽×厚	计件	完残	铭文	备注	小计/件	
626	L2④：138	长方形砖	Aa	小长方形砖	残14.3×残14×7.2	1	残	十六砖	无边框		
627	L2④：139	长方形砖	Aa	小长方形砖	残18×15.3×7.2	1	残	十六砖	方形边框		
628	L2④：140	长方形砖	Aa	小长方形砖	残15.5×15×7.5	1	残	十六砖	方形边框		
629	L2④：141	长方形砖	Aa	小长方形砖	残17.9×15×7	1	残	十六砖	无边框		
630	L2④：142	长方形砖	Aa	小长方形砖	残12.5×14.2×7	1	残	十六砖	无边框		
631	L2④：143	长方形砖	Aa	小长方形砖	残22×15.5×7.5	1	残	十六砖	方形边框		
632	L2④：144	长方形砖	Aa	小长方形砖	29×14.1×6.5	1	较完整	十六砖	方形边框		
633	L2④：145	长方形砖	Aa	小长方形砖	残20×15×7	1	残	验	方形边框		
634	L2④：146	长方形砖	Aa	小长方形砖	残13.5×15.5×7	1	残	十六砖	无边框		
635	L2④：147	长方形砖	Aa	小长方形砖	32×15.5×7.5	1	较完整	十六砖	方形边框	1022	1142
636	L2④：148	长方形砖	Aa	小长方形砖	残10×15×7.5	1	残	十六砖	无边框		
637	L2④：149	长方形砖	Aa	小长方形砖	残17×15×7	1	残	十六砖	无边框		
638	L2④：150	长方形砖	Aa	小长方形砖	残23.6×15.5×6.5	1	残	十六	无边框		
639	L2④：151	长方形砖	Aa	小长方形砖	残15.9×15×7.2	1	残	十[六]	无边框		
640	L2④：152	长方形砖	Aa	小长方形砖	残21.5×15.7×8	1	残	十六	无边框		
641	L2④：153	长方形砖	Aa	小长方形砖	残18.5×15×7.5	1	残	十六	无边框		
642	L2④：154	长方形砖	Aa	小长方形砖	残14.4×15×7.5	1	残	十[六]	无边框		
643	L2④：155	长方形砖	Aa	小长方形砖	残18.4×15×7.5	1	残	十[六]	无边框		
644	L2④：156	长方形砖	Aa	小长方形砖	残22×15×7.6	1	残	十六	无边框		

续表

序号	出土单位/编号	器形	类型	名称	尺寸/厘米 长×宽×厚	计件	完残	铭文	备注	小计/件	
645	L2④：157	长方形砖	Aa	小长方形砖	残24.5×14×7	1	残	十六	无边框		
646	L2④：158	长方形砖	Aa	小长方形砖	残12.1×15×7.4	1	残	十六	无边框		
647	L2④：159	长方形砖	Aa	小长方形砖	残21.5×15×7.5	1	残	十六	无边框		
648	L2④：160	长方形砖	Aa	小长方形砖	残11.9×15×6.6	1	残	十六砖	方形边框		
649	L2④：161	长方形砖	Aa	小长方形砖	残16×14.5×7	1	残		圆形戳印		
650	L2④：162	长方形砖	Aa	小长方形砖	残17×14.5×7.9	1	残		戳印圆圈纹		
651	L2④：164	长方形砖	Aa	小长方形砖	残8×14.6×7.5	1	残	初一号	无边框		
652	L2④：165	长方形砖	Aa	小长方形砖	残18.6×15.4×7.5	1	残	初一号	无边框		
653	L2④：166	长方形砖	Aa	小长方形砖	30×14.6×7	1	较完整	初一号	方形边框		
654	L2④：167	长方形砖	Aa	小长方形砖	残16.7×15.7×7.5	1	残	初一号	方形边框	1022	1142
655	L2④：168	长方形砖	Aa	小长方形砖	残15.3×15.7×7.5	1	残	初一号	方形边框		
656	L2④：169	长方形砖	Aa	小长方形砖	残14.6×14.5×7.1	1	残	初一号	方形边框		
657	L2④：170	长方形砖	Aa	小长方形砖	残13×残8.5×7	1	残	初一号	无边框		
658	L2④：171	长方形砖	Aa	小长方形砖	残15.9×14×7	1	残	初一号	方形边框		
659	L2④：172	长方形砖	Aa	小长方形砖	残16×残13.3×7.5	1	残	初一号	方形边框		
660	L2④：173	长方形砖	Aa	小长方形砖	残20.4×16×7.9	1	残	初一号	方形边框		
661	L2④：174	长方形砖	Aa	小长方形砖	残15×14.8×7.4	1	残	初一号	无边框		
662	L2④：175	长方形砖	Aa	小长方形砖	残9.8×残10.5×7.9	1	残	初一号	无边框		
663	L2④：176	长方形砖	Aa	小长方形砖	残15.3×15.5×7.6	1	残	初一号	方形边框		

续表

序号	出土单位/编号	器形	类型	名称	尺寸/厘米 长×宽×厚	计件	完残	铭文	备注	小计/件	
664	L2④：177	长方形砖	Aa	小长方形砖	残17×15.2×8	1	残	初一号	方形边框	1022	1142
665	L2④：178	长方形砖	Aa	小长方形砖	27×14×6.7	1	较完整	初一号	方形边框		
666	L2④：179	长方形砖	Aa	小长方形砖	残17.7×14.5×7.5	1	残	初一号	无边框		
667	L2④：180	长方形砖	Aa	小长方形砖	残10.5×15.7×8	1	残	初一号	方形边框		
668	L2④：181	长方形砖	Aa	小长方形砖	30.5×15.5×7	1	较完整	初一号	无边框		
669	L2④：182	长方形砖	Aa	小长方形砖	残9×15.2×7.5	1	残	初一号	方形边框		
670	L2④：183	长方形砖	Aa	小长方形砖	残11.6×残13.3×7.5	1	残	初一号	无边框		
671	L2④：184	长方形砖	Aa	小长方形砖	残15×15.5×7.3	1	残	初一号	无边框		
672	L2④：185	长方形砖	Aa	小长方形砖	残10×15×7.5	1	残	初一号	方形边框		
673	L2④：186	长方形砖	Aa	小长方形砖	残15.4×15.3×7.6	1	残	初一号	方形边框		
674	L2④：187	长方形砖	Aa	小长方形砖	残13×残10×7	1	残	初一号	方形边框		
675	L2④：188	长方形砖	Aa	小长方形砖	残23.5×15.5×7.4	1	残	初一号	无边框		
676	L2④：189	长方形砖	Aa	小长方形砖	残12.4×残11.4×7.5	1	残	初一号	方形边框		
677	L2④：190	长方形砖	Aa	小长方形砖	残13.2×14.5×7.2	1	残	初一号	无边框		
678	L2④：191	长方形砖	Aa	小长方形砖	残10.5×残8.4×7.8	1	残	初一号	方形边框		
679	L2④：192	长方形砖	Aa	小长方形砖	残18.5×15.9×7.5	1	残	初一号	无边框		
680	L2④：193	长方形砖	Aa	小长方形砖	残18×15×7.5	1	残	十六砖	方形边框		
681	L2④：194	长方形砖	Aa	小长方形砖	残10.8×14.4×6.5	1	残	初一号	无边框		
682	L2④：195	长方形砖	Aa	小长方形砖	残12.2×残13.5×7.5	1	残	初一号	方形边框		

续表

序号	出土单位/编号	器形	类型	名称	尺寸/厘米 长×宽×厚	计件	完残	铭文	备注	小计/件	
683	L2④：196	长方形砖	Aa	小长方形砖	残16.5×15×7.6	1	残	初一号	无边框		
684	L2④：197	长方形砖	Aa	小长方形砖	30.9×15.5×7.4	1	较完整	初一号	无边框		
685	L2④：198	长方形砖	Aa	小长方形砖	31×15×7	1	较完整	十六砖	方形边框		
686	L2④：199	长方形砖	Aa	小长方形砖	残16×残9×7.3	1	残	初一号	方形边框		
687	L2④：200	长方形砖	Aa	小长方形砖	残25.2×14.6×7.5	1	残	初一号	方形边框		
688	L2④：201	长方形砖	Aa	小长方形砖	残12.5×14.6×7	1	残	十六砖	无边框		
689	L2④：202	长方形砖	Aa	小长方形砖	残9.5×16×7	1	残	十六砖	无边框		
690	L2④：203	长方形砖	Aa	小长方形砖	残12.6×14×7	1	残	十六砖	无边框		
691	L2④：204	长方形砖	Aa	小长方形砖	29.2×15×6.6	1	较完整	十六砖	无边框		
692	L2④：205	长方形砖	Aa	小长方形砖	残18.5×残8×7	1	残	十六砖	方形边框	1022	1142
693	L2④：206	长方形砖	Aa	小长方形砖	残20.5×15×7.6	1	残	十六砖	无边框		
694	L2④：207	长方形砖	Aa	小长方形砖	残24.1×16×7.5	1	残	十六砖	无边框		
695	L2④：208	长方形砖	Aa	小长方形砖	残26.6×15.4×7.8	1	残	十六砖	无边框		
696	L2④：209	长方形砖	Aa	小长方形砖	残22.5×15.6×7.5	1	残	十六砖	无边框		
697	L2④：210	长方形砖	Aa	小长方形砖	残17.5×16.8×7	1	残	十六砖	无边框		
698	L2④：211	长方形砖	Aa	小长方形砖	残18×残13.3×6.5	1	残	十六砖	方形边框		
699	L2④：212	长方形砖	Aa	小长方形砖	残14×15×7.1	1	残	十六砖	方形边框		
700	L2④：213	长方形砖	Aa	小长方形砖	残17.5×14.5×7.8	1	残	十六	无边框		
701	L2④：214	长方形砖	Aa	小长方形砖	残7.5×14.5×7.3	1	残	十六	无边框		

续表

序号	出土单位/编号	器形	类型	名称	尺寸/厘米 长×宽×厚	计件	完残	铭文	备注	小计/件	
702	L2④：215	长方形砖	Aa	小长方形砖	残18.3×15.4×7.3	1	残	十六砖	方形边框		
703	L2④：216	长方形砖	Aa	小长方形砖	残7.5×15.2×7	1	残	十六砖	方形边框		
704	L2④：217	长方形砖	Aa	小长方形砖	残11.7×15.5×7.2	1	残	十六砖	无边框		
705	L2④：218	长方形砖	Aa	小长方形砖	残14.5×残8×7	1	残	十六砖	无边框		
706	L2④：219	长方形砖	Aa	小长方形砖	残15.5×15×7.2	1	残	十六砖	无边框		
707	L2④：220	长方形砖	Aa	小长方形砖	残13.5×14.6×7.5	1	残	十六砖	无边框		
708	L2④：221	长方形砖	Aa	小长方形砖	残16.1×14×7	1	残	初一号	方形边框		
709	L2④：222	长方形砖	Aa	小长方形砖	残11×15.6×6.6	1	残	十[六][砖]	无边框		
710	L2④：223	长方形砖	Aa	小长方形砖	残9×残11×7	1	残	十六砖	方形边框		
711	L2④：224	长方形砖	Aa	小长方形砖	残15×15.2×7.3	1	残	十六砖	无边框	1022	1142
712	L2④：225	长方形砖	Aa	小长方形砖	残16.7×16×7.5	1	残	十六砖	无边框		
713	L2④：226	长方形砖	Aa	小长方形砖	残19.2×14.5×7	1	残	十六砖	无边框		
714	L2④：227	长方形砖	Aa	小长方形砖	残17.8×14.6×6.7	1	残	十六砖	无边框		
715	L2④：228	长方形砖	Aa	小长方形砖	残26.5×残13.9×7	1	残	十[六]	无边框		
716	L2④：229	长方形砖	Aa	小长方形砖	残19.9×15.5×7.5	1	残	十[六]	无边框		
717	L2④：230	长方形砖	Aa	小长方形砖	残17.5×14×6.3	1	残	十六砖	方形边框		
718	L2④：231	长方形砖	Aa	小长方形砖	残13×残11.5×7.5	1	残	十六砖	无边框		
719	L2④：232	长方形砖	Aa	小长方形砖	残11×残10.2×7	1	残	十六砖	无边框		
720	L2④：233	长方形砖	Aa	小长方形砖	残12×15×7.3	1	残	十六砖	无边框		

续表

序号	出土单位/编号	器形	类型	名称	尺寸/厘米 长×宽×厚	计件	完残	铭文	备注	小计/件	
721	L2④：234	长方形砖	Aa	小长方形砖	残24.3×15×7	1	残	十六	无边框		
722	L2④：235	长方形砖	Aa	小长方形砖	残20×15.3×7.2	1	残	十六砖	无边框		
723	L2④：236	长方形砖	Aa	小长方形砖	残8.9×残8.4×7.5	1	残	十六砖	方形边框		
724	L2④：237	长方形砖	Aa	小长方形砖	残14.9×残10.8×7.5	1	残	初一号	无边框，动物足印		
725	L2④：238	长方形砖	Aa	小长方形砖	残8.5×残8.5×7	1	残	验	圆形边框		
726	L2④：239	长方形砖	Aa	小长方形砖	残16×14.5×7	1	残	验	圆形边框		
727	L2④：240	长方形砖	Aa	小长方形砖	残15.5×残12.9×6.8	1	残	戳印圆圈纹			
728	L2④：241	长方形砖	Aa	小长方形砖	残19×15×7	1	残	验	方形边框		
729	L2④：242	长方形砖	Aa	小长方形砖	残20×14.9×6.3	1	残	验	圆形边框		
730	L2④：247	长方形砖	Aa	小长方形砖	残15.7×残11.8×7.5	1	残			1022	1142
731	L2④：253	长方形砖	Aa	小长方形砖	残21.5×15×7.2	1	残	十六砖，刻划文字不识	方形边框		
732	L2④：254	长方形砖	Aa	小长方形砖	残14.2×15×7.6	1	残	初一号	方形边框		
733	L2④：255	长方形砖	Aa	小长方形砖	残24.1×15×7.2	1	残	十六砖	方形边框		
734	L2④：256	长方形砖	Aa	小长方形砖	残18.2×15.2×7.1	1	残	戳印圆圈纹			
735	L2④：257	长方形砖	Aa	小长方形砖	残13.7×残8×7.5	1	残	初一号	无边框		
736	L2④：258	长方形砖	Aa	小长方形砖	残15.3×15×8.3	1	残	十六	无边框		
737	L2④：259	长方形砖	Aa	小长方形砖	28.5×15×7	1	较完整	十六砖	方形边框		
738	L2④：260	长方形砖	Aa	小长方形砖	残23.5×15.6×7	1	残	初一号	方形边框		

续表

序号	出土单位/编号	器形	类型	名称	尺寸/厘米 长×宽×厚	计件	完残	铭文	备注	小计/件	
739	L2④：261	长方形砖	Aa	小长方形砖	残17×15.1×7	1	残	初一号	无边框	1022	1142
740	L2④：262	长方形砖	Aa	小长方形砖	残15.5×16.1×7.6	1	残	初一号	无边框		
741	L2④：263	长方形砖	Aa	小长方形砖	31×15.5×7.6	1	较完整	十六砖	方形边框		
742	L2④：264	长方形砖	Aa	小长方形砖	31.5×15.5×7.2	1	较完整	初一号	方形边框		
743	L2④：265	长方形砖	Aa	小长方形砖	残22.9×15.5×7	1	残	十六砖	无边框		
744	L2④：266	长方形砖	Aa	小长方形砖	残18.4×15.6×7.3	1	残	初一号	方形边框		
745	L2④：267	长方形砖	Aa	小长方形砖	残19×14.3×7.6	1	较完整	十六	无边框		
746	L2④：268	长方形砖	Aa	小长方形砖	残13×残8.1×7.6	1	残	十六砖	无边框		
747	L2④：269	长方形砖	Aa	小长方形砖	残13×15.7×残4.8	1	残	▢六	无边框		
748	L2④：309	长方形砖	Aa	小长方形砖		1	残甚	十六砖			
749	L2④：310	长方形砖	Aa	小长方形砖		1	残甚	十六砖			
750	L2④：311	长方形砖	Aa	小长方形砖		1	残甚	十六砖			
751	L2④：312	长方形砖	Aa	小长方形砖		1	残甚	十六砖			
752	L2④：313	长方形砖	Aa	小长方形砖		1	残甚	十六砖			
753	L2④：314	长方形砖	Aa	小长方形砖		1	残甚	十六砖			
754	L2④：315	长方形砖	Aa	小长方形砖		1	残甚	初一号			
755	L2④：316	长方形砖	Aa	小长方形砖		1	残甚	十六砖			
756	L2④：317	长方形砖	Aa	小长方形砖		1	残甚	十六砖			
757	L2④：318	长方形砖	Aa	小长方形砖		1	残甚	十六砖			

续表

序号	出土单位/编号	器形	类型	名称	尺寸/厘米 长×宽×厚	计件	完残	铭文	备注	小计/件	
758	L2④：319	长方形砖	Aa	小长方形砖		1	残甚	十六砖		1022	1142
759	L2④：320	长方形砖	Aa	小长方形砖		1	残甚	十六	无边框		
760	L2④：321	长方形砖	Aa	小长方形砖		1	残甚	十六砖			
761	Ⅰ T0101①：44	长方形砖	Aa	小长方形砖		1	残甚	初一号	小残块，方形边框		
762	Ⅰ T0102②：34	长方形砖	Aa	小长方形砖		1	残甚	甸砖			
763	Ⅰ T0103①：8	长方形砖	Aa	小长方形砖		1	残甚	十六砖	无边框		
764	Ⅰ T0103①：9	长方形砖	Aa	小长方形砖		1	残甚				
765	Ⅰ T0103①：10	长方形砖	Aa	小长方形砖		1	残甚	初一号	方形边框		
766	Ⅰ T0103①：11	长方形砖	Aa	小长方形砖		1	残甚	十六砖	无边框		
767	Ⅰ T0103①：12	长方形砖	Aa	小长方形砖		1	残甚	初一号	方形边框		
768	Ⅰ T0103①：13	长方形砖	Aa	小长方形砖		1	残甚	初一号	方形边框		
769	Ⅰ T0103①：14	长方形砖	Aa	小长方形砖		1	残甚	初一号	方形边框		
770	Ⅲ T0101①：15	长方形砖	Aa	小长方形砖		1	残甚	初一号	带方框		
771	Ⅳ T0102①：1	长方形砖	Aa	小长方形砖		1	残甚	刻划“十”	戳印圆圈纹		
772	Ⅳ T0102①：47	长方形砖	Aa	小长方形砖		1	残甚				
773	Ⅳ T0102①：49	长方形砖	Aa	小长方形砖		1	残甚	十因	无边框		
774	Ⅳ T0102①：50	长方形砖	Aa	小长方形砖		1	残甚	十六砖			
775	Ⅳ T0201①：10	长方形砖	Aa	小长方形砖		1	残甚	十六砖			

续表

序号	出土单位/编号	器形	类型	名称	尺寸/厘米 长×宽×厚	计件	完残	铭文	备注	小计/件	
776	ⅣT0207①：40	长方形砖	Aa	小长方形砖		1	残甚	十六砖			
777	ⅣT0306①：119	长方形砖	Aa	小长方形砖		1	残甚	初一号	带方框		
778	ⅣT0306①：120	长方形砖	Aa	小长方形砖		1	残甚	初一号	带方框		
779	ⅣT0306①：121	长方形砖	Aa	小长方形砖		1	残甚	初一号	带方框		
780	ⅣT0306①：122	长方形砖	Aa	小长方形砖		1	残甚	初一号	带方框，小残块		
781	ⅣT0306①：123	长方形砖	Aa	小长方形砖		1	残甚	初一号	带方框，小残块		
782	ⅣT0306①：124	长方形砖	Aa	小长方形砖		1	残甚	十六砖	带方框，小残块		
783	ⅣT0306①：125	长方形砖	Aa	小长方形砖		1	残甚	十六砖	带方框，小残块		
784	ⅣT0306①：126	长方形砖	Aa	小长方形砖		1	残甚	十六砖	无边框		
785	ⅣT0306①：127	长方形砖	Aa	小长方形砖		1	残甚	十六	无边框	1022	1142
786	ⅣT0306①：132	长方形砖	Aa	小长方形砖		1	残甚	砖？	小残块		
787	ⅣT0306①：133	长方形砖	Aa	小长方形砖		1	残甚		小残块		
788	ⅣT0306①：134	长方形砖	Aa	小长方形砖		1	残甚				
789	ⅣT0306①：135	长方形砖	Aa	小长方形砖		1	残甚	⊞六	无边框		
790	ⅣT0307①：4	长方形砖	Aa	小长方形砖	残24×15×7.5	1	残	十六	无边框		
791	ⅣT0405①：23	长方形砖	Aa	小长方形砖		1	残甚	初一号			
792	ⅣT0507①：6	长方形砖	Aa	小长方形砖	残20×残8×7	1	残	砖	无边框		
793	ⅣT0507①：10	长方形砖	Aa	小长方形砖	残14×残13.5×7	1	残	验	方形边框		
794	ⅣT0507①：16	长方形砖	Aa	小长方形砖	残12×15.5×8	1	残	验	方形边框		

续表

序号	出土单位/编号	器形	类型	名称	尺寸/厘米 长×宽×厚	计件	完残	铭文	备注	小计/件	
795	ⅣT0507①：17	长方形砖	Aa	小长方形砖	残15×残12×6.5	1	残	初一号	无边框	1022	1142
796	ⅣT0507①：18	长方形砖	Aa	小长方形砖	残18×14.5×6	1	残	砖	无边框		
797	ⅣT0507①：19	长方形砖	Aa	小长方形砖	残22×16×7.5	1	残	十六	方形边框		
798	ⅣT0507①：20	长方形砖	Aa	小长方形砖	残8.5×14×6.5	1	残	砖	无边框		
799	ⅣT0507①：21	长方形砖	Aa	小长方形砖	残17.5×14.5×7.3	1	残	十六砖	方形边框		
800	ⅣT0507①：22	长方形砖	Aa	小长方形砖	残16.8×16×8	1	残	初一号	方形边框		
801	ⅣT0507①：24	长方形砖	Aa	小长方形砖	残18×15.5×7.5	1	残	砖	无边框		
802	ⅣT0507①：26	长方形砖	Aa	小长方形砖	残18×15×7.5	1	残	十六砖	方形边框		
803	ⅣT0507①：28	长方形砖	Aa	小长方形砖	残18×残6.8×6.5	1	残	砖	无边框		
804	ⅣT0507①：29	长方形砖	Aa	小长方形砖	残23×16×7.5	1	残	初一号	方形边框		
805	ⅣT0507①：30	长方形砖	Aa	小长方形砖	残14.5×14.6×7.4	1	残	初一号	无边框		
806	ⅣT0507①：34	长方形砖	Aa	小长方形砖	残14.6×残11.5×7.5	1	残	初一号	方形边框		
807	ⅣT0507①：35	长方形砖	Aa	小长方形砖	残19×15×7	1	残	十六砖	无边框		
808	ⅣT0507①：36	长方形砖	Aa	小长方形砖	残11×残13.4×7	1	残	初一号	方形边框		
809	ⅣT0507①：37	长方形砖	Aa	小长方形砖	残22×15.5×7.5	1	残		戳印圆圈纹		
810	ⅣT0507①：38	长方形砖	Aa	小长方形砖	残12×残9.5×7.4	1	残	初一号	方形边框		
811	ⅣT0507①：39	长方形砖	Aa	小长方形砖	残12×残8.5×7.5	1	残	初一号			
812	ⅣT0507①：43	长方形砖	Aa	小长方形砖	残22×15.5×7.5	1	残	十六砖	方形边框		
813	ⅣT0507①：57	长方形砖	Aa	小长方形砖	残14×15.5×7.5	1	残	初一号	无边框		

续表

序号	出土单位/编号	器形	类型	名称	尺寸/厘米 长×宽×厚	计件	完残	铭文	备注	小计/件	
814	ⅣT0507①：58	长方形砖	Aa	小长方形砖	残7.5×残8.5×残7.5	1	残	砖	无边框	1022	1142
815	ⅣT0507①：60	长方形砖	Aa	小长方形砖	30.5×16×7.4	1	较完整	初一号	方形边框		
816	ⅣT0507①：62	长方形砖	Aa	小长方形砖	残17.5×残12.2×7	1	残	初一号	无边框		
817	ⅣT0507①：66	长方形砖	Aa	小长方形砖	29.5×15×7	1	较完整	初一号	方形边框		
818	ⅣT0507①：67	长方形砖	Aa	小长方形砖	残10.5×15×7.5	1	残	十六	无边框		
819	ⅣT0507①：68	长方形砖	Aa	小长方形砖	残8×16×7.5	1	残		戳印圆圈纹		
820	ⅣT0507①：75	长方形砖	Aa	小长方形砖	残12×残8.9×7.4	1	残	初一号	无边框		
821	ⅣT0607①：5	长方形砖	Aa	小长方形砖	残17.5×残11.5×7.5	1	残	十六	无边框		
822	ⅣT0607①：6	长方形砖	Aa	小长方形砖	残7.5×残7×7	1	残	初一号	方形边框		
823	ⅣT0607①：7	长方形砖	Aa	小长方形砖	残14×残12×8	1	残	初一号	方形边框		
824	ⅣT0607①：11	长方形砖	Aa	小长方形砖	残20.5×16×8	1	残	初一号	方形边框		
825	ⅣT0607①：13	长方形砖	Aa	小长方形砖	残9.5×残9×6.5	1	残	十六砖	无边框		
826	ⅣT0607①：20	长方形砖	Aa	小长方形砖	残10×14×6.3	1	残	验	方形边框		
827	ⅣT0607①：22	长方形砖	Aa	小长方形砖	残11.4×15.5×7.5	1	残	十六	无边框		
828	ⅣT0607①：24	长方形砖	Aa	小长方形砖	残18.9×17×7.8	1	残	初一号	无边框		
829	ⅣT0607①：26	长方形砖	Aa	小长方形砖	残11.5×残13×6.7	1	残	初一号	无边框		
830	ⅣT0607①：27	长方形砖	Aa	小长方形砖	残7.5×残6.5×6.6	1	残	砖	无边框		
831	ⅣT0607①：31	长方形砖	Aa	小长方形砖	残12.5×14×6.5	1	残	十六砖	方形边框		
832	ⅣT0607①：32	长方形砖	Aa	小长方形砖	残12×15.5×7.5	1	残	十六砖	方形边框		

续表

序号	出土单位/编号	器形	类型	名称	尺寸/厘米 长×宽×厚	计件	完残	铭文	备注	小计/件	
833	ⅣT0607①：33	长方形砖	Aa	小长方形砖	残16×15.5×6.5	1	残	砖	无边框	1022	1142
834	ⅣT0607①：35	长方形砖	Aa	小长方形砖	残12.5×16×8	1	残	十六砖	方形边框		
835	ⅣT0607①：40	长方形砖	Aa	小长方形砖		1	残甚	砖			
836	ⅣT0607①：41	长方形砖	Aa	小长方形砖	残13×16×7.5	1	残	初一号	方形边框		
837	ⅣT0607①：42	长方形砖	Aa	小长方形砖	残10×残8×7.2	1	残	初一号	方形边框		
838	ⅣT0607①：43	长方形砖	Aa	小长方形砖	残7.5×残8.5×7	1	残	刻划“十”	无边框		
839	ⅣT0607①：48	长方形砖	Aa	小长方形砖	残15.5×14.4×7.5	1	残	初一号	无边框		
840	ⅣT0607①：49	长方形砖	Aa	小长方形砖	残11.5×残7×7.2	1	残	砖	无边框		
841	ⅣT0607①：50	长方形砖	Aa	小长方形砖	残8.5×残10×7	1	残	砖	无边框		
842	ⅣT0607①：54	长方形砖	Aa	小长方形砖	残15×15.3×7.5	1	残	初一号	无边框		
843	ⅣT0607①：57	长方形砖	Aa	小长方形砖		1	残甚	十六			
844	ⅣT0607①：58	长方形砖	Aa	小长方形砖	残15.5×16×7.5	1	残	十六	方形边框		
845	ⅣT0607①：82	长方形砖	Aa	小长方形砖		1	残甚		一面戳印半圆痕		
846	ⅣT0704①：4	长方形砖	Aa	小长方形砖	残15.5×14.9×7	1	残	初一号	方形边框		
847	ⅣT0704①：5	长方形砖	Aa	小长方形砖	残11.1×15.5×7	1	残	初一号	无边框		
848	ⅣT0704①：6	长方形砖	Aa	小长方形砖	残17.5×残12.1×7	1	残	十六	无边框		
849	ⅣT0704①：7	长方形砖	Aa	小长方形砖	残12.7×15×7	1	残	初一号	方形边框		
850	ⅣT0704①：8	长方形砖	Aa	小长方形砖	残17.8×14×7.1	1	残	十六砖	方形边框		
851	ⅣT0704①：9	长方形砖	Aa	小长方形砖	30.3×15.6×7.1	1	较完整	十六砖	无边框		

续表

序号	出土单位/编号	器形	类型	名称	尺寸/厘米 长×宽×厚	计件	完残	铭文	备注	小计/件	
852	ⅣT0704①：10	长方形砖	Aa	小长方形砖	残22×15×7.5	1	残	十六砖	方形边框	1022	1142
853	ⅣT0704①：11	长方形砖	Aa	小长方形砖	残15.5×16×7	1	残	十六砖	无边框		
854	ⅣT0704①：12	长方形砖	Aa	小长方形砖	残20.2×15.5×7.5	1	残	初一号	方形边框		
855	ⅣT0704①：13	长方形砖	Aa	小长方形砖	残12.2×15×7.5	1	残		动物足印		
856	ⅣT0704①：14	长方形砖	Aa	小长方形砖	残19.4×15.3×7.2	1	残	初一号			
857	ⅣT0704①：15	长方形砖	Aa	小长方形砖	残16.3×残15×7.5	1	残		内侧见印痕		
858	ⅣT0704①：16	长方形砖	Aa	小长方形砖	残12.3×残9×7.5	1	残	初一号	方形边框		
859	ⅣT0704①：17	长方形砖	Aa	小长方形砖	残9.1×15.4×6.4	1	残	十六砖	无边框		
860	ⅣT0704①：18	长方形砖	Aa	小长方形砖	残17.1×15×7.1	1	残	十六砖	无边框		
861	ⅣT0704①：19	长方形砖	Aa	小长方形砖	残17.2×14.5×7.3	1	残	十六砖	无边框		
862	ⅣT0704①：20	长方形砖	Aa	小长方形砖	31×16.3×7.1	1	较完整	初一号	方形边框		
863	ⅣT0704①：21	长方形砖	Aa	小长方形砖	残9×残10.5×6.8	1	残	初一号	无边框		
864	ⅣT0704①：22	长方形砖	Aa	小长方形砖	残11.4×16×7.5	1	残	十六砖	无边框		
865	ⅣT0704①：23	长方形砖	Aa	小长方形砖	30.2×16.2×7	1	较完整	十六砖	无边框		
866	ⅣT0704①：24	长方形砖	Aa	小长方形砖	残12.3×15.6×7.5	1	残	初一号	方形边框		
867	ⅣT0704①：25	长方形砖	Aa	小长方形砖	残18.2×14.5×7.1	1	残	十六砖	方形边框		
868	ⅣT0704①：26	长方形砖	Aa	小长方形砖	残23.5×15×7.3	1	残	初一号	无边框		
869	ⅣT0704①：27	长方形砖	Aa	小长方形砖	残16.2×15.1×7.2	1	残	十六砖	无边框		
870	ⅣT0704①：28	长方形砖	Aa	小长方形砖	残12.3×14.5×6.9	1	残	十六砖	方形边框		

续表

序号	出土单位/编号	器形	类型	名称	尺寸/厘米 长×宽×厚	计件	完残	铭文	备注	小计/件	
871	ⅣT0704①：29	长方形砖	Aa	小长方形砖	29×14.1×7	1	较完整	初一号	无边框	1022	1142
872	ⅣT0704①：30	长方形砖	Aa	小长方形砖	残12.8×15.4×7.3	1	残	十六砖	无边框		
873	ⅣT0704①：31	长方形砖	Aa	小长方形砖	残15×残10.5×7.4	1	残	初一号	方形边框		
874	ⅣT0704①：32	长方形砖	Aa	小长方形砖	残22.8×15×7.5	1	残	十六砖	方形边框		
875	ⅣT0704①：33	长方形砖	Aa	小长方形砖	残11.6×15×7.1	1	残	初一号	方形边框		
876	ⅣT0704①：34	长方形砖	Aa	小长方形砖	残11.9×16×6.9	1	残	十六砖	无边框		
877	ⅣT0704①：35	长方形砖	Aa	小长方形砖	残12.9×残8.8×7.5	1	残	初一号	方形边框		
878	ⅣT0704①：36	长方形砖	Aa	小长方形砖	残4×残14.2×7	1	残	十六砖	方形边框		
879	ⅣT0704①：37	长方形砖	Aa	小长方形砖	29×15.1×7	1	较完整	初一号	方形边框		
880	ⅣT0704①：38	长方形砖	Aa	小长方形砖	残17.6×残9.4×7	1	残	十六砖	方形边框		
881	ⅣT0704①：39	长方形砖	Aa	小长方形砖	残15.8×15.5×7.5	1	残	初一号	无边框		
882	ⅣT0704①：40	长方形砖	Aa	小长方形砖	残12.8×15×7	1	残				
883	ⅣT0704①：41	长方形砖	Aa	小长方形砖	30×15.9×7	1	较完整	初一号	无边框		
884	ⅣT0704①：56	长方形砖	Aa	小长方形砖	残23×15.2×7.5	1	残	十六砖，刻划字			
885	ⅣT0704①：62	长方形砖	Aa	小长方形砖	残13×14×6.5	1	残	初一号			
886	ⅣT0704①：63	长方形砖	Aa	小长方形砖	残22.3×9.5×7	1	残	十六砖			
887	ⅣT0704①：64	长方形砖	Aa	小长方形砖	残18.6×15×7.8	1	残	初一号			
888	飞凤关采：1	长方形砖	Aa	小长方形砖	残12.4×15.7×7.5	1	残	初一号			

续表

序号	出土单位/编号	器形	类型	名称	尺寸/厘米 长×宽×厚	计件	完残	铭文	备注	小计/件	
889	飞凤关采：2	长方形砖	Aa	小长方形砖	残9.3×残7.1×残5.5	1	残	十六砖			
890	飞凤关采：3	长方形砖	Aa	小长方形砖	残12×9×7.5	1	残	十[六][砖]			
891	飞凤关采：4	长方形砖	Aa	小长方形砖	残19.5×7.5×7.8	1	残	十六	无边框		
892	飞凤关采：5	长方形砖	Aa	小长方形砖	残12×残5.5×7.5	1	残	十六砖			
893	飞凤关采：6	长方形砖	Aa	小长方形砖	残11.5×残10.4×6	1	残	十[六][砖]			
894	飞凤关采：7	长方形砖	Aa	小长方形砖	残12×残9×残3.7	1	残	[十]六	无边框		
895	飞凤关采：8	长方形砖	Aa	小长方形砖	残10.5×残8×残5.5	1	残	初一号			
896	飞凤关采：9	长方形砖	Aa	小长方形砖	残10×残13.8×6.8	1	残	十六砖			
897	飞凤关采：10	长方形砖	Aa	小长方形砖	残17×16×7.6	1	残	十六砖			
898	飞凤关采：11	长方形砖	Aa	小长方形砖	残17.5×15.5×残5.5	1	残	初一号		1022	1142
899	飞凤关采：12	长方形砖	Aa	小长方形砖	残21.5×16×7	1	残	初一号			
900	飞凤关采：13	长方形砖	Aa	小长方形砖	30×15.8×7.5	1	较完整	初一号			
901	飞凤关采：14	长方形砖	Aa	小长方形砖	30×15.6×7.5	1	较完整				
902	飞凤关采：15	长方形砖	Aa	小长方形砖	残17.7×15×7	1	残	初一号			
903	飞凤关采：16	长方形砖	Aa	小长方形砖	残20×16.5×7.6	1	残	十六砖			
904	飞凤关采：17	长方形砖	Aa	小长方形砖	残21.5×15×7.5	1	残	十六砖			
905	飞凤关采：18	长方形砖	Aa	小长方形砖	30×16×7.1	1	较完整				
906	飞凤关采：19	长方形砖	Aa	小长方形砖	31×15.6×7.2	1	较完整	初一号			
907	飞凤关采：20	长方形砖	Aa	小长方形砖	残18×16×6.9	1	残	十六砖			

续表

序号	出土单位/编号	器形	类型	名称	尺寸/厘米 长×宽×厚	计件	完残	铭文	备注	小计/件	
908	飞凤关采：21	长方形砖	Aa	小长方形砖	29×15.8×7.8	1	较完整	初[一][号]		1022	1142
909	飞凤关采：22	长方形砖	Aa	小长方形砖	30.5×16×7.7	1	较完整	初一号			
910	飞凤关采：23	长方形砖	Aa	小长方形砖	31×16×7	1	较完整	初一号			
911	飞凤关采：24	长方形砖	Aa	小长方形砖	29×15×8	1	较完整				
912	飞凤关采：25	长方形砖	Aa	小长方形砖	残14.5×15.5×7.8	1	残	十六砖			
913	飞凤关采：26	长方形砖	Aa	小长方形砖	残12.5×16×8	1	残	初一号			
914	飞凤关采：27	长方形砖	Aa	小长方形砖	31×16×7.5	1	较完整	十六砖			
915	飞凤关采：28	长方形砖	Aa	小长方形砖	30×15.5×7	1	较完整				
916	飞凤关采：29	长方形砖	Aa	小长方形砖	30×15.6×7.5	1	较完整	十六砖			
917	飞凤关采：30	长方形砖	Aa	小长方形砖	残11.8×15.8×7.2	1	残	初一号			
918	飞凤关采：31	长方形砖	Aa	小长方形砖	30.5×15.5×7.4	1	较完整	初一号			
919	飞凤关采：32	长方形砖	Aa	小长方形砖	30×15.5×7.5	1	较完整				
920	飞凤关采：33	长方形砖	Aa	小长方形砖	残22×15.3×7.5	1	残	验			
921	飞凤关采：34	长方形砖	Aa	小长方形砖	残13.5×15.9×7.1	1	残	初一号			
922	飞凤关采：35	长方形砖	Aa	小长方形砖	残18.5×15×7.5	1	残	初一号			
923	飞凤关采：36	长方形砖	Aa	小长方形砖	30.5×15×7.7	1	较完整				
924	飞凤关采：37	长方形砖	Aa	小长方形砖	残25.3×15.5×7.5	1	残				
925	飞凤关采：38	长方形砖	Aa	小长方形砖	30.5×15.5×7.6	1	较完整	初一号			
926	飞凤关采：39	长方形砖	Aa	小长方形砖	30.5×15.8×7.2	1	较完整	初一号			

续表

序号	出土单位/编号	器形	类型	名称	尺寸/厘米 长×宽×厚	计件	完残	铭文	备注	小计/件	
927	飞凤关采：40	长方形砖	Aa	小长方形砖	残23×15.6×8	1	残	初一号		1022	1142
928	飞凤关采：41	长方形砖	Aa	小长方形砖	残18×16×7.8	1	残	初一号			
929	TG55②：1	长方形砖	Aa	小长方形砖		1	残甚	初一号			
930	TG55②：3	长方形砖	Aa	小长方形砖		1	残甚	初一号			
931	TG55②：4	长方形砖	Aa	小长方形砖		1	残甚	初一号			
932	TG55②：5	长方形砖	Aa	小长方形砖		1	残甚	初一号			
933	TG55②：7	长方形砖	Aa	小长方形砖		1	残甚	初一号			
934	TG55②：8	长方形砖	Aa	小长方形砖		1	残甚	初一号			
935	TG55②：35	长方形砖	Aa	小长方形砖		1	残甚	初一号			
936	TG55②：36	长方形砖	Aa	小长方形砖		1	残甚	初一号			
937	TG55②：37	长方形砖	Aa	小长方形砖		1	残甚	初一号			
938	TG55②：38	长方形砖	Aa	小长方形砖		1	残甚	十六	无边框		
939	TG55②：39	长方形砖	Aa	小长方形砖		1	残甚	十六	无边框		
940	TG41③：13	长方形砖	Aa	小长方形砖	残19×14.6×7.8	1	残	十六砖			
941	TG41③：14	长方形砖	Aa	小长方形砖	残14×残11×6.7	1	残	十六砖			
942	TG41③：15	长方形砖	Aa	小长方形砖	残18×残13×7.3	1	残	十六砖			
943	TG41③：16	长方形砖	Aa	小长方形砖	残18.5×15×7.5	1	残	十六砖			
944	TG36②：30	长方形砖	Aa	小长方形砖		1	残甚				

续表

序号	出土单位/编号	器形	类型	名称	尺寸/厘米 长×宽×厚	计件	完残	铭文	备注	小计/件	
945	TG37②：13	长方形砖	Aa	小长方形砖		1	残	十六	无边框		
946	TG37②：14	长方形砖	Aa	小长方形砖		1	残				
947	TG3③：3	长方形砖	Aa	小长方形砖		1	残				
948	TG3③：4	长方形砖	Aa	小长方形砖		1	残	十六砖			
949	TG3③：5	长方形砖	Aa	小长方形砖		1	残	十六砖			
950	TG3③：6	长方形砖	Aa	小长方形砖		1	残	十六砖			
951	TG3③：7	长方形砖	Aa	小长方形砖		1	残	十六砖			
952	TG3③：8	长方形砖	Aa	小长方形砖		1	残	初一号			
953	TG3③：9	长方形砖	Aa	小长方形砖		1	残	初一号			
954	TG2④：10	长方形砖	Aa	小长方形砖		1	残	十六砖		1022	1142
955	TG2④：12	长方形砖	Aa	小长方形砖		1	残	初一号			
956	TG2④：13	长方形砖	Aa	小长方形砖		1	残	十六砖			
957	TG2④：14	长方形砖	Aa	小长方形砖		1	残	十六砖			
958	TG2④：15	长方形砖	Aa	小长方形砖		1	残	初一号			
959	TG2④：16	长方形砖	Aa	小长方形砖		1	残	十六砖			
960	TG2④：17	长方形砖	Aa	小长方形砖		1	残	十六砖			
961	TG2④：18	长方形砖	Aa	小长方形砖		1	残	十六砖			
962	TG2④：19	长方形砖	Aa	小长方形砖		1	残	十六砖			
963	TG4③：1	长方形砖	Aa	小长方形砖		1	残	十六砖			

续表

序号	出土单位/编号	器形	类型	名称	尺寸/厘米 长×宽×厚	计件	完残	铭文	备注	小计/件	
964	TG4③：3	长方形砖	Aa	小长方形砖		1	残	初一号		1022	1142
965	TG4③：4	长方形砖	Aa	小长方形砖		1	残	十六砖			
966	TG4③：5	长方形砖	Aa	小长方形砖		1	残	初一号			
967	TG4③：7	长方形砖	Aa	小长方形砖		1	残				
968	TG4③：8	长方形砖	Aa	小长方形砖		1	残	初一号			
969	TG4③：64	长方形砖	Aa	小长方形砖		1	残	十六砖			
970	太平Y1	长方形砖	Aa	小长方形砖		10	残		标砖，未采集		
971	Y1①：1	长方形砖	Aa	小长方形砖	残14×15×7	1	残	田六	青灰色，铭文无边框		
972	Y1①：2	长方形砖	Aa	小长方形砖	残14×残15.6×7	1	残	田六	局部红褐色，铭文无边框		
973	Y1①：3	长方形砖	Aa	小长方形砖	残21×9.5×8	1	残	十六	青灰色，铭文无边框		
974	Y1①：4	长方形砖	Aa	小长方形砖	残16×13×7	1	残	初一号	青灰色，铭文无边框		
975	Y1①：5	长方形砖	Aa	小长方形砖	残19.5×15.2×7.3	1	残		青灰色		
976	Y1①：6	长方形砖	Aa	小长方形砖	残11.5×残8.5×6.7	1	残	验	青灰色，铭文有边框		
977	Y1①：7	长方形砖	Aa	小长方形砖	残20.5×15.4×残6	1	残	砖	局部红褐色，铭文无边框		
978	Y1①：8	长方形砖	Aa	小长方形砖	残18×15.5×7.5	1	残	×	局部红褐色，铭文无边框		

续表

序号	出土单位/编号	器形	类型	名称	尺寸/厘米 长×宽×厚	计件	完残	铭文	备注	小计/件	
979	Y1①：10	长方形砖	Aa	砖坯	残19×16×9	1	残		黄褐色，质地疏松，长方形	1022	1142
980	Y1①：11	长方形砖	Aa	砖坯	残15.5×15.4×8.5	1	残		黄褐色，质地疏松，长方形		
981	Y1①：12	长方形砖	Aa	砖坯	残14×15.9×8.1	1	残		黄褐色，质地疏松，长方形		
982	Y1②：1	长方形砖	Aa	小长方形砖	31×15.6×7.5	1	较完整		青灰色，未取		
983	Y1②：2	长方形砖	Aa	小长方形砖	残27×15×7	1	残		青灰色，未取		
984	Y1②：3	长方形砖	Aa	小长方形砖	残16.4×16.7×7.8	1	残		青灰色，未取		
985	Y1②：5	长方形砖	Aa	小长方形砖	残18.7×15.4×残5	1	残		青灰色，未取		
986	Y1②：8	长方形砖	Aa	小长方形砖	残19×15.6×7.5	1	残		青灰色，未取		
987	Y1②：9	长方形砖	Aa	小长方形砖	残19×15.6×7	1	残		青灰色，未取		
988	Y2②：1	长方形砖	Aa	小长方形砖	31×15×8	1	较完整				
989	Y2②：2	长方形砖	Aa	小长方形砖	残22×15.5×7.2	1	残				
990	Y2②：3	长方形砖	Aa	小长方形砖	残15×14.2×6.7	1	残				
991	Y2③：1	长方形砖	Aa	小长方形砖	残13.5×15×7.5	1	残		狗爪印		
992	Y2③：2	长方形砖	Aa	小长方形砖	残18.5×15×8	1	残				
993	Y2③：3	长方形砖	Aa	小长方形砖	残19.5×15×6.7	1	残				
994	Y3④：1	长方形砖	Aa	小长方形砖	31×15.5×7.2	1	完整	十六砖			

续表

序号	出土单位/编号	器形	类型	名称	尺寸/厘米 长×宽×厚	计件	完残	铭文	备注	小计/件	
995	Y3④：2	长方形砖	Aa	小长方形砖	30×16.5×8	1	完整	十六砖		1022	1142
996	Y3④：3	长方形砖	Aa	小长方形砖	29.5×14.5×7.2	1	完整				
997	Y3④：4	长方形砖	Aa	小长方形砖	30×15×7.3	1	较完整				
998	Y3④：6	长方形砖	Aa	小长方形砖	残25×15.3×7.4	1	残	初一号			
999	F32①：1	长方形砖	Aa	小长方形砖	残20×15.5×7	1	残	十六砖	标砖，铭文带边框		
1000	F32①：2	长方形砖	Aa	小长方形砖	残18×15.5×8	1	残	初一号	标砖，铭文带边框		
1001	F32①：3	长方形砖	Aa	小长方形砖	残8.5×15.5×7.5	1	残	初一号	标砖，铭文带边框		
1002	F32①：4	长方形砖	Aa	小长方形砖	残17×15.5×7	1	残	十六	无边框		
1003	F32①：5	长方形砖	Aa	小长方形砖	残19×15×7	1	残	初一号	标砖，铭文带边框		
1004	F32①：6	长方形砖	Aa	小长方形砖	残9.5×16.2×7.4	1	残	初一号	标砖，铭文带边框		
1005	F32①：7	长方形砖	Aa	小长方形砖	残12×15×7.5	1	残	十六砖	标砖		
1006	F32①：8	长方形砖	Aa	小长方形砖	残18×15.6×7.5	1	残	初一号	标砖，铭文边框不明显		
1007	F32①：9	长方形砖	Aa	小长方形砖	31×15.5×7.5	1	完整	十六砖	标砖		
1008	F32①：10	长方形砖	Aa	小长方形砖	残8×16.2×7.5	1	残	初一号	标砖，铭文带边框		
1009	F32①：13	长方形砖	Aa	小长方形砖	残15.5×15.4×7.3	1	残	初一号	标砖，铭文带框		
1010	F32①：15	长方形砖	Aa	小长方形砖	残18.5×14.8×7.5	1	残	十六	无边框		
1011	F32①：16	长方形砖	Aa	小长方形砖	残15×15.5×7.5	1	残	十六砖	标砖		
1012	F32①：18	长方形砖	Aa	小长方形砖	残6.5×残14×7	1	残	十六砖	标砖		

续表

<table>
<tr><th>序号</th><th>出土单位/编号</th><th>器形</th><th>类型</th><th>名称</th><th>尺寸/厘米
长×宽×厚</th><th>计件</th><th>完残</th><th>铭文</th><th>备注</th><th colspan="2">小计/件</th></tr>
<tr><td>1013</td><td>F32①：19</td><td>长方形砖</td><td>Aa</td><td>小长方形砖</td><td>30.5×15.8×8</td><td>1</td><td>完整</td><td>验</td><td>标砖，铭文带圆框</td><td>1022</td><td rowspan="11">1142</td></tr>
<tr><td>1014</td><td>F3①：137</td><td>长方形砖</td><td>Ab</td><td>小长方形加工砖</td><td>31.5×15.5×7.5</td><td>1</td><td>较完整</td><td></td><td>面端砍制为斜坡状</td><td rowspan="10">26</td></tr>
<tr><td>1015</td><td>F5①：107</td><td>长方形砖</td><td>Ab</td><td>小长方形加工砖</td><td>残23.5×15.5×7.5</td><td>1</td><td>残</td><td>十六砖</td><td>面端砍制为斜坡状</td></tr>
<tr><td>1016</td><td>F5①：200</td><td>长方形砖</td><td>Ab</td><td>小长方形加工砖</td><td>残13.9×14.5×7</td><td>1</td><td>残</td><td></td><td>圆饼形</td></tr>
<tr><td>1017</td><td>F8①：5</td><td>长方形砖</td><td>Ab</td><td>小长方形加工砖</td><td>残18.6×15.8×7.5</td><td>1</td><td>残</td><td></td><td>模制包柱砖</td></tr>
<tr><td>1018</td><td>F10①：55</td><td>长方形砖</td><td>Ab</td><td>小长方形加工砖</td><td>30.6×15.1×7</td><td>1</td><td>较完整</td><td></td><td></td></tr>
<tr><td>1019</td><td>F10①：56</td><td>长方形砖</td><td>Ab</td><td>小长方形加工砖</td><td>残26.5×15.3×7.5</td><td>1</td><td>较完整</td><td></td><td></td></tr>
<tr><td>1020</td><td>F10①：60</td><td>长方形砖</td><td>Ab</td><td>小长方形加工砖</td><td>残20×残14.7×6.8</td><td>1</td><td>残</td><td></td><td></td></tr>
<tr><td>1021</td><td>F10①：61</td><td>长方形砖</td><td>Ab</td><td>小长方形加工砖</td><td></td><td>1</td><td>残甚</td><td></td><td></td></tr>
<tr><td>1022</td><td>F10①：62</td><td>长方形砖</td><td>Ab</td><td>小长方形加工砖</td><td></td><td>1</td><td>残甚</td><td></td><td></td></tr>
<tr><td>1023</td><td>F10①：106</td><td>长方形砖</td><td>Ab</td><td>小长方形加工砖</td><td>26.8×14.2×6</td><td>1</td><td>较完整</td><td></td><td></td></tr>
</table>

续表

序号	出土单位/编号	器形	类型	名称	尺寸/厘米 长×宽×厚	计件	完残	铭文	备注	小计/件	
1024	F10①：107	长方形砖	Ab	小长方形加工砖	残21.9×15.3×6.8	1	残			26	1142
1025	F22①：2	长方形砖	Ab	小长方形加工砖		1	残				
1026	F29①	长方形砖	Ab	小长方形加工砖		1	残				
1027	K9①：7	长方形砖	Ab	小长方形加工砖	29.6×14.5×6.2	1	较完整				
1028	L2④：163	长方形砖	Ab	小长方形加工砖		1	残	初一号	方形边框		
1029	L2④：270	长方形砖	Ab	小长方形加工砖	29×14.6×7.1	1	较完整		砍制包柱砖		
1030	ⅣT0102①：51	长方形砖	Ab	小长方形加工砖		1	残	十六砖	砍制铭文砖		
1031	ⅣT0104①：13	长方形砖	Ab	小长方形加工砖		1	残		带凹槽		
1032	ⅣT0201①：6	长方形砖	Ab	小长方形加工砖		1	残		砍制包柱砖		
1033	ⅣT0201①：7	长方形砖	Ab	小长方形加工砖		1	残	甸砖	砍制铭文砖		
1034	ⅣT0604④：11	长方形砖	Ab	小长方形加工砖		1	残		包柱砖		
1035	TG55②：2	长方形砖	Ab	小长方形加工砖		1	残				
1036	TG55②：40	长方形砖	Ab	小长方形加工砖		1	残				

续表

序号	出土单位/编号	器形	类型	名称	尺寸/厘米 长×宽×厚	计件	完残	铭文	备注	小计/件	
1037	TG3③：10	长方形砖	Ab	小长方形加工砖		1	残	十六砖			
1038	TG2④：11	长方形砖	Ab	小长方形加工砖		1	残	十六砖		26	
1039	TG4③：2	长方形砖	Ab	小长方形加工砖		1	残		包柱砖		
1040	TG21②：2	长方形砖	Ba	大长方形砖	残25.5×19×12.5	1	残				
1041	TG21②：3	长方形砖	Ba	大长方形砖	残13×18.5×12.3	1	残				
1042	TG21②：4	长方形砖	Ba	大长方形砖	残13.4×19×11.6	1	残				
1043	TG21②：161	长方形砖	Ba	大长方形砖		1	残				
1044	TG21②：182	长方形砖	Ba	大长方形砖		1	残				1142
1045	TG21②：183	长方形砖	Ba	大长方形砖		1	残				
1046	TG21②：184	长方形砖	Ba	大长方形砖		1	残			15	
1047	TG21②：185	长方形砖	Ba	大长方形砖		1	残				
1048	TG55②：41	长方形砖	Ba	大长方形砖		1	残				
1049	TG41③：7	长方形砖	Ba	大长方形砖	32×16×12	1	完整				
1050	TG41③：8	长方形砖	Ba	大长方形砖	35×17.5×12	1	完整				
1051	TG41③：9	长方形砖	Ba	大长方形砖	35.5×18×12	1	较完整				
1052	TG41③：10	长方形砖	Ba	大长方形砖	35×17.5×12.5	1	完整				

续表

序号	出土单位/编号	器形	类型	名称	尺寸/厘米 长×宽×厚	计件	完残	铭文	备注	小计/件	
1053	TG41③：11	长方形砖	Ba	大长方形砖	34×17.5×12	1	较完整			15	1142
1054	TG41③：12	长方形砖	Ba	大长方形砖	34.5×18×12.5	1	完整				
1055	TG55②：9	长方形砖	Bb	大长方形砍制砖		1	残		砍制成内凹圆弧形	10	
1056	TG41③：1	长方形砖	Bb	大长方形砍制砖		1	残		将大长方形砖的一端砍琢为内凹圆弧形，用以包柱		
1057	TG41③：2	长方形砖	Bb	大长方形砍制砖	17×18.3×12.4	1	较完整		将大长方形砖的一端砍琢为内凹圆弧形，用以包柱		
1058	TG41③：3	长方形砖	Bb	大长方形砍制砖	16.5×18×12.5	1	较完整		将大长方形砖的一端砍琢为内凹圆弧形，用以包柱		
1059	TG41③：4	长方形砖	Bb	大长方形砍制砖	17×17×11.5	1	较完整		将大长方形砖的一端砍琢为内凹圆弧形，用以包柱		
1060	TG41③：5	长方形砖	Bb	大长方形砍制砖	34.5×18×12	1	完整		将大长方形砖的一端砍琢为内凹圆弧形，用以包柱		
1061	TG41③：6	长方形砖	Bb	大长方形砍制砖	34×18.2×13	1	较完整	验	包柱，铭“验”字		

续表

序号	出土单位/编号	器形	类型	名称	尺寸/厘米 长×宽×厚	计件	完残	铭文	备注	小计/件	
1062	TG45①：7	长方形砖	Bb	大长方形砍制砖		1	残			10	1142
1063	TG48①：25	长方形砖	Bb	大长方形砍制砖		1	残		一端内凹，较短		
1064	TG48①：26	长方形砖	Bb	大长方形砍制砖		1	残		一端内凹，较长		
1065	新王宫采：4	长方形砖	C	薄长方形砖	残17.5×21×4.5	1	残			69	
1066	F5①：7	长方形砖	C	薄长方形砖	29.5×21×4.7	1	完整				
1067	F5①：8	长方形砖	C	薄长方形砖	29.5×21×5	1	完整				
1068	F5①：216	长方形砖	C	薄长方形砖	残19.7×21.1×4.7	1	残				
1069	F5①：217	长方形砖	C	薄长方形砖	30×21×4.5	1	完整				
1070	F5①：218	长方形砖	C	薄长方形砖	残29×20.3×4.7	1	残				
1071	F5①：220	长方形砖	C	薄长方形砖	残13.4×残18.6×4.2	1	残				
1072	F5①：221	长方形砖	C	薄长方形砖	残11.3×残5.6×4.5	1	残				
1073	F5①：222	长方形砖	C	薄长方形砖	残16.4×残16×5.3	1	残				
1074	F5①：223	长方形砖	C	薄长方形砖	残16.7×残17.5×5	1	残				
1075	F5①：224	长方形砖	C	薄长方形砖	残9.9×残9.6×5	1	残				
1076	F5①：225	长方形砖	C	薄长方形砖	残8.5×残9×5.2	1	残				
1077	F5①：226	长方形砖	C	薄长方形砖	残14.5×残12.9×4.5	1	残				
1078	F5①：227	长方形砖	C	薄长方形砖	残14.2×残9.5×4.6	1	残				
1079	F5①：228	长方形砖	C	薄长方形砖	残9×残12.5×5	1	残				

续表

序号	出土单位/编号	器形	类型	名称	尺寸/厘米 长×宽×厚	计件	完残	铭文	备注	小计/件	
1080	F5①：229	长方形砖	C	薄长方形砖	残9×残6.6×4.6	1	残				
1081	F5①：230	长方形砖	C	薄长方形砖	残8.4×残9.3×4.4	1	残				
1082	F5①：231	长方形砖	C	薄长方形砖	残15.7×残12.9×4.6	1	残				
1083	F5①：232	长方形砖	C	薄长方形砖	残14.8×残8.6×4.7	1	残				
1084	F5①：233	长方形砖	C	薄长方形砖	残10.2×残8.5×4.4	1	残				
1085	F5①：234	长方形砖	C	薄长方形砖	残8.3×残9.3×4.5	1	残				
1086	F5①：235	长方形砖	C	薄长方形砖	残7×残9.1×4.5	1	残				
1087	F5①：236	长方形砖	C	薄长方形砖	残9×残7.5×残4	1	残				
1088	F5①：237	长方形砖	C	薄长方形砖	残10×残10×4.6	1	残				
1089	F5①：238	长方形砖	C	薄长方形砖	残14.5×残12.8×5.7	1	残			69	1142
1090	F5①：239	长方形砖	C	薄长方形砖	残15.6×残14.7×4.8	1	残				
1091	F5①：240	长方形砖	C	薄长方形砖	残8×残9.6×5	1	残				
1092	F5①：241	长方形砖	C	薄长方形砖	残11.2×残13.1×5.9	1	残				
1093	F5①：242	长方形砖	C	薄长方形砖	残13.6×残10×5.6	1	残				
1094	F5①：243	长方形砖	C	薄长方形砖	残15×残10×5	1	残				
1095	F5①：244	长方形砖	C	薄长方形砖	残6.2×残8.4×4.5	1	残				
1096	F5①：245	长方形砖	C	薄长方形砖	残6.3×残5.3×4.8	1	残				
1097	F5①：246	长方形砖	C	薄长方形砖	残9×残6.5×4.9	1	残				
1098	F5①：247	长方形砖	C	薄长方形砖	残10.3×残7×残4.1	1	残				

续表

序号	出土单位/编号	器形	类型	名称	尺寸/厘米 长×宽×厚	计件	完残	铭文	备注	小计/件	
1099	F5①：248	长方形砖	C	薄长方形砖	残15.3×残12.4×5	1	残			69	1142
1100	F5①：249	长方形砖	C	薄长方形砖	残11.8×残5.5×4.6	1	残				
1101	F5①：250	长方形砖	C	薄长方形砖	残6.6×残7.6×4.6	1	残				
1102	F5①：251	长方形砖	C	薄长方形砖	残12×残8.3×4.5	1	残				
1103	F5①：252	长方形砖	C	薄长方形砖	残12.1×残9.2×5.5	1	残				
1104	F5①：253	长方形砖	C	薄长方形砖	残9.5×残11.4×4.6	1	残				
1105	F5①：254	长方形砖	C	薄长方形砖	残17×残14×4.1	1	残				
1106	F5①：255	长方形砖	C	薄长方形砖	残8.6×残8.9×4.9	1	残				
1107	F5①：257	长方形砖	C	薄长方形砖	残7.6×残7.2×4.3	1	残				
1108	F5①：258	长方形砖	C	薄长方形砖	残6.3×残5.5×4.6	1	残				
1109	F5①：259	长方形砖	C	薄长方形砖	残15.5×残10.2×4.2	1	残				
1110	F6①：31	长方形砖	C	薄长方形砖	29.4×20×5	1	较完整				
1111	F6①	长方形砖	C	薄长方形砖		1	残				
1112	F8①：248	长方形砖	C	薄长方形砖		1	残				
1113	F8②：34	长方形砖	C	薄长方形砖	29.5×21×4.4	1	较完整				
1114	L2④：249	长方形砖	C	薄长方形砖	残24.5×20.5×4.3	1	残				
1115	L2④：250	长方形砖	C	薄长方形砖	残25.5×20.5×5	1	残				
1116	L2④：251	长方形砖	C	薄长方形砖	残25×20×4.3	1	残				

续表

序号	出土单位/编号	器形	类型	名称	尺寸/厘米 长×宽×厚	计件	完残	铭文	备注	小计/件	
1117	L2④：252	长方形砖	C	薄长方形砖	残20.2×20.1×3.8	1	残				
1118	ⅠT0102①：8	长方形砖	C	薄长方形砖		1	残				
1119	ⅠT0102①：9	长方形砖	C	薄长方形砖		1	残				
1120	ⅠT0203①：38	长方形砖	C	薄长方形砖		1	残				
1121	ⅣT0103①：27	长方形砖	C	薄长方形砖		1	残				
1122	ⅣT0207①	长方形砖	C	薄长方形砖		1	残		小残块		
1123	ⅣT0306①：136	长方形砖	C	薄长方形砖		1	残				
1124	ⅣT0607①：81	长方形砖	C	薄长方形砖		1	残				
1125	ⅣT0706③：6	长方形砖	C	薄长方形砖		1	残			69	1142
1126	ⅣT0706③	长方形砖	C	薄长方形砖		1	残				
1127	太平Y1：14	长方形砖	C	薄长方形砖	残16.5×21×4.5	1	残		薄且宽		
1128	太平Y1：15	长方形砖	C	薄长方形砖	残14×残13.5×5	1	残		薄且宽		
1129	Y1①：9	长方形砖	C	薄长方形砖	残22×20×9.4	1	残		两砖叠加，一剖为二		
1130	Y1②：4	长方形砖	C	薄长方形砖	28.5×20×4.5	1	较完整		青灰色，未取		
1131	Y1②：6	长方形砖	C	薄长方形砖	残28.1×20×4.5	1	较完整		青灰色，未取		
1132	Y1②：7	长方形砖	C	薄长方形砖	27.6×21.5×4.5	1	较完整		青灰色，未取		
1133	F32①：26	长方形砖	C	薄长方形砖	残26×20.5×5	1	残		较薄较宽		

续表

序号	出土单位/编号	器形	类型	名称	尺寸/厘米 长×宽×厚	计件	完残	铭文	备注	小计/件	
1134	新王宫采：9	抹角砖	A	圆弧抹角砖	残12.5×12.5×6.7	1	残			112	177
1135	新王宫采：10	抹角砖	A	圆弧抹角砖	残16.7×12.6×6.6	1	残				
1136	新王宫采：17	抹角砖	A	圆弧抹角砖	34×12.7×7	1	较完整				
1137	F1①：75	抹角砖	A	圆弧抹角砖		1	残				
1138	F1①：77	抹角砖	A	圆弧抹角砖		1	残				
1139	F1①：78	抹角砖	A	圆弧抹角砖		1	残				
1140	F1①：79	抹角砖	A	圆弧抹角砖		1	残				
1141	F5①：212	抹角砖	A	圆弧抹角砖	29×12.5×7	1	完整				
1142	F5①：213	抹角砖	A	圆弧抹角砖	残19.4×11.5×6.9	1	残				
1143	F5①：272	抹角砖	A	圆弧抹角砖		1	残				
1144	F8①：193	抹角砖	A	圆弧抹角砖	残14.6×12×6.8	1	残				
1145	F8①：194	抹角砖	A	圆弧抹角砖	残31.8×12.5×6.8	1	残				
1146	F8①：196	抹角砖	A	圆弧抹角砖	残17×12.7×6.5	1	残				
1147	F8①：197	抹角砖	A	圆弧抹角砖	残19.5×12.1×6.8	1	残				
1148	F8①：198	抹角砖	A	圆弧抹角砖	残17.8×11.6×6.3	1	残				
1149	F8①：199	抹角砖	A	圆弧抹角砖	残16.5×12×6.6	1	残				
1150	F8①：200	抹角砖	A	圆弧抹角砖	残13×11.2×6.5	1	残				
1151	F8①：201	抹角砖	A	圆弧抹角砖	残11.5×12×6.3	1	残				
1152	F8①：202	抹角砖	A	圆弧抹角砖	残16.3×11.4×6	1	残				

续表

序号	出土单位/编号	器形	类型	名称	尺寸/厘米 长×宽×厚	计件	完残	铭文	备注	小计/件	
1153	F8①：203	抹角砖	A	圆弧抹角砖	残10.5×11.7×6.5	1	残			112	177
1154	F8①：204	抹角砖	A	圆弧抹角砖	残17×12.3×6	1	残				
1155	F8①：205	抹角砖	A	圆弧抹角砖	残20.5×12×6.6	1	残				
1156	F8①：206	抹角砖	A	圆弧抹角砖	残18.5×11.5×6.2	1	残				
1157	F8①：207	抹角砖	A	圆弧抹角砖	残21.6×11.7×6.1	1	残				
1158	F8①：209	抹角砖	A	圆弧抹角砖	残10×残11×6.5	1	残				
1159	F8①：210	抹角砖	A	圆弧抹角砖	残12.5×12.2×6.5	1	残				
1160	F8①：211	抹角砖	A	圆弧抹角砖	残14×12.3×7	1	残				
1161	F8①：212	抹角砖	A	圆弧抹角砖	残17.8×12.2×6.5	1	残				
1162	F8①：213	抹角砖	A	圆弧抹角砖	残13×12.6×6.1	1	残				
1163	F8①：214	抹角砖	A	圆弧抹角砖	残21.9×12.4×6.2	1	残				
1164	F8①：215	抹角砖	A	圆弧抹角砖	残13.5×13×6.6	1	残				
1165	F8①：216	抹角砖	A	圆弧抹角砖	残9.5×12×6	1	残				
1166	F8①：217	抹角砖	A	圆弧抹角砖	残14×12.5×6.6	1	残				
1167	F8①：218	抹角砖	A	圆弧抹角砖	残15.5×12.5×6.5	1	残				
1168	F8①：219	抹角砖	A	圆弧抹角砖	残16×12.5×6.5	1	残				
1169	F8①：220	抹角砖	A	圆弧抹角砖	残25×12.3×6.3	1	残				
1170	F8①：221	抹角砖	A	圆弧抹角砖	残14×12×6.5	1	残				
1171	F8①：222	抹角砖	A	圆弧抹角砖	残10.5×12.1×6.2	1	残				

续表

序号	出土单位/编号	器形	类型	名称	尺寸/厘米 长×宽×厚	计件	完残	铭文	备注	小计/件	
1172	F8①：223	抹角砖	A	圆弧抹角砖	残15.4×12.4×6.5	1	残			112	177
1173	F8①：224	抹角砖	A	圆弧抹角砖	残15.9×11.9×6.2	1	残				
1174	F8①：226	抹角砖	A	圆弧抹角砖	32.3×12×6.5	1	较完整				
1175	F8①：233	抹角砖	A	圆弧抹角砖	残8×残13.5×6.5	1	残				
1176	F8①：235	抹角砖	A	圆弧抹角砖	残11.4×残11.5×6.5	1	残				
1177	F8①：236	抹角砖	A	圆弧抹角砖	残13×13×7	1	残				
1178	F8①：239	抹角砖	A	圆弧抹角砖	残8.6×残11×6.2	1	残				
1179	F8①：242	抹角砖	A	圆弧抹角砖	残18.7×11.5×6.3	1	残				
1180	F8①：249	抹角砖	A	圆弧抹角砖	残21.5×12.5×6.5	1	残	刻划“□”	疑似“五”		
1181	F8①：251	抹角砖	A	圆弧抹角砖	33×12×6.6	1	完整				
1182	F8①：252	抹角砖	A	圆弧抹角砖	残17.5×15.5×7	1	残		方形边框		
1183	F8①：260	抹角砖	A	圆弧抹角砖	34.4×12.6×6.6	1	完整	□□			
1184	F8①：272	抹角砖	A	圆弧抹角砖	35.6×12.6×6.8	1	较完整				
1185	G1②：54	抹角砖	A	圆弧抹角砖	残12.3×12.3×6.7	1	残				
1186	G1②：55	抹角砖	A	圆弧抹角砖	残16×12.6×6.7	1	残				
1187	G1②：56	抹角砖	A	圆弧抹角砖	残12.6×12.7×6.4	1	残				
1188	G1②：57	抹角砖	A	圆弧抹角砖	残19.4×12.5×6.3	1	残				
1189	G1②：58	抹角砖	A	圆弧抹角砖	残20.6×12.2×7	1	残				
1190	G1②：59	抹角砖	A	圆弧抹角砖	残22.7×12×6.6	1	残				

续表

序号	出土单位/编号	器形	类型	名称	尺寸/厘米 长×宽×厚	计件	完残	铭文	备注	小计/件	
1191	G1②：60	抹角砖	A	圆弧抹角砖	残28×12.1×7	1	残				
1192	G1②：61	抹角砖	A	圆弧抹角砖	残24.3×12.6×6.7	1	残				
1193	G1②：62	抹角砖	A	圆弧抹角砖	残19×12.3×6.2	1	残				
1194	G1②：63	抹角砖	A	圆弧抹角砖	残23.5×12.5×6.7	1	残				
1195	G1②：64	抹角砖	A	圆弧抹角砖	残24.4×12.3×6.7	1	残				
1196	G1②：65	抹角砖	A	圆弧抹角砖	残17×12×6.6	1	残				
1197	G1②：66	抹角砖	A	圆弧抹角砖	残21.3×12.4×6.8	1	残				
1198	G1②：67	抹角砖	A	圆弧抹角砖	残24.1×12.1×6.7	1	残				
1199	G1②：68	抹角砖	A	圆弧抹角砖	残32.5×12.8×6.7	1	残				
1200	G1②：69	抹角砖	A	圆弧抹角砖	残23.8×12.8×6.4	1	残			112	177
1201	G1②：70	抹角砖	A	圆弧抹角砖	残16.6×12.5×6.5	1	残				
1202	G1②：71	抹角砖	A	圆弧抹角砖	残14.2×11.6×6.6	1	残				
1203	G1②：72	抹角砖	A	圆弧抹角砖	残18.9×12.4×6.7	1	残				
1204	G1②：73	抹角砖	A	圆弧抹角砖	残14×12.4×6.8	1	残				
1205	G1②：74	抹角砖	A	圆弧抹角砖	残10.5×12.3×6.2	1	残				
1206	G1②：75	抹角砖	A	圆弧抹角砖	残14.3×12.6×6.8	1	残				
1207	G1②：76	抹角砖	A	圆弧抹角砖	残20.5×12.4×6.5	1	残				
1208	G1②：77	抹角砖	A	圆弧抹角砖	残18.6×12.2×6	1	残				
1209	G1②：78	抹角砖	A	圆弧抹角砖	残20.3×12.3×7	1	残				

续表

序号	出土单位/编号	器形	类型	名称	尺寸/厘米 长×宽×厚	计件	完残	铭文	备注	小计/件	
1210	G1②：79	抹角砖	A	圆弧抹角砖	残19×12.7×6.7	1	残			112	177
1211	G1②：80	抹角砖	A	圆弧抹角砖	残10.2×12.4×6.2	1	残				
1212	G1②：81	抹角砖	A	圆弧抹角砖	残19×12.4×6.8	1	残				
1213	G1②：82	抹角砖	A	圆弧抹角砖	残20.1×12.4×6.8	1	残				
1214	G1②：83	抹角砖	A	圆弧抹角砖	残20×12.6×6.8	1	残				
1215	G1②：84	抹角砖	A	圆弧抹角砖	残15.3×12.6×7	1	残				
1216	G1②：85	抹角砖	A	圆弧抹角砖	残17×12.2×6.2	1	残				
1217	G1②：86	抹角砖	A	圆弧抹角砖	残24×12.6×7	1	残				
1218	G1②：87	抹角砖	A	圆弧抹角砖	残17.6×12.5×6.8	1	残				
1219	G1②：88	抹角砖	A	圆弧抹角砖	残19.3×12.2×7	1	残				
1220	G1②：95	抹角砖	A	圆弧抹角砖		1	残				
1221	G2③：121	抹角砖	A	圆弧抹角砖		1	残				
1222	L2④：246	抹角砖	A	圆弧抹角砖	残20.5×12.5×6.5	1	残				
1223	ⅢT0101①：13	抹角砖	A	圆弧抹角砖		1	残		残存前部		
1224	ⅢT0101①：14	抹角砖	A	圆弧抹角砖		1	残		残存前部		
1225	ⅣT0102①：48	抹角砖	A	圆弧抹角砖		1	残	初一号			
1226	ⅣT0207①：43	抹角砖	A	圆弧抹角砖		1	残				
1227	ⅣT0306①：129	抹角砖	A	圆弧抹角砖		1	残甚		小残块		
1228	ⅣT0306①：130	抹角砖	A	圆弧抹角砖		1	残				

续表

序号	出土单位/编号	器形	类型	名称	尺寸/厘米 长×宽×厚	计件	完残	铭文	备注	小计/件	
1229	ⅣT0306①：131	抹角砖	A	圆弧抹角砖		1	残			112	177
1230	ⅣT0607①：83	抹角砖	A	圆弧抹角砖		1	残				
1231	ⅣT0608①：51	抹角砖	A	圆弧抹角砖		1	残				
1232	ⅣT0608①：52	抹角砖	A	圆弧抹角砖		1	残				
1233	ⅣT0608①：53	抹角砖	A	圆弧抹角砖		1	残				
1234	ⅣT0608①：54	抹角砖	A	圆弧抹角砖		1	残				
1235	ⅣT0704①：45	抹角砖	A	圆弧抹角砖	残17×12.8×6.6	1	残		动物足印		
1236	ⅣT0704①：47	抹角砖	A	圆弧抹角砖	残16.6×12.5×6.7	1	残				
1237	ⅣT0704①：48	抹角砖	A	圆弧抹角砖	残27.5×11.8×6.9	1	残				
1238	ⅣT0704①：49	抹角砖	A	圆弧抹角砖	残11.5×12×5.9	1	残				
1239	ⅣT0704①：50	抹角砖	A	圆弧抹角砖	残13×残7.4×6.3	1	残				
1240	ⅣT0704①：51	抹角砖	A	圆弧抹角砖	残16×11.9×6.6	1	残				
1241	ⅣT0704①：52	抹角砖	A	圆弧抹角砖	残21.6×12.5×6.1	1	残				
1242	ⅣT0704①：53	抹角砖	A	圆弧抹角砖	残15.2×12.1×6.2	1	残				
1243	ⅣT0704①：54	抹角砖	A	圆弧抹角砖	残9.6×残11.6×6.2	1	残				
1244	ⅣT0706③	抹角砖	A	圆弧抹角砖		1	残				
1245	TG16②：1	抹角砖	A	圆弧抹角砖	残11.5×11.8×6.3	1	残		圆头		

续表

序号	出土单位/编号	器形	类型	名称	尺寸/厘米 长×宽×厚	计件	完残	铭文	备注	小计/件	
1246	新王宫采：5	抹角砖	Ba	楔形砖	残22×12.2×7	1	残	初一号			
1247	新王宫采：11	抹角砖	Ba	楔形砖	36.5×12.5×7	1	较完整				
1248	F1①：80	抹角砖	Ba	楔形砖		1	残				
1249	F1①：81	抹角砖	Ba	楔形砖		1	残				
1250	F1①：82	抹角砖	Ba	楔形砖		1	残				
1251	F1①：89	抹角砖	Ba	楔形砖	36.8×12.2×7	1	较完整				
1252	F5①：72	抹角砖	Ba	楔形砖	残17.9×残10.8×6.6	1	残				
1253	F5①：96	抹角砖	Ba	楔形砖	残27.8×残9.2×6.5	1	残	十六砖	无边框		
1254	F5①：171	抹角砖	Ba	楔形砖	残19.5×12.5×6.5	1	残				
1255	F5①	抹角砖	Ba	楔形砖		1	残				
1256	F6①：9	抹角砖	Ba	楔形砖	33×12×7	1	完整	初一号	无边框		
1257	F6①：85	抹角砖	Ba	楔形砖	残19.5×残7×6.6	1	残				
1258	F6①：114	抹角砖	Ba	楔形砖	残29.8×11.2×6.4	1	残		方形边框		
1259	F6①：126	抹角砖	Ba	楔形砖	残18.5×残11.6×7	1	残			26	
1260	F8①：195	抹角砖	Ba	楔形砖	残20.5×11.8×7.8	1	残				
1261	G1②：89	抹角砖	Ba	楔形砖	残30.5×12.2×6.9	1	残				177
1262	ⅣT0201①：8	抹角砖	Ba	楔形砖		1	残				
1263	ⅣT0201①：9	抹角砖	Ba	楔形砖		1	残				
1264	ⅣT0306①：128	抹角砖	Ba	楔形砖		1	残		小残块		
1265	ⅣT0507①：50	抹角砖	Ba	楔形砖	32×12×7	1	完整	砖	无边框		
1266	ⅣT0507①：51	抹角砖	Ba	楔形砖	32×12.5×6.8	1	较完整	砖	无边框		
1267	ⅣT0704①：42	抹角砖	Ba	楔形砖	残23×残11.8×6.8	1	残				
1268	ⅣT0704①：43	抹角砖	Ba	楔形砖	残23.8×11.5×6.7	1	残				
1269	ⅣT0704①：46	抹角砖	Ba	楔形砖	残18.5×残11.6×6.6	1	残				
1270	ⅣT0704①：55	抹角砖	Ba	楔形砖	残19.1×11.3×6.9	1	残				
1271	Y3④：5	抹角砖	Ba	楔形砖	30×12.2×7.2	1	较完整				
1272	F5①：214	抹角砖	Bb	楔形砖	残19.2×12×6.4	1	残				
1273	F8①：228	抹角砖	Bb	楔形砖	34.5×12.5×6.8	1	完整				
1274	F8①：230	抹角砖	Bb	楔形砖	残14.5×11.5×6.5	1	残			5	
1275	F8①：261	抹角砖	Bb	楔形砖	31.6×13.5×6.5	1	完整				
1276	ⅢT0101①：12	抹角砖	Bb	楔形砖		1	残				

续表

序号	出土单位/编号	器形	类型	名称	尺寸/厘米 长×宽×厚	计件	完残	铭文	备注	小计/件	
1277	新王宫采：2	抹角砖	C	内凹弧形砖	残9.7×残6.6×6	1	残			34	177
1278	新王宫采：7	抹角砖	C	内凹弧形砖	残22.5×12×6	1	残	初一号			
1279	新王宫采：8	抹角砖	C	内凹弧形砖	残21.4×12.6×6.2	1	残				
1280	新王宫采：12	抹角砖	C	内凹弧形砖	残19.5×12.3×6	1	残				
1281	F5①：1	抹角砖	C	内凹弧形砖	29.5×15.5×6	1	较完整				
1282	F5①：36	抹角砖	C	内凹弧形砖	残17.6×12.3×5.9	1	残				
1283	F5①：37	抹角砖	C	内凹弧形砖	残13.2×残9.2×6	1	残				
1284	F5①：60	抹角砖	C	内凹弧形砖	残12.9×残11.9×6	1	残				
1285	F5①：63	抹角砖	C	内凹弧形砖	残19×12.5×5.9	1	残				
1286	F5①：66	抹角砖	C	内凹弧形砖	残13×残8.4×6	1	残				
1287	F5①：103	抹角砖	C	内凹弧形砖	残9.7×残7.5×6.1	1	残				
1288	F5①：105	抹角砖	C	内凹弧形砖	28×12.2×5.5	1	较完整				
1289	F5①：106	抹角砖	C	内凹弧形砖	残21×16.4×6.3	1	残				
1290	F5①：118	抹角砖	C	内凹弧形砖	残13.4×残6.7×6	1	残				
1291	F5①：120	抹角砖	C	内凹弧形砖	残25.5×12.7×6.2	1	残				
1292	F5①：154	抹角砖	C	内凹弧形砖	残13×残8.4×6	1	残		戳印圆圈纹		
1293	F5①：191	抹角砖	C	内凹弧形砖	29×12.6×6.1	1	较完整				
1294	F5①：193	抹角砖	C	内凹弧形砖	残18.3×残10×6.2	1	残				
1295	F5①：219	抹角砖	C	内凹弧形砖	28.5×13.4×5.8	1	完整	道甫□年倠			

续表

序号	出土单位/编号	器形	类型	名称	尺寸/厘米 长×宽×厚	计件	完残	铭文	备注	小计/件	
1296	F6①：15	抹角砖	C	内凹弧形砖	30×12×6	1	完整	初一号	无边框	34	177
1297	F6①：47	抹角砖	C	内凹弧形砖	30×12.3×6	1	较完整				
1298	F6①：52	抹角砖	C	内凹弧形砖	29.5×13×6.5	1	较完整				
1299	F6①：90	抹角砖	C	内凹弧形砖	28.6×12.5×5.8	1	较完整	寅□□			
1300	F6①：172	抹角砖	C	内凹弧形砖	残29.2×12×6	1	较完整	十六			
1301	F6①：212	抹角砖	C	内凹弧形砖		1	残				
1302	F8①：231	抹角砖	C	内凹弧形砖	29.8×11.2×5.7	1	完整	初一号	无边框		
1303	F8①：237	抹角砖	C	内凹弧形砖	残22×13×6	1	残				
1304	F8①：238	抹角砖	C	内凹弧形砖	残20.9×12.9×6.3	1	残				
1305	F8①：240	抹角砖	C	内凹弧形砖	残16.5×11.8×6	1	残				
1306	L2④：245	抹角砖	C	内凹弧形砖	30×12.1×6.3	1	较完整				
1307	ⅣT0604④：12	抹角砖	C	内凹弧形砖		1	残				
1308	ⅣT0704①：44	抹角砖	C	内凹弧形砖	残15.6×残9.4×5	1	残				
1309	ⅣT0706③：11	抹角砖	C	内凹弧形砖		1	残				
1310	F32①：20	抹角砖	C	内凹弧形砖	残23×12.5×6.2	1	残	初一号			
1311	F3①：125	抹肋砖	A	单棱抹圆砖		1	残			32	39
1312	F3①：126	抹肋砖	A	单棱抹圆砖		1	残				
1313	F3①：130	抹肋砖	A	单棱抹圆砖		1	残				
1314	F5①：215	抹肋砖	A	单棱抹圆砖	28.5×13.4×6.3	1	完整				

续表

序号	出土单位/编号	器形	类型	名称	尺寸/厘米 长×宽×厚	计件	完残	铭文	备注	小计/件	
1315	F6①：59	抹肋砖	A	单棱抹圆砖	残19×13×6.2	1	残		无边框	32	39
1316	F6①：66	抹肋砖	A	单棱抹圆砖	残17.5×残11.2×6	1	残				
1317	F6①：77	抹肋砖	A	单棱抹圆砖	30.5×12×6	1	较完整		无边框		
1318	F6①：86	抹肋砖	A	单棱抹圆砖	残11.5×残7.8×5.8	1	残				
1319	F6①：89	抹肋砖	A	单棱抹圆砖	残19.3×13.3×6.3	1	残		方形边框		
1320	F6①：115	抹肋砖	A	单棱抹圆砖	残25.3×12.1×6	1	残				
1321	F6①：125	抹肋砖	A	单棱抹圆砖	残17.2×残8.8×6	1	残				
1322	F6①：130	抹肋砖	A	单棱抹圆砖	残14.6×残8.5×6.3	1	残				
1323	F6①：135	抹肋砖	A	单棱抹圆砖	残11.3×残8×6.1	1	残				
1324	F6①：139	抹肋砖	A	单棱抹圆砖	残16.7×13×6.3	1	残		无边框		
1325	F6①：143	抹肋砖	A	单棱抹圆砖	残12.7×残7.2×5.9	1	残		无边框		
1326	F6①：149	抹肋砖	A	单棱抹圆砖	残20.6×13×6.1	1	较完整				
1327	F6①：151	抹肋砖	A	单棱抹圆砖	残18.7×13×6.3	1	残				
1328	F6①：157	抹肋砖	A	单棱抹圆砖	残18.5×15.4×7.3	1	残				
1329	F6①：182	抹肋砖	A	单棱抹圆砖	残15×残10.8×5.8	1	残				
1330	F6①：189	抹肋砖	A	单棱抹圆砖	残20×12×6	1	残				
1331	F6①：193	抹肋砖	A	单棱抹圆砖	29.1×14.5×7.5	1	较完整				
1332	F8①：208	抹肋砖	A	单棱抹圆砖	残20.7×15×6.6	1	残				
1333	F8①：225	抹肋砖	A	单棱抹圆砖	残24.3×12×6.3	1	残				
1334	F8①：271	抹肋砖	A	单棱抹圆砖	28.6×14.1×6.2	1	较完整				

续表

序号	出土单位/编号	器形	类型	名称	尺寸/厘米 长×宽×厚	计件	完残	铭文	备注	小计/件	
1335	F10①：105	抹肋砖	A	单棱抹圆砖		1	残			32	39
1336	G1②：91	抹肋砖	A	单棱抹圆砖		1	残				
1337	G1②：92	抹肋砖	A	单棱抹圆砖		1	残				
1338	G1②：93	抹肋砖	A	单棱抹圆砖		1	残				
1339	G1②：94	抹肋砖	A	单棱抹圆砖		1	残				
1340	L2④：243	抹肋砖	A	单棱抹圆砖	残13.5×13×6.9	1	残				
1341	L2④：244	抹肋砖	A	单棱抹圆砖	残16.2×13.5×6.8	1	残				
1342	L2④：248	抹肋砖	A	单棱抹圆砖	残19.1×13.5×6.2	1	残				
1343	F3①：123	抹肋砖	B	双棱抹圆砖		1	残			6	
1344	F3①：124	抹肋砖	B	双棱抹圆砖		1	残				
1345	F3①：138	抹肋砖	B	双棱抹圆砖	残21.8×15×6.7	1	残				
1346	F8①：227	抹肋砖	B	双棱抹圆砖	残15.1×12.5×6.8	1	残				
1347	F8①：229	抹肋砖	B	双棱抹圆砖	残12.1×12×6.8	1	残				
1348	ⅣT0202①：2	抹肋砖	B	双棱抹圆砖	残16.1×残5.9×5.8	1	残				
1349	ⅣT0306①：138	抹肋砖		抹肋砖		1	残甚		肋侧内凹	1	
1350	F1①：55	方形砖	A	标准方形砖	残25×残23×6.6	1	残			11	33
1351	F1①：56	方形砖	A	标准方形砖	36.6×36.6×6.8	1	完整				
1352	F8②：30	方形砖	A	标准方形砖	38×38×7	1	略残				
1353	F10①：58	方形砖	A	标准方形砖	残15.5×残13.5×7.5	1	残				
1354	F10①：59	方形砖	A	标准方形砖	残30.2×残16×7	1	残				
1355	F10①：101	方形砖	A	标准方形砖	残33×残23×6.5	1	残				

续表

序号	出土单位/编号	器形	类型	名称	尺寸/厘米 长×宽×厚	计件	完残	铭文	备注	小计/件	
1356	F19②：26	方形砖	A	标准方形砖	35.5×35.5×6.5	1	完整			11	33
1357	ⅠT0103④：14	方形砖	A	标准方形砖		1	残				
1358	ⅢT0101①：16	方形砖	A	标准方形砖		1	残				
1359	ⅣT0507①：201	方形砖	A	标准方形砖		1	残				
1360	ⅣT0507①：202	方形砖	A	标准方形砖		1	残		3块相拼		
1361	F8①：257	方形砖	B	梯形方砖	上底33.5×下底38×6.4	1	完整			3	
1362	F8①：258	方形砖	B	梯形方砖	上底33.5×下底38×6.4	1	完整				
1363	ⅣT0306①：137	方形砖	B	梯形方砖		1	残		一肋侧见倒棱		
1364	新王宫采：1	方形砖	C	博缝头	残21×残15.5×6.6	1	残			19	
1365	F1①：54	方形砖	C	博缝头	37.7×37.7×6.3	1	完整				
1366	F1①：60	方形砖	C	博缝头	37×残32.4×7	1	残				
1367	F1①：61	方形砖	C	博缝头	残27×残23×6.5	1	残				
1368	F5①：270	方形砖	C	博缝头		1	残				
1369	F5①	方形砖	C	博缝头			残		小残块		
1370	F8①：232	方形砖	C	博缝头	残21×残28.5×6	1	残				
1371	F8①：256	方形砖	C	博缝头	残13×残20×6	1	残				
1372	F10①：57	方形砖	C	博缝头	37×残36×6.4	1	残				
1373	F10①：102	方形砖	C	博缝头	37×37×7.3	1	较完整				
1374	F10①：103	方形砖	C	博缝头		1	残				
1375	F10①：104	方形砖	C	博缝头		1	残				
1376	G1②：25	方形砖	C	博缝头	38.5×38.5×6.5	1	较完整				
1377	G2③：122	方形砖	C	博缝头	残16.7×22.2×6.4	1	残				
1378	ⅢT0101①：17	方形砖	C	博缝头		1	残				
1379	ⅢT0101①：18	方形砖	C	博缝头		1	残		榫槽处		
1380	ⅣT0506①	方形砖	C	博缝头		1	残				
1381	ⅣT0607①：25	方形砖	C	博缝头	残28×残38×7	1	残				
1382	ⅣT0706③：8	方形砖	C	博缝头		1	残				
1383	ⅣT0706③：9	方形砖	C	博缝头		1	残				
1384	Y3③：1	砖坯		砖坯	残10×残12×残10	1	残			3	3
1385	Y3③：2	砖坯		砖坯	残20×20×10.5	1	残				
1386	Y3④：7	半成砖		半成砖	残22×19.8×9.8	1	残				
合计										1394	

附表3　板瓦统计表

序号	出土单位/编号	类型	名称	尺寸/厘米							数量	计件	完残	备注	小计/件
				长	宽		厚		矢高						
					小头	大头	小头	大头	小头	大头					
1	TG21②	A	翘头小型板瓦								6		残		136
2	TG55①	A	翘头小型板瓦								5		残		
3	TG10③	A	翘头小型板瓦								3		残		
4	TG57②	A	翘头小型板瓦								2106		残	未采集	
5	TG57③	A	翘头小型板瓦								2326		残	未采集	
6	TG58②：5	A	翘头小型板瓦								1	1	残		
7	TG58②：6	A	翘头小型板瓦								1	1	残		
8	TG58②：7	A	翘头小型板瓦	18		18.3	0.6	1.3	5.2		1	1	残		
9	TG58②	A	翘头小型板瓦								25		残		
10	TG58③	A	翘头小型板瓦								13		残		
11	TG59②	A	翘头小型板瓦								7		残		
12	TG39②：2	A	翘头小型板瓦	26	15.7	17.9	1	1.13	4.8	4.2	1	1	较完整		
13	TG39②：3	A	翘头小型板瓦	27.5	15.9	18.2	1	1.12	4.3	4.7	1	1	较完整		
14	TG39②：4	A	翘头小型板瓦	26.7	17.5	18	1.9	2	4.6	5.4	1	1	较完整		
15	TG39②：5	A	翘头小型板瓦	26.2	15.4	18.4	0.5	1.2	4	5	1	1	较完整		
16	TG39②：6	A	翘头小型板瓦	28.5	17.1	18	0.8	1.2	4.8	3.9	1	1	较完整		
17	TG39②：7	A	翘头小型板瓦	28	16.2	18.4	0.7	0.9	5.2	4.9	1	1	较完整		
18	TG39②：8	A	翘头小型板瓦	26.6	16.2	18.9	0.8	1.1	4.6	4	1	1	较完整		

续表

序号	出土单位/编号	类型	名称	尺寸/厘米							数量	计件	完残	备注	小计/件
				长	宽		厚		矢高						
					小头	大头	小头	大头	小头	大头					
19	TG39②	A	翘头小型板瓦								164		残	瓦砾残块	
20	TG32②：1	A	翘头小型板瓦	27	16.3	17.6	0.8	1.4	4.6	4.1	1	1	较完整		
21	TG32②：2	A	翘头小型板瓦	26.8	18	19.1	0.5	1.4	2.9	3.4	1	1	较完整		
22	TG32②：3	A	翘头小型板瓦	27.4	17	18.1	0.8	1.3	3.6	4.2	1	1	较完整		
23	TG32②：4	A	翘头小型板瓦	26.5	17	19.1	0.8	1.2	3.1	4.5	1	1	较完整		
24	TG32②：5	A	翘头小型板瓦	26.1	15.2	16.3	0.6	1.4	4.5	4.5	1	1	较完整		
25	TG32②：6	A	翘头小型板瓦	26.6	16.1	19.1	0.8	1.3	4.1	4.3	1	1	较完整		
26	TG32②：7	A	翘头小型板瓦	25.5	14.8	19	0.8	1.1	4.1	4.2	1	1	较完整		
27	TG32②：8	A	翘头小型板瓦	26.5	17.1	18	0.8	1.8	5.1	4	1	1	较完整		
28	TG32②：9	A	翘头小型板瓦	25.5	15.3	16	0.6	1.4	4	4.1	1	1	较完整		136
29	TG32②：10	A	翘头小型板瓦	25	14.5	16.8	1.3	1.1	3.8	4.4	1	1	较完整		
30	TG32②：11	A	翘头小型板瓦	27.1	17	19	0.6	1.12	5.1	5.5	1	1	较完整		
31	TG32②：12	A	翘头小型板瓦	25.6	15.6	17.5	0.6	1.45	3.3	3.9	1	1	较完整		
32	TG32②：13	A	翘头小型板瓦	27.9	15.1	18	0.8	0.9	4.4	4.1	1	1	较完整		
33	TG32②：14	A	翘头小型板瓦	27	17.4	18.6	0.9	1.3	3.3	4	1	1	较完整		
34	TG32②：15	A	翘头小型板瓦	26.4	13.9	17.2	0.2	1	4	4.2	1	1	较完整		
35	TG32②：16	A	翘头小型板瓦	27.4	14.5	16.5	0.3	1.4	3.6	5.1	1	1	较完整		
36	TG32②：17	A	翘头小型板瓦	26.2	13.8	16.3	0.9	1.2	3.4	5.1	1	1	较完整		

续表

序号	出土单位/编号	类型	名称	尺寸/厘米							数量	计件	完残	备注	小计/件
				长	宽		厚		矢高						
					小头	大头	小头	大头	小头	大头					
37	TG32②：18	A	翘头小型板瓦	26	残14	17.5	0.4	1.4	3.6	4.9	1	1	较完整		
38	TG32②：19	A	翘头小型板瓦	25.7	15.2	15.3	0.8	1	4.1	4.8	1	1	较完整	有手工痕迹	
39	TG32②：20	A	翘头小型板瓦	25.7	14.5	17.6	1.2	1.3	4.2	5.3	1	1	较完整		
40	TG32②：21	A	翘头小型板瓦	25.5	16	18.2	0.6	1.1	4.6	4.6	1	1	较完整	有明显划痕	
41	TG32②：22	A	翘头小型板瓦	27	15.4	16.9	0.5	1.1	4.6	4.3	1	1	较完整		
42	TG32②：23	A	翘头小型板瓦	26.7	14.8	17	0.6	1	3.6	4.7	1	1	较完整		
43	TG32②：24	A	翘头小型板瓦	27.2	16	17	0.6	1.4	4.1	4	1	1	较完整		
44	TG32②：25	A	翘头小型板瓦	27.2	16.2	19	0.8	1.2	4.8	4.4	1	1	较完整		
45	TG32②：26	A	翘头小型板瓦	26.7	17	19	0.8	1.2	3.6	4.5	1	1	较完整		136
46	TG32②：27	A	翘头小型板瓦	26.6	14	15.7	1.1	1.7	4.4	5.2	1	1	较完整		
47	TG32②：28	A	翘头小型板瓦	26.7	16	17.2	0.9	1.5	4.1	4.8	1	1	较完整		
48	TG32②：29	A	翘头小型板瓦	25.6	14.8	残11.2	0.4	1.4	3.6	3.9	1	1	较完整		
49	TG32②：30	A	翘头小型板瓦	26.6	14.4	16.9	0.6	1.2	4.3	4.4	1	1	较完整		
50	TG32②：31	A	翘头小型板瓦	26.1	16	18.5	0.4	1	3.6	4.2	1	1	较完整		
51	TG32②：32	A	翘头小型板瓦	27	15.5	18.2	0.4	1.4	4.9	4.4	1	1	较完整		
52	TG32②：33	A	翘头小型板瓦	27.3	17.1	18.4	0.5	1.12	4	3	1	1	较完整		
53	TG32②：34	A	翘头小型板瓦	27	17.6	残17.6	0.4	1.1	3	3.7	1	1	较完整		
54	TG32②：35	A	翘头小型板瓦	26.7	16.1	17.5	0.8	1.3	4.5	4.6	1	1	较完整		

续表

序号	出土单位/编号	类型	名称	尺寸/厘米							数量	计件	完残	备注	小计/件
				长	宽		厚		矢高						
					小头	大头	小头	大头	小头	大头					
55	TG32②：36	A	翘头小型板瓦	27	15	残13.5	0.6	1.1	4.1	4.4	1	1	较完整		136
56	TG32②：37	A	翘头小型板瓦	27.5	14.9	16.2	0.7	1.1	4	4.5	1	1	较完整		
57	TG32②：38	A	翘头小型板瓦	25.8	14.1	15.9	0.7	1.4	4.1	4.4	1	1	较完整		
58	TG32②：39	A	翘头小型板瓦	27.5	14.4	15.5	0.7	0.8	3.4	3.5	1	1	较完整		
59	TG32②：40	A	翘头小型板瓦	26.7	14.9	18.1	0.5	1.2	4	3.6	1	1	较完整		
60	TG32②：41	A	翘头小型板瓦	26.9	14.9	18	0.8	1	4.7	3.5	1	1	较完整		
61	TG32②：42	A	翘头小型板瓦	27	16.8	17.6	0.8	1.1	5.2	5	1	1	较完整		
62	TG32②：43	A	翘头小型板瓦	26	15.5	16	0.6	1.1	3.7	4.1	1	1	较完整		
63	TG32②：44	A	翘头小型板瓦	27.4	17.5	18	0.7	1.2	4	4.9	1	1	较完整		
64	TG32②：45	A	翘头小型板瓦	25.8	15	16.5	0.6	1.2	3.4	残3.6	1	1	较完整		
65	TG32②：46	A	翘头小型板瓦	26.3	15	17	0.5	1.3	3.8	4.1	1	1	较完整		
66	TG32②：47	A	翘头小型板瓦	25.9	15.3	19	0.6	1.3	4.6	4.35	1	1	较完整		
67	TG32②：48	A	翘头小型板瓦	27.5	14.2	18	0.7	1.15	3.8	4	1	1	较完整		
68	TG32②：49	A	翘头小型板瓦	26	15	17.7	0.9	1.15	4.1	4.4	1	1	较完整		
69	TG32②：50	A	翘头小型板瓦	25.8	14.5	15.8	0.5	1.4	3.6	4.6	1	1	较完整		
70	TG32②：51	A	翘头小型板瓦	27	残3	16.8	0.8	1.3	4.5	4.7	1	1	残		
71	TG32②：52	A	翘头小型板瓦	26.8	残11	残9.2	0.8	1.4	残3.2	残2.3	1	1	残		
72	TG32②：53	A	翘头小型板瓦	26.4	14.2	残8.4	0.5	1.3	残3.8	残4	1	1	残		

续表

序号	出土单位/编号	类型	名称	尺寸/厘米							数量	计件	完残	备注	小计/件
				长	宽		厚		矢高						
					小头	大头	小头	大头	小头	大头					
73	TG32②：54	A	翘头小型板瓦	27	16.6	18	0.6	1.2	4.8	5.5	1	1	较完整		136
74	TG32②：55	A	翘头小型板瓦	27	15.8	18	0.5	0.9	4.6	5.1	1	1	较完整		
75	TG32②：56	A	翘头小型板瓦	25.6	15.6	18.1	0.8	1.3	4.5	4.6	1	1	较完整		
76	TG32②：57	A	翘头小型板瓦	残18	16	16.5	1.5	1.5	3.4	4.5	1	1	较完整		
77	TG32②：58	A	翘头小型板瓦	21	残15.4	残14.5	1.4	1.1	3.2	5	1	1	较完整		
78	TG32②：59	A	翘头小型板瓦	27	残10.5	残14.5	0.5	1.1	2.4	3.5	1	1	较完整		
79	TG32②：60	A	翘头小型板瓦	残25	残15	残16	1.5	1.4	2.9	4.4	1	1	较完整		
80	TG32②：61	A	翘头小型板瓦	残19.4	16.4	17.6	1.4	1.3	4.8	4.4	1	1	较完整		
81	TG32②：62	A	翘头小型板瓦	25.5	16.3	19.4	0.6	1	4.4	5.5	1	1	较完整		
82	TG32②：63	A	翘头小型板瓦	26.5	残5.5	残13.5	0.5	1	3.5	3.4	1	1	较完整		
83	TG32②：64	A	翘头小型板瓦	残17.4	残2	19.2	1.2	1.5	5.3	5.8	1	1	较完整	残一角	
84	TG32②：65	A	翘头小型板瓦	残16	残4.7	18.3	1.1	1	4.8	4.4	1	1	较完整		
85	TG32②：66	A	翘头小型板瓦	残17	14.6	残5	1.2	1.6	4.1	4.6	1	1	较完整		
86	TG32②：67	A	翘头小型板瓦	残15	16.6	17	0.8	1.2	5.4	5.7	1	1	较完整		
87	TG32②：68	A	翘头小型板瓦	残18.7	17	残16.7	0.4	1.2	3.8	4.2	1	1	较完整		
88	TG32②：69	A	翘头小型板瓦	残18.2	14.6	16.3	0.7	2	4	6	1	1	较完整		
89	TG32②：70	A	翘头小型板瓦	残19	14.6	16.2	1.2	1.4	4	4.6	1	1	较完整		
90	TG32②：71	A	翘头小型板瓦	残21	14.8	16.5	0.9	1.3	4.1	4	1	1	较完整		

续表

序号	出土单位/编号	类型	名称	尺寸/厘米							数量	计件	完残	备注	小计/件
				长	宽		厚		矢高						
					小头	大头	小头	大头	小头	大头					
91	TG32②：72	A	翘头小型板瓦	残20	17.8	18	0.5	1	4.8	4.2	1	1	较完整		
92	TG32②：73	A	翘头小型板瓦	残22.5	15.1	残15.5	1.1	1	4.9	4.5	1	1	较完整		
93	TG32②：74	A	翘头小型板瓦	残24.2	15.5	16	1.3	1.3	3.4	3.9	1	1	较完整		
94	TG32②：75	A	翘头小型板瓦	残10.5	16.2	16.8	0.9	1	4	4.9	1	1	残		
95	TG32②：76	A	翘头小型板瓦	残14	17	18	1.2	1.4	4.6	4.7	1	1	残		
96	TG32②：77	A	翘头小型板瓦	残16	15.8	17.1	0.5	1.4	4.3	5.6	1	1	残		
97	TG32②：78	A	翘头小型板瓦	残24	15.4	19.1	0.8	0.9	3.5	4.4	1	1	较完整		
98	TG32②：79	A	翘头小型板瓦	残18.5	16.5	16.3	0.4	1	3.4	4.8	1	1	较完整		
99	TG32②：80	A	翘头小型板瓦	残20.6	14.4	残6.5	0.5	1.1	4.3	4.2	1	1	残		
100	TG32②：81	A	翘头小型板瓦	残23	14.2	15.6	1.2	1.1	4.1	4.3	1	1	较完整		136
101	TG32②：82	A	翘头小型板瓦	残21.2	15.6	17	1.4	1.4	4.5	4.5	1	1	较完整		
102	TG32②：83	A	翘头小型板瓦	残18.5	17	17.5	0.5	1.5	5.1	5.5	1	1	较完整		
103	TG32②：84	A	翘头小型板瓦	残17.7	15.9	16.7	0.9	1.2	4.7	5.2	1	1	较完整		
104	TG32②：85	A	翘头小型板瓦	残19.9	16.5	残16.4	1.3	1.2	3.5	5.4	1	1	残		
105	TG32②：86	A	翘头小型板瓦	26	残11.8	残13.5	0.8	1	4.1	4	1	1	残		
106	TG32②：87	A	翘头小型板瓦	残19.1	16	16.5	1.3	1.2	3.8	4.4	1	1	残		
107	TG32②：88	A	翘头小型板瓦	残14.8	16.4	17.1	0.8	1.2	4.1	5.1	1	1	残		
108	TG32②：89	A	翘头小型板瓦	残13.5	16.3	17	1.4	1.3	4	4.3	1	1	残		

续表

序号	出土单位/编号	类型	名称	尺寸/厘米							数量	计件	完残	备注	小计/件
				长	宽		厚		矢高						
					小头	大头	小头	大头	小头	大头					
109	TG32②：90	A	翘头小型板瓦	残15.4	14.7	16.4	0.9	1.4	4	5.4	1	1	较完整		
110	TG32②：91	A	翘头小型板瓦	残17	15	17.3	1.5	1.3	4.9	4.5	1	1	较完整		
111	TG32②：92	A	翘头小型板瓦	残19.4	14.5	15.6	0.8	1.1	3.9	3.3	1	1	较完整		
112	TG32②：93	A	翘头小型板瓦	残16	16.7	17.1	0.4	1.2	4.5	4.6	1	1	较完整		
113	TG32②：94	A	翘头小型板瓦	残26.9	残12	残11	0.8	1.5	4.2	5.5	1	1	残		
114	TG32②：95	A	翘头小型板瓦	残16.9	残15	16.8	1.4	2	4.1	4.5	1	1	较完整		
115	TG32②：96	A	翘头小型板瓦	残18.1	残12.5	16.5	1.5	1.3	4.2	4.9	1	1	残		
116	TG32②：97	A	翘头小型板瓦	残13.7	17.6	19	1.1	1.2	4.6	4.9	1	1	残		
117	TG32②：98	A	翘头小型板瓦	残15.3	15.2	18.2	1.1	2	4.4	5.9	1	1	较完整		
118	TG32②：99	A	翘头小型板瓦	残17	15.5	残11.2	1.2	1.5	6	3.7	1	1	残		136
119	TG32②：100	A	翘头小型板瓦	残16.5	15.7	16.3	1.1	1.5	4.1	4.9	1	1	较完整		
120	TG32②：101	A	翘头小型板瓦	残21	15.4	16.1	0.8	0.9	3.5	4.8	1	1	较完整		
121	TG32②：102	A	翘头小型板瓦	残17.9	16.5	17	1.4	1.3	4.8	4.3	1	1	较完整		
122	TG32②：103	A	翘头小型板瓦	残22	17.2	残3	0.8	1.3	5.3	5.2	1	1	较完整	缺一角，可复原	
123	TG32②：104	A	翘头小型板瓦	残19	14.5	16	0.9	1	5.2	4.3	1	1	较完整		
124	TG32②：105	A	翘头小型板瓦	残19.1	15.9	18	1	1.1	4.1	4.5	1	1	较完整		
125	TG32②：106	A	翘头小型板瓦	残16.2	16.8	17.8	0.6	1.4	4.8	4.3	1	1	较完整		
126	TG32②：107	A	翘头小型板瓦	残17.1	16.2	16.6	1.1	1	4.5	5.2	1	1	较完整		

续表

序号	出土单位/编号	类型	名称	尺寸/厘米							数量	计件	完残	备注	小计/件
				长	宽		厚		矢高						
					小头	大头	小头	大头	小头	大头					
127	TG32②：108	A	翘头小型板瓦	残14	14.2	15.4	0.5	1.3	4.6	4.9	1	1	残		136
128	TG32②：109	A	翘头小型板瓦	残19.4	16.2	17	1	1.4	5.4	4.7	1	1	较完整		
129	TG32②：110	A	翘头小型板瓦	残18	17	18.5	0.9	1.1	5.2	4.8	1	1	较完整		
130	TG32②：111	A	翘头小型板瓦	残19	18	18.2	1.1	1.4	4.5	4	1	1	较完整		
131	TG32②：112	A	翘头小型板瓦	残14.6	残12.5	16.2	0.3	1.2	2.3	4.1	1	1	残		
132	TG32②：113	A	翘头小型板瓦	残20.1	15	16.4	0.9	1.3	4.5	4	1	1	较完整		
133	TG32②：114	A	翘头小型板瓦	残24	16	16.2	0.9	1.4	5	3.8	1	1	较完整		
134	TG32②：115	A	翘头小型板瓦	残23.8	15.5	18.4	0.9	1.3	4.5	4.9	1	1	较完整		
135	TG32②：116	A	翘头小型板瓦	残15.1	16.4	18	1.2	1	4.6	4.1	1	1	较完整		
136	TG32②：117	A	翘头小型板瓦	残19.5	残14.8	残16.3	1	1.3	3.6	4.2	1	1	残		
137	TG32②：118	A	翘头小型板瓦	残17	残16.1	残15.8	1.3	1.5	3.8	3.9	1	1	残		
138	TG32②：119	A	翘头小型板瓦	残24.6	15.2	16.5	1.4	1.5	3.9	3.8	1	1	较完整		
139	TG32②：120	A	翘头小型板瓦	残19.9	残13.8	残3.5	0.5	1	4.4	3.6	1	1	残	角略残	
140	TG33②：16	A	翘头小型板瓦	27.5	17	17.2	0.8	1.3	4.1	4.2	1	1	较完整		
141	TG33②：17	A	翘头小型板瓦	24	14.9	16	1.8	1.9	5.2	4.2	1	1	较完整		
142	TG33②：18	A	翘头小型板瓦	25.5	17.4	17.5	1.17	1.18	4.1	5.5	1	1	较完整		
143	TG33②：19	A	翘头小型板瓦	残12.3	16.5	17	1.1	1.6	4.7	4.7	1	1	残		
144	TG33②：20	A	翘头小型板瓦	25.6	15.9	17.5	0.6	1.1	4.5	4.6	1	1	较完整		
145	TG33②：21	A	翘头小型板瓦	26.1	13.5	16.6	0.8	1.13	4.3	4	1	1	较完整		

续表

序号	出土单位/编号	类型	名称	尺寸/厘米							数量	计件	完残	备注	小计/件
				长	宽		厚		矢高						
					小头	大头	小头	大头	小头	大头					
146	TG21②	B	小型板瓦								441		残	残甚，Ba和Bb型均有	136
147	TG44③	B	小型板瓦								142		残	残甚，Ba和Bb型均有	
148	TG46③	B	小型板瓦								188		残	残甚，Ba和Bb型均有	
149	TG45①	B	小型板瓦								259		残	残甚，Ba和Bb型均有	
150	F2①：114	Ba	小型板瓦								1	1	残		148
151	F2①：115	Ba	小型板瓦								2	1	残		
152	F2①：116	Ba	小型板瓦								1	1	残		
153	F2①：117	Ba	小型板瓦								1	1	残		
154	F2①：118	Ba	小型板瓦								1	1	残		
155	F2①：119	Ba	小型板瓦								2	1	残		
156	F2①：120	Ba	小型板瓦								1	1	完整		
157	F2①：121	Ba	小型板瓦								1	1	残		
158	F2①：122	Ba	小型板瓦								2	1	残		
159	F2①：123	Ba	小型板瓦								1	1	完整		
160	F2①：124	Ba	小型板瓦								2	1	完整		
161	F3①	Ba	小型板瓦								1		残		
162	F3①	Ba	小型板瓦								1		残		
163	F3①	Ba	小型板瓦								8	8	残		
164	F6①：18-1	Ba	小型板瓦	26	15.4	16.4	1.4	2	5.5	5.3	1	1	完整		
165	F6①：18-2	Ba	小型板瓦	26.7	16.2	16.8	1.2	1.3	4.5	4.9	1	1	较完整		
166	F6①：18-3	Ba	小型板瓦	27	16.1	19.5	1.4	1.3	4.5	5.4	1	1	较完整		
167	F8①：63	Ba	小型板瓦	26	14.9	17.4	2	1.16	4.5	5	1	1	完整		
168	F8①：64	Ba	小型板瓦	27.5	15	21	1.4	1.12	4.4	4	1	1	完整		
169	F8①：118	Ba	小型板瓦	26.5	14.7	19	1.5	1.7	4.2	10.9	3	1	较完整		
170	F8①：119	Ba	小型板瓦	25.9	15.6	17.9	2.3	2.5	5.5	6.3	1	1	完整		

续表

序号	出土单位/编号	类型	名称	尺寸/厘米							数量	计件	完残	备注	小计/件
				长	宽		厚		矢高						
					小头	大头	小头	大头	小头	大头					
171	F9①：216	Ba	小型板瓦	27	17	18.9	1.7	1.5	4.9	5	1	1	较完整		148
172	F9①：217	Ba	小型板瓦	25.5	15.5	18.4	1.5	1.6	4.9	5	1	1	较完整		
173	F9①：218	Ba	小型板瓦	28	15.4	16	1.6	2	4	4.6	1	1	较完整		
174	F9①：219	Ba	小型板瓦	26	18.3	18.5	1.6	2	4.8	6	1	1	较完整		
175	F9①：220	Ba	小型板瓦	26	16	17.3	1.6	1.4	4	4.4	1	1	较完整		
176	F9①：221	Ba	小型板瓦	24.5	16	17.5	1.3	1.4	4.3	6.1	1	1	较完整		
177	F9①：222	Ba	小型板瓦	26.8	18.3	残15.5	2	0.9	5.1	5.9	1	1	残	大头内侧斜削	
178	F9①：223	Ba	小型板瓦	27	15.5	17	1.3	1.7	3.8	4.6	1	1	较完整		
179	F9①：224	Ba	小型板瓦	27	17	18	1.6	1.6	5.2	5.9	1	1	较完整		
180	F9①：225	Ba	小型板瓦	26.5	16.5	18.8	1.3	0.4	4.2	4.9	1	1	较完整		
181	F9①：226	Ba	小型板瓦	21	14	16.5	1.2	1.1	3.7	3.8	1	1	较完整		
182	F9①：227	Ba	小型板瓦	26.1	17.5	19	1.6	1.4	5.2	4.2	1	1	较完整		
183	F9①：228	Ba	小型板瓦	26.5	17	20.5	1.1	1.9	4.2	4.6	1	1	较完整		
184	F9①：229	Ba	小型板瓦	26.6	15	17	1.1	1.5	4.1	4.5	1	1	较完整		
185	F9①：235	Ba	小型板瓦	25.7	15.5	17.4	1.4	1.5	5.3	4.7	1	1	较完整		
186	F9①：236	Ba	小型板瓦	25.7	14.9	16	1.4	1.7	4.5	5.1	1	1	较完整		
187	F9①：237	Ba	小型板瓦	26.4	17	18.6	1.8	1.4	4.8	5.3	1	1	较完整		
188	F9②：141	Ba	小型板瓦	24.8	15.8	16	0.9	1.6	4.1	5	1	1	较完整		
189	F9②：142	Ba	小型板瓦	26	15.9	16.4	1.4	1.4	4.4	5.3	1	1	较完整		
190	F10①：64	Ba	小型板瓦	23.6	14.3	15.5	1.4	1.5	3.9	5.2	1	1	较完整		
191	F10①：65	Ba	小型板瓦	26.3	16	17	1.2	1.5	4.3	4.9	1	1	较完整		
192	F10①：66	Ba	小型板瓦	27.3	16	残8.5	1.2	2	4.5	5.1	1	1	残		
193	F10①：67	Ba	小型板瓦	23.2	15.7	17.2	1	1.2	5	4.4	1	1	较完整		
194	F12①：12	Ba	小型板瓦	27	14.7	16.9	0.7	1.5	3.9	3.7	1	1	较完整	残缺一角	
195	F12①	Ba	小型板瓦								4	1	残	残块	
196	F12②：11	Ba	小型板瓦	26	14	16.5	1.8	1.3	4.4	5.5	1	1	较完整		
197	F18①	Ba	小型板瓦								6	3	较完整		
198	F19①：14	Ba	小型板瓦	27.3	19	19.5	1.5	1.8	4.7	5.8	1	1	较完整		
199	F19①：16	Ba	小型板瓦	26.6	16	16.1	1.4	1.6	4.3	5.2	1	1	较完整		
200	F19①：17	Ba	小型板瓦	26.7	18	19	1.6	1.5	5.2	5.5	1	1	较完整		
201	F19①：81	Ba	小型板瓦	26.2	16	17	1.4	1.6	4.8	5.6	1	1	较完整		

续表

序号	出土单位/编号	类型	名称	尺寸/厘米							数量	计件	完残	备注	小计/件
				长	宽		厚		矢高						
					小头	大头	小头	大头	小头	大头					
202	F19①	Ba	小型板瓦								8	7	残		
203	F29①：18	Ba	小型板瓦								1	1	残		
204	F29①：24	Ba	小型板瓦	25.9	14.5	17.5	1.4	1.7	4.5	5	1	1	完整		
205	F29①：25	Ba	小型板瓦	27.8	残13.5	残19.6	1.9	残0.9	5.3	5.3	1	1	残		
206	F29①：26	Ba	小型板瓦	15.8	残7.2	17.2	1.4	1.5	3.9	5.1	1	1	残	残一角	
207	F29①：27	Ba	小型板瓦	26.8	16.3	残8.5	1	1.3	4.9	5.7	1	1	残	残一角	
208	G1②：23	Ba	小型板瓦	24	17	17.5	1.3	2.3	4.7	5.3	1	1	完整		
209	G1②：24	Ba	小型板瓦	25.8	17.8	19.5	1	1.9	4.3	5.2	1	1	完整		
210	G8①：34	Ba	小型板瓦	26.5	15	16	1.6	2	4	5.4	1	1	较完整		
211	G8①：35	Ba	小型板瓦	25.5	13.8	15.8	1.3	1.5	4	5.1	1	1	较完整		
212	G8①：36	Ba	小型板瓦	26.6	16.7	17.5	1.5	1.3	4.2	4.8	1	1	较完整		
213	G9①：16	Ba	小型板瓦	16.9	15.5	19	1.6	1.5	5.5	5.6	1	1	较完整		
214	G12①：66	Ba	小型板瓦	26	17.5	19	1.67	2	4.5	5.5	1	1	较完整		
215	G12①：67	Ba	小型板瓦	29	15.5	17.6	0.8	1.4	4.1	5.2	1	1	较完整		
216	G12①：68	Ba	小型板瓦	27	17	20	1.4	1.8	4.6	6.2	1	1	较完整		148
217	G12①：69	Ba	小型板瓦	27	16	18	1.4	1.6	5	5.5	1	1	较完整		
218	G12①：70	Ba	小型板瓦	26	18.3	19.8	1.5	1.6	4.7	5.1	1	1	较完整		
219	G12①：71	Ba	小型板瓦	26.4	17	18	1.5	1.67	4.7	5.6	1	1	较完整		
220	G12①：72	Ba	小型板瓦	残22	15.2	16	1.12	1	4.4	4.9	1	1	残		
221	G12①：73	Ba	小型板瓦	26.5	16	17	1.8	1.5	4.4	5.2	1	1	较完整		
222	G12①：74	Ba	小型板瓦	26	16.2	18	1.2	1.8	5.1	5.7	1	1	较完整		
223	G12①：75	Ba	小型板瓦	25.5	16.5	17.5	1.3	1.2	4.1	3.9	1	1	较完整		
224	G12①：76	Ba	小型板瓦	26.2	16.4	18	1.1	1.2	4.3	4.9	1	1	较完整		
225	C5①：7	Ba	小型板瓦	27	15.5	17.8	1.7	1.8	4.6	5.6	1	1	完整		
226	C5①：8	Ba	小型板瓦	26.4	16	18.5	1.1	1.4	4.5	4.8	1	1	较完整		
227	C5①：9	Ba	小型板瓦	26.8	14.8	17.9	1.7	1.8	4.4	5.2	1	1	完整		
228	C5①：10	Ba	小型板瓦	24.7	14	16.3	1	1.9	4.4	4.9	1	1	完整		
229	C5①：11	Ba	小型板瓦	25.5	16	16	1.1	1.6	3.2	5.6	1	1	完整		
230	C5①：14	Ba	小型板瓦	15.7	16.3	16.9	1.4	1.6	5.1	5.3	1	1	完整		
231	C5①：15	Ba	小型板瓦	26.5	15.9	18.2	1.1	2	5.5	4.7	1	1	较完整		
232	C5①：16	Ba	小型板瓦	27	15.2	16.6	1.7	1.8	4.4	4.8	1	1	较完整		

续表

序号	出土单位/编号	类型	名称	尺寸/厘米							数量	计件	完残	备注	小计/件
				长	宽		厚		矢高						
					小头	大头	小头	大头	小头	大头					
233	C5①：17	Ba	小型板瓦	25.3	17	18.6	0.9	1.4	4.5	6.2	1	1	完整		148
234	C5①：18	Ba	小型板瓦	26.6	17.4	19.1	1.4	1	4.4	5.7	1	1	较完整		
235	C5①：19	Ba	小型板瓦	28	16	残14	1.5	1	5	4.3	1	1	较完整		
236	C5①：20	Ba	小型板瓦	27.4	17	17.7	1.2	1.3	5.5	4.5	1	1	较完整		
237	C5①：21	Ba	小型板瓦	27.5	18.5	18.7	1.4	0.9	4.7	5	1	1	完整		
238	C5①：22	Ba	小型板瓦	25.6	残13.5	残18.6	1.5	1.5	4.8	4.4	1	1	残		
239	C5①：23	Ba	小型板瓦	26.6	14.1	17.8	1.4	1.1	4.2	4.6	1	1	完整		
240	C5①：24	Ba	小型板瓦	26.1	14.2	16.6	1.8	1.8	4.2	5.1	1	1	较完整		
241	C5①：25	Ba	小型板瓦	27	13.7	16	1.6	1.6	5.4	4.6	1	1	完整		
242	C5①：26	Ba	小型板瓦	26.1	15.5	17	1.5	1.9	4.7	6.3	1	1	较完整		
243	C5①：27	Ba	小型板瓦	26.9	16.5	17.5	1.5	1	5	5.5	1	1	较完整		
244	C5①：28	Ba	小型板瓦	27	15	16.5	1.7	1.6	4.5	4.8	1	1	完整		
245	C5①：29	Ba	小型板瓦	26.1	17.8	19	1.8	1.2	5.1	7	1	1	完整		
246	L2①：84	Ba	小型板瓦	27.2	17	残13.2	1.7	1.3	5.5	5.3	1	1	残		
247	L2①：85	Ba	小型板瓦	25.9	残12.5	19.1	1.2	1.6	5	5.1	1	1	残		
248	L2②：21	Ba	小型板瓦	25.9	17.5	19.5	1.5	1.5	5.6	6	1	1	较完整		
249	L2②：38	Ba	小型板瓦								1	1	完整		
250	L2④：301	Ba	小型板瓦	25.5	15	17	1.5	1.6	3.7	5.2	1	1	较完整		
251	L2④：302	Ba	小型板瓦	26	14.5	17.5	1.1	1	4.6	4.5	1	1	较完整		
252	ⅣT0306①：70	Ba	小型板瓦	25.5	15	18.1	1.4	1.2	4.5	4	1	1	较完整		
253	ⅣT0306①：71	Ba	小型板瓦	25.5	残12.5	残13.8	1.3	1.6	4.3	5	1	1	残		
254	ⅣT0306①：72	Ba	小型板瓦	25.5	15.7	残12.1	1.7	1.2	4.8	4.2	1	1	残		
255	ⅣT0306①：73	Ba	小型板瓦	24.6	残12.5	18.5	1.4	2	4.2	5.7	1	1	残		
256	ⅣT0306①：74	Ba	小型板瓦	26.5	残10.2	残15.5	1.3	1.5	5.2	5.3	1	1	残		
257	ⅣT0306①：75	Ba	小型板瓦	26.3	14.1	残10.5	1.2	1.2	4.9	5.6	1	1	残		

续表

序号	出土单位/编号	类型	名称	尺寸/厘米							数量	计件	完残	备注	小计/件
				长	宽		厚		矢高						
					小头	大头	小头	大头	小头	大头					
258	ⅣT0306①：76	Ba	小型板瓦	26.1	残8.4	残14.8	1.5	1.6	5.1	5	1	1	残		
259	ⅣT0306①：147	Ba	小型板瓦								1	1	完整		
260	ⅣT0306①：148	Ba	小型板瓦								1	1	完整		
261	ⅣT0307①：3	Ba	小型板瓦	26.5	17.8	残13	1.6	1.2	5.2	4.6	1	1	残	残缺一角	
262	ⅣT0403②B：4	Ba	小型板瓦	26.3	15.4	18	1.5	1.3	4.4	6.5	1	1	较完整		
263	ⅣT0504①：3	Ba	小型板瓦	25.3	17.5	17.6	1	1.2	5	3.9	1	1	完整		
264	ⅣT0608①：55	Ba	小型板瓦	25.4	17.9	18	1.8	1.6	4.5	5	1	1	完整		
265	ⅣT0608①：56	Ba	小型板瓦	26	14	15	1.4	1.5	4.5	5.6	1	1	完整		
266	ⅣT0608①：57	Ba	小型板瓦								1	1	较完整	残缺一角	
267	ⅣT0704①：57	Ba	小型板瓦	26.5	18	18.5	1.1	1.7	5.1	5.6	1	1	完整		
268	TG52②：2	Ba	小型板瓦								1	1	残		
269	TG10③：53	Ba	小型板瓦								1	1	残		
270	TG48①	Ba	小型板瓦								2	2	残		148
271	TG3③：27	Ba	小型板瓦								1	1	残		
272	TG2④：21	Ba	小型板瓦	26.5	19.5	22		1.8		5.5	1	1	完整		
273	TG2④：28	Ba	小型板瓦								1	1	完整		
274	TG2④：29	Ba	小型板瓦								1	1	完整		
275	TG4③：65	Ba	小型板瓦	25.8	15.5	16.5	1.2	1	4.2	4.7	1	1	完整		
276	Y2②	Ba	小型板瓦	残13.5		残10		1.8			2	1	残		
277	Y3②	Ba	小型板瓦	残15		残11.5		2.1			3	1	残		
278	Y3④：9	Ba	小型板瓦	残16.5		残15.5		1.8			5	2	残		
279	ⅢT2515③：3	Ba	小型板瓦	26.2	残16		1.7				1	1	残		
280	ⅢT2515③：4	Ba	小型板瓦	25.5	20	21	1.7				1	1	完整		
281	TG39①：8	Ba	小型板瓦	27	16	18	0.9	1.12	3.9	5.2	1	1	较完整		
282	TG32①：1	Ba	小型板瓦								1	1	较完整		

续表

序号	出土单位/编号	类型	名称	尺寸/厘米							数量	计件	完残	备注	小计/件
				长	宽		厚		矢高						
					小头	大头	小头	大头	小头	大头					
283	F1②：1	Bb	小型板瓦	26.7	残16.7	18.2	0.8	1.5	4.4	4.8	1	1	较完整		28
284	F1②：2	Bb	小型板瓦	28.2	18.6	19.5	1.6	3.2	4.8	6.6	1	1	较完整		
285	F3①	Bb	小型板瓦								1	1	残		
286	F10①：63	Bb	小型板瓦	25	15	17	1.5	1.9	4.6	4.4	1	1	较完整		
287	F10①：68	Bb	小型板瓦	24	15.4	17.9	1.5	1.5	4.3	5.2	1	1	较完整		
288	F12①：8	Bb	小型板瓦	27.3	17	19.7	1.6	2	4.8	5.2	1	1	完整		
289	F12①：9	Bb	小型板瓦	24	16.7	18.5	1.5	2	5.4	6.3	1	1	较完整	残缺一角	
290	F12①：11	Bb	小型板瓦	26.5	16.8	18.8	1.3	2.2	4.4	5.6	1	1	较完整	瓦身残缺	
291	F12①：13	Bb	小型板瓦	26.3	17	17.4	1.4	1.6	4.3	4.5	1	1	较完整		
292	F12①：35	Bb	小型板瓦	27	16.5	17.5	1.5	2	4.6	6.1	1	1	较完整	残缺一角	
293	F12①	Bb	小型板瓦								1	1	残	瓦身残损	
294	F12②：12	Bb	小型板瓦	25.8	16	18	1.5	1.3	4.3	5.2	1	1	较完整	残缺一角	
295	F12②：13	Bb	小型板瓦	25.5	17	19	1.7	1.9	4.8	5.8	1	1	完整		
296	F12②：14	Bb	小型板瓦	25.9	16	16.5	1.1	1.5	4	5.7	1	1	较完整	残损一角	
297	F12②：15	Bb	小型板瓦	24.3	16	17.2	1.5	1.6	4.6	5.3	1	1	完整		
298	F18①	Bb	小型板瓦								1	1	残		
299	F19①：15	Bb	小型板瓦	27.5	18	20.5	1.5	1.9	4.7	5.6	1	1	较完整		
300	G12①：77	Bb	小型板瓦	24.5	17	18	1.5	1.6	4.2	4.7	1	1	较完整		
301	C8①：8	Bb	小型板瓦	26.3	16.5	17.9	1.7	1.4	4.3	4.7	1	1	较完整		
302	C9①：1	Bb	小型板瓦	26	17.2	19.8	1.7	2	5.5	5.5	1	1	较完整		
303	ⅠT0101①：39	Bb	小型板瓦	25.2	残11.5	19	1.7	1.9	5.1	5.7	1	1	残		
304	ⅠT0101①：40	Bb	小型板瓦	26.9	17.9	残5	1.7	1.8	5.5	6.4	1	1	残		
305	ⅠT0102②：35	Bb	小型板瓦								1	1	残		
306	ⅣT0306①：77	Bb	小型板瓦								1	1	残		
307	TG52②：3	Bb	小型板瓦								1	1	残		
308	TG52②：4	Bb	小型板瓦								1	1	残		
309	TG36②：6	Bb	小型板瓦	29	16.5	16.5	1.8	2.2	5.4	5.5	1	1	较完整		
310	TG37②：15	Bb	小型板瓦								1	1	残		

续表

序号	出土单位/编号	类型	名称	尺寸/厘米							数量	计件	完残	备注	小计/件
				长	宽		厚		矢高						
					小头	大头	小头	大头	小头	大头					
311	G20①：4	C	中型板瓦	残25	残19.5	残21.5	1.2	2.3	5.7	5.8	2	1	残		8
312	G20①：5	C	中型板瓦	残45	残25	残31.8	1.5	2.5	6.9	9.3	5	1	残		
313	G20①	C	中型板瓦残块								60	5	残		
314	ⅡT0101①：18	C	中型板瓦	残27.2	残20.2	残22.1	1.9	2	6.9	6.4	1	1	残		
315	F3①：121	D	大型板瓦	79.2	39.4	41.2	3.2	3.5	16	17	12	1	已修	双层带钉孔	9
316	F3①：122	D	大型板瓦								5	1	残		
317	F10①：69	D	大型板瓦	残20.7		残16		3.2			1	1	残	带钉	
318	F10①：70	D	大型板瓦								1	1	残		
319	F10①：71	D	大型板瓦								1	1	残		
320	F10①：72	D	大型板瓦								1	1	残		
321	F12①：34	D	大型板瓦	28	残12	残13.8	1.8	1.3	6.5	4.2	1		残		
322	K2①：1	D	大型板瓦	残20.5	残15	残15	3.2	3.2	残3.5	残3.5	2	1	残	双层两块拼，带孔	
323	G2②：85	D	大型板瓦	残34.2		残27				3.6	1		残	带钉孔	
324	G12①：84	D	大型板瓦								1	1	残		
325	G12①：85	D	大型板瓦								1	1	残	带钉孔	
326	ⅣT0707②	D	大型板瓦								1		残		
327	F27①	不可识	小型板瓦								2		残	小残块	
328	ⅣT0405④	不可识	小型板瓦								1		残	背部见划痕	
合计															329

注：因板瓦瓦当另有登记，故此表中未统计带瓦当的板瓦，详情见附表5

附表4　筒瓦统计表

序号	类型	出土单位/编号	数量/片	计件	完残	年代	通长/厘米	宽/厘米		厚/厘米		矢高/厘米		熊头/厘米		备注	小计/件
								小头	大头	小头	大头	小头	大头	长	唇厚		
1	A	TG39②：1	1	1	残	南宋	残12	11.4	残11.8	1.2	1.1	残3.6	残5.8	2.5	0.7		3
2		TG57②：5	1	1	残	南宋	28.5	残0.8	8.2	0.7	1.7			3			
3		TG57③：6	1	1	残	南宋	残14	13.7		2		5.2	7	3			
4		TG57②	167		残	南宋											
5		TG57③	189		残	南宋											
6	Ba	C3①：6	1	1	较完整	明晚	26	11.5	14.2	1	0.6	4	6.9	2.5	1.8	大头变形	51
7		C5①：12	1	1	残	明晚	残12.3	13	残12	2	0.8	5.1	5.7	2.8	1.9		
8		C5①：13	1	1	较完整	明晚	26	12.2	残10.5	0.8	0.4	5.3	7.2	2.9	1.6	大头变形	
9		F1②：6	1	1	较完整	明晚	30.6	12.4	12.7	2.1	0.3	4.3	6.3	2.9	1.5		
10		F8①：32	1	1	完整	明晚	33	11.5	14.2	1.1	1.3	3.4	8	3.1	1.2		
11		F10①：90	1	1	残	明晚	22.3	12.8	残5	2	1.8	4.5	6.9	3.4	1.5		
12		F10①：91	1	1	残	明晚	残18.5	11.3	12.6	2	1.7	4	6.9	3.2	1.4		
13		F12①：37	1	1	较完整	明晚	30.6	12.1	12.7	1.8	0.6	4.5	6.5	3.2	1.5		
14		F12①：49	1	1	残	明晚	残24.6	11.6	12.2	1.7	1.8	3.7	6.6	2.9	1.6	有钉眼	
15		F18①：1	1	1	完整	明晚	22.6	9.2	12.5	1.5	0.8	5	6	2.7	1.8		
16		F19②：6	1	1	完整	明晚	26.2	11.5	12.5	1.3	0.5	5.2	6.6	2.7	1.7		
17		G9①：30	1	1	较完整	明晚	残23.2	13.8	14	1.5	2	4.5	6.9	3.6	1.6		
18		G9①：31	1	1	较完整	明晚	32	12.4	12.5	1.3	0.8	4.4	7.3	2.9	1.1		
19		G20①：7	1	1	较完整	明晚	22.8	12.2	12.7	1.2	0.8	4.8	6.8	2.2	1.8		
20		ⅠT0104①：4	1	1	较完整	明晚	29.5	12.5	13	1.1	1	5	7.3	2.8	1.9		
21		TG4③：47	1	1	残	明晚	残20	12.5	残12	1.2	1.6	5.2	6.5	3.1	1.5		
22		TG4③：48	1	1	残	明晚	残27.5	12.7	13	1.5	2	4.7	6	3	1.6		
23		太平Y1：16	1	1	残	明晚	残22	残10.5	残12	1	1.8	残2	残3.5	残1.1			
24		TG4③：49	1	1	残	明晚	残8.2	8.1		1.4				残2.4			
25		ⅣT0704①：59	1	1	残	明晚	残10.9	11.1	12.2	1.3	1.9	4	6.8	2.6	1.8		

续表

序号	类型	出土单位/编号	数量/片	计件	完残	年代	通长/厘米	宽/厘米		厚/厘米		矢高/厘米		熊头/厘米		备注	小计/件
								小头	大头	小头	大头	小头	大头	长	唇厚		
26	Ba	ⅣT0704①	1	1	残	明晚	残8			1.2				3.5	0.7		51
27		ⅣT0704①	1	1	残	明晚	残10.5	12.2	12.2	1.2	2.2	3.7	6.5	3.2	1.2		
28		ⅣT0608①：49	1	1	残	明晚	残11.7	残10.4	残10.6	1.2	1.8	残2.3	残4.4	3.1	1.3		
29		ⅣT0608①：50	1	1	残	明晚	残24	残11	残12	1.5	1.9	3.6	6.9	3.6	1.3		
30		G11：11	3	1	残	明晚	残26	12.2	13.3	1.8	1.7	5	7.2	3.3	1.6		
31		ⅠT0102①：10	1	1	残	明晚	残23.7	12.2	13	1.5	0.8	7	7				
32		ⅣT0202①：70	1	1	较完整	明晚	31.9	12.2	残9	1.8	0.5	4.7	6	3.4	1.5		
33		ⅣT0507①：199	1	1	较完整	明晚	30.6	残12.3	13.5	1.1	0.8	3.6	6.8	2.9	1.8		
34		ⅣT0707②：1	1	1	较完整	明晚	29.2	12.2	14	1	0.8	4.5	6.8	3	1.5		
35		TG55②：42	1	1	残	明晚	残9.1	残8.2	残9	1.1	1.9	2.2	4	3.2	1.5		
36		ⅠT0103①	1	1	残	明晚	残7	残7		1.3				3.5	1		
37		F1②：13	1	1	残	明晚											
38		F2②	4	2	残	明晚											
39		F8①：22	1	1	较完整	明晚	31.8	9.6	残10.6				7.1	3.2	2		
40		F12①：69	1	1	完整	明晚											
41		F19①：73	1	1	残	明晚											
42		F19①：74	3	1	残	明晚											
43		F19①：75	1	1	残	明晚											
44		G12①：81	1	1	残	明晚											
45		G12①	1		残	明晚											
46		L2②：20	1	1	残	明晚											
47		L2②	1		残	明晚											
48		ⅠT0101①：38	1	1	残	明晚											
49		ⅣT0306①：78	1	1	残	明晚											
50		ⅣT0306①	3	2	残	明晚											
51		ⅣT0404①	1		残	明晚											
52		ⅣT0504④	1		残	明晚											
53		ⅣT0606①	1		残	明晚											

续表

序号	类型	出土单位/编号	数量/片	计件	完残	年代	通长/厘米	宽/厘米		厚/厘米		矢高/厘米		熊头/厘米		备注	小计/件
								小头	大头	小头	大头	小头	大头	长	唇厚		
54		TG21②：28	1	1	残	明晚											
55		TG21②：29	1		残	明晚											
56		TG21②：30	1	1	残	明晚											
57	Ba	TG22②：13	1	1	残	明晚											51
58		TG22②：14	1	1	残	明晚											
59		TG55②：56	1	1	残	明晚											
60		TG41③	1	1	残	明晚	残18.4	残11		1.8	1.8			2.8	1.9		
61		TG41③	1	1	残	明晚	残23	12.4	12.8	1.6	0.7	6.2	6.4				
62		TG48①：32	1	1	残	明晚	残10.9	12.2	12.5	1.5	2.1	4.2	7	2.8	1.5		
63		F19①：59	1	1	残	明晚	29.5	12.4	残9.5	1.7	0.5	4	7.1	2.8	1.4		
64		F8①：94	1	1	较完整	明晚	28	12	12.5	1.5	0.5	3.5	7.1	2.8	1.2		
65		F8①：23	1	1	较完整	明晚	29.5	12.4	13	0.8	0.9	4.6	6.5	3	1.2		
66		ⅣT0507①：197	1	1	较完整	明晚	29.2	12.5	12.8	1.4	0.6	4.2	6.7	3	1.3		
67		ⅣT0507①：198	1	1	完整	明晚	29.2	12	12.7	1.3	0.8	4.5	6.7	2.7	1.4		
68		ⅣT0607①：79	1	1	较完整	明晚	26.4	12.2	12.6	1.1	1	4.8	6.8	3	1.8		
69		ⅣT0607①：80	1	1	较完整	明晚	29.5	12.1	12.6	1.2	0.5	4.5	6.4	2.9	1.2		
70		F19①：71	1	1	残	明晚											
71	Bb	F19①：72	1	1	残	明晚										带钉孔	20
72		F29①：1	1	1	完整	明晚	30.4	10.2	13.3	2	2	4.3	6.6	3.2	1.1		
73		F29①：64	1		残	明晚											
74		G12①：82	1	1	残	明晚										带钉孔	
75		G12①：83	1	1	残	明晚											
76		ⅠT0101①：37	1	1	残	明晚											
77		ⅣT0306①：146	1	1	残	明晚											
78		ⅣT0306①	6	2	残	明晚											
79		ⅣT0507①：200	1	1	残	明晚											
80		ⅣT0606④	1		残	明晚											
81		ⅣT0607①：2	1	1	残	明晚											
82	不可识	C5①	26		残	明晚											不明
83		ⅣT0506①	5		残	明晚											
合计																	74

注：因筒瓦瓦当另有登记，故此表中未统计带瓦当的筒瓦，详情见附表5

附表5　瓦当统计表

序号	类型	名称	出土单位/编号	数量/片	计件	完残	年代	瓦头尺寸/厘米			小计/件
								高	宽	厚	
1	A	滴水	TG57②：1	1	1	残	南宋	残7	残17.6	1.2	5
2			TG57②：2	1	1	较完整	南宋	10	19.5	1～1.6	
3			TG57②：3	1	1	残	南宋	残10.3	残10	1.6	
4			TG57②：6	1	1	残	南宋				
5			TG57③：1	2	1	残	南宋	残7	残17.6	0.8～1.2	
6		板瓦勾头	TG57②：8	1	1	残	南宋				3
7			TG57③：3	1	1	残	南宋	残10.3	残10	1.2～1.6	
8			TG57③：5	1	1	残	南宋	残9.6	残10.2	1.2～2	
9	Aa	筒瓦勾头	F8③：4	1	1	残	南宋	残9.3	残7.2	1.5	1
10	Ab		TG57②：7	2	1	残	南宋				3
11			TG57③：2	1	1	残	南宋	10.2	残11	1.2～2.2	
12			TG57③：4	1	1	残	南宋				
13	Ba	滴水	F1①：5	1	1	完整	明晚	12.8	20	1.5	1518
14			F1①：6	1	1	完整	明晚	12.6	19.5	1.5	
15			F1①：7	1	1	较完整	明晚	12.5	残18	1.4	
16			F1①：8	1	1	残	明晚	残12	17.5	1.5	
17			F1①：18	1	1	完整	明晚	12.5	19	1.5	
18			F1①：19	1	1	较完整	明晚	13.7	残17.5	1.6	
19			F1①：20	1	1	残	明晚	残12.2	残20.5	1.4	
20			F1①：21	1	1	完整	明晚	13.5	19	1.5	
21			F1①：26	1	1	完整	明晚	13.5	20.7	1.6	
22			F1①：27	1	1	完整	明晚	13	20.4	1.6	
23			F1①：28	1	1	完整	明晚	13.4	19.9	1.5	
24			F1①：29	1	1	残	明晚	残13	残19.7	1.5	
25			F1①：30	1	1	完整	明晚	13.5	20.9	1.5	
26			F1①：31	1	1	完整	明晚	13	19.5	1.6	
27			F1①：32	1	1	残	明晚	残12.3	残17	1.5	
28			F1①：33	1	1	残	明晚	残12	残17.5	1.5	
29			F1①：53	1	1	完整	明晚	13	20.7	1.5	
30			F1①	19	5	残	明晚				
31			F1①	13	5	残	明晚				
32			F1②：7	1	1	残	明晚	12.5	残18.5	1.6	
33			F1②：8	1	1	残	明晚	残10.5	残17.4	1	
34			F1②：9	2	1	残	明晚	残12	残18.5	1.6	
35			F1②：10	1	1	残	明晚	残11	18.5	1	
36			F1②：11	1	1	残	明晚	13	20.8	1.5	

续表

序号	类型	名称	出土单位/编号	数量/片	计件	完残	年代	瓦头尺寸/厘米			小计/件
								高	宽	厚	
37	Ba	滴水	F1②：12	2	1	较完整	明晚	14	残21.2	1.6	1518
38			F1②：22	4	1	残	明晚				
39			F1②	2		残	明晚				
40			F1③	9	4	残	明晚				
41			F2①：1	1	1	残	明晚	残12	残19	1.3	
42			F2①：6	1	1	残	明晚	残10	19.5	1.3	
43			F2①：8	1	1	较完整	明晚	13.5	残17.5	1.9	
44			F2①：15	1	1	残	明晚	残13.3	残9.8	1.6	
45			F2①：18	1	1	残	明晚	残11	残11	1.4	
46			F2①：20	1	1	完整	明晚	13.3	19	1.5	
47			F2①：23	1	1	残	明晚	残12.5	20.5	1.2	
48			F2①：25	1	1	残	明晚	13.5	20.3	1.4	
49			F2①：51	1	1	残	明晚	残7	残14.5	1	
50			F2①：52	1	1	残	明晚	残10	残15	1	
51			F2①：53	1	1	残	明晚	残11	残13.5	残0.5	
52			F2①：54	1	1	残	明晚	残9	残11	1.5	
53			F2①：55	1	1	残	明晚	残7.5	残12	2	
54			F2①：56	1	1	残	明晚	残7	残8.5	1.8	
55			F2①：57	1	1	残	明晚	残8	残15	3	
56			F2①：58	1	1	残	明晚	残10.8	残11.2	1.5	
57			F2①：59	1	1	残	明晚	残7.6	残11	残1	
58			F2①：60	1	1	残	明晚	残6	残9	1.7	
59			F2①：61	1	1	残	明晚	残8	残8	残0.8	
60			F2①：62	1	1	残	明晚	残9.7	残10.8	1.7	
61			F2①：63	1	1	残	明晚	残5	残12	残0.9	
62			F2①：65	1	1	残	明晚	残9.2	残17.6	1.6	
63			F2①：66	1	1	残	明晚	残10	残14	1.5	
64			F2①：67	1	1	残	明晚	残13.6	残9.3	残0.3	
65			F2①：68	1	1	残	明晚	残7	残7.5	1.2	
66			F2①：69	1	1	残	明晚	残7.3	残5	1	
67			F2①：70	1	1	残	明晚	残6.5	残9	1	
68			F2①：99	1	1	完整	明晚	13.5	21	1.5	
69			F2①：100	1	1	残	明晚	残7.5	残10	2	
70			F2①：101	1	1	残	明晚	残11.5	20.5	残0.6	
71			F2①：102	1	1	完整	明晚	13.2	20.5	1.6	
72			F2①：103	1	1	完整	明晚	13	21	1.5	

续表

序号	类型	名称	出土单位/编号	数量/片	计件	完残	年代	瓦头尺寸/厘米			小计/件
								高	宽	厚	
73	Ba	滴水	F2①：104	1	1	残	明晚	残14	残20	1.6	1518
74			F2①：105	1	1	残	明晚	残12.8	残19.8	1	
75			F2①：106	1	1	残	明晚	残9.5	20.5	2.2	
76			F2①：107	1	1	残	明晚	残11	残21	1.5	
77			F2①：108	1	1	残	明晚	残9	残10	3	
78			F2①：125	1	1	残	明晚				
79			F2①：126	1	1	残	明晚	残7.2	残6.5	1.1	
80			F2①	1	1	残	明晚				
81			F3①：2	1	1	残	明晚				
82			F3①：4	1	1	残	明晚				
83			F3①：8	1	1	残	明晚				
84			F3①：9	1	1	残	明晚				
85			F3①：13	1	1	残	明晚				
86			F3①：14	1	1	残	明晚				
87			F3①：19	1	1	残	明晚				
88			F3①：24	1	1	残	明晚				
89			F3①：26	1	1	残	明晚				
90			F3①：29	1	1	残	明晚				
91			F3①：31	1	1	残	明晚				
92			F3①：32	1	1	残	明晚				
93			F3①：33	1	1	残	明晚				
94			F3①：45	1	1	残	明晚				
95			F3①：46	1	1	残	明晚				
96			F3①：47	1	1	残	明晚				
97			F3①：48	1	1	残	明晚				
98			F3①	69	25	残	明晚				
99			F4①：2	2	1	残	明晚	残9	残18	1.5	
100			F4①：4	1	1	完整	明晚	13.7	11.2	1.6	
101			F5①：4	1	1	残	明晚	残12	19.8	1.2	
102			F5①：11	1	1	残	明晚	残12	残15	1.2	
103			F5①：12	1	1	完整	明晚	13.5	20.5	1.5	
104			F5①：15	1	1	完整	明晚	13	20.8	1.3	
105			F5①：16	1	1	完整	明晚	13.3	20	1.5	
106			F5①：19	1	1	残	明晚	残11.5	20	1.5	
107			F5①：20	1	1	残	明晚				
108			F6①：3	2	1	残	明晚				

续表

序号	类型	名称	出土单位/编号	数量/片	计件	完残	年代	瓦头尺寸/厘米			小计/件
								高	宽	厚	
109	Ba	滴水	F6①：4	1	1	完整	明晚	12.5	19.5	1.4	1518
110			F6①：5	1	1	较完整	明晚	13.5	残21.5	1.3	
111			F6①：6	1	1	残	明晚				
112			F6①：7	1	1	残	明晚				
113			F6①：8	1		残	明晚	残8	残15.5	1.4	
114			F8①：8	1	1	残	明晚	残12	20.3	1.2	
115			F8①：56	1	1	残	明晚	残11	19.5	1.5	
116			F8①：57	1	1	残	明晚	残12	20	1.5	
117			F8①：59	1	1	残	明晚	残10.5	19.5	1.5	
118			F8①：61	1	1	残	明晚	残10.5	19.5	1.2	
119			F8①：66	1	1	残	明晚	残10	残20	1.5	
120			F8①：67	1	1	残	明晚	残12.2	残19	1.4	
121			F8①：87	1	1	完整	明晚	12.5	21	1.7	
122			F8①：89	1	1	残	明晚	12.4	残15.5	1.4	
123			F8①：91	1	1	残	明晚	残10	20	1.2	
124			F8①：92	1	1	残	明晚	13.5	残19.8	1.5	
125			F8①：93	1	1	完整	明晚	13.7	20.5	1.6	
126			F8①：95	1	1	较完整	明晚	12.5	19	1.5	
127			F8①：96	1	1	残	明晚	11.5	残18	1.5	
128			F8①：97	1	1	较完整	明晚	12.7	21	1.5	
129			F8①：98	1	1	残	明晚	残11	20.5	1.4	
130			F8①：117	2	1	残	明晚				
131			F8②：10	1	1	残	明晚				
132			F8②	24	5	残	明晚				
133			F9①：184	1	1	残	明晚				
134			F9①：185	1	1	残	明晚				
135			F9①：186	1	1	残	明晚				
136			F9①：187	1	1	残	明晚				
137			F9①：188	1	1	残	明晚				
138			F9①：189	1	1	残	明晚				
139			F9①：190	1	1	残	明晚				
140			F9①：210	1	1	残	明晚				
141			F9①：211	2	1	残	明晚				
142			F9①：234	1	1	残	明晚				
143			F9①	5	2	残	明晚				
144			F9②	4	2	残	明晚				

续表

序号	类型	名称	出土单位/编号	数量/片	计件	完残	年代	瓦头尺寸/厘米			小计/件
								高	宽	厚	
145	Ba	滴水	F10①：73	1	1	残	明晚	残9.3	残8.5	残0.6	1518
146			F10①：75	1	1	残	明晚	残6.5	残9	1.2	
147			F10①：76	1	1	残	明晚	残4.6	残7	1.5	
148			F10①：97	1	1	残	明晚	残8	残10.5	1.2	
149			F10①	108	38	残	明晚				
150			F10②	1	1	残	明晚				
151			F10②	47	24	残	明晚				
152			F12①：1	2	1	较完整	明晚	残13	19.5	1.4	
153			F12①：2	2	1	完整	明晚	13.5	20.6	1.4	
154			F12①：3	1	1	较完整	明晚	12.5	残14.3	1.4	
155			F12①：27	1	1	残	明晚	残12	残14	1.8	
156			F12①：38	1	1	较完整	明晚	13	残11	1.3	
157			F12①：39	1	1	残	明晚	残10.3	残17	残0.4	
158			F12①：40	1	1	完整	明晚	13.2	18.5	1.5	
159			F12①：41	1	1	完整	明晚	12.8	19.5	1.4	
160			F12①	55	32	残	明晚				
161			F12②：5	1	1	较完整	明晚	残12.7	8.5	1.6	
162			F12②：6	1	1	较完整	明晚	残10.5	8.6	1.6	
163			F18①：9	1	1	完整	明晚	11.5	16.5	1.4	
164			F18①：10	1	1	残	明晚	残9.5	18.7	1.4	
165			F18①：11	1	1	残	明晚	残12.5	残12.2	1.5	
166			F18①：12	1	1	完整	明晚	12.7	19	1.4	
167			F18①：13	1	1	完整	明晚	12.5	18.4	1.5	
168			F18①：14	1	1	较完整	明晚	13	残16	1.3	
169			F18①：15	1	1	较完整	明晚	残12.3	18.8	1.5	
170			F19①	13	2	残	明晚				
171			F19②：7	1	1	残	明晚	残11.5	17.6	1.2	
172			F19②：8	1	1	残	明晚	12.2	残14.3	1.5	
173			F19②：9	1	1	较完整	明晚	残12.5	17	1.5	
174			F19②：10	1	1	完整	明晚	12.4	18.1	1.5	
175			F19②：11	1	1	完整	明晚	12.3	19.6	1.7	
176			F19②：22	2	1	残	明晚				
177			F19②：23	2	1	残	明晚				
178			F19②：24	2	1	残	明晚				
179			F19天井①	55	23	残	明晚				
180			F19天井①	21	9	残	明晚				

续表

序号	类型	名称	出土单位/编号	数量/片	计件	完残	年代	瓦头尺寸/厘米			小计/件
								高	宽	厚	
181	Ba	滴水	F19天井②	167	56	残	明晚				1518
182			F27①：1	1	1	残	明晚	残7	残8.5	1.5	
183			F27①：2	1		残	明晚	残2.5	残12	2	
184			F27①：3	1		残	明晚	残2	残8.6	1.8	
185			F27①：4	1	1	残	明晚	残11.8	残9.5	1.5	
186			F29①：8	1	1	残	明晚	残6	20	2.5	
187			F29①：9	1	1	残	明晚	残9.5	残11.5	残0.6	
188			F29①：10	1	1	残	明晚	残9.6	20	残0.9	
189			F29①：11	1	1	残	明晚	残9	残14	1	
190			F29①：19	1		残	明晚	残3	残11.5	1.7	
191			F30①：5	1		残	明晚	残9.5	残10.5	残0.8	
192			现代坑1：5	1	1	残	明晚				
193			现代坑1：6	1	1	残	明晚				
194			现代坑1：7	1	1	残	明晚				
195			现代坑3	3		残	明晚				
196			现代坑4：5	1	1	残	明晚				
197			现代坑4：6	1	1	残	明晚				
198			现代坑4：7	1	1	残	明晚				
199			现代坑4：8	1	1	残	明晚				
200			现代坑6：4	1		残	明晚				
201			现代坑6：5	1		残	明晚				
202			现代坑7：11	1	1	残	明晚				
203			K2①：3	1	1	残	明晚	残11	17	残0.2	
204			K2①：10	1		残	明晚				
205			K2①：13	1		残	明晚				
206			K2①：14	1		残	明晚				
207			K2①：17	1		残	明晚				
208			K2①：18	1		残	明晚				
209			K2①：19	1	1	残	明晚				
210			K2①：22	1		残	明晚				
211			K2①：24	1		残	明晚				
212			K2①：25	1		残	明晚				
213			K4②：4	1	1	残	明晚	残13	残16.5	1.4	
214			K4②：6	1	1	残	明晚	残12.5	残14	1.2	
215			K4②：12	1		残	明晚				
216			K4②：13	1		残	明晚				

续表

序号	类型	名称	出土单位/编号	数量/片	计件	完残	年代	瓦头尺寸/厘米			小计/件
								高	宽	厚	
217	Ba	滴水	K4②：14	1		残	明晚				1518
218			K4②：15	1	1	残	明晚				
219			K4②：16	1		残	明晚				
220			K4②：17	1	1	残	明晚				
221			K4②：18	1	1	残	明晚				
222			K4②：19	1	1	残	明晚				
223			K4②：20	1	1	残	明晚				
224			K4②：21	1		残	明晚				
225			K4②：22	1		残	明晚				
226			K4②：23	1		残	明晚				
227			K4②：24	1		残	明晚				
228			K4②：25	1		残	明晚				
229			K4②：26	1		残	明晚				
230			K4②：27	1		残	明晚				
231			K4②：28	1		残	明晚				
232			K4②：29	1	1	残	明晚				
233			K4②：30	1	1	残	明晚				
234			K4②：31	1		残	明晚				
235			K5①：8	1	1	残	明晚	残10	残12.5	1.5	
236			K5①：9	1		残	明晚	残9.8	残10.1	1.2	
237			K5①：10	1		残	明晚	残5	残10.5	1.5	
238			K6①：3	1	1	完整	明晚	13	19.3	1.5	
239			K6①：4	1	1	完整	明晚	13	16.5	1.5	
240			K6①：15	1	1	残	明晚				
241			K6①：16	1		残	明晚				
242			K6①：17	1		残	明晚				
243			K6①：18	1		残	明晚				
244			K6①：19	1		残	明晚				
245			K6①：21	1		残	明晚				
246			K9①：5	1	1	完整	明晚	13.2	19	1.5	
247			K9①：6	1	1	残	明晚	残11.7	17.5	残0.2	
248			K9①：11	1	1	残	明晚				
249			K9①：13	1	1	残	明晚				
250			K9①：15	1		残	明晚				
251			K9①：16	1		残	明晚				
252			K9①：17	1		残	明晚				

续表

序号	类型	名称	出土单位/编号	数量/片	计件	完残	年代	瓦头尺寸/厘米			小计/件
								高	宽	厚	
253	Ba	滴水	K9①：18	1		残	明晚				1518
254			K9①：19	1		残	明晚				
255			K9①：20	1	1	残	明晚				
256			K9①：23	1	1	残	明晚				
257			K9①：26	1	1	残	明晚				
258			G1①：3	1	1	完整	明晚	12.2	20.1	1.7	
259			G1①：7	1	1	完整	明晚	13.5	20.7	1.6	
260			G1①：10	1	1	残	明晚	残10.1	19.8	1.6	
261			G1①：14	1	1	较完整	明晚	13.3	21	1.5	
262			G1①：15	1	1	较完整	明晚	12.6	残18.1	1.5	
263			G1①：18	1	1	残	明晚	残10.3	21.1	1.6	
264			G1①：21	1	1	较完整	明晚	残12.2	21.1	1.4	
265			G1①：22	1	1	残	明晚	残11.2	19.8	1.2	
266			G1①：25	1	1	完整	明晚	14	23	2.3～2.7	
267			G1①：26	1	1	较完整	明晚	残9.5	20.6	1.5	
268			G1①	1		残	明晚				
269			G1①	80	27	残	明晚				
270			G1②：16	1	1	完整	明晚	13.7	19.5	15	
271			G1②：18	3	1	残	明晚				
272			G1②：20	4	1	完整	明晚	13	19.5	1.4	
273			G1②：21	1	1	残	明晚				
274			G1②：27	1	1	较完整	明晚	13	残16	1.8	
275			G1②：28	1	1	完整	明晚	13.2	20	1.7	
276			G1②：40	1	1	完整	明晚	11	21	1.6	
277			G2①：14	1	1	残	明晚				
278			G2①：15	1	1	较完整	明晚	12.6	19.9	1.5	
279			G2①：16	1	1	残	明晚	残15.6	残8.9	1.5	
280			G2①：18	1	1	残	明晚	残11.7	残11.8	1.6	
281			G2①：20	1	1	残	明晚				
282			G2①：23	1	1	残	明晚	残9.6	残14.7	1.5	
283			G2①	13	3	残	明晚				
284			G2②：54	1		残	明晚	残7	残10.1	1.4	
285			G2②：55	1	1	残	明晚	残11.4	残15	1.6	
286			G2②：58	1	1	残	明晚	残10.3	残14	1.3	
287			G2②：59	1	1	残	明晚				
288			G2②：62	1	1	完整	明晚	12.7	19.6	1.6	

续表

序号	类型	名称	出土单位/编号	数量/片	计件	完残	年代	瓦头尺寸/厘米			小计/件
								高	宽	厚	
289	Ba	滴水	G2②：63	1	1	较完整	明晚	12.9	残17.1	1.5	1518
290			G2②：66	1	1	残	明晚	残11.2	残10	1.4	
291			G2②：67	1	1	较完整	明晚	12.5	20	1.4	
292			G2②：68	1	1	残	明晚	残11.1	残15.6	1.5	
293			G2②：72	2	1	残	明晚	残12.7	残13.5	1.6	
294			G2②：73	1	1	完整	明晚	13.4	19.8	1.5	
295			G2②：74	1	1	完整	明晚	13.4	19.6	2.8	
296			G2②：75	1	1	残	明晚	残11.9	残11.5	1.6	
297			G2②：76	1	1	残	明晚	13	残16	1.5	
298			G2②	44	5	残	明晚				
299			G2③：5	1	1	残	明晚	残11.4	残15.1	1.3	
300			G2③：6	1	1	完整	明晚	13.6	19	1.9	
301			G2③：9	1	1	残	明晚	残11.5	残18.4	1.5	
302			G2③：11	1	1	残	明晚				
303			G2③：13	1	1	完整	明晚	12.6	20.4	1.5	
304			G2③：17	2	1	残	明晚				
305			G2③：19	1	1	残	明晚				
306			G2③：20	1	1	残	明晚				
307			G2③：21	1	1	残	明晚				
308			G2③：23	1	1	残	明晚				
309			G2③：24	1	1	残	明晚				
310			G2③：25	1	1	完整	明晚	14	20.5	1.4	
311			G2③：27	1	1	残	明晚				
312			G2③：30	1	1	残	明晚				
313			G2③：33	1	1	残	明晚	残11.5	残20	1.4	
314			G2③：35	1	1	完整	明晚	12.6	20.1	1.5	
315			G2③：38	1	1	残	明晚				
316			G2③：68	1	1	残	明晚				
317			G2③：69	1	1	残	明晚				
318			G2③：70	1	1	残	明晚				
319			G2③：71	1	1	残	明晚				
320			G2③：72	1	1	残	明晚				
321			G2③：73	3	1	残	明晚				
322			G2③：74	1	1	残	明晚				
323			G2③：75	1	1	残	明晚				
324			G2③：76	1		残	明晚				

续表

序号	类型	名称	出土单位/编号	数量/片	计件	完残	年代	瓦头尺寸/厘米			小计/件
								高	宽	厚	
325	Ba	滴水	G2③：77	1	1	残	明晚				1518
326			G2③：78	1	1	残	明晚				
327			G2③：79	1	1	残	明晚				
328			G2③：80	1	1	残	明晚				
329			G2③：81	1	1	残	明晚				
330			G2③：82	1	1	残	明晚				
331			G2③：83	1	1	残	明晚				
332			G2③：86	1	1	残	明晚				
333			G2③：92	1	1	残	明晚				
334			G2③：93	1	1	残	明晚				
335			G2③：94	1	1	残	明晚				
336			G2③：95	1	1	残	明晚				
337			G2③：96	1	1	残	明晚				
338			G2③：97	1	1	残	明晚				
339			G2③：102	1	1	残	明晚				
340			G2③：103	1	1	残	明晚				
341			G2③：104	1	1	残	明晚				
342			G2③：105	1	1	残	明晚				
343			G2③：106	1	1	残	明晚				
344			G2③：107	1	1	残	明晚				
345			G2③：108	1	1	残	明晚				
346			G2③：109	1	1	残	明晚				
347			G2③：110	1	1	残	明晚				
348			G2③：111	1	1	残	明晚				
349			G2③：114	1	1	残	明晚				
350			G2③：115	1	1	残	明晚				
351			G2③：116	1	1	残	明晚				
352			G2③：117	1	1	残	明晚				
353			G2③：118	1		残	明晚				
354			G2③：119	1	1	残	明晚				
355			G2③：120	1	1	残	明晚				
356			G2③	33	6	残	明晚				
357			G8①：6	1	1	残	明晚				
358			G8①：7	1	1	残	明晚				
359			G8①：8	1	1	残	明晚				
360			G8①：9	1	1	残	明晚				

续表

序号	类型	名称	出土单位/编号	数量/片	计件	完残	年代	瓦头尺寸/厘米			小计/件
								高	宽	厚	
361	Ba	滴水	G8①：10	1	1	残	明晚				1518
362			G8①：11	1	1	残	明晚				
363			G8①：12	1	1	残	明晚				
364			G8①：13	1	1	残	明晚				
365			G8①：14	1	1	残	明晚				
366			G8①：15	1	1	残	明晚				
367			G8①：16	1	1	残	明晚				
368			G8①：17	1	1	残	明晚				
369			G8①：18	1	1	残	明晚				
370			G8①：19	1	1	残	明晚				
371			G8①：20	1	1	残	明晚				
372			G8①：21	1	1	残	明晚				
373			G8①：22	1	1	残	明晚				
374			G8①	21	11	残	明晚				
375			G9①：11	1	1	较完整	明晚	残9.5	20.8	1.4	
376			G9①：13	1	1	较完整	明晚	残9.1	21.4	1.2	
377			G9①：32	1	1	残	明晚	残14.8	残12.5	1.5	
378			G9①：33	1	1	残	明晚	残15.9	残17.8	1.5	
379			G9①：34	1	1	较完整	明晚	16	20	1.5	
380			G9①：35	1	1	残	明晚	残10	残17.5	1.5	
381			G9①：36	1	1	较完整	明晚	16.5	19.8	1.5	
382			G9①：37	1	1	完整	明晚	11.5	22	1.1	
383			G9①：38	1	1	残	明晚				
384			G9①	69	30	残	明晚				
385			G11：2	1	1	完整	明晚	12.9	20.3	1.3	
386			G11：3	2	1	完整	明晚	13	20.4	1.5	
387			G11：9	2	1	残	明晚	残8.5	残10.1	1.2	
388			G12①：18	1	1	残	明晚	残13.7	残19.3	1.5	
389			G12①：31	1	1	残	明晚	残10	20.1	1.4	
390			G12①：32	1	1	完整	明晚	13.5	20	1.7	
391			G12①：33	1	1	完整	明晚	12.5	20.5	1.6	
392			G12①：35	1	1	完整	明晚	13	19.7	1.7	
393			G12①：36	1	1	残	明晚	残10.5	19.7	1.5	
394			G12①：37	1	1	完整	明晚	13.4	20.5	1.7	
395			G12①：38	1	1	残	明晚	残10.5	21	1.4	
396			G12①：39	1	1	残	明晚	12	残10.4	1.5	

续表

序号	类型	名称	出土单位/编号	数量/片	计件	完残	年代	瓦头尺寸/厘米			小计/件
								高	宽	厚	
397	Ba	滴水	G12①：40	1	1	残	明晚	12.8	残13.7	1.5	1518
398			G12①：41	1	1	完整	明晚	12.5	19.1	1.2	
399			G12①：42	1	1	完整	明晚	13.4	20.2	1.5	
400			G12①：43	1	1	残	明晚	残11	残16.2	1	
401			G12①：44	1	1	完整	明晚	14.1	19.5	1.5	
402			G12①：45	1	1	残	明晚	残10.5	17	1.5	
403			G12①：46	1	1	较完整	明晚	12	17.2	1.5	
404			G12①：47	1	1	完整	明晚	13	17.2	1.5	
405			G12①：48	1	1	完整	明晚	13	19	1.5	
406			G12①：49	1	1	残	明晚	残8.4	19.4	1.4	
407			G12①：50	1	1	残	明晚	13.4	残13.5	1.5	
408			G12①：51	1	1	完整	明晚	13	19	1.5	
409			G12①：52	1	1	较完整	明晚	12	19.5	1.5	
410			G12①	15	6	残	明晚				
411			G20①	47	32	残	明晚				
412			C1①：11	1	1	残	明晚	残12	19.3	1.2	
413			C1①：18	1	1	残	明晚	残9.9	残10	1.3	
414			C1①：19	1	1	残	明晚	残10.5	残8.7	1.4	
415			C1①：20	1		残	明晚	残7	残9.1	残0.2	
416			C1①：21	1		残	明晚	残4.5	残9.8	残0.8	
417			C1①：22	1		残	明晚	残3.9	残10.6	1.3	
418			C1①：23	1	1	残	明晚	残11.5	残8.8	1	
419			C1①：26	1		残	明晚	残3.7	残8.8	1.8	
420			C1①：40	1		残	明晚				
421			C1①	1		残	明晚				
422			C3①：2	1	1	完整	明晚	12.5	18.5	1.2	
423			C3①：3	1	1	完整	明晚	13.3	20.5	1.5	
424			C3①：4	1	1	完整	明晚	11.4	15.7	1.2	
425			C3①：9	1	1	残	明晚	残11.8	残12.2	1.6	
426			C3①：10	1	1	完整	明晚	13.2	17.1	1.9	
427			C3①：11	1	1	完整	明晚	13	18	1.2	
428			C3①：12	1	1	完整	明晚	11.6	18	1.4	
429			C3①：13	1	1	残	明晚	残10.5	18	残0.5	
430			C3①：14	1	1	残	明晚	12	残12.5	1.2	
431			C3①：15	1	1	残	明晚	残10.1	15	残0.2	
432			C3①：16	1	1	残	明晚	残11.5	残19.7	1.4	

续表

序号	类型	名称	出土单位/编号	数量/片	计件	完残	年代	瓦头尺寸/厘米			小计/件
								高	宽	厚	
433	Ba	滴水	C3①：17	1	1	完整	明晚	10.1	16	1.2	1518
434			C3①：18	1	1	残	明晚	残6.3	残16.1	2	
435			C3①：19	1	1	较完整	明晚	残12	18.1	1.3	
436			C3①：20	1	1	完整	明晚	12.1	17.1	1.3	
437			C3①：21	1	1	完整	明晚	13.3	18.5	1.3	
438			C3①：22	1	1	残	明晚	残8.5	18.5	1.1	
439			C3①：23	1	1	完整	明晚	12.4	17.7	1.4	
440			C3①：24	1	1	完整	明晚	12.1	17	1.2	
441			C3①：25	1	1	完整	明晚	11.8	16	1.5	
442			C3①：26	1	1	残	明晚	残12.5	残12.5	1.1	
443			C3①：30	1		残	明晚	残7.8	残7	残0.6	
444			C3①：31	1	1	完整	明晚	13	18	1.2	
445			C3①：44	1	1	残	明晚				
446			C4①：16	1	1	残	明晚	残9.5	残8	1.6	
447			C4①：20	1	1	残	明晚	残12	20	1	
448			C4①：21	1	1	残	明晚	12.3	残8.2	1.3	
449			C4①：22	1	1	残	明晚	残10.6	20.5	残0.8	
450			C4①：23	1	1	较完整	明晚	12.5	19	1.1	
451			C4①：24	1	1	残	明晚	残10.5	残3.7	1.5	
452			C4①：25	1	1	残	明晚	残7.5	残9.5	1.3	
453			C4①：27	1	1	较完整	明晚	残11.5	10.5	1.4	
454			C4①：28	1	1	残	明晚	残8.5	残14.5	1.1	
455			C4①：29	1	1	较完整	明晚	残12.5	19	2	
456			C4①：30	1		残	明晚	残7.5	残5.5	1.2	
457			C6①：9	1	1	残	明晚	残9.5	残16	1.4	
458			C6①：10	1		残	明晚	残3.5	残7.5	1.3	
459			C6①	1		残	明晚				
460			C8①：7	1	1	残	明晚	13	残15.5	1.6	
461			C8①	14	4	残	明晚				
462			C9①：13	1	1	较完整	明晚	12.5	残18.5	1.5	
463			C9①：14	1	1	完整	明晚	12.3	18.6	1.8	
464			C9①：15	1	1	较完整	明晚	残11.9	18.4	残0.8	
465			C9①：16	1	1	残	明晚	残8.5	15.8	1.5	
466			C9①：17	1	1	完整	明晚	12.3	21	1.5	
467			C9①：18	1	1	完整	明晚	12.5	19.5	1.9	
468			C9①：21	1	1	残	明晚				

续表

序号	类型	名称	出土单位/编号	数量/片	计件	完残	年代	瓦头尺寸/厘米			小计/件
								高	宽	厚	
469	Ba	滴水	C9①：22	1	1	残	明晚				1518
470			C9①：23	1	1	残	明晚				
471			C9①	86	25	残	明晚				
472			L2①：5	1	1	残	明晚				
473			L2①：11	1	1	残	明晚				
474			L2①：12	1	1	残	明晚				
475			L2①：13	1	1	残	明晚				
476			L2①：20	1	1	残	明晚				
477			L2①：21	1	1	残	明晚				
478			L2①：25	1	1	残	明晚				
479			L2①：27	1	1	残	明晚				
480			L2①：30	1	1	残	明晚				
481			L2①：33	1	1	残	明晚				
482			L2①：34	1	1	残	明晚				
483			L2①：36	1	1	残	明晚				
484			L2①：42	1	1	残	明晚				
485			L2①：44	1	1	残	明晚				
486			L2①：45	1	1	残	明晚				
487			L2①：47	1	1	残	明晚				
488			L2①：49	1	1	残	明晚				
489			L2①：50	1	1	残	明晚				
490			L2①：51	1	1	残	明晚				
491			L2①：74	1	1	残	明晚	残7.5	残10.5	1.3	
492			L2①：76	1	1	残	明晚	残8.5	残11.2	1.5	
493			L2①：77	1	1	残	明晚	残9.7	残19.5	残0.7	
494			L2②：22	1	1	残	明晚				
495			L2②：23	1	1	较完整	明晚	残12.5	残17	1.3	
496			L2②：39	1	1	完整	明晚	12.8	20.4	3.3	
497			L2②	22	10	残	明晚				
498			L2③：12	1	1	残	明晚	残12	残18.8	1.3	
499			L2③：13	1	1	完整	明晚	12.7	18.5	1.4	
500			L2③	3	1	残	明晚				
501			L2④：284	1	1	残	明晚	残7.4	残11.2	2.2	
502			L2④：285	1	1	残	明晚	残9.6	残16.5	1.6	
503			L2④：286	1	1	完整	明晚	13.4	18	1.4	
504			L2④：287	1	1	较完整	明晚	12.2	18.3	1.5	

续表

序号	类型	名称	出土单位/编号	数量/片	计件	完残	年代	瓦头尺寸/厘米			小计/件
								高	宽	厚	
505	Ba	滴水	L2④：288	1	1	残	明晚	12.5	残13	1.3	1518
506			L2④：289	1	1	残	明晚	12.5	残20.5	残0.7	
507			L2④：290	1	1	残	明晚	残11.2	残11.5	1.3	
508			L2④：291	1	1	完整	明晚	11.8	17.5	1.4	
509			L2④：292	1	1	较完整	明晚	残12.6	残19.5	1.4	
510			L2④：293	1	1	较完整	明晚	12.2	19	1.5	
511			L2④：294	1	1	较完整	明晚	残12.7	19	1.4	
512			L2④	1		残	明晚				
513			L2④	1		残	明晚				
514			L2④	24	10	残	明晚				
515			ⅠT0101①：41	1	1	残	明晚				
516			ⅠT0101①：42	1	1	残	明晚				
517			ⅠT0101①：45	1	1	残	明晚				
518			ⅠT0101①	92	34	残	明晚				
519			ⅠT0101②	33	9	残	明晚				
520			ⅠT0102②	64	21	残	明晚				
521			ⅠT0103①：15	1		残	明晚	残11	残12.7	1.1	
522			ⅠT0103①：16	1		残	明晚	残8	残6.7	1.3	
523			ⅠT0103①：17	1		残	明晚	残8.4	残9	1.3	
524			ⅠT0103①：18	1		残	明晚	残1.8	残7	1.4	
525			ⅠT0103①：22	1		残	明晚	残6.6	残8	1.6	
526			ⅠT0103①：23	1		残	明晚	残7.5	残9	1.1	
527			ⅠT0103①：24	1	1	残	明晚	残9.5	残7.9	1.6	
528			ⅠT0103①：25	1	1	残	明晚	残8.7	残11	1.7	
529			ⅠT0103①：27	1		残	明晚	残7	残7	1.3	
530			ⅠT0103①：28	1		残	明晚	残11.5	残4.5	1.3	
531			ⅠT0103①：32	1		残	明晚	残5	残5.5	1.9	
532			ⅠT0103①：51	1	1	残	明晚				
533			ⅠT0103②：16	1	1	残	明晚				
534			ⅠT0103②：17	1		残	明晚				
535			ⅠT0103②：20	1	1	残	明晚				
536			ⅠT0103②：23	1		残	明晚				
537			ⅠT0103②：27	1	1	残	明晚				
538			ⅠT0103②	1	1	残	明晚				
539			ⅠT0103③	24	12	残	明晚				
540			ⅠT0103④：44	1	1	残	明晚				

续表

序号	类型	名称	出土单位/编号	数量/片	计件	完残	年代	瓦头尺寸/厘米			小计/件
								高	宽	厚	
541	Ba	滴水	Ⅰ T0103④	38	11	残	明晚				1518
542			Ⅰ T0104①：9	1		残	明晚	残9.5	11.5	1.6	
543			Ⅰ T0104①：10	1		残	明晚	残5	残7.5	1.3	
544			Ⅰ T0104①：11	1	1	残	明晚	残13	残14	1.4	
545			Ⅰ T0104①：12	1	1	残	明晚	残12.5	残13.5	1.8	
546			Ⅰ T0104①：13	1	1	残	明晚	残12.3	残14	1.5	
547			Ⅰ T0104①：14	1		残	明晚	残8.9	残9.2	1.1	
548			Ⅰ T0104①：15	1	1	残	明晚	残9.8	残10	1.5	
549			Ⅰ T0104①：16	1		残	明晚	残7.5	残5.8	1.3	
550			Ⅰ T0104①：17	1		残	明晚	残8	残7.5	1.3	
551			Ⅰ T0104①：18	1		残	明晚	残8	残8.1	1.1	
552			Ⅰ T0104①：19	1		残	明晚	残8	残4	1.5	
553			Ⅰ T0104①：20	1		残	明晚	残6.5	残13.9	1.2	
554			Ⅰ T0104①：21	1		残	明晚	残8	残5	1.1	
555			Ⅰ T0104①：68	1		残	明晚				
556			Ⅰ T0104①：69	1	1	残	明晚				
557			Ⅰ T0105①：11	1	1	较完整	明晚	12.5	残15.9	1.5	
558			Ⅰ T0105①：12	1	1	残	明晚	残9.6	残10.4	1.2	
559			Ⅰ T0105①：13	1	1	较完整	明晚	13.1	残14	1.5	
560			Ⅰ T0105①：14	1		残	明晚	残7.5	残11.2	1	
561			Ⅰ T0105①：15	1		残	明晚	残6.5	残13.5	1.3	
562			Ⅰ T0105①：16	1	1	残	明晚	残11.9	残9.5	1.1	
563			Ⅰ T0105①：17	1		残	明晚	残9.9	残9.2	1.2	
564			Ⅰ T0105①：18	1	1	残	明晚	残11.6	残6	1.4	
565			Ⅰ T0105①：19	1		残	明晚	残5.1	残8.1	1.4	
566			Ⅰ T0105①：20	1		残	明晚	残5.2	残10.5	1.2	
567			Ⅰ T0105①：21	1		残	明晚	残11.6	残9	1.5	
568			Ⅰ T0105①：22	1		残	明晚	残6.4	残7.5	1.4	
569			Ⅰ T0105①：23	1		残	明晚	残7.9	残7.9	残0.6	
570			Ⅰ T0105①：24	1		残	明晚	残8.2	残9.2	残0.9	
571			Ⅰ T0105①：25	1	1	残	明晚	残9.4	残10.8	残0.9	
572			Ⅰ T0105①：26	1		残	明晚	残6.2	残6.5	1.8	
573			Ⅰ T0105①：27	1		残	明晚	残8.3	残6.7	1.2	
574			Ⅰ T0105①：28	1		残	明晚	残3.2	残10.3	1	
575			Ⅰ T0105①：29	1		残	明晚	残8.8	残5.1	1.7	
576			Ⅰ T0105①：30	1		残	明晚	残5.3	残8.8	2	

续表

序号	类型	名称	出土单位/编号	数量/片	计件	完残	年代	瓦头尺寸/厘米			小计/件
								高	宽	厚	
577	Ba	滴水	Ⅰ T0105①：31	1		残	明晚	残6	残7.4	1.5	1518
578			Ⅰ T0105①：45	1		残	明晚				
579			Ⅰ T0105①：47	1		残	明晚				
580			Ⅰ T0201①：13	1		残	明晚	残8.7	残4.5	1.3	
581			Ⅰ T0201①：14	1		残	明晚	残6	残3.9	2.1	
582			Ⅰ T0203①：9	1		残	明晚	残8.7	残7.4	1	
583			Ⅰ T0203①：12	1		残	明晚	残6.7	残5.9	1.2	
584			Ⅰ T0203①：15	1	1	残	明晚	残6.4	残3.9	1.3	
585			Ⅰ T0203①：16	1	1	残	明晚				
586			Ⅰ T0203①：17	1	1	残	明晚				
587			Ⅰ T0203①：18	1	1	残	明晚				
588			Ⅰ T0203①：19	1	1	残	明晚				
589			Ⅰ T0203①：20	1		残	明晚				
590			Ⅰ T0203①：25	1	1	残	明晚				
591			Ⅰ T0203①：27	1		残	明晚				
592			Ⅰ T0203①：29	1	1	残	明晚				
593			Ⅰ T0203④	1		残	明晚				
594			Ⅰ T0204①：6	1	1	残	明晚	残10	残10.3	残0.5	
595			Ⅰ T0204①：7	1		残	明晚	残10.5	残14.2	残0.4	
596			Ⅰ T0204①：8	1		残	明晚	残11.5	残6.7	1.6	
597			Ⅰ T0204①：9	1	1	残	明晚	残10.5	残12.2	残0.9	
598			Ⅰ T0204①：10	1	1	残	明晚	残10.7	残10.1	1.3	
599			Ⅰ T0204①：11	1	1	残	明晚	残9.8	残14.7	1.7	
600			Ⅰ T0204①：12	1	1	残	明晚	残12.4	残9.7	1.8	
601			Ⅰ T0204①：13	1	1	残	明晚	残10	残10.6	1.6	
602			Ⅰ T0204①：14	1	1	残	明晚	残6.4	残8.7	残0.8	
603			Ⅰ T0204①：15	1		残	明晚	残5.5	残11.2	残0.5	
604			Ⅰ T0204①：16	1	1	残	明晚	残8.9	残7.6	残0.7	
605			Ⅰ T0204①：17	1	1	残	明晚	残5.5	残6.4	1.4	
606			Ⅰ T0204①：18	1	1	残	明晚	残9	残7.7	1.2	
607			Ⅰ T0204①：19	1		残	明晚	残8.5	残13	残1	
608			Ⅰ T0204①：20	1	1	残	明晚	残9.5	残8.5	1.2	
609			Ⅰ T0204①：21	1		残	明晚	残9.3	残8.5	1.4	
610			Ⅰ T0204①：22	1		残	明晚	残7.7	残6	1.5	
611			Ⅰ T0204①：23	1	1	残	明晚	残7.5	残6.8	1.5	
612			Ⅰ T0204①：24	1	1	残	明晚	残7.5	残7.2	1.6	

续表

序号	类型	名称	出土单位/编号	数量/片	计件	完残	年代	瓦头尺寸/厘米			小计/件
								高	宽	厚	
613	Ba	滴水	ⅠT0204①：25	1	1	残	明晚	残11.6	19.5	1.5	1518
614			ⅠT0204①：26	1	1	较完整	明晚	12.8	残13	1	
615			ⅠT0204①：28	1		残	明晚	残11.4	残15	1.3	
616			ⅠT0204①：29	1		残	明晚	残12.5	20.2	1.5	
617			ⅠT0204①：30	1		残	明晚	残7.2	残7.2	残0.4	
618			ⅠT0204①：31	1	1	残	明晚	残9	残13	1	
619			ⅠT0204①：32	1		残	明晚	残10	残9.6	残0.7	
620			ⅠT0204①：33	1		残	明晚	残11	残15.5	残0.6	
621			ⅠT0204①：34	1	1	较完整	明晚	12.4	残11.2	1.5	
622			ⅠT0204①：35	1	1	残	明晚	残12.7	残11.4	0.8	
623			ⅠT0204①：36	1	1	残	明晚	残8.5	残10.5	1.7	
624			ⅠT0204①：37	1	1	残	明晚	残10.1	残15.5	1.3	
625			ⅠT0204①：39	1	1	残	明晚	残11.7	残10.5	1.3	
626			ⅠT0204①：41	1		残	明晚	残9.4	残7.3	1.6	
627			ⅠT0204①：42	1		残	明晚	残8.1	残12.4	1.4	
628			ⅠT0204①：43	1		残	明晚	残8	18.2	1	
629			ⅠT0204①：45	1		残	明晚	残6.7	残12.2	1.5	
630			ⅠT0204①：46	1		残	明晚	残6.1	残5.5	1.2	
631			ⅠT0204①：47	1	1	残	明晚	残2.5	残12	1.1	
632			ⅠT0204①：48	1		残	明晚	残5.7	残10.2	1.3	
633			ⅠT0204①：49	1		残	明晚	残7.7	残9.3	1.5	
634			ⅠT0204①：50	1		残	明晚	残6.6	残7.7	1.5	
635			ⅠT0204①：51	1		残	明晚	残11	残12.7	1.5	
636			ⅠT0204①：53	1		残	明晚	残3.6	残6.7	1.6	
637			ⅠT0204①：54	1		残	明晚	残5.4	残7.9	1.3	
638			ⅠT0204①：55	1		残	明晚	残3.7	残6.3	1.4	
639			ⅠT0204①：56	1	1	较完整	明晚	12.8	残14	1.5	
640			ⅠT0204①：58	1	1	残	明晚	残9.2	残13	1.8	
641			ⅠT0204①：59	1	1	残	明晚	残8.5	残11.5	1.5	
642			ⅠT0204①：60	1	1	残	明晚	残10.5	残14.5	1.8	
643			ⅠT0306①：4	1	1	残	明晚	13.3	残15.5	1.6	
644			ⅠT0405①：6	1		残	明晚	残6.2	残6.5	1.1	
645			ⅠT0405①：7	1		残	明晚	残7	残6	1.4	
646			ⅠT0405①：8	1		残	明晚	残9.2	残15.2	1.1	
647			ⅠT0405①：9	1		残	明晚	残6	残10.7	1.1	
648			ⅠT0405①：11	1		残	明晚	残5.6	残5.7	1.6	

续表

序号	类型	名称	出土单位/编号	数量/片	计件	完残	年代	瓦头尺寸/厘米			小计/件
								高	宽	厚	
649	Ba	滴水	ⅠT0405①：12	1		残	明晚	残11.2	残7.7	残0.7	1518
650			ⅡT0101①：21	1	1	残	明晚	残7.3	残20.2	2.1	
651			ⅡT0101①：22	1	1	残	明晚	残10.5	残17.5	1.5	
652			ⅡT0101①	18	11	残	明晚				
653			ⅡT0102①：4	2	1	完整	明晚	12	19.2	1.5	
654			ⅡT0102①：5	1	1	完整	明晚	12.5	19.6	1.3	
655			ⅡT0102①	3	2	残	明晚				
656			ⅢT0101①	2	2	残	明晚				
657			ⅢT0101①	10	5	残	明晚				
658			ⅣT0101①：29	1	1	残	明晚	残5	残9.5	2	
659			ⅣT0101①：30	1	1	残	明晚	残11	残6	1.5	
660			ⅣT0101①：31	1	1	残	明晚	残6	残7.6	2	
661			ⅣT0101①	2		残	明晚				
662			ⅣT0102①：21	1	1	残	明晚	残10.5	残18.5	0.4	
663			ⅣT0102①：22	1	1	残	明晚	残11	残17	1.2	
664			ⅣT0102①：23	1	1	残	明晚	残11.6	残17.3	1.3	
665			ⅣT0102①：24	1	1	较完整	明晚	残11.8	19	残0.8	
666			ⅣT0102①：25	1	1	较完整	明晚	残10.3	残19.6	1.8	
667			ⅣT0102①：26	1	1	较完整	明晚	12.8	19.6	1.1	
668			ⅣT0102①：27	1	1	残	明晚	残10.6	残13.6	残0.5	
669			ⅣT0102①：35	1	1	残	明晚	残14.5	残6.5	残0.9	
670			ⅣT0102①：36	1	1	残	明晚	残12	残2.5	1.1	
671			ⅣT0102①：37	1	1	残	明晚	残13	残9	1.2	
672			ⅣT0102①	63	27	残	明晚				
673			ⅣT0102②：3	1	1	残	明晚	12.7	残11.6	1.9	
674			ⅣT0102②：9	1	1	残	明晚				
675			ⅣT0102②	25	14	残	明晚				
676			ⅣT0102②	12		残	明晚				
677			ⅣT0103①：26	1	1	残	明晚	残10.5	残12.4	1.3	
678			ⅣT0103①	4	2	残	明晚				
679			ⅣT0104①：14	1	1	残	明晚	残8	残9.7	1.4	
680			ⅣT0104①：15	1	1	残	明晚	残10.5	残18.5	1.1	
681			ⅣT0104①：16	1	1	残	明晚	残11	残11	1.3	
682			ⅣT0104①：17	1	1	残	明晚	残11.5	残11.3	1.1	
683			ⅣT0104①	6	4	残	明晚				
684			ⅣT0105①：5	1		残	明晚	残4.2	残3	1.2	

续表

序号	类型	名称	出土单位/编号	数量/片	计件	完残	年代	瓦头尺寸/厘米			小计/件
								高	宽	厚	
685	Ba	滴水	ⅣT0105①：11	1	1	残	明晚	残3.3	残7.8	残0.7	1518
686			ⅣT0105①：12	1	1	残	明晚	残9	残9.3	1.5	
687			ⅣT0106①：16	1		残	明晚	残2.5	残8	1.5	
688			ⅣT0106①：17	1		残	明晚	残6.5	残6	1.1	
689			ⅣT0106①：18	1	1	残	明晚	残7.3	残3.7	1.3	
690			ⅣT0106①：19	1	1	残	明晚	残7.9	残10.5	1.1	
691			ⅣT0106①：20	1		残	明晚	残5.5	残3	1.7	
692			ⅣT0106①：21	1	1	残	明晚	残10	残13.5	1	
693			ⅣT0106①：22	1		残	明晚	残5.2	残7	1.1	
694			ⅣT0106①：23	1	1	残	明晚	残8.8	残8	残0.7	
695			ⅣT0106①：24	1	1	残	明晚	残8	残10	2.2	
696			ⅣT0106①：25	1	1	完整	明晚	12.7	20	1.5	
697			ⅣT0106①：27	1		残	明晚	残8.5	残6	1.3	
698			ⅣT0106①：28	1		残	明晚	残8.7	残3.1	1.2	
699			ⅣT0106①：29	1	1	残	明晚	残8	残6.6	1.4	
700			ⅣT0106①：30	1	1	残	明晚	残2	残5.9	1.2	
701			ⅣT0106①：31	1	1	残	明晚	残7	残14.5	1.2	
702			ⅣT0106①：32	1		残	明晚	残5.2	残8.9	1.5	
703			ⅣT0106①：33	1		残	明晚	残7.3	残6	1.1	
704			ⅣT0106①：34	1	1	残	明晚	残8	残10.9	1.2	
705			ⅣT0106①：35	1		残	明晚	残9	残8.8	1.5	
706			ⅣT0106①：36	1		残	明晚	残3.2	残10	1.2	
707			ⅣT0106①：37	1		残	明晚	残10.2	残10.3	1.6	
708			ⅣT0106①：38	1	1	残	明晚	残9.4	残4	1	
709			ⅣT0106①：39	1		残	明晚	残5.5	残9.5	1.2	
710			ⅣT0106①：40	1		残	明晚	残5.2	残6.2	1	
711			ⅣT0106①：41	1	1	残	明晚	残8.1	残13	1.4	
712			ⅣT0106①：42	1	1	残	明晚	残11	残4.5	1.1	
713			ⅣT0106①：43	1		残	明晚	残3	残9.9	1.1	
714			ⅣT0106①：44	1	1	残	明晚	残10	残13.5	1	
715			ⅣT0106①：45	1		残	明晚	残6.5	残6.6	1.1	
716			ⅣT0106①：46	1		残	明晚	残5.3	残6.4	1	
717			ⅣT0106①：47	1		残	明晚	残8.9	残12.5	1	
718			ⅣT0106①：48	1	1	较完整	明晚	残12.3	残20.5	1.4	
719			ⅣT0106①：49	1		残	明晚	残8	残7	1	
720			ⅣT0106①：50	1		残	明晚	残9	残13	1	

续表

序号	类型	名称	出土单位/编号	数量/片	计件	完残	年代	瓦头尺寸/厘米			小计/件
								高	宽	厚	
721	Ba	滴水	ⅣT0106①：51	1		残	明晚	残6	残7.5	1.3	1518
722			ⅣT0106①：53	1	1	残	明晚	残12.5	残17.9	1.6	
723			ⅣT0106①：54	1	1	残	明晚	残9	残19.5	1.3	
724			ⅣT0106①	6	3	残	明晚				
725			ⅣT0107①：10	1	1	残	明晚	残15.5	残16.5	1.1	
726			ⅣT0107①：11	1	1	残	明晚	残14.1	残19.5	1.2	
727			ⅣT0107①	8	5	残	明晚				
728			ⅣT0201①：11	1	1	残	明晚	残4	残9.3	残0.6	
729			ⅣT0201①：12	1	1	残	明晚	残5.5	残9.5	残0.9	
730			ⅣT0201①：14	1		残	明晚	残7.9	残5.8	1.5	
731			ⅣT0201①	5	1	残	明晚				
732			ⅣT0202①：11	1	1	残	明晚	残4.5	残10.5	1	
733			ⅣT0202①：13	1		残	明晚	残10.5	残18	1.5	
734			ⅣT0202①：18	1	1	残	明晚	残4.5	残8.4	1.8	
735			ⅣT0202①：22	1		残	明晚	残8	残7.5	1	
736			ⅣT0202①：25	1		残	明晚	残4.5	残6.8	1.9	
737			ⅣT0202①：29	1		残	明晚	残3	残5.3	1.5	
738			ⅣT0202①：30	1	1	残	明晚	残7.2	残10.5	1.1	
739			ⅣT0202①：31	1		残	明晚	残9.5	残17.5	1	
740			ⅣT0202①：32	1		残	明晚	残5	残6	残0.4	
741			ⅣT0202①：36	1		残	明晚	残6	残10.7	1.2	
742			ⅣT0202①：37	1		残	明晚	残4.8	残10.5	1.1	
743			ⅣT0202①：40	1		残	明晚	残6.2	残5.5	1.1	
744			ⅣT0202①：48	1		残	明晚	残7	残8.5	1.1	
745			ⅣT0203④：4	1	1	残	明晚	残10.5	残11	残0.8	
746			ⅣT0203④：6	1		残	明晚	残7.4	残6	残0.9	
747			ⅣT0203④：7	1		残	明晚	残6.3	残8	残0.2	
748			ⅣT0203④：12	1	1	残	明晚				
749			ⅣT0204①：14	1		残	明晚				
750			ⅣT0205①：15	1		残	明晚	残7	残6.5	1.6	
751			ⅣT0206①：20	1		残	明晚	残9.5	残12.5	1.1	
752			ⅣT0206①：21	1		残	明晚	残6.5	残4.5	残0.3	
753			ⅣT0206①：22	1	1	残	明晚	残7	残7.5	1	
754			ⅣT0206①：23	1		残	明晚	残8	残5.5	1.5	
755			ⅣT0206①：24	1		残	明晚	残8.5	残5.5	1.1	
756			ⅣT0206①：25	1	1	残	明晚	残11	残9.5	1.4	

续表

序号	类型	名称	出土单位/编号	数量/片	计件	完残	年代	瓦头尺寸/厘米			小计/件
								高	宽	厚	
757	Ba	滴水	ⅣT0206①：26	1	1	残	明晚	残10	残10.5	1.2	1518
758			ⅣT0206①：28	1	1	残	明晚	12.5	残7.2	1.1	
759			ⅣT0206①：29	1		残	明晚	残8.5	残7.5	1.4	
760			ⅣT0206①：30	1	1	残	明晚	残5.9	残5.5	1	
761			ⅣT0206①：31	1		残	明晚	残9.5	残12	1.4	
762			ⅣT0206①：32	1		残	明晚	残8	残7	1.4	
763			ⅣT0206①：33	1		残	明晚	残7.5	残7	1.5	
764			ⅣT0207①：24	1		残	明晚	残8	残8.3	残2	
765			ⅣT0207①：25	1	1	残	明晚	残7.5	残7.1	1.5	
766			ⅣT0207①：26	1	1	残	明晚	残9.5	残12	1.5	
767			ⅣT0207①：27	1	1	残	明晚	残6.5	残12	1.4	
768			ⅣT0207①：28	1	1	残	明晚	残9.8	残5.6	1	
769			ⅣT0207①：29	1		残	明晚	残5.5	残4.5	1.1	
770			ⅣT0207①：30	1		残	明晚	残8.8	残13.2	1.1	
771			ⅣT0207①：31	1	1	残	明晚	12.6	残7.5	1.5	
772			ⅣT0207①：32	1	1	较完整	明晚	11	残19.1	1.4	
773			ⅣT0207①：34	1		残	明晚				
774			ⅣT0303①：8	1		残	明晚	残6.4	残9	残0.5	
775			ⅣT0303①：10	1	1	残	明晚	残5	残4.5	残0.3	
776			ⅣT0303①：14	1	1	残	明晚				
777			ⅣT0303①	1		残	明晚				
778			ⅣT0304①：37	1		残	明晚	残5	残7.5	1	
779			ⅣT0304①：38	1		残	明晚	残6	残8	2	
780			ⅣT0304①：39	1		残	明晚	残6.5	残11.5	1.4	
781			ⅣT0304①：40	1	1	残	明晚	残10.9	残13	1.8	
782			ⅣT0304①：41	1		残	明晚	残4.5	残9.5	1.2	
783			ⅣT0304①：42	1		残	明晚	残6	残7.5	1.2	
784			ⅣT0304①：43	1	1	残	明晚	残7	残10	1.2	
785			ⅣT0304①：45	1		残	明晚	残8	残9.4	1	
786			ⅣT0304①：46	1		残	明晚	残2	残8	1	
787			ⅣT0304①：48	1		残	明晚	残3	残8	1.5	
788			ⅣT0304①	3		残	明晚				
789			ⅣT0305①：57	1	1	残	明晚				
790			ⅣT0305①	144	54	残	明晚				
791			ⅣT0306①：11	1	1	较完整	明晚	11.5	18	1.4	
792			ⅣT0306①：12	1	1	完整	明晚	13.3	18.3	1.5	

续表

序号	类型	名称	出土单位/编号	数量/片	计件	完残	年代	瓦头尺寸/厘米			小计/件
								高	宽	厚	
793	Ba	滴水	ⅣT0306①：13	1	1	残	明晚	残9.2	残13.6	1.3	1518
794			ⅣT0306①：14	1	1	残	明晚	11.9	残17.9	1.2	
795			ⅣT0306①：15	1	1	较完整	明晚	12	18.3	1.4	
796			ⅣT0306①：16	1	1	残	明晚	残10.5	残17.5	1.3	
797			ⅣT0306①：17	1	1	残	明晚	残9.5	19	残0.5	
798			ⅣT0306①：18	1	1	残	明晚	残9	18.5	残0.6	
799			ⅣT0306①：19	1	1	残	明晚	残9	残12.2	1.3	
800			ⅣT0306①：20	1		残	明晚	残7.4	残9.5	1.5	
801			ⅣT0306①：21	1		残	明晚	残11	残10.6	1.3	
802			ⅣT0306①：22	1		残	明晚	残6.5	残11.5	1.5	
803			ⅣT0306①：23	1		残	明晚	残6.9	残7	1.5	
804			ⅣT0306①：24	1		残	明晚	残10.5	残15.5	1.2	
805			ⅣT0306①：25	1	1	残	明晚	残9	残12.2	残0.5	
806			ⅣT0306①：26	1	1	残	明晚	残10.5	残12.2	1.2	
807			ⅣT0306①：27	1	1	残	明晚	残8	残11.7	1.6	
808			ⅣT0306①：28	1	1	残	明晚	残8	残13	1.6	
809			ⅣT0306①：29	1	1	残	明晚	残7.5	残17	1.5	
810			ⅣT0306①：30	1	1	残	明晚	残10.5	残13.5	残0.5	
811			ⅣT0306①：31	1	1	残	明晚	残7.3	残14	残0.5	
812			ⅣT0306①：32	1	1	残	明晚	残11	残13.8	1.3	
813			ⅣT0306①：33	1		残	明晚	残9.3	残8	残0.5	
814			ⅣT0306①：34	1		残	明晚	残7.3	残5.5	残0.7	
815			ⅣT0306①：35	1	1	残	明晚	残12	残12	1.5	
816			ⅣT0306①：36	1		残	明晚	残5.5	残9.6	1.3	
817			ⅣT0306①：37	1		残	明晚	残6.5	残9.8	1.1	
818			ⅣT0306①：39	1		残	明晚	残8.5	残9	1.3	
819			ⅣT0306①：40	1		残	明晚	残8.4	残6	1.4	
820			ⅣT0306①：41	1		残	明晚	残6.3	残8	1.5	
821			ⅣT0306①：42	1		残	明晚	残8.6	残4.4	1.8	
822			ⅣT0306①：43	1		残	明晚	残6	残8.5	1.8	
823			ⅣT0306①：44	1		残	明晚	残8.5	残7	1.3	
824			ⅣT0306①：45	1		残	明晚	残5.3	残11.5	2	
825			ⅣT0306①：46	1		残	明晚	残9	残7.5	1	
826			ⅣT0306①：47	1		残	明晚	残6.5	残12.5	1.5	
827			ⅣT0306①：48	1		残	明晚	残6.8	残7.5	1.5	
828			ⅣT0306①：49	1	1	残	明晚	残7.6	残9	1.4	

续表

序号	类型	名称	出土单位/编号	数量/片	计件	完残	年代	瓦头尺寸/厘米			小计/件
								高	宽	厚	
829	Ba	滴水	ⅣT0306①：50	1	1	残	明晚	残9.8	残8.8	1.4	1518
830			ⅣT0306①：51	1		残	明晚	残5.9	残6.7	1	
831			ⅣT0306①：52	1		残	明晚	残8.5	残5.8	1.5	
832			ⅣT0306①：53	1		残	明晚	残9.8	残7	1.2	
833			ⅣT0307①：5	1	1	残	明晚	残9	残9.2	1.3	
834			ⅣT0307①	8	4	残	明晚				
835			ⅣT0403②A	31	10	残	明晚				
836			ⅣT0403②A	1	1	残	明晚				
837			ⅣT0404③A	1		残	明晚				
838			ⅣT0404④：4	1	1	较完整	明晚	13	残19.7	1.6	
839			ⅣT0404④：6	1		残	明晚	残7.8	残9.3	1.5	
840			ⅣT0404④：7	1	1	残	明晚	残11	残10	1.8	
841			ⅣT0404④：8	1		残	明晚	残9	残11	1.8	
842			ⅣT0404④：9	1	1	残	明晚	残5.6	残17.5	1.6	
843			ⅣT0404④：10	1		残	明晚	残9.3	残7	1.4	
844			ⅣT0404④：11	1		残	明晚	残9.5	残7.2	1.3	
845			ⅣT0404④：13	1		残	明晚	残6.6	残3.8	残0.7	
846			ⅣT0404④：14	1		残	明晚	残6	残7.5	残0.9	
847			ⅣT0404④：15	1		残	明晚	残6.2	残5.9	1	
848			ⅣT0404④：33	1		残	明晚	残5.5	残7.1	2	
849			ⅣT0404④：55	1		残	明晚				
850			ⅣT0405①	19	6	残	明晚				
851			ⅣT0405①	1	1	残	明晚				
852			ⅣT0405①	18	4	残	明晚				
853			ⅣT0405②A	1		残	明晚				
854			ⅣT0407①：5	1		残	明晚	残9	残16.9	1.1	
855			ⅣT0407①：6	1	1	残	明晚	残10.5	9.5	1.5	
856			ⅣT0502③A	2	1	残	明晚				
857			ⅣT0502④	2	2	残	明晚				
858			ⅣT0503④：43	1	1	残	明晚	残9	残12	1.5	
859			ⅣT0503④：44	1		残	明晚	残10.1	残9.6	1.3	
860			ⅣT0503④：45	1	1	残	明晚	残9	残9.6	1.2	
861			ⅣT0503④：46	1		残	明晚	残2.2	残6.5	2.1	
862			ⅣT0503④：47	1		残	明晚	残5.5	残7.8	2.4	
863			ⅣT0503④：48	1	1	残	明晚	残9	残10	1.9	
864			ⅣT0503④：49	1	1	残	明晚	残12.3	残9	1.5	

续表

序号	类型	名称	出土单位/编号	数量/片	计件	完残	年代	瓦头尺寸/厘米			小计/件
								高	宽	厚	
865	Ba	滴水	ⅣT0503④	1		残	明晚				1518
866			ⅣT0503④	1		残	明晚				
867			ⅣT0504①：4	1	1	残	明晚	残11	残10.5	1.4	
868			ⅣT0504①：5	1	1	较完整	明晚	残12.2	20.1	1.6	
869			ⅣT0504①：6	1		残	明晚	残10	残9.2	1.5	
870			ⅣT0504①：7	1		残	明晚	残6	残6.5	1.5	
871			ⅣT0504①：9	1		残	明晚	残8	残5	1.3	
872			ⅣT0504④	9	7	残	明晚				
873			ⅣT0505②A	6	3	残	明晚				
874			ⅣT0505④	3	1	残	明晚				
875			ⅣT0506①：24	1	1	残	明晚	残12.2	残18.5	1.5	
876			ⅣT0506①：25	1	1	残	明晚	13	残13	1.6	
877			ⅣT0506①：26	1		残	明晚	残7.8	残11	1.4	
878			ⅣT0506①：27	1	1	残	明晚	残9	残6	1.2	
879			ⅣT0506①：28	1	1	完整	明晚	13	19.5	1.5	
880			ⅣT0506①：29	1	1	较完整	明晚	13.5	12	1.8	
881			ⅣT0506①：30	1	1	较完整	明晚	13.2	19.5	1.5	
882			ⅣT0506①：31	1	1	残	明晚	13.2	残16	1.5	
883			ⅣT0506①：32	1	1	残	明晚	13.5	残18	1.6	
884			ⅣT0506①：33	1		残	明晚	残10	残8.1	1.5	
885			ⅣT0506①：34	1	1	残	明晚	残11.9	残11.5	1.5	
886			ⅣT0506①：35	1	1	残	明晚	残13	残16.6	1.5	
887			ⅣT0506①：36	1	1	残	明晚	13.5	残15.3	1.6	
888			ⅣT0506①：37	1	1	较完整	明晚	12.3	残17	1.3	
889			ⅣT0506①：38	1	1	残	明晚	13.3	残19.5	1.5	
890			ⅣT0506①：39	1	1	较完整	明晚	13.7	残19.5	1.6	
891			ⅣT0506①：40	1	1	较完整	明晚	13.2	残18	1.6	
892			ⅣT0506①：41	1	1	残	明晚				
893			ⅣT0506①：59	1	1	残	明晚				
894			ⅣT0506①	27	12	残	明晚				
895			ⅣT0506②：22	1	1	残	明晚				
896			ⅣT0506②：23	1	1	残	明晚				
897			ⅣT0506②：24	1	1	残	明晚				
898			ⅣT0506②：25	1	1	残	明晚				
899			ⅣT0506②：26	1		残	明晚				
900			ⅣT0506②：27	1	1	残	明晚				

续表

序号	类型	名称	出土单位/编号	数量/片	计件	完残	年代	瓦头尺寸/厘米			小计/件
								高	宽	厚	
901	Ba	滴水	ⅣT0506②：28	1		残	明晚				1518
902			ⅣT0506④：3	1	1	残	明晚				
903			ⅣT0506④：10	1	1	残	明晚				
904			ⅣT0506④：11	1	1	残	明晚				
905			ⅣT0507①：1	1	1	残	明晚	残12	19.6	1.3	
906			ⅣT0507①：9	1	1	残	明晚	残10	残15.1	1.1	
907			ⅣT0507①：15	1	1	残	明晚	残12.8	残16	1.5	
908			ⅣT0507①：27	1	1	残	明晚	残12.4	残14.8	1.5	
909			ⅣT0507①：44	1	1	完整	明晚	13.8	19	1.3	
910			ⅣT0507①：46	1	1	较完整	明晚	残12.6	19	1.6	
911			ⅣT0507①：47	1	1	残	明晚	残13.5	残16	1.5	
912			ⅣT0507①：48	1	1	较完整	明晚	13.2	残18.5	1.5	
913			ⅣT0507①：49	1	1	较完整	明晚	13.5	18.5	1.6	
914			ⅣT0507①：52	1	1	残	明晚				
915			ⅣT0507①：53	1	1	较完整	明晚	残13.4	残18.4	1.3	
916			ⅣT0507①：158	1	1	残	明晚				
917			ⅣT0507①：159	1	1	残	明晚				
918			ⅣT0507①：160	1	1	残	明晚				
919			ⅣT0507①：161	1	1	残	明晚				
920			ⅣT0507①：162	1	1	残	明晚				
921			ⅣT0507①：163	1	1	残	明晚				
922			ⅣT0507①：164	1	1	残	明晚				
923			ⅣT0507①：165	1	1	残	明晚				
924			ⅣT0507①：166	1	1	残	明晚				
925			ⅣT0507①：167	1	1	残	明晚				
926			ⅣT0507①：168	1	1	残	明晚				
927			ⅣT0507①：169	1	1	残	明晚				
928			ⅣT0507①：170	1	1	残	明晚				
929			ⅣT0507①：171	1	1	残	明晚				
930			ⅣT0507①：172	1		残	明晚				
931			ⅣT0507①：173	1		残	明晚				
932			ⅣT0507①：174	1		残	明晚				
933			ⅣT0507①：175	1		残	明晚				
934			ⅣT0507①：176	1		残	明晚				
935			ⅣT0507①：177	1		残	明晚				
936			ⅣT0507①：178	1		残	明晚				

续表

序号	类型	名称	出土单位/编号	数量/片	计件	完残	年代	瓦头尺寸/厘米			小计/件
								高	宽	厚	
937	Ba	滴水	ⅣT0507①：179	1		残	明晚				1518
938			ⅣT0507①：180	1		残	明晚				
939			ⅣT0507①：181	1		残	明晚				
940			ⅣT0507①：182	1		残	明晚				
941			ⅣT0507①：183	1		残	明晚				
942			ⅣT0507①：184	1		残	明晚				
943			ⅣT0507①：185	1		残	明晚				
944			ⅣT0507①：186	1		残	明晚				
945			ⅣT0507①：187	1		残	明晚				
946			ⅣT0507①：188	1	1	残	明晚				
947			ⅣT0507①：189	1		残	明晚				
948			ⅣT0507①：190	1		残	明晚				
949			ⅣT0507①：191	1		残	明晚				
950			ⅣT0507①：192	1		残	明晚				
951			ⅣT0507①：193	1	1	残	明晚				
952			ⅣT0507①：194	1		残	明晚				
953			ⅣT0507①：195	1		残	明晚				
954			ⅣT0508①	3		残	明晚				
955			ⅣT0604③A	1		残	明晚				
956			ⅣT0605②	3	3	残	明晚				
957			ⅣT0606①：4	1	1	残	明晚	残7.8	残17.2	2	
958			ⅣT0606①	3	2	残	明晚				
959			ⅣT0606④	14	8	残	明晚				
960			ⅣT0607①：8	1	1	残	明晚				
961			ⅣT0607①：9	1	1	残	明晚	残11.5	残14.8	1.5	
962			ⅣT0607①：14	2	1	残	明晚				
963			ⅣT0607①：15	1	1	残	明晚				
964			ⅣT0607①：17	1	1	完整	明晚				
965			ⅣT0607①：23	1	1	较完整	明晚	13	残19.5	1.5	
966			ⅣT0607①：36	1	1	较完整	明晚	12.8	残17.6	1.5	
967			ⅣT0607①：47	1	1	残	明晚	残10	20.5	1.3	
968			ⅣT0607①：51	1	1	残	明晚	残7	残6.5	1.4	
969			ⅣT0607①：55	1	1	较完整	明晚	12.7	残19	1.5	
970			ⅣT0607①：56	1	1	残	明晚	残12.5	残7.2	1.8	
971			ⅣT0607①：59	1		残	明晚				
972			ⅣT0607①：60	1	1	残	明晚	残10.6	残11.3	1.7	

续表

序号	类型	名称	出土单位/编号	数量/片	计件	完残	年代	瓦头尺寸/厘米			小计/件
								高	宽	厚	
973	Ba	滴水	ⅣT0607①	8	3	残	明晚				1518
974			ⅣT0608①：4	1	1	残	明晚	残11.2	19.5	1.5	
975			ⅣT0608①：5	1	1	完整	明晚	12.6	20	1.1	
976			ⅣT0608①：8	1	1	残	明晚	残11.8	20	1.5	
977			ⅣT0608①：10	1	1	较完整	明晚	12	残20.5	1.1	
978			ⅣT0608①：12	1	1	较完整	明晚	13	残20.5	1.5	
979			ⅣT0608①：14	1	1	完整	明晚	13.5	20.5	1.5	
980			ⅣT0608①：15	1	1	残	明晚	残11.7	残14.5	1.5	
981			ⅣT0608①：20	1	1	完整	明晚	13	20.5	1.5	
982			ⅣT0608①：21	1	1	残	明晚	残12.5	残14	1.5	
983			ⅣT0608①：22	1	1	较完整	明晚	12.5	残20	1.5	
984			ⅣT0608①：23	1	1	残	明晚	残13	残19.8	1.5	
985			ⅣT0608①：25	1	1	残	明晚	残11.5	残18	1.7	
986			ⅣT0608①：31	1	1	残	明晚	残11.7	残16.8	1.5	
987			ⅣT0608①：32	1	1	残	明晚	残8	残20.5	1.3	
988			ⅣT0608①：33	1	1	残	明晚	残11	残19.6	1.5	
989			ⅣT0608①：35	1	1	完整	明晚	13.7	20.5	1.8	
990			ⅣT0608①：36	1	1	残	明晚	残5	残19.5	1.2	
991			ⅣT0608①：37	1	1	完整	明晚	14	19.5	1.5	
992			ⅣT0608①：38	1	1	残	明晚	残11.5	20.1	1.4	
993			ⅣT0608①：40	1	1	残	明晚	残10.7	19	1.5	
994			ⅣT0608①：41	1	1	残	明晚				
995			ⅣT0608①：43	1	1	残	明晚				
996			ⅣT0608①：44	1	1	残	明晚				
997			ⅣT0608①：46	1	1	残	明晚				
998			ⅣT0608①：47	1	1	残	明晚				
999			ⅣT0608①：58	1	1	残	明晚				
1000			ⅣT0608①	10	5	残	明晚				
1001			ⅣT0706②：3	1	1	残	明晚				
1002			ⅣT0706②：5	1	1	完整	明晚	13	20	1.6	
1003			ⅣT0706②：11	1	1	较完整	明晚	残13.3	残17	1.6	
1004			ⅣT0706②：13	1	1	残	明晚				
1005			ⅣT0706②：20	1	1	残	明晚				
1006			ⅣT0706②	17	15	残	明晚				
1007			ⅣT0706③	16	10	残	明晚				
1008			ⅣT0707②：2	1	1	较完整	明晚	13.5	残20.5	1.5	

续表

序号	类型	名称	出土单位/编号	数量/片	计件	完残	年代	瓦头尺寸/厘米			小计/件
								高	宽	厚	
1009	Ba	滴水	ⅣT0707②：3	1	1	残	明晚	12.7	残12	1.4	1518
1010			ⅣT0707②：5	1	1	残	明晚	残10.5	残12.5	1.3	
1011			ⅣT0707②：6	1	1	残	明晚	残11.5	残14	1.5	
1012			ⅣT0707②：7	1	1	残	明晚	12.5	残13	1.5	
1013			ⅣT0707②：8	1	1	完整	明晚	12.5	19	1.5	
1014			ⅣT0707②：9	1	1	较完整	明晚	残11	19	1.3	
1015			ⅣT0707②：10	1	1	较完整	明晚	残12	18.4	1.5	
1016			ⅣT0707②：11	1		残	明晚	残9.5	残9	1.3	
1017			ⅣT0707②：12	1		残	明晚	残9.2	残7	1.3	
1018			ⅣT0707②：13	1		残	明晚	残8	残8.5	1.4	
1019			ⅣT0707②：19	1	1	残	明晚	残10.5	残10	残0.9	
1020			ⅣT0707②	6		残	明晚				
1021			ⅣT0707③：1	1	1	完整	明晚	13	19.4	1.5	
1022			ⅣT0707③：2	1	1	残	明晚	13.2	残17	1.5	
1023			ⅣT0707③：3	1	1	残	明晚	残10	18.5	1.4	
1024			ⅣT0707③：4	1	1	残	明晚	残11	残14	1.5	
1025			ⅣT0707③：5	1	1	较完整	明晚	13.5	残12	1.5	
1026			ⅣT0707③：6	1	1	残	明晚	残7	残9	1.4	
1027			ⅣT0707③：7	1		残	明晚	残6.9	残5.9	1.5	
1028			ⅣT0707③：8	1	1	完整	明晚	13.7	21	1.4	
1029			ⅣT0707③：9	1	1	较完整	明晚	残11.5	残21	1.4	
1030			ⅣT0707③：10	1	1	残	明晚	13.5	残17.5	1.5	
1031			ⅣT0709①：2	1	1	较完整	明晚	13.8	残21	1.5	
1032			ⅣT0709①：5	1	1	残	明晚	残7.5	残8.4	1.3	
1033			ⅣT0709①：7	1	1	残	明晚	残6.9	残11.5	1.5	
1034			ⅣT0709①：11	2	1	完整	明晚	12.5	19.7	1.5	
1035			ⅣT0709①：13	1	1	残	明晚				
1036			ⅣT0709①：14	1		残	明晚				
1037			TG21②：14	1	1	残	明晚	13	残20	1.5	
1038			TG21②：15	1	1	残	明晚	残12	残17.5	1.3	
1039			TG21②：16	1	1	残	明晚	13.5	残19.8	1.6	
1040			TG21②：17	1	1	残	明晚	13	残19.5	1.5	
1041			TG21②：18	1	1	完整	明晚	13	20	1.6	
1042			TG21②：19	1	1	较完整	明晚	11.8	残19.3	1.5	
1043			TG21②：31	1		残	明晚	残6.2	残13.4	1.9	
1044			TG21②：32	1		残	明晚	残10	残8.6	1.2	

续表

序号	类型	名称	出土单位/编号	数量/片	计件	完残	年代	瓦头尺寸/厘米			小计/件
								高	宽	厚	
1045	Ba	滴水	TG21②：33	1	1	残	明晚	残5.5	残13	1	1518
1046			TG21②：34	1		残	明晚	残4.5	残6.8	2	
1047			TG21②：35	1	1	残	明晚	12.1	残16	2.1	
1048			TG21②：36	1	1	残	明晚	12.2	残9.8	1.5	
1049			TG21②：37	1	1	残	明晚	12	残16.5	1.7	
1050			TG21②：38	1		残	明晚	残7	残11.2	1.3	
1051			TG21②：39	1		残	明晚	残7.9	残8.7	1.3	
1052			TG21②：40	1		残	明晚	残8.4	残8	1.4	
1053			TG21②：41	1		残	明晚	残4.3	残7.4	1.5	
1054			TG21②：42	1		残	明晚	残8.7	残16.2	1.6	
1055			TG21②：43	1		残	明晚	残4.6	残11.6	1.3	
1056			TG21②：44	1		残	明晚	残6.7	残14.8	1.2	
1057			TG21②：45	1		残	明晚	残11.2	残8.7	1.4	
1058			TG21②：46	1	1	残	明晚	残6.8	残6.2	1.2	
1059			TG21②：48	1		残	明晚	残11	残11.4	1.7	
1060			TG21②：49	1		残	明晚	12.5	残7.5	1.6	
1061			TG21②：50	1	1	残	明晚	残9	残10.2	残0.5	
1062			TG21②：51	1		残	明晚	残8.1	残6.5	1.1	
1063			TG21②：52	1	1	残	明晚	残11	残8	1.2	
1064			TG21②：55	1		残	明晚	残9.8	残9.5	残0.7	
1065			TG21②：60	1	1	残	明晚	残11.7	残7	1.6	
1066			TG21②：63	1		残	明晚	残3.1	残10.3	1.3	
1067			TG21②：64	1		残	明晚	残4	残7.1	残2	
1068			TG21②：65	1		残	明晚	残7	残12	1.4	
1069			TG21②：66	1		残	明晚	残9.5	残8	1.1	
1070			TG21②：67	1	1	残	明晚	残10.3	残14.5	残1	
1071			TG21②：68	1		残	明晚	残7	残15	残0.8	
1072			TG21②：69	1	1	残	明晚	残10	残9.5	1.5	
1073			TG21②：70	1		残	明晚	残2.8	残8	1	
1074			TG21②：73	1	1	残	明晚	残8.5	残11	1.2	
1075			TG21②：74	1	1	残	明晚	残8.5	残15.5	残1	
1076			TG21②：76	1		残	明晚	残5.6	残14.5	1.3	
1077			TG21②：77	1		残	明晚	残10	残8.5	1	
1078			TG21②：78	2	1	残	明晚	残8	残14	残0.9	
1079			TG21②：79	1		残	明晚	残5.5	残10	1	
1080			TG21②：80	1		残	明晚	残4.2	残8	1.2	

续表

序号	类型	名称	出土单位/编号	数量/片	计件	完残	年代	瓦头尺寸/厘米			小计/件
								高	宽	厚	
1081	Ba	滴水	TG21②：81	1		残	明晚	残4	残14	1.2	1518
1082			TG21②：82	1		残	明晚	残7	残11	1.3	
1083			TG21②：83	1		残	明晚	残6.8	残5.3	1.7	
1084			TG21②：84	1		残	明晚	残10.8	残6.4	1.5	
1085			TG21②：85	1		残	明晚	残5.6	残6.5	1.2	
1086			TG21②：86	1	1	残	明晚	残6.2	残7.5	2	
1087			TG21②：87	1	1	残	明晚	残6.3	残4.5	1.5	
1088			TG21②：90	1		残	明晚	残13.6	残15.5	1.2	
1089			TG21②：93	1	1	残	明晚	残13.4	残10.2	1.7	
1090			TG21②：94	1	1	残	明晚	残6.1	残9.5	1	
1091			TG21②：95	1		残	明晚	残12.8	残8	1	
1092			TG21②：96	1	1	残	明晚	残3.5	残9	1.4	
1093			TG21②：97	1	1	残	明晚	残9	残8	1	
1094			TG21②：99	1	1	残	明晚	残14.5	残12.5	1.3	
1095			TG21②：100	1	1	残	明晚	残5.8	残10.5	1.7	
1096			TG21②：103	1	1	残	明晚	残6	残7	1.2	
1097			TG21②：106	1		残	明晚	残4.3	残6.5	1.1	
1098			TG21②：107	1	1	残	明晚	残5	残8.5	残0.8	
1099			TG21②：108	1		残	明晚	残9	残12	1.8	
1100			TG21②：110	1	1	残	明晚	残12	残12	1.7	
1101			TG21②：111	1	1	残	明晚	残9.5	残20	残0.5	
1102			TG21②：119	1		残	明晚	残15.5	19.5	1.1	
1103			TG23②：5	1	1	残	明晚	13.4	残18	1.5	
1104			TG23②：6	1	1	残	明晚	残12	19	1.1	
1105			TG23②：9	1	1	残	明晚	残10.5	残20	1	
1106			TG23②：10	1	1	残	明晚	残10	残10	1.4	
1107			TG23②：11	1	1	残	明晚	残8.5	残16.3	1.3	
1108			TG23②：12	1	1	残	明晚	残9	残14.5	1.3	
1109			TG23②：13	1		残	明晚	残8.4	残8	1.3	
1110			TG23②：14	1	1	残	明晚	残8	残5	2	
1111			TG23②：15	1	1	残	明晚	残10	残13.5	1.4	
1112			TG55②：21	1		残	明晚				
1113			TG55②：22	1	1	残	明晚				
1114			TG55②：23	1	1	残	明晚				
1115			TG55②：24	1	1	残	明晚				
1116			TG55②：25	1	1	残	明晚				

续表

序号	类型	名称	出土单位/编号	数量/片	计件	完残	年代	瓦头尺寸/厘米			小计/件
								高	宽	厚	
1117	Ba	滴水	TG55②：26	1	1	残	明晚				1518
1118			TG55②：27	1		残	明晚				
1119			TG55②：28	1	1	残	明晚				
1120			TG55②：29	1		残	明晚				
1121			TG55②：30	1	1	残	明晚				
1122			TG55②：31	1	1	残	明晚				
1123			TG55②：32	1		残	明晚				
1124			TG55②：33	1	1	残	明晚				
1125			TG55②：34	1		残	明晚				
1126			TG41③：33	1	1	残	明晚	13	残19	1.7	
1127			TG41③：34	1	1	残	明晚	残12.2	18.2	1.5	
1128			TG10③：54	1	1	残	明晚	残10	残12	1.5	
1129			TG44③：58	1		残	明晚	残13.1	残12	1.6	
1130			TG44③：78	1		残	明晚	残6.5	残9.5	1.6	
1131			TG44③：79	1	1	完整	明晚	13.4	19.2	1.5	
1132			TG44③：80	1		残	明晚	残5.5	残15	2	
1133			TG44③：81	1	1	残	明晚	残8.1	残11.4	1.4	
1134			TG44③：82	1	1	残	明晚	残9	20.5	1.3	
1135			TG45①：8	1	1	残	明晚	残8	残10	1.5	
1136			TG45①：9	1	1	残	明晚	残6.3	残8.7	1.3	
1137			TG45①：10	1	1	残	明晚	残7.5	残14.6	2.6	
1138			TG45①：11	1	1	残	明晚	残6.4	残9.3	1.8	
1139			TG45①：12	1	1	残	明晚	残10.8	残13.2	1.3	
1140			TG45①：13	1	1	残	明晚	残8.5	残9.5	残0.7	
1141			TG45①：14	1	1	残	明晚	残10.3	残7.3	1.1	
1142			TG45①：15	1	1	残	明晚	残6.8	残14.4	2.5	
1143			TG45①：16	1	1	残	明晚	残8.4	残8.4	1.3	
1144			TG45①：17	1	1	残	明晚	残9.5	残5.6	1.3	
1145			TG45①：18	1	1	残	明晚	残7.3	残4.2	2.1	
1146			TG45①：19	1	1	残	明晚	残9.8	残7.2	1.1	
1147			TG45①：20	1	1	残	明晚	残6.6	残8	1.3	
1148			TG45①：21	1	1	残	明晚	残8.1	残5.9	1.3	
1149			TG45①：22	1	1	残	明晚	残7.1	残6.9	1.4	
1150			TG45①：23	1	1	残	明晚	残3.6	残6.3	1.2	
1151			TG45①：24	1	1	残	明晚	残6.8	残9	1.5	
1152			TG45①：25	1	1	残	明晚	残10.2	残5.3	1.2	

续表

序号	类型	名称	出土单位/编号	数量/片	计件	完残	年代	瓦头尺寸/厘米			小计/件
								高	宽	厚	
1153	Ba	滴水	TG45①：26	1	1	残	明晚	残6.1	残5.7	1.3	1518
1154			TG45①：27	1	1	残	明晚	残9.8	残11.2	1.1	
1155			TG45①：28	1	1	残	明晚	残9.5	残8	1.1	
1156			TG45①：29	1	1	残	明晚	残6.9	残19.9	残0.9	
1157			TG45①：30	1	1	残	明晚	残10.1	残7.3	1.8	
1158			TG45①：31	1	1	残	明晚	残6.7	残6.9	1.2	
1159			TG45①：32	1	1	残	明晚	残7.6	残6.5	1.2	
1160			TG45①：33	1	1	残	明晚	残6.3	残8.2	1.4	
1161			TG48①：21	1	1	残	明晚	残10	残19	1.5	
1162			TG48①：22	1	1	较完整	明晚	残12.7	残19.5	1.5	
1163			TG48①：23	1	1	较完整	明晚	16.9	21.8	3.3	
1164			TG48①：24	1	1	较完整	明晚	残11.7	20.2	1.3	
1165			TG3③：11	1	1	完整	明晚	13.5	21	1.5	
1166			TG3③：12	1	1	完整	明晚	13	20.5	1.5	
1167			TG3③：13	1	1	较完整	明晚	12	20.6	1.1	
1168			TG3③：14	1	1	完整	明晚	13.2	20	1.5	
1169			TG3③：23	1	1	残	明晚	残8.5	残14.5	1.1	
1170			TG3③：24	1	1	残	明晚	残11	残9.5	1.2	
1171			TG2②：2	1	1	残	明晚				
1172			TG2④：22	1		残	明晚				
1173			TG2④：24	1	1	残	明晚				
1174			TG4③：9	1	1	完整	明晚	12	20	1.4	
1175			TG4③：10	1	1	完整	明晚	12.2	19.5	1.3	
1176			TG4③：11	1	1	残	明晚	残6.8	20	3	
1177			TG4③：12	1	1	残	明晚	12.5	残11	1.3	
1178			TG4③：13	1	1	残	明晚	12.5	残18	1.5	
1179			TG4③：14	1	1	完整	明晚	13	20	1.3	
1180			TG4③：15	1	1	完整	明晚	13	20.5	1.5	
1181			TG4③：32	1	1	残	明晚	12.5	残15	1.2	
1182			TG4③：35	1	1	残	明晚	残11.2	残17.5	1	
1183			TG4③：36	1	1	残	明晚	残9.5	残11	1.5	
1184			TG4③：37	1		残	明晚				
1185			TG4③：38	1		残	明晚	残8	残6.5	1.5	
1186			TG4③：39	1		残	明晚	残4	残8.5	1.3	
1187			TG4③：40	1		残	明晚	残9.8	残9.8	1.4	
1188			老王宫采：25	1	1	残	明晚	残8	残16	1.3	

续表

序号	类型	名称	出土单位/编号	数量/片	计件	完残	年代	瓦头尺寸/厘米			小计/件
								高	宽	厚	
1189	Ba	滴水	老王宫采：26	1	1	完整	明晚	12.5	20.5	1.1	1518
1190			TG30②：2	1	1	残	明晚				
1191			太平Y1：7	1	1	较完整	明晚	残12	20.5	1.5	
1192			太平Y1：8	1	1	残	明晚	残8.5	残16	1.3	
1193			F32①：11	1	1	残	明晚	残12	11.5	2	
1194			F32①：12	1	1	较完整	明晚	12.5	19.5	2	
1195			F32①：24	1	1	较完整	明晚	13.5	20	2	
1196	Ba	板瓦勾头	F1①：10	1	1	残	明晚	残15.5	残15.5	1.5	1272
1197			F1①：11	1	1	残	明晚	残15.5	残18.7	1.5	
1198			F1①：12	1	1	完整	明晚	16.6	19.3	1.6	
1199			F1①：34	1	1	残	明晚	残15	20	1.4	
1200			F1①：35	1	1	残	明晚	残15.3	19.5	1.4	
1201			F1①：50	1	1	较完整	明晚	残15.5	20	1.7	
1202			F1①	1		完整	明晚				
1203			F1①	14	3	残	明晚				
1204			F1①	10	5	残	明晚				
1205			F1②：19	1	1	残	明晚				
1206			F1②：20	3	1	残	明晚				
1207			F1②：21	1	1	残	明晚				
1208			F1②	2	1	残	明晚				
1209			F2①：2	1	1	残	明晚	残12.5	残17.5	1.3	
1210			F2①：3	1	1	残	明晚	残11.5	残16.5	1.5	
1211			F2①：7	1	1	残	明晚	残14	残12.5	1.5	
1212			F2①：11	1	1	残	明晚	残14.7	残8.5	1.3	
1213			F2①：14	1	1	残	明晚	残13	残11	1.3	
1214			F2①：19	1	1	完整	明晚	17.2	19.5	1.5	
1215			F2①：22	1	1	完整	明晚	16	19.3	1.5	
1216			F2①：24	1	1	残	明晚	残15.5	15.2	1.5	
1217			F2①：30	1	1	残	明晚	16.5	残19.9	1.5	
1218			F2①：31	1	1	残	明晚	残11.5	残6	1.5	
1219			F2①：32	1	1	残	明晚	残9.5	残11	2.5	
1220			F2①：33	1	1	残	明晚	残11.3	残12	2.2	
1221			F2①：34	1	1	残	明晚	残8	残11.2	1.1	
1222			F2①：35	1	1	残	明晚	残12	残10	2.7	
1223			F2①：36	1	1	残	明晚	残9	残10.2	2.1	
1224			F2①：37	1	1	残	明晚	残12.2	残9.5	1.5	

续表

序号	类型	名称	出土单位/编号	数量/片	计件	完残	年代	瓦头尺寸/厘米			小计/件
								高	宽	厚	
1225	Ba	板瓦勾头	F2①：38	1	1	残	明晚	残7.3	残10	2	1272
1226			F2①：39	1	1	残	明晚	残15	残12	1.5	
1227			F2①：40	1	1	残	明晚	残13	残10	3	
1228			F2①：41	1	1	残	明晚	残6.2	残10.2	2	
1229			F2①：42	1	1	残	明晚	残12	残15	3	
1230			F2①：43	1	1	残	明晚	残12.3	残10.3	1.3	
1231			F2①：44	1	1	残	明晚	残8.7	残10.5	2	
1232			F2①：45	1	1	残	明晚	残7.5	残11	2	
1233			F2①：46	1	1	残	明晚	残7.2	残10.2	2.2	
1234			F2①：47	1	1	残	明晚	残8.5	残7	1	
1235			F2①：48	1	1	残	明晚	残8	残8.2	2	
1236			F2①：49	1	1	残	明晚	残10.2	残10.5	1.2	
1237			F2①：50	1	1	残	明晚	残13.5	残11.7	2.1	
1238			F2①：113	1	1	残	明晚	残13.3	残12.2	2.2	
1239			F3①：1	1	1	残	明晚				
1240			F3①：3	1	1	残	明晚				
1241			F3①：6	1	1	残	明晚				
1242			F3①：10	1	1	残	明晚				
1243			F3①：11	1	1	残	明晚	残12.5	残13.5	1.3	
1244			F3①：12	1	1	残	明晚	残13.5	残9	1.5	
1245			F3①：15	1	1	残	明晚	残7	残11.5	1.8	
1246			F3①：16	1	1	残	明晚				
1247			F3①：18	1	1	残	明晚	残15.5	残19.7	1.5	
1248			F3①：20	1	1	残	明晚	残15	残13.5	1.3	
1249			F3①：21	1	1	残	明晚	残10.8	17.5	1.3	
1250			F3①：22	1	1	残	明晚	残12	残10	1.7	
1251			F3①：25	1	1	残	明晚				
1252			F3①：27	1	1	残	明晚				
1253			F3①：38	1	1	残	明晚				
1254			F3①：40	1	1	残	明晚				
1255			F3①：65	1	1	残	明晚				
1256			F3①	59	22	残	明晚				
1257			F4①：1	1	1	残	明晚	残12	残15.7	1.4	
1258			F5①：5	1	1	残	明晚	残15.4	残11	1.4	
1259			F5①：9	1	1	较完整	明晚	残16.8	21	1.4	
1260			F5①：10	1	1	较完整	明晚	16.8	残19.9	1.4	

续表

序号	类型	名称	出土单位/编号	数量/片	计件	完残	年代	瓦头尺寸/厘米			小计/件
								高	宽	厚	
1261	Ba	板瓦勾头	F5①：13	1	1	残	明晚	残15	19	1.4	1272
1262			F5①：14	1	1	完整	明晚	17	19.5	1.5	
1263			F5①：17	1	1	残	明晚	残16.5	残12.7	1.4	
1264			F6①：10	1	1	残	明晚	残15	20.5	1.2	
1265			F6①：12	1	1	残	明晚	残14.8	残19.5	1.3	
1266			F6①：13	1	1	较完整	明晚	16.5	20.5	1.4	
1267			F6①：14	1	1	完整	明晚	16	20.5	1.5	
1268			F6①：16	1	1	残	明晚	残16.9	20.5	1.5	
1269			F6①：17	1	1	较完整	明晚	残15.3	20	1.6	
1270			F6①：21	1	1	较完整	明晚	残15	20.5	1.4	
1271			F6①：221	1	1	残	明晚				
1272			F6①：222	1	1	完整	明晚	16	18.5	1.1	
1273			F6①：223	1	1	残	明晚	残15	19.5	1.4	
1274			F6①：224	1	1	残	明晚				
1275			F8①：9	1	1	残	明晚	残15.5	残21	1.5	
1276			F8①：13	1	1	残	明晚	残15	残20	1.3	
1277			F8①：14	1	1	残	明晚	残15	残7.5	1.4	
1278			F8①：31	1	1	残	明晚	残14	20.5	1.3	
1279			F8①：33	1	1	残	明晚	残15	残20	1.7	
1280			F8①：34	1	1	残	明晚	16	残14.5	1.5	
1281			F8①：35	1	1	较完整	明晚	17.5	18	1.5	
1282			F8①：58	1	1	完整	明晚	16.6	20.5	1.7	
1283			F8①：60	1	1	较完整	明晚	残16	20	1.5	
1284			F8①：68	1	1	残	明晚	残15.5	残16.4	1.7	
1285			F8①：85	1	1	残	明晚	残14.5	残11.5	1.5	
1286			F8①：86	1	1	残	明晚	残15.5	20.5	1.4	
1287			F8①：88	1	1	残	明晚	残15.3	残20	1.5	
1288			F8①：116	1	1	残	明晚	残14	残19.8	1.4	
1289			F8②	25	6	残	明晚				
1290			F9①：183	1	1	残	明晚	残15.8	残18	1.4	
1291			F9①：191	1	1	残	明晚	残14.9	残19	1.5	
1292			F9①：192	1	1	残	明晚	残14	残20	1.2	
1293			F9①：209	1	1	残	明晚				
1294			F9①：230	1	1	残	明晚				
1295			F9①：232	1	1	残	明晚				
1296			F9①：233	1	1	残	明晚				

续表

序号	类型	名称	出土单位/编号	数量/片	计件	完残	年代	瓦头尺寸/厘米			小计/件
								高	宽	厚	
1297	Ba	板瓦勾头	F9①	5	3	残	明晚				1272
1298			F9②	8	4	残	明晚				
1299			F10①：89	1	1	较完整	明晚	残9.3	残16.2	1.1	
1300			F10①：98	1	1	残	明晚	残3	残9.4	3	
1301			F10①	105	31	残	明晚				
1302			F12①：19	1	1	较完整	明晚	残15.2	18.5	1.4	
1303			F12①：20	1	1	完整	明晚	17.5	20	1.5	
1304			F12①：30	1	1	完整	明晚	16.5	19	1.4	
1305			F12①：31	1	1	完整	明晚	16.3	19.7	1.5	
1306			F12①：32	1	1	完整	明晚	16.4	19	1.5	
1307			F12①：50	1	1	较完整	明晚	残15	20.8	0.4	
1308			F12①：51	1	1	残	明晚	残15	19	1.3	
1309			F12①：52	1	1	残	明晚	残12.3	19	1	
1310			F12①：53	1	1	完整	明晚	16	20	1.5	
1311			F12①	43	16	残	明晚				
1312			F12②：2	1	1	完整	明晚	16.2	20	1.4	
1313			F12②：4	1	1	完整	明晚	16	20	1.5	
1314			F18①：2	1	1	较完整	明晚	残17	19.8	1.3	
1315			F18①：3	1	1	完整	明晚	16.4	18.5	1.3	
1316			F18①：4	1	1	较完整	明晚	残16.3	19.5	1.5	
1317			F18①：5	1	1	较完整	明晚	14.7	残20.5	1.6	
1318			F18①：6	1	1	残	明晚	残14	19.5	1.3	
1319			F18①：7	1	1	完整	明晚	16.9	19.8	1.7	
1320			F18①：8	1	1	残	明晚	残13.9	18.5	1.3	
1321			F19①	34	16	残	明晚				
1322			F19②：3	1	1	残	明晚	残14.5	残14.5	1.4	
1323			F19②：4	1	1	残	明晚	残14.5	残13.2	1.6	
1324			F19天井①	39	26	残	明晚				
1325			F19天井①	49	30	残	明晚				
1326			F19天井②	150	72	残	明晚				
1327			F27①：5	1		残	明晚	残5.5	残9.3	1.2	
1328			F27①：6	1		残	明晚	残9.5	残9	1.8	
1329			F27①：7	1	1	残	明晚	残12.8	残16	1	
1330			F27①：8	1	1	残	明晚	残12.5	残12	1.2	
1331			F27①：9	1	1	完整	明晚	16.2	20.5	1.4	
1332			F29①：4	1	1	残	明晚	残4.5	残6.5	2	

续表

序号	类型	名称	出土单位/编号	数量/片	计件	完残	年代	瓦头尺寸/厘米			小计/件
								高	宽	厚	
1333	Ba	板瓦勾头	F29①：5	1		残	明晚	残9	残13.5	2.5	1272
1334			F29①：17	1	1	残	明晚	残10	残20	1	
1335			F29①	3		残	明晚				
1336			F30①：2	1		残	明晚	残8.5	残11.5	2	
1337			F30①：3	1		残	明晚	残12.4	残20	1.2	
1338			F30①：8	1		残	明晚	残14.5	残17	1.5	
1339			现代坑1：9	1	1	残	明晚				
1340			现代坑2：5	1	1	残	明晚				
1341			现代坑3：4	1	1	残	明晚				
1342			现代坑3：5	1	1	残	明晚				
1343			现代坑6：2	1	1	残	明晚				
1344			现代坑6：3	1	1	残	明晚				
1345			现代坑7：10	1	1	残	明晚				
1346			K2①：31	2	1	残	明晚				
1347			K2①：36	1	1	残	明晚				
1348			K4②：32	1		残	明晚				
1349			K4②：33	1	1	残	明晚				
1350			K4②：34	1	1	残	明晚				
1351			K4②：35	1		残	明晚				
1352			K4②：36	1	1	残	明晚				
1353			K4②：37	1		残	明晚				
1354			K4②：38	1	1	残	明晚				
1355			K4②：39	1		残	明晚				
1356			K4②：40	1		残	明晚				
1357			K4②：41	1		残	明晚				
1358			K6①：5	1	1	较完整	明晚	残16.5	20.5	1	
1359			K6①：6	1	1	较完整	明晚	残15.6	20	残0.9	
1360			K6①：7	1	1	残	明晚	13	残12.5	1.4	
1361			K6①：8	1	1	残	明晚	残13.8	残15	残0.8	
1362			K6①：9	1	1	残	明晚	17.5	残20	2	
1363			K6①：14	1		残	明晚	残12.5	残14	1.3	
1364			K9①：3	1	1	完整	明晚	16.9	20.5	1.2	
1365			K9①：4	1	1	残	明晚				
1366			K9①：8	1		残	明晚				
1367			K9①：12	1	1	残	明晚				
1368			K9①：14	1	1	残	明晚				

续表

序号	类型	名称	出土单位/编号	数量/片	计件	完残	年代	瓦头尺寸/厘米			小计/件
								高	宽	厚	
1369	Ba	板瓦勾头	K9①：21	1	1	残	明晚				1272
1370			K9①：22	1	1	残	明晚				
1371			K9①：24	1		残	明晚				
1372			K9①：25	1		残	明晚				
1373			G1①：6	1	1	残	明晚	残12	20.1	1.6	
1374			G1①：8	1	1	完整	明晚	17.1	20.5	1.6	
1375			G1①：9	1	1	较完整	明晚	16.3	残19.3	1.5	
1376			G1①：11	1	1	完整	明晚	17	20.3	1.5	
1377			G1①：12	1	1	残	明晚	17	残11.7	1.4	
1378			G1①：13	1	1	完整	明晚	17.5	20.5	1.5	
1379			G1①：17	1	1	较完整	明晚	16.1	残17.9	1.6	
1380			G1①：20	1	1	残	明晚	16.8	残15.6	1.5	
1381			G1①：23	1	1	残	明晚	残16	20.1	1.4	
1382			G1①：27	1	1	完整	明晚	17.3	20.5	1.3	
1383			G1①：28	1	1	残	明晚	残16	20.5	1.5	
1384			G1①：29	1	1	较完整	明晚	残15.5	19.8	1.5	
1385			G1①：30	1	1	完整	明晚	16.9	19.9	1.6	
1386			G1①：43	10	1	残	明晚				
1387			G1①	25	17	残	明晚				
1388			G1①	48	25	残	明晚				
1389			G1②：5	1	1	残	明晚				
1390			G1②：7	1	1	较完整	明晚	16.6	残16.6	1.5	
1391			G1②：8	1	1	较完整	明晚	残16.6	残17.9	1.5	
1392			G1②：9	1	1	完整	明晚	15.8	19.5	1.6	
1393			G1②：10	1	1	残	明晚	残13.3	20	1.5	
1394			G1②：11	1	1	残	明晚	残12.1	残8	1.5	
1395			G1②：12	1	1	残	明晚	残17.2	13.6	1.6	
1396			G1②：13	1	1	完整	明晚	16.6	20.1	1.5	
1397			G1②：14	1	1	完整	明晚	15.7	20.1	1.4	
1398			G1②：17	1	1	残	明晚	残15.5	19	1.5	
1399			G1②：19	1	1	残	明晚	残12	20.5	1.7	
1400			G1②：22	1	1	完整	明晚	17.1	20	1.1	
1401			G2①：17	1	1	完整	明晚	17.5	20.7	1.4	
1402			G2①：19	1	1	完整	明晚	16.8	19.5	1.4	
1403			G2①：27	1	1	残	明晚				
1404			G2①	8	2	残	明晚				

续表

序号	类型	名称	出土单位/编号	数量/片	计件	完残	年代	瓦头尺寸/厘米			小计/件
								高	宽	厚	
1405	Ba	板瓦勾头	G2②：56	1	1	残	明晚				1272
1406			G2②：57	1	1	残	明晚				
1407			G2②：60	1	1	残	明晚				
1408			G2②：61	1	1	残	明晚				
1409			G2②：64	1	1	残	明晚				
1410			G2②：65	1	1	残	明晚				
1411			G2②：69	1	1	残	明晚				
1412			G2②：70	1	1	残	明晚				
1413			G2②：71	1	1	残	明晚				
1414			G2②	29	6	残	明晚				
1415			G2③：2	1	1	较完整	明晚	15.6	18.3	1.7	
1416			G2③：3	1	1	完整	明晚	17	20.2	1.8	
1417			G2③：4	1	1	残	明晚	16.5	残14	1.5	
1418			G2③：7	1	1	完整	明晚	16.6	20.4	1.8	
1419			G2③：10	1	1	较完整	明晚	16	残16	1.3	
1420			G2③：12	1	1	残	明晚				
1421			G2③：15	1	1	残	明晚				
1422			G2③：16	1	1	较完整	明晚	残16.2	20.1	1.7	
1423			G2③：18	1	1	残	明晚				
1424			G2③：22	1	1	较完整	明晚	残15.4	19.5	1.9	
1425			G2③：26	1	1	残	明晚				
1426			G2③：28	1	1	残	明晚	残14.9	残16.9	1.7	
1427			G2③：29	1	1	完整	明晚	16.7	20.3	1.5	
1428			G2③：31	1	1	残	明晚				
1429			G2③：32	1	1	残	明晚				
1430			G2③：34	1	1	残	明晚				
1431			G2③：36	1	1	完整	明晚	18.2	19.9	1.5	
1432			G2③：37	1	1	残	明晚				
1433			G2③：39	1	1	残	明晚				
1434			G2③：40	1	1	残	明晚				
1435			G2③：41	1		残	明晚				
1436			G2③：42	1	1	残	明晚				
1437			G2③：43	1		残	明晚				
1438			G2③：45	1	1	残	明晚				
1439			G2③：46	1		残	明晚				
1440			G2③：47	1		残	明晚				

续表

序号	类型	名称	出土单位/编号	数量/片	计件	完残	年代	瓦头尺寸/厘米			小计/件
								高	宽	厚	
1441	Ba	板瓦勾头	G2③：48	1	1	残	明晚	16.7	20.5	1.5	1272
1442			G2③：49	2	1	残	明晚				
1443			G2③：50	1	1	残	明晚				
1444			G2③：51	1	1	残	明晚				
1445			G2③：52	1	1	残	明晚				
1446			G2③：53	1	1	残	明晚				
1447			G2③：54	1	1	残	明晚				
1448			G2③：55	1	1	残	明晚				
1449			G2③：56	1	1	残	明晚				
1450			G2③：57	1		残	明晚				
1451			G2③：58	2	1	残	明晚				
1452			G2③：59	1	1	残	明晚				
1453			G2③：64	1		残	明晚				
1454			G2③：65	1		残	明晚				
1455			G2③：67	1		残	明晚				
1456			G2③	38	6	残	明晚				
1457			G8①：23	1	1	残	明晚				
1458			G8①：24	1	1	残	明晚				
1459			G8①：25	1	1	残	明晚				
1460			G8①：26	1	1	残	明晚				
1461			G8①：27	1	1	残	明晚				
1462			G8①：28	1	1	残	明晚				
1463			G8①：29	1	1	残	明晚				
1464			G8①：30	1	1	残	明晚				
1465			G8①：31	1	1	残	明晚				
1466			G8①：32	1	1	残	明晚				
1467			G8①：33	1	1	残	明晚				
1468			G8①	43	15	残	明晚				
1469			G9①：18	1	1	较完整	明晚	13.5	残12	2	
1470			G9①：19	1	1	较完整	明晚	13.9	残20.1	1.3	
1471			G9①：20	1	1	残	明晚	残11	20.3	1.3	
1472			G9①：21	1	1	较完整	明晚	13.2	残13.5	1.6	
1473			G9①：22	1	1	残	明晚	残10.5	残8.5	1.5	
1474			G9①：23	1	1	残	明晚	残8.5	18.7	1.3	
1475			G9①：24	1	1	残	明晚	残13	残10	1.4	
1476			G9①：25	1	1	较完整	明晚	13.5	19.2	1.4	

续表

序号	类型	名称	出土单位/编号	数量/片	计件	完残	年代	瓦头尺寸/厘米			小计/件
								高	宽	厚	
1477	Ba	板瓦勾头	G9①：26	1	1	较完整	明晚	残15.3	残19.8	1.4	1272
1478			G9①	1		残	明晚				
1479			G9①	62	32	残	明晚				
1480			G11：8	1	1	完整	明晚	17.2	20	1.5	
1481			G11：10	1	1	残	明晚	残11.5	21	1.3	
1482			G12①：14	1	1	残	明晚	残12	17.9	1.2	
1483			G12①：15	1	1	完整	明晚	17	20	1.5	
1484			G12①：16	1	1	完整	明晚	15.5	18.5	1.1	
1485			G12①：17	1	1	残	明晚	17	残13	1.5	
1486			G12①：19	1	1	残	明晚	17.4	残17.5	1.3	
1487			G12①：20	1	1	完整	明晚	16.8	19	1.8	
1488			G12①：21	1	1	残	明晚	16.6	残18	1.5	
1489			G12①：22	1	1	残	明晚	残12.5	20	1.4	
1490			G12①：23	1	1	完整	明晚	15.5	18.5	1.4	
1491			G12①：25	1	1	残	明晚	残11.8	残11.5	1.5	
1492			G12①：26	1	1	残	明晚	残12.5	20.2	1.5	
1493			G12①：27	1	1	完整	明晚	16.4	19.8	1.5	
1494			G12①：28	1	1	完整	明晚	16.5	19.5	1.3	
1495			G12①：29	1	1	残	明晚	残14.5	20.3	1.3	
1496			G12①：30	1	1	完整	明晚	16.5	20.4	1.7	
1497			G12①：34	1	1	完整	明晚	13.2	20.3	1.5	
1498			G12①：53	1	1	残	明晚	残14.8	残16.5	1.5	
1499			G12①：54	1	1	残	明晚	残11.1	18.4	1.4	
1500			G12①：55	1	1	较完整	明晚	15.3	残12	1.4	
1501			G12①：56	1	1	残	明晚	残16.5	残12.5	1.6	
1502			G12①：57	1	1	残	明晚	残9	残7	3.5	
1503			G12①：58	1	1	残	明晚	残4.5	残13.5	2.8	
1504			G12①：61	1		残	明晚	残6	残7.8	2.5	
1505			G12①	22	11	残	明晚				
1506			G20①	50	30	残	明晚				
1507			C1①：25	1	1	残	明晚	残13.6	残9.8	1.4	
1508			C3①：5	1	1	残	明晚				
1509			C3①：28	1		残	明晚	残4	残4.5	1.6	
1510			C3①：29	1		残	明晚	残12	残6.5	残0.8	
1511			C3①：32	1	1	完整	明晚	16.8	20	1.4	
1512			C3①：33	1		残	明晚	残3.8	残5.5	1.8	

续表

序号	类型	名称	出土单位/编号	数量/片	计件	完残	年代	瓦头尺寸/厘米			小计/件
								高	宽	厚	
1513	Ba	板瓦勾头	C3①：34	1	1	完整	明晚	16.8	19.5	1.5	1272
1514			C3①：35	1	1	残	明晚	残13	19.6	残0.7	
1515			C3①：36	1	1	残	明晚	残11.6	19.5	1.1	
1516			C3①：37	1	1	较完整	明晚	残15.4	残19.8	1.5	
1517			C3①：38	1	1	残	明晚	残11.5	残16.7	1.4	
1518			C3①：39	1	1	完整	明晚	17.2	19.8	1.2	
1519			C3①：40	1	1	较完整	明晚	残14.7	残17.6	1.3	
1520			C3①：41	1	1	残	明晚	残10.2	残10	1	
1521			C3①：42	1	1	完整	明晚	14.2	18	1.1	
1522			C3①：43	1		残	明晚	残2.5	残15.1	残0.5	
1523			C3①：45	1	1	较完整	明晚	残16.4	残18.3	1.2	
1524			C3①：46	1	1	残	明晚	15.5	残18	1.1	
1525			C3①：47	1	1	残	明晚	残12.4	残19.2	1.4	
1526			C4①：6	1	1	残	明晚	残14.4	残20	1	
1527			C4①：7	1	1	残	明晚	15.5	残12.5	1.4	
1528			C4①：8	1		残	明晚	残9.2	残9.5	1.5	
1529			C4①：9	1	1	残	明晚	残13	残14	1.2	
1530			C4①：10	1	1	残	明晚	残10.8	残20	1.8	
1531			C4①：11	1	1	残	明晚	残14.5	残20.5	1.1	
1532			C4①：12	1	1	残	明晚	残11.3	残19.5	0.9	
1533			C4①：14	1	1	残	明晚	残15	残20.5	1.3	
1534			C4①：15	1	1	完整	明晚	17.3	20.5	1.4	
1535			C4①：17	1		残	明晚	残4.5	残6.5	1.3	
1536			C4①：18	1	1	残	明晚	17	残12	1.1	
1537			C4①：19	1	1	残	明晚				
1538			C4①：26	1		残	明晚	残9.5	残7.5	1.8	
1539			C4②：2	1	1	残	明晚				
1540			C4②：3	1	1	残	明晚				
1541			C4②：4	1	1	残	明晚				
1542			C4②：5	1	1	残	明晚				
1543			C6①：11	1		残	明晚	残6	残12	1.7	
1544			C8①	1		残	明晚				
1545			C8①	17	10	残	明晚				
1546			C9①：4	1	1	完整	明晚	16.3	20.5	1.5	
1547			C9①：5	1	1	完整	明晚	16.6	20.5	1.5	
1548			C9①：6	1	1	残	明晚	残13.5	20	1	

续表

序号	类型	名称	出土单位/编号	数量/片	计件	完残	年代	瓦头尺寸/厘米			小计/件
								高	宽	厚	
1549	Ba	板瓦勾头	C9①：7	1	1	较完整	明晚	残15	残19.5	1.5	1272
1550			C9①：8	1	1	残	明晚	残15	残14.5	1.5	
1551			C9①：9	1	1	残	明晚	残15	残20	1.5	
1552			C9①：10	1	1	较完整	明晚	残16	20.5	1.3	
1553			C9①：11	1	1	残	明晚	残15	残11	1.1	
1554			C9①：12	1	1	较完整	明晚	残15	残20	1	
1555			C9①：20	2	1	残	明晚				
1556			C9①	35	10	残	明晚				
1557			L2①：1	1	1	残	明晚	残8.5	残13	1.1	
1558			L2①：7	1	1	残	明晚	残11.5	残11.9	1.2	
1559			L2①：8	1	1	残	明晚	16.5	残14.5	1.5	
1560			L2①：14	1	1	残	明晚				
1561			L2①：19	1	1	残	明晚				
1562			L2①：22	1	1	残	明晚	16.5	残19.5	1.5	
1563			L2①：26	1	1	残	明晚				
1564			L2①：28	1	1	残	明晚				
1565			L2①：31	1	1	残	明晚				
1566			L2①：32	1	1	残	明晚				
1567			L2①：35	1	1	残	明晚				
1568			L2①：37	1	1	残	明晚				
1569			L2①：38	1	1	完整	明晚	16	20	1.4	
1570			L2①：39	1	1	完整	明晚	16.2	19.8	1.5	
1571			L2①：40	1	1	残	明晚				
1572			L2①：41	1	1	残	明晚				
1573			L2①：43	1		残	明晚	残16.4	残6.8	1.1	
1574			L2①：46	1	1	残	明晚				
1575			L2①：48	1	1	残	明晚				
1576			L2①：52	1	1	残	明晚				
1577			L2①：53	1	1	残	明晚				
1578			L2①	1		残	明晚				
1579			L2②：25	1	1	残	明晚	残11	19.4	1.6	
1580			L2②：27	1	1	残	明晚	17	残14	1.3	
1581			L2③：14	1	1	残	明晚	15.6	残14	1.3	
1582			L2③：15	1	1	残	明晚	残13	残19.9	1.3	
1583			L2③：17	1	1	残	明晚	残14.1	20	1	
1584			L2③	1	1	残	明晚				

续表

序号	类型	名称	出土单位/编号	数量/片	计件	完残	年代	瓦头尺寸/厘米			小计/件
								高	宽	厚	
1585	Ba	板瓦勾头	L2④：273	1	1	完整	明晚	16.5	19.8	1.4	1272
1586			L2④：274	1	1	残	明晚	残10.1	18.8	2.1	
1587			L2④：275	1	1	残	明晚	残11	20.3	1.5	
1588			L2④：276	1	1	残	明晚	残13.2	19.5	1.1	
1589			L2④：277	1	1	残	明晚	残11.2	20.6	1.1	
1590			L2④：278	1	1	完整	明晚	16.8	20.5	1.6	
1591			L2④：279	1	1	残	明晚	残10.8	残13	1.5	
1592			L2④：280	1	1	较完整	明晚	残16.2	21	1.4	
1593			L2④：281	1	1	残	明晚	残15.7	残20	1.3	
1594			L2④：282	1	1	残	明晚	16.3	残11.8	1.1	
1595			L2④：283	1	1	残	明晚	残14.8	残14	1.2	
1596			L2④：296	1	1	残	明晚				
1597			L2④：297	1	1	残	明晚				
1598			ⅠT0101①：43	2	1	残	明晚				
1599			ⅠT0101①	42	20	残	明晚				
1600			ⅠT0101②	17	9	残	明晚				
1601			ⅠT0102②	62	14	残	明晚				
1602			ⅠT0103①：39	1		残	明晚	残7	残10.1	2	
1603			ⅠT0103①：40	1		残	明晚	残6.8	残5.5	1.5	
1604			ⅠT0103①：41	1		残	明晚	残8.5	残8.5	1.4	
1605			ⅠT0103①：43	1	1	残	明晚	残5	残6	1.8	
1606			ⅠT0103②：22	1		残	明晚	残15	残20	1.3	
1607			ⅠT0103②：25	1		残	明晚				
1608			ⅠT0103②	7	3	残	明晚				
1609			ⅠT0103③：13	1	1	残	明晚				
1610			ⅠT0103④：45	1	1	残	明晚				
1611			ⅠT0103④：46	1	1	完整	明晚	16	20.3	1.5～2.7	
1612			ⅠT0103④	8	2	残	明晚				
1613			ⅠT0104①：24	1		残	明晚	残7.5	残5.5	1.6	
1614			ⅠT0104①：25	1	1	完整	明晚	16	20.5	1.5	
1615			ⅠT0104①：26	1	1	残	明晚	残7.8	20.5	1.6	
1616			ⅠT0104①：27	1	1	较完整	明晚	残11.5	19.5	1.4	
1617			ⅠT0104①：28	1	1	残	明晚	残13.5	残10.1	1.6	
1618			ⅠT0104①：29	1	1	残	明晚	残6.5	残11.7	1.8	
1619			ⅠT0104①：30	1	1	残	明晚	残7	残9.5	1.8	
1620			ⅠT0104①：31	1	1	残	明晚	残8.5	残9.3	1.7	

续表

序号	类型	名称	出土单位/编号	数量/片	计件	完残	年代	瓦头尺寸/厘米			小计/件
								高	宽	厚	
1621	Ba	板瓦勾头	Ⅰ T0104①：32	1	1	残	明晚	残8.5	残8	1.1	1272
1622			Ⅰ T0104①：33	1		残	明晚	残9.5	残6	1.5	
1623			Ⅰ T0104①：34	1	1	残	明晚	残13.7	残8.5	1.6	
1624			Ⅰ T0104①：35	1	1	较完整	明晚	残14.6	残17.5	1.4	
1625			Ⅰ T0104①：36	1	1	残	明晚	残11.8	残9.4	1.5	
1626			Ⅰ T0104①：37	1	1	残	明晚	残10.8	残11.3	2	
1627			Ⅰ T0104①：38	1		残	明晚	残6.5	残10.6	2.5	
1628			Ⅰ T0104①：39	1		残	明晚	残7	残7.9	1.8	
1629			Ⅰ T0104①：40	1		残	明晚	残7.8	残6.3	1.8	
1630			Ⅰ T0104①：41	1		残	明晚	残8	残6.4	1.6	
1631			Ⅰ T0104①：42	1		残	明晚	残4.8	残6.2	1.5	
1632			Ⅰ T0104①：46	1		残	明晚	残7	残10.2	1.9	
1633			Ⅰ T0105①：33	1	1	残	明晚	残7.5	残13.8	1.7	
1634			Ⅰ T0105①：34	1		残	明晚	残6.4	残7.9	1.7	
1635			Ⅰ T0105①：35	1	1	残	明晚	残9.2	残12.4	1.5	
1636			Ⅰ T0105①：36	1	1	残	明晚	残8.6	残12.2	1	
1637			Ⅰ T0105①：37	1		残	明晚	残3.7	残7.7	1	
1638			Ⅰ T0105①：38	1		残	明晚	残9.6	残9.1	1.7	
1639			Ⅰ T0105①：39	1		残	明晚	残7.5	残10.2	1.2	
1640			Ⅰ T0105①：40	1		残	明晚	残10.7	残6.8	1.9	
1641			Ⅰ T0105①：41	1	1	残	明晚	残6.6	残16.5	2	
1642			Ⅰ T0105①：42	1	1	残	明晚	残8.8	残12.4	2.3	
1643			Ⅰ T0105①：43	1	1	完整	明晚	16.6	20	1.7	
1644			Ⅰ T0105①：44	1		残	明晚	残7.7	残2.2	1.9	
1645			Ⅰ T0105①：46	1	1	残	明晚	残9.6	残11.1	1.3	
1646			Ⅰ T0105①：48	1		残	明晚	残9.6	残12	1.3	
1647			Ⅰ T0105①：49	1		残	明晚	残6.4	残5.5	1.6	
1648			Ⅰ T0105①：50	1		残	明晚	残5.4	残8.7	1.1	
1649			Ⅰ T0105①：51	1		残	明晚	残6.7	残9.4	1.2	
1650			Ⅰ T0105①：52	1	1	残	明晚	残5.4	残11.7	1.6	
1651			Ⅰ T0105①：53	1		残	明晚	残12.3	残11.5	1.5	
1652			Ⅰ T0105①：54	1	1	残	明晚	残12.7	残6.2	1.2	
1653			Ⅰ T0105①：55	1	1	残	明晚	残13.9	20.3	1.5	
1654			Ⅰ T0105①：56	1	1	残	明晚	残13.4	残10.3	1.5	
1655			Ⅰ T0105①：57	1		残	明晚	残15.6	残12.4	2	
1656			Ⅰ T0105①：58	1	1	残	明晚	残5.2	残13.2	1.6	

续表

序号	类型	名称	出土单位/编号	数量/片	计件	完残	年代	瓦头尺寸/厘米			小计/件
								高	宽	厚	
1657	Ba	板瓦勾头	Ⅰ T0105①：59	1	1	残	明晚	残11.6	残12.6	1.4	1272
1658			Ⅰ T0105①：60	1	1	残	明晚	残9.8	残9.2	2.5	
1659			Ⅰ T0201①：1	1	1	残	明晚	残9.4	残12.1	1.6	
1660			Ⅰ T0201①：2	1	1	较完整	明晚	残16	残16	1.5	
1661			Ⅰ T0201①：3	1	1	较完整	明晚	残15.7	20	1.3	
1662			Ⅰ T0201①：4	1	1	较完整	明晚	残15.3	20.2	1.5	
1663			Ⅰ T0201①：5	1	1	残	明晚	残11	残13.5	1.7	
1664			Ⅰ T0203①：10	1		残	明晚	残7.3	残9.9	1.7	
1665			Ⅰ T0203①：11	1		残	明晚	残8.4	残8	1.3	
1666			Ⅰ T0203①：23	1	1	残	明晚				
1667			Ⅰ T0203①：30	1		残	明晚				
1668			Ⅰ T0203①：40	1		残	明晚				
1669			Ⅰ T0203①：43	1	1	残	明晚				
1670			Ⅰ T0203①：44	1		残	明晚				
1671			Ⅰ T0203①：45	1	1	残	明晚				
1672			Ⅰ T0203①：48	1		残	明晚				
1673			Ⅰ T0203①：49	1		残	明晚				
1674			Ⅰ T0203①：50	1		残	明晚				
1675			Ⅰ T0204①：52	1		残	明晚	残6.3	残5.8	残0.8	
1676			Ⅰ T0204①：61	1		残	明晚	残9.5	残9.4	1.4	
1677			Ⅰ T0204①：62	1		残	明晚	残7.5	残9	2.1	
1678			Ⅰ T0204①：65	1		残	明晚	残7.5	残12	2.2	
1679			Ⅰ T0204①：66	1		残	明晚	残12	17.3	1.1	
1680			Ⅰ T0204①：67	1		残	明晚	残8.4	残15.5	1.2	
1681			Ⅰ T0204①：68	1		残	明晚	残11.7	残15	1.5	
1682			Ⅰ T0204①：69	1		残	明晚	残4.6	残8.6	1.2	
1683			Ⅰ T0204①：70	1		残	明晚	残9.6	残9.3	1.4	
1684			Ⅰ T0204①：71	1		残	明晚	残8	残9	2.6	
1685			Ⅰ T0204①：72	1	1	残	明晚	残16.3	18	1.2	
1686			Ⅰ T0204①：73	1	1	残	明晚	残9.9	残14	1.2	
1687			Ⅰ T0204①：74	1	1	残	明晚	残11.6	残8.8	1.1	
1688			Ⅰ T0204①：75	1	1	残	明晚	残9.4	残12.2	残0.9	
1689			Ⅰ T0204①：76	1	1	残	明晚	残7.1	19.5	2.4	
1690			Ⅰ T0204①：77	1	1	残	明晚	残6.5	残9.2	2.2	
1691			Ⅰ T0204①：78	1	1	残	明晚	残6.1	残10.7	1.4	
1692			Ⅰ T0204①：79	1		残	明晚	残4.7	残11	2.1	

续表

序号	类型	名称	出土单位/编号	数量/片	计件	完残	年代	瓦头尺寸/厘米			小计/件
								高	宽	厚	
1693	Ba	板瓦勾头	Ⅰ T0204①：80	1	1	残	明晚	残6.7	残9.1	1.7	1272
1694			Ⅰ T0204①：81	1	1	残	明晚	残6	残13.5	2	
1695			Ⅰ T0204①：82	1	1	残	明晚	残10.2	残14	2	
1696			Ⅰ T0204①：83	1	1	残	明晚	残9.5	残10	1.8	
1697			Ⅰ T0204①：84	1	1	残	明晚	残12.1	残12.7	1.3	
1698			Ⅰ T0204①：85	1	1	较完整	明晚	残15.2	19.2	1.3	
1699			Ⅰ T0306①：2	1	1	较完整	明晚	16.4	残16	1.4	
1700			Ⅰ T0306①：3	1	1	较完整	明晚	16.8	残19	1.5	
1701			Ⅰ T0405①：2	1	1	残	明晚	残12.2	20.1	残0.6	
1702			Ⅰ T0405①：3	1	1	残	明晚	残11.8	残7	1.4	
1703			Ⅰ T0405①：4	1	1	残	明晚	残10.3	残6	残0.5	
1704			Ⅰ T0405①：5	1		残	明晚	残12.7	残6.6	1.5	
1705			Ⅰ T0405①：10	1		残	明晚	残2.5	残5.5	残0.7	
1706			Ⅱ T0101①：12	1	1	残	明晚	残15.1	残14.5	1.1	
1707			Ⅱ T0101①：13	1	1	残	明晚	残9.5	残6	3.2	
1708			Ⅱ T0101①：14	1	1	残	明晚	残12	残17.7	1.2	
1709			Ⅱ T0101①：15	1	1	残	明晚	残16	残18.2	残0.7	
1710			Ⅱ T0101①：16	1	1	较完整	明晚	17	20.3	1.3	
1711			Ⅱ T0101①：17	1	1	残	明晚	残8.5	残9.3	1.9	
1712			Ⅱ T0101①：19	1	1	残	明晚	残15.4	残11.3	1.3	
1713			Ⅱ T0101①：23	1	1	残	明晚	残5.2	残8.3	残0.5	
1714			Ⅱ T0101①	12	4	残	明晚				
1715			Ⅱ T0102①：9	1	1	残	明晚	17	残11.2	1.3	
1716			Ⅱ T0102①：10	1	1	残	明晚	残14.1	残4.3	1.1	
1717			Ⅱ T0102①：11	1	1	残	明晚	残9.8	残13.2	1.4	
1718			Ⅱ T0102①：12	2	1	残	明晚	残13.4	残19.5	0.7	
1719			Ⅱ T0102①：13	1	1	残	明晚	残12.8	残20.2	残0.4	
1720			Ⅱ T0102①	2		残	明晚				
1721			Ⅲ T0101①	1	1	残	明晚				
1722			Ⅲ T0101①	7	6	残	明晚				
1723			Ⅳ T0101①：32	1	1	残	明晚	残9	残13	2	
1724			Ⅳ T0101①：33	1	1	残	明晚	残5.5	残11.5	1	
1725			Ⅳ T0101①	1		残	明晚				
1726			Ⅳ T0102①：28	1	1	残	明晚				
1727			Ⅳ T0102①	48	23	残	明晚				
1728			Ⅳ T0102②：4	1	1	残	明晚	16.4	残18.2	1.8	

续表

序号	类型	名称	出土单位/编号	数量/片	计件	完残	年代	瓦头尺寸/厘米			小计/件
								高	宽	厚	
1729			ⅣT0102②：7	1		残	明晚				
1730			ⅣT0102②	13	5	残	明晚				
1731			ⅣT0102②	12		残	明晚				
1732			ⅣT0103①：24	1	1	残	明晚	残15	残11.5	1.5	
1733			ⅣT0103①：25	1	1	残	明晚	22.7	残19.8	1.2	
1734			ⅣT0103①	6	3	残	明晚				
1735			ⅣT0104①：18	1	1	残	明晚	残7.5	残8.2	1.3	
1736			ⅣT0104①：19	1	1	残	明晚	残6.9	残11.5	3	
1737			ⅣT0104①	3	2	残	明晚				
1738			ⅣT0105①：6	1	1	残	明晚	13	残10.5	1.2	
1739			ⅣT0105①：9	1		残	明晚	残13.5	残12	1.4	
1740			ⅣT0105①：10	1	1	残	明晚	16.5	残20	1.6	
1741			ⅣT0106①：55	1	1	残	明晚	残9.5	残12.5	2.1	
1742			ⅣT0106①：56	1		残	明晚	残8.5	残10	1.1	
1743			ⅣT0106①：57	1		残	明晚	残8.7	残4.3	1.5	
1744			ⅣT0106①：58	1	1	残	明晚	残8	残9.1	残0.6	
1745			ⅣT0106①：59	1		残	明晚	残7.7	残13.5	2.5	
1746	Ba	板瓦勾头	ⅣT0106①：60	1	1	残	明晚	残10	残16	1.5	1272
1747			ⅣT0106①：61	1	1	残	明晚	残9.5	残9.5	1.3	
1748			ⅣT0106①：62	1		残	明晚	残8.3	残6.7	1.4	
1749			ⅣT0106①：63	1		残	明晚	残7	残11	2	
1750			ⅣT0106①：64	1		残	明晚	残6.9	残10.2	2.1	
1751			ⅣT0106①：65	1		残	明晚	残7.5	残4	2	
1752			ⅣT0106①：66	1	1	残	明晚	残11.5	残5.7	1.4	
1753			ⅣT0106①：67	1	1	残	明晚	残12.5	残16.6	1.4	
1754			ⅣT0106①：68	1		残	明晚	残7.9	残10.5	1.3	
1755			ⅣT0106①：69	1	1	残	明晚	残7.7	残12	残0.8	
1756			ⅣT0106①：70	1	1	残	明晚	残10.8	18	1.2	
1757			ⅣT0106①：71	1	1	较完整	明晚	残14.6	残19.1	残0.9	
1758			ⅣT0106①：72	1		残	明晚	残8.2	残11.5	2.2	
1759			ⅣT0106①：73	1		残	明晚	残15.5	残8.5	1.3	
1760			ⅣT0106①：74	1		残	明晚	残8	残9	残0.8	
1761			ⅣT0106①：75	1		残	明晚	残10	残6.5	1.5	
1762			ⅣT0106①：76	1		残	明晚	残9	残4.5	2.5	
1763			ⅣT0106①：77	1		残	明晚	残9.4	残8	1.5	
1764			ⅣT0106①：83	1	1	残	明晚	残9	残6.6	1.4	

续表

序号	类型	名称	出土单位/编号	数量/片	计件	完残	年代	瓦头尺寸/厘米			小计/件
								高	宽	厚	
1765	Ba	板瓦勾头	ⅣT0106①：84	1	1	残	明晚	残12.5	残10.2	1.1	1272
1766			ⅣT0106①：85	1		残	明晚	残7.5	残5.1	1.5	
1767			ⅣT0106①	6	1	残	明晚				
1768			ⅣT0107①：12	1	1	残	明晚	残12.2	20	1.1	
1769			ⅣT0107①：13	1	1	残	明晚	残6.4	残9.7	1	
1770			ⅣT0107①	13	8	残	明晚				
1771			ⅣT0202①：28	1		残	明晚	残7.9	残2.5	残0.6	
1772			ⅣT0202①：46	1	1	残	明晚	残9	残7.5	1.6	
1773			ⅣT0202①：47	1	1	残	明晚	残10	残20	1.5	
1774			ⅣT0202①：49	1	1	残	明晚	残7.3	残17.5	1.8	
1775			ⅣT0202①：51	1		残	明晚	残7	残12.5	2	
1776			ⅣT0202①：53	1		残	明晚	15.9	残8.8	1.3	
1777			ⅣT0202①：54	1		残	明晚	残4	残11	1.3	
1778			ⅣT0202①：55	1		残	明晚	残4.4	残8.6	1.9	
1779			ⅣT0202①：56	1		残	明晚	残8.5	残12	1.2	
1780			ⅣT0202①：57	1		残	明晚	残7.5	残13	1.8	
1781			ⅣT0202①：65	1		残	明晚				
1782			ⅣT0202①	3		残	明晚				
1783			ⅣT0203①	1		残	明晚				
1784			ⅣT0203④：5	1		残	明晚	残5	残8	1.4	
1785			ⅣT0203④：9	1		残	明晚	残5	残6	残1	
1786			ⅣT0203④：10	1		残	明晚	残4.5	残4.6	残2.1	
1787			ⅣT0203④：11	1	1	残	明晚	残13.5	残10	残1.1	
1788			ⅣT0203④：13	1	1	残	明晚				
1789			ⅣT0203④：14	1	1	残	明晚				
1790			ⅣT0204①：13	1		残	明晚				
1791			ⅣT0205①：7	1		残	明晚	残7.1	残18.5	2	
1792			ⅣT0205①：8	1		残	明晚	残8.5	20	2	
1793			ⅣT0205①：10	1	1	残	明晚	残12	残8	残0.8	
1794			ⅣT0205①：12	1		残	明晚	残6	残6.5	1.6	
1795			ⅣT0206①：9	1	1	残	明晚	残11	20	1.7	
1796			ⅣT0206①：10	1		残	明晚	残8.5	残9.9	1.6	
1797			ⅣT0206①：11	1		残	明晚	残7.5	残16.5	2.2	
1798			ⅣT0206①：12	1	1	残	明晚	残7.1	残15	2.3	
1799			ⅣT0206①：13	1		残	明晚	残5.3	残8.5	1.5	
1800			ⅣT0206①：14	1	1	较完整	明晚	残14.9	残20.8	1.5	

续表

序号	类型	名称	出土单位/编号	数量/片	计件	完残	年代	瓦头尺寸/厘米			小计/件
								高	宽	厚	
1801	Ba	板瓦勾头	ⅣT0206①：15	1		残	明晚	残6.5	残8	1.1	1272
1802			ⅣT0206①：16	1		残	明晚	残8	残10.3	1.4	
1803			ⅣT0206①：17	1	1	残	明晚	残8.2	残10	1.2	
1804			ⅣT0206①：18	1		残	明晚	残5	残8	1.6	
1805			ⅣT0206①：19	1		残	明晚	残13.7	残7.5	1.2	
1806			ⅣT0207①：8	1	1	残	明晚	残12.1	20	1.5	
1807			ⅣT0207①：9	1	1	残	明晚	残16.5	残13.5	1.1	
1808			ⅣT0207①：10	1	1	完整	明晚	17	20.5	1.5	
1809			ⅣT0207①：11	1	1	残	明晚	残11.7	20.5	1.5	
1810			ⅣT0207①：12	1	1	残	明晚	残8.5	残12.8	2.2	
1811			ⅣT0207①：13	1		残	明晚	残7.5	残12	2	
1812			ⅣT0207①：14	1	1	残	明晚	残10.5	残9.5	1.5	
1813			ⅣT0207①：15	1		残	明晚	残3	残11.5	1.4	
1814			ⅣT0207①：16	1	1	残	明晚	残14.6	残10.5	1	
1815			ⅣT0207①：17	1		残	明晚	残9	残11	1.2	
1816			ⅣT0207①：18	1		残	明晚	残3.5	残9	1.5	
1817			ⅣT0207①：19	1		残	明晚	残6.3	残3.5	2.2	
1818			ⅣT0207①：20	1		残	明晚	残7.3	残10.5	2	
1819			ⅣT0207①：21	1	1	残	明晚	残3.5	残13	2.1	
1820			ⅣT0207①：22	1	1	残	明晚	残12.1	残16.5	1.3	
1821			ⅣT0207①：23	1		残	明晚	残7	残10	1.2	
1822			ⅣT0303①：9	1		残	明晚	残4.5	残7	1.3	
1823			ⅣT0303①：12	1		残	明晚	残4.5	残9.5	2	
1824			ⅣT0303①：13	1		残	明晚				
1825			ⅣT0303①	2		残	明晚				
1826			ⅣT0304①：47	1	1	残	明晚	残3.5	残4.8	1	
1827			ⅣT0304①：49	1		残	明晚	残5	残11	1.5	
1828			ⅣT0304①：50	1	1	残	明晚	残7.5	残14.5	2	
1829			ⅣT0304①：51	1		残	明晚	残11	残7	1.2	
1830			ⅣT0304①：52	1		残	明晚	残10	残4	1.2	
1831			ⅣT0304①：53	1		残	明晚	残8.9	残10.5	1.3	
1832			ⅣT0304①：54	1	1	残	明晚	残14.5	残7	残1.2	
1833			ⅣT0305①：55	1	1	残	明晚				
1834			ⅣT0305①	94	39	残	明晚				
1835			ⅣT0306①：54	1	1	完整	明晚	17.5	20.5	1.7	
1836			ⅣT0306①：55	1	1	残	明晚	残12	残14.5	1.5	

续表

序号	类型	名称	出土单位/编号	数量/片	计件	完残	年代	瓦头尺寸/厘米			小计/件
								高	宽	厚	
1837	Ba	板瓦勾头	ⅣT0306①：56	1	1	完整	明晚	17	20.5	1.5	1272
1838			ⅣT0306①：57	1	1	残	明晚	残11.5	残12.5	1.3	
1839			ⅣT0306①：58	1	1	残	明晚	残8.5	残12	1.4	
1840			ⅣT0306①：59	1	1	残	明晚	残9	残7.7	1.7	
1841			ⅣT0306①：60	1	1	残	明晚	残13.5	20.2	残0.9	
1842			ⅣT0306①：61	1	1	残	明晚	残5.3	残8	1.5	
1843			ⅣT0306①：62	1		残	明晚	残10	残9	1	
1844			ⅣT0306①：63	1	1	残	明晚	残13.7	残15	1.7	
1845			ⅣT0306①：64	1	1	残	明晚	残14	残11.5	1.4	
1846			ⅣT0306①：65	1		残	明晚	残9	残9.5	1.1	
1847			ⅣT0306①：66	1		残	明晚	残4	残15	2.5	
1848			ⅣT0306①：67	1	1	残	明晚	残11	残13.5	1.7	
1849			ⅣT0306①：68	1		残	明晚	残5.7	残9.5	1.3	
1850			ⅣT0306①：69	1		残	明晚	残7.5	残5.5	1.5	
1851			ⅣT0306①	2	1	残	明晚				
1852			ⅣT0307①	3		残	明晚				
1853			ⅣT0403②A	17	8	残	明晚				
1854			ⅣT0404③A	1		残	明晚				
1855			ⅣT0404④：16	1		残	明晚	残8.5	残4.3	1.1	
1856			ⅣT0404④：18	1		残	明晚	残5.8	残4.5	1	
1857			ⅣT0404④：20	1	1	残	明晚	残10.8	20	1.3	
1858			ⅣT0404④：21	1		残	明晚	残13.2	残8	1.7	
1859			ⅣT0404④：22	1		残	明晚	残12	残10	1.4	
1860			ⅣT0404④：24	1		残	明晚	残8	残10.5	2	
1861			ⅣT0404④：25	1		残	明晚	残12	残11	1.2	
1862			ⅣT0404④：26	1	1	残	明晚	残10	残7.4	1.4	
1863			ⅣT0404④：27	1		残	明晚	残8	残10	1.7	
1864			ⅣT0404④：28	1		残	明晚	残8.4	残8	1.5	
1865			ⅣT0404④：29	1	1	残	明晚	残10	残10	1.4	
1866			ⅣT0404④：30	1		残	明晚	残6	残9.6	1.7	
1867			ⅣT0404④：31	1		残	明晚	残8.2	残7	1.1	
1868			ⅣT0404④：32	1		残	明晚	残8.5	残5.8	1.1	
1869			ⅣT0404④：35	1		残	明晚				
1870			ⅣT0405①	23	4	残	明晚				
1871			ⅣT0405①	19	4	残	明晚				
1872			ⅣT0407①：1	1	1	残	明晚	残13.8	残19.7	1.3	

续表

序号	类型	名称	出土单位/编号	数量/片	计件	完残	年代	瓦头尺寸/厘米			小计/件
								高	宽	厚	
1873	Ba	板瓦勾头	ⅣT0407①：2	1		残	明晚	残11.5	残9.5	1.2	1272
1874			ⅣT0502③A	1	1	残	明晚				
1875			ⅣT0502④	1	1	残	明晚				
1876			ⅣT0503④：50	1		残	明晚	残10	残6.6	1.4	
1877			ⅣT0503④：51	1	1	残	明晚	残10.7	残5.5	1.3	
1878			ⅣT0503④：52	1		残	明晚				
1879			ⅣT0503④	1		残	明晚				
1880			ⅣT0504①：8	1	1	残	明晚	残9	残10.3	1.3	
1881			ⅣT0504①：10	1		残	明晚	残12.3	残8.7	1.5	
1882			ⅣT0504①：11	1	1	残	明晚	残13	残17	1.3	
1883			ⅣT0504②	1		残	明晚				
1884			ⅣT0504④	13	6	残	明晚				
1885			ⅣT0505②A	9	2	残	明晚				
1886			ⅣT0505④	2	1	残	明晚				
1887			ⅣT0506①：42	1	1	残	明晚				
1888			ⅣT0506①：43	1	1	残	明晚				
1889			ⅣT0506①：44	1	1	残	明晚				
1890			ⅣT0506①：45	1	1	残	明晚				
1891			ⅣT0506①：46	1	1	残	明晚				
1892			ⅣT0506①：47	1	1	残	明晚				
1893			ⅣT0506①：48	1	1	残	明晚				
1894			ⅣT0506①：49	1	1	残	明晚				
1895			ⅣT0506①：50	1		残	明晚				
1896			ⅣT0506①	10	6	残	明晚				
1897			ⅣT0506②：18	1	1	残	明晚	残7.3	残19	1.8	
1898			ⅣT0506④：1	1	1	残	明晚				
1899			ⅣT0506④：2	1		残	明晚				
1900			ⅣT0506④：9	1		残	明晚	残8.9	残9.5	1.5	
1901			ⅣT0507①：2	1	1	较完整	明晚	残16.5	20.4	1.4	
1902			ⅣT0507①：3	1	1	残	明晚	残12.8	残14	1.5	
1903			ⅣT0507①：8	1	1	残	明晚	残14.6	20	1.4	
1904			ⅣT0507①：11	1	1	残	明晚	残16.2	20	1.2	
1905			ⅣT0507①：12	1	1	完整	明晚	17	20.5	1.5	
1906			ⅣT0507①：13	1	1	残	明晚	残13.9	残12.8	1.5	
1907			ⅣT0507①：23	1	1	完整	明晚	16.8	20	1.5	
1908			ⅣT0507①：25	1	1	较完整	明晚	残14.5	残17.5	1.5	

续表

序号	类型	名称	出土单位/编号	数量/片	计件	完残	年代	瓦头尺寸/厘米			小计/件
								高	宽	厚	
1909	Ba	板瓦勾头	ⅣT0507①：31	1	1	较完整	明晚	残16.8	19.5	1.4	1272
1910			ⅣT0507①：33	1	1	残	明晚	残11.5	残15	1.3	
1911			ⅣT0507①：45	1	1	残	明晚	残15	残14	1.5	
1912			ⅣT0507①：71	1	1	残	明晚				
1913			ⅣT0507①：72	1	1	残	明晚				
1914			ⅣT0507①：139	1	1	残	明晚				
1915			ⅣT0507①：140	1	1	残	明晚				
1916			ⅣT0507①：141	1	1	残	明晚				
1917			ⅣT0507①：142	1	1	残	明晚				
1918			ⅣT0507①：143	1	1	残	明晚				
1919			ⅣT0507①：144	2	1	残	明晚				
1920			ⅣT0507①：145	1	1	残	明晚				
1921			ⅣT0507①：146	1	1	残	明晚				
1922			ⅣT0507①：147	1	1	残	明晚				
1923			ⅣT0507①：148	1		残	明晚				
1924			ⅣT0507①：149	1		残	明晚				
1925			ⅣT0507①：150	1		残	明晚				
1926			ⅣT0507①：151	1		残	明晚				
1927			ⅣT0507①：152	1	1	残	明晚				
1928			ⅣT0507①：153	1	1	残	明晚				
1929			ⅣT0507①：154	1	1	残	明晚				
1930			ⅣT0507①：155	1	1	残	明晚				
1931			ⅣT0507①：156	1		残	明晚				
1932			ⅣT0507①：157	1		残	明晚				
1933			ⅣT0603④	1		残	明晚				
1934			ⅣT0604①	2	1	残	明晚				
1935			ⅣT0604③B：1	1	1	残	明晚				
1936			ⅣT0604③A	1		残	明晚				
1937			ⅣT0605②	4	1	残	明晚				
1938			ⅣT0606①	3	2	残	明晚				
1939			ⅣT0606④	5	2	残	明晚				
1940			ⅣT0607①：1	1	1	残	明晚				
1941			ⅣT0607①：4	1	1	残	明晚	16.5	残12	1.3	
1942			ⅣT0607①：10	1	1	残	明晚	残15	残13.5	1.3	
1943			ⅣT0607①：16	1	1	残	明晚	残11	20	1.3	
1944			ⅣT0607①：18	1	1	残	明晚	残12.5	残15	1.3	

续表

序号	类型	名称	出土单位/编号	数量/片	计件	完残	年代	瓦头尺寸/厘米			小计/件
								高	宽	厚	
1945	Ba	板瓦勾头	ⅣT0607①：30	1	1	较完整	明晚	残16	20.5	1.5	1272
1946			ⅣT0607①：34	1	1	残	明晚	残9	残12.2	1.9	
1947			ⅣT0607①：37	2	1	残	明晚	残7	残13.1	残2	
1948			ⅣT0607①：38	1	1	较完整	明晚	16.8	残20	1.5	
1949			ⅣT0607①：46	1	1	较完整	明晚	17.4	20	1.3	
1950			ⅣT0607①：52	1	1	残	明晚	残6.8	残7.5	1.7	
1951			ⅣT0607①：53	1	1	残	明晚	残7	残6	1.2	
1952			ⅣT0607①	2	2	残	明晚				
1953			ⅣT0608①：1	1	1	残	明晚	残13.2	残14	1.5	
1954			ⅣT0608①：2	1	1	较完整	明晚	残13.5	20.2	1.8	
1955			ⅣT0608①：3	1	1	完整	明晚	17.5	19.5	1.6	
1956			ⅣT0608①：6	1	1	残	明晚	残13.4	残12.5	1.4	
1957			ⅣT0608①：7	1	1	残	明晚	17	残15	1.4	
1958			ⅣT0608①：9	1	1	较完整	明晚	15.8	19.8	1.6	
1959			ⅣT0608①：11	1	1	完整	明晚	17.5	20.5	1.5	
1960			ⅣT0608①：13	1	1	残	明晚	残12	19.8	1.3	
1961			ⅣT0608①：16	1	1	残	明晚	残14	19	1.1	
1962			ⅣT0608①：17	1	1	完整	明晚	15.4	19	1.4	
1963			ⅣT0608①：18	1	1	残	明晚	残11.5	20.2	1.7	
1964			ⅣT0608①：19	1	1	完整	明晚	16	20	1.6	
1965			ⅣT0608①：24	1	1	完整	明晚	16.8	20.9	1.5	
1966			ⅣT0608①：26	1	1	残	明晚	残14.5	残16.5	1.5	
1967			ⅣT0608①：27	1	1	残	明晚	残12	19	1.5	
1968			ⅣT0608①：28	1	1	残	明晚	残12	残9.5	1.4	
1969			ⅣT0608①：29	1	1	较完整	明晚	残16	残18.5	1.5	
1970			ⅣT0608①：30	1	1	较完整	明晚	残15.5	20	1.5	
1971			ⅣT0608①：34	1	1	残	明晚	残10	21	1.5	
1972			ⅣT0608①：39	1	1	较完整	明晚	残15.5	20	1.4	
1973			ⅣT0608①：42	1	1	残	明晚				
1974			ⅣT0608①：45	1	1	残	明晚				
1975			ⅣT0608①：59	1	1	残	明晚	17.2	残18	1.5	
1976			ⅣT0608①	4		残	明晚				
1977			ⅣT0609①：2	1	1	较完整	明晚	残14.5	残16	1.8	
1978			ⅣT0704①	1		残	明晚				
1979			ⅣT0706②：6	1	1	残	明晚				
1980			ⅣT0706②：7	2	1	残	明晚	残15.5	19	1.3	

续表

序号	类型	名称	出土单位/编号	数量/片	计件	完残	年代	瓦头尺寸/厘米			小计/件
								高	宽	厚	
1981	Ba	板瓦勾头	ⅣT0706②：8	1	1	完整	明晚	16.5	19.5	1.5	1272
1982			ⅣT0706②：12	1	1	较完整	明晚	残15.5	残19.5	1.3	
1983			ⅣT0706②	20	17	残	明晚				
1984			ⅣT0706③	9	4	残	明晚				
1985			ⅣT0707②：4	1	1	残	明晚	残15	残7	1.4	
1986			ⅣT0707②：14	1	1	残	明晚	残10.7	残14	1.7	
1987			ⅣT0707②：15	1	1	较完整	明晚	残17.5	20.5	1.5	
1988			ⅣT0707②：16	1	1	残	明晚	残12	残10	1.4	
1989			ⅣT0707②：17	1	1	残	明晚	残11	残10	1.5	
1990			ⅣT0707③：12	1		残	明晚	残9	残8.5	1.5	
1991			ⅣT0707③：13	1	1	残	明晚	残9	20	1.5	
1992			ⅣT0707③：14	1		残	明晚	残7	残12.6	1.6	
1993			ⅣT0707③：15	1	1	残	明晚	残7.5	残17.8	1.4	
1994			ⅣT0707③：16	1	1	残	明晚	残11	残19.5	1.4	
1995			ⅣT0709①：3	1	1	残	明晚	残8.5	残10.5	1.4	
1996			ⅣT0709①：4	1	1	残	明晚	残11	残9.8	1.4	
1997			ⅣT0709①：6	1		残	明晚	残8.9	残6	1.5	
1998			ⅣT0709①：8	1	1	残	明晚	残7.4	19.5	1.8	
1999			ⅣT0709①：9	1	1	残	明晚	残15.3	残12	1.4	
2000			ⅣT0709①：10	1	1	较完整	明晚	残15.3	残19.4	1.6	
2001			ⅣT0709①：12	1	1	残	明晚				
2002			ⅣT0709①：15	1		残	明晚				
2003			ⅣT0807①	1		残	明晚				
2004			TG21②：6	1	1	残	明晚				
2005			TG21②：7	1	1	残	明晚				
2006			TG21②：8	1	1	残	明晚				
2007			TG21②：9	1	1	残	明晚	残16	残19.5	1.3	
2008			TG21②：10	1	1	残	明晚	残16	19.5	1.3	
2009			TG21②：11	1	1	较完整	明晚	16.2	残19	1.5	
2010			TG21②：12	1	1	残	明晚	残16	残18.5	1.5	
2011			TG21②：13	1	1	残	明晚	残16.5	残20	1.4	
2012			TG21②：47	1	1	残	明晚	残9.7	残8.6	1.1	
2013			TG21②：53	1		残	明晚	残9.8	残3.6	1.3	
2014			TG21②：54	1	1	残	明晚	残6.7	残7.4	1.4	
2015			TG21②：61	1		残	明晚	残7.8	残6.5	1.5	
2016			TG21②：62	1		残	明晚	9.5	残13.8	1.2	

续表

序号	类型	名称	出土单位/编号	数量/片	计件	完残	年代	瓦头尺寸/厘米			小计/件
								高	宽	厚	
2017	Ba	板瓦勾头	TG21②：71	1		残	明晚	12.8	残14	1.2	1272
2018			TG21②：72	1	1	残	明晚	残9.5	残13	1.2	
2019			TG21②：75	1		残	明晚	残9	残14	1.3	
2020			TG21②：88	1		残	明晚	残2.3	残11	1.9	
2021			TG21②：89	1	1	残	明晚	残7.8	残19.5	1.9	
2022			TG21②：91	1		残	明晚	残3	残12.5	1.6	
2023			TG21②：92	1	1	残	明晚	残9.3	残10	2.5	
2024			TG21②：98	1	1	残	明晚	残8.5	残11.5	1.2	
2025			TG21②：101	1	1	残	明晚	残8	残20	1.2	
2026			TG21②：102	1	1	残	明晚	残8.3	残9	1.6	
2027			TG21②：104	1	1	残	明晚	残8.3	残6	1.5	
2028			TG21②：105	1		残	明晚	残6.8	残11	1.2	
2029			TG21②：109	1		残	明晚	残12	残10.5	2.2	
2030			TG21②：112	1		残	明晚	残3.5	残9.5	3	
2031			TG21②：113	1	1	残	明晚	残8.5	残14.5	2.9	
2032			TG21②：114	1	1	残	明晚	残17	残12	1.4	
2033			TG21②：115	1	1	残	明晚	残10.5	残8.5	2.5	
2034			TG21②：116	1		残	明晚	残1.5	残6.9	2.3	
2035			TG21②：117	1	1	残	明晚	残5.5	残10.5	2.6	
2036			TG21②：118	1		残	明晚	残1.7	残10.5	1.1	
2037			TG21②：120	1	1	残	明晚	残14.3	残17.5	1.1	
2038			TG21②：121	1	1	残	明晚	残10.6	残10.5	1.1	
2039			TG21②：122	1		残	明晚	残8.6	残7.2	1.6	
2040			TG21②：123	1		残	明晚	残10.4	残11	1.1	
2041			TG21②：124	1	1	残	明晚	残2	残4	1.1	
2042			TG21②：125	1	1	残	明晚	残2.5	残11	1.2	
2043			TG21②：126	1	1	残	明晚	残8.5	残4.7	1.5	
2044			TG21②：127	1	1	残	明晚	残7.4	残8.5	1.5	
2045			TG21②：128	1		残	明晚	残14.2	残9	1.2	
2046			TG21②：129	1	1	残	明晚	残2.6	残9.5	2.1	
2047			TG21②：130	1	1	残	明晚	残11.5	残18	1.7	
2048			TG21②：131	1		残	明晚	残8	残13	1.5	
2049			TG21②：132	1	1	残	明晚	残8.4	残12.5	1.2	
2050			TG21②：133	1		残	明晚	16.3	残14.5	1.2	
2051			TG21②：134	1	1	残	明晚	残14.5	残13	1.4	
2052			TG21②：135	1	1	残	明晚	残13	18.5	1.4	

续表

序号	类型	名称	出土单位/编号	数量/片	计件	完残	年代	瓦头尺寸/厘米			小计/件
								高	宽	厚	
2053			TG21②：136	1		残	明晚	残10.7	残10	2.5	
2054			TG21②：137	1	1	残	明晚	残7.2	残9	1.8	
2055			TG21②：138	1		残	明晚	残3.6	残13.5	2.9	
2056			TG21②：160	1		残	明晚				
2057			TG21②：186	1	1	残	明晚				
2058			TG23②：8	1	1	残	明晚	残15	残20	1.8	
2059			TG55②：6	1	1	残	明晚				
2060			TG55②：10	1	1	残	明晚				
2061			TG55②：11	1	1	残	明晚				
2062			TG55②：12	1		残	明晚				
2063			TG55②：13	1	1	残	明晚				
2064			TG55②：14	1	1	残	明晚				
2065			TG55②：15	1		残	明晚				
2066			TG55②：16	1		残	明晚				
2067			TG55②：17	1		残	明晚				
2068			TG55②：18	1		残	明晚				
2069			TG55②：19	1		残	明晚				
2070			TG55②：20	1		残	明晚				
2071	Ba	板瓦勾头	TG41③：30	1	1	残	明晚	残11.6	残16.5	1.3	1272
2072			TG37②：17	1	1	残	明晚	残11.6	残11	1.4	
2073			TG44③：55	1	1	残	明晚	残14.2	21.5	1.5	
2074			TG44③：57	1	1	残	明晚	残12.6	残18.5	1.5	
2075			TG44③：70	1	1	较完整	明晚	残17	21	2	
2076			TG44③：71	1	1	较完整	明晚	16.1	残19.5	1.5	
2077			TG44③：73	1	1	残	明晚	残10	残21.5	1.5	
2078			TG44③：74	1	1	残	明晚	残15.5	残15	1.3	
2079			TG44③：75	1	1	残	明晚	残16	21.5	1.7	
2080			TG44③：76	1	1	残	明晚	残16.5	残11.6	1.7	
2081			TG44③：77	1	1	残	明晚	残9.5	残19.5	1.5	
2082			TG44③：123	1	1	残	明晚	残16.9	21	1.5	
2083			TG44③：124	1	1	残	明晚	残14.9	残13.5	1.1	
2084			TG44③：125	1	1	残	明晚	残13.6	19.7	1.6	
2085			TG44③：126	1	1	残	明晚	残6	残13	1.2	
2086			TG44③：127	1		残	明晚	残6.5	残7	1.6	
2087			TG44③：128	1		残	明晚	残4	残10.5	1.1	
2088			TG44③：129	1		残	明晚	残5	残11	1.5	

续表

序号	类型	名称	出土单位/编号	数量/片	计件	完残	年代	瓦头尺寸/厘米			小计/件
								高	宽	厚	
2089	Ba	板瓦勾头	TG44③：130	1	1	残	明晚	残4.5	残10	2	1272
2090			TG44③：131	1	1	残	明晚	残13	残13	1.2	
2091			TG44③：132	1		残	明晚	残10.7	残11.8	1.6	
2092			TG44③：133	1		残	明晚	残12	残4.5	1.3	
2093			TG44③：134	1		残	明晚	残6.3	残14.5	2.2	
2094			TG44③：135	1		残	明晚	残3	残13	2.1	
2095			TG44③：136	1		残	明晚	残3.5	残12	2.7	
2096			TG44③：137	1	1	残	明晚	残8.3	残7	2.6	
2097			TG44③：138	1		残	明晚	残4.4	残4	1.5	
2098			TG44③：139	1		残	明晚	残7.8	残6.9	1.8	
2099			TG44③：140	1	1	残	明晚	残8.5	残4.5	1	
2100			TG44③：141	1		残	明晚	残5.3	残14.5	2.5	
2101			TG44③：142	1		残	明晚	残4.5	残7	1.5	
2102			TG44③：143	1		残	明晚	残4.3	残8.7	1	
2103			TG44③：144	1		残	明晚	残6.4	残10	3.5	
2104			TG45①：34	1	1	残	明晚	残4.1	残8.1	残0.7	
2105			TG45①：35	1	1	残	明晚	残7.3	残8.2	1.7	
2106			TG45①：36	1	1	残	明晚	残8	残7.6	1.4	
2107			TG45①：37	1	1	残	明晚	残9.2	残4.8	1.8	
2108			TG45①：38	1	1	残	明晚	残5.5	残6.7	1.4	
2109			TG45①：39	1	1	残	明晚	残8.5	残6.3	1.6	
2110			TG45①：40	1	1	残	明晚	残5.6	残6	1.4	
2111			TG45①：41	1	1	残	明晚	残4.6	残6.1	1.2	
2112			TG45①：42	1	1	残	明晚	残5.3	残6.8	1.4	
2113			TG45①：43	1	1	残	明晚	残5	残7.2	1.2	
2114			TG45①：44	1	1	残	明晚	残9.6	残15.5	1.4	
2115			TG45①：45	1	1	残	明晚	残8.5	残10.7	2	
2116			TG45①：46	1	1	残	明晚	残12	残11.5	1.4	
2117			TG45①：47	1	1	残	明晚	残12.8	残12	1.2	
2118			TG45①：48	1	1	残	明晚	残15.3	残15	残0.7	
2119			TG45①：49	1	1	残	明晚	残12.2	残10.5	2.7	
2120			TG45①：50	1	1	残	明晚	残13.7	残9	1.3	
2121			TG45①：51	1	1	残	明晚	残11.6	残9.3	2.2	
2122			TG48①：19	1	1	较完整	明晚	残14.5	19.8	2.6	
2123			TG48①：20	1	1	较完整	明晚	残18.6	21.5	2.9	
2124			TG3③：15	1	1	残	明	残13.8	18	1.1	

续表

序号	类型	名称	出土单位/编号	数量/片	计件	完残	年代	瓦头尺寸/厘米			小计/件
								高	宽	厚	
2125	Ba	板瓦勾头	TG3③：16	1	1	完整	明	14.5	18.5	1.5	1272
2126			TG3③：17	1	1	完整	明	17.2	20.5	1.1	
2127			TG3③：18	1	1	完整	明	16	19	1.1	
2128			TG3③：19	1	1	完整	明	15.5	20	1	
2129			TG3③：25	2	1	残	明	残11.8	残11.5	2	
2130			TG2④：23	1	1	残	明				
2131			TG4③：16	1	1	完整	明晚	16.5	20	1.9	
2132			TG4③：17	1	1	完整	明晚	16	19	1.3	
2133			TG4③：18	1	1	较完整	明晚	16	19.7	1.6	
2134			TG4③：19	1	1	残	明晚	残14	19.5	1	
2135			TG4③：20	1	1	较完整	明晚	残14.5	19.5	1.4	
2136			TG4③：21	1	1	完整	明晚	17	20.5	1.4	
2137			TG4③：22	1	1	较完整	明晚	16.5	19	1.5	
2138			TG4③：23	1	1	完整	明晚	16.5	20.5	1.2	
2139			TG4③：24	1	1	残	明晚	残8	残19.5	2	
2140			TG4③：25	1	1	较完整	明晚	残16	18	1.5	
2141			TG4③：30	1	1	残	明晚	残14	残17.5	1	
2142			TG4③：31	1	1	残	明晚	残7	残19.5	1.1	
2143			TG4③：33	1		残	明晚				
2144			TG4③：34	1	1	残	明晚	残11	残17	1.2	
2145			TG4③：63	1	1	残	明晚	残6	残11	1.5	
2146			太平Y1：1	1	1	较完整	明晚	残15	20.5	1.6	
2147			太平Y1：2	1	1	较完整	明晚	残14.5	残19.5	1.3	
2148			太平Y1：3	1	1	残	明晚	残4.5	残20	1.3	
2149			太平Y1：4	1	1	较完整	明晚	17.5	20.5	1.6	
2150			太平Y1：5	1		残	明晚	残12	残6.1	1.6	
2151			F32①：17	1	1	残	明晚	残6	残15	2	
2152	Ba	筒瓦勾头	F1①：22	3	1	残	明晚				14
2153			F1①：48	1	1	残	明晚	11.3	残11.8	3	
2154			F1①	1	1	残	明晚				
2155			F1①	2	2	残	明晚				
2156			F1②：3	2	1	完整	明晚	13	13	2.3	
2157			F12①：22	1	1	残	明晚				
2158			F12②：9	1	1	较完整	明晚	残12	12.6	3.2	
2159			F12②：10	3	1	残	明晚				
2160			K4②：5	1	1	残	明晚				

续表

序号	类型	名称	出土单位/编号	数量/片	计件	完残	年代	瓦头尺寸/厘米			小计/件
								高	宽	厚	
2161	Ba	筒瓦勾头	Ⅰ T0101①：46	1	1	残	明晚				14
2162			Ⅰ T0101①	1	1	残	明晚				
2163			Ⅱ T0101①：11	1	1	残	明晚	残10.6	残8	1.3	
2164			Ⅳ T0202①：45	1		残	明晚	残4.4	残6.4	1.2	
2165			Ⅳ T0507①：5	1	1	残	明晚				
2166	Bb	滴水	F1①：24	1	1	较完整	明晚	残9.5	19.5	1	219
2167			F1①	15	10	残	明晚				
2168			F1①	1	1	残	明晚				
2169			F1②	4	3	残	明晚				
2170			F1③	2	1	残	明晚				
2171			F3①	15	4	残	明晚				
2172			F10①：74	1	1	完整	明晚	10.2	21.2	2.8	
2173			F10①	1	1	残	明晚				
2174			F10①	16	9	残	明晚				
2175			F12①	5	4	残	明晚				
2176			F19①：80	1	1	残	明晚	残7	残13	残0.7	
2177			F19天井①	5	5	残	明晚				
2178			F19天井①	2		残	明晚				
2179			F19天井②	1	1	残	明晚				
2180			F30①：4	1		残	明晚	残8.5	残8	残0.5	
2181			现代坑6：6	1		残	明晚				
2182			K2①：4	1	1	完整	明晚	1.5	21.5	1.1	
2183			K2①：8	1		残	明晚				
2184			K2①：9	1		残	明晚				
2185			K2①：11	1		残	明晚				
2186			K2①：21	1		残	明晚				
2187			K2①：23	2	1	残	明晚				
2188			K2①：26	1		残	明晚				
2189			K6①：13	1		残	明晚	残9.6	残15	1.4	
2190			K6①：20	1		残	明晚				
2191			G2①：21	1	1	残	明晚				
2192			G2①	4	2	残	明晚				
2193			G2③：8	2		残	明晚				
2194			G2③：84	1		残	明晚				
2195			G2③：112	1	1	残	明晚				
2196			G9①：12	1	1	较完整	明晚	残10.5	19.4	1.1	

续表

序号	类型	名称	出土单位/编号	数量/片	计件	完残	年代	瓦头尺寸/厘米			小计/件
								高	宽	厚	
2197	Bb	滴水	G9①：39	1	1	残	明晚				219
2198			G9①：40	1	1	残	明晚				
2199			G9①：41	1	1	残	明晚				
2200			G9①：42	1	1	残	明晚				
2201			G9①：43	1	1	残	明晚				
2202			G9①：44	1	1	残	明晚				
2203			G9①：45	1	1	残	明晚				
2204			G9①：46	1	1	残	明晚				
2205			G9①	4	2	残	明晚				
2206			C1①：12	1	1	残	明晚	残9.1	18.3	残0.7	
2207			C1①：24	1		残	明晚	残7.4	残6	1.2	
2208			C9①：19	1	1	残	明晚	残5.5	残8.5	1.2	
2209			C9①：25	1		残	明晚				
2210			L2①：23	1	1	残	明晚				
2211			L2①	14	5	残	明晚				
2212			ⅠT0101①	19	8	残	明晚				
2213			ⅠT0101②	4	3	残	明晚				
2214			ⅠT0102②	48	22	残	明晚				
2215			ⅠT0103①：19	1		残	明晚	残8.9	残8	1.1	
2216			ⅠT0103①：20	1		残	明晚	残5	残11.8	1.5	
2217			ⅠT0103①：29	1		残	明晚	残5	残7	1.7	
2218			ⅠT0103①：34	1	1	残	明晚	残7	残15	1.5	
2219			ⅠT0103①：35	1	1	残	明晚	残5	残10	1.8	
2220			ⅠT0103①：36	1	1	残	明晚	残8.5	残10.5	1.3	
2221			ⅠT0103①：37	1	1	残	明晚	11.3	残15	1.3	
2222			ⅠT0103②	4	3	残	明晚				
2223			ⅠT0103③	13	7	残	明晚				
2224			ⅠT0103④	63	29	残	明晚				
2225			ⅠT0104①：22	1		残	明晚	残9	残8.3	1.5	
2226			ⅠT0104①：23	1		残	明晚	残6	残5.8	残1.1	
2227			ⅠT0203①：5	1		残	明晚	残6.3	残10.2	1.5	
2228			ⅠT0203①：24	1	1	残	明晚				
2229			ⅠT0203①：26	1		残	明晚				
2230			ⅠT0203①：32	1		残	明晚				
2231			ⅠT0203①：34	1	1	残	明晚				
2232			ⅠT0203①：35	1		残	明晚				

续表

序号	类型	名称	出土单位/编号	数量/片	计件	完残	年代	瓦头尺寸/厘米			小计/件
								高	宽	厚	
2233	Bb	滴水	Ⅰ T0203①：36	1	1	残	明晚				219
2234			Ⅰ T0204①：27	1	1	残	明晚	残10.3	残15.5	1.8	
2235			Ⅰ T0204①：38	1	1	残	明晚	残5.5	残11.4	1.8	
2236			Ⅰ T0204①：40	1	1	完整	明晚	12.2	19.2	1.4	
2237			Ⅰ T0204①：44	1		残	明晚	残9.5	残7.5	1	
2238			Ⅱ T0101①	1	1	残	明晚				
2239			Ⅲ T0101①	2	2	残	明晚				
2240			Ⅳ T0101①	1	1	残	明晚				
2241			Ⅳ T0102①：16	1	1	较完整	明晚	残8.3	20	残0.8	
2242			Ⅳ T0102①：17	1	1	较完整	明晚	10.6	19.5	1	
2243			Ⅳ T0102①：18	1	1	完整	明晚	13	21	2～2.3	
2244			Ⅳ T0102①：19	1	1	完整	明晚	11	20.3	1.1	
2245			Ⅳ T0102①：20	1	1	完整	明晚	10.7	20.6	1.1	
2246			Ⅳ T0102①：34	1	1	残	明晚	残18.5	残5	1.3	
2247			Ⅳ T0102①	45	22	残	明晚				
2248			Ⅳ T0102②	7	4	残	明晚				
2249			Ⅳ T0102②	12		残	明晚				
2250			Ⅳ T0103①	2	1	残	明晚				
2251			Ⅳ T0104①	1	1	残	明晚				
2252			Ⅳ T0106①：26	1		残	明晚	残6.4	残7.3	残0.7	
2253			Ⅳ T0201①：13	1		残	明晚	残8.6	残3.5	残0.6	
2254			Ⅳ T0201①：15	1	1	残	明晚	残6	残7.3	1	
2255			Ⅳ T0201①：17	1	1	残	明晚	残6.4	残5	1.1	
2256			Ⅳ T0201①：18	1	1	残	明晚	残2	残8	残0.9	
2257			Ⅳ T0201①	6	2	残	明晚				
2258			Ⅳ T0202①：8	1	1	残	明晚	残3	残11	1	
2259			Ⅳ T0202①：9	1	1	残	明晚	残8.5	残2.7	1	
2260			Ⅳ T0202①：10	1	1	残	明晚	残5	残3.5	1.2	
2261			Ⅳ T0202①：12	1	1	残	明晚	残4.5	残5.6	1.2	
2262			Ⅳ T0202①：14	1		残	明晚	残4	残8	1	
2263			Ⅳ T0202①：15	1	1	残	明晚	残5.5	残10.5	1	
2264			Ⅳ T0202①：16	1		残	明晚	残6	残11	1.3	
2265			Ⅳ T0202①：17	1	1	残	明晚	残7	残7.5	残0.9	
2266			Ⅳ T0202①：19	1	1	残	明晚	残4.5	残10	1.2	
2267			Ⅳ T0202①：20	1		残	明晚	残7	残4.5	1.1	
2268			Ⅳ T0202①：21	1		残	明晚	残4	残3.6	1.9	

续表

序号	类型	名称	出土单位/编号	数量/片	计件	完残	年代	瓦头尺寸/厘米			小计/件
								高	宽	厚	
2269	Bb	滴水	ⅣT0202①：23	1		残	明晚	残13	残10	2	219
2270			ⅣT0202①：24	1		残	明晚	残10	残6.5	1.7	
2271			ⅣT0202①：26	1		残	明晚	残7	残10	1	
2272			ⅣT0202①：27	1		残	明晚	残5.5	残12	1	
2273			ⅣT0202①：33	1		残	明晚	残8.1	残12	1.2	
2274			ⅣT0202①：34	1	1	残	明晚	残8	残10.5	残0.8	
2275			ⅣT0202①：35	1	1	残	明晚	残7.2	残10.5	1	
2276			ⅣT0202①：38	1		残	明晚	残6.6	残4.2	1.1	
2277			ⅣT0202①：39	1		残	明晚	残7	18.5	1.3	
2278			ⅣT0202①：41	1	1	残	明晚	残9	18	1.4	
2279			ⅣT0202①：42	1	1	残	明晚	残6.6	残8.6	1.1	
2280			ⅣT0202①：43	1		残	明晚	残3.5	残9	1	
2281			ⅣT0202①	1		残	明晚				
2282			ⅣT0203④：8	1		残	明晚	残6	残5	1	
2283			ⅣT0205①：14	1		残	明晚	残9	残8	1.2	
2284			ⅣT0206①：27	1	1	残	明晚	残5	残18.2	1.5	
2285			ⅣT0207①：33	1		残	明晚	残4.2	残9	1.1	
2286			ⅣT0303①：11	1		残	明晚	残6.6	残11	1.6	
2287			ⅣT0304①：44	1		残	明晚	残7	残9.2	1.1	
2288			ⅣT0305①：58	1	1	残	明晚				
2289			ⅣT0305①	15	7	残	明晚				
2290			ⅣT0306①：38	1	1	残	明晚	残4	残9	1.3	
2291			ⅣT0404④：5	1	1	残	明晚	残6.7	残10.3	1.5	
2292			ⅣT0404④：12	1	1	残	明晚	残8	残6	1.5	
2293			ⅣT0404④：17	1		残	明晚	残3.7	残6.4	1	
2294			ⅣT0404④：19	1		残	明晚	残3.5	残8.5	2	
2295			ⅣT0405①	1		残	明晚				
2296			ⅣT0504④	4	1	残	明晚				
2297			ⅣT0506①	1	1	残	明晚				
2298			ⅣT0507①：196	1	1	残	明晚				
2299			ⅣT0606④	1		残	明晚				
2300			太平Y1：9	1	1	残	明晚	残10	残15	1.4	
2301	Bb	板瓦勾头	F1①：9	1	1	残	明晚	残11	19	1.3	183
2302			F1①：51	1	1	完整	明晚	12.8	17.9	3.1	
2303			F1①：52	1	1	残	明晚				
2304			F1①	5	4	残	明晚				

续表

序号	类型	名称	出土单位/编号	数量/片	计件	完残	年代	瓦头尺寸/厘米			小计/件
								高	宽	厚	
2305	Bb	板瓦勾头	F1①	1		残	明晚				183
2306			F3①：5	1	1	残	明晚				
2307			F3①：39	1	1	残	明晚				
2308			F3①：50	1	1	残	明晚				
2309			F3①：51	1	1	残	明晚				
2310			F3①	15	8	残	明晚				
2311			F10①：99	1	1	残	明晚	残5.5	残15.5	1.4	
2312			F10①：100	1	1	残	明晚	残10.4	残3	1.2	
2313			F10①	19	13	残	明晚				
2314			F12①	5	4	残	明晚				
2315			F12②：3	1	1	完整	明晚	13.2	16.5	1.4	
2316			F12②：18	2	1	残	明晚				
2317			F19①：79	1	1	较完整	明晚	残11	残18	1.5	
2318			F19①	10	7	残	明晚				
2319			F19天井①	4	4	残	明晚				
2320			F19天井①	2	2	残	明晚				
2321			F19天井②	3	2	残	明晚				
2322			现代坑1：8	1	1	残	明晚				
2323			现代坑1：10	1		残	明晚				
2324			K2①：5	1	1	残	明晚	13.2	残12.6	1.2	
2325			K2①：28	1		残	明晚				
2326			K2①：29	1		残	明晚				
2327			K2①：30	1		残	明晚				
2328			K2①：32	1		残	明晚				
2329			K6①：10	1	1	残	明晚	残11.5	残11.4	1.3	
2330			K6①：22	1	1	残	明晚				
2331			G2②	2	1	残	明晚				
2332			G2③：44	1	1	残	明晚				
2333			G2③：66	1	1	残	明晚				
2334			G2③：85	1		残	明晚				
2335			G9①：14	1	1	完整	明晚	13.5	17.5	1.7～3.4	
2336			G9①：27	1	1	较完整	明晚	残15.7	20.3	1.5	
2337			G9①：28	1	1	较完整	明晚	残14.2	残16	1.8	
2338			G9①：29	1	1	完整	明晚	17	20	1.5	
2339			G9①	13	8	残	明晚				
2340			C4①：13	1	1	残	明晚	残10	残15.5	1.8	

续表

序号	类型	名称	出土单位/编号	数量/片	计件	完残	年代	瓦头尺寸/厘米			小计/件
								高	宽	厚	
2341	Bb	板瓦勾头	C6①：12	1		残	明晚	残9	残8.5	1.2	183
2342			Ⅰ T0101①	17	12	残	明晚				
2343			Ⅰ T0101②	5	2	残	明晚				
2344			Ⅰ T0102②	28	14	残	明晚				
2345			Ⅰ T0103①：38	1		残	明晚	残6	残7.5	1	
2346			Ⅰ T0103①：44	1	1	残	明晚	残7	残10	1.7	
2347			Ⅰ T0103①：45	1		残	明晚	残6.6	残10.7	1.5	
2348			Ⅰ T0103①：46	1	1	残	明晚	残8.5	残10	1.1	
2349			Ⅰ T0103①：47	1	1	残	明晚	残6.5	残8.5	1.6	
2350			Ⅰ T0103①：48	1	1	残	明晚	残11.5	残18	1.1	
2351			Ⅰ T0103①：49	1		残	明晚	残5.5	残8.3	残1.5	
2352			Ⅰ T0103①：50	1	1	完整	明晚	13	18	1.1	
2353			Ⅰ T0103②：5	1	1	残	明晚				
2354			Ⅰ T0103②：26	1	1	残	明晚				
2355			Ⅰ T0103②	3	2	残	明晚				
2356			Ⅰ T0103④	3	1	残	明晚				
2357			Ⅰ T0104①：43	1	1	残	明晚	残9.5	残18.2	1.6	
2358			Ⅰ T0104①：44	1	1	残	明晚	残8	残11.5	1.9	
2359			Ⅰ T0104①：45	1	1	残	明晚	残8.8	残13	1.7	
2360			Ⅰ T0104①：47	1	1	残	明晚	残8.5	残10.2	1.7	
2361			Ⅰ T0201①：6	1	1	残	明晚	残10	18	1.3	
2362			Ⅰ T0201①：7	1	1	完整	明晚	13.5	18.3	1	
2363			Ⅰ T0201①：8	1	1	残	明晚	12.7	残14	1.1	
2364			Ⅰ T0201①：9	1	1	残	明晚	残10	残17.8	1	
2365			Ⅰ T0201①：10	1	1	完整	明晚	13.7	18.7	1.2	
2366			Ⅰ T0201①：11	1	1	残	明晚	13.2	残10.6	1.2	
2367			Ⅰ T0201①：12	1		残	明晚	残8.7	残6.4	1.1	
2368			Ⅰ T0203①：14	1		残	明晚	残3.7	残6.4	1.5	
2369			Ⅰ T0203①：21	1	1	残	明晚				
2370			Ⅰ T0203①：22	1	1	残	明晚				
2371			Ⅰ T0203①：31	1		残	明晚				
2372			Ⅰ T0203①：39	1	1	残	明晚				
2373			Ⅰ T0204①：4	1		残	明晚	残9	残21	1.2	
2374			Ⅰ T0204①：5	1	1	较完整	明晚	10.3	21	1.5	
2375			Ⅰ T0204①：63	1		残	明晚	残14.7	残16.2	1.4	
2376			Ⅰ T0204①：64	1		残	明晚	残6.3	残16.6	3.1	

续表

序号	类型	名称	出土单位/编号	数量/片	计件	完残	年代	瓦头尺寸/厘米			小计/件
								高	宽	厚	
2377	Bb	板瓦勾头	ⅡT0101①：20	1	1	较完整	明晚	残9.4	残14.5	1.1	183
2378			ⅡT0101①	1	1	残	明晚				
2379			ⅢT0101①	2	1	残	明晚				
2380			ⅣT0101①：34	1	1	残	明晚	残7	残10	2	
2381			ⅣT0101①	2	1	残	明晚				
2382			ⅣT0102①：29	1	1	残	明晚	残9.8	18.2	1.1	
2383			ⅣT0102①	35	20	残	明晚				
2384			ⅣT0102②：5	1	1	较完整	明晚	12.5	残17.5	1.8	
2385			ⅣT0102②：8	1		残	明晚				
2386			ⅣT0102②	25	3	残	明晚				
2387			ⅣT0104①	1	1	残	明晚				
2388			ⅣT0105①：8	1	1	残	明晚	残8.5	残10	1.1	
2389			ⅣT0106①：52	1		残	明晚	残3	残9.5	1	
2390			ⅣT0106①：78	1	1	残	明晚	残10.8	残11	1.3	
2391			ⅣT0201①	1	1	残	明晚				
2392			ⅣT0202①：44	1		残	明晚	残6.5	残6.5	1	
2393			ⅣT0202①：50	1		残	明晚	残4.5	残7	1.5	
2394			ⅣT0202①：52	1		残	明晚	残4	残8.8	1.1	
2395			ⅣT0202①：59	1		残	明晚	残4.5	残10	1.4	
2396			ⅣT0202①：60	1		残	明晚	残11.6	残7.6	1.1	
2397			ⅣT0202①：61	1	1	残	明晚	残9.5	残18.5	1.2	
2398			ⅣT0202①：62	1		残	明晚	残7.2	残9	1	
2399			ⅣT0202①：63	1		残	明晚	残6.3	残6.5	1.2	
2400			ⅣT0202①：64	1	1	残	明晚	残9	残15	1.2	
2401			ⅣT0202①：66	1		残	明晚	残3.2	残6	1.1	
2402			ⅣT0205①：9	1		残	明晚	残9.2	残5	1.2	
2403			ⅣT0205①：13	1	1	完整	明晚	12.5	18	1.1	
2404			ⅣT0305①：56	1	1	残	明晚				
2405			ⅣT0305①	19	11	残	明晚				
2406			ⅣT0403②A	1	1	残	明晚				
2407			ⅣT0404④：23	1	1	残	明晚	残8.2	残16.5	2	
2408			ⅣT0405①	1	1	残	明晚				
2409			ⅣT0405①	1		残	明晚				
2410			ⅣT0504④	1		残	明晚				
2411			ⅣT0506①	2	2	残	明晚				
2412			太平Y1：6	1	1	较完整	明晚	12	残17.5	1.2	

续表

序号	类型	名称	出土单位/编号	数量/片	计件	完残	年代	瓦头尺寸/厘米			小计/件
								高	宽	厚	
2413	Bb	筒瓦勾头	F1①：13	1	1	残	明晚				165
2414			F1①：14	1	1	残	明晚				
2415			F1①：15	2	1	残	明晚				
2416			F1①：16	1	1	残	明晚				
2417			F1①：17	2	1	残	明晚				
2418			F1①：23	1	1	残	明晚				
2419			F1①：45	1	1	残	明晚				
2420			F1①：46	1	1	残	明晚				
2421			F1①：47	1	1	完整	明晚	11.6	12	3.3	
2422			F1①：49	1	1	残	明晚				
2423			F1①	6	2	残	明晚				
2424			F1①	4	4	残	明晚				
2425			F1②：4	3	1	残	明晚				
2426			F1②：5	1	1	完整	明晚	瓦长30.5	12	1.6～2	
2427			F1②：14	1	1	残	明晚				
2428			F1②：15	1	1	较完整	明晚	11.6	12	3.3	
2429			F2①：127	1	1	残	明晚				
2430			F3①：7	1	1	完整	明晚	10.8	11.5	1.1～3.5	
2431			F3①：17	1	1	残	明晚				
2432			F3①：34	1	1	残	明晚				
2433			F3①	6	5	残	明晚				
2434			F5①：264	1	1	残	明晚				
2435			F8①：99	1	1	残	明晚				
2436			F8②：11	1	1	残	明晚				
2437			F8②：12	1	1	残	明晚				
2438			F8②	1	1	残	明晚				
2439			F9①：182	1	1	残	明晚				
2440			F10①：81	1	1	残	明晚	残5	残7.8	1.2	
2441			F10①：82	1	1	残	明晚	残7	残7	残0.7	
2442			F10①：83	1	1	残	明晚	残12.5	残10	1.6	
2443			F10①：84	1	1	残	明晚	残6.1	残6.4	1.5	
2444			F10①：85	1		残	明晚	残11.6	残14.2	1	
2445			F10①：86	1	1	残	明晚	13.2	残17	1.3	
2446			F10①：87	1	1	残	明晚	12.5	残18.5	1.6	
2447			F10①：88	1	1	残	明晚	残9.7	残17.7	1	
2448			F12①：6	2	1	残	明晚				

续表

序号	类型	名称	出土单位/编号	数量/片	计件	完残	年代	瓦头尺寸/厘米			小计/件
								高	宽	厚	
2449	Bb	筒瓦勾头	F12①：7	1	1	残	明晚				165
2450			F12①：21	1	1	残	明晚				
2451			F12①：23	1	1	残	明晚				
2452			F12①：36	1	1	残	明晚				
2453			F12①：45	1	1	残	明晚				
2454			F12①：46	1	1	残	明晚				
2455			F12①：47	1	1	残	明晚				
2456			F12①：48	1	1	残	明晚				
2457			F12①	4	2	残	明晚				
2458			F12②：8	1	1	残	明晚				
2459			F19①：77	1	1	残	明晚	残11	残12	2.2	
2460			F19①：78	1	1	残	明晚				
2461			F19②：5	1	1	残	明晚				
2462			F19天井②	6	4	残	明晚				
2463			F22①：1	1	1	残	明晚				
2464			现代坑6：1	1	1	残	明晚				
2465			K2①：27	1		残	明晚				
2466			G1①：16	1	1	残	明晚				
2467			G2②：47	1		残	明晚	残9	残14.5	1.5	
2468			G2③：62	1	1	残	明晚				
2469			G2③：63	2	1	残	明晚				
2470			G2③：100	1	1	残	明晚				
2471			G2③：101	1		残	明晚				
2472			G8①：3	1	1	残	明晚				
2473			G8①：4	1	1	残	明晚				
2474			G8①：5	4	1	残	明晚				
2475			G9①：17	1	1	较完整	明晚	残11.4	11.5	1.6	
2476			G11：4	1	1	残	明晚				
2477			G11：5	1	1	残	明晚				
2478			G11：6	1	1	残	明晚				
2479			G11：7	1		残	明晚				
2480			G12①：78	1	1	残	明晚	残7.6	残10	1.5	
2481			G12①：79	1	1	残	明晚	残10	残7.5	1.3	
2482			G12①：80	2	1	残	明晚	残11	残7	1.6	
2483			G12①	1	1	残	明晚				
2484			G20①：8	1	1	残	明晚	残10.5	残8	1.5	

续表

序号	类型	名称	出土单位/编号	数量/片	计件	完残	年代	瓦头尺寸/厘米			小计/件
								高	宽	厚	
2485	Bb	筒瓦勾头	C1①：9	1	1	残	明晚				165
2486			C1①：10	1	1	残	明晚				
2487			C4②：1	1	1	残	明晚				
2488			C9①：3	1	1	残	明晚				
2489			C9①：26	1		残	明晚				
2490			L2①	1	1	残	明晚				
2491			L2②：28	1	1	残	明晚	16.4	19.5	1.3	
2492			L2②：29	2	1	残	明晚	13	残17.5	1.3	
2493			L2②：32	1	1	残	明晚	16.7	残20.5	1.3	
2494			L2③	1	1	残	明晚				
2495			L2④：14	1		残	明晚				
2496			L2④：298	1	1	残	明晚				
2497			L2④：299	1	1	残	明晚				
2498			L2④：300	1	1	残	明晚				
2499			ⅠT0101①：47	1	1	残	明晚				
2500			ⅠT0101①：48	1	1	残	明晚				
2501			ⅠT0101①：49	1	1	残	明晚				
2502			ⅠT0101①：50	1	1	残	明晚				
2503			ⅠT0101①：51	1	1	残	明晚				
2504			ⅠT0101①：52	1	1	残	明晚				
2505			ⅠT0101①	12	12	残	明晚				
2506			ⅠT0101②：11	2	1	残	明晚				
2507			ⅠT0102①：7	1	1	残	明晚				
2508			ⅠT0102②	4	2	残	明晚				
2509			ⅠT0103③：12	1	1	残	明晚				
2510			ⅠT0105①：32	1	1	残	明晚				
2511			ⅠT0203①：28	1	1	残	明晚				
2512			ⅠT0203①：33	1	1	残	明晚				
2513			ⅠT0204①：3	1	1	残	明晚	残6.5	残1.3	1.6	
2514			ⅠT0204①：57	1	1	残	明晚				
2515			ⅡT0101①	1	1	残	明晚				
2516			ⅡT0102①：1	2	1	残	明晚				
2517			ⅡT0102①：7	1	1	残	明晚				
2518			ⅢT0101①：4	1	1	残	明晚				
2519			ⅢT0101①	1	1	残	明晚				
2520			ⅢT0101①	2	2	残	明晚				

续表

序号	类型	名称	出土单位/编号	数量/片	计件	完残	年代	瓦头尺寸/厘米			小计/件
								高	宽	厚	
2521	Bb	筒瓦勾头	ⅣT0102①：30	1	1	残	明晚				165
2522			ⅣT0102①：38	1	1	残	明晚				
2523			ⅣT0102①：39	1	1	残	明晚				
2524			ⅣT0102②	1		残	明晚				
2525			ⅣT0103①：7	1	1	残	明晚				
2526			ⅣT0106①：79	1		残	明晚				
2527			ⅣT0106①：80	1		残	明晚				
2528			ⅣT0106①：81	1		残	明晚				
2529			ⅣT0106①：82	1		残	明晚				
2530			ⅣT0107①：5	1	1	较完整	明晚	残10	残15.9	1.1	
2531			ⅣT0107①：6	1	1	残	明晚	残5.5	残11.5	2.4	
2532			ⅣT0107①：7	1	1	残	明晚	残8.9	残9.5	2.3	
2533			ⅣT0107①：8	1	1	残	明晚	残14	残12	1.2	
2534			ⅣT0107①：9	1	1	残	明晚	残6.3	残16.6	2.5	
2535			ⅣT0202①：67	1	1	残	明晚				
2536			ⅣT0202①：68	1		残	明晚				
2537			ⅣT0202①：69	1	1	残	明晚	残9.5	残4.6	1.4	
2538			ⅣT0203③：1	1		残	明晚				
2539			ⅣT0204②：1	1	1	残	明晚				
2540			ⅣT0206①：6	1	1	残	明晚				
2541			ⅣT0206①：7	1	1	残	明晚				
2542			ⅣT0304①：62	1	1	残	明晚				
2543			ⅣT0304①：63	1	1	残	明晚				
2544			ⅣT0305①：59	1	1	残	明晚				
2545			ⅣT0305①：60	1	1	残	明晚				
2546			ⅣT0305①：61	1	1	残	明晚				
2547			ⅣT0306①：139	1	1	残	明晚				
2548			ⅣT0306①：140	1	1	残	明晚				
2549			ⅣT0306①：141	1	1	残	明晚				
2550			ⅣT0306①：142	1	1	残	明晚				
2551			ⅣT0306①：143	1	1	残	明晚				
2552			ⅣT0306①：144	1	1	残	明晚				
2553			ⅣT0306①：145	1	1	残	明晚				
2554			ⅣT0306①	9	5	残	明晚				
2555			ⅣT0403②B：5	1	1	残	明晚				
2556			ⅣT0502③A	1		残	明晚				

续表

序号	类型	名称	出土单位/编号	数量/片	计件	完残	年代	瓦头尺寸/厘米			小计/件
								高	宽	厚	
2557	Bb	筒瓦勾头	ⅣT0502④	1		残	明晚				165
2558			ⅣT0506①：58	1	1	残	明晚				
2559			ⅣT0506①：64	1	1	残	明晚				
2560			ⅣT0506①：65	1	1	残	明晚				
2561			ⅣT0506①	2		残	明晚				
2562			ⅣT0607①：39	1	1	残	明晚				
2563			ⅣT0608①：60	1	1	残	明晚				
2564			ⅣT0908①：21	1		残	明晚				
2565			TG21②：26	1	1	完整	明晚	16	19.7	1.5	
2566			TG4③：66	1	1	较完整	明晚	12	残12	1.5	
2567	Bc	滴水	F29①：7	1	1	完整	明晚	12.4	19	3.3	46
2568			F29①：12	1		残	明晚	残4.5	残6.5	1.2	
2569			F29①：13	1		残	明晚	残2.5	残12	1.2	
2570			F29①：14	2	1	残	明晚	残5	残3.5	1.3	
2571			F29①：15	1	1	残	明晚	残7.5	残14.5	1	
2572			F29①：16	1		残	明晚	残3	残11.9	1.6	
2573			F29①：20	1	1	较完整	明晚	残12.5	21	1.1	
2574			F29①：21	1		残	明晚	残8.5	残8.3	1.5	
2575			F29①：22	1		残	明晚	残5.5	残3	1.3	
2576			F29①：23	1	1	较完整	明晚	残12	19.8	1.3	
2577			F29①：58	1	1	残	明晚				
2578			F29①：59	1	1	残	明晚				
2579			TG44③：43	1	1	完整	明晚	12.7	19.5	1.3	
2580			TG44③：44	1	1	完整	明晚	12.5	18	1.4	
2581			TG44③：45	1	1	残	明晚	残11	残19.5	1.3	
2582			TG44③：50	1	1	较完整	明晚	13.2	残16	1.4	
2583			TG44③：51	1	1	完整	明晚	12.8	19	1.4	
2584			TG44③：52	1	1	完整	明晚	13.8	19	1.5	
2585			TG44③：53	1	1	残	明晚	残12	19.5	1.8	
2586			TG44③：54	1	1	较完整	明晚	12.5	残18.5	1.3	
2587			TG44③：56	1	1	较完整	明晚	残10	残18.5	1.3	
2588			TG44③：59	1	1	较完整	明晚	残11.1	残18.5	1.3	
2589			TG44③：60	1	1	较完整	明晚	残12	残19.5	1.3	
2590			TG44③：61	1	1	残	明晚	残12	残17	1.3	
2591			TG44③：62	1	1	较完整	明晚	13	残17.5	1.3	
2592			TG44③：63	1		残	明晚	残8.8	残12	1.5	

续表

序号	类型	名称	出土单位/编号	数量/片	计件	完残	年代	瓦头尺寸/厘米			小计/件
								高	宽	厚	
2593	Bc	滴水	TG44③：64	1	1	残	明晚	残10	残13.5	1.3	46
2594			TG44③：65	1	1	较完整	明晚	残7.9	19	1.5	
2595			TG44③：66	1	1	较完整	明晚	残10.8	残15.8	1.5	
2596			TG44③：67	1	1	较完整	明晚	12.6	残16.5	1.3	
2597			TG44③：68	1	1	残	明晚	残9.5	残10.3	1.5	
2598			TG44③：69	1	1	残	明晚	残7.5	残11	2	
2599			TG44③：72	1	1	较完整	明晚	13	残17.5	1.3	
2600			TG44③：83	1	1	完整	明晚	9.5	18.5	2～3	
2601			TG44③：84	1	1	较完整	明晚	残9.4	残19.5	1.3	
2602			TG44③：85	1		残	明晚	残5	残8	2.2	
2603			TG44③：86	1		残	明晚	残4.4	残11.7	1.2	
2604			TG44③：87	1		残	明晚	残7.5	残7.5	1.3	
2605			TG44③：88	1	1	残	明晚	残10	残14	1.1	
2606			TG44③：89	1	1	较完整	明晚	残10	残20	1.2	
2607			TG44③：90	1	1	残	明晚	残3.5	残9	2.2	
2608			TG44③：91	1	1	残	明晚	残10.5	残14	1.2	
2609			TG44③：92	1	1	残	明晚	残6	残5.5	1.1	
2610			TG44③：93	1		残	明晚	残2.3	残7	1.1	
2611			TG44③：94	1		残	明晚	残6.5	残13.1	1.7	
2612			TG44③：95	1		较完整	明晚	残12.8	残16	1.4	
2613			TG44③：96	1		残	明晚	残2.7	残11.5	1.3	
2614			TG44③：97	1		残	明晚	残6.3	残5	1.6	
2615			TG44③：98	1		残	明晚	残5	残3.6	1.3	
2616			TG44③：99	1	1	残	明晚	残11	残3.5	1.1	
2617			TG44③：100	1		残	明晚	残5.5	残9	1.5	
2618			TG44③：101	1	1	残	明晚	残13	19	1.3	
2619			TG44③：102	1		残	明晚	残6.6	残11.4	2	
2620			TG44③：103	1		残	明晚	残2	残7	1.4	
2621			TG44③：104	1	1	残	明晚	残8.9	残17	1.6	
2622			TG44③：105	1	1	较完整	明晚	残10	残11.5	1.2	
2623			TG44③：106	1		残	明晚	残7.5	残6.3	1.6	
2624			TG44③：107	1	1	残	明晚	残10.5	残10.5	1.5	
2625			TG44③：108	1	1	残	明晚	残10	残6.5	1	
2626			TG44③：109	1	1	残	明晚	残13.3	残12.2	1.1	
2627			TG44③：110	1		较完整	明晚	残7.5	19	2	
2628			TG44③：111	1	1	较完整	明晚	残6.6	19	1.4	

续表

序号	类型	名称	出土单位/编号	数量/片	计件	完残	年代	瓦头尺寸/厘米			小计/件
								高	宽	厚	
2629	Bc	滴水	TG44③：112	1	1	残	明晚	残4.2	残5.8	2	46
2630			TG44③：113	1	1	残	明晚	残11.5	残10.4	1.1	
2631			TG44③：114	1		残	明晚	残4.7	残5	1.6	
2632			TG44③：115	1		残	明晚	残1.3	残8	2.4	
2633			TG44③：116	1		残	明晚	残4.3	残7.7	2.5	
2634			TG44③：117	1		残	明晚	残5.5	残5	1	
2635			TG44③：118	1		残	明晚	残3	残8.4	2.5	
2636			TG44③：119	1		残	明晚	残10	残9.5	1.1	
2637			TG44③：120	1		残	明晚	残3.5	残3.6	1.5	
2638			TG44③：121	1		残	明晚	残4	残13.2	2.5	
2639			TG44③：122	1		残	明晚	残2.5	残5.5	1.3	
2640			太平Y1：10	1	1	较完整	明晚	残12	19	1.3	
2641			太平Y1：11	1	1	残	明晚	残12	残16.5	1.4	
2642	C	滴水	G2①：1	1	1	残	明晚	残7.5	残17.7	1.5	7
2643			G2①：3	1	1	残	明晚				
2644			G2①：4	1	1	残	明晚	残8.6	残17.4	1.5	
2645			G2①：6	1	1	完整	明晚	8.8	17.8	2.6	
2646			G2②：2	1		残	明晚	残6.3	残6.7	1.6	
2647			G2②：33	2	1	完整	明晚	9.2	17	1.1～1.5	
2648			G2②：51	1	1	较完整	明晚	9.3	残11.6	1.5	
2649			G2③：14	1	1	残	明晚				
2650			ⅣT0203④：16	1		残	明晚				
2651			ⅣT0405④	1		残	明晚				
2652		板瓦勾头	G2①：5	1		残	明晚	残7.5	残4.5	1.4	7
2653			G2①：9	1		残	明晚	残10	残7	1.5	
2654			G2①：13	1		残	明晚	残11	残7	1.5	
2655			G2①：22	1	1	残	明晚				
2656			G2①：26	1	1	残	明晚				
2657			G2②：49	1		残	明晚	残5	残10.2	1.4	
2658			G2②：50	1	1	完整	明晚	12.2	15.7	1.4～2.4	
2659			G2②：52	1		残	明晚	残8	残7.5	1.4	
2660			ⅣT0102②：6	1	1	残	明晚				
2661			ⅣT0102②	1	1	残	明晚				
2662			ⅣT0305④：12	1	1	残	明晚				
2663			ⅣT0404④：34	1	1	残	明晚	残8.1	残11.2	1	

续表

序号	类型	名称	出土单位/编号	数量/片	计件	完残	年代	瓦头尺寸/厘米			小计/件
								高	宽	厚	
2664	D	滴水	G2①：2	1	1	已修	明晚	残12	残18	1.2～1.8	2
2665			G2②：53	1	1	残	明晚	残5.1	残10	1.3	
2666	E	滴水	F8①：133	1	1	残	明晚				7
2667			F8③：22	1	1	残	明晚				
2668			F19天井②：10	1		残	明晚				
2669			G20①：1	2	1	已修	明晚	17.5	34.7	1.8～2.5	
2670			G20①：2	3	1	残	明晚				
2671			L2②：19	2	1	残	明晚	残16.3	19.3	1.3	
2672			ⅣT0207①：1	1	1	残	明晚				
2673			ⅣT0304①：26	1	1	残	明晚				
2674			ⅣT0306①：79	1		残	明晚				
2675	不可识	滴水	K2①：15	1		残	明晚				
2676			K2①：16	1		残	明晚				
2677			K2①：20	1		残	明晚				
2678			K6①	6		残	明晚				
2679			C3①：27	1		残	明晚	残5.5	残8.5	1.2	
2680			ⅠT0103①：21	1		残	明晚	残4	残10.5	1.3	
2681			ⅠT0103①：26	1		残	明晚	残6.5	残7	1.2	
2682			ⅠT0103②：18	1		残	明晚				
2683			ⅠT0103②：21	1		残	明晚				
2684			ⅠT0103②：24	1		残	明晚				
2685			ⅠT0103④	9		残	明晚				
2686			ⅠT0104①	1		残	明晚				
2687			ⅣT0707③：11	1		残	明晚	残6.5	残8.2	1.3	
2688		板瓦勾头	K6①	3		残	明晚				
2689			ⅠT0203①：13	1		残	明晚	残3.3	残9.9	2	
2690			ⅣT0707②：18	1		残	明晚	残5	残10	1.6	
2691			ⅣT0707②：20	1		残	明晚	残5.5	残10.5	1.8	
2692			ⅣT0707②：21	1		残	明晚	残10	残6.5	1.4	
2693			ⅣT0707②：22	1		残	明晚	残6	残9.8	1.3	
2694			ⅣT0707③：17	1		残	明晚	残5.5	残7.2	1.5	
2695			ⅣT0709①	1		残	明晚				
2696		勾滴残块	F10①	4		残	明晚				
2697			ⅠT0102②	24		残	明晚				
2698			ⅠT0103①：30	1		残	明晚	残7	残3.7	1.3	
2699			ⅠT0103①：31	1		残	明晚	残4.5	残6.8	1.4	

续表

序号	类型	名称	出土单位/编号	数量/片	计件	完残	年代	瓦头尺寸/厘米			小计/件
								高	宽	厚	
2700	不可识	勾滴残块	ⅠT0103①：33	1		残	明晚	残5.5	残6.5	1.7	
2701			ⅠT0103①：42	1		残	明晚	残5	残6	1.8	
2702			ⅠT0103②：19	1		残	明晚				
2703			ⅠT0103②	3		残	明晚				
2704			ⅠT0204①	8		残	明晚				
2705			ⅣT0102②	12		残	明晚				
2706			ⅣT0202①：58	1		残	明晚	残6	残6.5	1.2	
2707			ⅣT0205①：11	1	1	残	明晚	残8	残6.5	1.8	
2708			ⅣT0504④	1		残	明晚				
2709			ⅣT0505②A	1		残	明晚				
2710			ⅣT0606④	1		残	明晚				
2711			ⅣT0706①	1		残	明晚				
2712			ⅣT0709①	3		残	明晚				
合计											3452

附表6　脊砖统计表

序号	出土单位/编号	类型	名称	尺寸/厘米			数量/片	计件	完残	备注	小计/件
				长	宽	高					
1	F3①：107	A	素面大脊砖	残15.4	残7.5	残9.4	1		残		
2	F3①：108	A	素面大脊砖	残8.9	残4.4	残14.3	1		残		
3	F3①：109	A	素面大脊砖	残6.9	残5.2	残6.7	1		残		
4	F3①：110	A	素面大脊砖	残16.4	残3.7	残7.1	1		残		
5	F3①：111	A	素面大脊砖	残10.6	残2.4	残17.8	1		残		
6	F3①：113	A	素面大脊砖	残17.1	残13.3	残13.5	1		残		
7	F3①：116	A	素面大脊砖	残15.3	残3.9	残6.7	1		残		
8	G2③：98	A	素面大脊砖				1		残		1
9	G8①	A	素面大脊砖				1		残		
10	ⅣT0304①：27	A	素面大脊砖				1		残		
11	ⅣT0305①：28-1	A	素面大脊砖	残15.1	残14.4	残19.4	1	1	残	最厚处4.4厘米	
12	ⅣT0305①：28-2	A	素面大脊砖	残15.4	残4.9	残6.7	1		残		
13	ⅣT0305①：28-3	A	素面大脊砖	残15.4	残5.6	残16.8	1		残		
14	ⅣT0305①：28-4	A	素面大脊砖	残18.1	残6.6	残8.7	1		残		
15	F3①	B	缠枝莲花纹大脊砖				1		残		
16	F19①：76	B	缠枝莲花纹大脊砖	残12.8	残12.6	残13	1	1	残		
17	F19天井①	B	缠枝莲花纹大脊砖				1		残		
18	现代坑3	B	缠枝莲花纹大脊砖				1		残		
19	现代坑3	B	缠枝莲花纹大脊砖				1		残		
20	K6①	B	缠枝莲花纹大脊砖				1		残		
21	G2③：99	B	缠枝莲花纹大脊砖				1		残		6
22	ⅠT0101①	B	缠枝莲花纹大脊砖				1		残		
23	ⅠT0102②	B	缠枝莲花纹大脊砖				1		残		
24	ⅠT0102②	B	缠枝莲花纹大脊砖				6	1	残		
25	ⅠT0103①	B	缠枝莲花纹大脊砖				1		残		
26	ⅠT0103②	B	缠枝莲花纹大脊砖				2		残		

续表

序号	出土单位/编号	类型	名称	尺寸/厘米			数量/片	计件	完残	备注	小计/件
				长	宽	高					
27	Ⅰ T0103③	B	缠枝莲花纹大脊砖				1		残		
28	Ⅰ T0104①	B	缠枝莲花纹大脊砖				1		残		
29	Ⅲ T0101①：5	B	缠枝莲花纹大脊砖				1	1	残		
30	Ⅳ T0102①	B	缠枝莲花纹大脊砖				2		残		
31	Ⅳ T0103①：30	B	缠枝莲花纹大脊砖	32.8	残14.4	21.4	4	1	残	三块与 Ⅰ T0102②一块拼	
32	Ⅳ T0103①：36	B	缠枝莲花纹大脊砖	残25.8	残16.6	21.2	4	1	残	三块与 Ⅰ T0103②一块拼	
33	Ⅳ T0103①	B	缠枝莲花纹大脊砖				16		残		
34	Ⅳ T0104①	B	缠枝莲花纹大脊砖				4		残		6
35	Ⅳ T0106①	B	缠枝莲花纹大脊砖				1		残		
36	Ⅳ T0201①	B	缠枝莲花纹大脊砖				1		残		
37	Ⅳ T0202①	B	缠枝莲花纹大脊砖				1		残		
38	Ⅳ T0205①	B	缠枝莲花纹大脊砖				1		残		
39	Ⅳ T0306①	B	缠枝莲花纹大脊砖				1		残		
40	Ⅳ T0504③：2	B	缠枝莲花纹大脊砖				1	1	残		
41	Ⅳ T0504④	B	缠枝莲花纹大脊砖				1		残		
42	F1①	C	缠枝牡丹纹大脊砖				1		残		
43	F1①	C	缠枝牡丹纹大脊砖				5		残		129
44	F2①：64	C	缠枝牡丹纹大脊砖	残8.6	残11.4	残4	1	1	残		
45	F2①：79	C	缠枝牡丹纹大脊砖	残10.4	残14.1	残3.2	1	1	残		

续表

序号	出土单位/编号	类型	名称	尺寸/厘米			数量/片	计件	完残	备注	小计/件
				长	宽	高					
46	F2①：81	C	缠枝牡丹纹大脊砖	残15.5	残15.3	残2.7	1	1	残		129
47	F2①：84	C	缠枝牡丹纹大脊砖	残10	残6.6	残6.5	1	1	残		
48	F2①：85	C	缠枝牡丹纹大脊砖	残11.2	残14	残2.6	1	1	残		
49	F2①：86	C	缠枝牡丹纹大脊砖	残6.3	残12	残13	1	1	残	脊砖挡板	
50	F2①：87	C	缠枝牡丹纹大脊砖	残10	残10.3	残3	1	1	残		
51	F2①：88	C	缠枝牡丹纹大脊砖	残11	残10.6	残4	1	1	残		
52	F2①：89	C	缠枝牡丹纹大脊砖	残12.5	残12.8	残1.6	1	1	残		
53	F2①：90	C	缠枝牡丹纹大脊砖	残14..5	残9.2	残3	1	1	残		
54	F2①：91	C	缠枝牡丹纹大脊砖	残10.1	残11.5	残2.7	1	1	残		
55	F2①：93	C	缠枝牡丹纹大脊砖	残11	残13.5	残3	1	1	残		
56	F2①：94	C	缠枝牡丹纹大脊砖	残10.3	残7.2	残1.5	1	1	残		
57	F2①：96	C	缠枝牡丹纹大脊砖	残14	16	残3	1	1	残		
58	F2①：98	C	缠枝牡丹纹大脊砖	残14	残9.3	残3	1	1	残		
59	F3①：52	C	缠枝牡丹纹大脊砖	残12	残16.5	残6.1	1		残		
60	F3①：53	C	缠枝牡丹纹大脊砖	残13.3	残9	残2.1	1		残		
61	F3①：59	C	缠枝牡丹纹大脊砖	残16	残7.5	残3	1		残		
62	F3①：66	C	缠枝牡丹纹大脊砖	残9.5	残11.5	残2.9	1		残		
63	F3①：114	C	缠枝牡丹纹大脊砖	残11.7	残10.8	残9.6	1		残		
64	F3①：115	C	缠枝牡丹纹大脊砖	残14.3	残5.1	残18.6	1		残		

续表

序号	出土单位/编号	类型	名称	尺寸/厘米			数量/片	计件	完残	备注	小计/件
				长	宽	高					
65	F3①：118	C	缠枝牡丹纹大脊砖	残8.5	残9.3	残2	1		残		129
66	F3①	C	缠枝牡丹纹大脊砖				115	10	残		
67	F5①：2	C	缠枝牡丹纹大脊砖	残14.4	残15.4	残13.7	1	1	残		
68	F5①：263	C	缠枝牡丹纹大脊砖	残22.5	19.5	19	2	1	残	两块相拼为1件	
69	F5①	C	缠枝牡丹纹大脊砖				32	3	残		
70	F6①：1	C	缠枝牡丹纹大脊砖	30.9	残17.1	残18.5	1	1	残		
71	F6①：19	C	缠枝牡丹纹大脊砖	残19.1	残8.9	残18.4	1	1	残		
72	F6①	C	缠枝牡丹纹大脊砖				6		残		
73	F8①：6	C	缠枝牡丹纹大脊砖	30.7	15.2	18.3	1	1	较完整		
74	F8①	C	缠枝牡丹纹大脊砖				30	8	残		
75	F8②	C	缠枝牡丹纹大脊砖				11	3	残		
76	F9①	C	缠枝牡丹纹大脊砖残块				5	1	残		
77	F9②：143	C	缠枝牡丹纹大脊砖	残18.3	残3.9	残12.6	2	1	残		
78	F9②	C	缠枝牡丹纹大脊砖残块				29	2	残		
79	F10①	C	缠枝牡丹纹大脊砖				33	2	残		
80	F10①	C	缠枝牡丹纹大脊砖				15	2	残		
81	F12①：25	C	缠枝牡丹纹大脊砖	残31.3	残8.2	残18.2	1	1	较完整		
82	F12①	C	缠枝牡丹纹大脊砖				9	1	残		
83	F19①	C	缠枝牡丹纹大脊砖				19	2	残		

续表

序号	出土单位/编号	类型	名称	尺寸/厘米			数量/片	计件	完残	备注	小计/件
				长	宽	高					
84	F19①	C	缠枝牡丹纹大脊砖				7	2	残		
85	F19②：21	C	缠枝牡丹纹大脊砖				6	1	残		
86	F19天井①	C	缠枝牡丹纹大脊砖				10	2	残		
87	F19天井②	C	缠枝牡丹纹大脊砖				7	2	残		
88	F29①：29	C	缠枝牡丹纹大脊砖	残13	残2.5	残14.6	1		残		
89	F29①：30	C	缠枝牡丹纹大脊砖	残11.7	残8.5	残15.2	1		残		
90	F29①：31	C	缠枝牡丹纹大脊砖	残15.2	残6	残13.5	1		残		
91	F29①：34	C	缠枝牡丹纹大脊砖	残10	残9	残9	1		残		
92	F30①：6	C	缠枝牡丹纹大脊砖	残14	残2	残12	1		残		
93	现代坑3	C	缠枝牡丹纹大脊砖				4		残		129
94	现代坑4：3	C	缠枝牡丹纹大脊砖	残13.1	残12.4	残13.2	1		残		
95	现代坑4：4	C	缠枝牡丹纹大脊砖	残8.4	残7.7	残11.2	1		残		
96	K2①：33	C	缠枝牡丹纹大脊砖				1		残		
97	K2①：37	C	缠枝牡丹纹大脊砖				1		残		
98	K2①：38	C	缠枝牡丹纹大脊砖				1		残		
99	K2①：41	C	缠枝牡丹纹大脊砖				1		残		
100	K4②：42	C	缠枝牡丹纹大脊砖				1		残		
101	K4②：43	C	缠枝牡丹纹大脊砖				1		残		
102	K4②：44	C	缠枝牡丹纹大脊砖				1		残		

续表

序号	出土单位/编号	类型	名称	尺寸/厘米			数量/片	计件	完残	备注	小计/件
				长	宽	高					
103	K4②：45	C	缠枝牡丹纹大脊砖				1		残		129
104	K4②：46	C	缠枝牡丹纹大脊砖				1		残		
105	K4②：47	C	缠枝牡丹纹大脊砖				1		残		
106	K4②：48	C	缠枝牡丹纹大脊砖				1		残		
107	K4②：49	C	缠枝牡丹纹大脊砖				1		残		
108	K4②：66	C	缠枝牡丹纹大脊砖				1		残		
109	K6①：23	C	缠枝牡丹纹大脊砖				1		残	侧面小残块	
110	K6①：24	C	缠枝牡丹纹大脊砖				1		残	侧面小残块	
111	K6①：26	C	缠枝牡丹纹大脊砖				1		残	顶中部残块	
112	K6①：27	C	缠枝牡丹纹大脊砖				1		残		
113	K6①：29	C	缠枝牡丹纹大脊砖				1		残	侧面小残块	
114	K6①：30	C	缠枝牡丹纹大脊砖				1		残	侧面小残块	
115	K6①：31	C	缠枝牡丹纹大脊砖				1		残	侧面小残块	
116	K6①：32	C	缠枝牡丹纹大脊砖				1		残	侧面小残块	
117	K9①：10	C	缠枝牡丹纹大脊砖				1		残		
118	G2①：12	C	缠枝牡丹纹大脊砖	30.8	15.6	18.8	1	1	较完整		
119	G2①：37	C	缠枝牡丹纹大脊砖	残28	残8.6	残18.4	1		残		
120	G2①：38	C	缠枝牡丹纹大脊砖	残20.5	残15.2	残12.3	1	1	残		
121	G2①：39	C	缠枝牡丹纹大脊砖	残16.8	残2.8	残18	1		残		

续表

序号	出土单位/编号	类型	名称	尺寸/厘米			数量/片	计件	完残	备注	小计/件
				长	宽	高					
122	G2①：40	C	缠枝牡丹纹大脊砖	残21.9	残8.1	残18.1	1		残		129
123	G2①：41	C	缠枝牡丹纹大脊砖	残19.3	残6.5	残16.1	1		残		
124	G2①	C	缠枝牡丹纹大脊砖				19	1	残		
125	G2②	C	缠枝牡丹纹大脊砖				5	1	残		
126	G2③：60	C	缠枝牡丹纹大脊砖				1	1	残		
127	G2③：89	C	缠枝牡丹纹大脊砖				1		残		
128	G2③：113	C	缠枝牡丹纹大脊砖	残29.3	残5.7	残17.4	1		残		
129	G2③：123	C	缠枝牡丹纹大脊砖	残31.7	残14.4	残14	1		残		
130	G2③	C	缠枝牡丹纹大脊砖				2		残		
131	G3①	C	缠枝牡丹纹大脊砖				2		残		
132	G8①	C	缠枝牡丹纹大脊砖				2		残		
133	G20①	C	缠枝牡丹纹大脊砖				5		残		
134	C1①：29	C	缠枝牡丹纹大脊砖	残15	残6	残13	1		残	侧面残块	
135	C1①：30	C	缠枝牡丹纹大脊砖	残13.5	残5	残15	1		残	侧面残块	
136	C1①：31	C	缠枝牡丹纹大脊砖	残8	残1.6	残6.8	1		残	侧面小残块	
137	C3①：48	C	缠枝牡丹纹大脊砖	残8.6	残3	残6.3	1	1	残		
138	C8①	C	缠枝牡丹纹大脊砖				2		残		
139	L2①：2	C	缠枝牡丹纹大脊砖				6	1	残		
140	L2②：12	C	缠枝牡丹纹大脊砖				3	1	残		

续表

序号	出土单位/编号	类型	名称	尺寸/厘米			数量/片	计件	完残	备注	小计/件
				长	宽	高					
141	L2②	C	缠枝牡丹纹大脊砖				2		残		
142	L2③：19	C	缠枝牡丹纹大脊砖				1		残		
143	L2③：20	C	缠枝牡丹纹大脊砖				1		残		
144	L2④：295	C	缠枝牡丹纹大脊砖				1	1	残		
145	ⅠT0101①	C	缠枝牡丹纹大脊砖				69	4	残	1块胎体内部可见石块	
146	ⅠT0101②	C	缠枝牡丹纹大脊砖				4		残		
147	ⅠT0102②	C	缠枝牡丹纹大脊砖				69		残		
148	ⅠT0103②	C	缠枝牡丹纹大脊砖				1		残		
149	ⅠT0103③	C	缠枝牡丹纹大脊砖				1		残		
150	ⅠT0103④：40	C	缠枝牡丹纹大脊砖				4	1	残		129
151	ⅠT0103④	C	缠枝牡丹纹大脊砖				24	2	残		
152	ⅠT0104①：55	C	缠枝牡丹纹大脊砖	残20.5	残8.2	残7.3	1	1	残		
153	ⅠT0104①：56	C	缠枝牡丹纹大脊砖	残8.5	残9.5	残16.2	1		残		
154	ⅠT0104①：58	C	缠枝牡丹纹大脊砖	残6	残3	残17	1		残		
155	ⅠT0104①：66	C	缠枝牡丹纹大脊砖	残8.2	残3.2	残11.5	1		残		
156	ⅠT0104①	C	缠枝牡丹纹大脊砖				1		残		
157	ⅠT0105①：61	C	缠枝牡丹纹大脊砖	残9.5	残6	残9	1		残		
158	ⅠT0105①：62	C	缠枝牡丹纹大脊砖	残14	残8	残6.5	1		残		
159	ⅠT0105①：63	C	缠枝牡丹纹大脊砖	残13.3	残8	残11	1		残		

续表

序号	出土单位/编号	类型	名称	尺寸/厘米			数量/片	计件	完残	备注	小计/件
				长	宽	高					
160	Ⅰ T0105①：64	C	缠枝牡丹纹大脊砖	残13	残9	残5.5	1		残		129
161	Ⅰ T0105①：65	C	缠枝牡丹纹大脊砖	残6	残12	残14	1		残		
162	Ⅰ T0105①：67	C	缠枝牡丹纹大脊砖	残10	残3.5	残12	1		残		
163	Ⅰ T0105①：68	C	缠枝牡丹纹大脊砖	残9	残2.7	残7	1		残		
164	Ⅰ T0105①：69	C	缠枝牡丹纹大脊砖	残9	残6.2	残6.4	1		残		
165	Ⅰ T0202①	C	缠枝牡丹纹大脊砖				2		残		
166	Ⅰ T0203①：6	C	缠枝牡丹纹大脊砖	残6.5	残2.5	残13	1		残		
167	Ⅰ T0203①：7	C	缠枝牡丹纹大脊砖	残2.5	残12.2	残6.2	1		残		
168	Ⅰ T0203①：8	C	缠枝牡丹纹大脊砖	残14	残6.5	残8.5	1		残		
169	Ⅰ T0203④	C	缠枝牡丹纹大脊砖				1		残		
170	Ⅰ T0204①：94	C	缠枝牡丹纹大脊砖	残19	残9.5	19	1	1	残		
171	Ⅰ T0204①	C	缠枝牡丹纹大脊砖				5		残		
172	Ⅰ T0306①	C	缠枝牡丹纹大脊砖				2		残		
173	Ⅱ T0101①	C	缠枝牡丹纹大脊砖				10	2	残		
174	Ⅱ T0101②：1	C	缠枝牡丹纹大脊砖	残8	残2.8	残8.2	1		残		
175	Ⅱ T0101②：2	C	缠枝牡丹纹大脊砖	残6	残7	残6	1		残		
176	Ⅱ T0101②：3	C	缠枝牡丹纹大脊砖	残10	残6.5	残8	1		残		
177	Ⅱ T0101②：4	C	缠枝牡丹纹大脊砖	残9.5	残3.5	残9	1		残		
178	Ⅱ T0101②：5	C	缠枝牡丹纹大脊砖	残16	残2.7	残15	1		残		

续表

序号	出土单位/编号	类型	名称	尺寸/厘米			数量/片	计件	完残	备注	小计/件
				长	宽	高					
179	ⅡT0101②：6	C	缠枝牡丹纹大脊砖	残15	残5	残18.5	1		残		129
180	ⅡT0102①	C	缠枝牡丹纹大脊砖				2	1	残		
181	ⅢT0101①	C	缠枝牡丹纹大脊砖				7		残		
182	ⅣT0101①	C	缠枝牡丹纹大脊砖				15		残		
183	ⅣT0102①	C	缠枝牡丹纹大脊砖残块				2		残		
184	ⅣT0102①	C	缠枝牡丹纹大脊砖				16	1	残		
185	ⅣT0102②	C	缠枝牡丹纹大脊砖				1		残		
186	ⅣT0103①	C	缠枝牡丹纹大脊砖				5	1	残		
187	ⅣT0106①：107	C	缠枝牡丹纹大脊砖				1		残		
188	ⅣT0106①：108	C	缠枝牡丹纹大脊砖				1		残		
189	ⅣT0106①：109	C	缠枝牡丹纹大脊砖				1		残		
190	ⅣT0106①：110	C	缠枝牡丹纹大脊砖				1		残		
191	ⅣT0106①：111	C	缠枝牡丹纹大脊砖				1		残		
192	ⅣT0106①：113	C	缠枝牡丹纹大脊砖				1		残		
193	ⅣT0106①：114	C	缠枝牡丹纹大脊砖				1	1	残		
194	ⅣT0106①：115	C	缠枝牡丹纹大脊砖				1		残		
195	ⅣT0107①	C	缠枝牡丹纹大脊砖				4		残		
196	ⅣT0201①：21	C	缠枝牡丹纹大脊砖				1		残		
197	ⅣT0201①	C	缠枝牡丹纹大脊砖				5		残		

续表

序号	出土单位/编号	类型	名称	尺寸/厘米			数量/片	计件	完残	备注	小计/件
				长	宽	高					
198	ⅣT0202①：77	C	缠枝牡丹纹大脊砖	残8.9	残4.3	残9.4	1		残		
199	ⅣT0202①：85	C	缠枝牡丹纹大脊砖	残7.8	残2.1	残5.6	1		残		
200	ⅣT0202①：86	C	缠枝牡丹纹大脊砖	残9.8	残2.6	残5.7	1		残		
201	ⅣT0202①：88	C	缠枝牡丹纹大脊砖	残16.1	残3.8	残5.8	1		残		
202	ⅣT0202①：92	C	缠枝牡丹纹大脊砖	残4.3	残2.2	残4.6	1		残		
203	ⅣT0202①：93	C	缠枝牡丹纹大脊砖	残18.2	残8.1	残8.3	1		残		
204	ⅣT0202①：94	C	缠枝牡丹纹大脊砖	残11.5	残5.9	残12.6	1		残		
205	ⅣT0202①：95	C	缠枝牡丹纹大脊砖	残9	残2.6	残7.1	1		残		
206	ⅣT0202①：96	C	缠枝牡丹纹大脊砖	残6.8	残1.1	残7.7	1		残		
207	ⅣT0203①	C	缠枝牡丹纹大脊砖				1		残		129
208	ⅣT0204②：6	C	缠枝牡丹纹大脊砖				1		残		
209	ⅣT0204②：11	C	缠枝牡丹纹大脊砖				1		残		
210	ⅣT0204②：12	C	缠枝牡丹纹大脊砖				1		残		
211	ⅣT0204②：13	C	缠枝牡丹纹大脊砖				1		残		
212	ⅣT0204②：14	C	缠枝牡丹纹大脊砖				1		残		
213	ⅣT0204②：15	C	缠枝牡丹纹大脊砖				1		残		
214	ⅣT0204②：16	C	缠枝牡丹纹大脊砖				1		残		
215	ⅣT0204②：17	C	缠枝牡丹纹大脊砖				1		残		
216	ⅣT0204②：18	C	缠枝牡丹纹大脊砖				1		残		

续表

序号	出土单位/编号	类型	名称	尺寸/厘米			数量/片	计件	完残	备注	小计/件
				长	宽	高					
217	ⅣT0204②：19	C	缠枝牡丹纹大脊砖				1		残		
218	ⅣT0204②：20	C	缠枝牡丹纹大脊砖				1	1	残		
219	ⅣT0204②：21	C	缠枝牡丹纹大脊砖				1	1	残		
220	ⅣT0204②：22	C	缠枝牡丹纹大脊砖				1	1	残		
221	ⅣT0206①：34	C	缠枝牡丹纹大脊砖				1	1	残		
222	ⅣT0206①	C	缠枝牡丹纹大脊砖				6		残		
223	ⅣT0207①：36	C	缠枝牡丹纹大脊砖				1		残		
224	ⅣT0207①：37	C	缠枝牡丹纹大脊砖				1		残		
225	ⅣT0207①：38	C	缠枝牡丹纹大脊砖				1		残		
226	ⅣT0207①：39	C	缠枝牡丹纹大脊砖				1		残		129
227	ⅣT0207①	C	缠枝牡丹纹大脊砖				2		残		
228	ⅣT0303①	C	缠枝牡丹纹大脊砖				1		残		
229	ⅣT0303②A	C	缠枝牡丹纹大脊砖				7		残		
230	ⅣT0304①	C	缠枝牡丹纹大脊砖				4		残		
231	ⅣT0305①：64	C	缠枝牡丹纹大脊砖				1	1	残		
232	ⅣT0305①	C	缠枝牡丹纹大脊砖				92	4	残		
233	ⅣT0305④：55	C	缠枝牡丹纹大脊砖	残7.8	残2.7	残14.3	1		残		
234	ⅣT0305④：57	C	缠枝牡丹纹大脊砖	残8.3	残4	残7.2	1		残		
235	ⅣT0305④：58	C	缠枝牡丹纹大脊砖	残11.8	残2.8	残10.4	1		残		

续表

序号	出土单位/编号	类型	名称	尺寸/厘米			数量/片	计件	完残	备注	小计/件
				长	宽	高					
236	ⅣT0305④：59	C	缠枝牡丹纹大脊砖	残12.2	残2.5	残8.4	1		残		129
237	ⅣT0305④：61	C	缠枝牡丹纹大脊砖	残8.8	残3	残12.7	1		残		
238	ⅣT0305④：63	C	缠枝牡丹纹大脊砖	残7.2	残2.8	残6.9	1		残		
239	ⅣT0305④：64	C	缠枝牡丹纹大脊砖	残10.2	残2.7	残6.2	1		残		
240	ⅣT0305④：65	C	缠枝牡丹纹大脊砖	残12.2	残3.7	残6.1	1		残		
241	ⅣT0305④：66	C	缠枝牡丹纹大脊砖	残12.1	残7.2	残5.6	1		残		
242	ⅣT0305④：67	C	缠枝牡丹纹大脊砖	残11.4	残2.5	残12.9	1		残		
243	ⅣT0305④：68	C	缠枝牡丹纹大脊砖	残5.6	残10.4	残15.2	1		残		
244	ⅣT0305④：72	C	缠枝牡丹纹大脊砖	残11.3	残2.7	残12.7	1		残		
245	ⅣT0306①：81	C	缠枝牡丹纹大脊砖	残12.2	残2.5	残11.6	1		残		
246	ⅣT0306①：82	C	缠枝牡丹纹大脊砖	残12.5	残4.8	残10.7	1		残		
247	ⅣT0306①：83	C	缠枝牡丹纹大脊砖	残7.9	残2.8	残13.7	1		残		
248	ⅣT0306①：90	C	缠枝牡丹纹大脊砖	残11.9	残2.9	残14	1		残		
249	ⅣT0306①：91	C	缠枝牡丹纹大脊砖	残9.5	残4.5	残9.6	1		残		
250	ⅣT0306①：92	C	缠枝牡丹纹大脊砖	残12.9	残2.8	残11.2	1		残		
251	ⅣT0306①：93	C	缠枝牡丹纹大脊砖	残10.7	残5.2	残9.7	1		残		
252	ⅣT0306①：94	C	缠枝牡丹纹大脊砖	残12.3	残6.2	残7.1	1		残		
253	ⅣT0306①：95	C	缠枝牡丹纹大脊砖	残19.8	残3.4	残8.8	1		残		
254	ⅣT0306①：96	C	缠枝牡丹纹大脊砖	残9.1	残2.9	残11.3	1		残		

续表

序号	出土单位/编号	类型	名称	尺寸/厘米			数量/片	计件	完残	备注	小计/件
				长	宽	高					
255	ⅣT0306①：97	C	缠枝牡丹纹大脊砖	残11.6	残3.7	残13.5	1		残		129
256	ⅣT0306①：98	C	缠枝牡丹纹大脊砖	残11.8	残12.1	残11.9	1		残		
257	ⅣT0306①：99	C	缠枝牡丹纹大脊砖	残8.4	残4.1	残9	1		残		
258	ⅣT0306①：100	C	缠枝牡丹纹大脊砖	残13.3	残3.2	残7	1		残		
259	ⅣT0306①：101	C	缠枝牡丹纹大脊砖	残10.2	残3.7	残12.6	1		残		
260	ⅣT0306①：102	C	缠枝牡丹纹大脊砖	残8.9	残6.3	残4.1	1		残		
261	ⅣT0306①：103	C	缠枝牡丹纹大脊砖	残10.7	残2.9	残10.2	1		残		
262	ⅣT0306①：105	C	缠枝牡丹纹大脊砖	残7.3	残6.8	残13.7	1		残		
263	ⅣT0306①：109	C	缠枝牡丹纹大脊砖	残8.7	残4.9	残3.8	1		残		
264	ⅣT0306①：110	C	缠枝牡丹纹大脊砖	残3.7	残11.5	残10.2	1		残		
265	ⅣT0306①：112	C	缠枝牡丹纹大脊砖	残3.6	残11.8	残14.1	1		残		
266	ⅣT0307①	C	缠枝牡丹纹大脊砖				2	1	残		
267	ⅣT0403②A	C	缠枝牡丹纹大脊砖				1		残		
268	ⅣT0403③A	C	缠枝牡丹纹大脊砖				2		残		
269	ⅣT0404④：36	C	缠枝牡丹纹大脊砖	残12.4	残4.7	残12.9	1		残		
270	ⅣT0404④：38	C	缠枝牡丹纹大脊砖	残15.7	残5.9	残12.8	1		残		
271	ⅣT0404④：40	C	缠枝牡丹纹大脊砖	残9.9	残2.9	残12.5	1		残		
272	ⅣT0404④：41	C	缠枝牡丹纹大脊砖	残3.7	残4.3	残5.7	1		残		
273	ⅣT0404④：42	C	缠枝牡丹纹大脊砖	残6.7	残2.7	残5.8	1		残		

续表

序号	出土单位/编号	类型	名称	尺寸/厘米			数量/片	计件	完残	备注	小计/件
				长	宽	高					
274	ⅣT0404④：43	C	缠枝牡丹纹大脊砖	残8.6	残7.7	残7.6	1		残		129
275	ⅣT0404④：44	C	缠枝牡丹纹大脊砖	残9.2	残8.6	残9.2	1		残		
276	ⅣT0404④：46	C	缠枝牡丹纹大脊砖	残5.5	残2.8	残9.4	1		残		
277	ⅣT0404④：47	C	缠枝牡丹纹大脊砖	残10.3	残2.3	残8.6	1		残		
278	ⅣT0404④：50	C	缠枝牡丹纹大脊砖	残5.6	残2.6	残7.3	1		残		
279	ⅣT0404④：52	C	缠枝牡丹纹大脊砖	残5.2	残2.2	残6.5	1		残		
280	ⅣT0404④：53	C	缠枝牡丹纹大脊砖	残6.4	残2.5	残9.5	1		残		
281	ⅣT0404④：54	C	缠枝牡丹纹大脊砖	残9.5	残2.6	残15.9	1		残		
282	ⅣT0405①	C	缠枝牡丹纹大脊砖				11		残		
283	ⅣT0405①	C	缠枝牡丹纹大脊砖				13		残		
284	ⅣT0405④	C	缠枝牡丹纹大脊砖				1		残		
285	ⅣT0407①：3	C	缠枝牡丹纹大脊砖	残13.6	残2.2	残9.9	1		残		
286	ⅣT0407①：4	C	缠枝牡丹纹大脊砖	残8.5	残6.7	残8	1		残		
287	ⅣT0503④：53	C	缠枝牡丹纹大脊砖	残17.1	残9.3	残18.6	1	1	残	与ⅣT0503④：60相拼	
288	ⅣT0503④：54	C	缠枝牡丹纹大脊砖	残21.4	残7.7	残19.6	1	1	残		
289	ⅣT0503④：60	C	缠枝牡丹纹大脊砖	残8.9	残1.6	残10.9	1		残	与ⅣT0503④：53相拼	
290	ⅣT0503④：64	C	缠枝牡丹纹大脊砖	残15.9	残9.3	残18.2	1		残		
291	ⅣT0503④	C	缠枝牡丹纹大脊砖				1		残		
292	ⅣT0504①：12	C	缠枝牡丹纹大脊砖	残24.5	残9.3	残15.7	1	1	残		

续表

序号	出土单位/编号	类型	名称	尺寸/厘米			数量/片	计件	完残	备注	小计/件
				长	宽	高					
293	ⅣT0505②A	C	缠枝牡丹纹大脊砖				1		残		
294	ⅣT0506①：56	C	缠枝牡丹纹大脊砖				1	1	残		
295	ⅣT0506①：57	C	缠枝牡丹纹大脊砖				1	1	残		
296	ⅣT0506①	C	缠枝牡丹纹大脊砖				37	4	残		
297	ⅣT0507①：42	C	缠枝牡丹纹大脊砖	残30.6	残5.7	残18	1	1	残		
298	ⅣT0507①：92	C	缠枝牡丹纹大脊砖	残18.3	残5.8	残8	1		残		
299	ⅣT0507①：93	C	缠枝牡丹纹大脊砖	残17.5	残7.1	残19.7	1		残		
300	ⅣT0507①：94	C	缠枝牡丹纹大脊砖	残20.2	残2.7	残15.9	1		残		
301	ⅣT0507①：95	C	缠枝牡丹纹大脊砖	残15.9	残6.8	残17.7	1		残		
302	ⅣT0507①：96	C	缠枝牡丹纹大脊砖	残18.1	残5.6	残13	1		残		129
303	ⅣT0507①：97	C	缠枝牡丹纹大脊砖	残16.8	残2.7	残12.6	1		残		
304	ⅣT0507①：98	C	缠枝牡丹纹大脊砖	残17.9	残9.6	残18.8	1		残		
305	ⅣT0507①：99	C	缠枝牡丹纹大脊砖	残23.5	残7.5	残10	1		残		
306	ⅣT0507①：100	C	缠枝牡丹纹大脊砖	残11.6	残8	残7.9	1		残		
307	ⅣT0507①：102	C	缠枝牡丹纹大脊砖	残13	残2.9	残13.2	1		残		
308	ⅣT0507①：108	C	缠枝牡丹纹大脊砖	残10.5	残2.6	残14.3	1		残		
309	ⅣT0507①：110	C	缠枝牡丹纹大脊砖	残14.3	残2.7	残16.4	1		残		
310	ⅣT0507①：111	C	缠枝牡丹纹大脊砖	残16.2	残2.3	残7.7	1		残		
311	ⅣT0507①：115	C	缠枝牡丹纹大脊砖	残9.5	残4.6	残15.6	1		残		

续表

序号	出土单位/编号	类型	名称	尺寸/厘米			数量/片	计件	完残	备注	小计/件
				长	宽	高					
312	ⅣT0507①：116	C	缠枝牡丹纹大脊砖	残10.7	残2.2	残9.5	1		残		129
313	ⅣT0507①：119	C	缠枝牡丹纹大脊砖				1		残		
314	ⅣT0507①：121	C	缠枝牡丹纹大脊砖				1		残		
315	ⅣT0507①：122	C	缠枝牡丹纹大脊砖				1		残		
316	ⅣT0507①：123	C	缠枝牡丹纹大脊砖				1		残		
317	ⅣT0507①：126	C	缠枝牡丹纹大脊砖				1		残		
318	ⅣT0507①：128	C	缠枝牡丹纹大脊砖				1		残		
319	ⅣT0507①：131	C	缠枝牡丹纹大脊砖				1		残		
320	ⅣT0603④	C	缠枝牡丹纹大脊砖				10	1	残		
321	ⅣT0604①	C	缠枝牡丹纹大脊砖				2		残		
322	ⅣT0604③B	C	缠枝牡丹纹大脊砖				1		残		
323	ⅣT0605②	C	缠枝牡丹纹大脊砖				1		残		
324	ⅣT0606①	C	缠枝牡丹纹大脊砖				2		残		
325	ⅣT0606④	C	缠枝牡丹纹大脊砖				10		残		
326	ⅣT0607①：64	C	缠枝牡丹纹大脊砖	残10	残1.8	残12.5	1		残		
327	ⅣT0607①：66	C	缠枝牡丹纹大脊砖	残14	残3.2	残12.7	1		残		
328	ⅣT0607①：73	C	缠枝牡丹纹大脊砖	残8.2	残2.1	残7.4	1		残		
329	ⅣT0607①：74	C	缠枝牡丹纹大脊砖	残12	残1.6	残9.7	1		残		
330	ⅣT0607①：75	C	缠枝牡丹纹大脊砖	残15.1	残8.2	残19.4	1		残		

续表

序号	出土单位/编号	类型	名称	尺寸/厘米			数量/片	计件	完残	备注	小计/件
				长	宽	高					
331	ⅣT0607①：76	C	缠枝牡丹纹大脊砖	残14.7	残6.6	残9.7	1		残		129
332	ⅣT0607①：77	C	缠枝牡丹纹大脊砖	残11.8	残11.7	残7.4	1		残		
333	ⅣT0607①：78	C	缠枝牡丹纹大脊砖	残11.4	残2	残17	1		残		
334	ⅣT0608①：48	C	缠枝牡丹纹大脊砖	31.4	14.5	18.8	1	1	较完整		
335	ⅣT0608①	C	缠枝牡丹纹大脊砖				7		残		
336	ⅣT0706①	C	缠枝牡丹纹大脊砖				2		残		
337	ⅣT0706③：5	C	缠枝牡丹纹大脊砖	32	残6.4	20	1	1	较完整		
338	ⅣT0707③：19	C	缠枝牡丹纹大脊砖	残13	残9.4	残8.5	1		残		
339	ⅣT0807①	C	缠枝牡丹纹大脊砖				2		残		
340	ⅣT0908①：4	C	缠枝牡丹纹大脊砖	残5.8	残12	残13.1	1		残		
341	ⅣT0908①：5	C	缠枝牡丹纹大脊砖	残12.3	残13.5	残17.1	1		残		
342	ⅣT0908①：7	C	缠枝牡丹纹大脊砖	残12.9	残16.4	残18.6	1	1	残		
343	ⅣT0908①：8	C	缠枝牡丹纹大脊砖	残7.8	残10.4	残15.1	1		残		
344	ⅣT0908①：13	C	缠枝牡丹纹大脊砖	残11.3	残6.3	残15.9	1		残		
345	ⅣT0908①：14	C	缠枝牡丹纹大脊砖	残10	残3.4	残9.9	1		残		
346	ⅣT0908①：15	C	缠枝牡丹纹大脊砖	残3.7	残9.5	残15.2	1		残	脊砖挡板	
347	ⅣT0908①：16	C	缠枝牡丹纹大脊砖	残103	残2.5	残18.7	1		残		
348	ⅣT0908①：18	C	缠枝牡丹纹大脊砖	残7.7	残2.3	残11.4	1		残		
349	ⅣT0908①：19	C	缠枝牡丹纹大脊砖	残7.3	残2.9	残9.9	1		残		

续表

序号	出土单位/编号	类型	名称	尺寸/厘米			数量/片	计件	完残	备注	小计/件
				长	宽	高					
350	ⅣT0908①：20	C	缠枝牡丹纹大脊砖	残8	残2	残8.9	1		残		129
351	TG21②：155	C	缠枝牡丹纹大脊砖	残11.7		残18	1	1	残		
352	TG55②：55	C	缠枝牡丹纹大脊砖				1	1	残		
353	TG41③：40	C	缠枝牡丹纹大脊砖				1		残		
354	TG41③：41	C	缠枝牡丹纹大脊砖				1	1	残		
355	TG41③：47	C	缠枝牡丹纹大脊砖				1		残		
356	TG41③：50	C	缠枝牡丹纹大脊砖				1		残		
357	TG41③：51	C	缠枝牡丹纹大脊砖				1		残		
358	TG41③：53	C	缠枝牡丹纹大脊砖				1		残		
359	TG41③：54	C	缠枝牡丹纹大脊砖				1		残		
360	TG41③：55	C	缠枝牡丹纹大脊砖				1	1	残		
361	TG41③：56	C	缠枝牡丹纹大脊砖				1	1	残		
362	TG41③：57	C	缠枝牡丹纹大脊砖				1		残		
363	TG41③：58	C	缠枝牡丹纹大脊砖				1		残		
364	TG41③：59	C	缠枝牡丹纹大脊砖				1		残		
365	TG41③：60	C	缠枝牡丹纹大脊砖				1		残		
366	TG41③：62	C	缠枝牡丹纹大脊砖				1	1	残		
367	TG41③：63	C	缠枝牡丹纹大脊砖				1	1	残		
368	TG41③：64	C	缠枝牡丹纹大脊砖				1		残		

续表

序号	出土单位/编号	类型	名称	尺寸/厘米			数量/片	计件	完残	备注	小计/件
				长	宽	高					
369	TG41③：65	C	缠枝牡丹纹大脊砖				1		残		129
370	TG41③：66	C	缠枝牡丹纹大脊砖				1		残		
371	TG41③：67	C	缠枝牡丹纹大脊砖	残20	残11	18	1	1	残		
372	TG44③：145	C	缠枝牡丹纹大脊砖	残14.1	残2.5	残9.8	1	1	残		
373	TG44③：146	C	缠枝牡丹纹大脊砖	残15.5	残3.3	残12	1		残		
374	TG44③：147	C	缠枝牡丹纹大脊砖	残21.5	残8	18.8	1	1	残		
375	TG44③：148	C	缠枝牡丹纹大脊砖	残10	残3.8	残9.8	1		残		
376	TG44③：149	C	缠枝牡丹纹大脊砖	残12	残3	残15.5	2		残		
377	TG44③：150	C	缠枝牡丹纹大脊砖	残7.4	残8.6	残9.7	1		残		
378	TG3③：26	C	缠枝牡丹纹大脊砖				1	1	残		
379	TG4③：26	C	缠枝牡丹纹大脊砖				1	1	残		
380	TG4③：50	C	缠枝牡丹纹大脊砖				1	1	残		
381	TG4③：51	C	缠枝牡丹纹大脊砖				1	1	残		
382	TG4③：52	C	缠枝牡丹纹大脊砖				1		残		
383	TG4③：57	C	缠枝牡丹纹大脊砖	残26	残9	18.8	1	1	残		
384	TG4③：59	C	缠枝牡丹纹大脊砖				1		残		
385	太平Y1：12	C	缠枝牡丹纹大脊砖				1	1	残		
386	太平Y1：13	C	缠枝牡丹纹大脊砖				1		残		
387	F32①：14	C	缠枝牡丹纹大脊砖	残12.5	残8	残19	1	1	残	表面呈红褐色	
388	TG17②：1	C	缠枝牡丹纹大脊砖	残33	残10.5	残12.5	2	1	残		

续表

序号	出土单位/编号	类型	名称	尺寸/厘米			数量/片	计件	完残	备注	小计/件
				长	宽	高					
389	ⅣT0305①：29	D	贴塑花卉纹大脊砖	残23.4	残17.3	残14.6	1	1	残	贴塑、刻划	1
390	F1①	E	缠枝卷草纹长脊砖				1		残		
391	F3①	E	缠枝卷草纹长脊砖				2		残		
392	F12①：26	E	缠枝卷草纹长脊砖	残18.1	残8	残16.2	1	1	残	残块	
393	F19①	E	缠枝卷草纹长脊砖				2		残		
394	C1①	E	缠枝卷草纹长脊砖				1		残		
395	ⅠT0101①	E	缠枝卷草纹长脊砖				3		残		
396	ⅠT0101①	E	缠枝卷草纹长脊砖				1		残		
397	ⅠT0102②：53	E	缠枝卷草纹长脊砖	44.8	残17.5	15.4	4	1	可修	三块与ⅠT0103④一块拼	
398	ⅠT0102②：54	E	缠枝卷草纹长脊砖	残31.2	残5.7	16.4	2		残		
399	ⅠT0102②	E	缠枝卷草纹长脊砖				19	1	残		4
400	ⅠT0102②	E	缠枝卷草纹长脊砖				10		残		
401	ⅠT0103③	E	缠枝卷草纹长脊砖				2		残		
402	ⅠT0103④	E	缠枝卷草纹长脊砖				19	1	残		
403	ⅠT0103④	E	缠枝卷草纹长脊砖				3		残		
404	ⅠT0104①：59	E	缠枝卷草纹长脊砖	残11	残7	残5.5	1		残		
405	ⅠT0104①：64	E	缠枝卷草纹长脊砖	残8	残2.6	残12	1		残		
406	ⅠT0105①	E	缠枝卷草纹长脊砖				1		残		
407	ⅠT0202①	E	缠枝卷草纹长脊砖				2		残		

续表

序号	出土单位/编号	类型	名称	尺寸/厘米			数量/片	计件	完残	备注	小计/件
				长	宽	高					
408	Ⅰ T0203①	E	缠枝卷草纹长脊砖				5		残		4
409	Ⅰ T0203④	E	缠枝卷草纹长脊砖				1		残		
410	Ⅰ T0204①：92	E	缠枝卷草纹长脊砖	残9.5	残5	残7	1		残		
411	Ⅳ T0104①	E	缠枝卷草纹长脊砖				1		残		
412	Ⅳ T0201①	E	缠枝卷草纹长脊砖				1		残		
413	Ⅳ T0204①	E	缠枝卷草纹长脊砖				1		残		
414	Ⅳ T0305①：65	E	缠枝卷草纹长脊砖				1		残		
415	Ⅳ T0305①	E	缠枝卷草纹长脊砖				5		残		
416	Ⅳ T0305①	E	缠枝卷草纹长脊砖				1		残		
417	Ⅳ T0504④	E	缠枝卷草纹长脊砖				2		残		
418	F1①	Fa	缠枝牡丹纹小脊砖				14	4	残		177
419	F1②：16	Fa	缠枝牡丹纹小脊砖	32.5	残17	12.5	6	1	较完整		
420	F1②：17	Fa	缠枝牡丹纹小脊砖	残31	残17.9	残12.2	3	1	残		
421	F1②	Fa	缠枝牡丹纹小脊砖				11	2	残		
422	F1③	Fa	缠枝牡丹纹小脊砖				12	2	残		
423	F2①：74	Fa	缠枝牡丹纹小脊砖	残11	残14.7	残5.8	1	1	残		
424	F2①：75	Fa	缠枝牡丹纹小脊砖	残12.2	残12.4	残4.8	1	1	残		
425	F2①：76	Fa	缠枝牡丹纹小脊砖	残10.8	残9.8	残8	1	1	残		
426	F2①：77	Fa	缠枝牡丹纹小脊砖	残7.5	残10.2	残6.5	1	1	残		

续表

序号	出土单位/编号	类型	名称	尺寸/厘米			数量/片	计件	完残	备注	小计/件
				长	宽	高					
427	F2①：78	Fa	缠枝牡丹纹小脊砖	残12	残9.7	残8.5	1	1	残		177
428	F2①：80	Fa	缠枝牡丹纹小脊砖	残7.2	残10	残2	1	1	残		
429	F2①：82	Fa	缠枝牡丹纹小脊砖	残14.5	12	残7.5	1	1	残		
430	F2①：83	Fa	缠枝牡丹纹小脊砖	残7.5	残8.8	残10	1	1	残		
431	F2①：92	Fa	缠枝牡丹纹小脊砖	残8.3	残11.3	残5	1	1	残		
432	F2①：95	Fa	缠枝牡丹纹小脊砖	残8	残9	残1	1	1	残		
433	F2①：97	Fa	缠枝牡丹纹小脊砖	残16	残9.3	残15	1	1	残		
434	F2①：109	Fa	缠枝牡丹纹小脊砖	残16.5	13.5	残12	1	1	残		
435	F2①：110	Fa	缠枝牡丹纹小脊砖	残14	残7.5	残6.5	1	1	残		
436	F2①：111	Fa	缠枝牡丹纹小脊砖	残16	12.5	残10.2	1	1	残		
437	F2①：112	Fa	缠枝牡丹纹小脊砖	残10	残6.5	残7	1	1	残		
438	F3①：35	Fa	缠枝牡丹纹小脊砖	残9	残10.7	残2.8	2	1	残		
439	F3①：37	Fa	缠枝牡丹纹小脊砖	残12.6	残18	残6.9	1	1	残		
440	F3①	Fa	缠枝牡丹纹小脊砖				31	5	残		
441	F5①	Fa	缠枝牡丹纹小脊砖				3		残		
442	F6①：225	Fa	缠枝牡丹纹小脊砖	残27.7	残6.7	残12.4	1	1	残		
443	F6①	Fa	缠枝牡丹纹小脊砖				3		残		
444	F8①：65	Fa	缠枝牡丹纹小脊砖	残22.2	残14.8	残11.7	1	1	较完整		
445	F8①：70	Fa	缠枝牡丹纹小脊砖	残32.7	残14.1	残13.1	1	1	残		

续表

序号	出土单位/编号	类型	名称	尺寸/厘米			数量/片	计件	完残	备注	小计/件
				长	宽	高					
446	F8①：71	Fa	缠枝牡丹纹小脊砖	残19	残15.1	残12.1	2	1	残		
447	F8①：136	Fa	缠枝牡丹纹小脊砖	残32	残14.3	残11.9	1		残		
448	F8①：137	Fa	缠枝牡丹纹小脊砖	残31.3	残14.9	残12.2	1		残		
449	F8①：138	Fa	缠枝牡丹纹小脊砖	残32.7	残14.3	残13.1	1	1	较完整		
450	F8①	Fa	缠枝牡丹纹小脊砖				102	16	残		
451	F8②：3	Fa	缠枝牡丹纹小脊砖	32	17	13.4	1	1	较完整		
452	F8②：4	Fa	缠枝牡丹纹小脊砖	残31.9	残16.8	残13.3	1	1	较完整		
453	F8②：5	Fa	缠枝牡丹纹小脊砖	残32.5	残17.9	残13.8	1	1	残		
454	F8②：6	Fa	缠枝牡丹纹小脊砖	残31.8	残15	残12.4	1	1	较完整		
455	F8②：8	Fa	缠枝牡丹纹小脊砖	残31.9	残14.1	残12.4	1	1	残		177
456	F8②：17	Fa	缠枝牡丹纹小脊砖	残30.9	残12.1	残11.9	1	1	残		
457	F8②	Fa	缠枝牡丹纹小脊砖				6	4	残		
458	F9①	Fa	缠枝牡丹纹小脊砖残块				2	1	残		
459	F9②	Fa	缠枝牡丹纹小脊砖残块				10	4	残		
460	F10①：77	Fa	缠枝牡丹纹小脊砖	残17.4	残8.3	残12.6	1		残		
461	F10①：78	Fa	缠枝牡丹纹小脊砖	残15.8	残14.3	残12.8	1		残		
462	F10①：79	Fa	缠枝牡丹纹小脊砖	残13.3	残14.9	残9.7	1		残		
463	F10①：80	Fa	缠枝牡丹纹小脊砖				1	1	残		
464	F10①	Fa	缠枝牡丹纹小脊砖				69	8	残		

续表

序号	出土单位/编号	类型	名称	尺寸/厘米			数量/片	计件	完残	备注	小计/件
				长	宽	高					
465	F12①：33	Fa	缠枝牡丹纹小脊砖	残32	残7.8	残13.1	1	1	较完整		
466	F12①	Fa	缠枝牡丹纹小脊砖				18	2	残		
467	F19①	Fa	缠枝牡丹纹小脊砖				23	2	残		
468	F19①	Fa	缠枝牡丹纹小脊砖				14	3	残		
469	F19②：12	Fa	缠枝牡丹纹小脊砖	残32.3	残15.2	残13	1	1	较完整		
470	F19天井①	Fa	缠枝牡丹纹小脊砖				13	2	残		
471	F19天井②	Fa	缠枝牡丹纹小脊砖				10	2	残		
472	F29①：3	Fa	缠枝牡丹纹小脊砖				1		残		
473	F29①：6	Fa	缠枝牡丹纹小脊砖				1		残		
474	F29①：28	Fa	缠枝牡丹纹小脊砖	残32.3	残14.8	残12.8	1	1	较完整		177
475	F29①：32	Fa	缠枝牡丹纹小脊砖	残10	残8.5	残10	1		残	与F29①：51、F29①：52拼	
476	F29①：33	Fa	缠枝牡丹纹小脊砖挡板	残7	残11.2	残8.5	1		残	与F29①：50拼	
477	F29①：36	Fa	缠枝牡丹纹小脊砖	残8.5	残5.8	残12.8	1		残	与F29①：38、F29①：53拼	
478	F29①：37	Fa	缠枝牡丹纹小脊砖	32.5	残14	13.5	1	1	较完整		
479	F29①：38	Fa	缠枝牡丹纹小脊砖	残15	残6	13	1	1	残	与F29①：36、F29①：53拼	
480	F29①：39	Fa	缠枝牡丹纹小脊砖	残14.2	残2	残11	1		残		
481	F29①：40	Fa	缠枝牡丹纹小脊砖	残11.5	残6.5	残10.5	1		残	与F29①：41拼	
482	F29①：41	Fa	缠枝牡丹纹小脊砖	残10	残6.4	残9.5	1		残	与F29①：40拼	
483	F29①：43	Fa	缠枝牡丹纹小脊砖	残9.4	残3	残8	1		残		

续表

序号	出土单位/编号	类型	名称	尺寸/厘米			数量/片	计件	完残	备注	小计/件
				长	宽	高					
484	F29①：45	Fa	缠枝牡丹纹小脊砖	残13.5	残13	13	1	1	残	与F29①：48拼	
485	F29①：46	Fa	缠枝牡丹纹小脊砖	残15.8	残6.5	13	1		残		
486	F29①：47	Fa	缠枝牡丹纹小脊砖	残26	残11.5	13	1	1	残		
487	F29①：48	Fa	缠枝牡丹纹小脊砖	残19.6	残13	残11	1		残	与F29①：45拼	
488	F29①：49	Fa	缠枝牡丹纹小脊砖	残8	残6	残7	1		残		
489	F29①：50	Fa	缠枝牡丹纹小脊砖	残13	残2.6	残11.5	1		残	与F29①：33拼	
490	F29①：51	Fa	缠枝牡丹纹小脊砖	残17.5	残2.2	残13.2	1		残	与F29①：32、F29①：52拼	
491	F29①：52	Fa	缠枝牡丹纹小脊砖	残13.2	残8.5	12.7	1		残	与F29①：32、F29①：51拼	
492	F29①：53	Fa	缠枝牡丹纹小脊砖	残12.5	残4.7	残13	1		残	与F29①：36、F29①：38拼	
493	F29①：54	Fa	缠枝牡丹纹小脊砖	残12.3	残3	残13	4	1	残		177
494	F29①：55	Fa	缠枝牡丹纹小脊砖	32.6	残7	12.8	1	1	残		
495	F30①：7	Fa	缠枝牡丹纹小脊砖	残9	残5.5	残7	1		残		
496	现代坑1：11	Fa	缠枝牡丹纹小脊砖	残7.6	残1.9	残8.4	1		残	侧面小残块	
497	现代坑3	Fa	缠枝牡丹纹小脊砖				1		残		
498	K2①：2	Fa	缠枝牡丹纹小脊砖				1		残	残块	
499	K2①：12	Fa	缠枝牡丹纹小脊砖				1		残		
500	K2①：34	Fa	缠枝牡丹纹小脊砖				1		残		
501	K2①：35	Fa	缠枝牡丹纹小脊砖				1		残		
502	K2①：39	Fa	缠枝牡丹纹小脊砖				1		残		

续表

序号	出土单位/编号	类型	名称	尺寸/厘米			数量/片	计件	完残	备注	小计/件
				长	宽	高					
503	K2①：40	Fa	缠枝牡丹纹小脊砖				1		残		177
504	K2①：42	Fa	缠枝牡丹纹小脊砖				1		残		
505	K4②：9	Fa	缠枝牡丹纹小脊砖	32.4	18.7	12.6	1	1	较完整		
506	K4②：10	Fa	缠枝牡丹纹小脊砖	31	残15	残12.4	2	1	残		
507	K4②：51	Fa	缠枝牡丹纹小脊砖				1		残		
508	K4②：52	Fa	缠枝牡丹纹小脊砖				1		残		
509	K4②：53	Fa	缠枝牡丹纹小脊砖				1		残		
510	K4②：54	Fa	缠枝牡丹纹小脊砖				1		残		
511	K4②：55	Fa	缠枝牡丹纹小脊砖				1		残		
512	K4②：56	Fa	缠枝牡丹纹小脊砖				1		残		
513	K4②：57	Fa	缠枝牡丹纹小脊砖				1		残		
514	K4②：59	Fa	缠枝牡丹纹小脊砖				1		残		
515	K4②：60	Fa	缠枝牡丹纹小脊砖				1		残		
516	K4②：62	Fa	缠枝牡丹纹小脊砖				1		残		
517	K4②：63	Fa	缠枝牡丹纹小脊砖				1		残		
518	K4②：64	Fa	缠枝牡丹纹小脊砖				1		残		
519	K4②：65	Fa	缠枝牡丹纹小脊砖				1		残		
520	K4②：67	Fa	缠枝牡丹纹小脊砖				1		残		
521	K4②：68	Fa	缠枝牡丹纹小脊砖				1		残		

续表

序号	出土单位/编号	类型	名称	尺寸/厘米			数量/片	计件	完残	备注	小计/件
				长	宽	高					
522	K4②：69	Fa	缠枝牡丹纹小脊砖				1		残		
523	K6①：25	Fa	缠枝牡丹纹小脊砖				1		残	顶部残块与K6①：28拼	
524	K6①：28	Fa	缠枝牡丹纹小脊砖				1		残	下部残块与K6①：25拼	
525	K6①：35	Fa	缠枝牡丹纹小脊砖				1		残	侧面小残块	
526	庙台3	Fa	缠枝牡丹纹小脊砖				1		残		
527	庙台3	Fa	缠枝牡丹纹小脊砖				1		残		
528	庙台3	Fa	缠枝牡丹纹小脊砖				1		残		
529	G1①	Fa	缠枝牡丹纹小脊砖				3	1	残		
530	G1②：26	Fa	缠枝牡丹纹小脊砖	残15.7	残4.4	残12.3	1		残		
531	G2①	Fa	缠枝牡丹纹小脊砖				21	2	残		177
532	G2②	Fa	缠枝牡丹纹小脊砖				9	1	残		
533	G2③：61	Fa	缠枝牡丹纹小脊砖				1		残		
534	G2③：90	Fa	缠枝牡丹纹小脊砖	残13.6	残8.4	残12.6	1		残		
535	G2③：91	Fa	缠枝牡丹纹小脊砖	残12.9	残14.2	残12.6	1		残		
536	G2③	Fa	缠枝牡丹纹小脊砖				2		残		
537	G8①	Fa	缠枝牡丹纹小脊砖				1		残		
538	G9①	Fa	缠枝牡丹纹小脊砖残块				2		残		
539	G9①	Fa	缠枝牡丹纹小脊砖				5		残		
540	C1①：32	Fa	缠枝牡丹纹小脊砖	残14	残5	12.5	1		残	侧面残块	

续表

序号	出土单位/编号	类型	名称	尺寸/厘米			数量/片	计件	完残	备注	小计/件
				长	宽	高					
541	C1①：33	Fa	缠枝牡丹纹小脊砖	残10	残5	13	1		残	侧面残块	177
542	C1①：34	Fa	缠枝牡丹纹小脊砖	残13	残5	残11.5	1		残	侧面残块	
543	C1①：35	Fa	缠枝牡丹纹小脊砖	残17.5	残5.5	残12.8	1		残	侧面残块	
544	C1①：36	Fa	缠枝牡丹纹小脊砖	残14.5	残9	残13	1		残	侧面残块	
545	C1①：37	Fa	缠枝牡丹纹小脊砖	残18	残5.5	13	1		残	侧面残块	
546	C1①：38	Fa	缠枝牡丹纹小脊砖	残14.5	残2	残13	1		残	侧面残块	
547	C4①：31	Fa	缠枝牡丹纹小脊砖	残24	残7	残7	1		残		
548	C4①：32	Fa	缠枝牡丹纹小脊砖	残13	残13	残9	1		残		
549	C6①：13	Fa	缠枝牡丹纹小脊砖	残20	残6	13	1	1	残		
550	C6①：14	Fa	缠枝牡丹纹小脊砖	残17	残4	残13	1		残		
551	C8①：3	Fa	缠枝牡丹纹小脊砖				1	1	残		
552	C8①：9	Fa	缠枝牡丹纹小脊砖				1		残		
553	C8①	Fa	缠枝牡丹纹小脊砖				2		残		
554	C8①	Fa	缠枝牡丹纹小脊砖				3		残		
555	L2①：18	Fa	缠枝牡丹纹小脊砖				1	1	残		
556	I T0101①	Fa	缠枝牡丹纹小脊砖				44	7	残		
557	I T0101②	Fa	缠枝牡丹纹小脊砖				14	3	残		
558	I T0102②	Fa	缠枝牡丹纹小脊砖				22	3	残		
559	I T0103②	Fa	缠枝牡丹纹小脊砖				4	1	残		

续表

序号	出土单位/编号	类型	名称	尺寸/厘米			数量/片	计件	完残	备注	小计/件
				长	宽	高					
560	Ⅰ T0103④	Fa	缠枝牡丹纹小脊砖				10		残		
561	Ⅰ T0104①：48	Fa	缠枝牡丹纹小脊砖	残13.5	残8.5	残10	1		残		
562	Ⅰ T0104①：49	Fa	缠枝牡丹纹小脊砖	残10	残5.7	残11	1		残		
563	Ⅰ T0104①：50	Fa	缠枝牡丹纹小脊砖	残14.5	残5	13	1		残		
564	Ⅰ T0104①：51	Fa	缠枝牡丹纹小脊砖	残13.5	残8	13	1		残		
565	Ⅰ T0104①：53	Fa	缠枝牡丹纹小脊砖	残23	残8	12	1	1	残		
566	Ⅰ T0104①：54	Fa	缠枝牡丹纹小脊砖	残14	残2.7	残9	1		残		
567	Ⅰ T0104①：57	Fa	缠枝牡丹纹小脊砖	残9	残2.5	残16	1		残		
568	Ⅰ T0104①：60	Fa	缠枝牡丹纹小脊砖	残8	残2.6	残10.5	1		残		
569	Ⅰ T0104①：61	Fa	缠枝牡丹纹小脊砖	残7.5	残13	残13.5	1		残		177
570	Ⅰ T0104①：62	Fa	缠枝牡丹纹小脊砖	残7.5	残10.5	残10	1		残		
571	Ⅰ T0104①：63	Fa	缠枝牡丹纹小脊砖	残7	残5.5	残9.5	1		残		
572	Ⅰ T0104①：65	Fa	缠枝牡丹纹小脊砖	残9	残2.5	残8	1		残		
573	Ⅰ T0105①：66	Fa	缠枝牡丹纹小脊砖	残9	残7.2	残11	1		残		
574	Ⅰ T0105①：70	Fa	缠枝牡丹纹小脊砖	残8.8	残2	13	1		残		
575	Ⅰ T0105①：71	Fa	缠枝牡丹纹小脊砖	残12	残3.2	残13	1		残		
576	Ⅰ T0105①：72	Fa	缠枝牡丹纹小脊砖	残7.5	残2.6	残7	1		残		
577	Ⅰ T0105①：73	Fa	缠枝牡丹纹小脊砖	残10.5	残5	残6	1		残		
578	Ⅰ T0105①：74	Fa	缠枝牡丹纹小脊砖	残5	残2.5	残10	1		残		

续表

序号	出土单位/编号	类型	名称	尺寸/厘米			数量/片	计件	完残	备注	小计/件
				长	宽	高					
579	Ⅰ T0105①：75	Fa	缠枝牡丹纹小脊砖	残10	残7	13	1		残		
580	Ⅰ T0105①：77	Fa	缠枝牡丹纹小脊砖	残8	残4.5	残9	1		残		
581	Ⅰ T0203①：3	Fa	缠枝牡丹纹小脊砖	残12	残1.5	残11	1		残		
582	Ⅰ T0203①：4	Fa	缠枝牡丹纹小脊砖	残7	残2	残9.7	1		残		
583	Ⅰ T0203①：37	Fa	缠枝牡丹纹小脊砖	残3.5	残12.6	残9.5	1		残		
584	Ⅰ T0203①：41	Fa	缠枝牡丹纹小脊砖				1		残		
585	Ⅰ T0203①：42	Fa	缠枝牡丹纹小脊砖				1		残		
586	Ⅰ T0203①	Fa	缠枝牡丹纹小脊砖				1		残		
587	Ⅰ T0203④	Fa	缠枝牡丹纹小脊砖				2	1	残		
588	Ⅰ T0204①：91	Fa	缠枝牡丹纹小脊砖	残7	残2.5	残9.3	1		残		177
589	Ⅰ T0204①：95	Fa	缠枝牡丹纹小脊砖	残16	残5.5	残12.3	1		残		
590	Ⅰ T0204①：96	Fa	缠枝牡丹纹小脊砖	残20.3	残6.4	残11.3	1		残		
591	Ⅰ T0204①：97	Fa	缠枝牡丹纹小脊砖	残7	残4.5	残7	1		残		
592	Ⅰ T0204①：98	Fa	缠枝牡丹纹小脊砖	残15	残9	13	1		残		
593	Ⅰ T0204①	Fa	缠枝牡丹纹小脊砖				1		残		
594	Ⅰ T0306①	Fa	缠枝牡丹纹小脊砖				2		残		
595	Ⅱ T0101①	Fa	缠枝牡丹纹小脊砖				2	1	残		
596	Ⅱ T0102①：3	Fa	缠枝牡丹纹小脊砖	残32.3	残14.8	残12.7	1	1	较完整		
597	Ⅱ T0102①	Fa	缠枝牡丹纹小脊砖				4	2	残		

续表

序号	出土单位/编号	类型	名称	尺寸/厘米			数量/片	计件	完残	备注	小计/件
				长	宽	高					
598	ⅢT0101①：11	Fa	缠枝牡丹纹小脊砖				1	1	残		
599	ⅢT0101①	Fa	缠枝牡丹纹小脊砖				4	1	残		
600	ⅢT0101①	Fa	缠枝牡丹纹小脊砖				22	4	残		
601	ⅣT0101①：35	Fa	缠枝牡丹纹小脊砖	31.4	残14.1	残12.3	1	1	残		
602	ⅣT0101①	Fa	缠枝牡丹纹小脊砖				21	2	残		
603	ⅣT0102①	Fa	缠枝牡丹纹小脊砖				27	2	残		
604	ⅣT0102②	Fa	缠枝牡丹纹小脊砖				2		残		
605	ⅣT0103①	Fa	缠枝牡丹纹小脊砖				5	1	残		
606	ⅣT0104①	Fa	缠枝牡丹纹小脊砖				5	1	残		
607	ⅣT0106①：87	Fa	缠枝牡丹纹小脊砖	残7	残2	残7.5	1		残		177
608	ⅣT0106①：90	Fa	缠枝牡丹纹小脊砖	残7.6	残12	残13.5	1		残		
609	ⅣT0106①：91	Fa	缠枝牡丹纹小脊砖	残13	残11	残8.5	1		残		
610	ⅣT0106①：92	Fa	缠枝牡丹纹小脊砖	残10	残10	残12.3	1		残		
611	ⅣT0106①：93	Fa	缠枝牡丹纹小脊砖				1		残		
612	ⅣT0106①：94	Fa	缠枝牡丹纹小脊砖				1		残		
613	ⅣT0106①：95	Fa	缠枝牡丹纹小脊砖				1		残		
614	ⅣT0106①：96	Fa	缠枝牡丹纹小脊砖				1		残		
615	ⅣT0106①：97	Fa	缠枝牡丹纹小脊砖				1	1	残		
616	ⅣT0106①：100	Fa	缠枝牡丹纹小脊砖				1		残		

续表

序号	出土单位/编号	类型	名称	尺寸/厘米			数量/片	计件	完残	备注	小计/件
				长	宽	高					
617	ⅣT0106①：103	Fa	缠枝牡丹纹小脊砖				1		残		
618	ⅣT0106①：112	Fa	缠枝牡丹纹小脊砖				1		残		
619	ⅣT0106①	Fa	缠枝牡丹纹小脊砖				3		残		
620	ⅣT0107①	Fa	缠枝牡丹纹小脊砖				9		残		
621	ⅣT0201①：20	Fa	缠枝牡丹纹小脊砖				1	1	残		
622	ⅣT0201①：25	Fa	缠枝牡丹纹小脊砖				1	1	残	顶部疑似动物脚印	
623	ⅣT0201①	Fa	缠枝牡丹纹小脊砖				7	1	残		
624	ⅣT0202①：74	Fa	缠枝牡丹纹小脊砖	残17.1	残3	残12.1	1		残		
625	ⅣT0202①：75	Fa	缠枝牡丹纹小脊砖	残9.9	残3.2	残9.4	1		残		
626	ⅣT0202①：76	Fa	缠枝牡丹纹小脊砖	残10	残6.6	残7.2	1		残		177
627	ⅣT0202①：78	Fa	缠枝牡丹纹小脊砖	残22.7	残10.8	残6	1	1	残		
628	ⅣT0202①：79	Fa	缠枝牡丹纹小脊砖	残12.6	残4.7	残12.2	1		残		
629	ⅣT0202①：80	Fa	缠枝牡丹纹小脊砖	残13.5	残6.5	残8.7	1		残		
630	ⅣT0202①：81	Fa	缠枝牡丹纹小脊砖	残6.9	残2.1	残9.1	1		残		
631	ⅣT0202①：82	Fa	缠枝牡丹纹小脊砖	残6.8	残1.9	残6.3	1		残		
632	ⅣT0202①：83	Fa	缠枝牡丹纹小脊砖	残7.9	残2.2	残7.5	1		残		
633	ⅣT0202①：84	Fa	缠枝牡丹纹小脊砖	残8	残6.6	残12.1	1		残		
634	ⅣT0202①：87	Fa	缠枝牡丹纹小脊砖	残9.8	残2.2	残4.6	1		残		
635	ⅣT0202①	Fa	缠枝牡丹纹小脊砖				4		残		

续表

序号	出土单位/编号	类型	名称	尺寸/厘米 长	宽	高	数量/片	计件	完残	备注	小计/件
636	ⅣT0204②：3	Fa	缠枝牡丹纹小脊砖				1		残		
637	ⅣT0204②：4	Fa	缠枝牡丹纹小脊砖				1	1	残		
638	ⅣT0204②：5	Fa	缠枝牡丹纹小脊砖				1		残		
639	ⅣT0204②：7	Fa	缠枝牡丹纹小脊砖				1		残		
640	ⅣT0204②：8	Fa	缠枝牡丹纹小脊砖				1		残		
641	ⅣT0204②：9	Fa	缠枝牡丹纹小脊砖				1		残		
642	ⅣT0204②：10	Fa	缠枝牡丹纹小脊砖				1		残		
643	ⅣT0206①	Fa	缠枝牡丹纹小脊砖				7		残		
644	ⅣT0207①：35	Fa	缠枝牡丹纹小脊砖				1		残		
645	ⅣT0303②A	Fa	缠枝牡丹纹小脊砖				3		残		177
646	ⅣT0304①	Fa	缠枝牡丹纹小脊砖				5		残		
647	ⅣT0305①：62	Fa	缠枝牡丹纹小脊砖				1	1	残		
648	ⅣT0305①	Fa	缠枝牡丹纹小脊砖				17	2	残		
649	ⅣT0305④：44	Fa	缠枝牡丹纹小脊砖	残10.4	残12.1	残12.7	1		残		
650	ⅣT0305④：46	Fa	缠枝牡丹纹小脊砖	残9.1	残9.6	残14.1	1		残		
651	ⅣT0305④：47	Fa	缠枝牡丹纹小脊砖	残9.5	残5.3	残9.9	1		残		
652	ⅣT0305④：48	Fa	缠枝牡丹纹小脊砖	残10.2	残6.4	残12.3	1		残		
653	ⅣT0305④：49	Fa	缠枝牡丹纹小脊砖	残7.2	残5.4	残10.5	1		残		
654	ⅣT0305④：50	Fa	缠枝牡丹纹小脊砖	残10.5	残5.6	残14.7	1		残		

续表

序号	出土单位/编号	类型	名称	尺寸/厘米			数量/片	计件	完残	备注	小计/件
				长	宽	高					
655	ⅣT0305④：51	Fa	缠枝牡丹纹小脊砖	残18.9	残2.4	残10.5	1		残		177
656	ⅣT0305④：52	Fa	缠枝牡丹纹小脊砖	残7.7	残2	残9.5	1		残		
657	ⅣT0305④：53	Fa	缠枝牡丹纹小脊砖	残8.8	残5.7	残12.3	1		残		
658	ⅣT0305④：54	Fa	缠枝牡丹纹小脊砖	残7.8	残2.7	残7.7	1		残		
659	ⅣT0305④：56	Fa	缠枝牡丹纹小脊砖	残19.2	残2.3	残11.9	1	1	残		
660	ⅣT0305④：60	Fa	缠枝牡丹纹小脊砖	残9	残14.1	残12	1		残		
661	ⅣT0305④：62	Fa	缠枝牡丹纹小脊砖	残10.7	残4.6	残4.7	1		残		
662	ⅣT0305④：70	Fa	缠枝牡丹纹小脊砖	残9.9	残1.5	残7	1		残		
663	ⅣT0305④：71	Fa	缠枝牡丹纹小脊砖	残14.9	残4.7	残12.3	1		残		
664	ⅣT0306①：80	Fa	缠枝牡丹纹小脊砖	残14.2	残5.9	残11.9	1		残		
665	ⅣT0306①：84	Fa	缠枝牡丹纹小脊砖	残10.9	残5.6	残7.4	1		残		
666	ⅣT0306①：85	Fa	缠枝牡丹纹小脊砖	残9.9	残2.4	残11.4	1		残		
667	ⅣT0306①：86	Fa	缠枝牡丹纹小脊砖	残4.7	残2.7	残12.9	1		残		
668	ⅣT0306①：87	Fa	缠枝牡丹纹小脊砖	残8.4	残5.9	残9.4	1		残		
669	ⅣT0306①：88	Fa	缠枝牡丹纹小脊砖	残13.1	残13.4	残6.5	1		残		
670	ⅣT0306①：89	Fa	缠枝牡丹纹小脊砖	残6.3	残6.9	残9.7	1		残		
671	ⅣT0306①：108	Fa	缠枝牡丹纹小脊砖	残9.2	残7.6	残9.9	1		残		
672	ⅣT0307①	Fa	缠枝牡丹纹小脊砖				1		残		
673	ⅣT0403②A	Fa	缠枝牡丹纹小脊砖				3		残		

续表

序号	出土单位/编号	类型	名称	尺寸/厘米			数量/片	计件	完残	备注	小计/件
				长	宽	高					
674	ⅣT0404④：37	Fa	缠枝牡丹纹小脊砖	残8.9	残7.3	残12.4	1		残		177
675	ⅣT0404④：39	Fa	缠枝牡丹纹小脊砖	残13.4	残8.2	残12.9	1		残		
676	ⅣT0404④：45	Fa	缠枝牡丹纹小脊砖	残9.3	残2.1	残7.2	1		残		
677	ⅣT0404④：48	Fa	缠枝牡丹纹小脊砖	残14.5	残5.2	残12.7	1		残		
678	ⅣT0404④：49	Fa	缠枝牡丹纹小脊砖	残14.1	残6.1	残12.5	1		残		
679	ⅣT0404④：51	Fa	缠枝牡丹纹小脊砖	残6.3	残2.7	残5.6	1		残		
680	ⅣT0405①	Fa	缠枝牡丹纹小脊砖				4	1	残		
681	ⅣT0405①	Fa	缠枝牡丹纹小脊砖				3		残		
682	ⅣT0405②A	Fa	缠枝牡丹纹小脊砖				1		残		
683	ⅣT0405④	Fa	缠枝牡丹纹小脊砖				1		残		
684	ⅣT0502③A	Fa	缠枝牡丹纹小脊砖				4	1	残		
685	ⅣT0502④	Fa	缠枝牡丹纹小脊砖				5	1	残		
686	ⅣT0503④：56	Fa	缠枝牡丹纹小脊砖	残13.3	残7.3	残12.2	1		残		
687	ⅣT0503④：57	Fa	缠枝牡丹纹小脊砖	残17.3	残7.4	残12.7	1	1	残		
688	ⅣT0503④：58	Fa	缠枝牡丹纹小脊砖	残13.3	残10.6	残13.1	1		残		
689	ⅣT0503④：59	Fa	缠枝牡丹纹小脊砖	残6.7	残7.2	残11.9	1		残		
690	ⅣT0503④：61	Fa	缠枝牡丹纹小脊砖	残10.7	残6	残9.1	1		残		
691	ⅣT0503④：62	Fa	缠枝牡丹纹小脊砖	残16.1	残6.2	残12.3	1		残		
692	ⅣT0503④：63	Fa	缠枝牡丹纹小脊砖	残5.7	残2.4	残6.7	1		残		

续表

序号	出土单位/编号	类型	名称	尺寸/厘米			数量/片	计件	完残	备注	小计/件
				长	宽	高					
693	ⅣT0504①：13	Fa	缠枝牡丹纹小脊砖	残30.9	残6.5	残12.6	1	1	残		177
694	ⅣT0504④	Fa	缠枝牡丹纹小脊砖				4	2	残		
695	ⅣT0505②A	Fa	缠枝牡丹纹小脊砖				6	1	残		
696	ⅣT0506①：52	Fa	缠枝牡丹纹小脊砖				1	1	残		
697	ⅣT0506①	Fa	缠枝牡丹纹小脊砖				8	2	残		
698	ⅣT0506②：29	Fa	缠枝牡丹纹小脊砖	残19.2	残14.2	残10.9	1	1	残		
699	ⅣT0507①：101	Fa	缠枝牡丹纹小脊砖	残12.4	残4.1	残11.7	1		残		
700	ⅣT0507①：103	Fa	缠枝牡丹纹小脊砖	残11.2	残2.3	残10.4	1		残		
701	ⅣT0507①：104	Fa	缠枝牡丹纹小脊砖	残7.1	残2.7	残12.2	1		残		
702	ⅣT0507①：105	Fa	缠枝牡丹纹小脊砖	残8.3	残3.2	残12.3	1		残		
703	ⅣT0507①：106	Fa	缠枝牡丹纹小脊砖	残17.8	残8.6	残12.7	1		残		
704	ⅣT0507①：107	Fa	缠枝牡丹纹小脊砖	残11.7	残1.1	残9.5	1		残		
705	ⅣT0507①：109	Fa	缠枝牡丹纹小脊砖	残11.7	残7.9	残12.3	1		残		
706	ⅣT0507①：112	Fa	缠枝牡丹纹小脊砖	残11.2	残1.5	残11.3	1		残		
707	ⅣT0507①：113	Fa	缠枝牡丹纹小脊砖	残12.4	残3	残11.2	1		残		
708	ⅣT0507①：114	Fa	缠枝牡丹纹小脊砖	残14.2	残8.9	残12.2	1		残		
709	ⅣT0507①：117	Fa	缠枝牡丹纹小脊砖	残10.7	残4.6	残11.8	1		残		
710	ⅣT0507①：118	Fa	缠枝牡丹纹小脊砖	残12.2	残9.8	残11.4	1		残		
711	ⅣT0507①：120	Fa	缠枝牡丹纹小脊砖				1		残		

续表

序号	出土单位/编号	类型	名称	尺寸/厘米			数量/片	计件	完残	备注	小计/件
				长	宽	高					
712	ⅣT0507①：124	Fa	缠枝牡丹纹小脊砖				1		残		177
713	ⅣT0507①：125	Fa	缠枝牡丹纹小脊砖				1		残		
714	ⅣT0507①：127	Fa	缠枝牡丹纹小脊砖				1		残		
715	ⅣT0507①：129	Fa	缠枝牡丹纹小脊砖				1		残		
716	ⅣT0507①：130	Fa	缠枝牡丹纹小脊砖				1		残		
717	ⅣT0507①：132	Fa	缠枝牡丹纹小脊砖				1		残		
718	ⅣT0507①：133	Fa	缠枝牡丹纹小脊砖				1		残		
719	ⅣT0507①：134	Fa	缠枝牡丹纹小脊砖				1		残		
720	ⅣT0507①：135	Fa	缠枝牡丹纹小脊砖				1		残		
721	ⅣT0507①：136	Fa	缠枝牡丹纹小脊砖				1		残		
722	ⅣT0507①：137	Fa	缠枝牡丹纹小脊砖				1		残		
723	ⅣT0507①：138	Fa	缠枝牡丹纹小脊砖				1		残		
724	ⅣT0603②B：1	Fa	缠枝牡丹纹小脊砖				1	1	残		
725	ⅣT0603④	Fa	缠枝牡丹纹小脊砖				3		残		
726	ⅣT0604①	Fa	缠枝牡丹纹小脊砖				8		残		
727	ⅣT0605②	Fa	缠枝牡丹纹小脊砖				2		残		
728	ⅣT0606①	Fa	缠枝牡丹纹小脊砖				1		残		
729	ⅣT0606④	Fa	缠枝牡丹纹小脊砖				6		残		
730	ⅣT0607①：65	Fa	缠枝牡丹纹小脊砖	残10.6	残2	残9.6	1	1	残		

续表

序号	出土单位/编号	类型	名称	尺寸/厘米			数量/片	计件	完残	备注	小计/件
				长	宽	高					
731	ⅣT0607①：67	Fa	缠枝牡丹纹小脊砖	残6.9	残6.4	残5.1	1		残		
732	ⅣT0608①	Fa	缠枝牡丹纹小脊砖				2	1	残		
733	ⅣT0704①：58	Fa	缠枝牡丹纹小脊砖	残21.9	残9.2	残12.8	1	1	残		
734	ⅣT0704①：61	Fa	缠枝牡丹纹小脊砖	残9.2	残8	残12.6	1		残		
735	ⅣT0704①	Fa	缠枝牡丹纹小脊砖				1		残		
736	ⅣT0706③：10	Fa	缠枝牡丹纹小脊砖				1		残		
737	ⅣT0706③	Fa	缠枝牡丹纹小脊砖				3	1	残		
738	ⅣT0707②：23	Fa	缠枝牡丹纹小脊砖	残7.1	残2	残8.9	1		残		
739	ⅣT0908①：9	Fa	缠枝牡丹纹小脊砖	残10.8	残6.3	残12.1	1		残		
740	ⅣT0908①：22	Fa	缠枝牡丹纹小脊砖	残8.9	残13.9	残12.2	1		残		177
741	ⅣT0908①：23	Fa	缠枝牡丹纹小脊砖				1		残		
742	ⅣT0908①：24	Fa	缠枝牡丹纹小脊砖				1		残		
743	TG21②：56	Fa	缠枝牡丹纹小脊砖				1	1	残		
744	TG21②：57	Fa	缠枝牡丹纹小脊砖				1		残		
745	TG21②：58	Fa	缠枝牡丹纹小脊砖				1		残		
746	TG21②：59	Fa	缠枝牡丹纹小脊砖	残6.4	残3.1	残8.2	1		残		
747	TG21②：156	Fa	缠枝牡丹纹小脊砖	残13.2	残3.7	残12.2	1	1	残		
748	TG21②：159	Fa	缠枝牡丹纹小脊砖	残6.4	残4	残8.5	1		残		
749	TG55②：50	Fa	缠枝牡丹纹小脊砖	残16	残6.5	残12	1	1	残		

续表

序号	出土单位/编号	类型	名称	尺寸/厘米			数量/片	计件	完残	备注	小计/件
				长	宽	高					
750	TG41③：35	Fa	缠枝牡丹纹小脊砖	残29	残9	12.5	1	1	残		
751	TG41③：38	Fa	缠枝牡丹纹小脊砖				1		残		
752	TG41③：39	Fa	缠枝牡丹纹小脊砖				1	1	残		
753	TG41③：42	Fa	缠枝牡丹纹小脊砖				1		残		
754	TG41③：43	Fa	缠枝牡丹纹小脊砖				1		残		
755	TG41③：44	Fa	缠枝牡丹纹小脊砖				1		残		
756	TG41③：45	Fa	缠枝牡丹纹小脊砖				1		残		
757	TG41③：46	Fa	缠枝牡丹纹小脊砖				1	1	残		
758	TG41③：48	Fa	缠枝牡丹纹小脊砖				1	1	残		
759	TG41③：49	Fa	缠枝牡丹纹小脊砖				1		残		177
760	TG41③：52	Fa	缠枝牡丹纹小脊砖				1		残		
761	TG41③：61	Fa	缠枝牡丹纹小脊砖				1		残		
762	TG48①：33	Fa	缠枝牡丹纹小脊砖				1	1	残		
763	TG1③：2	Fa	缠枝牡丹纹小脊砖	残11	残7.5	残11	1	1	残		
764	TG1③：3	Fa	缠枝牡丹纹小脊砖	残14.4	残2.9	残10.9	1		残		
765	老王宫采：27	Fa	缠枝牡丹纹小脊砖				1	1	残	老王宫磉墩坪出	
766	F32①：21	Fa	缠枝牡丹纹小脊砖	残8.5	残15.5	13	1	1	残		
767	F32①：23	Fa	缠枝牡丹纹小脊砖	残12.5	残7	12	1		残		
768	F32①：25	Fa	缠枝牡丹纹小脊砖	残8.5	残10	12	1		残		

续表

序号	出土单位/编号	类型	名称	尺寸/厘米			数量/片	计件	完残	备注	小计/件
				长	宽	高					
769	F1①	Fb	缠枝葡萄纹小脊砖				4	1	残		67
770	F2①：71	Fb	缠枝葡萄纹小脊砖	残10	残9	残2.4	1	1	残		
771	F2①：72	Fb	缠枝葡萄纹小脊砖	残9.8	13	残5.8	1	1	残		
772	F2①：73	Fb	缠枝葡萄纹小脊砖	残15	13	残1.7	1	1	残		
773	F3①：28	Fb	缠枝葡萄纹小脊砖	残12	残14	残11.3	1	1	残		
774	F3①：112	Fb	缠枝葡萄纹小脊砖	残22.1	残6.7	残13	1		残		
775	F3①：117	Fb	缠枝葡萄纹小脊砖	残10	残17	残4	1		残		
776	F3①	Fb	缠枝葡萄纹小脊砖				11	3	残		
777	F5①：18	Fb	缠枝葡萄纹小脊砖	31.2	17	13.2	1	1	较完整		
778	F5①：21	Fb	缠枝葡萄纹小脊砖	32.6	15.6	13	1	1	较完整		
779	F5①：262	Fb	缠枝葡萄纹小脊砖	残29	16.5	12.5	1		残		
780	F5①	Fb	缠枝葡萄纹小脊砖				1		残		
781	F6①：2	Fb	缠枝葡萄纹小脊砖	32	残4.5	残12.2	1	1	残		
782	F6①	Fb	缠枝葡萄纹小脊砖				2		残		
783	F8①：69	Fb	缠枝葡萄纹小脊砖	残31.7	残9.4	残12.8	1	1	残		
784	F8①	Fb	缠枝葡萄纹小脊砖				18	6	残		
785	F8②	Fb	缠枝葡萄纹小脊砖				3	1	残		
786	F10①	Fb	缠枝葡萄纹小脊砖				1	1	残		
787	F12①：24	Fb	缠枝葡萄纹小脊砖	残31.2	残7.6	残13.3	2	1	残	残一角，2块拼	

续表

序号	出土单位/编号	类型	名称	尺寸/厘米			数量/片	计件	完残	备注	小计/件
				长	宽	高					
788	F12①	Fb	缠枝葡萄纹小脊砖				1	1	残		67
789	F19①	Fb	缠枝葡萄纹小脊砖				2	1	残		
790	F19①	Fb	缠枝葡萄纹小脊砖				2		残		
791	F19天井①	Fb	缠枝葡萄纹小脊砖				4	2	残		
792	F29①：35	Fb	缠枝葡萄纹小脊砖	残19	残8.5	残13	1	1	残		
793	F29①：42	Fb	缠枝葡萄纹小脊砖	残11.5	残8	残8.4	1		残		
794	F29①：56	Fb	缠枝葡萄纹小脊砖	残15.5	15	残11	1	1	残		
795	F29①	Fb	缠枝葡萄纹小脊砖				1		残		
796	现代坑5	Fb	缠枝葡萄纹小脊砖				1		残		
797	现代坑6：7	Fb	缠枝葡萄纹小脊砖				1		残		
798	K4②：7	Fb	缠枝葡萄纹小脊砖	31.5	16.5	13	1	1	较完整		
799	K4②：50	Fb	缠枝葡萄纹小脊砖				2	1	残	两块与K4②：70、K4②：73、K4②：74相拼	
800	K4②：58	Fb	缠枝葡萄纹小脊砖				1		残	与K4②：71、K4②：72相拼	
801	K4②：61	Fb	缠枝葡萄纹小脊砖				1	1	残		
802	K4②：70	Fb	缠枝葡萄纹小脊砖				1		残	与K4②：50、K4②：73、K4②：74相拼	
803	K4②：71	Fb	缠枝葡萄纹小脊砖				1		残	与K4②：58、K4②：72相拼	
804	K4②：72	Fb	缠枝葡萄纹小脊砖				1	1	残	与K4②：58、K4②：71相拼	

续表

序号	出土单位/编号	类型	名称	尺寸/厘米			数量/片	计件	完残	备注	小计/件
				长	宽	高					
805	K4②：73	Fb	缠枝葡萄纹小脊砖				1		残	与K4②：50、K4②：70、K4②：74相拼	67
806	K4②：74	Fb	缠枝葡萄纹小脊砖				1		残	与K4②：50、K4②：70、K4②：73相拼	
807	G1①	Fb	缠枝葡萄纹小脊砖				7	1	残		
808	G2①：24	Fb	缠枝葡萄纹小脊砖	残22.8	残16.2	残12.8	1	1	残		
809	G2①：25	Fb	缠枝葡萄纹小脊砖	残30.2	残14	残12.9	1	1	残		
810	G2①：36	Fb	缠枝葡萄纹小脊砖	残15.5	残10.1	残16.9	1		残		
811	G2①：42	Fb	缠枝葡萄纹小脊砖	残22.1	残10.2	残12.7	1		残		
812	G2①：43	Fb	缠枝葡萄纹小脊砖	残17.3	残8.6	残12.8	1		残		
813	G2①	Fb	缠枝葡萄纹小脊砖				23	2	残		
814	G2②	Fb	缠枝葡萄纹小脊砖				9	2	残		
815	G2③：87	Fb	缠枝葡萄纹小脊砖				2	1	残		
816	G2③：88	Fb	缠枝葡萄纹小脊砖				4	1	残		
817	G2③：124	Fb	缠枝葡萄纹小脊砖	残17.1	残2.5	残12.8	1		残		
818	G20①	Fb	缠枝葡萄纹小脊砖				3	1	残		
819	C1①：27	Fb	缠枝葡萄纹小脊砖	残12	残2	残9	1		残	脊砖挡板	
820	C1①：28	Fb	缠枝葡萄纹小脊砖	残14	12	13	1	1	残	残存一端	
821	L2②	Fb	缠枝葡萄纹小脊砖				3		残		
822	L2③：21	Fb	缠枝葡萄纹小脊砖				1		残		

续表

序号	出土单位/编号	类型	名称	尺寸/厘米			数量/片	计件	完残	备注	小计/件
				长	宽	高					
823	L2④：303	Fb	缠枝葡萄纹小脊砖	残10	残8	残8.5	2	1	残		67
824	L2④：304	Fb	缠枝葡萄纹小脊砖	残9	残3.1	残8.5	1		残		
825	L2④：305	Fb	缠枝葡萄纹小脊砖	残9	残6.2	残7	1		残		
826	L2④：306	Fb	缠枝葡萄纹小脊砖	残13	残2.7	残5	1		残		
827	ⅠT0101①	Fb	缠枝葡萄纹小脊砖				4	1	残		
828	ⅠT0104①：52	Fb	缠枝葡萄纹小脊砖	残10	残5.5	残10.7	1		残		
829	ⅠT0104①：67	Fb	缠枝葡萄纹小脊砖	残15	残2.3	残12	1		残		
830	ⅠT0105①：76	Fb	缠枝葡萄纹小脊砖	残13	残10.5	13	1		残		
831	ⅠT0203①：2	Fb	缠枝葡萄纹小脊砖	残12	残6.5	12	1	1	残		
832	ⅠT0203④	Fb	缠枝葡萄纹小脊砖				1		残		
833	ⅠT0204①：99	Fb	缠枝葡萄纹小脊砖	残21.2	残6.5	12.5	1		残		
834	ⅠT0306①：8	Fb	缠枝葡萄纹小脊砖	残10.5	残10.4	12.2	1		残		
835	ⅠT0306①：9	Fb	缠枝葡萄纹小脊砖	残21	残8	13	1	1	残		
836	ⅢT0101①	Fb	缠枝葡萄纹小脊砖				1	1	残		
837	ⅣT0101①	Fb	缠枝葡萄纹小脊砖				2		残		
838	ⅣT0102①	Fb	缠枝葡萄纹小脊砖				1		残		
839	ⅣT0103①	Fb	缠枝葡萄纹小脊砖				1	1	残		
840	ⅣT0104①：25	Fb	缠枝葡萄纹小脊砖	残17	残8.5	12.5	1	1	残		
841	ⅣT0106①：98	Fb	缠枝葡萄纹小脊砖				1	1	残		

续表

序号	出土单位/编号	类型	名称	尺寸/厘米			数量/片	计件	完残	备注	小计/件
				长	宽	高					
842	ⅣT0106①：99	Fb	缠枝葡萄纹小脊砖				1		残		67
843	ⅣT0106①：101	Fb	缠枝葡萄纹小脊砖				1		残		
844	ⅣT0106①：102	Fb	缠枝葡萄纹小脊砖				1		残		
845	ⅣT0106①：104	Fb	缠枝葡萄纹小脊砖				1		残		
846	ⅣT0106①：105	Fb	缠枝葡萄纹小脊砖				1	1	残		
847	ⅣT0106①：106	Fb	缠枝葡萄纹小脊砖				1		残		
848	ⅣT0201①：19	Fb	缠枝葡萄纹小脊砖				1		残		
849	ⅣT0201①	Fb	缠枝葡萄纹小脊砖				1		残		
850	ⅣT0202①：89	Fb	缠枝葡萄纹小脊砖	残17.1	残6.3	残13.4	1	1	残		
851	ⅣT0202①：90	Fb	缠枝葡萄纹小脊砖	残9.3	残7.2	残5.1	1		残	脊砖挡板	
852	ⅣT0202①：91	Fb	缠枝葡萄纹小脊砖	残7.1	残7.5	残6.4	1		残		
853	ⅣT0203①：12	Fb	缠枝葡萄纹小脊砖				2	1	残		
854	ⅣT0206①	Fb	缠枝葡萄纹小脊砖				6		残		
855	ⅣT0207①	Fb	缠枝葡萄纹小脊砖				1		残		
856	ⅣT0305①：63	Fb	缠枝葡萄纹小脊砖				1		残		
857	ⅣT0305①	Fb	缠枝葡萄纹小脊砖				4	1	残		
858	ⅣT0305④：45	Fb	缠枝葡萄纹小脊砖	残11.4	残8.5	残11.8	1		残		
859	ⅣT0305④：69	Fb	缠枝葡萄纹小脊砖	残13.3	残6.9	残7.7	1		残		
860	ⅣT0306①：117	Fb	缠枝葡萄纹小脊砖	残15	残15.3	残9.2	1		残		

续表

序号	出土单位/编号	类型	名称	尺寸/厘米			数量/片	计件	完残	备注	小计/件
				长	宽	高					
861	ⅣT0306①：118	Fb	缠枝葡萄纹小脊砖	残11.9	残2.6	残9	1		残		67
862	ⅣT0403②A	Fb	缠枝葡萄纹小脊砖				1		残		
863	ⅣT0405①	Fb	缠枝葡萄纹小脊砖				1		残		
864	ⅣT0405①	Fb	缠枝葡萄纹小脊砖				1		残		
865	ⅣT0502③A	Fb	缠枝葡萄纹小脊砖				1		残		
866	ⅣT0502④	Fb	缠枝葡萄纹小脊砖				1		残		
867	ⅣT0503④：55	Fb	缠枝葡萄纹小脊砖	残14.8	残4.1	残12.6	1		残		
868	ⅣT0504①：14	Fb	缠枝葡萄纹小脊砖	残13.1	残9.2	残12.2	1		残		
869	ⅣT0505②A	Fb	缠枝葡萄纹小脊砖				2	1	残		
870	ⅣT0506①：53	Fb	缠枝葡萄纹小脊砖				1		残		
871	ⅣT0506①：54	Fb	缠枝葡萄纹小脊砖				1		残		
872	ⅣT0506①：55	Fb	缠枝葡萄纹小脊砖				1	1	残		
873	ⅣT0506①	Fb	缠枝葡萄纹小脊砖				6	2	残		
874	ⅣT0507①：91	Fb	缠枝葡萄纹小脊砖	残11.7	残4.7	残8.3	1		残		
875	ⅣT0604①	Fb	缠枝葡萄纹小脊砖				3		残		
876	ⅣT0605②	Fb	缠枝葡萄纹小脊砖				1		残		
877	ⅣT0607①：70	Fb	缠枝葡萄纹小脊砖	残6.3	残2.7	残7.5	1		残		
878	ⅣT0607①：71	Fb	缠枝葡萄纹小脊砖	残9	残3.8	残12.5	1		残		
879	ⅣT0608①	Fb	缠枝葡萄纹小脊砖				1		残		

续表

序号	出土单位/编号	类型	名称	尺寸/厘米			数量/片	计件	完残	备注	小计/件
				长	宽	高					
880	ⅣT0706③：7	Fb	缠枝葡萄纹小脊砖				3	1	残		67
881	ⅣT0706③	Fb	缠枝葡萄纹小脊砖				6	2	残		
882	ⅣT0807①	Fb	缠枝葡萄纹小脊砖				1		残		
883	ⅣT0908①：11	Fb	缠枝葡萄纹小脊砖	残15.3	残8.9	残10.9	1	1	残		
884	ⅣT0908①：12	Fb	缠枝葡萄纹小脊砖	残10.8	残9.7	残13.1	1		残		
885	TG21②：157	Fb	缠枝葡萄纹小脊砖	残8.3	残5.9	残9.9	1		残		
886	TG21②：158	Fb	缠枝葡萄纹小脊砖	残7.1	残6.4	残8.1	1	1	残		
887	TG48①：30	Fb	缠枝葡萄纹小脊砖				1	1	残		
888	TG16②：2	Fb	缠枝葡萄纹小脊砖	残15	残15	残8.5	1	1	残		
889	TG16②：3	Fb	缠枝葡萄纹小脊砖	残18	残8.5	13	1	1	残		
890	TG17②：2	Fb	缠枝葡萄纹小脊砖	残13.5	残5	12.8	1		残		
891	TG17②：3	Fb	缠枝葡萄纹小脊砖	残12.5	残9.5	12.8	1	1	残		
892	F5①	不可识	脊砖				7		残		
893	F29①：44	不可识	脊砖挡板	残11	残13	残8.4	1		残		
894	F29①：57	不可识	脊砖挡板	残18.5	残11	残12.5	1		残		
895	K6①：33	不可识	脊砖挡板				1		残		
896	K6①：34	不可识	脊砖顶部残块				1		残		
897	K6①	不可识	脊砖残块				1		残		
898	G12①	不可识	脊砖				10		残		

续表

序号	出土单位/编号	类型	名称	尺寸/厘米			数量/片	计件	完残	备注	小计/件
				长	宽	高					
899	C5①：31	不可识	脊砖				1		残		
900	C5①	不可识	脊砖				1		残		
901	C6①：15	不可识	脊砖	残9	残3	残6	1		残		
902	C6①：16	不可识	脊砖	残14.5	残5	残7.5	1		残		
903	C6①	不可识	脊砖				1		残		
904	L2③	不可识	脊砖残块				1		残		
905	ⅠT0101①	不可识	脊砖				6		残		
906	ⅠT0102②	不可识	脊砖				5		残		
907	ⅠT0203①：46	不可识	脊砖挡板				1		残		
908	ⅠT0203①：47	不可识	脊砖挡板				1		残		
909	ⅠT0203④	不可识	脊砖				1		残		
910	ⅠT0204①：90	不可识	脊砖	残8	残10	残11.5	1		残		
911	ⅠT0204①：93	不可识	脊砖	残11	残6.5	残9.5	1		残		
912	ⅣT0101①	不可识	脊砖				3		残		
913	ⅣT0102②	不可识	脊砖残块				10		残		
914	ⅣT0103①	不可识	脊砖挡板				4		残		
915	ⅣT0106①	不可识	脊砖				5		残		
916	ⅣT0305①	不可识	脊砖				6		残		
917	ⅣT0306①：104	不可识	脊砖	残20.2	残7.3	残7.8	1		残		

续表

序号	出土单位/编号	类型	名称	尺寸/厘米			数量/片	计件	完残	备注	小计/件
				长	宽	高					
918	ⅣT0306①：106	不可识	脊砖	残8.4	残8.9	残6.7	1		残		
919	ⅣT0306①：107	不可识	脊砖	残5.2	残6.6	残6.4	1		残		
920	ⅣT0306①：111	不可识	脊砖	残5.5	残11.6	残9.4	1		残		
921	ⅣT0306①：113	不可识	脊砖	残7.7	残8.7	残20.8	1		残		
922	ⅣT0403②A	不可识	脊砖				3		残		
923	ⅣT0405①	不可识	脊砖				1		残		
924	ⅣT0506①	不可识	脊砖				3		残		
925	ⅣT0607①：63	不可识	脊砖	残11	残6.3	残6.9	1		残		
926	ⅣT0607①：68	不可识	脊砖挡板	残10	残4	残6.1	1		残		
927	ⅣT0607①：69	不可识	脊砖挡板	残9.7	残2.8	残6	1		残		
928	ⅣT0607①：72	不可识	脊砖挡板	残6	残7	残7.5	1		残		
929	ⅣT0704①	不可识	脊砖挡板				1		残		
930	ⅣT0707②：24	不可识	脊砖	残6.2	残5.9	残7.2	1		残		
931	ⅣT0707③：18	不可识	脊砖	残14.1	残14.7	残8.4	1		残		
932	ⅣT0707③：20	不可识	脊砖	残9.3	残11.3	残10.2	1		残		
933	ⅣT0709①	不可识	脊砖				2		残		
934	ⅣT0908①：6	不可识	脊砖	残8.9	残11.4	残10.1	1		残		
935	ⅣT0908①：10	不可识	脊砖	残19.4	残6.4	残11.1	1		残		
936	ⅣT0908①：17	不可识	脊砖挡板	残9.7	残3.7	残10.2	1		残		

续表

序号	出土单位/编号	类型	名称	尺寸/厘米			数量/片	计件	完残	备注	小计/件
				长	宽	高					
937	TG55②：51	不可识	脊砖	残11	残10	残14	1		残	或为Fa型	
938	TG4③：53	不可识	脊砖				1		残	残甚	
939	TG4③：67	不可识	脊砖				1		残	残甚	
合计							2636				385

附表7　脊兽统计表

序号	编号	类型	部位	残块	计件	完残	拼接情况（备注）	合计/件
1	F1①：63	正吻A	头及一侧局部	1		残	与ⅠT0101①：1两块/ⅠT0101①：2/ⅣT0101①：18/F10①：17共6块相拼	4
2	F1①：64	正吻A	剑把	1		残		
3	F1①：65	正吻A	背面残块	2		残	与F1③：8/F1③：12共4块相拼	
4	F1③：3	正吻A	正吻	9	1	残	9块拼合，尾部残缺	
5	F1③：5	正吻A	剑把	5		残	5块拼为一整件	
6	F1③：6	正吻A	卷尾	3		残	3块相拼，为一残件	
7	F1③：7	正吻A	背兽残块	2		残		
8	F1③：8	正吻A	卷尾	1	1	残		
9	F1③：9	正吻A	卷尾	2		残	与F1③：15/F1③：10两块共5块相拼	
10	F1③：10	正吻A	卷尾	2		残		
11	F1③：11	正吻A	卷尾	1		残		
12	F1③：12	正吻A	卷尾	1		残		
13	F1③：13	正吻A	卷尾	1		残		
14	F1③：14	正吻A	卷尾	2		残		
15	F1③：15	正吻A	卷尾	1		残		
16	F1③：16	正吻A	卷尾	2		残		
17	F4①：7	正吻A	卷尾	1	1	残		
18	F10①：17	正吻A	眼、眉	1		残		
19	F10①：18	正吻A	草胡子	1		残		
20	C1①：15	正吻A	卷尾	1		残		
21	ⅠT0101①：1	正吻A	草胡子	2		残		
22	ⅠT0101①：2	正吻A	兽头	1		残		
23	ⅠT0101①：3	正吻A	头残半	1		残		
24	ⅠT0101①：4	正吻A	背兽	1		残	与ⅠT0101①：36两块拼合为背兽残件	
25	ⅠT0101①：6	正吻A	残吞口	1		残		
26	ⅠT0101①：8	正吻A	卷尾	1	1	残		
27	ⅠT0101①：32	正吻A	獠牙	1		残		
28	ⅠT0101①：36	正吻A	背兽	1		残		
29	ⅠT0104①：7	正吻A	背部	1		残		
30	ⅣT0101①：18	正吻A	残块	1		残		
31	ⅣT0101①：19	正吻A	卷毛、草胡子	1		残		
32	ⅣT0101①：20	正吻A	剑把	1		残		
33	ⅣT0102①：9	正吻A	卷毛、背部	1		残		
34	ⅣT0106①：13	正吻A	嘴	1		残		
35	ⅣT0504④：32	正吻A	獠牙	1		残		

续表

序号	编号	类型	部位	残块	计件	完残	拼接情况（备注）	合计/件
36	F3①：105	正吻B	残块，耳部	1		残	与ⅣT0606④：6共2块相拼	8
37	F19①：54	正吻B	卷尾	1		残	与ⅣT0606④：5/ⅣT0605②：4共3块相拼	
38	G8①：2	正吻B	残块	1		残	与ⅣT0504④：33/ⅣT0506①：17/ⅣT0506②：15两块/ⅣT0605②：2/ⅣT0605②：3/ⅣT0606④：3两块/ⅣT0305①：30/G12①：11/L2①：72共12块相拼	
39	G12①：11	正吻B	嘴	1		残		
40	G12①：12	正吻B	卷尾	1		残	与L2③：5/ⅣT0606④：4共3块相拼	
41	G12①：13	正吻B	吞口	1	1	残	与L2③：6共2块相拼	
42	L2①：55	正吻B	犄角	1		残		
43	L2①：72	正吻B	残块	1		残		
44	L2③：5	正吻B	卷尾	1		残		
45	L2③：6	正吻B	吞口	1		残		
46	L2④：24	正吻B	剑把处卷毛	1		残		
47	ⅠT0105①：6	正吻B	卷尾	1		残		
48	ⅠT0105①：7	正吻B	吞口	1	1	残		
49	ⅣT0305①：30	正吻B	大腿	1	1	残		
50	ⅣT0305④：15	正吻B	背部残块	1		残	或为背部	
51	ⅣT0504④：30	正吻B	卷尾	1		残		
52	ⅣT0504④：31	正吻B	剑把	1		残	与ⅣT0606④：7两块共3块相拼	
53	ⅣT0504④：33	正吻B	脚爪	1		残		
54	ⅣT0506①：17	正吻B	耳部	1		残		
55	ⅣT0506①：18	正吻B	爪	1		残		
56	ⅣT0506②：15	正吻B	残块	2		残		
57	ⅣT0507①：70	正吻B	后部及背兽	1		残	与ⅣT0607①：28/ⅣT0704①：1共3块相拼	
58	ⅣT0507①：76	正吻B	吞口	1		残		
59	ⅣT0507①：77	正吻B	剑把	1		残		
60	ⅣT0605②：2	正吻B	头部（唇、鼻）	1		残		
61	ⅣT0605②：3	正吻B	大腿部	1		残		
62	ⅣT0605②：4	正吻B	卷尾	1		残		
63	ⅣT0606④：3	正吻B	吞口	2		残		
64	ⅣT0606④：4	正吻B	卷尾	1		残		
65	ⅣT0606④：5	正吻B	尾部	1		残		
66	ⅣT0606④：6	正吻B	耳部	1		残		
67	ⅣT0606④：7	正吻B	剑把	2		残		

续表

序号	编号	类型	部位	残块	计件	完残	拼接情况（备注）	合计/件
68	ⅣT0607①：28	正吻B	爪	1		残		8
69	ⅣT0704①：1	正吻B	背兽头	1		残		
70	ⅣT0704①：2	正吻B	上颌	1		残		
71	ⅣT0706③：2	正吻B	草胡子	1		残		
72	ⅣT0706③：3	正吻B	卷尾	1		残		
73	TG21②：139	正吻B	卷尾	1		残		
74	TG21②：140	正吻B	剑把座	1	1	残		
75	TG21②：141	正吻B	大腿	1		残		
76	TG21②：142	正吻B	背兽（嘴岔）	1		残		
77	TG21②：143	正吻B	卷毛	1		残		
78	TG41③：18	正吻B	背部	1		残		
79	TG41③：19	正吻B	吞口	1	1	残		
80	TG41③：20	正吻B	爪毛	1	1	残		
81	TG41③：21	正吻B	卷尾	1		残		
82	TG41③：32	正吻B	剑把座	1		残		
83	TG48①：18	正吻B	背兽	1		残		
84	TG48①：27	正吻B	背部	1	1	残		
85	TG48①：28	正吻B	尾部	1	1	残		
86	TG48①：29	正吻B	剑把	1		残		
87	F1①：66	合角吻	卷尾	1		残	与ⅠT0101①：35/C1①：14/ⅣT0202①：4共4块相拼	5
88	F1③：1	合角吻	吻	6	1	已修		
89	F1③：2	合角吻	吻	18	1	已修		
90	F1③：17	合角吻	背部	1		残		
91	F3①：77	合角吻	卷尾	1		残		
92	F3①：78	合角吻	眼、眉	1	1	残		
93	C1①：14	合角吻	卷尾	1		残		
94	ⅠT0101①：5	合角吻	犄角	1		残		
95	ⅠT0101①：7	合角吻	剑把	1		残		
96	ⅠT0101①：35	合角吻	卷尾	1		残		
97	ⅠT0102①：1	合角吻	剑把	1		残		
98	ⅠT0104①：5	合角吻	兽角孔	1		残	胎体内有瓦块	
99	ⅡT0101①：5	合角吻	草胡子	2	1	残	与ⅢT0201①：1/ⅣT0305④：13共4块相拼	
100	ⅡT0101①：6	合角吻	吞口	1		残		
101	ⅢT0101①：6	合角吻	大腿	1		残		

续表

序号	编号	类型	部位	残块	计件	完残	拼接情况（备注）	合计/件
102	ⅢT0201①：1	合角吻	大腿	1		残		5
103	ⅣT0102①：8	合角吻	剑把	1		残		
104	ⅣT0202①：4	合角吻	卷尾	1		残		
105	ⅣT0305④：13	合角吻	嘴、鼻等	1		残		
106	ⅣT0305④：14	合角吻	头部	1	1	残		
107	F3①：60	望兽A	雀台	1		残	与F3①：79共2块相拼为右侧	2
108	F3①：62	望兽A	卷毛	1	1	残	与ⅣT0306①：6共2块相拼	
109	F3①：71	望兽A	雀台	2		残	两块拼合	
110	F3①：72	望兽A	下颌	1		残		
111	F3①：79	望兽A	雀台孔	1		残		
112	F3①：80	望兽A	挡板	1		残		
113	F3①：103	望兽A	挡板	1		残		
114	F3①：106	望兽A	雀台孔	1		残		
115	F19①：34	望兽A	颈部	1		残	与ⅣT0403①：5/ⅣT0305④：17/F19②：18共4块相拼	
116	F19①：53	望兽A	后颈	1		残	与ⅣT0403①：3/ⅠT0104④：3共3块相拼	
117	F19②：18	望兽A	鼻	1		残		
118	现代坑2：6	望兽A	卷毛	1	1	残		
119	ⅠT0104④：3	望兽A	角孔	1		残		
120	ⅠT0104④：6	望兽A	颈部	1		残		
121	ⅣT0201①：1	望兽A	颈部	1		残		
122	ⅣT0305④：16	望兽A	颈部	1		残		
123	ⅣT0305④：17	望兽A	下颌	1		残		
124	ⅣT0306①：6	望兽A	残块	1		残		
125	ⅣT0306①：7	望兽A	草胡子	1		残		
126	ⅣT0306①：8	望兽A	挡板	1		残		
127	ⅣT0403①：3	望兽A	上颌	1		残		
128	ⅣT0403①：4	望兽A	耳部	1		残		
129	ⅣT0403①：5	望兽A	嘴上唇	1		残		
130	ⅣT0403①：10	望兽A	下唇嘴岔	1		残	贴塑痕明显	
131	ⅣT0504④：29	望兽A	尾尖	1		残		
132	F1①：68	望兽B/C	耳部	1	1	残		12
133	F2①：27	望兽B/C	雀台	1		残		
134	F3①：73	望兽B/C	雀台	2		残		
135	F3①：74	望兽B/C	头部插角处	1		残		
136	F3①：75	望兽B/C	额头	1		残		

续表

序号	编号	类型	部位	残块	计件	完残	拼接情况（备注）	合计/件
137	F3①：76	望兽B/C	鼻	1		残		12
138	F8①：140	望兽B/C	上唇	1		残	与F8①：146共2块相拼	
139	F8①：141	望兽B/C	耳部	1	1	残	与F8①：144/G1②：51共3块相拼	
140	F8①：142	望兽B/C	卷毛	1		残		
141	F8①：143	望兽B/C	鼻	1		残		
142	F8①：144	望兽B/C	耳下卷毛	1		残		
143	F8①：145	望兽B/C	尾部	1		残		
144	F8①：146	望兽B/C	插角孔	1		残		
145	F8①：147	望兽B/C	火焰	1		残		
146	F8①：148	望兽B/C	脚爪	1		残		
147	F8①：149	望兽B/C	脚爪	1		残		
148	F8①：151	望兽B/C	尾部	3		残	与ⅣT0303③A：4/K4②：11共5块相拼	
149	F8②：1-1	望兽B/C		7	1	已修	修复完整	
150	F8②：29	望兽B/C	耳部	1		残		
151	F10①：19	望兽B/C	头部唇、鼻	2		残		
152	F10①：20	望兽B/C	下唇	1		残		
153	F10①：21	望兽B/C	尾部残块	1		残		
154	F10①：22	望兽B/C	大腿爪等处	3		残		
155	F10①：23	望兽B/C	尾背部	1		残		
156	F10①：24	望兽B/C	尾、爪毛	1		残	与F12①：65/F12①：66共3块相拼	
157	F10①：25	望兽B/C	爪	1		残		
158	F10①：26	望兽B/C	尾部	1		残		
159	F10①：27	望兽B/C	耳部	1		残		
160	F10①：29	望兽B/C	脚趾	1		残		
161	F12①：64	望兽B/C	爪毛	1		残		
162	F12①：65	望兽B/C	爪毛	1		残		
163	F12①：66	望兽B/C	尾背部	1		残		
164	F12①：67	望兽B/C	雀台、尾部	1		残	与ⅣT0304①：30/G2①：29共3块相拼	
165	F19①：25	望兽B/C	耳	1	1	残		
166	F19①：26	望兽B/C	爪毛	1		残		
167	F19①：27	望兽B/C	爪毛	2		残		
168	F19①：28	望兽B/C	耳、卷毛	1		残		
169	F19①：29	望兽B/C	头部	3	1	残	与F19①：28/F19②：17共5块相拼	
170	F19①：30	望兽B/C	鼻	1		残	与F19①：32共2块相拼	
171	F19①：31	望兽B/C	鼻	1		残		
172	F19①：32	望兽B/C	耳、嘴岔	1		残		

续表

序号	编号	类型	部位	残块	计件	完残	拼接情况（备注）	合计/件
173	F19①：33	望兽B/C	下唇残块	1		残	与ⅣT0403①：6/G9①：2/G9①：5/G2③：127四块共8块相拼	
174	F19①：35	望兽B/C	下唇边	1		残		
175	F19①：36	望兽B/C	尾背部残块	1		残		
176	F19①：37	望兽B/C	卷毛	1		残		
177	F19①：41	望兽B/C	爪	1		残		
178	F19①：55	望兽B/C	腿部	1		残	与ⅣT0504④：28/ⅣT0305①：31两块共4块相拼	
179	F19②：17	望兽B/C	尾部	1		残		
180	现代坑2：7	望兽B/C	尾部	1		残		
181	现代坑4：2	望兽B/C	爪	2		残	与C6①：2共3块相拼	
182	现代坑5：1	望兽B/C	眼	1		残		
183	K2①：6	望兽B/C	草胡子	1		残		
184	K4②：11	望兽B/C	尾部	1		残		
185	K5①：6	望兽B/C	耳部	1		残		
186	K6①：11	望兽B/C	眉、眼处	1		残	与ⅣT0305④：31共2块相拼	
187	G1②：50	望兽B/C	耳部	1		残	与ⅣT0704①：3共2块相拼	
188	G1②：51	望兽B/C	下唇	1		残		
189	G1②：52	望兽B/C	雀台	1		残		
190	G1②：53	望兽B/C	嘴	1	1	残	与K2①：6共2块相拼	
191	G2①：29	望兽B/C	爪毛	1		残		
192	G2①：30	望兽B/C	尾部	1		残		
193	G2②：79	望兽B/C	插角处	1		残		
194	G2③：125	望兽B/C	尾部	1		残		
195	G2③：126	望兽B/C	尾残块	1		残		
196	G2③：127	望兽B/C	头侧面	4		残		
197	G2③：128	望兽B/C	火焰	1		残	与G9①：1共2块相拼	
198	G9①：1	望兽B/C	火焰	1		残		
199	G9①：2	望兽B/C	卷毛、草胡子	1		残		
200	G9①：3	望兽B/C	尾残块	1		残		
201	G9①：4	望兽B/C	耳部	2	1	残	2块相拼	
202	G9①：5	望兽B/C	上唇	1		残		
203	G9①：6	望兽B/C	草胡子、火焰	1		残		
204	G9①：7	望兽B/C	尾残块	1		残		
205	G9①：8	望兽B/C	尾尖	1		残		
206	C1①：16	望兽B/C	上唇、鼻	1		残		

续表

序号	编号	类型	部位	残块	计件	完残	拼接情况（备注）	合计/件
207	C6①：1	望兽B/C	上唇	1		残		
208	C6①：2	望兽B/C	爪毛	1		残		
209	C6①：8	望兽B/C	雀台脚爪	1		残		
210	C8①：6	望兽B/C	耳部	1	1	残		
211	Ⅰ T0101①：9	望兽B/C	眼	1		残		
212	Ⅰ T0101①：10	望兽B/C	大腿	1		残	与Ⅰ T0104④：4共2块相拼	
213	Ⅰ T0101①：11	望兽B/C	下唇	1		残		
214	Ⅰ T0101①：12	望兽B/C	残块	1		残		
215	Ⅰ T0102②：1	望兽B/C	耳部	1		残	与Ⅰ T0102②：3/Ⅰ T0102②：30共3块相拼	
216	Ⅰ T0102②：2	望兽B/C	尾部	2		残		
217	Ⅰ T0102②：3	望兽B/C	插角处	1		残		
218	Ⅰ T0102②：8	望兽B/C	嘴侧面	2		残		
219	Ⅰ T0102②：29	望兽B/C	爪毛	1		残		
220	Ⅰ T0102②：30	望兽B/C	背部	1		残		
221	Ⅰ T0102②：31	望兽B/C	背部	1		残		
222	Ⅰ T0102②：32	望兽B/C	尾部残段	1		残		
223	Ⅰ T0103①：4	望兽B/C	眼、眉	1		残		
224	Ⅰ T0103②：7	望兽B/C	腿	1		残		12
225	Ⅰ T0103②：8	望兽B/C	下唇	1		残		
226	Ⅰ T0103④：15	望兽B/C	卷毛	1		残		
227	Ⅰ T0104④：4	望兽B/C	腿	1		残		
228	Ⅳ T0101①：21	望兽B/C	腿	1		残		
229	Ⅳ T0106①：10	望兽B/C	爪毛	1		残		
230	Ⅳ T0107①：4	望兽B/C	尾部	1		残		
231	Ⅳ T0201①：2	望兽B/C	耳部	1		残		
232	Ⅳ T0203①：8	望兽B/C	雀台	1		残		
233	Ⅳ T0207①：4	望兽B/C	下唇、头、大腿、爪毛	4	1	残	4块相拼	
234	Ⅳ T0303③A：4	望兽B/C	爪毛	1		残		
235	Ⅳ T0304①：25	望兽B/C	大腿	1		残		
236	Ⅳ T0304①：30	望兽B/C	大腿	1		残		
237	Ⅳ T0304①：33	望兽B/C	尾部	1		残		
238	Ⅳ T0305①：31	望兽B/C	大腿等	2		残		
239	Ⅳ T0305①：32	望兽B/C	眼、眉	1		残		
240	Ⅳ T0305①：36	望兽B/C	下唇	1		残	草胡子	
241	Ⅳ T0305④：18	望兽B/C	爪	1		残		

续表

序号	编号	类型	部位	残块	计件	完残	拼接情况（备注）	合计/件
242	ⅣT0305④：19	望兽B/C	尾部	1		残		12
243	ⅣT0305④：20	望兽B/C	爪毛	1		残	或为一件	
244	ⅣT0305④：21	望兽B/C	爪毛	1		残		
245	ⅣT0305④：31	望兽B/C	眉、眼	1		残		
246	ⅣT0306①：10	望兽B/C	尾部	1		残		
247	ⅣT0403①：6	望兽B/C	下唇	1		残		
248	ⅣT0403①：7	望兽B/C	雀台	1		残		
249	ⅣT0403①：8	望兽B/C	尾部	1		残		
250	ⅣT0403①：9	望兽B/C	草胡子	1		残		
251	ⅣT0403②A：3	望兽B/C	尾部残块	1		残	小残块	
252	ⅣT0504④：27	望兽B/C	草胡子	1	1	残		
253	ⅣT0504④：28	望兽B/C	大腿	1		残		
254	ⅣT0507①：79	望兽B/C	耳部	1	1	残		
255	ⅣT0507①：80	望兽B/C	雀台	1		残		
256	ⅣT0507①：81	望兽B/C	尾部	1		残	与ⅣT0507①：82共2块相拼	
257	ⅣT0507①：82	望兽B/C	尾部	1		残		
258	ⅣT0507①：83	望兽B/C	爪毛	1		残		
259	ⅣT0508①：1	望兽B/C	下唇	1	1	残		
260	ⅣT0604①：4	望兽B/C	卷毛	1		残		
261	ⅣT0704①：3	望兽B/C	眼、眉	1		残		
262	F1①：69	垂戗A	雀台、颈	1		残		23
263	F1①：71	垂戗A	上唇	1		残		
264	F1①：73	垂戗A	插角处	2		残		
265	F1③：4-1	垂戗A		23	1	残	与ⅠT0101①：14/ⅠT0101①：17共25块相拼，有角	
266	F2②：1	垂戗A		9	1	较完整	拼接近完整	
267	F3①：36	垂戗A	雀台	1	1	残	与F3①：84共2块相拼	
268	F3①：54	垂戗A	大腿、雀台	1		残	与ⅣT0207①：5共2块相拼	
269	F3①：63	垂戗A	腿、草胡子	1		残		
270	F3①：64	垂戗A	卷毛	1		残		
271	F3①：81	垂戗A	雀台、颈	1		残		
272	F3①：82	垂戗A	嘴岔、卷毛	2		残		
273	F3①：83	垂戗A	大腿	1		残		
274	F3①：84	垂戗A	雀台	1		残		
275	F3①：85	垂戗A	尾、爪毛	1		残	与ⅣT0305①：38/ⅣT0305④：40二块/ⅣT0504④：35共5块相拼	23

续表

序号	编号	类型	部位	残块	计件	完残	拼接情况（备注）	合计/件
276	F3①：89	垂戗A	尾部	1		残		23
277	F3①：90	垂戗A	卷毛	1		残		
278	F3①：92	垂戗A	卷毛	1		残		
279	F3①：93	垂戗A	耳、卷毛	1		残		
280	F3①：94	垂戗A	尾尖	1		残		
281	F3①：97	垂戗A	尾部	1		残		
282	F3①：99	垂戗A	卷毛	1		残		
283	F3①：100	垂戗A	卷毛	1		残		
284	F3①：101	垂戗A	卷毛	1		残		
285	F4①：8	垂戗A	眼眉、插角	1		残		
286	F8②：2	垂戗A		7	1	残		
287	F9①：193	垂戗A	垂戗兽	10	1	已修		
288	F9①：202	垂戗A	大腿	1		残		
289	F9①：205	垂戗A	耳部	1		残		
290	F9①：206	垂戗A	雀台鳞状残片	1		残		
291	F10①：31	垂戗A	嘴	2		残		
292	F10①：32	垂戗A	颈部	1		残		
293	F10①：33	垂戗A	耳部	1		残	与ⅠT0101①：18/ⅠT0101①：34/ⅠT0101②：2两块/ⅠT0101②：3/ⅠT0102②：7/ⅡT0101①：7/ⅣT0101①：23/ⅣT0101①：24/F10①：46/F10①：35三块/F10①：36/F10①：38共16块相拼	
294	F10①：34	垂戗A	大腿	1		残		
295	F10①：35	垂戗A	草胡子、大腿等	3		残		
296	F10①：36	垂戗A	眼、眉、插角	1		残		
297	F10①：37	垂戗A	雀台后部	1	1	残	与ⅠT0101①：33两块/ⅠT0101②：1两块/F10①：52/F10①：39三块/F10①：44/ⅣT0101①：28/F10①：45共12块相拼	
298	F10①：38	垂戗A	雀台尾部	1		残		
299	F10①：39	垂戗A	雀台	3		残		
300	F10①：40	垂戗A	雀台	1		残		
301	F10①：41	垂戗A	爪	1		残		
302	F10①：42	垂戗A		1		残		
303	F10①：43	垂戗A	眼、眉	1		残		
304	F10①：44	垂戗A	尾部	1		残		

续表

序号	编号	类型	部位	残块	计件	完残	拼接情况（备注）	合计/件
305	F10①：45	垂戗A	尾部	1		残		23
306	F10①：46	垂戗A	尾部	1	1	残		
307	F10①：47	垂戗A	尾部	1		残		
308	F10①：48	垂戗A	下唇残块	1		残		
309	F10①：49	垂戗A	眉毛	1		残		
310	F10①：51	垂戗A	鼻	1		残		
311	F10①：52	垂戗A	尾部	1		残		
312	F10①：53	垂戗A	腿及尾部	2		残		
313	F12①：60	垂戗A	头部	2	1	残	与ⅢT0101①：10三块/ⅢT0101①：9/ⅡT0101①：10四块共10块相拼	
314	F12①：68	垂戗A	爪毛	1		残		
315	F19①：38	垂戗A	雀台、颈	1		残		
316	F19①：39	垂戗A	尾部	1		残		
317	F19①：40	垂戗A	爪毛、火焰	1		残		
318	F19①：42	垂戗A	爪、雀台	1	1	残		
319	F19①：44	垂戗A	尾部	3		残	与ⅣT0404④：3共4块相拼	
320	F19①：45	垂戗A	雀台、尾部	1		残		
321	F19①：48	垂戗A	颈部	1		残		
322	F19①：51	垂戗A	卷毛、草胡子	1		残		
323	F19②：13	垂戗A	卷毛	1		残		
324	F19②：14	垂戗A	大腿	1		残		
325	F19②：15	垂戗A	耳部	1		残		
326	F19②：16	垂戗A	尾部残块	2		残		
327	F19天井②：4	垂戗A	雀台、眼、眉	2	1	残	2块相拼	
328	F19天井②：5	垂戗A	耳下卷毛	1		残		
329	F19天井②：6	垂戗A	嘴岔	1		残		
330	F30①：1	垂戗A	耳部	1		残		
331	现代坑1：1	垂戗A	耳下卷毛	1		残		
332	现代坑7：9	垂戗A	耳部	1		残		
333	K5①：7	垂戗A	尾背	1		残		
334	K6①：12	垂戗A	小腿	1		残		
335	G2①：33	垂戗A	雀台	1	1	残		
336	G2②：80	垂戗A	上唇	1		残	与ⅠT0101②：4/ⅣT0504③：1共3块相拼	

续表

序号	编号	类型	部位	残块	计件	完残	拼接情况（备注）	合计/件
337	G9①：10	垂戗A	尾残块	1		残		
338	C1①：17	垂戗A	尾背部	1		残		
339	C6①：4	垂戗A	大腿	1		残	与ⅡT0102①：2共2块相拼	
340	C6①：6	垂戗A	尾部	2		残		
341	C6①：7	垂戗A	尾部	1		残		
342	C8①：1	垂戗A	垂戗兽	7	1	残	嘴岔卷毛处呈鱼尾状	
343	C8①：2	垂戗A	头侧面	1		残		
344	L2①：3	垂戗A	头部	1		残	与ⅣT0507①：88共2块相拼	
345	L2①：66	垂戗A	雀台	1	1	残		
346	L2①：67	垂戗A	尾尖	1		残		
347	L2②：16	垂戗A	草胡子	1		残		
348	L2②：18	垂戗A	尾部	2		残	与ⅣT0706③：1共4块相拼	
349	L2④：30	垂戗A	尾部	1		残		
350	L2④：35	垂戗A	垂戗兽	11	1	残	胎体内有瓦块（可见瓦布纹）	
351	ⅠT0101①：14	垂戗A	雀台	1		残		
352	ⅠT0101①：16	垂戗A	爪	1		残		
353	ⅠT0101①：17	垂戗A	大腿	1		残		
354	ⅠT0101①：18	垂戗A	雀台	1		残		23
355	ⅠT0101①：19	垂戗A	耳部	1		残		
356	ⅠT0101①：21	垂戗A	卷毛	1		残		
357	ⅠT0101①：22	垂戗A	大腿	1		残		
358	ⅠT0101①：23	垂戗A	耳部	1		残		
359	ⅠT0101①：24	垂戗A	爪	1		残		
360	ⅠT0101①：26	垂戗A	尾背部	2		残		
361	ⅠT0101①：27	垂戗A	尾残块	1		残		
362	ⅠT0101①：28	垂戗A	尾残块	1		残		
363	ⅠT0101①：29	垂戗A	尾残块	1		残		
364	ⅠT0101①：30	垂戗A	尾尖	1		残		
365	ⅠT0101①：33	垂戗A	尾部	2		残		
366	ⅠT0101①：34	垂戗A	尾侧面	1		残		
367	ⅠT0101②：1	垂戗A	尾部	2		残		
368	ⅠT0101②：2	垂戗A	尾侧面	2		残		
369	ⅠT0101②：3	垂戗A	尾尖	1		残		
370	ⅠT0101②：4	垂戗A	下唇	1		残		
371	ⅠT0102②：5	垂戗A	残片	3		残		

续表

序号	编号	类型	部位	残块	计件	完残	拼接情况（备注）	合计/件
372	ⅠT0102②：6	垂戗A	头部	3		残	与ⅠT0103④：38/ⅠT0102②：9/ⅠT0103④：21两块共7块相拼	23
373	ⅠT0102②：7	垂戗A	上唇	1		残		
374	ⅠT0102②：9	垂戗A	尾部	1		残		
375	ⅠT0102②：10	垂戗A	大腿	1		残		
376	ⅠT0102②：11	垂戗A	脚爪	1		残		
377	ⅠT0102②：14	垂戗A	雀台	1		残		
378	ⅠT0102②：15	垂戗A	尾尖	1		残		
379	ⅠT0102②：16	垂戗A	颈部	1		残		
380	ⅠT0102②：17	垂戗A	大腿	1		残		
381	ⅠT0102②：20	垂戗A	大腿	1		残		
382	ⅠT0102②：21	垂戗A	卷毛	1		残		
383	ⅠT0102②：22	垂戗A	眼、眉	1		残		
384	ⅠT0102②：23	垂戗A	雀台	1		残		
385	ⅠT0102②：24	垂戗A	卷毛	1		残		
386	ⅠT0102②：25	垂戗A	卷毛	1		残		
387	ⅠT0102②：26	垂戗A	卷毛	1		残		
388	ⅠT0102②：27	垂戗A	尾背	1		残		
389	ⅠT0102②：28	垂戗A	脚趾	1		残		
390	ⅠT0103①：2	垂戗A	耳部	1		残		
391	ⅠT0103①：3	垂戗A	卷毛	1		残		
392	ⅠT0103①：6	垂戗A	尾部	1		残		
393	ⅠT0103②：9	垂戗A	耳部	1		残		
394	ⅠT0103②：10	垂戗A	上唇	1		残		
395	ⅠT0103②：12	垂戗A	尾部	2		残	与ⅠT0103④：36两块/ⅠT0103④：23两块共6块相拼	
396	ⅠT0103②：13	垂戗A	尾部	1		残		
397	ⅠT0103③：7	垂戗A	爪	1		残		
398	ⅠT0103③：8	垂戗A	雀台	1		残		
399	ⅠT0103③：10	垂戗A	尾部	1		残		
400	ⅠT0103④：17	垂戗A	上唇	1	1	残	与ⅠT0102②：5三块/ⅠT0102②：11/ⅠT0103④：26/ⅠT0103④：24/ⅠT0103④：32/ⅠT0102②：17/共9块相拼为一垂兽	
401	ⅠT0103④：18	垂戗A	嘴部	1		残		
402	ⅠT0103④：20	垂戗A	头部	2		残	与ⅠT0103④：28共3块相拼	
403	ⅠT0103④：21	垂戗A	侧面	2		残		
404	ⅠT0103④：22	垂戗A	爪毛	1		残		

续表

序号	编号	类型	部位	残块	计件	完残	拼接情况（备注）	合计/件
405	Ⅰ T0103④：23	垂戗A	大腿	2		残		23
406	Ⅰ T0103④：24	垂戗A	雀台	1		残		
407	Ⅰ T0103④：25	垂戗A	雀台	2	1	残	2块相拼	
408	Ⅰ T0103④：26	垂戗A	大腿	1		残		
409	Ⅰ T0103④：27	垂戗A	脚爪	1		残		
410	Ⅰ T0103④：28	垂戗A	嘴部	1		残		
411	Ⅰ T0103④：29	垂戗A	大腿	1		残		
412	Ⅰ T0103④：30	垂戗A	尾部	1		残		
413	Ⅰ T0103④：32	垂戗A	颈部	1		残		
414	Ⅰ T0103④：33	垂戗A	残块	1		残		
415	Ⅰ T0103④：34	垂戗A	眉眼	1		残		
416	Ⅰ T0103④：35	垂戗A	卷毛	1		残		
417	Ⅰ T0103④：36	垂戗A	尾部	2		残		
418	Ⅰ T0103④：38	垂戗A	尾部	1		残		
419	Ⅰ T0103④：39	垂戗A	尾尖	1		残		
420	Ⅰ T0104①：8	垂戗A	颈部卷毛	1		残		
421	Ⅰ T0104④：5	垂戗A	耳部	1		残		
422	Ⅰ T0203④：4	垂戗A	下唇	1		残		
423	Ⅰ T0203④：5	垂戗A	上唇、鼻	1		残		
424	Ⅰ T0204①：2	垂戗A	下唇	1		残		
425	Ⅱ T0101①：7	垂戗A	雀台、脚爪	1		残		
426	Ⅱ T0101①：9	垂戗A	尾尖	1		残		
427	Ⅱ T0101①：10	垂戗A	残片	4		残		
428	Ⅱ T0102①：2	垂戗A	雀台	1		残		
429	Ⅲ T0101①：7	垂戗A	雀台	1	1	残		
430	Ⅲ T0101①：8	垂戗A	尾部	2		残		
431	Ⅲ T0101①：9	垂戗A	爪	1		残		
432	Ⅲ T0101①：10	垂戗A	残片	3		残		
433	Ⅳ T0101①：22	垂戗A	尾部	1		残		
434	Ⅳ T0101①：23	垂戗A	尾部	1		残		
435	Ⅳ T0101①：24	垂戗A	卷毛	1		残		
436	Ⅳ T0101①：25	垂戗A	眉毛	1		残		
437	Ⅳ T0101①：26	垂戗A	耳部	1		残		
438	Ⅳ T0101①：28	垂戗A	尾部	1		残		
439	Ⅳ T0102①：11	垂戗A	尾部	1		残		
440	Ⅳ T0102②：1	垂戗A	鼻	1		残		

续表

序号	编号	类型	部位	残块	计件	完残	拼接情况（备注）	合计/件
441	ⅣT0103①：15	垂戗A	鼻	1		残		
442	ⅣT0103①：16	垂戗A	雀台	1		残		
443	ⅣT0103①：19	垂戗A	爪毛	1		残		
444	ⅣT0103①：20	垂戗A	爪毛	1		残	与ⅣT0506④：7共2块相拼	
445	ⅣT0103①：21	垂戗A	嘴岔	1		残		
446	ⅣT0104①：7	垂戗A	鼻	1		残		
447	ⅣT0104①：8	垂戗A	卷毛、颈	1		残		
448	ⅣT0105①：3	垂戗A	爪毛、下唇	1		残		
449	ⅣT0106①：11	垂戗A	下唇	1		残		
450	ⅣT0106①：12	垂戗A	火焰	1		残		
451	ⅣT0201①：3	垂戗A	雀台	1	1	残		
452	ⅣT0203①：7	垂戗A	爪毛	1		残		
453	ⅣT0204①：9	垂戗A	尾、爪毛	1		残		
454	ⅣT0204①：10	垂戗A	尾部	2		残		
455	ⅣT0204②：2	垂戗A		8	1	残	8块相拼	
456	ⅣT0207①：5	垂戗A	爪毛	1	1	残		
457	ⅣT0305①：34	垂戗A	卷毛、颈	1		残	与ⅣT0305①：35共2块相拼	
458	ⅣT0305①：35	垂戗A	卷毛	1		残		23
459	ⅣT0305①：37	垂戗A	下唇	1		残		
460	ⅣT0305①：38	垂戗A	尾部	1		残		
461	ⅣT0305①：39	垂戗A	尾尖	1		残		
462	ⅣT0305①：40	垂戗A	爪	1		残		
463	ⅣT0305①：41	垂戗A	尾、爪毛	1		残		
464	ⅣT0305①：42	垂戗A	尾、爪毛	1		残		
465	ⅣT0305④：1	垂戗A	上唇残件	1		残		
466	ⅣT0305④：22	垂戗A	头等	1		残		
467	ⅣT0305④：23	垂戗A	大腿等	1		残		
468	ⅣT0305④：24	垂戗A	雀台	1	1	残		
469	ⅣT0305④：25	垂戗A	眼、耳	1		残		
470	ⅣT0305④：27	垂戗A	雀台、爪	1		残		
471	ⅣT0305④：28	垂戗A	尾部、爪毛	1		残	与F10①：53两块共3块相拼	
472	ⅣT0305④：33	垂戗A	爪	1		残	与ⅣT0305④：34共2块相拼	
473	ⅣT0305④：34	垂戗A	大腿	1		残		
474	ⅣT0305④：35	垂戗A	残块	1		残		
475	ⅣT0305④：36	垂戗A	尾部	1		残		

续表

序号	编号	类型	部位	残块	计件	完残	拼接情况（备注）	合计/件
476	ⅣT0305④：37	垂戗A	颈部	1		残		23
477	ⅣT0305④：38	垂戗A	眉毛	1		残		
478	ⅣT0305④：40	垂戗A	尾部	2		残		
479	ⅣT0306①：9	垂戗A	雀台	1		残		
480	ⅣT0307①：2	垂戗A	爪部	1	1	残		
481	ⅣT0404④：2	垂戗A	雀台	1		残		
482	ⅣT0404④：3	垂戗A	爪毛	1		残		
483	ⅣT0405①：8	垂戗A	眼、眉	1		残		
484	ⅣT0405①：10	垂戗A	尾部	1		残		
485	ⅣT0405①：11	垂戗A	嘴唇部残块	1		残		
486	ⅣT0504②A：1	垂戗A	头、嘴	1		残		
487	ⅣT0504③：1	垂戗A	头、嘴	1		残		
488	ⅣT0504④：34	垂戗A	爪毛	1		残		
489	ⅣT0504④：35	垂戗A	尾部	1		残		
490	ⅣT0506①：21	垂戗A	耳部	1		残		
491	ⅣT0506①：22	垂戗A	草胡子	1		残		
492	ⅣT0506④：7	垂戗A	爪毛	1		残		
493	ⅣT0507①：84	垂戗A	嘴	1		残		
494	ⅣT0507①：85	垂戗A	雀台	1		残		
495	ⅣT0507①：86	垂戗A	大腿	1		残		
496	ⅣT0507①：88	垂戗A	大腿	1		残		
497	ⅣT0507①：89	垂戗A	雀台	1		残		
498	ⅣT0508①：6	垂戗A	上唇	1		残		
499	ⅣT0606②：18	垂戗A	大腿及卷毛	1	1	残	与ⅣT0305④：23共2块相拼	
500	ⅣT0606④：8	垂戗A	卷毛	1		残		
501	ⅣT0607①：61	垂戗A	嘴岔	1		残		
502	ⅣT0607①：62	垂戗A	爪毛	1		残		
503	ⅣT0706②：14	垂戗A	下唇、颈	2		残		
504	ⅣT0706③：1	垂戗A	尾部	2		残		
505	ⅣT0709①：1	垂戗A	大腿	1		残		
506	F3①：91	垂戗Ba	颈鳞	1	1	残		5
507	F8②：7-1	垂戗Ba	垂兽	4	1	已修	修复完整	
508	K4②：1-1	垂戗Ba		4	1	已修	带兽角	
509	ⅣT0107①：1	垂戗Ba	爪毛	1	1	残		
510	ⅣT0107①：3	垂戗Ba	尾尖	1		残		
511	ⅣT0206①：8	垂戗Ba	爪毛、尾	1	1	残		

续表

序号	编号	类型	部位	残块	计件	完残	拼接情况（备注）	合计/件
512	F1①：70	垂戗Bb	尾（针叶）	1		残		7
513	F1①：72	垂戗Bb	大腿	1		残		
514	F1①：74	垂戗Bb	雀台	1	1	残		
515	F3①：86	垂戗Bb	大腿	1		残		
516	F3①：88	垂戗Bb	耳部	1		残		
517	F5①：6	垂戗Bb	尾部	5		残		
518	F5①：22	垂戗Bb	头、颈、大腿	2	1	残		
519	F5①：23	垂戗Bb	尾部	1		残		
520	F6①：22	垂戗Bb	草胡子	1	1	残		
521	F8①：150	垂戗Bb	针叶草胡子	1	1	残		
522	F8②：26	垂戗Bb	雀台残损	2	1	残		
523	F8②：27	垂戗Bb	头（针叶状）	7		残		
524	F8②：28	垂戗Bb	草胡子、爪	2	1	残	与G2①：31两块共4块相拼	
525	F19①：43	垂戗Bb	雀台侧面	1		残		
526	F19①：46	垂戗Bb	尾部（针叶状）	1		残		
527	F19①：47	垂戗Bb	尾部（针叶状）	2		残		
528	F19①：49	垂戗Bb	尾部	1		残		
529	F19①：50	垂戗Bb	颈部	1		残		
530	F19天井②：9	垂戗Bb	兽头	1		残		
531	现代坑1：4	垂戗Bb	尾部	1		残		
532	G2①：31	垂戗Bb	大腿	2		残		
533	G2①：32	垂戗Bb	雀台	1	1	残		
534	G2①：34	垂戗Bb	尾部	1		残		
535	G2①：35	垂戗Bb	耳部	1		残		
536	L2①：63	垂戗Bb	大腿	1		残		
537	L2②：17	垂戗Bb	尾部	1		残	与L2④：34共2块相拼	
538	L2③：10	垂戗Bb	耳部	1		残		
539	L2④：31	垂戗Bb	尾尖	1		残		
540	L2④：34	垂戗Bb	尾部	1		残		
541	ⅠT0101①：15	垂戗Bb	尾部（针叶状）	1		残		
542	ⅠT0101①：20	垂戗Bb	草胡子	1		残		
543	ⅠT0101①：31	垂戗Bb	尾部	1		残		
544	ⅠT0102②：12	垂戗Bb	卷毛（针叶状）	1		残	与ⅣT0207④：1共2块相拼	

续表

序号	编号	类型	部位	残块	计件	完残	拼接情况（备注）	合计/件
545	Ⅰ T0102②：18	垂戗Bb	雀台	1		残		7
546	Ⅰ T0102②：19	垂戗Bb	耳部	1		残		
547	Ⅰ T0103②：11	垂戗Bb	草胡子	1		残		
548	Ⅰ T0103④：19	垂戗Bb	耳部	1		残		
549	Ⅰ T0103④：31	垂戗Bb	尾部	1		残		
550	Ⅰ T0105①：10	垂戗Bb	火焰	1		残		
551	Ⅰ T0204①：1	垂戗Bb	爪毛	1		残		
552	Ⅱ T0101①：8	垂戗Bb	大腿	2		残		
553	Ⅱ T0102①：8	垂戗Bb	雀台	1		残		
554	Ⅳ T0101①：27	垂戗Bb	尾部	1		残		
555	Ⅳ T0103①：18	垂戗Bb	尾部	1		残		
556	Ⅳ T0104①：9	垂戗Bb	耳部	1		残		
557	Ⅳ T0202①：6	垂戗Bb	尾部	1		残		
558	Ⅳ T0202①：7	垂戗Bb	尾部	1		残		
559	Ⅳ T0203①：6	垂戗Bb	尾部	2		残	与Ⅳ T0202①：7共3块相拼	
560	Ⅳ T0203①：9	垂戗Bb	尾部	1		残		
561	Ⅳ T0207④：1	垂戗Bb	卷毛	1		残		
562	Ⅳ T0304①：31	垂戗Bb	嘴	1		残	与Ⅳ T0505②A：1共2块相拼	
563	Ⅳ T0304①：32	垂戗Bb	火焰	1		残		
564	Ⅳ T0305④：32	垂戗Bb	小腿	1		残	与Ⅳ T0405①：9共2块相拼	
565	Ⅳ T0405①：9	垂戗Bb	小腿	1		残		
566	Ⅳ T0504②A：2	垂戗Bb	尾部	1		残		
567	Ⅳ T0505②A：1	垂戗Bb	下唇	1		残		
568	Ⅳ T0505④：1	垂戗Bb	草胡子	1		残		
569	F1②：24	垂戗Bc	尾部	1		残		22
570	F2①：26	垂戗Bc	草胡子	1	1	残	与Ⅳ T0507①：87共2块相拼	
571	F2①：28	垂戗Bc	雀台	1		残		
572	F2①：29	垂戗Bc	尾部	1		残	与L2④：26共2块相拼	
573	F3①：87	垂戗Bc	卷毛、凸棱尾	1		残		
574	F3①：95	垂戗Bc	耳下部	1		残		
575	F3①：96	垂戗Bc	凸棱尾残块	1		残		
576	F8①：152	垂戗Bc	大腿	1		残		
577	F19①：52	垂戗Bc	雀台侧面	2		残		
578	F19①：56	垂戗Bc	兽爪处	1		残		
579	F19①：57	垂戗Bc	爪	1		残		
580	庙台2：9	垂戗Bc	凸棱爪毛处	1		残		

续表

序号	编号	类型	部位	残块	计件	完残	拼接情况（备注）	合计/件
581	C6①：3	垂戗Bc	大腿、爪	2		残		22
582	L2①：4	垂戗Bc		8	1	残	与L2②：14/L2①：71两块/L2①：58两块/L2①：62五块/F19①：52两块/L2①：56/L2①：65三块/L2④：28四块共28块相拼	
583	L2①：56	垂戗Bc	雀台	1		残		
584	L2①：57	垂戗Bc	脚爪	2		残		
585	L2①：58	垂戗Bc	脚爪	2		残		
586	L2①：59	垂戗Bc	卷毛、草胡子	1	1	残	与ⅣT0506①：19/L2④：27两块共4块相拼	
587	L2①：60	垂戗Bc	尾背部	1		残		
588	L2①：61	垂戗Bc	背部	2		残		
589	L2①：62	垂戗Bc	尾部	5		残		
590	L2①：64	垂戗Bc	脚爪	1		残		
591	L2①：65	垂戗Bc	脚爪	3		残		
592	L2①：68	垂戗Bc	颈部	1		残		
593	L2①：69	垂戗Bc	雀台	1		残		
594	L2①：71	垂戗Bc	尾部	2		残		
595	L2②：11	垂戗Bc	脊兽	1		残		
596	L2②：14	垂戗Bc	尾部	1		残		
597	L2②：15	垂戗Bc	脚爪	2		残		
598	L2②：24	垂戗Bc	头部	6	1	残	与F2①：28/L2①：61两块/L2②：15两块/L2④：36/L2④：33/L2①：57两块/L2④：25两块共17块相拼	
599	L2③：7	垂戗Bc	尾部	3		残	与L2③：8共4块相拼	
600	L2③：8	垂戗Bc	尾部	1		残		
601	L2③：9	垂戗Bc	尾残块	1		残		
602	L2④：25	垂戗Bc	雀台（凸棱）	2		残		
603	L2④：26	垂戗Bc	尾部	1		残		
604	L2④：27	垂戗Bc	下唇	2		残		
605	L2④：28	垂戗Bc	大腿（针叶状）	4		残		
606	L2④：29	垂戗Bc	尾部	1		残		
607	L2④：32	垂戗Bc	草胡子	1		残		
608	L2④：33	垂戗Bc	大腿	1		残		
609	L2④：36	垂戗Bc	头部	1		残		
610	ⅠT0101①：25	垂戗Bc	凸棱尾	1		残	与F1②：24共2块相拼	
611	ⅠT0102②：13	垂戗Bc	耳下卷毛	1	1	残		

续表

序号	编号	类型	部位	残块	计件	完残	拼接情况（备注）	合计/件
612	ⅠT0405①：1	垂戗Bc	雀台、腿爪	1	1	残		22
613	ⅢT0201①：2	垂戗Bc	尾部	1		残		
614	ⅣT0102①：10	垂戗Bc	尾部	1		残		
615	ⅣT0102①：12	垂戗Bc	脚爪	1		残		
616	ⅣT0102①：40	垂戗Bc	后部雀台	1		残		
617	ⅣT0103①：17	垂戗Bc	耳下卷毛	1	1	残		
618	ⅣT0107①：2	垂戗Bc	尾、背部	1		残		
619	ⅣT0204①：11	垂戗Bc	尾部	1		残		
620	ⅣT0205①：6	垂戗Bc	雀台	1		残		
621	ⅣT0305①：33	垂戗Bc	雀台、颈	1		残		
622	ⅣT0305④：26	垂戗Bc	草胡子	1	1	残		
623	ⅣT0305④：29	垂戗Bc	凸棱尾	1		残		
624	ⅣT0305④：30	垂戗Bc	大腿	1		残		
625	ⅣT0306①：4	垂戗Bc	头部	1	1	残		
626	ⅣT0307①：1	垂戗Bc	头部	1	1	残		
627	ⅣT0506①：19	垂戗Bc	上唇、鼻	1		残		
628	ⅣT0506①：20	垂戗Bc	大腿	1		残		
629	ⅣT0507①：54	垂戗Bc	大腿	2		残		
630	ⅣT0507①：87	垂戗Bc	卷毛	1		残		
631	ⅣT0508①：2	垂戗Bc	颈部	1		残		
632	ⅣT0508①：3	垂戗Bc	脚爪	1		残		
633	ⅣT0508①：4	垂戗Bc	大腿	1		残		
634	ⅣT0508①：5	垂戗Bc	大腿	1		残		
635	ⅣT0607①：3	垂戗Bc	雀台	1	1	残	与ⅣT0607①：29/F3①：87共3块相拼	
636	ⅣT0607①：19	垂戗Bc	大腿	1		残		
637	ⅣT0607①：29	垂戗Bc	兽爪	1		残		
638	ⅣT0706③：4	垂戗Bc	尾部	1		残		
639	ⅣT0807①：1	垂戗Bc	半个兽头	3	1	残	3块相拼	
640	ⅣT0807①：2	垂戗Bc	残块	1		残		
641	ⅣT0908①：1	垂戗Bc	耳	1		残		
642	ⅣT0908①：2	垂戗Bc	下唇	1		残		
643	TG21②：144	垂戗Bc	背部残块	1	1	残		
644	TG21②：145	垂戗Bc	草胡子	1	1	残		
645	TG55②：54	垂戗Bc	残块	1	1	残	尾部残块，凸棱形	
646	TG41③：22	垂戗Bc	爪	1	1	残		
647	TG41③：23	垂戗Bc	雀台	1	1	残		

续表

序号	编号	类型	部位	残块	计件	完残	拼接情况（备注）	合计/件
648	TG41③：24	垂戗Bc	尾部	1		残		22
649	TG41③：25	垂戗Bc	尾部	1		残		
650	TG41③：26	垂戗Bc	尾部	1		残		
651	TG41③：27	垂戗Bc	尾部	1		残		
652	TG41③：28	垂戗Bc	尾部	1		残	见有两道凸棱	
653	F32①：22	垂戗Bc	兽爪	1	1	残		
654	TG48①：31	垂戗Bc	眼、眉	1	1	残		
655	TG4③：60	垂戗Bc	尾部	1	1	残	灰白色	
656	TG4③：61	垂戗Bc	尾部	1		残	灰白色	
657	TG4③：62	垂戗Bc	爪	1	1	残	青灰色	
658	TG10③：66	垂戗Bc	兽角	1	1	残	万安关仅出土垂戗兽角1件，故可计垂戗兽1件	
659	ⅣT0102①：14	不明	脊兽座	1		残		
660	ⅣT0506②：16	不明	脊兽座	1		残		
合计				899				88

附表8　脊兽角统计表

序号	编号	名称	数量/节	计件	可修	备注
1	ⅠT0101①：13	大望兽角	1		残	较F8②：1-2望兽角大
2	ⅢT0101①：3	大望兽角	1		残	
3	ⅣT0304④：2	大望兽角	2		残	2节相拼
4	F1①：40-1	望兽角	1		残	
5	F1①：67	望兽角	1		残	较F8②：1-2望兽角大，与G8①：1、ⅣT0304④：2、F10①：28-1望兽角相差不大
6	F3①：98-1	望兽角	1		残	残段
7	F6①：23	望兽角	1	1	残	上部残段
8	F8①：50	望兽角	1		残	残段
9	F8①：83-1	望兽角	1		残	上部残段
10	F8①：83-2	望兽角	1		残	上部
11	F8①：84-1	望兽角	2		残	2节相拼
12	F8②：1-2	望兽角	4	1	残	4节相拼
13	F10①：28-1	望兽角	1		残	残段
14	F10①：28-2	望兽角	1		残	残段
15	F10①：28-3	望兽角	1		残	残段
16	F10①：28-4	望兽角	1		残	残段
17	F12①：28-1	望兽角	1		残	
18	F19①：1-1	望兽角	1		残	与F19天井②：1共2节相拼
19	F19天井②：1	望兽角	1		残	
20	F19天井②：2-1	望兽角	1		残	残段
21	F19天井②：3	望兽角	2		残	2节相拼（柄、尖残）
22	G2①：28	望兽角	1		残	残段
23	G8①：1	望兽角	1		残	较F8②：1-2望兽角大，与ⅣT0304④：2、F1①：67、F10①：28-1望兽角相差不大
24	G9：9-1	望兽角	1		残	
25	L2①：70-1	望兽角	1		残	
26	L2④：3-1	望兽角	2		残	残段相拼
27	L2④：3-2	望兽角	1		残	角尖
28	L2④：4-1	望兽角	1		残	角柄
29	ⅠT0101②：5-1	望兽角	1		残	较F8②：1-2望兽角大
30	ⅠT0101②：5-2	望兽角	1		残	较F8②：1-2望兽角大
31	ⅠT0102②：4-1	望兽角	1		残	
32	ⅠT0102②：4-2	望兽角	1		残	
33	ⅠT0103④：16	望兽角	2		残	2节相拼，较F8②：1-2望兽角大
34	ⅠT0103④：37-1	望兽角	1		残	
35	ⅠT0203①：1	望兽角	1		残	较F8②：1-2望兽角大，兽角格处
36	ⅠT0203③：1-1	望兽角	1		残	角柄

续表

序号	编号	名称	数量/节	计件	可修	备注
37	ⅠT0203③：1-2	望兽角	1		残	角柄
38	ⅠT0203④：6	望兽角	2		残	2节相拼
39	ⅣT0204①：6-2	望兽角	1		残	
40	ⅣT0206①：5-2	望兽角	1		残	上部残段
41	ⅣT0304①：28	望兽角	1		残	兽角格上部
42	ⅣT0305④：39-1	望兽角	1		残	角尖
43	ⅣT0306①：5-1	望兽角	1		残	角尖残
44	ⅣT0403③A：1	望兽角	1		残	角柄
45	ⅣT0405①：12	望兽角	2		残	
46	ⅣT0506①：23-1	望兽角	1		残	
47	ⅣT0506①：23-2	望兽角	1		残	
48	ⅣT0507①：41-1	望兽角	1		残	残段
49	ⅣT0507①：41-2	望兽角	1		残	残段
50	ⅣT0507①：78	望兽角	1		残	较F8①：1-2望兽角大，角格处
51	F1①：40-2	垂戗兽角	1		残	
52	F1①：40-3	垂戗兽角	1		残	
53	F1②：23	垂戗兽角	3		残	
54	F1③：4-2	垂戗兽角	2	1	残	2节相拼，柄处残
55	F2②：1-1	垂戗兽角	1	1	完整	
56	F2②：1-2	垂戗兽角	2	1	完整	
57	F2②：2	垂戗兽角	1		残	角柄
58	F3①：98-2	垂戗兽角	1		残	角尖
59	F3①：98-3	垂戗兽角	1		残	残段
60	F8①：15	垂戗兽角	1		残	残存上部
61	F8①：84-2	垂戗兽角	1		残	角格处
62	F8②：7-2	垂戗兽角	2		残	2节相拼
63	F9①：203-1	垂戗兽角	2		残	2节相拼
64	F9①：203-2	垂戗兽角	1		残	残段
65	F9①：203-3	垂戗兽角	1		残	残段
66	F9①：204-1	垂戗兽角	3		残	3节相拼，微残
67	F9①：204-2	垂戗兽角	3		残	3节相拼
68	F10①：50-1	垂戗兽角	1		残	残段
69	F10①：50-2	垂戗兽角	1		残	残段
70	F10①：50-3	垂戗兽角	1		残	残段
71	F12①：28-2	垂戗兽角	1		残	
72	F12①：62-1	垂戗兽角	2		残	2节相拼
73	F12①：62-2	垂戗兽角	1		残	上部残段

续表

序号	编号	名称	数量/节	计件	可修	备注
74	F19①：1-2	垂戗兽角	1		残	角格
75	F19①：1-3	垂戗兽角	1		残	角格
76	F19天井②：2-2	垂戗兽角	2		残	角尖
77	F19天井②：2-3	垂戗兽角	1		残	上部残段
78	现代坑3：3	垂戗兽角	1		残	角格
79	现代坑7：5	垂戗兽角	1		残	
80	K2①：7	垂戗兽角	1		残	角尖
81	K3①：35	垂戗兽角	1		残	上部残段
82	K4②：1-2	垂戗兽角	1	1	残	残存角柄
83	K4②：3-1	垂戗兽角	1		残	
84	K4②：3-2	垂戗兽角	3		残	
85	庙台3：3	垂戗兽角	1	1	残	角尖
86	G9：9-2	垂戗兽角	1		残	
87	C1①：7-1	垂戗兽角	1		残	残段
88	C1①：7-2	垂戗兽角	1		残	残段
89	C1①：8	垂戗兽角	1		残	角柄
90	L2①：70-2	垂戗兽角	1		残	
91	L2③：11	垂戗兽角	1		残	残段
92	L2④：2-1	垂戗兽角	2		残	2节相拼为残下部
93	L2④：2-2	垂戗兽角	2		残	2节相拼为残上部
94	L2④：4-2	垂戗兽角	1		残	角柄
95	L2④：4-3	垂戗兽角	1		残	角尖
96	ⅠT0101②：6	垂戗兽角	1	1	残	较F8②：1-2望兽角小，比F8②：7-2垂戗兽角大
97	ⅠT0102②：33-1	望兽角	2	1	残	与ⅠT0103③：9/ⅠT0103④：37-1共4节相拼为整
98	ⅠT0102②：33-2	垂戗兽角	2		残	残段
99	ⅠT0102②：33-3	垂戗兽角	1		残	残段
100	ⅠT0102②：33-4	垂戗兽角	1		残	残段
101	ⅠT0103①：5	垂戗兽角	1		残	
102	ⅠT0103③：9	望兽角	1		残	
103	ⅠT0103④：37-2	垂戗兽角	2		残	一残尖，一柄，不可拼
104	ⅠT0105①：4	垂戗兽角	1		残	上部
105	ⅡT0102①：6-1	垂戗兽角	1		残	角柄
106	ⅡT0102①：6-2	垂戗兽角	1		残	角柄
107	ⅢT0101①：2	垂戗兽角	3	1	残	3块拼合
108	ⅣT0102①：13	垂戗兽角	1		残	
109	ⅣT0102②：2	垂戗兽角	1		残	残段
110	ⅣT0201①：4-1	垂戗兽角	1		残	残段

续表

序号	编号	名称	数量/节	计件	可修	备注
111	ⅣT0201①：4-2	垂戗兽角	1		残	残段
112	ⅣT0202①：5-1	垂戗兽角	1		残	角柄
113	ⅣT0202①：5-2	垂戗兽角	1		残	角柄
114	ⅣT0204①：5	垂戗兽角	2		残	
115	ⅣT0204①：6-1	垂戗兽角	1		残	
116	ⅣT0206①：5-1	垂戗兽角	1		残	角格
117	ⅣT0305①：8	垂戗兽角	1		残	上部小残段
118	ⅣT0305④：39-2	垂戗兽角	1		残	上部
119	ⅣT0305④：39-3	垂戗兽角	1		残	残段
120	ⅣT0306①：5-2	垂戗兽角	1		残	残段
121	ⅣT0403②A：2	垂戗兽角	1		残	
122	ⅣT0404①：21	垂戗兽角	1		残	角柄
123	ⅣT0405①：13	垂戗兽角	1		残	
124	ⅣT0503④：23	垂戗兽角	1		残	
125	ⅣT0506①：23	垂戗兽角	2		残	
126	ⅣT0506④：8	垂戗兽角	1		残	上部残段
127	ⅣT0603②A：1	垂戗兽角	1		残	
128	ⅣT0604①：2	垂戗兽角	1		残	角柄
129	ⅣT0709②：1	垂戗兽角	1		残	角柄
130	TG21②：20	垂戗兽角	2	1	残	
131	TG21②：146	垂戗兽角	1	1	残	
132	TG21②：147	垂戗兽角	1	1	残	
133	TG10③：66	垂戗兽角	1	1	残	万安关仅出土垂戗兽角1件，故可计垂戗兽1件
合计			167	14		

附表9　白瓷残片统计表

序号	出土单位/编号	器名	数量/片	特征	窑口
1	ⅠT0103②	印花花卉纹碗	1	施化妆土	清溪窑
2	ⅠT0103④	印花花卉纹碗	1		
3	ⅣT0103①	碗	1		
4	ⅣT0506②：17	印花花卉纹碗	1		
5	ⅣT0604④	印花花卉纹碗	2		
6	F9②：129	刻划纹碗	1		
7	TG2③：1	印花花卉纹碗	1		
8	TG3②	印花花卉纹碗	1		
9	ⅠT0103①	印花碗	2		
10	ⅣT0502④	印花花卉纹碗	1		
11	ⅣT0503③	印花花卉纹碗	1		
12	ⅣT0504①	碗	2		
13	ⅣT0504②	刻划纹碗	1		
14	ⅣT0603②A	印花莲瓣纹碗	1		
15	F1①	印花龙纹折腰碗	1		景德镇
16	F1①	瓶	1		
17	F3①	撇口盘	1		
18	F3①	盘	5		
19	F3①	靶盏	1		
20	F4①	盘	1		
21	F4①	撇口盘	1		
22	F8①：270	刻划纹盖	3		
23	F8①	汤匙	1		
24	F8①	侈口碗	2		
25	F8①	撇口盘	1		
26	F8①	碗	16		
27	F8②	碗	71		
28	F8③	盘	1		
29	F8③	僧帽壶	1		
30	F8③	撇口盘	1		
31	F8③	碗	1		
32	F8③	侈口碗	5		
33	F9①	盘	2		
34	F9①	撇口盘	11		
35	F9①	卧足碗	57		
36	F9①	撇口盘	144		
37	F9①	杯	30		

续表

序号	出土单位/编号	器名	数量/片	特征	窑口
38	F9①	鼻烟瓶	1		景德镇
39	F9①	瓜棱腹折腰花口盘	3		
40	F9①	折腰盘	1		
41	F9①	撇口盘	10		
42	F9①	盘	124		
43	F9①	碗	5		
44	F9①	盘	2		
45	F9②：138	卧足碗	2		
46	F9②	卧足碗	182		
47	F9②	撇口盘	274		
48	F9②	卧足杯	160		
49	F10①	碗	1	内底上拱	
50	F10①	碗	12		
51	F19①	撇口盘	2		
52	F19①	瓜棱腹折腰花口盘	1		
53	F19①	鼻烟瓶	3		
54	F19①	瓜棱腹折腰花口盘	2		
55	F29①	盘	1		
56	现代坑3	盘	1		
57	现代坑3	撇口盘	1		
58	现代坑7	撇口盘	1		
59	K3①：2	侈口碗	1	外壁有细小开片	
60	K4①	杯	1		
61	G2①	杯	1		
62	G2①	碗	3		
63	C5①	撇口盘	2		
64	C5①	碗	11		
65	C5②：2	鼻烟瓶	1		
66	C6①	折腰盘	1		
67	L2①	碗	1	底心微下塌，外底心中部有乳钉	
68	L2①	卧足杯	1		
69	L2④	撇口盘	7		
70	ⅠT0101①	碗	2		
71	ⅠT0101①	碗	1	内底上拱，与ⅠT0405①：13相拼	
72	ⅠT0101①	折腰盘	1		
73	ⅠT0101②	瓜棱腹折腰花口盘	1		
74	ⅠT0102②	撇口盘	3		

续表

序号	出土单位/编号	器名	数量/片	特征	窑口
75	Ⅰ T0103①	瓜棱腹折腰花口盘	1		景德镇
76	Ⅰ T0103②	印花碗	1	腹片内壁模印“长”字	
77	Ⅰ T0103②	碗	1		
78	Ⅰ T0103②	碗	2		
79	Ⅰ T0103②	盘	1		
80	Ⅰ T0103②	撇口盘	1		
81	Ⅰ T0103③	杯	1		
82	Ⅰ T0103③	碗	2		
83	Ⅰ T0103③	碗	1	内底上拱	
84	Ⅰ T0103④	碗	2		
85	Ⅰ T0103④	撇口盘	1		
86	Ⅰ T0103④	碗	1		
87	Ⅰ T0103④	瓜棱腹花口碗	1		
88	Ⅰ T0103④	印花缠枝花卉纹盘	1	矮圈足，足墙外壁向内倾斜	
89	Ⅰ T0105①	撇口盘	3	釉浊泛灰	
90	Ⅰ T0105①	碗	1		
91	Ⅰ T0105①	杯	1		
92	Ⅰ T0201①	碗	10		
93	Ⅰ T0201①	盘	1	内底上拱	
94	Ⅰ T0201①	杯	4	内底上拱	
95	Ⅰ T0201①	盘	2		
96	Ⅰ T0202①	瓜棱腹花口碗	2		
97	Ⅰ T0202①	碗	1		
98	Ⅰ T0202①	碗	1	内底上拱	
99	Ⅰ T0202①	印花花卉纹盘	1	圈足外壁向内倾斜	
100	Ⅰ T0203②	夔凤纹三足炉	1		
101	Ⅰ T0203②	盘	1		
102	Ⅰ T0203③	瓜棱腹花口碗	1		
103	Ⅰ T0203③	杯	1		
104	Ⅰ T0203③	盘	1		
105	Ⅰ T0405①：13	碗	2	内底上拱，与Ⅰ T0101①相拼	
106	Ⅰ T0405①	碗	1	内底上拱	
107	Ⅰ T0405①	瓜棱腹折腰花口盘	2		
108	Ⅰ T0405①	撇口盘	1		
109	Ⅰ T0405①	瓜棱腹折腰花口盘	1		
110	Ⅱ T0101①	撇口盘	2		
111	Ⅱ T0101①	碗	2		

续表

序号	出土单位/编号	器名	数量/片	特征	窑口
112	ⅣT0102①：31	弦纹筒式炉	5		景德镇
113	ⅣT0102①	凤鸟纹三足炉	1		
114	ⅣT0102①	碗	1		
115	ⅣT0102①	瓜棱腹花口碗	1		
116	ⅣT0102①	瓜棱腹折腰花口盘	1		
117	ⅣT0102①	瓜棱腹折腰花口盘	2		
118	ⅣT0103①	瓶	1		
119	ⅣT0103①	碗	2	内底上拱	
120	ⅣT0103①	撇口盘	1		
121	ⅣT0103①	碗	5		
122	ⅣT0103③	撇口盘	1		
123	ⅣT0104①	碗	1	芒口	
124	ⅣT0104①	盘	1		
125	ⅣT0106①	撇口盘	3		
126	ⅣT0201①	印花碗	2	残腹，纹饰模糊，或为龙纹	
127	ⅣT0202①	印花碗	2		
128	ⅣT0202①	杯	1	内底微拱	
129	ⅣT0202①	弦纹筒式炉	1		
130	ⅣT0202①	瓷塑	1		
131	ⅣT0202①	撇口盘	2		
132	ⅣT0202①	碗	1		
133	ⅣT0203②A	瓜棱腹折腰花口盘	1		
134	ⅣT0204①	瓜棱腹折腰花口盘	1		
135	ⅣT0204①	盘	1	胎体厚重，圈足，足沿及外底涩胎，糊米底	
136	ⅣT0204①	靶盏	1	足壁残片，中空，内壁涩胎	
137	ⅣT0205①	撇口盘	1		
138	ⅣT0207①	碗	1		
139	ⅣT0303①	杯	1		
140	ⅣT0303③A	杯	1		
141	ⅣT0303④	盘	1		
142	ⅣT0304①	印花莲瓣纹碗	1	内壁模印莲瓣纹	
143	ⅣT0304③A	刻划纹碗	1		
144	ⅣT0305①：22	水盂	1		
145	ⅣT0305①	碗	3	圈足，足底涩胎呈窑红	
146	ⅣT0305①	撇口盘	2		
147	ⅣT0305④	碗	1	口沿处施酱黄釉	
148	ⅣT0305④	碗	3		

续表

序号	出土单位/编号	器名	数量/片	特征	窑口
149	ⅣT0402②A	瓜棱腹折腰花口盘	1	足沿涩胎	景德镇
150	ⅣT0403①	碗	4		
151	ⅣT0403②A	碗	1	口沿涩胎	
152	ⅣT0403③A	碗	2		
153	ⅣT0403③A	刻划纹碗	1		
154	ⅣT0404①：12	贴塑人物罐	1	与ⅣT0506②、ⅣT0502④相拼	
155	ⅣT0404①	撇口盘	1		
156	ⅣT0404①	碗	1		
157	ⅣT0404①	鼻烟瓶	1	与ⅣT0506①相拼	
158	ⅣT0405①：25	杯	1		
159	ⅣT0405①	鼻烟瓶	1		
160	ⅣT0405①	盘	2		
161	ⅣT0405①	碗	5		
162	ⅣT0405①	印花盘	1		
163	ⅣT0405②A	六棱形壶嘴	1	与ⅣT0505②B或为一件	
164	ⅣT0405②A	撇口盘	1		
165	ⅣT0405②B	折腰盘	2		
166	ⅣT0405③A	折腰盘	1		
167	ⅣT0405④	碗	1		
168	ⅣT0405④	撇口盘	2		
169	ⅣT0407①	撇口盘	1		
170	ⅣT0502①	侈口碗	1	外壁有细小开片	
171	ⅣT0502④	侈口碗	1		
172	ⅣT0502④	撇口盘	3		
173	ⅣT0502④	贴塑人物罐	1	印花，与ⅣT0404①：12、ⅣT0506②相拼	
174	ⅣT0503②：2	碗	1	内底刻“何”字	
175	ⅣT0503②	撇口盘	2		
176	ⅣT0503③	碗	1	内壁模印铭文模糊不可识	
177	ⅣT0503③	盘	3		
178	ⅣT0503④	碗	2		
179	ⅣT0503④	杯	2		
180	ⅣT0503④	碗	6		
181	ⅣT0503④	印花鱼跃龙门纹杯	1		
182	ⅣT0503④	碗	1		
183	ⅣT0504①	瓜棱腹折腰花口盘	2		
184	ⅣT0504②	凤鸟纹三足炉	1	与F10①：3相拼	
185	ⅣT0504②	折腰盘	1		

续表

序号	出土单位/编号	器名	数量/片	特征	窑口
186	ⅣT0504②	碗	2		景德镇
187	ⅣT0504②	撇口盘	1		
188	ⅣT0504②	耳	1		
189	ⅣT0504④	印花莲瓣纹碗	1	纹饰模印于外壁	
190	ⅣT0504④	侈口碗	1		
191	ⅣT0505①	碗	2		
192	ⅣT0505②B	六棱形壶嘴	1	与ⅣT0405②A或为一件	
193	ⅣT0506①	撇口盘	1		
194	ⅣT0506①	折腰盘	1		
195	ⅣT0506①	盘	1		
196	ⅣT0506①	碗	3		
197	ⅣT0506①	鼻烟瓶	1	残与ⅣT0404①相拼	
198	ⅣT0506②	撇口盘	1		
199	ⅣT0506②	碗	1	底部残片，外壁有锔钉孔	
200	ⅣT0506②	碗	3		
201	ⅣT0506②	耳	1		
202	ⅣT0506②	印花鱼跃龙门纹杯	1		
203	ⅣT0506②	贴塑人物罐	1	与ⅣT0404①：12、ⅣT0502④相拼	
204	ⅣT0506②	碗	1		
205	ⅣT0506②	杯	1		
206	ⅣT0506②	碗	1		
207	ⅣT0507①	撇口盘	1		
208	ⅣT0507①	碗	1		
209	ⅣT0602①	碗	2		
210	ⅣT0603①	碗	1		
211	ⅣT0603②A	折腰盘	1		
212	ⅣT0603④：12	僧帽壶	12	火烧痕迹明显	
213	ⅣT0604②	撇口盘	2		
214	ⅣT0604②	折腰盘	1		
215	ⅣT0604③B	杯	2		
216	ⅣT0604③B	瓜棱腹折腰花口盘	1		
217	ⅣT0604③B	刻花盘	1		
218	ⅣT0604④	侈口碗	2	腹部残片，有细小开片	
219	ⅣT0604④	撇口盘	6		
220	ⅣT0604④	瓜棱腹折腰花口盘	4		
221	ⅣT0604④	碗	7		
222	ⅣT0604④	撇口盘	1	圈足	

续表

序号	出土单位/编号	器名	数量/片	特征	窑口
223	ⅣT0604④	杯	1		景德镇
224	ⅣT0604④	印花鱼跃龙门纹杯	7		
225	ⅣT0604④	鼻烟瓶	1		
226	ⅣT0605②：1	烟嘴	3	玉质感	
227	ⅣT0606①	碗	5		
228	ⅣT0606①	撇口盘	3		
229	ⅣT0606②	撇口盘	1		
230	ⅣT0606②	盘	1		
231	ⅣT0606④	瓜棱腹折腰花口盘	1		
232	ⅣT0606④	碗	6		
233	ⅣT0706①	撇口盘	2		
234	ⅣT0706②	碗	7		
235	ⅣT0706②	盘	24		
236	ⅣT0706②	卧足碗	2		
237	ⅣT0707②	盘	4		
238	ⅣT0708①	白瓷残片	1		
239	ⅣT0708①	印花鱼跃龙门纹杯	1		
240	ⅣT0709③	印花龙纹折腰碗	2	胎体较厚重，纹饰模糊	
241	ⅣT0807①	盘	1		
242	ⅣT0908①	撇口盘	2		
243	ⅣT0908①	碗	8		
244	TG21②	撇口盘	4		
245	TG22②	盘	5		
246	TG22②	盘	7		
247	TG55②	盘	4		
248	TG44③	带耳杯	1		
249	TG44③	碗	6		
250	TG44③	束腰盘	6		
251	TG47③	暗刻龙纹大盘	1	底心残片，胎体较厚，糊米底	
252	TG47③	盘	11		
253	TG1④	盘	3		
254	老王宫采集	盘	1		
255	ⅠT0407①	盘	1		
256	TG24①	碗	2		
257	TG25①	碟	1		
258	TG27①	盘	1		
259	TG29②：4	莲瓣纹碗	1		

续表

序号	出土单位/编号	器名	数量/片	特征	窑口
260	TG29①	碗	9		景德镇
261	TG30①	盘	1		
262	Y2②	碗	1		
263	TG57②	盘	2		
264	TG58②	盘	2		
265	TG17②	碗	1		
266	ⅢT2514③	碗	3		
267	ⅢT2515③：2	碗	1		
268	TG32①	撇口盘	3		
269	TG33①	瓜棱腹折腰花口盘	1		
合计			1614		

附表10　钱币详表

序号	类别	编号	完残	尺寸/毫米				重量/克	备注	数量/枚
				直径	穿宽	郭宽	厚			
1	开元通宝	ⅣT0603④：4	锈蚀	20.4	6	2	1	2.55		1
2	元符通宝	ⅣT0303③A：3-15	锈蚀	23.34	6.97	2.47	0.71	2.15		1
3	万历通宝	ⅣT0706②：10	锈蚀	25.38	5.55	2.67	1.16	3.89		5
4	万历通宝	TG44③：6-1	锈蚀	24.35	4.64	3.14	1.85	5.21		
5	万历通宝	TG44③：6-2	锈蚀	24.53	5.23	2.45	1.41	4.61		
6	万历通宝	TG44③：6-3	锈蚀	24.85	5.56	3.16	1.11	3.11	背面“工”字	
7	万历通宝	TG44③：6-4	锈蚀	24.54	5.55	2.66	1.25	3.41		
8	崇祯通宝	ⅣT0404①：3-1	锈蚀	16.72	6.88		0.71	0.88		189
9	崇祯通宝	ⅣT0404①：5	锈蚀	19.33	5.07	2.58	0.83	1.44		
10	崇祯通宝	ⅣT0503③B：4	锈蚀	23.95	4.77	3.86	1.13	2.97		
11	崇祯通宝	ⅣT0503④：4	锈蚀	20.69	5.34	2.25	0.49	1.24		
12	崇祯通宝	ⅣT0503④：5	锈蚀	23.97	6.14	3.16	0.83	1.63		
13	崇祯通宝	ⅣT0503④：15	残					0.95		
14	崇祯通宝	C4①：1-1-1	锈蚀	16.56	4.98		0.57	0.88		
15	崇祯通宝	C4①：1-1-2	锈蚀	17.73	4.21		0.87	0.85		
16	崇祯通宝	C4①：1-1-3	残	17.67	4.49		0.92	0.85		
17	崇祯通宝	C4①：1-1-4	锈蚀	17.27	5.41		0.87	0.85		
18	崇祯通宝	C4①：1-1-5	残	16.63	4.81		0.89	1		
19	崇祯通宝	C4①：1-1-6	锈蚀	16.74	4.67		0.53	0.83		
20	崇祯通宝	C4①：1-1-7	锈蚀	17.95	6.04		0.62	0.65		
21	崇祯通宝	C4①：1-1-8	锈蚀	17.25	4.78		0.81	1.11		
22	崇祯通宝	C4①：1-1-9	锈蚀	16.52	4.44		0.41	0.57		
23	崇祯通宝	C4①：1-1-10	锈蚀	17.47	5.54		0.73	0.69		
24	崇祯通宝	C4①：1-1-11	锈蚀	15.69	5.55		0.99	0.83		
25	崇祯通宝	C4①：1-1-12	锈蚀	16.49	4.17		1.03	0.83		
26	崇祯通宝	C4①：1-1-13	残	17.14	5.58		0.93	0.69		
27	崇祯通宝	C4①：1-1-14	锈蚀	17.09	5.53		0.74	0.84		
28	崇祯通宝	C4①：1-1-15	锈蚀	16.56	6.68		0.84	0.67		
29	崇祯通宝	C4①：1-1-16	残	16.06	4.55		0.83	0.67		
30	崇祯通宝	C4①：1-1-17	残	17.35	6.33		1.06	0.88		
31	崇祯通宝	C4①：1-1-18	锈蚀	16.11	5.45		0.33	0.83		
32	崇祯通宝	C4①：1-1-19	残	15.31	4.79		0.73	0.47		
33	崇祯通宝	C4①：1-1-20	锈蚀	17.39	5.74		0.59	0.68		

续表

序号	类别	编号	完残	尺寸/毫米				重量/克	备注	数量/枚
				直径	穿宽	郭宽	厚			
34	崇祯通宝	C4①：1-1-21	锈蚀	16.27	5.19		0.47	0.48		189
35	崇祯通宝	C4①：1-1-22	锈蚀	15.48	3.93		0.78	0.89		
36	崇祯通宝	C4①：1-3-1	残	20.56	6.26	2.13	0.95	1.23		
37	崇祯通宝	C4①：1-3-2	锈蚀	20.28	4.95		0.96	1.7		
38	崇祯通宝	C4①：1-3-3	残	20.36	5.49	2.9	1.09	1.49		
39	崇祯通宝	C4①：1-3-4	残	21.01	5.26	2.71	0.99	1.32		
40	崇祯通宝	C4①：1-3-5	锈蚀	21.15	5.48		1.11	2		
41	崇祯通宝	C4①：1-3-6	锈蚀	21.27	5.99	2.94	0.88	1.19		
42	崇祯通宝	C4①：1-3-7	锈蚀	20.32	5.61	2.83	0.99	1.63		
43	崇祯通宝	C4①：1-3-8	锈蚀	21.18	5.01	3.16	0.82	1.54		
44	崇祯通宝	C4①：1-3-9	锈蚀	20.96	4.74	2.22	0.72	1.46		
45	崇祯通宝	C4①：1-3-10	锈蚀	21.31	5.78	2.47	0.89	1.48		
46	崇祯通宝	C4①：1-3-11	锈蚀	19.98	5.17		1.16	1.64		
47	崇祯通宝	C4①：1-3-12	锈蚀	20.67	5.85		0.54	1.05		
48	崇祯通宝	C4①：1-4-1	锈蚀	18.22	3.97		0.86	1.12		
49	崇祯通宝	C4①：1-4-2	锈蚀	17.45	4.81		0.88	0.73		
50	崇祯通宝	C4①：1-4-3	锈蚀	18.53	5.37		0.84	1.23		
51	崇祯通宝	C4①：1-4-4	锈蚀	18.17	5.01		0.58	0.96		
52	崇祯通宝	C4①：1-4-5	锈蚀	17.33	5.09		0.48	0.92		
53	崇祯通宝	C4①：1-4-6	锈蚀	17.33	4.69		0.58	0.97		
54	崇祯通宝	C4①：1-4-7	锈蚀	19.13	5.49		0.88	1.26		
55	崇祯通宝	C4①：1-4-8	锈蚀	18.52	5.18		0.93	1.19		
56	崇祯通宝	C4①：1-4-9	锈蚀	18.03	5.22		0.78	1		
57	崇祯通宝	C4①：1-4-10	锈蚀	18.26	4.39		1.28	1.71		
58	崇祯通宝	C4①：1-4-11	锈蚀	17.74	4.79		0.91	0.89		
59	崇祯通宝	C4①：1-5-1	锈蚀	13.57	5.29		0.57	0.42		
60	崇祯通宝	C4①：1-5-2	残	14.22	5.07		0.28	0.46		
61	崇祯通宝	C4①：1-5-3	残	13.83	5.92		0.53	0.51		
62	崇祯通宝	C4①：1-5-4	锈蚀	14.51	5.53		0.62	0.43		
63	崇祯通宝	C4①：1-5-5	残	15.06	4.95		0.72	0.56		
64	崇祯通宝	C4①：1-5-6	残	13.31	5.54		0.46	0.55		
65	崇祯通宝	C4①：1-5-7	锈蚀	15.82	5.86		0.78	0.3		
66	崇祯通宝	C4①：1-5-8	锈蚀	14.35	4.88		0.36	0.58		

续表

序号	类别	编号	完残	尺寸/毫米				重量/克	备注	数量/枚
				直径	穿宽	郭宽	厚			
67	崇祯通宝	C4①：1-5-9	残	12.55	5.55		0.64	0.26		189
68	崇祯通宝	C4①：1-5-10	锈蚀	15.05	5.82		0.82	0.25		
69	崇祯通宝	C4①：1-5-11	锈蚀	14.48	5.19		0.68	0.5		
70	崇祯通宝	C4①：1-5-12	锈蚀	14.34	5.28		0.54	0.46		
71	崇祯通宝	C4①：1-5-13	残	15.55	4.96		0.79	0.74		
72	崇祯通宝	C4①：1-5-14	锈蚀	14.94	5.26		0.51	0.39		
73	崇祯通宝	C4①：1-5-15	锈蚀	15.01	4.88		0.96	0.64		
74	崇祯通宝	C4①：1-5-16	锈蚀	15.65	4.98		0.65	0.67		
75	崇祯通宝	C4①：1-5-17	残	14.71	5.22		0.75	0.37		
76	崇祯通宝	C4①：1-5-18	残	13.12	4.84		0.78	0.51		
77	崇祯通宝	C4①：1-6-3	锈蚀	21.59	5.23	2.01	0.88	1.53		
78	崇祯通宝	C4①：1-6-4	锈蚀	22.71	4.34	2.79	1.08	2.28		
79	崇祯通宝	C4①：1-6-5	锈蚀	20.41	5.21	2.64	0.71	1.28		
80	崇祯通宝	C4①：1-6-6	锈蚀	20.37	5.36	2.73	0.94	1.49		
81	崇祯通宝	C4①：1-6-7	锈蚀	21.27	5.27	2.49	0.93	1.65		
82	崇祯通宝	C4①：1-6-8	锈蚀	16.83	5.33		0.68	1		
83	崇祯通宝	C4①：1-6-9	锈蚀	17.61	5.59		0.73	0.93		
84	崇祯通宝	C4①：1-6-10	锈蚀	19.77	4.52	2.73	1.24	1.41		
85	崇祯通宝	C4①：1-6-11	锈蚀	20.52	5.37	2.54	0.91	1.35		
86	崇祯通宝	C4①：1-6-12	残	18.89	4.62	2.08	1.23	1		
87	崇祯通宝	C4①：1-7-1	锈蚀	19.95	5.49	2.06	0.61	1.1		
88	崇祯通宝	C4①：1-7-2	锈蚀	20.68	5.59	2.81	0.58	1		
89	崇祯通宝	C4①：1-7-3	锈蚀	19.69	5.41	3.09	0.78	1.42		
90	崇祯通宝	C4①：1-7-4	锈蚀	20.16	5.07	2.64	0.86	1.91		
91	崇祯通宝	C4①：1-7-5	锈蚀	21.33	5.68	2.58	0.72	1.82		
92	崇祯通宝	C4①：1-7-7	锈蚀	21.01	5.47	2.85	0.71	1.52		
93	崇祯通宝	C4①：1-7-8	锈蚀	20.31	4.99	2.26	0.83	1.46		
94	崇祯通宝	C4①：1-7-9	锈蚀	19.96	5.34	2.18	0.52	0.85		
95	崇祯通宝	C4①：1-7-10	锈蚀	19.51	5.44	1.98	0.73	1.35		
96	崇祯通宝	C4①：1-7-11	锈蚀	19.99	5.63	2.47	0.73	1.45		
97	崇祯通宝	C4①：1-7-12	锈蚀	20.69	5.56	2.48	0.64	1.16		
98	崇祯通宝	C4①：1-7-13	锈蚀	19.57	4.99	2.46	0.69	1.13		
99	崇祯通宝	C4①：1-7-14	锈蚀	20.43	4.94	2.53	0.82	1.25		

续表

序号	类别	编号	完残	尺寸/毫米				重量/克	备注	数量/枚
				直径	穿宽	郭宽	厚			
100	崇祯通宝	C4①：1-7-15	锈蚀	20.49	5.45	2.71	0.66	1.23		189
101	崇祯通宝	C4①：1-7-16	锈蚀	19.92	5.12	3.05	1	1.52		
102	崇祯通宝	C4①：1-7-17	锈蚀	19.91	5.72	2.36	0.65	1.22		
103	崇祯通宝	C4①：2-1-1	锈蚀	23.06	5.35	3.13	1.04	2.38		
104	崇祯通宝	C4①：2-1-2	锈蚀	23.42	5.18	3.17	1.17	2.81		
105	崇祯通宝	C4①：2-1-3	锈蚀	24.32	4.92	3.56	1.27	3.2		
106	崇祯通宝	C4①：2-1-4	锈蚀	23.7	5.23	2.83	1.15	3.05		
107	崇祯通宝	C4①：2-1-5	锈蚀	23.09	4.99	3.44	1.27	2.81		
108	崇祯通宝	C4①：2-1-6	锈蚀	23.03		3.13	0.99	1.43		
109	崇祯通宝	C4①：2-2	锈蚀	24.79	5.96	4.16	0.94	2.1	背面“贵”字	
110	崇祯通宝	C4①：2-3-1	锈蚀	24.47	5.36	3.51	1.25	3		
111	崇祯通宝	C4①：2-3-2	锈蚀	23.61	5.31	3.51	1.22	3.52		
112	崇祯通宝	C4①：2-3-3	锈蚀	23.12	4.75	3.85	1.42	3.64		
113	崇祯通宝	C4①：2-3-4	锈蚀	24.13	5.06	2.87	1.09	2.58		
114	崇祯通宝	C4①：2-4	锈蚀	23.13	5.43	3.18	1.04	2.24	背面“重”字	
115	崇祯通宝	C4①：2-5-1	锈蚀	22.43	5.22	3.02	0.99	2.34		
116	崇祯通宝	C4①：2-5-2	锈蚀	21.66	4.68		0.99	1.41		
117	崇祯通宝	C4①：2-5-3	锈蚀	22.42	5.11	3.07	0.79	1.69		
118	崇祯通宝	C4①：2-5-4	锈蚀	21.69	5.46	2.51	1.04	1.95		
119	崇祯通宝	C4①：2-5-5	锈蚀	22.05	5.59	2.67	1.05	2.03		
120	崇祯通宝	C4①：2-5-6	锈蚀	22.35	5.46	3.01	0.65	1.52		
121	崇祯通宝	C4①：2-6-1	锈蚀	21.51	5.12	2.19	0.73	1.41		
122	崇祯通宝	C4①：2-6-2	锈蚀	21.59	5.33	2.77	0.74	1.64		
123	崇祯通宝	C4①：2-6-3	锈蚀	21.34	6.04	3.22	0.91	1.85		
124	崇祯通宝	C4①：2-6-4	锈蚀	21.29	5.27	3.15	0.64	1.37		
125	崇祯通宝	C4①：2-6-5	锈蚀	20.69	4.75	2.52	0.95	1.48		
126	崇祯通宝	C4①：2-6-6	锈蚀	21.26	4.67	3.19	0.79	1.57		
127	崇祯通宝	C4①：2-6-7	锈蚀	21.11	5.29	2.85	0.74	1.41		
128	崇祯通宝	C4①：2-6-8	锈蚀	21.66	6.13	2.49	0.85	1.31		
129	崇祯通宝	C4①：2-6-9	锈蚀	21.11	5.91	2.97	0.99	1.58		
130	崇祯通宝	C4①：2-6-10	锈蚀	21.16	5.24	2.87	0.87	1.42		
131	崇祯通宝	C4①：2-6-11	锈蚀	20.81	6.53	2.55	0.82	1.52		
132	崇祯通宝	C4①：2-6-12	锈蚀	21.49	5.87	3.65	0.99	1.54		

续表

序号	类别	编号	完残	尺寸/毫米				重量/克	备注	数量/枚
				直径	穿宽	郭宽	厚			
133	崇祯通宝	C4①：2-6-13	锈蚀	21.71	4.92	2.02	1.05	1.63		189
134	崇祯通宝	C4①：2-6-14	锈蚀	21.08	5.12	2.68	1.06	1.79		
135	崇祯通宝	C4①：2-6-15	锈蚀	21.24	4.86	3.18	0.97	1.56		
136	崇祯通宝	C4①：2-6-16	锈蚀	21.28	4.76	3.06	1.07	1.91		
137	崇祯□宝	C4①：2-7	残	21.46	5	3.15	0.89	1.21		
138	崇祯通宝	C4①：2-8-1	锈蚀	19.78	5.27	2.32	0.79	1.25		
139	崇祯通宝	C4①：2-8-2	锈蚀	18.88	5.81	1.71	0.68	0.96		
140	崇祯通宝	C4①：2-8-3	锈蚀	19.87	4.43	2.38	0.76	1.25		
141	崇祯通宝	C4①：2-8-4	锈蚀	19.81	4.34	3.26	0.76	1.63		
142	崇祯通宝	C4①：2-8-5	锈蚀	19.85	5.44	2.42	0.82	1.6		
143	崇祯通宝	C4①：2-8-6	锈蚀	19.18	5.56	3.09	0.57	1		
144	崇祯通宝	C4①：2-8-7	锈蚀	19.93	5.22	3.43	0.71	0.94		
145	崇祯通宝	C4①：2-8-8	残	19.45	4.81	2.65	0.69	1.16		
146	崇祯通宝	C4①：2-8-9	锈蚀	19.87	5.22	2.61	0.91	1.51		
147	崇祯通宝	C4①：2-8-10	残	19.71	5.12	2.19	0.94	0.94		
148	崇祯通宝	C4①：2-9-1	锈蚀	18.63	5.36	1.59	0.63	0.83		
149	崇祯通宝	C4①：2-9-2	残	18.22	5.88	1.67	0.76	0.65		
150	崇祯通宝	C4①：2-9-3	锈蚀	17.87	5.28	1.54	0.92	1		
151	崇祯通宝	C4①：2-9-4	锈蚀	18.48	5.46	2.44	0.45	0.73		
152	崇祯通宝	C4①：2-9-5	锈蚀	18.51	5.64	1.62	0.64	0.96		
153	崇祯通宝	C4①：2-9-6	锈蚀	17.92	5.74	1.31	0.55	0.75		
154	崇祯通宝	C4①：2-9-7	锈蚀	18.25	5.33	1.24	0.48	0.6		
155	崇祯通宝	C4①：2-9-8	锈蚀	18.27	5.87	1.53	0.71	1		
156	崇祯通宝	C4①：2-9-9	锈蚀	18.26	5.56	1.53	0.32	0.95		
157	崇祯通宝	C4①：2-9-10	锈蚀	18.21	5.46	1.48	0.72	0.93		
158	崇祯通宝	C4①：2-10-1	锈蚀	17.73	5.23		0.63	1.12		
159	崇祯通宝	C4①：2-10-2	锈蚀	17.48	4.81		0.48	0.81		
160	崇祯通宝	C4①：2-10-3	锈蚀	17.48	4.85		0.79	1.22		
161	崇祯通宝	C4①：2-10-4	锈蚀	17.27	5.56		0.86	0.81		
162	崇祯通宝	C4①：2-10-5	锈蚀	17.66	5.71		0.55	0.79		
163	崇祯通宝	C4①：2-10-6	残	16.91	5.39		0.69	1		
164	崇祯通宝	C4①：2-10-7	锈蚀	17.64	5.49		0.75	0.89		

续表

序号	类别	编号	完残	尺寸/毫米				重量/克	备注	数量/枚
				直径	穿宽	郭宽	厚			
165	崇祯通宝	C4①：2-10-8	锈蚀	17.62	5.37		0.67	1		189
166	崇祯通宝	C4①：2-10-9	锈蚀	17.18	5.73		0.55	0.72		
167	崇祯通宝	C4①：2-10-10	残	17.45	5.07		0.51	0.67		
168	崇祯通宝	C4①：2-10-11	锈蚀	17.87	4.93		1.02	0.96		
169	崇祯通宝	C4①：2-10-12	残	17.78	5.54		0.62	0.7		
170	崇祯通宝	C4①：2-11-1	锈蚀	16.58	5.28		0.73	0.76		
171	崇祯通宝	C4①：2-11-2	锈蚀	16.27	5.06		0.79	0.86		
172	崇祯通宝	C4①：2-11-3	锈蚀	16.65	5.38		0.94	0.91		
173	崇祯通宝	C4①：2-11-4	锈蚀	16.87	5.06		0.52	0.73		
174	崇祯通宝	C4①：2-12-1	残	15.98	4.51		0.74	0.86		
175	崇祯通宝	C4①：2-12-2	残	15.56	5.37		0.67	0.68		
176	崇祯通宝	C4①：2-12-3	锈蚀	16.02	5.24		0.48	0.46		
177	崇祯通宝	C4①：2-12-4	锈蚀	16.34	6.02		0.81	0.75		
178	崇祯通宝	C4①：2-12-5	锈蚀	16.04	5.69		0.61	0.56		
179	崇祯通宝	C4①：2-12-6	锈蚀	16.06	5.76		0.76	0.59		
180	崇祯通宝	C4①：2-12-7	残	16.75	6.22		0.53	0.34		
181	崇祯通宝	ⅣT0102②：10	锈蚀	21.12	4.96	2.54	1.02	1.88		
182	崇祯通宝	G2②：7	锈蚀	18.81	4.84	1.87	0.93	1.27		
183	崇祯通宝	G2②：10	锈蚀	19.29	5.69	1.42	0.73	0.97		
184	崇祯通宝	G2②：16	锈蚀	21.02	4.44	2.71	0.71	1.45		
185	崇祯通宝	G2②：17	锈蚀	20.45	5.95	2.28	0.83	1.45		
186	崇祯通宝	G2②：18	锈蚀	16.22	5.42		0.78	0.85		
187	崇祯通宝	G2②：26	锈蚀	20.73	5.64	2.66	0.95	1.48		
188	崇祯通宝	G2②：35	锈蚀	21.54	5.52	3.16	0.87	1.71		
189	崇祯通宝	G2②：46	锈蚀	23.04	5.04	3.59	1.21	3.07		
190	崇祯通宝	G2③：1	锈蚀	22.85	4.83	3.36	0.84	1.87		
191	崇祯通宝	K3①：6	锈蚀	20.5	5	4	1	3.22	背面“贵”字	
192	崇祯通宝	K3①：7	锈蚀	20.07	4.87	2.19	0.87	1.42		
193	崇祯通宝	K3①：19	锈蚀	18.86	5.39		0.52	0.48		
194	崇祯通宝	K4①：4	锈蚀	17.07	5.67		0.49	0.71	剪轮	
195	崇祯通宝	K4①：7	残件	23.18	5.62	3.09	1.41	1.58		
196	崇祯通宝	现代坑2：3	锈蚀	21.19	4.72	3.05	0.92	1.59		

续表

序号	类别	编号	完残	尺寸/毫米				重量/克	备注	数量/枚
				直径	穿宽	郭宽	厚			
197	弘光通宝	ⅣT0201①：16-4	锈蚀	23.94	5.51	3.09	1.32	3.34		127
198	弘光通宝	ⅣT0303①：4	锈蚀	24	5.51	3.03	1.23	2.91		
199	弘光通宝	ⅣT0304①：2	锈蚀	24.41	5.27	3.23	1.32	3.41		
200	弘光通宝	ⅣT0305③A：3	锈蚀	24.23	5.06	3.31	1.36	3.26		
201	弘光通宝	ⅣT0403②B：1								
202	弘光通宝	ⅣT0403②B：2								
203	弘光通宝	ⅣT0503③B：3	锈蚀	22.84	5.47	2.43	0.71	1.26		
204	弘光通宝	ⅣT0503④：1	锈蚀	22.38	6.12	2.93	0.83	1.57		
205	弘光通宝	ⅣT0503④：6	锈蚀	23.35	5.46	2.81	0.84	2.35		
206	弘光通宝	ⅣT0503④：8	锈蚀	23.73	5.57	2.86	1.17	2.88		
207	弘光通宝	ⅣT0503④：11	锈蚀	20.3	5	3	1	2.31		
208	弘光通宝	ⅣT0503④：16	锈蚀	24.48	5.87	3.49	1.05	2.31		
209	弘光通宝	ⅣT0503④：17	锈蚀	24.62	4.93	3.15	1.09	2.35		
210	弘光通宝	ⅣT0503④：21	锈蚀	23.94	5.33	3.25	1.12	2.41		
211	弘光通宝	ⅣT0603④：9	残	20.3			1	1.54		
212	弘光通宝	ⅣT0606②：12	锈蚀	23.99	5.39	2.83	1.42	3.49		
213	弘光通宝	ⅣT0706②：9	锈蚀	25.02	4.73	3.73	1.21	3.87		
214	弘光通宝	C1①：13	锈蚀	23.82	4.99	2.92	1.32	3.17		
215	弘光通宝	C4①：1-2	锈蚀	23.98	6.34	2.73	1.24	2.83		
216	弘光通宝	C4①：1-6-1	锈蚀	24.05	4.74	2.87	1.34	3.56		
217	弘光通宝	C4①：1-6-2	锈蚀	24.11	5.38	3.11	1.26	3.07		
218	弘光通宝	C4①：3-1	锈蚀	24.23	4.96	3.17	1.16	3.44		
219	弘光通宝	C4①：3-2-1	锈蚀	23.73	5.18	2.86	1.11	2.94	已拓片	
220	弘光通宝	C4①：3-2-2	锈蚀	23.77	5.22	3.82	1.03	3.26		
221	弘光通宝	C4①：3-2-3	锈蚀	24.21	5.58	3.74	0.99	3.07		
222	弘光通宝	C4①：3-2-4	锈蚀	23.97	5.67	3.21	0.82	2.82		
223	弘光通宝	C4①：3-2-5	锈蚀	24.22	5.15	3.28	1.21	3.84		
224	弘光通宝	C4①：3-2-6	锈蚀	23.87	5.27	3.33	1.26	3		
225	弘光通宝	C4①：3-2-7	锈蚀	24.04	5.36	2.89	1.05	2.51		
226	弘光通宝	C4①：3-2-8	锈蚀	23.98	5.16	2.93	1.22	2.87		
227	弘光通宝	C4①：3-2-9	锈蚀	23.94	5.69	3.14	1.38	2.9		
228	弘光通宝	C4①：3-2-10	锈蚀	24.31	5.68	2.79	0.94	2.53		
229	弘光通宝	C4①：3-2-11	锈蚀	24.11	5.14	2.99	1.13	3.22		

续表

序号	类别	编号	完残	尺寸/毫米				重量/克	备注	数量/枚
				直径	穿宽	郭宽	厚			
230	弘光通宝	C4①：3-2-12	锈蚀	23.94	5.27	3.58	1.28	2.96	已拓片	127
231	弘光通宝	C4①：3-2-13	锈蚀	23.91	5.39	2.72	1.05	2.8		
232	弘光通宝	C4①：3-2-14	锈蚀	24.04	5.43	2.96	1.25	3.56		
233	弘光通宝	C4①：3-2-15	锈蚀	24.08	5.07	3.45	1.18	3.36		
234	弘光通宝	C4①：3-2-16	锈蚀	23.91	4.73	3.35	1.63	4.61		
235	弘光通宝	C4①：3-2-17	锈蚀	23.82	5.27	2.61	1.11	3		
236	弘光通宝	C4①：3-2-18	锈蚀	23.97	5.32	3.33	1.54	3.11		
237	弘光通宝	C4①：3-2-19	锈蚀	23.78	5.42	3.05	1.17	3.34		
238	弘光通宝	C4①：3-2-20	锈蚀	24.03	5.37	2.94	1.15	3		
239	弘光通宝	C4①：3-2-21	锈蚀	23.62	5.33	2.48	1.13	2.84		
240	弘光通宝	C4①：3-2-22	锈蚀	23.81	5.64	3.13	1.01	2.7		
241	弘光通宝	C4①：3-2-23	锈蚀	24.45	5.56	3.13	1.04	3.17		
242	弘光通宝	C4①：3-2-24	锈蚀	23.72	5.12	3.06	1.29	2.91		
243	弘光通宝	C4①：3-2-25	锈蚀	23.48	5.08	2.11	0.89	2.92		
244	弘光通宝	C4①：3-2-26	锈蚀	23.75	5.61	3.01	0.91	2.68		
245	弘光通宝	C4①：3-2-27	锈蚀	23.59	5.83	2.99	1.08	2.43		
246	弘光通宝	C4①：3-2-28	锈蚀	24.36	5.15	2.97	1.36	3.59		
247	弘光通宝	C4①：3-2-29	锈蚀	24.12	5.18	3.13	1.11	2.78		
248	弘光通宝	C4①：3-2-30	锈蚀	23.87	5.73	2.66	0.89	2.85		
249	弘光通宝	C4①：3-2-31	锈蚀	24.22	5.77	3.07	1.23	2.72		
250	弘光通宝	C4①：3-2-32	锈蚀	24.22	5.88	3.58	0.91	3		
251	弘光通宝	C4①：3-2-33	锈蚀	23.87	5.81	2.82	0.83	2.8		
252	弘光通宝	C4①：3-2-34	锈蚀	23.87	5.56	2.35	0.87	2.12		
253	弘光通宝	C4①：3-2-35	锈蚀	24.61	5.16	2.87	1.09	2.63		
254	弘光通宝	C4①：3-2-36	锈蚀	23.75	5.23	3.45	1.22	2.94		
255	弘光通宝	C4①：3-2-37	锈蚀	24.72	5.17	3.42	1.16	3.25		
256	弘光通宝	C4①：3-2-38	锈蚀	24.27	5.17	3.42	1.16	3.76		
257	弘光通宝	C4①：3-2-39	锈蚀	24.26	5.37	2.72	1.19	3.21		
258	弘光通宝	C4①：3-2-40	锈蚀	24.21	5.61	3.43	1.13	3.68		
259	弘光通宝	C4①：3-2-41	锈蚀	23.94	5.47	3.11	1.04	3.28		
260	弘光通宝	C4①：3-2-42	锈蚀	24.24	5.96	3.17	0.95	2.45		
261	弘光通宝	C4①：3-2-43	锈蚀	24.32	5.55	3.37	1.13	3.16		
262	弘光通宝	C4①：3-2-44	锈蚀	24.27	5.75	2.75	1.21	3.26		

续表

序号	类别	编号	完残	尺寸/毫米				重量/克	备注	数量/枚
				直径	穿宽	郭宽	厚			
263	弘光通宝	C4①：3-2-45	锈蚀	24.29	4.36	3.49	1.07	3	已拓片	127
264	弘光通宝	C4①：3-2-46	锈蚀	23.67	5.52	2.79	1.41	2.58		
265	弘光通宝	C4①：3-2-47	锈蚀	23.88	5.59	2.54	1.32	3		
266	弘光通宝	C4①：3-2-48	锈蚀	24.23	5.35	2.71	1.38	3.28		
267	弘光通宝	C4①：3-2-49	锈蚀	24.41	5.19	3.14	1.15	2.78		
268	弘光通宝	C4①：3-2-50	锈蚀	24.28	4.96	3.56	1.06	3.13		
269	弘光通宝	C4①：3-2-51	锈蚀	23.95	5.26	2.81	1.12	2.54		
270	弘光通宝	C4①：3-2-52	锈蚀	24.41	5.22	3.28	1.06	2.89		
271	弘光通宝	C4①：3-2-53	锈蚀	24.02	5.16	2.92	0.94	2.81		
272	弘光通宝	C4①：3-2-54	锈蚀	24.53	4.66	3.41	1.05	2.76		
273	弘光通宝	C4①：3-2-55	锈蚀	24.38	5.33	2.99	1.11	2.47		
274	弘光通宝	C4①：3-2-56	锈蚀	24.52	5.33	2.98	1.27	2.84		
275	弘光通宝	C4①：3-2-57	锈蚀	24.19	5.31	2.98	1.26	3		
276	弘光通宝	C4①：3-2-58	锈蚀	24.15	5.42	3.22	0.94	3		
277	弘光通宝	C4①：3-2-59	锈蚀	24.07	5.69	3.37	1.19	2.92		
278	弘光通宝	C4①：3-2-60	锈蚀	23.87	5.08	3.12	1.11	2.7		
279	弘光通宝	C4①：3-2-61	锈蚀	23.39	5.88	2.86	0.96	2.45		
280	弘光通宝	C4①：3-2-62	锈蚀	23.96	5.12	3.17	1.37	3.68		
281	弘光通宝	C4①：3-2-63	锈蚀	24.21	6.06	3.79	1.25	2.66		
282	弘光通宝	C4①：3-2-64	锈蚀	24.8	4.86	3.61	1.17	2.95		
283	弘光通宝	C4①：3-2-65	锈蚀	24.37	5.44	3.65	1.51	3.34		
284	弘光通宝	C4①：3-2-66	锈蚀	24.32	5.07	3.02	1.51	3.63		
285	弘光通宝	C4①：3-2-67	锈蚀	24.02	5.43	3.77	1.06	2.93		
286	弘光通宝	C4①：3-2-68	锈蚀	24.44	5.01	2.92	1.1	3.21		
287	弘光通宝	C4①：3-2-69	锈蚀	23.75	5.57	3.02	1.31	3.14		
288	弘光通宝	C4①：3-2-70	锈蚀	23.84	5.7	2.49	1.17	2.69		
289	弘光通宝	C4①：3-2-71	锈蚀	23.69	5.48	3.1	1.12	2.75		
290	弘光通宝	C4①：3-2-72	锈蚀	24.2	5.16	3.4	1.06	3.18		
291	弘光通宝	C4①：3-2-73	锈蚀	23.49	5.4	3.14	0.91	2.18		
292	弘光通宝	C4①：3-2-74	锈蚀	24.55	5.32	2.92	1.3	3.24		
293	弘光通宝	C4①：3-2-75	锈蚀	24.27	5.19	3.15	1.21	3.42		
294	弘光通宝	C4①：3-2-76	锈蚀	24.25	5.99	3.72	1.54	3.03		
295	弘光通宝	C4①：3-2-77	锈蚀	23.7	5.73	3.23	1.08	2.52		

续表

序号	类别	编号	完残	尺寸/毫米				重量/克	备注	数量/枚
				直径	穿宽	郭宽	厚			
296	弘光通宝	C4①：3-2-78	锈蚀	24.38	5.51	3	1.26	2.5		127
297	弘光通宝	C4①：3-2-79	锈蚀	24.45	5.08	3.17	1.03	3.06		
298	弘光通宝	C4①：3-2-80	锈蚀	22.97	5.25	3.42	1.09	2.61		
299	弘光通宝	G2②：6	锈蚀	24.26	5	3.13	1.13	3.06		
300	弘光通宝	G2②：12	锈蚀	24.27	4.97	3.12	1.19	3.68		
301	弘光通宝	G2②：14	锈蚀	24.31	5.22	2.95	1.15	3.13		
302	弘光通宝	G2②：15	锈蚀	24.46	5.37	3.57	1.04	3.03		
303	弘光通宝	G2②：25	锈蚀	23.88	5	3.04	1.09	3.03		
304	弘光通宝	G2②：34	锈蚀	24.41	5.3	3.36	1.27	3.57		
305	弘光通宝	G2②：37	锈蚀	24.55	5.34	3.19	1.14	3.07		
306	弘光通宝	G2②：39	锈蚀	23.87	4.87	3.01	1.18	3.2		
307	弘光通宝	G2②：40	锈蚀	24.36	4.84	3.08	1.27	3.57		
308	弘光通宝	G2②：41	锈蚀	24.19	5.27	3.27	1.07	2.9		
309	弘光通宝	G2②：43	锈蚀	24.6	5.23	2.98	1.14	3.41		
310	弘光通宝	K3①：3	锈蚀	23.58	5.44	2.82	0.93	2.13		
311	弘光通宝	K3①：4	锈蚀	20.4	5	3	1	3.36		
312	弘光通宝	K3①：11	锈蚀	23.63	4.72	2.62	1.06	2.27		
313	弘光通宝	K3①：13	锈蚀	23.71	4.89	2.88	1.01	2.12		
314	弘光通宝	K3①：14	锈蚀	24.71	5.08	2.76	1.13	2.74		
315	弘光通宝	K3①：17	锈蚀	23.89	5.17	2.61	0.94	2.45		
316	弘光通宝	K3①：18	锈蚀	23.66	5.21	2.84	1.27	3.26		
317	弘光通宝	K3①：20	锈蚀	23.97	5.29	3.03	1.13	2.7		
318	弘光通宝	K3①：21	锈蚀	24.04	5.02	2.8	1.04	2.93		
319	弘光通宝	K3①：25	锈蚀	24.12	5.53	2.38	1.06	2.57		
320	弘光通宝	K4①：1	锈蚀	23.27	5.32	2.65	1.13	2.56		
321	弘光通宝	K4①：3	锈蚀	24.05	5.46	2.69	1.04	2.5		
322	弘光通宝	K4①：5	锈蚀	24.25	5.29	2.68	0.91	2.77		
323	弘光通宝	现代坑7：2	锈蚀	23.54	4.75	2.79	1.37	3.13		
324	隆武通宝	ⅣT0304①：1	锈蚀	23.87	6.09	2.68	1.09	2.48		39
325	隆武通宝	ⅣT0503③B：5	锈蚀	24.32	6.66	2.94	0.92	2.25		
326	隆武通宝	ⅣT0504④：15	锈蚀	23.65	5.82	2.81	1.06	2.67		
327	隆武通宝	ⅣT0507①：56	锈蚀	23.63	6.33	2.61	0.92	2.24		
328	隆武通宝	ⅣT0603④：1	锈蚀	20.2	6	2	1	1.86		

续表

序号	类别	编号	完残	尺寸/毫米				重量/克	备注	数量/枚
				直径	穿宽	郭宽	厚			
329	隆武通宝	C4①：1-7-6	锈蚀	24.26	5.34	2.01	1.06	2.74		39
330	隆武通宝	C4①：4-1-1	锈蚀	24.45	6.16	2.82	1.09	2.73		
331	隆武通宝	C4①：4-1-2	锈蚀	24.11	5.72	2.09	1.11	3.25		
332	隆武通宝	C4①：4-1-3	锈蚀	23.35	5.79	2.61	1.27	3.19		
333	隆武通宝	C4①：4-1-4	锈蚀	24.15	6.06	3.02	1.11	3		
334	隆武通宝	C4①：4-1-5	锈蚀	24.99	5.27	2.82	0.93	2.88		
335	隆武通宝	C4①：4-1-6	锈蚀	23.22	6.76	3.51	1.02	2.44		
336	隆武通宝	C4①：4-1-7	锈蚀	23.95	5.91	2.73	1.16	2.95		
337	隆武通宝	C4①：4-1-8	锈蚀	23.83	5.91	2.65	1.03	2.78		
338	隆武通宝	C4①：4-1-9	锈蚀	23.85	6.21	2.47	1.28	3.25		
339	隆武通宝	C4①：4-1-10	锈蚀	24.11	5.99	3.08	1.21	3.69		
340	隆武通宝	C4①：4-1-11	锈蚀	23.69	5.81	3.13	1.09	2.3		
341	隆武通宝	C4①：4-1-12	锈蚀	24.35	6.01	2.96	1.08	3.07		
342	隆武通宝	C4①：4-1-13	锈蚀	24.18	6.58	2.87	0.91	2.48		
343	隆武通宝	C4①：4-1-14	锈蚀	24.17	5.47	2.88	1.16	2.94		
344	隆武通宝	C4①：4-1-15	锈蚀	23.88	6.59	2.74	1.05	2.58		
345	隆武通宝	C4①：4-1-16	锈蚀	23.78	5.37	2.31	0.98	2.77		
346	隆武通宝	C4①：4-1-17	锈蚀	24.63	6.12	2.83	1.16	3.1		
347	隆武通宝	C4①：4-1-18	锈蚀	24.21	6.07	2.59	1.19	3.96		
348	隆武通宝	C4①：4-2-1	锈蚀	22.84	5.91	2.55	1.05	2.48		
349	隆武通宝	C4①：4-2-2	锈蚀	23.82	5.71	2.21	0.97	2.65		
350	隆武通宝	C4①：4-2-3	锈蚀	23.53	5.45	2.82	1.27	3.29		
351	隆武通宝	C4①：4-2-4	锈蚀	23.61	5.88	2.12	0.87	2		
352	隆武通宝	C4①：4-2-5	锈蚀	23.09	5.44	2.45	1.02	2.47		
353	隆武通宝	C4①：4-2-6	锈蚀	23.52	5.75	2.36	1.06	2.55		
354	隆武通宝	G2①：11-1	锈蚀	23.86	5.11	3.08	1.36	2.84		
355	隆武通宝	G2①：11-2	锈蚀	24.36	5.82	2.58	1	2.85		
356	隆武通宝	G2②：19	锈蚀	24.66	6.08	3.45	1.22	2.76		
357	隆武通宝	G2②：42	锈蚀	24.21	5.43	2.55	1.55	2.64		
358	隆武通宝	G2②：45	锈蚀	24.04	5.49	2.21	1.08	3.34		
359	隆武通宝	K3①：5	锈蚀	24.27	6.21	2.58	1.06	2.37		
360	隆武通宝	K3①：12	锈蚀	23.68	5.24	2.45	0.94	2.51		
361	隆武通宝	K3①：15	锈蚀	23.78	5.55	2.94	0.93	2.45		
362	隆武通宝	K4①：6	锈蚀	23.36	6.08	2.33	0.99	2.16		

续表

序号	类别	编号	完残	尺寸/毫米				重量/克	备注	数量/枚
				直径	穿宽	郭宽	厚			
363	永历通宝	ⅣT0503④：12	锈蚀	20.6	6.2	3	1	2.75	背面“工”字	4
364	永历通宝	ⅣT0503④：13	锈蚀	40.6	9	6	2	21.08	背面“壹分”	
365	永历通宝	ⅣT0504④：17	锈蚀	40.6	9	6	2	22.5	背面“壹分”	
366	永历通宝	G2②：9	锈蚀	46.25	9.99	6.19	2.61	23.4	背面“壹分”	
367	兴朝通宝	ⅣT0103①：12	锈蚀	28.27	6.22	3.81	1.33	5.67	背面“工”字	1
368	顺治通宝	ⅣT0103①：2-1	锈蚀	27.22	5.89	3.33	1.03	3.58		3
369	顺治通宝	ⅣT0103①：2-2	锈蚀	27.44	5.91	3.32	0.98	3.9		
370	顺治通宝	C5①：5	锈蚀	10.9	6	3	0.8	1.05		
371	康熙通宝	ⅣT0103①：11	锈蚀	20.3	5	3	0.9	2.72		3
372	康熙通宝	ⅣT0506②：11	锈蚀	25.86	5.75	3.11	0.86	2.8	背面“东”字	
373	康熙通宝	ⅣT0706②：4	锈蚀	21.19	6.33		0.39	1.1		
374	乾隆通宝	ⅣT0201①：16-2	锈蚀	22.92	5.83	2.95	1.07	2.37		15
375	乾隆通宝	ⅣT0103①：8	锈蚀	20.5	5	4	1	3.81		
376	乾隆通宝	ⅣT0103①：10	锈蚀	20.5	6	4	1	3.71		
377	乾隆通宝	ⅣT0303③A：3-12	残	20.42	5.91	2.68	1.08	1.36		
378	乾隆通宝	ⅣT0305①：16	锈蚀	20.5	5	4	2	4.62		
379	乾隆通宝	ⅣT0505①：2	锈蚀	25.18	5.47	2.97	1.17	3.8		
380	乾隆通宝	ⅣT0505①：5	锈蚀	22.95	5.84	3.09	1.16	2.86		
381	乾隆通宝	ⅣT0505③：1	锈蚀	25.05	4.36	3.97	1.13	3.67		
382	乾隆通宝	ⅣT0506②：3	锈蚀	22.28	5.67	3.21	1.27	3.23		
383	乾隆通宝	ⅣT0606②：5	残件				1.47	2.28		
384	乾隆通宝	ⅣT0908①：3	锈蚀	24	6.08	3.51	1.09	2.96		
385	乾隆通宝	G14：1	锈蚀	25.35	5.33	3.84	1.13	3.24		
386	乾隆通宝	K4①：2	锈蚀	24.68	5.54	3.97	1.13	2.4		
387	乾隆通宝	TG10③：2	锈蚀	25.07	5.55	3.49	1.24	3.67	万安关	
388	乾隆通宝	现代坑7：4	锈蚀	24.21	4.89	3.27	1.31	3		
389	嘉庆通宝	ⅣT0201①：16-3	锈蚀	25.93	5.11	3.44	1.29	4.04		9
390	嘉庆通宝	ⅣT0303③A：3-4	锈蚀	24.94	5.49	2.86	1.14	3.48		
391	嘉庆通宝	ⅣT0303③A：3-6	锈蚀	24.44	5.33	3.07	1.49	4.37		
392	嘉庆通宝	ⅣT0303③A：3-8	锈蚀	22.79	4.47	3.97	1.41	2.65		
393	嘉庆通宝	ⅣT0304①：3	锈蚀	23.67	5.79	3.05	1.07	3.24		
394	嘉庆通宝	C5②：1	锈蚀	20.6	6	3	1	3		
395	嘉庆通宝	TG10③：35	锈蚀	21.32	5.37	2.22	1.13	1.94	万安关	

续表

序号	类别	编号	完残	尺寸/毫米				重量/克	备注	数量/枚
				直径	穿宽	郭宽	厚			
396	嘉庆通宝	ⅣT0604①：5	锈蚀	23.44	5.81	3.23	1.28	3.68		9
397	嘉庆通宝	现代坑7：3	锈蚀	25.59	5.21	3.39	1.03	4.07		
398	道光通宝	ⅣT0201①：16-5	锈蚀	25.4	5.62	2.74	1.01	3.59		21
399	道光通宝	ⅣT0201①：16-6	锈蚀	20.35	5.45	2.65	0.97	1.69		
400	道光通宝	ⅣT0201①：16-7	锈蚀	21.86	5.77	2.86	1.23	2.11		
401	道光通宝	ⅣT0101①：15	锈蚀	22.81	4.76	3.58	1.46	3.1		
402	道光通宝	ⅣT0202①：1-2	锈蚀	25.25	5.01	2.68	0.97	2.6		
403	道光通宝	ⅣT0303③A：3-3	锈蚀	24.33	5.52	3.1	1.18	3.55		
404	道光通宝	ⅣT0303③A：3-5	锈蚀	25.79	5.17	2.95	1.06	3.8		
405	道光通宝	ⅣT0303③A：3-9	锈蚀	21.64	4.79	2.46	1.86	4.22		
406	道光通宝	ⅣT0303③A：3-11	残	残19.21	5.21		1.05	2		
407	道光通宝	ⅣT0303③A：3-14	残	21.23	5.17	2.88	1.86	1.55		
408	道光通宝	ⅣT0304①：4	锈蚀	21.28	5.94	2.57	1.44	3.07		
409	道光通宝	ⅣT0305①：13	锈蚀	14.95	5.18	2.01	0.74	0.64		
410	道光通宝	ⅣT0305①：14	锈蚀	16.18	5.97		0.72	0.95		
411	道光通宝	ⅣT0305①：18	锈蚀	20.59	6.28	2.39	0.77	1.8		
412	道光通宝	ⅣT0506②：9	锈蚀	25.94	4.83	3.11	1.31	3.74		
413	道光通宝	ⅣT0506②：10	残件	21.53	5.43		0.75	1		
414	道光通宝	ⅣT0506②：19	锈蚀	24.84	5.46	3.04	0.93	4.24		
415	道光通宝	ⅣT0506②：20	锈蚀	26	5.13	3.33	1.52	1.87		
416	道光通宝	ⅣT0507①：73	锈蚀	25.52	5.16	3.05	1.16	4.46		
417	道光通宝	ⅣT0606①：1	锈蚀	21.81	6.11	3.15	1.62	3.27		
418	道光通宝	TG10③：34	锈蚀	21.69	4.96	3.09	1.52	2.8	万安关出土	
419	咸丰通宝	ⅣT0104①：3-2	锈蚀	24.53	5.42	3.24	1.19	2.77		19
420	咸丰通宝	ⅣT0104①：6	锈蚀	23.59	5.13	3.51	1.01	2.8		
421	咸丰通宝	ⅣT0202①：1-1	锈蚀	25.35	5.08	3.33	1.33	3.54		
422	咸丰通宝	ⅣT0303③A：3-1	锈蚀	21.57	4.34	2.59	1.84	4.23		
423	咸丰通宝	ⅣT0303③A：3-2	锈蚀	21.11	5.61	2.48	1.03	1.82		
424	咸丰通宝	ⅣT0305①：17	锈蚀	23.65	5.09	3.37	1.17	2.93		
425	咸丰通宝	ⅣT0404①：4	锈蚀	18.55	5.74	1.81	1.09	1.58		
426	咸丰通宝	ⅣT0405①：3	锈蚀	22.78	5.83	3.16	0.75	1.51		
427	咸丰通宝	ⅣT0505①：1	锈蚀	20.61	5.68	2.44	0.82	1.47		
428	咸丰通宝	ⅣT0506②：4	锈蚀	22.52	5.11	3.35	1.65	3.84		

续表

序号	类别	编号	完残	尺寸/毫米				重量/克	备注	数量/枚
				直径	穿宽	郭宽	厚			
429	咸丰通宝	ⅣT0506②：12	锈蚀	24.89	5.24	3.53	1.19	3.22		19
430	咸丰通宝	ⅣT0506②：13	锈蚀	23.57	5.32	2.93	1.21	2.14		
431	咸丰通宝	ⅣT0506②：21	锈蚀	23.29	5.38	3	1.33	2.52		
432	咸丰通宝	ⅣT0606②：2	锈蚀	23.42	4.77	2.71	1.31	2.64		
433	咸丰通宝	C5③：1	残	20.4	5	4	1	3.13		
434	咸丰通宝	ⅡT0101②：7	锈蚀	17.87	5.78	1.75	0.84	1.17		
435	咸丰通宝	现代坑2：1	锈蚀	23.28	5.55	2.28	0.81	2.33		
436	咸丰通宝	现代坑3：1	锈蚀	17.15	4.92		0.84	1.15		
437	咸丰通宝	现代坑3：2	锈蚀	19.57	5.84		0.98	1.39		
438	同治通宝	ⅣT0201①：16-1	锈蚀	18.41	5.83	3.68	0.87	1.41		4
439	同治通宝	ⅣT0303③A：3-7	锈蚀	21.32	5.32	2.97	1.08	2.15		
440	同治通宝	ⅣT0303③A：3-10	锈蚀	22.68	5.55	3.02	1.11	1.85		
441	同治通宝	ⅣT0505①：3	锈蚀	21.59	5.82	2.87	0.63	1.49		
442	光绪元宝	ⅣT0205①：2	锈蚀	28.7	无穿	1.7	2.2	7.3	背面有字	1
443	光绪通宝	ⅣT0104①：3-1	锈蚀	20.97	5.93	2.68	0.52	1.17		3
444	光绪通宝	ⅣT0303③A：3-13	残	20.4	5.34	3.31	1.34	1.06		
445	光绪通宝	ⅣT0305①：15	锈蚀	18.18	5.69	2.05	1.21	2.16		
446	铭文不详	ⅣT0103①：9	残	残20.2	5		3	2.15		12
447	铭文不详	ⅣT0103①：13	残				1	1.07		
448	铭文不详	ⅣT0305①：7	残件	22.98	5.84		1.25	1.97		
449	铭文不详	ⅣT0403①：1	残							
450	铭文不详	ⅣT0404①：3-2	残片	16.76	6.95		0.55	0.61		
451	铭文不详	ⅣT0405①：2	锈蚀	14.68	5.63		0.67	0.63		
452	铭文不详	ⅣT0405②A：1	锈蚀	23.79	残8.21	3.71	1.47	2.23		
453	铭文不详	ⅣT0506②：2	锈蚀	21.57	5.56		0.99	1.59		
454	铭文不详	ⅣT0506②：5	残件				1.47	2.28		
455	铭文不详	G2②：23	锈蚀	18.61	4.43		1.13	1.31		
456	铭文不详	K3①：8	残件	16.94	5.66		0.85	0.75		
457	铭文不详	C4①：1-6-14	锈蚀	14	6		1	0.54	剪轮	
458	铭文不详	C4①：1-6-13	残片					40.44	约130片	约30
合计										487

附表11　老王宫出土遗物统计表

序号	出土单位/编号	名称	类型	保存状况	残片数量	计件	年代	备注	房址
1	TG3①	青花花卉纹碗残片		残	4	3	明晚		F34
2	TG3①	青花粗瓷碗残片		残	2	2	清		
3	TG3①	青釉粗瓷汤匙残片		残	1	1	清		
4	TG3①	青花花卉纹盘残底		残	1	1	明晚		
5	TG3①	青花粗瓷汤匙残片		残	1	1	清		
6	TG3②：1	绿釉香炉口沿残片		残	1	1	明晚	残甚，疑为炉	
7	TG3②	青花花卉纹碗残片		残	8	4	明晚		
8	TG3②	青花粗瓷碗残片		残	3	2	清		
9	TG3②	青釉粗瓷罐残片		残	10	6	明		
10	TG3②	青花碗残片		残	1	1	明晚		
11	TG3②	青花蟹纹盘残底	C	残	1	1	明晚		
12	TG3②	青瓷碗口沿残片		残	1	1	南宋	龙泉窑	
13	TG3②	白瓷印花花卉纹碗		残	1	1	宋	施化妆土，清溪窑	
14	TG3③	铁片		残	4	1	明	疑为直柄小刀	
15	TG3③：1	铁刀	B	残	1	1	明	直柄小刀	
16	TG3③：2	铁矛	D	较完整	1	1	明	四棱形	
17	TG3③：3	小长方形砖	Aa	残	1	1	明		
18	TG3③：4	小长方形砖	Aa	残	1	1	明	十六砖	
19	TG3③：5	小长方形砖	Aa	残	1	1	明	十六砖	
20	TG3③：6	小长方形砖	Aa	残	1	1	明	十六砖	
21	TG3③：7	小长方形砖	Aa	残	1	1	明	十六砖	
22	TG3③：8	小长方形砖	Aa	残	1	1	明	初一号	
23	TG3③：9	小长方形砖	Aa	残	1	1	明	初一号	
24	TG3③：10	小长方形加工砖	Ab	残	1	1	明	十六砖	
25	TG3③：11	莲花纹滴水	Ba	完整	1	1	明		
26	TG3③：12	莲花纹滴水	Ba	完整	1	1	明		
27	TG3③：13	莲花纹滴水	Ba	较完整	1	1	明		
28	TG3③：14	莲花纹滴水	Ba	完整	1	1	明		
29	TG3③：15	莲花纹板瓦勾头	Ba	残	1	1	明		
30	TG3③：16	莲花纹板瓦勾头	Ba	完整	1	1	明		
31	TG3③：17	莲花纹板瓦勾头	Ba	完整	1	1	明		
32	TG3③：18	莲花纹板瓦勾头	Ba	完整	1	1	明		
33	TG3③：19	莲花纹板瓦勾头	Ba	完整	1	1	明		
34	TG3③：20	铁钉	普中	完整	1	1	明		
35	TG3③：21	铁钉	普中	完整	1	1	明		
36	TG3③：22	铁钉	普中	完整	1	1	明		

续表

序号	出土单位/编号	名称	类型	保存状况	残片数量	计件	年代	备注	房址
37	TG3③：23	莲花纹滴水	Ba	残	1	1	明		F34
38	TG3③：24	莲花纹滴水	Ba	残	1	1	明		
39	TG3③：25	莲花纹板瓦勾头	Ba	残	2	1	明		
40	TG3③：26	缠枝牡丹纹大脊砖	C	残	1	1	明		
41	TG3③：27	小型板瓦	Ba	残	1	1	明		
42	TG3③：28	孔雀绿釉莲瓣盘口沿残片		残	1	1	明		
43	TG2①	青花花卉纹盘残底		残	2	2	明晚		F35
44	TG2①	青花花卉纹大盘口沿残片	B	残	1	1	明晚		
45	TG2①	青花花卉纹碗残片		残	11	3	明晚		
46	TG2①	青花花卉纹杯残片		残	2	1	明晚		
47	TG2②：1	青釉粗瓷瓶		较完整	30	1	明		
48	TG2②：2	莲花纹滴水	Ba	残	1	1	明		
49	TG2②：3	青釉粗瓷大罐		已修	225	1	明		
50	TG2②	青花花卉纹碗残片		残	21	6	明晚		
51	TG2②	青釉粗瓷罐残片		残	53	4	明		
52	TG2②	酱釉粗瓷罐残片		残	1	1	明		
53	TG2②	青花粗瓷碗残片		残	4	2	清		
54	TG2②	青釉粗瓷碗口沿残片		残	1	1	明清		
55	TG2②	青花杯残片		残	2	2	明晚		
56	TG2②	铁钉		残	1	1	明		
57	TG2②	青花葡萄纹碗口沿残片	Ea	残	1	1	明晚		
58	TG2②	青花果枝栖鹊纹盘残底		残	1	1	万历		
59	TG2②	青花花果纹碗残片	Bd	残	2	1	万历		
60	TG2②	青花蟹纹盘残底	C	残	1	1	明晚		
61	TG2②	青花螭龙纹盘残底		残	1	1	明晚		
62	TG2②	青花月华纹碗残底		残	1	1	万历		
63	TG2③：1	白瓷印花花卉纹碗		残	1	1	宋	施化妆土，清溪窑	
64	TG2③：2	青花果枝栖鹊纹盘	B	可修	1	1	万历		
65	TG2③：3	青花福字碗残底		残	1	1	明晚		
66	TG2③	青花碗残片		残	7	3	明晚		
67	TG2③	青花寿字碗残底		残	1	1	明晚		
68	TG2③	铁钉		残	13	12	明		
69	TG2③	青花兰草纹杯口沿残片	B	残	1	1	明晚		
70	TG2③	青花葡萄纹大碗残片	Ea	残	8	1	明晚		
71	TG2④：1	青花高官厚禄纹杯	A	已修	5	1	明晚		
72	TG2④：2	青花麒麟纹折腰花口盘	Ac	可修	9	1	明晚		

续表

序号	出土单位/编号	名称	类型	保存状况	残片数量	计件	年代	备注	房址
73	TG2④：3	青花碗	Ec	可修	1	1	明晚		F35
74	TG2④：4	铁锅	敞口	残	3	1	明		
75	TG2④：5	青花福字杯残底		残	1	1	明晚		
76	TG2④：6	石磨		残	1	1	明		
77	TG2④：7	青花月华纹碗	Eb	可修	1	1	明		
78	TG2④：8	青花螭龙纹碗残底		残	1	1	明晚		
79	TG2④：9	青花螭龙纹盘残底		残	4	1	明晚		
80	TG2④：10	小长方形砖	Aa	残	1	1	明	十六砖	
81	TG2④：11	小长方形加工砖	Ab	残	1	1	明	十六砖	
82	TG2④：12	小长方形砖	Aa	残	1	1	明	初一号	
83	TG2④：13	小长方形砖	Aa	残	1	1	明	十六砖	
84	TG2④：14	小长方形砖	Aa	残	1	1	明	十六砖	
85	TG2④：15	小长方形砖	Aa	残	1	1	明	初一号	
86	TG2④：16	小长方形砖	Aa	残	1	1	明	十六砖	
87	TG2④：17	小长方形砖	Aa	残	1	1	明	十六砖	
88	TG2④：18	小长方形砖	Aa	残	1	1	明	十六砖	
89	TG2④：19	小长方形砖	Aa	残	1	1	明	十六砖	
90	TG2④：20	红绿彩龙凤纹碗残片		残	8	1	明晚		
91	TG2④：21	小型板瓦	Ba	完整	1	1	明		
92	TG2④：22	莲花纹滴水	Ba	残	1		明		
93	TG2④：23	莲花纹板瓦勾头	Ba	残	1	1	明		
94	TG2④：24	莲花纹滴水	Ba	残	1	1	明		
95	TG2④：25	青花八卦纹杯	D	可修	9	1	万历		
96	TG2④：26	青花螭龙纹碗	Bd	已修	3	1	明晚		
97	TG2④：27	青花螭龙纹盘残底		残	1	1	明晚		
98	TG2④：28	小型板瓦	Ba	完整	1	1	明		
99	TG2④：29	小型板瓦	Ba	完整	1	1	明		
100	TG2④	青花螭龙纹杯残片	B	残	2	1	明晚		
101	TG2④	青花花卉纹杯残片	B	残	5	1	明晚		
102	TG2④	青花螭龙纹盘残底		残	1	1	明晚		
103	TG2④	青花山水纹杯残片	A	残	2	1	明晚		
104	TG2④	青花花卉纹碗残片		残	26	7	明晚		
105	TG47②	青花缠枝银杏叶纹大碗残底	Ab	残	1	1	万历		
106	TG47②	青花螭龙纹盘残底		残	2	2	明晚		
107	TG47②	青花松叶纹盘残底		残	1	1	明晚		
108	TG47②	青花应龙纹碗口沿残片		残	3	1	明晚		

续表

序号	出土单位/编号	名称	类型	保存状况	残片数量	计件	年代	备注	房址
109	TG47②	青花梵文碗口沿残片		残	2	1	清		F35
110	TG47②	青花梵文寿字大盘残片	B	残	3	1	清		
111	TG47③：1	青花兰草纹杯	B	已修	9	1	明晚		
112	TG47③：2	青花花卉纹杯	B	已修	5	1	明晚		
113	TG47③：3	青花螭龙纹杯	B	已修	4	1	明晚		
114	TG47③：4	青花螭龙纹杯	B	已修	4	1	明晚		
115	TG47③：5	青花兔纹杯	B	已修	5	1	明晚		
116	TG47③：6	青花折枝花卉纹杯	A	已修	10	1	明晚		
117	TG47③：7	青花螭龙纹杯	B	已修	5	1	明晚		
118	TG47③：8	青花螭龙纹杯	B	已修	4	1	明晚		
119	TG47③：9	粗瓷碗		可修	6	1	明清		
120	TG47③：10	青花寿字碗	Ec	已修	4	1	明晚		
121	TG47③：11	青花缠枝花卉纹碗	Ec	已修	13	1	明晚		
122	TG47③：12	青花莲池水禽纹碗	Aa	已修	14	1	明晚		
123	TG47③：13	青花草书福字碗	Ee	已修	15	1	明晚		
124	TG47③：14	青花螭龙纹盘	B	已修	9	1	明晚		
125	TG47③：15	青花树石栏杆纹盘	C	可修	2	1	明中晚		
126	TG47③：16	青花果枝栖鹊纹盘	B	已修	1	1	万历		
127	TG47③：17	青花螭龙纹盘	B	可修	13	1	明晚		
128	TG47③：18	青花折枝花卉纹盘	B	可修	1	1	明晚		
129	TG47③：19	青花螭龙纹盘	C	可修	3	1	明晚		
130	TG47③：20	孔雀绿釉花口碟		可修	1	1	明		
131	TG47③：21	青花寿字盘残片		残	5	1	明晚		
132	TG47③：22	青花海水鱼纹碗残片		残	1	1	明晚	大明嘉靖年制	
133	TG47③：23	青花寿字碗残片		残	1	1	明晚		
134	TG47③：24	青花魁星踢斗纹盘残片		残	5	1	万历		
135	TG47③：25	青花寿字碗残片		残	2	1	明晚		
136	TG47③：26	青花寿字碗	Ed	可修	14	1	明晚		
137	TG47③：27	青花寿字碗残底		残	2	1	明晚		
138	TG47③：28	青花寿字盘	B	可修	15	1	明晚	外底“福”	
139	TG47③：29	铁钉		完整	3	3	明		
140	TG47③：30	青花红彩碗残片		残	1	1	明晚		
141	TG47③：31	影青刻花碗残底		残	1	1	南宋	湖田窑	
142	TG47③：32	红绿彩花卉纹碗残片		残	2	1	明晚		
143	TG47③：33	青花寿字盘残底		残	1		明晚		
144	TG47③：34	青花寿字盘残底		残	1	1	明晚		

续表

序号	出土单位/编号	名称	类型	保存状况	残片数量	计件	年代	备注	房址
145	TG47③：35	青花螭龙纹杯残底	B	残	1	1	明晚		F35
146	TG47③	青花葡萄纹碗残片	Ea	残	4	1	明晚		
147	TG47③	青花狮子纹碗残底		残	1	1	明晚		
148	TG47③	青花盘残片		残	78	10	明晚		
149	TG47③	青花折腰盘口沿残片	D	残	5	1	明晚		
150	TG47③	青花缠枝花卉纹碗残片		残	4	1	明晚		
151	TG47③	青花莲荷纹盘残底		残	2	2	明晚		
152	TG47③	青花螭龙纹碗残片		残	19	5	明晚		
153	TG47③	青花婴戏纹碗（腹）残片		残	1	1	明晚		
154	TG47③	青花螭龙纹杯残片	B	残	36	4	明晚		
155	TG47③	青花兰草纹杯残片	B	残	3	1	明晚		
156	TG47③	青花山水船帆纹碗残片	Bd	残	1	1	明晚		
157	TG47③	青花蕉叶纹瓶残耳		残	1	1	明晚		
158	TG47③	青花莲池水禽纹碗口沿残片	Aa	残	2	1	明晚		
159	TG47③	青花树石栏杆纹盘残片	C	残	12	2	明中晚		
160	TG47③	白瓷暗刻龙纹大盘残片		残	1	1	明初	底心残片，胎体较厚，糊米底	
161	TG47③	白瓷盘残片		残	11	7	明		
162	TG47③	青花福字碗口沿残片		残	1	1	明晚		
163	TG47③	青花铭文碗残片		残	2	1	明晚		
164	TG47③	青花碗残片		残	189	15	明晚		
165	TG47③	克拉克花卉纹盘残片		残	1	1	万历	瓜棱腹，外壁开光，饰花卉纹	
166	TG47③	青釉粗瓷罐腹部残片		残	1	1	明		
167	TG1①	青釉粗瓷罐残底		残	1	1	明		F36
168	TG1①	酱釉粗瓷罐残底		残	1	1	明		
169	TG1①	酱釉粗瓷罐口沿残片		残	2	2	明		
170	TG1①	青花灵芝茶花纹碗残片	Ce	残	3	2	清		
171	TG1①	青花花卉纹碗残片		残	2	1	明晚		
172	TG1①	青花粗瓷碗残片		残	8	5	清		
173	TG1①	青花龙纹大盘残底		残	1	1	明晚		
174	TG1②：1	孔雀绿釉碟残底		残	1	1	明		
175	TG1②：2	红绿彩花卉纹碗残片		残	2	1	明晚		
176	TG1②	青釉粗瓷碗残片		残	28	4	明清		
177	TG1②	酱釉粗瓷罐残片		残	14	5	明	部分有弦纹、拍印纹	
178	TG1②	青花粗瓷碗残片		残	18	4	清		

续表

序号	出土单位/编号	名称	类型	保存状况	残片数量	计件	年代	备注	房址
179	TG1②	青花螭龙纹碗残片		残	5	3	明晚		F36
180	TG1②	青花花卉纹碗残片		残	6	3	明晚		
181	TG1②	青花花卉纹碗残片		残	2	2	明晚		
182	TG1②	青花缠枝银杏叶纹大碗残片	Ab	残	2	1	万历		
183	TG1②	青花水禽纹盘残底		残	1	1	明晚		
184	TG1②	青花花卉纹碗残片		残	39	9	明晚		
185	TG1②	青花花卉纹杯残片	B	残	8	2	明晚		
186	TG1③：1	青花红彩鱼纹碗残底		残	1	1	明晚		
187	TG1③：2	缠枝牡丹纹小脊砖	Fa	残	1	1	明		
188	TG1③：3	缠枝牡丹纹小脊砖	Fa	残	1		明		
189	TG1③：4	影青芒口碗口沿残片		残	1	1	南宋	湖田窑	
190	TG1③	青釉粗瓷罐残片		残	67	6	明	部分有弦纹、拍印纹	
191	TG1③	青花花卉纹碗残片		残	11	3	明晚		
192	TG1③	青花盘残片		残	14	5	明晚		
193	TG1③	青花花卉纹杯残片		残	5	3	明晚		
194	TG1④：1	铜铲		较完整	1	1	明		
195	TG1④：2	青花寿字盘残底		残	2	1	明晚		
196	TG1④：3	影青芒口碗口沿残片		残	1	1	南宋	湖田窑	
197	TG1④	青花菊花纹大碗残底		残	1	1	清		
198	TG1④	青花卍字碗残底		残	1	1	明晚		
199	TG1④	青花莲池水禽纹盘残片		残	8	2	明晚		
200	TG1④	青花花卉纹碗残片		残	20	3	明晚		
201	TG1④	青花折沿盘残片	D	残	2	1	明晚		
202	TG1④	青花螭龙纹盘残片		残	2	1	明晚		
203	TG1④	白瓷盘残片		残	3	2	明		
204	TG1④	青釉粗瓷碗残片		残	17	4	明清		
205	TG1④	酱釉粗瓷罐残片		残	9	5	明	部分有印花	
206	TG1④	青釉粗瓷壶口沿残片		残	1	1	明清		
207	TG1④	青花果枝栖鹊纹盘残片		残	2	1	万历		
208	TG1④	青花卍字碗残底		残	1	1	明晚		
209	TG5①	青花粗瓷碗口沿残片		残	2	2	清		F37
210	TG5③：1	影青刻花瓷碗残片		残	1	1	南宋	湖田窑	
211	TG5③	粗瓷碗残片		残	2	1	清	无釉，绘褐色纹饰	
212	TG5③	青花碗残片		残	3	3	明中晚		

续表

序号	出土单位/编号	名称	类型	保存状况	残片数量	计件	年代	备注	房址
213	TG5③	青花杯残片		残	5	3	明晚		F37
214	TG5③	青花鱼纹盘残底		残	1	1	明晚		
215	TG5③	青釉粗瓷罐残片		残	2	2	明		
216	TG4①	青花盘残片		残	1	1	明晚		F38
217	TG4②	青釉粗瓷碗口沿残片		残	2	1	明清		
218	TG4②	青花花卉纹碗残片		残	8	5	明晚		
219	TG4②	青花花卉纹盘残底		残	2	1	明晚		
220	TG4②	青花花卉纹杯残片		残	10	5	明晚		
221	TG4②	青花莲池水禽纹碗残底	Aa	残	1	1	明晚		
222	TG4②	青花螭龙纹杯残底		残	1	1	明晚		
223	TG4②	青花杂宝纹碗口沿残片		残	1	1	明晚		
224	TG4②	青花螭龙纹盘残底		残	1	1	明晚		
225	TG4③：1	小长方形砖	Aa	残	1	1	明晚	十六砖	
226	TG4③：2	小长方形加工砖	Ab	残	1	1	明晚		
227	TG4③：3	小长方形砖	Aa	残	1	1	明晚	初一号	
228	TG4③：4	小长方形砖	Aa	残	1	1	明晚	十六砖	
229	TG4③：5	小长方形砖	Aa	残	1	1	明晚	初一号	
230	TG4③：6	铁锅		残	5	1	明		
231	TG4③：7	小长方形砖	Aa	残	1	1	明晚		
232	TG4③：8	小长方形砖	Aa	残	1	1	明晚	初一号	
233	TG4③：9	莲花纹滴水	Ba	完整	1	1	明晚		
234	TG4③：10	莲花纹滴水	Ba	完整	1	1	明晚		
235	TG4③：11	莲花纹滴水	Ba	残	1	1	明晚		
236	TG4③：12	莲花纹滴水	Ba	残	1	1	明晚		
237	TG4③：13	莲花纹滴水	Ba	残	1	1	明晚		
238	TG4③：14	莲花纹滴水	Ba	完整	1	1	明晚		
239	TG4③：15	莲花纹滴水	Ba	完整	1	1	明晚		
240	TG4③：16	莲花纹板瓦勾头	Ba	完整	1	1	明晚		
241	TG4③：17	莲花纹板瓦勾头	Ba	完整	1	1	明晚		
242	TG4③：18	莲花纹板瓦勾头	Ba	较完整	1	1	明晚		
243	TG4③：19	莲花纹板瓦勾头	Ba	残	1	1	明晚		
244	TG4③：20	莲花纹板瓦勾头	Ba	较完整	1	1	明晚		
245	TG4③：21	莲花纹板瓦勾头	Ba	完整	1	1	明晚		
246	TG4③：22	莲花纹板瓦勾头	Ba	较完整	1	1	明晚		
247	TG4③：23	莲花纹板瓦勾头	Ba	完整	1	1	明晚		
248	TG4③：24	莲花纹板瓦勾头	Ba	残	1	1	明晚		

续表

序号	出土单位/编号	名称	类型	保存状况	残片数量	计件	年代	备注	房址
249	TG4③：25	莲花纹板瓦勾头	Ba	较完整	1	1	明晚		F38
250	TG4③：26	缠枝牡丹纹大脊砖	C	残	1	1	明晚		
251	TG4③：27	铁钉		残	11	10	明		
252	TG4③：28	青花云纹方盘口沿残片	F	残	1	1	明晚		
253	TG4③：29	青花红彩花卉纹杯		可修	2	1	明晚		
254	TG4③：30	莲花纹板瓦勾头	Ba	残	1	1	明晚		
255	TG4③：31	莲花纹板瓦勾头	Ba	残	1	1	明晚		
256	TG4③：32	莲花纹滴水	Ba	残	1	1	明晚		
257	TG4③：33	莲花纹板瓦勾头	Ba	残	1		明晚		
258	TG4③：34	莲花纹板瓦勾头	Ba	残	1	1	明晚		
259	TG4③：35	莲花纹滴水	Ba	残	1	1	明晚		
260	TG4③：36	莲花纹滴水	Ba	残	1	1	明晚		
261	TG4③：37	莲花纹滴水	Ba	残	1		明晚		
262	TG4③：38	莲花纹滴水	Ba	残	1		明晚		
263	TG4③：39	莲花纹滴水	Ba	残	1		明晚		
264	TG4③：40	莲花纹滴水	Ba	残	1		明晚		
265	TG4③：41	青花花果纹碗	Bd	已修	7	1	明晚	大明宣德年制	
266	TG4③：42	青花回纹碗口沿残片	Ed	残	10	1	明晚		
267	TG4③：43	青花寿字盘	B	可修	2	1	明晚		
268	TG4③：44	青花缠枝花卉纹杯	A	可修	6	1	明晚		
269	TG4③：45	青花寿字盘残底		残	1	1	明晚		
270	TG4③：46	青花寿字盘残底		残	1	1	明晚		
271	TG4③：47	筒瓦	Ba	残	1	1	明晚		
272	TG4③：48	筒瓦	Ba	残	1	1	明晚		
273	TG4③：49	筒瓦	Ba	残	1	1	明晚		
274	TG4③：50	缠枝牡丹纹大脊砖	C	残	1	1	明晚		
275	TG4③：51	缠枝牡丹纹大脊砖	C	残	1	1	明晚		
276	TG4③：52	缠枝牡丹纹大脊砖	C	残	1		明晚		
277	TG4③：53	脊砖		残	1		明晚		
278	TG4③：54	青花柳下观景图碗	Db	可修	10	1	明晚		
279	TG4③：55	青花折枝花卉纹碗口沿残片		残	4	1	明晚	青花晦暗	
280	TG4③：56	青花卍字云纹碗残底		残	1	1	明晚		
281	TG4③：57	缠枝牡丹纹大脊砖	C	残	1		明晚		
282	TG4③：58	石磨		残	1	1	明清		
283	TG4③：59	缠枝牡丹纹大脊砖	C	残	1		明晚		
284	TG4③：60	垂戗兽（尾）	垂戗Bc	残	1	1	明晚		

续表

序号	出土单位/编号	名称	类型	保存状况	残片数量	计件	年代	备注	房址
285	TG4③：61	垂戗兽（尾）	垂戗Bc	残	1		明晚		F38
286	TG4③：62	垂戗兽（爪）	垂戗Bc	残	1	1	明晚		
287	TG4③：63	莲花纹板瓦勾头	Ba	残	1	1	明晚		
288	TG4③：64	小长方形砖	Aa	残	1	1	明晚	十六砖	
289	TG4③：65	小型板瓦	Ba	完整	1	1	明晚		
290	TG4③：66	六瓣莲花纹筒瓦勾头	Bb	完整	1	1	明晚	筒瓦	
291	TG4③：67	脊砖		残	1		明晚		
292	TG4③	青釉粗瓷壶口沿残片		残	2	2	明清	其一带流	
293	TG4③	青釉粗瓷罐残片		残	8	3	明		
294	TG4③	青釉粗瓷大罐残片		残	77	3	明		
295	TG4③	粗瓷碗残片		残	3	3	明清	无釉	
296	TG4③	青釉粗瓷缸残片		残	1	1	明	直口	
297	TG4③	酱釉粗瓷罐残片		残	7	5	明		
298	TG4③	青花树石栏杆纹碗残底		残	7	1	明中晚	万历	
299	TG4③	青花螭龙纹杯残片	B	残	7	3	明晚		
300	TG4③	青花果枝栖鹊纹盘残片		残	7	2	万历		
301	TG4③	青花花卉纹碗残片		残	58	15	明晚		
302	TG4③	青花锦纹盘口沿残片		残	8	5	明晚		
303	TG4③	青花缠枝花卉纹盘残片		残	5	1	明晚		
304	TG4③	青花龙纹碗残底		残	1	1	明晚		
305	TG4③	青花缠枝牡丹纹碗口沿残片		残	1	1	明晚		
306	TG4③	青花缠枝花卉纹碗口沿残片		残	4	1	明晚		
307	TG4③	青花龙纹碗口沿残片		残	1	1	明晚		
308	TG4③	青花螭龙纹杯残底		残	1	1	明晚		
309	TG4③	青釉粗瓷碗口沿残片		残	2	1	明清		
310	TG4③	青花鱼纹碗残底		残	2	2	明晚	其一有“玉堂佳器”款	
311	TG4③	青花月华纹碗残片	Ab	残	9	1	明晚		
312	TG4③	青花花卉纹杯残片		残	16	5	明晚		
313	TG4③	青花梅纹碗残底		残	2	1	明晚		
314	TG4③	青花杂宝纹盘口沿残片		残	1	1	明晚		
315	TG4③	青花奔马纹碗口沿残片	Ec	残	1	1	明晚		
316	TG4③	青花盘残底		残	1	1	明晚		
317	TG4③	青花螭龙纹盘残底		残	3	3	明晚		
318	TG4③	青花葡萄纹碗腹部残片	Ea	残	1	1	明晚		
319	TG4③	青花缠枝银杏叶纹大碗口沿残片	Ab	残	1	1	万历		

续表

序号	出土单位/编号	名称	类型	保存状况	残片数量	计件	年代	备注	房址
320	TG4③	青花折枝花卉纹碗残底		残	1	1	明晚		F38
321	TG4③	青花花卉纹盘残片		残	8	3	明晚		
322	TG4③	青花花卉纹碗残底		残	1	1	明晚		
323	TG4③	青花碗残片		残	10	3	明晚		
324	老王宫采：1	青瓷莲瓣纹碗口沿残片		残	1	1	南宋	侈口，莲瓣腹，龙泉窑	
325	老王宫采：2	青瓷莲瓣纹碗口沿残片		残	1	1	南宋	敛口，莲瓣腹，龙泉窑	
326	老王宫采：3	影青刻花瓷碗残底		残	1	1	南宋	残底，有小乳突，内底刻划凤鸟纹，湖田窑	
327	老王宫采：4	青花釉里红鸡纹碗残片		残	1	1	明中晚	王宅后菜园	
328	老王宫采：5	酱釉粗瓷大罐		已修	85	1	明	模印花卉、太阳、火焰纹	
329	老王宫采：6	青花松鹤纹盘	D	可修	7	1	明中	王宅后菜园	
330	老王宫采：7	青花寿字盘	C	已修	1	1	明晚	王宅后菜园	
331	老王宫采：8	铁矛	A	较完整	1	1	明	团叶形	
332	老王宫采：9	白瓷撇口盘		可修	1	1	明中晚	王宅后菜园	
333	老王宫采：10	影青刻花瓷盘残底		残	1	1	南宋	底部残片，内底刻划曲线纹，湖田窑	
334	老王宫采：11	青花草虫纹碗口沿残片		残	1	1	明晚	磉墩坪	
335	老王宫采：12	青花粗瓷碾轮		可修	1	1	清	残存一半	
336	老王宫采：13	青花寿字盘残底		残	1	1	明晚	王宅后菜园	
337	老王宫采：14	青花葡萄纹大碗残片	Ea	残	1	1	明晚	王宅前	
338	老王宫采：15	青花果枝栖鹊纹盘	C	可修	1	1	万历	王宅后菜园	
339	老王宫采：16	青花鹭莲纹杯残底		残	1	1	明晚	王宅后菜园	
340	老王宫采：17	影青瓷碗		残	1	1	南宋	内底下塌，饼足，湖田窑	
341	老王宫采：18	青花粗瓷碟		已修	1	1	清	茅棚	
342	老王宫采：19	绿釉菊瓣碟		可修	1	1	明晚	Y1前冲沟	
343	老王宫采：20	青花诸葛碗残片		残	1	1	明晚	磉墩坪	
344	老王宫采：21	青花折枝花卉纹碗残底		残	1	1	明晚	王宅后菜园	
345	老王宫采：22	青花折枝花卉纹碗残底		残	1	1	明晚	王宅后菜园	
346	老王宫采：23	青花魁星踢斗纹盘残底		残	1	1	万历	磉墩坪	
347	老王宫采：24	青花缠枝花卉纹碗	Eb	可修	1	1	明晚	王宅后菜园	
348	老王宫采：25	莲花纹滴水	Ba	残	1	1	明晚	磉墩坪	
349	老王宫采：26	莲花纹滴水	Ba	较完整	1	1	明晚	磉墩坪	
350	老王宫采：27	缠枝牡丹纹小脊砖	Fa	残	1	1	明晚	老王宫磉墩坪处	
351	老王宫采：28	青釉粗瓷钵		较完整	1	1	明	王宅旁	
352	老王宫采：29	青花山石花卉纹盘		残	1	1	嘉靖	底心残片	

续表

序号	出土单位/编号	名称	类型	保存状况	残片数量	计件	年代	备注	房址
353	老王宫采集	青花花卉纹碗残片		残	13	5	明晚	王宅后断坎	
354	老王宫采集	青花碗残底		残	1	1	明晚	新庙断坎	
355	老王宫采集	青花花卉纹盘残片		残	5	3	明晚	新庙断坎	
356	老王宫采集	青花粗瓷碗口沿残片		残	1	1	清	新庙断坎	
357	老王宫采集	青花螭龙纹盘残底		残	1	1	明晚	新庙断坎	
358	老王宫采集	青花花卉纹盘残片		残	2	2	明晚	王宅后院菜园	
359	老王宫采集	青花花卉纹碗残片		残	11	3	明晚	王宅后院菜园	
360	老王宫采集	青花碗残片		残	1	1	明晚	王宅后院菜园	
361	老王宫采集	铁环		较完整	1	1	明	王宅后菜园	
362	老王宫采集	白瓷盘残片		残	1	1	明中晚	口沿残片	
363	老王宫采集	酱釉粗瓷罐残底		残	1	1	明	王宅后菜园	
364	老王宫采集	青釉粗瓷壶残流		残	1	1	明清	王宅后菜园	
365	老王宫采集	青花螭龙纹杯口沿残片	B	残	1	1	明晚	王宅后院菜园	
366	老王宫采集	青花碗残底		残	4	1	清末	王宅旁	
367	老王宫采集	青花杯口沿残片		残	1	1	明晚	王宅旁	
368	老王宫采集	青花杯残片		残	2	1	明晚	新庙断坎	
合计					2029	569			

附表12　瓷器款识统计表

序号	出土单位/编号	名称	数量	计件	完残	年代	款识	备注	款类	图版
1	ⅣT0405①：25	白瓷杯残片	1	1	残	明	大明□□	底部残片	寄托款/纪年款	图版337-1
2	F3①：44	青花乘云折桂纹碗残底	2	1	残	明晚	大明宣德□□	侈口，外壁庭院人物纹	寄托款/纪年款	
3	F3①	青花松鼠瓜果纹杯残片	2	1	残	明晚	□□□德□□	内底团花	寄托款/纪年款	
4	F4①：3	青花狮纹碗残底	1	1	残	万历	大明宣□□□	足外壁饰萱草	寄托款/纪年款	
5	F8①：2	青花花果纹碗残片	1	1	残	明晚	□□宣□□制		寄托款/纪年款	
6	F8①：101	青花夔龙纹碗残片	1	1	残	明晚	大明宣德年制		寄托款/纪年款	图版337-2
7	F8①：113	青花夔龙纹碗残片	2	1	残	明晚	大明宣德年制		寄托款/纪年款	图版337-3
8	F9①：2	青花夔龙纹碗	12	1	已修	明晚	□□□德年□		寄托款/纪年款	
9	F9①：4	青花花果纹大碗残底	6	1	残	明晚	大明□德年制	与F9①：18、F9①：19相拼	寄托款/纪年款	
10	F9①：6	青花双艳纹盘	6	1	已修	明晚	宣德年置	与F9②：68相拼	寄托款/纪年款	图版337-4
11	F9①：7	青花凤纹杯残片	3	1	残	明晚	大明宣德年制		寄托款/纪年款	图版337-5
12	F9①：8	青花双艳纹盘	6	1	可修	明晚	宣德年置		寄托款/纪年款	
13	F9①：11	青花花果纹小碗	4	1	可修	明晚	宣□□□		寄托款/纪年款	
14	F9①：14	青花凤纹杯	7	1	已修	明晚	大明宣德年制		寄托款/纪年款	图版337-6
15	F9①：17	青花凤穿花纹靶盏	13	1	已修	明晚	宣德□制	与F9②：38相拼	寄托款/纪年款	图版337-7
16	F9①：23	青花鹭莲纹印花花口盘	11	1	已修	明晚	大明宣德年制	与F9②：55相拼	寄托款/纪年款	图版337-8
17	F9①：28	青花白描灵芝纹盘残底	3	1	残	万历	大明宣德□□	与F9②：13、F9②：28相拼	寄托款/纪年款	图版338-1
18	F9①：33	青花山水动物纹碗残底	1	1	残	明晚	大明宣德年制		寄托款/纪年款	图版338-2
19	F9①：35	青花双艳纹盘	6	1	可修	明晚	宣德年置		寄托款/纪年款	
20	F9①：36	青花双艳纹大盘残片	2	1	残	明晚	宣德年置	与L2①相拼	寄托款/纪年款	图版338-3

续表

序号	出土单位/编号	名称	数量	计件	完残	年代	款识	备注	款类	图版
21	F9①：38	青花花果纹小碗残底	1		残	明晚	□□□德年□		寄托款/纪年款	
22	F9①：40	青花双弦纹杯残片	2		残	明晚	□□□□□制		寄托款/纪年款	
23	F9①：44	青花松鼠瓜果纹杯	6	1	可修	明晚	大□□德年制	与F9①：60相拼	寄托款/纪年款	图版338-4
24	F9①：46	青花花果纹小碗残底	5	1	残	明晚	宣德年制		寄托款/纪年款	图版338-5
25	F9①：51	青花凤纹杯	10	1	可修	明晚	大明宣德年制	与F9①：62相拼	寄托款/纪年款	图版338-6
26	F9①：54	青花花果纹小碗残底	5	1	残	明晚	宣德年制		寄托款/纪年款	
27	F9①：55	青花花果纹小碗	6	1	已修	明晚	宣德年制		寄托款/纪年款	图版338-7
28	F9①：56	青花凤纹杯残片	2	1	残	明晚	大明□德年制		寄托款/纪年款	
29	F9①：57	青花凤纹杯	10	1	可修	明晚	大明宣德年□		寄托款/纪年款	
30	F9①：63	青花花果纹小碗残底	12	1	可修	明晚	宣德年制		寄托款/纪年款	图版338-8
31	F9①：66	青花凤纹杯	5	1	已修	明晚	大明宣德年制	与F9②：52相拼	寄托款/纪年款	图版339-1
32	F9①：67	青花双艳纹大盘	11	1	可修	明晚	□德□置		寄托款/纪年款	
33	F9①：68	青花莲池水禽纹杯	9	1	可修	明晚	大明宣德年□		寄托款/纪年款	图版339-2
34	F9①：71	青花团花纹杯残片	4	1	残	明晚	□明宣□年制		寄托款/纪年款	
35	F9①：72	青花莲池水禽纹杯残底	2	1	残	明晚	大明□□□□		寄托款/纪年款	
36	F9①：75	青花鹭莲纹印花花口盘	3	1	可修	明晚	□□□德□□		寄托款/纪年款	
37	F9①：93	青花莲池水禽纹杯	4	1	可修	明晚	□明宣德年制	与F9①：95相拼	寄托款/纪年款	图版339-3
38	F9①：94	青花团花纹杯残片	2		残	明晚	□□□德年□		寄托款/纪年款	
39	F9①：96	青花双弦纹杯残底	3	1	残	明晚	大□□德□□	与F9②：9相拼	寄托款/纪年款	
40	F9①：100	青花夔龙纹碗残片	3	1	残	明晚	大明宣德年制		寄托款/纪年款	图版339-4

续表

序号	出土单位/编号	名称	数量	计件	完残	年代	款识	备注	款类	图版
41	F9①：107	青花双艳纹盘	4	1	可修	明晚	□□年□		寄托款/纪年款	
42	F9①：109	青花双艳纹盘残底	3		残	明晚	□德□置		寄托款/纪年款	
43	F9①：110	青花白描灵芝纹盘	12	1	可修	万历	□□宣□□制		寄托款/纪年款	图版339-5
44	F9①：111	青花白描灵芝纹盘底残片	1		残	万历	大明□德年□		寄托款/纪年款	
45	F9①：112	青花团花纹杯残底	2	1	残	明晚	大明宣德年制		寄托款/纪年款	图版339-6
46	F9①：113	青花白描灵芝纹盘底残片	4	1	残	万历	大□□德□□		寄托款/纪年款	
47	F9①：117	青花松鼠瓜果纹杯残片	4	1	残	明晚	大明□□□□		寄托款/纪年款	
48	F9①：119	青花莲池水禽纹杯残底	2	1	残	明晚	□□宣□□制		寄托款/纪年款	
49	F9①：120	青花双艳纹盘残片	2		残	明晚	宣德□□		寄托款/纪年款	
50	F9①：121	青花双艳纹大盘残片	1		残	明晚	□德□置		寄托款/纪年款	
51	F9①：126	青花白描灵芝纹盘	8	1	已修	万历	款残		寄托款/纪年款	
52	F9①：143	青花花果纹大碗	17	1	可修	明晚	款残		寄托款/纪年款	
53	F9②：6	青花夔龙纹碗	7	1	可修	明晚	大明宣德年制	与F9②：78相拼	寄托款/纪年款	
54	F9②：10	青花鹭莲纹印花花口盘	15	1	可修	明晚	□□□德年制		寄托款/纪年款	图版339-7
55	F9②：12	青花团花纹杯残底	2	1	残	明晚	大明宣德年制		寄托款/纪年款	
56	F9②：15	青花双艳纹盘	13	1	可修	明晚	宣德年置		寄托款/纪年款	图版339-8
57	F9②：19	青花夔龙纹碗残片	7	1	残	明晚	大明宣德年制	与F9②：81相拼	寄托款/纪年款	图版340-1
58	F9②：22	青花夔龙纹碗	16	1	可修	明晚	大□宣德年制	与F9②：51相拼	寄托款/纪年款	
59	F9②：24	青花双弦纹杯残底	2	1	残	明晚	大明□德年□		寄托款/纪年款	

续表

序号	出土单位/编号	名称	数量	计件	完残	年代	款识	备注	款类	图版
60	F9②：27	青花花果纹小碗残底	1	1	残	明晚	宣德年制		寄托款/纪年款	图版340-2
61	F9②：31	青花双艳纹大盘	4	1	可修	明晚	宣德□置		寄托款/纪年款	
62	F9②：34	青花松鼠瓜果纹杯	7	1	已修	明晚	大明宣德年制	与F9②：74相拼	寄托款/纪年款	图版340-3
63	F9②：36	青花双艳纹盘	18	1	可修	明晚	宣德年置		寄托款/纪年款	图版340-4
64	F9②：53	青花凤纹杯	7	1	可修	明晚	□明宣德年制		寄托款/纪年款	
65	F9②：56	青花山水纹杯	3	1	已修	明晚	大明宣德年制		寄托款/纪年款	图版340-5
66	F9②：57	青花山水纹杯	11	1	可修	明晚	□□宣德年制		寄托款/纪年款	图版340-6
67	F9②：59	青花双艳纹大盘	11	1	可修	明晚	宣德年置		寄托款/纪年款	图版340-7
68	F9②：60	青花双艳纹大盘	9	1	可修	明晚	宣德年置		寄托款/纪年款	图版340-8
69	F9②：69	青花花果纹碗	9	1	已修	明晚	□德□制		寄托款/纪年款	图版341-1
70	F9②：71	青花双艳纹大盘	19	1	已修	明晚	宣德年置		寄托款/纪年款	图版341-2
71	F9②：76	青花白描灵芝纹盘	10	1	已修	万历	大明宣德年制		寄托款/纪年款	图版341-3
72	F9②：93	青花八仙贺寿纹大碗	57	1	已修	明晚	大明□德□□	22片已拼修	寄托款/纪年款	图版341-4
73	F9②：96	青花花果纹碗残底	1	1	残	明晚	大明宣德年□		寄托款/纪年款	
74	F10①：1	青花花卉纹碗残底	1	1	残	宣德	□□宣□□制		寄托款/纪年款	
75	F10①：7	青花松石纹碗底残片	1	1	残	宣德	□□宣□□□		寄托款/纪年款	
76	F17①：1	青花莲托八宝纹碗残底	1		残	明晚	大明宣德年制	底心微下榻	寄托款/纪年款	图版341-5
77	F19①：58	青花花果纹大碗残底	1	1	残	宣德	大明宣德年制		寄托款/纪年款	图版341-6
78	F19②：25	青花缠枝花果纹碗	4	1	可修	万历	大明宣德年制	内底饰折枝菊花纹，口沿为缠枝花果纹	寄托款/纪年款	图版341-7
79	K3①：34	青花花果纹碗残底	1	1	残	明晚	大明宣德年制		寄托款/纪年款	图版341-8

续表

序号	出土单位/编号	名称	数量	计件	完残	年代	款识	备注	款类	图版
80	G2②：38	青花靶盏柄足残片	1	1	残	明晚	大明宣德年制	柄足外绘灵芝纹	寄托款/纪年款	
81	C1①：2	青花夔龙纹碗残片	1	1	残	明晚	大明宣德年□		寄托款/纪年款	
82	C5①：4	青花白描龙纹碗残片	1	1	残	明晚	□□□德年制		寄托款/纪年款	
83	C5①	青花双艳纹盘残片	1		残	明晚	宣□年置		寄托款/纪年款	
84	L2②：7	青花凤纹杯	2	1	可修	明晚	□□□德年□		寄托款/纪年款	
85	L2②：31	青花折枝花卉纹碗残底	1	1	残	明晚	□□□□□制		寄托款/纪年款	
86	L2③：1	青花团螭纹盘残底	1		残	明晚	□□□德□□		寄托款/纪年款	
87	L2④：5	青花狮子穿花纹大碗残片	1	1	残	明晚	大明宣德年制	内底饰如意云头纹，与ⅣT0507①：40相拼	寄托款/纪年款	
88	ⅠT0103①：7	青花夔龙纹碗残片	2	1	残	明晚	大明□德□□		寄托款/纪年款	
89	ⅠT0103②：29	青花花鸟纹盘残片	3	1	残	明晚	大明宣德□□		寄托款/纪年款	图版342-1
90	ⅠT0103②	青花乘云折桂纹碗残片	4	1	残	明晚	款残		寄托款/纪年款	
91	ⅠT0105①	青花狮子穿花纹大碗残片	1	1	残	明晚	□□□德□□	小残片	寄托款/纪年款	
92	ⅡT0101①	青花乘云折桂纹碗残底	2		残	明晚	□□宣□□制		寄托款/纪年款	
93	ⅣT0102①	青花鹭莲纹印花花口盘残底	1		残	明晚	大明宣□□□		寄托款/纪年款	
94	ⅣT0103①：35	青花花草纹盘残片	1		残	明晚	□□宣□□制		寄托款/纪年款	
95	ⅣT0105①：1	青花鹭莲纹印花花口盘残底	1	1	残	明晚	□明宣□年制		寄托款/纪年款	
96	ⅣT0106①：1	青花夔龙纹碗残片	1	1	残	明晚	□□宣□□制		寄托款/纪年款	
97	ⅣT0106①	青花高官厚禄纹碗残片	2	1	残	明晚	□明□□□□	同C4③：1外人物	寄托款/纪年款	

续表

序号	出土单位/编号	名称	数量	计件	完残	年代	款识	备注	款类	图版
98	ⅣT0203②A：1	青花人物纹碗残底	1	1	残	明晚	大□□德□□		寄托款/纪年款	图版342-2
99	ⅣT0204①：1	青花牡丹纹盘残底	1	1	残	万历	大明□德年□		寄托款/纪年款	图版342-3
100	ⅣT0204①：2	青花白描梵文碗残底	1	1	残	明晚	□□□德年□		寄托款/纪年款	
101	ⅣT0205①：1	青花海水纹杯残底	1	1	残	明晚	宣德年造		寄托款/纪年款	图版342-4
102	ⅣT0205①	青花花果纹碗残底	1		残	明晚	大□□德□□		寄托款/纪年款	
103	ⅣT0206①：1	青花鹭莲纹印花花口盘残片	1		残	明晚	□明宣□年制		寄托款/纪年款	
104	ⅣT0206①：2	青花鹭莲纹印花花口盘残片	1		残	明晚	□明宣□年制		寄托款/纪年款	
105	ⅣT0207①：6	青花鹭莲纹印花花口盘残底	1	1	残	明晚	大□□德年□		寄托款/纪年款	
106	ⅣT0303①：1	青花折枝菊纹碗残底	1	1	残	明晚	□明□德年制	外缠枝花卉纹	寄托款/纪年款	
107	ⅣT0303③A：2	青花花鸟纹碗残底	1		残	明晚	□□年制		寄托款/纪年款	图版342-5
108	ⅣT0305①：47	青花花果纹碗残片	2	1	残	明晚	大□□德□□		寄托款/纪年款	
109	ⅣT0305④：10	青花鹭莲纹印花花口盘残片	1		残	明晚	□明宣□□□		寄托款/纪年款	
110	ⅣT0306①：3	青花凤穿花纹靶盏残片	1	1	残	明晚	宣德年制	与ⅣT0505②B、F9①：39相拼	寄托款/纪年款	图版342-6
111	ⅣT0405①：22	青花乘云折桂纹碗残底	1		残	明晚	□明宣德年制		寄托款/纪年款	图版342-7
112	ⅣT0405②A：5	青花白描灵芝纹盘残底	1		残	万历	□□宣□□制		寄托款/纪年款	
113	ⅣT0405②A：6	青花白描灵芝纹盘残底	2		残	万历	大明宣□□□		寄托款/纪年款	
114	ⅣT0503④：65	青花白描花卉纹碗残底	1	1	残	明晚	□明□□□制		寄托款/纪年款	
115	ⅣT0503④	青花山石花草纹碗残底	1		残	明晚	宣□年□		寄托款/纪年款	

续表

序号	出土单位/编号	名称	数量	计件	完残	年代	款识	备注	款类	图版
116	ⅣT0504①：1	青花白描灵芝纹盘残底	3	1	残	万历	大明□德年制		寄托款/纪年款	
117	ⅣT0505②B：2	青花花鸟纹碗底残片	2	1	残	明晚	宣德年制		寄托款/纪年款	图版342-8
118	ⅣT0506①：60	青花夔龙纹碗残片	1		残	明晚	大明宣德年制		寄托款/纪年款	图版343-1
119	ⅣT0507①：32	青花狮子穿花纹大碗残片	4	1	残	明晚	大明宣德年□		寄托款/纪年款	图版343-2
120	ⅣT0603③B：1	青花夔龙纹碗残片	1	1	残	明晚	大明宣德年制		寄托款/纪年款	图版343-3
121	ⅣT0603④	青花白描梵文碗残片	1	1	残	明晚	□□□□□制		寄托款/纪年款	
122	ⅣT0604④	青花白描云气纹碗残片	3	1	残	明晚	□□□□□制		寄托款/纪年款	
123	ⅣT0607①：44	青花花果纹碗残底	1	1	残	明晚	大明宣德年制		寄托款/纪年款	
124	TG22②	青花碗残底	1		残	明晚	□明宣□□制		寄托款/纪年款	
125	TG10③：36	青花蓝地白花海水纹碗	11	1	可修	万历	宣德年制		寄托款/纪年款	图版343-4
126	TG36①：4	青花乘云折桂纹碗	14	1	已修	万历	大明宣德年制		寄托款/纪年款	图版343-5
127	TG36②：25	青花平步青云纹碗残底	4	1	残	万历	大明宣德年制		寄托款/纪年款	图版343-6
128	TG4③：41	青花花果纹碗	7	1	已修	万历	大明宣德年制		寄托款/纪年款	图版343-7
129	K3①：27	青花碗残底	1	1	残	明晚	□□成□□□	款识书于内底	寄托款/纪年款	图版343-8
130	ⅣT0103②：1	青花花卉纹碗残底	1	1	残	明晚	大明成化年制		寄托款/纪年款	图版344-1
131	ⅣT0303①：2	青花碗残底	1	1	残	明晚	大明□化年制	内底无纹	寄托款/纪年款	图版344-2
132	ⅣT0303④：3	青花莲池水禽纹碗残片	1	1	残	明晚	□□成□□制	内底上拱	寄托款/纪年款	图版344-3
133	ⅣT0403②B：3	青花杯底残片	1	1	残	明晚	大明成化年制	内底刻“付番”	寄托款/纪年款	图版344-4
134	ⅣT0405②A：2	青花杯残底	1	1	残	明晚	大明成化年制		寄托款/纪年款	图版344-5

续表

序号	出土单位/编号	名称	数量	计件	完残	年代	款识	备注	款类	图版
135	ⅣT0502①：1	青花草虫纹碗残底	1	1	残	明晚	成化年造	内底绘折枝花卉纹	寄托款/纪年款	图版344-6
136	F8①：259	青花五爪龙纹盘残片	2	1	残	嘉靖	□□嘉□□制	官式	纪年款	
137	F9②：32	青花正面五爪龙纹盘	13	1	已修	嘉靖	大明嘉靖年制	官式	纪年款	图版344-7
138	TG10①	青花碗残片	1	1	残	嘉靖	□□嘉□□□		纪年款	
139	TG47③：22	青花海水鱼纹碗残片	1	1	残	明晚	大明嘉靖年制		纪年款	图版344-8
140	ⅣT0405①：14	青花花草纹器底残片	1	1	残	嘉靖	丙寅年制	底部残片	纪年款（干支）	图版345-1
141	老王宫采：29	青花山石花卉纹盘	1	1	残	嘉靖	丙寅年□	底心残片	纪年款（干支）	图版345-2
142	F9①：3	青花螭龙纹盘残底	1	1	残	隆庆	□明□□	蟠螭	纪年款	
143	F9①：10	青花螭龙纹盘残底	1	1	残	隆庆	大明□□	蟠螭	纪年款	
144	F9①：42	青花螭龙纹盘残底	4	1	残	隆庆	□庆年造	与F9①：106相拼，蟠螭	纪年款	图版345-3
145	F9①：64	青花行螭暗刻灵芝纹大盘	10	1	可修	隆庆	隆庆年制	与F9②：17相拼	纪年款	图版345-4
146	F9①：65	青花行螭暗刻灵芝纹盘残片	1		残	隆庆	隆庆年制		纪年款	图版345-5
147	F9①：116	青花螭龙纹盘	3	1	可修	隆庆	隆□年□	蟠螭	纪年款	图版345-6
148	F9①：123	青花螭龙纹盘残底	1	1	残	隆庆	隆庆年制	蟠螭	纪年款	图版345-7
149	F9①：141	青花行螭暗刻灵芝纹盘	11	1	可修	隆庆	款残		纪年款	
150	F1①：90	青花敛口钵残片	4	1	残	万历	大□□历四年	与K5①、ⅠT0103②、ⅠT0102②可拼	纪年款	图版345-8
151	F9①：1	青花八仙五爪龙纹碗	20	1	已修	明晚	大明万历年制	内壁书“福如东海，寿□□□”	纪年款	
152	F9①：22	青花十字宝杵纹盘	11	1	可修	万历	大明万历年□		纪年款	
153	F9①：52	青花缠枝四季花卉纹碗	18	1	可修	万历	大明万历年制	官式，与F9②：2相拼	纪年款	图版346-1

续表

序号	出土单位/编号	名称	数量	计件	完残	年代	款识	备注	款类	图版
154	F9②：50	青花山水楼阁纹靶盏残片	13	1	残	明晚	大明万历年制	与F9②：54相拼	纪年款	图版346-2
155	F9②：85	青花正面五爪龙纹靶盏残片	13	1	残	万历	□□□历年制	官式，未拼合	纪年款	
156	F9②：130	青花缠枝四季花卉纹碗残片	24	1	可修	明	款残	官式，底款已残	纪年款	
157	F10①：93	青花兔纹碗残底	1	1	残	万历	万历年制		纪年款	
158	L2④：21	青花十字宝杵纹盘	14	1	可修	万历	大明万□年制		纪年款	图版346-3
159	ⅠT0101②：10	青花婴戏纹大盘残底	1	1	残	万历	□□万□□□	与ⅣT0405①：19一片可拼	纪年款	
160	ⅣT0504④：8	青花兔纹盘残底	1		残	万历	大□□历□□		纪年款	图版346-4
161	ⅣT0507①：63	青花十字宝杵纹盘残片	4	1	残	万历	□明万历年制		纪年款	图版346-5
162	ⅣT0606④	青花残片	1		残	万历	大明□历□□		纪年款	
163	ⅣT0609①：1	青花花卉纹盘	3	1	已修	万历	大明万历年制		纪年款	图版346-6
164	ⅣT0706①：8	青花兔纹碗残片	1		残	万历	□□□历年制		纪年款	
165	TG21②：166	青花菊纹碗残底	1	1	残	明晚	□□万□□制		纪年款	
166	TG10③：18	青花正面五爪龙纹靶盏	19	1	已修	万历	大明万历年制	官式	纪年款	
167	TG10③：29	青花婴戏纹碗	8	1	已修	明晚	大明万历年制	侈口	纪年款	图版346-7
168	TG40②：4	青花莲叶纹碗残底	2	1	残	明晚	大明万历		纪年款	图版346-8
169	F9①：12	青花螭龙纹盘残底	2	1	残	隆庆	大明年造	蟠螭	纪年款	图版347-1
170	F9①：31	青花螭龙纹盘	1	1	可修	隆庆	□明□造	蟠螭	纪年款	
171	F9①：34	青花螭龙纹盘残片	3	1	残	隆庆	大明□造	蟠螭	纪年款	
172	F9①：48	青花螭龙纹盘	7	1	可修	隆庆	大明年造	蟠螭	纪年款	图版347-2

续表

序号	出土单位/编号	名称	数量	计件	完残	年代	款识	备注	款类	图版
173	F9①：59	青花螭龙纹盘残底	2	1	残	隆庆	大明年造	蟠螭	纪年款	
174	F9①：61	青花螭龙纹盘残底	5	1	残	隆庆	大明年造	蟠螭	纪年款	图版347-3
175	F9①：69	青花螭龙纹盘残底	1		残	隆庆	大□年□	蟠螭	纪年款	
176	F9①：73	青花螭龙纹盘残底	5	1	残	隆庆	大明年造	与F9②：84相拼，蟠螭	纪年款	图版347-4
177	F9①：102	青花螭龙纹盘残底	2	1	残	隆庆	□□□造	蟠螭	纪年款	
178	F9①：103	青花螭龙纹盘残底	2	1	残	隆庆	大明□□	蟠螭	纪年款	
179	F9①：104	青花螭龙纹盘残底	1	1	残	隆庆	大明年造	与F9①：5相拼，蟠螭	纪年款	图版347-5
180	F9①：105	青花正面五爪龙纹盘残片	4	1	残	嘉靖	大□□靖□□	官式，与ⅣT0404①一片拼	纪年款	
181	F9②：3	青花螭龙纹盘残底	1	1	残	隆庆	□□年□	蟠螭	纪年款	
182	F9②：5	青花螭龙纹盘残底	6	1	残	隆庆	大明年造	与F9②：70相拼，蟠螭	纪年款	图版347-6
183	F9②：7	青花螭龙纹盘残底	2	1	残	隆庆	大明年造	与F9②：16相拼，蟠螭	纪年款	图版347-7
184	F9②：11	青花螭龙纹盘残底	3	1	残	隆庆	大明年□	蟠螭	纪年款	
185	F9②：23	青花螭龙纹盘	11	1	可修	隆庆	大明年造	蟠螭	纪年款	
186	F9②：25	青花螭龙纹盘残底	1	1	残	隆庆	□□年□	蟠螭	纪年款	
187	F9②：79	青花螭龙纹盘残底	1	1	残	隆庆	大明年造	蟠螭	纪年款	
188	F9②：83	青花螭龙纹盘残底	3	1	残	隆庆	大明年造	蟠螭	纪年款	
189	G2①	青花山水纹杯残片	4	1	残	明末	大□□□		纪年款	
190	ⅣT0405①：5	青花盘残片	1	1	残	明中	大明□造		纪年款	图版347-8
191	ⅣT0105①：4	青花盘残底	1	1	残	清	大清嘉庆年制		纪年款	图版348-2
192	ⅣT0304①：14	青花白描缠枝莲托双喜纹茶碗盖	6	1	已修	清	嘉庆年制		纪年款	图版348-1

续表

序号	出土单位/编号	名称	数量	计件	完残	年代	款识	备注	款类	图版
193	ⅣT0305①：68	青花白描缠枝莲纹碗残片	4	1	残	清	大清嘉庆年制	方款外刻一字，残不可识	纪年款	图版348-3
194	ⅣT0305④：11	青花白描缠枝花卉纹盖残片	4	1	残	清	大清嘉庆年制		纪年款	图版348-4
195	ⅣT0304①：65	青花白描缠枝莲纹盘	8	1	可修	道光	□清□光□制		纪年款	图版348-5
196	ⅣT0102①	青花花卉纹盘残底	2		残	清	□清□□□□		纪年款	
197	F1①：37	青花寿字碗残片	1	1	残	明晚	寿		吉语款	
198	F1①	青花寿字碗残片	2	1	残	明晚	寿		吉语款	
199	F2①：9	青花寿字碗残底	1	1	残	明晚	寿		吉语款	
200	F2①	青花寿字碗残底	1	1	残	明晚	寿		吉语款	
201	F2②	青花寿字碗残片	2	1	残	明晚	寿		吉语款	
202	F3①：56	青花寿字碗残底	1	1	残	明晚	寿		吉语款	
203	F3①：58	青花缠枝灵芝纹寿字大盘	5	1	可修	明晚	寿		吉语款	
204	F3①：61	青花缠枝灵芝纹寿字盘残片	1		残	明晚	寿		吉语款	
205	F3①：70	青花缠枝灵芝纹寿字大盘残片	3	1	残	明晚	寿		吉语款	
206	F3①：135	青花寿字盘	1	1	可修	明晚	寿		吉语款	
207	F3①	青花寿字盘残底	1		残	明晚	寿		吉语款	
208	F4①	青花缠枝灵芝纹寿字盘残片	1		残	明晚	寿		吉语款	
209	F4①	青花寿字碗残底	1	1	残	明晚	寿		吉语款	
210	F8②：19	青花寿字盘残底	1	1	残	明晚	寿		吉语款	

续表

序号	出土单位/编号	名称	数量	计件	完残	年代	款识	备注	款类	图版
211	F8③：12	青花螭龙纹杯	6	1	可修	万历	寿	外底“寿”	吉语款	
212	F9①：15	青花缠枝灵芝纹寿字盘残片	2	1	残	明晚	寿		吉语款	
213	F9①：24	青花寿字碗残底	1	1	残	明晚	寿		吉语款	
214	F9①：47	青花缠枝灵芝纹寿字盘	9	1	可修	明晚	寿		吉语款	
215	F9①：76	青花寿字盘残底	1	1	残	明晚	寿	外壁缠枝花卉纹	吉语款	图版348-6
216	F9①：122	青花寿字碗	1	1	已修	明晚	寿		吉语款	图版348-7
217	F9①：131	青花寿字碗	3	1	已修	明晚	寿		吉语款	
218	F9①：132	青花缠枝灵芝纹寿字盘	7	1	已修	明晚	寿		吉语款	
219	F9①：139	青花寿字碗	4	1	已修	明晚	寿		吉语款	
220	F9①：140	青花寿字碗	2	1	可修	明晚	寿		吉语款	
221	F9①	青花寿字碗残底	1		残	明晚	寿	内底饰人物纹，外底“寿”	吉语款	
222	F9①	青花寿字碗残片	33	2	残	明晚	寿	2件寿字碗	吉语款	
223	F9①	青花缠枝灵芝纹寿字盘残片	176	3	残	明晚	寿	残碎片	吉语款	
224	F9②：29	青花缠枝灵芝纹寿字盘	10	1	可修	明晚	寿	与F9②：67相拼	吉语款	
225	F9②：30	青花缠枝灵芝纹寿字盘	3	1	可修	明晚	寿		吉语款	
226	F9②：132	青花缠枝灵芝纹寿字盘	3	1	可修	明晚	寿		吉语款	
227	F9②：133	青花缠枝灵芝纹寿字盘	5	1	可修	明晚	寿		吉语款	
228	F9②：134	青花缠枝灵芝纹寿字盘	5	1	可修	明晚	寿		吉语款	
229	F9②：135	青花缠枝灵芝纹寿字盘	13	1	可修	明晚	寿		吉语款	
230	F9②	青花寿字碗残片	6	2	残	明晚	寿		吉语款	
231	F10①：94	青花寿字碗	3	1	可修	明晚	寿		吉语款	

续表

序号	出土单位/编号	名称	数量	计件	完残	年代	款识	备注	款类	图版
232	F10①	青花寿字盘残底	2	1	残	明晚	寿		吉语款	
233	F12①：14	青花寿字盘残底	1	1	残	明晚	寿		吉语款	
234	F12①：43	青花寿字盘残底	1		残	明晚	寿		吉语款	图版349-1
235	F12①	青花寿字碗残底	1	1	残	明晚	寿		吉语款	
236	F19①	青花缠枝灵芝纹寿字盘残片	1		残	明晚	寿		吉语款	
237	F19②	青花寿字碗残片	4	2	残	明晚	寿		吉语款	
238	F19天井①：1	青花寿字碗残底	1		残	明晚	寿		吉语款	
239	F29①	青花寿字盘残底	2	1	残	明晚	寿		吉语款	
240	K4①	青花寿字盘残片	2		残	明晚	寿		吉语款	
241	K9①：1	青花寿字碗残底	1	1	残	明晚	寿		吉语款	
242	K9①：9	青花寿字盘残底	1	1	残	明晚	寿		吉语款	
243	庙台2：1	青花寿字盘残底	1	1	残	明晚	寿		吉语款	
244	庙台2：7	青花寿字碗残底	1	1	残	明晚	寿		吉语款	
245	庙台3：1	青花寿字碗残底	2	1	残	明晚	寿		吉语款	
246	庙台3	青花寿字盘残底	1		残	明晚	寿		吉语款	
247	G2②：3	青花寿字碗	4	1	可修	明晚	寿		吉语款	
248	G2②：82	青花高官厚禄纹杯残片	1	1	残	明晚	寿	外底“寿”	吉语款	图版349-2
249	G11	青花寿字盘残片	1		残	明晚	寿		吉语款	
250	G12①：4	青花寿字碗	5	1	可修	明晚	寿		吉语款	
251	C1①：1	青花缠枝灵芝寿字盘残底	1		残	明晚	寿		吉语款	

续表

序号	出土单位/编号	名称	数量	计件	完残	年代	款识	备注	款类	图版
252	C4①	青花寿字碗残片	8	2	残	明晚	寿		吉语款	
253	C5①：1	青花寿字碗残底	1	1	残	明晚	寿		吉语款	图版349-3
254	C5①：2	青花寿字碗残片	1		残	明晚	寿		吉语款	
255	L2①：24	青花寿字杯	1	1	可修	明晚	寿		吉语款	
256	L2②：9	青花寿字盘残底	1		残	明晚	寿		吉语款	
257	L2②：10	青花寿字碗残底	1		残	明晚	寿		吉语款	
258	L2③：25	青花寿字碗残底	1	1	残	明晚	寿		吉语款	
259	L2③：26	青花缠枝灵芝纹寿字盘残片	7	1	残	明晚	寿		吉语款	
260	L2④	青花寿字碗残底	1		残	明晚	寿		吉语款	
261	ⅠT0101②：8	青花寿字盘	4	1	可修	明晚	寿	实笔书绘	吉语款	
262	ⅠT0101②：9	青花寿字盘	5	1	可修	明晚	寿	实笔书绘	吉语款	图版349-4
263	ⅠT0102①	青花寿字盘残底	1		残	明晚	寿		吉语款	
264	ⅠT0105①	青花寿字碗残片	7	2	残	明晚	寿		吉语款	
265	ⅠT0105①	青花寿字盘残底	2		残	明	寿		吉语款	
266	ⅣT0102①	青花寿字碗残片	3	1	残	明晚	寿		吉语款	
267	ⅣT0103①：4	青花缠枝灵芝纹寿字盘残底	1	1	残	明晚	寿		吉语款	
268	ⅣT0103①：14	青花寿字碗残片	1	1	残	明晚	寿		吉语款	
269	ⅣT0104①：1	青花寿字碗残片	1	1	残	明晚	寿		吉语款	
270	ⅣT0104①：2	青花寿字碗残片	1	1	残	明晚	寿		吉语款	
271	ⅣT0201①：22	青花寿字碗残底	1	1	残	明晚	寿		吉语款	

续表

序号	出土单位/编号	名称	数量	计件	完残	年代	款识	备注	款类	图版
272	ⅣT0201①：23	青花寿字碗残底	1	1	残	明晚	寿		吉语款	
273	ⅣT0203①：3	青花寿字碗残片	1	1	残	明晚	寿		吉语款	
274	ⅣT0205①	青花寿字碗残片	3	1	残	明晚	寿		吉语款	
275	ⅣT0205①	青花寿字盘残片	1		残	明	寿		吉语款	
276	ⅣT0303①：3	青花寿字碗残片	1	1	残	明晚	寿		吉语款	
277	ⅣT0303③A：5	青花梵文寿字大盘	18	1	可修	清	寿	腹壁饰梵文，与Ⅳ0507①/ⅣT0606②相拼	吉语款	
278	ⅣT0304①：11	青花团寿纹大碗残底	2	1	残	清	寿	内底刻“才”	吉语款	图版349-5、6
279	ⅣT0304①：16	青花寿字碗残底	1	1	残	明晚	寿		吉语款	
280	ⅣT0305①：9	青花寿字杯	3	1	已修	明晚	寿		吉语款	
281	ⅣT0305①：10	青花寿字碗残底	1	1	残	明晚	寿		吉语款	
282	ⅣT0305①：23	青花寿字盘残底	1	1	残	明晚	寿		吉语款	
283	ⅣT0305③A：5	青花梵文团寿纹大盘	34	1	可修	清	寿	内壁饰梵文	吉语款	
284	ⅣT0306①：2	青花寿字碗	1	1	可修	明晚	寿		吉语款	
285	ⅣT0404①	青花寿字盘残底	1		残	明晚	寿		吉语款	
286	ⅣT0404①	青花缠枝灵芝纹寿字盘残底	1		残	明晚	寿		吉语款	
287	ⅣT0404①	青花寿字碗残底	6		残	明晚	寿		吉语款	
288	ⅣT0405①	青花寿字碗残底	2		残	明晚	寿		吉语款	
289	ⅣT0405④：3	青花寿字盘	10	1	可修	明晚	寿		吉语款	
290	ⅣT0405④：5	青花寿字碗残片	2		残	明晚	寿		吉语款	
291	ⅣT0405④	青花寿字盘残底	4		残	明晚	寿		吉语款	图版349-7

续表

序号	出土单位/编号	名称	数量	计件	完残	年代	款识	备注	款类	图版
292	ⅣT0502①	青花缠枝灵芝纹寿字盘残底	2		残	明晚	寿		吉语款	
293	ⅣT0502④	青花草书福禄寿字碗残底	5		残	明晚	寿		吉语款	
294	ⅣT0502④	青花缠枝灵芝纹寿字盘残底	1		残	明晚	寿		吉语款	
295	ⅣT0503①	青花寿字碗残底	1		残	明晚	寿		吉语款	
296	ⅣT0503①	青花寿字盘残底	1		残	明晚	寿		吉语款	
297	ⅣT0503③	青花寿字盘残底	6		残	明晚	寿		吉语款	
298	ⅣT0503③	青花寿字碗残底	6		残	明晚	寿		吉语款	
299	ⅣT0503④：30	青花寿字碗残底	1		残	明晚	寿		吉语款	
300	ⅣT0503④	青花草书福禄寿字碗残底	3	1	残	明晚	寿		吉语款	
301	ⅣT0503④	青花寿字碗残片	1		残	明晚	寿		吉语款	
302	ⅣT0503④	青花寿字盘残底	1		残	明晚	寿		吉语款	
303	ⅣT0504②	青花寿字盘残底	1		残	明晚	寿		吉语款	
304	ⅣT0504③	青花缠枝灵芝纹寿字盘残底	1		残	明晚	寿		吉语款	
305	ⅣT0504④：6	青花寿字碗残底	1	1	残	明晚	寿		吉语款	
306	ⅣT0505①	青花寿字碗残底	1		残	明晚	寿		吉语款	
307	ⅣT0506①：2	青花寿字杯残底	1	1	残	明晚	寿		吉语款	图版349-8
308	ⅣT0506①：5	青花寿字碗残底	1	1	残	明晚	寿		吉语款	
309	ⅣT0506①：66	青花寿字碗	2	1	可修	明晚	寿		吉语款	

续表

序号	出土单位/编号	名称	数量	计件	完残	年代	款识	备注	款类	图版
310	ⅣT0506②：14	青花寿字碗	3	1	已修	明晚	寿		吉语款	图版350-1
311	ⅣT0506②：35	青花缠枝灵芝纹寿字大盘	1	1	可修	明晚	寿		吉语款	
312	ⅣT0506④：4	青花寿字碗残底	1	1	残	明晚	寿		吉语款	
313	ⅣT0506④：12	青花寿字碗残底	1	1	残	明晚	寿		吉语款	
314	ⅣT0506④	青花寿字盘残底	1		残	明晚	寿		吉语款	
315	ⅣT0507①：69	青花缠枝灵芝纹寿字盘残片	4		残	明晚	寿		吉语款	
316	ⅣT0603②A：2	青花寿字盘残片	1		残	明晚	寿		吉语款	
317	ⅣT0603②A：4	青花寿字盘残片	1		残	明晚	寿		吉语款	
318	ⅣT0603②A：5	青花寿字盘残片	1		残	明晚	寿		吉语款	
319	ⅣT0603②A	青花缠枝灵芝纹寿字大盘残片	2		残	明晚	寿		吉语款	
320	ⅣT0603④：2	青花寿字碗	2	1	可修	明晚	寿		吉语款	
321	ⅣT0603④	青花寿字盘残片	1		残	明晚	寿		吉语款	
322	ⅣT0604②	青花草书福禄寿字碗残底	1		残	明晚	寿		吉语款	
323	ⅣT0604③A：1	青花寿字碗残底	1	1	残	明晚	寿		吉语款	
324	ⅣT0604③A：3	青花寿字碗残底	1	1	残	明晚	寿		吉语款	
325	ⅣT0604③B：9	青花寿字盘残片	1	1	残	明晚	寿		吉语款	
326	ⅣT0604③B	青花寿字碗残片	1		残	明晚	寿		吉语款	
327	ⅣT0604④：2	青花寿字碗残底	1	1	残	明晚	寿		吉语款	
328	ⅣT0604④	青花寿字碗残片	4		残	明晚	寿		吉语款	

续表

序号	出土单位/编号	名称	数量	计件	完残	年代	款识	备注	款类	图版
329	ⅣT0604④	青花寿字碗残片	1		残	明晚	寿		吉语款	
330	ⅣT0605①	青花寿字碗残片	1		残	明晚	寿		吉语款	
331	ⅣT0606①	青花寿字碗残片	7	3	残	明晚	寿		吉语款	
332	ⅣT0606①	青花缠枝灵芝纹寿字盘残片	3		残	明晚	寿		吉语款	
333	ⅣT0606①	青花寿字盘残片	4	1	残	明晚	寿		吉语款	
334	ⅣT0606②：17	青花白描缠枝莲托寿字盖残片	5	1	残	清	寿		吉语款	
335	ⅣT0606②	青花寿字碗残片	1		残	明晚	寿		吉语款	
336	ⅣT0606④	青花缠枝灵芝纹寿字盘残片	4		残	明晚	寿		吉语款	
337	ⅣT0606④	青花寿字盘残片	3		残	明晚	寿		吉语款	
338	ⅣT0704①	青花寿字盘残底	2	1	残	明晚	寿		吉语款	
339	ⅣT0706①：6	青花寿字盘	1	1	可修	明晚	寿		吉语款	
340	ⅣT0706①	青花寿字碗残底	1		残	明晚	寿		吉语款	
341	ⅣT0706①	青花寿字碗残片	2	2	残	明晚	寿		吉语款	
342	ⅣT0807①	青花寿字碗残底	7	2	残	明晚	寿		吉语款	
343	TG21②：27	青花寿字碗残底	2	1	残	明晚	寿		吉语款	
344	TG21②：165	青花寿字盘残底	1	1	残	明晚	寿		吉语款	
345	TG21②：167	青花寿字碗残底	1	1	残	明晚	寿		吉语款	
346	TG21②：168	青花寿字碗残底	1	1	残	明晚	寿		吉语款	
347	TG21②：173	青花寿字碗残底	1	1	残	明晚	寿		吉语款	

续表

序号	出土单位/编号	名称	数量	计件	完残	年代	款识	备注	款类	图版
348	TG21②：174	青花寿字碗残底	1	1	残	明晚	寿		吉语款	
349	TG21②：176	青花寿字盘残底	1	1	残	明晚	寿		吉语款	
350	TG21②：188	青花寿字盘残底	1	1	残	明晚	寿		吉语款	
351	TG21②	青花草书福禄寿字碗残底	2	1	残	明晚	福		吉语款	
352	TG22①：1	青花寿字盘残底	1	1	残	明晚	寿		吉语款	
353	TG22①：2	青花寿字盘残底	1	1	残	明晚	寿		吉语款	
354	TG22①：3	青花寿字碗残底	1	1	残	明晚	寿		吉语款	
355	TG22②：2	青花寿字碗残底	1	1	残	明晚	寿		吉语款	
356	TG22②：5	青花寿字盘残底	1	1	残	明晚	寿		吉语款	
357	TG22②：9	青花寿字盘残底	1	1	残	明晚	寿		吉语款	
358	TG22②：10	青花寿字盘残底	1	1	残	明晚	寿		吉语款	
359	TG22②	青花草书福禄寿字碗残底	1	1	残	明晚	福		吉语款	
360	TG53①：1	青花寿字碗残底	1	1	残	明晚	寿		吉语款	
361	TG10①	青花寿字碗残底	9	2	残	明晚	寿		吉语款	
362	TG10①	青花寿字盘残底	1	1	残	明晚	寿		吉语款	
363	TG10①	青花寿星纹盘残底	1	1	残	万历	寿		吉语款	
364	TG10③：17	青花寿字碗	24	1	已修	明晚	寿		吉语款	
365	TG10③：44	青花寿字碗残底	1	1	残	明晚	寿		吉语款	
366	TG10③：46	青花寿字碗残底	1	1	残	明晚	寿		吉语款	

续表

序号	出土单位/编号	名称	数量	计件	完残	年代	款识	备注	款类	图版
367	TG10③：47	青花寿字碗残底	3	1	残	明晚	寿		吉语款	
368	TG10③：48	青花寿字碗残底	1	1	残	明晚	寿		吉语款	
369	TG36①：3	青花寿字碗残底	1	1	残	明晚	寿		吉语款	
370	TG37②：11	青花寿字碗	14	1	可修	明晚	寿		吉语款	图版350-2
371	TG40②：2	青花寿字盘残底	1	1	残	明晚	寿		吉语款	
372	TG46③	青花寿字盘残底	3		残	明晚	寿		吉语款	
373	TG46③	青花寿字碗残底	2		残	明晚	寿		吉语款	
374	TG2③	青花寿字碗残底	1	1	残	明晚	寿		吉语款	
375	TG47③：10	青花寿字碗	4	1	已修	明晚	寿		吉语款	
376	TG47③：26	青花寿字碗	14	1	可修	明晚	寿		吉语款	图版350-3
377	TG47③：27	青花寿字碗残底	2	1	残	明晚	寿		吉语款	
378	TG47③：34	青花寿字盘残底	1	1	残	明晚	寿	与TG47③：33相拼	吉语款	
379	TG1④：2	青花寿字盘残底	2	1	残	明晚	寿		吉语款	
380	TG4③：43	青花寿字盘	2	1	可修	明晚	寿		吉语款	
381	老王宫采：7	青花寿字盘	1	1	已修	明晚	寿	王宅后菜园	吉语款	
382	老王宫采：13	青花寿字盘残底	1	1	残	明晚	寿	王宅后菜园	吉语款	
383	TG25①	青花寿字碗残底	2	2	残	明晚	寿		吉语款	
384	TG29①	青花寿字盘残底	1	1	残	明晚	寿		吉语款	
385	TG29②	青花寿字盘残底	3	3	残	明晚	寿		吉语款	
386	TG30①	青花寿字碗残底	1	1	残	明晚	寿		吉语款	
387	TG56①	青花寿字碗残底	1	1	残	明晚	寿		吉语款	
388	ⅢT2515③：6	青花寿字盘残底	1	1	残	明晚	寿	内底青料书“寿”字	吉语款	
389	ⅢT2613③：4	青花寿字盘	18	1	已修	明晚	寿		吉语款	图版351-5

续表

序号	出土单位/编号	名称	数量	计件	完残	年代	款识	备注	款类	图版
390	TG39①：2	青花寿字盘残底	1	1	残	明晚	寿		吉语款	
391	TG39①：5	青花寿字盘残底	1	1	残	明晚	寿		吉语款	
392	TG32①：5	青花寿字碗残底	1	1	残	明晚	寿		吉语款	
393	TG32①	青花寿字碗残底	4	4	残	明晚	寿		吉语款	
394	ⅣT0304①：64	青花白描缠枝莲托双喜纹茶碗盖	5	1	可修	清	寿 山泰 寿	外壁托“喜”	吉语款	图版350-4
395	ⅣT0304①：76	青花蝙蝠捧寿纹碟残片	2	1	残	清	寿	内底团寿，底款不识	吉语款	
396	ⅣT0503④：28	青花寿字盘残底	1		残	明晚	寿、正	内底“寿”，外底“正”	吉语款	图版350-5、6
397	TG23②：3	青花寿字碗残底	1	1	残	明晚	寿、福	内底“寿”，外底“福”	吉语款	图版350-7、8
398	F9①：25	青花寿字盘残底	1		残	明晚	寿	内底“寿”，外底方款不识	吉语款	图版351-1、2
399	F9①：27	青花寿字盘残底	1	1	残	明晚	寿	内底“寿”，外底方款不识	吉语款	
400	F9①：99	青花寿字盘残底	1	1	残	明晚	寿	内底“寿”，外底方款不识	吉语款	图版351-3、4
401	ⅣT0603③A：1	青花寿字盘残底	1	1	残	明晚	寿	内底“寿”，外底方款不识	吉语款	图版351-6
402	TG4③：45	青花寿字盘残底	1	1	残	明晚	寿	内底“寿”，外底款不识	吉语款	图版351-7
403	TG4③：46	青花寿字盘残底	1	1	残	明晚	寿	内底“寿”，外底款不识	吉语款	图版351-8
404	老王宫采：19	绿釉菊瓣纹碟	1	1	可修	明晚	福	足底模印双方框福字款	吉语款	
405	F3①：43	青花福字碗底	1	1	残	明晚	福		吉语款	图版352-1
406	F9①：32	青花草书福字杯残底	1	1	残	明晚	福		吉语款	图版352-2
407	F9②：104	青花螭龙纹盘残片	4	1	残	明晚	福		吉语款	图版352-3
408	F19①：60	青花福字杯残底	1	1	残	明晚	福		吉语款	

续表

序号	出土单位/编号	名称	数量	计件	完残	年代	款识	备注	款类	图版
409	G2①：44	青花寿山福海纹杯残片	1		残	万历	福		吉语款	图版352-4
410	L2②：8	青花缠枝花托吉语碗残片	1		残	明晚	福		吉语款	图版352-5
411	ⅣT0102①	青花魁星踢斗纹盘残片	1	1	残	万历	福		吉语款	
412	ⅣT0201①	青花福字盘残底	1		残	明晚	福	双勾填色	吉语款	
413	ⅣT0304③A：2	青花福字杯残底	1	1	残	明晚	福		吉语款	
414	ⅣT0404①：23	青花螭龙纹杯残底	1	1	残	明晚	福		吉语款	图版352-6
415	TG21②：5	青花福字碗残片	1	1	残	明晚	福		吉语款	图版352-7
416	TG2④：5	青花福字杯残底	1	1	残	明晚	福		吉语款	图版352-8
417	TG47③：13	青花草书福字碗	15	1	已修	明晚	福		吉语款	图版353-1
418	TG47③：28	青花寿字盘	15	1	可修	明晚	福	内底“寿”，外底“福”	吉语款	
419	TG47③：35	青花螭龙纹杯残底	1	1	残	明晚	福		吉语款	图版353-2
420	TG25②：1	青花草书福禄寿字碗	4	1	可修	明晚	福	铺路石板下出土	吉语款	
421	TG58②	青花折枝花卉纹杯残底	1	1	残	明晚	福	外底青料书“福”字	吉语款	图版353-5
422	ⅢT2515③	青花马纹碗残片	1	1	残	明晚	福	外底青料书“福”字	吉语款	
423	ⅠT0103②	青花福字碗残片	1	1	残	明晚	福	外底款残	吉语款	
424	ⅣT0404④：1	青花草书福禄寿字碗	1	1	可修	明晚	内底“福”	外壁残见“禄”	吉语款	图版353-3、4
425	G2①	青花草书福禄寿字碗残片	1		残	明晚	禄	外壁残见“禄”	吉语款	
426	ⅠT0306①	青花金榜题名纹杯残底	1	1	残	明	贵		吉语款	
427	ⅣT0504④：10	青花金榜题名杯残底	1		残	明晚	贵	内底书“贵”	吉语款	图版353-6

续表

序号	出土单位/编号	名称	数量	计件	完残	年代	款识	备注	款类	图版
428	ⅣT0102①	青花卧马纹碗残片	1	1	残	万历	富		吉语款	
429	F3①：41	青花葡萄纹大碗残底	1	1	残	明晚	万福攸同		吉语款	
430	F3①	青花葡萄纹大碗残片	2	1	残	明晚	□□攸□	万福攸同	吉语款	
431	F9①：13	青花团螭纹盘残底	6	1	残	明晚	万福攸同	与F9①：21相拼	吉语款	图版353-7
432	F9①：20	青花团螭纹盘	6	1	可修	明晚	万福攸同	与F9②：63相拼	吉语款	
433	F9①：45	青花团螭纹盘	12	1	可修	明晚	万福攸同		吉语款	图版353-8
434	F9①：49	青花双艳纹盘	4	1	可修	明晚	万福攸同	与F9①：70相拼	吉语款	图版354-1
435	F9①：74	青花团螭纹盘残底	9	1	残	明晚	万福攸同		吉语款	图版354-2
436	F9①：125	青花团螭纹盘	2	1	已修	明晚	□□□同	万福攸同	吉语款	
437	F9②：33	青花团螭纹盘	17	1	可修	明晚	万福攸同		吉语款	
438	F9②：62	青花团螭纹盘	11	1	可修	明晚	万福攸同		吉语款	图版354-3
439	F9②：65	青花团螭纹盘残底	6	1	残	明晚	万福□同	与F9②：86相拼，万福攸同	吉语款	
440	F9②：80	青花团螭纹盘	8	1	可修	明晚	万福攸同		吉语款	图版354-4
441	F9②：87	青花团螭纹盘	12	1	可修	明晚	万□攸同	万福攸同	吉语款	
442	F12①：42	青花葡萄纹大碗残底	1	1	残	明晚	万福攸同		吉语款	图版354-5
443	G17①：1	青花果枝栖鹊纹盘	4	1	可修	万历	万□攸□	万福攸同	吉语款	
444	L2①：6	青花鹭鸶纹碗残底	1	1	残	明晚	万福攸同		吉语款	图版354-6
445	L2①：115	青花寿字碗残片	1		残	明晚	万福攸同		吉语款	
446	L2③：2	青花蓝地黑花花卉纹盘残片	1		残	明晚	□□攸□	万福攸同	吉语款	

续表

序号	出土单位/编号	名称	数量	计件	完残	年代	款识	备注	款类	图版
447	L2④：6	青花寿字盘残片	2	1	残	明晚	万福攸同		吉语款	图版354-7、8
448	L2④：328	青花团螭纹盘残底	2	1	残	明晚	万福□□	万福攸同	吉语款	
449	ⅣT0606②：15	青花状元杯	3	1	可修	明晚	状元	内底书“状元”，与ⅣT0908①相拼	吉语款	图版355-1
450	F8①：114	青花状元及第碗残底	1	1	残	明晚	□□□第	“状元及第”书于内底	吉语款	
451	L2①：16	青花状元及第碗残底	1	1	残	明晚	□元□第	“状元及第”书于内底	吉语款	图版355-2
452	ⅣT0405④：12	青花状元及第碗残底	1	1	残	明晚	状元□□	“状元及第”书于内底	吉语款	图版355-3
453	ⅣT0504④：12	青花状元及第碗残底	1		残	明晚	□元□□	“状元及第”书于内底	吉语款	图版355-4
454	ⅣT0506①	青花状元及第碗残片	1		残	明晚	□□□第	“状元及第”书于内底	吉语款	
455	TG22②：4	青花状元及第碗	1	1	残	明晚	□□及第	“状元及第”书于内底	吉语款	图版355-7
456	F8①：3	青花金榜题名杯	9	1	已修	万历	金榜□□	“金榜题名”书于外壁	吉语款	图版355-5、6
457	ⅣT0304③A：1	青花金榜题名碗残片	1	1	残	万历	□榜□□	“金榜题名”书于外壁	吉语款	图版355-8
458	F10①	青花折腰花口盘口沿残片	1		残	明中	金□□□	金玉满堂，瓜棱腹	吉语款	
459	TG2④：2	青花麒麟纹折腰花口盘	9	1	可修	明晚	□玉□□	金玉满堂	吉语款	
460	F9②：97	青花松下独吟纹碗残底	1	1	残	万历	长命富贵		吉语款	图版356-1
461	ⅣT0105①：2	青花人物纹碗残底	1	1	残	明晚	长命富贵		吉语款	图版356-2
462	TG23②：1	青花花鸟纹碗底	1	1	残	明晚	流芳□□		吉语款	
463	TG23②：2	青花花鸟纹碗底	1	1	残	明晚	□芳□□		吉语款	
464	F3①：57	青花山石虫草纹盘残底	3	1	残	万历	福寿康宁		吉语款	图版356-3
465	F9①	青花蓝地白花螭龙纹盘残底	1	1	残	明晚	□□善□		吉语款	

续表

序号	出土单位/编号	名称	数量	计件	完残	年代	款识	备注	款类	图版
466	ⅣT0506④：5	青花缠枝花托吉语碗残片	1		残	明晚	□□长□	永保长春	吉语款	图版356-4
467	ⅣT0605①：3	青花云龙纹大方盘残底	1	1	残	明晚	□寿□疆	万寿无疆	吉语款	
468	F8①：1	青花白玉斋铭文碗残底	1	1	残	明晚	□玉斋	堂名款书于内底	堂名款	图版356-5
469	F19①：7	青花白玉斋铭文碗残底	1		残	明末	白玉斋	堂名款书于内底	堂名款	图版356-6
470	G2②：4	青花白玉斋铭文碗	1	1	已修	明末	白□□	堂名款书于内底	堂名款	
471	ⅣT0104①	青花碗残底	1		残	明	□□斋	堂名款书于内底	堂名款	
472	ⅣT0405④：13	青花白玉斋铭文碗残底	1	1	残	明末	白玉斋	堂名款书于内底	堂名款	图版356-7
473	ⅣT0503②：1	青花白玉斋铭文碗	8	1	可修	明末	内底款残	堂名款书于内底	堂名款	
474	ⅣT0506①	青花白玉斋铭文碗残片	1		残	明晚	□玉□	堂名款书于内底	堂名款	
475	ⅣT0604③B：5	青花白玉斋铭文碗残片	1	1	残	明末	□玉斋	堂名款书于内底	堂名款	图版356-8
476	TG56①：1	公道杯	15	1	已修	明晚	漏其卮……	……损斋居士铭	人名	
477	F1①：38	青花奔马纹碗残底	1	1	残	明晚	玉堂佳器		赞颂款	图版357-1
478	F9①：37	青花乘云折桂纹碗	13	1	已修	明晚	玉堂□器		赞颂款	图版357-2
479	F9①：108	青花八仙贺寿纹碗	24	1	可修	明晚	玉堂□□		赞颂款	图版357-3
480	F9②：18	青花乘云折桂纹碗	18	1	已修	明晚	玉堂佳器		赞颂款	图版357-4
481	F9②：58	青花乘云折桂纹碗残底	5	1	残	明晚	玉堂佳器		赞颂款	图版357-5
482	F9②：98	青花狮子穿花纹碗残片	5	1	残	万历	玉堂佳器		赞颂款	图版357-6
483	F10①：9	青花折枝菊纹碗残底	1	1	残	明晚	玉堂佳器	外壁饰凤穿花纹	赞颂款	图版357-7
484	ⅠT0106③：1	青花高士纹杯残片	2	1	残	明晚	玉堂佳器		赞颂款	
485	ⅣT0403①	青花乘云折桂纹碗残片	1		残	明晚	玉堂佳器		赞颂款	

续表

序号	出土单位/编号	名称	数量	计件	完残	年代	款识	备注	款类	图版
486	ⅣT0403②A：1	青花乘云折桂纹碗残片	1	1	残	明晚	玉堂佳器		赞颂款	图版357-8
487	ⅣT0405①：21	青花碗残底	1		残	明晚	玉□佳□		赞颂款	
488	TG10③：30	青花花草纹碗残底	1	1	残	明晚	玉堂佳□		赞颂款	图版358-1
489	TG10③：37	青花凤穿花纹碗	19	1	已修	万历	玉堂佳器	侈口	赞颂款	图版358-2
490	F1①：43	青花折枝菊纹碗残底	1	1	残	明晚	上品佳器	内饰折枝菊纹，外饰凤穿花纹	赞颂款	图版358-3
491	F3①：49	青花狮子纹碗残底	1	1	残	万历	上品佳器		赞颂款	
492	F3①	青花凤穿花纹碗残片	7	1	残	万历	上□佳器		赞颂款	
493	G1①：42	青花螭龙纹碗残底	1	1	残	明晚	上品佳器		赞颂款	图版358-4
494	ⅠT0204①：101	青花奔马纹碗残底	1	1	残	明晚	□品□器		赞颂款	图版358-5
495	ⅠT0204①：102	青花月华纹碗残底	1	1	残	明晚	□品□器		赞颂款	图版358-6
496	ⅣT0102①	青花碗	1		残	明晚	□□佳器		赞颂款	
497	ⅣT0205①	青花折枝花卉纹碗残底	1		残	明	□品佳器		赞颂款	
498	ⅣT0304④：4	青花折枝菊纹碗残底	2	1	残	明晚	□□佳器	外壁饰凤穿花纹	赞颂款	
499	ⅣT0503④：24	青花凤穿花纹碗残片	1		残	万历	上□佳□		赞颂款	
500	ⅣT0505①：11	青花瓔珞纹碗残底	1		残	明晚	□□佳□		赞颂款	
501	ⅣT0506④：13	青花卧马纹碗残底	1	1	残	明晚	上品佳器		赞颂款	图版358-7
502	ⅣT0607①	青花折枝花卉纹碗残底	1	1	残	明晚	□□佳器		赞颂款	
503	TG10①：3	青花马纹碗残片	3	1	残	明晚	上品佳器		赞颂款	图版358-8
504	TG4③	青花鱼纹碗残底	2	2	残	明晚	□□佳□	其一有“□□佳□”款	赞颂款	
505	F3①：42	青花螭龙纹碗残底	1	1	残	明晚	富贵佳器		赞颂款	图版359-1

续表

序号	出土单位/编号	名称	数量	计件	完残	年代	款识	备注	款类	图版
506	F9①	青花螭龙纹盘残片	20	5	残	明晚	富□佳□	一底“富□佳□”，一底铭方款	赞颂款	
507	ⅠT0103②：28	青花蓝地白花花卉纹盘残片	3	1	残	万历	富贵佳器		赞颂款	图版359-2
508	庙台3：2	青花螭龙纹盘残底	1		残	明晚	美器		赞颂款	图版359-3
509	ⅠT0101①：57	青花盘残底	1	1	残	明晚	美器	残存盘底	赞颂款	图版359-4
510	ⅣT0506①：4	青花螭龙纹盘残片	1		残	明晚	美器		赞颂款	图版359-5
511	ⅣT0507①：74	青花螭龙纹盘残片	1	1	残	明晚	□器		赞颂款	
512	F8①：4	青花乘云折桂纹碗残底	1	1	残	万历	兔纹	花押款	图案款	图版360-1
513	F9①：239	青花折枝花卉纹杯残片	1	1	残	明晚	图案款	款不识，外壁饰兰草	图案款	图版360-3
514	G1①：44	青花八仙贺寿纹碗残底	3	1	残	万历	兔纹		图案款	图版360-2
515	ⅣT0104①：21	青花狮子戏球纹花口杯	8	1	可修	清	盘长结		图案款	图版360-4
516	ⅣT0104①：22	青花狮子戏球纹花口杯残片	4	1	残	清	花押款残		图案款	
517	ⅣT0105①	青花山石兰草纹碗残底	1	1	残	清	图案款	款不识	图案款	
518	ⅣT0106①：6	青花灵芝茶花纹盘	3	1	可修	清	花押款	方款	图案款	
519	ⅣT0304①：8	青花白描缠枝花卉纹汤匙	1	1	已修	清	图案款	桃形边框，内画“三”	图案款	图版360-5
520	ⅣT0304①：66	青花灵芝茶花纹盘	3	1	可修	清	花押款	方款	图案款	
521	ⅣT0304①	青花杯残底	1		残	清	盘长结		图案款	
522	ⅣT0304④：5	青花灵芝茶花纹碟	3	1	可修	清	花押款	内底刻纹饰	图案款	
523	ⅣT0305①：50	青花灵芝茶花纹碟	5	1	可修	清	花押款	与ⅣT0203①相拼	图案款	
524	ⅣT0403①：13	青花灵芝茶花纹盘	6	1	可修	清	花押款	方款，内底刻“大”	图案款	

续表

序号	出土单位/编号	名称	数量	计件	完残	年代	款识	备注	款类	图版
525	庙台3：4	青花灵芝茶花纹碟残片	2	1	残	清	花押款		图案款	
526	TG36①：10	青花灵芝茶花纹大碗	4	1	已修	清	图案款	方形图案款	图案款	图版360-6
527	ⅣT0503④：26	哥釉青花牡丹纹碗残片	1	1	残	清	方款残不可识		其他	
528	F19天井①：3	青花铭文碗残底	1		残	明晚	二	铭文“二”底	其他	图版359-6
529	F9②：41	青花乘云折桂纹碗口沿残片	10	1	残	明晚	…精…	口沿外，字款“精”，侈口	其他	图版359-7
530	C5①：3	青花杯残片	1		残	清	…周…		其他	图版359-8
531	ⅠT0105①	青花乘云折桂纹碗残片	1		残	明晚	…像…	小残片	其他	图版360-7
532	ⅠT0201①	青花铭文碗残片	1	1	残	明	…天…		其他	
533	ⅣT0503④：25	青花秋叶纹碗残片	1		残	明晚	梧…	原文应为“梧桐叶落，天下皆秋”	其他	
534	ⅣT0503④：27	青花铭文碗残片	1		残	明晚	不可识		其他	
535	ⅣT0504②B：3	青花秋叶纹碗残片	1		残	明晚	…叶…	“梧桐叶落，天下皆秋”	其他	图版360-8
536	ⅣT0504④：7	青花秋叶纹碗残片	1		残	明晚	□桐…	“梧桐叶落，天下皆秋”	其他	图版361-1
537	ⅣT0504④：9	青花铭文碗口沿残片	1		残	明晚	不可识	铭文残不可识	其他	图版361-2
538	ⅣT0604④：3	青花秋叶纹碗残底	1	1	残	明晚	…天下…	“梧桐叶落，天下皆秋”	其他	图版361-3
539	ⅣT0604④：4	青花铭文碗残片	1		残	明晚	不可识	有铭文	其他	图版361-4
540	ⅣT0604④：5	青花铭文碗残片	1		残	明晚	不可识	有铭文	其他	图版361-5
541	ⅣT0604④：6	青花铭文碗残片	1		残	明晚	不可识	有铭文	其他	图版361-6
542	ⅣT0604④：7	青花铭文碗残片	1		残	明晚	不可识	有铭文	其他	图版361-7
543	ⅣT0604④：8	青花铭文碗残片	1		残	明晚	不可识	有铭文	其他	图版361-8
544	ⅣT0604④：9	青花铭文碗残片	1		残	明晚	不可识	有铭文	其他	

续表

序号	出土单位/编号	名称	数量	计件	完残	年代	款识	备注	款类	图版
545	ⅣT0606②：13	青花秋叶纹碗残底	1	1	残	明	…天下皆□	“梧桐叶落，天下皆秋”	其他	
546	F9①：26	青花海水火焰八卦纹盘残底	1		残	万历	方款不识		方款不识	
547	F9①：41	青花螭龙纹盘残底	4	1	残	隆庆	方款不识	蟠螭	方款不识	
548	F9①：43	青花白描缠枝花卉纹碗残底	1	1	残	清	方款不识		方款不识	
549	F9①：127	青花果枝栖鹊纹盘	4	1	已修	万历	方款不识	盘底方款	方款不识	
550	F9①	青花寿字盘残片	20	2	残	明晚	富贵佳器		吉语款	
551	F9②：35	青花螭龙纹盘	7	1	可修	隆庆	富贵佳器	蟠螭	吉语款	图版362-1
552	F12①：44	青花铭文碗残底	1		残	明晚	方款不识		方款不识	
553	F19①：6	青花螭龙纹碗残底	1		残	明晚	方款不识	外底刻“峦”	方款不识	图版362-2
554	F29①	青花海水蟹纹盘残底	1		残	明晚	方款不识		方款不识	
555	现代坑7：1	青花寿字碗残片	1	1	残	明晚	方款不识		方款不识	
556	K3①：33	青花螭龙纹盘残底	1	1	残	明晚	方款不识		方款不识	
557	G1②：46	青花果枝栖鹊纹盘	4	1	已修	万历	方款不识		方款不识	
558	G2①	青花团螭纹大盘残片	3		残	明晚	方款不识		方款不识	
559	ⅠT0101②	青花魁星踢斗纹盘残片	1	1	残	万历	方款不识		方款不识	
560	ⅠT0101②	青花盘残底	2	2	残	明	方款不识		方款不识	
561	ⅡT0101①	青花白描缠枝花卉纹碗残片	1	1	残	清	方款不识		方款不识	
562	ⅣT0102①	青花白描缠枝莲纹碗残片	2	1	残	清	方款不识		方款不识	

续表

序号	出土单位/编号	名称	数量	计件	完残	年代	款识	备注	款类	图版
563	ⅣT0106①：5	青花魁星踢斗纹盘	8	1	已修	万历	方款不识		方款不识	图版362-3
564	ⅣT0106①：15	青花白描龙凤纹茶碗	9	1	已修	清	方款残不可识	撇口，深弧腹，圈足	方款不识	
565	ⅣT0204①：12	青花双艳纹盘残片	1	1	残	明晚	方款不识		方款不识	
566	ⅣT0304①：34	青花白描缠枝花卉纹杯	4	1	已修	清	方款不识		方款不识	
567	ⅣT0304①	青花折枝花卉纹碗残底	1	1	残	明晚	方款不识		方款不识	
568	ⅣT0305③A	青花人物纹盘残片	2		残	明晚	方款不识		方款不识	
569	ⅣT0305④：76	青花盘残底	1	1	残	明晚	方款不识		方款不识	
570	ⅣT0405④：11	青花福字盘残底	1	1	残	明晚	方款不识		方款不识	
571	ⅣT0503④：29	青花螭龙纹碗残底	1		残	明晚	方款残不可识		方款不识	
572	ⅣT0503④：31	青花萱草纹盘残片	1		残	明晚	方款残不可识		方款不识	
573	ⅣT0504②B：1	青花灵芝茶花纹碗残底	1	1	残	清	方款残不可识		方款不识	
574	ⅣT0604③B：8	青花盘残片	1	1	残	明晚	方款不识		方款不识	
575	ⅣT0604④：1	青花螭龙纹盘残底	1		残	明晚	方款不识	底部有方款	方款不识	
576	ⅣT0706①：5	青花寿字盘	5	1	残	明晚	方款不识		方款不识	图版362-5、6
577	TG55②：44	青花螭龙纹盘	4	1	可修	明晚	方款不识		方款不识	图版362-4
578	TG47③：24	青花魁星踢斗纹盘残片	5	1	残	万历	方款不识		方款不识	图版362-7
579	F29①：66	青花松竹梅纹盘残片	3	1	残	明晚	款残		款残	
580	K3①	青花折枝菊纹碗残底	1		残	明晚	款残	外壁饰凤穿花纹	款残	
581	K3①	青花兔纹盘底残片	1		残	明晚	款残		款残	
582	C4③：1	青花高官厚禄纹碗	3	1	可修	明晚	款不可识	外壁绘母婴图	款不识	

续表

序号	出土单位/编号	名称	数量	计件	完残	年代	款识	备注	款类	图版
583	L2①：54	青花蓝地白花莲池纹碗	3	1	已修	明晚	款残不识		款残	
584	L2②	青花葡萄纹大碗残片	4	1	残	明晚	款不可识	1片外底款不可识	款不识	
585	Ⅰ T0103②	青花碗残底	1		残	明晚	款残		款残	
586	Ⅰ T0201①	青花人物纹碗底	1		残	明	款残		款残	
587	Ⅳ T0106①	青花缠枝变形莲纹碗底	1	1	残	清	款不可识		款不识	
588	Ⅳ T0106①	青花牡丹纹碗残底	1		残	明晚	款残		款残	
589	Ⅳ T0106①	青花折枝花卉纹碗残底	1		残	明晚	款不可识		款不识	
590	Ⅳ T0207①	青花缠枝菊纹碗残片	2	2	残	明	款残不识	或为凤穿花	款不识	
591	Ⅳ T0304①：36	青花白描缠枝花卉纹汤匙	2	1	已修	清	款残		款残	
592	Ⅳ T0304④	青花铭文碗残片	1		残	明晚	铭文不识		款不识	
593	Ⅳ T0505①：6	青花春宫图卧足碗残底	1	1	残	万历	款残		款残	
594	Ⅳ T0807①：6	青花折枝花卉纹碗残底	1	1	残	明晚	款不可识		款不识	
595	TG32①：2	青花蟹纹盘	8	1	已修	明晚	款不可识	撇口，外底方款	款不识	
596	F8①：263	青花红彩鹭鸶纹碗底残片	1		残	明晚	□□攸同	万福攸同	吉语款	图版362-8
597	F10①：92	青花红彩鹭鸶纹碗底残片	1	1	残	明晚	万□□□	万福攸同	吉语款	
598	G12①：2	青花红彩狮子戏球纹杯残片	4	1	残	明晚	成化年造	款识书于内底	寄托款/纪年款	图版363-1
599	G12①：3	青花红彩鹭鸶纹碗残底	1	1	残	明晚	万福攸同		吉语款	
600	Ⅱ T0101①：26	青花红彩麒麟纹碗残片	2	1	残	明晚	□□攸□	万福攸同	吉语款	

续表

序号	出土单位/编号	名称	数量	计件	完残	年代	款识	备注	款类	图版
601	F8①：102	青花釉里红鱼藻纹大碗残片	3	1	残	明晚	大□宣□□造	与F8①：103/F8①：107相拼	寄托款/纪年款	图版363-2
602	F8①：104	青花釉里红鱼藻纹大碗	8	1	可修	明晚	大□□德□□		寄托款/纪年款	图版363-3
603	F8①：105	青花釉里红鱼藻纹大碗残片	1	1	残	明晚	□□□□□制	与ⅣT0606④相拼	寄托款/纪年款	
604	F9①：16	青花釉里红乳虎纹杯	14	1	可修	明晚	□明宣□年制		寄托款/纪年款	图版363-4
605	F9①：50	青花釉里红喜鹊登梅纹碗残片	5	1	残	明晚	大明宣德年制	与F9①：58相拼	寄托款/纪年款	图版363-5
606	F9①：53	青花釉里红喜鹊登梅纹碗	11	1	已修	明晚	大明□德年□		寄托款/纪年款	
607	F9①：82	青花釉里红乳虎纹杯	5	1	可修	明晚	大明宣德年□		寄托款/纪年款	图版363-6
608	F9①：97	青花釉里红乳虎纹杯	5	1	可修	明晚	□□□□□制	与F9②：99相拼	寄托款/纪年款	
609	F9①：114	青花釉里红喜鹊登梅纹碗残片	1	1	残	明晚	大明□德年□		寄托款/纪年款	
610	F9①：115	青花釉里红乳虎纹杯	8	1	可修	明晚	□明宣德年制	与F9①：118相拼	寄托款/纪年款	图版363-7
611	F9①：145	青花釉里红喜鹊登梅纹碗	9	1	可修	明晚	款残	圈足外壁饰萱草纹，宣德寄托款	寄托款/纪年款	
612	F9①：146	青花釉里红喜鹊登梅纹碗	7	1	可修	明晚	款残	圈足外壁饰萱草纹，宣德寄托款	寄托款/纪年款	
613	F9②：21	青花釉里红鱼藻纹大碗	31	1	可修	明晚	□□宣□年造		寄托款/纪年款	图版363-8
614	F9②：26	青花釉里红喜鹊登梅纹碗	9	1	可修	明晚	□□□德年□	圈足外壁饰萱草纹	寄托款/纪年款	
615	F9②：40	青花釉里红乳虎纹杯	16	1	已修	明晚	□□□□□制	宣德寄托款	寄托款/纪年款	

续表

序号	出土单位/编号	名称	数量	计件	完残	年代	款识	备注	款类	图版
616	F9②：72	青花釉里红喜鹊登梅纹碗	11	1	可修	明晚	□明宣德年制	圈足外壁饰萱草纹，与ⅣT0607①：45相拼	寄托款/纪年款	
617	F9②：92	青花釉里红鱼藻纹大碗	37	1	可修	明晚	大明宣□年制		寄托款/纪年款	
618	K5①：1	青花釉里红喜鹊登梅纹碗残片	1	1	残	明晚	大明宣德年制		寄托款/纪年款	图版364-1
619	ⅣT0506②	青花釉里红鱼藻纹大碗残片	1		残	明晚	□□□德年□		寄托款/纪年款	
620	ⅣT0606②：9	青花釉里红乳虎纹杯残片	1	1	残	明晚	□明宣□年制		寄托款/纪年款	图版364-2
621	F9①：9	青花五彩鹭莲纹盘残片	6	1	残	嘉靖	大明嘉靖年制		纪年款	图版364-3
622	F9②：66	青花五彩高士纹盘	21	1	已修	嘉靖	大明嘉靖年制		纪年款	图版364-4
623	F9②：82	青花五彩狮子戏球纹盘残片	12	1	残	嘉靖	□明嘉□□制		纪年款	图版364-5
624	F9②：91	青花五彩刘海戏金蟾纹盘	16	1	已修	嘉靖	大明嘉靖□□	与L2①：15相拼	纪年款	
625	ⅣT0606②：14	青花五彩高士纹盘残底	1	1	残	嘉靖	大□□靖□□		纪年款	
626	ⅣT0106①：2	青花五彩仕女纹盘残底	1	1	残	明晚	玉堂□□		赞颂款	图版364-6
627	ⅣT0603②A：6	青花五彩云鹤纹杯残底	3	1	残	明晚	福		吉语款	
628	ⅣT0202①	红彩碗底残片	1		残	清	□□□□□制		纪年款	
629	F19①：3	粉彩碗残片	2	1	残	嘉庆	大清嘉庆年制	粉彩已脱落	纪年款	图版364-7
630	F19①：12	粉彩开光竹纹碗	17	1	可修	嘉庆	大清嘉庆年制	内底刻“仁”字	纪年款	图版364-8
631	ⅣT0102①：33	粉彩竹纹碗残底	1	1	残	清	盘长结		图案款	
632	ⅣT0103①：33	粉彩花果纹碗残底	1	1	残	清	□□□□年□		纪年款	

续表

序号	出土单位/编号	名称	数量	计件	完残	年代	款识	备注	款类	图版
633	ⅣT0507①：7	粉彩缠枝莲开光喜字盖	2	1	已修	清	道光年制		纪年款	
634	F8①：132	粗瓷碗底（小平底）残片	1	1	残	明	常□□		不识	
635	G2②：27	青釉粗瓷碗	5	1	可修	明	不可识	墨书铭文	不识	
636	ⅣT0102①：42	粗瓷碗残底	1	1	残	明清	不可识	墨书铭文	不识	
637	ⅣT0102①	粗瓷钵残片	4		残	明清	不可识	一底青料书文字，残不识	不识	
638	ⅣT0104①：24	青釉粗瓷碗残底	1	1	残	明清	不可识	墨书铭文	不识	
639	ⅣT0202①：109	青釉粗瓷碗残片	1		残	明清	不可识	墨书铭文	不识	
640	ⅣT0202①	粗瓷钵残片	1		残	明清	不可识	与ⅣT0101①相拼	不识	
641	ⅣT0503②：3	粗瓷碗残底	1	1	残	明清	不可识	墨书铭文	不识	

附表13　出土遗物拼接情况表

序号	出土单位/编号	器形	类型	名称/部位	计件	可修	年代	款识（铭文）	备注
1	F1①：39	笔筒		青花缠枝花卉纹笔筒残片	1	残	正德		与ⅣT0405①/ⅣT0503④：18共7片相拼
2	F1①：63	脊兽	正吻A	头及一侧面局部		残	明晚		与ⅠT0101①：1两块/ⅠT0101①：2/ⅣT0101①：18/F10①：17共6块相拼
3	F1①：65	脊兽	正吻A	背面残块		残	明晚		与F1③：8/F1③：12共4块相拼
4	F1①：66	脊兽	合角吻	卷尾		残	明晚		与ⅠT0101①：35/C1①：14/ⅣT0202①：4共4块相拼
5	F1①：85	炉		酱釉粗瓷筒形炉残片	1	残	明		与F10①/ⅣT0201①/ⅠT0102①三片共11片相拼
6	F1①：90	钵		青花敛口钵残片	1	残	万历	大□□历四年	与K5①/ⅠT0103②/ⅠT0102②三片共9片相拼
7	F1①：91	器盖		青花草虫纹器盖残片	1	残	万历		与ⅠT0102②三片共4片相拼
8	F1②：24	脊兽	垂戗Bc	凸棱尾		残	明晚		与ⅠT0101①：25共2块相拼
9	F1③：4-1	脊兽	垂戗A	垂戗兽	1	残	明晚		与ⅠT0101①：14/ⅠT0101①：17共25块相拼，有角
10	F1③：9	脊兽	正吻A	正吻卷尾		残	明晚		与F1③：15/F1③：10两块共5块相拼
11	F2①：26	脊兽	垂戗Bc	草胡子	1	残	明晚		与ⅣT0507①：87共2块相拼
12	F2①：28	脊兽	垂戗Bc	雀台	1	残	明晚		与L2①：61两块/L2②：15两块/L2②：24六块/L2④：36/L2④：33/L2①：57两块/L2④：25两块共17块相拼
13	F3①：36	脊兽	垂戗A	雀台	1	残	明晚		与F3①：84共2块相拼
14	F3①：54	脊兽	垂戗A	大腿、雀台	1	残	明晚		与ⅣT0207①：5共2块相拼
15	F3①：60	脊兽	望兽A	雀台		残	明晚		与F3①：79共2块相拼为右侧
16	F3①：62	脊兽	望兽A	卷毛	1	残	明晚		与ⅣT0306①：6共2块相拼
17	F3①：85	脊兽	垂戗A	尾、爪毛		残	明晚		与ⅣT0305①：38/ⅣT0305④：40二块/ⅣT0504④：35共5块相拼为尾部
18	F3①：87	脊兽	垂戗Bc	卷毛、凸棱尾	1	残	明晚		与ⅣT0607①：3/ⅣT0607①：29共3块相拼
19	F3①：105	脊兽	正吻B	残块，耳部		残	明晚		与ⅣT0606④：6共2块相拼

续表

序号	出土单位/编号	器形	类型	名称/部位	计件	可修	年代	款识（铭文）	备注
20	F8①：102	碗		青花釉里红鱼藻纹大碗残片	1	残	明晚	大□宣□□造	与F8①：103/F8①：107共10片相拼
21	F8①：105	碗		青花釉里红鱼藻纹大碗残片	1	残	明晚	□□□□□制	与ⅣT0606④共2片相拼
22	F8①：140	脊兽	望兽B/C	上唇		残	明晚		与F8①：146共2块相拼
23	F8①：141	脊兽	望兽B/C	耳部	1	残	明晚		与F8①：144/G1②：51共3块相拼
24	F8①：151	脊兽	望兽B/C	尾部		残	明晚		与ⅣT0303③A：4/K4②：11共5块相拼
25	F8①	罐		青花缠枝花卉纹罐残片	3	残	明晚		与ⅣT0606④共12片相拼
26	F8①	碗	Da	青花草虫纹碗残片	1	残	明晚		与ⅣT0502①共13片相拼
27	F8①	盘	官	青花正面五爪龙纹盘残片		残	嘉靖		与ⅣT0503②共2片相拼
28	F8②：28	脊兽	垂戗Bb	草胡子、爪	1	残	明晚		与G2①：31两块共4块相拼
29	F8③：8	罐		青花庭院人物纹盖罐	1	已修	万历		与K3①共42片相拼
30	F8③：21	碗	Ab	青花月华纹大碗	1	可修	明晚		与ⅣT0405②A共20片相拼
31	F9①：4	碗	Bd	青花花果纹大碗残底	1	残	明晚	大明□德年制	与F9①：18/F9①：19共8片相拼
32	F9①：5	盘	B	青花螭龙纹盘残底	1	残	隆庆	大明年造	与F9①：104共2片相拼
33	F9①：6	盘	B	青花双艳纹盘	1	已修	明晚	宣德年置	与F9②：68共7片相拼
34	F9①：13	盘	B	青花团螭纹盘残底	1	残	明晚	万福攸同	与F9①：21共7片相拼
35	F9①：17	靶盏		青花凤穿花纹靶盏	1	已修	明晚	宣德□制	与F9②：38共14片相拼
36	F9①：20	盘	B	青花团螭纹盘	1	可修	明晚	万福攸同	与F9②：63共7片相拼
37	F9①：23	盘	Ab	青花鹭莲纹印花花口盘	1	已修	明晚	大明宣德年制	与F9②：55共12片相拼
38	F9①：28	盘	C	青花白描灵芝纹盘残底	1	残	万历	大明宣德□□	与F9②：13、F9②：28共5片相拼
39	F9①：36	盘	B	青花双艳纹大盘残片	1	残	明晚	宣德年置	与L2①共2片相拼

续表

序号	出土单位/编号	器形	类型	名称/部位	计件	可修	年代	款识（铭文）	备注
40	F9①：39	靶盏		青花凤穿花纹靶盏足柄处	1	残	明晚		与ⅣT0306①：3、ⅣT0505②B共3片相拼
41	F9①：42	盘	B	青花螭龙纹盘残底	1	残	隆庆	□庆年造	与F9①：106共8片相拼
42	F9①：44	杯	B	青花松鼠瓜果纹杯	1	可修	明晚	大□□德年制	与F9①：60共7片相拼
43	F9①：49	盘	B	青花双艳纹盘	1	可修	明晚	万福攸同	与F9①：70共5片相拼
44	F9①：50	碗		青花釉里红喜鹊登梅纹碗残片	1	残	明晚	大明宣德年制	与F9①：58共6片相拼
45	F9①：51	杯	C	青花凤纹杯	1	可修	明晚	大明宣德年制	与F9①：62共11片相拼
46	F9①：52	碗	官	青花缠枝四季花卉纹碗	1	可修	万历	大明万历年制	官式，与F9②：2共21片相拼
47	F9①：64	盘	B	青花行螭暗刻灵芝纹大盘	1	可修	隆庆	隆庆年制	与F9②：17共11片相拼
48	F9①：66	杯	C	青花凤纹杯	1	已修	明晚	大明宣德年制	与F9②：52共6片相拼
49	F9①：73	盘	B	青花螭龙纹盘残底	1	残	隆庆	大明年造	与F9②：84共6片相拼
50	F9①：80	盘	官	青花正面五爪龙纹盘	1	可修	嘉靖		官式，与ⅣT0606②共14片相拼
51	F9①：81	盘	官	青花正面五爪龙纹盘	1	可修	嘉靖		官式，与F9②：42共14片相拼
52	F9①：93	杯	B	青花莲池水禽纹杯	1	可修	明晚	□明宣德年制	与F9①：95共9片相拼
53	F9①：96	杯	B	青花双弦纹杯残底	1	残	明晚	大□□德□□	与F9②：9共4片相拼
54	F9①：97	杯		青花釉里红乳虎纹杯	1	可修	明晚	□□□□□制	与F9②：99共6片相拼
55	F9①：105	盘	官	青花正面五爪龙纹盘残片	1	残	嘉靖	大□□靖□□	官式，与ⅣT0404①共5片相拼
56	F9①：115	杯		青花釉里红乳虎纹杯	1	可修	明晚	□明宣德年制	与F9①：118共9片相拼
57	F9①：243	靶盏		青花应龙纹靶盏残片	1	残	明晚		与F19②共14片相拼
58	F9①	碗		哥釉青花牡丹纹碗残片		残	清		与ⅣT0304①、ⅣT0201①共3片相拼
59	F9②：5	盘	B	青花螭龙纹盘残底	1	残	隆庆	大明年造	与F9②：70共7片相拼

续表

序号	出土单位/编号	器形	类型	名称/部位	计件	可修	年代	款识（铭文）	备注
60	F9②：6	碗	Bc	青花夔龙纹碗	1	可修	明晚	大明宣德年制	与F9②：78共8片相拼
61	F9②：7	盘	B	青花螭龙纹盘残底	1	残	隆庆	大明年造	与F9②：16共3片相拼
62	F9②：19	碗	Bc	青花夔龙纹碗残片	1	残	明晚	大明宣德年制	与F9②：81共8片相拼
63	F9②：22	碗	Bc	青花夔龙纹碗	1	可修	明晚	大□宣德年制	与F9②：51共17片相拼
64	F9②：29	盘	B	青花缠枝灵芝纹寿字盘	1	可修	明晚	寿	与F9②：67共11片相拼
65	F9②：34	杯	B	青花松鼠瓜果纹杯	1	已修	明晚	大明宣德年制	与F9②：74共8片相拼
66	F9②：50	靶盏		青花山水楼阁纹靶盏残片	1	残	明晚	大明万历年制	与F9②：54共14片相拼
67	F9②：65	盘	B	青花团螭纹盘残底	1	残	明晚	万福□同	与F9②：86共7片相拼
68	F9②：72	碗		青花釉里红喜鹊登梅纹碗	1	可修	明晚	□明宣德年制	圈足外壁饰萱草，与ⅣT0607①：45共12片相拼
69	F9②：73	盘	C	青花树石栏杆纹盘	1	已修	明中晚		与F9②：77共19片相拼
70	F9②：91	盘		青花五彩刘海戏金蟾纹盘	1	已修	嘉靖	大明嘉靖□□	与L2①：15共17片相拼
71	F10①：5	香炉		孔雀绿釉鼎式香炉残片	1	残	明		与ⅠT0202①一片、ⅣT0405①一片共5片相拼
72	F10①：15	盘	B	青花团兔纹大盘残片	1	残	明晚		外侧团兔纹，内侧云鹤纹，与ⅣT0303④共7片相拼
73	F10①：16	瓶	瓶	青花双耳瓶残片	1	残	明晚		与ⅠT0306①两片共3片相拼
74	F10①：24	脊兽	望兽B/C	尾、爪毛处		残	明晚		与F12①：65/F12①：66共3块相拼
75	F10①：46	脊兽	垂戗A	尾部	1	残	明晚		与ⅠT0101①：18/ⅠT0101①：34/ⅠT0101②：2两块/ⅠT0101②：3/ⅠT0102②：7/ⅡT0101①：7/ⅣT0101①：23/ⅣT0101①：24/F10①：35三块/F10①：33/F10①：38/F10①：36共16块相拼
76	F10①：37	脊兽	垂戗A	雀台后部	1	残	明晚		与ⅠT0101①：33两块/ⅠT0101②：1两块/F10①：52/F10①：39三块/F10①：44/ⅣT0101①：28/F10①：45共12块相拼

续表

序号	出土单位/编号	器形	类型	名称/部位	计件	可修	年代	款识（铭文）	备注
77	F10①：53	脊兽	垂戗A	腿及尾部		残	明晚		与ⅣT0305④：28共3块相拼
78	F10①	罐		青花罐残片		残	明晚		与ⅣT0304①共6片相拼
79	F12①：60	脊兽	垂戗A	头部	1	残	明晚		与ⅢT0101①：10三块/ⅢT0101①：9/ⅡT0101①：10四块共10块相拼
80	F12①：67	脊兽	望兽B/C	雀台、尾部		残	明晚		与ⅣT0304①：30/G2①：29共3块相拼
81	F19①：1-1	脊兽		望兽角		残	明晚		与F19天井②：1共2节相拼
82	F19①：29	脊兽	望兽B/C	头部	1	残	明晚		与F19①：28/F19②：17共5块相拼
83	F19①：30	脊兽	望兽B/C	鼻		残	明晚		与F19①：32共2块相拼
84	F19①：33	脊兽	望兽B/C	下唇残块		残	明晚		与ⅣT0403①：6/G9①：2/G9①：5/G2③：127四块共8块相拼
85	F19①：34	脊兽	望兽A	颈部		残	明晚		与ⅣT0403①：5/ⅣT0305④：17/F19②：18共4块相拼
86	F19①：44	脊兽	垂戗A	尾部		残	明晚		与ⅣT0404④：3共4块相拼
87	F19①：52	脊兽	垂戗Bc	雀台侧面		残	明晚		与L2①：4八块/L2②：14/L2①：71两块/L2①：58两块/L2①：62五块/L2①：56/L2①：65三块/L2④：28四块共28块相拼
88	F19①：53	脊兽	望兽A	后颈		残	明晚		与ⅣT0403①：3/ⅠT0104④：3共3块相拼
89	F19①：54	脊兽	正吻B	卷尾		残	明晚		与ⅣT0606④：5/ⅣT0605②：4共3块相拼
90	F19①：55	脊兽	望兽B/C	腿部		残	明晚		与ⅣT0504④：28/ⅣT0305①：31两块共4块相拼
91	F19①：82	瓷塑		青花持莲人物瓷塑残片	1	残	明晚		与Ⅳ0506①共7片相拼
92	F19①	香炉		青花花卉纹香炉残片	1	残	明晚		与ⅣT0405④共3片相拼，为口沿及腹部残片，浅盘口，短束颈，鼓腹，颈部及腹部绘花卉纹，残高6.9厘米
93	F19①	香熏		镂空灵芝纹香熏残片		残	万历		与ⅣT0404①共5片相拼

续表

序号	出土单位/编号	器形	类型	名称/部位	计件	可修	年代	款识（铭文）	备注
94	F19②：40	铁锅	敞口	敞口铁锅	1	残	明		与C8①：5两块共4块相拼，直径30厘米左右
95	F29①：32	脊砖	Fa	缠枝牡丹纹小脊砖		残	明晚		与F29①：51/F29①：52共3块相拼
96	F29①：33	脊砖	Fa	缠枝牡丹纹小脊砖挡板		残	明晚		与F29①：50共2块相拼
97	F29①：38	脊砖	Fa	缠枝牡丹纹小脊砖	1	残	明晚		与F29①：36/F29①：53共3块相拼
98	F29①：40	脊砖	Fa	缠枝牡丹纹小脊砖		残	明晚		与F29①：41共2块相拼
99	F29①：45	脊砖	Fa	缠枝牡丹纹小脊砖	1	残	明晚		与F29①：48共2块相拼
100	K4②：50	脊砖	Fb	缠枝葡萄纹小脊砖	1	残	明晚		与K4②：70、K4②：73、K4②：74共5块相拼
101	K4②：72	脊砖	Fb	缠枝葡萄纹小脊砖	1	残	明晚		与K4②：58、K4②：71相拼
102	K6①：25	脊砖	Fa	缠枝牡丹纹小脊砖		残	明晚		顶部残块与K6①：28共2块相拼
103	G1②：50	脊兽	望兽B/C	耳部		残	明晚		与ⅣT0704①：3共2块相拼
104	G1②：53	脊兽	望兽B/C	嘴	1	残	明晚		与K2①：6共2块相拼
105	G2①：49	盘	D	青花松竹梅盘字纹盘	1	可修	明晚		与ⅠT0105①共2片相拼
106	G2②：80	脊兽	垂戗A	上唇		残	明晚		与ⅠT0101②：4/ⅣT0504③：1共3块相拼
107	G2③：128	脊兽	望兽B/C	火焰		残	明晚		与G9①：1共2块相拼
108	G3①：1	镶器		青花镶器残片	1	残	明晚		与ⅣT0405①/ⅣT0405④两片/ⅣT0503④/ⅣT0504④/ⅣT0603④共7片相拼
109	G8①：2	脊兽	正吻B	残块	1	残	明晚		与ⅣT0305①：30/ⅣT0506①：17/ⅣT0504④：33/ⅣT0605②：2/ⅣT0605②：3/ⅣT0506②：15两块/G12①：11/ⅣT0606④：3两块/L2①：72共12块相拼
110	G12①：12	脊兽	正吻B	卷尾		残	明晚		与L2③：5/ⅣT0606④：4共3块相拼
111	G12①：13	脊兽	正吻B	吞口	1	残	明晚		与L2③：6共2块相拼

续表

序号	出土单位/编号	器形	类型	名称/部位	计件	可修	年代	款识（铭文）	备注
112	C1①	盘	D	青花山水楼阁纹大盘残底	1	残	明晚		与ⅣT0305④共2片相拼
113	C6①：2	脊兽	望兽B/C	爪毛		残	明晚		与现代坑4：2共3块拼
114	C6①：4	脊兽	垂戗A	大腿		残	明晚		与ⅡT0102①：2共2块相拼
115	L2①：1	勾头	Ba	莲花纹大勾头	1	残	明晚		与L2①：43共2块相拼
116	L2①：3	脊兽	垂戗A	头部		残	明晚		与ⅣT0507①：88共2块相拼
117	L2①：59	脊兽	垂戗Bc	卷毛、草胡子	1	残	明晚		与ⅣT0506①：19/L2④：27两块共4块相拼
118	L2②：17	脊兽	垂戗Bb	尾部		残	明晚		与L2④：34共2块相拼
119	L2②：18	脊兽	垂戗A	尾部		残	明晚		与ⅣT0706③：1共4块相拼
120	L2③：7	脊兽	垂戗Bc	尾部		残	明晚		与L2③：8共4块相拼
121	L2④：5	碗	Bd	青花狮子穿花纹大碗残片	1	残	明晚	大明宣德年制	内底饰如意云头纹，与ⅣT0507①：40共7片相拼
122	L2④：26	脊兽	垂戗Bc	尾部		残	明晚		与F2①：29共2块相拼
123	ⅠT0101①：4	脊兽	正吻A	背兽		残	明晚		与ⅠT0101①：36两块拼合为背兽残件
124	ⅠT0101①：10	脊兽	望兽B/C	大腿		残	明晚		与ⅠT0104④：4共2块相拼
125	ⅠT0101②：10	盘	不可识	青花婴戏纹大盘残底	1	残	万历	□□万□□□	与ⅣT0405①：19共2片相拼
126	ⅠT0102②：1	脊兽	望兽B/C	耳部		残	明晚		与ⅠT0102②：3/ⅠT0102②：30共3块相拼
127	ⅠT0102②：5	脊兽	垂戗A	残块	1	残	明晚		与ⅠT0102②：17/ⅠT0102②：11/ⅠT0103④：26/ⅠT0103④：24/ⅠT0103④：32/ⅠT0103④：17共9块相拼为一垂兽
128	ⅠT0102②：6	脊兽	垂戗A	头部		残	明晚		与ⅠT0103④：38/ⅠT0102②：9/ⅠT0103④：21两块共7块相拼
129	ⅠT0102②：12	脊兽	垂戗Bb	卷毛（针叶状）		残	明晚		与ⅣT0207④：1共2块相拼
130	ⅠT0102②：33-1	脊兽	脊兽角	垂戗兽角	1	残	明晚		与ⅠT0103③：9/ⅠT0103④：37-1共4节相拼

续表

序号	出土单位/编号	器形	类型	名称/部位	计件	可修	年代	款识（铭文）	备注
131	Ⅰ T0102②：53	脊砖	E	缠枝卷草纹长脊砖	1	可修	明晚		与Ⅰ T0103④一块共4块相拼
132	Ⅰ T0103②：12	脊兽	垂戗A	尾部		残	明晚		与Ⅰ T0103④：36两块/Ⅰ T0103④：23两块共6块相拼
133	Ⅰ T0103④：20	脊兽	垂戗A	头部		残	明晚		与Ⅰ T0103④：28共3块相拼
134	Ⅰ T0104④：1	石杵		石杵	1	完整	明		与ⅣT0206①：3共2节相拼
135	Ⅰ T0201②：1	盘		孔雀绿釉盘残底	1	残	明		与Ⅰ T0103①共2片相拼
136	Ⅰ T0204①：14	滴水	Ba	莲花纹滴水	1	残	明晚		与Ⅰ T0204①：15共2块相拼
137	Ⅰ T0405①：13	碗		白瓷碗残片		残	明晚		内底上拱，与Ⅰ T0101①共3片相拼
138	ⅡT0101①：5	脊兽	合角吻	草胡子	1	残	明晚		与ⅢT0201①：1/ⅣT0305④：13共4块相拼
139	ⅣT0103①：20	脊兽	垂戗A	爪毛		残	明晚		与ⅣT0506④：7共2块相拼
140	ⅣT0103①：30	脊砖	B	缠枝莲花纹大脊砖	1	残	明晚		与Ⅰ T0102②一块共4块相拼
141	ⅣT0103①：36	脊砖	B	缠枝莲花纹大脊砖	1	残	明晚		与Ⅰ T0103②一块共4块相拼
142	ⅣT0202①：7	脊兽	垂戗Bb	尾部		残	明晚		与ⅣT0203①：6两块共3块相拼
143	ⅣT0202①：71	碗		蓝釉碗残片	1	残	清		与ⅣT0203①、ⅣT0203②A、ⅣT0305④共6片相拼
144	ⅣT0202①：72	碗		蓝釉碗残片	1	残	清		与ⅣT0106①/ⅣT0203①共3片相拼
145	ⅣT0202①	盘	B	青花凤穿牡丹纹大盘残片		残	清		与ⅣT0206①共6片相拼
146	ⅣT0203①	罐		青花狮子穿花纹罐残片		残	万历		与ⅣT0203②A共3片相拼
147	ⅣT0203④	罐		粗瓷束颈罐残片		残	清		与ⅣT0203②A共7片相拼
148	ⅣT0205①：17	灯盏		青花荷叶纹灯盏残片	1	残	元代		与ⅣT0403①：12共2片相拼
149	ⅣT0206①：36	盘		青花釉里红狮子戏球纹大盘	1	可修	清		与现代坑3/ⅣT0404①/ⅣT0405①/ⅣT0708①两片共15片相拼
150	ⅣT0303③A：5	盘	B	青花梵文寿字大盘	1	可修	清	寿	与ⅣT0507①/ⅣT0606②共20片相拼

续表

序号	出土单位/编号	器形	类型	名称/部位	计件	可修	年代	款识（铭文）	备注
151	ⅣT0304①：17	铁锅	直口	直口铁锅	1	可修	明		与ⅣT0305①：1、ⅣT0106①：118共4块相拼
152	ⅣT0304①：31	脊兽	垂戗Bb	嘴		残	明晚		与ⅣT0505②A：1共2块相拼
153	ⅣT0304①：57	碗		哥釉青花牡丹纹碗残底	1	残	清		与现代坑1/ⅣT0305④共7块相拼
154	ⅣT0304①：58	碗		哥釉青花牡丹纹碗残底	1	残	清		与IVT0102①—腹片/ⅣT0505①—片共4片相拼
155	ⅣT0304①：59	碗		哥釉青花牡丹纹碗残底	1	残	清		与ⅣT0201①/ⅣT0304④/ⅣT0305①/ⅣT0305④共12片相拼
156	ⅣT0304①：61	碗		蓝釉碗残底	1	残	清		与ⅣT0305①的腹部残片共5片拼接
157	ⅣT0304①：74	瓶		青花博古纹瓶残片	1	残	清		与ⅠT0103①、ⅠT0204①共4片相拼
158	ⅣT0305①：34	脊兽	垂戗A	卷毛、颈		残	明晚		与ⅣT0305①：35共2块相拼
159	ⅣT0305①：50	碟	A	青花灵芝茶花纹碟	1	可修	清	花押款	与ⅣT0203①共11片相拼
160	ⅣT0305④：8	笔筒		素三彩海水蟹纹筒形器残片	1	残	明晚		与F19天井①/G12①共5片相拼
161	ⅣT0305④：23	脊兽	垂戗A	垂戗大腿等处	1	残	明晚		与ⅣT0606②：18共2块相拼
162	ⅣT0305④：31	脊兽	望兽B/C	眉、眼处		残	明晚		与K6①：11共2块相拼
163	ⅣT0305④：32	脊兽	垂戗Bb	小腿		残	明晚		与ⅣT0405①：9共2块相拼
164	ⅣT0305④：33	脊兽	垂戗A	爪		残	明晚		与ⅣT0305④：34共2块相拼
165	ⅣT0404①：12	罐		白瓷贴塑人物罐残片	1	残	明中晚		与ⅣT0502④/Ⅳ0506②共3片相拼
166	ⅣT0404①：14	盖		孔雀绿釉器盖	1	可修	明		与ⅣT0405①两片共3片相拼
167	ⅣT0404①	鼻烟瓶		白瓷鼻烟瓶残底	1	残	清		残底，与ⅣT0506①共2片相拼
168	ⅣT0405③A	碗		红绿彩龙凤纹碗残片	1	残	明		与ⅣT0503④共6片相拼，内壁饰折枝花卉，外壁饰凤穿花
169	ⅣT0405④：4	盒		青花回纹瓜棱腹盒	1	已修	万历		与 ⅣT0502④、ⅣT0604④、G2①共4片相拼
170	ⅣT0503④：35	盘	F	青花大方盘残底	1	残	明晚		与ⅣT0503③、ⅣT0103①、ⅠT0103②、G2①、ⅣT0503①共10片相拼

续表

序号	出土单位/编号	器形	类型	名称/部位	计件	可修	年代	款识（铭文）	备注
171	ⅣT0503④：53	脊砖	C	缠枝牡丹纹大脊砖	1	残	明晚		与ⅣT0503④：60共2块相拼
172	ⅣT0504①	瓶		青花小瓶残片		残	明晚		与ⅣT0505①共2片相拼
173	ⅣT0504④：31	脊兽	正吻B	剑把		残	明晚		与ⅣT0606④：7共3块相拼
174	ⅣT0505①	盘	D	青花山水楼阁纹大盘残片	1	残	明晚		与ⅠT0104①共2片相拼
175	ⅣT0506②	碗		哥釉青花牡丹纹碗残片	1	残	清		刻“黄口”，与ⅣT0606①共3片相拼
176	ⅣT0507①：70	脊兽	正吻B	后部及背兽		残	明晚		与ⅣT0607①：28/ⅣT0704①：1共3块相拼
177	ⅣT0507①：81	脊兽	望兽B/C	尾部		残	明晚		与ⅣT0507①：82共2块相拼
178	ⅣT0606②：15	杯	B	青花状元杯	1	可修	明晚	状元	内底书：状元，与ⅣT0908①共4片相拼
179	TG47③：34	盘	不可识	青花寿字盘残底	1	残	明晚	寿	与TG47③：33共2片相拼

后　记

将十年的精力用诸一囤，是一件幸事。因为在所谓“浮躁的年代”，并非每个人都能有此机缘“恣意妄为”。心无旁骛的背后，需要太多人默默地付出。在并不漫长的职业生涯里，已做好准备的考古人兴许仅能如此任性一两回。因此，纵使这一过程充满了艰辛与波折，但身处乡村之“城”的我们，仍满怀欣喜，并心存感激。

海龙囤的发掘，是在“申遗”的背景下展开的，始于2012年春。但彼时各界对这样一座“荒山”能否成为世界文化遗产所持态度不一，支持力度也就各不相同。4月23日，一支由六人组成的考古队正式入驻囤巅，成为“申遗”的排头兵，拉开了丛林探索的序幕。这是海龙囤历史上首次大规模的科学考古发掘活动，只是未曾预见到竟持续了十年之久。截至2014年9月，成规模、有系统的考古发掘工作暂告一段落。该月中旬，印度学者塔拉·夏玛（Tara Sharma）女士代表ECMOSS赴实地考察，海龙囤考古工作站随之建立，标志着考古发掘资料的整理工作全面启动。2020年9月，考古队撤离。

这支队伍由李飞担任领队，2012年4月至2014年9月间，先后参与考古发掘工作的有贵州省文物考古研究所侯清伟、贺君虎、韩继泽、韩文华、胡霖、谢长勇、彭万、陈卿，遵义市汇川区文物管理所何烨，四川大学历史文化学院考古学系本科生谭达、曹加勇和博士研究生李玉牛等。贵州省文物考古研究所所长周必素研究员、时任研究室主任张合荣研究员（现任贵州省文物考古研究所副所长）、时任遵义市文体广播电视局副局长（市文物局局长）李世军、遵义市博物馆馆长李良福、时任遵义市汇川区文体广播电视局局长吴建渝、遵义市播州区文物管理所所长刘世野及老所长葛镇亚先生（他还慷慨提供了龙虎大道与三十六步1999年清理时的旧照）等指导了发掘工作。2014年9月至2020年9月的整理工作以2017年为界，可分为前后两段。前段以海龙囤考古工作站的建设，以及器物修复、绘图、统计与初步研究为主要任务。参与该段整理工作的有侯清伟、韩文华、谢长勇、高朝贤、袁凤萍、付能容（付娘）、胡霖、韩前进，以及四川大学历史文化学院考古学学系硕士研究生张科、郭青青、宋丹、黄文娇、张红刚、彭波、焦蒙、李康，博士研究生韩恩瑞、钱诚、吴闽莹、伍秋鹏等。2017年3月，由于工作的调整（从贵州省文物考古研究所调往贵州省博物馆），我离开了海龙囤，此时囤上仅谢长勇、高朝贤仍继续开展工作，次年初则全部撤离，整理工作陷入停滞。2018年10月，时任贵州省文化厅厅长张玉广批准继续推进海龙囤资料整理工作的申请，并由省文化厅和遵义市汇川区人民政府共同拨给工作经费，从贵州省博物馆、贵州省文物考古研究所和海龙屯文化遗产管理局抽调人员组建队伍，整理工作得以重启。此时的工作重心是资料的细致整理、综合研究与报告编写。核心成员有李飞、韩文华、谢长勇和付能容，王远东、夏忠友先后参与了器物拍照与图片排版工作。阶段性参与整理工作的还有海龙屯文化遗产管理局陈丽、卢训、申红飞、陈珊，重庆师范大学历史与社会学院王运甫副教授以及本科生刘方、刘旻、杨意萍、李立盼，贵州师范学院美术与设计学院本科生王能翁、王镇，云南大学历史与档案学院硕士研究生熊喜、本科生黄止见，复旦大学文物与博物馆学系硕士研究生杨雯雯，河北师范大学历史文化学院本科生龙天一，英国伦敦大学大学考古系本科生袁欣玥，以及贵州省博物馆宁健荣、杨菊、艾宋芸珮、芦媛、王莹霞、李二超、孔德一、欧阳海涛、滕昭玉、吴晓明等。杨菊与艾宋芸珮完成了出土钱币的整理。

报告主体由李飞执笔完成。其中，第三章第三节新王宫"出土遗物"介绍由谢长勇完成；第十章第一节"岩性鉴定"由李飞基于湖南省文物考古研究所、中化地质长沙实验中心的鉴定结论执笔完成，第二节"黏合剂分析"由李飞据贵州省文物保护研究中心、同济大学建筑与城市规划学院历史建筑保护实验中心提供的报告改写；第十一章第一节"动物遗存"由王运甫执笔（结语部分的讨论由李飞、王运甫共同完成），第二节"植物遗存"由李飞基于赵丹、朱梅的鉴定结果执笔完成；第十二章"养马城"由李飞据已发表的发掘简报（由蔡亚林等执笔）改写。若有舛误，则责任全在我。

城垣及"新王宫"的RTK测绘工作主要由韩继泽、陈卿完成，各遗迹单位平、剖面图由发掘负责人绘制。器物修复、拓片制作由韩文华完成。瓷器的整理工作主要由谢长勇、张科完成，并得到北京大学考古文博学院秦大树教授、故宫博物院王光尧研究员、景德镇市陶瓷考古研究所江建新研究员、四川大学博物馆王波先生的指导。航片主要由中国社会科学院考古研究所刘建国研究员以及航模爱好者葛富裕拍摄，海龙囤全景照由遵义市摄影家协会杨晓军先生拍摄，部分关隘照片由贵州师范大学摄影系客座教授彭浩拍摄，养马城遗迹、遗物照片由重庆市文物考古研究院拍摄，其余遗迹照片由李飞、韩继泽、韩文华拍摄，遗物照片由韩文华、袁喜进、张昊帆等拍摄，植物遗存照片由朱梅拍摄，动物遗存照片由王运甫、刘旻拍摄。器物绘图主要由谢长勇、胡霖完成，李立盼、杨意萍、王能翁、王镇等参与绘制了其中部分。整理过程中，韩文华、谢长勇二君投入心力尤多，扎根囤顶，寒暑易节始一返焉，全然不能顾及家事。

海龙囤的考古工作得到时之贵州省文化厅及合并后的文化和旅游厅、贵州省文物局、遵义市委市政府、遵义市汇川区委区政府、贵州省文物考古研究所、遵义市海龙屯文化遗产管理局、贵州省博物馆、贵州省文物保护研究中心等单位历届领导班子的鼎力支持，尤其感谢贵州省文物局原局长王红光、现任局长张勇，遵义市人民政府副市长李莲娜，遵义市汇川区委原书记洪涛、徐光华、姜世甫，原宣传部部长朱煜、林黛君，海龙屯文化遗产管理局原局长傅蓉、江继义，现任局长吉桃、副局长陈宪忠、张自力，原副局长朱静波，贵州省文物考古研究所所长周必素，贵州省博物馆原馆长陈顺祥，贵州省文物保护中心彭银（现为贵州省图书馆馆长）、娄清两位副主任。

发掘与整理工作得到多位学界前贤的指导，他们是已故著名考古学家张忠培先生，中国社会科学院学部委员刘庆柱先生、王巍先生、陈星灿先生，以及傅宪国研究员、刘建国研究员、施劲松研究员、王仁湘研究员，北京大学考古文博学院李伯谦先生、孙华教授、赵辉教授、秦大树教授、杭侃教授，四川大学历史文化学院罗二虎教授、李映福教授、白彬教授、黄伟教授、霍巍教授，重庆师范大学邹后曦教授，重庆市文物考古研究院白九江研究员、袁东山研究员，湖南省文物考古研究所郭伟民研究员，贵州省文物考古研究所梁太鹤研究员、宋世坤研究员等。刘庆柱先生更是小叩则大鸣，欣然拨冗为本书作序，贵州著名学者戴明贤先生为本书题写了书名。这是继《赫章可乐》报告之后，素未谋面的两位先生再度倾情联手，为贵州文化遗产鼓与呼。封面飞龙关速写，取自杨凭先生的创意，贵州师范大学顾静教授进行了再创作，陈艺、谢盈莹对封面设计亦有贡献。

囤上物资供给一直靠人背马驮，除付娘自种少量菜蔬外，其余均需囤下补给，葛乾江、葛乾康和张静承担了大量采购、运输等后勤工作。海龙囤运营团队北京传奇公司陈宗冰、符定伟、柏松、赵强、葛涛、刘炬材等先生则在电力、用水、网络、取暖等方面予以鼎力支持。太多人为这项工作无私奉献，这份短短的致谢名单可能挂一漏万。

十年前上囤时，儿子李不言刚满4岁，文华的儿子韩奥鹏与不言同年，小勇的儿子谢文泰才1岁，作为居囤最久的三位考古队员，我们失去了陪伴孩子成长的美好时光。有一天，希望他们能理解，父辈们做了一件还算有意义的事。感谢家人无私的付出，十年间，她们用柔弱的肩膀支撑起了一个家，王小梅、邓权敏、袁凤萍，她们是平凡而伟大的妻子和母亲。

科学出版社柴丽丽女士精心编辑校对，纠正了原文中的许多错漏，她专业的精神激励着报告编纂团队。在此期间，李飞、谢长勇、韩文华及贵州省博物馆张昊帆、黄桂斌等重返海龙囤，根据编辑意见并对照原物对报告内容进行核校，同时补拍了部分器物照片。二校时，谢长勇、胡霖、李二超等牺牲了春节长假，细审报告，尽一切可能弥补疏漏。之后，李飞、谢长勇和柴心怡对全书进行了三校。最后，李飞通览全文。每次校对，都有错讹被发现。2020年9月完成初稿，到2022年夏定稿，修改与核校工作历时两年。众人的努力，终使这本报告在海龙囤考古工作启动十周年之际得以面世。这本贵州考古史上最大规模的考古报告，亦可作为即将到来的贵州考古七十周年暨贵州省博物馆建馆七十周年的一份贺礼。该书如果还有些许可取之处，众人十年如一日的付出，也就值得。

李 飞

2022年7月7日，于梅兰山